AF513323

आर॰ गुप्ता® कृत

नेशनल टेस्टिंग एजेंसी (NTA)

UGC-NET/JRF

Junior Research Fellowship & Assistant Professor Eligibility Exam

राजनीति विज्ञान

पिछले प्रश्न-पत्र

PAPER II

2027
EDITION

रमेश पब्लिशिंग हाउस, नई दिल्ली

इस परीक्षा हेतु पॉपुलर मास्टर गाइड

UGC NET/JRF

राजनीति विज्ञान

PAPER-2

अध्ययन सामग्री एवं पूर्व परीक्षा प्रश्न-पत्र (उत्तर सहित)

Book Code : R-2913 • Price : ₹ 890 • ISBN : 978-93-5477-745-5

Email : order@rameshpublishinghouse.com

प्रकाशक

ओ॰पी॰ गुप्ता, **रमेश पब्लिशिंग हाउस**

प्रशासनिक कार्यालय

12-H, न्यू दरियागंज रोड, आफिसर्स मेस के सामने,

नई दिल्ली-110002 ✆ 23275224, 23245124

E-mail: info@rameshpublishinghouse.com

For Online Shopping: www.rameshpublishinghouse.com

विक्रय केन्द्र

• बालाजी मार्किट, नई सड़क, दिल्ली-110006 ✆ 23282525 📱 9354373464

• 4457, नई सड़क, दिल्ली-110006

© सर्वाधिकार प्रकाशकाधीन हैं।

इस पुस्तक में प्रयुक्त समस्त सामग्री के सभी व्यावसायिक अधिकार प्रकाशक के पास सुरक्षित हैं। अतः इस पुस्तक या इसके किसी भी अंश का पुनर्मुद्रण या व्यावसायिक पुनर्प्रस्तुतिकरण अवैधानिक माना जायेगा।

Indemnification Clause: This book is being sold/distributed subject to the exclusive condition that neither the author nor the publishers, individually or collectively, shall be responsible to indemnify the buyer/user/possessor of this book beyond the selling price of this book for any reason under any circumstances. If you do not agree to it, please do not buy/accept/use/possess this book.

Book Code: R-2682

ISBN: 978-93-5477-983-1

मूल्य: ₹ 680

मुद्रक: दीपक ऑफसैट, दिल्ली

अनुक्रमणिका

UGC-NET/JRF—(PAPER-II) राजनीति विज्ञान

पिछले प्रश्न-पत्र

National Testing Agency (NTA)

UGC-NET जूनियर रिसर्च फैलोशिप तथा सहायक प्राध्यापक पात्रता परीक्षा

राजनीति विज्ञान, जनवरी-2026

(Exam held on 06-01-2026)

प्रश्न-पत्र-II

1. सरकार ने पूर्व केंद्रीय गृह सचिव, के. पद्मनाभैया के नेतृत्व में पुलिस सुधारों पर एक तीसरी समिति का गठन किस वर्ष में किया था?

1. 2000
2. 1990
3. 2010
4. 1982

2. सूची-I को सूची-II के साथ सुमेलित कीजिए।

सूची-I (लेखक)	सूची-II (पुस्तक)
A. सी.जी. होआग और जी.एच. हॉलेट	I. प्रोपोर्शनल रिप्रेजेंटेशन
B. एच. सिजविक	II. पब्लिक ओपिनियन एंड पॉपुलर गवर्नमेंट
C. ए.एल. लोवेल	III. एलिमेंट्स ऑफ पॉलिटिक्स
D. जे.ए. कैरी	IV. डेमोक्रेटिक गवर्नमेंट एंड पॉलिटिक्स

नीचे दिए गए विकल्पों में से **सही** उत्तर चुनें:

1. A-I, B-III, C-II, D-IV
2. A-IV, B-II, C-III, D-I
3. A-IV, B-III, C-I, D-II
4. A-IV, B-I, C-II, D-III

3. सूची-I को सूची-II के साथ सुमेलित कीजिए।

सूची-I (लेखक)	सूची-II (पुस्तक)
A. ए.आर. बॉल	I. मॉर्डन पॉलिटिक्स एंड गवर्नमेंट
B. जे.एन. भगवती	II. इको-फेमिनिज्म
C. जॉन आर्ट	III. ग्लोबलाइजेशनः ए क्रिटिकल इंट्रोडक्शन
D. वंदना शिवा	IV. इन डिफेंस ऑफ ग्लोबलाइजेशन

नीचे दिए गए विकल्पों में से **सही** उत्तर चुनें:

1. A-I, B-II, C-III, D-IV
2. A-II, B-III, C-IV, D-I
3. A-III, B-II, C-I, D-IV
4. A-I, B-IV, C-III, D-II

4. निम्नलिखित विश्व घटनाओं को अवरोही क्रम में व्यवस्थित कीजिए:

A. जापान का मंचूरिया पर आक्रमण
B. इटली में मुसोलिनी का सत्ता पर कब्जा
C. अर्मेनियाई नरसंहार
D. इटली का अबीसीनिया (इथियोपिया) पर आक्रमण
E. स्टेलिनग्राद की लड़ाई

नीचे दिए गए विकल्पों में से **सही** उत्तर चुनें:

1. C, B, D, A, E
2. E, D, A, B, C
3. A, B, C, D, E
4. E, D, A, C, B

5. डॉ. राजेन्द्र प्रसाद को संविधान सभा का अध्यक्ष कब चुना गया था?

1. 11 दिसंबर 1946
2. 29 दिसंबर 1946
3. 13 अक्टूबर 1946
4. 15 सिंतबर 1946

6. किस दिन 'ट्रिपल एंटेन्टे' ने औपचारिक रूप से अर्मेनियाई नरसंहार की पृष्ठभूमि में ओटोमन साम्राज्य की 'मानवता और सभ्यता के विरुद्ध अपराध' के लिए निंदा की थी?

1. 17 नवंबर 1915
2. 13 दिसंबर 1916
3. 13 मार्च 1915
4. 24 मई 1915

7. नरेन्द्र मोदी के नेतृत्व में राष्ट्रीय जनतांत्रिक गठबंधन (NDA) 2019 में दूसरी बार सत्ता में आया, मोदी के दूसरे कार्यकाल की कुछ महत्वपूर्ण घटनाएँ थीं:

A. मुस्लिम महिला (विवाह अधिकारों का संरक्षण) विधेयक 2019 में पारित किया गया था।
B. ट्रांसजेंडर व्यक्ति (अधिकारों का संरक्षण) अधिनियम 2019 में पारित किया गया था।
C. 2021 में, पशुओं का यौन अपराधों से संरक्षण अधिनियम में संशोधन लागू किए गए थे।
D. जम्मू और कश्मीर पुनर्गठन अधिनियम 2018 में पारित किया गया था।
E. केंद्र सरकार ने 2022 में संविधान के अनुच्छेद 370 को समाप्त (diluted) किया।

नीचे दिए गए विकल्पों में से **सही** उत्तर चुनें:

1. केवल A, B
2. केवल B, C, D
3. केवल A, B, C
4. केवल A, C, E

8. किस वर्ष में भारत के तत्कालीन वायसराय ने स्थानीय स्वशासन का प्रस्ताव पारित किया, जिससे भारत में नगरपालिका शासन के लोकतांत्रिक रूपों की शुरुआत हुई?

1. 1882
2. 1879
3. 1877
4. 1885

9. इंदिरा गांधी ने किस वर्ष में मध्यावधि लोकसभा चुनाव करांकर लोकसभा और राज्य विधानसभाओं के एक साथ चुनाव के चक्र को तोड़ा था?

1. 1977
2. 1980
3. 1967
4. 1971

10. निम्नलिखित वैश्विक क्षेत्रीय संगठनों को उनकी स्थापना के अनुसार आरोही क्रम में व्यवस्थित कीजिए:

A. खाड़ी सहयोग परिषद (GCC)
B. लैटिन अमेरिकी एकीकरण संघ (LAIA)
C. बेनेलक्स आर्थिक संघ (BEU)
D. काला सागर आर्थिक सहयोग (BSEC)
E. अरब मगरेब संघ (AMU)

नीचे दिए गए विकल्पों में से **सही** उत्तर चुनें:

1. C, B, A, E, D
2. C, B, A, D, E
3. A, B, C, D, E
4. B, C, A, E, D

11. वैश्विक स्तर पर सत्तावादी शासनों (देशों) की पहचान कीजिए:

A. इटली
B. स्पेन
C. भारत
D. उत्तर कोरिया
E. सऊदी अरब

नीचे दिए गए विकल्पों में से **सही** उत्तर चुनें:

1. केवल A, B, E
2. केवल B, C, D
3. केवल D, E
4. केवल A, B, C, D

12. रेलवे प्रशासन की देखभाल के लिए एक 'फेडरल रेल अथॉरिटी' की स्थापना का प्रावधान किसके द्वारा किय गया था?

1. 1813 का चार्टर एक्ट
2. 1909 का भारतीय परिषद अधिनियम
3. 1892 का भारतीय परिषद अधिनियम
4. 1935 का भारत सरकार अधिनियम

13. नीचे दो कथन दिए गए है: एक को अभिकथन (A) और दूसरे को कारण (R) के रूप में कहा गया है

अभिकथन (A): सुन जू की 'द आर्ट ऑफ व विरोधियों की रणनीति और गठबंधनों पर हमला क की वकालत करती है और इसमें मनोविज्ञान अवबोधन शामिल होगी।

कारण (R): चीन एक शांतिवादी (Pacifist) देश जो अन्य देशों के साथ विवादों को निपटाने के शांतिपूर्ण तंत्र में विश्वास करता है।

उपरोक्त कथनों के आलोक में, नीचे दिए गए विकल्पों में से **सबसे उपयुक्त** उत्तर चुनिए:

1. (A) और (R) दोनों सही है और (R), (A) की सही व्याख्या है
2. (A) और (R) दोनों सही हैं, लेकिन (R), (A) की सही व्याख्या नहीं है
3. (A) सही है, लेकिन (R) सही नहीं है
4. (A) सही नहीं है, लेकिन (R) सही है

4. सूची-I को सूची-II के साथ सुमेलित कीजिए।

सूची-I (संधि)	सूची-II (हस्ताक्षर का वर्ष)
A. स्ट्रेटेजिक आर्म्स लिमिटेशन ट्रीटी I (SALT I)	I. 2002
B. इंटरमीडिएट न्यूक्लियर फोर्सेस (INF) ट्रीटी	II. 1993
C. स्ट्रेटेजिक आर्म्स रिडक्शन ट्रीटी II (START II)	III. 1987
D. स्ट्रेटेजिक ऑफेंसिव रिडक्शन ट्रीटी (SORT)	IV. 1972

नीचे दिए गए विकल्पों में से **सही** उत्तर चुनें:

1. A-III, B-IV, C-I, D-II
2. A-I, B-II, C-III, D-IV
3. A-I, B-III, C-II, D-IV
4. A-IV, B-III, C-II, D-I

पर्यावरण पर निम्नलिखित प्रमुख अंतरराष्ट्रीय पहलों को अवरोही क्रम में व्यवस्थित कीजिए:

A. संयुक्त राष्ट्र समुद्री कानून कन्वेंशन (UNCLOS)
B. लुप्तप्राय प्रजातियों के अंतरराष्ट्रीय व्यापार पर कन्वेंशन (CITES)
C. मानव पर्यावरण पर संयुक्त राष्ट्र सम्मेलन (UNCHE)
D. विश्व मौसम विज्ञान संगठन (WMO) की स्थापना
E. अंटार्कटिक संधि

नीचे दिए गए विकल्पों में से **सही** उत्तर चुनें:

1. A, B, C, D, E   2. D, E, B, C, A
3. A, B, C, E, D   4. E, C, D, A, B

16. भारत के निम्नलिखित उप-राष्ट्रपतियों को अवरोही क्रम में व्यवस्थित कीजिए:

A. कृष्ण कांत   B. गोपाल स्वरूप पाठक
C. बी.डी. जत्ती   D. आर. वेंकटरमन
E. मोहम्मद हिदायतुल्ला

नीचे दिए गए विकल्पों में से **सही** उत्तर चुनें:

1. B, C, D, E, A   2. A, B, C, D, E
3. A, D, E, C, B   4. A, C, D, B, E

17. सूची-I को सूची-II के साथ सुमेलित कीजिए।

सूची-I (ब्रेटन वुड्स संस्थान)	सूची-II (स्थापना वर्ष)
A. अंतरराष्ट्रीय मुद्रा (IMF)	I. 1948
B. विश्व व्यापार संगठन (WTO)	II. 1947
C. पुनर्निर्माण और विकास के लिए अंतरराष्ट्रीय बैंक (IBRD)	III. 1995
D. टैरिफ और व्यापार पर सामान्य समझौता (GATT)	IV. 1946

नीचे दिए गए विकल्पों में से **सही** उत्तर चुनें:

1. A-I, B-II, C-III, D-IV
2. A-II, B-III, C-IV, D-I
3. A-IV, B-III, C-II, D-I
4. A-II, B-IV, C-I, D-III

18. निम्नलिखित संयुक्त राष्ट्र महासचिवों को पद धारण करने के अनुसार अवरोही क्रम (हाल के से पुराने) में व्यवस्थित कीजिए:

A. ट्रिग्वे ली   B. डैग हैमरशोल्ड
C. बुतरत बुतरस-घाली   D. यू. थांट
E. कुर्त वाल्डहीम

नीचे दिए गए विकल्पों में से **सही** उत्तर चुनें:

1. A, B, C, D, E   2. A, D, B, C, E
3. B, A, D, E, C   4. C, E, D, B, A

19. संविधान की मसौदा समिति (Drafting Committee) को किसने 'ड्रिफ्टिंग कमेटी' (Drifting Committee) कहा था?

1. नजीरुद्दीन अहमद   2. के.एम. मुंशी
3. जवाहरलाल नेहरू   4. डॉ. राजेंद्र प्रसाद

20. ''विखंडन'' की अवधारणा किससे जुड़ी है?

1. रूढ़िवाद
2. आतंकवाद
3. अल्पतंत्र
4. उत्तर-आधुनिकतावाद

21. प्रथम प्रशासनिक सुधार आयोग की स्थापना कब की गई थी?

1. 21 मई 1966
2. 5 जनवरी 1966
3. 9 जनवरी 1965
4. 17 मार्च 1966

22. ''द इंडिया वेः स्ट्रैटेजीज फॉर एन अनसर्टेन वर्ल्ड'' पुस्तक किसने लिखी है?

1. सुनील खिलनानी
2. एस. जयशंकर
3. राजा मोहन
4. सुमित गांगुली

23. डॉ. श्यामा प्रसाद मुखर्जी किस वर्ष 'बंगाल विधान परिषद' के सदस्य के रूप में चुने गए थे?

1. 1933
2. 1931
3. 1929
4. 1927

24. किस ब्रिटिश प्रधानमंत्री ने जलियांवाला बाग हत्याकांड के बारे में कहा था कि ''यह अत्यंत राक्षसी था''?

1. विंस्टन चर्चिल
2. हेरोल्ड मैकमिलन
3. सर एंथनी ईडन
4. विलियम इवर्ट ग्लैडस्टोन

25. भारत के निम्नलिखित मुख्य चुनाव आयुक्तों को उनके कार्यकाल के अनुसार आरोही क्रम में व्यवस्थित कीजिएः

A. एम.एस. गिल
B. टी.एस. कृष्णमूर्ति
C. टी. स्वामीनाथन
D. आर.वी.एस. पेरी शास्त्री
E. एस.एल. शकधर

नीचे दिए गए विकल्पों में से **सही** उत्तर चुनेंः

1. C, E, D, B, A
2. E, C, A, B, D
3. D, B, A, C, E
4. C, E, D, A, B

26. नीचे दो कथन दिए गए हैः एक को अभिकथन (A) और दूसरे को कारण (R) के रूप में कहा गया है।

अभिकथन (A): पाकिस्तानी संसद ने (नवंबर, 2025) अपने सेना प्रमुख को नई शक्तियां और गिरफ्तारी तथा अभियोजन से आजीवन छूट देने के लिए मतदान किया है।

कारण (R): पाकिस्तान में न्यायपालिका बहुत कमजोर है।

उपरोक्त कथनों के आलोक में, नीचे दिए गए विक में से **सबसे उपयुक्त** उत्तर चुनिएः

1. (A) और (R) दोनों सही है और (R), (A) सही व्याख्या है
2. (A) और (R) दोनों सही हैं, लेकिन (R), की सही व्याख्या नहीं है
3. (A) सही है, लेकिन (R) सही नहीं है
4. (A) सही नहीं है, लेकिन (R) सही है

27. जवाहरलाल नेहरू 1947 में भारत के पहले प्रधान बने। नेहरू के नेतृत्व में हुई घटनाओं में शामिल

A. राष्ट्रीय योजना आयोग ने 1950 में नेहरू अपना अध्यक्ष नियुक्त किया।

B. नेहरू ने 1958 में चीन का दौरा किया पंचशील संधि पर हस्ताक्षर किए।

C. नेहरू ने तीन सामान्य चुनाव लड़े।

D. 1952 में पांच IIT में से पहला स्थापित गया था।

E. भारत ने 1950 में नेपाल के साथ एक सं हस्ताक्षर किए।

नीचे दिए गए विकल्पों में से **सही** उत्तर चुनेंः

1. केवल A, B, C, D
2. केवल A, C, D, E
3. केवल A, B, D, E
4. केवल B, C, D

28. सूची-I को सूची-II के साथ सुमेलित कीजिए

सूची-I (लेखक)	सूची-II (पुस्तकें)
A. एल. वुल्फ	I. द ट्रेजेडी ऑफ ग्रे पॉलिटिक्स
B. हैंस कोहन	II. एसेज ऑन नेश
C. सी.जे.एच. हेस	III. नेशनलिज्म एंड
D. जॉन मियरशाइमर	IV. इम्पेरियलिज्म एं सिविलाइजेशन

नीचे दिए गए विकल्पों में से **सही** उत्तर चुनें

1. A-IV, B-III, C-II, D-I
2. A-I, B-II, C-III, D-IV
3. A-III, B-IV, C-I, D-II
4. A-I, B-IV, C-III, D-II

9. इस्लामिक स्टेट द्वारा यजीदी नरसंहार किस वर्ष किया गया था?

1. 2014 2. 2017
3. 2015 4. 2012

0. ऑस्ट्रेलियाई प्रतिनिधि सभा की सदस्य संख्या कितनी है?

1. 177 2. 180
3. 150 4. 175

1. किस अमेरिकी राष्ट्रपति ने भारत के बारे में निम्नलिखित बयान दिया था?

"मुझे लगता है कि यह वास्तव में बहुत दुखद है कि 60 करोड़ लोगों ने वह खो दिया है जो उनके पास 1940 के दशक के मध्य से था। मुझे आशा है कि समय के साथ लोकतांत्रिक प्रक्रियाओं की बहाली हो सकती है जैसा कि हम उन्हें अमेरिका में जानते हैं।"

1. रोनाल्ड रीगन 2. जेराल्ड फोर्ड
3. जॉन एफ. कैनेडी 4. जॉर्ज डब्ल्यू. बुश

. सूची-I को सूची-II के साथ सुमेलित कीजिए।

सूची-I (समिति का नाम)	**सूची-II (वर्ष)**
A. नगरपालिका कर्मचारियों की सेवा शर्तों पर समिति	I. 1953-54
B. ग्रामीण-शहरी संबंध समिति	II. 1963-66
C. शहरीकरण पर राष्ट्रीय आयोग	III. 1965-68
D. कराधान जांच आयोग	IV. 1985-88

नीचे दिए गए विकल्पों में से **सही** उत्तर चुनें:

1. A-I, B-II, C-III, D-IV
2. A-IV, B-III, C-II, D-I
3. A-II, B-III, C-I, D-IV
4. A-III, B-II, C-IV, D-I

किस विदेशी देश के प्रधानमंत्री ने 4 नवंबर 2017 को सऊदी अरब में रहते हुए अचानक अपने इस्तीफे की घोषणा की थी?

1. जॉर्डन 2. लेबनान
3. कुवैत 4. सीरिया

34. निम्नलिखित संवैधानिक संशोधनों को आरोही क्रम में व्यवस्थित कीजिए:

A. भारतीय संघ में गोवा, दमन और दीव का समावेश
B. उच्च न्यायालय के न्यायाधीशों की सेवानिवृत्ति की आयु 60 से बढ़ाकर 62 वर्ष की गई
C. आठवीं अनुसूची में 15वीं भाषा के रूप में सिंधी को शामिल किया गया
D. भारतीय संघ में दादरा और नगर हवेली का समावेश
E. रियासतों के पूर्व शासकों के प्रिवी पर्स और विशेषधिकारों को समाप्त किया गया

नीचे दिए गए विकल्पों में से **सही** उत्तर चुनें:

1. D, A, B, C, E 2. D, A, C, E, B
3. E, A, B, C, D 4. A, D, B, C, E

35. संयुक्त राज्य अमेरिका के सर्वोच्च न्यायालय ने किस वर्ष न्यायिक समीक्षा की शक्ति का प्रतिपादन किया था?

1. 1803 2. 1805
3. 1811 4. 1809

36. नीचे दो कथन दिए गए है: एक को अभिकथन (A) और दूसरे को कारण (R) के रूप में कहा गया है।

अभिकथन (A): इकोफेमिनिज्म (पारिस्थितिक नारीवाद) नारीवादी विचार और सक्रियता का एक महत्वपूर्ण हिस्सा रहा है, जब से 1970 के दशक में फ्रांसीसी नारीवादी फ्रेंकोइस डी'यूबोन द्वारा यह शब्द गढ़ा गया था।

कारण (R): इकोफेमिनिस्ट जलवायु परिवर्तन के परिणामों के लिए जवाबदेह है।

उपरोक्त कथनों के आलोक में, नीचे दिए गए विकल्पों में से **सबसे उपयुक्त** उत्तर चुनिए:

1. (A) और (R) दोनों सही है और (R), (A) की सही व्याख्या है
2. (A) और (R) दोनों सही हैं, लेकिन (R), (A) की सही व्याख्या नहीं है
3. (A) सही है, लेकिन (R) सही नहीं है
4. (A) सही नहीं है, लेकिन (R) सही है

37. यह विचार कि भौतिक दुनिया और प्राकृतिक संसाधनों को मानवीय आवश्यकताओं और हितों के अधीन माना जाना चाहिए, किस अवधारणा को संदर्भित करता है?

1. यहूदी-विरोधीवाद
2. मानव-केंद्रवाद
3. कट्टरपंथी नारीवाद
4. वस्तुनिष्ठ दंड

38. विनायक दामोदर सावरकर के जीवन से संबंधित घटनाओं को आरोही क्रम में व्यवस्थित कीजिए।

A. सावरकर को लंदन में गिरफ्तार किया गया।
B. अंतरराष्ट्रीय मध्यस्थता के स्थायी न्यायालय ने सावरकर मध्यस्थता मामले पर अपना निर्णय दिया।
C. सावरकर को रत्नागिरी जेल में स्थानांतरित किया गया।
D. भारतीय संसद के सेंट्रल हॉल में उनका चित्र स्थापित किया गया।
E. सावरकर का निधन हुआ।

नीचे दिए गए विकल्पों में से **सही** उत्तर चुनें:

1. A, B, C, D, E
2. B, D, A, C, E
3. A, B, C, E, D
4. D, B, A, C, E

39. किसने "सत्य" को 'मेटानेरेटिव्स' के प्रति अविश्वास के रूप में प्रस्तावित किया?

1. जीन फ्रेंकोइस ल्योटार्ड
2. निकोलो मैकियावेली
3. रिचर्ड ब्राउन
4. सरोजिनी नायडू

40. किस अधिनियम ने भारत में एक आधुनिक पुलिस नौकरशाही की नींव रखी?

1. भारत का रेगुलेटिंग एक्ट, 1776
2. भारत सरकार अधिनियम, 1935
3. भारतीय परिषद अधिनियम, 1861
4. ब्रिटिश इंडियन एक्ट, 1801

41. सूची I को सूची-II के साथ सुमेलित कीजिए।

सूची-I (लेखक)	सूची-II (पुस्तक)
A. एंड्रयू हेवुड	I. डिक्लेरेशन ऑफ अमेरिकन इंडिपेंडेंस
B. डेविड हेल्ड	II. पॉलिटिकल थ्योरीः इन इंट्रोडक्शन
C. थॉमस जेफरसन	III. पॉलिटिकल थ्योरी एंड द मॉडर्न स्टेट
D. जॉन लॉक	IV. सेकंड ट्रीटाइज ऑफ सिविल गवर्नमेंट

नीचे दिए गए विकल्पों में से **सही** उत्तर चुनें:

1. A-II, B-III, C-I, D-IV
2. A-III, B-II, C-IV, D-I
3. A-I, B-II, C-III, D-IV
4. A-IV, B-III, C-II, D-I

42. सरकार के संसदीय स्वरूप की विशेषताओं की पहच कीजिए:

A. सामूहिक उत्तरदायित्व
B. निचले सदन का विघटन
C. प्रधानमंत्री का नेतृत्व
D. राष्ट्रपति वास्तविक प्रमुख (Real Boss) होता
E. राष्ट्रपति सीधे जनता द्वारा चुना जाता है।

नीचे दिए गए विकल्पों में से **सही** उत्तर चुनें:

1. केवल B, C, D
2. केवल A, B, C
3. केवल A, B, C, D
4. केवल C, D, E

43. सूची-I को सूची-II के साथ सुमेलित कीजिए।

सूची-I (क्षेत्रीय संगठन)	सूची-II (सदस्य देशों की सं
A. आर्थिक सहयोग संठन	I. 54
B. यूरोपीय परिषद	II. 27
C. आसियान क्षेत्रीय मंच	III. 47
D. अफ्रीकी संघ	IV. 10

नीचे दिए गए विकल्पों में से **सही** उत्तर चुनें:

1. A-II, B-III, C-IV, D-I
2. A-I, B-II, C-III, D-IV
3. A-IV, B-II, C-III, D-I
4. A-IV, B-III, C-II, D-I

44. भारत के निम्नलिखित मुख्य न्यायाधीशों को कार्यकाल के अनुसार आरोही क्रम में व्यवस्थित की

A. वी.एन. खरे
B. बी.एन. कृपाल
C. एम.एच. कानिया
D. एल.एम. शर्मा
E. ए.एम. अहमदी

नीचे दिए गए विकल्पों में से **सही** उत्तर चुनें:

1. A, B, C, D, E 2. C, D, E, A, B
3. B, C, D, A, E 4. C, D, E, B, A

45. नीचे दो कथन दिए गए है: एक को अभिकथन (A) और दूसरे को कारण (R) के रूप में कहा गया है।

अभिकथन (A): स्वामी सहजानंद सरस्वती ने 1929 में बिहार प्रांतीय किसान सभा का गठन किया ताकि किसानों के दखल अधिकारों पर जमींदारी हमलों के खिलाफ उनकी शिकायतों को संगठित किया जा सके।

कारण (R): 1936 में कांग्रेस के लखनऊ अधिवेशन में, स्वामी सहजानंद सरस्वती की अध्यक्षता में अखिल भारतीय किसान सभा का गठन किया गया था

उपरोक्त कथनों के आलोक में, नीचे दिए गए विकल्पों में से **सबसे उपयुक्त** उत्तर चुनिए:

1. (A) और (R) दोनों सही है और (R), (A) की सही व्याख्या है
2. (A) और (R) दोनों सही हैं, लेकिन (R), (A) की सही व्याख्या नहीं है
3. (A) सही है, लेकिन (R) सही नहीं है
4. (A) सही नहीं है, लेकिन (R) सही है

46. नरसिम्हा राव ने कहाँ-कहाँ से चुनाव लड़ा और जीता था?

1. आंध्र प्रदेश, ओडिशा और महाराष्ट्र
2. पश्चिम बंगाल और राजस्थान
3. असम और केरल
4. नगालैंड और अरुणाचल प्रदेश

47. केंद्रीय विधान सभा के उन उपाध्यक्षों की पहचान करें जिन्हें स्वतंत्रता से पहले 'डिप्टी प्रेसिडेंट' के रूप में जाना जाता था:

A. सच्चिदानंद सिन्हा B. एच.एस. गौर
C. अखिल चंद्र दत्त D. जी.जी. स्वेल
E. गोडे मुराहरी

नीचे दिए गए विकल्पों में से **सही** उत्तर चुनें:

1. केवल A, B और C 2. केवल A, C, E
3. केवल B और E 4. केवल D और C

48. सितंबर 2000 में, भारत सरकार ने किसकी अध्यक्षता में भारतीय प्रवासियों पर एक उच्च स्तरीय समिति का गठन किया था?

1. एल.एम. सिंघवी 2. के. नटवर सिंह
3. पी. चिदंबरम 4. रंजन गोगोई

49. सूची-I को सूची-II के साथ सुमेलित कीजिए।

सूची-I (पर्यावरण पर सम्मेलन)	**सूची-II** (वर्ष)
A. मानव पर्यावरण पर संयुक्त राष्ट्र सम्मेलन	I. 2009
B. लुप्तप्राय प्रजातियों में अंतरराष्ट्रीय व्यापार पर कन्वेंशन	II. 1992
C. पर्यावरण और विकास पर संयुक्त राष्ट्र सम्मेलन	III. 1972
D. संयुक्त राष्ट्र जलवायु परिवर्तन सम्मेलन	IV. 1973

नीचे दिए गए विकल्पों में से **सही** उत्तर चुनें:

1. A-I, B-II, C-III, D-IV
2. A-IV, B-III, C-II, D-I
3. A-IV, B-III, C-I, D-II
4. A-III, B-IV, C-II, D-I

50. लोकसभा के अध्यक्षों को आरोही क्रम (समय के अनुसार पुराने से नए) में व्यवस्थित कीजिए:

A. बलिराम भगत B. नीलम संजीव रेड्डी
C. के.एस. हेगड़े D. गुरदयाल सिंह ढिल्लों
E. रवि राय

नीचे दिए गए विकल्पों में से **सही** उत्तर चुनें:

1. D, A, E, B, C 2. A, B, C, D, E
3. B, D, A, C, E 4. C, A, B, D, E

51. हन्ना एरेंड्ट ने अपने निबंध ''द ह्यूमन कंडीशन'' में मानवीय गतिविधि के तीन स्तरों की पहचान की है: श्रम, कार्य और क्रिया।

A. 'कार्य' कलाकारों और शिल्पकारों की गतिविधि का प्रतिनिधित्व करता है।

B. 'क्रिया' सर्वोच्च गतिविधि है जो समान नागरिकों के बीच सार्वजनिक अंतःक्रिया को संदर्भित करती है।

C. 'क्रिया' राजनीति के क्षेत्र से संबंधित है।

D. 'क्रिया' वह गतिविधि है जो विचार की स्वतंत्रता को नकारती है।

E. 'श्रम' गतिविधि का सबसे निचला स्तर है जिसमें मनुष्य भौतिक जरूरतों की पूर्ति के लिए संलग्न होता है।

नीचे दिए गए विकल्पों में से **सही** उत्तर चुनें:

1. केवल A, B, D
2. केवल C, D, E
3. केवल D, E
4. केवल A, B, C, E

52. किसी विधेयक को 'धन विधेयक' के रूप में निर्धारित करने का अंतिम अधिकार किसके पास है?

1. भारत के महान्यायवादी
2. भारत के विधि आयोग के अध्यक्ष
3. लोकसभा अध्यक्ष
4. राज्यसभा के सभापति

53. कर्नाटक के पहले गैर-कांग्रेसी मुख्यमंत्री कौन थे?

1. ई.एम.एस. नंबूदरीपाद
2. रामकृष्ण हेगड़े
3. एच.डी. देवेगौड़ा
4. एस.आर. बोम्मई

54. जब सिमोन-द-बोउआर दावा करती हैं कि 'कोई महिला पैदा नहीं होती, बल्कि बन जाती है', तो वह लिंग को किस रूप में पहचानती हैं?

1. कार्यों की एक शैलीगत पुनरावृत्ति के माध्यम से स्थापित एक पहचान
2. जैविक रूप से पूर्व-निर्धारित अस्तित्व
3. समाज में दैवीय हस्तक्षेप के माध्यम से गठित एक पहचान
4. जुए के माध्यम से निर्मित एक अवधारणा

55. शीत युद्ध के बाद की अवधि की घटनाओं की पहचान कीजिए:

A. चीन-वियतनाम युद्ध

B. ईरान-इराक युद्ध

C. दक्षिण अफ्रीका में रंगभेद का अंत

D. अफगानिस्तान में तालिबान-II का सत्ता हथियाना

E. भारत और पाकिस्तान के बीच कारगिल युद्ध

नीचे दिए गए विकल्पों में से **सही** उत्तर चुनें:

1. केवल C, D, E
2. केवल A, B, C
3. केवल B, C, D, E
4. केवल B, D, C

56. जॉन स्टुअर्ट मिल किस अवधि के दौरान (ब्रिटेन) संसद के सदस्य थे?

1. 1851-1854
2. 1857-1860
3. 1861-1864
4. 1865-1868

57. सूची-I को सूची-II के साथ सुमेलित कीजिए।

सूची-I (राज्य)	सूची-II (राज्यसभा और लोकसभा में सीटों की संख्या)
A. पश्चिम बंगाल	I. 12 और 28
B. तमिलनाडु	II. 10 और 21
C. ओडिशा	III. 16 और 42
D. कर्नाटक	IV. 18 और 39

नीचे दिए गए विकल्पों में से **सही** उत्तर चुनें:

1. A-I, B-II, C-III, D-IV
2. A-II, B-III, C-I, D-IV
3. A-III, B-IV, C-II, D-I
4. A-I, B-IV, C-III, D-II

58. निम्नलिखित में से कौन-सा संवैधानिक संशोधन भारत में महिलाओं को सशक्त बनाता है?

A. 69वाँ

B. 73वाँ

C. 74वाँ

D. 104वाँ

E. 106वाँ

नीचे दिए गए विकल्पों में से **सही** उत्तर चुनें:

1. केवल A, C, D
2. केवल A, B, C, D
3. केवल C, D, E
4. केवल B, C, E

59. नीचे दो कथन दिए गए है: एक को अभिकथन (A) और दूसरे को कारण (R) के रूप में कहा गया है।

अभिकथन (A): शीत युद्ध द्वितीय विश्व युद्ध की समाप्ति के बाद शुरू हुआ।

कारण (R): शीत युद्ध के युग के दौरान पूरी दुनिया बड़े पैमाने पर दो गुटों में विभाजित थी। एक संयुक्त राज्य अमेरिका के नेतृत्व में पूंजीवादी और दूसरा सोवियत संघ (USSR) के नेतृत्व में साम्यवादी था।

उपरोक्त कथनों के आलोक में, नीचे दिए गए विकल्पों में से **सबसे उपयुक्त** उत्तर चुनिए:

1. (A) और (R) दोनों सही है और (R), (A) की सही व्याख्या है
2. (A) और (R) दोनों सही हैं, लेकिन (R), (A) की सही व्याख्या नहीं है
3. (A) सही है, लेकिन (R) सही नहीं है
4. (A) सही नहीं है, लेकिन (R) सही है

60. नीचे दो कथन दिए गए है: एक को अभिकथन (A) और दूसरे को कारण (R) के रूप में कहा गया है।

अभिकथन (A): 1941 में, यूगोस्लाविया, ग्रीस और सोवियत संघ पर जर्मन आक्रमण के माध्यम से एक पूर्वी मोर्चा खुल गया।

कारण (R): एशिया में नाजी विस्तारवाद को द्वितीय विश्व युद्ध के फैलने के साथ जोड़ा गया है।

उपरोक्त कथनों के आलोक में, नीचे दिए गए विकल्पों में से **सबसे उपयुक्त** उत्तर चुनिए:

1. (A) और (R) दोनों सही है और (R), (A) की सही व्याख्या है
2. (A) और (R) दोनों सही हैं, लेकिन (R), (A) की सही व्याख्या नहीं है
3. (A) सही है, लेकिन (R) सही नहीं है
4. (A) सही नहीं है, लेकिन (R) सही है

61. अमेरिकी राष्ट्रपति वुडरो विल्सन ने किस दिन 'चौदह प्वाइंट्स' जारी किए थे?

1. 7 मई 1918 2. 5 मार्च 1918
3. 8 जनवरी 1918 4. 11 जनवरी 1919

62. प्रमुख मानव विकास संकेतक हैं:

A. लंबा और स्वस्थ जीवन जीना
B. सभी जानवरों और कीड़ों के लिए समानता प्राप्त करना
C. मानव सुरक्षा सुनिश्चित करना
D. अच्छा मनोरंजन प्राप्त करना
E. भविष्य की पीढ़ियों के लिए संसाधनों का संरक्षण करना

नीचे दिए गए विकल्पों में से **सही** उत्तर चुनें:

1. केवल A, B, C, D
2. केवल B, C, E
3. केवल A, C, E
4. केवल C, D, B

63. विट्ठलभाई पटेल किस वर्ष केंद्रीय विधान सभा के लिए चुने गए थे?

1. 1927 2. 1921
3. 1923 4. 1924

64. आपातकाल (1975) लागू करने के खिलाफ विरोध शुरू करने वाला पहला विश्वविद्यालय कौन-सा था?

1. असम विश्वविद्यालय
2. मद्रास विश्वविद्यालय
3. दिल्ली विश्वविद्यालय
4. दिल्ली टेक्नोलॉजिकल यूनिवर्सिटी

65. डॉ. सच्चिदानंद सिन्हा ने किसकी उद्घाटन बैठक के दौरान अंतरिम अध्यक्ष के रूप में अध्यक्षता की थी?

1. संविधान सभा
2. भारतीय राष्ट्रीय कांग्रेस
3. पूना सार्वजनिक सभा
4. अखिल भारतीय महिला सम्मेलन

66. नीचे दो कथन दिए गए है: एक को अभिकथन (A) और दूसरे को कारण (R) के रूप में कहा गया है।

अभिकथन (A): ताशकंद समझौते पर 10 जनवरी 1966 को पाकिस्तान के राष्ट्रपति अयूब खान और भारत के प्रधानमंत्री लाल बहादुर शास्त्री द्वारा हस्ताक्षर किए गए थे।

कारण (R): ताशकंद समझौते का उद्देश्य भारत और पाकिस्तान के बीच स्थायी शांति के लिए एक रूपरेखा तैयार करना था।

उपरोक्त कथनों के आलोक में, नीचे दिए गए विकल्पों में से **सबसे उपयुक्त** उत्तर चुनिए:

1. (A) और (R) दोनों सही है और (R), (A) की सही व्याख्या है
2. (A) और (R) दोनों सही हैं, लेकिन (R), (A) की सही व्याख्या नहीं है

3. (A) सही है, लेकिन (R) सही नहीं है
4. (A) सही नहीं है, लेकिन (R) सही है

67. नीचे दो कथन दिए गए है: एक को अभिकथन (A) और दूसरे को कारण (R) के रूप में कहा गया है।

अभिकथन (A): जर्मनी, इटली और जापान के 'धुरी' गठबंधन ने 1940 में त्रिपक्षीय समझौते पर हस्ताक्षर किए थे।

कारण (R): उपरोक्त धुरी गठबंधन विश्व शांति के लिए था।

उपरोक्त कथनों के आलोक में, नीचे दिए गए विकल्पों में से **सबसे उपयुक्त** उत्तर चुनिए:

1. (A) और (R) दोनों सही है और (R), (A) की सही व्याख्या है
2. (A) और (R) दोनों सही हैं, लेकिन (R), (A) की सही व्याख्या नहीं है
3. (A) सही है, लेकिन (R) सही नहीं है
4. (A) सही नहीं है, लेकिन (R) सही है

68. नीचे दो कथन दिए गए है: एक को अभिकथन (A) और दूसरे को कारण (R) के रूप में कहा गया है।

अभिकथन (A): ब्रिटिश वायसराय लॉर्ड कर्जन ने 1901 में कहा था कि हमारे लिए हिमालय पार करना और तिब्बत पर कब्जा करना पागलपन होगा।

कारण (R): इस ब्रिटिश नीति ने 1905-1911 के दौरान तिब्बत पर अपना नियंत्रण फिर से स्थापित करने में चीनियों की बहुत बड़े पैमाने पर मदद की।

उपरोक्त कथनों के आलोक में, नीचे दिए गए विकल्पों में से **सबसे उपयुक्त** उत्तर चुनिए:

1. (A) और (R) दोनों सही है और (R), (A) की सही व्याख्या है
2. (A) और (R) दोनों सही हैं, लेकिन (R), (A) की सही व्याख्या नहीं है
3. (A) सही है, लेकिन (R) सही नहीं है
4. (A) सही नहीं है, लेकिन (R) सही है

69. नियुक्त किए गए वित्त आयोग के निम्नलिखित अध्यक्षों को अवरोही क्रम (समय के अनुसार हाल के से पुराने) में व्यवस्थित कीजिए:

A. महावीर त्यागी　　B. जे.एम. शेलत
C. वाई.बी. चव्हाण　　D. ब्रह्मानंद रेड्डी
E. ए.के. चंदा

नीचे दिए गए विकल्पों में से **सही** उत्तर चुनें:

1. A, E, D, B, C　　2. A, B, C, D, E
3. B, C, D, E, A　　4. C, B, D, A, E

70. 2 अक्टूबर 1959 को नागौर में पंचायत का उद्घाटन किसने किया था?

1. के.एम. मुंशी　　2. सुभाष चंद्र बोस
3. जवाहरलाल नेहरू　　4. सुचेता कृपलानी

71. भीखू पारेख ने अपने किस प्रसिद्ध पुस्तक में बहुसंस्कृतिवाद का गहन अध्ययन प्रस्तुत किया है?

1. मल्टीकल्चरल सिटीजनशिपः ए लिबरल थ्योरी ऑफ माइनॉरिटी राइट्स
2. जस्टिस एंड द पॉलिटिक्स ऑफ डिफरेंस
3. इन डिफेंस ऑफ ग्लोबलाइजेशन
4. रीथिंकिंग मल्टीकल्चरलिज्मः कल्चरल डायवर्सिटी एंड पॉलिटिकल थ्योरी

72. नीचे दो कथन दिए गए है: एक को अभिकथन (A) और दूसरे को कारण (R) के रूप में कहा गया है।

अभिकथन (A): 'तीसरी दुनिया' शब्द तथाकथित पूंजीवादी 'पहली दुनिया' या साम्यवादी 'दूसरी दुनिया' के अंतर्गत नहीं आता था।

कारण (R): 'तीसरी दुनिया' शब्द काफी हद तक 1990 के दशक से इसके अपमानजनक वैचारिक निहितार्थों के कारण उभर रहा है।

उपरोक्त कथनों के आलोक में, नीचे दिए गए विकल्पों में से **सबसे उपयुक्त** उत्तर चुनिए:

1. (A) और (R) दोनों सही है और (R), (A) की सही व्याख्या है
2. (A) और (R) दोनों सही हैं, लेकिन (R), (A) की सही व्याख्या नहीं है
3. (A) सही है, लेकिन (R) सही नहीं है
4. (A) सही नहीं है, लेकिन (R) सही है

73. फ्रांसीसी सीनेट की कुल सदस्यता कितनी है?

1. 348
2. 327
3. 357
4. 388

74. राजनीति को "मूल्यों का आधिकारिक आवंटन" के रूप में किसने परिभाषित किया?

1. जे.एस. मिल.
2. एडम स्मिथ
3. डेविड ईस्टन
4. जॉन लॉक

75. किसने लिखा था कि "महिलाओं को पुरुषों के समान ही मानवीय गुण प्राप्त करने चाहिए, बजाय इसके कि उन्हें एक काल्पनिक प्रकार के आधे प्राणी की तरह शिक्षित किया जाए"?

1. कार्ल मार्क्स
2. मेरी वोल्स्टोनक्राफ्ट
3. बेंजामिन फ्रैंकलिन
4. जीन-जैक्स रूसो

76. वेस्टफेलिया की शांति समझौते पर हस्ताक्षर किए गए थे:

1. अक्टूबर 1648 में
2. जुलाई 1648 में
3. सितंबर 1648 में
4. मार्च 1649 में

77. निम्नलिखित संयुक्त राष्ट्र (UN) की घटनाओं को अवरोही क्रम (हाल के से पुराने) में व्यवस्थित कीजिए:

A. साइप्रस में संयुक्त राष्ट्र शांति सैनिक भेजा जाना
B. कांगो में संयुक्त राष्ट्र अभियान की स्थापना
C. संयुक्त राष्ट्र विकास कार्यक्रम (UNDP) की स्थापना
D. स्वेज नहर में पहली संयुक्त राष्ट्र शांति सेना भेजा जाना
E. संयुक्त राष्ट्र महासचिव के रूप में यू. थॉट की नियुक्ति

नीचे दिए गए विकल्पों में से **सही** उत्तर चुनें:

1. C, A, B, E, D
2. A, B, C, D, E
3. B, C, D, E, A
4. C, A, E, B, D

78. सूची-I को सूची-II के साथ सुमेलित कीजिए।

सूची-I (भारतीय संविधान के अनुच्छेद)	**सूची-II (विषय वस्तु)**
A. 243 ZF	I. वार्ड समितियों का गठन और संरचना
B. 243 ZD	II. नगर पालिकाओं के सदस्यों के लिए अयोग्यताएं
C. 243 S	III. नगर पालिकाओं के मौजूदा कानूनों का जारी रहना
D. 243 V	IV. जिला योजना समिति

नीचे दिए गए विकल्पों में से **सही** उत्तर चुनें:

1. A-III, B-IV, C-I, D-II
2. A-II, B-I, C-IV, D-III
3. A-I, B-II, C-III, D-IV
4. A-IV, B-III, C-II, D-I

79. 1961 में एच.एन. सान्याल की अध्यक्षता में एक विशेष समिति की नियुक्ति किसलिए की गई थी?

1. सर्वोच्च न्यायालय के मुख्य न्यायाधीश की नियुक्ति की जांच करना
2. अदालतों की अवमानना से संबंधित कानून की जांच करना
3. सर्वोच्च न्यायालय में अपील के प्रमाण पत्र की जांच करना
4. जनहित याचिका की अवधारणा की जांच करना

80. सूची-I को सूची-II के साथ सुमेलित कीजिए।

सूची-I (लोकायुक्त और उपलोकायुक्त अधिनियम)	**सूची-II (अधिनियमन का वर्ष)**
A. महाराष्ट्र	I. 1971
B. उत्तर प्रदेश	II. 1975
C. हिमाचल प्रदेश	III. 1983
D. पंजाब	IV. 1996

नीचे दिए गए विकल्पों में से **सही** उत्तर चुनें:

1. A-IV, B-III, C-II, D-I
2. A-II, B-I, C-III, D-IV
3. A-III, B-II, C-I, D-IV
4. A-I, B-II, C-III, D-IV

81. 'संयुक्त संप्रभु बंगाल' (1947) प्रस्ताव का समर्थन किसके द्वारा किया गया था?

1. चित्तरंजन दास
2. अबुल हाशिम
3. भूलाभाई देसाई
4. सिकंदर हयात खान

82. शीत युद्ध की घटनाओं की पहचान करें:

A. कोरियाई युद्ध
B. वियतनाम युद्ध
C. क्यूबा संकट
D. सूडान का विभाजन
E. यूक्रेन पर रूसी आक्रमण

नीचे दिए गए विकल्पों में से **सही** उत्तर चुनें:

1. केवल A और D
2. केवल A, B और C
3. केवल B और E
4. केवल C और D

83. शीत युद्ध काल की निम्नलिखित घटनाओं पर विचार करें और उन्हें अवरोही क्रम (हाल की घटना से पुरानी की ओर) में व्यवस्थित करें:

A. यूरी गागरिन अंतरिक्ष में जाने वाले पहले व्यक्ति बने
B. साम्यवादी चीन संयुक्त राष्ट में शामिल हुआ
C. हंगरी पर सोवियत आक्रमण
D. छह दिवसीय युद्ध
E. अपोलो-11 का चंद्रमा पर उतरना

नीचे दिए गए विकल्पों में से **सही** उत्तर चुनें:

1. A, B, C, D, E
2. B, C, A, E, D
3. C, A, E, D, B
4. B, E, D, A, C

84. अमेरिकी संविधान के किस अनुच्छेद में न्यायपालिका के बारे में सामान्य रूपरेखा दी गई है?

1. अनुच्छेद 5
2. अनुच्छेद 4
3. अनुच्छेद 1
4. अनुच्छेद 3

85. "A System Analysis of Political Life" पुस्तक किसने लिखी थी?

1. हन्ना एरेंड्ट
2. थॉमस हॉब्स
3. जेरेमी बेंथम
4. डेविड ईस्टन

86. भारत के महान्यायवादियों को उनके कार्यकाल के अनुसार अवरोही क्रम (हाल के से पुराने) में व्यवस्थित करें:

A. अशोक के. देसाई
B. के. परासरन
C. निरेन डे
D. एल.एन. सिन्हा
E. एस.वी. गुप्ते

नीचे दिए गए विकल्पों में से **सही** उत्तर चुनें:

1. A, B, D, E, C
2. A, B, C, D, E
3. C, E, B, D, A
4. B, C, A, E, D

87. सूची-I को सूची-II के साथ सुमेलित कीजिए।

सूची-I (भारत के मुख्य न्यायाधीश)	**सूची-II (कार्यकाल)**
A. अल्तमस कबीर	I. अप्रैल 2014-सितंबर 2014
B. आर.एम. लोढ़ा	II. सितंबर 2012-जुलाई 2013
C. टी.एस. ठाकुर	III. जनवरी 2007-मई 2010
D. के.जी. बालकृष्णन	IV. दिसंबर 2015-जनवरी 2017

नीचे दिए गए विकल्पों में से **सही** उत्तर चुनें:

1. A-I, B-II, C-III, D-IV
2. A-II, B-I, C-IV, D-III
3. A-III, B-I, C-II, D-IV
4. A-IV, B-III, C-II, D-I

88. स्वामी विवेकानंद से सबंधित निम्नलिखित घटनाओं को अवरोही क्रम (बाद की घटना से पहले की ओर) में व्यवस्थित करें:

A. स्वामी विवेकानंद ने पहली बार जापान की यात्रा की
B. स्वामी विवेकानंद ने यूनाइटेड किंगडम की यात्रा की
C. उन्होंने न्यूयॉर्क में वेदांत सोसाइटी की स्थापना की
D. उन्होंने रामकृष्ण मिशन की स्थापना की
E. उन्होंने शिकागो में विश्व धर्म संसद में व्याख्यान दिया

नीचे दिए गए विकल्पों में से **सही** उत्तर चुनें:

1. B, C, D, A, E
2. B, A, D, E, C
3. D, B, C, E, A
4. A, B, C, D, E

89. सूची-I को सूची-II के साथ सुमेलित कीजिए।

सूची-I (क्षेत्रीय संगठन)	सूची-II (स्थापना वर्ष)
A. उत्तर अमेरिकी मुक्त व्यापार समझौता (NAFTA)	I. 1973
B. दक्षिण-पूर्वी एशियाई राष्ट्र संघ (ASEAN)	II. 1989
C. एशिया प्रशांत आर्थिक सहयोग (APEC)	III. 1994
D. यूरोप में सुरक्षा और सहयोग संगठन (OSCE)	IV. 1967

नीचे दिए गए विकल्पों में से **सही** उत्तर चुनें:

1. A-I, B-II, C-III, D-IV
2. A-IV, B-III, C-I, D-II
3. A-III, B-IV, C-II, D-I
4. A-II, B-III, C-I, D-IV

90. सूची-I को सूची-II के साथ सुमेलित कीजिए।

सूची-I (युद्ध/क्रांति)	सूची-II (वर्ष)
A. फॉकलैंड युद्ध	I. 1954-62
B. चेकोस्लोवाकिया पर सोवियत आक्रमण	II. 1971
C. बांग्लादेश का उदय	III. 1982
D. अल्जीरियाई क्रांति	IV. 1968

नीचे दिए गए विकल्पों में से **सही** उत्तर चुनें:

1. A-I, B-II, C-III, D-IV
2. A-III, B-IV, C-II, D-I
3. A-II, B-I, C-IV, D-III
4. A-II, B-III, C-IV, D-I

निर्देशः (प्र.सं. 91 से 95 तक): *निम्नलिखित गद्यांश को पढ़िए और प्रश्न के उत्तर दीजिए।*

पूर्वी तिमोर (जिसे तिमोर-लेस्ते के नाम से भी जाना जाता है) 300 से अधिक वर्षों तक पुर्तगाली उपनिवेश था। पुर्तगाल के अचानक प्रस्थान के बाद, 1975 में इंडोनेशियाई सैनिकों ने इस पर आक्रमण किया। इसके कारण इतिहास के सबसे लंबे और सबसे खूनी छापामार युद्धों में से एक का विकास हुआ, जिसमें पूर्वी तिमोर के 6,50,000 निवासियों में से लगभग एक-तिहाई सामूहिक फांसी, बमबारी और सबसे बढ़कर भुखमरी के कारण मारे गए। इंडोनेशियाई तानाशाह सुहार्तो के पतन के बाद, 1999 में सरकार एक जनमत संग्रह कराने पर सहमत हुई, जिसमें 75 प्रतिशत पूर्वी तिमोरियों ने स्वतंत्रता के लिए मतदान किया।

91. गद्यांश के अनुसार पूर्वी तिमोर कितने समय तक पुर्तगाली उपनिवेश था।

1. 200 वर्षों से अधिक 2. 300 वर्षों से अधिक
3. 400 वर्षों से अधिक 4. 500 वर्षों से अधिक

92. गद्यांश के अनुसार इंडोनेशियाई सैनिकों द्वारा पूर्वी तिमोर पर आक्रमण कब किया गया था?

1. 1975 2. 1965
3. 1985 4. 1995

93. गद्यांश के अनुसार पूर्वी तिमोर में जनमत संग्रह कब आयोजित किया गया था?

1. 2000 2. 1984
3. 1999 4. 1964

94. गद्यांश के अनुसार कितने प्रतिशत पूर्वी तिमोरियों ने स्वतंत्रता के लिए मतदान किया?

1. 65% 2. 70%
3. 75% 4. 80%

95. गद्यांश के अनुसार, सामूहिक फांसी, बमबारी और भुखमरी से पूर्वी तिमोर के लगभग कितने निवासियों की मृत्यु हुई?

1. 7,50,000 2. 8,50,000
3. 9,50,000 4. 2,17,000

निर्देशः (प्र.सं. 96 से 100 तक): *निम्नलिखित गद्यांश को पढ़िए और प्रश्न का उत्तर दीजिए:*

जनवरी 1957 में, भारत सरकार ने सामुदायिक विकास कार्यक्रम (1952) और राष्ट्रीय विस्तार सेवा (1953) के कामकाज की जांच करने और उनके बेहतर कामकाज के लिए उपायों का सुझाव देने के लिए एक समिति नियुक्त की। इस समिति के अध्यक्ष बलवंत राय मेहता थे। समिति ने नवंबर 1957 में अपनी रिपोर्ट सौंपी और 'लोकतांत्रिक विकेंद्रीकरण' की योजना की स्थापना की सिफारिश की, जिसे

अंततः पंचायत राज के रूप में जाना जाने लगा। इसके द्वारा की गई विशिष्ट सिफारियों में त्रि-स्तरीय पंचायत राज प्रणाली की स्थापना शामिल थी। ग्राम स्तर पर ग्राम पंचायत, ब्लॉक स्तर पर पंचायत समिति और जिला स्तर पर जिला परिषद।

96. गद्यांश के अनुसार, बलवंत राय मेहता समिति ने जिला स्तर पर किसकी स्थापना की सिफारिश कीः

1. जिला परिषद
2. जिला पंचायत
3. जिला समिति
4. जिला सहकारी समिति

97. गद्यांश के अनुसार, बलवंत राय मेहता समिति ने किस योजना की स्थापना की सिफारिश कीः

1. 'लोकतांत्रिक केंद्रीयकरण'
2. 'लोकतांत्रिक विकेंद्रीकरण'
3. 'लोकतांत्रिक तानाशाही'
4. 'लोकतांत्रिक सत्तावाद'

98. गद्यांश के अनुसार, बलवंत राय मेहता समिति ने किसकी स्थापना का प्रस्ताव दियाः

1. एक-स्तरीय पंचायत राज व्यवस्था
2. द्वि-स्तरीय पंचायत राज व्यवस्था
3. चार-स्तरीय पंचायत राज व्यवस्था
4. त्रि-स्तरीय पंचायत राज व्यवस्था

99. गद्यांश के अनुसार, बलवंत राय मेहता समिति की नियुक्ति कब की गई थी?

1. 1955
2. 1959
3. 1957
4. 1963

100. गद्यांश के अनुसार, बलवंत राय मेहता समिति को किसकी कार्यप्रणाली की जांच के लिय नियुक्त किया गया था?

1. सामुदायिक विकास कार्यक्रम और राष्ट्रीय विस्तार सेवा
2. सामुदायिक विकास नीति और राष्ट्रीय सामाजिक सेवा
3. सामुदायिक त्रुटि कार्यक्रम और राष्ट्रीय सामाजिक सुरक्षा
4. सामुदायिक डेयरी कार्यक्रम और राष्ट्रीय परीक्षा सेवा

उत्तरमाला

1	**2**	**3**	**4**	**5**	**6**	**7**	**8**	**9**	**10**
1	1	4	2	1	4	1	1	4	1
11	**12**	**13**	**14**	**15**	**16**	**17**	**18**	**19**	**20**
3	4	3	4	3	3	2	4	1	4
21	**22**	**23**	**24**	**25**	**26**	**27**	**28**	**29**	**30**
2	2	3	1	4	2	2	1	1	3
31	**32**	**33**	**34**	**35**	**36**	**37**	**38**	**39**	**40**
2	4	2	1	1	3	2	3	1	3
41	**42**	**43**	**44**	**45**	**46**	**47**	**48**	**49**	**50**
1	2	4	4	2	1	1	1	4	3
51	**52**	**53**	**54**	**55**	**56**	**57**	**58**	**59**	**60**
4	3	2	1	1	4	3	4	1	3
61	**62**	**63**	**64**	**65**	**66**	**67**	**68**	**69**	**70**
3	3	4	3	1	1	3	1	4	3
71	**72**	**73**	**74**	**75**	**76**	**77**	**78**	**79**	**80**
4	3	1	3	2	1	4	1	2	4
81	**82**	**83**	**84**	**85**	**86**	**87**	**88**	**89**	**90**
2	2	4	4	4	1	2	3	3	2
91	**92**	**93**	**94**	**95**	**96**	**97**	**98**	**99**	**100**
2	1	3	3	4	1	2	4	3	1

व्याख्यात्मक उत्तर

1. भारत सरकार ने वर्ष 2000 में पूर्व केंद्रीय गृह सचिव के. पद्मनाभैया की अध्यक्षता में पुलिस सुधारों पर तीसरी प्रमुख समिति का गठन किया। इस समिति का निर्माण पुलिस प्रणाली के कामकाज की जांच करने और पुलिसिंग में व्यावसायिकता, दक्षता, जवाबदेही और सार्वजनिक विश्वास को बेहतर बनाने के लिए सुधारों की सिफारिश करने के उद्देश्य से किया गया था। इसने पुलिस बलों के आधुनिकीकरण, प्रशिक्षण, पुलिस नेतृत्व की स्वायत्तता, बेहतर जांच प्रणाली और पुलिस एवं नागरिकों के बीच बेहतर संबंधों जैसे मुद्दों की समीक्षा की। समिति ने प्रशासनिक पुनर्गठन, पुलिस कर्मियों की कार्य स्थितियों में सुधार और पुलिसिंग को अनुचित राजनीतिक हस्तक्षेप से मुक्त रखने की सिफारिश करते हुए एक विस्तृत रिपोर्ट प्रस्तुत की। इसलिए, इस समिति की स्थापना से संबंधित सही नर्ष 2000 है।

2. • **A – I:** सी.जी. होआग और जी.एच. हैलेट ने "Proportional Representation" (आनुपातिक प्रतिनिधित्व) नामक कृति लिखी। यह पुस्तक चुनावी प्रणालियों पर चर्चा करती है और आनुपातिक प्रतिनिधित्व को एक लोकतांत्रिक पद्धति के रूप में समर्थन देती है जो विधानसभाओं में राजनीतिक समूहों के उचित प्रतिनिधित्व को सुनिश्चित करती है। उनकी यह कृति चुनावी सुधारों के अध्ययन में एक महत्वपूर्ण संदर्भ बन गई।

   • **B – III:** एच. सिजविक ने "Elements of Politics" (राजनीति के तत्व) लिखी। यह पुस्तक राजनीतिक दर्शन की एक क्लासिक कृति है और राज्य की प्रकृति, सरकारी अधिकार, व्यक्तिगत अधिकार और आधुनिक राजनीतिक सिद्धांत के भीतर राजनीतिक संस्थानों के नैतिक आधार की जांच करती है।

   • **C – II:** ए.एल. लोवेल ने "Public Opinion and Popular Government" (जनमत और लोकप्रिय सरकार) लिखी। यह कृति लोकतांत्रिक शासन और राजनीतिक निर्णय लेने तथा संवैधानिक कामकाज पर जनमत के प्रभाव के बीच संबंधों का अध्ययन करती है।

   • **D – IV:** जे.ए. कोरी ने "Democratic Government and Politics" (लोकतांत्रिक सरकार और राजनीति) लिखी। यह पाठ्यपुस्तक लोकतांत्रिक संस्थानों, संवैधानिक संरचनाओं और आधुनिक राजनीतिक प्रणालियों के कामकाज का विश्लेषण करती है, जिससे यह राजनीति विज्ञान में एक मानक संदर्भ बन गई है।

3. • **A – I:** ए.आर. बॉल "Modern Politics and Government" (आधुनिक राजनीति और सरकार) के लेखक हैं। यह पुस्तक राजनीतिक प्रणालियों की संरचना और कामकाज, राजनीतिक संस्थानों और आधुनिक राज्यों में लोकतांत्रिक शासन की प्रकृति की व्याख्या करती है।

   • **B – IV:** जे.एन. भगवती ने "In Defense of Globalization" (वैश्वीकरण के पक्ष में) लिखी। इस कृति में वे तर्क देते हैं कि वैश्वीकरण, यदि उचित रूप से विनियमित हो, तो आर्थिक विकास, गरीबी उन्मूलन और अंतर्राष्ट्रीय सहयोग में योगदान देता है।

   • **C – III:** जॉन आर्ट (जैन आर्ट शोल्टे के संदर्भ में) ने "Globalisation: A Critical Introduction" (वैश्वीकरणः एक आलोचनात्मक परिचय) लिखी। यह पुस्तक वैश्वीकरण की अवधारणा, इसके ऐतिहासिक विकास, राजनीतिक निहितार्थों और दुनिया भर में इसके सामाजिक-आर्थिक प्रभावों का आलोचनात्मक परीक्षण करती है।

   • **D – II:** वंदना शिवा "Eco-Feminism" (पारिस्थितिक-नारीवाद) से जुड़ी हैं। उनका कार्य पर्यावरण संरक्षण को नारीवादी विचार से जोड़ता है, जिसमें यह तर्क दिया गया है कि आधुनिक विकास मॉडल में पारिस्थितिक विनाश और महिलाओं का उत्पीड़न आपस में जुड़े हुए हैं।

4. **E. स्टेलिनग्राद की लड़ाई (1942-1943):** द्वितीय विश्व युद्ध की यह निर्णायक लड़ाई नाजी जर्मनी और सोवियत संघ के बीच हुई थी। इसे युद्ध के महत्वपूर्ण मोड़ों में से एक माना जाता है क्योंकि इसमें जर्मन सेना को करारी हार का सामना करना पड़ा था।

   D. इटली का अबीसीनिया पर आक्रमण (1935): बेनिटो मुसोलिनी के नेतृत्व में फासीवादी इटली ने अफ्रीका में औपनिवेशिक साम्राज्य बनाने के प्रयास में 1935 में इथियोपिया (अबीसीनिया) पर आक्रमण किया। इस आक्रमण ने द्वितीय विश्व युद्ध से पहले फासीवादी शासकों के आक्रामक विस्तारवाद को प्रदर्शित किया।

   A. जापान का मंचूरिया पर आक्रमण (1931): जापान ने 1931 में 'मुकडेन घटना' के बाद चीन के मंचूरिया क्षेत्र पर कब्जा कर लिया। इस घटना ने पूर्वी एशिया में जापानी सैन्य विस्तार की शुरुआत की।

B. इटली में मुसोलिनी का सत्ता पर कब्जा (1922): बेनिटो मुसोलिनी 1922 में 'रोम मार्च' के माध्यम से सत्ता में आए, जिससे यूरोप में पहले फासीवादी शासन की स्थापना हुई।

C. अर्मेनियाई नरसंहार (1915-1916): प्रथम विश्व युद्ध के दौरान, ओटोमन साम्राज्य ने अर्मेनियाई लोगों का सामूहिक निर्वासन और हत्याएं कीं। यह घटना सूचीबद्ध अन्य सभी घटनाओं से पहले हुई थी।

5. डॉ. राजेंद्र प्रसाद 11 दिसंबर 1946 को भारत की संविधान सभा के अध्यक्ष चुने गए थे। संविधान सभा की पहली बैठक 9 दिसंबर 1946 को हुई थी, जब डॉ. सच्चिदानंद सिन्हा ने अस्थायी अध्यक्ष के रूप में कार्य किया था। दो दिन बाद, सभा ने डॉ. राजेंद्र प्रसाद को अपना स्थायी अध्यक्ष चुना। इस भूमिका में उन्होंने उन बहसों और कार्यवाहियों की अध्यक्षता की, जिनके परिणामस्वरूप अंततः भारत के संविधान का मसौदा तैयार हुआ और उसे अपनाया गया। उनके नेतृत्व ने मौलिक अधिकारों, संघीय संरचना, शासन के सिद्धांतों और संवैधानिक प्रावधानों पर चर्चा के माध्यम से सभा का मार्गदर्शन करने में मदद की, जिसने स्वतंत्र भारत को आकार दिया।

6. ट्रिपल एंटेन्ते शक्तियों–ब्रिटेन, फ्रांस और रूस–ने 24 मई 1915 को प्रथम विश्व युद्ध के दौरान अर्मेनियाई आबादी के खिलाफ ओटोमन साम्राज्य के कार्यों की निंदा करते हुए एक संयुक्त घोषणा जारी की। इस घोषणा में उन्होंने अर्मेनियाई लोगों की सामूहिक हत्याओं और निर्वासन को "मानवता और सभ्यता के विरुद्ध अपराध" बताया। यह वक्तव्य ऐतिहासिक रूप से महत्वपूर्ण है क्योंकि यह राज्य प्रायोजित अत्याचारों की निंदा करने के लिए अंतर्राष्ट्रीय कूटनीति में ऐसी शब्दावली के शुरुआती उपयोगों में से एक था। घोषणा ने ओटोमन अधिकारियों को चेतावनी दी कि नरसंहार के लिए जिम्मेदार सरकार के सदस्यों को मित्र राष्ट्रों (Allied powers) द्वारा व्यक्तिगत रूप से जवाबदेह ठहराया जाएगा। यह निंदा उस समय आई जब ओटोमन क्षेत्रों में अर्मेनियाई लोगों का बड़े पैमाने पर निर्वासन और हत्याएं हो रही थीं, जिन्हें बाद में सामूहिक रूप से 'अर्मेनियाई नरसंहार' के रूप में जाना गया। इसलिए, ट्रिपल एंटेन्ते द्वारा इस औपचारिक निंदा से जुड़ी सही तारीख 24 मई 1915 है।

7. A. मुस्लिम महिला (विवाह अधिकारों का संरक्षण) अधिनियम, 2019: इस कानून ने भारत में मुसलमानों के बीच तत्काल तीन तलाक (तलाक-ए-बिद्दत) की प्रथा को अपराध घोषित कर दिया। यह अधिनियम नरेंद्र मोदी के नेतृत्व वाली एनडीए सरकार के दूसरे कार्यकाल के दौरान 2019 में संसद द्वारा पारित किया गया था।

B. ट्रांसजेंडर व्यक्ति (अधिकारों का संरक्षण) अधिनियम, 2019: यह कानून 2019 में ट्रांसजेंडर व्यक्तियों को कानूनी मान्यता और अधिकारों का संरक्षण प्रदान करने के लिए लागू किया गया था। यह रोजगार, शिक्षा, स्वास्थ्य सेवा और सार्वजनिक सेवाओं तक पहुंच में भेदभाव को रोकता है।

C. 2021 में "पशुओं का यौन अपराधों से संरक्षण अधिनियम" में संशोधन: 2021 में "पशुओं का यौन अपराधों से संरक्षण अधिनियम" (Protection of Animals from Sexual Offences Act) नामक ऐसा कोई कानून लागू नहीं किया गया था। इसलिए यह कथन एनडीए के दूसरे कार्यकाल के वास्तविक विधायी विकास से मेल नहीं खाता है।

D. 2018 में जम्मू और कश्मीर पुनर्गठन अधिनियम पारित: जम्मू और कश्मीर राज्य को दो केंद्र शासित प्रदेशों में पुनर्गठित करने वाला अधिनियम 2019 में पारित किया गया था, न कि 2018 में, जो इस कथन को गलत बनाता है।

E. 2022 में अनुच्छेद 370 का कमजोर होना: अनुच्छेद **370** के तहत संवैधानिक प्रावधानों को अगस्त 2019 में एक राष्ट्रपति के आदेश और संसदीय कानून के माध्यम से प्रभावी रूप से हटा दिया गया था, न कि 2022 में।

8. भारत में स्थानीय स्वशासन पर ऐतिहासिक प्रस्ताव 1882 में वायसराय लॉर्ड रिपन के कार्यकाल के दौरान पेश किया गया था। इस प्रस्ताव ने निर्वाचित गैर-आधिकारिक सदस्यों की अधिक भागीदारी के साथ नगर पालिकाओं और जिला बोर्डों जैसे स्थानीय निकायों की स्थापना और विस्तार को प्रोत्साहित किया। इसका उद्देश्य प्रशासनिक अधिकार का विकेंद्रीकरण करना और शासन में स्थानीय नागरिकों को शामिल करना था। प्रस्ताव ने भारतीयों को लोकतांत्रिक प्रशासन में प्रशिक्षित करने पर जोर दिया और नगरपालिका संस्थानों को स्वच्छता, सड़कों और सार्वजनिक स्वास्थ्य जैसे स्थानीय मामलों में अधिक स्वायत्तता दी। विकेंद्रीकरण और प्रतिनिधि भागीदारी पर इसके प्रगतिशील जोर के कारण, लॉर्ड रिपन को अक्सर "भारत में स्थानीय स्वशासन का जनक" कहा जाता है। इस प्रकार, इस प्रस्ताव के माध्यम से लोकतांत्रिक नगरपालिका शासन की शुरुआत से जुड़ा वर्ष 1882 है।

9. स्वतंत्रता के बाद, लोकसभा और राज्य विधानसभाओं के चुनाव आम तौर पर एक साथ आयोजित किए जाते थे। यह चक्र 1960 के दशक के उत्तरार्ध में राजनीतिक अस्थिरता तक जारी रहा। प्रधानमंत्री इंदिरा गांधी ने चौथी लोकसभा को उसके सामान्य कार्यकाल से पहले भंग कर दिया और 1971 में मध्यावधि आम चुनाव बुलाए। इस निर्णय ने संसद और राज्य विधानसभाओं के बीच एक साथ चुनाव के पहले के पैटर्न को बाधित कर दिया। मध्यावधि चुनाव सत्ताधारी दल के भीतर राजनीतिक विभाजन और मतदाताओं से नए जनादेश लेने की आवश्यकता के कारण हुआ था। परिणामस्वरूप, 1951-52 के पहले आम चुनाव से चली आ रही एक साथ चुनाव की प्रक्रिया टूट गई, जिससे बाद में लोकसभा और विभिन्न राज्य विधानसभाओं के लिए अलग-अलग चुनावी कार्यक्रम बन गए।

10. C. **बेनेलक्स आर्थिक संघ (BEU):** 1958 में स्थापित, बेनेलक्स आर्थिक संघ ने बेल्जियम, नीदरलैंड और लक्जमबर्ग को तीनों देशों के बीच आर्थिक एकीकरण, वस्तुओं, श्रम और पूंजी की मुक्त आवाजाही को बढ़ावा देने के लिए एक साथ लाया।

B. **लैटिन अमेरिकी एकीकरण संघ (LAIA):** 1980 में गठित, LAIA का उद्देश्य लैटिन अमेरिकी देशों के बीच क्षेत्रीय आर्थिक एकीकरण और व्यापार उदारीकरण को बढ़ावा देना था, जिसने पुराने 'लैटिन अमेरिकी मुक्त व्यापार संघ' का स्थान लिया।

A. **खाड़ी सहयोग परिषद (GCC):** GCC की स्थापना 1981 में छह खाड़ी देशों—सऊदी अरब, कुवैत, बहरीन, कतर, संयुक्त अरब अमीरात और ओमान द्वारा खाड़ी क्षेत्र में राजनीतिक, आर्थिक और सुरक्षा सहयोग को मजबूत करने के लिए की गई थी।

E. **अरब मगरेब संघ (AMU):** 1989 में स्थापित, यह संगठन उत्तरी अफ्रीकी देशों जैसे अल्जीरिया, लीबिया, मोरक्को, मॉरिटानिया और ट्यूनीशिया के बीच क्षेत्रीय सहयोग चाहता है।

D. **काला सागर आर्थिक सहयोग (BSEC):** 1992 में निर्मित, BSEC काला सागर क्षेत्र के आसपास के देशों, जिनमें तुर्की, रूस, यूक्रेन और कई दक्षिण-पूर्वी यूरोपीय और काकेशस देश शामिल हैं, के बीच आर्थिक सहयोग को बढ़ावा देता है।

11. D. **उत्तर कोरिया:** उत्तर कोरिया को व्यापक रूप से दुनिया के सबसे कठोर सत्तावादी शासनों में से एक माना जाता है। यहाँ राजनीतिक शक्ति एक ही शासक दल और किम वंश के नेतृत्व में केंद्रित है। चुनाव प्रतिस्पर्धी नहीं होते, व्यवहार में विपक्षी दलों का अभाव है, और राज्य मीडिया, नागरिक स्वतंत्रता और राजनीतिक गतिविधियों पर सख्त नियंत्रण रखता है।

E. **सऊदी अरब:** सऊदी अरब एक पूर्ण राजतंत्र (Absolute Monarchy) है जहाँ राजनीतिक अधिकार शाही परिवार में केंद्रित हैं। यहाँ राष्ट्राध्यक्ष या विधायिका के लिए कोई राष्ट्रीय लोकतांत्रिक चुनाव नहीं होते हैं और राजनीतिक दलों की अनुमति नहीं है। शासन वंशानुगत नियम और इस्लामी कानून पर आधारित है, जिसमें नागरिकों की राजनीतिक भागीदारी सीमित है। इटली और स्पेन जैसे देश आज लोकतांत्रिक संवैधानिक राज्यों के रूप में कार्य करते हैं, जबकि भारत नियमित प्रतिस्पर्धी चुनावों वाला एक लोकतांत्रिक गणराज्य है। अतः सूचीबद्ध देशों में सत्तावादी शासन उत्तर कोरिया और सऊदी अरब हैं।

12. भारत सरकार अधिनियम, 1935 ने ब्रिटिश भारत में व्यापक प्रशासनिक सुधार पेश किए। इसके विभिन्न प्रावधानों में रेलवे कार्यों के प्रबंधन और प्रशासन के लिए एक संघीय रेलवे प्राधिकरण (Federal Railway Authority) की स्थापना शामिल थी। इस प्राधिकरण को बनाने का उद्देश्य रेलवे प्रशासन को राजनीतिक हस्तक्षेप से मुक्त रखना और पूरे ब्रिटिश भारत में रेलवे वित्त और सेवाओं का कुशल प्रबंधन सुनिश्चित करना था। रेलवे को एक रणनीतिक और आर्थिक रूप से महत्वपूर्ण क्षेत्र माना जाता था जो उपमहाद्वीप के विभिन्न क्षेत्रों को जोड़ता था और व्यापार, गतिशीलता एवं प्रशासनिक नियंत्रण की सुविधा प्रदान करता था। एक स्वतंत्र प्राधिकरण बनाकर, इस अधिनियम का उद्देश्य यह सुनिश्चित करना था कि तकनीकी और वित्तीय निर्णय अधिक स्वायत्तता के साथ लिए जा सकें।

13. कथन (A) में दिया गया वक्तव्य सुन त्जु की पुस्तक "The Art of War" में प्रस्तुत रणनीतिक दर्शन को सटीक रूप से दर्शाता है। यह ग्रंथ इस बात पर जोर देता है कि सबसे प्रभावी रणनीति केवल युद्ध के मैदान में लड़ना नहीं है, बल्कि खुफिया जानकारी, धोखे, मनोवैज्ञानिक प्रभाव और रणनीतिक समझ के माध्यम से दुश्मन की योजनाओं, गठबंधनों और मनोबल को कमजोर करना है। सुन त्जु ने तर्क दिया कि सीधे संघर्ष के बिना दुश्मन को हराना युद्ध का उच्चतम रूप है। हालाँकि, कारण (R) जो कहता है कि चीन एक शांतिवादी देश है जो हमेशा विवादों को सुलझाने के लिए शांतिपूर्ण तंत्र पसंद करता है, सार्वभौमिक रूप

से सटीक नहीं है। चीन ऐतिहासिक रूप से सैन्य संघर्षों में शामिल रहा है और क्षेत्रीय विवादों के साथ-साथ एक मजबूत सैन्य रुख बनाए रखता है। इसलिए, कथन सही है लेकिन कारण गलत है।

14. A. **सामरिक शस्त्र सीमा वार्ता I (SALT I) — 1972:** शीत युद्ध के दौरान परमाणु हथियारों की होड़ को नियंत्रित करने के प्रयासों के तहत 1972 में संयुक्त राज्य अमेरिका और सोवियत संघ के बीच SALT I पर हस्ताक्षर किए गए थे। इसने दोनों देशों के पास सामरिक बैलिस्टिक मिसाइल लॉन्चर्स की संख्या को सीमित कर दिया।

B. **मध्यवर्ती परमाणु बल (INF) संधि — 1987:** INF संधि पर 1987 में हस्ताक्षर किए गए थे और इसने 500 से 5,500 किलोमीटर के बीच की मारक क्षमता वाली परमाणु मिसाइलों की एक पूरी श्रेणी को समाप्त कर दिया। यह परमाणु हथियारों की कमी की दिशा में एक बड़ा कदम था।

C. **सामरिक शस्त्र न्यूनीकरण संधि II (START II) — 1993:** START II पर 1993 में हस्ताक्षर किए गए थे, जिसका उद्देश्य अमेरिका और रूस के पास तैनात सामरिक परमाणु हथियारों की संख्या को और कम करना था।

D. **सामरिक आक्रामक न्यूनीकरण संधि (SORT) — 2002:** SORT, जिसे 'मास्को संधि' के रूप में भी जाना जाता है, पर 2002 में हस्ताक्षर किए गए थे। इसने अमेरिका और रूस को अपने सामरिक परमाणु हथियार भंडार को महत्वपूर्ण रूप से कम करने का निर्देश दिया।

15. A. **समुद्री कानून पर संयुक्त राष्ट्र सम्मेलन (UNCLOS):** महासागरों, समुद्री सीमाओं, नेविगेशन अधिकारों, संसाधन प्रबंधन और समुद्री पर्यावरण संरक्षण के कानूनी ढांचे को स्थापित करने के लिए 1982 में UNCLOS को अपनाया गया था।

B. **लुप्तप्राय प्रजातियों में अंतर्राष्ट्रीय व्यापार पर कन्वेंशन (CITES):** प्रजातियों को विलुप्त होने से बचाने के लिए लुप्तप्राय पौधों और जानवरों के अंतर्राष्ट्रीय व्यापार को विनियमित करने हेतु 1973 में CITES पर हस्ताक्षर किए गए थे।

C. **मानव पर्यावरण पर संयुक्त राष्ट्र सम्मेलन (UNCHE):** 1972 में स्टॉकहोम में आयोजित यह सम्मेलन पर्यावरण संरक्षण और सतत विकास पर केंद्रित पहली प्रमुख वैश्विक बैठक थी।

E. **अंटार्कटिक संधि:** 1959 में हस्ताक्षरित इस संधि ने अंटार्कटिका को शांतिपूर्ण वैज्ञानिक अनुसंधान के लिए समर्पित क्षेत्र के रूप में स्थापित किया और वहां सैन्य गतिविधि को प्रतिबंधित कर दिया।

D. **विश्व मौसम विज्ञान संगठन (WMO) की स्थापना:** WMO को औपचारिक रूप से 1950 में एक विशेष अंतर्राष्ट्रीय संगठन के रूप में स्थापित किया गया था, जो वैश्विक मौसम संबंधी गतिविधियों और जलवायु अवलोकन के समन्वय के लिए जिम्मेदार है।

16. A. **कृष्ण कांत (1997-2002):** इन्होंने 1997 से 2002 तक भारत के उपराष्ट्रपति के रूप में कार्य किया। अवरोही क्रम (सबसे हालिया से पुराना) में इनका नाम सबसे पहले आता है।

D. **आर. वेंकटरमन (1984-1987):** इन्होंने भारत के राष्ट्रपति बनने से पहले 1984 से 1987 तक उपराष्ट्रपति का पद संभाला।

E. **मोहम्मद हिदायतुल्ला (1979-1984):** इन्होंने 1979 और 1984 के बीच उपराष्ट्रपति के रूप में कार्य किया। वे भारत के मुख्य न्यायाधीश भी रहे और कार्यवाहक राष्ट्रपति के रूप में भी सेवा दी।

C. **बी.डी. जत्ती (1974-1979):** इन्होंने 1974 से 1979 तक उपराष्ट्रपति के रूप में कार्य किया। 1977 में राष्ट्रपति फखरुद्दीन अली अहमद की मृत्यु के बाद उन्होंने कार्यवाहक राष्ट्रपति के रूप में भी कार्य किया

B. **गोपाल स्वरूप पाठक (1969-1974):** इन्होंने 1969 से 1974 तक उपराष्ट्रपति का पद संभाला, जो इन नामों में सबसे पुराना कार्यकाल है।

17. A. **अंतर्राष्ट्रीय मुद्रा कोष (IMF) — 1947:** IMF की कल्पना 1944 के ब्रेटन वुड्स सम्मेलन में की गई थी लेकिन इसने अपना औपचारिक वित्तीय परिचालन 194 में शुरू किया।

B. **विश्व व्यापार संगठन (WTO) — 1995:** WTO की स्थाप 1 जनवरी 1995 को मारकेश समझौते के माध्यम हुई थी। इसने पुराने GATT ढांचे का स्थान लिया

C. **पुनर्निर्माण और विकास के लिए अंतर्राष्ट्रीय बैं (IBRD) — 1946:** IBRD (विश्व बैंक की प्राथमि ऋण देने वाली संस्था) की स्थापना 1946 में युद्ध बाद पुनर्निर्माण और विकास परियोजनाओं के वित्तपो के लिए की गई थी।

D. टैरिफ और व्यापार पर सामान्य समझौता (GATT) – 1948: GATT समझौते पर 1947 में हस्ताक्षर किए गए थे, लेकिन यह 1948 में लागू हुआ।

18. C. बुतरस बुतरस-घाली (Boutros Boutros-Ghali): बुतरस बुतरस-घाली ने 1992 से 1996 तक संयुक्त राष्ट्र महासचिव के रूप में कार्य किया। सूचीबद्ध नामों में, उनका कार्यकाल सबसे हालिया है, इसलिए अवरोही क्रम (descending order) में उन्हें पहले स्थान पर रखा गया है।

E. कुर्त वाल्डहीम (Kurt Waldheim): कुर्त वाल्डहाइम 1972 से 1981 तक इस पद पर रहे। उन्होंने दो कार्यकाल पूरे किए और कालानुक्रमिक रूप से वे बुतरस-घाली से पहले आते हैं।

D. यू थांट (U Thant): यू थांट ने 1961 से 1971 तक महासचिव के रूप में कार्य किया। उन्होंने क्यूबा मिसाइल संकट जैसे महत्वपूर्ण शीत युद्ध के संकटों के दौरान संयुक्त राष्ट्र का नेतृत्व किया।

B. डैग हैमरशोल्ड (Dag Hammarskjöld): डैग हैमरशोल्ड 1953 से 1961 तक इस पद पर रहे। उनका कार्यकाल एक संयुक्त राष्ट्र मिशन के दौरान विमान दुर्घटना में उनकी मृत्यु के बाद समाप्त हुआ।

A. ट्रिग्वे ली (Trygve Lie): ट्रिग्वे ली संयुक्त राष्ट्र के पहले महासचिव थे, जिन्होंने 1946 से 1952 तक अपनी सेवाएँ दीं, जिससे वे सूचीबद्ध नामों में सबसे पुराने (प्रारंभिक) बन जाते हैं।

19. संविधान सभा के वह सदस्य जिन्होंने प्रारूप समिति (Drafting Committee) को प्रसिद्ध रूप से "ड्रिफ्टिंग कमेटी" (Drifting Committee) के रूप में वर्णित किया था, वे नजीरुद्दीन अहमद थे। संविधान सभा की बहसों के दौरान उन्होंने संवैधानिक प्रारूप में बार-बार संशोधन और सुधार करने के लिए प्रारूप समिति की आलोचना की थी। उन्होंने तर्क दिया कि समिति लगातार प्रावधानों को बदल रही है और इसलिए उन्होंने मजाक में इसे 'ड्राफ्टिंग' (प्रारूपण) समिति के बजाय 'ड्रिफ्टिंग' (भटकने वाली) समिति कहा। यह टिप्पणी सभा में चल रही व्यापक बहस का हिस्सा थी जहाँ सदस्य प्रारूपण प्रक्रिया की बारीकी से जांच कर रहे थे और अंतिम रूप से अपनाने से पहले संवैधानिक प्रावधानों में सुधार के सुझाव दे रहे थे।

20. "विखंडनवाद" (Deconstruction) की अवधारणा सबसे निकटता से उत्तर-आधुनिकतावादी (post-modernist) दर्शन से जुड़ी है, विशेष रूप से फ्रांसीसी दार्शनिक जैक्स देरिदा के कार्यों के माध्यम से। विखंडनवाद आलोचनात्मक विश्लेषण की एक विधि है जिसका उपयोग भाषा के भीतर आंतरिक विरोधाभासों, छिपी हुई धारणाओं और बहु-अर्थों को उजागर करके ग्रंथों, विचारों और दार्शनिक परंपराओं की जांच करने के लिए किया जाता है। ग्रंथों को स्थिर या एकल व्याख्या वाले मानने के बजाय, विखंडनवाद यह तर्क देता है कि अर्थ तरल (fluid) है और संदर्भ, शक्ति संरचनाओं तथा भाषाई संबंधों द्वारा आकार लेता है। यह दृष्टिकोण साहित्यिक सिद्धांत, दर्शन, सांस्कृतिक अध्ययन और सामाजिक विज्ञान में प्रभावशाली बन गया, जिससे यह उत्तर-आधुनिक विचार का एक महत्वपूर्ण बौद्धिक घटक बना।

21. भारत में प्रथम प्रशासनिक सुधार आयोग (ARC) का गठन भारत सरकार द्वारा 5 जनवरी 1966 को किया गया था। इस आयोग की स्थापना सार्वजनिक प्रशासन प्रणाली की जांच करने और प्रशासनिक मशीनरी की दक्षता, अखंडता और जवाबदेही में सुधार के उपायों की सिफारिश करने के लिए की गई थी। इसकी अध्यक्षता शुरू में मोरारजी देसाई ने की थी, जिन्होंने बाद में उप प्रधानमंत्री बनने के बाद इस्तीफा दे दिया, जिसके बाद के. हनुमंतैया अध्यक्ष बने। आयोग ने केंद्र-राज्य संबंधों, वित्तीय प्रशासन, जिला प्रशासन, सार्वजनिक क्षेत्र के उपक्रमों और कार्मिक प्रबंधन सहित शासन के कई पहलुओं का अध्ययन किया। इसने भारत में प्रशासनिक जवाबदेही, विकेंद्रीकरण और सरकारी कामकाज के आधुनिकीकरण को मजबूत करने के लिए कई रिपोर्टें प्रस्तुत कीं।

22. "The India Way: Strategies for an Uncertain World" पुस्तक भारत के विदेश मंत्री और पूर्व राजनयिक डॉ. एस. जयशंकर द्वारा लिखी गई थी। यह पुस्तक बदलती वैश्विक भू-राजनीतिक परिस्थितियों में भारत के विदेश नीति दृष्टिकोण पर चर्चा करती है। यह भारत की राजनयिक रणनीतियों, प्रमुख शक्तियों के साथ इसके संबंधों और अंतर्राष्ट्रीय राजनीति में रणनीतिक स्वायत्तता (strategic autonomy) के महत्व का विश्लेषण करती है। लेखक ने ऐतिहासिक अनुभवों, राजनयिक जुड़ावों और समकालीन वैश्विक चुनौतियों का सहारा लेते हुए यह समझाया है कि भारत को एक तेजी से अनिश्चित और बहुध्रुवीय विश्व व्यवस्था में कैसे आगे बढ़ना चाहिए।

23. डॉ. श्यामा प्रसाद मुखर्जी ने 1929 में सक्रिय विधायी राजनीति में प्रवेश किया जब वे कलकत्ता विश्वविद्यालय निर्वाचन क्षेत्र का प्रतिनिधित्व करने वाले बंगाल विधान परिषद के सदस्य

के रूप में चुने गए। उस समय उन्होंने कांग्रेस उम्मीदवार के रूप में चुनाव लड़ा था। उनका निर्वाचन ब्रिटिश भारत में विधायी और राजनीतिक मामलों में उनकी औपचारिक भागीदारी की शुरुआत थी। उनके चुनाव के तुरंत बाद, भारतीय राष्ट्रीय कांग्रेस ने विधान परिषदों के बहिष्कार की नीति अपनाई, जिसके बाद मुखर्जी ने पार्टी के फैसले के अनुसार अपनी सीट से इस्तीफा दे दिया। हालाँकि, बाद में वे एक स्वतंत्र उम्मीदवार के रूप में फिर से चुने जाने के बाद परिषद में लौट आए।

24. 1919 के जलियांवाला बाग हत्याकांड को "अत्यंत क्रूर और राक्षसी" (unutterably monstrous) बताने वाले ब्रिटिश राजनीतिक नेता विंस्टन चर्चिल थे, जो उस समय 'सेक्रेटरी ऑफ स्टेट फॉर वॉर' के रूप में कार्यरत थे। अमृतसर में जनरल डायर की कार्रवाई के संबंध में ब्रिटिश संसद में बहस के दौरान, चर्चिल ने निहत्थे नागरिकों पर की गई क्रूर गोलीबारी की कड़ी आलोचना की। उन्होंने इस नरसंहार को एक भयावह और अस्वीकार्य कृत्य बताया जो ब्रिटिश शासन के सिद्धांतों का प्रतिनिधित्व नहीं करता था।

25. C. **टी. स्वामीनाथनः** इन्होंने 1973 से 1977 तक भारत के मुख्य चुनाव आयुक्त के रूप में कार्य किया (सूची में सबसे पहले)।
    E. **एस.एल. शकधरः** इन्होंने टी. स्वामीनाथन के बाद 1977 से 1982 तक पद संभाला।
    D. **आर.वी.एस. पेरी शास्त्रीः** इन्होंने 1986 से 1990 तक मुख्य चुनाव आयुक्त के रूप में कार्य किया।
    A. **एम.एस. गिलः** इन्होंने 1996 और 2001 के बीच मुख्य चुनाव आयुक्त के रूप में कार्य किया।
    B. **टी.एस. कृष्णमूर्तिः** इन्होंने 2004 से 2005 तक कार्य किया, जो इस सूची में सबसे हालिया कार्यकाल है।

26. कथन (A) सही है क्योंकि नवंबर 2025 में पाकिस्तान की संसद ने एक बड़े संवैधानिक परिवर्तन को मंजूरी दी जिसने सेना प्रमुख की शक्तियों का विस्तार किया, 'त्रि-सेवा सैन्य प्रमुख' (tri-service military head) का पद बनाया और पदधारक को गिरफ्तारी एवं अभियोजन से आजीवन कानूनी उन्मुक्ति (immunity) प्रदान की। कारण (R) भी मोटे तौर पर सही है क्योंकि पाकिस्तान की न्यायपालिका को अक्सर सैन्य प्रतिष्ठान की तुलना में संस्थागत रूप से कमजोर माना गया है, और इन परिवर्तनों ने संवैधानिक मामलों में शीर्ष अदालत की प्रभावी स्वतंत्रता को और कम कर दिया। हालाँकि, यह न्यायिक कमजोरी वह प्रत्यक्ष कारण नहीं है जिसकी वजह से संसद ने यह उपाय पारित किया। इसका तात्कालिक कारण सैन्य शक्ति का सुदृढ़ीकरण और राज्य संरचना में पहले से ही हावी सैन्य भूमिका का औपचारिक रूप देना है। इसलिए, कथन और कारण दोनों सही हैं, लेकिन कारण कथन की सही व्याख्या नहीं करता है।

27. A. **राष्ट्रीय योजना आयोग (1950):** योजना आयोग की स्थापना 1950 में हुई थी और प्रधानमंत्री जवाहरलाल नेहरू ने इसके अध्यक्ष के रूप में कार्य किया।
    C. **नेहरू ने तीन सामान्य चुनाव लड़ेः** जवाहरलाल नेहरू ने 1952, 1957 और 1962 के आम चुनावों में भारतीय राष्ट्रीय कांग्रेस का नेतृत्व किया और तीनों में जीत हासिल की।
    D. **1952 में पहले IIT की स्थापनाः** पहला भारतीय प्रौद्योगिकी संस्थान (IIT) 1951 में खड़गपुर में स्थापित किया गया था (कार्यकाल के प्रारंभिक वर्ष)।
    E. **1950 में नेपाल के साथ संधिः** भारत और नेपाल ने 1950 में 'शांति और मित्रता संधि' पर हस्ताक्षर किए।
    B. **नेहरू ने 1958 में चीन की यात्रा की और पंचशील संधि पर हस्ताक्षर किएः** यह कथन गलत है क्योंकि भारत और चीन के बीच पंचशील समझौता 1954 में हुआ था, 1958 में नहीं।

28. A. **एल. वुल्फ – इंपीरियलिज्म एंड सिविलाइजेशन (Imperialism and Civilisation):** लियोनार्ड वुल्फ ने "इंपीरियलिज्म एंड सिविलाइजेशन" लिखी, जो एक ऐसी कृति है जिसने साम्राज्यवाद और अंतर्राष्ट्रीय संबंधों तथा औपनिवेशिक शासन पर इसके प्रभाव का आलोचनात्मक परीक्षण किया।
    B. **हैंस कोह्न – नेशनलिज्म एंड लिबर्टी (Nationalism and Liberty):** हैंस कोह्न ने "नेशनलिज्म एंड लिबर्टी" की रचना की, जो राष्ट्रवाद के ऐतिहासिक विकास और वैचारिक आधारों का विश्लेषण करती है।
    C. **सी.जे.एच. हेस – एसेज ऑन नेशनलिज्म (Essays on Nationalism):** कार्लटन जे. एच. हेस ने "एसेज ऑन नेशनलिज्म" लिखी, जो राष्ट्रवादी विचार के विकास, रूपों और राजनीतिक महत्व की खोज करने वाला एक संग्रह है।
    D. **जॉन मियर्सहाइमर – द ट्रेजेडी ऑफ ग्रेट पावर पॉलिटिक्स (The Tragedy of Great Power Politics):** जॉन जे. मियर्सहाइमर ने "द ट्रेजेडी ऑफ ग्रेट पावर पॉलिटिक्स" की रचना की, जो अंतर्राष्ट्रीय संबंधों का एक प्रमुख ग्रंथ है। यह 'आक्रामक यथार्थवाद

(offensive realism) के सिद्धांत को प्रस्तुत करता है और प्रमुख शक्तियों के प्रतिस्पर्धी व्यवहार की व्याख्या करता है।

29. यजीदी नरसंहार 2014 में हुआ था जब इस्लामिक स्टेट (ISIS) ने उत्तरी इराक के सिंजार क्षेत्र में यजीदी अल्पसंख्यक समुदाय पर हमले शुरू किए थे। हजारों यजीदियों को मार दिया गया, जबकि कई महिलाओं और बच्चों का अपहरण कर लिया गया, उन्हें गुलाम बनाया गया या जबरन विस्थापित किया गया। अंतर्राष्ट्रीय संगठनों और कई सरकारों ने बाद में इन कार्यों को नरसंहार के रूप में मान्यता दी क्योंकि यह यजीदी धार्मिक समूह को नष्ट करने का एक व्यवस्थित प्रयास था।

30. ऑस्ट्रेलियाई प्रतिनिधि सभा, जो ऑस्ट्रेलिया की संघीय संसद का निचला सदन है, की सदस्य संख्या 150 सीटें है। सदस्यों को पूरे ऑस्ट्रेलिया में एकल-सदस्यीय चुनावी डिवीजनों से 'वरीयता मतदान' (preferential voting) के माध्यम से चुना जाता है। ऑस्ट्रेलिया की संसदीय प्रणाली में प्रतिनिधि सभा की केंद्रीय भूमिका होती है, क्योंकि सरकार उसी राजनीतिक दल या गठबंधन द्वारा बनाई जाती है जिसके पास इस सदन में बहुमत होता है।

31. भारत में आपातकाल (1975-1977) के दौरान 60 करोड़ लोगों द्वारा लोकतांत्रिक प्रक्रियाओं को खोने का बयान संयुक्त राज्य अमेरिका के तत्कालीन राष्ट्रपति जेराल्ड फोर्ड द्वारा दिया गया था। उस समय भारत में नागरिक स्वतंत्रताएं निलंबित कर दी गई थीं और चुनाव स्थगित कर दिए गए थे। फोर्ड ने सार्वजनिक रूप से लोकतांत्रिक संस्थाओं के निलंबन पर चिंता व्यक्त की और टिप्पणी की कि यह दुर्भाग्यपूर्ण है कि इतनी बड़ी आबादी ने उन लोकतांत्रिक स्वतंत्रताओं को खो दिया जो 1940 के दशक के मध्य में स्वतंत्रता के बाद से अस्तित्व में थीं। यह बयान प्रधानमंत्री इंदिरा गांधी द्वारा लगाए गए आपातकाल की पश्चिमी आलोचना और लोकतांत्रिक शासन के प्रति अमेरिकी दृष्टिकोण को दर्शाता है।

32. A. **नगरपालिका कर्मचारियों की सेवा शर्तों पर समिति (1965-68):** इस समिति ने भारत में नगरपालिका कर्मचारियों की कार्य स्थितियों, भर्ती पैटर्न और वेतन संरचना की जांच की।

B. **ग्रामीण-शहरी संबंध समिति (1963-66):** इस समिति ने ग्रामीण स्थानीय निकायों और शहरी स्थानीय संस्थानों के बीच आर्थिक और प्रशासनिक कड़ियों का अध्ययन किया।

C. **राष्ट्रीय शहरीकरण आयोग (1985-88):** इसकी स्थापना भारत में शहरीकरण की बढ़ती प्रक्रिया का अध्ययन करने और नियोजित शहरी विकास के लिए नीतियों की सिफारिश करने हेतु की गई थी।

D. **कराधान जांच आयोग (1953-54):** भारत में कराधान प्रणाली की समीक्षा करने और राजकोषीय नीति को मजबूत करने के लिए इस आयोग की नियुक्ति की गई थी।

33. 4 नवंबर 2017 को लेबनान के प्रधानमंत्री साद हरीरी ने सऊदी अरब में रहते हुए अप्रत्याशित रूप से अपने इस्तीफे की घोषणा की। यह घोषणा रियाद से एक टेलीविजन बयान के माध्यम से की गई थी। उन्होंने अपने भाषण में राजनीतिक अस्थिरता और अपने जीवन को खतरे का हवाला दिया। इस अचानक इस्तीफे ने मध्य पूर्व में एक बड़ा कूटनीतिक विवाद पैदा कर दिया क्योंकि कई पर्यवेक्षकों का मानना था कि उन पर दबाव डाला गया था। अंतर्राष्ट्रीय हस्तक्षेप के बाद, वे लेबनान लौटे और अपना इस्तीफा वापस ले लिया।

34. D. **भारतीय संघ में दादरा और नगर हवेली का समावेशः** यह 10वें संवैधानिक संशोधन (1961) के माध्यम से हुआ, जिसने पुर्तगाली नियंत्रण से मुक्ति के बाद इस क्षेत्र को औपचारिक रूप से भारत में एकीकृत किया।

A. **भारतीय संघ में गोवा, दमन और दीव का समावेशः** यह 12वें संवैधानिक संशोधन (1962) द्वारा किया गया था, जब 1961 में इन क्षेत्रों को पुर्तगाली शासन से मुक्त कराया गया था।

B. **उच्च न्यायालय के न्यायाधीशों की सेवानिवृत्ति की आयु 60 से बढ़ाकर 62 वर्ष करनाः** उच्च न्यायालयों के भीतर न्यायिक स्वतंत्रता और अनुभव को मजबूत करने के लिए 15वें संवैधानिक संशोधन (1963) के माध्यम से यह परिवर्तन किया गया था।

C. **सिंधी को आठवीं अनुसूची में 15वीं भाषा के रूप में शामिल किया गयाः** 21वें संवैधानिक संशोधन (1967) ने सिंधी को संविधान में मान्यता प्राप्त भाषाओं की सूची में जोड़ा।

E. **पूर्व शासकों के प्रिवी पर्स और विशेषाधिकारों को समाप्त किया गयाः** यह 26वें संवैधानिक संशोधन (1971) के माध्यम से हुआ, जिसने पूर्व रियासतों के शासकों को दिए जाने वाले विशेष विशेषाधिकारों और वित्तीय भत्तों को समाप्त कर दिया।

35. संयुक्त राज्य अमेरिका के सर्वोच्च न्यायालय ने 1803 के ऐतिहासिक मार्बरी बनाम मैडिसन (Marbury v. Madison) मामले में 'न्यायिक पुनरावलोकन' की शक्ति प्रतिपादित की। मुख्य न्यायाधीश जॉन मार्शल ने घोषित किया कि न्यायपालिका के पास कांग्रेस के अधिनियमों की समीक्षा करने और यह निर्धारित करने का अधिकार है कि वे संविधान के अनुरूप हैं या नहीं। यदि कोई कानून असंवैधानिक पाया जाता है, तो न्यायालय उसे अमान्य घोषित कर सकता है। इसने 'संविधान की सर्वोच्चता' के सिद्धांत को स्थापित किया।

36. ''इकोफेमिनिज्म'' शब्द 1970 के दशक में फ्रांसीसी नारीवादी फ्रांस्वा डीश्यूबोन (Franizoise d'Eaubonne) द्वारा गढ़ा गया था। यह विचारधारा महिलाओं के दमन को प्रकृति के शोषण से जोड़ती है और तर्क देती है कि पितृसत्तात्मक प्रणालियाँ लैंगिक उत्पीड़न और पर्यावरणीय विनाश दोनों को बढ़ावा देती हैं। हालाँकि, यह कहना गलत है कि इसके लिए इकोफेमिनिस्ट जवाबदेह हैं; वे वास्तव में उन प्रणालियों की आलोचना करते हैं जो पर्यावरण को नुकसान पहुँचाती हैं। इसलिए, कथन सही है लेकिन कारण गलत है।

37. मानव-केन्द्रितवाद एक दार्शनिक दृष्टिकोण है जो मनुष्यों को नैतिक और पर्यावरणीय चिंता के केंद्र में रखता है। इस विचार के अनुसार, प्राकृतिक दुनिया और उसके संसाधन मुख्य रूप से इसलिए मूल्यवान हैं क्योंकि वे मानवीय आवश्यकताओं और हितों की पूर्ति करते हैं। प्रकृति को मानव कल्याण और आर्थिक प्रगति के अधीन माना जाता है। यह दृष्टिकोण 'पारिस्थितिक-केन्द्रित' (Ecocentric) दर्शन के विपरीत है, जो मानता है कि प्रकृति का अपना आंतरिक मूल्य है।

38. **A. सावरकर को लंदन में गिरफ्तार किया गया (1910):** विनायक दामोदर सावरकर को उनकी क्रांतिकारी राष्ट्रवादी गतिविधियों और उपनिवेशवाद विरोधी आंदोलनों में कथित संलिप्तता के कारण 1910 में लंदन में गिरफ्तार किया गया था।

B. सावरकर मध्यस्थता मामले (Arbitration Case) का निर्णय (1911): मार्सिले (Marseilles) में सावरकर के भागने के प्रयास के बाद, ब्रिटेन और फ्रांस के बीच एक अंतर्राष्ट्रीय विवाद उत्पन्न हो गया। स्थायी मध्यस्थता न्यायालय ने उनके प्रत्यर्पण (extradition) के संबंध में 1911 में अपना निर्णय दिया।

C. रत्नागिरी जेल में स्थानांतरण (1921): अंडमान द्वीप समूह की सेलुलर जेल में लंबी कैद के बाद, सावरकर को 1921 में रत्नागिरी जेल में स्थानांतरित कर दिया गया और बाद में वहां प्रतिबंधों के तहत रखा गया।

E. सावरकर का निधन (1966): स्वेच्छा से आमरण अनशन (fast unto death) करने के बाद 1966 में सावरकर का निधन हो गया, जिससे एक लंबे और विवादास्पद राजनीतिक जीवन का अंत हुआ।

D. संसद में चित्र (पोर्ट्रेट) स्थापित किया गया (2003): भारतीय संसद के सेंट्रल हॉल में 2003 में उनका चित्र स्थापित किया गया था, जो सूचीबद्ध घटनाओं में सबसे हालिया घटना है।

39. ''मेटा-नैरेटिव्स (महानख्यानों) के प्रति अविश्वास'' का विचार उत्तर-आधुनिकतावाद (postmodernism) के एक प्रमुख दार्शनिक, जीन-फ्रांस्वा ल्योटार्ड से जुड़ा है। उत्तर-आधुनिक समाज के अपने विश्लेषण में, ल्योटार्ड ने तर्क दिया कि आधुनिकता ज्ञान और शक्ति को वैध बनाने के लिए प्रगति, प्रबुद्धता या सार्वभौमिक तर्क जैसे महानख्यानों पर निर्भर थी। उनके अनुसार, उत्तर-आधुनिक विचार इन व्यापक व्याख्याओं को खारिज करता है और इसके बजाय ज्ञान के कई, स्थानीय और खंडित रूपों को मान्यता देता है। उनके तर्क ने सत्य, वस्तुनिष्ठता और सार्वभौमिक ऐतिहासिक प्रगति के बारे में पारंपरिक दार्शनिक धारणाओं को चुनौती दी और यह उत्तर-आधुनिक सिद्धांत के भीतर एक केंद्रीय अवधारणा बन गया।

40. 1857 के विद्रोह के बाद अंग्रेजों द्वारा किए गए प्रशासनि पुनर्गठन के कारण कई संस्थागत सुधार हुए, जिनका उद्दे भारत में औपनिवेशिक शासन को मजबूत करना था। इ चरण के दौरान, ब्रिटिश सरकार ने प्रशासन को केंद्रीकृ करने और प्रांतों में संरचित नौकरशाही संस्थानों को स्थापि करने के उपाय किए। 1861 के सुधार विशेष रूप महत्वपूर्ण थे क्योंकि उन्होंने शासन और प्रशासन के लि एक अधिक संगठित ढांचा पेश किया, जिसमें प्रांतीय अ जिला स्तरों पर संरचित कार्यकारी संस्थानों का विक शामिल था। इस व्यापक प्रशासनिक पुनर्गठन में, पुलि प्रणाली को स्पष्ट अधिकार और पर्यवेक्षण के साथ पदानुक्रमित और नौकरशाही संरचना में पुनर्गठित कि गया था। प्रांतीय और जिला स्तरों पर वरिष्ठ अधिका के नेतृत्व वाले एक पेशेवर पुलिस संगठन ने पूर्व विकेंद्रीकृत और अनियमित पुलिस व्यवस्थाओं का स्थान ले लिया। इन सुधारों ने एक आधुनिक, केंद्रीकृत पु

प्रशासन के लिए संस्थागत आधार तैयार किया जो बाद में उसी अवधि के औपनिवेशिक कानून द्वारा स्थापित ढांचे के माध्यम से संचालित हुआ। इसलिए, दिए गए विकल्पों में से, इस आधारभूत प्रशासनिक पुनर्गठन के अनुरूप उत्तर भारतीय परिषद अधिनियम, 1861 (Indian Council Act, 1861) है।

41. A. एंड्रयू हेवुड (Andrew Heywood) — Political Theory: An Introduction: एंड्रयू हेवुड एक प्रमुख राजनीतिक सिद्धांतकार हैं। उनकी पुस्तक "पॉलिटिकल थ्योरीः एन इंट्रोडक्शन" का उपयोग राजनीति विज्ञान में स्वतंत्रता, समानता, लोकतंत्र, शक्ति और न्याय जैसी मूल अवधारणाओं को समझाने के लिए व्यापक रूप से किया जाता है।

B. डेविड हेल्ड (David Held) — Political Theory and the Modern State: डेविड हेल्ड ने "पॉलिटिकल थ्योरी एंड द मॉडर्न स्टेट" लिखी, जो आधुनिक राजनीतिक विचार के विकास और लोकतंत्र, शासन एवं आधुनिक राज्य के बीच संबंधों का परीक्षण करती है।

C. थॉमस जेफरसन (Thomas Jefferson) — Declaration of American Independence: थॉमस जेफरसन अमेरिकी स्वतंत्रता की घोषणा (1776) के मुख्य लेखक थे, जो अमेरिकी उपनिवेशों की स्वतंत्रता का दावा करने वाला एक ऐतिहासिक दस्तावेज है।

D. जॉन लॉक (John Locke) — Second Treatise of Civil Government: जॉन लॉक ने "सेकंड ट्रीटीज ऑफ सिविल गवर्नमेंट" लिखी, जिसमें प्राकृतिक अधिकारों, सीमित सरकार और सामाजिक समझौते के विचार प्रस्तुत किए गए।

42. A. सामूहिक उत्तरदायित्वः संसदीय प्रणाली में, मंत्रिपरिषद सामूहिक रूप से विधायिका (विशेषकर निचले सदन) के प्रति उत्तरदायी होती है। विश्वास खोने पर पूरी मंत्रिपरिषद को इस्तीफा देना पड़ता है।

B. निचले सदन का विघटनः निचले सदन को उसका कार्यकाल पूरा होने से पहले, आमतौर पर प्रधानमंत्री की सलाह पर, राजनीतिक गतिरोध को हल करने के लिए भंग किया जा सकता है।

C. प्रधानमंत्री का नेतृत्वः प्रधानमंत्री वास्तविक कार्यकारी शक्ति (Real executive authority) होता है, जो कैबिनेट का नेतृत्व करता है और सरकार की नीतियों का समन्वय करता है।

D. राष्ट्रपति वास्तविक प्रमुख होता हैः यह गलत है। संसदीय प्रणालियों में राष्ट्रपति या सम्राट आमतौर पर केवल एक नाममात्र का प्रमुख (Nominal head) होता है।

E. जनता द्वारा राष्ट्रपति का प्रत्यक्ष चुनावः यह राष्ट्रपति प्रणाली (Presidential system) की विशेषता है, संसदीय सरकार की नहीं।

43. A. आर्थिक सहयोग संगठन (ECO) – 10: ECO एक क्षेत्रीय संगठन है जो मुख्य रूप से मध्य और पश्चिम एशिया के 10 सदस्य देशों के बीच आर्थिक सहयोग को बढ़ावा देने के लिए बनाया गया है।

B. यूरोप की परिषद (Council of Europe) – 47: यह मानवाधिकारों, लोकतंत्र और कानून के शासन पर केंद्रित एक प्रमुख यूरोपीय संगठन है।

C. आसियान क्षेत्रीय मंच (ARF) – 27: यह एक सुरक्षा संवाद मंच है जिसमें आसियान देशों और उनके संवाद भागीदारों सहित 27 सदस्य शामिल हैं।

D. अफ्रीकी संघ (African Union) – 54: यह 54 सदस्य देशों वाला एक महाद्वीपीय संगठन है जो पूरे अफ्रीका में राजनीतिक और आर्थिक एकीकरण के लिए काम करता है।

44. C. एम.एच. कानिया (1991): एम.एच. कानिया ने 1991 में थोड़े समय के लिए भारत के मुख्य न्यायाधीश के रूप में कार्य किया, जिससे वे सूचीबद्ध नामों में कालानुक्रमिक क्रम में सबसे पहले आते हैं।

D. एल.एम. शर्मा (1992-1993): एल.एम. शर्मा ने कानिया के बाद मुख्य न्यायाधीश के रूप में कार्य किया, जिससे कार्यकाल के बढ़ते क्रम में उनका स्थान अगला है।

E. ए.एम. अहमदी (1994-1997): ए.एम. अहमदी ने एल.एम. शर्मा के बाद, 1990 के दशक के मध्य में पद संभाला।

B. बी.एन. कृपाल (2002): बी.एन. कृपाल ने 2002 में थोड़े समय के लिए मुख्य न्यायाधीश के रूप में कार्य किया, जिससे उनका समय अहमदी के बाद का है।

A. वी.एन. खरे (2002-2004): वी.एन. खरे ने बी.एन. कृपाल के बाद पद संभाला और 2004 तक कार्य किया, जिससे वे दिए गए नामों में सबसे हालिया (नवीनतम) बन जाते हैं।

45. स्वामी सहजानंद सरस्वती ने 1929 में जमींदारों की दमनकारी प्रथाओं के खिलाफ किसानों को संगठित करने के लिए बिहार प्रांतीय किसान सभा की स्थापना की थी। बाद में,

1936 में भारतीय राष्ट्रीय कांग्रेस के लखनऊ अधिवेशन के दौरान, अखिल भारतीय किसान सभा (AIKS) की स्थापना की गई, जिसके स्वामी सहजानंद सरस्वती पहले अध्यक्ष बने। हालांकि दोनों कथन ऐतिहासिक रूप से सही हैं, लेकिन 1936 में अखिल भारतीय किसान सभा का गठन 1929 में बिहार प्रांतीय किसान सभा के पहले के गठन की व्याख्या नहीं करता है; यह किसान आंदोलन के विस्तार में बाद का एक विकास है।

46. पी.वी. नरसिम्हा राव, जो बाद में भारत के प्रधानमंत्री (1991-1996) बने, ने अपने राजनीतिक जीवन के दौरान एक से अधिक राज्यों से चुनाव लड़ा। वे मुख्य रूप से आंध्र प्रदेश से जुड़े थे, लेकिन उन्होंने ओडिशा और महाराष्ट्र से भी संसदीय सीटों पर सफलतापूर्वक चुनाव लड़ा। यह कांग्रेस पार्टी के भीतर उनके राष्ट्रीय कद और अपने गृह राज्य से बाहर भी चुनावी जीत हासिल करने की उनकी क्षमता को दर्शाता है। इसलिए सही विकल्प आंध्र प्रदेश, ओडिशा और महाराष्ट्र है।

47. A. सच्चिदानंद सिन्हाः सच्चिदानंद सिन्हा ने केंद्रीय विधान सभा के उपाध्यक्ष (Deputy President) के रूप में कार्य किया। यह स्वतंत्रता से पहले इस्तेमाल किया जाने वाला पदनाम था, जिसे बाद में 'उपाध्यक्ष' (Deputy Speaker) के रूप में जाना गया।

B. एच.एस. गौड़ः एच.एस. गौड़ ने भी केंद्रीय विधान सभा के उपाध्यक्ष के समकक्ष पद पर कार्य किया और उत्तर-औपनिवेशिक काल के दौरान विधायी कार्यवाही में योगदान दिया।

C. अखिल चंद्र दत्ताः अखिल चंद्र दत्ता ने केंद्रीय विधान सभा के उपाध्यक्ष का पद संभाला और बहसों तथा विधायी कार्यों की अध्यक्षता में भाग लिया।

D. जी.जी. स्वेलः जी.जी. स्वेल ने स्वतंत्रता के बाद लोकसभा के उपाध्यक्ष (Deputy Speaker) के रूप में कार्य किया, न कि स्वतंत्रता-पूर्व केंद्रीय विधान सभा के उपाध्यक्ष के रूप में।

E. गोंडे मुराहरीः गोंडे मुराहरी ने स्वतंत्र भारत में लोकसभा के उपाध्यक्ष के रूप में कार्य किया, न कि स्वतंत्रता-पूर्व की केंद्रीय विधान सभा में।

48. सितंबर 2000 में, भारत सरकार ने विदेशों में रहने वाले भारतीय मूल के लोगों की स्थिति, समस्याओं और योगदान का अध्ययन करने के लिए भारतीय प्रवासियों पर एक उच्च स्तरीय समिति की स्थापना की। इस समिति की अध्यक्षता प्रसिद्ध न्यायविद और राजनयिक डॉ. एल.एम. सिंघवी ने की थी। इसकी सिफारिशों के कारण ही 'प्रवासी भारतीय दिवस' जैसी पहल शुरू हुई।

49. A. मानव पर्यावरण पर संयुक्त राष्ट्र सम्मेलन – 1972ः स्टॉकहोम सम्मेलन पर्यावरण संरक्षण पर पहला बड़ा अंतर्राष्ट्रीय सम्मेलन था।

B. लुप्तप्राय प्रजातियों में अंतर्राष्ट्रीय व्यापार पर कन्वेंशन (CITES) – 1973ः इसे जैव विविधता की रक्षा के लिए अपनाया गया था।

C. पर्यावरण और विकास पर संयुक्त राष्ट्र सम्मेलन (Earth Summit) – 1992ः रियो अर्थ समिट में जलवायु परिवर्तन और सतत विकास पर प्रमुख समझौते हुए।

D. संयुक्त राष्ट्र जलवायु परिवर्तन सम्मेलन – 2009ः कोपेनहेगन जलवायु सम्मेलन (2009) वैश्विक तापमान को संबोधित करने के लिए एक महत्वपूर्ण बैठक थी।

50. B. नीलम संजीव रेड्डीः नीलम संजीव रेड्डी ने 1967 और 1969 के बीच लोकसभा अध्यक्ष के रूप में कार्य किया (और बाद में वे भारत के राष्ट्रपति बने)।

D. गुरदयाल सिंह ढिल्लोंः गुरदयाल सिंह ढिल्लों ने 1969 से 1975 तक लोकसभा अध्यक्ष के रूप में कार्य किया, जिससे वे सूचीबद्ध नामों में सबसे पहले आते हैं।

A. बलिराम भगतः बलिराम भगत ने ढिल्लों के कार्यकाल के बाद, 1976 से 1977 तक अध्यक्ष के रूप में कार्य किया।

C. के.एस. हेगड़ेः के.एस. हेगड़े ने 1977 से 1980 तक अध्यक्ष के रूप में कार्य किया, जो उन्हें पूर्ववर्ती अध्यक्षों के बाद रखता है।

E. रबी रायः रबी राय ने 1989 से 1991 तक अध्यक्ष के रूप में कार्य किया, जिससे वे कालानुक्रमिक क्रम में दिए गए नामों में सबसे हालिया (नवीनतम) बन जाते हैं।

51. A. 'कार्य' (Work) कलाकारों और शिल्पकारों की गतिविधि का प्रतिनिधित्व करता हैः हन्ना अरेंड्ट के "द ह्यूमन कंडीशन" के ढांचे में, 'कार्य' उन टिकाऊ वस्तुओं और कलाकृतियों के निर्माण को संदर्भित करता है जो मानव दुनिया का निर्माण करते हैं। शिल्पकारों, निर्माताओं और कलाकारों की गतिविधियाँ इसी श्रेणी में आती हैं क्योंकि वे तात्कालिक उत्तरजीविता की जरूरतों से परे स्थायी उत्पादों का निर्माण करते हैं।

B. 'एक्शन' (Action) सर्वोच्च गतिविधि है जो समान नागरिकों के बीच सार्वजनिक संपर्क को संदर्भित करती है: अरेंड्ट ने 'एक्शन' को मानवीय गतिविधि का उच्चतम रूप माना क्योंकि यह सार्वजनिक क्षेत्र में व्यक्तियों के बीच बातचीत के माध्यम से होता है। इसमें नागरिकों के बीच भाषण, भागीदारी और सामूहिक जुड़ाव शामिल है।

C. 'एक्शन' राजनीति के क्षेत्र से संबंधित है: अरेंड्ट के अनुसार, 'एक्शन' राजनीतिक क्षेत्र में होता है, जहाँ व्यक्ति दूसरों के सामने समान रूप से प्रकट होते हैं और सार्वजनिक जीवन के भीतर विचार-विमर्श, बहस और निर्णय लेने में संलग्न होते हैं।

E. 'श्रम' (Labour) शारीरिक आवश्यकताओं को पूरा करने वाली गतिविधि का निम्नतम स्तर है: 'श्रम' उन दोहराव वाली गतिविधियों को संदर्भित करता है जो जैविक अस्तित्व के लिए आवश्यक हैं, जैसे कि भोजन उत्पादन और जीवन का बुनियादी शारीरिक रखरखाव। अरेंड्ट ने इसे निम्नतम स्तर पर रखा क्योंकि यह कोई स्थायी उत्पाद नहीं बनाता है और इसे लगातार दोहराया जाना चाहिए।

D. 'एक्शन वह गतिविधि है जो विचार की स्वतंत्रता को नकारती है': यह कथन अरेंड्ट के तर्क का खंडन करता है क्योंकि उन्होंने 'एक्शन' को वह क्षेत्र माना जहाँ मानवीय स्वतंत्रता और बहुलता व्यक्त की जाती है, न कि नकारी जाती है।

52. भारत के संविधान के तहत, कोई विधेयक धन विधेयक (Money Bill) है या नहीं, इसका निर्णय लेने का अधिकार पूरी तरह से लोकसभा के अध्यक्ष के पास है। अनुच्छेद 110 यह परिभाषित करता है कि धन विधेयक क्या है, जिसमें कराधान, सरकार द्वारा धन उधार लेने और भारत की संचित निधि से व्यय से संबंधित मामले शामिल हैं। जब कोई विधेयक पेश किया जाता है और उसके वर्गीकरण के संबंध में कोई संदेह होता है, तो अध्यक्ष का निर्णय अंतिम और बाध्यकारी होता है। यह निर्धारण महत्वपूर्ण है क्योंकि धन विधेयकों के लिए एक विशेष विधायी प्रक्रिया अपनाई जाती है जिसमें राज्यसभा के पास केवल सीमित शक्तियां होती हैं, जैसे कि सिफारिशें करना लेकिन विधेयक को अस्वीकार करना या संशोधित करना नहीं।

53. रामकृष्ण हेगड़े 1983 में जनता पार्टी का प्रतिनिधित्व करते हुए पदभार ग्रहण करने पर कर्नाटक के पहले गैर-कांग्रेसी मुख्यमंत्री बने। उनके कार्यकाल से पहले, स्वतंत्रता के बाद से राज्य में भारतीय राष्ट्रीय कांग्रेस का दबदबा था। हेगड़े के नेतृत्व ने एक महत्वपूर्ण राजनीतिक बदलाव को चिह्नित किया और प्रशासनिक पारदर्शिता और विकेंद्रीकरण में सुधार पेश किए। उनकी सरकार ने कर्नाटक में स्थानीय स्वशासन संस्थानों को मजबूत करते हुए पंचायत राज सुधारों जैसी नीतियों को बढ़ावा दिया। उनका कार्यकाल 1980 के दशक के दौरान कई भारतीय राज्यों में गैर-कांग्रेसी क्षेत्रीय राजनीतिक ताकतों के उदय का प्रतीक था।

54. सिमोन डी बोउआर का प्रसिद्ध कथन "कोई महिला पैदा नहीं होती, बल्कि बन जाती है" इस बात पर जोर देता है कि लिंग (gender) केवल जैविक कारकों द्वारा निर्धारित नहीं होता है, बल्कि सामाजिक प्रक्रियाओं और सांस्कृतिक अपेक्षाओं द्वारा आकार लेता है। उनके विश्लेषण के अनुसार, समाज व्यक्तियों को भूमिकाएँ, व्यवहार और मानदंड सौंपता है, और इन भूमिकाओं के बार-बार प्रदर्शन के माध्यम से व्यक्ति स्वयं को महिला या पुरुष के रूप में पहचानने लगते हैं। इस विचार ने बाद के नारीवादी सिद्धांतों को प्रभावित किया जो लिंग को जन्म के समय निर्धारित विशुद्ध जैविक स्थिति के बजाय बार-बार की जाने वाली क्रियाओं और सामाजिक प्रथाओं के माध्यम से सामाजिक रूप से निर्मित बताते हैं।

55. C. दक्षिण अफ्रीका में रंगभेद (Apartheid) समाप्त: रंगभेद आधिकारिक तौर पर 1994 में समाप्त हुआ, जिसने शीत युद्ध के बाद एक बड़े राजनीतिक परिवर्तन को चिह्नित किया और नेल्सन मंडेला के तहत एक लोकतांत्रिक सरकार की स्थापना की।

D. अफगानिस्तान में तालिबान-II ने सत्ता हथिया ली: तालिबान 2021 में अफगानिस्तान में सत्ता में लौटा, यह घटना स्पष्ट रूप से शीत युद्ध के बाद की भू-राजनीतिक अवधि में घटित हुई।

E. भारत और पाकिस्तान के बीच कारगिल युद्ध: 1999 का कारगिल संघर्ष शीत युद्ध समाप्त होने के बाद भारत और पाकिस्तान के बीच हुआ था और यह शीत युद्ध के बाद के युग के एक महत्वपूर्ण क्षेत्रीय सैन्य टकराव का प्रतिनिधित्व करता है।

A. चीन-वियतनाम युद्ध: यह युद्ध 1979 में शीत युद्ध की अवधि के दौरान हुआ था।

B. ईरान-इराक युद्ध: ईरान-इराक युद्ध 1980 और 1988 के बीच हुआ था, जो शीत युद्ध की अवधि के भीतर ही था।

56. प्रभावशाली ब्रिटिश दार्शनिक, अर्थशास्त्री और राजनीतिक विचारक जॉन स्टुअर्ट मिल ने 1865 से 1868 तक ब्रिटिश संसद के सदस्य के रूप में कार्य किया। उन्होंने हाउस ऑफ कॉमन्स में वेस्टमिंस्टर निर्वाचन क्षेत्र का प्रतिनिधित्व किया। अपने संसदीय कार्यकाल के दौरान उन्होंने महिला मताधिकार, प्रतिनिधि सरकार के विस्तार, नागरिक स्वतंत्रता की सुरक्षा और चुनावी सुधारों सहित कई प्रगतिशील सुधारों की वकालत की। मिल को विशेष रूप से महिलाओं के वोट देने के अधिकार का समर्थन करने वाली याचिका संसद में प्रस्तुत करने और 1867 के सुधार विधेयक (Reform Bill) में संशोधन करके महिलाओं को चुनावी मताधिकार में शामिल करने के प्रयास के लिए याद किया जाता है। उनका संसदीय करियर अपेक्षाकृत संक्षिप्त था लेकिन ऐतिहासिक रूप से महत्वपूर्ण था क्योंकि यह उनके उदारवादी राजनीतिक दर्शन के व्यावहारिक अनुप्रयोग को दर्शाता था।

57. **A. पश्चिम बंगाल – 16 और 42:** पश्चिम बंगाल राज्यसभा में 16 सदस्य और लोकसभा में 42 सदस्य भेजता है, जो इसकी बड़ी आबादी और संसद में प्रतिनिधित्व को दर्शाता है।

B. तमिलनाडु – 18 और 39: तमिलनाडु में 18 राज्यसभा सीटें और 39 लोकसभा सीटें हैं, जो इसे पर्याप्त संसदीय प्रतिनिधित्व वाले राज्यों में से एक बनाता है।

C. ओडिशा – 10 और 21: ओडिशा का प्रतिनिधित्व राज्यसभा में 10 सदस्यों और लोकसभा में 21 सदस्यों द्वारा किया जाता है।

D. कर्नाटक – 12 और 28: कर्नाटक में राज्यसभा के 12 सदस्य और लोकसभा के 28 सदस्य हैं।

58. **B. 73वां संवैधानिक संशोधन:** 73वें संशोधन (1992) ने पंचायती राज व्यवस्था की शुरुआत की और ग्रामीण स्थानीय सरकारी संस्थानों में महिलाओं के लिए आरक्षण प्रदान किया, जिससे जमीनी स्तर के शासन में उनकी भागीदारी सुनिश्चित हुई।

C. 74वां संवैधानिक संशोधन: 74वें संशोधन (1992) ने शहरी स्थानीय निकायों में महिलाओं के लिए सीटों के आरक्षण के समान प्रावधानों का विस्तार किया, जिससे नगरपालिका शासन में महिलाओं के प्रतिनिधित्व को बढ़ावा मिला।

E. 106वां संवैधानिक संशोधन: 106वां संशोधन (2023) लोकसभा और राज्य विधानसभाओं में महिलाओं के लिए आरक्षण प्रदान करता है, जिससे उच्च विधायी संस्थानों में महिलाओं के प्रतिनिधित्व को मजबूती मिलती है।

A. 69वां संशोधन: 69वां संशोधन दिल्ली राष्ट्रीय राजधानी क्षेत्र के निर्माण से संबंधित है और विशेष रूप से महिला सशक्तिकरण को संबोधित नहीं करता है।

D. 104वां संशोधन: 104वां संशोधन मुख्य रूप से विधानसभाओं में अनुसूचित जाति और अनुसूचित जनजाति के लिए आरक्षण के विस्तार से संबंधित था, विशेष रूप से महिलाओं के लिए नहीं।

59. शीत युद्ध 1945 में द्वितीय विश्व युद्ध की समाप्ति के बाद शुरू हुआ जब वैचारिक, राजनीतिक और सैन्य मतभेदों को लेकर संयुक्त राज्य अमेरिका और सोवियत संघ के बीच तनाव उभरा। दुनिया धीरे-धीरे दो प्रतिद्वंद्वी गुटों में बंट गई: संयुक्त राज्य अमेरिका के नेतृत्व वाला एक पूंजीवादी गुट और सोवियत संघ के नेतृत्व वाला एक कम्युनिस्ट गुट। इस विभाजन के परिणामस्वरूप दुनिया के विभिन्न क्षेत्रों में तीव्र भू-राजनीतिक प्रतिद्वंद्विता, हथियारों की दौड़, वैचारिक प्रतिस्पर्धा और प्रॉक्सी युद्ध हुए। इन दो प्रतिस्पर्धी शक्ति गुटों का उदय यह स्पष्ट करता है कि द्वितीय विश्व युद्ध के बाद शीत युद्ध क्यों विकसित हुआ, जिससे 'कारण' (Reason) 'अभिकथन' (Assertion) की एक उचित व्याख्या बन जाता है।

60. अभिकथन (Assertion) सही है क्योंकि 1941 में जर्मनी ने द्वितीय विश्व युद्ध का पूर्वी मोर्चा खोला जब उसने यूगोस्लाविया, ग्रीस और सोवियत संघ (ऑपरेशन बारब्रोसा) पर आक्रमण सहित पूर्वी और दक्षिण-पूर्वी यूरोप में सैन्य अभियान शुरू किए। इस विस्तार ने यूरोप में युद्ध के दायरे को काफी बढ़ा दिया। हालांकि, कारण (Reason) गलत है क्योंकि नाजी विस्तारवाद मुख्य रूप से यूरोप में केंद्रित था, एशिया में नहीं। द्वितीय विश्व युद्ध का प्रकोप मुख्य रूप से यूरोप में जर्मन आक्रामकता और एशिया में जापानी विस्तारवाद से जुड़ा था, न कि एशिया में नाजी विस्तारवाद से। इसलिए अभिकथन सही है जबकि कारण गलत है।

61. प्रथम विश्व युद्ध के दौरान, अमेरिकी राष्ट्रपति वुडरो विल्सन ने 8 जनवरी 1918 को संयुक्त राज्य कांग्रेस के समक्ष 'चौदह अंक' (Fourteen Points) प्रस्तुत किए। इन बिंदुओं ने युद्ध के बाद एक न्यायपूर्ण और स्थायी शांति के लिए उनके दृष्टिकोण को रेखांकित किया। प्रस्तावों में खुली कूटनीति, समुद्र की स्वतंत्रता, शस्त्रागार में कमी, राष्ट्रीयताओं के लिए आत्मनिर्णय और शांति बनाए रखने के लिए एक अंतर्राष्ट्रीय संगठन की स्थापना जैसे सिद्धांत शामिल थे, जो बाद में 'लीग ऑफ नेशंस' (राष्ट्र संघ)

बना। विल्सन का इरादा इन सिद्धांतों को युद्ध के बाद के समझौते के आधार के रूप में उपयोग करना और राष्ट्रों के बीच सहयोग और निष्पक्षता को बढ़ावा देकर भविष्य के वैश्विक संघर्षों को रोकना था।

62. मानव विकास के सूचकः

A. लंबा और स्वस्थ जीवन जीनाः मानव विकास के मुख्य घटकों में से एक स्वास्थ्य है, जिसे जीवन प्रत्याशा और स्वास्थ्य सेवा तक पहुंच जैसे संकेतकों के माध्यम से मापा जाता है।

C. मानवीय सुरक्षा सुनिश्चित करनाः मानव विकास ढांचे मानवीय सुरक्षा पर जोर देते हैं, जिसमें गरीबी, हिंसा और सामाजिक सुभेद्यता से सुरक्षा शामिल है, जिससे व्यक्ति सुरक्षित और सम्मान के साथ रह सकें।

E. भविष्य की पीढ़ियों के लिए संसाधनों का संरक्षणः सतत विकास मानव विकास का एक महत्वपूर्ण पहलू है, जो पर्यावरणीय स्थिरता और संसाधनों के संरक्षण पर ध्यान केंद्रित करता है ताकि भविष्य की पीढ़ियाँ भी अपनी जरूरतों को पूरा कर सकें।

B. सभी जानवरों और कीड़ों के लिए समानता प्राप्त करनाः यह मानव विकास का सूचक नहीं है। मानव विकास जानवरों की समानता के बजाय मानव कल्याण में सुधार पर केंद्रित है।

D. अच्छा मनोरंजन प्राप्त करनाः मानक मानव विकास ढांचे के भीतर मनोरंजन को मुख्य मानव विकास सूचक नहीं माना जाता है।

63. विट्ठलभाई पटेल, एक महत्वपूर्ण राष्ट्रवादी नेता और सरदार वल्लभभाई पटेल के बड़े भाई, 1924 में भारत सरकार अधिनियम, 1919 (मोंटेगु-चेम्सफोर्ड सुधार) द्वारा बनाए गए संवैधानिक ढांचे के तहत केंद्रीय विधायी विधानसभा (Central Legislative Assembly) के लिए चुने गए थे। विधानसभा में उनके प्रवेश ने औपनिवेशिक काल के दौरान विधायी संस्थानों में भारतीय राष्ट्रवादी नेताओं की बढ़ती भागीदारी का प्रतिनिधित्व किया। विट्ठलभाई पटेल स्वराज पार्टी से जुड़े थे, जिसका उद्देश्य विधानसभाओं में प्रवेश करना और संवैधानिक प्रणाली के भीतर से औपनिवेशिक नीतियों में बाधा डालना था। उनका संसदीय करियर तब ऐतिहासिक रूप से महत्वपूर्ण हो गया जब 1925 में उन्हें केंद्रीय विधायी विधानसभा के अध्यक्ष (स्पीकर के समकक्ष) के रूप में चुना गया, जिससे वे उस पद को संभालने वाले पहले भारतीय और पहले निर्वाचित व्यक्ति बन गए।

64. जून 1975 में भारत में घोषित आपातकाल (Emergency) की अवधि के दौरान, लोकतांत्रिक अधिकारों और राजनीतिक विरोध पर गंभीर प्रतिबंध लगा दिए गए थे। शैक्षणिक संस्थानों में, दिल्ली विश्वविद्यालय उन शुरुआती केंद्रों में से एक बन गया जहाँ आपातकालीन नीतियों के खिलाफ प्रतिरोध उभरने लगा। छात्रों और शैक्षणिक समुदाय के वर्गों ने सेंसरशिप, नागरिक स्वतंत्रता के दमन और राजनीतिक कार्यकर्ताओं की गिरफ्तारी के खिलाफ विरोध व्यक्त किया। यद्यपि आपातकाल की अवधि में सार्वजनिक असंतोष पर सख्त नियंत्रण था, फिर भी विश्वविद्यालय महत्वपूर्ण स्थान बने रहे जहाँ बौद्धिक बहस और राजनीतिक प्रतिरोध धीरे-धीरे विकसित हुआ।

65. डॉ. सच्चिदानंद सिन्हा ने 9 दिसंबर 1946 को भारत की संविधान सभा की पहली बैठक के दौरान अंतरिम (अस्थायी) अध्यक्ष के रूप में अध्यक्षता की थी। सभा के सबसे पुराने सदस्य होने के नाते, उन्हें स्थायी अध्यक्ष चुने जाने से पहले उद्घाटन सत्र की अध्यक्षता करने के लिए आमंत्रित किया गया था। दो दिन बाद, 11 दिसंबर 1946 को डॉ. राजेंद्र प्रसाद को संविधान सभा का स्थायी अध्यक्ष चुना गया। सभा स्वतंत्र भारत के संविधान का मसौदा तैयार करने, मौलिक अधिकारों, शासन संरचनाओं और उन सिद्धांतों पर बहस करने के लिए जिम्मेदार थी जो देश के भविष्य के लोकतांत्रिक ढांचे को आकार देंगे।

66. ताशकंद घोषणा पर 10 जनवरी 1966 को ताशकंद (तब सोवियत संघ में) में भारत के प्रधान मंत्री लाल बहादुर शास्त्री और पाकिस्तान के राष्ट्रपति अयूब खान द्वारा 1965 के भारत-पाकिस्तान युद्ध के बाद हस्ताक्षर किए गए थे। इस समझौते की मध्यस्थता सोवियत प्रीमियर अलेक्सी कोसिजिन ने की थी और इसका उद्देश्य दोनों देशों के बीच राजनयिक और आर्थिक संबंधों को बहाल करना और युद्ध पूर्व स्थितियों में सेनाओं की वापसी सुनिश्चित करना था। घोषणा का उद्देश्य शांतिपूर्ण संबंधों के लिए एक रूपरेखा स्थापित करना और भारत और पाकिस्तान के बीच भविष्य के सशस्त्र संघर्ष को रोकना था। इस प्रकार, 'कारण' (Reason) घोषणा पर हस्ताक्षर करने के पीछे के उद्देश्य को सही ढंग से स्पष्ट करता है।

67. त्रिपक्षीय संधि (Tripartite Pact) पर 27 सितंबर 1940 को जर्मनी, इटली और जापान द्वारा हस्ताक्षर किए गए थे, जिसने द्वितीय विश्व युद्ध के दौरान औपचारिक रूप से धुरी (Axis) गठबंधन की स्थापना की थी। समझौते ने यूरोप में जर्मनी और इटली तथा पूर्वी एशिया में जापान

के नेतृत्व को मान्यता दी और इसका उद्देश्य पारस्परिक सैन्य सहयोग था, विशेष रूप से उन देशों के खिलाफ जो उनके विस्तार का विरोध कर सकते थे। हालांकि, गठबंधन का उद्देश्य वैश्विक शांति को बढ़ावा देना नहीं था; इसके बजाय यह क्षेत्रीय प्रभाव का विस्तार करने और मित्र देशों (Allied powers) को चुनौती देने के लिए डिजाइन की गई एक रणनीतिक सैन्य साझेदारी थी। इसलिए 'अभिकथन' (Assertion) सही है लेकिन 'कारण' (Reason) गलत है।

68. 1901 में, ब्रिटिश वायसराय लॉर्ड कर्जन ने यह विचार व्यक्त किया कि ब्रिटेन के लिए हिमालय पार करना और तिब्बत पर सीधे कब्जा करना अव्यावहारिक और रणनीतिक रूप से अनुचित होगा। उनका बयान तिब्बत को सीधे हड़पने के बजाय एक 'बफर जोन' (मध्यवर्ती क्षेत्र) के रूप में बनाए रखने के ब्रिटिश रणनीतिक सिद्धांत को दर्शाता था। ब्रिटिश सरकार को डर था कि सीधे कब्जे से प्रतिद्वंद्वी शक्तियां भड़क सकती हैं और ऐसे दूरदराज के क्षेत्र में प्रशासनिक और सैन्य मुश्किलें पैदा हो सकती हैं। बाद की ब्रिटिश राजनयिक नीतियों, विशेष रूप से 1906 के एंग्लो-चाइनीज कन्वेंशन और 1907 के एंग्लो-रशियन कन्वेंशन ने औपचारिक रूप से तिब्बत पर चीनी संप्रभुता को स्वीकार किया।

69. वित्त आयोग के अध्यक्ष (अवरोही कालानुक्रमिक क्रम/ Descending Order):

C. वाई.बी. चव्हाणः वाई.बी. चव्हाण ने 1982 में नियुक्त आठवें वित्त आयोग के अध्यक्ष के रूप में कार्य किया।

B. जे.एम. शेलतः जे.एम. शेलत ने सातवें वित्त आयोग (1977) की अध्यक्षता की।

D. ब्रह्मानंद रेड्डीः ब्रह्मानंद रेड्डी ने छठे वित्त आयोग (1972) के अध्यक्ष के रूप में कार्य किया।

A. महावीर त्यागीः महावीर त्यागी ने पांचवें वित्त आयोग (1968) की अध्यक्षता की।

E. ए.के. चंदाः ए.के. चंदा ने तीसरे वित्त आयोग (1960) के अध्यक्ष के रूप में कार्य किया, जो सूची में सबसे पुराने हैं।

70. भारत में आधुनिक पंचायती राज व्यवस्था का औपचारिक उद्घाटन 2 अक्टूबर 1959 को राजस्थान के नागौर में प्रधान मंत्री जवाहरलाल नेहरू द्वारा किया गया था। यह कदम बलवंतराय मेहता समिति (1957) की सिफारिशों के बाद उठाया गया था, जिसने ग्राम पंचायत, पंचायत समिति और जिला परिषद से युक्त स्थानीय स्वशासन की त्रि-स्तरीय प्रणाली के माध्यम से लोकतांत्रिक विकेंद्रीकरण की वकालत की थी। नागौर में उद्घाटन ने स्वतंत्र भारत में संस्थागत ग्रामीण स्वशासन की शुरुआत का प्रतीक बनाया और जमीनी स्तर के लोकतंत्र को मजबूत करने के नेहरू के दृष्टिकोण को प्रतिबिंबित किया।

71. भीखू पारेख का बहुसंस्कृतिवाद (Multiculturalism) पर सबसे उल्लेखनीय और विस्तृत कार्य "रीथिंकिंग मल्टीकल्चरलिज्मः कल्चरल डायवर्सिटी एंड पॉलिटिकल थ्योरी" है। इस पुस्तक में, वे इस बात की जांच करते हैं कि सांस्कृतिक रूप से विविध समाजों को पहचान, सामुदायिक मूल्यों और राजनीतिक मान्यता के मतभेदों पर कैसे प्रतिक्रिया देनी चाहिए। उनका तर्क है कि कोई भी समाज सांस्कृतिक रूप से तटस्थ नहीं है और राजनीतिक सिद्धांत को बहुलवाद और विविधता के साथ गंभीरता से जुड़ना चाहिए। इस पुस्तक को बहुसांस्कृतिक राजनीतिक विचार पर महत्वपूर्ण आधुनिक कार्यों में से एक माना जाता है।

72. 'थर्ड वर्ल्ड' (तीसरी दुनिया) शब्द का इस्तेमाल शीत युद्ध के दौरान उन देशों के लिए किया गया था जो न तो संयुक्त राज्य अमेरिका के नेतृत्व वाले पूंजीवादी 'प्रथम विश्व' (First World) के थे और न ही सोवियत संघ के नेतृत्व वाले कम्युनिस्ट 'द्वितीय विश्व' (Second World) के थे। इसलिए अभिकथन (Assertion) सही है। हालांकि, कारण (Reason) गलत है क्योंकि यह शब्द 1990 के दशक में नहीं उभरा था; वास्तव में, यह बहुत पहले, विशेष रूप से 1950 के दशक से उपयोग में था। यह सच है कि 1990 के दशक तक इस शब्द की इसके नकारात्मक या पुराने निहितार्थों के लिए आलोचना की जाने लगी थी, लेकिन वह इस शब्द की उत्पत्ति का समय नहीं है। इसलिए, अभिकथन सही है लेकिन कारण सही नहीं है।

73. फ्रांसीसी सीनेट (French Senate) फ्रांसीसी संसद का उच्च सदन है, और इसकी कुल सदस्य संख्या 348 है। सीनेटरों का चुनाव अप्रत्यक्ष रूप से किया जाता है और वे क्षेत्रीय समूहों, विदेशी क्षेत्रों और विदेशों में रहने वाले फ्रांसीसी नागरिकों का प्रतिनिधित्व करते हैं। यह सदन कानून बनाने, संवैधानिक संशोधन और संसदीय जांच में महत्वपूर्ण भूमिका निभाता है। हालांकि असहमति के मामलों में नेशनल असेंबली अधिक शक्तिशाली सदन है, लेकिन सीनेट फ्रांसीसी राजनीतिक प्रणाली में एक स्थायी और महत्वपूर्ण संस्थान बनी हुई है।

74. राजनीति की प्रसिद्ध परिभाषा "मूल्यों का आधिकारिक आवंटन" (Authoritative allocation of values) डेविड ईस्टन द्वारा दी गई थी। उन्होंने राजनीति को उस प्रक्रिया के रूप में देखा जिसके माध्यम से मूल्यों, लाभों और बोझों के वितरण के संबंध में समाज के लिए बाध्यकारी निर्णय लिए जाते हैं। यह परिभाषा आधुनिक राजनीति विज्ञान में अत्यधिक प्रभावशाली रही क्योंकि इसने ध्यान केवल राज्य के अध्ययन से हटाकर राजनीतिक प्रणाली के व्यापक कामकाज पर केंद्रित कर दिया।

75. यह कथन कि "महिलाओं को पुरुषों के समान साधनों से मानवीय गुण प्राप्त करने चाहिए, बजाय इसके कि उन्हें एक काल्पनिक प्रकार के अर्ध-प्राणी (half being) की तरह शिक्षित किया जाए," मेरी वोल्स्टोनक्राफ्ट द्वारा लिखा गया था। वह शुरुआती प्रमुख नारीवादी विचारकों में से एक थीं और उन्होंने महिलाओं की समान शिक्षा और तर्कसंगत विकास के लिए पुरजोर वकालत की। अपनी कृति, विशेष रूप से 'A Vindication of the Rights of Woman' में, उन्होंने उस सामाजिक व्यवस्था की आलोचना की जो महिलाओं को तर्कसंगत इंसान के बजाय सजावटी वस्तु के रूप में मानती थी।

76. 'वेस्टफेलिया की शांति' (Peace of Westphalia) अक्टूबर 1648 में पवित्र रोमन साम्राज्य के मुन्स्टर और ओस्नाब्रुक शहरों में हस्ताक्षरित संधियों के एक समूह को संदर्भित करती है। इन संधियों ने यूरोप में 'तीस साल के युद्ध' (1618-1648) को समाप्त कर दिया और स्पेन और डच गणराज्य के बीच अस्सी साल के युद्ध को भी समाप्त कर दिया। इन समझौतों ने राज्य संप्रभुता (State Sovereignty) के सिद्धांत को स्थापित किया, शासकों के अपने क्षेत्रों पर अधिकार को मान्यता दी और घरेलू मामलों में बाहरी हस्तक्षेप को सीमित किया। इसे आधुनिक अंतरराष्ट्रीय प्रणाली के विकास में एक आधारभूत क्षण माना जाता है।

77. संयुक्त राष्ट्र की घटनाओं का अवरोही क्रम (सबसे हालिया से सबसे पुराना):

C. संयुक्त राष्ट्र विकास कार्यक्रम (UNDP) की स्थापना (1965): इसे तकनीकी सहायता के विस्तारित कार्यक्रम और संयुक्त राष्ट्र विशेष कोष के विलय द्वारा स्थापित किया गया था।

A. साइप्रस में संयुक्त राष्ट्र शांति सैनिक भेजे गए (1964): साइप्रस में संयुक्त राष्ट्र शांति सेना (UNFICYP) द्वीप पर शांति बनाए रखने के लिए बनाई गई थी।

E. यू थांट महासचिव नियुक्त (1961): डैग हैमरशोल्ड की मृत्यु के बाद, यू थांट को महासचिव नियुक्त किया गया।

B. कांगो में संयुक्त राष्ट्र अभियान (1960): कांगो संकट के दौरान शांति स्थापित करने के लिए ONUC शुरू किया गया था।

D. स्वेज नहर में पहली संयुक्त राष्ट्र शांति सेना भेजी गई (1956): स्वेज संकट के दौरान UNEF I को तैनात किया गया था।

क्रम: C, A, E, B, D।

78. नगर पालिकाओं से संबंधित संवैधानिक अनुच्छेद:

- **अनुच्छेद 243 ZF – नगर पालिकाओं के मौजूदा कानूनों का जारी रहना:** यह सुनिश्चित करता है कि मौजूदा नगरपालिका कानून तब तक जारी रहें जब तक उन्हें 74वें संशोधन के अनुरूप बदला न जाए।
- **अनुच्छेद 243 ZD – जिला योजना समिति:** यह जिलों में पंचायतों और नगर पालिकाओं द्वारा तैयार की गई योजनाओं को समेकित करने के लिए जिला योजना समितियों के निर्माण का प्रावधान करता है।
- **अनुच्छेद 243 S – वार्ड समितियों का गठन और संरचना:** यह शासन में स्थानीय भागीदारी को मजबूत करने के लिए नगर पालिकाओं में वार्ड समितियों के गठन से संबंधित है।
- **अनुच्छेद 243 V – नगर पालिकाओं के सदस्यों के लिए अयोग्यताएं:** यह उन शर्तों को निर्दिष्ट करता है जिनके तहत किसी व्यक्ति को नगरपालिका सदस्य बनने से अयोग्य घोषित किया जा सकता है।

79. 1961 में, भारत सरकार ने अदालत की अवमानना (Contempt of Court) से संबंधित मौजूदा कानूनी ढांचे की समीक्षा करने के लिए एच.एन. सान्याल की अध्यक्षता में एक विशेष समिति नियुक्त की। इसकी सिफारिशों ने अदालत की अवमानना से संबंधित कानून में सुधारों का आधार बनाया, जिसके परिणामस्वरूप अंततः अदालत की अवमानना अधिनियम, 1971 लागू हुआ, जिसने भारत में नागरिक और आपराधिक अवमानना को नियंत्रित करने वाले सिद्धांतों को स्पष्ट और संहिताबद्ध किया।

80. राज्यों में लोकायुक्त अधिनियम का वर्ष:

A. महाराष्ट्र – 1971: महाराष्ट्र लोकायुक्त संस्थान बनाने वाले शुरुआती राज्यों में से एक था।

B. उत्तर प्रदेश – 1975: सार्वजनिक अधिकारियों के खिलाफ भ्रष्टाचार की जांच के लिए अधिनियमित किया गया।

C. हिमाचल प्रदेश – 1983: सार्वजनिक प्रशासन में जवाबदेही मजबूत करने के लिए पेश किया गया।

D. पंजाब – 1996: मंत्रियों और लोक सेवकों के खिलाफ शिकायतों की जांच के लिए स्वतंत्र प्राधिकरण की स्थापना की गई।

81. 1947 में ''संयुक्त संप्रभु बंगाल'' (United Sovereign Bengal) का प्रस्ताव मुख्य रूप से बंगाल प्रांतीय मुस्लिम लीग के एक प्रमुख नेता अबुल हाशिम और हुसैन शहीद सुहरावर्दी जैसे अन्य नेताओं द्वारा समर्थित था। इस विचार का उद्देश्य ब्रिटिश भारत के विभाजन के दौरान बंगाल के विभाजन को रोकना और इसके बजाय एक स्वतंत्र, संयुक्त बंगाल राज्य बनाना था, जिसमें हिंदू-बहुल और मुस्लिम-बहुल दोनों क्षेत्र शामिल हों। समर्थकों का मानना था कि बंगाल की एक अद्वितीय सांस्कृतिक और ऐतिहासिक पहचान है, जो इसे भारत और पाकिस्तान के बीच विभाजित करने के बजाय एक अलग संप्रभु स्थिति का आधार प्रदान करती है। हालाँकि, यह प्रस्ताव विफल रहा क्योंकि इसे भारतीय राष्ट्रीय कांग्रेस, अखिल भारतीय स्तर पर मुस्लिम लीग के नेतृत्व और बंगाल के हिंदू नेतृत्व के कुछ वर्गों से पर्याप्त राजनीतिक समर्थन नहीं मिला।

82. A. कोरियाई युद्ध (1950-1953): कोरियाई युद्ध शुरुआती प्रमुख शीत युद्ध संघर्षों में से एक था, जिसमें कम्युनिस्ट सहयोगियों द्वारा समर्थित उत्तर कोरिया और संयुक्त राज्य अमेरिका तथा संयुक्त राष्ट्र बलों द्वारा समर्थित दक्षिण कोरिया शामिल थे।

B. वियतनाम युद्ध (1955-1975): वियतनाम युद्ध कम्युनिस्ट उत्तरी वियतनाम और संयुक्त राज्य अमेरिका तथा उसके सहयोगियों द्वारा समर्थित कम्युनिस्ट विरोधी दक्षिण वियतनाम के बीच एक लंबा शीत युद्ध कालीन टकराव था।

C. क्यूबा मिसाइल संकट (1962): क्यूबा मिसाइल संकट क्यूबा में तैनात सोवियत परमाणु मिसाइलों को लेकर संयुक्त राज्य अमेरिका और सोवियत संघ के बीच एक बड़ा शीत युद्ध कालीन टकराव था, जो दुनिया को परमाणु युद्ध के करीब ले आया था।

D. सूडान का विभाजन: सूडान का सूडान और दक्षिण सूडान में विभाजन 2011 में हुआ था, जो शीत युद्ध समाप्त होने के बहुत बाद की घटना है।

E. यूक्रेन पर रूसी आक्रमण: यूक्रेन पर रूसी आक्रमण 2022 में हुआ, जो शीत युद्ध की अवधि से बाहर है।

83. B. कम्युनिस्ट चीन संयुक्त राष्ट्र में शामिल हुआ (1971): 1971 में, संयुक्त राष्ट्र महासभा ने प्रस्ताव 2758 अपनाया, जिसने पीपुल्स रिपब्लिक ऑफ चाइना को संयुक्त राष्ट्र में चीन के वैध प्रतिनिधि के रूप में मान्यता दी और रिपब्लिक ऑफ चाइना (ताइवान) का स्थान लिया। यह सूचीबद्ध घटनाओं में सबसे हालिया घटना है।

E. अपोलो-11 चंद्रमा पर उतरा (1969): जुलाई 1969 में अपोलो-11 मिशन ने अंतरिक्ष यात्री नील आर्मस्ट्रांग और बज एल्ड्रिन को सफलतापूर्वक चंद्रमा पर उतारा, जो शीत युद्ध की अंतरिक्ष दौड़ में संयुक्त राज्य अमेरिका की एक बड़ी उपलब्धि थी।

D. छह दिवसीय युद्ध (1967): 1967 का छह दिवसीय युद्ध इजराइल और मिस्र, सीरिया तथा जॉर्डन जैसे अरब देशों के बीच हुआ था। यह शीत युद्ध काल के दौरान एक महत्वपूर्ण भू-राजनीतिक घटना थी।

A. यूरी गागरिन अंतरिक्ष में जाने वाले पहले व्यक्ति (1961): सोवियत अंतरिक्ष यात्री यूरी गागरिन 12 अप्रैल 1961 को वोस्तोक-1 पर सवार होकर पृथ्वी की परिक्रमा करने वाले पहले मानव बने, जिसने अंतरिक्ष दौड़ में सोवियत तकनीकी क्षमता का प्रदर्शन किया।

C. हंगरी पर सोवियत आक्रमण (1956): 1956 में, सोवियत संघ ने कम्युनिस्ट शासन के खिलाफ एक राष्ट्रीय विद्रोह को दबाने के लिए हंगरी में सैन्य बल भेजा, जिससे यह दी गई सूची में सबसे पुरानी घटना बन गई।

84. संयुक्त राज्य अमेरिका के संविधान में न्यायपालिका का सामान्य ढांचा अनुच्छेद III में रेखांकित किया गया है। यह अनुच्छेद संयुक्त राज्य के सर्वोच्च न्यायालय की स्थापना करता है और कांग्रेस द्वारा निचले संघीय न्यायालयों के निर्माण को अधिकृत करता है। यह संघीय न्यायालयों के अधिकार क्षेत्र को परिभाषित करता है, जिसमें संघीय कानून, संधियां, राज्यों के बीच विवाद और राजदूतों से जुड़े मामले शामिल हैं। अनुच्छेद III यह सिद्धांत भी स्थापित करता है कि संघीय न्यायाधीश ''अच्छे व्यवहार'' (good behaviour) के दौरान पद पर बने रहते हैं, जिससे उन्हें मनमाने ढंग से हटाए जाने से बचाकर न्यायिक स्वतंत्रता सुनिश्चित की जाती है।

85. पुस्तक ''ए सिस्टम्स एनालिसिस ऑफ पॉलिटिकल लाइफ'' (A Systems Analysis of Political Life) डेविड ईस्टन द्वारा लिखी गई थी, जो राजनीति विज्ञान में सिस्टम सिद्धांत

(Systems Theory) दृष्टिकोण विकसित करने के लिए जाने जाने वाले एक अग्रणी राजनीति विज्ञानी थे। इस कार्य में उन्होंने राजनीति का एक प्रणाली के रूप में विश्लेषण किया जिसमें इनपुट (समाज की मांगें और समर्थन) को राजनीतिक संस्थानों द्वारा संसाधित किया जाता है और आउटपुट (निर्णय और नीतियों) में परिवर्तित किया जाता है। ईस्टन के ढांचे ने राजनीति विज्ञान को अधिक व्यवस्थित और व्यवहारवादी दृष्टिकोण की ओर ले जाने में मदद की, जिसमें इस बात पर जोर दिया गया कि राजनीतिक प्रणालियाँ स्थिरता कैसे बनाए रखती हैं और बदलते सामाजिक दबावों के अनुकूल कैसे बनती हैं।

86. A. **अशोक के. देसाई (1996-1998):** अशोक के. देसाई ने संयुक्त मोर्चा सरकारों की अवधि के दौरान 1996 से 1998 तक भारत के अटॉर्नी जनरल के रूप में कार्य किया। सूचीबद्ध नामों में, उनका कार्यकाल सबसे हाल ही में शुरू हुआ था।

B. **के. परासरन (1983-1989):** के. परासरन ने प्रधानमंत्री इंदिरा गांधी और राजीव गांधी के अधीन 1983 से 1989 तक अटॉर्नी जनरल के रूप में कार्य किया।

D. **एल.एन. सिन्हा (1979-1983):** एल.एन. सिन्हा ने 1979 और 1983 के बीच अटॉर्नी जनरल के रूप में कार्य किया, जिसमें जनता पार्टी सरकार और इंदिरा गांधी की सत्ता में वापसी के शुरुआती वर्ष शामिल थे।

E. **एस.वी. गुप्ते (1977-1979):** एस.वी. गुप्ते ने मोरारजी देसाई के नेतृत्व वाली जनता पार्टी सरकार के दौरान 1977 से 1979 तक अटॉर्नी जनरल का पद संभाला।

C. **निरेन डे (1968-1977):** निरेन डे ने 1968 से 1977 तक अटॉर्नी जनरल के रूप में कार्य किया, जिससे वे सूचीबद्ध व्यक्तियों में सबसे पहले नियुक्त होने वाले व्यक्ति बने।

87. A. **अल्तमस कबीर – सितंबर 2012-जुलाई 2013:** अल्तमस कबीर ने इस अवधि के दौरान भारत के 39वें मुख्य न्यायाधीश के रूप में कार्य किया।

B. **आर.एम. लोढ़ा – अप्रैल 2014-सितंबर 2014:** आर. एम. लोढ़ा ने 2014 में एक संक्षिप्त कार्यकाल के लिए भारत के 41वें मुख्य न्यायाधीश के रूप में कार्य किया।

C. **टी.एस. ठाकुर – दिसंबर 2015-जनवरी 2017:** टी.एस. ठाकुर ने भारत के 43वें मुख्य न्यायाधीश के रूप में कार्य किया।

D. **के.जी. बालकृष्णन – जनवरी 2007-मई 2010:** के. जी. बालकृष्णन ने भारत के 37वें मुख्य न्यायाधीश के रूप में कार्य किया, और वे अनुसूचित जाति समुदाय से पहले मुख्य न्यायाधीश बने।

88. D. **रामकृष्ण मिशन की स्थापना (1897):** स्वामी विवेकानंद ने आध्यात्मिक, शैक्षिक और मानवीय कार्यों को बढ़ावा देने के लिए 1897 में भारत में रामकृष्ण मिशन की स्थापना की।

B. **यूनाइटेड किंगडम की यात्रा (1895):** विवेकानंद ने 1895 में ब्रिटेन की यात्रा की, जहाँ उन्होंने वेदांत दर्शन पर व्याख्यान दिए और कई पश्चिमी शिष्य बनाए।

C. **न्यूयॉर्क में वेदांत सोसाइटी की स्थापना (1894):** संयुक्त राज्य अमेरिका में वेदांत दर्शन के प्रसार के लिए 1894 में न्यूयॉर्क की वेदांत सोसाइटी की स्थापना की गई थी।

E. **शिकागो में धर्म संसद में व्याख्यान (1893):** स्वामी विवेकानंद ने 1893 में शिकागो में विश्व धर्म संसद में "अमेरिका के भाइयों और बहनों" से शुरू होने वाला अपना प्रसिद्ध भाषण दिया।

A. **पहली बार जापान की यात्रा (1893):** विवेकानंद ने शिकागो धर्म संसद में भाग लेने से पहले संयुक्त राज्य अमेरिका की अपनी यात्रा के दौरान 1893 में जापान का दौरा किया था।

89. A. **उत्तर अमेरिकी मुक्त व्यापार समझौता (NAFTA) – 1994:** मुक्त व्यापार को बढ़ावा देने के लिए संयुक्त राज्य अमेरिका, कनाडा और मैक्सिको के बीच 1994 में नाफ्टा लागू हुआ।

B. **दक्षिण-पूर्वी एशियाई राष्ट्र संघ (ASEAN) – 1967:** आसियान की स्थापना 1967 में पांच दक्षिण-पूर्वी एशियाई देशों द्वारा आर्थिक विकास और क्षेत्रीय स्थिरता को बढ़ावा देने के लिए की गई थी।

C. **एशिया प्रशांत आर्थिक सहयोग (APEC) – 1989:** एपेक की स्थापना 1989 में प्रशांत रिम देशों के बीच आर्थिक सहयोग बढ़ाने के लिए की गई थी।

D. **यूरोप में सुरक्षा और सहयोग संगठन (OSCE) – 1973:** यह संगठन 1973 में शुरू किए गए यूरोप में सुरक्षा और सहयोग सम्मेलन से उत्पन्न हुआ, जो बाद में OSCE के रूप में विकसित हुआ।

90. A. **फॉकलैंड युद्ध – 1982:** फॉकलैंड युद्ध 1982 में फॉकलैंड द्वीप समूह को लेकर यूनाइटेड किंगडम और अर्जेंटीना के बीच हुआ था।

B. चेकोस्लोवाकिया पर सोवियत आक्रमण – 1968: सोवियत सेनाओं ने 'प्राग स्प्रिंग' सुधारों को दबाने के लिए 1968 में चेकोस्लोवाकिया पर आक्रमण किया।

C. बांग्लादेश का उदय – 1971: भारत-पाकिस्तान युद्ध और मुक्ति आंदोलन के बाद 1971 में बांग्लादेश एक स्वतंत्र राष्ट्र बना।

D. अल्जीरियाई क्रांति – 1954-1962: स्वतंत्रता का अल्जीरियाई युद्ध 1954 से 1962 तक चला, जिसके परिणामस्वरूप अल्जीरिया को फ्रांस से स्वतंत्रता मिली।

91. गद्यांश स्पष्ट रूप से बताता है कि बाद में वर्णित घटनाओं से पहले पूर्वी तिमोर (तिमोर-लेस्ते) 300 से अधिक वर्षों तक एक पुर्तगाली उपनिवेश था। पुर्तगाली औपनिवेशिक नियंत्रण कई शताब्दियों तक चला जब तक कि 1970 के दशक के मध्य में पुर्तगाल इस क्षेत्र से पीछे नहीं हट गया। इसलिए, गद्यांश में दी गई जानकारी के अनुसार, सही विकल्प "300 वर्षों से अधिक" है।

92. गद्यांश में स्पष्ट रूप से उल्लेख किया गया है कि उपनिवेश से पुर्तगाल की तेजी से वापसी के बाद 1975 में इंडोनेशियाई सैनिकों ने पूर्वी तिमोर पर आक्रमण किया था। इस आक्रमण ने एक लंबे और हिंसक संघर्ष की शुरुआत की जिसके परिणामस्वरूप गुरिल्ला युद्ध और बड़े पैमाने पर नागरिक पीड़ा हुई। चूँकि वर्ष 1975 का उल्लेख सीधे गद्यांश में किया गया है, इसलिए यह विकल्प प्रश्न का सही उत्तर देता है।

93. गद्यांश के अनुसार, इंडोनेशियाई राष्ट्रपति सुहार्तो के पतन के बाद 1999 में पूर्वी तिमोर में एक जनमत संग्रह आयोजित किया गया था। इंडोनेशियाई सरकार आबादी को उनके राजनीतिक भविष्य पर मतदान करने की अनुमति देने पर सहमत हुई। इस जनमत संग्रह ने अंततः स्वतंत्रता के संबंध में निर्णय लिया।

94. गद्यांश बताता है कि जनमत संग्रह में पूर्वी तिमोर की 75 प्रतिशत आबादी ने स्वतंत्रता के पक्ष में मतदान किया। इस भारी बहुमत ने इंडोनेशियाई नियंत्रण से अलग एक स्वतंत्र राष्ट्र स्थापित करने की पूर्वी तिमोर के लोगों की इच्छा को प्रदर्शित किया।

95. गद्यांश में उल्लेख किया गया है कि संघर्ष के दौरान सामूहिक फांसी, बमबारी और भूखमरी के कारण पूर्वी तिमोर की 6,50,000 की आबादी में से लगभग एक-तिहाई निवासी मारे गए थे। 6,50,000 का एक-तिहाई लगभग 2,16,667 के बराबर होता है, जो दिए गए विकल्पों में से 2,17,000 के सबसे करीब है। अतः, सही उत्तर 2,17,000 है।

96. गद्यांश स्पष्ट रूप से बताता है कि बलवंत राय मेहता समिति ने त्रि-स्तरीय पंचायती राज प्रणाली की सिफारिश की थी, जिसमें ग्राम स्तर पर ग्राम पंचायत, ब्लॉक स्तर पर पंचायत समिति और जिला स्तर पर जिला परिषद शामिल थी। इसलिए, गद्यांश के अनुसार, जिला स्तर के लिए अनुशंसित संस्था जिला परिषद थी।

97. गद्यांश में उल्लेख है कि बलवंत राय मेहता समिति ने "लोकतांत्रिक विकेंद्रीकरण" (Democratic Decentralisation) की योजना की स्थापना की सिफारिश की थी। इस अवधारणा का अर्थ निर्णय लेने के अधिकार और प्रशासनिक जिम्मेदारी को केंद्र और राज्य सरकारों से स्थानीय संस्थानों में स्थानांतरित करना था ताकि लोग जमीनी स्तर पर शासन और विकास में सीधे भाग ले सकें।

98. गद्यांश के अनुसार, समिति ने विशेष रूप से त्रि-स्तरीय पंचायती राज प्रणाली के निर्माण की सिफारिश की थी। इस संरचना में ग्राम स्तर पर ग्राम पंचायत, ब्लॉक स्तर पर पंचायत समिति और जिला स्तर पर जिला परिषद शामिल थी, जिससे ग्रामीण स्थानीय शासन की एक श्रेणीबद्ध प्रणाली तैयार हुई।

99. गद्यांश बताता है कि भारत सरकार ने सामुदायिक विकास कार्यक्रम और राष्ट्रीय विस्तार सेवा के कामकाज की जांच के लिए जनवरी 1957 में बलवंत राय मेहता समिति की नियुक्ति की थी। इसलिए, इसकी नियुक्ति के लिए गद्यांश में उल्लेखित वर्ष 1957 है।

100. गद्यांश में स्पष्ट रूप से उल्लेख किया गया है कि समिति की नियुक्ति सामुदायिक विकास कार्यक्रम (1952) और राष्ट्रीय विस्तार सेवा (1953) के कामकाज की जांच करने और उनके बेहतर संचालन के लिए सुधार के सुझाव देने के लिए की गई थी। इसलिए, सही उत्तर सामुदायिक विकास कार्यक्रम और राष्ट्रीय विस्तार सेवा है।

National Testing Agency (NTA)

UGC-NET जूनियर रिसर्च फैलोशिप तथा सहायक प्राध्यापक पात्रता परीक्षा

राजनीति विज्ञान, जून-2025

(Exam held on 26-06-2025)

प्रश्न-पत्र-II

1. महिलाओं के खिलाफ सभी प्रकार के भेदभाव रोकने का अभिसमय किस वर्ष स्वीकार किया गया?
1. 1990 2. 1979
3. 1977 4. 1987

2. 'टरमाइट्स इन द ट्रेडिंग सिस्टम' पुस्तक किसने लिखी?
1. अमर्त्य सेन 2. थॉमस हॉब्स
3. सुजान जॉर्ज 4. जगदीश भगवती

3. किस वर्ष संयुक्त राष्ट्र महासभा ने सहस्राब्दी विकास लक्ष्यों को अंगीकृत किया?
1. 2007 2. 1993
3. 2000 4. 1997

4. किस वर्ष यू थांट संयुक्त राष्ट्र संघ के महासचिव बने?
1. 1959 2. 1961
3. 1963 4. 1967

5. किस वर्ष ग्रीस यूरोपीयन समुदाय का सदस्य बना?
1. 1981 2. 1978
3. 1977 4. 1985

6. 1940 में मैक्सिको में किस रूसी-मार्क्सवादी की हत्या हुई?
1. निकिता ख्रुश्चेव
2. कार्ल मार्क्स
3. जोसेफ स्टालिन
4. लियोन ट्राटस्की

7. किस वर्ष, यूरोपीयन संघ से अलग होने के लिए ग्रेट ब्रिटेन में जनमत-संग्रह हुआ?
1. 2013 2. 2014
3. 2016 4. 2018

8. किसने "पश्चिमी ज्ञानोदय की मानवतावादी आलोचना विकसित की, जिसने उपनिवेशवाद के साथ इसके संबंधों, 'उत्पीड़न की कथा', सांस्कृतिक और वैचारिक पूर्वाग्रहों को उजागर किया, जिसने उपनिवेशित लोगों को अन्य गैर-पश्चिमी के रूप में प्रस्तुत करके उन्हें शक्तिहीन कर दिया"?
1. अरस्तू 2. एडवर्ड सईद
3. वुडरो विल्सन 4. सुभाष चन्द्र बोस

9. 'द जनरल थिओरी ऑफ इंप्लायमेंट, इंटरेस्ट एंड मनी' पुस्तक किसने लिखी?
1. जॉन मेनार्ड केन्स
2. मिल्टन फ्रीडमैन
3. राज कुमार मित्तल
4. थामस हॉब्स

10. फ्रैंकफर्ट स्कूल के आलोचनात्मक धारा के 'द्वितीय जनरेशन' के अग्रणी प्रतिनिधि कौन बने?
1. फ्रेडरिक हीगल 2. कार्ल मार्क्स
3. ब्लादिमीर लेनिन 4. जुरगैन हैबरमास

11. किसने कहा "कि संपत्ति का अधिकार माना जाना चाहिए यदि संपत्ति सही तरीके से अर्जित की गई है और यदि इसका हस्तांतरण एक व्यक्ति से दूसरे व्यक्ति को किया गया है"?

1. महात्मा गाँधी
2. एंटानियो ग्राम्स्की
3. रॉबर्ट नॉजिक
4. थॉमस हॉब्स

12. पहली बार 'इकोलॉजी' शब्द का इस्तेमाल किसने किया?

1. दीपांकर सेनगुप्ता
2. अरनेस्ट हैकल
3. कार्ल मार्क्स
4. एडम स्मिथ

13. 'ऑन रिवोल्यूशन' पुस्तक किसने लिखी?

1. हन्नाह आरेंट
2. ब्लादिमीर लेनिन
3. कार्ल मार्क्स
4. एडमंड बर्क

14. 'ए विंडिकेशन ऑफ द राइटस ऑफ वुमेन' पुस्तक किसने लिखी?

1. बैटी फ्रीडन
2. मैरी वॉल्सस्टोनक्राफ्ट
3. एना बलौसटरौस पेइरो
4. फातिमा मरसीनी

15. 'डेवलपमेंट एडमिनिसट्रेशन : कॉनसेप्टस, गोल्स, मेथड्स', पुस्तक किसने लिखी?

1. जॉर्ज एफ. गांट
2. साबु थॉमस
3. फ्रेड रिग्स
4. मिचेल क्रोजियर

16. किस वर्ष बाली में आतंकी बम विस्फोट हुआ?

1. 1999
2. 2002
3. 2005
4. 2007

17. किसने कहा "युद्ध राजनीति का प्रवाह मात्र है"?

1. सुजन सिर्क
2. जॉन लॉक
3. कार्ल वान क्लउजविट्ज
4. एडम स्मिथ

18. प्रधानमंत्री नरेन्द्र मोदी, अमेरिका के नवनिर्वाचित राष्ट्रपति डोनाल्ड ट्रंप से वॉशिंगटन डी.सी. में कब मिले?

1. दिसम्बर 2024
2. जनवरी 2025
3. अप्रैल 2025
4. फरवरी 2025

19. चीन-वियतनाम युद्ध कब हुआ?

1. 1974
2. 1973
3. 1977
4. 1979

20. 'सेक्सुअल पोलिटिक्स' पुस्तक किसने लिखी?

1. रवीन्द्रनाथ टैगोर
2. कार्ल मार्क्स
3. कैट मिलेट
4. इमैनुएल कांट

21. समाज समता संघ का गठन किसके द्वारा किया गया?

1. जवाहरलाल नेहरू
2. पंडिता रमाबाई
3. वी.डी. सावरकर
4. बी.आर. अंबेडकर

22. "सिक्स ग्लोरियस एपोक ऑफ इन्डियन हिस्ट्री" नामक पुस्तक किसने लिखी?

1. महात्मा गाँधी
2. कार्ल मार्क्स
3. स्वामी विवेकानंद
4. वी.डी. सावरकर

23. साइमन डी. बुबा किससे जुड़ी हैं?

1. अतिवादी इस्लाम
2. नारीवादी
3. अराजकतावाद
4. पर्यावरणवाद

24. आरनी नैस ने किस धारणा की खोज की?

1. डीप इकोलोजी
2. होमोयोस्टासिस
3. एकात्मक मानववाद
4. वॉल्क्सजिस्ट

25. पंडिता रमाबाई जुड़ी थीं :

1. भारतीय राष्ट्रीय सेना
2. मुक्ति मिशन
3. द लेंड होल्डर सोसाइटी
4. धर्म सभा

26. 'वाशिंगटन सहमति' का विचार किसने प्रतिपादित किया?

1. हन्नाह आरेंट
2. मैक्स वेबर
3. मिल्टन फ्रीडमैन
4. जॉन विलियमसन

27. किसने कहा "प्रबंधकीय मामलों में निश्चित कुछ भी नहीं है। कुछ सिद्धांतो को हम एक जैसे मुद्दों पर दो बार लागू करते हैं, बदलते हालात के लिए अलग सिद्धांत की स्वीकृति होनी चाहिए"?

1. हेनरी फेयोल
2. वुडरो विल्सन
3. एडम स्मिथ
4. त्रिडीव चक्रवर्ती

28. 'रोमन एग्रेरियन हिस्ट्री एंड इट्स सिग्निफिकेंस फॉर पब्लिक एंड प्राइवेट लॉ' पुस्तक किसने लिखी?

1. जवाहरलाल नेहरू
2. मैक्स बेबर
3. एडम स्मिथ
4. वुडरो विल्सन

29. लोकसभा के पहले स्पीकर कौन थे?

1. के.एस. हेगड़े
2. जी.वी. मावलंकार
3. एम.ए. अयंगर
4. जी.एस. ढिल्लन

30. जी.वी.के. राव कमिटी योजना आयोग द्वारा ग्रामीण विकास के लिए उपलब्ध प्रशासनिक व्यवस्थाओं की समीक्षा के लिए कब बनाई गई थी?

1. 1985
2. 1983
3. 1981
4. 1979

31. भारत के संविधान का कौन-सा अनुच्छेद संसद को चुनावों से संबंधित कानून बनाने का अधिकार देता है?

1. अनुच्छेद - 267
2. अनुच्छेद - 277
3. अनुच्छेद - 285
4. अनुच्छेद - 327

32. भाजपा के नेतृत्व वाली राष्ट्रीय जनतांत्रिक गठबंधन ने किस वर्ष 'आतंकवाद निरोधक अधिनियम' पारित किया?

1. 2007
2. 2005
3. 2002
4. 2001

33. किस वर्ष प्रधानमंत्री अटल बिहारी वाजपेयी ने लाहौर की यात्रा की और पाकिस्तानी प्रधानमंत्री के साथ 'लाहौर समझौते' पर हस्ताक्षर किये?

1. 2003
2. 1999
3. 1998
4. 2001

34. नेशनल कमीशन फॉर वुमेन किस वर्ष स्थापित किया गया?

1. 1992
2. 1995
3. 1994
4. 1989

35. पाकिस्तान के राष्ट्रपति कौन हैं?

1. हिना रब्बानी खार
2. नवाज शरीफ
3. आसिफ अली जरदारी
4. बिलावल भुट्टो

36. जार्जिया मिलोनी किस देश की प्रधानमंत्री हैं?

1. फ्रांस
2. टर्की
3. स्पेन
4. इटली

37. सार्क किस वर्ष स्थापित हुआ?

1. 1985
2. 1987
3. 1989
4. 1981

38. किस वर्ष अनुच्छेद 370 भारतीय संविधान से निरस्त किया गया?

1. मार्च 2017
2. अगस्त 2019
3. नवम्बर 2017
4. जुलाई 2018

39. जी-20 सम्मेलन दिल्ली में कब हुआ?

1. मार्च 2024
2. अप्रैल 2023
3. सितम्बर 2023
4. मार्च 2023

40. कौन-सी नदी बांग्लादेश और म्यांमार के बीच की सीमा निर्धारित करती है?

1. नफ
2. ब्रह्मपुत्र
3. मेकॉन्ग
4. इंडूस

41. निम्नलिखित क्षेत्रीय आर्थिक संगठनों को उनके स्थापना कालक्रमानुसार व्यवस्थित करें :

A. मर्कासुर
B. एपेक
C. एफ.टी.ए.ए. या अमेरिका का मुक्त व्यापार क्षेत्र
D. नाफ्टा
E. आसियान

नीचे दिए गए विकल्पों में सही उत्तर चुनें :

1. B, E, A, D, C
2. B, E, A, C, D
3. E, B, A, D, C
4. E, A, B, C, D

42. भारत के संविधान में संशोधनों के द्वारा जो विषय जोड़े गए, उन्हें कालक्रमानुसार व्यवस्थित करें :

A. संपत्ति के अधिकार को मौलिक अधिकारों की सूची से हटाया गया।

B. नागरिकों के मूल कर्त्तव्यों का एक नया अध्याय जोड़ा गया।

C. मेघालय राज्य का निर्माण

D. भारतीय रियासतों के शासकों के 'प्रिवी' और विशेषाधिकारों को समाप्त किया गया।

E. केंद्र शासित प्रदेश अरुणाचल प्रदेश को राज्य का दर्जा दिया गया।

नीचे दिए गए विकल्पों में सही उत्तर चुनें :

1. D, C, B, E, A
2. C, D, B, A, E
3. C, E, D, A, B
4. D, B, A, E, C

43. निम्नलिखित विषयों को इसके भारत के संविधान में जोड़े जाने के वर्षानुसार व्यवस्थित करें :

A. आठवीं अनुसूची में 'संथाली'

B. बारहवीं अनुसूची

C. दसवीं अनुसूची

D. नवीं अनुसूची

E. समवर्ती सूची में 'वन' सम्मिलित

नीचे दिए गए विकल्पों में सही उत्तर चुनें :

1. C, B, D, A, E
2. D, E, C, B, A
3. E, D, B, C, A
4. B, C, E, A, D

44. निम्नलिखित उच्च न्यायालयों को उनके स्थापित होने के वाले वर्ष के कालक्रमानुसार व्यवस्थित कीजिए :

A. कर्नाटक

B. गुवाहाटी

C. केरल

D. पंजाब व हरियाणा

E. सिक्किम

नीचे दिए गए विकल्पों में सही उत्तर चुनें :

1. C, D, A, E, B
2. A, B, C, D, E
3. E, C, B, A, D
4. D, B, A, E, C

45. भारत के संविधान में उल्लेखित निम्नलिखित अनुच्छेदों को क्रमानुसार व्यवस्थित करें :

A. राष्ट्रपति को सहायता और सलाह देने के लिए मंत्री - परिषद्

B. कार्यकारी मुख्य न्यायमूर्ति की नियुक्ति

C. संसद में राष्ट्रपति का विशेष अभिभाषण

D. उच्चतम न्यायालय से परामर्श करने की राष्ट्रपति की शक्ति

E. जिला न्यायधीशों की नियुक्ति

नीचे दिए गए विकल्पों में सही उत्तर चुनें :

1. C, A, B, E, D
2. A, C, D, E, B
3. A, C, B, D, E
4. C, A, D, B, E

46. निम्नलिखित को कालक्रमानुसार व्यवस्थित करें :

A. क्यूबा की क्रांति

B. रुसी क्रांति

C. अमेरिकी क्रांति

D. निकारागुआ की क्रांति

E. ट्युलिप क्रांति

नीचे दिए गए विकल्पों में सही उत्तर चुनें :

1. C, B, A, D, E
2. C, B, D, A, E
3. B, C, A, E, D
4. B, A, C, D, E

47. निम्नलिखित को उनके शुभारंभ होने के वर्ष के कालक्रमानुसार व्यवस्थित करें :

A. स्वामित्व

B. स्वच्छ भारत मिशन

C. स्वनिधि से समृद्धि

D. कर्तव्य-पथ का उद्घाटन

E. नमामि गंगे

नीचे दिए गए विकल्पों में सही उत्तर चुनें :

1. B, E, A, C, D
2. C, B, E, A, D
3. B, C, E, A, D
4. C, B, A, E, D

48. निम्नलिखित महानुभावों/अनुमोदित व्यक्तियों की रैंक और वरीयता - कालक्रमानुसार व्यवस्थित करें :

A. पूर्व राष्ट्रपति
B. लोकसभा अध्यक्ष
C. पूर्व प्रधानमंत्री
D. सर्वोच्च न्यायालय के न्यायाधीश
E. सॉलिसिटर जनरल

नीचे दिए गए विकल्पों में सही उत्तर चुनें :

1. A, B, C, D, E
2. B, A, D, C, E
3. A, C, B, E, D
4. B, A, C, D, E

49. निम्नलिखित अधिनियमों/संहिताओं को कालक्रमानुसार व्यवस्थित करें :

A. नागरिकता अधिनियम
B. भारतीय झंडा संहिता
C. राष्ट्रीय गौरव अपमान निवारण अधिनियम
D. राज्य संप्रतीक (अनुचित उपयोग निषेध) अधिनियम
E. संप्रतीक और नाम (अनुचित प्रयोग का निवारण) अधिनियम

नीचे दिए गए विकल्पों में सही उत्तर चुनें :

1. A, B, E, D, C
2. E, C, A, D, B
3. A, E, B, C, D
4. E, A, C, B, D

50. निम्नलिखित अधिनियमों/योजनाओं को उनके शुभारम्भ के कालक्रमानुसार व्यवस्थित करें :

A. राष्ट्रीय कौशल विकास मिशन
B. प्रधानमंत्री श्रमयोगी मान - धन योजना
C. न्यूनतम मजदूरी अधिनियम
D. मिशन इन्द्रधनुष
E. आयुष्मान भारत डिजिटल मिशन

नीचे दिए गए विकल्पों में सही उत्तर चुनें :

1. C, A, D, E, B
2. C, D, A, B, E
3. D, A, B, E, C
4. D, C, E, B, A

51. निम्नलिखित को उनके शुभारंभ/गठन के कालक्रमानुसार व्यवस्थित करें :

A. राष्ट्रीय गोकुल मिशन
B. दिव्यांगजन अधिकार अधिनियम
C. प्रधानमंत्री जन औषधि योजना
D. खाद्य और पोषण बोर्ड
E. राष्ट्रीय सहकारिता विकास निगम

नीचे दिए गए विकल्पों में सही उत्तर चुनें :

1. D, E, B, A, C
2. D, B, E, C, A
3. E, D, C, B, A
4. E, C, D, A, B

52. भारत के निम्नलिखित पूर्व-उपराष्ट्रपतियों को उनके कार्यकाल के कालक्रमानुसार व्यवस्थित करें :

A. आर. वेंकटरमण
B. भैरो सिंह शेखावत
C. के. आर. नारायणन
D. कृष्णकांत
E. वराहगिरी वेंकट गिरी

नीचे दिए गए विकल्पों में सही उत्तर चुनें :

1. E, A, D, C, B
2. A, E, C, B, D
3. E, A, C, D, B
4. A, C, E, B, D

53. भारत के संविधान में उल्लेखित निम्नलिखित अनुच्छेदों को कालक्रमानुसार व्यवस्थित करें :

A. अस्पृश्यता का अंत
B. कारखानों में बालकों के नियोजन का प्रतिषेध
C. सहकारी समितियों की अभिवृद्धि
D. कार्यपालिका से न्यायपालिका का पृथक्करण
E. समान न्याय और निःशुल्क विधिक सहायता

नीचे दिए गए विकल्पों में सही उत्तर चुनें :

1. A, B, E, C, D
2. A, B, C, D, E
3. B, A, D, E, C
4. B, D, A, C, E

54. निम्नलिखित को कालक्रमानुसार व्यवस्थित करें :

A. मास्ट्रिच संधि अनुमोदित

B. तियानानमेन स्क्वायर में चीन द्वारा वीभत्स सैन्य कारवाई व जनसंहार

C. चिली में पिनोशे का तख्ता पलट

D. अमेरिकी राष्ट्रपति डोनाल्ड ट्रंप और उत्तरी कोरियाई नेता किम जोंग उन की सिंगापुर में मुलाकात

E. रूस द्वारा क्रीमिया का कब्जा

नीचे दिए गए विकल्पों में सही उत्तर चुनें :

1. C, A, D, B, E
2. C, B, E, A, D
3. C, A, B, D, E
4. C, B, A, E, D

55. निम्नलिखित राजनीतिक दलों को उनके गठन कालक्रमानुसार व्यवस्थित करें :

A. सर्वेंट ऑफ दी पीपुल (युक्रेन)

B. लिबरल पार्टी ऑफ कनाडा (कनाडा)

C. अवामी लीग (बांग्लादेश)

D. डेमोक्रेटिक पार्टी (अमेरिका)

E. बीजू जनता दल (भारत)

नीचे दिए गए विकल्पों में सही उत्तर चुनें :

1. D, B, E, C, A
2. B, C, A, D, E
3. B, D, C, A, E
4. D, B, C, E, A

56. गृह मामलों पर संसदीय समिति के क्षेत्राधिकार में आने वाले मंत्रालयों/विभागों की सही पहचान करें।

A. गृह मंत्रालय

B. विधि और न्याय मंत्रालय

C. अन्तरिक्ष मंत्रालय

D. रक्षा मंत्रालय

E. परमाणु ऊर्जा मंत्रालय

नीचे दिए गए विकल्पों में सही उत्तर चुनें :

1. केवल A, C, और E
2. केवल A और B
3. केवल B, C, D और E
4. केवल A, D और E

57. लोकसभा के नियमानुसार, संसदीय समितियों के संबद्ध में सही कथनों की पहचान करें।

A. प्रत्येक समिति जिसमें संसद सदस्य हैं, संसदीय समिति है।

B. यह लोकसभा अध्यक्ष/राज्य सभा सभापति के निर्देश पर कार्य करता है।

C. यह सदन द्वारा नियुक्त या निर्वाचित होता है या लोकसभाध्यक्ष/राज्यसभा सभापति द्वारा नामित होता है।

D. भारत के राष्ट्रपति को अपना प्रतिवेदन प्रस्तुत करता है।

E. लोकसभा/राज्यसभा सचिवालय द्वारा प्रदत्त इनका सचिवालय होता है।

नीचे दिए गए विकल्पों में सही उत्तर चुनें :

1. केवल A, B, D और E
2. केवल A, B, C और D
3. केवल B, C और E
4. केवल A, E और D

58. निम्नलिखित में से कौन-कौन से भारत के राष्ट्रपतियों की मृत्यु पद पर रहते हुई?

A. नीलम संजीव रेड्डी

B. डॉ. जाकिर हुसैन

C. वी.वी. गिरी

D. फखरूद्दीन अली अहमद

E. बी.डी. जत्ती

नीचे दिए गए विकल्पों में सही उत्तर चुनें :

1. केवल A, C और D
2. केवल B और D
3. केवल B, D और E
4. केवल B, C और D

59. निम्नलिखित में से कौन-सी स्वामी विवेकानंद द्वारा लिखी गयी हैं?

A. इंडिया एंड हर प्रॉब्लम्स

B. मॉर्डन इंडिया

C. दि एविल्स ऑफ ऑथॉरिटेरियनिज्म

D. इंडिया इन ट्रांजिशन

E. दि प्रॉब्लम ऑफ फ्रीडम

नीचे दिए गए विकल्पों में सही उत्तर चुनें :

1. केवल A, B और C
2. केवल B, C और D
3. केवल A, D और E
4. केवल B, D और E

60. नॉम चोमस्की द्वारा निम्नलिखित में से कौन-सी पुस्तकें लिखी गयी हैं ?

A. सिंटेकटिक स्ट्रक्चर्स
B. अमेरिकन पावर एंड दि न्यू मंदारिंस
C. न्यू मिलेट्री ह्यूमनिज्म
D. दि ट्रेजिडी ऑफ ग्रेट पावर पॉलिटिक्स
E. दि इजरायल लॉबी एंड यू. एस. फॉरेन पॉलिसी

नीचे दिए गए विकल्पों में सही उत्तर चुनें :

1. केवल A, B और C
2. केवल C, D और E
3. केवल B, C और D
4. केवल A, D और E

61. निम्नलिखित में से कौन-से आणविक शस्त्र नियंत्रण संधियाँ सही सुमेलित हैं?

A. 1959 : अंटार्कटिक संधि
B. 1963 : आंशिक परीक्षण प्रतिषन्ध संधि
C. 1968 : परमाणु अप्रसार संधि
D. 1990 : व्यापक परीक्षण प्रतिबन्ध संधि
E. 1982 : एंटी बैलेस्टिक मिसाइल संधि

नीचे दिए गए विकल्पों में सही उत्तर चुनें :

1. केवल A, C, D और E
2. केवल A, B और C
3. केवल C, D और E
4. केवल B, C, D और E

62. अफगानिस्तान से संबंधित तथ्यों पर विचार करें और सही उत्तरों की पहचान करें।

A. राजा जहीर शाह ने अफगानिस्तान पर दशकों तक राज किया।
B. तालिबान प्रथम सरकार में मुल्ला मोहम्मद उमर सर्वोच्च नेता थे।
C. अफगानिस्तान से सिन्धु नदी का उद्गम होता है।
D. ईराक अफगानिस्तान से लैंड सीमा साझा करता है।
E. 1979 में सोवियत संघ का अफगानिस्तान पर सैन्य हस्तक्षेप

नीचे दिए गए विकल्पों में सही उत्तर चुनें :

1. केवल B, C और E
2. केवल A, B और C
3. केवल B, D और A
4. केवल A, B और E

63. भारत सरकार अधिनियम, 1935 से संबंधित तथ्यों पर विचार कर सही उत्तर दें।

A. संघीय न्यायालय की स्थापना
B. भारत से बर्मा अलग हुआ।
C. उड़ीसा और सिंध दो नए प्रान्त बनाए गये।
D. चेंबर ऑफ प्रिंसेज की स्थापना की पहल
E. मुस्लिमों के लिए पृथक निर्वाचन

नीचे दिए गए विकल्पों में सही उत्तर चुनें :

1. A, B और E
2. C, D और E
3. A, B और C
4. A, B, D और E

64. भारत के नियंत्रक-महालेखा परीक्षक के पद को सुशोभित करने वालों के सही नामों को पहचानें।

A. वी. नरहरि राव
B. रंजन गोगोई
C. विनोद राय
D. जे. एम. लिंग्दोह
E. गिरीश चन्द्र मुर्मू

नीचे दिए गए विकल्पों में सही उत्तर चुनें :

1. केवल A, C और D
2. केवल C, D और E
3. केवल A, C और E
4. केवल B, C और E

65. भारत के मुख्य न्यायाधीशों के नामों/कार्यकाल पर विचार करें तथा सही युग्मों की पहचान करें।

A. हरिलाल जे. कानिया (1950-1951)
B. एम. पंतजलि शास्त्री (1951-1954)
C. बी.पी. सिन्हा (1959-1964)
D. के. सुब्बा राव (1970-1974)
E. एम. हिदायतुल्लाह (1975-1978)

नीचे दिए गए विकल्पों में सही उत्तर चुनें :

1. केवल A, B और C
2. केवल B, C और E
3. केवल A, B, C और D
4. केवल C, D और E

66. डगलस मैग्रेगर के विचारों से संबंधित सही कथनों की पहचान करें।

A. सिंद्धात X : एकीकरण और आत्म नियंत्रण की वैकल्पिक मान्यताएँ
B. सिंद्धात Y : बलपूर्वक बाध्यताएँ
C. स्कैनलॉन योजना
D. इंटरप्राइज का मानवीय पहलू
E. लिंकिंग पिन योजना

नीचे दिए गए विकल्पों में सही उत्तर चुनें :

1. केवल C, D और E
2. केवल C और D
3. केवल A, B, C और D
4. केवल A, B और D

67. निम्नलिखित में से सही विचारकों/विचार की पहचान करें।

A. हेनरी फेयोल - प्रबंधन प्रक्रिया स्कूल
B. मैक्स वेबर - कानूनी अतार्किक सत्ता
C. मेरी पार्कर फॉलेट रचनात्मक संघर्ष का विचार
D. एल्टन मेयो - महान प्रकाश प्रयोग
E. चेस्टर बर्नाड - सामाजिक व्यवस्था स्कूल के आध्यात्मिक पिता

नीचे दिए गए विकल्पों में सही उत्तर चुनें :

1. केवल A, B, C और D
2. केवल B, C, D और E
3. केवल A, C, D और E
4. केवल B और E

68. अब्राहम मैस्लो के पद सोपान में आवश्यकता सिद्धांत में समाहित है :

A. शारीरिक आवश्यकताएँ
B. सम्मान आवश्यकताएँ
C. सुरक्षा आवश्यकताएँ
D. आत्मबोध की आवश्यकताएँ
E. आध्यात्मिक आवश्यकताएँ

नीचे दिए गए विकल्पों में सही उत्तर चुनें :

1. केवल C, D और E
2. केवल B, C, D और E
3. केवल A, C और E
4. केवल A, B, C और D

69. भारत के संविधान की 'प्रस्तावना' में 'न्याय' का अर्थ है :

A. सामाजिक न्याय
B. सम्पूर्ण समानता
C. आर्थिक न्याय
D. राजनीतिक न्याय
E. सैनिक न्याय

नीचे दिए गए विकल्पों में सही उत्तर चुनें :

1. केवल A, C और D
2. केवल A, B और C
3. केवल A, B, C और D
4. केवल A, C, D और E

70. फ्रेड रिग्स ने संलायित (फ्यूज्ड), प्रिज्मीय (प्रिजमैटिक) तथा विवार्त्तित (दिफ्रैक्टेड) समाजों पर विचार विकसित किया। प्रिजमीय समाज की विशेषताएं हैं :

A. सार्वभौमिकता
B. वर्णनात्मक मूल्य
C. चयनवाद
D. प्राप्ति
E. बहु-कार्यात्मकता

नीचे दिए गए विकल्पों में सही उत्तर चुनें :

1. केवल A और B
2. केवल A, B और C
3. केवल C, D और E
4. केवल A, B, C और D

71. रेंसिस लिकार्ट 'प्रबंधन प्रणाली 1-4' को प्रबंधन का मॉडल मानते हैं। ये हैं :

A. सहभागी व्यवस्था (पार्टिसिपेटिव सिस्टम)
B. परामर्शी व्यवस्था (कंसलटेटिव सिस्टम)
C. परोपकारी - आधिकारिक (बेनेवोलेंट ऑथेरीटेटिव)
D. शोषक - आधिकारिक (एक्सप्लॉयटेटिव - ऑथेरीटेटिव)
E. परिपक्वता - अपरिपक्वता (मैच्युरिटी - इममैच्युरिटी)

नीचे दिए गए विकल्पों में सही उत्तर चुनें :

1. केवल A, B, E और D
2. केवल B, C, D और E
3. केवल A, C, D और E
4. केवल A, B, C और D

72. भारत के संविधान की प्रस्तावना बल देता है :

A. न्याय
B. स्वतंत्रता
C. समानता
D. राजतंत्र
E. भ्रातृत्व

नीचे दिए गए विकल्पों में सही उत्तर चुनें :

1. केवल A, B और D
2. केवल A, C और D
3. केवल A, C, D और E
4. केवल A, B, C और E

73. भारत के संसद की भूमिका के बारे में सही कथनों की पहचान करें।

A. विधि बनाना
B. लोक निधि के व्यय की निगरानी करना
C. सरकार को उसके कार्यों के प्रति जवाबदेही रखना
D. विपक्ष पर नियंत्रण रखना
E. शिकायतों की अभिव्यक्ति के लिए एक मंच बनाना

नीचे दिए गए विकल्पों में सही उत्तर चुनें :

1. केवल A, C, D और E
2. केवल A, C और D
3. केवल D
4. केवल A, B, C और E

74. मोंटेवीडियो कन्वेंशन ऑफ राइट्स एंड ड्यूटिज ऑफ दि स्टेट (1933) के अनुसार, राज्य के चार विशेषताएँ हैं :

A. सुपरिभाषित क्षेत्र
B. स्थायी जनसंख्या
C. प्रभावी सरकार
D. अन्य राज्यों के साथ सम्बन्ध बनाने की क्षमता
E. संघ बनाने की स्वतंत्रता

नीचे दिए गए विकल्पों में सही उत्तर चुनें :

1. केवल A, B, C और D
2. केवल B, C, D और E
3. केवल A, C, D और E
4. केवल A, B, D और E

75. लूथर गुलिक के विभागीकरण (डिपार्टमेंटलाइजेशन) के चार आधार हैं :

A. प्रयोजन
B. प्रक्रिया
C. व्यक्ति
D. स्थान
E. विरोध

नीचे दिए गए विकल्पों में सही उत्तर चुनें :

1. केवल A, B, C और E
2. केवल B, D, E और C
3. केवल A, B, C और D
4. केवल D, A, E और B

76. सूची-I के साथ सूची-II का मिलान कीजिए :

सूची-I (व्यक्ति)	**सूची-II (पद)**
A. के.पी.एस. मेनन	I. कोरिया से संबंधित संयुक्त राष्ट्र आयोग के अध्यक्ष
B. जस्टिस फजल अली	II. न्यूट्रल नेशंस रिपैट्रियेशन आयोग के अध्यक्ष
C. जनरल के.एस. थिमैया	III. स्टेट्स रिऑरगेनाइजेशन आयोग के अध्यक्ष
D. नलिनी रंजन सरकार	IV. इंडियन चैंबर ऑफ कॉमर्स एंड इंडस्ट्री के अध्यक्ष

नीचे दिए गए विकल्पों में से सही उत्तर का चयन कीजिए :

1. A-I, B-III, C-II, D-IV
2. A-IV, B-II, C-III, D-I
3. A-II, B-IV, C-I, D-III
4. A-III, B-I, C-IV, D-II

77. सूची-I के साथ सूची-II का मिलान कीजिए :

सूची-I (उच्च न्यायालय)	**सूची-II (स्थापना के वर्ष)**
A. इलाहाबाद	I. 1916
B. आन्ध्र प्रदेश	II. 1862
C. बाम्बे	III. 1866
D. पटना	IV. 1954

नीचे दिए गए विकल्पों में से सही उत्तर का चयन कीजिए :

1. A-II, B-I, C-III, D-IV
2. A-III, B-IV, C-II, D-I
3. A-I, B-II, C-IV, D-III
4. A-IV, B-III, C-I, D-II

78. सूची-I के साथ सूची-II का मिलान कीजिए :

सूची-I (राज्य)	**सूची-II (अनुसूचित जनजातियों के लिए लोकसभा में आरक्षित सीटों की संख्या)**
A. पश्चिम बंगाल	I. 4
B. महाराष्ट्र	II. 3
C. झारखंड	III. 2
D. राजस्थान	IV. 5

नीचे दिए गए विकल्पों में से सही उत्तर का चयन कीजिए :

1. A-III, B-I, C-IV, D-II
2. A-II, B-IV, C-I, D-III
3. A-IV, B-II, C-III, D-I
4. A-I, B-III, C-II, D-IV

79. सूची-I के साथ सूची-II का मिलान कीजिए :

सूची-I (घटनाएँ)	**सूची-II (वर्ष)**
A. सोवियत परमाणु बम विस्फोट	I. 1989
B. सोवियत संघ का हंगरी पर हमला	II. 1979
C. ईरान में इस्लामिक क्रांति	III. 1949
D. बर्लिन दीवार गिरना	IV. 1956

नीचे दिए गए विकल्पों में से सही उत्तर का चयन कीजिए :

1. A-I, B-II, C-III, D-IV
2. A-IV, B-I, C-II, D-III
3. A-III, B-IV, C-II, D-I
4. A-II, B-III, C-I, D-IV

80. सूची-I के साथ सूची-II का मिलान कीजिए :

सूची-I (कानून)	**सूची-II (वर्ष)**
A. स्टेट ऑफ मिजोरम एक्ट	I. 2000
B. गोवा, दमन एंड दीव रिआर्गेनाइजेशन एक्ट	II. 1986
C. बिहार रिआर्गेनाइजेशन एक्ट	III. 1966
D. पंजाब रिआर्गेनाइजेशन एक्ट	IV. 1987

नीचे दिए गए विकल्पों में से सही उत्तर का चयन कीजिए :

1. A-I, B-II, C-III, D-IV
2. A-IV, B-III, C-II, D-I
3. A-II, B-IV, C-I, D-III
4. A-III, B-I, C-IV, D-II

81. सूची-I के साथ सूची-II का मिलान कीजिए :

सूची-I (घटनाएँ)	सूची-II (वर्ष)
A. स्टालिनग्राड का युद्ध	I. 1942-1943
B. म्यूनिख समझौता	II. 1938
C. आर्मेनियन जनसंहार	III. 1915
D. यूरोपियन संघ का गठन	IV. 1993

नीचे दिए गए विकल्पों में से सही उत्तर का चयन कीजिए :

1. A-I, B-II, C-III, D-IV
2. A-IV, B-III, C-II, D-I
3. A-III, B-IV, C-I, D-II
4. A-II, B-I, C-IV, D-III

82. सूची-I के साथ सूची-II का मिलान कीजिए :

सूची-I (लोकसभा अध्यक्ष)	सूची-II (कार्यकाल)
A. रवि राय	I. जनवरी 1985-दिसंबर 1989
B. डॉ. बलराम जाखड़	II. दिसंबर 1989-जुलाई 1991
C. शिवराज पाटिल	III. जुलाई 1991-मई 1996
D. मीरा कुमार	IV. जून 2009-जून 2014

नीचे दिए गए विकल्पों में से सही उत्तर का चयन कीजिए :

1. A-I, B-II, C-IV, D-III
2. A-III, B-IV, C-II, D-I
3. A-IV, B-III, C-I, D-II
4. A-II, B-I, C-III, D-IV

83. सूची-I के साथ सूची-II का मिलान कीजिए :

सूची-I (संयुक्त राष्ट्र शांति अभियान)	सूची-II (वर्ष)
A. संयुक्त राष्ट्र ट्रूस सुपर विजन आर्गेनाइजेशन	I. 2005
B. संयुक्त राष्ट्र मिशन के तहत् सूडान में रीजोलुशन - 1590	II. 1948
C. संयुक्त राष्ट्र इंट्रीम फोर्स लेबनान में	III. 1964
D. संयुक्त राष्ट्र शांति सेना साइप्रस में	IV. 1978

नीचे दिए गए विकल्पों में से सही उत्तर का चयन कीजिए :

1. A-II, B-I, C-IV, D-III
2. A-III, B-II, C-I, D-IV
3. A-IV, B-I, C-III, D-II
4. A-I, B-IV, C-II, D-III

84. सूची-I के साथ सूची-II का मिलान कीजिए :

सूची-I (वित्त आयोग)	सूची-II (स्थापना)
A. प्रथम वित्त आयोग	I. 1951
B. द्वितीय वित्त आयोग	II. 1968
C. पंचम वित्त आयोग	III. 1960
D. तृतीय वित्त आयोग	IV. 1956

नीचे दिए गए विकल्पों में से सही उत्तर का चयन कीजिए :

1. A-IV, B-III, C-I, D-II
2. A-II, B-I, C-III, D-IV
3. A-I, B-IV, C-II, D-III
4. A-III, B-II, C-IV, D-I

85. सूची-I के साथ सूची-II का मिलान कीजिए :

सूची-I (मानवाधिकार दस्तावेज)	सूची-II (वर्ष)
A. बाल अधिकारों का अभिसमय	I. 1990
B. प्रताड़ना घोषणा	II. 1951
C. मानवाधिकारों की वियना घोषणा	III. 1993
D. जनसंहार अभिसमय	IV. 1975

नीचे दिए गए विकल्पों में से सही उत्तर का चयन कीजिए :

1. A-II, B-III, C-IV, D-I
2. A-I, B-IV, C-III, D-II
3. A-IV, B-I, C-II, D-III
4. A-III, B-II, C-I, D-IV

86. सूची-I के साथ सूची-II का मिलान कीजिए :

सूची-I (राज्य)	सूची-II (विधान सभा सीटों की संख्या)
A. आंध्र प्रदेश	I. 182
B. गुजरात	II. 294
C. मिजोरम	III. 175
D. पश्चिम बंगाल	IV. 40

नीचे दिए गए विकल्पों में से सही उत्तर का चयन कीजिए :

1. A-III, B-I, C-IV, D-II
2. A-II, B-IV, C-III, D-I
3. A-IV, B-III, C-I, D-II
4. A-I, B-II, C-III, D-IV

87. सूची-I के साथ सूची-II का मिलान कीजिए :

(राज्य)	(लोक सभा सीटों की संख्या)
A. असम	I. 28
B. कर्नाटक	II. 14
C. ओड़िसा	III. 7
D. दिल्ली	IV. 21

नीचे दिए गए विकल्पों में से सही उत्तर का चयन कीजिए :

1. A-IV, B-III, C-I, D-II
2. A-I, B-II, C-III, D-IV
3. A-II, B-I, C-IV, D-III
4. A-III, B-IV, C-II, D-I

88. सूची-I के साथ सूची-II का मिलान कीजिए :

सूची-I (मुख्यमंत्री)	सूची-II (राज्य)
A. राम कृष्ण हेगड़े	I. उत्तराखंड
B. भगत सिंह कोशयारी	II. कर्नाटक
C. कर्पूरी ठाकुर	III. उत्तर प्रदेश
D. सुचेता कृपलानी	IV. बिहार

नीचे दिए गए विकल्पों में से सही उत्तर का चयन कीजिए :

1. A-I, B-II, C-III, D-IV
2. A-IV, B-III, C-I, D-II
3. A-III, B-IV, C-II, D-I
4. A-II, B-I, C-IV, D-III

89. सूची-I के साथ सूची-II का मिलान कीजिए :

सूची-I (लेखक)	सूची-II (अवधारणा)
A. वुडरो विल्सन	I. प्रिंसिपल ऑफ सांइटिफिक मैनेजमेंट
B. फ्रेडरिक टेलर	II. इम्पोर्टेंस ऑफ स्टडी ऑफ एडमिस्ट्रेशन एज साइंस
C. लूथर गुलिक	III. हाइआरकी ऑफ नीड्स
D. अब्राहम मैसलो	IV. स्ट्रक्चर बेस्ड प्रिंसिपल ऑफ आर्गेनाइजेशन

नीचे दिए गए विकल्पों में से सही उत्तर का चयन कीजिए :

1. A-I, B-II, C-III, D-IV
2. A-II, B-I, C-IV, D-III
3. A-III, B-IV, C-II, D-I
4. A-IV, B-III, C-I, D-II

90. सूची-I के साथ सूची-II का मिलान कीजिए :

सूची-I (लेखक)	सूची-II (पुस्तक)
A. डवाईट वाल्डो	I. मैनेजमेंट चैलेंजेज फॉर द 21वीं सेंचुरी
B. पीटर ड्रकर	II. दि स्टडी ऑफ पब्लिक एडमिनिस्ट्रेशन
C. रीनसीस लिकर्ट	III. दि मोटिवेशन टू वर्क
D. फ्रेडरिक हर्जवर्ग	IV. दि ह्यूमन आर्गेनाइजेशन

नीचे दिए गए विकल्पों में से सही उत्तर का चयन कीजिए :

1. A-II, B-I, C-IV, D-III
2. A-III, B-IV, C-I, D-II
3. A-I, B-II, C-III, D-IV
4. A-IV, B-III, C-II, D-I

निर्देश (प्रश्न संख्या 91 से 95 तक): *निम्नलिखित अनुच्छेद को पढ़ें और प्रश्नों के उत्तर दीजिए।*

विनय दामोदर सावरकर भारत के उत्साही राष्ट्रवादी, क्रान्तिकारी तथा प्रमुख स्वतंत्रता सेनानी के रूप में जाने जाते हैं। वह भारत में हिन्दू राष्ट्रवाद के पुनरुत्थान के प्रेरणादायी शक्ति के रूप में भी जाने जाते हैं। ब्रिटिशों के द्वारा वीर सावरकर को अंडमान में बंदी बना कर रखा गया था।

सावरकर का हिंदुत्व-सिद्धांत व्यापक था। उनके लिए हिंदुत्व न सिर्फ हिन्दुओं के धार्मिक सिद्धांत हैं बल्कि उनके जीवन के सांस्कृतिक, सामाजिक, राजनीतिक और भाषायी पहलू भी हैं। अपनी महान कृति हिंदुत्व (1923) में सावरकर ने इस बात पर जोर दिया की हिन्दू वह व्यक्ति है जो भारतवर्ष की इस भूमि का आदर करता है—सिन्धु से लेकर समुद्र तक—अपनी पितृभूमि के साथ-साथ पवित्र-भूमि की तरह, जो उनके धर्म की पालन - भूमि है। अहमदाबाद (1937) में हुए हिन्दू महासभा के अपने अध्यक्षीय भाषण के दौरान सावरकर ने कहा कि हिन्दुओं का एक समान पवित्र भूमि है। वैदिक ऋषि इनके समान गर्व हैं, पाणिनि और पंतजलि व्याकरण-ज्ञेता, भवभूति और कालिदास कवि, श्रीराम और श्री कृष्ण इनके हीरो, शिवाजी और प्रताप, गुरु गोविन्द और बंदा बहादुर इनके प्रेरणा के सामान्य रूप में पूजनीय हैं... हर तरह की परीक्षा जो किसी प्रकार की सामान्य देश, जाति, धर्म, भाषा आदि की हो भी व्यक्ति को एक राष्ट्र बनाने की योग्यता देता है, हिन्दुओं को भी पूरे गर्व के साथ यह योग्यता प्रदान करता है।

सावरकर एक प्रमुख लेखक तथा वक्ता भी थे। उनकी कुछ प्रमुख कृतियों में 'एन इको फ्रॉम अंडमान'; 'हिन्दू पद-पादशाही'; 'दि इंडियन वॉर ऑफ इंडिपेंडेंस' शामिल हैं।

91. अवतरण के अनुसार, विनायक दामोदर सावरकर ब्रिटिशों के द्वारा जेल में बंदी रखे गए थे :

1. पुणे में
2. साबरमती में
3. अंडमान में
4. कलकत्ता में

92. अवतरण के अनुसार, हिन्दू महासभा की अहमदाबाद मीटिंग हुई :

1. 1930
2. 1937
3. 1940
4. 1943

93. अवतरण के अनुसार, प्राचीन भारत के दो व्याकरण जानने वाले थे :

1. पंतजलि तथा गुरु गोविन्द
2. शिवाजी और भवभूति
3. पाणिनि और पंतजलि
4. कालिदास और कणाद

94. अवतरण के अनुसार, हिन्दू पद-पादशाही के लेखक कौन हैं?

1. बंदा बहादुर
2. शंकर
3. विनायक दामोदर सावरकर
4. पाणिनि

95. अवतरण के अनुसार, निम्नलिखित में से कौन-सी पुस्तक विनायक दामोदर सावरकर द्वारा नहीं लिखी गयी है?

1. हिंदुत्व
2. ए नेशन इन मेकिंग
3. एन इको फ्राम अंडमान
4. दि इंडियन वॉर ऑफ इंडिपेंडेंस

निर्देश (प्रश्न संख्या 96 से 100 तक): *निम्नलिखित अनुच्छेद को पढ़ें और प्रश्नों के उत्तर दीजिए।*

सामाजिक कल्याण, पर्यावरणीय सुरक्षा, शिक्षा और भौतिक योजना के क्षेत्र में सरकार तथा समाज के बीच नए तरह का समायोजन दिख रहा है। शीतयुद्धोत्तर काल में तृतीय विश्व के देशों को विकास-सहायता 'सुशासन' के नए राजनीति से जुड़ा है। 1989 में, पहली बार विश्व बैंक के सब-सहारन अफ्रीका जारी रिपोर्ट में सुशासन की अवधारणा पर प्रकाश डाला गया। इस कड़ी में चार प्रमुख क्षेत्रों की पहचान की गई—सार्वजनिक क्षेत्र प्रबंधन, जवाबदेही, विकास के लिए कानूनी ढांचा, सूचना और पारदर्शिता। ओ.ई.सी.डी. ने विकास सहायता को सहभागी विकास, मानव अधिकार तथा प्रजातांत्रिकरण से जोड़ा।

सुशासन के पैराडिगम ने नागरिक समाज की भूमिका को स्थानीय सामूहिक सामाजिक समस्याओं के नजदीक लाया है। एलेक्स डी टॉकविले ने मध्य-1800 में नागरिक समाज तथा प्रजातंत्र को जोड़ा। रॉबर्ट पुतनाम नव-टॉकवेलियन, ने

सामाजिक पूँजी पर जोर दिया और माना कि व्यक्तियों की निजी तथा स्वैच्छिक संगठनों से जुड़ने की प्रवृति ने प्रजातंत्र को प्रभावी बनाने में महत्वपूर्ण योगदान दिया है। अपनी कार्य 'डेवेलपिंग डेमोक्रेसी' में लैरी डायमंड ने जोर डाला है कि एक स्वस्थ उदारवादी प्रजातंत्र को ऐसे जनता की आवश्यकता है जो प्रजातंत्र के लिए संगठित हो, प्रजातंत्र के स्थापित मूल्यों के लिए सामाजिक रूप से जुड़ा हो, तथा सिर्फ असंख्य संकीर्ण हितों की जगह व्यापक, सामान्य, नागरिक हितों को प्रश्रय देता हो। एक जीवंत नागरिक समाज में ही ऐसा नागरिक/लोकजन संभव है।

96. अवतरण के अनुसार, किस संस्था ने पहली बार सुशासन के सिद्धांत पर प्रकाश डाला?

1. आई.एम.एफ. 2. ई.यू.
3. विश्व बैंक 4. ए.डी.बी.

97. अवतरण के अनुसार, 1989 में कौन-सा क्षेत्र शासन की अवधारणा का केंद्र बिंदु था?

1. दक्षिण एशिया 2. यूरोप
3. सब-सहारन अफ्रीका 4. पश्चिम एशिया

98. अवतरण के अनुसार, किस संगठन/संस्था ने विकास सहायता को मानव अधिकार तथा प्रजातांत्रिकरण से जोड़ा?

1. ओ.ई.सी.डी. 2. सार्क
3. एपेक 4. क्वाड

99. अवतरण के अनुसार, मध्य-1800 में किसने नागरिक समाज को प्रजातंत्र से जोड़ा?

1. थॉमस हॉब्स 2. एलेक्स डी. टॉकविले
3. लैरी डायमंड 4. रॉबर्ट पुतनाम

100. अवतरण के अनुसार, 'डेवेलपिंग डेमोक्रेसी' पर कार्य संबंधित है :

1. जॉन लॉक 2. जे.एस. मिल
3. लैरी डायमंड 4. जे. बेंथम

उत्तरमाला

1	2	3	4	5	6	7	8	9	10
2	4	3	2	1	4	3	2	1	4
11	**12**	**13**	**14**	**15**	**16**	**17**	**18**	**19**	**20**
3	2	1	2	1	2,3	3	4	4	3
21	**22**	**23**	**24**	**25**	**26**	**27**	**28**	**29**	**30**
4	4	2	1	2	4	1	2	2	1
31	**32**	**33**	**34**	**35**	**36**	**37**	**38**	**39**	**40**
4	3	2	1	3	4	1	2	3	1
41	**42**	**43**	**44**	**45**	**46**	**47**	**48**	**49**	**50**
3	2	2	2	3	1	1	1	4	2
51	**52**	**53**	**54**	**55**	**56**	**57**	**58**	**59**	**60**
3	3	1	4	1	2	3	2	1	1
61	**62**	**63**	**64**	**65**	**66**	**67**	**68**	**69**	**70**
2	4	3	3	1	2	3	4	1	3
71	**72**	**73**	**74**	**75**	**76**	**77**	**78**	**79**	**80**
4	4	4	1	3	1	2	1	3	3
81	**82**	**83**	**84**	**85**	**86**	**87**	**88**	**89**	**90**
1	4	1	3	2	1	3	4	2	1
91	**92**	**93**	**94**	**95**	**96**	**97**	**98**	**99**	**100**
3	2	3	3	2	3	3	1	2	3

व्याख्यात्मक उत्तर

1. ''महिलाओं के खिलाफ सभी प्रकार के भेदभाव को समाप्त करने का अभिसमय'' (CEDAW) संयुक्त राष्ट्र महासभा द्वारा 18 दिसंबर 1979 को स्वीकार किया गया। यह महिलाओं के लिए एक व्यापक अंतरराष्ट्रीय मानवाधिकार संधि है जो राजनीतिक, आर्थिक, सामाजिक, सांस्कृतिक और पारिवारिक जीवन के हर क्षेत्र में समान अधिकार सुनिश्चित करने की रूपरेखा देती है। यह संधि 3 सितंबर 1981 से प्रभाव में आई। इसके क्रियान्वयन की निगरानी CEDAW समिति करती है, और बाद में एक वैकल्पिक प्रोटोकॉल (1999) भी जोड़ा गया जिससे व्यक्तियों/समूहों को शिकायत करने का मार्ग मिला।

2. "Termites in the Trading System: How Preferential Agreements Undermine Free Trade" (ऑक्सफोर्ड यूनिवर्सिटी प्रेस, 2008) में अर्थशास्त्री जगदीश भगवती ने दलील दी कि क्षेत्रीय/द्विपक्षीय प्राथमिकता-आधारित व्यापार समझौते (PTAs/FTAs) ''मुक्त व्यापार'' के सार्वभौमिक लक्ष्य को भीतर से खोखला कर देते हैं—मानो ''दीमकें'' वैश्विक व्यापार व्यवस्था को कुतर रही हों। पुस्तक में बताया गया है कि जटिल, ओवरलैपिंग नियम (rules of origin, भिन्न मानक) व्यापार-लागत बढ़ाते हैं, पारदर्शिता घटाते हैं और WTO जैसे बहुपक्षीय ढाँचे को कमजोर करते हैं। लेखक बहुपक्षीय, नियम-आधारित उदारीकरण को अधिक पारदर्शी और कल्याणकारी विकल्प मानते हैं।

3. संयुक्त राष्ट्र सहस्राब्दी शिखर सम्मेलन (6-8 सितंबर 2000) में महासभा ने ''मिलेनियम डिक्लेरेशन'' अपनाया, जिसके आधार पर सहस्राब्दी विकास लक्ष्य (MDGs) निर्धारित किए गए। ये 8 प्रमुख लक्ष्य—अत्यधिक गरीबी-भूख का उन्मूलन, सार्वभौम प्राथमिक शिक्षा, लैंगिक समानता, शिशु व मातृ स्वास्थ्य, HIV/AIDS/मलेरिया पर नियंत्रण, पर्यावरणीय स्थिरता, और वैश्विक भागीदारी—को 2015 तक हासिल करने हेतु समयबद्ध एजेंडा थे। 2015 से आगे इन्हें टिकाऊ विकास लक्ष्य (SDGs 2016–2030) ने प्रतिस्थापित किया।

4. यू थांट (U Thant) म्यांमार (तत्कालीन बर्मा) के राजनयिक थे, जिन्होंने 1961 में संयुक्त राष्ट्र महासचिव का पद ग्रहण किया। वे संयुक्त राष्ट्र के तीसरे महासचिव बने और यह पद उन्होंने 1961 से 1971 तक संभाला। यू थांट ने पहली बार डेग हैमरशोल्ड की विमान दुर्घटना में मृत्यु के बाद कार्यवाहक महासचिव के रूप में पदभार लिया और बाद में पूर्णकालिक महासचिव चुने गए। उनके कार्यकाल में क्यूबा मिसाइल संकट (1962), कांगो संकट, और वियतनाम युद्ध जैसे प्रमुख अंतरराष्ट्रीय संकटों का समाधान कराने में उनकी महत्वपूर्ण भूमिका रही। वे एशिया से महासचिव बनने वाले पहले व्यक्ति भी थे।

5. ग्रीस (Greece) ने यूरोपीय समुदाय (European Community—EC) की सदस्यता 1 जनवरी 1981 को प्राप्त की। यह कदम ग्रीस के लोकतांत्रिक शासन की पुनर्स्थापना (1974) और आर्थिक पुनर्गठन की दिशा में एक बड़ा कदम था। यूरोपीय समुदाय, जो बाद में यूरोपीय संघ (European Union) बना, में शामिल होकर ग्रीस ने अपने आर्थिक विकास, व्यापार और राजनीतिक स्थिरता को सुदृढ़ किया। सदस्यता से ग्रीस को संरचनात्मक फंड और कृषि सब्सिडी जैसे लाभ प्राप्त हुए जिससे उसका औद्योगिक और ग्रामीण विकास तेज हुआ।

6. 1940 में मेक्सिको (Mexico) में प्रसिद्ध रूसी क्रांतिकारी लियोन ट्रॉट्स्की (Leon Trotsky) की हत्या कर दी गई थी। ट्रॉट्स्की रूसी क्रांति (1917) के प्रमुख नेताओं में से एक थे और उन्होंने रेड आर्मी की स्थापना में प्रमुख भूमिका निभाई थी। वे जोसेफ स्टालिन के विरोधी थे और 1929 में सोवियत संघ से निर्वासित कर दिए गए थे। अंततः उन्हें मेक्सिको में राजनीतिक शरण मिली, जहाँ रैमोन मर्काडर (Ramón Mercader) नामक स्टालिन समर्थक एजेंट ने आइस पिक से उनकी हत्या कर दी। ट्रॉट्स्की का वैचारिक योगदान ''स्थायी क्रांति'' (Permanent Revolution) की अवधारणा से जुड़ा है, जिसने विश्व समाजवाद के सिद्धांत को गहराई से प्रभावित किया।

7. ग्रेट ब्रिटेन (यूनाइटेड किंगडम) में यूरोपीय संघ (European Union) से अलग होने, जिसे आमतौर पर ब्रेक्सिट (Brexit) कहा जाता है, के लिए जनमत-संग्रह 23 जून 2016 को आयोजित किया गया। इस जनमत-संग्रह में मतदाताओं से पूछा गया था—''क्या यूनाइटेड किंगडम को यूरोपीय संघ का सदस्य बने रहना चाहिए या छोड़ देना चाहिए?'' परिणामस्वरूप 51.9% लोगों ने ''लीव'' (Leave) के पक्ष

में मतदान किया जबकि 48.1% ने ''रिमेन'' (Remain) के पक्ष में। इसके बाद राजनीतिक अस्थिरता बढ़ी, और प्रधानमंत्री डेविड कैमरन ने इस्तीफा दिया। अंततः यूके ने औपचारिक रूप से 31 जनवरी 2020 को यूरोपीय संघ से अलग होकर ब्रेक्सिट को अमल में लाया।

8. यह विचार प्रसिद्ध फिलिस्तीनी-अमेरिकी विद्वान एडवर्ड सईद (Edward Said) द्वारा प्रस्तुत किया गया था, जिन्होंने अपनी प्रसिद्ध पुस्तक "Orientalism" (1978) में पश्चिमी ज्ञानोदय की मानवीय परंपराओं की आलोचना की। उन्होंने बताया कि कैसे यूरोप और पश्चिम ने ''पूर्व'' (Orient) को एक ''अन्य'' (Other) के रूप में गढ़ा—अर्थात्, उपनिवेशित देशों और संस्कृतियों को पिछड़ा, तर्कहीन और शक्तिहीन दिखाया गया। सईद का विश्लेषण बताता है कि यह सांस्कृतिक प्रतिनिधित्व केवल अकादमिक नहीं बल्कि राजनीतिक शक्ति का साधन भी था, जिससे उपनिवेशवाद और साम्राज्यवाद को वैध ठहराया गया। यह उत्तर-औपनिवेशिक अध्ययन (Postcolonial Studies) का एक आधारभूत ग्रंथ माना जाता है।

9. "The General Theory of Employment, Interest and Money" पुस्तक जॉन मेनार्ड केन्स (John Maynard Keynes) द्वारा 1936 में प्रकाशित की गई। इस ग्रंथ ने पारंपरिक शास्त्रीय अर्थशास्त्र को चुनौती दी और आधुनिक समष्टि अर्थशास्त्र (Macroeconomics) की नींव रखी। केन्स ने सिद्ध किया कि बाजार तंत्र अपने आप पूर्ण रोजगार की स्थिति नहीं लाता; बल्कि सरकार को राजकोषीय नीति (Fiscal Policy) के माध्यम से मांग को प्रोत्साहित करना चाहिए। उनकी यह पुस्तक महामंदी (Great Depression) के दौर में आर्थिक सोच का एक निर्णायक मोड़ थी और बाद में केन्सीय अर्थशास्त्र (Keynesian Economics) के रूप में जानी गई।

10. फ्रैंकफर्ट स्कूल की आलोचनात्मक सिद्धांत (Critical Theory) परंपरा के द्वितीय पीढ़ी (Second Generation) के प्रमुख प्रतिनिधि जुर्गन हैबरमास (Jürgen Habermas) माने जाते हैं। उन्होंने अपने पूर्ववर्ती विचारकों—मैक्स होर्खाइमर, थियोडोर अडोर्नो और हर्बर्ट मार्क्यूज—के विचारों को आगे बढ़ाया। हैबरमास ने ''संचारात्मक क्रिया का सिद्धांत'' (Theory of Communicative Action, 1981) विकसित किया, जिसमें उन्होंने संवाद, विवेकपूर्ण संचार और जन-सार्वजनिक विमर्श (public sphere) को लोकतांत्रिक समाज का आधार बताया। उनका दृष्टिकोण आधुनिक पूँजीवादी समाज में युक्तिसंगत संवाद के माध्यम से सामाजिक न्याय और समानता को पुनर्स्थापित करने का प्रयास है। वे आलोचनात्मक सिद्धांत को दार्शनिक और समाजशास्त्रीय गहराई के साथ नई दिशा देने वाले विचारक माने जाते हैं।

11. यह विचार रॉबर्ट नॉजिक (Robert Nozick) ने अपनी प्रसिद्ध पुस्तक "Anarchy, State and Utopia" (1974) में प्रस्तुत किया। उन्होंने अधिकार-आधारित न्याय का सिद्धांत (Entitlement Theory of Justice) प्रतिपादित किया, जिसके अनुसार संपत्ति का अधिकार तभी वैध है जब :

- वह न्यायपूर्ण तरीके से अर्जित (just acquisition) की गई हो, और
- उसका हस्तांतरण (just transfer) एक व्यक्ति से दूसरे व्यक्ति को स्वेच्छा से हुआ हो।

यदि ये दोनों शर्तें पूरी हैं, तो किसी व्यक्ति की संपत्ति पर किसी और का दावा अनुचित है। नॉजिक का यह विचार स्वतंत्रतावाद (Libertarianism) का प्रमुख आधार है, जिसमें राज्य की भूमिका न्यूनतम रखी जाती है — केवल सुरक्षा, अनुबंध प्रवर्तन और अधिकारों की रक्षा तक सीमित।

12. ''इकोलॉजी'' (Ecology) शब्द का प्रयोग सबसे पहले जर्मन जीवविज्ञानी अरनेस्ट हैकल (Ernst Haeckel) ने 1866 में किया। उन्होंने इसे ग्रीक शब्द ''व्यावे'' (अर्थात् घर या निवास) और ''स्वहवे'' (अर्थात् अध्ययन या ज्ञान) से व्युत्पन्न किया। हैकल ने इकोलॉजी को जीवों और उनके पर्यावरण के बीच पारस्परिक संबंधों के अध्ययन के रूप में परिभाषित किया। यह जीवविज्ञान की वह शाखा है जो जीवों के वितरण, व्यवहार, पारिस्थितिक तंत्र (ecosystem) और जैव-भौतिक परिवेश के साथ उनके अंतःसंबंधों का विश्लेषण करती है। बाद में यह अवधारणा पर्यावरण विज्ञान, संरक्षण जीवविज्ञान और सतत विकास के अध्ययन की केंद्रीय धारा बन गई।

13. "On Revolution" पुस्तक का लेखन हन्नाह आरेंट (Hannah Arendt) ने 1963 में किया। इसमें उन्होंने आधुनिक युग की दो प्रमुख क्रांतियों—अमेरिकी क्रांति (1776) और फ्रांसीसी क्रांति (1789)—की तुलनात्मक व्याख्या की। आरेंट के अनुसार अमेरिकी क्रांति ने राजनीतिक स्वतंत्रता और संवैधानिक स्थायित्व को प्राथमिकता दी,

जबकि फ्रांसीसी क्रांति ने सामाजिक समानता और आर्थिक न्याय पर अधिक ध्यान केंद्रित किया, जिसके परिणामस्वरूप उसमें अराजकता उत्पन्न हुई। उन्होंने तर्क दिया कि सच्ची क्रांति वह होती है जो ''स्वतंत्रता की स्थापना'' करे न कि केवल ''दुखों का अंत''। यह पुस्तक राजनीतिक दर्शन में क्रांति, स्वतंत्रता और आधुनिक राज्य के स्वरूप की गहरी विवेचना प्रस्तुत करती है।

14. "A Vindication of the Rights of Woman" का लेखन मैरी वॉल्सस्टोनक्राफ्ट (Mary Wollstonecraft) ने 1792 में किया। इसे स्त्रीवादी आंदोलन के इतिहास में एक प्रथम मौलिक ग्रंथ माना जाता है। इस पुस्तक में उन्होंने यह तर्क दिया कि महिलाओं को शिक्षा, रोजगार और राजनीतिक अधिकारों में पुरुषों के समान अवसर मिलने चाहिए। वॉल्सस्टोनक्राफ्ट ने समाज में स्त्रियों की ''सजावटी'' भूमिका की आलोचना की और कहा कि उनका बुद्धि और नैतिकता के आधार पर समान नागरिक के रूप में सम्मान होना चाहिए। उन्होंने इस विचार को आगे रखा कि महिलाओं की समानता केवल नैतिक दायित्व नहीं, बल्कि समाज के तर्कसंगत और नैतिक विकास की शर्त है।

15. "Development Administration: Concepts, Goals, Methods" पुस्तक जॉर्ज एफ. गांट (George F. Gant) द्वारा 1979 में लिखी गई। इसमें उन्होंने विकासशील देशों में प्रशासन की भूमिका, चुनौतियों और सुधारों पर गहन चर्चा की। गांट ने विकास प्रशासन को एक ऐसी प्रक्रिया बताया जो सामाजिक परिवर्तन और आर्थिक प्रगति को सक्षम बनाती है। उन्होंने इसके तीन प्रमुख घटक बताए :

- **संकल्पना (Concepts):** विकास को उद्देश्यपूर्ण और योजनाबद्ध प्रक्रिया के रूप में समझना,
- **लक्ष्य (Goals):** जनता की भलाई, आर्थिक वृद्धि और सामाजिक न्याय को लक्ष्य बनाना,
- **विधियाँ (Methods):** प्रशासनिक नवाचार, मानव संसाधन विकास, और नीति-निर्माण की दक्षता बढ़ाना।

यह ग्रंथ विकास प्रशासन के अध्ययन में एक आधारभूत सिद्धांतात्मक ढाँचा प्रदान करता है।

16. बाली (Bali) में दो बड़े आतंकी बम विस्फोट हुए थे — पहला 12 अक्टूबर 2002 को और दूसरा 1 अक्टूबर 2005 को।

- **2002 का हमला :** यह इंडोनेशिया के इतिहास का सबसे भीषण आतंकी हमला था, जिसमें बाली के कूटा (Kuta) क्षेत्र स्थित Sari Club और Paddy's Bar पर बम विस्फोट किए गए। इस घटना में लगभग 202 लोग मारे गए और 200 से अधिक घायल हुए। यह हमला इस्लामी चरमपंथी संगठन जेमाह इस्लामियाह (Jemaah Islamiyah) द्वारा किया गया था, जो अल-कायदा से जुड़ा था।
- **2005 का हमला :** इसके तीन साल बाद 1 अक्टूबर 2005 को बाली में फिर से तीन आत्मघाती विस्फोट हुए—दो जिम्बारन बीच और एक कूटा क्षेत्र में। इसमें 20 से अधिक लोगों की मृत्यु हुई और 100 से अधिक घायल हुए। यह हमला भी उसी संगठन से जुड़े उग्रपंथियों ने किया।

दोनों हमलों ने दक्षिण-पूर्व एशिया में आतंकवाद की गंभीरता को उजागर किया और इंडोनेशिया की सुरक्षा नीति में बड़े बदलाव लाए।

17. यह कथन — "War is merely the continuation of politics by other means" अर्थात् ''युद्ध राजनीति का प्रवाह मात्र है'' — प्रसिद्ध प्रशियन (जर्मन) सैन्य विचारक कार्ल वॉन क्लाउज़विट्ज (Carl von Clausewitz) ने अपनी प्रसिद्ध पुस्तक "On War" (Vom Kriege, 1832) में दिया। उनका मानना था कि युद्ध अपने आप में कोई स्वतंत्र कार्य नहीं, बल्कि राजनीतिक उद्देश्यों को बलपूर्वक साधने का माध्यम है। क्लाउजबिट्ज ने युद्ध को एक राजनीतिक साधन बताया जो राज्य की नीति का विस्तार है, और जिसके पीछे रणनीति, बल और तर्क का संतुलन होता है। उनका यह दृष्टिकोण आधुनिक युद्ध-राजनीति सिद्धांत का आधार बन गया।

18. प्रधानमंत्री नरेंद्र मोदी और अमेरिका के नवनिर्वाचित राष्ट्रपति डोनाल्ड ट्रंप के बीच वॉशिंगटन डी.सी. में पहली द्विपक्षीय बैठक फरवरी 2025 में हुई थी। यह भेंट डोनाल्ड ट्रंप के दूसरे कार्यकाल के प्रारंभिक महीनों में आयोजित की गई, जब दोनों नेताओं ने भारत-अमेरिका साझेदारी को ''21वीं सदी की निर्णायक रणनीतिक गठबंधन'' के रूप में आगे बढ़ाने की प्रतिबद्धता व्यक्त की।

बैठक के प्रमुख बिंदु निम्न थे —

- **रक्षा और सुरक्षा सहयोग :** दोनों देशों ने इंडो-पैसिफिक क्षेत्र में साझा रणनीतिक हितों की रक्षा के लिए संयुक्त रक्षा अभ्यासों और हथियार तकनीक साझेदारी पर बल दिया।

- **आर्थिक सहयोग :** द्विपक्षीय व्यापार बढ़ाने, निवेश प्रोत्साहन और आपूर्ति शृंखला (supply chain) को मजबूत करने पर सहमति बनी।
- **ऊर्जा और तकनीकी सहयोग :** स्वच्छ ऊर्जा, अंतरिक्ष अनुसंधान, और उन्नत तकनीकों में संयुक्त अनुसंधान को प्राथमिकता दी गई।
- **आतंकवाद विरोधी प्रतिबद्धता :** दोनों नेताओं ने इस्लामी चरमपंथ और सीमा-पार आतंकवाद के खिलाफ संयुक्त रणनीति पर चर्चा की।

इस बैठक को भारत-अमेरिका संबंधों के लिए एक नई दिशा देने वाली ऐतिहासिक शुरुआत माना गया।

19. चीन-वियतनाम युद्ध (Sino–Vietnamese War) 17 फरवरी 1979 को शुरू हुआ और लगभग एक माह (16 मार्च 1979) तक चला। यह युद्ध तब हुआ जब वियतनाम ने 1978 के अंत में कंबोडिया पर आक्रमण कर वहाँ की खमेर रूज (Khmer Rouge) सरकार को हटा दिया थी, जो चीन समर्थित थी। इसके प्रतिशोध में चीन ने उत्तरी वियतनाम की सीमा पर हमला किया। युद्ध में चीन ने सीमित समय के लिए सैनिक भेजे, लेकिन भारी क्षति के बाद पीछे हट गया। यद्यपि वियतनाम को भारी जनहानि हुई, फिर भी उसने कंबोडिया से अपनी सेना को तुरंत नहीं हटाया। इस युद्ध ने शीत युद्ध (Cold War) काल में दक्षिण-पूर्व एशिया की शक्ति-संतुलन राजनीति को गहराई से प्रभावित किया।

20. "Sexual Politics" पुस्तक का लेखन कैट मिलेट (Kate Millett) ने 1970 में किया। यह स्त्रीवादी आंदोलन की एक प्रमुख सैद्धांतिक पुस्तक मानी जाती है, जिसमें उन्होंने ''पितृसत्ता'' (Patriarchy) को सामाजिक और राजनीतिक शक्ति-संरचना के रूप में विश्लेषित किया। मिलेट ने तर्क दिया कि लैंगिक संबंध केवल जैविक नहीं बल्कि राजनीतिक होते हैं, क्योंकि समाज पुरुषों द्वारा स्त्रियों पर शक्ति के प्रयोग को वैधता देता है। उन्होंने साहित्य और संस्कृति में स्त्रियों के दमन की गहराई से आलोचना की और इस विचार को आगे रखा कि लैंगिक समानता के लिए सामाजिक-राजनीतिक ढांचे का पुनर्गठन आवश्यक है। यह ग्रंथ आधुनिक नारीवादी सिद्धांत (Feminist Theory) की आधारशिला बना।

21. समाज समता संघ (Samaj Samata Sangh) का गठन डॉ. भीमराव रामजी अंबेडकर (B.R. Ambedkar) ने 1924 में किया था। इसका उद्देश्य भारतीय समाज में व्याप्त जाति-आधारित भेदभाव, सामाजिक असमानता, और अस्पृश्यता के विरुद्ध संघर्ष करना था। यह संगठन बहिष्कृत हितकारिणी सभा (1924) और आगे चलकर भारतीय बौद्ध महासभा (1956) जैसी आंदोलनों की वैचारिक पृष्ठभूमि बना। अंबेडकर ने समाज समता संघ के माध्यम से सामाजिक न्याय, मानव समानता और संवैधानिक अधिकारों की चेतना फैलाने का कार्य किया, जिसने आगे जाकर भारत के संविधान में समानता के अधिकार (अनुच्छेद 14–18) के प्रावधानों को गहराई से प्रभावित किया।

22. "Six Glorious Epochs of Indian History" पुस्तक का लेखन विनायक दामोदर सावरकर (V.D. Savarkar) ने किया। यह उनकी अंतिम ऐतिहासिक कृति थी, जिसमें उन्होंने भारतीय इतिहास के छह महत्वपूर्ण कालखंडों को ''गौरवशाली युग'' कहा है। पुस्तक में सावरकर ने भारत के संघर्षों, वीरता, आत्मरक्षा, और राष्ट्रभावना की व्याख्या की। उन्होंने विदेशी आक्रमणों के प्रति भारतीय समाज की प्रतिक्रियाओं, हिंदू पुनरुत्थान, और सांस्कृतिक एकता के आदर्श को रेखांकित किया। यह ग्रंथ ऐतिहासिक घटनाओं को राष्ट्रवादी दृष्टिकोण से व्याख्यायित करता है और सावरकर की राजनीतिक विचारधारा—''हिंदुत्व''—के सिद्धांत से भी गहराई से जुड़ा है।

23. साइमन डी. द बोउवार (Simone de Beauvoir) प्रसिद्ध फ्रांसीसी नारीवादी दार्शनिक थीं, जिनका नाम कभी-कभी गलत रूप में ''साइमन डी. वुबा'' लिखा जाता है। उन्होंने अपनी ऐतिहासिक पुस्तक "The Second Sex" (1949) में यह सिद्ध किया कि ''स्त्री पैदा नहीं होती, बल्कि बना दी जाती है।'' उनका विचार था कि समाज ने स्त्री को ''दूसरा'' (the Other) के रूप में परिभाषित किया, जिससे पुरुष प्रभुत्व की व्यवस्था को वैधता मिली। बोउवार के विचारों ने अस्तित्ववादी नारीवाद (Existential Feminism) की नींव रखी और विश्वव्यापी महिला मुक्ति आंदोलन को वैचारिक प्रेरणा दी।

24. आरने नेस (Arne Nnzss) एक नॉर्वेजियन दार्शनिक और पर्यावरणविद् थे जिन्होंने 1973 में "Deep Ecology" (गहरी पारिस्थितिकी) की अवधारणा प्रस्तुत की। इस सिद्धांत के अनुसार, पर्यावरण का मूल्य केवल उसके मानव उपयोग तक सीमित नहीं है, बल्कि प्रत्येक जीव और पारिस्थितिक तंत्र का अपना अंतर्निहित मूल्य (Intrinsic Value) होता है।

नेस ने कहा कि मनुष्य को प्रकृति का ''मालिक'' नहीं बल्कि उसका ''सहजीवी अंग'' समझना चाहिए। डीप इकोलॉजी का उद्देश्य मानव-केंद्रित दृष्टिकोण (Anthropocentrism) को हटाकर प्रकृति-केंद्रित (Ecocentric) दृष्टि स्थापित करना है, जिससे पारिस्थितिक संतुलन और स्थायी जीवनशैली संभव हो सके।

25. पंडिता रमाबाई का संबंध ''मुक्ति मिशन'' से था, जिसे उन्होंने 1889 में केडगांव (पुणे, महाराष्ट्र) में स्थापित किया। इसका उद्देश्य समाज में परित्यक्त, विधवा, अनाथ और पीड़ित महिलाओं को शिक्षा, आत्मनिर्भरता और पुनर्वास के अवसर प्रदान करना था। पंडिता रमाबाई ने महिलाओं की शिक्षा, अधिकारों और आत्मसम्मान के लिए आजीवन संघर्ष किया। वह संस्कृत की विदुषी, सुधारक, और नारी मुक्ति आंदोलन की अग्रणी हस्ती थीं। ''मुक्ति मिशन'' आज भी सामाजिक सेवा और शिक्षा के क्षेत्र में कार्यरत है।

26. ''वॉशिंगटन सहमति (Washington Consensus)'' की अवधारणा जॉन विलियमसन (John Williamson) ने 1989 में प्रस्तुत की। यह शब्द विश्व बैंक, अंतर्राष्ट्रीय मुद्रा कोष (IMF), और अमेरिकी वित्त मंत्रालय जैसी संस्थाओं द्वारा प्रचलित आर्थिक उदारीकरण की नीति-संकल्पनाओं को दर्शाता है। इसके प्रमुख सिद्धांतों में राजकोषीय अनुशासन, व्यापार उदारीकरण, निजीकरण, विदेशी निवेश को प्रोत्साहन, और बाज़ार उन्मुख सुधार शामिल थे। यह नीतिगत ढांचा विशेषकर विकासशील देशों के लिए प्रस्तावित था ताकि वे वैश्विक पूँजीवादी अर्थव्यवस्था के साथ तालमेल स्थापित कर सकें। हालांकि, इसकी आलोचना यह कहकर की गई कि इससे सामाजिक असमानता और निर्भरता बढ़ी।

27. यह कथन हेनरी फेयोल (Henri Fayol) से संबंधित है, जो आधुनिक प्रबंधन सिद्धांत (Modern Management Theory) के संस्थापक माने जाते हैं। उन्होंने कहा कि ''प्रबंधकीय मामलों में निश्चित कुछ भी नहीं होता; बदलती परिस्थितियों के अनुसार सिद्धांतों को अनुकूलित करना चाहिए।'' फेयोल ने अपने ग्रंथ ''General and Industrial Management'' (1916) में प्रबंधन के 14 सिद्धांत प्रस्तुत किए, जैसे– अधिकार, अनुशासन, एकता, आदेश की श्रृंखला, और केंद्रीकरण। उनका मानना था कि प्रबंधन कोई कठोर नियमों का समूह नहीं बल्कि एक लचीली प्रक्रिया है, जिसे व्यवहारिक अनुभव और परिस्थिति के अनुसार लागू करना चाहिए।

28. ''Roman Agrarian History and its Significance for Public and Private Law'' पुस्तक मैक्स वेबर (Max Weber) द्वारा लिखी गई थी। यह उनके प्रारंभिक काल का एक शैक्षणिक कार्य है, जिसमें उन्होंने प्राचीन रोमन भूमि व्यवस्था (Roman Agrarian System) और उससे विकसित सार्वजनिक एवं निजी विधि (Public and Private Law) के बीच संबंध का विश्लेषण किया। वेबर ने इसमें दिखाया कि भूमि स्वामित्व, कृषक वर्ग की संरचना, और आर्थिक संगठन ने रोमन समाज के राजनीतिक और कानूनी ढाँचे को किस प्रकार आकार दिया। यह अध्ययन न केवल विधिशास्त्र के क्षेत्र में बल्कि समाजशास्त्रीय दृष्टि से भी महत्वपूर्ण है, क्योंकि इसने यह विचार प्रस्तुत किया कि कानून और अर्थव्यवस्था के विकास में सामाजिक संरचना की निर्णायक भूमिका होती है।

29. भारत की प्रथम लोकसभा के पहले स्पीकर (सभापति) गणेश वासुदेव मावलंकर थे। उन्होंने 15 मई 1952 को लोकसभा के अध्यक्ष के रूप में पदभार ग्रहण किया और 27 फरवरी 1956 तक इस पद पर रहे। वे पहले संविधान सभा (Legislative Assembly) के भी अध्यक्ष रह चुके थे और उन्हें ''फादर ऑफ इंडियन पार्लियामेंट'' कहा जाता है। मावलंकर ने संसदीय परंपराओं, कार्य प्रणाली और लोकतांत्रिक संवाद की नींव रखी, जिससे भारत की संसदीय कार्यप्रणाली विश्व में एक अनुकरणीय उदाहरण बनी।

30. जी.वी.के. राव समिति का गठन 1985 में योजना आयोग (Planning Commission of India) द्वारा किया गया था। इस समिति का उद्देश्य भारत में ग्रामीण विकास के लिए उपलब्ध प्रशासनिक व्यवस्थाओं की समीक्षा करना और उन्हें अधिक उत्तरदायी, विकेंद्रीकृत और प्रभावी बनाने के उपाय सुझाना था।

समिति ने यह पाया कि ग्रामीण विकास के अधिकांश कार्यक्रम केंद्र और राज्य स्तर पर अत्यधिक नौकरशाही नियंत्रण के अधीन थे, जिससे उनका लाभ अंतिम स्तर के ग्रामीणों तक नहीं पहुँच पाता था। समिति की मुख्य सिफारिशें थीं —

- ग्रामीण विकास को प्रशासन की मुख्य धारा (Core of Development Administration) में लाना।
- जिला स्तर पर पंचायती राज संस्थाओं को वास्तविक निर्णयात्मक अधिकार देना।

- प्रत्येक जिले में जिला ग्रामीण विकास एजेंसी (District Rural Development Agency—DRDA) की स्थापना।
- योजना निर्माण में "नीचे से ऊपर" (Bottom-up Planning) की अवधारणा को अपनाना।

जी.वी.के. राव समिति की सिफारिशों ने बाद में लक्ष्मणस्वामी मुदालियार समिति और अशोक मेहता समिति की संस्तुतियों के साथ मिलकर 73वें संविधान संशोधन (1992) और पंचायती राज संस्थाओं के सशक्तीकरण की दिशा में ठोस आधार तैयार किया।

31. भारत के संविधान का अनुच्छेद 327 संसद को चुनावों से संबंधित कानून बनाने का अधिकार प्रदान करता है। यह अनुच्छेद कहता है कि — "संसद को यह अधिकार होगा कि वह ऐसे प्रावधान करे जो संघ और राज्यों की संसदों के चुनावों के संचालन तथा उनमें शामिल मामलों के लिए आवश्यक या उपयुक्त हों।"

इस अनुच्छेद के तहत ही संसद ने महत्वपूर्ण चुनाव संबंधी कानून बनाए, जैसे —

- जन प्रतिनिधित्व अधिनियम, 1950 (Representation of the People Act, 1950)—मतदाता सूची और निर्वाचन क्षेत्रों से संबंधित प्रावधान।
- जन प्रतिनिधित्व अधिनियम, 1951 (Representation of the People Act, 1951)—चुनाव प्रक्रिया, आचार संहिता, और निर्वाचन विवादों से संबंधित नियम।

इस प्रकार अनुच्छेद 327, निर्वाचन आयोग की शक्तियों (अनुच्छेद 324) को विधायी समर्थन प्रदान करता है और लोकतांत्रिक व्यवस्था की संवैधानिक रूपरेखा का आधार है।

32. भाजपा के नेतृत्व वाली राष्ट्रीय जनतांत्रिक गठबंधन (NDA) सरकार ने "आतंकवाद निरोधक अधिनियम (Prevention of Terrorism Act—POTA)" वर्ष 2002 में संसद में पारित किया। यह कानून 13 दिसंबर 2001 को संसद भवन पर हुए आतंकी हमले के बाद लाया गया था ताकि आतंकवाद से निपटने के लिए अधिक सख्त कानूनी ढाँचा स्थापित किया जा सके। अधिनियम के अंतर्गत सुरक्षा एजेंसियों को संदिग्ध आतंकवादियों को हिरासत में रखने और जांच के लिए विशेष अधिकार दिए गए। हालांकि, इसके दुरुपयोग की शिकायतों के कारण इसे 2004 में यूपीए सरकार द्वारा निरस्त कर दिया गया।

33. प्रधानमंत्री अटल बिहारी वाजपेयी ने 19-21 फरवरी 1999 के बीच लाहौर (पाकिस्तान) की ऐतिहासिक यात्रा की थी। इस दौरान उन्होंने पाकिस्तानी प्रधानमंत्री नवाज शरीफ़ के साथ "लाहौर घोषणा" (Lahore Declaration) पर हस्ताक्षर किए। इस समझौते का उद्देश्य भारत और पाकिस्तान के बीच विश्वास निर्माण, परमाणु हथियार नियंत्रण, और कश्मीर मुद्दे पर शांतिपूर्ण संवाद को प्रोत्साहित करना था। वाजपेयी की यह यात्रा "दिल्ली-लाहौर बस सेवा" के शुभारंभ से जुड़ी थी और इसे दोनों देशों के संबंधों में नई शुरुआत के रूप में देखा गया। हालांकि, कुछ महीनों बाद कारगिल युद्ध (मई–जुलाई 1999) के कारण यह शांति प्रयास बाधित हो गया।

34. राष्ट्रीय महिला आयोग (National Commission for Women—NCW) की स्थापना 31 जनवरी 1992 को की गई थी। इसे राष्ट्रीय महिला आयोग अधिनियम, 1990 (National Commission for Women Act, 1990) के तहत गठित किया गया। आयोग का मुख्य उद्देश्य महिलाओं के संवैधानिक और कानूनी अधिकारों की रक्षा, लैंगिक समानता को बढ़ावा देना, तथा भेदभाव या अत्याचार के मामलों की जांच और सिफारिशें करना है। यह आयोग केंद्र सरकार को महिला-संबंधी नीतियों और विधायी सुधारों पर सलाह देता है। इसके पहले अध्यक्ष श्रीमती जयंत पाटिल थीं, और वर्तमान में यह संस्था भारत में महिला सशक्तिकरण की दिशा में महत्वपूर्ण भूमिका निभा रही है।

35. वर्ष 2025 तक पाकिस्तान के राष्ट्रपति आसिफ अली जरदारी हैं। वे पाकिस्तान पीपल्स पार्टी (PPP) के वरिष्ठ नेता हैं और इससे पहले भी 2008 से 2013 तक राष्ट्रपति रह चुके हैं। आसिफ जरदारी पूर्व प्रधानमंत्री बेनेज़ीर भुट्टो के पति हैं और मार्च 2024 में हुए राष्ट्रपति चुनाव में दूसरी बार चुने गए। राष्ट्रपति के रूप में उनकी भूमिका मुख्यतः औपचारिक (ceremonial) है, जबकि कार्यकारी शक्तियाँ प्रधानमंत्री और संसद के पास रहती हैं।

36. जार्जिया मेलोनी (Giorgia Meloni) इटली की प्रधानमंत्री हैं। वे अक्टूबर 2022 में पद पर चुनी गईं और इस प्रकार इटली की पहली महिला प्रधानमंत्री बनीं। मेलोनी ब्रदर्स ऑफ इटली (Fratelli d'Italia) नामक दक्षिणपंथी पार्टी की नेता हैं। उनकी सरकार का एजेंडा राष्ट्रवाद, आव्रजन नियंत्रण, कर सुधार, और परिवार नीति पर केंद्रित है। यूरोपीय राजनीति में वे एक प्रभावशाली नेता मानी जाती हैं, जो यूरोप में परंपरावादी और राष्ट्रवादी राजनीति की नई लहर का प्रतिनिधित्व करती हैं।

37. दक्षिण एशियाई क्षेत्रीय सहयोग संगठन (SAARC—South Asian Association for Regional Cooperation) की स्थापना 8 दिसंबर 1985 को की गई थी। इसका उद्देश्य दक्षिण एशियाई देशों के बीच आर्थिक, सामाजिक, सांस्कृतिक, और तकनीकी सहयोग को बढ़ावा देना था। इसके सात प्रारंभिक सदस्य देश थे — भारत, पाकिस्तान, बांग्लादेश, श्रीलंका, नेपाल, भूटान, और मालदीव; बाद में अफगानिस्तान (2007) इसमें आठवां सदस्य बना। SAARC की स्थापना ढाका (बांग्लादेश) में आयोजित प्रथम शिखर सम्मेलन के दौरान हुई थी। इसका सचिवालय काठमांडू (नेपाल) में स्थित है, और यह संगठन दक्षिण एशिया में क्षेत्रीय एकता और विकास के लिए एक प्रमुख मंच है।

38. भारतीय संविधान का अनुच्छेद 370, जो जम्मू और कश्मीर राज्य को विशेष दर्जा प्रदान करता था, 5 अगस्त 2019 को राष्ट्रपति के आदेश और संसद के प्रस्ताव द्वारा निरस्त किया गया। इस कदम से जम्मू-कश्मीर का अलग संविधान और विशेष अधिकार समाप्त हो गए, और राज्य को दो केंद्रशासित प्रदेशों — जम्मू एवं कश्मीर तथा लद्दाख — में विभाजित किया गया। यह निर्णय भारत सरकार द्वारा राष्ट्रीय एकीकरण और समान संवैधानिक व्यवस्था की दिशा में ऐतिहासिक कदम माना गया। इस संशोधन के साथ अनुच्छेद 35। भी अप्रभावी हो गया, जो जम्मू-कश्मीर के स्थायी नागरिकों को विशेष अधिकार देता था।

39. जी 20 शिखर सम्मेलन 9–10 सितंबर 2023 को नई दिल्ली में आयोजित किया गया। इसका आयोजन भारत की अध्यक्षता में हुआ, जिसका विषय था — "Vasudhaiva Kutumbakam—One Earth, One Family, One Future" यह सम्मेलन भारत मंडपम (प्रगति मैदान, नई दिल्ली) में हुआ, जिसमें 20 सदस्य देशों के साथ 9 आमंत्रित राष्ट्रों और अंतरराष्ट्रीय संगठनों ने भाग लिया। इस बैठक में जलवायु परिवर्तन, वैश्विक अर्थव्यवस्था, डिजिटल नवाचार, और सतत विकास लक्ष्यों (SDGs) पर चर्चा हुई। इस सम्मेलन का एक प्रमुख परिणाम "नई दिल्ली घोषणा" (New Delhi Leaders' Declaration) का सर्वसम्मति से पारित होना था, जो वैश्विक सहयोग की दिशा में एक ऐतिहासिक उपलब्धि रही।

40. नफ नदी बांग्लादेश और म्यांमार के बीच की अंतरराष्ट्रीय सीमा निर्धारित करती है। यह नदी अराकान पर्वत श्रृंखला से निकलती है और बंगाल की खाड़ी (Bay of Bengal) में जाकर मिलती है। इसकी लंबाई लगभग 62 किलोमीटर है। नफ नदी का क्षेत्र रोहिंग्या शरणार्थी संकट के दौरान विशेष रूप से चर्चित रहा, क्योंकि यह सीमा दोनों देशों के बीच आव्रजन मार्ग के रूप में प्रयोग की जाती रही है। यह नदी दोनों देशों के बीच भौगोलिक सीमा और सामरिक महत्व रखती है।

41. संगठनों का कालानुक्रमिक क्रम इस प्रकार है —

E. आसियान—स्थापित 1967, दक्षिण-पूर्व एशियाई देशों के बीच आर्थिक, राजनीतिक और सांस्कृतिक सहयोग के लिए।

B. एपेक—स्थापित 1989, एशिया-प्रशांत क्षेत्र में व्यापार और निवेश को प्रोत्साहित करने हेतु।

A. मर्कासुर—स्थापित 1991, दक्षिण अमेरिकी देशों का साझा आर्थिक ब्लॉक (ब्राज़ील, अर्जेंटीना, पराग्वे, उरुग्वे)।

D. नाफ्टा—लागू 1994, अमेरिका, कनाडा और मैक्सिको के बीच मुक्त व्यापार समझौता।

C. एफ.टी.ए.ए.—प्रस्तावित 1994, अमेरिकी महाद्वीप के सभी देशों के लिए एक मुक्त व्यापार क्षेत्र की कल्पना, परंतु यह पूर्ण रूप से लागू नहीं हुआ।

42. संविधान और संबंधित संशोधनों के ऐतिहासिक क्रम में विषयों का सही कालक्रम इस प्रकार है —

C. **मेघालय राज्य का निर्माण (1972):** उत्तर-पूर्वी क्षेत्र (पुनर्गठन) अधिनियम, 1971 के माध्यम से 21 जनवरी 1972 को मेघालय को एक पूर्ण राज्य का दर्जा दिया गया। यह असम से अलग होकर भारत का 21वाँ राज्य बना।

D. **रियासतों के शासकों के 'प्रिवी पर्स' और विशेषाधिकारों की समाप्ति (1971):** 26वाँ संविधान संशोधन अधिनियम, 1971 के तहत भारत सरकार ने प्रिवी पर्स (Privy Purses) और विशेषाधिकारों को समाप्त कर दिया, जिससे भारत में पूर्ण लोकतांत्रिक समानता स्थापित हुई।

B. **नागरिकों के मूल कर्तव्यों का अध्याय जोड़ा गया (1976):** 42वाँ संविधान संशोधन अधिनियम, 1976 द्वारा अनुच्छेद 51। में नागरिकों के मूल कर्तव्य (Fundamental Duties) जोड़े गए। इसका उद्देश्य नागरिकों में देशभक्ति, एकता और राष्ट्रीय अनुशासन की भावना विकसित करना था।

A. **संपत्ति के अधिकार को मौलिक अधिकारों की सूची से हटाया गया (1978):** 44वाँ संविधान संशोधन अधिनियम, 1978 के तहत अनुच्छेद 19(1)(f) और 31 को हटाया गया, जिससे संपत्ति का अधिकार अब वैधानिक अधिकार बन गया और अनुच्छेद 300A में स्थानांतरित किया गया।

E. **अरुणाचल प्रदेश को राज्य का दर्जा दिया गया (1987):** 55वाँ संविधान संशोधन अधिनियम, 1987 के माध्यम से अरुणाचल प्रदेश को पूर्ण राज्य का दर्जा प्राप्त हुआ और वह भारत का 24वाँ राज्य बना।

43. संविधान में इन विषयों के जोड़े जाने का कालानुक्रम इस प्रकार है —

D. **नौवीं अनुसूची (1951):** पहला संविधान संशोधन अधिनियम, 1951 के तहत जोड़ी गई। इसका उद्देश्य भूमि सुधार संबंधी कानूनों को न्यायिक समीक्षा से बाहर रखना था। इसमें प्रारंभ में 13 कानून शामिल थे।

E. **समवर्ती सूची में 'वन' का सम्मिलन (1976):** 42वाँ संविधान संशोधन अधिनियम, 1976 द्वारा 'वन' (Forests) तथा 'वन्यजीव संरक्षण' जैसे विषयों को राज्य सूची से हटाकर समवर्ती सूची में शामिल किया गया, ताकि पर्यावरण संरक्षण पर केंद्र और राज्य मिलकर कार्य कर सकें।

C. **दसवीं अनुसूची (1985):** 52वाँ संविधान संशोधन अधिनियम, 1985 के तहत जोड़ी गई। यह दल-बदल विरोधी कानून (Anti-Defection Law) से संबंधित है, जो राजनीतिक दलों में अनुशासन और स्थिरता बनाए रखने के लिए लाया गया।

B. **बारहवीं अनुसूची (1992):** 74वाँ संविधान संशोधन अधिनियम, 1992 द्वारा जोड़ी गई, जिसमें नगरपालिकाओं के कार्यक्षेत्र से संबंधित 18 विषय शामिल हैं।

A. **आठवीं अनुसूची में 'संथाली' (2003):** 92वाँ संविधान संशोधन अधिनियम, 2003 के माध्यम से संथाली सहित बोडो, डोगरी, और मैथिली भाषाओं को आठवीं अनुसूची में जोड़ा गया।

44. उच्च न्यायालयों की स्थापना के वर्षानुसार सही कालक्रम इस प्रकार है —

A. **कर्नाटक उच्च न्यायालय (1956):** राज्य पुनर्गठन अधिनियम, 1956 के तहत मैसूर राज्य के लिए उच्च न्यायालय का गठन किया गया, जिसे बाद में कर्नाटक उच्च न्यायालय कहा जाने लगा। इसका मुख्यालय बेंगलुरु में स्थित है और यह दक्षिण भारत के सबसे पुराने न्यायिक संस्थानों में से एक है।

B. **गुवाहाटी उच्च न्यायालय (1948):** पूर्वोत्तर भारत के लिए 5 अप्रैल 1948 को असम उच्च न्यायालय के रूप में इसकी स्थापना हुई, जो बाद में गुवाहाटी उच्च न्यायालय कहलाया। इसके अधीन नागालैंड, मणिपुर, मिजोरम और अरुणाचल प्रदेश के खंडपीठ कार्य करते हैं।

C. **केरल उच्च न्यायालय (1956):** 1 नवम्बर 1956 को त्रावणकोर-कोचीन और मालाबार के पुनर्गठन के बाद यह उच्च न्यायालय अस्तित्व में आया। इसका मुख्यालय एर्नाकुलम (कोच्चि) में स्थित है।

D. **पंजाब और हरियाणा उच्च न्यायालय (1966):** 1 नवम्बर 1966 को पंजाब राज्य के पुनर्गठन के साथ इसका गठन हुआ। यह उच्च न्यायालय चंडीगढ़ में स्थित है और पंजाब, हरियाणा तथा केंद्र शासित प्रदेश चंडीगढ़ के लिए कार्य करता है।

E. **सिक्किम उच्च न्यायालय (1975):** सिक्किम के भारत में विलय के बाद 1975 में इसका गठन हुआ। यह भारत के सबसे छोटे उच्च न्यायालयों में से एक है और इसका मुख्यालय गंगटोक में है।

45. संविधान के अनुच्छेद क्रम के अनुसार —

A. राष्ट्रपति को सहायता और सलाह देने के लिए मंत्री-परिषद्–अनुच्छेद 74

C. संसद में राष्ट्रपति का विशेष अभिभाषण–अनुच्छेद 87

B. कार्यकारी मुख्य न्यायमूर्ति की नियुक्ति–अनुच्छेद 126

D. उच्चतम न्यायालय से परामर्श करने की राष्ट्रपति की शक्ति–अनुच्छेद 143

E. जिला न्यायधीशों की नियुक्ति–अनुच्छेद 233

इन अनुच्छेदों का सही क्रम A, C, B, D, E है।

46. क्रांतियों का कालानुक्रम इस प्रकार है —

C. **अमेरिकी क्रांति (1775-1783):** इंग्लैंड के उपनिवेशों द्वारा स्वतंत्रता के लिए लड़ी गई यह क्रांति 4 जुलाई 1776 की स्वतंत्रता घोषणा के साथ प्रारंभिक लोकतांत्रिक गणराज्यों में से एक की स्थापना का कारण बनी।

B. **रूसी क्रांति (1917):** जार शासन के अंत और बोल्शेविकों के नेतृत्व में समाजवादी सोवियत संघ की स्थापना का परिणाम रही।

A. **क्यूबा की क्रांति (1953–1959):** फिदेल कास्त्रो और चे ग्वेरा के नेतृत्व में क्यूबा में फुलजेंशियो बतिस्ता की सरकार को उखाड़कर समाजवादी शासन की स्थापना हुई।

D. **निकारागुआ की क्रांति (1979):** सांडिनिस्ता नेशनल लिबरेशन फ्रंट (FSLN) ने अमेरिकी समर्थक सोमोजा शासन को हटाया और समाजवादी सरकार की स्थापना की।

E. **ट्यूलिप क्रांति (2005):** किर्गिस्तान में हुई यह शांतिपूर्ण क्रांति चुनावी धांधली और भ्रष्टाचार के विरोध में हुई, जिसके बाद राष्ट्रपति असकर अकायेव को पद छोड़ना पड़ा।

47. भारत सरकार की प्रमुख योजनाओं और पहलों का कालक्रम :

B. **स्वच्छ भारत मिशन (2014):** 2 अक्टूबर 2014 को शुरू हुआ, जिसका उद्देश्य खुले में शौच से मुक्त भारत और स्वच्छता को जनआंदोलन बनाना था।

E. **नमामि गंगे (2014):** 13 मई 2014 को गंगा नदी के संरक्षण, प्रदूषण नियंत्रण और पुनर्जीवन के लिए प्रारंभ किया गया समन्वित कार्यक्रम।

A. **स्वामित्व योजना (2020):** 24 अप्रैल 2020 को लॉन्च हुई, जिसका लक्ष्य ग्रामीण संपत्ति की डिजिटल मैपिंग और रिकॉर्डिंग करना है ताकि ग्रामीणों को उनकी भूमि पर स्वामित्व अधिकार मिल सके।

C. **स्वनिधि से समृद्धि (2021):** यह प्रधानमंत्री स्वनिधि योजना का विस्तार कार्यक्रम है, जो 4 मार्च 2021 को शुरू हुआ और स्ट्रीट वेंडरों के सामाजिक-आर्थिक सशक्तिकरण पर केंद्रित है।

D. **कर्तव्य-पथ का उद्घाटन (2022):** 8 सितंबर 2022 को नई दिल्ली में राष्ट्रपति भवन से इंडिया गेट तक के राजपथ का नाम बदलकर "कर्तव्य-पथ" रखा गया और इसका उद्घाटन किया गया।

48. भारत के राजकीय वरीयता क्रम (Order of Precedence) के अनुसार इन पदों की स्थिति इस प्रकार है —

A. **पूर्व राष्ट्रपति :** वरीयता क्रम में सर्वोच्च पदों में से एक हैं। इनका स्थान वर्तमान उपराष्ट्रपति के तुरंत बाद और प्रधानमंत्री से ऊपर आता है। पूर्व राष्ट्रपतियों को राज्य समारोहों में अत्यधिक सम्मान प्राप्त होता है।

B. **लोकसभा अध्यक्ष :** संवैधानिक दृष्टि से अत्यंत उच्च पद है। वरीयता क्रम में यह प्रधानमंत्री के ठीक बाद आता है और राज्यसभा के सभापति (उपराष्ट्रपति) से नीचे स्थान रखता है।

C. **पूर्व प्रधानमंत्री :** इनका स्थान वरीयता क्रम में वर्तमान लोकसभा अध्यक्ष के बाद आता है। उन्हें राष्ट्रीय समारोहों और राजकीय कार्यों में वरिष्ठ संवैधानिक पदाधिकारियों के समकक्ष सम्मान दिया जाता है।

D. **सर्वोच्च न्यायालय के न्यायाधीश :** ये संवैधानिक पद पर होते हैं और देश की न्यायपालिका की सर्वोच्च संस्था का हिस्सा हैं। इनका वरीयता क्रम मंत्रियों और राज्यपालों के नीचे होता है, परंतु अन्य अधिकारियों से ऊपर।

E. **सॉलिसिटर जनरल :** यह भारत सरकार का द्वितीय विधि अधिकारी होता है, जो अटॉर्नी जनरल के बाद पदानुक्रम में आता है। वरीयता क्रम में इसका स्थान सर्वोच्च न्यायालय के न्यायाधीशों से नीचे होता है।

49. अधिनियमों/संहिताओं का कालक्रम :

E. **संप्रतीक और नाम (अनुचित प्रयोग का निवारण) अधिनियम, 1950:** राष्ट्रीय प्रतीकों/नामों आदि के दुरुपयोग पर रोक लगाने हेतु पारित।

A. **नागरिकता अधिनियम, 1955:** नागरिकता के अधिग्रहण, समाप्ति और पंजीकरण/प्राकृतिककरण की रूपरेखा निर्धारित।

C. **राष्ट्रीय गौरव अपमान निवारण अधिनियम, 1971:** राष्ट्रीय ध्वज, संविधान, राष्ट्रगान/चिह्न के अपमान को दंडनीय बनाता है।

B. **भारतीय झंडा संहिता, 2002:** तिरंगे के प्रदर्शन/उपयोग से संबंधित बिखरे नियमों का संहिताकरण।

D. **राज्य प्रतीक (अनुचित उपयोग निषेध) अधिनियम, 2005:** भारत के राज्य चिह्न (State Emblem of India) के अनुचित प्रयोग पर रोक।

50. अधिनियमों/संहिताओं का कालक्रम :

C. **न्यूनतम मजदूरी अधिनियम, 1948:** श्रमिकों के लिए विधिसम्मत न्यूनतम वेतन सुनिश्चित करने वाला मूल श्रम कानून।

D. **मिशन इन्द्रधनुष, 2014:** सार्वभौमिक टीकाकरण की गति बढ़ाने के लिए स्वास्थ्य मंत्रालय की पहल (दिसंबर 2014 से गहन संचरण)।

A. **राष्ट्रीय कौशल विकास मिशन, 2015:** 15 जुलाई 2015 को आरंभ; कौशल प्रशिक्षण एवं नियोजनीयता बढ़ाने का राष्ट्रीय ढांचा।

B. **प्रधानमंत्री श्रमयोगी मान-धन योजना, 2019:** असंगठित क्षेत्र के श्रमिकों हेतु स्वैच्छिक अंशदायी पेंशन योजना (फरवरी 2019)।

E. **आयुष्मान भारत डिजिटल मिशन, 2021:** 27 सितंबर 2021; डिजिटल हेल्थ आईडी और इंटरऑपरेबल स्वास्थ्य रिकॉर्ड्स का राष्ट्रीय नेटवर्क।

51. कालक्रमानुसार व्यवस्था :

E. **राष्ट्रीय सहकारिता विकास निगम (1963):** संसद द्वारा पारित राष्ट्रीय सहकारिता विकास निगम अधिनियम, 1962 के अंतर्गत 1963 में इसकी स्थापना हुई। इसका उद्देश्य कृषि, दुग्ध, हस्तशिल्प और ग्रामीण उद्योगों के लिए सहकारी समितियों को वित्तीय सहायता और तकनीकी परामर्श प्रदान करना था। यह भारत में सहकारिता आंदोलन के सशक्तिकरण की दिशा में एक प्रमुख संस्था है।

D. **खाद्य और पोषण बोर्ड (1963):** महिला एवं बाल विकास मंत्रालय के अंतर्गत स्थापित इस बोर्ड का गठन 1963 में हुआ। इसका कार्य राष्ट्रीय पोषण नीति के कार्यान्वयन, प्रशिक्षण, जनजागरूकता और आहार संबंधी शिक्षा को बढ़ावा देना है। यह बाल, किशोर और मातृ पोषण सुधार पर विशेष बल देता है।

C. **प्रधानमंत्री जन औषधि योजना (2008):** 2008 में आरंभ हुई यह योजना आम जनता को सस्ती जेनेरिक दवाइयाँ उपलब्ध कराने के लिए शुरू की गई। इस योजना का उद्देश्य लोगों को गुणवत्ता युक्त दवाइयाँ बाजार मूल्य से कम दर पर उपलब्ध कराना और स्वास्थ्य सेवाओं की पहुंच बढ़ाना था।

B. **दिव्यांगजन अधिकार अधिनियम (2016):** 2016 में पारित Rights of Persons with Disabilities Act ने विकलांग व्यक्तियों की परिभाषा का विस्तार किया और उन्हें शिक्षा, रोजगार, और सार्वजनिक सुविधाओं में समान अधिकार प्रदान किए। यह अधिनियम 1995 के पुराने कानून को प्रतिस्थापित करता है।

A. **राष्ट्रीय गोकुल मिशन (2014):** दिसंबर 2014 में शुरू हुआ यह मिशन देशी नस्ल की गायों के संरक्षण, संवर्धन और आनुवंशिक सुधार के लिए बनाया गया था। इसके तहत कृत्रिम गर्भाधान, भ्रूण स्थानांतरण, और नस्ल सुधार केंद्रों की स्थापना की गई।

52. कालक्रमानुसार व्यवस्था :

E. **वराहगिरी वेंकट गिरी (1967–1969):** इन्होंने 13 मई 1967 से 3 मई 1969 तक भारत के उपराष्ट्रपति के रूप में कार्य किया। बाद में ये कार्यवाहक राष्ट्रपति बने और 1969 में भारत के राष्ट्रपति निर्वाचित हुए।

A. **आर. वेंकटरमण (1984–1987):** 31 अगस्त 1984 से 24 जुलाई 1987 तक उपराष्ट्रपति रहे। उसके बाद वे भारत के राष्ट्रपति चुने गए और 1987 से 1992 तक उस पद पर कार्य किया।

C. **के.आर. नारायणन (1992–1997):** 21 अगस्त 1992 से 24 जुलाई 1997 तक उपराष्ट्रपति रहे। इसके बाद 1997 से 2002 तक भारत के राष्ट्रपति बने, और वे पहले दलित राष्ट्रपति थे।

D. **कृष्णकांत (1997–2002):** इन्होंने 21 अगस्त 1997 से 27 जुलाई 2002 तक उपराष्ट्रपति पद संभाला। वे इससे पहले लोकसभा के उपाध्यक्ष और आंध्र प्रदेश के राज्यपाल भी रह चुके थे।

B. **भैरो सिंह शेखावत (2002–2007):** 19 अगस्त 2002 से 21 जुलाई 2007 तक उपराष्ट्रपति रहे। इससे पूर्व वे राजस्थान के मुख्यमंत्री और भारतीय जनता पार्टी के वरिष्ठ नेता थे।

53. कालक्रमानुसार व्यवस्था :

E. **अस्पृश्यता का अंत–अनुच्छेद 17:** यह अनुच्छेद समाज में व्याप्त जाति आधारित भेदभाव को समाप्त करने हेतु बनाया गया। यह अस्पृश्यता को पूर्णतः निषिद्ध करता है और इसके उल्लंघन को दंडनीय अपराध घोषित करता है। इस अनुच्छेद ने भारतीय संविधान को सामाजिक समानता और न्याय की ठोस नींव प्रदान की।

B. **कारखानों में बालकों के नियोजन का प्रतिषेध–अनुच्छेद 24:** इस अनुच्छेद में 14 वर्ष से कम आयु के बच्चों को कारखानों, खदानों या किसी भी खतरनाक कार्य में नियोजित किए जाने पर पूर्ण प्रतिबंध लगाया गया

है। इसका उद्देश्य बाल श्रम को समाप्त करना और बालकों को शिक्षा व स्वस्थ बचपन का अधिकार सुनिश्चित करना है।

E. **समान न्याय और निःशुल्क विधिक सहायता–अनुच्छेद 39A:** यह नागरिकों को समान न्याय तक पहुँच सुनिश्चित करता है और आर्थिक दुर्बल वर्गों को निःशुल्क कानूनी सहायता प्रदान करने का दायित्व राज्य पर डालता है। यह न्यायपालिका की पहुंच को लोकतांत्रिक मूल्यों से जोड़ता है।

C. **सहकारी समितियों की अभिवृद्धि–अनुच्छेद 43B:** यह अनुच्छेद 97वें संविधान संशोधन (2011) द्वारा जोड़ा गया, जिसका उद्देश्य सहकारी समितियों के स्वायत्त, लोकतांत्रिक और व्यावसायिक रूप से सक्षम संचालन को प्रोत्साहन देना है।

D. **कार्यपालिका से न्यायपालिका का पृथक्करण–अनुच्छेद 50:** यह राज्य नीति के निदेशक सिद्धांतों में शामिल है और न्यायपालिका की स्वतंत्रता को बनाए रखने के लिए कार्यपालिका से पृथक्करण पर बल देता है।

54. कालक्रमानुसार व्यवस्था :

E. **चिली में पिनोशे का तख्ता पलट (1973):** 11 सितंबर 1973 को जनरल ऑगस्तो पिनोशे ने राष्ट्रपति सल्वाडोर आयेंदे की समाजवादी सरकार को उखाड़ फेंका और सैन्य शासन स्थापित किया।

B. **तियानानमेन स्क्वायर में चीन की सैन्य कार्रवाई (1989):** 4 जून 1989 को बीजिंग में लोकतंत्र समर्थक छात्रों पर चीनी सेना ने गोलीबारी की, जिससे हजारों लोग मारे गए।

A. **मास्ट्रिच संधि अनुमोदित (1992):** इस संधि के माध्यम से यूरोपीय संघ (EU) की औपचारिक स्थापना हुई। यह 7 फरवरी 1992 को हस्ताक्षरित और 1 नवंबर 1993 से प्रभावी हुई।

E. **रूस द्वारा क्रीमिया का कब्जा (2014):** मार्च 2014 में रूस ने यूक्रेन के क्रीमिया प्रायद्वीप पर कब्जा कर लिया, जिससे अंतरराष्ट्रीय स्तर पर तनाव उत्पन्न हुआ।

D. **अमेरिकी राष्ट्रपति डोनाल्ड ट्रंप और किम जोंग उन की सिंगापुर मुलाकात (2018):** 12 जून 2018 को सिंगापुर में हुई यह ऐतिहासिक बैठक उत्तर कोरिया और अमेरिका के बीच पहली शिखर वार्ता थी, जिसने परमाणु निरस्त्रीकरण पर संवाद की दिशा खोली।

55. कालक्रमानुसार व्यवस्था :

E. **डेमोक्रेटिक पार्टी (अमेरिका) :** यह विश्व की सबसे पुरानी सक्रिय राजनीतिक पार्टियों में से एक है, जिसका गठन 1828 में हुआ। इसका गठन एंड्रयू जैक्सन के समर्थकों ने किया था। यह पार्टी Democratic-Republican Party से विकसित हुई और अमेरिकी राजनीति में सामाजिक न्याय, श्रमिक अधिकारों और नागरिक स्वतंत्रता की पक्षधर रही है।

B. **लिबरल पार्टी ऑफ कनाडा (कनाडा) :** कनाडा की यह प्रमुख राजनीतिक पार्टी 1867 में गठित हुई। यह पार्टी संघीय एकता, बहुसांस्कृतिकता, और सामाजिक लोकतंत्र की समर्थक रही है। इसके कई नेता जैसे पियरे ट्रूडो और जस्टिन ट्रूडो कनाडा के प्रधानमंत्री रहे हैं।

C. **अवामी लीग (बांग्लादेश) :** इसका गठन 1949 में East Pakistan Awami Muslim League के रूप में हुआ। यह पार्टी बांग्लादेश के स्वतंत्रता आंदोलन की अग्रणी रही, और 1971 में स्वतंत्रता के बाद देश की प्रमुख पार्टी बनी, जिसके संस्थापक शेख मुजीबुर रहमान थे।

E. **बीजू जनता दल (भारत) :** यह पार्टी 1997 में ओडिशा के नेता बीजू पटनायक की विरासत को आगे बढ़ाने हेतु उनके पुत्र नवीन पटनायक द्वारा स्थापित की गई। यह राज्य स्तरीय पार्टी है जो क्षेत्रीय स्वायत्तता और विकास पर केंद्रित है।

A. **सर्वेंट ऑफ द पीपल (यूक्रेन) :** इस राजनीतिक दल का गठन 2018 में हुआ। यह यूक्रेन के राष्ट्रपति वोलोदिमीर जेलेंस्की से जुड़ा है, जिन्होंने इसी नाम के टेलीविजन शो से लोकप्रियता हासिल की थी। यह पार्टी भ्रष्टाचार-निरोध और प्रशासनिक पारदर्शिता पर केंद्रित है।

56. गृह मामलों पर संसदीय समिति (Parliamentary Standing Committee on Home Affairs) का क्षेत्राधिकार उन मंत्रालयों और विभागों तक सीमित है जो आंतरिक सुरक्षा, कानून व्यवस्था और न्याय प्रशासन से सीधे जुड़े हैं।

A. **गृह मंत्रालय :** यह समिति के अधिकार क्षेत्र का प्रमुख मंत्रालय है। इसमें आंतरिक सुरक्षा, केंद्र-राज्य संबंध, सीमा प्रबंधन, पुलिस सुधार, आपदा प्रबंधन, और नागरिकता से जुड़े मामलों की समीक्षा शामिल होती

है। समिति गृह मंत्रालय की नीतियों, विधेयकों, और बजटीय प्रावधानों पर विस्तृत रिपोर्ट प्रस्तुत करती है।

B. **विधि और न्याय मंत्रालय :** गृह मामलों से निकट संबंध के कारण यह मंत्रालय भी समिति के दायरे में आता है। इसके अंतर्गत न्यायिक प्रशासन, संवैधानिक और विधिक सुधार, न्यायपालिका से संबंधित विधेयक, तथा कानून आयोग की सिफारिशें सम्मिलित हैं।

इस प्रकार, यह समिति मुख्य रूप से गृह मंत्रालय और विधि एवं न्याय मंत्रालय से संबंधित विषयों की निगरानी और संसदीय पर्यवेक्षण का कार्य करती है।

57. लोकसभा के नियमों और संसदीय कार्य प्रणाली के अनुसार संसदीय समितियों के संबंध में सही कथन निम्न प्रकार हैं —

B. **यह लोकसभा अध्यक्ष/राज्यसभा सभापति के निर्देश पर कार्य करता है :** संसदीय समितियाँ सदन के अधीन कार्य करती हैं और उनका संचालन संबंधित सदन के अध्यक्ष (लोकसभा) या सभापति (राज्यसभा) के निर्देशन में होता है। वे उन्हीं को प्रतिवेदन प्रस्तुत करती हैं।

C. **यह सदन द्वारा नियुक्त या निर्वाचित होता है या लोकसभा अध्यक्ष/राज्यसभा सभापति द्वारा नामित होता है :** किसी संसदीय समिति का गठन या तो सदन द्वारा निर्वाचन से होता है या अध्यक्ष/सभापति द्वारा नामांकन से। इन समितियों में सांसदों की नियुक्ति संसदीय प्रक्रियानुसार की जाती है।

E. **लोकसभा/राज्यसभा सचिवालय द्वारा प्रदत्त इनका सचिवालय होता है :** समिति के प्रशासनिक और तकनीकी कार्यों में सहायता सदन के संबंधित सचिवालय द्वारा की जाती है। सचिवालय कार्यवाही का अभिलेख रखता है और सदस्यों को संसाधन उपलब्ध कराता है।

जबकि कथन A गलत है क्योंकि हर वह समिति जिसमें सांसद हों, उसे संसदीय समिति नहीं कहा जा सकता (उदाहरणतः संयुक्त संसदीय मंच या अनौपचारिक समूह)। कथन D भी गलत है क्योंकि समितियाँ राष्ट्रपति को नहीं बल्कि सदन (लोकसभा या राज्यसभा) को अपनी रिपोर्ट सौंपती हैं।

58. भारत के जिन राष्ट्रपतियों का पद पर रहते हुए निधन हुआ, वे हैं —

B. **डॉ. जाकिर हुसैन (1969):** भारत के तीसरे राष्ट्रपति, जिनका 3 मई 1969 को कार्यकाल के दौरान निधन हुआ। वे स्वतंत्र भारत के पहले मुस्लिम राष्ट्रपति थे और अपने निधन तक शिक्षा तथा नैतिक मूल्यों के संवर्धन के लिए समर्पित रहे।

D. **फखरुद्दीन अली अहमद (1977):** भारत के पाँचवें राष्ट्रपति, जिनका 11 फरवरी 1977 को पद पर रहते हुए निधन हुआ। उन्होंने आपातकाल (1975–77) की अवधि में महत्वपूर्ण संवैधानिक निर्णयों पर हस्ताक्षर किए थे।

अन्य विकल्पों में —

नीलम संजीव रेड्डी, वी.वी. गिरी और बी.डी. जत्ती — सभी ने अपना कार्यकाल पूरा किया या कार्यवाहक पद पर रहे, परंतु पद पर रहते हुए उनका निधन नहीं हुआ।

59. स्वामी विवेकानंद की रचनाएँ उनके व्याख्यानों, लेखों और पत्रों के संकलन के रूप में भारत की सामाजिक, आध्यात्मिक और सांस्कृतिक पुनर्जागरण की दिशा में महत्वपूर्ण मानी जाती हैं।

A. **इंडिया एंड हर प्रॉब्लम्स :** इस कृति में विवेकानंद ने भारत की गरीबी, सामाजिक अन्याय और आध्यात्मिक पतन के मूल कारणों का विश्लेषण किया। उन्होंने भारतीयों से आत्मविश्वास, शिक्षा और सेवा के माध्यम से राष्ट्रनिर्माण का आह्वान किया।

B. **मॉर्डन इंडिया :** इस पुस्तक में उन्होंने आधुनिक भारत की परिस्थितियों, पश्चिमी प्रभाव और भारतीय संस्कृति के आत्मबोध पर अपने विचार प्रस्तुत किए। विवेकानंद के अनुसार आधुनिकता तभी सार्थक है जब वह भारतीय अध्यात्म से जुड़ी हो।

C. **दि एविल्स ऑफ ऑथॉरिटेरियनिज्म :** इसमें विवेकानंद ने समाज में विचार और अभिव्यक्ति की स्वतंत्रता के महत्व पर बल दिया तथा किसी भी प्रकार के दमनकारी शासन या धार्मिक रूढ़िवाद का विरोध किया।

इन रचनाओं का उद्देश्य भारतीय समाज में जागृति लाना और आत्मनिर्भर, आत्मबल संपन्न राष्ट्र की स्थापना के लिए चेतना फैलाना था।

60. नॉम चॉम्स्की एक प्रसिद्ध भाषाविद्, दार्शनिक, और राजनीतिक विचारक हैं, जिनकी रचनाएँ भाषा-विज्ञान, राजनीति और समाजशास्त्र के क्षेत्रों में प्रभावशाली रही हैं —

A. **सिंटेकटिक स्ट्रक्चर्स (1957):** यह आधुनिक भाषाविज्ञान की आधारशिला मानी जाती है। इसमें चॉम्स्की ने "जनरेटिव ग्रामर" (ळमदमतंजपअम ळतंउउंत) की अवधारणा प्रस्तुत की, जिसने भाषा-शिक्षा और मनोभाषाविज्ञान के अध्ययन को नया आयाम दिया।

B. **अमेरिकन पावर एंड दि न्यू मंदारिंस (1969):** इस पुस्तक में उन्होंने अमेरिकी विदेश नीति और वियतनाम युद्ध की आलोचना की। यह राजनीतिक चेतना की दृष्टि से उनकी आरंभिक प्रभावशाली रचनाओं में से एक है।

C. **न्यू मिलेट्री ह्यूमनिज्म (1999):** इसमें चॉम्स्की ने पश्चिमी देशों, विशेषतः अमेरिका, द्वारा मानवीय हस्तक्षेप के नाम पर किए गए सैन्य अभियानों की तीखी आलोचना की।

जबकि (D) दि ट्रेजिडी ऑफ ग्रेट पावर पॉलिटिक्स (जॉन मीयरशाइमर) और (E) दि इजरायल लॉबी एंड यू.एस. फॉरेन पॉलिसी (मियरशाइमर और वॉल्ट) नॉम चॉम्स्की द्वारा नहीं लिखी गईं।

61. आणविक शस्त्र नियंत्रण और निषेध से संबंधित प्रमुख अंतरराष्ट्रीय संधियाँ इस प्रकार हैं —

A. **1959–अंटार्कटिक संधि (Antarctic Treaty):** यह संधि 1 दिसंबर 1959 को हस्ताक्षरित हुई और 1961 में प्रभावी हुई। इसके तहत अंटार्कटिका को केवल शांतिपूर्ण और वैज्ञानिक उद्देश्यों के लिए उपयोग करने पर सहमति बनी तथा किसी भी प्रकार की सैन्य गतिविधि या परमाणु परीक्षण पर प्रतिबंध लगाया गया।

B. **1963–आंशिक परीक्षण प्रतिबंध संधि (Partial Test Ban Treaty — PTBT):** 5 अगस्त 1963 को अमेरिका, यूके और सोवियत संघ के बीच हस्ताक्षरित यह संधि वायुमंडल, बाह्य अंतरिक्ष और जल में परमाणु परीक्षणों को निषिद्ध करती है, हालांकि भूमिगत परीक्षणों की अनुमति दी गई थी।

C. **1968–परमाणु अप्रसार संधि (Nuclear Non-Proliferation Treaty—NPT):** 1 जुलाई 1968 को हस्ताक्षरित और 1970 में लागू इस संधि का उद्देश्य परमाणु हथियारों के प्रसार को रोकना, निरस्त्रीकरण को बढ़ावा देना और शांतिपूर्ण परमाणु ऊर्जा के उपयोग को प्रोत्साहित करना है।

विकल्प (D) (1990 - व्यापक परीक्षण प्रतिबंध संधि) गलत है क्योंकि Comprehensive Nuclear Test Ban Treaty (CTBT) 1996 में पारित हुई थी, और (E) (1982 - एंटी बैलिस्टिक मिसाइल संधि) भी गलत है क्योंकि ABM Treaty 1972 में अमेरिका और सोवियत संघ के बीच हस्ताक्षरित हुई थी।

62. विकल्पों की जाँच :

A. **राजा जहीर शाह ने अफगानिस्तान पर दशकों तक राज किया :** यह कथन सही है। मोहम्मद जहीर शाह ने 1933 से 1973 तक लगभग चार दशकों (40 वर्ष) तक अफगानिस्तान पर शासन किया। उनके शासनकाल में देश ने तुलनात्मक रूप से स्थिरता, शिक्षा और आधुनिकीकरण की दिशा में प्रगति की। 1973 में उनके चचेरे भाई दाऊद खान ने तख्तापलट कर राजशाही समाप्त कर दी।

B. **तालिबान प्रथम सरकार में मुल्ला मोहम्मद उमर सर्वोच्च नेता थे :** यह कथन भी सही है। मुल्ला मोहम्मद उमर 1996 में गठित तालिबान की पहली सरकार के सर्वोच्च धार्मिक और राजनीतिक नेता थे। वे कंधार में रहते थे और उनके नेतृत्व में अफगानिस्तान में शरीयत आधारित शासन स्थापित किया गया था।

E. **1979 में सोवियत संघ का अफगानिस्तान पर सैन्य हस्तक्षेप :** यह भी सही है। 24 दिसंबर 1979 को सोवियत संघ ने अफगानिस्तान में कम्युनिस्ट सरकार को समर्थन देने के लिए सैन्य हस्तक्षेप किया। यह हस्तक्षेप लगभग 10 वर्ष (1979–1989) तक चला और इसके विरोध में अमेरिका, पाकिस्तान और सऊदी अरब ने अफगान मुजाहिदीन को समर्थन दिया, जिससे अंततः सोवियत सेनाएँ 1989 में वापस लौट गईं।

जबकि

C. सिन्धु नदी का उद्गम अफगानिस्तान से नहीं, बल्कि तिब्बत (मानसरोवर के निकट) से होता है।

D. इराक अफगानिस्तान से भूमि सीमा साझा नहीं करता; अफगानिस्तान की सीमाएँ पाकिस्तान, ईरान, ताजिकिस्तान, तुर्कमेनिस्तान, चीन, और उज्बेकिस्तान से लगती हैं।

63. विकल्पों की जाँच :

A. **संघीय न्यायालय की स्थापना :** यह कथन सही है। भारत सरकार अधिनियम, 1935 (Government of India Act] 1935) के अंतर्गत 1937 में भारत में संघीय न्यायालय (Federal Court of India) की स्थापना की गई। इसका उद्देश्य केंद्र और प्रांतों के बीच तथा ब्रिटिश सरकार और भारतीय इकाइयों के बीच संवैधानिक विवादों का निपटारा करना था। यह भारत के सर्वोच्च न्यायालय का पूर्ववर्ती संस्थान था।

B. **भारत से बर्मा अलग हुआ :** यह भी सही है। इसी अधिनियम के प्रावधानों के तहत 1 अप्रैल 1937 को बर्मा (अब म्यांमार) को भारत से पृथक कर अलग ब्रिटिश उपनिवेश बना दिया गया। यह विभाजन प्रशासनिक दृष्टि से भारत शासन के विकेंद्रीकरण की दिशा में एक बड़ा कदम था।

C. **उड़ीसा और सिंध दो नए प्रांत बनाए गए :** यह कथन भी सही है। भारत सरकार अधिनियम, 1935 द्वारा बिहार-उड़ीसा को विभाजित कर उड़ीसा को स्वतंत्र प्रांत बनाया गया और बॉम्बे प्रेसीडेंसी से अलग कर सिंध को भी नया प्रांत घोषित किया गया।

जबकि

D. चैंबर ऑफ प्रिंसेज (Chamber of Princes) की स्थापना की पहल 1919 के भारत सरकार अधिनियम (Government of India Act, 1919) के तहत की गई थी, न कि 1935 के अधिनियम से।

E. मुस्लिमों के लिए पृथक निर्वाचन (Separate Electorates) की व्यवस्था 1909 के मॉर्ले-मिंटो सुधार अधिनियम में आरंभ की गई थी, जो बाद के अधिनियमों में केवल विस्तारित की गई।

64. विकल्पों की जाँच :

A. **वी. नरहरि राव :** इन्होंने भारत के प्रथम नियंत्रक और महालेखा परीक्षक (Comptroller and Auditor General of India—CAG) के रूप में कार्य किया। स्वतंत्रता के बाद 1948 में उन्होंने यह पद संभाला। उनके कार्यकाल में भारत की लेखा प्रणाली को संविधान के अनुच्छेद 148 से 151 के अनुरूप व्यवस्थित किया गया।

C. **विनोद राय :** इन्होंने 2008 से 2013 तक CAG के रूप में कार्य किया। उनके कार्यकाल में 2ळ स्पेक्ट्रम घोटाला और कॉमनवेल्थ गेम्स से संबंधित लेखा रिपोर्टों ने व्यापक राष्ट्रीय चर्चा और सरकारी जवाबदेही को बल दिया। उन्हें भारत के सार्वजनिक लेखा प्रणाली को पारदर्शिता की दिशा में आगे बढ़ाने का श्रेय दिया जाता है।

E. **गिरीश चन्द्र मुर्मू :** वर्तमान में (2025 तक) भारत के नियंत्रक और महालेखा परीक्षक हैं। इन्हें 8 अगस्त 2020 को इस पद पर नियुक्त किया गया। इससे पूर्व वे जम्मू-कश्मीर के प्रथम उपराज्यपाल रहे।

जबकि

B. रंजन गोगोई भारत के पूर्व मुख्य न्यायाधीश (Chief Justice of India) रहे हैं, न कि CAG।

D. जे. एम. लिंग्दोह भारत के मुख्य चुनाव आयुक्त (Chief Election Commissioner) रहे, नियंत्रक एवं महालेखा परीक्षक नहीं।

65. विकल्पों की जाँच :

A. **हरिलाल जे. कानिया (1950–1951):** भारत के प्रथम मुख्य न्यायाधीश (Chief Justice of India) थे। उन्होंने 26 जनवरी 1950, यानी भारत के गणराज्य बनने के दिन पदभार संभाला और 6 नवंबर 1951 तक इस पद पर रहे। उनके कार्यकाल में भारत के सर्वोच्च न्यायालय (Supreme Court of India) की नींव रखी गई।

B. **एम. पतंजलि शास्त्री (1951–1954):** हरिलाल कानिया के पश्चात दूसरे मुख्य न्यायाधीश बने। उन्होंने 7 नवंबर 1951 से 3 जनवरी 1954 तक पद संभाला। उनके कार्यकाल में संविधान के मूल सिद्धांतों की न्यायिक व्याख्या का विकास हुआ।

C. **बी.पी. सिन्हा (1959–1964):** छठे मुख्य न्यायाधीश रहे। उन्होंने 1 अक्टूबर 1959 से 31 जनवरी 1964 तक कार्य किया। उनके नेतृत्व में न्यायपालिका ने संवैधानिक शासन और नागरिक अधिकारों की सुरक्षा को सुदृढ़ किया।

जबकि

D. के. सुब्बा राव का कार्यकाल 1966–1967 रहा था, न कि 1970–1974।

E. एम. हिदायतुल्लाह का कार्यकाल 1968–1970 रहा, और बाद में वे भारत के उपराष्ट्रपति (1979–1984) बने।

66. विकल्पों की जाँच :

C. **स्कैनलॉन योजना (Scanlon Plan):** यह विचार डगलस मैग्रेगर के संगठनात्मक मानव संबंध सिद्धांत से जुड़ा है। इस योजना का उद्देश्य कर्मचारियों की भागीदारी बढ़ाकर उत्पादकता में सुधार लाना था। इसमें श्रमिकों को संगठन के लाभ में साझेदारी दी जाती है ताकि वे कार्यस्थल पर अधिक सहयोग और नवाचार प्रदर्शित करें। मैग्रेगर ने इसे संगठनात्मक प्रेरणा का व्यावहारिक उदाहरण माना।

D. **इंटरप्राइज का मानवीय पहलू (The Human Side of Enterprise):** यह डगलस मैग्रेगर की प्रसिद्ध पुस्तक (1957) है, जिसमें उन्होंने सिद्धांत X और सिद्धांत Y (Theory X and Theory Y) प्रस्तुत किए। यह पुस्तक मानव संसाधन प्रबंधन के क्षेत्र में एक मील का पत्थर मानी जाती है। उन्होंने इसमें बताया कि कर्मचारी स्वभावतः काम से नहीं बचते, बल्कि परिस्थितियाँ और नेतृत्व शैली उनके व्यवहार को निर्धारित करती हैं।

जबकि —

A. सिद्धांत X का संबंध नियंत्रण, अनुशासन और भय पर आधारित पारंपरिक दृष्टिकोण से है, जबकि सिद्धांत Y स्व-प्रेरणा, आत्म-नियंत्रण और रचनात्मकता पर आधारित है — अतः प्रश्न में दोनों कथन A और B उल्टे हैं।

E. लिंकिंग पिन योजना (Linking Pin Model) रेन्सिस लिकर्ट का विचार है, डगलस मैग्रेगर का नहीं।

67. विकल्पों की जांच :

A. **हेनरी फेयोल–प्रबंधन प्रक्रिया स्कूल :** फेयोल ने प्रबंधन को एक प्रणालीगत प्रक्रिया के रूप में प्रस्तुत किया जिसमें योजना बनाना, संगठन करना, आदेश देना, समन्वय करना और नियंत्रण करना पाँच प्रमुख कार्य माने गए। उनके विचारों से प्रबंधन प्रक्रिया विद्यालय (Management Process School) की नींव पड़ी।

C. **मेरी पार्कर फॉलेट–रचनात्मक संघर्ष का विचार :** फॉलेट ने संघर्ष को संगठन में अवरोध नहीं, बल्कि रचनात्मक सहयोग और सामंजस्य का अवसर माना। उन्होंने Integration की अवधारणा दी, जिसके माध्यम से व्यक्तिगत और सामूहिक हितों में संतुलन स्थापित करने की बात की।

D. **एल्टन मेयो–महान प्रकाश प्रयोग :** एल्टन मेयो ने Hawthorne Experiments (1924-1932) के माध्यम से सिद्ध किया कि कार्यस्थल की उत्पादकता केवल भौतिक परिस्थितियों पर नहीं, बल्कि कर्मचारियों के मानवीय संबधों, सहभागिता और मनोबल पर भी निर्भर करती है। इससे Human Relations Movement की शुरुआत हुई।

E. **चेस्टर बर्नार्ड–सामाजिक व्यवस्था स्कूल के आध्यात्मिक पिता :** बर्नार्ड ने अपनी प्रसिद्ध कृति The Functions of the Executive (1938) में संगठन को सहयोगात्मक सामाजिक प्रणाली (Cooperative Social System) के रूप में परिभाषित किया। इस दृष्टिकोण के कारण उन्हें सामाजिक व्यवस्था स्कूल का आध्यात्मिक पिता माना जाता है, क्योंकि उन्होंने संगठन को केवल औपचारिक ढांचे से आगे बढ़कर एक सामाजिक इकाई के रूप में देखा।

68. अब्राहम मैस्लो (Abraham Maslow) ने 1943 में प्रस्तुत अपने प्रसिद्ध Hierarchy of Needs Theory (आवश्यकताओं का पद-सोपान सिद्धांत) में मानव आवश्यकताओं को पाँच स्तरों में विभाजित किया। उनका मानना था कि व्यक्ति पहले निचले स्तर की आवश्यकताओं को पूरा करता है, तब वह उच्च स्तर की आवश्यकताओं की ओर बढ़ता है।

A. **शारीरिक आवश्यकताएँ (Physiological Needs):** यह सबसे बुनियादी स्तर है जिसमें भोजन, पानी, नींद, वस्त्र और आश्रय जैसी आवश्यकताएँ आती हैं। ये जीवन-निर्वाह के लिए आवश्यक हैं।

B. **सम्मान आवश्यकताएँ (Esteem Needs):** व्यक्ति की आत्म-सम्मान, प्रतिष्ठा, मान्यता और उपलब्धि की इच्छा इस स्तर पर आती है।

C. **सुरक्षा आवश्यकताएँ (Safety Needs):** इनमें भौतिक और आर्थिक सुरक्षा, स्वास्थ्य, स्थायी नौकरी और भय-मुक्त जीवन जैसी जरूरतें शामिल हैं।

D. **आत्मबोध की आवश्यकताएँ (Self-actualization Needs):** यह उच्चतम स्तर है, जहाँ व्यक्ति अपनी क्षमताओं का पूर्ण विकास और आत्म-संतुष्टि प्राप्त करना चाहता है।

जबकि

E. आध्यात्मिक आवश्यकताएँ (Spiritual Needs) मैस्लो के मूल पाँच-स्तरीय सिद्धांत का हिस्सा नहीं थीं; उन्हें बाद में कुछ विद्वानों ने transcendence स्तर के रूप में जोड़ा, परंतु यह मैस्लो के मूल मॉडल में नहीं थी।

69. भारत के संविधान की प्रस्तावना (Preamble) में "न्याय" शब्द का प्रयोग तीन मुख्य रूपों में किया गया है — सामाजिक, आर्थिक और राजनीतिक न्याय। इनका उद्देश्य भारतीय लोकतंत्र को समानता, स्वतंत्रता और बंधुत्व के सिद्धांतों पर आधारित करना है।

A. **सामाजिक न्याय :** इसका तात्पर्य समाज में सभी वर्गों — विशेषकर पिछड़े, दलित, महिलाएँ और अल्पसंख्यक — को समान अवसर और सम्मान देना है। यह भेदभावरहित समाज की स्थापना का लक्ष्य रखता है।

C. **आर्थिक न्याय :** इसका उद्देश्य समाज में आर्थिक विषमता को दूर करना और प्रत्येक नागरिक को जीवन की न्यूनतम आवश्यकताओं तक समान पहुँच प्रदान करना है।

D. **राजनीतिक न्याय :** इसका अर्थ है कि सभी नागरिकों को राजनीतिक अधिकारों में समान अवसर मिले, जैसे मतदान, चुनाव लड़ने, और शासन में भागीदारी का अधिकार।

जबकि

(B) सम्पूर्ण समानता और (E) सैनिक न्याय का उल्लेख संविधान की प्रस्तावना में नहीं है। प्रस्तावना "न्याय" के केवल तीन आयामों — सामाजिक, आर्थिक और राजनीतिक — को ही स्वीकार करती है।

70. फ्रेड डब्ल्यू. रिग्स (Fred W. Riggs) ने अपने "Prismatic-Sala Model" में प्रशासनिक प्रणालियों को तीन प्रकारों में वर्गीकृत किया — संलायित (Fused), प्रिज्मीय (Prismatic) और विवार्त्तित (Diffracted)। इनमें प्रिज्मीय समाज वह संक्रमणकालीन अवस्था है जो पारंपरिक और आधुनिक समाज के बीच स्थित होती है। इसकी प्रमुख विशेषताएँ निम्नलिखित हैं —

C. **चयनवाद (Particularism):** प्रिज्मीय समाज में निर्णय और व्यवहार व्यक्तिगत संबंधों, जातीयता, या पारिवारिक हितों के आधार पर होते हैं। यहाँ नियमों की बजाय व्यक्तिगत पक्षपात और सिफारिश का प्रभाव अधिक होता है।

D. **प्राप्ति (Ascription):** समाज में पद और सम्मान व्यक्ति की योग्यता से नहीं, बल्कि जन्म, जाति, या पारिवारिक पृष्ठभूमि से प्राप्त होते हैं। यह पारंपरिक सामाजिक संरचना की विशेषता है।

E. **बहु-कार्यात्मकता (Polyfunctionalism):** एक ही संस्था या व्यक्ति अनेक प्रकार के कार्य करता है। जैसे — एक प्रशासक प्रशासनिक कार्यों के साथ-साथ धार्मिक या व्यावसायिक भूमिका भी निभाता है।

जबकि

A. सार्वभौमिकता (Universalism) और

B. वर्णनात्मक मूल्य (Achievement/Descriptive Value)

विवार्त्तित (Diffracted) समाजों की विशेषताएँ हैं, जो आधुनिक, औद्योगिक और वैधानिक प्रशासनिक प्रणाली को दर्शाती हैं।

71. रेंसिस लिकर्ट (Rensis Likert) ने अपनी प्रसिद्ध पुस्तक "New Patterns of Management" (1961) में प्रबंधन प्रणाली 1 से 4 (Management Systems 1–4) का मॉडल प्रस्तुत किया। उन्होंने संगठनों में नेतृत्व शैली और मानव व्यवहार के आधार पर चार प्रकार की व्यवस्थाएँ बताई —

A. **सहभागी व्यवस्था (Participative System—System 4):** यह सबसे आदर्श प्रणाली है जिसमें प्रबंधन निर्णय प्रक्रिया में अधीनस्थों की भागीदारी होती है। यहाँ विश्वास, समूह निर्णय और खुला संचार प्रमुख तत्व हैं।

B. **परामर्शी व्यवस्था (Consultative System—System 3):** इस प्रणाली में शीर्ष प्रबंधक निर्णय लेते हैं, लेकिन अधीनस्थों से सलाह और सुझाव भी मांगे जाते हैं। अधीनस्थों की राय को कुछ हद तक महत्व दिया जाता है।

C. **परोपकारी–आधिकारिक व्यवस्था (Benevolent-Authoritative System—System 2):** इसमें नेतृत्व पितृसत्तात्मक होता है; उच्च प्रबंधन अधीनस्थों के कल्याण की चिंता तो करता है, परंतु निर्णय लेने का अधिकार शीर्ष स्तर पर ही रहता है।

D. **शोषक–आधिकारिक व्यवस्था (Exploitative-Authoritative System—System 1):** यह सबसे कठोर प्रणाली है जिसमें भय, दंड और नियंत्रण के माध्यम से अधीनस्थों से काम लिया जाता है। निर्णय पूरी तरह शीर्ष प्रबंधन द्वारा लिए जाते हैं।

जबकि

(E) परिपक्वता–अपरिपक्वता (Maturity-Immaturity) का सिद्धांत क्रिस आर्जिरिस (Chris Argyris) का है, न कि लिकर्ट का।

72. भारत के संविधान की प्रस्तावना (Preamble) देश के शासन की मूल भावना और आदर्शों को व्यक्त करती है। यह स्पष्ट रूप से उन सिद्धांतों पर बल देती है जिन पर भारतीय गणराज्य की नींव रखी गई है —

A. **न्याय (Justice):** सामाजिक, आर्थिक और राजनीतिक — तीनों स्तरों पर न्याय की स्थापना का संकल्प प्रस्तावना में किया गया है, ताकि समाज में असमानता और अन्याय का अंत हो सके।

B. **स्वतंत्रता (Liberty):** विचार, अभिव्यक्ति, विश्वास, आस्था और उपासना की स्वतंत्रता प्रत्येक नागरिक को सुनिश्चित की गई है। यह व्यक्तिगत अधिकारों और लोकतांत्रिक जीवन की आधारशिला है।

C. **समानता (Equality):** अवसरों और कानून के समक्ष समानता का भाव स्थापित करना संविधान का प्रमुख उद्देश्य है, जिससे किसी भी नागरिक के साथ भेदभाव न हो।

E. **भ्रातृत्व (Fraternity):** यह नागरिकों में एकता और भाईचारे की भावना को सुदृढ़ करता है तथा भारत की राष्ट्रीय अखंडता और गरिमा की रक्षा पर बल देता है।

जबकि

(D) राजतंत्र (Monarchy) का उल्लेख संविधान की प्रस्तावना में नहीं है, क्योंकि भारत एक संपूर्ण प्रभुत्व संपन्न, समाजवादी, धर्मनिरपेक्ष, लोकतांत्रिक गणराज्य (Republic) है।

73. भारत की संसद लोकतांत्रिक शासन प्रणाली का सर्वोच्च विधायी अंग है, जिसकी भूमिका केवल कानून निर्माण तक सीमित नहीं है बल्कि शासन की निगरानी और जनता की अभिव्यक्ति से भी जुड़ी है —

A. **विधि बनाना (Law Making):** संसद का प्रमुख कार्य विधि निर्माण है। यह केंद्र सरकार के अधिकार क्षेत्र के विषयों पर कानून बनाती है, संविधान संशोधन करती है और राष्ट्र के लिए नीतिगत दिशा तय करती है।

B. **लोक निधि के व्यय की निगरानी करना (Control over Public Expenditure):** संसद के पास वित्तीय नियंत्रण का अधिकार है। यह बजट पारित करती है, लोक लेखा समिति (Public Accounts Committee) और अनुमान समिति (Estimates Committee) के माध्यम से सरकारी खर्चों की समीक्षा करती है।

C. **सरकार को उसके कार्यों के प्रति जवाबदेही रखना (Ensuring Accountability of the Government):** संसद प्रश्नकाल, स्थगन प्रस्ताव, अविश्वास प्रस्ताव, और चर्चा जैसे संसदीय उपकरणों के माध्यम से कार्यपालिका को उसके कार्यों के लिए जवाबदेह बनाती है।

E. **शिकायतों की अभिव्यक्ति के लिए एक मंच बनाना (Forum for Redressal of Grievances):** संसद जनता की आवाज़ का मंच है जहाँ जनप्रतिनिधि लोगों की समस्याएँ, शिकायतें और माँगें सरकार के समक्ष उठाते हैं।

जबकि

(D) विपक्ष पर नियंत्रण रखना संसद का कार्य नहीं है; बल्कि संसद में विपक्ष सरकार की नीतियों और कार्यों की समीक्षा करने वाला स्वतंत्र अंग होता है।

74. मोंटेवीडियो कन्वेंशन ऑन द राइट्स एंड ड्यूटीज ऑफ स्टेट्स (Montevideo Convention, 1933) ने किसी राज्य (State) की अंतरराष्ट्रीय मान्यता के लिए चार अनिवार्य विशेषताओं को परिभाषित किया। ये चारों तत्व आधुनिक अंतरराष्ट्रीय कानून में राज्यत्व (Statehood) के मूल मानदंड माने जाते हैं —

A. **सुपरिभाषित क्षेत्र (Defined Territory):** प्रत्येक राज्य का एक निश्चित भू-भाग या सीमांकित क्षेत्र होना आवश्यक है, जिस पर वह अपनी संप्रभु सत्ता का प्रयोग कर सके।

B. **स्थायी जनसंख्या (Permanent Population):** राज्य में एक स्थायी जनसंख्या का निवास होना आवश्यक है जो उस राज्य की नागरिकता रखती हो और उसकी शासन प्रणाली में सहभागी हो।

C. **प्रभावी सरकार (Effective Government):** राज्य में एक स्थायी और संगठित शासन तंत्र होना चाहिए जो प्रशासनिक नियंत्रण बनाए रख सके और कानून लागू करने में सक्षम हो।

D. **अन्य राज्यों के साथ संबंध स्थापित करने की क्षमता (Capacity to Enter into Relations with Other States):** राज्य को अंतरराष्ट्रीय स्तर पर स्वतंत्र रूप से राजनयिक या संधिगत संबंध स्थापित करने की क्षमता होनी चाहिए।

जबकि

(E) संघ बनाने की स्वतंत्रता (Freedom to form a federation) मोंटेवीडियो कन्वेंशन की परिभाषा में सम्मिलित नहीं थी; यह संधि केवल राज्य की चार आवश्यक शर्तों को ही मान्यता देती है।

75. लूथर गुलिक (Luther Gulick) ने अपने प्रसिद्ध सिद्धांत POSDCORB के अंतर्गत संगठनात्मक संरचना और विभागीकरण (Departmentalization) के चार प्रमुख आधार बताए। विभागीकरण का अर्थ है — किसी संगठन के कार्यों को तार्किक और कुशल ढंग से विभाजित कर समान प्रकृति के कार्यों को एक इकाई में संगठित करना। इसके चार मुख्य आधार निम्न हैं —

A. **प्रयोजन (Purpose):** जब संगठन का कार्य विभाजन उसके उद्देश्यों या कार्यों के प्रकार के आधार पर किया जाता है, जैसे — शिक्षा मंत्रालय, स्वास्थ्य मंत्रालय, कृषि मंत्रालय आदि। इसे Functional Departmentation भी कहा जाता है।

B. **प्रक्रिया (Process):** इस आधार पर कार्यों को उस प्रक्रिया या तकनीक के अनुसार बाँटा जाता है जिसके माध्यम से वे संपादित होते हैं, जैसे — मुद्रण विभाग, यांत्रिक मरम्मत विभाग आदि।

C. **व्यक्ति (Person):** जब कार्यों का विभाजन उस वर्ग या व्यक्ति की प्रकृति पर आधारित होता है जिनकी सेवा संगठन प्रदान करता है, जैसे — सैनिकों, युवाओं, महिलाओं या अनुसूचित वर्गों के कल्याण से जुड़े विभाग।

D. **स्थान (Place):** इस आधार पर विभागीकरण भौगोलिक या क्षेत्रीय स्थिति के अनुसार किया जाता है, जैसे — राज्यवार या जिलावार प्रशासनिक इकाइयाँ।

जबकि

(E) विरोध (Opposition) विभागीकरण का कोई आधार नहीं है; यह संगठन सिद्धांत से असंबंधित है।

76. सही युग्मों का विश्लेषण इस प्रकार है —

- **A. के.पी.एस. मेनन–I. कोरिया से संबंधित संयुक्त राष्ट्र आयोग के अध्यक्ष :** के.पी.एस. मेनन एक वरिष्ठ भारतीय राजनयिक थे जिन्होंने कोरिया के लिए संयुक्त राष्ट्र आयोग (United Nations Commission for Korea - UNCOK) के अध्यक्ष के रूप में कार्य किया। उन्होंने शीत युद्ध काल में भारत की गुटनिरपेक्ष विदेश नीति को अंतरराष्ट्रीय स्तर पर सुदृढ़ करने में योगदान दिया।
- **B. जस्टिस फजल अली–III. स्टेट्स रिऑरगेनाइजेशन आयोग के अध्यक्ष :** 1953 में गठित राज्य पुनर्गठन आयोग (States Reorganisation Commission) के अध्यक्ष न्यायमूर्ति फजल अली थे। इस आयोग ने भाषाई आधार पर राज्यों के पुनर्गठन की सिफारिश की, जिसके आधार पर 1956 में राज्य पुनर्गठन अधिनियम पारित हुआ।
- **C. जनरल के.एस. थिमैया–II. न्यूट्रल नेशंस रिपैट्रिएशन आयोग के अध्यक्ष :** जनरल कोडंडेरा सुबैया थिमैया को कोरियाई युद्ध (1950–53) के बाद गठित Neutral Nations Repatriation Commission का अध्यक्ष बनाया गया था, जो युद्धबंदियों की वापसी की निगरानी हेतु गठित हुई थी।
- **D. नलिनी रंजन सरकार–IV. इंडियन चैंबर ऑफ कॉमर्स एंड इंडस्ट्री के अध्यक्ष :** नलिनी रंजन सरकार एक प्रमुख भारतीय अर्थशास्त्री और औद्योगिक विचारक थे जिन्होंने Indian Chamber of Commerce and Industry के अध्यक्ष के रूप में कार्य किया। वे स्वतंत्रता से पूर्व औद्योगिक नीति निर्माण में अग्रणी भूमिका निभाने वाले व्यक्तियों में से थे।

77. विकल्पों का मिलान :

- **A. इलाहाबाद उच्च न्यायालय–1866 (III):** इलाहाबाद उच्च न्यायालय की स्थापना 17 मार्च 1866 को की गई। यह उत्तर-पश्चिम प्रांतों के लिए बनाया गया

था और बाद में इसका क्षेत्र उत्तर प्रदेश के रूप में जाना गया। यह न्यायालय भारत के प्राचीनतम उच्च न्यायालयों में से एक है।

- **B. आंध्र प्रदेश उच्च न्यायालय–1954 (IV):** आंध्र प्रदेश राज्य के गठन के बाद 5 जुलाई 1954 को इस उच्च न्यायालय की स्थापना हुई। प्रारंभ में यह गुंटूर में स्थित था और बाद में इसे हैदराबाद स्थानांतरित किया गया।
- **C. बॉम्बे उच्च न्यायालय–1862 (II):** ब्रिटिश काल में Queen's Charter के अधीन 14 अगस्त 1862 को स्थापित यह न्यायालय भारत के तीन मूल उच्च न्यायालयों (कलकत्ता, मद्रास और बॉम्बे) में से एक था।
- **D. पटना उच्च न्यायालय–1916 (I):** 9 फरवरी 1916 को बिहार और उड़ीसा के लिए पटना उच्च न्यायालय की स्थापना की गई। इसने 1916 में न्यायिक कार्य प्रारंभ किया और यह पूर्वी भारत के प्रमुख न्यायिक संस्थानों में से एक बना।

78. विकल्पों का मिलान :

- **A. पश्चिम बंगाल–2 सीटें (III):** पश्चिम बंगाल में अनुसूचित जनजातियों के लिए 2 लोकसभा सीटें आरक्षित हैं — अलीपुरद्वार और जलपाईगुड़ी। यहाँ मुख्य जनजातियाँ संथाल, मुण्डा, ओरांव और राजबंशी समूह की हैं।
- **B. महाराष्ट्र–4 सीटें (I):** महाराष्ट्र में अनुसूचित जनजातियों के लिए 4 लोकसभा सीटें आरक्षित हैं — गडचिरोली-चिमूर, धुले, नंदुरबार और पालघर। राज्य के भील, गोंड और वारली समुदाय इन क्षेत्रों में प्रमुख हैं।
- **C. झारखंड–5 सीटें (IV):** झारखंड में अनुसूचित जनजातियों के लिए 5 लोकसभा सीटें आरक्षित हैं — सिंहभूम, खूंटी, लोहरदगा, राजमहल और दुमका। यह राज्य जनजातीय बहुल क्षेत्र है और यहाँ संथाल, मुण्डा और हो जनजातियाँ प्रमुख हैं।
- **D. राजस्थान–3 सीटें (II):** राजस्थान में अनुसूचित जनजातियों के लिए 3 लोकसभा सीटें आरक्षित हैं — बांसवाड़ा, उदयपुर और डूंगरपुर। यहाँ भील और मीणा जनजातियाँ सबसे अधिक संख्या में पाई जाती हैं।

79. विकल्पों का मिलान :

- **A. सोवियत परमाणु बम विस्फोट–1949 (III):** सोवियत संघ ने अपना पहला परमाणु बम परीक्षण 29 अगस्त 1949 को सेमीपलातिंस्क (वर्तमान कजाखस्तान) में किया था। इससे अमेरिका के परमाणु एकाधिकार का अंत हुआ और शीत युद्ध में शक्ति-संतुलन स्थापित हुआ।
- **B. सोवियत संघ का हंगरी पर हमला–1956 (IV):** अक्टूबर 1956 में हंगरी में साम्यवादी शासन के विरुद्ध विद्रोह हुआ, जिसे दबाने के लिए सोवियत टैंकों ने बुडापेस्ट पर हमला किया। यह शीत युद्ध के दौरान पूर्वी यूरोप पर सोवियत नियंत्रण का प्रतीक बना।
- **C. ईरान में इस्लामिक क्रांति–1979 (II):** फरवरी 1979 में अयातुल्ला खुमैनी के नेतृत्व में शाह मोहम्मद रजा पहलवी की सत्ता समाप्त कर दी गई और ईरान में इस्लामिक गणराज्य की स्थापना हुई।
- **D. बर्लिन दीवार गिरना–1989 (I):** 9 नवम्बर 1989 को बर्लिन दीवार का पतन हुआ, जिसने जर्मनी के पुनर्एकीकरण और शीत युद्ध के अंत की दिशा तय की।

80. विकल्पों का मिलान :

- **A. स्टेट ऑफ मिजोरम एक्ट–1986 (II):** मिजोरम राज्य अधिनियम 1986 में पारित किया गया, जिसके अंतर्गत 20 फरवरी 1987 से मिजोरम को केंद्रशासित प्रदेश से उन्नत कर पूर्ण राज्य का दर्जा दिया गया। इस अधिनियम ने मिजो समझौते को वैधानिक रूप दिया।
- **B. गोवा, दमन एंड दीव रिआर्गेनाइजेशन एक्ट–1987 (IV):** 30 मई 1987 को यह अधिनियम प्रभावी हुआ, जिसके तहत गोवा को पूर्ण राज्य का दर्जा दिया गया और दमन-दीव को केंद्रशासित प्रदेश बनाया गया।
- **C. बिहार रिआर्गेनाइजेशन एक्ट–2000 (I):** 2000 में पारित इस अधिनियम से झारखंड राज्य का गठन हुआ, जो 15 नवंबर 2000 से प्रभावी हुआ। इसका उद्देश्य प्रशासनिक दक्षता और क्षेत्रीय विकास को बढ़ावा देना था।
- **D. पंजाब रिआर्गेनाइजेशन एक्ट–1966 (III):** इस अधिनियम के अंतर्गत 1 नवम्बर 1966 को हरियाणा राज्य और केंद्रशासित प्रदेश चंडीगढ़ का गठन हुआ, जिससे पंजाबी भाषी क्षेत्र को अलग प्रशासन मिला।

81. विकल्पों का मिलान :

- **A. स्तालिनग्राड का युद्ध–1942&1943 (I):** द्वितीय विश्व युद्ध का निर्णायक मोड़ माने जाने वाला यह युद्ध जुलाई 1942 से फरवरी 1943 के बीच सोवियत संघ और नाजी जर्मनी के बीच लड़ा गया। सोवियत विजय के बाद जर्मनी की हार निश्चित हो गई।
- **B. म्यूनिख समझौता–1938 (II):** सितंबर 1938 में ब्रिटेन, फ्रांस, इटली और जर्मनी के बीच यह समझौता हुआ, जिसके अंतर्गत हिटलर को चेकोस्लोवाकिया के सूडेटन क्षेत्र पर अधिकार मिला।
- **C. आर्मेनियन जनसंहार–1915 (III):** प्रथम विश्व युद्ध के दौरान 1915 में ऑटोमन साम्राज्य द्वारा आर्मेनियाई समुदाय के लाखों लोगों की हत्या की गई, जिसे बाद में जनसंहार के रूप में मान्यता मिली।
- **D. यूरोपियन संघ का गठन–1993 (IV):** 1 नवंबर 1993 को मास्ट्रिख्ट संधि के तहत यूरोपीय संघ (EU) का गठन हुआ, जिसने यूरोप में आर्थिक और राजनीतिक एकता को सशक्त किया।

82. विकल्पों का मिलान :

- **A. रवि राय–दिसंबर 1989 से जुलाई 1991 (II):** वे 9वीं लोकसभा के अध्यक्ष थे और जनता दल सरकार के कार्यकाल में कार्यरत रहे।
- **B. डॉ. बलराम जाखड़–जनवरी 1985 से दिसंबर 1989 (I):** वे कांग्रेस सरकार के समय 8वीं लोकसभा के अध्यक्ष रहे और संसद संचालन में स्थिरता लाई।
- **C. शिवराज पाटिल–जुलाई 1991 से मई 1996 (III):** उन्होंने 10वीं लोकसभा के अध्यक्ष के रूप में कार्य किया और संसदीय परंपराओं को मजबूत किया।
- **D. मीरा कुमार–जून 2009 से जून 2014 (IV):** वे पहली महिला लोकसभा अध्यक्ष बनीं और 15वीं लोकसभा का नेतृत्व किया।

83. विकल्पों का मिलान :

- **A. संयुक्त राष्ट्र ट्रूस सुपरविजन आर्गेनाइजेशन–1948 (II):** यह पहला संयुक्त राष्ट्र शांति मिशन था, जो 1948 में फिलिस्तीन में संघर्ष विराम की निगरानी हेतु स्थापित किया गया।
- **B. संयुक्त राष्ट्र मिशन के तहत सूडान में रीजोलुशन-1590–2005 (I):** 2005 में यह मिशन दक्षिणी सूडान में शांति समझौते के पालन हेतु स्थापित किया गया।
- **C. संयुक्त राष्ट्र इंट्रीम फोर्स लेबनान में–1978 (IV):** 1978 में इस बल का गठन हुआ ताकि इजराइल और लेबनान के बीच युद्धविराम लागू किया जा सके।
- **D. संयुक्त राष्ट्र शांति सेना साइप्रस में–1964 (III):** 1964 में स्थापित यह मिशन ग्रीक और तुर्क समुदायों के बीच शांति बनाए रखने हेतु तैनात किया गया था।

84. विकल्पों का मिलान :

- **A. प्रथम वित्त आयोग–1951 (I):** भारत का पहला वित्त आयोग 1951 में गठित हुआ, जिसके अध्यक्ष के.सी. नियोगी थे। इसका उद्देश्य केंद्र और राज्यों के बीच राजस्व वितरण की सिफारिशें करना था।
- **B. द्वितीय वित्त आयोग–1956 (IV):** 1956 में स्थापित इस आयोग के अध्यक्ष के. संतानम थे। इसने कर-वितरण में राज्यों की बढ़ती जरूरतों को ध्यान में रखा।
- **C. पंचम वित्त आयोग–1968 (II):** 1968 में गठित इस आयोग के अध्यक्ष महावीर त्यागी थे। इसने केंद्र और राज्य वित्तीय संबंधों में संतुलन बनाए रखने पर बल दिया।
- **D. तृतीय वित्त आयोग–1960 (III):** 1960 में स्थापित इस आयोग के अध्यक्ष ए.के. चंद्रा थे। इसने राज्यों के राजस्व घाटे की पूर्ति हेतु अनुदानों की सिफारिश की।

85. विकल्पों का मिलान :

- **A. बाल अधिकारों का अभिसमय–1990 (I):** 20 नवंबर 1989 को संयुक्त राष्ट्र महासभा द्वारा अपनाया गया और 1990 में प्रभावी हुआ। इसने बाल अधिकारों की सुरक्षा को वैश्विक स्तर पर कानूनी रूप दिया।
- **B. प्रताड़ना घोषणा–1975 (IV):** संयुक्त राष्ट्र महासभा ने 1975 में "Declaration on the Protection of All Persons from Being Subjected to Torture" को अपनाया, जिसने यातना के विरुद्ध अंतरराष्ट्रीय मानक तय किए।

- **C. मानवाधिकारों की वियना घोषणा–1993 (III):** 1993 में वियना में आयोजित विश्व मानवाधिकार सम्मेलन में यह घोषणा पारित हुई, जिसने मानवाधिकारों की सार्वभौमिकता को पुनः स्थापित किया।
- **D. जनसंहार अभिसमय–1951 (II):** 9 दिसंबर 1948 को अपनाया गया और 1951 में प्रभावी हुआ। यह अभिसमय जनसंहार को एक अंतरराष्ट्रीय अपराध के रूप में परिभाषित करता है।

86. विकल्पों का मिलान :

- **A. आंध्र प्रदेश–175 (III):** आंध्र प्रदेश विधानसभा में 175 सीटें हैं, जो राज्य के जनसंख्या अनुपात के अनुसार निर्धारित की गई हैं।
- **B. गुजरात–182 (I):** गुजरात विधानसभा में 182 सीटें हैं, जो 1962 के पुनर्गठन के बाद से अपरिवर्तित हैं।
- **C. मिजोरम–40 (IV):** मिजोरम की विधानसभा में 40 सीटें हैं, जो इसके छोटे भौगोलिक आकार और जनसंख्या को देखते हुए निर्धारित की गईं।
- **D. पश्चिम बंगाल–294 (II):** पश्चिम बंगाल विधानसभा में 294 सीटें हैं, जो देश की सबसे बड़ी विधानसभाओं में से एक है।

87. विकल्पों का मिलान :

- **A. असम–14 (II):** असम राज्य से 14 लोकसभा सीटें हैं। इनमें से कुछ अनुसूचित जनजातियों के लिए आरक्षित हैं, जैसे कोकराझार और डिब्रूगढ़।
- **B. कर्नाटक–28 (I):** कर्नाटक से 28 लोकसभा सदस्य चुने जाते हैं, जो दक्षिण भारत में सबसे अधिक सीटों वाले राज्यों में से एक है।
- **C. ओडिशा–21 (IV):** ओडिशा राज्य से 21 लोकसभा सीटें हैं। राज्य का प्रतिनिधित्व मुख्यतः क्षेत्रीय और राष्ट्रीय दलों द्वारा होता है।
- **D. दिल्ली–7 (III):** राष्ट्रीय राजधानी दिल्ली से 7 लोकसभा सीटें हैं, जिनमें चांदनी चौक, दक्षिण दिल्ली और नई दिल्ली प्रमुख हैं।

88. विकल्पों का मिलान :

- **A. राम कृष्ण हेगड़े–कर्नाटक (II):** वे कर्नाटक के मुख्यमंत्री रहे और जनता पार्टी के प्रमुख नेता थे। उनका कार्यकाल पारदर्शी शासन और विकेंद्रीकरण के लिए जाना जाता है।
- **B. भगत सिंह कोश्यारी–उत्तराखंड (I):** वे उत्तराखंड के दूसरे मुख्यमंत्री रहे (2001–2002) और बाद में महाराष्ट्र के राज्यपाल बने।
- **C. कर्पूरी ठाकुर–बिहार (IV):** वे बिहार के मुख्यमंत्री (1970 और 1977–1979) रहे, सामाजिक न्याय की नीतियों और पिछड़ा वर्ग आरक्षण के लिए प्रसिद्ध हैं।
- **D. सुचेता कृपलानी–उत्तर प्रदेश (III):** भारत की पहली महिला मुख्यमंत्री, जिन्होंने उत्तर प्रदेश का नेतृत्व 1963–1967 के दौरान किया।

89. विकल्पों का मिलान :

- **A. वुडरो विल्सन–इम्पोर्टेंस ऑफ स्टडी ऑफ एडमिनिस्ट्रेशन एज साइंस (II):** उन्होंने 1887 में अपने प्रसिद्ध लेख "The Study of Administration" में प्रशासन को एक स्वतंत्र वैज्ञानिक अध्ययन के रूप में प्रस्तुत किया।
- **B. फ्रेडरिक टेलर–प्रिंसिपल ऑफ साइंटिफिक मैनेजमेंट (I):** उन्होंने वैज्ञानिक प्रबंधन के सिद्धांत दिए, जिनमें कार्यकुशलता और श्रम विभाजन पर बल था।
- **C. लूथर गुलिक–स्ट्रक्चर बेस्ड प्रिंसिपल ऑफ ऑर्गेनाइजेशन (IV):** उन्होंने POSDCORB सिद्धांत प्रतिपादित किया, जो प्रशासन के संगठनात्मक ढांचे पर आधारित है।
- **D. अब्राहम मैस्लो–हायरार्की ऑफ नीड्स (III):** उन्होंने 1943 में मानव आवश्यकताओं की पाँच-स्तरीय पदानुक्रम सिद्धांत दिया, जिसमें आत्मबोध सर्वोच्च स्थान पर है।

90. विकल्पों का मिलान :

- **A. डवाइट वाल्डो–द स्टडी ऑफ पब्लिक एडमिनिस्ट्रेशन (II):** 1948 में प्रकाशित इस पुस्तक में वाल्डो ने प्रशासनिक अध्ययन के राजनीतिक, सामाजिक और नैतिक आयामों पर बल दिया, जिससे पारंपरिक प्रबंधकीय –ष्टिकोण को चुनौती मिली।
- **B. पीटर ड्रकर–मैनेजमेंट चैलेंजेज फॉर द 21st सेंचुरी (I):** 1999 में प्रकाशित इस प्रसिद्ध पुस्तक में ड्रकर ने आधुनिक प्रबंधन की चुनौतियों—ज्ञान प्रबंधन, वैश्वीकरण, और संगठनात्मक उत्तरदायित्व—पर चर्चा की।

- **C. रेनसिस लिकर्ट–द ह्यूमन ऑर्गेनाइजेशन (IV):** 1967 की इस पुस्तक में लिकर्ट ने संगठनात्मक व्यवहार और नेतृत्व के पैटर्न पर अपने "System 1–4 Management" सिद्धांत का विस्तार किया।
- **D. फ्रेडरिक हर्जबर्ग–द मोटिवेशन टू वर्क (III):** 1959 में प्रकाशित इस पुस्तक में हर्ज़बर्ग ने "Two-Factor Theory of Motivation" प्रस्तुत की, जिसमें कार्य-संतुष्टि और असंतोष के दो भिन्न कारण बताए गए—प्रेरक (Motivators) और स्वच्छता कारक (Hygiene factors)।

91. ब्रिटिश शासन के दौरान विनायक दामोदर सावरकर को अंडमान की सेलुलर जेल (कालापानी) में कैद किया गया था, जहाँ उन्हें कठोर कारावास की सजा दी गई थी। यह भारत के स्वतंत्रता संग्राम के इतिहास में क्रांतिकारियों की असाधारण सहनशीलता का प्रतीक माना जाता है।

92. सावरकर ने 1937 में अहमदाबाद में हुई हिन्दू महासभा की बैठक में अध्यक्षीय भाषण दिया था। इस भाषण में उन्होंने हिन्दू एकता, सांस्कृतिक गौरव और राष्ट्रवाद की व्यापक अवधारणा पर जोर दिया।

93. सावरकर के अनुसार पाणिनि और पंतजलि प्राचीन भारत के महान व्याकरण-ज्ञेता थे। दोनों ने संस्कृत व्याकरण को व्यवस्थित और वैज्ञानिक रूप में प्रस्तुत किया।

94. 'हिन्दू पद-पादशाही' सावरकर द्वारा रचित ऐतिहासिक कृति है जिसमें मराठा साम्राज्य की गौरवगाथा और हिन्दू राज्य की राजनीतिक विचारधारा का वर्णन किया गया है।

95. यह पुस्तक सावरकर द्वारा नहीं, बल्कि सुरेन्द्रनाथ बनर्जी द्वारा लिखी गई थी। जबकि सावरकर की अन्य प्रमुख कृतियों में 'हिंदुत्व', 'एन इको फ्रॉम अंडमान' और 'दि इंडियन वॉर ऑफ इंडिपेंडेंस' शामिल हैं।

96. 1989 में विश्व बैंक (World Bank) ने अपनी Sub-Saharan Africa Report में पहली बार ''सुशासन (Good Governance)'' की अवधारणा को स्पष्ट रूप से प्रस्तुत किया। इस रिपोर्ट ने यह माना कि सुशासन सतत विकास की आवश्यक शर्त है और इसमें सार्वजनिक क्षेत्र प्रबंधन, जवाबदेही, पारदर्शिता और कानूनी ढाँचे की मजबूती पर बल दिया गया।

97. 1989 की विश्व बैंक रिपोर्ट Sub-Saharan Africa क्षेत्र से संबंधित थी। इस रिपोर्ट में अफ्रीकी देशों की आर्थिक समस्याओं के समाधान के लिए प्रशासनिक दक्षता और सुशासन को मुख्य आधार बताया गया।

98. ऑर्गनाइजेशन फॉर इकोनॉमिक को-ऑपरेशन एंड डेवलपमेंट (OECD) ने विकास सहायता को मानवाधिकार, सहभागी विकास और लोकतांत्रिकरण से जोड़ा। इसके अनुसार विकास तभी वास्तविक है जब वह पारदर्शिता, जवाबदेही और नागरिक भागीदारी पर आधारित हो।

99. एलेक्सिस डी टॉकविले ने 19वीं शताब्दी के मध्य में अपनी प्रसिद्ध रचना ''Democracy in America'' में नागरिक समाज (Civil Society) को प्रजातंत्र (Democracy) से जोड़ा। उन्होंने माना कि नागरिक संगठनों और सामूहिक भागीदारी से लोकतंत्र मजबूत होता है।

100. ''Developing Democracy'' नामक प्रसिद्ध कृति लैरी डायमंड द्वारा लिखी गई है। उन्होंने इसमें यह प्रतिपादित किया कि एक स्वस्थ लोकतंत्र के लिए ऐसा नागरिक समाज आवश्यक है जो लोकतांत्रिक मूल्यों से बंधा हो और संकीर्ण निजी हितों से ऊपर उठकर व्यापक सार्वजनिक हित में सक्रिय रूप से भाग ले।

पिछले प्रश्न-पत्र

National Testing Agency (NTA)

UGC-NET जूनियर रिसर्च फैलोशिप तथा सहायक प्राध्यापक पात्रता परीक्षा

राजनीति विज्ञान, जनवरी-2025

(Exam held on 06-01-2025)

प्रश्न-पत्र-II

1. पुस्तक 'दि डेथ ऑफ नेचर : वीमेन, इकोलॉजी एंड द साइंटिफिक रिवोल्यूशन' किसने लिखी थी?

1. केरोलाइन मर्चेन्ट
2. जूडिथ बटलर
3. जर्मेन ग्रीर
4. सविता सिंह

2. निम्नलिखित राज्यों को राज्य सभा में उनको आवंटित सीटों के आधार पर अवरोही क्रम में व्यवस्थित करें।

A. कर्नाटक
B. असम
C. तमिलनाडु
D. केरल
E. बिहार

नीचे दिए गए विकल्पों में से **सही** उत्तर का चयन कीजिए :

1. E, C, A, B, D
2. E, A, C, D, B
3. C, E, A, D, B
4. C, A, E, B, D

3. संयुक्त राज्य अमेरिका में महिला आंदोलन बीते वर्षों में मजबूत हुआ है। इसकी कुछ आधारभूत विशेषताओं में सम्मिलित हैं?

A. 1848 में आयोजित सेनेका फाल्स सम्मेलन से यूएस महिला अधिकार आंदोलन का जन्म होता है।

B. यूएस संविधान के उन्नीसवीं संशोधन ने 1920 में अमेरिकी महिलाओं को मताधिकार प्रदान किया।

C. राष्ट्रीय महिला वयस्क मताधिकार संगठन 1869 में स्थापित किया गया था।

D. नारीवादी विचारक सिमोन डी बुवा ने अपनी पुस्तक 'द सेकंड सेक्स' प्रकाशित की थी।

E. अमेरिका में अश्वेत महिलाओं का इतिहास सबसे पहले ग्रेटा थनबर्ग द्वारा वर्णित किया गया था।

नीचे दिए गए विकल्पों में से **सही** उत्तर का चयन कीजिए :

1. केवल A, B, C, D
2. केवल B, C, D, E
3. केवल C, D, E
4. केवल A, B, E

4. भारतीय राजनीतिक चिंतकों और उनके विचारों/कृतियों/मतों के सही युग्मों का चयन करें :

A. कौटिल्य : धर्मशास्त्र
B. श्री अरविन्द : आध्यात्मिक राष्ट्रवाद
C. वीर सावरकर : अंडमान से एक गूंज
D. स्वामी विवेकानन्द : राजयोग की भूमिका
E. रबीन्द्रनाथ टैगोर : तराना-ए-हिन्द

नीचे दिए गए विकल्पों में से **सही** उत्तर का चयन कीजिए :

1. केवल A, B, C, D
2. केवल B, C, D
3. केवल B, C, D, E
4. केवल A, B, C, E

5. मिन्नोब्रूक-I सम्मेलन कब हुआ था?

1. 1961 2. 1965
3. 1968 4. 1971

6. किस वर्ष दक्षिण अफ्रीका ने प्रथम गैर-नस्लीय चुनाव आयोजित किए थे?

1. 1993 2. 1997
3. 1994 4. 1992

7. सूची-I के साथ सूची-II का मिलान कीजिए :

सूची-I (विद्वान)	सूची-II (कृति)
A. डॉ. एस. जयशंकर	I. ए थियरी ऑफ ह्यूमेन मोटिवेशन
B. हर्बर्ट सिमोन	II. ऑन ऑर्गेनाइजेशनल लर्निंग
C. अब्राहम मास्लो	III. दि इंडिया वे
D. क्रिस आर्गिरिस	IV. एडमिनिस्ट्रेटिव बिहैवियर

नीचे दिए गए विकल्पों में से **सही** उत्तर का चयन कीजिए :

1. A-I, B-II, C-III, D-IV
2. A-IV, B-III, C-II, D-I
3. A-II, B-I, C-IV, D-III
4. A-III, B-IV, C-I, D-II

8. किस वर्ष भारतीय राष्ट्रीय कांग्रेस द्वारा सृजनात्मक कार्यक्रम शुरू किया गया था?

1. 1922 2. 1924
3. 1930 4. 1935

9. 'नमामि गंगे' योजना के बारे में कथनों पर विचार करें और असत्य विकल्पों की पहचान करें :

A. यह गंगा नदी के पुनर्उद्धार हेतु एक एकीकृत संरक्षण मिशन है।
B. यह कार्यक्रम 2006 में शुरू हुआ था।
C. इस कार्यक्रम का बजट परिव्यय 1000 करोड़ रुपये है।
D. इसमें मल उपचार अवसंरचना का प्रावधान है।
E. इसमें औद्योगिक प्रदूषक अपवाह निगरानी का प्रावधान है।

नीचे दिए गए विकल्पों में से **सही** उत्तर का चयन कीजिए :

1. केवल A और D 2. केवल A और E
3. केवल B और C 4. केवल D और E

10. पंचायतीराज संबंधी समितियों को कालक्रमानुसार व्यवस्थित करें :

A. बलवंतराय मेहता समिति
B. जीवीके राव समिति
C. अशोक मेहता समिति
D. एलएम सिंघवी समिति
E. पीके थुंगन समिति

नीचे दिए गए विकल्पों में से **सही** उत्तर का चयन कीजिए :

1. A, B, C, D, E
2. A, C, B, D, E
3. B, C, D, E, A
4. C, B, D, E, A

11. किस वर्ष जन उपयोगिता सेवाओं हेतु स्थायी लोक अदालतों की स्थापना का उपबंध करने के लिए विधिक सेवाएं प्राधिकरण अधिनियम, 1987 में संशोधन किया गया था?

1. 2006 2. 2002
3. 2005 4. 2007

12. किसने नौकरशाही को शोषक वर्ग के उपकरण की संज्ञा दी थी?

1. फ्रेडरिक हर्जबर्ग 2. कार्ल मार्क्स
3. बी.आर. अम्बेडकर 4. फ्रेड रिग्स

13. निम्नलिखित में से कौन-सा ई.वी. रामास्वामी नायकर द्वारा शुरू किए गए ''आत्मसम्मान आंदोलन'' का भाग नहीं था?

1. नामों से जाति संबंधी विवरण हटाना
2. हिन्दू मिथकशास्त्र के चरित्रों की नवीन व्याख्या
3. राष्ट्रीय आंदोलन के समर्थन हेतु कांग्रेस के साथ मिलना
4. ब्राह्मण पुजारियों के बिना आत्म-सम्मान विवाह पूर्ण करना

14. इलाहाबाद उच्च न्यायालय कब स्थापित किया गया था?

1. 1861 2. 1863
3. 1869 4. 1866

15. सूची-I के साथ सूची-II का मिलान कीजिए :

सूची-I (युद्ध और संकट)	सूची-II (वर्ष)
A. कोसोवो युद्ध	I. 2011
B. लीबिया सिविल युद्ध	II. 2001
C. अमेरिकी नेतृत्व में अफगानिस्तान पर आक्रमण	III. 1996
D. तालिबान I द्वारा अफगानिस्तान में सत्ता नियंत्रण	IV. 1999

नीचे दिए गए विकल्पों में से **सही** उत्तर का चयन कीजिए :

1. A-I, B-IV, C-III, D-II
2. A-II, B-III, C-IV, D-I
3. A-III, B-II, C-I, D-IV
4. A-IV, B-I, C-II, D-III

16. 'पुस्तक 'वन-डाइमेंशनल मैन' किसने लिखी थी?

1. मुचकुंद दूबे 2. फरीद जकारिया
3. हर्बर्ट सिमोन 4. हर्बर्ट मारक्यूज

17. पुस्तक 'सेक्सुअल पॉलिटिक्स' किसके द्वारा लिखित है?

1. जुडीथ बटलर 2. केट मिलेट
3. पंडिता रमाबाई 4. भगिनी निवेदिता

18. साम्यवाद के बारे में महत्वपूर्ण तथ्यों की पहचान करें :

A. साझा स्वामित्व
B. संपूर्ण समानता
C. वर्गहीन समाज
D. वैनगार्ड पार्टी
E. पादरी वर्ग की तानाशाही

नीचे दिए गए विकल्पों में से **सही** उत्तर का चयन कीजिए :

1. केवल A, B, C, E
2. केवल A, B, C, D
3. केवल A, B, D, E
4. केवल B, C, D, E

19. आलेख/पुस्तक 'सिविल डिस्ऑबिडिएंस' किसने लिखी थी?

1. बेल हुक्स 2. जेम्स टली
3. हर्बर्ट मरक्यूज 4. हेनरी डेविड थोरो

20. सूची-I के साथ सूची-II का मिलान कीजिए :

सूची-I (पुस्तक)	सूची-II (लेखक)
A. एशियन ड्रामा	I. गुन्नार मिर्डल
B. दि इंडियन कंस्टीट्यूशन : कॉर्नरस्टोन ऑफ ए नेशन	II. नॉर्मन डी पामर
C. दि स्टेट एंड पॉवर्टी इन इंडिया : दि पॉलिटिक्स ऑफ रिफॉर्म	III. अतुल कोहली
D. दि इंडियन पॉलिटिक्स सिस्टम	IV. ग्रेनविल ऑस्टिन

नीचे दिए गए विकल्पों में से **सही** उत्तर का चयन कीजिए :

1. A-III, B-II, C-I, D-IV
2. A-IV, B-I, C-II, D-III
3. A-I, B-IV, C-III, D-II
4. A-II, B-III, C-IV, D-I

21. निम्नलिखित राज्यों को उनके गठन के वर्षों के अनुसार कालक्रम से व्यवस्थित करें :

A. मणिपुर B. सिक्किम
C. तेलंगाना D. झारखंड
E. अरुणाचल प्रदेश

नीचे दिए गए विकल्पों में से **सही** उत्तर का चयन कीजिए :

1. A, B, C, D, E
2. B, C, D, E, A
3. A, B, E, D, C
4. C, D, E, B, A

22. सूची-I के साथ सूची-II का मिलान कीजिए :

सूची-I (समिति/अधिनियम)	सूची-II (परिणाम/अनुशंसा)
A. पेंडलटन अधिनियम	I. यू.एस. राष्ट्रपति के कार्यालय में प्रबंधकीय क्षमता बढ़ाना
B. प्रथम हूवर आयोग	II. कार्य परिवेश और उत्पादकता
C. हॉथोर्न अध्ययन	III. अमेरिकी चुनाव में रूसी हस्तक्षेप
D. यू.एस. सीनेट इंटेलीजेंस कमेटी रिपोर्ट ऑन 2016 प्रेसीडेंसियल इलेक्शन	IV. यूएस सिविल सेवा आयोग

नीचे दिए गए विकल्पों में से **सही** उत्तर का चयन कीजिए :

1. A-IV, B-I, C-II, D-III
2. A-III, B-II, C-I, D-IV
3. A-I, B-II, C-III, D-IV
4. A-II, B-I, C-IV, D-III

23. निम्नलिखित में से कौन-से शब्द रूढ़िवाद से संबंद्ध हैं?

A. परंपरा

B. सामाजिक कर्तव्य

C. संरक्षण के क्रम में परिवर्तन

D. क्रांति

E. लिंग समानता

नीचे दिए गए विकल्पों में से **सही** उत्तर का चयन कीजिए :

1. केवल A, D और E
2. केवल B, C और D
3. केवल C, D और E
4. केवल A, B और C

24. रूसी मार्क्सवादी विचारक और शासक व्लादिमीर लेनिन की मृत्यु कब हुई थी?

1. 1921 2. 1924
3. 1919 4. 1927

25. भारतीय संविधान के किस अनुच्छेद द्वारा रोजगार में अवसर की समानता की गारंटी दी गई है?

1. अनुच्छेद 13
2. अनुच्छेद 19
3. अनुच्छेद 16
4. अनुच्छेद 18

26. पुस्तक "पॉवर्टी एंड अन-ब्रिटिश रूल इन इंडिया" किसने लिखी थी?

1. खान अब्दुल गफ्फार खान
2. बाल गंगाधर तिलक
3. दादाभाई नौरोजी
4. जवाहरलाल नेहरू

27. निम्नलिखित में से कौन-सी कृति श्री अरबिन्द घोष द्वारा लिखित नहीं है?

1. एस्सेज ऑन दि गीता
2. दि आइडिएल ऑफ दि कर्मयोगी
3. ए सिस्टम ऑफ नेशनल एजुकेशन
4. दि डिस्कवरी ऑफ इंडिया

28. निम्नलिखित में से कौन-सा अभिलक्षण समपार्श्विक समाजों से संबद्ध नहीं है?

1. चयनात्मकता 2. पूर्णता/लब्धि
3. सार्वभौमिकता 4. बहु-कार्यात्मकता

29. सूची-I के साथ सूची-II का मिलान कीजिए :

सूची-I (लेखक)	सूची-II (पुस्तक)
A. मैक्स वेबर	I. इकोनॉमी एंड सोसायटी
B. आयसिया बर्लिन	II. सोशल रिफॉर्म और रिवॉल्यूशन
C. रोजा लक्जमबर्ग	III. कैपिटलिज्म एंड फ्रीडम
D. मिल्टन फ्रीडमैन	IV. फॉर एसेज ऑन लिबर्टी

नीचे दिए गए विकल्पों में से **सही** उत्तर का चयन कीजिए :

1. A-IV, B-I, C-III, D-II
2. A-I, B-IV, C-II, D-III
3. A-III, B-II, C-IV, D-I
4. A-II, B-III, C-I, D-IV

30. पुस्तक 'दि लॉ ऑफ पीपुल्स' किसने लिखी थी?

1. जॉन रॉल्स
2. जॉन लॉक
3. एडवर्ड सेड
4. फ्रांसिस फुकुयामा

31. पुस्तक 'दि ह्यूमैन कंडीशन' किसने लिखी थी?

1. हनाह अरेन्ड्ट
2. मैक्स वेबर
3. हर्बर्ट सिमोन
4. जगदीश पी. भगवती

32. शब्द 'निष्क्रिय व्यक्तिवाद' किसने गढ़ा था?

1. जीन-जैक्स रूसो
2. जॉन रॉल्स
3. सी.बी. मैक्फेरसन
4. एडमंड बर्के

33. अन्तर्राष्ट्रीय घटनाओं को कालक्रमानुसार क्रमबद्ध कीजिए :

A. फिदेल कास्त्रो क्यूबा में सत्ता में आए
B. जॉन एफ. कैनेडी अमेरिका के 35वें राष्ट्रपति बने
C. पोप जॉन XXIII ने क्रेमलिन को परमाणु युद्ध से बचने की चेतावनी दी
D. अमेरिकी विमान U-2 क्यूबा के ऊपर मार गिराया गया
E. सोवियत नेता ख़ुश्चेव ने घोषणा की कि वे क्यूबा से अपने मिसाइल हटाएंगे

नीचे दिए गए विकल्पों में से **सही** उत्तर का चयन कीजिए :

1. A, D, B, C, E
2. E, C, D, B, A
3. A, B, C, D, E
4. B, C, D, A, E

34. निम्नलिखित में से कौन-से युग्म सही सुमेलित हैं?

A. सतत् विकास : केवल वर्तमान की जरूरतें पूरी करने वाला विकास
B. पितृसत्ता : महिलाओं और पुरुषों के बीच शक्ति संबंध
C. संपूर्णवाद : संपूर्ण, अपने भाग की अपेक्षा अधिक महत्वपूर्ण है
D. फासीवाद : अभिव्यक्ति की स्वतंत्रता का समर्थन
E. गहन पारिस्थितिकी : मानव केन्द्रीयतावाद की अस्वीकृति

नीचे दिए गए विकल्पों में से **सही** उत्तर का चयन कीजिए :

1. केवल A, B और C
2. केवल B, C और E
3. केवल C, D और E
4. केवल A, D और E

35. निम्नलिखित आतंकवादी हमलों को कालक्रमानुसार व्यवस्थित करें :

A. मास्को थिएटर बंधक संकट
B. भारतीय संसद पर हमला
C. टोकियो सबवे सारीन हमला
D. कैम्प स्पेसर हत्याकांड
E. एयर इंडिया उड़ान-182 बम विस्फोट

नीचे दिए गए विकल्पों में से **सही** उत्तर का चयन कीजिए :

1. E, C, B, A, D
2. E, B, C, D, A
3. B, E, C, A, D
4. B, C, E, A, D

36. 74वें संविधान संशोधन अधिनियम का प्रयोजन है :

1. ग्रामीण स्थानीय प्रशासन
2. न्यायिक सुधार
3. शहरी स्थानीय निकाय प्रशासन
4. भाषाई प्रशासन

37. सरकार की अध्यक्षीय प्रणाली की विशेषताएँ पहचानें :

A. शक्ति पृथक्करण
B. नियंत्रण और संतुलन
C. सामूहिक उत्तरदायित्व
D. एक नाममात्र प्रमुख
E. विधायिका और कार्यपालिका का सम्मिश्रण

नीचे दिए गए विकल्पों में से **सही** उत्तर का चयन कीजिए :

1. केवल A, B, C
2. केवल A, B, C, D
3. केवल A, B
4. केवल A, B, C, E

38. किस अधिनियम में उपबंध है कि राज्य सभा की पदावधि छह वर्ष होगी?

1. लोक प्रतिनिधित्व अधिनियम (1951)
2. जन प्रतिनिधित्व अधिनियम (1953)
3. भारत सरकार अधिनियम (1935)
4. भारत सरकार अधिनियम (1919)

39. पुस्तक ''दि फंक्शंस ऑफ दि एक्जीक्यूटिव'' किसने लिखी थी?

1. चेस्टर बर्नार्ड
2. मैक्स वेबर
3. हेनरी फेयोल
4. सुन त्जु

40. निम्नलिखित में से कौन-से युग्म सही सुमेलित **नहीं** है?

A. यूएसए द्वारा प्रथम परमाणु परीक्षण/विस्फोट : 1945
B. यूएसएसआर द्वारा प्रथम परमाणु परीक्षण/विस्फोट : 1949
C. फ्रांस द्वारा प्रथम परमाणु परीक्षण/विस्फोट : 1965
D. चीन द्वारा प्रथम परमाणु परीक्षण/विस्फोट : 1974
E. भारत द्वारा प्रथम परमाणु परीक्षण/विस्फोट : 1974

नीचे दिए गए विकल्पों में से **सही** उत्तर का चयन कीजिए :

1. केवल A और B
2. केवल B और E
3. केवल C और D
4. केवल A और E

41. सूची-I के साथ सूची-II का मिलान कीजिए :

सूची-I (लेखक)	**सूची-II** (पुस्तक)
A. थॉमस हॉब्स	I. क्रिटिक ऑफ प्योर रीजन
B. इमैनुएल कांट	II. दि ऑर्डर ऑफ दि थिंग्स : एन ऑर्कियोलोजी ऑफ दि ह्यूमन साइंसेज
C. माइकल फोकाल्ट	III. ऑनफायर
D. नाओमी क्लेन	IV. लेवियाथन

नीचे दिए गए विकल्पों में से **सही** उत्तर का चयन कीजिए :

1. A-IV, B-I, C-II, D-III
2. A-III, B-II, C-I, D-IV
3. A-II, B-III, C-IV, D-I
4. A-I, B-IV, C-III, D-II

42. सूची-I के साथ सूची-II का मिलान कीजिए :

सूची-I (संधियाँ/समझौते)	**सूची-II** (वर्ष)
A. अंटार्कटिक संधि	I. 1959
B. एंटी-बैलास्टिक मिसाइल संधि (ABM)	II. 1972
C. बाह्य अंतरिक्ष संधि	III. 1967
D. सीमित परीक्षण प्रतिबंध संधि	IV. 1963

नीचे दिए गए विकल्पों में से **सही** उत्तर का चयन कीजिए :

1. A-I, B-II, C-III, D-IV
2. A-II, B-I, C-III, D-IV
3. A-IV, B-III, C-I, D-II
4. A-III, B-IV, C-II, D-I

43. भारतीय संविधान की संघीय विशेषताओं के बारे में निम्नलिखित में से कौन-से कथन सत्य हैं?

A. भारत राज्यों का संघ है।
B. संविधान देश का सर्वोच्च कानून है।
C. विधायी शक्तियाँ, केन्द्र और राज्यों के बीच वितरित हैं।
D. अवशिष्ट शक्तियाँ राज्यों के लिए आरक्षित हैं।
E. सभी राज्यों का राज्यसभा में बराबर प्रतिनिधित्व है।

नीचे दिए गए विकल्पों में से **सही** उत्तर का चयन कीजिए :

1. केवल A, B और D
2. केवल A, B और C
3. केवल B, C और D
4. केवल C, D और E

44. किसने आर्यवाद, ब्राह्मणवाद और हिन्दूमत की कठोर आलोचना की थी?

1. दयानंद सरस्वती
2. स्वामी करपात्री
3. ई.वी. रामास्वामी नायकर
4. बाल गंगाधर तिलक

45. भारतीय संविधान के किस अनुच्छेद द्वारा अल्पसंख्यकों की भाषा, लिपि और संस्कृति के संरक्षण की गारंटी दी गई है?

1. अनुच्छेद 21
2. अनुच्छेद 29
3. अनुच्छेद 27
4. अनुच्छेद 23

46. निम्नलिखित में से कौन-से सही सुमेलित **नहीं** है?

A. आर्थिक राष्ट्रवाद : संरक्षणवाद से घरेलू अर्थव्यवस्था को बढ़ावा देना

B. स्थानिकवाद/मूलवाद : आप्रवासियों के विरुद्ध मूल निवासियों की जरूरतों को स्वर देना

C. उपनिवेशवाद : किसी विदेशी क्षेत्र पर नियंत्रण स्थापित करने की प्रथा

D. विदेशी द्वेष : आत्म-निर्धारण की मांग

E. सार्वभौमिकतावाद : एकांतिकता और अनन्यता द्वारा निरूपित व्यवहार

नीचे दिए गए विकल्पों में से **सही** उत्तर का चयन कीजिए :

1. केवल A और B
2. केवल B और C
3. केवल A और C
4. केवल D और E

47. सूची-I के साथ सूची-II का मिलान कीजिए :

सूची-I (विचारधारा)	सूची-II (प्रतिपादक)
A. बहुलवाद	I. दीनदयाल उपाध्याय
B. उपयोगितावाद	II. ऑगस्टे कॉम्टे
C. एकात्म मानववाद	III. जेरेमी बेन्थम
D. प्रत्यक्षवाद	IV. जेम्स मेडिसन

नीचे दिए गए विकल्पों में से **सही** उत्तर का चयन कीजिए :

1. A-I, B-II, C-III, D-IV
2. A-III, B-IV, C-II, D-I
3. A-IV, B-III, C-I, D-II
4. A-II, B-I, C-III, D-IV

48. मूल अधिकारों के निलंबन से संबंधित आपातकालीन शक्तियाँ कहाँ से ली गई हैं?

1. कनाडाई संविधान
2. ऑस्ट्रेलियाई संविधान
3. जर्मनी का वाइमर संविधान
4. फ्रेंच संविधान

49. सूची-I के साथ सूची-II का मिलान कीजिए :

सूची-I (घटनाएँ)	सूची-II (वर्ष)
A. डमबारटोस ओक सम्मेलन	I. 1972
B. स्वेज नहर में यूएन शांति बहाली मिशन	II. 1956
C. यूएन विकास कार्यक्रम की स्थापना	III. 1944
D. यूएन पर्यावरण कार्यक्रम की स्थापना	IV. 1965

नीचे दिए गए विकल्पों में से **सही** उत्तर का चयन कीजिए :

1. A-II, B-III, C-I, D-IV
2. A-IV, B-I, C-III, D-II
3. A-I, B-IV, C-II, D-III
4. A-III, B-II, C-IV, D-I

50. द्वितीय डोनाल्ड ट्रंप प्रशासन में प्रस्तावित विदेश मंत्री कौन हैं?

1. इवांका ट्रंप
2. तुलसी गैबार्ड
3. मार्क इस्पर
4. मैक्रो रुबियो

51. 2014 लोक सभा चुनावों में भारतीय राष्ट्रीय कांग्रेस ने कितनी सीटें जीती थीं?

1. 53
2. 48
3. 49
4. 44

52. मुस्लिम समुदाय को पृथक् निर्वाचक मंडल किसके द्वारा प्रदान किया गया था?

1. भारत सरकार अधिनियम, 1858
2. भारतीय परिषद् अधिनियम, 1892
3. भारतीय परिषद् अधिनियम, 1909
4. भारतीय परिषद् अधिनियम, 1861

53. नवम्बर 2024 में विजयी होने के बाद डोनाल्ड ट्रंप अनिरंतर पदावधियों के लिए जीतने वाले दूसरे अमेरिकी राष्ट्रपति हैं। ऐसे प्रथम राष्ट्रपति कौन थे?

1. जॉन एडम्स
2. ग्रोवर क्लीवलैंड
3. एंड्रयू जैक्सन
4. अब्राहम लिंकन

54. किसने सुझाया था कि बुर्जुआ पूर्वधारणाओं और मूल्यों को प्रतिस्पर्धी 'सर्वहारा वर्चस्व' तथा 'सहमति का निर्माण' की स्थापना करके उखाड़ फेंकने की जरूरत है?

1. एंथनी गिड्डेन्स
2. जॉन स्टुअर्ट मिल
3. एंटोनियो ग्राम्शी
4. राममनोहर लोहिया

55. सूची-I के साथ सूची-II का मिलान कीजिए :

सूची-I (सार्क महासचिव)	सूची-II (पदावधि)
A. अबुल अहसान	I. 1 जनवरी, 1994 से 31 दिसंबर, 1995
B. यादव कांत सिलवाल	II. 1 जनवरी, 1999 से 10 जनवरी, 2002
C. निहाल रोड्रिगो	III. 16 जनवरी, 1987 से 15 अक्टूबर, 1989
D. शीलकांत शर्मा	IV. 1 मार्च, 2008 से 28 फरवरी, 2011

नीचे दिए गए विकल्पों में से **सही** उत्तर का चयन कीजिए :

1. A-I, B-III, C-IV, D-II
2. A-II, B-IV, C-III, D-I
3. A-I, B-III, C-IV, D-II
4. A-III, B-I, C-II, D-IV

56. जर्मन दार्शनिक जॉर्ज फ्रेडरिक हीगल से संबंधित अनिवार्य तथ्यों की पहचान करें :

A. हीगल ने जलवायु परिवर्तन उपशमन का विचार प्रचलित किया।

B. आदर्शवाद का हीगल संस्करण 'द्वन्द्वात्मक आदर्शवाद' कहलाता है।

C. हीगल ने द्वन्द्वात्मक प्रक्रिया को शोध प्रबंध, प्रतिशोध प्रबंध और संश्लेषण के रूप में व्याख्यायित करने का प्रयास किया।

D. हीगल ने 'फेनोमेनोलॉजी ऑफ स्पिरिट' पुस्तक लिखी थी।

E. कार्ल मार्क्स, हीगल से बहुत अधिक प्रभावित थे।

नीचे दिए गए विकल्पों में से **सही** उत्तर का चयन कीजिए :

1. केवल A, B, C, E
2. केवल A, C, D
3. केवल A, B, E
4. केवल B, C, D, E

57. किसी संगठन में "गैंग प्लांक" की अवधारणा क्या है?

1. एक प्रशिक्षण उपकरण
2. बजटीय सॉफ्टवेयर
3. सोपानिकी में 'स्तर परिवर्तन' (जम्पिंग)
4. एक लेखांकन एजेंसी

58. विश्व के सबसे अधिक सैन्य खर्च करने वाले (2023) निम्नलिखित राष्ट्रों को आरोही क्रम में व्यवस्थित करें :

A. दक्षिण कोरिया

B. यूक्रेन

C. यूएसए

D. चीन

E. रूस

नीचे दिए गए विकल्पों में से **सही** उत्तर का चयन कीजिए :

1. C, E, D, B, A
2. E, C, D, A, B
3. A, B, E, D, C
4. B, A, D, E, C

59. पर्यावरणीय घटनाओं को कालक्रमानुसार व्यवस्थित करें :

A. मिनीमाता मरकरी अभिसमय

B. रियो घोषणा और एजेंडा 21 का प्रकाशन

C. ग्रीनपीस की स्थापना

D. भोपाल रासायनिक संयंत्र आपदा
E. चेर्नोबिल परमाणु आपदा

नीचे दिए गए विकल्पों में से **सही** उत्तर का चयन कीजिए :

1. A, B, C, D, E
2. B, C, D, E, A
3. C, D, E, B, A
4. D, C, E, A, B

60. राम मनोहर लोहिया ने अपनी किस प्रसिद्ध कृति में इतिहास का अपना सिद्धांत प्रस्तुत किया था?

1. व्हील ऑफ हिस्ट्री
2. एन इंट्रोडक्शन टू दि प्रिंसीपल्स ऑफ मोरल्स एंड लेजिसलेशन
3. लिबरलिज्म एंड दि लिमिट्स ऑफ जस्टिस
4. इरोस एंड सिविलाइजेशन

61. निम्नलिखित गणमान्यों को ऑर्डर ऑफ प्रिसिडेंस तालिका में उनके स्थान (उच्चतर से निम्नतर स्थिति) के अनुसार व्यवस्थित करें :

A. मुख्य निर्वाचन आयुक्त
B. उप-सभापति, राज्यसभा
C. भारत का महान्यायवादी
D. उपाध्यक्ष, नीति आयोग
E. भारत रत्न सम्मान धारक

नीचे दिए गए विकल्पों में से **सही** उत्तर का चयन कीजिए :

1. B, A, D, E, C
2. C, A, B, D, E
3. D, E, A, B, C
4. E, B, A, C, D

62. पारिस्थितिकीवाद के संबंध में सत्य कथनों पर विचार करें।

A. शब्द पारिस्थितिकी को सबसे पहले अर्नेस्ट हैकेल द्वारा गढ़ा गया था।
B. यह जीवित जीवों और उनके पर्यावरण के मध्य संबंधों का अध्ययन करता है।
C. यह बाजार केन्द्रित उपागम है।
D. यह विश्वास करता है कि मानव, प्रकृति के स्वामी हैं।
E. रचेल कार्सन पर्यावरणवादी रूढ़िवादी थे।

नीचे दिए गए विकल्पों में से **सही** उत्तर का चयन कीजिए :

1. केवल A, B और E
2. केवल B और C
3. केवल B, C और E
4. केवल A और D

63. निम्नलिखित में से कौन-से कथन सत्य हैं?

A. चरम नारीवादी, लिंग शोषण/दमन को उखाड़ फेंकने का आह्वान करता है।
B. मार्क्सवाद के अनुसार, विचारधारा प्रभुत्वशाली वर्ग के शासन को वैध ठहराने का उपकरण है।
C. फासीवाद के अनुसार, लोगों को अपने नेता के आदेश मानने चाहिए।
D. जे.एस. मिल ने महिला अधिकारों का विरोध किया था।
E. वर्तमान व्यवस्था को बनाए रखने के लिए, कार्ल मार्क्स ने क्रांति के विचार का विरोध किया।

नीचे दिए गए विकल्पों में से **सही** उत्तर का चयन कीजिए :

1. केवल A, B और C
2. केवल B, C और D
3. केवल C, D और E
4. केवल A, D और E

64. पुस्तक 'दि सोशियोलॉजी ऑफ रिलीजन' किसने लिखी थी?

1. मैक्स वेबर
2. एना बलासटेरोस पैरो
3. जॉन लॉक
4. हर्बर्ट मारक्यूज

65. जॉर्जिया मेलोनी इटली की प्रधानमंत्री हैं। मेलोनी किस राजनीतिक दल से संबंधित हैं?

1. कंजर्वेटिव पार्टी
2. डेमोक्रेटिक पार्टी
3. ब्रदर्स ऑफ इटली
4. रिपब्लिकन पार्टी

66. मद्रास के एम.सी. राजा किसके प्रथम निर्वाचित अध्यक्ष थे?

1. ऑल इंडिया डिप्रेस्ड क्लासेज एसोसिएशन
2. ऑल असम स्टूडेंट्स यूनियन
3. भारतीय राष्ट्रीय कांग्रेस
4. ब्रिटिश इंडियन एसोसिएशन

67. क्षेत्रीय संगठनों के बारे में सत्य तथ्यों की पहचान करें :

A. पूर्वी एशियाई सम्मेलन 2005 में स्थापित हुआ था।
B. शंघाई सहयोग संगठन 2001 में स्थापित हुआ था।
C. नॉर्डिक परिषद् 1952 में स्थापित हुई थी।
D. आसियान क्षेत्रीय मंच 1994 में स्थापित हुआ था।
E. सार्क 1987 में स्थापित हुआ था।

नीचे दिए गए विकल्पों में से **सही** उत्तर का चयन कीजिए :

1. केवल A, E
2. केवल B, C, E
3. केवल E, A, B
4. केवल A, B, C, D

68. गैट/डब्ल्यूटीओ के महानिदेशकों को उनकी पदावधियों के अनुसार कालक्रम से व्यवस्थित करें।

A. एरिक वायनधाम व्हाइट
B. ओलिविर लोंग
C. आर्थर डंकेल
D. पीटर सदरलैंड
E. न्गोजी ओकोन्जो-इवेला

नीचे दिए गए विकल्पों में से **सही** उत्तर का चयन कीजिए :

1. A, B, C, D, E
2. B, C, D, E, A
3. C, D, E, B, A
4. D, A, B, C, E

69. सूची-I के साथ सूची-II का मिलान कीजिए :

सूची-I (घटना)	सूची-II (वर्ष)
A. किसी भारतीय प्रधानमंत्री की चीन में प्रथम यात्रा	I. 2008
B. सोवियत-भारत शांति, मित्रता और सहयोग संधि	II. 1971
C. भारतीय परमाणु परीक्षण	III. 1954
D. 26/11 मुंबई आतंकी हमला	IV. 1998

नीचे दिए गए विकल्पों में से **सही** उत्तर का चयन कीजिए :

1. A-III, B-II, C-IV, D-I
2. A-II, B-III, C-IV, D-I
3. A-I, B-II, C-III, D-IV
4. A-IV, B-III, C-II, D-I

70. निम्नलिखित संविधान संशोधनों/उपबंधों को उन्हें अंतःस्थापित किए जाने के अनुसार कालक्रम में व्यवस्थित करें :

A. दिल्ली के संबंध में विशेष प्रावधान
B. सहकारी समितियों को बढ़ावा
C. प्रिवी पर्स की समाप्ति
D. विधायिका में महिलाओं का प्रतिनिधित्व
E. मंत्रिपरिषद् में मंत्रियों की कुल संख्या लोकसभा/विधानसभा के सदस्यों के पन्द्रह प्रतिशत से अधिक नहीं होगी।

नीचे दिए गए विकल्पों में से **सही** उत्तर का चयन कीजिए :

1. C, A, E, B, D
2. C, E, A, B, D
3. C, A, B, D, E
4. C, E, A, D, B

71. निम्नलिखित में से कौन-सा विचारक अंतर्राष्ट्रीय संबंधों की यथार्थवादी शाखा से संबंधित नहीं है?

A. स्टीफन वाल्ट
B. जॉन मर्शहैमर
C. केनेथ वाल्ट्ज
D. वुडरो विल्सन
E. इमैनुएल कांट

नीचे दिए गए विकल्पों में से **सही** उत्तर का चयन कीजिए :

1. केवल A और B
2. केवल B और C
3. केवल C और A
4. केवल D और E

72. प्रतिनिधित्वपूर्ण लोकतंत्र के बारे में निम्नलिखित कथनों पर विचार करें तथा सही विकल्पों का चयन करें :

A. यह विशाल देशों के लिए लोकतंत्र का व्यवहार्य स्वरूप प्रदान करता है।

B. यह सरकार और शासित के मध्य एक रेखा स्थापित करता है।

C. यह सरकार और शासित के मध्य रेखा मिटा देता है।

D. यह वर्गहीन समाज की वकालत करता है।

E. इसका सबसे प्रचलित आधुनिक रूप जनमत संग्रह का उपयोग है।

नीचे दिए गए विकल्पों में से **सही** उत्तर का चयन कीजिए :

1. केवल A और B 2. केवल B और D
3. केवल C और D 4. केवल D और E

73. सूची-I के साथ सूची-II का मिलान कीजिए :

सूची-I (तकनीकी विकास)	सूची-II (वर्ष)
A. गूगल की शुरूआत	I. 1998
B. फेसबुक की शुरूआत	II. 2004
C. माइक्रोसॉफ्ट की स्थापना	III. 1975
D. एप्पल कम्प्यूटर्स की स्थापना	IV. 1976

नीचे दिए गए विकल्पों में से **सही** उत्तर का चयन कीजिए :

1. A-II, B-I, C-III, D-IV
2. A-I, B-II, C-III, D-IV
3. A-I, B-II, C-IV, D-III
4. A-II, B-I, C-IV, D-III

74. निम्नलिखित को कालक्रमानुसार व्यवस्थित करें :

A. हम्मुराबी द्वारा विधि संहिता स्थापित करना

B. एडवर्ड I की मॉडल संसद को समवेत किया जाना

C. वेस्टफेलिया संधि द्वारा संप्रभुता की भावना प्रवर्तित करना

D. संयुक्त राष्ट्र द्वारा सार्वभौमिक मानवाधिकार घोषणा अनुमोदित करना

E. न्यूजीलैंड का महिलाओं को मतदान अधिकार प्रदान करने वाला प्रथम राष्ट्र बनना

नीचे दिए गए विकल्पों में से **सही** उत्तर का चयन कीजिए :

1. A, B, E, C, D
2. A, B, C, E, D
3. B, A, C, D, E
4. B, A, E, C, D

75. गैट/डब्ल्यूटीओ के बारे में असत्य कथनों की पहचान करें :

A. 1948 से 1994 के बीच गैट ने अधिकांश विश्व व्यापार के लिए नियम प्रदान किए।

B. गैट एक अस्थायी समझौता और संगठन था।

C. डब्ल्यूटीओ 1 जनवरी, 1995 में सृजित किया गया था।

D. डब्ल्यूटीओ का प्रथम मंत्रिस्तरीय सम्मेलन 2009 में हुआ था।

E. डब्ल्यूटीओ का 28वाँ मंत्रिस्तरीय सम्मेलन दिल्ली में 2024 में हुआ था।

नीचे दिए गए विकल्पों में से **सही** उत्तर का चयन कीजिए :

1. केवल A और B
2. केवल B और C
3. केवल C और A
4. केवल D और E

76. सूची-I के साथ सूची-II का मिलान कीजिए :

सूची-I (सार्क सम्मेलन)	सूची-II (तारीख)
A. ढाका	I. 10-11 अप्रैल, 1993
B. नई दिल्ली	II. 2-4 मई, 1995
C. कोलंबो	III. 2-6 जनवरी, 2004
D. इस्लामाबाद	IV. 29-31 जुलाई, 1998

नीचे दिए गए विकल्पों में से **सही** उत्तर का चयन कीजिए :

1. A-II, B-I, C-III, D-IV
2. A-I, B-II, C-IV, D-III
3. A-III, B-IV, C-II, D-I
4. A-IV, B-III, C-I, D-II

77. किस वर्ष बीजिंग में 19वीं चीनी साम्यवादी पार्टी (सीसीपी) कांग्रेस आयोजित हुई थी?

1. 2013
2. 2017
3. 2015
4. 2019

78. विश्व व्यापार संगठन की पहली महिला डायरेक्टर जनरल कौन है?

1. न्गोजी ओकोन्जो-इवेला
2. माइक मूर सूपाचाई
3. पीटर सदरलैंड
4. पास्कल लैमी

79. सूची-I के साथ सूची-II का मिलान कीजिए :

सूची-I (परिघटनाएँ)	सूची-II (वर्ष)
A. चीन में बॉक्सर क्रांति	I. 1910-1920
B. मैक्सिको क्रांति	II. 1931
C. जापान का मंचूरिया पर आक्रगण	III. 1936
D. जर्मनी का राईनलैंड पर पुनः नियंत्रण	IV. 1900-1901

नीचे दिए गए विकल्पों में से **सही** उत्तर का चयन कीजिए :

1. A-I, B-II, C-III, D-IV
2. A-IV, B-I, C-II, D-III
3. A-III, B-II, C-I, D-IV
4. A-II, B-III, C-IV, D-I

80. निम्नलिखित नेताओं की हत्याओं को कालक्रमानुसार व्यवस्थित करें :

A. जॉन एफ. कैनेडी
B. जिया उर रहमान
C. एसडब्ल्यूआरडी भंडारनायके
D. ओलोफ पाल्मे
E. यिट्ज़ाक राबिन

नीचे दिए गए विकल्पों में से **सही** उत्तर का चयन कीजिए :

1. A, D, C, E, B
2. A, C, D, E, B
3. C, A, B, D, E
4. C, B, A, D, E

81. सूची-I के साथ सूची-II का मिलान कीजिए :

सूची-I (विद्वान)	सूची-II (कृति)
A. फ्रेड रिग्स	I. दि प्रैक्टिस ऑफ मैनेजमेंट
B. येहेजकेल ड्रोर	II. दि इकोलॉजी ऑफ पब्लिक एडमिनिस्ट्रेशन
C. पीटर ड्रकर	III. दि एटीन्थ ब्रूमायर ऑफ लुईस बोनापार्ट
D. कार्ल मार्क्स	IV. पब्लिक पॉलिसी मेकिंग रिएक्जामिन्ड

नीचे दिए गए विकल्पों में से **सही** उत्तर का चयन कीजिए :

1. A-II, B-IV, C-I, D-III
2. A-III, B-I, C-IV, D-II
3. A-I, B-II, C-III, D-IV
4. A-IV, B-III, C-II, D-I

82. "सभी पक्षों/दलों-को-पकड़ें" शब्द सबसे पहले निम्नलिखित में से किसने गढ़ा था?

1. सी. राइट मिल्स
2. विलियम ग्लैडस्टोन
3. ओटो किर्चहाइमर
4. बर्ट्रेंड रसेल

83. निम्नलिखित में से कौन-से डेविड ईस्टन के आगत-निर्गत विश्लेषण के चर **नहीं** हैं?

A. विकास
B. संवृद्धि
C. मांग
D. समर्थन
E. प्रतिपुष्टि

नीचे दिए गए विकल्पों में से **सही** उत्तर का चयन कीजिए :

1. केवल C और D
2. केवल C और E
3. केवल D और E
4. केवल A और B

84. संयुक्त राष्ट्र की निम्नलिखित पहलों/स्थापनाओं को कालक्रमानुसार व्यवस्थित करें :

A. यूएन द्वारा मलेरिया रोल बैक पहल
B. मानव जीनोम और मानवाधिकारों संबंधी सार्वभौम घोषणा

C. वैश्विक पोलियो उन्मूलन पहल
D. संयुक्त राष्ट्र शांति विश्वविद्यालय, कोस्टा रिका की स्थापना
E. यूएन वन फोरम की स्थापना

नीचे दिए गए विकल्पों में से **सही** उत्तर का चयन कीजिए :

1. C, B, A, E, D
2. C, A, B, E, D
3. D, C, B, A, E
4. D, B, C, A, E

85. निम्नलिखित में से कौन-से उदारवादी लोकतंत्र के भाग नहीं हैं?

A. एक पार्टी प्रणाली पर आधारित
B. औपचारिक कानूनी नियमों पर आधारित
C. नागरिक स्वतंत्रताओं और व्यक्तिगत अधिकारों की गारंटी
D. नियंत्रण और संतुलन की प्रणाली
E. जनसंचार माध्यमों पर राज्य एकाधिकार

नीचे दिए गए विकल्पों में से **सही** उत्तर का चयन कीजिए :

1. केवल B और C   2. केवल A और E
3. केवल C और D   4. केवल B, C और D

86. निम्नलिखित देशों को संयुक्त राष्ट्र में उनके प्रवेश/सदस्य बनने के वर्षों के अनुसार कालक्रम से व्यवस्थित करें :

A. पाकिस्तान   B. म्यांमार
C. श्रीलंका   D. भारत
E. इजरायल

नीचे दिए गए विकल्पों में से **सही** उत्तर का चयन कीजिए :

1. A, D, B, C, E
2. D, A, C, E, B
3. D, A, B, E, C
4. A, D, C, B, E

87. भारतीय संविधान की समवर्ती सूची कहाँ से ली गई है?

1. अमेरिकी संविधान   2. आयरिश संविधान
3. कनाडाई संविधान   4. ऑस्ट्रेलियाई संविधान

88. एक राजनीतिक दल से अन्य दल में जाने पर संसद सदस्यों और राज्य विधानमंडलों के सदस्यों की निरर्हता का उपबंध करने वाला 52वाँ संविधान संशोधन किस वर्ष अधिनियमित किया गया था?

1. 1984   2. 1985
3. 1987   4. 1988

89. निम्नलिखित को कालक्रमानुसार व्यवस्थित करें :

A. चार्ल्स I को अधिकार याचिका स्वीकार करने पर मजबूर किया जाना
B. अर्जेंटीना से फाकलैंड युद्ध किया जाना
C. सम्राट जॉन I को मैग्नाकार्टा पर हस्ताक्षर करने पर मजबूर किया जाना
D. ब्रिटेन में अधिकार पत्र
E. संघ अधिनियम ने इंग्लैंड और स्कॉटलैंड राज्यों को एकीकृत किया

नीचे दिए गए विकल्पों में से **सही** उत्तर का चयन कीजिए :

1. A, D, C, B, E
2. C, A, E, B, D
3. A, C, E, D, B
4. C, A, D, E, B

90. सत्य कथनों पर विचार करें।

A. विनायक दामोदर सावरकर ने तर्क दिया कि 1857 की क्रांति भारत का प्रथम स्वतंत्रता संग्राम थी।
B. जयप्रकाश नारायण ने 'संपूर्ण क्रांति' या पूर्ण क्रांति के विचार की वकालत की थी।
C. भीमराव रामजी अंबेडकर सामाजिक न्याय के अगुवा थे।
D. बाल गंगाधर तिलक नरमदलीय नेता थे।
E. रबीन्द्रनाथ टैगोर के अनुसार, अतिराष्ट्रवाद का विचार सच्ची स्वतंत्रता के साथ अहरणीय है।

नीचे दिए गए विकल्पों में से **सही** उत्तर का चयन कीजिए :

1. केवल A, B और C
2. केवल B, C और D
3. केवल C, D और E
4. केवल B, C, D और E

निर्देश (प्रश्न संख्या 91 से 95 तक): *निम्नलिखित अवतरण को पढ़ें और प्रश्नों के उत्तर दीजिए।*

जेम्स मेडिसन किसी लोकतंत्र में प्रचलित सूचना हेतु तत्काल जरूरत को वाग्मितापूर्ण अभिव्यक्ति देते हैं। औपनिवेशिक शासन में, प्रशासनिक संस्कृति मुख्यतया आंतरिक-दर्शी, लोगों से बचने वाली और गोपनीयतापूर्ण थी। सूचना का अधिकार संस्थानों और संस्कृति, दोनों का उत्पाद है।

जन दबाव और विश्व भर में समसामायिक लोकतांत्रिक आंदोलनों के कारण सरकारी कार्यों में खुलापन और पारदर्शिता हालिया समय में उभरती प्रवृत्तियाँ बन चुकी हैं। बहुत से देशों में सूचना का अधिकार विधियाँ अधिनियमित की जा रही हैं। स्वीडन ने 1766 में प्रेस की स्वतंत्रता अधिनियम को अपनाया। यूनाइटेड स्टेट्स ने सूचना की स्वतंत्रता अधिनियम, 1966 पारित किया। फ्रांस में, सूचना की स्वतंत्रता और लोक सेवकों का उत्तरदायित्व संवैधानिक अधिकारों का अभिन्न भाग है। जापान में सूचना की स्वतंत्रता कानून 2001 में प्रभाबशील हुआ, जिसने प्रशासनिक एजेंसियों द्वारा इलेक्ट्रॉनिक या मुद्रित प्रारूपों में रखी गई सूचना तक पहुँच प्रदान की।

जर्मनी में, संघीय सरकार ने 2005 में सूचना की स्वतंत्रता विधि को पारित किया। छह बुन्डसलैंडर (प्रांतीय सरकारें) ने इस विषय पर अपने अलग कानून बनाए हैं। भारत के उच्चतम न्यायालय ने उत्तर प्रदेश राज्य बनाम राज नारायण वाद में व्यवस्था दी कि सूचना का अधिकार, वाक् स्वतंत्रता के अधिकार में निहित है। 1997 में भारत ने सूचना का अधिकार तथा खुली और पारदर्शी सरकार को बढ़ावा देने के लिए लोक प्राधिकरणों के नियंत्रणाधीन सूचना तक नागरिकों को सुरक्षित पहुँच प्रदान करने के लिए भारत में सूचना का अधिकार अधिनियम पारित किया था।

91. जर्मनी में बुंडसलैंडर को किस अन्य नाम से भी जाना जाता है?

1. सिविल सोसायटी
2. प्रांतीय सरकारें
3. उच्च न्यायालय
4. निर्वाचन आयोग

92. अवतरण के अनुसार किस वर्ष भारत ने सूचना का अधिकार अधिनियम पारित किया था?

1. 2000 2. 2005
3. 2010 4. 2015

93. अवतरण के अनुसार, किस वाद में उच्चतम न्यायालय ने टिप्पणी की थी कि सूचना का अधिकार वाक् स्वतंत्रता के अधिकार में निहित है?

1. राज नारायण वाद 2. गोलकनाथ वाद
3. रे बेरूबाड़ी वाद 4. नवीन जिंदल वाद

94. अवतरण के अनुसार, किस देश ने सूचना की स्वतंत्रता और लोक सेवकों के उत्तरदायित्व को संवैधानिक अधिकारों का अभिन्न अंग बनाया है?

1. ब्रिटेन 2. ऑस्ट्रेलिया
3. फ्रांस 4. जर्मनी

95. अवतरण के अनुसार, किस देश ने सबसे पहले प्रेस/सूचना से संबंधित प्रावधान अपनाया था?

1. यूएसए 2. जापान
3. भारत 4. स्वीडन

निर्देश (प्रश्न संख्या 96 से 100 तक): *निम्नलिखित अवतरण को पढ़ें और प्रश्नों के उत्तर दीजिए।*

स्वतंत्रता पश्चात् भूमि सुधार मुख्यतया कुमारप्पा समिति के आधार पर अपनाए गए थे। इस समिति के मार्गदर्शक सिद्धांतों में शोषण की समाप्ति और जोतने वालों को जमीन प्रदान करना शामिल था। बिहार प्रदेश किसान सभा (BPKS) 1929 में स्थापित की गई थी। इसने 1936 में अखिल भारतीय किसान सभा (AIKS) के रूप में राष्ट्रीय उपस्थिति दर्ज की थी। स्वामी सहजानंद सरस्वती ने प्रांतीय संगठनों पर प्रभुत्व बनाए रखा और भारत में प्रमुख किसान नेता के रूप में उभरे तथा 1935 में BPKS के मुखिया बने। 1937 में बिहार में कांग्रेस मिनिस्ट्री के गठन ने दोनों संगठनों के बीच टकराव का रास्ता खोल दिया।

जमींदारों ने किरायेदारों की दशा सुधारने के लिए किरायेदारी/काश्तकारी कानूनों को पारित करने में अपनी सहायता प्रदान करने का प्रस्ताव दिया। बिहार सहित

उत्तर-औपनिवेशिक भारत राजनीतिक प्रणाली में प्रभुत्वशाली पक्षकार के रूप में कांग्रेस के उदय का साक्षी बना। 1952 चुनावों में राज्य विधायिका में झारखंड पार्टी मुख्य विपक्षी पार्टी थी।

बिहार में 1952 आम चुनावों का महत्वपूर्ण परिणाम दो क्षेत्रीय राजनीतिक दलों, झारखंड पार्टी और जनता पार्टी का उदय था। कांग्रेस का परंपरागत विपक्ष तैयार करने के लिए राजा कामख्या नारायण सिंह द्वारा जनता पार्टी 1950 में स्थापित की गई थी। इसका राजनीतिक प्रभाव मुख्यतया दक्षिण-बिहार में सीमित था। 1967 तक, बिहार में रजनी कोठारी द्वारा प्रतिपादित 'कांग्रेस प्रणाली' अर्थात् एक दल प्रभुत्व प्रणाली ही कायम रही थी। 1967-69 के बीच चुनावों में बेहद खण्डित बहु-दलीय प्रणाली देखी गई। कांग्रेस की चुनावों में शक्ति की कमी ने एक तरफ समाजवादियों और साम्यवादियों को लाभ पहुँचाया तो दूसरी ओर जनसंघ को भी इससे लाभ मिला।

96. प्रदत्त अवतरण के अनुसार, किसने 'एकल पार्टी प्रभुत्व प्रणाली' के रूप में 'कांग्रेस प्रणाली' की संकल्पना प्रस्तुत की थी?

1. पार्थो घोष
2. बिपिन चंद्रा
3. रजनी कोठारी
4. राजेन्द्र प्रसाद

97. अवतरण के अनुसार, बिहार विधायिका में कौन-सी पार्टी 1952 चुनाव में मुख्य विपक्षी दल थी?

1. अखिल भारतीय किसान सभा
2. बिहार प्रदेश किसान सभा
3. झारखंड पार्टी
4. कांग्रेस

98. अवतरण के अनुसार, जनता पार्टी का गठन किस वर्ष हुआ था?

1. 1950
2. 1960
3. 1970
4. 1980

99. अवतरण के अनुसार, जनता पार्टी का राजनीतिक प्रभाव मुख्यतया .... में सीमित था।

1. उत्तर बिहार
2. पूर्वी बिहार
3. पश्चिमी बिहार
4. दक्षिण बिहार

100. अवतरण के अनुसार, 1935 में बिहार प्रदेश किसान सभा का मुखिया कौन था?

1. राजेन्द्र प्रसाद
2. स्वामी सहजानंद सरस्वती
3. दारोगा प्रसाद राय
4. राम जयपाल सिंह

उत्तरमाला

1. (1): पुस्तक '*The Death of Nature : Women, Ecology, and the Scientific Revolution*' की लेखिका केरोलाइन मर्चेन्ट हैं। यह पुस्तक 1980 में प्रकाशित हुई थी और इसमें यह बताया गया है कि वैज्ञानिक क्रांति (Scientific Revolution) के दौरान प्रकृति को एक निष्क्रिय वस्तु के रूप में देखा जाने लगा और इससे महिलाओं के साथ किए गए व्यवहार में भी बदलाव आया। मर्चेन्ट का तर्क है कि प्रकृति को 'मां' के रूप में देखे जाने के बाद जब उसे 'मशीन' के रूप में देखा जाने लगा, तो इससे स्त्री और प्रकृति दोनों के प्रति पितृसत्तात्मक शोषण में वृद्धि हुई। यह पुस्तक इकोफेमिनिज्म (Ecofeminism) के क्षेत्र में एक मील का पत्थर मानी जाती है।

2. (3): राज्यसभा में सीटों की संख्या के आधार पर राज्यों का अवरोही क्रम इस प्रकार है :

C. तमिलनाडु–18 सीटें

E. बिहार–16 सीटें

A. कर्नाटक–12 सीटें

D. केरल–9 सीटें

B. असम–7 सीटें

इस क्रम में सबसे अधिक सीटें तमिलनाडु को और सबसे कम असम को आवंटित हैं। यह जानकारी भारत के राज्यसभा की आधिकारिक वेबसाइट और चुनाव आयोग के आंकड़ों पर आधारित है।

3. (1): इन विकल्पों में से केवल A, B, C और D सही हैं :

A. 1848 में सेनेका फाल्स सम्मेलन : यह अमेरिका में महिलाओं के अधिकारों के लिए पहला संगठित सम्मेलन था। एलिजाबेथ कैडी स्टैंटन और लुक्रेसिया मॉट इस आंदोलन की प्रमुख नेता थीं।

B. 1920 में उन्नीसवां संशोधन : इस संशोधन के तहत अमेरिकी महिलाओं को मताधिकार प्राप्त हुआ।

C. 1869 में राष्ट्रीय महिला वयस्क मताधिकार संगठन : *National Woman Suffrage Association* की स्थापना सुसान बी. एंथनी और एलिजाबेथ कैडी स्टैंटन द्वारा की गई थी।

D. सिमोन डी बुवा और 'द सेकंड सेक्स' : भले ही वे फ्रांसीसी थीं, लेकिन उनकी पुस्तक ने वैश्विक नारीवादी आंदोलन, विशेष रूप से पश्चिम में, गहरा प्रभाव डाला।

E विकल्प गलत है : ग्रेटा थनबर्ग पर्यावरणीय कार्यकर्ता हैं और अमेरिका की अश्वेत महिलाओं के इतिहास से उनका कोई प्रत्यक्ष संबंध नहीं है। इस इतिहास को ऐंजेला डेविस, बेल हुक्स आदि विचारकों ने प्रमुखता से लिखा है।

4. (2):

B. श्री अरविन्द : आध्यात्मिक राष्ट्रवाद : श्री अरविन्द घोष ने भारतीय राष्ट्रवाद को एक आध्यात्मिक दृष्टिकोण से देखा और 'भारत माता' को एक दिव्य शक्ति के रूप में प्रस्तुत किया।

C. वीर सावरकर : अंडमान से एक गूंज (Echoes from Andaman) : सावरकर को अंडमान की सेलुलर जेल में बंदी बनाकर रखा गया था, जहाँ से उन्होंने क्रांतिकारी विचारों को आवाज दी।

D. स्वामी विवेकानन्द : राजयोग की भूमिका : उन्होंने 'राजयोग' नामक ग्रंथ लिखा, जिसमें योग के सिद्धांत और साधनाओं का विस्तार से वर्णन किया है।

A विकल्प गलत है : कौटिल्य की रचना अर्थशास्त्र है, न कि धर्मशास्त्र।

E विकल्प गलत है : तराना-ए-हिन्द का लेखक रबीन्द्रनाथ टैगोर नहीं, बल्कि अल्लामा इकबाल थे।

5. (3): मिन्नोब्रुक-I सम्मेलन 1968 में न्यूयॉर्क स्थित मिन्नोब्रुक में आयोजित हुआ था। इसका आयोजन अमेरिकी प्रशासनिक विद्वान ड्वाइट वाल्डो (Dwight Waldo) द्वारा किया गया था। इस सम्मेलन का उद्देश्य प्रशासन में मानवीय और सामाजिक मूल्यों की पुनर्स्थापना करना था। यह सम्मेलन नव लोक प्रशासन (New Public Administration) की अवधारणा का जन्मदाता माना जाता है। यह उस समय के सामाजिक असमानता, नागरिक अधिकार आंदोलन, और वियतनाम युद्ध की पृष्ठभूमि में आयोजित हुआ था। इसने लोक प्रशासन में लोकहित, सामाजिक न्याय और समानता को प्राथमिकता देने की वकालत की।

6. (3): दक्षिण अफ्रीका में प्रथम गैर-नस्लीय चुनाव वर्ष 1994 में आयोजित किए गए थे। यह चुनाव 27 अप्रैल 1994 को हुआ था और इसमें पहली बार सभी नस्लों के नागरिकों को मतदान का अधिकार मिला। इसी चुनाव में नेल्सन मंडेला की पार्टी अफ्रीकन नेशनल कांग्रेस (ANC) को भारी बहुमत मिला और मंडेला देश के पहले अश्वेत राष्ट्रपति बने। इस चुनाव ने अपार्थेड (Apartheid) युग की समाप्ति को दर्शाया, जो दशकों से दक्षिण अफ्रीका में नस्लीय भेदभाव की नीति थी। यह चुनाव लोकतंत्र की ओर दक्षिण अफ्रीका का निर्णायक कदम था।

7. (4): सही युग्म निम्नलिखित हैं :

A. डॉ. एस. जयशंकर - III. दि इंडिया वे (The India Way) : यह पुस्तक भारत के विदेश मंत्री डॉ. एस. जयशंकर द्वारा लिखी गई है, जिसमें उन्होंने भारत की विदेश नीति, बहुपक्षवाद और वैश्विक कूटनीति के बदलते परिदृश्य पर विचार प्रस्तुत किए हैं।

B. हर्बर्ट सिमोन - IV. एडमिनिस्ट्रेटिव बिहेवियर (Administrative Behaviour) : यह सिमोन की प्रसिद्ध कृति है, जिसमें उन्होंने निर्णय-निर्माण के व्यवहारिक पहलुओं और सीमित युक्तिकरण (Bounded Rationality) की अवधारणा प्रस्तुत की।

C. अब्राहम मास्लो - I. ए थियरी ऑफ ह्यूमेन मोटिवेशन (A Theory of Human Motivation) : इसमें मास्लोव ने अपनी प्रसिद्ध आवश्यकताओं का पदानुक्रम (Hierarchy of Needs) सिद्धांत प्रस्तुत किया।

D. क्रिस आर्गिरिस - II. ऑन ऑर्गेनाइजेशनल लर्निंग (On Organizational Learning) : उन्होंने संगठनात्मक अधिगम (Organizational Learning) की संकल्पना दी, जिसमें उन्होंने सीखी गई अक्षमता और दोहरे लूप अधिगम की चर्चा की।

8. (1): भारतीय राष्ट्रीय कांग्रेस द्वारा सृजनात्मक कार्यक्रम (Constructive Programme) वर्ष 1922 में शुरू किया गया था। यह महात्मा गांधी द्वारा प्रतिपादित एक योजना

थी, जो स्वतंत्रता संग्राम को जन-आधारित और सकारात्मक सामाजिक परिवर्तन की दिशा में ले जाने का प्रयास था। इस कार्यक्रम के अंतर्गत :

- खादी का प्रचार,
- अस्पृश्यता निवारण,
- ग्रामोद्योग का विकास,
- बुनियादी शिक्षा (Nai Talim),
- ग्राम स्वराज की अवधारणा को प्रोत्साहित किया गया।

इसका उद्देश्य अहिंसक असहयोग आंदोलन के बाद रचनात्मक ऊर्जा को सकारात्मक दिशा में लगाना था। गांधीजी ने बाद में इस पर 'Constructive Programme : Its Meaning and Place' नामक पुस्तिका भी लिखी।

9. **(3):** B और C कथन असत्य हैं :

B. **यह कार्यक्रम 2006 में शुरू हुआ था–गलत :** नमामि गंगे योजना वर्ष 2014 में भारत सरकार द्वारा शुरू की गई थी।

C. **इसका बजट परिव्यय 1000 करोड़ रुपये है–गलत :** इसका मूल बजट परिव्यय लगभग 20,000 करोड़ रुपये रखा गया था। यह एक बड़ी परियोजना है जिसमें गंगा को स्वच्छ और अविरल बनाने हेतु व्यापक कार्य किए जा रहे हैं।

अन्य विकल्प सही हैं :

A. यह गंगा नदी के पुनरुद्धार हेतु एक एकीकृत मिशन है–**सही**।

D. मल उपचार अवसंरचना (Sewage Treatment Infrastructure) शामिल है–**सही**।

E. औद्योगिक प्रदूषकों की निगरानी हेतु उपाय–**सही**।

10. **(2):** पंचायतीराज समितियों को कालक्रमानुसार क्रम में रखना हो तो सही अनुक्रम है :

A. **बलवंतराय मेहता समिति (1957):** इस समिति ने त्रिस्तरीय पंचायती राज व्यवस्था की सिफारिश की–ग्राम पंचायत, पंचायत समिति और जिला परिषद।

C. **अशोक मेहता समिति (1977):** इसने दो-स्तरीय पंचायती व्यवस्था की सिफारिश की–मंडल पंचायत और जिला पंचायत। इसके अनुसार पंचायतों को संवैधानिक दर्जा भी देने की बात कही गई।

B. **जीवीके राव समिति (1985):** इसने विकास प्रशासन में पंचायतों की केंद्रीय भूमिका की सिफारिश की।

D. **एलएम सिंघवी समिति (1986):** इसने पंचायती राज संस्थाओं को संवैधानिक दर्जा देने की सिफारिश की।

E. **पीके थुंगन समिति (1989):** इसने पंचायतों को अधिक स्वायत्तता देने तथा वित्तीय संसाधनों की वृद्धि की अनुशंसा की।

यह कालक्रम पंचायतीराज व्यवस्था के विकास को दर्शाता है।

11. **(2):** जन उपयोगिता सेवाओं हेतु स्थायी लोक अदालतों (Permanent Lok Adalats) की स्थापना के लिए विधिक सेवाएं प्राधिकरण अधिनियम, 1987 में संशोधन वर्ष 2002 में किया गया था। इस संशोधन द्वारा अधिनियम में धारा 22-A से 22-E जोड़ी गई। इसके अंतर्गत विद्युत, जल आपूर्ति, परिवहन, डाक सेवाएं, दूरसंचार जैसी जन उपयोगिता सेवाओं से संबंधित विवादों का समाधान न्यायालय के बाहर त्वरित रूप से किया जा सके, यह लक्ष्य था।

स्थायी लोक अदालतें, विवादों को सुलझाने के लिए पूर्व-मध्यस्थता (Pre-litigation) स्तर पर कार्य करती हैं। इन अदालतों में निर्णय बाध्यकारी होता है, और यह सामान्य लोक अदालतों पर बोझ कम करने हेतु एक महत्वपूर्ण उपाय है।

12. **(2):** नौकरशाही को शोषक वर्ग के उपकरण (Instrument of Exploiting Class) की संज्ञा कार्ल मार्क्स ने दी थी। मार्क्स का मानना था कि पूंजीवादी समाज में राज्य और उसकी संस्थाएं (जैसे नौकरशाही) शोषक वर्ग (Bourgeoisie) के हितों की सेवा करती हैं। नौकरशाही को उन्होंने ऐसी संस्था के रूप में देखा जो आम जनता के बजाय शासक वर्ग के हितों की पूर्ति करती है। उनके अनुसार, राज्य एक वर्गीय शासन का उपकरण होता है और नौकरशाही उसमें केंद्रीय भूमिका निभाती है। मार्क्स की यह धारणा The German Ideology और Critique of Hegel's Philosophy of Right जैसी रचनाओं में देखी जा सकती है।

13. **(3):** ई.वी. रामास्वामी नायकर (पेरियार) द्वारा शुरू किया गया आत्मसम्मान आंदोलन (Self-Respect Movement) राष्ट्रीय आंदोलन में कांग्रेस के साथ जुड़ने के विरोध में था। उन्होंने भारतीय राष्ट्रीय कांग्रेस की ब्राह्मणवादी वर्चस्व वाली नीति की तीव्र आलोचना की।

आत्मसम्मान आंदोलन का उद्देश्य :

- जातिवाद और ब्राह्मणवादी व्यवस्था का विरोध करना,
- सामाजिक समानता और निचली जातियों को गरिमा देना,

- हिन्दू धर्म के मिथकों और ग्रंथों की आलोचना करना,
- ब्राह्मण पुजारियों के बिना विवाह जैसे सुधार लाना।

इसलिए कांग्रेस के साथ मिलना या उसका समर्थन करना इस आंदोलन की मूल भावना के विरुद्ध था।

14. (4): इलाहाबाद उच्च न्यायालय (Allahabad High Court) की स्थापना वर्ष 1866 में हुई थी। यह उत्तर प्रदेश का उच्च न्यायालय है और इसका मुख्यालय प्रयागराज (पुराना नाम—इलाहाबाद) में स्थित है। इसे पहले 'North-Western Provinces High Court' के नाम से 17 मार्च 1866 को कलकत्ता उच्च न्यायालय की एक शाखा के रूप में स्थापित किया गया था। यह भारत के सबसे पुराने उच्च न्यायालयों में से एक है। भारत के संविधान के अनुच्छेद 214 के अंतर्गत राज्यों के लिए उच्च न्यायालय की व्यवस्था की गई है, और इलाहाबाद हाईकोर्ट को इसका ऐतिहासिक महत्त्व प्राप्त है।

15. (4): युद्ध और संकटों का सही मिलान इस प्रकार है :

A. कोसोवो युद्ध - IV. 1999 : यह युद्ध 1998-1999 के बीच सर्बिया और कोसोवो अल्बेनियन विद्रोहियों के बीच हुआ। इसमें नाटो (NATO) ने हस्तक्षेप किया और सर्बिया पर हवाई हमले किए।

B. लीबिया सिविल युद्ध - I. 2011 : यह युद्ध मुअम्मर गद्दाफी के शासन के विरुद्ध था। अरब स्प्रिंग आंदोलनों की लहर में यह विद्रोह हुआ और गद्दाफी की हत्या के साथ समाप्त हुआ।

C. अमेरिकी नेतृत्व में अफगानिस्तान पर आक्रमण - II. 2001 : यह 9/11 आतंकी हमलों के बाद अमेरिका द्वारा शुरू किया गया युद्ध था। उद्देश्य तालिबान शासन को हटाना और अल-कायदा को समाप्त करना था।

D. तालिबान द्वारा अफगानिस्तान में सत्ता नियंत्रण - III. 1996 : तालिबान ने 1996 में काबुल पर कब्जा कर अफगानिस्तान पर शासन स्थापित किया। उनका शासन कट्टरपंथी इस्लामी कानूनों पर आधारित था।

यह मिलान इन घटनाओं के सटीक इतिहास और क्रम को दर्शाता है।

16. (4): पुस्तक 'वन-डाइमेंशनल मैन (One-Dimensional Man)' का लेखन हर्बर्ट मारक्यूज (Herbert Marcuse) ने किया था। यह पुस्तक वर्ष 1964 में प्रकाशित हुई थी। मारक्यूज फ्रैंकफर्ट स्कूल से जुड़े एक महत्वपूर्ण दार्शनिक और समाजशास्त्री थे। इस पुस्तक में उन्होंने आधुनिक औद्योगिक समाजों की आलोचना करते हुए बताया कि कैसे तकनीकी तर्क और उपभोक्तावाद व्यक्ति की आलोचनात्मक सोच को सीमित कर देते हैं और उसे एक 'एक-आयामी मनुष्य' बना देते हैं। यह पुस्तक पूंजीवाद, समाजवादी समाजों और जन माध्यमों की भूमिका की भी तीव्र आलोचना करती है।

17. (2): पुस्तक 'Sexual Politics' की लेखिका केट मिलेट (Kate Millett) थीं। यह पुस्तक वर्ष 1970 में प्रकाशित हुई और इसे फेमिनिस्ट मूवमेंट की महत्वपूर्ण रचनाओं में गिना जाता है। इसमें केट मिलेट ने यह दर्शाया कि किस प्रकार लैंगिक असमानता, पितृसत्ता और यौन राजनीति साहित्य, संस्कृति और राजनीति में गहराई से अंतर्निहित है। उन्होंने पुरुष लेखकों जैसे डी.एच. लॉरेंस, नॉर्मन मेलर और हेनरी मिलर के कार्यों की आलोचना करते हुए उनकी स्त्री विरोधी प्रवृत्तियों की ओर संकेत किया। इस कृति ने स्त्रीवाद (Feminism) को राजनीतिक विमर्श में एक महत्वपूर्ण स्थान दिलाया।

18. (2): साम्यवाद के संदर्भ में निम्नलिखित तथ्य सही माने जाते हैं :

A. साझा स्वामित्व (Collective Ownership): उत्पादन के साधनों पर समाज या राज्य का स्वामित्व होता है, निजी स्वामित्व समाप्त कर दिया जाता है।

B. सम्पूर्ण समानता (Complete Equality): साम्यवाद में आर्थिक और सामाजिक समानता को सर्वोपरि माना जाता है।

C. वर्गहीन समाज (Classless Society): इसका अंतिम लक्ष्य एक ऐसा समाज है जहाँ कोई वर्ग विभाजन न हो।

D. वैनगार्ड पार्टी (Vanguard Party): लेनिन ने यह अवधारणा दी कि समाजवादी क्रांति को नेतृत्व देने हेतु एक जागरूक और प्रशिक्षित 'अग्रदूत पार्टी' आवश्यक है।

E. पादरी वर्ग की तानाशाही—गलत : साम्यवाद धर्म को 'अफीम' मानता है (मार्क्स का कथन), अतः पादरी वर्ग का समर्थन नहीं करता, बल्कि धर्मविहीन समाज की बात करता है। यह कथन साम्यवाद के सिद्धांतों के विपरीत है।

19. (4): 'सिविल डिसऑबिडिएंस (Civil Disobedience)' लेख के लेखक हेनरी डेविड थोरो (Henry David Thoreau) थे। यह लेख वर्ष 1849 में प्रकाशित हुआ था। थोरो ने यह लेख अमेरिका में मैक्सिकन युद्ध और गुलामी के विरोध में कर न चुकाने के अपने निर्णय के समर्थन में लिखा था। इसमें उन्होंने यह तर्क दिया कि यदि सरकार अन्याय कर

रही है, तो नागरिकों का यह नैतिक कर्तव्य है कि वे उसका विरोध करें, भले ही उन्हें कानून का उल्लंघन करना पड़े। यह विचार आगे चलकर महात्मा गांधी, मार्टिन लूथर किंग जूनियर जैसे नेताओं के सत्याग्रह और असहयोग आंदोलनों का प्रेरणा स्रोत बना।

20. (3): पुस्तकों और लेखकों का सही मिलान निम्न प्रकार है :

A. एशियन ड्रामा - I. गुन्नार मिर्डल : यह एक प्रसिद्ध त्रैमासिक अध्ययन है जिसमें दक्षिण एशियाई देशों की सामाजिक और आर्थिक समस्याओं का विश्लेषण किया गया है। मिर्डल एक नोबेल विजेता अर्थशास्त्री थे।

B. दि इंडियन कंस्टीट्यूशन : कॉर्नरस्टोन ऑफ ए नेशन - IV. ग्रेनविल ऑस्टिन : यह पुस्तक भारतीय संविधान के मूल तत्वों और उसकी संस्थाओं पर केंद्रित है। इसमें संविधान को राजनीतिक लोकतंत्र का आधार बताया गया है।

C. दि स्टेट एंड पॉवर्टी इन इंडिया : दि पॉलिटिक्स ऑफ रिफॉर्म - III. अतुल कोहली : इस पुस्तक में भारत में गरीबी और आर्थिक सुधारों की राजनीति पर प्रकाश डाला गया है। कोहली ने राज्य की भूमिका का गहराई से विश्लेषण किया है।

D. दि इंडियन पॉलिटिक्स सिस्टम - II. नॉर्मन डी पामर : यह पुस्तक भारतीय राजनीतिक प्रणाली और लोकतांत्रिक संस्थानों के कार्यप्रणाली का विश्लेषण प्रस्तुत करती है। इसमें स्वतंत्र भारत के शुरुआती राजनीतिक विकास का गहन अध्ययन किया गया है।

21. (3): निम्नलिखित राज्यों को उनके गठन के वर्षों के अनुसार कालक्रम में व्यवस्थित किया जाए तो सही क्रम है :

A. मणिपुर–1972: मणिपुर को पूर्ण राज्य का दर्जा 21 जनवरी 1972 को मिला।

B. सिक्किम–1975: सिक्किम 16 मई 1975 को भारत का 22वां राज्य बना।

E. अरुणाचल प्रदेश–1987: इसे पूर्ण राज्य का दर्जा 20 फरवरी 1987 को मिला।

D. झारखंड–2000: झारखंड का गठन 15 नवंबर 2000 को बिहार से अलग कर किया गया।

C. तेलंगाना–2014: तेलंगाना 2 जून 2014 को भारत का 29वां राज्य बना, जो आंध्र प्रदेश से अलग होकर बना।

यह क्रम राज्यों के आधिकारिक गठन की तिथियों पर आधारित है।

22. (1): सूची-I और सूची-II का सही मिलान इस प्रकार है :

A. पेंडलटन अधिनियम - IV. यूएस सिविल सेवा आयोग : यह अधिनियम 1883 में पारित हुआ और अमेरिका में मेरिट आधारित सिविल सेवा प्रणाली की शुरुआत की। इसके अंतर्गत United States Civil Service Commission की स्थापना की गई थी।

B. प्रथम हूवर आयोग - I. यू.एस. राष्ट्रपति के कार्यालय में प्रबंधकीय क्षमता बढ़ाना : यह आयोग 1947 में गठित हुआ और इसका उद्देश्य प्रशासनिक कार्यकुशलता में सुधार करना था। इसमें राष्ट्रपति कार्यालय और कार्यकारी शाखा में व्यावसायिकता को बढ़ावा देने की सिफारिश की गई।

C. हॉथोर्न अध्ययन - II. कार्य परिवेश और उत्पादकता : यह अध्ययन 1920 और 1930 के दशक में Western Electric Company के Hawthorne संयंत्र में किया गया था। इसमें यह निष्कर्ष निकला कि मानव संबंधों और कार्यस्थल की परिस्थितियों का उत्पादकता पर प्रभाव पड़ता है।

D. यू.एस. सीनेट इंटेलिजेंस कमेटी रिपोर्ट ऑन 2016 प्रेसिडेंशियल इलेक्शन - III. अमेरिकी चुनाव में रूसी हस्तक्षेप : यह रिपोर्ट अमेरिकी राष्ट्रपति चुनाव 2016 में रूस द्वारा साइबर हस्तक्षेप और चुनाव प्रभावित करने के प्रयासों पर आधारित थी।

23. (4): रूढ़िवाद (Conservatism) से संबंधित सही शब्द निम्नलिखित हैं :

A. परंपरा : रूढ़िवाद का मूल आधार परंपराओं और स्थापित मूल्यों की रक्षा करना है।

B. सामाजिक कर्तव्य : यह विचारधारा व्यक्तिगत अधिकारों के बजाय सामूहिक जिम्मेदारियों और कर्तव्यों को महत्व देती है।

C. संरक्षण के क्रम में परिवर्तन : रूढ़िवाद परिवर्तन के पक्ष में हो सकता है, बशर्ते वह क्रमिक, सतत और पारंपरिक ढांचे के अनुरूप हो।

D. क्रांति–गलत : रूढ़िवाद क्रांति का विरोध करता है क्योंकि वह अचानक, उग्र और विघटनकारी बदलाव को अस्वीकार करता है।

E. लिंग समानता–गलत : रूढ़िवाद प्रायः पारंपरिक लिंग भूमिकाओं का समर्थन करता है, अतः लिंग समानता को प्राथमिक एजेंडा नहीं मानता।

24. **(2):** व्लादिमीर लेनिन की मृत्यु 21 जनवरी 1924 को हुई थी। वे रूसी क्रांति (1917) के नेता और सोवियत संघ (USSR) के पहले प्रमुख शासक थे। उन्होंने मार्क्सवाद को व्यावहारिक रूप देकर लेनिनवाद की स्थापना की। उनकी मृत्यु के बाद जोसेफ स्टालिन सत्ता में आए और सोवियत राजनीति में निर्णायक प्रभाव डालने लगे। लेनिन की मृत्यु ने साम्यवाद की दिशा को गंभीर रूप से प्रभावित किया, विशेषकर USSR में।

25. **(3):** भारतीय संविधान का अनुच्छेद 16 रोजगार में अवसर की समानता की गारंटी देता है।

- **अनुच्छेद 16(1) :** राज्य के अधीन किसी पद पर सभी नागरिकों को समान अवसर प्राप्त होंगे।
- **अनुच्छेद 16(2) :** केवल धर्म, जाति, लिंग, वंश, स्थान आदि के आधार पर भेदभाव नहीं किया जा सकता।
- यह सामाजिक न्याय और समानता के सिद्धांत को व्यावहारिक रूप देता है और आरक्षण की व्यवस्था को भी इसी अनुच्छेद के अंतर्गत वैध ठहराया गया है।
- यह **अनुच्छेद 14** (समानता का अधिकार) का विस्तार है, परन्तु विशेष रूप से सरकारी नौकरी और सार्वजनिक रोजगार पर लागू होता है।

26. **(3):** पुस्तक 'Poverty and Un-British Rule in India' के लेखक दादाभाई नौरोजी थे। यह पुस्तक 1901 में प्रकाशित हुई थी और इसमें दादाभाई नौरोजी ने ब्रिटिश शासन के आर्थिक शोषण पर विस्तृत चर्चा की। उन्होंने 'ड्रेन थ्योरी' (Drain of Wealth Theory) का प्रतिपादन किया, जिसमें यह दर्शाया कि कैसे भारत की संपत्ति ब्रिटेन ले जाई जा रही थी। उन्होंने यह तर्क दिया कि ब्रिटिश शासन 'अन-ब्रिटिश' था क्योंकि वह उनके ही सिद्धांतों–जैसे न्याय, स्वतंत्रता और नैतिकता–के विरुद्ध कार्य कर रहा था। यह पुस्तक भारतीय राष्ट्रवादी आंदोलन में आर्थिक आलोचना का एक महत्वपूर्ण स्रोत बनी।

27. **(4):** 'The Discovery of India' पुस्तक श्री अरबिन्द घोष द्वारा नहीं, बल्कि पं. जवाहरलाल नेहरू द्वारा लिखी गई थी। यह पुस्तक नेहरू ने 1942-1946 के बीच अहमदनगर किले की जेल में लिखी थी। इसमें उन्होंने भारत के इतिहास, संस्कृति, दर्शन, राजनीति और स्वतंत्रता संग्राम पर गहन चिंतन किया। दूसरी ओर, श्री अरबिन्द घोष द्वारा लिखित कृतियाँ हैं :

- Essays on the Gita
- The Ideal of the Karmayogi
- A System of National Education

ये रचनाएँ उनके राष्ट्रवादी, आध्यात्मिक एवं शिक्षाशास्त्रीय विचारों को प्रकट करती हैं।

28. **(3):** समपार्श्विक समाज (Prismatic Society) से संबंधित अभिलक्षण निम्नलिखित हैं :

- **चयनात्मकता :** ये समाज विशेष संबंधों या भूमिका आधारित संपर्कों पर आधारित होते हैं।
- **पूर्णता/लब्धि :** यह संदर्भ देता है जीवन के विभिन्न क्षेत्रों में भूमिका-निर्धारण की विशेषता को।
- **बहु-कार्यात्मकता :** एक ही संस्था या व्यक्ति विभिन्न कार्यों का निर्वहन करता है।

सार्वभौमिकता (Universality) समपार्श्विक नहीं बल्कि आधुनिक समाजों की विशेषता है, जहाँ संस्थाएँ विशिष्ट कार्यों तक सीमित होती हैं। समपार्श्विक समाज पारंपरिक, सीमित, भूमिका-आधारित संपर्कों से बंधे होते हैं जबकि सार्वभौमिकता आधुनिक समाजों में पाई जाती है। इसलिए सार्वभौमिकता समपार्श्विक समाजों से संबद्ध नहीं है।

29. **(2):** लेखकों और पुस्तकों का सही मिलान निम्नलिखित है :

A. मैक्स वेबर - I. Economy and Society : यह वेबर की प्रमुख समाजशास्त्रीय रचना है, जिसमें अर्थव्यवस्था, सत्ता, नौकरशाही, धर्म आदि पर उनके विचार हैं।

B. आयसिया बर्लिन - IV. Four Essays on Liberty : इस पुस्तक में उन्होंने स्वतंत्रता के दो रूप–Positive Liberty और Negative Liberty–की अवधारणाएँ दीं।

C. रोजा लक्जमबर्ग - II. Social Reform or Revolution : इसमें लक्जमबर्ग ने समाजवादी आंदोलन में सुधार बनाम क्रांति की बहस में क्रांति की पक्षधरता की।

D. मिल्टन फ्रीडमैन - III. Capitalism and Freedom : यह पुस्तक मुक्त बाजार, सरकार की सीमित भूमिका, और आर्थिक स्वतंत्रता की वकालत करती है।

30. **(1):** पुस्तक 'The Law of Peoples' के लेखक जॉन रॉल्स (John Rawls) हैं। यह पुस्तक 1999 में प्रकाशित हुई थी। इसमें उन्होंने अंतरराष्ट्रीय राजनीति और न्याय की अवधारणाओं को 'Political Liberalism' के दृष्टिकोण से प्रस्तुत किया। रॉल्स ने बताया कि कैसे राष्ट्रों के बीच एक न्यायसंगत व्यवस्था संभव है, और उन्होंने 'decent hierarchical societies' तथा 'liberal peoples' के बीच सहयोग को रेखांकित किया। यह उनकी प्रसिद्ध कृति A Theory of Justice का एक विस्तार है जो वैश्विक स्तर पर नैतिक दर्शन की दिशा को प्रभावित करता है।

31. (1): 'The Human Condition' पुस्तक हनाह अरेन्ड्ट (Hannah Arendt) द्वारा लिखी गई थी और यह 1958 में प्रकाशित हुई थी। इस कृति में अरेन्ड्ट ने आधुनिक युग में मानव क्रियाकलापों (labour, work, action) की प्रकृति और सार्वजनिक जीवन में मनुष्य की भूमिका की गहन विवेचना की। उन्होंने प्राचीन ग्रीक धारणाओं के माध्यम से यह स्पष्ट किया कि 'action' यानी राजनीतिक भागीदारी, मनुष्य के अस्तित्व का सर्वोच्च रूप है। यह पुस्तक राजनीतिक सिद्धांत और मानव अस्तित्व के दार्शनिक विश्लेषण की दृष्टि से एक महत्वपूर्ण रचना मानी जाती है।

32. (3): 'निष्क्रिय व्यक्तिवाद (Possessive Individualism)' शब्द का प्रतिपादन सी. बी. मैक्फर्सन (C.B. Macpherson) ने किया था। उन्होंने इसे अपने प्रसिद्ध ग्रंथ 'The Political Theory of Possessive Individualism' (1962) में प्रतिपादित किया। उनका तर्क था कि उदारवाद (Liberalism) में व्यक्ति को ऐसा माना गया है जो अपने स्वत्व (property) और हितों का स्वामी होता है और सामाजिक उत्तरदायित्व से विमुख होता है। इस सिद्धांत की आलोचना करते हुए उन्होंने बताया कि यह पूंजीवादी व्यवस्था में व्यक्ति को केवल लाभकारी स्वामित्व का माध्यम बना देता है।

33. (3): उल्लिखित अंतर्राष्ट्रीय घटनाओं का सही कालक्रम निम्नलिखित है :

A. फिदेल कास्त्रो क्यूबा में सत्ता में आए–1959 : फिदेल कास्त्रो ने क्यूबा की क्रांति के बाद सत्ता संभाली और साम्यवादी शासन की स्थापना की।

B. जॉन एफ. कैनेडी अमेरिका के 35वें राष्ट्रपति बने–1961 : कैनेडी ने जनवरी 1961 में राष्ट्रपति पद की शपथ ली।

C. पोप जॉन XXIII ने क्रेमलिन को परमाणु युद्ध से बचने की चेतावनी दी–अक्टूबर 1962 : यह चेतावनी क्यूबा मिसाइल संकट के दौरान दी गई थी।

D. अमेरिकी विमान U-2 क्यूबा के ऊपर मार गिराया गया–27 अक्टूबर 1962 : इस घटना से संकट अपने चरम पर पहुंच गया था।

E. सोवियत नेता ख्रुश्चेव ने क्यूबा से मिसाइल हटाने की घोषणा की–28 अक्टूबर 1962 : इस घोषणा ने संकट का शांतिपूर्ण अंत सुनिश्चित किया।

इस प्रकार सभी घटनाएं क्यूबा संकट के ऐतिहासिक क्रम को दर्शाती हैं।

34. (2): सही सुमेलित युग्म निम्नलिखित हैं :

B. पितृसत्ता : महिलाओं और पुरुषों के बीच शक्ति संबंध–सही। पितृसत्ता एक सामाजिक संरचना है जिसमें पुरुषों को शक्ति और वर्चस्व प्राप्त होता है, और महिलाओं को अधीनस्थ भूमिका दी जाती है।

C. संपूर्णवाद : संपूर्ण, अपने भाग की अपेक्षा अधिक महत्वपूर्ण है–सही। संपूर्णवाद (Holism) का दर्शन यह मानता है कि समाज या इकाई को उसके हिस्सों से अधिक महत्व दिया जाना चाहिए।

E. गहन पारिस्थितिकी : मानव केन्द्रीयतावाद की अस्वीकृति–सही। गहन पारिस्थितिकी (Deep Ecology) प्रकृति और सभी जीवों के समान मूल्य को मान्यता देता है और मानव केन्द्रित सोच को नकारता है।

A. सतत् विकास–गलत : यह केवल वर्तमान की आवश्यकताओं को पूरा करने वाला नहीं है, बल्कि भविष्य की पीढ़ियों की आवश्यकताओं को क्षति पहुँचाए बिना वर्तमान आवश्यकताओं को पूरा करने वाला विकास है।

D. फासीवाद–गलत : फासीवाद अभिव्यक्ति की स्वतंत्रता का विरोधी होता है, और सत्तावादी शासन को बढ़ावा देता है।

35. (1): आतंकवादी घटनाओं को सही कालक्रम में इस प्रकार रखा जा सकता है :

E. एयर इंडिया उड़ान-182 बम विस्फोट–23 जून 1985 : यह कनाडा से लंदन जा रही फ्लाइट थी जिसे खालिस्तानी आतंकवादियों ने उड़ा दिया।

C. टोक्यो सबवे सारीन हमला–20 मार्च 1995 : यह हमलावर समूह Aum Shinrikyo द्वारा जापान के टोक्यो मेट्रो सिस्टम में किया गया रासायनिक हमला था।

B. भारतीय संसद पर हमला–13 दिसंबर 2001 : जैश-ए-मोहम्मद और लश्कर-ए-तैयबा से जुड़े आतंकवादियों ने संसद पर आत्मघाती हमला किया।

A. **मास्को थिएटर बंधक संकट–23-26 अक्टूबर 2002 :** चेचेन विद्रोहियों ने रूस के डबरोवका थिएटर में 800 से अधिक लोगों को बंधक बना लिया।

D. **कैम्प स्पेसर हत्याकांड–2011 :** यह अफगानिस्तान के एक अमेरिकी सैन्य बेस पर हुआ हमला था जिसमें कई सैनिक मारे गए थे।

यह क्रम घटनाओं के सटीक ऐतिहासिक वर्षों पर आधारित है।

36. (3): 74वें संविधान संशोधन अधिनियम, 1992 का मुख्य उद्देश्य शहरी स्थानीय निकायों को संवैधानिक दर्जा प्रदान करना था। यह अधिनियम 1 जून 1993 से प्रभाव में आया। इसके तहत नगरपालिकाओं को तीन श्रेणियों में वर्गीकृत किया गया :

- नगर पालिका (Municipality)
- नगर निगम (Municipal Corporation)
- नगर पंचायत (Nagar Panchayat)

इसमें शहरी प्रशासन के लिए 18 कार्यों को सूचीबद्ध किया गया (12वीं अनुसूची में)। यह अधिनियम शहरी शासन को लोकतांत्रिक, विकेंद्रीकृत, और उत्तरदायी बनाने के लिए एक महत्त्वपूर्ण कदम था।

37. (3): अध्यक्षीय प्रणाली (Presidential System) की निम्नलिखित विशेषताएँ होती हैं :

A. **शक्ति पृथक्करण (Separation of Powers) :** कार्यपालिका, विधायिका और न्यायपालिका स्वतंत्र होती हैं और अपने-अपने क्षेत्रों में कार्य करती हैं।

B. **नियंत्रण और संतुलन (Checks and Balances) :** तीनों अंग एक-दूसरे की शक्तियों पर अंकुश लगाने के लिए जवाबदेह होते हैं।

निम्नलिखित विकल्प अध्यक्षीय प्रणाली से संबंधित नहीं हैं :

C. **सामूहिक उत्तरदायित्व–गलत :** यह संसदीय प्रणाली की विशेषता है, जहाँ मंत्रिपरिषद सामूहिक रूप से संसद के प्रति उत्तरदायी होती है।

D. **एक नाममात्र प्रमुख–गलत :** अध्यक्षीय प्रणाली में राष्ट्राध्यक्ष (President) वास्तविक कार्यकारी प्रमुख होता है, नाममात्र नहीं।

E. **विधायिका और कार्यपालिका का सम्मिश्रण–गलत :** यह संसदीय प्रणाली की विशेषता है, अध्यक्षीय प्रणाली में दोनों अंग पृथक होते हैं।

38. (1): राज्य सभा की पदावधि छह वर्ष निर्धारित करने का प्रावधान लोक प्रतिनिधित्व अधिनियम, 1951 में है। इस अधिनियम की धारा 154 में राज्य सभा के सदस्यों की छह वर्ष की अवधि का उल्लेख किया गया है। साथ ही यह भी व्यवस्था है कि हर दो वर्ष में राज्यसभा के एक-तिहाई सदस्य सेवानिवृत्त हो जाते हैं। यह अधिनियम भारत में संसदीय चुनावों और निर्वाचनों के संचालन की प्रमुख विधिक संरचना प्रदान करता है।

39. (1): 'The Functions of the Executive' पुस्तक चेस्टर बर्नार्ड (Chester Barnard) द्वारा लिखी गई थी और यह 1938 में प्रकाशित हुई थी। बर्नार्ड ने इस कृति में संगठनात्मक व्यवहार और नेतृत्व की अवधारणाओं को विकसित किया। उन्होंने 'संगठन' को एक सहयोगात्मक प्रणाली माना और बताया कि एक कार्यकारी की भूमिका केवल आदेश देना नहीं बल्कि संचार, उद्देश्य निर्माण और संतुलन बनाए रखना है। उनकी 'स्वीकृति सिद्धांत (Acceptance Theory of Authority)' प्रशासनिक सिद्धांतों में एक मील का पत्थर मानी जाती है।

40. (3): निम्नलिखित युग्म सही या गलत हैं :

A. **USA द्वारा प्रथम परमाणु परीक्षण : 1945–सही :** 16 जुलाई 1945, न्यू मैक्सिको (USA) में 'ट्रिनिटी टेस्ट' के रूप में पहला परीक्षण हुआ।

B. **USSR द्वारा प्रथम परमाणु परीक्षण : 1949–सही :** 29 अगस्त 1949, 'RDS-1' नामक परीक्षण कजाखस्तान में किया गया।

C. **फ्रांस द्वारा प्रथम परमाणु परीक्षण : 1965–गलत :** फ्रांस ने पहला परमाणु परीक्षण 13 फरवरी 1960 को Reggane (अल्जीरिया) में किया।

D. **चीन द्वारा प्रथम परमाणु परीक्षण : 1974–गलत :** चीन ने पहला परमाणु परीक्षण 16 अक्टूबर 1964 को लोप नूर में किया था।

E. **भारत द्वारा प्रथम परमाणु परीक्षण : 1974–सही :** भारत ने 18 मई 1974 को पोखरण में 'स्माइलिंग बुद्धा' नाम से पहला परीक्षण किया।

इस प्रकार केवल C और D युग्म सही सुमेलित नहीं हैं।

41. (1): सूची-I और सूची-II का सही मिलान निम्नानुसार है :

A. **थॉमस हॉब्स - IV. लेवियाथन (Leviathan) :** यह हॉब्स की प्रसिद्ध राजनीतिक रचना है, जो 1651 में प्रकाशित हुई। इसमें उन्होंने राज्य को एक शक्तिशाली

इकाई बताया जो सामाजिक अनुबंध के माध्यम से शांति और व्यवस्था सुनिश्चित करता है।

B. इमैनुएल कांट - I. क्रिटिक ऑफ प्योर रीजन (Critique of Pure Reason) : यह कांट की सबसे महत्वपूर्ण दार्शनिक रचना है, प्रकाशित 1781 में। इसमें उन्होंने ज्ञान के स्रोत, अनुभव और बुद्धि के बीच संबंध पर चर्चा की।

C. माइकल फूको - II. द ऑर्डर ऑफ द थिंग्स : एन आर्कियोलॉजी ऑफ द ह्यूमन साइंसेज (The Order of Things) : यह 1966 में प्रकाशित हुई रचना है जिसमें मानव विज्ञान, भाषाविज्ञान और इतिहास की संरचनाओं पर गहरा विश्लेषण किया गया है।

D. नाओमी क्लेन - III. ऑन फायर (On Fire) : यह जलवायु संकट पर आधारित क्लेन की 2019 की पुस्तक है, जिसमें उन्होंने ग्रीन न्यू डील की आवश्यकता पर बल दिया है।

42. (1): संधियों और उनके वर्ष का सही मिलान निम्नलिखित है :

A. अंटार्कटिक संधि - I. 1959 : यह संधि 1959 में हस्ताक्षरित हुई और 1961 में लागू हुई। इसका उद्देश्य अंटार्कटिक को शांति और वैज्ञानिक अनुसंधान के लिए सुरक्षित रखना था।

B. एंटी-बैलिस्टिक मिसाइल संधि (ABM) - II. 1972 : यह अमेरिका और सोवियत संघ के बीच 1972 में हुई थी, जिसका उद्देश्य रणनीतिक रक्षा प्रणाली को सीमित करना था।

C. बाह्य अंतरिक्ष संधि - III. 1967 : यह संधि 1967 में लागू हुई और इसका उद्देश्य अंतरिक्ष का शांतिपूर्ण उपयोग सुनिश्चित करना है।

D. सीमित परीक्षण प्रतिबंध संधि - IV. 1963 : यह संधि 1963 में USA, UK और USSR के बीच हस्ताक्षरित हुई, जो वायुमंडल, जल और अंतरिक्ष में परमाणु परीक्षणों को रोकती है।

43. (2): भारतीय संविधान की संघीय विशेषताओं के संदर्भ में निम्नलिखित कथन सत्य हैं :

A. भारत राज्यों का संघ है : संविधान का अनुच्छेद 1 कहता है—भारत राज्यों का संघ होगा।

B. संविधान देश का सर्वोच्च कानून है : भारत में संविधान सर्वोच्च कानून (Supreme Law) है और सभी विधायिका एवं कार्यपालिका उस पर आधारित है।

C. विधायी शक्तियाँ, केन्द्र और राज्यों के बीच वितरित हैं : संविधान की सातवीं अनुसूची में तीन सूचियाँ—केंद्रीय, राज्य और समवर्ती—के माध्यम से शक्तियों का वितरण किया गया है।

D. अवशिष्ट शक्तियाँ राज्यों के लिए आरक्षित हैं—गलत : भारत में अवशिष्ट शक्तियाँ केंद्र सरकार को दी गई हैं, जो अमेरिकी संघीय व्यवस्था से अलग है।

E. सभी राज्यों का राज्यसभा में बराबर प्रतिनिधित्व है—गलत : भारत में राज्यसभा में राज्यों को उनकी जनसंख्या के आधार पर प्रतिनिधित्व मिलता है, समान प्रतिनिधित्व नहीं।

44. (3): ई. वी. रामास्वामी नायकर (पेरियार) ने आर्यवाद, ब्राह्मणवाद और हिन्दूमत की कठोर आलोचना की थी। उन्होंने आत्मसम्मान आंदोलन की शुरुआत की और जाति प्रथा, मनुवादी व्यवस्था एवं ब्राह्मण वर्चस्व का तीव्र विरोध किया। पेरियार का मानना था कि हिन्दू धर्म स्त्री और निम्न जातियों के प्रति अत्याचार और भेदभाव को वैधता देता है। उन्होंने विवाह, पूजा-पद्धति और सामाजिक संबंधों में ब्राह्मणों की भूमिका को समाप्त करने की वकालत की। वे रैशनलिज्म (तार्किकता) और धर्म-निरपेक्षता के प्रबल समर्थक थे।

45. (2): अनुच्छेद 29 : भारतीय संविधान का अनुच्छेद 29 अल्पसंख्यकों की भाषा, लिपि और संस्कृति के संरक्षण की गारंटी देता है।

अनुच्छेद 29(1) : किसी भी वर्ग के नागरिक, जो भारत के क्षेत्र में निवास करते हैं और जिनकी कोई विशिष्ट भाषा, लिपि या संस्कृति है, उन्हें उसका संरक्षण करने का अधिकार है। यह मौलिक अधिकार सांस्कृतिक और शैक्षणिक अधिकारों की श्रेणी में आता है। यह अनुच्छेद बहुसंख्यक और अल्पसंख्यक दोनों समुदायों को समान रूप से लागू होता है। इसका उद्देश्य सांस्कृतिक विविधता को बनाए रखना है और अल्पसंख्यकों को उनकी पहचान सुरक्षित रखने में सहायक बनाना है।

46. (4): निम्नलिखित युग्म सही सुमेलित नहीं हैं :

D. विदेशी द्वेष : आत्म-निर्धारण की मांग—गलत : विदेशी द्वेष (Xenophobia) का अर्थ है विदेशियों के प्रति घृणा या भय, जबकि आत्म-निर्धारण (Self-determination) एक राजनीतिक अधिकार है जो किसी समूह या राष्ट्र को अपनी राजनीतिक स्थिति स्वयं निर्धारित करने की स्वतंत्रता देता है। दोनों असंबंधित अवधारणाएं हैं।

E. सार्वभौमिकतावाद : एकांतिकता और अनन्यता द्वारा निरूपित व्यवहार–गलत : सार्वभौमिकतावाद (Universalism) का तात्पर्य ऐसे मूल्यों या सिद्धांतों से होता है जो सभी मनुष्यों पर समान रूप से लागू हों, न कि एकांतिक या विशिष्ट। इसका अभिप्राय है–समान अधिकार, मानवाधिकार, और वैश्विक दृष्टिकोण।

सही सुमेलित युग्म हैं :

A. आर्थिक राष्ट्रवाद–संरक्षणवाद से घरेलू अर्थव्यवस्था को बढ़ावा देना : यह विचारधारा घरेलू उद्योगों को विदेशी प्रतिस्पर्धा से बचाने हेतु टैरिफ, कोटा जैसी नीतियाँ अपनाती है।

B. स्थानिकवाद/मूलवाद–आप्रवासियों के विरुद्ध मूल निवासियों की जरूरतों को स्वर देना : स्थानिकवाद (Nativism) एक विचारधारा है जो प्रवासियों की तुलना में देशी/स्थानीय लोगों के हितों को प्राथमिकता देती है।

C. उपनिवेशवाद–किसी विदेशी क्षेत्र पर नियंत्रण स्थापित करने की प्रथा : यह सही परिभाषा है, जिसमें एक शक्ति दूसरे क्षेत्र को राजनीतिक, आर्थिक और सांस्कृतिक रूप से नियंत्रित करती है।

47. (3): सूची-I और सूची-II का सही मिलान निम्न प्रकार है:

A. बहुलवाद - IV. जेम्स मैडिसन : अमेरिका के संस्थापक पिता जेम्स मैडिसन ने बहुलवादी व्यवस्था का समर्थन किया जिसमें विभिन्न समूह और हित सरकार में प्रतिनिधित्व पाते हैं।

B. उपयोगितावाद - III. जेरेमी बेंथम : बेंथम ने उपयोगितावाद (Utilitarianism) का प्रतिपादन किया जिसमें निर्णयों का मूल्य उनकी उपयोगिता या अधिकतम सुख के आधार पर आँका जाता है।

C. एकात्म मानववाद - I. दीनदयाल उपाध्याय : यह भारतीय सांस्कृतिक मूल्यों पर आधारित वैकल्पिक विकास मॉडल है, जिसमें समाज, संस्कृति, और आत्मा की एकता पर बल दिया गया है।

D. प्रत्यक्षवाद - II. ऑगस्ट कॉम्टे : कॉम्टे को प्रत्यक्षवाद (Positivism) का जनक माना जाता है, जो कहता है कि ज्ञान केवल वैज्ञानिक और अनुभवजन्य प्रमाणों पर आधारित होना चाहिए।

48. (3): भारतीय संविधान में मूल अधिकारों के निलंबन से संबंधित आपातकालीन शक्तियाँ जर्मनी के वाइमर संविधान से ली गई हैं। वाइमर संविधान (1919) में यह प्रावधान था कि संकट की स्थिति में राष्ट्रपति को असाधारण शक्तियाँ मिल सकती हैं, जिससे नागरिक अधिकारों को स्थगित किया जा सकता है। इसी से प्रेरित होकर भारतीय संविधान के अनुच्छेद 352 से 359 तक आपातकालीन शक्तियाँ प्रदान की गई हैं, जिनमें राष्ट्रपति राष्ट्रीय आपातकाल की स्थिति में मौलिक अधिकारों को निलंबित कर सकते हैं। विशेष रूप से अनुच्छेद 19 के अधिकार का निलंबन आपातकाल में अनुमन्य है।

49. (4): संधियों और घटनाओं का सही वर्षवार मिलान निम्नलिखित है :

A. डमबार्टन ओक सम्मेलन - III. 1944 : यह सम्मेलन संयुक्त राष्ट्र संघ की स्थापना के प्रारंभिक प्रस्तावों को तैयार करने हेतु आयोजित हुआ था।

B. स्वेज नहर में यूएन शांति बहाली मिशन - II. 1956 : मिस्र द्वारा नहर के राष्ट्रीयकरण के बाद ब्रिटेन, फ्रांस और इजराइल ने हमला किया और संयुक्त राष्ट्र ने शांति सेना भेजी।

C. यूएन विकास कार्यक्रम (UNDP) की स्थापना - IV. 1965 : संयुक्त राष्ट्र ने वैश्विक विकास परियोजनाओं हेतु इस कार्यक्रम की स्थापना की।

D. यूएन पर्यावरण कार्यक्रम (UNEP) की स्थापना - I. 1972 : यह स्टॉकहोम सम्मेलन के पश्चात स्थापित किया गया, और इसका मुख्यालय नैरोबी, केन्या में है।

50. (4): द्वितीय डोनाल्ड ट्रंप प्रशासन में प्रस्तावित विदेश मंत्री (Secretary of State) के रूप में मार्को रुबियो (Marco Rubio) का नाम चर्चा में रहा। रुबियो अमेरिकी सीनेटर हैं और ट्रंप के निकट सहयोगी माने जाते हैं। वह क्यूबा-अमेरिकी मूल के हैं और उनकी विदेश नीति विशेषतः चीन, क्यूबा और वेनेजुएला के प्रति सख्त मानी जाती है। 2024 के चुनाव के बाद ट्रंप की संभावित टीम में उन्हें विदेश मंत्री के रूप में सशक्त उम्मीदवार माना गया है। यह प्रस्ताव अभी औपचारिक रूप से लागू नहीं हुआ है क्योंकि यह ट्रंप की वापसी पर आधारित संभाव्यता मात्र है।

51. (4): 2014 के लोकसभा चुनावों में भारतीय राष्ट्रीय कांग्रेस को केवल 44 सीटें प्राप्त हुई थीं। यह कांग्रेस के इतिहास में सबसे खराब प्रदर्शन था। इन चुनावों में भारतीय जनता

पार्टी (BJP) को पूर्ण बहुमत प्राप्त हुआ और नरेंद्र मोदी के नेतृत्व में सरकार बनी। कांग्रेस को लोकसभा में विपक्ष के नेता की मान्यता भी नहीं मिली क्योंकि वह न्यूनतम 10% सीटें (55 सीटें) नहीं जीत सकी।

- कुल सीटें : 543
- कांग्रेस : 44 सीटें (8.1%)
- बीजेपी : 282 सीटें

52. (3): भारतीय मुस्लिम समुदाय को पृथक निर्वाचक मंडल (Separate Electorate) की व्यवस्था भारतीय परिषद् अधिनियम, 1909 द्वारा प्रदान की गई थी। इसे 'मॉर्ले-मिंटो सुधार' के नाम से भी जाना जाता है। इस अधिनियम के अंतर्गत : मुसलमानों को उनकी अपनी अलग निर्वाचन सूची से मुस्लिम प्रतिनिधि चुनने का अधिकार दिया गया। इससे भारत में सांप्रदायिक राजनीति की शुरुआत हुई। यह नीति बाद में देश के विभाजन की पृष्ठभूमि तैयार करने वाले कारकों में से एक मानी जाती है।

53. (2): डोनाल्ड ट्रंप यदि 2024 में पुनः निर्वाचित होते हैं, तो वे ग्रोवर क्लीवलैंड के बाद दूसरे अमेरिकी राष्ट्रपति होंगे जो दो अनिरंतर कार्यकाल (non-consecutive terms) के लिए चुने गए।

- ग्रोवर क्लीवलैंड : पहला कार्यकाल : 1885-1889
- दूसरा कार्यकाल : 1893-1897: वे 22वें और 24वें राष्ट्रपति थे, और अब तक इकलौते जिन्होंने ऐसा किया है।
- डोनाल्ड ट्रंप का पहला कार्यकाल : 2017-2021, यदि वे पुनः चुने जाते हैं, तो वे 47वें राष्ट्रपति के रूप में पद ग्रहण करेंगे।

54. (3): एंटोनियो ग्राम्शी, एक इटालियन मार्क्सवादी विचारक, ने यह प्रस्तावित किया कि बुर्जुआ मूल्यों और पूर्वधारणाओं को प्रतिस्थापित करना आवश्यक है। उन्होंने कहा कि 'हेजेमनी' यानी प्रभुत्व केवल बल के द्वारा नहीं होता, बल्कि सहमति के निर्माण द्वारा होता है। उन्होंने सर्वहारा वर्चस्व (Proletarian Hegemony) की स्थापना के लिए बौद्धिक संघर्ष और संस्कृतिकरण की आवश्यकता पर बल दिया। उन्होंने सुझाव दिया कि सांस्कृतिक संस्थानों के माध्यम से प्रभुत्व को चुनौती देना ही वास्तविक क्रांति की ओर ले जाएगा। उनकी रचना 'Prison Notebooks' में यह विचार प्रमुखता से सामने आते हैं।

55. (4): सार्क महासचिवों और उनके कार्यकाल का सही मिलान इस प्रकार है :

A. अबुल अहसान - III. 16 जनवरी, 1987 से 15 अक्टूबर, 1989 : वे सार्क के प्रथम महासचिव थे और बांग्लादेश से थे।

B. यादव कांत सिलवाल - I. 1 जनवरी, 1994 से 31 दिसंबर, 1995 : वे नेपाल के राजनयिक थे और द्वितीय महासचिव बने।

C. निहाल रोड्रिगो - II. 1 जनवरी, 1999 से 10 जनवरी, 2002 : वे श्रीलंका से थे और उनके कार्यकाल में सार्क ने आर्थिक सहयोग पर बल दिया।

D. शीलकांत शर्मा - IV. 1 मार्च, 2008 से 28 फरवरी, 2011 : वे भारत से थे और उन्होंने सार्क ऊर्जा सहयोग और आतंकवाद विरोधी पहल को आगे बढ़ाया।

56. (4): जॉर्ज फ्रेडरिक हेगेल से संबंधित निम्नलिखित तथ्य सत्य हैं :

B. द्वंद्वात्मक आदर्शवाद : हेगेल के दर्शन का संस्करण 'द्वंद्वात्मक आदर्शवाद' (Dialectical Idealism) कहलाता है। यह तर्क करता है कि विचार की प्रगति थीसिस–एंटीथीसिस–सिंथेसिस की प्रक्रिया में होती है।

C. द्वंद्वात्मक प्रक्रिया के चरण : हेगेल ने ऐतिहासिक और तर्क प्रक्रिया को तीन चरणों में बाँटा :

- थीसिस (प्रारंभिक कथन)
- एंटीथीसिस (विरोधी कथन)
- सिंथेसिस (संलयन या समाधान)

यह प्रक्रिया सत्य की प्राप्ति का मार्ग दर्शाती है।

D. फेनोमेनोलॉजी ऑफ स्पिरिट : हेगेल की प्रसिद्ध कृति 'Phenomenology of Spirit' वर्ष 1807 में प्रकाशित हुई थी। इसमें उन्होंने चेतना, आत्म-चेतना और ज्ञान की विकास यात्रा का दार्शनिक विवेचन किया।

E. कार्ल मार्क्स पर प्रभाव : मार्क्स ने हेगेल के द्वंद्वात्मक पद्धति को अपनाया, लेकिन उसे भौतिकवादी दृष्टिकोण (Dialectical Materialism) में परिवर्तित किया। उन्होंने कहा–"मैंने हेगेल को सिर के बल खड़ा पाया, मैंने उसे पाँवों पर खड़ा किया।"

A. जलवायु परिवर्तन उपशमन–गलत : हेगेल का समय (18वीं-19वीं सदी) इस प्रकार के पर्यावरणीय विमर्श से पूर्व का था। यह आधुनिक युग की अवधारणा है।

57. (3): 'गैंग प्लैंक (Gang Plank)' की अवधारणा हेनरी फेयोल के सोपानिकी सिद्धांत (Scalar Chain) से संबंधित है। सामान्यतः एक संगठन में सूचना ऊपर-नीचे तय क्रम में प्रवाहित होती है (ऊर्ध्वाधर संचार)। परंतु यदि दो समान स्तर के अधिकारी एक-दूसरे से सीधे संपर्क करें (आपातकालीन परिस्थिति में) तो यह गैंग प्लैंक कहलाता है। यह संचार को प्रभावी, त्वरित और लचीला बनाता है, परंतु इसे उच्च अधिकारियों की स्वीकृति से ही अपनाया जाना चाहिए।

58. (3): 2023 में विश्व में सैन्य खर्च करने वाले देशों को आरोही क्रम में व्यवस्थित करें (कम से अधिक) :

A. दक्षिण कोरिया–अपेक्षाकृत छोटा बजट (~46 बिलियन USD)

B. यूक्रेन–युद्ध के कारण रक्षा खर्च में वृद्धि (~65 बिलियन USD), लेकिन अभी भी सीमित

E. रूस–रूस का रक्षा बजट ~109 बिलियन USD (युद्ध के कारण उछाल)

D. चीन–अनुमानित रक्षा बजट ~296 बिलियन USD

C. अमेरिका–लगभग 877 बिलियन USD, जो वैश्विक सैन्य खर्च का सबसे बड़ा हिस्सा है

इस प्रकार सही आरोही क्रम है : A, B, E, D, C.

59. (3): पर्यावरणीय घटनाओं का सही कालक्रम इस प्रकार है :

C. ग्रीनपीस की स्थापना–1971 : एक अंतरराष्ट्रीय पर्यावरण संगठन जिसकी शुरुआत कनाडा से हुई।

D. भोपाल गैस त्रासदी–3 दिसंबर 1984 : यूनियन कार्बाइड से मिथाइल आइसोसाइनेट गैस का रिसाव; 15,000+ मौतें।

E. चेर्नोबिल आपदा–26 अप्रैल 1986 : यूक्रेन (तत्कालीन यूएसएसआर) में परमाणु संयंत्र में विस्फोट; यह अब तक की सबसे गंभीर परमाणु दुर्घटना मानी जाती है।

B. रियो घोषणा व एजेंडा 21-1992 : संयुक्त राष्ट्र पृथ्वी सम्मेलन (Rio Earth Summit), सतत विकास पर वैश्विक प्रतिबद्धता।

A. मिनीमाटा मरकरी संधि–2013 : पारा प्रदूषण से निपटने के लिए अंतरराष्ट्रीय संधि।

इस प्रकार सही कालक्रम है : C → D → E → B → A.

60. (1): राम मनोहर लोहिया ने अपनी प्रसिद्ध कृति 'Wheel of History' में इतिहास का अपना सिद्धांत प्रस्तुत किया। उन्होंने इतिहास की व्याख्या एक चक्र के रूप में की, जिसमें समानांतर संघर्ष और क्रांति की लहरें बार-बार लौटती हैं। उनका विश्लेषण भारतीय और विश्व इतिहास के घटनाक्रमों पर आधारित था, और उन्होंने यथास्थिति विरोधी समाजवादी दृष्टिकोण अपनाया। यह कृति उनकी गहरी ऐतिहासिक अंतर्दृष्टि और राजनीतिक-दार्शनिक चिंतन का परिचायक है।

61. (3): भारत सरकार की Order of Precedence (सभ्यता अनुक्रम तालिका) के अनुसार निम्नलिखित पदाधिकारियों का स्थान उच्च से निम्नतर क्रम में इस प्रकार है :

D. उपाध्यक्ष, नीति आयोग (Vice Chairperson, NITI Aayog) : यह मंत्री स्तर का पद होता है, और सामान्यतः कैबिनेट मंत्री के समकक्ष दर्जा प्राप्त होता है। इसका क्रम काफी ऊपर (क्रमांक 9) में आता है।

E. भारत रत्न सम्मान धारक (Bharat Ratna awardees) : यह सर्वोच्च नागरिक सम्मान प्राप्त व्यक्ति, पूर्व राष्ट्रपति के बाद और राज्यपालों के समकक्ष क्रम (क्रमांक 7A) में आते हैं।

A. मुख्य निर्वाचन आयुक्त (Chief Election Commissioner) : यह संवैधानिक पद है, और इनका क्रम Chief Justices of High Courts के समकक्ष (क्रमांक 17) होता है।

B. उपसभापति, राज्यसभा (Deputy Chairman, Rajya Sabha) : यह पद क्रमांक 9A पर होता है, लेकिन नीति आयोग के उपाध्यक्ष और भारत रत्न धारकों से नीचे आता है।

C. भारत का महान्यायवादी (Attorney General of India) : यह पद Chief Election Commissioner के समकक्ष या उससे कुछ नीचे (क्रमांक 17) होता है।

इस प्रकार सही क्रम है : D → E → A → B → C.

62. (1): पारिस्थितिकीवाद (Ecologism) से संबंधित सत्य कथन निम्नलिखित हैं :

A. अर्नेस्ट हेकेल ने पारिस्थितिकी शब्द गढ़ा : Ernst Haeckel, एक जर्मन जीवविज्ञानी थे जिन्होंने 1866 में 'Ecology' शब्द का प्रयोग किया।

B. यह जीवित जीवों और पर्यावरण के संबंधों का अध्ययन करता है : पारिस्थितिकी में जीवों और उनके भौतिक वातावरण के बीच पारस्परिक संबंध को समझा जाता है।

E. रैचल कार्सन पर्यावरणवादी रूढ़िवादी थीं : Rachel Carson ने 'Silent Spring' पुस्तक में कीटनाशकों के दुष्प्रभावों को उजागर किया। उन्हें पर्यावरणीय चेतना को प्रेरित करने वाला अग्रणी माना जाता है। उनका दृष्टिकोण संरक्षणवादी था।

C और D असत्य हैं :

C. बाजार-केन्द्रित उपागम–गलत : पारिस्थितिकीवाद बाजार आधारित विकास की आलोचना करता है।

D. मानव प्रकृति के स्वामी हैं–गलत : पारिस्थितिकीवाद मानता है कि मानव प्रकृति का हिस्सा है, न कि उसका शासक।

63. (1):

A. चरम नारीवाद लिंग दमन को उखाड़ फेंकने का आह्वान करता है–सत्य : यह नारीवाद का एक कट्टर रूप है जो पितृसत्ता और लिंग आधारित असमानता को समूल नष्ट करने की मांग करता है।

B. मार्क्सवाद के अनुसार, विचारधारा प्रभुत्वशाली वर्ग का उपकरण है–सत्य : मार्क्स के अनुसार विचारधारा (Ideology) उस सोच को वैध ठहराती है जो शोषक वर्ग के हितों की सेवा करती है।

C. फासीवाद लोगों को अपने नेता के आदेश मानने की बात करता है–सत्य : फासीवाद सत्तावादी व्यवस्था है जो अधिनायकवाद, अनुशासन और अंधभक्ति पर बल देती है।

D और E गलत हैं :

D. जे. एस. मिल ने महिला अधिकारों का विरोध किया–गलत : उन्होंने 'The Subjection of Women' में महिला अधिकारों का समर्थन किया था।

E. मार्क्स ने क्रांति का विरोध किया–गलत : वे क्रांति के समर्थक थे और इसे सामाजिक परिवर्तन का माध्यम मानते थे।

64. (1): 'The Sociology of Religion' पुस्तक के लेखक मैक्स वेबर (Max Weber) हैं। इसमें उन्होंने धर्म की सामाजिक भूमिका, विशेष रूप से धर्म और आर्थिक नैतिकता के बीच संबंधों का अध्ययन किया। वेबर ने बताया कि कैसे प्रोटेस्टेंट नैतिकता ने पूंजीवाद के विकास में योगदान दिया। यह कृति उनके व्यापक समाजशास्त्रीय कार्यों का हिस्सा है और धर्मशास्त्र को समाजशास्त्र के दृष्टिकोण से देखने का मार्ग प्रशस्त करती है।

65. (3): जॉर्जिया मेलोनी (Giorgia Meloni) इटली की प्रधानमंत्री हैं और वे 'ब्रदर्स ऑफ इटली (Fratelli d.Italia)' नामक राजनीतिक दल से संबंधित हैं। यह एक राष्ट्रवादी, दक्षिणपंथी और सत्तावादी रूढ़िवादी दल है। मेलोनी 2022 में इटली की प्रधानमंत्री बनीं, और वे देश की पहली महिला प्रधानमंत्री हैं। उनका एजेंडा राष्ट्रीय पहचान, सीमाओं की सुरक्षा, पारंपरिक मूल्यों और ईयू के प्रति आलोचनात्मक दृष्टिकोण पर आधारित है।

66. (1): एम. सी. राजा (Madras's M.C. Rajah) ऑल इंडिया डिप्रेस्ड क्लासेज एसोसिएशन (AIDCA) के प्रथम निर्वाचित अध्यक्ष थे। यह संगठन 1920 के दशक में स्थापित हुआ था और इसका उद्देश्य था अस्पृश्य जातियों के राजनीतिक और सामाजिक अधिकारों की रक्षा। एम.सी. राजा, दक्षिण भारत के एक प्रमुख दलित नेता थे और वे डॉ. अंबेडकर से पहले के दलित प्रतिनिधियों में गिने जाते हैं। उन्होंने ब्रिटिश सरकार से दलितों के लिए आरक्षण और पृथक प्रतिनिधित्व की मांग भी उठाई।

67. (4): निम्नलिखित क्षेत्रीय संगठनों की स्थापना तिथियाँ सत्य हैं :

A. पूर्वी एशियाई सम्मेलन–2005 : इसे कुआलालंपुर, मलेशिया में शुरू किया गया था। इसका उद्देश्य पूर्वी एशिया में रणनीतिक संवाद और सहयोग को बढ़ाना है।

B. शंघाई सहयोग संगठन (SCO)–2001 : इसकी स्थापना शंघाई में चीन, रूस, किर्गिस्तान, कजाखस्तान, ताजिकिस्तान और उज्बेकिस्तान द्वारा की गई। इसका उद्देश्य सुरक्षा, आतंकवाद विरोध, और आर्थिक सहयोग है।

C. नॉर्डिक परिषद–1952 : डेनमार्क, स्वीडन, नॉर्वे, आइसलैंड और फिनलैंड के बीच सहयोग हेतु स्थापित क्षेत्रीय संगठन है।

D. आसियान क्षेत्रीय मंच–1994 : यह मंच एशिया-प्रशांत क्षेत्र में शांति, सुरक्षा और कूटनीतिक संवाद को बढ़ावा देता है।

E. सार्क–गलत : सार्क की स्थापना 1985 में हुई थी, न कि 1987 में।

68. (1): GATT/WTO के महानिदेशकों का कालक्रम निम्नानुसार है :

A. एरिक वायनधाम व्हाइट (Eric Wyndham White): GATT के प्रथम कार्यकारी सचिव और फिर महानिदेशक (1948-1968)।

B. ओलिवियर लॉन्ग (Olivier Long): GATT के महानिदेशक (1968-1980)।

C. आर्थर डंकेल (Arthur Dunkel): GATT के महानिदेशक (1980-1993)। उन्होंने 'डंकेल ड्राफ्ट' तैयार किया जो WTO के गठन का आधार बना।

D. पीटर सदरलैंड (Peter Sutherland): पहले WTO महानिदेशक (1993-1995)।

E. न्गोजी ओकोन्जो-इवेला (Ngozi Okonjo-Iweala): WTO की पहली महिला और अफ्रीकी महानिदेशक, कार्यकाल शुरू 2021 से।

सही कालक्रम है : A → B → C → D → E.

69. (1): घटनाओं का वर्षवार सही मिलान निम्न प्रकार है :

A. किसी भारतीय प्रधानमंत्री की चीन यात्रा - III. 1954 : पं. नेहरू चीन जाने वाले पहले भारतीय प्रधानमंत्री थे।

B. सोवियत-भारत मैत्री संधि - II. 1971 : 'Indo-Soviet Treaty of Peace, Friendship and Cooperation' अगस्त 1971 में हस्ताक्षरित हुई।

C. भारतीय परमाणु परीक्षण - IV. 1998 : पोखरण-II के नाम से प्रसिद्ध यह परीक्षण मई 1998 में हुआ।

D. 26/11 मुंबई आतंकी हमला - I. 2008 : यह हमला 26 नवंबर 2008 को हुआ था, जिसमें 170 से अधिक लोग मारे गए।

70. (1): संविधान संशोधन/उपबंधों का कालक्रम :

C. प्रिवी पर्स की समाप्ति–1971 (26वां संशोधन) : राजघरानों को मिलने वाले भत्ते और विशेषाधिकार समाप्त किए गए।

A. दिल्ली के संबंध में विशेष प्रावधान–1991 (69वां संशोधन) : दिल्ली को राष्ट्रीय राजधानी क्षेत्र का दर्जा मिला और विधानसभा का गठन हुआ।

E. मंत्रिपरिषद में मंत्री संख्या सीमा–2003 (91वां संशोधन) : लोकसभा/विधानसभा सदस्यों के 15% से अधिक मंत्री नहीं हो सकते।

B. सहकारी समितियों को बढ़ावा–2011 (97वां संशोधन) : सहकारी समितियों को संविधान के अनुच्छेद 19 में शामिल किया गया।

D. विधायिका में महिलाओं का आरक्षण–2023 (106वाँ संविधान संशोधन) : महिलाओं के लिए 33% आरक्षण का प्रावधान है, लेकिन यह लागू होना बाकी है।

सही कालक्रम : C → A → E → B → D.

71. (4): वुडरो विल्सन और इमैनुएल कांट अंतरराष्ट्रीय संबंधों की यथार्थवादी शाखा (Realist School) से संबंधित नहीं हैं। ये दोनों विचारक आदर्शवादी (Idealist) परंपरा के प्रतिनिधि माने जाते हैं। वुडरो विल्सन ने League of Nations की स्थापना की वकालत की और उन्होंने 'Making the World Safe for Democracy' की अवधारणा दी। कांट ने अपनी रचना 'Perpetual Peace' में शांति, लोकतंत्र और अंतरराष्ट्रीय संगठन के माध्यम से शांति स्थापना की वकालत की।

जबकि स्टीफन वाल्ट, जॉन मर्शहैमर और केनेथ वाल्ट्ज यथार्थवादी दृष्टिकोण के समर्थक हैं, जिनकी सोच सत्ता, राष्ट्र-हित और सुरक्षा के चारों ओर केंद्रित है।

72. (1): प्रतिनिधित्यात्मक लोकतंत्र के सत्य तत्व :

A. यह विशाल देशों के लिए व्यवहार्य स्वरूप है–सत्य : बड़े भौगोलिक और जनसंख्या वाले देशों में प्रत्यक्ष लोकतंत्र व्यावहारिक नहीं होता, इसलिए प्रतिनिधियों के माध्यम से शासन एक उपयुक्त व्यवस्था है।

B. यह सरकार और शासित के मध्य एक रेखा स्थापित करता है–सत्य : इसमें नागरिक नीति निर्माण में सीधे भाग नहीं लेते, बल्कि अपने चुने हुए प्रतिनिधियों के माध्यम से शासन में हिस्सा लेते हैं।

अन्य विकल्प असत्य हैं :

C. यह रेखा मिटा देता है–गलत : यह प्रत्यक्ष लोकतंत्र की विशेषता है।

D. यह वर्गहीन समाज की वकालत करता है–गलत : यह समाजवाद/साम्यवाद से संबंधित अवधारणा है।

E. इसका सबसे प्रचलित रूप जनमत संग्रह–गलत : जनमत संग्रह का प्रयोग सीमित और विशेष परिस्थितियों में होता है।

73. (2): प्रसिद्ध तकनीकी संस्थाओं के सही वर्षानुसार मिलान :

A. गूगल - I. 1998 : लैरी पेज और सर्गेई ब्रिन द्वारा इसकी स्थापना की गई।

B. फेसबुक - II. 2004 : मार्क जुकरबर्ग द्वारा हार्वर्ड विश्वविद्यालय में प्रारंभ की गई।

C. माइक्रोसॉफ्ट - III. 1975 : बिल गेट्स और पॉल एलन द्वारा स्थापित।

D. एप्पल - IV. 1976 : स्टीव जॉब्स, स्टीव वॉजनियक और रॉन वेन द्वारा कैलिफोर्निया में स्थापित।

74. (2): घटनाओं का सही कालक्रम :

A. हम्मुराबी की विधि संहिता–लगभग 1754 ई.पू. : यह विश्व की प्राचीनतम लिखित विधियों में से एक है।

B. एडवर्ड I की मॉडल संसद–1295 ई. : इंग्लैंड में प्रतिनिधित्व आधारित संसदीय प्रणाली की नींव रखी गई।

C. वेस्टफेलिया संधि–1648 ई. : इसने आधुनिक राज्य संप्रभुता की अवधारणा को जन्म दिया।

E. न्यूजीलैंड में महिलाओं को मताधिकार–1893 : यह पहला देश बना जिसने महिलाओं को सार्वजनिक चुनावों में मतदान का अधिकार दिया।

D. मानवाधिकार घोषणा–1948 : संयुक्त राष्ट्र महासभा द्वारा Universal Declaration of Human Rights स्वीकृत।

75. (4): गैट/डब्ल्यूटीओ से संबंधित निम्न कथन असत्य हैं :

D. WTO का पहला मंत्रीस्तरीय सम्मेलन 2009 में हुआ–गलत : पहला सम्मेलन 1996 में सिंगापुर में हुआ था, 2009 का सम्मेलन जेनेवा में हुआ था।

E. WTO का 28वां सम्मेलन 2024 में दिल्ली में हुआ–गलत : 2024 में WTO का 13वां मंत्रिस्तरीय सम्मेलन अबू धाबी (UAE) में हुआ। अब तक WTO के 28 सम्मेलन नहीं हुए हैं।

बाकी कथन सत्य हैं :

A. 1948-1994 तक GATT सक्रिय था।

B. GATT एक अस्थायी समझौता था।

C. WTO की स्थापना 1 जनवरी 1995 को हुई।

76. (2): सार्क सम्मेलनों के आयोजन की तिथियाँ निम्नलिखित हैं :

A. ढाका सम्मेलन - I. 10-11 अप्रैल, 1993 : यह सार्क का 6वाँ शिखर सम्मेलन था जो बांग्लादेश की राजधानी ढाका में आयोजित हुआ।

B. नई दिल्ली सम्मेलन - II. 2-4 मई, 1995 : यह सार्क का 7वाँ सम्मेलन था और भारत में हुआ था।

C. कोलंबो सम्मेलन - IV. 29-31 जुलाई, 1998 : यह 10वाँ शिखर सम्मेलन था जो श्रीलंका में आयोजित हुआ।

D. इस्लामाबाद सम्मेलन - III. 2-6 जनवरी, 2004 : यह 12वाँ सार्क सम्मेलन था, जो पाकिस्तान की राजधानी में आयोजित हुआ।

इस प्रकार सही मिलान है : A-I, B-II, C-IV, D-III.

77. (2): चीनी साम्यवादी पार्टी (CCP) की 19वीं कांग्रेस बीजिंग में 18-24 अक्टूबर 2017 को आयोजित हुई थी। इसमें शी जिनपिंग के 'थॉट ऑन सोशलिज्म विद चाइनीज कैरेक्टेरिस्टिक्स फॉर न्यू एरा' को संविधान में शामिल किया गया। यह कांग्रेस CCP की नीति दिशा, केंद्रीय नेतृत्व और दीर्घकालिक विकास रणनीतियों पर निर्णय के लिए अत्यंत महत्वपूर्ण होती है। CCP कांग्रेस प्रत्येक 5 वर्ष में आयोजित होती है।

78. (1): न्गोजी ओकोंजो-इवेला (Ngozi Okonjo-Iweala) विश्व व्यापार संगठन (WTO) की प्रथम महिला और प्रथम अफ्रीकी निदेशक-जनरल बनीं। उनका कार्यकाल 1 मार्च 2021 से प्रारंभ हुआ। वे नाइजीरिया की पूर्व वित्त मंत्री और विश्व बैंक की मैनेजिंग डायरेक्टर रह चुकी हैं। उनके नेतृत्व में WTO को कोविड-19 वैक्सीन पेटेंट छूट, मछली पालन सब्सिडी, और बहुपक्षीय व्यापार सुधारों जैसे विषयों पर निर्णयों में प्रगति मिली।

79. (2): घटनाओं और वर्षों का सही मिलान निम्नलिखित है :

A. चीन में बॉक्सर क्रांति - IV. 1900-1901 : यह राष्ट्रवादियों और पश्चिमी प्रभाव के विरुद्ध एक जन विद्रोह था। मुख्य रूप से विदेशी ताकतों और ईसाई मिशनरियों के प्रभाव के खिलाफ था।

B. मैक्सिकन क्रांति - I. 1910-1920 : यह सामाजिक, राजनीतिक और भूमि सुधारों के लिए शुरू हुआ एक सशस्त्र संघर्ष था।

C. जापान का मंचूरिया पर आक्रमण - II. 1931 : जापान ने 'मुख्देन घटना' के बाद मंचूरिया पर अधिकार कर मंचुको राज्य स्थापित किया।

D. जर्मनी द्वारा राइनलैंड पर पुनः नियंत्रण - III. 1936 : हिटलर ने वर्साय संधि का उल्लंघन करते हुए राइनलैंड में जर्मन सैनिकों को फिर से तैनात किया।

इस प्रकार सही क्रम है : A-IV, B-I, C-II, D-III.

80. (3): इन हत्याओं का कालक्रम निम्न है :

C. एस.डब्ल्यू.आर.डी. भंडारनायके–1959 : श्रीलंका के प्रधानमंत्री, एक बौद्ध भिक्षु द्वारा हत्या कर दी गई।

A. जॉन एफ. कैनेडी–1963 : अमेरिका के राष्ट्रपति की डलास, टेक्सास में गोली मारकर हत्या हुई।

B. जिया-उर-रहमान–1981 : बांग्लादेश के राष्ट्रपति, एक सैन्य विद्रोह में चटगांव में मारे गए।

D. ओलोफ पाल्मे–1986 : स्वीडन के प्रधानमंत्री, स्टॉकहोम में फिल्म देखने के बाद सरेआम गोली मार दी गई।

E. यिट्ज़ाक राबिन–1995 : इजराइल के प्रधानमंत्री, एक यहूदी कट्टरपंथी द्वारा ओस्लो समझौते के विरोध में हत्या की गई।

इस प्रकार सही कालक्रम है : C → A → B → D → E.

81. (1): सूची-I और सूची-II का सही मिलान इस प्रकार है :

A. फ्रेड रिग्स - II. The Ecology of Public Administration : फ्रेड डब्ल्यू. रिग्स ने प्रशासन को पारिस्थितिक परिप्रेक्ष्य में समझने हेतु यह कृति लिखी। इसमें उन्होंने प्रिज्मेटिक मॉडल के माध्यम से विकासशील समाजों की प्रशासनिक संरचना को व्याख्यायित किया।

B. येहेजकेल ड्रोर - IV. Public Policy Making Reexamined : ड्रोर ने नीतियों के निर्माण को एक वैज्ञानिक और रणनीतिक प्रक्रिया के रूप में प्रस्तुत किया। यह पुस्तक सार्वजनिक नीति निर्माण के सिद्धांतों और सुधारों पर केंद्रित है।

C. पीटर ड्रकर - I. The Practice of Management : यह कृति प्रबंधन के क्षेत्र में मील का पत्थर है। इसमें उन्होंने Management by Objectives (MBO) जैसे सिद्धांत दिए।

D. कार्ल मार्क्स - III. The Eighteenth Brumaire of Louis Bonaparte : यह 1852 में लिखी गई रचना है जिसमें मार्क्स ने वर्ग संघर्ष और तानाशाही की ऐतिहासिक व्याख्या की।

82. (3): 'Catch-all Parties' (सभी पक्षों को पकड़ने वाली पार्टियाँ) शब्द को ओटो किर्चहाइमर (Otto Kirchheimer) ने गढ़ा था। इस अवधारणा के अनुसार आधुनिक राजनीतिक दल विशिष्ट विचारधारा या वर्ग के बजाय व्यापक जनाधार को लक्षित करते हैं। ये पार्टियाँ अपने विचारधारात्मक तीखेपन को नरम करके अधिकाधिक मतदाता समूहों को आकर्षित करने का प्रयास करती हैं। यह आधुनिक लोकतंत्रों में राजनीतिक दलों के व्यवहार में आए बदलाव को दर्शाता है।

83. (4): डेविड ईस्टन के Input-Output (आगत-निर्गत) मॉडल में निम्नलिखित तत्व शामिल हैं :

- **Input (आगत)** : Demand (मांग), Support (समर्थन)
- **Conversion Process** : राजनीतिक प्रणाली द्वारा इन मांगों पर कार्य किया जाता है।
- **Output (निर्गत)** : सरकार की नीतियाँ, निर्णय आदि।
- **Feedback (प्रतिपुष्टि)** : नीति के प्रभावों के आधार पर जनता की प्रतिक्रिया पुनः प्रणाली में प्रवेश करती है।

A. विकास और **B.** समृद्धि जैसे शब्द ईस्टन के मॉडल के चर नहीं हैं, ये सामाजिक-आर्थिक लक्ष्यों के रूप में भिन्न संदर्भों में प्रयुक्त होते हैं।

84. (3): संयुक्त राष्ट्र की पहलों का सही कालक्रम :

D. संयुक्त राष्ट्र शांति विश्वविद्यालय (UNU Peace University), कोस्टा रिका–1980 : शांति, सुरक्षा और मानवाधिकारों के क्षेत्र में उच्च शिक्षा हेतु स्थापित किया गया।

C. वैश्विक पोलियो उन्मूलन पहल–1988 : WHO, UNICEF, Rotary International और CDC की संयुक्त पहल।

B. मानव जीनोम और मानवाधिकारों पर घोषणा–1997 : यह UNESCO द्वारा जारी की गई थी, जिससे जैव-नैतिकता को अंतरराष्ट्रीय स्तर पर मान्यता मिली।

A. रोल बैक मलेरिया पहल–1998 : WHO की अगुआई में यह कार्यक्रम मलेरिया के खिलाफ वैश्विक प्रयास को मजबूत करने हेतु प्रारंभ किया गया।

E. यूएन वन फोरम–2000 : जंगलों के सतत प्रबंधन और संरक्षण हेतु संयुक्त राष्ट्र की यह पहल शुरू की गई।

85. (2): निम्नलिखित विकल्प उदारवादी लोकतंत्र (Liberal Democracy) का भाग नहीं हैं :

A. एक पार्टी प्रणाली पर आधारित–गलत : उदारवादी लोकतंत्र बहुदलीय प्रणाली पर आधारित होता है, एकदलीय शासन तानाशाही का लक्षण है।

E. जनसंचार माध्यमों पर राज्य एकाधिकार–गलत : स्वतंत्र मीडिया उदार लोकतंत्र की मूल विशेषता है। मीडिया पर सरकारी नियंत्रण अभिव्यक्ति की स्वतंत्रता का हनन है। जबकि निम्नलिखित विशेषताएँ उदारवादी लोकतंत्र में पाई जाती हैं :

B. औपचारिक कानूनी नियमों पर आधारित : शासन कानून के शासन के आधार पर चलता है।

C. नागरिक स्वतंत्रताएँ और व्यक्तिगत अधिकार : जैसे–वाक् स्वतंत्रता, मतदान का अधिकार, धार्मिक स्वतंत्रता आदि।

D. नियंत्रण और संतुलन प्रणाली (Checks and Balances) : कार्यपालिका, विधायिका और न्यायपालिका के बीच शक्तियों का संतुलन सुनिश्चित करता है।

86. (3): संयुक्त राष्ट्र संघ में विभिन्न देशों के प्रवेश का सही कालक्रम इस प्रकार है :

D. भारत–30 अक्टूबर 1945 : भारत संयुक्त राष्ट्र के संस्थापक सदस्य देशों में से एक था।

A. पाकिस्तान–30 सितंबर 1947 : विभाजन के बाद पाकिस्तान को UN में सदस्यता मिली।

B. म्यांमार (तत्कालीन बर्मा)–19 अप्रैल 1948 : स्वतंत्रता प्राप्त करने के बाद म्यांमार UN में शामिल हुआ।

E. इजरायल–11 मई 1949 : 1948 में स्वतंत्रता के बाद अगले वर्ष इजरायल संयुक्त राष्ट्र का सदस्य बना।

C. श्रीलंका–14 दिसंबर 1955 : तत्कालीन सीलोन के रूप में सदस्यता प्राप्त की।

सही क्रम : भारत → पाकिस्तान → म्यांमार → इजरायल → श्रीलंका।

87. (4): भारतीय संविधान की समवर्ती सूची (Concurrent List) की अवधारणा ऑस्ट्रेलियाई संविधान से ली गई है। भारतीय संविधान की सातवीं अनुसूची में तीन सूचियाँ हैं :

1. संघ सूची (Union List)
2. राज्य सूची (State List)
3. समवर्ती सूची (Concurrent List)

समवर्ती सूची में ऐसे विषय होते हैं जिन पर केंद्र और राज्य दोनों को विधायी अधिकार होता है। ऑस्ट्रेलिया का संविधान इसी तरह की संयुक्त विधायी शक्तियों का प्रावधान करता है।

88. (2): 52वाँ संविधान संशोधन अधिनियम, 1985 द्वारा दल-बदल विरोधी कानून (Anti-Defection Law) लागू किया गया। इस संशोधन के द्वारा संविधान में दसवीं अनुसूची जोड़ी गई। इसके अंतर्गत यदि कोई सांसद या विधायक अपने दल से इस्तीफा देता है, या वोटिंग में पार्टी व्हिप का उल्लंघन करता है, तो उसे पदच्युत (disqualified) किया जा सकता है। यह संशोधन राजनीतिक स्थिरता और दलगत अनुशासन बनाए रखने के लिए किया गया था।

89. (4): घटनाओं का सही कालक्रम :

C. मैग्नाकार्टा (1215) : सम्राट जॉन को नागरिक अधिकारों की रक्षा के लिए बाध्य किया गया।

A. चार्ल्स I द्वारा पिटिशन ऑफ राइट स्वीकार करना (1628) : संसदीय अधिकारों की मान्यता और कराधान पर नियंत्रण की मांग।

D. ब्रिटेन में बिल ऑफ राइट्स (1689) : संसद की सर्वोच्चता और मौलिक अधिकारों की घोषणा।

E. एक्ट ऑफ यूनियन–इंग्लैंड और स्कॉटलैंड का एकीकरण (1707) : इससे यूनाइटेड किंगडम (UK) का गठन हुआ।

B. अर्जेंटीना-फॉकलैंड युद्ध (1982) : ब्रिटेन और अर्जेंटीना के बीच दक्षिण अटलांटिक द्वीपों को लेकर संघर्ष हुआ।

90. (1): सत्य कथन निम्नलिखित हैं :

A. विनायक दामोदर सावरकर ने 1857 की क्रांति को भारत का प्रथम स्वतंत्रता संग्राम कहा–सत्य : उनकी प्रसिद्ध पुस्तक 'The First War of Indian Independence–1857' में यह बात कही गई।

B. जयप्रकाश नारायण ने 'संपूर्ण क्रांति' का विचार प्रस्तुत किया–सत्य : उन्होंने 1974 के बिहार आंदोलन में यह नारा दिया, जो राजनीतिक, सामाजिक, आर्थिक और नैतिक क्रांति का आह्वान था।

C. डॉ. भीमराव अंबेडकर सामाजिक न्याय के अग्रदूत थे–सत्य : उन्होंने दलितों, महिलाओं और वंचित वर्गों के अधिकारों की वकालत की और संविधान निर्माण में महत्वपूर्ण भूमिका निभाई।

गलत कथन :

D. बाल गंगाधर तिलक नरम दल में थे–गलत : वे गरम दल (Extremists) के नेता थे और 'स्वराज मेरा जन्मसिद्ध अधिकार है' का नारा दिया।

E. टैगोर ने अतिराष्ट्रवाद का विरोध किया–सत्य है; लेकिन प्रश्न में केवल A, B और C को सही माना गया है, इसीलिए सही उत्तर वही है।

91. (2): अवतरण के अनुसार, जर्मनी में छह बुंडसलैंडर ने सूचना की स्वतंत्रता पर अपने कानून बनाए हैं। 'बुंडसलैंडर' (Bundeslander) शब्द जर्मनी की संघीय संरचना में राज्यों या प्रांतों को संदर्भित करता है। इनका अर्थ होता है–प्रांतीय सरकारें, जिनके पास स्वतंत्र विधायी अधिकार होते हैं। जर्मनी में कुल 16 बुंडसलैंडर हैं, जैसे–बवेरिया, बर्लिन, सैक्सनी आदि।

92. (2): भारत में सूचना का अधिकार अधिनियम (Right to Information Act) वर्ष 2005 में पारित किया गया। यह अधिनियम 12 अक्टूबर 2005 से प्रभावी हुआ। इसका उद्देश्य सरकारी कार्यों में पारदर्शिता और उत्तरदायित्व सुनिश्चित करना है। नागरिकों को किसी भी सार्वजनिक प्राधिकरण से सूचना प्राप्त करने का कानूनी अधिकार प्रदान करता है। यद्यपि 1997 में प्रारंभिक प्रयास हुए थे, लेकिन विधिक रूप में अधिनियम 2005 में पारित हुआ।

93. (1): राज नारायण बनाम उत्तर प्रदेश राज्य (State of UP v. Raj Narain) वाद में भारत के सर्वोच्च न्यायालय ने यह टिप्पणी की थी कि : 'सूचना का अधिकार' संविधान के अनुच्छेद 19(1)(a) में निहित 'वाक् और अभिव्यक्ति की स्वतंत्रता' का एक आवश्यक अंग है। नागरिकों को सरकार की कार्यप्रणाली के बारे में जानकारी पाने का मौलिक अधिकार होना चाहिए। इस फैसले ने बाद में RTI कानून की नींव रखने में महत्वपूर्ण भूमिका निभाई।

94. (3): अवतरण के अनुसार, फ्रांस ने 'सूचना की स्वतंत्रता और लोक सेवकों के उत्तरदायित्व' को संवैधानिक अधिकारों का अभिन्न भाग माना है। इसका अर्थ यह है कि वहाँ सरकारी पारदर्शिता और नागरिकों की जानकारी तक पहुँच को सांविधानिक संरक्षण प्राप्त है। यह लोकतंत्र की उत्तरदायी शासन व्यवस्था का संकेतक है।

95. (4): अवतरण के अनुसार, स्वीडन ने वर्ष 1766 में प्रेस की स्वतंत्रता अधिनियम (Freedom of the Press Act) को अपनाया। यह विश्व का सबसे पुराना सूचना और अभिव्यक्ति की स्वतंत्रता से संबंधित कानून माना जाता है। इसने प्रशासनिक रिकॉर्ड को सार्वजनिक किया और सरकारी गोपनीयता की परंपरा को तोड़ा। स्वीडन सूचना अधिकार का पथप्रदर्शक देश रहा है।

96. (3): प्रसिद्ध राजनीतिक वैज्ञानिक रजनी कोठारी ने भारतीय राजनीति में 'कांग्रेस प्रणाली' (Congress System) की अवधारणा प्रस्तुत की थी। यह एक 'एकल पार्टी प्रभुत्व प्रणाली' की अवधारणा थी जिसमें कांग्रेस पार्टी सत्ता में तो रहती थी, परंतु विपक्ष की भूमिका भी स्वयं निभाती थी। कोठारी के अनुसार, यह प्रणाली बहु-दलीय होते हुए भी प्रभावी रूप से कांग्रेस के प्रभुत्व में थी। उन्होंने 1964 में प्रकाशित अपने प्रसिद्ध लेख में इसका विश्लेषण किया।

97. (3): अवतरण के अनुसार, 1952 के पहले आम चुनावों में बिहार राज्य की विधानसभा में 'झारखंड पार्टी' मुख्य विपक्षी दल के रूप में उभरी थी। झारखंड पार्टी ने आदिवासी क्षेत्रों के अधिकारों और स्वायनता के लिए आंदोलन खड़ा किया। यह पार्टी उस समय बिहार के आदिवासी बहुल क्षेत्रों में अत्यंत प्रभावी थी। उसका उदय क्षेत्रीय दलों के बढ़ते प्रभाव का संकेतक था।

98. (1): अवतरण में स्पष्ट रूप से उल्लेख है कि जनता पार्टी की स्थापना 1950 में राजा कामाख्या नारायण सिंह द्वारा की गई थी। इस पार्टी का उद्देश्य था कि वह कांग्रेस के विरुद्ध एक प्रभावी परंपरागत विपक्ष के रूप में कार्य करे। हालांकि, इसका प्रभाव सीमित क्षेत्र (दक्षिण बिहार) तक ही सीमित रह गया और राज्यव्यापी समर्थन हासिल नहीं कर सकी।

99. (4): अवतरण के अनुसार, जनता पार्टी का राजनीतिक प्रभाव मुख्यतः दक्षिण बिहार तक सीमित था। इसका कारण यह था कि जनता पार्टी का नेतृत्व क्षेत्रीय था और उसके जनाधार का विस्तार अन्य क्षेत्रों तक नहीं हो सका। दक्षिण बिहार में राजा कामाख्या नारायण सिंह का सामाजिक प्रभाव अधिक था, जिसका लाभ पार्टी को मिला।

100. (2): 1935 में बिहार प्रदेश किसान सभा (BPKS) का मुखिया स्वामी सहजानंद सरस्वती को बनाया गया था। वे भारत के प्रमुख किसान नेता थे और उन्होंने किसान आंदोलन को राष्ट्रीय मंच तक पहुँचाया। उन्होंने 1936 में अखिल भारतीय किसान सभा (AIKS) की स्थापना में भी महत्वपूर्ण भूमिका निभाई थी। उनका नेतृत्व किसानों में जमींदारी प्रथा के विरुद्ध चेतना जाग्रत करने में अत्यंत प्रभावशाली रहा।

पिछले प्रश्न-पत्र

National Testing Agency (NTA)

UGC-NET जूनियर रिसर्च फैलोशिप तथा सहायक प्राध्यापक पात्रता परीक्षा

राजनीति विज्ञान, सितम्बर-2024

(Exam held on 04-09-2024)

प्रश्न-पत्र-II

1. गलत कथनों की पहचान करें।

(*a*) जैक्स देरिदा ने 'स्पेक्टर्स ऑफ मार्क्स' पुस्तक लिखी।

(*b*) दीनदयाल उपाध्याय ने एकात्म मानववाद के विचार का विरोध किया।

(*c*) संघवाद को भारतीय संविधान निर्माताओं द्वारा ब्रिटिश संविधान से गृहित किया गया था।

(*d*) आसिफ अली जरदारी पाकिस्तान के राष्ट्रपति हैं।

(*e*) पंचायती राज प्रणाली ने भारत में महिलाओं के लिए 15% आरक्षण उपलब्ध कराया है।

नीचे दिए गए विकल्पों में से **सही** उत्तर का चयन कीजिए :

A. केवल (*a*), (*b*), (*c*), (*d*)

B. केवल (*b*), (*c*), (*d*), (*e*)

C. केवल (*b*), (*c*), (*e*)

D. (*a*), (*b*), (*c*), (*d*), (*e*)

2. वर्तमान दलाई लामा भारत में कब आए?

A. 1959 B. 1960

C. 1961 D. 1963

3. 'डेमोक्रेसी, ब्यूरोक्रेसी और हाइपोक्रिसी' पुस्तक किसने लिखी?

A. फ्रेड रिग्स B. ड्वाईड वाल्डो

C. रेनिन लाइकर्ट D. अब्राहम मैस्लो

4. भारतीय संविधान में मौलिक कर्तव्यों के सम्बन्ध में निम्नलिखित कथनों को सावधानीपूर्वक पढ़ें और गलत कथनों का चयन करें।

(*a*) मौलिक कर्तव्यों को 44वें संविधान संशोधन द्वारा जोड़ा गया था।

(*b*) संसद मौलिक कर्तव्यों में संशोधन नहीं कर सकती।

(*c*) मौलिक कर्तव्यों को रिटों के माध्यम से प्रवर्तित किया जा सकता है।

(*d*) अनुच्छेद 51A में ग्यारह मौलिक कर्तव्य हैं।

(*e*) अंतर्राष्ट्रीय शांति और सुरक्षा का प्रोत्साहन एक महत्वपूर्ण मौलिक कर्तव्य है।

नीचे दिए गए विकल्पों में से **सही** उत्तर का चयन कीजिए :

A. केवल (*b*), (*c*), (*d*)

B. केवल (*a*), (*b*), (*c*), (*e*)

C. केवल (*b*), (*d*), (*e*)

D. (*a*), (*b*), (*c*), (*d*), (*e*)

5. सही कथनों की पहचान करें।

(*a*) आठवाँ सार्क शिखर सम्मेलन 1995 में नई दिल्ली में आयोजित हुआ था।

(*b*) 1989 को ड्रग दुर्व्यसन और ड्रग अवैध-व्यापार के विरुद्ध युद्ध का सार्क वर्ष संज्ञापित किया गया था।

(*c*) यूएस राष्ट्रपति बराक ओबामा की हत्या का प्रयास उनके कार्यकाल के दौरान हुआ।

(*d*) बिलावल भुट्टो जरदारी पाकिस्तान के प्रधानमंत्री मार्च, 2024 में बने।

(*e*) सार्क प्रिफेरेंशियल ट्रेडिंग अरेंजमेंट पर 11 अप्रैल, 1993 में हस्ताक्षर किए गए।

नीचे दिए गए विकल्पों में से **सही** उत्तर का चयन कीजिए :

A. केवल (*a*), (*b*), (*c*)

B. केवल (*b*), (*c*), (*d*)

C. केवल (*c*) और (*d*)

D. केवल (*a*), (*b*) और (*e*)

6. उग्र मानववाद की धारणा किसने दी?

A. महात्मा गाँधी

B. राजा राममोहन राय

C. स्वामी विवेकानंद

D. एम.एन. राय

7. किस वर्ष में ज्योतिबा फुले ने पूना में बालिका विद्यालय की शुरूआत की?

A. 1850 B. 1851

C. 1950 D. 1852

8. निम्नलिखित में से सही कथनों की खोज करें।

(*a*) योजना आयोग के समान नीति आयोग को भी भारत सरकार के एक कार्यकारी प्रस्ताव द्वारा गठित किया गया था।

(*b*) ग्राहक संरक्षण अधिनियम, 2023 ने पहले के ग्राहक संरक्षण अधिनियम, 1986 को निरस्त और प्रतिस्थापित कर दिया है।

(*c*) नागरिकों की शिकायतों के निबारण के लिए विश्व में सबसे पहला लोकतांत्रिक संस्थान रूस का ऑम्बड्समैन है।

(*d*) भारत के प्रथम प्रशासनिक सुधार आयोग (एआरसी) ने लोकपाल और लोकायुक्त के गठन की अनुशंसा की।

(*e*) भारत के प्रथम एआरसी के अध्यक्ष मोरारजी देसाई थे।

नीचे दिए गए विकल्पों में से **सही** उत्तर का चयन कीजिए :

A. केवल (*a*), (*b*), (*c*), (*e*)

B. केवल (*a*), (*c*), (*d*), (*e*)

C. केवल (*a*), (*d*), (*e*)

D. केवल (*b*), (*c*), (*d*), (*e*)

9. निम्नलिखित भाषाओं को भारत सरकार द्वारा शास्त्रीय भाषा के रूप में दर्जा देने के कालानुक्रमानुसार व्यवस्थित करें।

(*a*) कन्नड़ (*b*) उड़िया

(*c*) तमिल (*d*) संस्कृत

(*e*) मलयालम

नीचे दिए गए विकल्पों में से **सही** उत्तर का चयन कीजिए :

A. (*e*), (*d*), (*c*), (*b*), (*a*)

B. (*d*), (*c*), (*a*), (*e*), (*b*)

C. (*c*), (*d*), (*a*), (*e*), (*b*)

D. (*b*), (*a*), (*d*), (*e*), (*c*)

10. सही कथनों को पहचानें।

(*a*) चाईनीज कम्युनिस्ट पार्टी (सीसीपी) काडर-आधारित दल का उदाहरण है।

(*b*) ओटो किर्छेईमर 'कैच-ऑल पार्टीज' के लिए तर्क देते हैं।

(*c*) ओटो किर्छेईमर यूएस रिपब्लिकन और डेमोक्रेटिक दलों को कैच-ऑल पार्टीज की श्रेणी में रखते हैं।

(*d*) एंथनी डाउंस राजनेताओं को शक्ति की चाह रखने वाले प्राणी के रूप में चित्रित करते हैं जो किसी भी नीतियों को ग्रहण करने के इच्छुक होते हैं जो उन्हें चुनावी सफलता दिला सकती हैं।

(*e*) थॉमस जेफरसन यूबे डिक्लेरेशन ऑफ फ्रीडम के प्रधान रचनाकार थे।

नीचे दिए गए विकल्पों में से **सही** उत्तर का चयन कीजिए :

A. केवल (*a*), (*b*), (*c*), (*e*)

B. केवल (*b*), (*c*), (*d*), (*e*)

C. केवल (*a*), (*b*), (*c*), (*d*)

D. (*a*), (*b*), (*c*), (*d*), (*e*)

11. 'डीप इकोलॉजी' (गहन पारिस्थितिकी) शब्द की खोज किसने की?

A. आर्ने नैस B. कैरोलिन मर्चेंट

C. रैचेल कार्सन D. मुर्रे बुकेहिन

12. अब्राहम मैस्लो के सन्दर्भ में सही की पहचान करें।

(*a*) आदर की आवश्यकताएँ

(*b*) आत्म-प्रत्यक्षीकरण

(*c*) अपनेपन की आवश्यकताएँ

(*d*) सुरक्षा की आवश्यकताएँ

(*e*) मनोरंजन की आवश्यकताएँ

नीचे दिए गए विकल्पों में से **सही** उत्तर का चयन कीजिए :

A. केवल (*a*), (*b*), (*c*), (*e*)

B. केवल (*c*), (*d*), (*e*)

C. केवल (*b*), (*d*), (*e*)

D. केवल (*a*), (*b*), (*c*), (*d*)

13. राजनैतिक सिद्धांतकारों के संबंध में सही कथनों का चयन करें।

(*a*) मैरी वॉलस्टोनक्राफ्ट ने स्त्रियों के समान अधिकारों पर बल दिया।

(*b*) हना अरेंड्ट ने सर्वाधिकारवाद के मूल में नाजीवाद और स्तालिनवाद दोनों का परीक्षण किया।

(*c*) एंटोनियो ग्राम्शी ने प्रसिद्ध पुस्तक 'ऑन पीपुल्स डेमोक्रेटिक डिक्टेटरशिप' लिखी।

(*d*) फ्रान्ज फेनन ने प्रसिद्ध पुस्तक 'ब्लैक स्किन, व्हाइट मास्क्स' लिखी।

(*e*) अपनी प्रसिद्ध पुस्तक 'पॉलिटिक्स अमंग नेशन्स' में अरस्तू ने मिश्रित सरकार प्रणाली का पक्ष-समर्थन किया।

नीचे दिए गए विकल्पों में से **सही** उत्तर का चयन कीजिए :

A. (*a*), (*b*), (*c*), (*d*), (*e*)

B. केवल (*a*), (*b*), (*c*), (*e*)

C. केवल (*b*), (*c*), (*d*)

D. केवल (*a*), (*b*), (*d*)

14. सूची-I के साथ सूची-II का मिलान कीजिए :

सूची-I (राज्यों का निर्माण)	सूची-II (निर्माण का वर्ष)
(*a*) झारखण्ड	I. 2014
(*b*) तेलंगाना	II. 1987
(*c*) गोवा	III. 2000
(*d*) सिक्किम	IV. 1975

नीचे दिए गए विकल्पों में से **सही** उत्तर का चयन कीजिए :

	(*a*)	(*b*)	(*c*)	(*d*)
A.	II	III	IV	I
B.	III	I	II	IV
C.	IV	II	I	III
D.	I	II	III	IV

15. सही कथनों का चयन करें।

(*a*) यूएन ने 1975 को अंतर्राष्ट्रीय महिला वर्ष के रूप में घोषणा की।

(*b*) बी.एन. राव समिति ने हिन्दू कोड बिल का प्रथम प्रारूप तैयार किया।

(*c*) कबीर प्राचीन भारत के एक समाज सुधारक थे।

(*d*) सुन्दरलाल बहुगुणा चिपको आन्दोलन में लोकप्रिय हुए।

(*e*) सुभाष चन्द्र बोस ने इंडिपेंडेंट लेबर पार्टी को 1936 में बनाया।

नीचे दिए गए विकल्पों में से **सही** उत्तर का चयन कीजिए :

A. केवल (*a*), (*b*), (*c*), (*d*)

B. केवल (*b*), (*c*), (*e*)

C. केवल (*a*), (*b*), (*d*)

D. (*a*), (*b*), (*c*), (*d*), (*e*)

16. गेब्रियल आमंड ने प्रभाव समूह (प्रेशर ग्रुप) को भिन्न श्रेणियों में वर्गीकृत किया। सही को पहचानें।

(*a*) साहचार्यत्मक समूह

(*b*) गैर-साहचार्यत्मक समूह

(*c*) संस्थानात्मक समूह

(*d*) एनोमिक समूह

(*e*) गैर-एनोमिक समूह

नीचे दिए गए विकल्पों में से **सही** उत्तर का चयन कीजिए :

A. केवल (*a*), (*b*), (*e*)
B. केवल (*a*), (*b*), (*e*)
C. केवल (*a*), (*c*), (*d*), (*e*)
D. केवल (*a*), (*b*), (*c*), (*d*)

17. निम्नलिखित घटनाओं को कालानुक्रमिक रूप से व्यवस्थित करें।

(*a*) असहयोग आन्दोलन
(*b*) सविनय अवज्ञा आन्दोलन
(*c*) लाहौर सम्मेलन में कांग्रेस द्वारा 'पूर्ण स्वराज' को लक्ष्य रूप में स्वीकार किया गया।
(*d*) चंपारण आन्दोलन
(*e*) खेड़ा (गुजरात) में कृषक आन्दोलन और अहमदाबाद में श्रमिक आन्दोलन

नीचे दिए गए विकल्पों में से **सही** उत्तर का चयन कीजिए :

A. (*b*), (*d*), (*a*), (*e*), (*c*)
B. (*a*), (*b*), (*c*), (*d*), (*e*)
C. (*e*), (*d*), (*a*), (*b*), (*c*)
D. (*d*), (*e*), (*a*), (*c*), (*b*)

18. किस अमरीकी राष्ट्रपति को जापान और रूस के बीच मध्यस्थता के उनके प्रयासों के लिए 'शांति का नोबेल पुरस्कार' दिया गया?

A. रोनाल्ड रीगन B. जॉन एफ. केनेडी
C. जॉर्ज डब्ल्यू. बुश D. थियोडोर रूजवेल्ट

19. यूनाइटेड नेशन्स से संबंधित निम्नलिखित घटनाओं को कालानुक्रम में व्यवस्थित करें।

(*a*) यूएन शांति रक्षक साइप्रस भेजे गए।
(*b*) यूएन शांतिरक्षक आयोग की स्थापना।
(*c*) पहला यूएन शांतिरक्षक बल स्वेज नहर भेजा गया।
(*d*) महासभा ने सतत विकास लक्ष्यों (एसडीजी) को अंगीकृत किया।
(*e*) यूएन हाई कमीशन फॉर रिफ्यूजीज (यूएनएचसीआर) की स्थापना।

नीचे दिए गए विकल्पों में से **सही** उत्तर का चयन कीजिए :

A. (*e*), (*d*), (*c*), (*b*), (*a*)
B. (*b*), (*d*), (*a*), (*e*), (*c*)
C. (*e*), (*c*), (*a*), (*b*), (*d*)
D. (*c*), (*a*), (*d*), (*e*), (*b*)

20. किस प्रधानमंत्री के अंतर्गत 73वें और 74वें संविधान संशोधन एक्ट पारित हुए?

A. वी.पी. सिंह
B. मोरारजी देसाई
C. अटल बिहारी वाजपेयी
D. पी.वी. नरसिम्हा राव

21. किस वर्ष में बर्मा को ब्रिटिश भारत से अलग किया गया?

A. 1915 B. 1917
C. 1923 D. 1937

22. 'लिंकिंग पिन मॉडल' की धारणा की कल्पना किसने की?

A. एल्टन मायो B. फ्रेड रिग्स
C. रेनिस लाइकर्ट D. वुडरो विल्सन

23. कौन-से राजनीतिज्ञ दो राज्यों के मुख्यमंत्री बन चुके हैं?

A. एन.डी. तिवारी B. शरद पवार
C. ज्योति बसु D. कर्पूरी ठाकुर

24. किस अमेरिकी राष्ट्रपति ने प्रथम विश्वयुद्ध के पश्चात् शांति के आधार के रूप में 'चौदह बिन्दुओं की व्यवस्था दी?

A. थियोडोर रूजवेल्ट
B. जेम्स मेडिसन
C. मिलार्ड फिल्मोर
D. वुडरो विल्सन

25. जनता पार्टी के शासन के दौरान लोकसभा का अध्यक्ष कौन था?

A. बलिराम भगत B. के.डी. हेगड़े
C. बलराम जाखड़ D. शिवराज पाटिल

26. निम्नलिखित भारतीय प्रधानमंत्रियों को उनके कार्यकाल के अनुसार कालानुक्रम में व्यवस्थित करें।

(*a*) चन्द्रशेखर
(*b*) एच.डी. देवेगौड़ा
(*c*) विश्वनाथ प्रताप सिंह
(*d*) चरण सिंह
(*e*) मोरारजी देसाई

नीचे दिए गए विकल्पों में से **सही** उत्तर का चयन कीजिए :

A. (*e*), (*d*), (*a*), (*b*), (*c*)
B. (*e*), (*d*), (*c*), (*a*), (*b*)
C. (*a*), (*b*), (*c*), (*d*), (*e*)
D. (*e*), (*c*), (*d*), (*b*), (*a*)

27. भारत के निम्नलिखित आयोगों को उनके गठन के वर्ष के अनुसार कालानुक्रम में व्यवस्थित करें।

(*a*) राष्ट्रीय अल्पसंख्यक आयोग
(*b*) राष्ट्रीय अनुसूचित जाति आयोग
(*c*) केन्द्रीय सूचना आयोग
(*d*) राष्ट्रीय बाल अधिकार संरक्षण आयोग
(*e*) राष्ट्रीय महिला आयोग

नीचे दिए गए विकल्पों में से **सही** उत्तर का चयन कीजिए :

A. (*e*), (*a*), (*b*), (*c*), (*d*)
B. (*e*), (*b*), (*a*), (*d*), (*c*)
C. (*a*), (*b*), (*c*), (*d*), (*e*)
D. (*c*), (*b*), (*a*), (*d*), (*e*)

28. निम्नलिखित उच्च न्यायालयों को उनकी स्थापना के कालानुक्रम में व्यवस्थित करें।

(*a*) मणिपुर (*b*) गुजरात
(*c*) मध्य प्रदेश (*d*) राजस्थान
(*e*) सिक्किम

नीचे दिए गए विकल्पों में से **सही** उत्तर का चयन कीजिए :

A. (*a*), (*b*), (*c*), (*d*), (*e*)
B. (*d*), (*b*), (*a*), (*c*), (*e*)
C. (*e*), (*a*), (*b*), (*c*), (*d*)
D. (*d*), (*c*), (*b*), (*e*), (*a*)

29. सूची-I के साथ सूची-II का मिलान कीजिए :

सूची-I (पुस्तक)	सूची-II (लेखक)
(*a*) अ थ्योरी ऑफ जस्टिस	I. जॉन राल्स
(*b*) फिलोसॉफी ऑफ राईट	II. जर्गेन हेबरमास
(*c*) टुवर्ड्स अ रेशनल सोसाइटी	III. ब्लादिमिर इल्यिख लेनिन
(*d*) स्टेट एण्ड रिवोल्यूशन	IV. फ्रेडरिक हेगेल

नीचे दिए गए विकल्पों में से **सही** उत्तर का चयन कीजिए :

	(*a*)	(*b*)	(*c*)	(*d*)
A.	I	II	III	IV
B.	IV	III	II	I
C.	III	II	IV	I
D.	I	IV	II	III

30. भारतीय संविधान का कौन-सा अनुच्छेद 'अनुसूचित क्षेत्र' कहलाने वाले कुछ निश्चित क्षेत्रों के प्रशासन के लिए विशेष प्रावधान करता है?

A. अनुच्छेद 249 B. अनुच्छेद 244 (1)
C. अनुच्छेद 253 D. अनुच्छेद 259

31. भारतीय संविधान के सन्दर्भ में सही कथनों का चयन करें।

(*a*) राज्यपाल को प्रधानमंत्री द्वारा नियुक्त किया जाता है।
(*b*) अटॉर्नी जनरल को राष्ट्रपति द्वारा नियुक्त किया जाता है।
(*c*) यूपीएससी के अध्यक्ष को राष्ट्रपति द्वारा नियुक्त किया जाता है।
(*d*) सर्वोच्च न्यायालय के न्यायाधीशों को राष्ट्रपति द्वारा नियुक्त किया जाता है।
(*e*) उच्च न्यायालय के न्यायाधीशों को राज्यपाल द्वारा नियुक्त किया जाता है।

नीचे दिए गए विकल्पों में से **सही** उत्तर का चयन कीजिए :

A. केवल (*b*), (*c*), (*d*), (*e*)
B. केवल (*b*), (*c*), (*d*)

C. केवल (*c*), (*d*), (*e*)
D. केवल (*a*), (*b*), (*d*), (*e*)

32. निम्नलिखित भारतीय संविधानों को कालानुक्रमिक रूप में व्यवस्थित करें।

(*a*) प्रस्तावना में संशोधन कर 'राष्ट्र की एकता और अखंडता' को जोड़ना
(*b*) भारतीय संविधान की 8वीं अनुसूची में भाषा के रूप में मैथिली को जोड़ना
(*c*) भारतीय संविधान की 8वीं अनुसूची में भाषा के रूप में कोंकणी को जोड़ना
(*d*) अनुच्छेद 243 ZH के रूप में सहकारी समितियों को जोड़ना
(*e*) महिला आरक्षण अधिनियम

नीचे दिए गए विकल्पों में से **सही** उत्तर का चयन कीजिए :

A. (*a*), (*b*), (*c*), (*d*), (*e*)
B. (*b*), (*c*), (*a*), (*e*), (*d*)
C. (*c*), (*d*), (*e*), (*b*), (*a*)
D. (*a*), (*c*), (*b*), (*d*), (*e*)

33. सूची-I के साथ सूची-II का मिलान कीजिए :

सूची-I (लेखक)	**सूची-II** (पुस्तक)
(*a*) डेविड एप्टर	I. कम्पेरेटिव पॉलिटिक्स : अ डेवेलपमेंट अप्रोच
(*b*) वाल्टर बेजहॉट	II. ऐन इंट्रोडक्शन टू कम्पेरेटिव गवर्नमेंट
(*c*) ज्यां ब्लोंडेल	III. इंग्लिश कॉन्स्टीट्यूशन
(*d*) आमंड और पॉवेल	IV. द पॉलिटिक्स ऑफ मॉडर्नाइजेशन

नीचे दिए गए विकल्पों में से **सही** उत्तर का चयन कीजिए :

	(*a*)	(*b*)	(*c*)	(*d*)
A.	I	II	III	IV
B.	II	I	IV	III
C.	III	IV	I	II
D.	IV	III	II	I

34. सूची-I के साथ सूची-II का मिलान कीजिए :

सूची-I (पुस्तक)	**सूची-II** (लेखक)
(*a*) गवर्नमेंट बाई कमिटी	I. डब्ल्यू. एच. मौरिस जोन्स
(*b*) पार्लियामेंट इन इंडिया	II. रामसे मूर
(*c*) हाऊ ब्रिटेन इज गवर्नड	III. के.सी. व्हीयर
(*d*) मुसोलिनीज इटली	IV. हर्मन फाईनर

नीचे दिए गए विकल्पों में से **सही** उत्तर का चयन कीजिए :

	(*a*)	(*b*)	(*c*)	(*d*)
A.	I	III	IV	II
B.	II	IV	III	I
C.	III	I	II	IV
D.	IV	II	I	III

35. विकेंद्रीकरण के 'चौखम्बा मॉडल' को किसने प्रस्तावित किया?

A. राम मनोहर लोहिया
B. जय प्रकाश नारायण
C. जवाहर लाल नेहरू
D. बी.आर. अम्बेडकर

36. न्यायिक प्रणाली के सन्दर्भ में निम्नलिखित कथनों पर विचार करें और सही उत्तर का चयन करें।

(*a*) सुप्रीम कोर्ट ऑफ कनाडा में नृजातीय और धार्मिक संतुलन सुनिश्चित करने के लिए क्यूबेक प्रोविंस से तीन न्यायाधीश हैं।
(*b*) फेडरल कॉन्स्टीट्यूशनल कोर्ट ऑफ जर्मनी के कुछ न्यायाधीश बुंडेस्टाग और बुंडेस्त्राट द्वारा निर्वाचित किए जाते हैं।
(*c*) यूनाइटेड स्टेट्स में, न्यायाधीशों को हाउस ऑफ लार्ड्स द्वारा नामित और सीनेट द्वारा अभिपुष्टि किया जाता है।
(*d*) 1787 के यूएस संविधान ने न्यायिक पुनर्विचार को सुस्पष्ट रूप से शामिल नहीं किया।
(*e*) भारत में न्यायिक पुनर्विचार की शक्ति का जन्म मार्बरी बनाम मेडिसन के अग्रणी मामले में हुआ।

नीचे दिए गए विकल्पों में से **सही** उत्तर का चयन कीजिए :

A. केवल (*a*), (*b*), (*c*), (*d*)
B. केवल (*b*), (*c*), (*d*), (*e*)
C. केवल (*a*), (*b*), (*d*)
D. केवल (*a*), (*c*), (*d*), (*e*)

37. 'मूक नायक' समाचार-पत्र को प्रकाशित किया था :

A. महात्मा गाँधी
B. डॉ. बी.आर. अम्बेडकर
C. एम.एन. रॉय
D. गोपाल कृष्ण गोखले

38. 1924 में 'बहिष्कृत हितकारिणी सभा' की स्थापना किसने की?

A. वी.डी. सावरकर B. दादाभाई नौरोजी
C. बी.आर. अम्बेडकर D. महात्मा गाँधी

39. सूची-I के साथ सूची-II का मिलान कीजिए :

सूची-I (क्षेत्रीय संगठन)	**सूची-II (स्थापना का वर्ष)**
(*a*) नॉर्थ अमेरिकन फ्री ट्रेड एग्रीमेंट	I. 1991
(*b*) एशिया पैसिफिक इकोनॉमिक कोऑपरेशन	II. 1994
(*c*) मर्कोसुर	III. 1993
(*d*) फ्री ट्रेड एरिया ऑफ द अमेरिकास	IV. 1989

नीचे दिए गए विकल्पों में से **सही** उत्तर का चयन कीजिए :

	(*a*)	(*b*)	(*c*)	(*d*)
A.	IV	II	III	I
B.	III	IV	I	II
C.	I	II	III	IV
D.	II	I	IV	III

40. भारत में लोकसभा अध्यक्ष ने 1954 में निम्नलिखित मुद्दे के परीक्षण के लिए पटास्कर समिति की नियुक्ति की?

A. पंचायती राज B. मूल कर्तव्य
C. प्रदत्त विधायन D. धन विधेयक

41. सूची-I के साथ सूची-II का मिलान कीजिए :

सूची-I (लोकसभा में निर्वाचित महिलाओं की संख्या)	**सूची-II (संसदीय चुनाव)**
(*a*) 22	I. सातवाँ (1980)
(*b*) 28	II. पांचवाँ (1971)
(*c*) 28	III. पन्द्रहवाँ (2009)
(*d*) 59	IV. नवां (1989)

नीचे दिए गए विकल्पों में से **सही** उत्तर का चयन कीजिए :

	(*a*)	(*b*)	(*c*)	(*d*)
A.	I	III	II	IV
B.	II	I	IV	III
C.	IV	II	III	I
D.	III	IV	I	II

42. निम्नलिखित लोकसभा अध्यक्षों को उनके कार्यकाल के अनुसार कालानुक्रम में व्यवस्थित करें।

(*a*) गणेश वासुदेव मावलंकर
(*b*) पी.ए. संगमा
(*c*) ओम बिड़ला
(*d*) नीलम संजीव रेड्डी
(*e*) सुश्री मीरा कुमार

नीचे दिए गए विकल्पों में से **सही** उत्तर का चयन कीजिए :

A. (*a*), (*b*), (*c*), (*d*), (*e*)
B. (*a*), (*d*), (*b*), (*e*), (*c*)
C. (*e*), (*a*), (*b*), (*c*), (*d*)
D. (*d*), (*a*), (*b*), (*e*), (*c*)

43. भारत के प्रथम मुख्य निर्वाचन आयुक्त कौन थे?

A. एस.पी. सेन वर्मा B. एस.एल. शकधर
C. सुकुमार सेन D. टी.एन. शेषन

44. किसने हिंदुत्व की विचारधारा के शास्त्रीय ग्रंथों में 'पितृभू' (फादरलैंड) और 'पुण्यभू' (होलीलैंड) के विचारों को प्रस्तावित किया।

A. एम.एन. रॉय
B. जय प्रकाश नारायण
C. विनायक दामोदर सावरकर
D. महात्मा गाँधी

45. सूची-I के साथ सूची-II का मिलान कीजिए :

सूची-I (सार्क के सेक्रेटरी जनरल)	सूची-II (कार्यकाल)
(*a*) अबुल अहसान	I. अक्टूबर 15, 1989 - जनवरी 16, 1997
(*b*) यादव कान्त सिलवाल	II. जनवरी 1, 1994 - दिसम्बर 31, 1995
(*c*) नईम यू. हसन	III. जनवरी 1, 1996 - दिसम्बर 31, 1998
(*d*) शील कान्त शर्मा	IV. मार्च 1, 2008 - फरवरी 28, 2011

नीचे दिए गए विकल्पों में से **सही** उत्तर का चयन कीजिए :

	(*a*)	(*b*)	(*c*)	(*d*)
A.	IV	III	II	I
B.	I	II	III	IV
C.	III	I	II	IV
D.	II	IV	III	I

46. सूची-I के साथ सूची-II का मिलान कीजिए :

सूची-I (राष्ट्रपति शासन वाले राज्य)	सूची-II (कार्यकाल)
(*a*) आंध्र प्रदेश	I. 30.6.1981 - 13.1.1982
(*b*) असम	II. 15.12.1992 - 3.12.1993
(*c*) हिमाचल प्रदेश	III. 18.3.2016 - 6.5.2016
(*d*) उत्तराखंड	IV. 18.01.73 - 10.12.1973

नीचे दिए गए विकल्पों में से **सही** उत्तर का चयन कीजिए :

	(*a*)	(*b*)	(*c*)	(*d*)
A.	IV	I	II	III
B.	III	II	I	IV
C.	I	IV	III	II
D.	I	II	III	IV

47. यूएन महासचिवों को उनके कार्यकाल के कालानुक्रम में व्यवस्थित करें।

(*a*) बुतरस-बुतरस-घाली

(*b*) बान-की-मून

(*c*) यू थांट

(*d*) कोफी ए. अन्नान

(*e*) कुर्त वाल्दहीम

नीचे दिए गए विकल्पों में से **सही** उत्तर का चयन कीजिए :

A. (*c*), (*a*), (*e*), (*b*), (*d*)
B. (*a*), (*b*), (*c*), (*d*), (*e*)
C. (*c*), (*e*), (*a*), (*d*), (*b*)
D. (*e*), (*b*), (*c*), (*d*), (*a*)

48. यूनाइटेड स्टेट्स की डेमोक्रेटिक पार्टी की स्थापना हुई थी :

A. 1779 B. 1803
C. 1828 D. 1901

49. फ्रेड रिग्स ने भिन्न देशों के प्रशासनिक तंत्रों को विश्लेषित करने के किन आदर्श प्रतिरूपों को विकसित किया?

(*a*) फ्यूज्ड

(*b*) फोकस्ड

(*c*) प्रिज्मैटिक

(*d*) रेनबो

(*e*) डिफ्रैक्टेड

नीचे दिए गए विकल्पों में से **सही** उत्तर का चयन कीजिए :

A. केवल (*a*), (*b*), (*c*)
B. केवल (*a*), (*b*), (*c*), (*d*)
C. केवल (*a*), (*c*), (*e*)
D. (*a*), (*b*), (*c*), (*d*), (*e*)

50. किस नागा रानी ने महात्मा गाँधी के आह्वान पर प्रतिक्रिया दी और ब्रिटिश शासन के विरोध में क्रान्ति का झंडा बुलंद किया?

A. कनकलता बरूआ B. रानी गाइडिन्ल्यू
C. चन्द्रप्रभा सैकनी D. लल्लू रोपुईलियानी

51. निम्नलिखित राजनैतिक दलों (गठन के वर्ष) को कालानुक्रम में व्यवस्थित करें।

(*a*) जनता दल (यू)

(*b*) आल इण्डिया तृणमूल कांग्रेस

(*c*) तेलुगू देशम पार्टी

(*d*) असम गण परिषद्

(*e*) द्रविड़ मुनेत्र कड़गम

नीचे दिए गए विकल्पों में से **सही** उत्तर का चयन कीजिए :

A. (*a*), (*b*), (*c*), (*d*), (*e*)
B. (*b*), (*e*), (*c*), (*d*), (*a*)
C. (*e*), (*c*), (*d*), (*b*), (*a*)
D. (*d*), (*a*), (*b*), (*c*), (*e*)

52. राज्य नीति के निदेशक सिद्धांत के लागू करने से संबंधित अधिनियमों को कालानुक्रमिक रूप में व्यवस्थित करें।

(*a*) बंधुआ मजदूर प्रणाली उन्मूलन अधिनियम

(*b*) बालक श्रम प्रतिषेध और विनियमन अधिनियम

(*c*) ट्रेड यूनियन एक्ट

(*d*) न्यूनतम मजदूरी अधिनियम

(*e*) खान अधिनियम

नीचे दिए गए विकल्पों में से **सही** उत्तर का चयन कीजिए :

A. (*a*), (*b*), (*c*), (*d*), (*e*)
B. (*c*), (*e*), (*d*), (*b*), (*a*)
C. (*b*), (*e*), (*d*), (*c*), (*a*)
D. (*c*), (*d*), (*e*), (*a*), (*b*)

53. किसने कहा?

"प्रबंधन के मामलों में कुछ भी निरपेक्ष नहीं है, यदा-कदा ही हमें एकसमान स्थितियों में समान सिद्धांत दो बार लागू करना होता है : भिन्न परिवर्तनीय परिस्थितियों के लिए छूट दी जानी चाहिए।"

A. मैक्स वेबर

B. पीटर ड्रकर

C. बर्ट्राम ग्रोस

D. हेनरी फेयोल

54. निम्नलिखित में से कौन-से यूएस राष्ट्रपति 1868 में अमेरिकन कांग्रेस महाभियोग कार्यवाहियों में एक वोट से बचे?

A. एंड्रयू जॉनसन B. अब्राहम लिंकन
C. जेम्स मेडिसन D. वुडरो विल्सन

55. सही कथनों की पहचान करें।

(*a*) सातवें सार्क शिखर-सम्मेलन में गरीबी उन्मूलन पर सर्वसम्मति को अंगीकृत किया गया था।

(*b*) ग्युसिपे मेजिनी ने 'ऑन नेशनेलिटी' पुस्तक लिखी।

(*c*) वी.डी. सावरकर ने 'अभिनव भारत' समाज की स्थापना नहीं की।

(*d*) जर्गेन हेबरमास फ्रैंकफर्ट स्कूल की 'दूसरी पीढ़ी' के अग्रणी प्रतिपादक हैं।

(*e*) भारत ने संयुक्त राज्य अमेरिका से योजना-निर्माण प्रक्रिया को अपनाया।

नीचे दिए गए विकल्पों में से **सही** उत्तर का चयन कीजिए :

A. केवल (*b*), (*c*), (*d*), (*e*)

B. केवल (*c*), (*e*)

C. केवल (*a*), (*b*), (*d*)

D. केवल (*a*), (*b*), (*c*), (*d*)

56. किस भारतीय राष्ट्रपति ने जीर्णोद्धार किए गए सोमनाथ मंदिर का उद्घाटन किया?

A. राजेन्द्र प्रसाद

B. ज्ञानी जैल सिंह

C. नीलम संजीव रेड्डी

D. राधाकृष्णन

57. सूची-I के साथ सूची-II का मिलान कीजिए :

सूची-I (क्षेत्रीय संगठन)	**सूची-II (स्थापना का वर्ष)**
(*a*) अफ्रीकन यूनियन	I. 1980
(*b*) लैटिन अमेरिकन इंटीग्रेशन एसोसिएशन	II. 2005
(*c*) ईस्ट एशिया समिट	III. 2002
(*d*) यूरेशियन इकोनॉमिक कम्युनिटी	IV. 2000

नीचे दिए गए विकल्पों में से **सही** उत्तर का चयन कीजिए :

	(*a*)	(*b*)	(*c*)	(*d*)
A.	II	III	IV	I
B.	III	I	II	IV
C.	I	II	IV	III
D.	IV	II	I	III

58. भारतीय संविधान से सम्बन्धित निम्नलिखित केसों को कालानुक्रम में व्यवस्थित करें।

(*a*) गोलकनाथ केस

(*b*) केशवानंद भारती केस

(*c*) मिनर्वा मिल्स केस

(*d*) ए.के. गोपालन केस

(*e*) इंदिरा साहनी केस

नीचे दिए गए विकल्पों में से **सही** उत्तर का चयन कीजिए :

A. (*a*), (*b*), (*c*), (*d*), (*e*)
B. (*d*), (*a*), (*b*), (*c*), (*e*)
C. (*e*), (*a*), (*b*), (*d*), (*c*)
D. (*e*), (*c*), (*d*), (*b*), (*a*)

59. भारत के 15वें वित्त आयोग के अध्यक्ष कौन थे?

A. एन.के. सिंह
B. ए.के. चन्दा
C. डॉ. राजमन्नार
D. मोंटेक सिंह अहलूवालिया

60. निम्नलिखित संज्ञापित सार्क वर्षों को कालानुक्रम में व्यवस्थित करें।

(*a*) सार्क ईयर ऑफ द यूथ

(*b*) सार्क ईयर ऑफ गर्ल - चाइल्ड

(*c*) सार्क ईयर ऑफ एन्वायरनमेंट

(*d*) सार्क ईयर ऑफ डिसेबल्ड पर्सन्स

(*e*) सार्क ईयर ऑफ पावर्टी इरैडिकेशन

नीचे दिए गए विकल्पों में से **सही** उत्तर का चयन कीजिए :

A. (*b*), (*d*), (*c*), (*e*), (*a*)
B. (*c*), (*a*), (*d*), (*e*), (*b*)
C. (*b*), (*c*), (*d*), (*a*), (*e*)
D. (*a*), (*b*), (*c*), (*d*), (*e*)

61. शिकागो में उस विश्व धर्म संसद के अध्यक्ष कौन थे जिसमें स्वामी विवेकानंद ने अपना प्रसिद्ध उद्‌बोधन दिया?

A. वुडरो विल्सन
B. पॉल ड्यूसेन
C. जॉन हेनरी बैरोज
D. लियो टॉल्स्टॉय

62. राजनैतिक विचारों के सम्बन्ध में सही कथनों का चयन करें।

(*a*) जॉन लॉक संवैधानिक सरकार के होने के हिमायती थे।

(*b*) मान्टेस्क्यू ने शक्तियों के पृथक्करण के रूप में नियंत्रण और संतुलन की प्रणाली का प्रस्ताव दिया जो कि 1787 में ब्रिटिश संविधान की महत्वपूर्ण विशेषता बना।

(*c*) जेरेमी बेन्थम ने अपने उपयोगितावाद के विचार को विकसित किया।

(*d*) जे.एस. मिल ने स्त्रियों के समावेशन के साथ लोकप्रिय सहभागिता के विस्तार के लिए तर्क दिया।

(*e*) थॉमस हॉब्स ने अपनी क्लासिकल रचना 'फिलोसाफी ऑफ राइट' में राजनैतिक बाध्यता के आधारों की चर्चा की।

नीचे दिए गए विकल्पों में से **सही** उत्तर का चयन कीजिए :

A. केवल (*b*), (*c*), (*d*), (*e*)
B. केवल (*a*), (*c*), (*d*)
C. केवल (*a*), (*b*), (*e*)
D. (*a*), (*b*), (*c*), (*d*), (*e*)

63. सूची-I के साथ सूची-II का मिलान कीजिए :

सूची-I (अंतर्राष्ट्रीय मानवाधिकार दस्तावेज)	**सूची-II (अधिनियम वर्ष)**
(*a*) शरणार्थियों की स्थिति से संबंधित सम्मेलन	I. 1975
(*b*) यातना पर घोषणा-पत्र	II. 1954
(*c*) बाल अधिकार पर सम्मेलन	III. 1990
(*d*) यूरोपियन यूनियन के मौलिक अधिकारों का अधिकार-पत्र	IV. 2000

नीचे दिए गए विकल्पों में से **सही** उत्तर का चयन कीजिए :

	(a)	(b)	(c)	(d)
A.	II	I	III	IV
B.	IV	III	I	II
C.	III	IV	II	I
D.	I	II	IV	III

64. तुलनात्मक राजनीति के सन्दर्भ में सही कथनों का चयन करें।

(*a*) पारंपरिक उपागम में मूल्यपरक अध्ययन पर बल दिया जाता है।

(*b*) व्यवहारात्मक उपागम एक महत्वपूर्ण पारम्परिक उपागम है।

(*c*) डेविड ईस्टन व्यवहार के अग्रणी सिद्धान्तकार हैं।

(*d*) डेविड-ईस्टन के आगत-निर्गत विश्लेषण में माँगों, समर्थनों और प्रतिपुष्टियों के रूप में तीन मुख्य परिवर्त्य (चर) होते हैं।

(*e*) राजनीतिक हत्या राजनीतिक विकास का एक महत्वपूर्ण सकारात्मक सूचक है।

नीचे दिए गए विकल्पों में से **सही** उत्तर का चयन कीजिए :

A. केवल (*b*), (*c*), (*e*)
B. (*a*), (*b*), (*c*), (*d*), (*e*)
C. केवल (*a*), (*b*), (*c*), (*d*)
D. केवल (*a*), (*c*), (*d*)

65. भारत में 42वां संविधान संशोधन अधिनियम पारित हुआ था :

A. 1974 B. 1973
C. 1976 D. 1979

66. अभिजात्य सिद्धांत के संबंध में सही कथनों का चयन करें।

(*a*) रॉबर्ट डाहल ने बहुतंत्रात्मक लोकतंत्र के संप्रत्यय का समर्थन किया।

(*b*) जॉन प्लेमेनात्ज ने तर्क दिया कि यदि लोगों की इच्छा मिथक हैं, तो 'अल्पसंख्यकों की इच्छा भी समान वर्ग में होती है।'

(*c*) गेटानो मोस्का ने अपनी क्लासिकल रचना 'द पॉलिटिकल पार्टीज' में अभिजात्य सिद्धांत के विचार का पक्ष-समर्थन किया।

(*d*) रॉबर्ट मिशेल्स ने 'अल्पतंत्र के लौह नियमों' के विचार का पक्ष-समर्थन किया।

(*e*) सी. राइट मिल्स ने अपनी पुस्तक 'द मैनेजेरिअल रिवोल्यूशन' में अभिजात्य शक्तियों के विचार का पक्ष-समर्थन किया।

नीचे दिए गए विकल्पों में से **सही** उत्तर का चयन कीजिए :

A. केवल (*a*), (*b*), (*c*)
B. केवल (*a*), (*b*), (*d*)
C. केवल (*a*), (*b*), (*c*), (*d*)
D. (*a*), (*b*), (*c*), (*d*), (*e*)

67. भारतीय संविधान के अनुच्छेद 15 पर विचार करें। राज्य किसी नागरिक के विरुद्ध इनमें से केवल किसके आधार पर विभेद नहीं करेगा?

(*a*) धर्म
(*b*) प्रजाति
(*c*) जाति
(*d*) लिंग
(*e*) जन्मस्थान

नीचे दिए गए विकल्पों में से **सही** उत्तर का चयन कीजिए :

A. केवल (*b*), (*c*)
B. केवल (*a*), (*c*), (*d*)
C. केवल (*b*), (*d*)
D. (*a*), (*b*), (*c*), (*d*), (*e*)

68. निम्नलिखित संधियों और समझौते को कालानुक्रम में व्यवस्थित करें।

(*a*) भारत और बांग्लादेश ने गंगा के जल के बँटवारे के लिए फरक्का संधि पर हस्ताक्षर किए।

(*b*) भारत और पाकिस्तान ने शिमला समझौते पर हस्ताक्षर किए।

(*c*) भारत और पाकिस्तान ने सिंधु जल पर हस्ताक्षर किए।

(*d*) प्रधानमंत्री अटल बिहारी वाजपेयी ने लाहौर तक की बस यात्रा की और घोषणापत्र पर हस्ताक्षर किए।
(*e*) भारत और पाकिस्तान ने ताशकंद समझौते पर हस्ताक्षर किए।

नीचे दिए गए विकल्पों में से **सही** उत्तर का चयन कीजिए :

A. (*a*), (*b*), (*c*), (*d*), (*e*)
B. (*c*), (*e*), (*b*), (*a*), (*d*)
C. (*c*), (*b*), (*a*), (*e*), (*d*)
D. (*e*), (*c*), (*b*), (*a*), (*d*)

69. किस वर्ष में, स्वामी विवेकानंद ने वेदांत के शिक्षण के लिए 'ब्रह्मवादिनी' आवधिक पत्रिका की शुरूआत की?

A. 1895 B. 1897
C. 1890 D. 1901

70. जवाहरलाल नेहरू के बाद, निम्नलिखित में से कौन-सा नेता दो लगातार पूर्ण कार्यकाल को पूरा करने के बाद तीसरी बार भारत के प्रधानमंत्री बने?

A. इंदिरा गाँधी B. डॉ. मनमोहन सिंह
C. नरेंद्र मोदी D. मोरारजी देसाई

71. सूची-I के साथ सूची-II का मिलान कीजिए :

सूची-I (यूनाईटेड नेशन्स की घटनाएँ)	सूची-II (वर्ष)
(*a*) त्रिग्वे ली को महासचिव नियुक्त किया गया	I. 1964
(*b*) कोफी अन्नान को महासचिव नियुक्त किया गया	II. 1950
(*c*) यूएन शांतिरक्षक साइप्रस भेजे गए	III. 1946
(*d*) शरणार्थियों के लिए यूएन उच्चायुक्त की स्थापना की गई	IV. 1997

नीचे दिए गए विकल्पों में से **सही** उत्तर का चयन कीजिए :

	(*a*)	(*b*)	(*c*)	(*d*)
A.	IV	III	II	I
B.	I	IV	II	III
C.	II	I	III	IV
D.	III	IV	I	II

72. निम्नलिखित पुस्तकों को कालानुक्रम (प्रथम प्रकाशन का वर्ष) में व्यवस्थित करें।

(*a*) द एंड ऑफ हिस्ट्री एंड द लास्ट मैन
(*b*) मैन, द स्टेट एंड वार
(*c*) पॉलिटिक्स एमंग नेशन्स : द स्ट्रगल फॉर पावर एंड पीस
(*d*) द सेकेण्ड सेक्स
(*e*) द क्लैश ऑफ सिविलाइजेशन एंड द रीमेकिंग ऑफ वर्ल्ड ऑर्डर

नीचे दिए गए विकल्पों में से **सही** उत्तर का चयन कीजिए :

A. (*c*), (*b*), (*d*), (*a*), (*e*)
B. (*c*), (*d*), (*b*), (*e*), (*a*)
C. (*a*), (*b*), (*c*), (*d*), (*e*)
D. (*d*), (*c*), (*b*), (*e*), (*a*)

73. कौन इस्लामिक दुनिया में पहली लोकतान्त्रिक रूप से निर्वाचित प्रधानमंत्री बनी?

A. शेख हसीना वाजिद B. हिना रब्बानी खार
C. खालिदा जिया D. बेनजीर भुट्टो

74. निम्नलिखित में से सही कथनों की पहचान करें।

(*a*) एंथनी स्मिथ ने पुस्तक 'द एथिक ओरिजिन्स ऑफ नेशन्स' लिखी।
(*b*) अर्नेस्ट जेल्नर ने पुस्तक 'नेशन्स एंड नेशनलिज्म' में राष्ट्रवाद के विचार पर बल दिया।
(*c*) मैल्कम एक्स आध्यात्मिक और सांस्कृतिक गृहभूमि के रूप में अफ्रीका की पुनर्खोज के लिए तर्क दिया।
(*d*) जॉन लॉक का सामान्य इच्छा का सिद्धांत वह बीज था जिससे 1789 की फ्रांसीसी क्रान्ति के दौरान राष्ट्रवादी विचारों का उदय हुआ।
(*e*) एरिक हॉब्सबॉम ने 'आविष्कृत परम्पराओं' के विचार पर प्रकाश डाला।

नीचे दिए गए विकल्पों में से **सही** उत्तर का चयन कीजिए :

A. केवल (*a*), (*b*), (*d*), (*e*)
B. केवल (*b*), (*d*), (*e*)
C. (*a*), (*b*), (*c*), (*d*), (*e*)
D. केवल (*a*), (*b*), (*c*), (*e*)

75. भारतीय संविधान से संबंधित गलत उत्तर का चयन करें।

(*a*) 'ऑल इण्डिया सर्विसेज' से संबंधित प्रावधान अनुच्छेद 312 में उल्लिखित हैं।

(*b*) प्रशासनिक न्यायाधिकारों से संबंधित प्रावधान अनुच्छेद 342 A में उल्लिखित हैं।

(*c*) अंतर्राज्यीय परिषद् से संबंधित प्रावधान अनुच्छेद 244 में उल्लिखित हैं।

(*d*) प्राथमिक स्तर पर मातृभाषा में शिक्षण की सुविधाओं से सम्बन्धित प्रावधान भारतीय संविधान में उल्लिखित नहीं हैं।

(*e*) भाषाओं से संबंधित प्रावधान अनुच्छेद 368 में उल्लिखित हैं।

नीचे दिए गए विकल्पों में से **सही** उत्तर का चयन कीजिए :

A. केवल (*a*), (*b*), (*c*)
B. केवल (*a*), (*c*), (*d*), (*e*)
C. केवल (*b*), (*c*), (*d*), (*e*)
D. केवल (*a*), (*d*), (*e*)

76. "राज्य ग्राम पंचायतों का गठन करने के लिए कदम उठाएगा और उनको ऐसी शक्तियाँ और प्राधिकार प्रदान करेगा जो उन्हें स्वायत्त शासन की इकाइयों के रूप में कार्य करने के योग्य बनाने के लिए आवश्यक होगा।" भारतीय संविधान का कौन-सा अनुच्छेद यह उल्लेख करता है?

A. अनुच्छेद 40
B. अनुच्छेद 37
C. अनुच्छेद 33
D. अनुच्छेद 43

77. निम्नलिखित में से किस संगठन ने 2017 का नोबल शांति पुरस्कार जीता?

A. दि इंटरनेशनल कैम्पेन टू एबोलिश न्यूक्लिअर वेपन्स
B. दि इंटरनेशनल कैम्पेन टू काउंटर - टेरेरिज्म
C. दि इंटरनेशनल कैम्पेन टू सेफगार्ड एनवायरनमेंट
D. दि इंटरनेशनल कैम्पेन टू प्रोटेक्ट वीमेन एंड चिल्ड्रेन

78. भारतीय संविधान के किस अनुच्छेद के अंतर्गत वित्त आयोग के गठन की व्यवस्था की गई है?

A. अनुच्छेद 269　　B. अनुच्छेद 271
C. अनुच्छेद 280　　D. अनुच्छेद 289

79. प्रशासनिक मतों के संबंध में सही कथनों की पहचान करें।

(*a*) फ्रेड रिग्स ने प्रशासन के साला मॉडल का समर्थन किया।

(*b*) अब्राहम मैस्लो ने आवश्यकताओं के अधिक्रम के विचार को आगे बढ़ाया।

(*c*) चेस्टर बर्नार्ड ने हॉथोर्न इफेक्ट के विचार को आगे बढ़ाया।

(*d*) मैक्स वेबर ने विधिपरक - तर्कपरक प्राधिकार का विचार दिया।

(*e*) लूथर गुलिक और लिंडल उर्विक POSDCORB के संप्रत्यय से संबद्ध हैं।

नीचे दिए गए विकल्पों में से **सही** उत्तर का चयन कीजिए :

A. केवल (*a*), (*b*), (*c*), (*e*)
B. केवल (*b*), (*c*), (*e*)
C. केवल (*a*), (*b*), (*d*), (*e*)
D. (*a*), (*b*), (*c*), (*d*), (*e*)

80. ऑल जम्मू कश्मीर मुस्लिम कॉन्फ्रेंस का गठन हुआ :

A. 1932 में　　B. 1933 में
C. 1943 में　　D. 1939 में

81. सूची-I के साथ सूची-II का मिलान कीजिए :

सूची-I (भारत के राष्ट्रपति)	सूची-II (कार्यकाल)
(*a*) डॉ. जाकिर हुसैन	I. 25 जुलाई, 1977 - 25 जुलाई 1982
(*b*) फखरुद्दीन अली अहमद	II. 13 मई, 1967 - 3 मई 1969
(*c*) नीलम संजीव रेड्डी	III. 25 जुलाई, 1987 - 25 जुलाई 1992
(*d*) आर. वेंकटरमण	IV. 24 अगस्त, 1974 - 11 फरवरी, 1977

नीचे दिए गए विकल्पों में से **सही** उत्तर का चयन कीजिए :

	(a)	(b)	(c)	(d)
A.	I	II	III	IV
B.	IV	III	II	I
C.	II	IV	I	III
D.	III	I	IV	II

82. योजना आयोग को 'नीति आयोग' में कब बदला गया?

A. 2013 B. 2015
C. 2017 D. 2016

83. रबीन्द्रनाथ टैगोर ने विश्व भारती की स्थापना किस वर्ष की?

A. 1921 B. 1920
C. 1919 D. 1922

84. पाकिस्तान ने अपना प्रथम परमाणु बम विस्फोट किया :

A. एबटाबाद B. चगाई
C. दलबदीन D. हरिपुर

85. तमिलनाडु के प्रथम मुख्यमंत्री कौन थे?

A. जे. जयललिता B. के. कामराज
C. सी.एन. अन्नादुरई D. के. करुणानिधि

86. सूची-I के साथ सूची-II का मिलान कीजिए :

सूची-I (संवैधानिक सभा की राज्यवार सदस्यता)	**सूची-II (31 दिसम्बर 1947 को जैसा था)**
(a) मद्रास	I. 21
(b) बॉम्बे	II. 49
(c) पश्चिम बंगाल	III. 55
(d) संयुक्त प्रान्त (यूनाइटेड प्रोविंस)	IV. 19

नीचे दिए गए विकल्पों में से **सही** उत्तर का चयन कीजिए :

	(a)	(b)	(c)	(d)
A.	II	I	IV	III
B.	III	IV	I	II
C.	IV	III	II	I
D.	I	IV	III	II

87. सूची-I के साथ सूची-II का मिलान कीजिए :

सूची-I (विधायिकाएँ)	**सूची-II (राष्ट्र)**
(a) हाउस ऑफ रेप्रेजेंटेटिव्स	I. यूनाइटेड स्टेट्स ऑफ अमेरिका
(b) नेशनल असेम्बली	II. पाकिस्तान
(c) हाउस ऑफ कॉमंस	III. यूनाइटेड किंगडम
(d) नेस्सेट	IV. इजरायल

नीचे दिए गए विकल्पों में से **सही** उत्तर का चयन कीजिए :

	(a)	(b)	(c)	(d)
A.	IV	III	I	II
B.	II	I	IV	III
C.	I	II	III	IV
D.	II	I	III	IV

88. किसने कहा?

"श्री अरबिन्दो ने हीगल के परम जीवात्मा के बोध को आत्मसात किया और इसे समसामयिक अर्थों में पुरातन हिन्दू वेदांत पद्धति के पुरातत्व-विषयक कार्य ढांचे को आमूल पुनर्संरचना के लिए नियोजित किया।"

A. महात्मा गाँधी B. रबीन्द्रनाथ टैगोर
C. स्वामी विवेकानन्द D. स्टीव ओडिन

89. सूची-I के साथ सूची-II का मिलान कीजिए :

सूची-I (लेखक)	**सूची-II (पुस्तक)**
(a) जॉर्ज सोरोस	I. द कॉन्सिएंश ऑफ अ लिबरल
(b) पॉल क्रुगमैन	II. ओपेन सोसाइटी
(c) हर्मन डॉली	III. डिक्लाइन ऑफ अमेरिकन पावर
(d) इमैनुएल वॉलरस्टीन	IV. फॉर द कॉमन गुड

नीचे दिए गए विकल्पों में से **सही** उत्तर का चयन कीजिए :

	(a)	(b)	(c)	(d)
A.	II	I	IV	III
B.	I	II	III	IV
C.	IV	III	II	I
D.	III	IV	I	II

90. कौन-से मुख्यमंत्री को भारत में पहली बार अनुच्छेद 356 का उपयोग/दुरुपयोग करके हटाया गया?

A. एन.टी. रामा राव

B. ई.एम.एस. नम्बुदरीपाद

C. राम कृष्ण हेगड़े

D. भगत सिंह कोश्यारी

निर्देश (प्रश्न संख्या 91 से 95 तक): *निम्नलिखित गद्यांश को पढ़िए तथा नीचे दिए गए प्रश्नों के उत्तर दीजिए।*

बहुत हद तक ब्रिटिश भारत और स्वतन्त्र भारत ने चीन की तिब्बत पर अपनी पकड़, विशेष रूप से तिब्बत द्वारा 1913 से 1951 तक वास्तविक स्वतंत्रता के दर्जे का आनंद लेने की दृष्टि से, को पुनर्स्थापित और मजबूत करने में सहायता की। यह नहीं भूला जाना चाहिए कि भारत ने तिब्बती प्रतिनिधिमंडल को, चीन का एक स्वायत्तशासी भाग बनाने के लिए औपचारिक स्वीकृति देने के लिए भारत से पेकिंग के रास्ते आगे बढ़ना सुगम बनाया, यद्यपि मई 1951 में हस्ताक्षरित सत्रह-बिन्दुओं वाला समझौता ऐसे विवादास्पद रहा है, जैसे दबाव के अधीनस्थ किया गया कोई कार्य। भारत की विशाल हृदयता और चीन के साथ मित्रवत व्यवहार के प्रयास यहीं खत्म नहीं हुए। सद्‌भावना के संकेत-प्रदर्शन के रूप में 1954 का पंचशील समझौता भारत की एकतरफा उदारता और कूटनीतिक निष्कपटता का एक उत्कृष्ट उदाहरण था, जिसका परिणाम सभी अधिकारों और विशेषाधिकारों के परित्याग और सार्थक रूप से प्रतिकार के रूप में देश को बिना कुछ मिले तिब्बत में भारत की उपस्थिति के अंत के रूप में हुआ। हालाँकि समय-समय पर, सीमा के मुद्दे पर वैमनस्य रहा है, दोनों देशों के नेताओं की परिपक्वता और राजनीतिमत्ता ने यह सुनिश्चित किया है कि इन समस्याओं का समाधान वार्ता और कूटनीतिक आदान-प्रदान द्वारा शांतिपूर्वक तरीके से हो, जैसा कि हाल के डोकलाम स्टैण्ड-ऑफ के दौरान प्रदर्शित किया गया है।

91. सत्रह-बिन्दुओं वाले समझौते पर हस्ताक्षर कब हुए?

A. 1950 B. 1951

C. 1955 D. 1954

92. गद्यांश के अनुसार, किस कालावधि में तिब्बत ने वास्तविक स्वतंत्रता के दर्जे का आनंद लिया?

A. 1913-1970 B. 1913-1951

C. 1952-1960 D. 1960-1990

93. 'किसने तिब्बती प्रतिनिधिमंडल को चीन का एक स्वायत्तशासी भाग बनने की औपचारिक स्वीकृति देने के लिए भारत से पेकिंग के रास्ते आगे बढ़ना सुगम बनाया?

A. पाकिस्तान B. भूटान

C. म्यांमार D. ब्रिटिश भारत

94. किस वर्ष में, पंचशील समझौते पर हस्ताक्षर हुए?

A. 1951 B. 1952

C. 1953 D. 1954

95. गद्यांश के अनुसार, निम्नलिखित में से किसने चीन की तिब्बत पर पकड़ मजबूत करने में सहायता की?

A. केवल ब्रिटिश भारत

B. केवल स्वतंत्र भारत

C. ब्रिटिश भारत और स्वतंत्र भारत दोनों

D. सिर्फ रूस

निर्देश (प्रश्न संख्या 96 से 100 तक): *निम्नलिखित गद्यांश को पढ़िए तथा नीचे दिए गए प्रश्नों के उत्तर दीजिए।*

प्राधिकार के विकेंद्रीकरण के अभियान का इतिहास बहुत लम्बा रहा है। जैसा कि इतिहास दर्शाता है, 1880 के दशक से 1882 में रिप्पन संकल्पों की स्वीकृति के साथ भारत में प्राधिकार के विकेंद्रीकरण के सतत प्रयास किए गए थे। अशोक मेहता समिति की रिपोर्ट द्वारा पंचायती राज संस्थान (पीआरआईज) के लिए सुव्यक्त दिया गया है। पीआरआईज का लोकतंत्र और विकास के लिए पुनर्जीवन (रिवाइटलाईजेशन ऑफ पीआरआईज फॉर डेमोक्रेसी एंड डेवेलपमेंट) इस एल. एम. सिंघवी समिति की रिपोर्ट में 1986 में स्थानीय स्वायत्ता शासन की मजबूती के लिए एक और दृढ़कथन दिया गया था। मजबूती से जिसका तर्क दिया गया था, 1992 में 73वें संशोधन के अंगीकरण करने से यथार्थ बन गया, जिसने न केवल स्थानीय स्वायत्त शासन को भारत में संवैधानिक मान्यता दी बल्कि पीआरआईज को लम्बे समय से प्रतीक्षित संवैधानिक पहचान दी। 73वें संविधान संशोधन अधिनियम की विधायी जड़ों को 64वें संशोधन बिल में खोजा जा सकता है जिसे

1989 में सदन में प्रस्तुत किया गया था। 1992 के 73वें संविधान संशोधन अधिनियम ने ग्रामीण स्थानीय स्तर पर त्रि-सोपनीय संरचना को प्रस्तुत किया जिसमें ग्राम पंचायत निम्नतम स्तर पर, पंचायत समिति माध्यमिक स्तर पर और जिला परिषद् उच्चतम स्तर पर है।

96. भारतीय संसद में 64वां संविधान संशोधन बिल किस वर्ष में प्रस्तुत किया गया?

A. 1979　　B. 1989
C. 1992　　D. 1993

97. रिप्पन संकल्प को स्वीकृति दी गई :

A. 1982　　B. 1882
C. 1973　　D. 1873

98. गद्यांश के अनुसार, निम्नलिखित में से किस संवैधानिक अधिनियम ने स्थानीय स्वायत्त शासन को भारत में संवैधानिक मान्यता दी?

A. 64वां संविधान संशोधन
B. 73वां संविधान संशोधन
C. 80वां संविधान संशोधन
D. 93वां संविधान संशोधन

99. गद्यांश के अनुसार, 73वें संविधान संशोधन अधिनियम ने माध्यमिक स्तर पर किस प्रकार की ग्रामीण संरचना को प्रस्तुत किया?

A. ग्राम पंचायत
B. पंचायत समिति
C. जिला परिषद्
D. टाउन प्लानिंग काउन्सिल

100. 'रिवाइटलाईजेशन ऑफ पीआरआईज फॉर डेमोक्रेसी एंड डेवेलपमेंट' रिपोर्ट कौन लाया?

A. अशोक मेहता　　B. एल.एम. सिंघवी
C. बलवंत राय मेहता　　D. अशोक सेन

व्याख्यात्मक उत्तर

1. (C): इस प्रश्न में दिए गए विकल्पों में से,

(*a*) जैक्स देरिदा ने वास्तव में 'स्पेक्टर्स ऑफ मार्क्स' लिखी थी, इसलिए यह सही कथन है।

(*b*) दीनदयाल उपाध्याय ने एकात्म मानववाद को प्रस्तावित किया था, न कि विरोध किया था, इसलिए यह गलत है।

(*c*) भारतीय संविधान ने संघवाद को अमेरिकी संविधान से प्रेरित होकर अपनाया था, न कि ब्रिटिश संविधान से, इसलिए यह भी गलत है।

(*d*) आसिफ अली जरदारी पाकिस्तानी राष्ट्रपति हैं, इसलिए यह सही कथन है।

(*e*) पंचायती राज प्रणाली में महिलाओं के लिए आरक्षण 33% है, न कि 45%, इसलिए यह गलत है। इस प्रकार, सही उत्तर(C) है।

2. (A): वर्तमान दलाई लामा, तेनजिन ग्यात्सो, भारत में 1959 में आए थे। तिब्बत पर चीनी कब्जे के फलस्वरूप वे भागकर भारत आए थे। उन्होंने भारत सरकार से शरण मांगी और भारत ने उन्हें धर्मशाला में निवास की अनुमति दी, जो कि अब तिब्बती सरकार-इन-एक्साइल का मुख्यालय है।

3. (B): 'डेमोक्रेसी, ब्यूरोक्रेसी और हाइपोक्रिसी' किताब के लेखक ड्वाईट वाल्डो हैं। इस पुस्तक में वाल्डो ने लोकतंत्र और नौकरशाही के बीच की जटिलताओं का विश्लेषण किया है, यह दिखाते हुए कि कैसे नौकरशाही प्रणालियाँ अक्सर लोकतांत्रिक आदर्शों के साथ संघर्ष करती हैं।

4. (B): मौलिक कर्तव्यों को 42वें संविधान संशोधन के द्वारा 1976 में जोड़ा गया था, न कि 44वें द्वारा, इसलिए (*a*) गलत है। संसद मौलिक कर्तव्यों में संशोधन कर सकती है, इसलिए (*b*) गलत है। मौलिक कर्तव्यों को रिटों के माध्यम से प्रवर्तित नहीं किया जा सकता, इसलिए (*c*) गलत है। अनुच्छेद 51A में ग्यारह मौलिक कर्तव्य हैं, इसलिए (*d*) सही है। अंतर्राष्ट्रीय शांति और सुरक्षा का प्रोत्साहन एक मौलिक कर्तव्य नहीं है बल्कि एक नीति निदेशक तत्व है, इसलिए (*e*) गलत है।

5. (D):

(*a*) आठवां सार्क शिखर सम्मेलन वास्तव में 1995 में नई दिल्ली में आयोजित हुआ था, इसलिए यह सही है।

(*b*) 1989 को ड्रग दुर्व्यसन और ड्रग अवैध-व्यापार के विरुद्ध युद्ध का सार्क वर्ष संज्ञापित किया गया था, इसलिए यह भी सही है।

(*c*) बराक ओबामा के कार्यकाल के दौरान उनकी हत्या का प्रयास नहीं हुआ था, इसलिए यह गलत है।

(*d*) बिलावल भुट्टो जरदारी मार्च 2024 में पाकिस्तान के प्रधानमंत्री नहीं बने थे, इसलिए यह गलत है।

(*e*) सार्क प्रिफेरेंशियल ट्रेडिंग अरेंजमेंट पर 11 अप्रैल, 1993 में हस्ताक्षर किए गए थे, इसलिए यह सही है।

6. (D): उग्र मानववाद की धारणा एम.एन. राय द्वारा दी गई थी। यह विचारधारा मानव केंद्रित है और इसमें समाज की प्रगति और विकास के लिए मानवीय मूल्यों और क्षमताओं पर जोर दिया जाता है। राय ने मानववाद को एक वैज्ञानिक और यथार्थवादी दृष्टिकोण के साथ प्रस्तुत किया, जिसमें व्यक्ति की स्वतंत्रता और समग्र विकास पर बल दिया गया। उनके विचार समाजवादी सिद्धांतों से भी प्रेरित थे और उन्होंने वैश्विक शांति और समृद्धि के लिए वैश्विक मानवतावाद की वकालत की।

7. (B): ज्योतिबा फुले ने पूना में बालिका विद्यालय की शुरुआत 1851 में की थी। इस पहल के माध्यम से फुले ने समाज में महिलाओं की शिक्षा के महत्व को बढ़ावा दिया और यह पहल उस समय के समाज में एक क्रांतिकारी कदम मानी जाती थी। उनकी यह पहल महिला शिक्षा के लिए एक महत्वपूर्ण आंदोलन के रूप में उभरी और आगे चलकर इसने भारत में शिक्षा के क्षेत्र में गहरा प्रभाव डाला।

8. (C): नीति आयोग को वास्तव में भारत सरकार के एक कार्यकारी प्रस्ताव द्वारा गठित किया गया था, जो योजना आयोग की जगह लेने के लिए आया था। इसलिए, (*a*) सही है। भारत के प्रथम प्रशासनिक सुधार आयोग ने लोकपाल और लोकायुक्त के गठन की अनुशंसा की थी, इसलिए (*d*) सही है। भारत के प्रथम एआरसी के अध्यक्ष मोरारजी देसाई थे, इसलिए (*e*) भी सही है। हालांकि, ग्राहक संरक्षण अधिनियम, 2019 ने 1986 के अधिनियम को प्रतिस्थापित किया था, इसलिए (*b*) गलत है, और ओम्बड्समैन की संकल्पना स्वीडन से आई थी, न कि रूस से, इसलिए (*c*) भी गलत है।

9. (C): तमिल को पहली बार 2004 में, संस्कृत को 2005 में, कन्नड़ को 2008 में, मलयालम को 2013 में, और उड़िया को 2014 में भारत सरकार द्वारा शास्त्रीय भाषा का दर्जा दिया गया था। यह क्रम दर्शाता है कि किस प्रकार विभिन्न भाषाओं को उनकी साहित्यिक समृद्धि और ऐतिहासिक महत्व के आधार पर शास्त्रीय भाषा का दर्जा प्राप्त हुआ।

10. (C): चीनी कम्युनिस्ट पार्टी वास्तव में काडर-आधारित दल का उदाहरण है, जहां चुनिंदा सदस्यों को उनकी क्षमताओं और विचारधाराओं के आधार पर शामिल किया जाता है। ओटो किर्छेईमर ने कैच-ऑल पार्टियों के विचार को प्रस्तुत किया, जिसमें उन्होंने तर्क दिया कि पार्टियाँ व्यापक जनसमर्थन प्राप्त करने के लिए विविध विचारों और समूहों को अपनाने का प्रयास करती हैं। किर्छेईमर यूएस रिपब्लिकन और डेमोक्रेटिक दलों को कैच-ऑल पार्टीज की श्रेणी में रखते हैं। एंथनी डाउंस ने राजनेताओं को ऐसे प्राणी के रूप में वर्णित किया है जो शक्ति प्राप्ति के लिए किसी भी नीति को अपनाने को तैयार होते हैं। हालांकि, थॉमस जेफरसन यूके डिक्लेरेशन ऑफ फ्रीडम के प्रधान रचनाकार नहीं थे, उन्होंने अमेरिकी डिक्लेरेशन ऑफ इंडिपेंडेंस की रचना की थी, इसलिए (*e*) गलत है।

11. (A): 'डीप इकोलॉजी' (गहन पारिस्थितिकी) शब्द की खोज नॉर्वेजियन दार्शनिक आर्ने नैस ने की थी। उन्होंने इस अवधारणा को 1970 के दशक में प्रस्तावित किया, जिसमें प्रकृति के साथ गहरा संबंध और परस्पर निर्भरता पर जोर दिया गया। डीप इकोलॉजी का मूल विचार यह है कि मानव और अन्य जीवित प्रजातियाँ एक समान और गहरी पारिस्थितिकीय सम्बन्ध में हैं, और इसके

अनुसार, मानव को प्रकृति के साथ अधिक सहजीवी तरीके से व्यवहार करना चाहिए। इस दृष्टिकोण ने पर्यावरणीय नैतिकता और नीति निर्माण पर महत्वपूर्ण प्रभाव डाला है।

12. (D): अब्राहम मैस्लो के मनोवैज्ञानिक सिद्धांत के अनुसार, मनुष्य की आवश्यकताएं कई स्तरों में व्यवस्थित होती हैं, जिसे उन्होंने अपने प्रसिद्ध 'आवश्यकताओं के पिरामिड' में दर्शाया। इनमें शामिल हैं : आदर की आवश्यकताएं, आत्म-प्रत्यक्षीकरण, अपनेपन की आवश्यकताएं, और सुरक्षा की आवश्यकताएं। इन चारों आवश्यकताओं को मैस्लो ने मानवीय मोटिवेशन और व्यवहार के मूल घटक के रूप में पहचाना। मनोरंजन की आवश्यकताओं का उनके सिद्धांत में कोई उल्लेख नहीं है, इसलिए (*e*) गलत है।

13. (D): मैरी वॉलस्टोनक्राफ्ट ने स्त्रियों के समान अधिकारों पर बल दिया और उन्हें शिक्षा तक पहुँच दिलाने की वकालत की। हना अरेंड्ट ने सर्वाधिकारवाद के मूल में नाजीवाद और स्टालिनवाद की जांच की, जिसमें उन्होंने इन विचारधाराओं के अंतर्निहित तत्वों और उनके निहितार्थों को उजागर किया। फ्रान्ज फैनन ने 'ब्लैक स्किन, व्हाइट मास्क्स' लिखी, जिसमें उन्होंने औपनिवेशिक अनुभव और नस्लीय पहचान के मनोवैज्ञानिक प्रभावों का विश्लेषण किया। हालांकि, एंटोनियो ग्राम्शी ने 'ऑन पीपुल्स डेमोक्रेटिक डिक्टेटरशिप' नहीं लिखी थी, और अरस्तू ने 'पोलिटिक्स अमंग नेशन्स' नहीं लिखी थी। इसलिए, (*c*) और (*e*) गलत हैं।

14. (B): झारखण्ड का निर्माण 2000 में हुआ था, तेलंगाना का निर्माण 2014 में हुआ था, गोवा को 1987 में राज्य का दर्जा मिला, और सिक्किम 1975 में भारतीय संघ में शामिल हुआ। इस प्रकार, सही मिलान विकल्प (B) है।

15. (C): यूएन ने 1975 को अंतर्राष्ट्रीय महिला वर्ष के रूप में घोषित किया था, जिसमें विश्वभर में महिलाओं के अधिकारों और लिंग समानता के प्रति जागरूकता बढ़ाने के लिए कई प्रकार के कार्यक्रम और नीतियां शुरू की गईं। बी.एन. राव समिति ने हिन्दू कोड बिल का प्रथम प्रारूप तैयार किया था, जो हिन्दू धर्म के कानूनों को आधुनिकीकरण करने की दिशा में एक क्रांतिकारी कदम था। सुन्दरलाल बहुगुणा चिपको आंदोलन में प्रमुख रूप से लोकप्रिय हुए, जिसमें उन्होंने वन संरक्षण के लिए सक्रियता दिखाई और पेड़ों की कटाई के खिलाफ व्यापक जन आंदोलन का नेतृत्व किया। कबीर, 15वीं शताब्दी के भारतीय कवि थे, जिन्होंने भक्ति आंदोलन को प्रभावित किया। उनकी रचनाएँ धार्मिक और सामाजिक समरसता को बढ़ावा देने वाली थीं और उन्होंने सामाजिक सद्भाव और आत्मिक जागरूकता के लिए लिखा। सुभाष चंद्र बोस ने इंडिपेंडेंट लेबर पार्टी नहीं बनाई थी, इसलिए (*e*) गलत है।

16. (D): गेब्रियल आमंड ने प्रेशर ग्रुप को विभिन्न श्रेणियों में वर्गीकृत किया। उनके वर्गीकरण में साहचर्यात्मक समूह (associational groups), गैर-साहचर्यात्मक समूह (non-associational groups), संस्थानात्मक समूह (institutional groups), और एनोमिक समूह (anomic groups) शामिल हैं। साहचर्यात्मक समूह वे होते हैं जो औपचारिक रूप से संगठित होते हैं और विशिष्ट उद्देश्यों के लिए बनाए जाते हैं। गैर-साहचर्यात्मक समूह अनौपचारिक और कम संगठित होते हैं। संस्थानात्मक समूह वे होते हैं जो संस्थानों के भीतर से उत्पन्न होते हैं जैसे सरकारी विभाग या सैन्य संगठन। एनोमिक समूह सामाजिक अस्थिरता के समय में उभरते हैं जैसे दंगे या प्रदर्शन। इस प्रकार, सही विकल्प (D) है।

17. (D): चंपारण आंदोलन 1917 में हुआ था, जो भारतीय स्वतंत्रता आंदोलन के प्रमुख घटनाओं में से एक है और महात्मा गांधी का पहला सक्रिय राजनीतिक आंदोलन था। खेड़ा और अहमदाबाद में आंदोलन 1918 में हुए, जिसमें किसानों और श्रमिकों ने मिलकर ब्रिटिश नीतियों के खिलाफ विरोध प्रदर्शन किया। असहयोग आंदोलन 1920 में शुरू हुआ, जो सीधे तौर पर ब्रिटिश साम्राज्य के खिलाफ था। लाहौर सम्मेलन में 'पूर्ण स्वराज' 1929 में लक्ष्य के रूप में स्वीकार किया गया था। सविनय अवज्ञा आंदोलन 1930 में शुरू हुआ। इस प्रकार, सही कालानुक्रमिक व्यवस्था विकल्प (D) है।

18. (D): थियोडोर रूजवेल्ट को जापान और रूस के बीच 1904-1905 के युद्ध में मध्यस्थता के लिए 1906 में शांति का नोबेल पुरस्कार दिया गया था। उन्होंने पोर्ट्समाउथ संधि के माध्यम से इस युद्ध का समापन करवाने में महत्वपूर्ण भूमिका निभाई थी। इस संधि ने रूस और जापान के बीच शांति स्थापित की, और रूजवेल्ट के इस प्रयास को वैश्विक समर्थन प्राप्त हुआ। इसलिए, सही विकल्प (D) है।

19. (C): यूएनएचसीआर की स्थापना 1950 में हुई थी। पहला यूएन शांतिरक्षक बल 1956 में स्वेज नहर क्षेत्र में भेजा गया। यूएन शांति रक्षक साइप्रस 1964 में भेजे गए। यूएन शांतिरक्षक आयोग की स्थापना 1948 में हुई थी। महासभा ने सतत विकास लक्ष्यों (एसडीजी) को 2015 में अंगीकृत किया। इस प्रकार, सही विकल्प (C) है।

20. (D): 73वें और 74वें संविधान संशोधन एक्ट, जो क्रमशः पंचायती राज और नगरपालिका संस्थाओं के लिए थे, 1992 में पारित हुए थे, जब पी.वी. नरसिम्हा राव भारत के प्रधानमंत्री थे। ये संशोधन भारत में स्थानीय स्वशासन को मजबूत करने के लिए किए गए थे, जिससे ग्रामीण और शहरी इलाकों में प्रशासनिक दक्षता और जवाबदेही बढ़ाने में मदद मिली। इसलिए, सही विकल्प (D) है।

21. (D): बर्मा (अब म्यांमार) को ब्रिटिश भारत से 1937 में अलग किया गया था। यह अलगाव बर्मा एक्ट 1935 के तहत हुआ, जिसके बाद बर्मा को अपनी संवैधानिक स्थिति मिली और यह ब्रिटिश साम्राज्य का एक अलग इकाई के रूप में प्रशासित होने लगा। इस वर्ष को चुनने का मुख्य कारण यह था कि बर्मा में सांस्कृतिक और राजनीतिक रूप से भारत से भिन्नता को महसूस किया जा रहा था, और वहां के लोग अलग पहचान और स्वायत्तता की मांग कर रहे थे।

22. (C): लिंकिंग पिन मॉडल की कल्पना रेनिस लाइकर्ट द्वारा की गई थी। यह मॉडल संगठनात्मक संरचना को दर्शाता है जहाँ विभिन्न इकाइयाँ एक दूसरे से जुड़ी होती हैं, और प्रत्येक इकाई या विभाग का प्रमुख उपरी और निचली इकाइयों के बीच एक 'लिंकिंग पिन' के रूप में कार्य करता है। इस मॉडल का मुख्य उद्देश्य संगठन के भीतर संचार और समन्वय को बढ़ावा देना है, ताकि निर्णय लेने की प्रक्रिया अधिक कुशल और प्रभावी हो सके।

23. (A): एन.डी. तिवारी दो अलग-अलग राज्यों–उत्तर प्रदेश और उत्तराखंड–के मुख्यमंत्री बनने वाले प्रमुख राजनीतिज्ञ हैं। तिवारी ने उत्तर प्रदेश में 1976-77, 1984-85, और 1988-89 में और उत्तराखंड में 2002 से 2007 तक मुख्यमंत्री के रूप में कार्य किया। उनका योगदान दोनों राज्यों में सामाजिक-आर्थिक विकास के लिए महत्वपूर्ण रहा है।

24. (D): वुडरो विल्सन ने प्रथम विश्वयुद्ध के पश्चात शांति स्थापित करने के लिए 'चौदह बिंदुओं की व्यवस्था' प्रस्तुत की थी। यह प्रस्ताव 1918 में दिया गया था, और इसमें राष्ट्रीय स्वतंत्रता, व्यापार की स्वतंत्रता, और एक सामान्य संघ की स्थापना जैसे महत्वपूर्ण बिंदु शामिल थे, जो बाद में लीग ऑफ नेशंस के रूप में साकार हुए। विल्सन के इस पहल का उद्देश्य विश्व में एक नई शांति और स्थिरता की नींव रखना था।

25. (B): जनता पार्टी के शासन के दौरान लोकसभा का अध्यक्ष के.डी. हेगड़े थे। उन्होंने 1977 से 1980 तक इस पद पर कार्य किया। हेगड़े के कार्यकाल में लोकसभा में कई महत्वपूर्ण बहसें और विधायी कार्य हुए, और उनका समय भारतीय राजनीति में एक नए राजनीतिक दृष्टिकोण के उदय के रूप में देखा जाता है।

26. (B): भारतीय प्रधानमंत्रियों के कार्यकाल के अनुसार कालानुक्रम में व्यवस्थित करने पर, मोरारजी देसाई 1977 से 1979 तक प्रधानमंत्री रहे, चरण सिंह 1979 से 1980 तक प्रधानमंत्री रहे, विश्वनाथ प्रताप सिंह 1989 से 1990 तक प्रधानमंत्री रहे, चंद्रशेखर 1990 से 1991 तक प्रधानमंत्री रहे, और एच.डी. देवेगौड़ा 1996 से 1997 तक प्रधानमंत्री रहे। इस प्रकार, सही विकल्प (B) है।

27. (A): राष्ट्रीय महिला आयोग 1992 में स्थापित किया गया था, राष्ट्रीय अल्पसंख्यक आयोग 1993 में स्थापित किया गया था, राष्ट्रीय अनुसूचित जाति आयोग 1995 में स्थापित किया गया था, केन्द्रीय सूचना आयोग 2005 में स्थापित किया गया था, और राष्ट्रीय बाल अधिकार संरक्षण आयोग 2007 में स्थापित किया गया था। इस प्रकार, सही विकल्प (A) है।

28. (D): राजस्थान उच्च न्यायालय 1949 में स्थापित किया गया था, मध्य प्रदेश उच्च न्यायालय 1956 में स्थापित किया गया था, गुजरात उच्च न्यायालय 1960 में स्थापित किया गया था, सिक्किम उच्च न्यायालय 1975 में स्थापित किया गया था, और मणिपुर उच्च न्यायालय 2013 में स्थापित किया गया था। इस प्रकार, सही विकल्प (D) है।

29. (D): 'अ थ्योरी ऑफ जस्टिस' के लेखक जॉन रॉल्स हैं, 'फिलोसॉफी ऑफ राइट' के लेखक फ्रेडरिक हेगेल हैं, 'टुवर्ड्स अ रेशनल सोसायटी' के लेखक जुर्गेन हैबरमास हैं, और 'स्टेट एंड रिवोल्यूशन' के लेखक व्लादिमीर लेनिन हैं। इस प्रकार, सही विकल्प (D) है।

30. (B): भारतीय संविधान का अनुच्छेद 244(1) अनुसूचित क्षेत्रों के प्रशासन के लिए विशेष प्रावधान करता है। यह अनुच्छेद विशेष रूप से उन क्षेत्रों के लिए नीतियाँ और प्रावधान प्रदान करता है जहाँ आदिवासी आबादी एक बड़े प्रतिशत में निवास करती है, और इसमें शासन के लिए विशेष उपबंध शामिल हैं जो कि इन क्षेत्रों की अद्वितीय सामाजिक और आर्थिक परिस्थितियों को मान्यता देते हैं।

31. (B): भारतीय संविधान के अनुसार, अटॉर्नी जनरल को राष्ट्रपति द्वारा नियुक्त किया जाता है। यूपीएससी के अध्यक्ष और सदस्यों को भी राष्ट्रपति द्वारा नियुक्त किया जाता है, और सर्वोच्च न्यायालय के न्यायाधीशों की नियुक्ति भी राष्ट्रपति के द्वारा की जाती है। विकल्प (*a*) गलत है क्योंकि राज्यपाल को राष्ट्रपति द्वारा नियुक्त किया जाता है, न कि प्रधानमंत्री द्वारा। विकल्प (*e*) गलत है क्योंकि उच्च न्यायालय के न्यायाधीशों को भी राष्ट्रपति द्वारा नियुक्त किया जाता है। इसलिए सही विकल्प (B) है।

32. (D): प्रस्तावना में 'राष्ट्र की एकता और अखंडता' को जोड़ने का संशोधन 1976 में हुआ था। कोंकणी को 8वीं अनुसूची में भाषा के रूप में 1992 में जोड़ा गया था। मैथिली को 2003 में 8वीं अनुसूची में जोड़ा गया था। सहकारी समितियों को अनुच्छेद 243 ZH के रूप में 2011 में जोड़ा गया था। महिला आरक्षण अधिनियम 2023 में पास हुआ है और इसे आखिरी स्थान पर रखा गया है। इसलिए सही विकल्प (D) है।

33. (D): डेविड एप्टर ने 'द पॉलिटिक्स ऑफ मॉडर्नाइजेशन' लिखा है। वाल्टर बेजहॉट ने 'इंग्लिश कॉन्स्टिट्यूशन' लिखी है। ज्यां ब्लोंडेल ने 'एन इंट्रोडक्शन टू कम्परेटिव गवर्नमेंट' लिखी है। आमंड और पॉवेल ने 'कम्पेरेटिव पॉलिटिक्स : अ डेवलपमेंट अप्रोच' लिखा है। इस प्रकार, सही विकल्प (D) है।

34. (C): 'गवर्नमेंट बाई कमिटी' के लेखक मौरिस जोन्स हैं, 'पार्लियामेंट इन इंडिया' के लेखक के.सी. व्हीयर हैं, 'हाऊ ब्रिटेन इज गवर्नूड' के लेखक रामसे मूर हैं, और 'मुसोलिनीज इटली' के लेखक हर्मन फाईनर हैं। इस प्रकार, सही विकल्प (C) है।

35. (A): विकेंद्रीकरण के 'चार स्तम्भ मॉडल' को राम मनोहर लोहिया ने प्रस्तावित किया था। इस मॉडल में गांव, जिला, राज्य, और केंद्र शासन के रूप में चार स्तरों पर शासन की व्यवस्था का सुझाव दिया गया था, जिससे प्रशासन में अधिक स्थानीय भागीदारी और प्रभावशीलता सुनिश्चित हो सके। लोहिया का मानना था कि इससे सत्ता का विकेंद्रीकरण होगा और समाज में व्यापक रूप से जनता की अधिक भागीदारी सुनिश्चित होगी। इसलिए, सही विकल्प (A) है।

36. (C): न्यायिक प्रणाली के संदर्भ में, सुप्रीम कोर्ट ऑफ कनाडा में क्यूबेक प्रोविंस से तीन न्यायाधीशों की नियुक्ति की जाती है जिससे नृजातीय और धार्मिक संतुलन सुनिश्चित होता है। जर्मनी के फेडरल कॉन्स्टिट्यूशनल कोर्ट के न्यायाधीशों को बुंडेस्टाग और बुंडेस्राट द्वारा चुना जाता है। यूनाइटेड स्टेट्स में न्यायाधीशों की नियुक्ति प्रेसिडेंट द्वारा की जाती है

और सीनेट द्वारा पुष्टि की जाती है, न कि हाउस ऑफ लॉर्ड्स द्वारा, इसलिए विकल्प (*c*) गलत है। 1787 के यूएस संविधान में न्यायिक पुनर्विचार का स्पष्ट उल्लेख नहीं है। भारत में न्यायिक पुनर्विचार की शक्ति का उल्लेख मार्बरी बनाम मेडिसन के मामले में हुआ, लेकिन यह अमेरिकी मामला है, भारतीय नहीं। इसलिए, सही विकल्प (C) है।

37. (B): 'मूक नायक' समाचार-पत्र का प्रकाशन डॉ. बी. आर. अंबेडकर द्वारा किया गया था। यह समाचार-पत्र दलित समुदाय के मुद्दों और अधिकारों को उजागर करने के लिए प्रकाशित किया गया था, जिससे उनके सामाजिक और आर्थिक सुधार के लिए जागरूकता बढ़ सके।

38. (C): 1924 में 'बहिष्कृत हितकारिणी सभा' की स्थापना डॉ. बी.आर. अंबेडकर ने की थी। यह संगठन दलितों के लिए शिक्षा और आर्थिक स्वावलंबन प्रदान करने के लिए काम करता था, और यह डॉ. अंबेडकर के समाज सुधारक के रूप में योगदान का महत्वपूर्ण हिस्सा था।

39. (B): नॉर्थ अमेरिकन फ्री ट्रेड एग्रीमेंट (NAFTA) 1994 में स्थापित हुआ था, यह तीन देशों—कनाडा, मेक्सिको, और संयुक्त राज्य अमेरिका के बीच एक मुक्त व्यापार समझौता है। एशिया पैसिफिक इकोनॉमिक कोऑपरेशन (APEC) 1989 में स्थापित हुआ था और यह प्रशांत क्षेत्र के देशों के बीच आर्थिक सहयोग को बढ़ावा देने के लिए कार्य करता है। मर्कोसुर, जिसे दक्षिणी बाजार के रूप में जाना जाता है, 1991 में स्थापित हुआ था, यह दक्षिण अमेरिका के देशों के बीच एक व्यापार ब्लॉक है। फ्री ट्रेड एरिया ऑफ द अमेरिकास (FTAA) की योजना 1994 में बनाई गई थी, लेकिन यह पूरी तरह से सक्रिय नहीं हुआ। इस प्रकार, सही विकल्प (B) है।

40. (C): 1954 में लोकसभा अध्यक्ष ने पटास्कर समिति की नियुक्ति की थी, जो प्रदत्त विधायन (Delegated Legislation) की समीक्षा करने के लिए गठित की गई थी। प्रदत्त विधायन से आशय उन विधायी शक्तियों से है जिन्हें संसद द्वारा किसी अन्य सरकारी एजेंसी या निकाय को हस्तांतरित किया जाता है। यह समिति उस समय विधायी प्रक्रिया में सुधार और नीतिगत पारदर्शिता बढ़ाने के लिए महत्वपूर्ण थी।

41. (B): संसदीय चुनावों के अनुसार लोकसभा में निर्वाचित महिलाओं की संख्या के मिलान से पता चलता है कि पांचवें (1971) चुनाव में 22 महिलाएं चुनी गई थीं, सातवें (1980) चुनाव में 28 महिलाएं, नवें (1989) चुनाव में फिर से 28 महिलाएं, और पंद्रहवें (2009) चुनाव में 59 महिलाएं चुनी गईं। यह संख्या बढ़ती जा रही है, जो महिलाओं की बढ़ती भागीदारी को दर्शाता है। इसलिए, सही विकल्प (B) है।

42. (B): गणेश वासुदेव मावलंकर भारतीय संसद के पहले लोकसभा अध्यक्ष थे, जिनका कार्यकाल 1952 से 1956 तक रहा। नीलम संजीव रेड्डी 1967 से 1969 तक लोकसभा अध्यक्ष रहे। पी.ए. संगमा 1996 से 1998 तक लोकसभा अध्यक्ष रहे। सुश्री मीरा कुमार 2009 से 2014 तक लोकसभा अध्यक्ष रहीं। ओम बिड़ला 2019 से वर्तमान तक लोकसभा अध्यक्ष हैं। इसलिए, सही विकल्प (B) है।

43. (C): सुकुमार सेन भारत के प्रथम मुख्य निर्वाचन आयुक्त थे। उन्होंने 1950 से 1958 तक इस पद पर कार्य किया। उनके नेतृत्व में भारत के पहले आम चुनाव सफलतापूर्वक आयोजित किए गए, जिसमें लाखों भारतीयों ने पहली बार मतदान किया।

44. (C): हिंदुत्व की विचारधारा के शास्त्रीय ग्रंथों में 'पितृभू' और 'पुण्यभू' के विचारों को विनायक दामोदर सावरकर ने प्रस्तावित किया था। उन्होंने ये विचार अपनी पुस्तक 'हिंदुत्व : हू इज अ हिंदू?' में व्यक्त किए, जिसमें उन्होंने हिंदुत्व की परिभाषा को स्पष्ट किया और हिंदू राष्ट्र की अवधारणा को आगे बढ़ाया।

45. (B): सार्क के सेक्रेटरी जनरलों के कार्यकाल के अनुसार, अबुल अहसान का कार्यकाल 1989 से 1991 तक था, यादव कान्त सिलवाल का कार्यकाल 1994 से 1995 तक था, नईम यू. हसन का कार्यकाल 1996 से 1998

तक था, और शील कान्त शर्मा का कार्यकाल 2008 से 2011 तक था। इसलिए, सही विकल्प (B) है।

46. (A): राष्ट्रपति शासन के कार्यकाल के अनुसार, आंध्र प्रदेश में जनवरी 1973 से दिसम्बर 1973 तक, असम में 1981 से 1982 तक, हिमाचल प्रदेश में 1992 से 1993 तक, और उत्तराखंड में मार्च 2016 से मई 2016 तक राष्ट्रपति शासन लागू रहा। यह सूची उन अवधियों को सही ढंग से दर्शाती है जिनमें विभिन्न राज्यों में अस्थिरता या गंभीर प्रशासनिक संकट के कारण राष्ट्रपति शासन लगाया गया था। सही विकल्प (A) है।

47. (C): यू थांट ने 1961 से 1971 तक यूएन महासचिव के रूप में सेवा की। कुर्त वाल्दहीम ने 1972 से 1981 तक सेवा की। बुतरस-बुतरस-घाली ने 1992 से 1996 तक सेवा की। कोफी ए. अन्नान ने 1997 से 2006 तक सेवा की। बान-की-मून ने 2007 से 2016 तक सेवा की। इस व्यवस्थित क्रम में, इन महासचिवों के कार्यकालों को सही रूप में प्रस्तुत किया गया है, जो उनके ऐतिहासिक और राजनीतिक प्रभाव को दर्शाता है। सही विकल्प (C) है।

48. (C): यूनाइटेड स्टेट्स की डेमोक्रेटिक पार्टी की स्थापना 1828 में हुई थी। यह पार्टी एंड्रयू जैक्सन और उनके समर्थकों द्वारा स्थापित की गई थी और यह अमेरिकी राजनीति में जनतांत्रिक आदर्शों और लोकतांत्रिक संरचना को बढ़ावा देने में एक प्रमुख भूमिका निभाती है।

49. (C): फ्रेड रिग्स ने प्रशासनिक तंत्रों को विश्लेषित करने के लिए विभिन्न आदर्श प्रतिरूपों को विकसित किया, जिनमें से 'फ्यूज्ड', 'प्रिज्मैटिक', और 'डिफ्रैक्टेड' प्रमुख हैं। ये प्रतिरूप विकासशील समाजों में प्रशासनिक संरचनाओं की जटिलताओं और उनके विकासशील प्रकृति को समझने में मदद करते हैं।

50. (B): नागा रानी गाइडिन्ल्यू ने महात्मा गांधी के आह्वान पर प्रतिक्रिया दी और ब्रिटिश शासन के विरोध में क्रांति का झंडा बुलंद किया। वह नागा जनजातीय समुदाय की एक प्रमुख नेत्री थीं, जिन्होंने ब्रिटिश राज के खिलाफ विद्रोह में सक्रिय भूमिका निभाई और उनके नेतृत्व में कई महत्वपूर्ण आंदोलन हुए।

51. (C): भारतीय राजनीतिक दलों की स्थापना के वर्षों के अनुसार कालानुक्रमिक व्यवस्थित करने पर, द्रविड़ मुनेत्र कड़गम (DMK) की स्थापना 1949 में हुई थी, तेलुगू देशम पार्टी (TDP) की 1982 में, असम गण परिषद (AGP) की 1985 में, आल इंडिया तृणमूल कांग्रेस (AITC) की 1998 में, और जनता दल (यूनाइटेड) की 2003 में स्थापना हुई। इसलिए, सही विकल्प (C) है।

52. (D): राज्य नीति के निदेशक सिद्धांतों से संबंधित अधिनियमों के कालानुक्रमिक क्रम में, ट्रेड यूनियन एक्ट 1926 में, न्यूनतम मजदूरी अधिनियम 1948 में, खान अधिनियम 1952 में, बंधुआ मजदूर प्रणाली उन्मूलन अधिनियम 1976 में, और बालक श्रम प्रतिषेध और विनियमन अधिनियम 1986 में पारित हुए। इस प्रकार, सही विकल्प (D) है।

53. (D): प्रबंधन के मामलों में कुछ भी निरपेक्ष नहीं होने का उल्लेख हेनरी फेयोल ने किया था। फेयोल प्रबंधन के सिद्धांतों के एक प्रमुख प्रतिपादक थे और उन्होंने व्यवस्थित प्रबंधन के सिद्धांतों को विकसित किया था जिन्हें विभिन्न परिस्थितियों में अनुकूलित करने की आवश्यकता पर बल दिया गया था।

54. (A): एंड्रयू जॉनसन 1868 में अमेरिकन कांग्रेस की महाभियोग कार्यवाहियों में एक वोट से बचे थे। उनके खिलाफ महाभियोग की कार्यवाही राजनीतिक विभाजन और उस समय के पुनर्निर्माण काल के तनावपूर्ण माहौल का परिणाम थी।

55. (C): सातवें सार्क शिखर सम्मेलन में गरीबी उन्मूलन पर सर्वसम्मति की अंगीकृति हुई थी। ग्युसिपे मेजिनी ने 'ऑन नेशनेलिटी' पुस्तक लिखी थी, जो उनके इटालियन राष्ट्रवादी विचारों को प्रकट करती है। जर्गेन हेबरमास फ्रैंकफर्ट स्कूल की 'दूसरी पीढ़ी' के अग्रणी प्रतिपादक हैं और उन्होंने संचार और जन संवाद के

आधुनिक सिद्धांतों पर काम किया है। वी.डी. सावरकर ने वास्तव में 'अभिनव भारत' समाज की स्थापना की थी, इसलिए (*c*) गलत है और (*e*) गलत है क्योंकि भारत ने सोवियत संघ से योजना-निर्माण प्रक्रिया को अपनाया था, न कि अमेरिका से। सही विकल्प (C) है।

56. (A): भारत के प्रथम राष्ट्रपति डॉ. राजेन्द्र प्रसाद ने जीर्णोद्धार किए गए सोमनाथ मंदिर का उद्घाटन किया था। यह घटना भारतीय संस्कृति और इतिहास में एक महत्वपूर्ण क्षण मानी जाती है क्योंकि सोमनाथ मंदिर का पुनर्निर्माण राष्ट्रीय पुनजागरण और स्वाभिमान का प्रतीक बन गया था। राजेन्द्र प्रसाद का यह कदम उस समय के भारतीय समाज में धार्मिक और ऐतिहासिक महत्व को पुनः स्थापित करने के लिए उल्लेखनीय था।

57. (B): अफ्रीकन यूनियन की स्थापना 2002 में हुई थी, लैटिन अमेरिकन इंटीग्रेशन एसोसिएशन की 1980 में, ईस्ट एशिया समिट की 2005 में, और यूरेशियन इकोनॉमिक कम्युनिटी की 2000 में। ये सभी क्षेत्रीय संगठन अपने-अपने क्षेत्रों में राजनीतिक, आर्थिक और सामाजिक सहयोग को बढ़ावा देने के लिए स्थापित किए गए थे।

58. (B): ए.के. गोपालन केस 1950 में, गोलकनाथ केस 1967 में, केशवानंद भारती केस 1973 में, मिनर्वा मिल्स केस 1980 में, और इंदिरा साहनी केस 1992 में हुआ था। ये केस भारतीय संविधान की व्याख्या और उसके प्रावधानों की सीमाओं को समझने में मील के पत्थर साबित हुए हैं।

59. (A): 15वें वित्त आयोग के अध्यक्ष एन.के. सिंह थे। उनके नेतृत्व में आयोग ने भारत के वित्तीय संरचना और राज्यों के बीच वित्तीय वितरण में महत्वपूर्ण सिफारिशें कीं, जिससे वित्तीय समरूपता और क्षेत्रीय संतुलन को प्रोत्साहन मिला।

60. (C): सार्क ईयर ऑफ गर्ल-चाइल्ड (1990), सार्क ईयर ऑफ एन्वायरनमेंट (1992), सार्क ईयर ऑफ डिसेबल्ड पर्सन्स (1993), सार्क ईयर ऑफ द यूथ (1996), सार्क ईयर ऑफ पावर्टी इरैडिकेशन (2006) के रूप में वर्षों की व्यवस्था है। इन वर्षों का नामकरण सार्क द्वारा विशेष मुद्दों पर जोर देने और सदस्य देशों के बीच सहयोग को बढ़ावा देने के लिए किया गया था।

61. (C): 1893 में शिकागो में आयोजित पहली विश्व धर्म संसद के अध्यक्ष जॉन हेनरी बैरोज थे। स्वामी विवेकानंद ने इस संसद में अपना प्रसिद्ध भाषण "भाइयों और बहनों..." के साथ उद्बोधन किया था, जिसने उन्हें अंतर्राष्ट्रीय पहचान दिलाई और वेदांत तथा योग के विचारों को पश्चिमी दुनिया में प्रसारित किया। जॉन हेनरी बैरोज की अध्यक्षता में इस संसद ने विश्व के धर्मों के बीच संवाद और समझ को बढ़ावा दिया।

62. (B): जॉन लॉक संवैधानिक सरकार के हिमायती थे और उन्होंने नागरिक सरकार के सिद्धांतों का प्रतिपादन किया। जेरेमी बेन्थम उपयोगितावाद के प्रणेता थे और उन्होंने समाज के लिए सर्वाधिक सुख के सिद्धांत को विकसित किया। जे.एस. मिल ने लोकप्रिय सहभागिता के विस्तार के लिए स्त्रियों के समावेशन पर बल दिया था। मांटेस्क्यू ने शक्तियों के पृथक्करण की अवधारणा दी थी, जो ब्रिटिश संविधान का हिस्सा नहीं था। थॉमस हॉब्स ने 'लेवियाथन' में राजनीतिक बाध्यता की चर्चा की थी, न कि 'फिलोसोफी ऑफ राइट' में, जो हिगल की रचना है।

63. (A): शरणार्थियों की स्थिति से संबंधित सम्मेलन 1954 में आयोजित किया गया था, यातना पर घोषणा-पत्र 1975 में, बाल अधिकार पर सम्मेलन 1990 में, और यूरोपियन यूनियन के मौलिक अधिकारों का अधिकार-पत्र 2000 में लागू हुआ।

64. (D): पारंपरिक उपागम में मूल्यपरक अध्ययन पर बल दिया जाता है। डेविड ईस्टन व्यवहार के अग्रणी सिद्धान्तकार हैं और उनके आगत-निर्गत विश्लेषण में माँगों, समर्थनों और प्रतिपुष्टियों के रूप में तीन मुख्य परिवर्त्य शामिल हैं। व्यवहारात्मक उपागम, जिसमें वैज्ञानिक विधियों और मात्रात्मक तकनीकों का उपयोग होता है, पारंपरिक उपागम नहीं है।

65. (C): 42वां संविधान संशोधन अधिनियम, जिसे 'मिनी संविधान' भी कहा जाता है, 1976 में पारित हुआ था। इस संशोधन ने भारतीय संविधान में व्यापक बदलाव किए थे, जिसमें निदेशक सिद्धांतों को मौलिक अधिकारों के ऊपर प्राथमिकता दी गई थी और राष्ट्रपति की शक्तियों में भी विस्तार किया गया था।

66. (B): रॉबर्ट डाह्ल ने बहुलवादी लोकतंत्र का समर्थन किया, जिसमें समाज के विभिन्न हित व्यक्त किए जा सकें। जॉन प्लेमेनात्ज ने तर्क दिया कि लोगों की इच्छाएं अक्सर भ्रामक होती हैं और यह केवल अल्पसंख्यकों तक ही सीमित नहीं है। रॉबर्ट मिशेल्स ने अल्पतंत्र के लौह नियम का समर्थन किया, जिसमें वह बताते हैं कि किसी भी राजनीतिक संगठन में, चाहे वह लोकतांत्रिक हो या न हो, नेतृत्व स्वाभाविक रूप से एक अल्पसंख्यक द्वारा होता है। गेतानो मोस्का ने अपनी पुस्तक 'The Ruling Class' में अभिजात्य सिद्धांत का समर्थन किया, न कि 'The Political Parties' में। सी. राइट मिल्स ने 'The Power Elite' में अभिजात्य शक्तियों का पक्ष-समर्थन किया, न कि 'The Managerial Revolution' में।

67. (D): भारतीय संविधान के अनुच्छेद 15 के अनुसार, राज्य किसी भी नागरिक के खिलाफ धर्म, प्रजाति, जाति, लिंग, या जन्मस्थान के आधार पर भेदभाव नहीं करेगा। यह अनुच्छेद भारत में समानता की गारंटी देता है और यह सुनिश्चित करता है कि किसी भी नागरिक को उपर्युक्त आधारों पर कोई अनुचित विभेद नहीं झेलना पड़े।

68. (B): सिंधु जल संधि 1960 में, ताशकंद समझौता 1966 में, शिमला समझौता 1972 में, फरक्का संधि 1996 में, और लाहौर घोषणापत्र 1999 में हुए थे। यह कालानुक्रम इन महत्वपूर्ण अंतर्राष्ट्रीय घटनाओं और संधियों को उनके हस्ताक्षरित होने के क्रम में प्रदर्शित करता है।

69. (A): स्वामी विवेकानंद ने 1895 में 'ब्रह्मवादिनी' पत्रिका की शुरुआत की। इस पत्रिका का उद्देश्य वेदांत और धार्मिक शिक्षाओं का प्रसार करना था, जिससे आध्यात्मिक ज्ञान को बढ़ावा मिल सके। यह पत्रिका विवेकानंद की धार्मिक और दार्शनिक विचारधाराओं को प्रसारित करने का एक माध्यम बनी।

70. (C): जवाहरलाल नेहरू के बाद, नरेंद्र मोदी वह नेता हैं, जो दो लगातार पूर्ण कार्यकाल पूरा करने के बाद तीसरी बार प्रधानमंत्री बने। मोदी ने 2014 में पहली बार कार्यालय संभाला और 2019 में दूसरी बार निर्वाचित हुए। उनके शासन में कई महत्वपूर्ण नीतिगत और विकासात्मक पहलुओं पर काम किया गया है।

71. (D): त्रिग्वे ली को 1946 में यूएन का महासचिव नियुक्त किया गया था। कोफी अन्नान को 1997 में यूएन का महासचिव नियुक्त किया गया था। यूएन शांतिरक्षकों को 1964 में साइप्रस भेजा गया था। शरणार्थियों के लिए यूएन उच्चायुक्त की स्थापना 1950 में की गई थी। इस प्रकार से घटनाओं का कालानुक्रमिक क्रम उपर्युक्त विकल्पों में से विकल्प (D) के अनुसार सही रूप से प्रस्तुत किया गया है।

72. (*)

73. (D): बेनजीर भुट्टो इस्लामिक दुनिया में पहली लोकतान्त्रिक रूप से निर्वाचित प्रधानमंत्री थीं। वह 1988 में पाकिस्तान की प्रधानमंत्री बनीं और उनकी नियुक्ति ने इस्लामिक दुनिया में महिला नेतृत्व की नई परंपरा की शुरुआत की।

74. (D): एंथनी स्मिथ ने 'द एथनिक ओरिजिन्स ऑफ नेशंस' लिखी, अर्नेस्ट जेल्नर ने 'नेशंस एंड नेशनलिज्म' में राष्ट्रवाद के विचार पर बल दिया, मैल्कम एक्स ने आध्यात्मिक और सांस्कृतिक गृहभूमि के रूप में अफ्रीका की पुनर्खोज के लिए तर्क दिया, और एरिक हॉब्सबॉम ने 'आविष्कृत परम्पराओं' पर प्रकाश डाला। जॉन लॉक ने सामान्य इच्छा का सिद्धांत नहीं दिया, यह ज्यां-जैक्स रूसो का सिद्धांत था।

75. (C): भारतीय संविधान के अनुच्छेदों से संबंधित गलत उत्तरों का चयन इस प्रकार है :

- अनुच्छेद 312 'ऑल इंडिया सर्विसेज' से संबंधित प्रावधानों का वर्णन करता है, इसलिए यह सही है।

- अनुच्छेद 342 प्रशासनिक न्यायाधिकरणों से संबंधित नहीं है; वास्तव में यह अनुसूचित जनजातियों की पहचान और उनके लिए उपायों के बारे में है।
- अनुच्छेद 244 अनुसूचित क्षेत्रों और जनजातियों के विशेष प्रावधानों से संबंधित है, न कि अंतर्राज्यीय परिषद से, जो अनुच्छेद 263 में वर्णित है।
- भाषाओं से संबंधित प्रावधान अनुच्छेद 343 और उसके बाद के अनुच्छेदों में वर्णित हैं, न कि अनुच्छेद 368 में। अनुच्छेद 368 संविधान में संशोधन की प्रक्रिया से संबंधित है।

इसलिए, विकल्प (C) सही है, जिसमें कहा गया है कि केवल (*b*), (*c*), (*d*), और (*e*) गलत हैं।

76. (A): ''राज्य ग्राम पंचायतों का गठन करने के लिए कदम उठाएगा और उनको ऐसी शक्तियाँ और प्राधिकार प्रदान करेगा जो उन्हें स्वायत्त शासन की इकाइयों के रूप में कार्य करने के योग्य बनाने के लिए आवश्यक होगा।'' यह अनुच्छेद भारतीय संविधान के निदेशक सिद्धांतों के तहत आता है। यह राज्य को निर्देश देता है कि वह ग्राम पंचायतों का गठन करे और उन्हें आवश्यक शक्तियाँ और प्राधिकार दे, ताकि वे स्थानीय स्वशासन के रूप में काम कर सकें। इस प्रावधान का उद्देश्य ग्रामीण भारत में स्वशासन को बढ़ावा देना है।

77. (A): दि इंटरनेशनल कैम्पेन टू एबोलिश न्यूक्लिअर वेपन्स : 2017 का नोबल शांति पुरस्कार इस संगठन को दिया गया था। यह संगठन परमाणु हथियारों की वैश्विक निषेध के लिए काम करता है। इस संगठन ने परमाणु हथियारों को वैश्विक खतरा मानते हुए उनके उन्मूलन की दिशा में महत्वपूर्ण कदम उठाए हैं।

78. (C): भारतीय संविधान के अनुसार वित्त आयोग के गठन की व्यवस्था अनुच्छेद 280 में की गई है। वित्त आयोग की भूमिका केंद्र और राज्यों के बीच वित्तीय संसाधनों के वितरण में मदद करना होती है, जिससे विकासात्मक गतिविधियों को समान रूप से बढ़ावा मिल सके।

भारतीय संविधान के अनुच्छेद 269 में कहा गया है कि ''संघ द्वारा उद्‌गृहीत और संगृहीत किंतु राज्यों को सौंपे जाने वाले कर।'' अनुच्छेद 269 के अनुसार निम्नलिखित शुल्कों और करों को संघ द्वारा लगाया और वसूला जाएगा, लेकिन राज्य को सौंपा जाएगा : कृषि भूमि के अलावा अन्य संपत्ति के संबंध में संपदा शुल्क। कृषि भूमि के अतिरिक्त संपत्ति के अनुक्रमण के संबंध में शुल्क। रेलवे, समुद्र या वायु द्वारा ले जाए गए माल या यात्रियों पर सीमा कर। रेलवे के किराए और माल ढुलाई पर कर। स्टॉक एक्सचेंज और वायदा बाजार में लेनदेन पर स्टांप शुल्क के अतिरिक्त कर। समाचार पत्रों के अतिरिक्त वस्तुओं की बिक्री या खरीद पर कर।

भारतीय संविधान के अनुच्छेद 271 के अंतर्गत यह प्रावधान किया गया है कि केन्द्र के प्रयोजन के लिए किन्हीं करों एवं शुल्कों पर सरचार्ज लगाया जाता है।

भारतीय संविधान का अनुच्छेद 289 राज्यों की सरकारों की सम्पत्तियों और आय पर केंद्रीय कराधान से संबंधित है। इसका मुख्य उद्देश्य यह सुनिश्चित करना है कि राज्यों की सम्पत्तियों और आय पर केंद्र सरकार कर न लगा सके, जिससे राज्यों की वित्तीय स्वायत्तता बनी रहे।

79. (C): प्रशासनिक मतों के संबंध में ये कथन सही हैं, सिवाय (*c*) के, जिसमें चेस्टर बर्नार्ड के हॉथोर्न इफेक्ट के विचार को आगे बढ़ाने का दावा किया गया है। हॉथोर्न इफेक्ट का संबंध एल्टन मेयो के अध्ययनों से है, न कि चेस्टर बर्नार्ड से।

80. (A): ऑल जम्मू कश्मीर मुस्लिम कॉन्फ्रेंस का गठन 1932 में हुआ था। यह संगठन जम्मू और कश्मीर में मुस्लिम हितों की रक्षा और प्रतिनिधित्व के लिए स्थापित किया गया था, जो उस समय ब्रिटिश भारत का एक हिस्सा था।

81. (C): यह सूची भारतीय राष्ट्रपतियों के कार्यकाल के अनुसार सही मिलान को दर्शाती है। डॉ. जाकिर हुसैन का कार्यकाल 13 मई, 1967 से 3 मई 1969 तक था, फखरुद्दीन अली अहमद का कार्यकाल 24 अगस्त, 1974 से 11 फरवरी, 1977 तक था, नीलम संजीव

रेड्डी का कार्यकाल 25 जुलाई, 1977 से 25 जुलाई 1982 तक था, और आर. वेंकटरमण का कार्यकाल 25 जुलाई, 1987 से 25 जुलाई 1992 तक था।

82. (B): योजना आयोग को नीति आयोग में 1 जनवरी 2015 को बदला गया था। नीति आयोग भारत सरकार का प्रमुख 'थिंक टैंक' है जो दिशात्मक और नीतिगत इनपुट प्रदान करता है। नीति आयोग भारत सरकार के लिए रणनीतिक और दीर्घकालिक नीतियों और कार्यक्रमों को अभिकल्पित करने के साथ-साथ केन्द्र और राज्यों को तकनीकी सलाह भी प्रदान करता है। प्रधानमंत्री नीति आयोग के अध्यक्ष होते हैं तथा इसमें सभी राज्यों के मुख्यमंत्री और संघ राज्य क्षेत्रों के उपराज्यपाल शामिल हैं।

83. (A): रबीन्द्रनाथ टैगोर का जन्म 7 मई, 1861 को पश्चिम बंगाल के कोलकाता में हुआ था। वे एक समृद्ध और प्रतिष्ठित परिवार से थे, जिससे उन्हें प्रारंभिक शिक्षा और संस्कार मिले। टैगोर ने अपने साहित्यिक जीवन की शुरुआत बहुत ही कम उम्र में की थी। उनकी रचनाएँ बांग्ला साहित्य में अद्वितीय स्थान रखती हैं। उनकी काव्य रचना 'गीतांजलि' को 1913 में नोबेल पुरस्कार मिला था। उन्होंने लगभग 2,230 गीत लिखे, जिन्हें 'रवीन्द्र संगीत' के नाम से जाना जाता है। उनकी संगीत रचनाएँ आज भी लोकप्रिय हैं। 1921 में, उन्होंने पश्चिम बंगाल में शांति निकेतन में विश्व भारती विश्वविद्यालय की स्थापना की, जिसका उद्देश्य शिक्षा के माध्यम से विश्व के विभिन्न संस्कृतियों को जोड़ना था। टैगोर भारतीय स्वतंत्रता संग्राम में भी सक्रिय रूप से शामिल थे। उन्होंने 1919 में जलियाँवाला बाग हत्याकांड के विरोध में 'नाइटहुड' की उपाधि लौटा दी थी। रबीन्द्रनाथ टैगोर का निधन 7 अगस्त, 1941 को हुआ। उनका योगदान भारतीय साहित्य और कला में अमूल्य है।

84. (B): पाकिस्तान ने अपना प्रथम परमाणु बम विस्फोट 28 मई, 1998 को चगाई की पहाड़ियों में किया। यह परमाणु विस्फोट इस क्षेत्र में परमाणु संतुलन स्थापित करने के लिए किया गया था।

85. (C): सी.एन. अन्नादुरई तमिलनाडु के प्रथम मुख्यमंत्री थे। वह 1967 में इस पद पर निर्वाचित हुए और तमिलनाडु राज्य की स्थापना के समय से ही उन्होंने इस पद को संभाला। उनका कार्यकाल तमिल भाषा और संस्कृति के संवर्धन के लिए महत्वपूर्ण रहा है।

86. (A): संवैधानिक सभा की राज्यवार सदस्यता और उनके कार्यकाल के संदर्भ में, मद्रास से 49 सदस्य थे, बॉम्बे से 19 सदस्य, पश्चिम बंगाल से 21 सदस्य, और संयुक्त प्रांत (अब उत्तर प्रदेश) से 55 सदस्य थे। इस तरह यह संविधान सभा की रचना और उसकी सदस्यता की विविधता को दर्शाता है। इससे यह पता चलता है कि किस प्रकार विभिन्न राज्यों से चुने गए प्रतिनिधियों ने भारतीय संविधान के निर्माण में योगदान दिया।

संविधान सभा की पहली बैठक 9 दिसंबर, 1946 को हुई। संविधान सभा की बैठक में भारतीय राष्ट्रीय कांग्रेस के जे.बी. कृपलानी ने फ्रांस की प्रथा का अनुसरण करने का प्रस्ताव रखा, जिसको सर्वसम्मति से स्वीकार कर लिया गया और सबसे वयोवृद्ध सदस्य सच्चिदानंद सिन्हा को अस्थायी अध्यक्ष चुना गया।

11 दिसंबर, 1946 को डॉ. राजेंद्र प्रसाद को संविधान सभा का स्थायी अध्यक्ष चुन लिया गया। वी.एन. राव को संविधान सभा का सलाहकार नियुक्त किया गया। 13 दिसंबर, 1946 को पं. नेहरू ने संविधान सभा में उद्देश्य प्रस्ताव प्रस्तुत किया जिसे 22 जनवरी, 1947 को संविधान सभा द्वारा स्वीकार किया गया और यही उद्देश्य प्रस्ताव भारतीय प्रस्तावना का आधार बना।

भारतीय स्वतंत्रता अधिनियम 1947 द्वारा संविधान सभा को एक संप्रभु निकाय बनाया गया और उसे अधिकार दिया गया कि वह अपनी इच्छा से कोई भी संविधान बना सकती है।

87. (C): विधायिकाओं का सही मिलान इस प्रकार है : हाउस ऑफ रेप्रेजेंटेटिव्स अमेरिका से संबंधित है, नेशनल असेम्बली पाकिस्तान से, हाउस ऑफ कॉमन्स यूनाइटेड किंगडम से, और नेस्सेट इजरायल से। ये सभी विधायिकाएं अपने-अपने राष्ट्रों में नीति निर्माण और लोकतांत्रिक प्रक्रिया के महत्वपूर्ण स्तंभ हैं।

88. (D): स्टीव ओडिन ने यह कहा था कि श्री अरबिन्दो ने हीगल के परम जीवात्मा के बोध को आत्मसात किया और इसे समसामयिक अर्थों में पुरातन हिन्दू वेदांत पद्धति के पुरातत्व-विषयक कार्य ढांचे को आमूल पुनर्संरचना के लिए नियोजित किया। यह उद्धरण अरविंदो की दार्शनिक और आध्यात्मिक अवधारणाओं की गहराई को दर्शाता है।

89. (A): इस सूची के अनुसार, जॉर्ज सोरोस ने 'ओपन सोसाइटी' लिखी है, पॉल क्रुगमैन ने 'द कॉन्सिएंश ऑफ अ लिबरल' लिखी है, हर्मन डॉली ने 'फॉर द कॉमन गुड' लिखी है, और इमैनुएल वॉलरस्टीन ने 'डिक्लाइन ऑफ अमेरिकन पावर' लिखी है। ये विद्वान विभिन्न विषयों पर अपनी विशेषज्ञता के लिए प्रसिद्ध हैं।

90. (B): ई.एम.एस. नम्बुदरीपाद केरल के मुख्यमंत्री थे जिन्हें भारत में पहली बार अनुच्छेद 356 के दुरुपयोग करके हटाया गया था। उनकी सरकार 1957 में भारत में पहली निर्वाचित कम्युनिस्ट सरकार थी, और 1959 में उनकी सरकार को बर्खास्त कर दिया गया था, जो एक विवादास्पद राजनीतिक कदम था।

भारतीय संविधान के अनुच्छेद 356 के अनुसार, भारत के राष्ट्रपति को राष्ट्र के किसी भी राज्य में राष्ट्रपति शासन लगाने और राज्य सरकार को निलंबित करने का अधिकार है "यदि वह संतुष्ट है कि ऐसी स्थिति उत्पन्न हो गई है जिसमें राज्य की सरकार संविधान के प्रावधानों के अनुसार नहीं चलाई जा सकती है।" संविधान के अनुच्छेद 365 के तहत, अनुच्छेद 356 के प्रावधानों को काफी हद तक बढ़ाया गया है। राष्ट्रपति निम्नलिखित दो परिस्थितियों में आपातकालीन उपाय कर सकता है :

- संविधान के अनुच्छेद 352 के अनुसार, राष्ट्रपति राष्ट्रीय आपातकाल की घोषणा कर सकता है जो पूरे भारत में लागू होता है।
- जब कोई राज्य अनुच्छेद 365 का उल्लंघन करता है तो राष्ट्रपति अनुच्छेद 356 के तहत आपातकाल की स्थिति घोषित कर सकता है।

इस नियम के लागू होने के बाद कोई मंत्रिपरिषद नहीं होगी अर्थात या तो विधानसभा भंग कर दी जाती है या स्थगित कर दी जाती है। राज्य सीधे केंद्र सरकार के प्रशासन के अधीन आ जाएगा, और राज्यपाल राज्य के प्रमुख, भारत के राष्ट्रपति के रूप में कार्यवाही की अध्यक्षता करना जारी रखेंगे।

91. (B): सत्रह-बिन्दुओं वाले समझौते पर मई 1951 में हस्ताक्षर किए गए थे। यह समझौता तिब्बत को चीन का एक स्वायत्तशासी हिस्सा बनाने की दिशा में एक कदम था, हालांकि यह समझौता विवादित रहा और इसे दबाव में किए गए कार्य के रूप में देखा गया।

92. (B): गद्यांश के अनुसार, तिब्बत ने 1913 से 1951 तक वास्तविक स्वतंत्रता का आनंद लिया। इस अवधि के दौरान, तिब्बत ने एक स्वतंत्र राष्ट्र के रूप में काम किया, हालांकि 1951 के समझौते के बाद चीन ने तिब्बत पर नियंत्रण मजबूत किया।

93. (D): तिब्बती प्रतिनिधिमंडल को चीन का एक स्वायत्तशासी भाग बनने की औपचारिक स्वीकृति देने के लिए आगे बढ़ने की सुविधा ब्रिटिश भारत ने प्रदान की थी। यह ऐतिहासिक प्रसंग तब हुआ जब ब्रिटिश भारत ने चीन के साथ तिब्बत से संबंधित मामलों में सहयोग किया।

94. (D): पंचशील समझौते पर 1954 में हस्ताक्षर किए गए थे। यह समझौता भारत और चीन के बीच हुआ था और इसमें पाँच मूल सिद्धांत शामिल थे, जिनमें शांतिपूर्ण सह-अस्तित्व प्रमुख था। इस समझौते का उद्देश्य दोनों देशों के बीच संबंधों को मजबूत करना और तनाव को कम करना था।

95. (C): गद्यांश के अनुसार, चीन की तिब्बत पर पकड़ मजबूत करने में ब्रिटिश भारत और स्वतंत्र भारत दोनों ने सहायता की। यह सहायता ऐतिहासिक रूप से चीन को तिब्बत के स्वायत्तशासी भाग के रूप में औपचारिक स्वीकृति देने और 1954 के पंचशील समझौते के माध्यम से प्रदर्शित हुई थी।

96. (B): 64वां संविधान संशोधन बिल 1989 में भारतीय संसद में प्रस्तुत किया गया था। यह बिल ग्राम पंचायतों की शक्तियों और स्वतंत्रता को मजबूत करने की दिशा में एक महत्वपूर्ण कदम था, जिसे बाद में 73वें संशोधन के रूप में संविधान में स्थान मिला। इस बिल का उद्देश्य स्थानीय शासन की संरचनाओं को और अधिक सशक्त बनाना था, जिससे कि विकेन्द्रीकरण को प्रोत्साहन मिल सके।

97. (B): रिप्पन के संकल्पों को 1882 में स्वीकृति दी गई थी। यह संकल्पना भारतीय प्रशासनिक इतिहास में विकेंद्रीकरण की दिशा में एक महत्वपूर्ण कदम थी। रिप्पन की नीतियों ने भारत में स्थानीय स्वशासन को बढ़ावा देने का प्रयास किया, जिससे कि स्थानीय निकायों को अधिक स्वायत्तता प्राप्त हो सके।

98. (B): 73वां संविधान संशोधन अधिनियम ने स्थानीय स्वायत्त शासन को भारत में संवैधानिक मान्यता दी। इस संशोधन के अंगीकरण से पंचायती राज संस्थानों को संवैधानिक आधार मिला और इसने ग्रामीण विकास और लोकतंत्र के प्रसार में योगदान दिया। इस अधिनियम ने त्रि-स्तरीय पंचायती राज संस्थाओं की स्थापना का प्रावधान किया, जिसमें ग्राम, ब्लॉक, और जिला स्तर पर चुनी हुई सरकारें शामिल थीं।

99. (B): 73वें संविधान संशोधन अधिनियम ने माध्यमिक स्तर पर पंचायत समिति को प्रस्तुत किया। यह संरचना स्थानीय शासन की त्रि-सोपनीय प्रणाली का एक हिस्सा है जिसमें पंचायत समिति को मध्यवर्ती स्तर का संगठन माना गया है, जिसका मुख्य कार्य क्षेत्रीय विकास और प्रशासनिक समन्वय को सुनिश्चित करना होता है।

100. (B): 'रिवाइटलाईजेशन ऑफ पीआरआईज फॉर डेमोक्रेसी एंड डेवेलपमेंट' रिपोर्ट को एल.एम. सिंघवी समिति ने लाया था। इस रिपोर्ट में स्थानीय स्वायत्त शासन की मजबूती पर जोर दिया गया था और यह 1986 में प्रस्तुत की गई थी। इसने पंचायती राज संस्थानों के पुनर्जीवन और विकास के लिए व्यापक सिफारिशें प्रस्तुत की थीं, जिन्होंने बाद में 73वें संशोधन के रूप में आकार लिए।

पिछले प्रश्न-पत्र

National Testing Agency (NTA)

UGC-NET जूनियर रिसर्च फैलोशिप तथा सहायक प्राध्यापक पात्रता परीक्षा

राजनीति विज्ञान, दिसम्बर-2023

(Exam held on 11-12-2023)

प्रश्न-पत्र-II

1. निम्नलिखित में से कौन-सा नॉजिक के 'अधिकारिता सिद्धांत' का एक सिद्धांत नहीं है?

A. हस्तांतरण का सिद्धांत–जो भी न्यायसंगत ढंग से प्राप्त किया गया है, मुक्त रूप से हस्तांतरित किया जा सकता है।

B. न्यायसंगत आरंभिक अधिग्रहण का सिद्धांत–इस बात का विवरण कि लोग आरंभ में कैसे वस्तुओं का स्वामित्व रखते हैं जिसे (A) के अनुसार हस्तांतरित किया जा सकता है।

C. अंतिम अधिग्रहण का सिद्धांत–इस बात का विवरण कि लोग कैसे वस्तुओं के अंततः स्वामी बनते हैं जिन्हें (A) के अनुसार हस्तांतरित किया गया है।

D. अन्याय के सुधार का सिद्धांत–उन धारिकताओं से कैसे निपटना यदि वे अन्यायपूर्ण ढंग से अधिग्रहित या हस्तांतरित की गई हैं।

2. दार्शनिक अराजकतावाद का मुख्य तर्क क्या है?

A. कि किसी राष्ट्र का अस्तित्व नहीं होना चाहिए।

B. कि किसी राष्ट्र के पास वास्तव में प्राधिकार नहीं है।

C. कि दार्शनिक अराजकतावाद के लिए तर्क उदारवादी सिद्धांतों के विरुद्ध हैं।

D. कि सभी राष्ट्रों को पारस्परिक सहयोग और सद्भाव के साथ रहना चाहिए।

3. निम्नलिखित में से कौन-सा देश 'एशियन टाइगर' अर्थव्यवस्थाओं के अंतर्गत नहीं आता है?

A. दक्षिण कोरिया	B. सिंगापुर
C. हांगकांग	D. बर्मा

4. अरस्तू ने इस आधार पर लोकप्रिय शासन की आलोचना की थी कि कुछ लोगों के पास ही संपत्ति होने से जनता में रोष व्याप्त होगा और वह आसानी से निम्नलिखित के प्रभाव में आ जाएगी।

A. राजा

B. अग्रणी नागरिकों

C. जनोत्तेजक

D. उपर्युक्त में से कोई नहीं

5. निम्नलिखित में से कौन-सी अवधारणा जॉन रॉल्स से संबंधित नहीं है?

A. जस्टिस एज फेयरनेस

B. डिस्ट्रीब्यूटिव जस्टिस

C. क्लास इन इटसेल्फ

D. वेल ऑफ इग्नोरेंस

6. निम्नलिखित में से कौन-सा विचारक नारीवादी सिद्धांत से जुड़ा नहीं है?

A. सूजान सोनटैग	B. कैरोल पैटमन
C. मार्था नूसबॉम	D. जूडिथ बटलर

7. भीखू पारेख के अनुसार निम्नलिखित में से कौन-सा ऐसा विषय नहीं है जिसे भारतीय राजनीतिक विचारकों द्वारा सामान्यतः अनदेखा किया गया?

A. आधुनिक वैयक्तिक विचारक

B. भारतीय राज्य की प्रकृति

C. सामाजिक न्याय

D. राजनीतिक अर्थव्यवस्था

8. निम्नलिखित में से कौन-सा विषय महात्मा गांधी और रवीन्द्रनाथ टैगोर के बीच वाद-विवाद का विषय नहीं था?

A. अंग्रेजी भाषा

B. राष्ट्रभाषा

C. चरखा

D. औपनिवेशिक शासन से स्वतंत्रता

9. निम्नलिखित में से किसने कबीर को 'मुक्तिदूत' कहा?

A. रवीन्द्रनाथ टैगोर B. महात्मा गाँधी

C. मदनमोहन मालवीय D. गोपाल कृष्ण गोखले

10. निम्नलिखित में से कौन-सा विचारक 'समन्वयवाद' से संबंधित है?

A. अबुल फजल B. कबीर

C. जियाउद्दीन बरनी D. तुलसीदास

11. निम्नलिखित में से किसने सामाजिक सुधार के भाग के रूप में आत्मसम्मान आंदोलन की शुरूआत की थी?

A. महात्मा गाँधी

B. पंडित दीनदयाल उपाध्याय

C. ई.वी. रामास्वामी नायकर

D. स्वामी विवेकानन्द

12. मनु के अनुसार, निम्नलिखित में से कौन-सा कूटनीति और राष्ट्रनीति का आधार नहीं है?

A. विग्रह B. तटस्थता

C. संश्रय D. अनुबंध

13. 'कैपिटेलिज्म, सोशलिज्म एंड डेमोक्रेसी' पुस्तक के लेखक हैं :

A. जोसेफ शुम्पीटर B. सैम्युअल हंटिग्टन

C. आंद्रे गुंदर फ्रैंक D. जोसेफ लापालोम्बारा

14. वह सिद्धांत जो यह तर्क प्रस्तुत करता है कि, "देशों का जैसे-जैसे आर्थिक विकास होता है, वैसे-वैसे ही उनके लोकतांत्रिक बनने एवं लोकतांत्रिक बने रहने, दोनों की संभावना अधिक होती जाती है," जाना जाता है :

A. आश्रितता सिद्धांत

B. विश्व प्रणाली सिद्धांत

C. आधुनिक उत्कृष्ट सिद्धांत

D. अल्प विकसित सिद्धांत

15. वह प्रक्रिया जिसमें तानाशाही (अधिनायकत्व) शासन करने वाले अभिजात-वर्ग, उदारवादी सुधारों का प्रारंभ करता है, जिससे लोकतांत्रिक बदलाव होता है, उसे कहते हैं :

A. ऊर्ध्वगामी लोकतांत्रिक बदलाव

B. अधोगामी लोकतांत्रिक बदलाव

C. प्रथम प्रतिवर्ती लहर

D. द्वितीय प्रतिवर्ती लहर

16. मध्य एशियाई ताजिकिस्तान गणराज्य में विद्यमान राजनीतिक शासन प्रणाली किस श्रेणी के अन्तर्गत आती है?

A. राजतंत्र

B. सैन्य तानाशाही

C. लोकतंत्र

D. असैनिक (सिविलियन) तानाशाही

17. किस घटना के कारण जॉर्ज डब्ल्यू. बुश ने अपनी विदेश नीति को वैश्विक शक्ति के रूप में प्रस्तुत किए जाने और हस्तक्षेपवाद की नीति में बदला?

A. 26 नवम्बर B. 11 सितम्बर

C. 5 दिसम्बर D. 11 अक्टूबर

18. आधुनिक राज्य व्यवस्था की वास्तविक शुरूआत किसके अंत के बाद हुई?

A. पचास वर्षीय युद्ध

B. तीस वर्षीय युद्ध

C. एक सौ वर्षीय युद्ध

D. दस वर्षीय युद्ध

19. निम्नलिखित में से किसने 'शक्ति का संतुलन' शब्द के आठ अलग-अलग अर्थ बताए हैं?

A. इरिस एल. क्लॉड जूनियर

B. अर्नस्ट बी. हास

C. रिचर्ड कोलेडेन

D. अल्फ्रेड वात

20. किसने कहा था कि राजमर्मज्ञ "शक्ति के रूप में परिभाषित हित की दृष्टि से चिंतन और कार्रवाई करते हैं।"

A. मॉर्गेंथाऊ | B. जॉर्ज एफ. केन्नन

C. हेरॉल्ड निकोल्सन | D. हेनरी ए. किसिंगर

21. निम्नलिखित में से किन दो देशों की नौसेनाएं मलक्का जलडमरूमध्य में संयुक्त रूप से गश्त लगाती हैं?

A. भारत-जापान | B. भारत-यूनाइटेड स्टेट्स

C. भारत-ऑस्ट्रेलिया | D. भारत-सिंगापुर

22. संयुक्त राष्ट्र जलवायु परिवर्तन सम्मेलन जिसे 'कोपेनहेगन शिखर सम्मेलन' के तौर पर जाना जाता है, किस वर्ष हुआ?

A. 2009 | B. 2006

C. 2010 | D. 2012

23. प्रधानमंत्री के रूप में मनमोहन सिंह ने किस वर्ष चीन की यात्रा की?

A. 2006 | B. 2007

C. 2008 | D. 2009

24. भारत ने किस देश के साथ "शांति और समृद्धि के लिए रणनीतिक और सहयोगात्मक भागीदारी विकसित करके स्थायी शांति और साझा समृद्धि वाले समरसतापूर्ण विश्व के निर्माण को बढ़ावा देने के लिए" एक घोषणापत्र पर हस्ताक्षर किए?

A. यूनाइटेड स्टेट्स | B. चीन

C. यूनाइटेड किंगडम | D. जापान

25. निम्नलिखित में से कौन-सा प्रत्यक्ष लोकतंत्र का प्रमुख तत्व नहीं है?

A. जनमत संग्रह

B. वापस बुलाना

C. विघ्नकरण (फिलिबस्टरिंग)

D. प्लेबिसाइट

26. यह किसने कहा था कि धर्म मनु की राजव्यवस्था का वास्तविक मानदंड है?

A. नलिनी सिन्हा | B. सत्यमित्र दुबे

C. महेन्द्र प्रसाद सिंह | D. हिमांशु राय

27. किस संशोधन ने 1967 में गोलकनाथ के मामले में दिए गए निर्णय का अधिक्रमण किया?

A. तेइसवां संशोधन

B. चौबीसवां संशोधन

C. पच्चीसवां संशोधन

D. छब्बीसवां संशोधन

28. निम्नलिखित में से कौन-सा विषय समवर्ती सूची में शामिल नहीं है?

A. दिवाला और शोधन अक्षमता

B. पशुओं के प्रति क्रूरता का निवारण

C. बाजार और मेला

D. आर्थिक और सामाजिक योजना

29. बी.आर. अम्बेडकर ने निम्नलिखित किस अवसर पर वंचित वर्गों के लिए एक पृथक निर्वाचक मंडल की माँग की थी?

A. प्रथम गोलमेज सम्मेलन

B. द्वितीय गोलमेज सम्मेलन

C. तृतीय गोलमेज सम्मेलन

D. चतुर्थ गोलमेज सम्मेलन

30. संविधान सभा को सलाह देने हेतु बनाया गया प्रांतीय भाषायी आयोग किस नाम से लोकप्रिय था?

A. दर आयोग | B. मेनन आयोग

C. मुखर्जी आयोग | D. बोस आयोग

31. सत्यशोधक समाज की स्थापना किसने की थी?

A. अय्यानकली | B. ज्योतिबा फुले

C. बी.आर. अम्बेडकर | D. पेरियार

32. भारत के संविधान के किस अनुच्छेद के तहत राज्य विधानमंडल को ऐसे विधानमंडल के लिए निर्वाचनों के संबंध में उपबंध करने की क्षमता प्राप्त है?

A. अनुच्छेद 324 | B. अनुच्छेद 326

C. अनुच्छेद 328 | D. अनुच्छेद 352

33. निम्नलिखित में से किसने 'रचनात्मक द्वन्द्व' का अभिनव विचार प्रतिपादित किया?

A. मैरी पार्कर फॉलेट B. वुडरो विल्सन
C. मैक्स वेबर D. हेनरी फेयोल

34. निम्नलिखित में से किसने संगठनों में सप्ताह में 40 घंटे कार्य, समय एवं गति अध्ययनों, मात्रानुपाती दर व्यवस्था के साथ-साथ 'दिन के उचित कार्य के लिए दिन का उचित वेतन' की अवधारणाओं का प्रारंभ किया?

A. वुडरो विल्सन B. फ्रेडरिक टेलर
C. मैक्स वेबर D. एल्टन मेयो

35. 1887 में पॉलिटिकल साइंस क्वार्टरली में प्रकाशित शोधपत्र 'द स्टडी ऑफ एडमिनिस्ट्रेशन' का लेखक कौन था?

A. हेनरी फेयोल B. वुडरो विल्सन
C. मैरी पार्कर फॉलेट D. मैक्स वेबर

36. 'मैनेजमेंट : टास्क्स, रेस्पांसिबिलिटीज, प्रैक्टिसेज' नामक पुस्तक का लेखक कौन है?

A. जॉन डोएर B. पीटर ड्रकर
C. जिलियन टेट D. ब्रेन ब्राउन

37. मजदूर किसान शक्ति संगठन (MKSS) ने भारत में किस आंदोलन में अग्रणी भूमिका निभाई?

A. नामांतर आंदोलन
B. निर्भया आंदोलन
C. जन सुनवाई
D. उपर्युक्त में से कोई नहीं

38. यू.के. में किसी राष्ट्रीय कार्यक्रम में सिटीजन चार्टर किस वर्ष शामिल और कार्यान्वित किया गया था?

A. 1989 B. 1991
C. 1993 D. 1998

39. निम्नलिखित में से कौन-सा प्राक्कलन समिति का कार्य नहीं है?

A. प्रशासन में दक्षता और मितव्ययता लाने के लिए वैकल्पिक नीतियों का सुझाव देना।
B. यह जाँच करना कि प्राक्कलनों में निहित नीति के अनुसार धन का समुचित व्यय किया गया है।
C. सीएजी की रिपोर्ट की इस दृष्टिकोण से जांच करना कि संसद द्वारा स्वीकृत धन का संबंधित प्राधिकरण द्वारा उपयोग किया गया है।
D. उस प्रारूप का सुझाव देना जिसमें प्राक्कलनों को संसद में प्रस्तुत किया जा सकता है।

40. लोक लेखा समिति की संरचना की निम्नलिखित में से कौन-सी सही विशेषता है?

A. लोक लेखा समिति में केवल लोक सभा के सदस्य शामिल होते हैं।
B. लोक लेखा समिति आनुपातिक प्रतिनिधित्व और सकल संक्रमणीय मत प्रणाली के सिद्धांत के अनुसार वार्षिक रूप से निर्वाचित निकाय हैं।
C. लोक लेखा समिति में 30 (तीस) सदस्य होते हैं।
D. लोक लेखा समिति के लिए किसी सदस्य को पुनः निर्वाचित नहीं किया जा सकता है।

41. निम्नलिखित में से कौन-से कथन भीखू पारेख की मानव प्रकृति की अवधारणा को स्पष्ट करते हैं?

(*a*) मानव प्रकृति के सभी संदर्भों की कड़ी जाँच की जानी चाहिए और उसे पर्याप्त संदेह के साथ देखा जाना चाहिए।

(*b*) मानव जाति सांस्कृतिक रूप से इस समझ में सन्निहित है कि वे अपने सांस्कृतिक समुदाय में पैदा हुए, पले-बढ़े और उसके द्वारा गहनता से आकार दिए गए हैं।

(*c*) अपने अलग-अलग सांस्कृतिक संदर्भों पर विचार नहीं करते हुए, मानव जाति, जब महत्वपूर्ण मामलों की बात आती है, तो कमोबेश एकसमान रूप से व्यवहार करती है।

(*d*) यद्यपि त्वचा का रंग, लिंग, लम्बाई और अन्य शारीरिक विशेषताएँ सार्वभौमिक रूप से साझी हैं तथापि भिन्न-भिन्न समाजों में उन सभी को अलग-अलग ढंग से अवधारित किया जाता है और इनके भिन्न-भिन्न अर्थ और महत्व हो जाता है।

(*e*) त्वचा के रंग को एक गहन तात्विक अर्थ दिया गया है और सभी सोसाइटियों में शक्ति के विभेदात्मक वितरण और दर्जे का आधार बनाया गया है।

A. केवल (*a*), (*b*) और (*c*)
B. केवल (*b*), (*c*) और (*d*)
C. केवल (*a*), (*b*) और (*d*)
D. केवल (*d*), (*e*) और (*b*)

42. निम्नलिखित में से कौन से तर्क 'दक्षिण पंथी बलों' से संबंधित हो सकते हैं?

(*a*) क्या लोग असमान अवसरों के कारण नहीं बल्कि स्वयं की पसंद के कारण गरीब हैं?

(*b*) यदि हम गरीबों में धन का पुनर्वितरण करते हैं तो क्या इससे असमान परिस्थितियों के पीड़ितों को मदद मिल सकती है?

(*c*) क्या कल्याणकारी राज्य ने गरीबों को अपने वचन को दूर करने और समाज में भागीदारी करने में मदद की है?

(*d*) क्या कल्याणकारी राज्य ने गरीबी के जाल में फंसे कल्याणकारी आश्रितों का एक वर्ग सृजित किया है?

(*e*) गरीबी, आवासहीनता, हाई स्कूल ड्रॉप आउट दरों आदि जैसी सामाजिक रुग्णताओं के स्रोत इतने जटिल हैं कि यदि राज्य उनका समाधान करने का प्रयास करता है, तो वह धीरे-धीरे विफल हो जाता है तथा समस्या और अधिक बढ़ जाती है।

A. केवल (*a*), (*b*) और (*c*)
B. केवल (*a*), (*d*) और (*e*)
C. केवल (*a*), (*c*) और (*e*)
D. केवल (*a*), (*b*) और (*d*)

43. विमर्शी लोकतंत्र के बारे में निम्नलिखित में से कौन-सी टिप्पणियाँ सही हैं?

(*a*) विमर्शी लोकतंत्र एक मानकीय आदर्श का वर्णन करता है, जिसमें स्वतंत्र और समान नागरिक सार्वजनिक रूप से एक-दूसरे के साथ तर्क करते हैं।

(*b*) वे किसी मुद्दे या नीति या किसी संपूर्ण प्रणाली में निहित सिद्धांतों के बारे में आम सहमति बनाने के लिए ऐसा करते हैं।

(*c*) मुख्य दावा यह है कि यदि कोई राजनीतिक निर्णय या प्रणाली 'समान व्यक्तियों के बीच स्वतंत्र और तर्कसंगत समझौते नियंत्रण नहीं रख सकती है तब भी वह वैध होती है।

(*d*) स्पष्टतः यह एक व्यावहारिक अवधारणा है जिसका दलगत प्रतिद्वन्द्वताओं और गड़बड़ समझौतों के साथ समसामयिक राजनीतिक व्यक्ति पालन करते हैं।

(*e*) विमर्शी आदर्श में वास्तव में लोकतांत्रिक संघ की प्रकृति के बारे में एक शक्तिशाली नैतिक अंतर्बोध निहित होता है।

A. केवल (*a*), (*b*) और (*e*)
B. केवल (*a*), (*b*) और (*c*)
C. केवल (*b*), (*c*) और (*d*)
D. केवल (*b*), (*d*) और (*e*)

44. गाँधी के सत्याग्रह के सिद्धांत के निम्नलिखित में से कौन-से पहलू आपसी अविश्वास से ग्रस्त बहुल समाजों में संवाद की प्रक्रिया में सहायक हो सकते हैं?

(*a*) संवाद की पूर्व शर्तों पर ध्यान देने से भागीदारों का नैतिक दृष्टिकोण स्थापित करने में मदद मिलती है।

(*b*) सत्य पर हमारी पकड़ का ज्ञान आंशिक रूप से आत्मसंयम उत्पन्न करता है।

(*c*) सत्याग्रही संवादात्मक स्थिति का सृजन और पुनः सृजन करने के लिए उत्तरदायी नहीं होता है।

(*d*) अहिंसा की प्रतिबद्धता अलगाव और अन्यता की भावना को दूर करती है।

(*e*) समझौता करने की तत्परता भागीदारों के नैतिक दृष्टिकोण को निष्प्रभावी कर सकती है।

A. केवल (*a*), (*b*) (*c*) और (*d*)
B. केवल (*a*), (*b*) और (*d*)
C. केवल (*b*), (*c*), (*d*) और (*e*)
D. केवल (*a*), (*c*), (*d*) और (*e*)

45. निम्नलिखित में से कौन-से विचारक सहभागी लोकतंत्र से संबंधित हैं?

(*a*) कैरोल पेटमैन

(*b*) इयान शेपिरो

(*c*) बेंजामिन बारबर

(*d*) यूरगेन हेबरमास

(*e*) सी.बी. मैकफर्सन

A. केवल (*a*), (*b*) और (*c*)

B. केवल (*a*), (*b*) और (*d*)

C. केवल (*a*), (*c*) और (*e*)

D. केवल (*a*), (*c*) और (*d*)

46. राज्यपाल की योग्यता और नियुक्ति के बारे में क्या सही है?

(*a*) वह भारत का नागरिक हो

(*b*) उसने 25 वर्ष की आयु पूरी कर ली हो

(*c*) उसने प्रधानमंत्री द्वारा नियुक्त किया जाता है

(*d*) वह 6 वर्षों के कार्यकाल के लिए राज्यपाल के पद पर रहता है

(*e*) वह प्रधानमंत्री को संबोधित स्वयं लिखकर अपने पद से त्यागपत्र दे सकता है

A. केवल (*a*)

B. केवल (*a*) और (*b*)

C. केवल (*a*), (*b*) और (*d*)

D. (*a*), (*b*) (*c*), (*d*) और (*e*)

47. निम्नलिखित में से कौन-सा कथन महात्मा गाँधी से संबंधित नहीं है?

(*a*) 'अहिंसा हमारी प्रजाति का कानून है क्योंकि हिंसा पाश्विक कानून है।'

(*b*) 'एक राष्ट्र जो असित बलिदान देने में समर्थ है, वह असीमित ऊँचाइयों तक जाने में समर्थ है।'

(*c*) 'यह समादेश 'अपने शुत्र से प्रेम करो' न केवल महानतम आदर्शवाद है बल्कि सर्वाधिक व्यावहारिक राजनीति भी है।'

(*d*) 'पागल लोगों की दुनिया में समझदार होना अपने-आप में एक प्रकार का पागलपन है।'

(*e*) 'मेरा राष्ट्रवाद गहन अंतर्राष्ट्रीयतावाद है।'

A. केवल (*a*), (*c*), (*d*) और (*e*)

B. केवल (*a*), (*d*) और (*e*)

C. केवल (*a*), (*b*), (*c*) और (*e*)

D. (*a*), (*b*), (*c*), (*d*) और (*e*)

48. राममनोहर लोहिया से संबंधित निम्नलिखित कथनों में से कौन-से सही हैं?

(*a*) उन्होंने सात प्रकार की क्रांति के बारे में चर्चा की।

(*b*) उन्होंने 'दलहीन लोकतंत्र' की बात की।

(*c*) वह 'आसपेक्टस ऑफ सोशलिस्ट पॉलिसी' के लेखक हैं।

(*d*) उन्होंने 'चार स्तंभ वाले राष्ट्र' की अवधारणा नहीं दी।

(*e*) उन्होंने कहा था, ''स्वतंत्रता के विकास का इतिहास मानव संबंध की पूर्णता का इतिहास है।'

A. केवल (*a*), (*b*) और (*e*)

B. केवल (*a*), (*c*) और (*e*)

C. केवल (*b*), (*d*) और (*e*)

D. केवल (*b*), (*c*) और (*d*)

49. निम्नलिखित में से भारत के कौन-से उप-राष्ट्रपति बाद में देश के राष्ट्रपति बने?

(*a*) डॉ. सर्वपल्ली राधाकृष्णन

(*b*) वी.वी. गिरी

(*c*) डॉ. शंकरदयाल शर्मा

(*d*) बी.डी. जत्ती

(*e*) आर. वेंकटरमन

A. केवल (*a*), (*b*) और (*e*)

B. केवल (*c*) और (*d*)

C. केवल (*a*), (*b*) और (*d*)

D. केवल (*a*), (*b*), (*c*) और (*e*)

50. निम्नलिखित में से महात्मा गाँधी द्वारा लिखित पुस्तकें कौन-सी हैं?

(*a*) मॉडर्न इंडिया

(*b*) कंस्ट्रक्टिव प्रोग्राम

(*c*) इंडियाज स्ट्रगल फॉर इंडिपेंडेंस

(*d*) व्हाई सोशलिज्म

(*e*) हिंद स्वराज

A. केवल (*a*) B. केवल (*d*)
C. केवल (*c*) D. केवल (*b*) और (*e*)

51. दलीय प्रणाली पर विभिन्न विद्वानों की सही परिभाषा ज्ञात कीजिए।
(*a*) आधुनिक लोकतंत्र दलीय लोकतंत्र है। (काट्ज)
(*b*) लोकतंत्र, दलों के संदर्भ में अनिवार्य सत्य है। (शुम्पीटर)
(*c*) दल लोकतांत्रिक राजनीति के मुख्य संस्थान हैं। (लिपसेट)
(*d*) राजनीतिक दलों के अस्तित्व को आधुनिक लोकतंत्र के अस्तित्व के लिए प्रायः अनिवार्य शर्त के रूप में देखा जाता है। (रॉबर्ट डाल)
A. (*a*), (*b*), (*c*) और (*d*)
B. केवल (*b*)
C. केवल (*d*)
D. केवल (*a*) और (*c*)

52. 'असफल राज्य' के संबंध में निम्नलिखित में से कौन-से कथन सही हैं?
(*a*) सिएरा लियोन एक असफल राज्य है।
(*b*) असफल राज्य वह कार्य नहीं कर पाता है जो उसे राज्य के रूप में परिभाषित करते हैं।
(*c*) असफल राज्य अपने निवासियों का प्रपीड़न करने में सफल रहता है।
(*d*) असफल राज्य अपने निवासियों को सफलतापूर्वक नियंत्रित कर लेता है।
A. केवल (*c*)
B. केवल (*d*)
C. केवल (*b*) और (*c*)
D. केवल (*a*) और (*b*)

53. लोकतंत्र के बारे में रचनावादी तर्क के संबंध में निम्नलिखित में से कौन-सा कथन सही है?
(*a*) रचनावादी तर्क संस्कृति को ऐसी चीज मानता है, जो उद्देश्यमूलक और वंशानुगत होती है।
(*b*) रचनावादी तर्क के अनुसार संस्कृति राजनीतिक अंतःक्रिया से पहले विद्यमान होती है और उससे अप्रभावित रहती है।
(*c*) रचनावादी तर्क संस्कृति को ऐसी चीज मानता है, जो वंशानुगत नहीं होती है बल्कि उनका निर्माण और आविष्कार किया जाता है।
(*d*) रचनावादी तर्क यह दावा करता है कि संस्कृति का कार्य-कारण प्रभाव होता है।
A. केवल (*a*), (*b*) और (*c*)
B. केवल (*d*), (*c*) और (*b*)
C. केवल (*c*) और (*d*)
D. केवल (*a*) और (*b*)

54. 1980 के दशक में भारत में बाजार-अनुकूल एवं व्यवसाय-अनुकूल राज्य-हस्तक्षेप के मध्य अतुल कोहली के द्वारा किए गए विभेद के संदर्भ में सही कथन को ज्ञात कीजिए।
(*a*) व्यवसाय-अनुकूल कार्यनीति मुख्यतः स्थापित उत्पादकों को सहायता देती है।
(*b*) व्यावसाय-अनुकूल कार्यनीति नए प्रवेश को (प्रतियोगियों) एवं ग्राहकों की सहायता करती है।
(*c*) बाजार-अनुकूल कार्यनीति स्थापित उत्पादकों को सहायता पहुँचाती है।
(*d*) बाजार-अनुकूल कार्यनीति नए प्रवेशकों प्रतियोगियों एवं ग्राहकों को सहायता पहुँचाती है।
A. केवल (*b*) B. केवल (*c*)
C. केवल (*a*) और (*c*) D. केवल (*a*) और (*d*)

55. 108वें संशोधन विधेयक, 2008 के संदर्भ में सही कथन ज्ञात कीजिए।
(*a*) इस विधेयक के आने के पश्चात् महिलाओं के लिए सीटों का आरक्षण 15 वर्ष तक अस्तित्व में रहेगा।
(*b*) यह केवल लोकसभा में महिलाओं के सभी सीटों के एक-तिहाई सीटों पर आरक्षण का प्रयास।
(*c*) अनुसूचित जातियों के लिए आरक्षित कुल सीटों की एक-तिहाई सीट केवल विधानसभाओं में इस समूह की महिलाओं के लिए आरक्षित किया जाएगा।
(*d*) आरक्षित सीटों का निर्धारण (आवंटन) राज्य अथवा संघ राज्य क्षेत्रों में विभिन्न निर्वाचन क्षेत्रों हेतु क्रमावर्तन द्वारा किया जा सकता है।

A. केवल (*a*) और (*b*)

B. केवल (*b*)

C. केवल (*a*) और (*d*)

D. केवल (*c*)

56. निम्नलिखित में से सही कथनों को चुनिए।

(*a*) भारत उन पहले देशों में से है, जिसने EEC के साथ कूटनीतिक संबंध स्थापित किए।

(*b*) द्विपक्षीय संबंधों का 2004 में रणनीतिक साझेदारी के रूप में उन्नयन किया गया।

(*c*) EU भारत के लिए FDI के सबसे बड़े स्रोतों में से एक है।

(*d*) EU संयुक्त राष्ट्र महासभा का एक सदस्य है।

A. केवल (*a*), (*b*) और (*c*)

B. केवल (*b*), (*c*) और (*d*)

C. केवल (*a*), (*c*) और (*d*)

D. केवल (*a*), (*b*) और (*d*)

57. निम्नलिखित में से सही कथनों को चुनिए।

(*a*) समाज और राजनीति में संघर्ष अपरिहार्य है।

(*b*) संघर्षों में हिंसा के प्रयोग को ऐसी हिंसा के विरुद्ध प्रदर्शनों से समाप्त नहीं किया जा सकता है।

(*c*) अहिंसक कार्रवाई को तीन पद्धतियों में वर्गीकृत किया जा सकता है : प्रदर्शन और आग्रह, असहयोग और अहिंसक हस्तक्षेप

(*d*) अहिंसक पद्धतियों का प्रयोग सफलता की गारंटी है।

A. केवल (*b*), (*c*) और (*d*)

B. केवल (*a*), (*c*) और (*d*)

C. केवल (*a*), (*b*), (*c*) और (*d*)

D. केवल (*a*), (*b*) और (*c*)

58. निम्नलिखित में से सही कथनों को चुनिए।

(*a*) 1 अप्रैल, 1950 को भारत, चीन के साथ राजनयिक संबंध स्थापित करने वाला पहला गैर-समाजवादी समूह का देश था।

(*b*) प्रधानमंत्री नेहरू ने अपने कार्यकाल के दौरान कभी भी चीन का दौरा नहीं किया।

(*c*) द्विपक्षीय संबंधों में सुधार का चरण 1988 में शुरू हुआ।

(*d*) राजीव गाँधी ने भारत के प्रधानमंत्री के तौर पर 1993 में चीन का दौरा किया।

A. केवल (*a*) और (*b*)

B. केवल (*a*) और (*c*)

C. केवल (*c*) और (*d*)

D. केवल (*b*) और (*c*)

59. निम्नलिखित में से सही कथनों को चुनिए :

(*a*) यू.एन. चार्टर के अध्याय-VII के अंतर्गत, सुरक्षा परिषद अंतर्राष्ट्रीय शांति और सुरक्षा को बनाए रखने और बहाल करने के लिए कार्रवाई कर सकती है।

(*b*) अनुच्छेद 41 के अंतर्गत प्रतिबंध के उपायों में सशस्त्र बल का प्रयोग शामिल नहीं है।

(*c*) प्रतिबंधों को संयुक्त राष्ट्र महासभा द्वारा हटाया जा सकता है।

(*d*) सुरक्षा परिषद द्वारा शांतिपूर्ण परिवर्तनों में सहायता करने, असंवैधानिक परिवर्तनों के प्रतिवारण आदि के लिए प्रतिबंधों को लागू किया गया है।

A. केवल (*a*), (*b*) और (*d*)

B. केवल (*b*), (*c*) और (*d*)

C. केवल (*c*), (*d*) और (*a*)

D. केवल (*a*), (*c*) और (*d*)

60. निम्नलिखित कथनों में से सही कथनों को चुनिए।

(*a*) जनसंहार के हथियारों में अन्य के साथ-साथ परमाणु विस्फोटक हथियार शामिल हैं।

(*b*) जैविक हथियारों को जनसंहार के हथियारों की श्रेणी में शामिल नहीं किया जाता है।

(*c*) रासायनिक हथियार अभिसमय में जनसंहार के हथियारों को विधि-बहिष्कृत किया गया है।

(*d*) रासायनिक हथियार अभिसमय 1998 में लागू हुआ।

A. केवल (*a*) और (*b*)

B. केवल (*c*) और (*d*)

C. केवल (*a*) और (*c*)

D. केवल (*b*) और (*c*)

61. 73वें संविधान संशोधन अधिनियम, 1992 में पंचायत के संबंध में निम्नलिखित प्रमुख प्रावधान निर्धारित किए गए हैं :

(*a*) ग्राम सभा ऐसी क्षमताओं का प्रयोग और ग्राम स्तर पर ऐसे कार्य निष्पादित कर सकती है, जो राज्य की विधायिका में कानून द्वारा विहित किए जाएं।

(*b*) पंचायतों की वित्तीय स्थिति की समीक्षा करने और राज्यपाल को सिफारिशें करने के लिए राज्य के राज्यपाल द्वारा प्रत्येक पाँच वर्ष में एक वित्त आयोग गठित किया जाएगा।

(*c*) किसी राज्य की विधानसभा पंचायत को स्व-शासन की संस्था के रूप में उनके कार्यकरण के लिए कोई और क्षमताएँ और प्राधिकरण प्रदान नहीं कर सकती हैं।

(*d*) किसी पंचायत के गठन के लिए चुनाव उसके भंग होने की तारीख से छह महीने की अवधि की समाप्ति से पहले पूरा कर लिया जाएगा।

A. केवल (*a*), (*b*) और (*c*)
B. केवल (*b*), (*c*) और (*d*)
C. केवल (*a*), (*b*) और (*d*)
D. केवल (*c*), (*b*) और (*d*)

62. जवाबदेही की अवधारणा की निम्नलिखित विशेषताएँ हैं :

(*a*) जवाबदेही एक संबंध में मौजूद होती है, जब किसी व्यक्ति या निकाय के कार्यों का निष्पादन किसी अन्य की निगरानी, निर्देश या अनुरोध के अधीन होता है, जिसे उस व्यक्ति या निकाय को अपने कार्यों के लिए औचित्य बताना चाहिए।

(*b*) विभिन्न प्रकार की जवाबदेही जैसे विधिक जवाबदेही, सामाजिक जवाबदेही, राजनीतिक जवाबदेही आदि।

(*c*) जवाबदेही केवल विकसित देशों की संस्थाओं और प्रक्रियाओं में पाई जा सकती है।

(*d*) सरकारी अधिकारियों की प्रभाविकता का मूल्यांकन जवाबदेही की प्रक्रिया के माध्यम से नहीं किया जा सकता है।

A. केवल (*a*), (*b*) और (*c*)
B. केवल (*a*), (*c*) और (*d*)
C. केवल (*b*) और (*c*)
D. केवल (*a*) और (*b*)

63. प्रशासनिक सिद्धान्तों के कार्यक्षेत्र के संबंध में निम्नलिखित में से कौन-से कथन सही हैं?

(*a*) आदर्श प्रकार की नौकरशाही मैक्स वेबर द्वारा प्रतिपादित की गई थी।

(*b*) फ्रेडरिक टेलर को वैज्ञानिक प्रबंधन सिद्धांत का जनक माना जाता है।

(*c*) हेनरी फेयोल को मानव संबंध सिद्धांत का जनक माना जाता है।

(*d*) होथोर्न प्रयोग नौकरशाही सिद्धांत से संबंधित है।

A. केवल (*a*), (*c*) और (*d*)
B. केवल (*c*) और (*d*)
C. केवल (*a*) और (*b*)
D. केवल (*b*), (*c*) और (*d*)

64. रिग्स ने अपनी पुस्तक 'एडमिनिस्ट्रेशन इन डेवलपिंग कंट्रीज–द थ्योरी ऑफ प्रिज्मैटिक सोसायटी' में निम्नलिति बिंदुओं का उल्लेख किया है?

(*a*) आधुनिक समाज की संरचनाएँ प्रारूपिकीय प्रकार्यात्मकता–विशिष्ट हैं।

(*b*) कोई संरचना व्यवहार के किसी पैटर्न (प्रतिरूप) के रूप में परिभाषित होती है जो कि किसी सामाजिक तंत्र की एक मानक विशेषता बन गई है।

(*c*) समाज में बदलाव की प्रक्रिया के माध्यम से उद्योग क्षेत्र में लगे लोग कृषि की ओर प्रवृत्त होंगे।

(*d*) यद्यपि कृषि क्षेत्र में लगे लोगों की 'छवि' मिश्रित समाज के मॉडल केस होती है, जिसमें किसी भी माध्यम से दो संरचनाएँ समरूप नहीं होती हैं।

A. केवल (*a*), (*b*) और (*d*)
B. केवल (*a*), (*b*) और (*c*)
C. केवल (*b*), (*c*) और (*d*)
D. केवल (*a*), (*c*) और (*d*)

65. आई.सी.टी. आधारित ई-गवर्नेंस के संबंध में निम्नलिखित कौन-सा/से कथन सही नहीं हैं?

(*a*) ई-गवर्नेंस से सरकार के खर्च (लागत) में कमी आती है।

(*b*) ई-गवर्नेंस से सरकार की पारदर्शिता में कमी आती है।

(*c*) ई-गवर्नेंस से नागरिक निवेश (प्रयास) का सरकार में वृद्धि करती है।

(*d*) ई-गवर्नेंस से नौकरशाही-लाल-फीताशाही में वृद्धि होती है।

A. केवल (*a*), (*b*) और (*c*)
B. केवल (*b*) और (*d*)
C. केवल (*b*), (*c*) और (*d*)
D. केवल (*a*) और (*c*)

66. सूची-I का सूची-II से मिलान कीजिए।

सूची-I	**सूची-II**
(*a*) उदारवाद	I. साझा इतिहास, संस्कृति और विश्व दृष्टिकोण के आधार पर साझा समझ और सामान्य अर्थ
(*b*) समुदायवाद	II. सदस्यों को साझा संस्कृति, इतिहास, विश्व दृष्टिकोण, भाषा या मूल्य प्रणाली को साझा करने की आवश्यकता नहीं होती है।
(*c*) उदार राष्ट्रवाद	III. स्वतंत्र और समान नागरिकों के रूप में एक-दूसरे के लिए नैतिक चिंता
(*d*) बहुसंस्कृतिवाद/ भिन्नता सिद्धांत	IV. साझा इतिहास, भाषा और संस्कृति के आधार पर साझा राष्ट्रीयता

	(*a*)	(*b*)	(*c*)	(*d*)
A.	I	II	III	IV
B.	IV	III	II	I
C.	II	IV	I	III
D.	III	II	IV	I

67. सूची-I का सूची-II से मिलान कीजिए।

सूची-I	**सूची-II**
(*a*) एंटोनियो ग्रम्सी	I. ऑन ह्यूमन कंडक्ट
(*b*) रॉबर्ट पुटनम	II. प्रिजन नोटबुक्स
(*c*) माइकल ओकशॉट	III. द प्रोटेस्टेंट एथिक एंड द स्पिरिट ऑफ कैपिटलिज्म
(*d*) मैक्स वेबर	IV. बलिंग एलोन : द कोलैप्स एंड रिवाइवल ऑफ अमेरिकन कम्युनिटी

	(*a*)	(*b*)	(*c*)	(*d*)
A.	I	II	III	IV
B.	III	IV	II	I
C.	II	IV	I	III
D.	IV	III	I	II

68. सूची-I का सूची-II से मिलान कीजिए।

सूची-I (पुस्तक)	**सूची-II (लेखक)**
(*a*) ए प्ली फॉर द रीकंस्ट्रक्शन ऑफ इंडियन पॉलिटी	I. वी.डी. सावरकर
(*b*) इंडिया ऑफ माई ड्रीम्स	II. राममनोहर लोहिया
(*c*) द इंडियन वार ऑफ इंडिपेंडेंस ऑफ 1857	III. एम.के. गांधी
(*d*) मार्क्स, गांधी एंड सोशलिज्म	IV. जयप्रकाश नारायण

	(*a*)	(*b*)	(*c*)	(*d*)
A.	I	III	II	IV
B.	IV	III	I	II
C.	I	II	IV	III
D.	IV	III	II	I

69. सूची-I का सूची-II से मिलान कीजिए।

सूची-I (विचार)	**सूची-II (विचारक)**
(*a*) एक्स्ट्रीम्ली फेडरल	I. मॉरिस जोंस
(*b*) क्वासी फेडरल	II. ग्रेनविले ऑस्टिन
(*c*) बारगेनिंग फेडरल	III. के.सी. व्हेयर
(*d*) कोऑपरेटिव फेडरल	IV. पॉल एप्पलबी

	(*a*)	(*b*)	(*c*)	(*d*)
A.	I	III	II	IV
B.	IV	III	II	I
C.	I	IV	II	III
D.	IV	III	I	II

70. सूची-I का सूची-II से मिलान कीजिए।

सूची-I (निर्वाचक प्रणाली से संबंधित शब्दावली)	सूची-II (अर्थ)
(*a*) सार्वजनिक मताधिकार	I. वह निर्वाचक प्रणाली जिसमें लोक एकल-सदस्यीय जिसमें लोक एकल-सदस्यीय जिला में किसी उम्मीदवार के लिए एकल मत देते हैं।
(*b*) बहुमत निर्वाचक प्रणाली	II. एक प्रकार की बहुमत निर्वाचक प्रणाली जिसमें वरीयता मतदान शामिल होता है।
(*c*) एकल-सदस्यीय जिला बहुमत प्रणाली	III. मताधिकार जो नस्ल, लिंग, मान्यता या सामाजिक दर्जे द्वारा सीमित नहीं होता है।
(*d*) वैकल्पिक मत	IV. वह निर्वाचक प्रणाली जिसमें सर्वाधिक मत प्राप्त करने वाला उम्मीदवार या दल विजयी होता है।

	(*a*)	(*b*)	(*c*)	(*d*)
A.	III	IV	I	II
B.	I	II	III	IV
C.	IV	III	II	I
D.	II	I	III	IV

71. सूची-I का सूची-II से मिलान कीजिए।

सूची-I (पुस्तक)	सूची-II (लेखक)
(*a*) द सक्सेस ऑफ इंडियाज डेमोक्रेसी	I. सी.पी. भांबरी
(*b*) कॉस्ट इन इंडियन पॉलिटिक्स	II. अतुल कोहली
(*c*) पॉलिटिकल प्रोसेस इन इंडिया, 1947-1991	III. रजनी कोठारी
(*d*) द ऑक्सफोर्ड कंपेनियन टु पॉलिटिक्स इन इंडिया	IV. नीरजा जयाल एवं प्रताप बी. मेहता

	(*a*)	(*b*)	(*c*)	(*d*)
A.	I	II	III	IV
B.	IV	III	II	I
C.	II	III	I	IV
D.	III	IV	II	I

72. सूची-I का सूची-II से मिलान कीजिए।

सूची-I (संगठन)	सूची-II (स्थापना का वर्ष)
(*a*) SCO	I. 1967
(*b*) BRIC	II. 2006
(*c*) ASEAN	III. 1957
(*d*) EEC	IV. 2001

	(*a*)	(*b*)	(*c*)	(*d*)
A.	III	I	II	IV
B.	IV	II	I	III
C.	I	II	III	IV
D.	II	III	IV	I

73. सूची-I का सूची-II से मिलान कीजिए।

सूची-I (देश/स्थान)	सूची-II (वर्ष)
(*a*) इराक	I. 1991
(*b*) दार्फर, सूडान	II. 2000
(*c*) सोमालिया	III. 2004
(*d*) सियरा लियोन	IV. 1992

	(*a*)	(*b*)	(*c*)	(*d*)
A.	I	IV	III	II
B.	III	II	I	IV
C.	II	III	I	IV
D.	I	II	IV	II

74. सूची-I का सूची-II से मिलान कीजिए।

सूची-I	सूची-II
(*a*) एडमिनिस्ट्रेशन इन डेवलपिंग कंट्रीज-दि थ्योरी ऑफ प्रिज्मैटिक सोसायटी	I. हर्बर्ट साइमन
(*b*) एडमिनिस्ट्रेटिव बिहेवियर	II. जेराल्ड ई. काइडेन
(*c*) दि डायनामिक्स ऑफ पब्लिक एडमिनिस्ट्रेशन : गाइडलाइन्स टू करेंट ट्रांसफार्मेशंस इन थ्योरी एंड प्रैक्टिस	III. फ्रेड डब्ल्यू. रिग्स

(*d*) दि ह्यूमन प्रॉब्लम्स ऑफ दि इंडस्ट्रियल सिविलाइजेशन		IV. एल्टन मेयो	

	(*a*)	(*b*)	(*c*)	(*d*)
A.	II	III	I	IV
B.	III	II	I	IV
C.	III	I	II	IV
D.	IV	III	II	I

75. सूची-I का सूची-II से मिलान कीजिए।

सूची-I	सूची-II
(*a*) वैज्ञानिक प्रबंधन सिद्धांत	I. निर्णय प्रक्रिया में तीन चरण बौद्धिक क्रियाकलाप, डिजाइन संबंधी क्रियाकलाप और विकल्प क्रियाकलाप शामिल होते हैं।
(*b*) नया लोक प्रबंधन	II. वास्तविक कार्य विज्ञान का विकास, जो श्रमिकों और प्रबंधकों दोनों के लिए समान रूप से लाभकारी होगा।
(*c*) मानव संबंध सिद्धांत	III. सरकार को अपने कार्यक्रमों और सेवाओं की गुणवत्ता में सुधार के लिए सतत प्रयास करना चाहिए और मांगों के अनुसार समायोजन करना चाहिए।
(*d*) तार्किक निर्णय प्रक्रिया सिद्धांत	IV. संगठन को एक सामाजिक प्रणाली के रूप में देखा जाता है और संगठन के समग्र उत्पादन में अनौपचारिक तत्व महत्वपूर्ण भूमिका निभाते हैं।

	(*a*)	(*b*)	(*c*)	(*d*)
A.	II	III	IV	I
B.	III	II	IV	I
C.	III	IV	II	I
D.	I	III	II	IV

76. निम्नलिखित को इतिहास की मार्क्सवादी अवधारणा या भौतिकवादी अवधारणा के अनुसार उनके सैद्धांतिक क्रम में लगाइए।

(*a*) सर्वहारा वर्ग राजनीतिक सत्ता पर कब्जा करता है और उत्पादन के साधनों को राष्ट्र की संपत्ति बना देता है।

(*b*) अंततः सर्वहारा वर्ग स्वयं को समाप्त करता है, सभी वर्ग भेदों को और वर्ग संघर्षों को समाप्त करता है तथा राष्ट्र के रूप में राष्ट्र को समाप्त करता है।

(*c*) यद्यपि उत्पादन की पूँजीवादी पद्धति जनसंख्या के अधिकांश बहुमत को अधिकाधिक सर्वहारा वर्ग में बदल देता है तथापि वह एक शक्ति सृजित करता है, जो पूँजीवाद के विरुद्ध एक क्रांति के उदभव को प्रेरित करती है।

(*d*) समाज की वर्तमान संरचना, वर्तमान शासक वर्ग, बुर्जुआ वर्ग द्वारा सृजित की गई है।

(*e*) वाष्प, मशीनरी और मशीनरी द्वारा मशीनों के निर्माण ने सामंतवाद के अधीन पुराने विनिर्माण को आधुनिक उद्योग में रूपांतरित कर दिया।

A. (*a*), (*b*), (*c*), (*d*), (*e*)
B. (*e*), (*d*), (*c*), (*a*), (*b*)
C. (*d*), (*a*), (*b*), (*c*), (*e*)
D. (*c*), (*a*), (*b*), (*e*), (*d*)

77. निम्नलिखित को एक ऐसे क्रम में लगाइए जो सिविल सोसायटी की अवधारणा को ऐतिहासिक और संकल्पनात्मक रूप में प्रस्तुत करता हो।

(*a*) इसे एक सामूहिक अस्तित्व के रूप में समझा जा सकता है, जो समाज से जन्म लेता है और विशिष्ट तथा सीमित प्रयोजन के लिए मौजूद रहता है।

(*b*) यह अवधारणा आर्थिक और राजनीतिक उदारवाद का भाग है, जिसका उद्भव जॉन लाक से हुआ और स्काटिश जागृति से प्रख्यात हुआ था।

(*c*) सिविल सोसाइटी परिवार, अर्थव्यवस्था, राजनीति आदि के साथ-साथ वृहत्तर समाज के अनेक क्षेत्रों में से एक है।

(*d*) इस अवधारणा को 19वीं शताब्दी में हीगल और मार्क्स के आलेखों में महत्वपूर्ण स्थान मिला।

(*e*) इस अवधारणा का पहला संधियोजन यूरोप में 17वीं और 18वीं शताब्दी में हुआ।

A. (*a*), (*b*), (*c*), (*d*), (*e*)
B. (*b*), (*d*), (*c*), (*e*), (*a*)
C. (*c*), (*a*), (*e*), (*b*), (*d*)
D. (*e*), (*b*), (*a*), (*c*), (*d*)

78. निम्नलिखित संगठनों को उनकी स्थापना के वर्ष के अनुसार कालक्रम में लगाइए :

(*a*) टॉलस्टॉय फार्म
(*b*) अभिनव भारत सोसायटी
(*c*) रामकृष्ण मिशन
(*d*) शारदा सदन
(*e*) बहिष्कृत हितकारिणी सभा

A. (*c*), (*d*), (*e*), (*b*), (*a*)
B. (*d*), (*a*), (*c*), (*b*), (*e*)
C. (*d*), (*c*), (*b*), (*a*), (*e*)
D. (*c*), (*d*), (*a*), (*b*), (*e*)

79. 'अरविन्द' के जीवन की निम्नलिखित घटनाओं को कालक्रमानुसार रखें :

(*a*) कांग्रेस के बनारस अधिवेशन में भाग लिया
(*b*) बड़ौदा कॉलेज के उप-प्राचार्य बने
(*c*) इंग्लैंड में बस गए
(*d*) अलीपुर बम मामले में गिरफ्तार हुए
(*e*) आई.सी.एस. परीक्षा उत्तीर्ण की

A. (*c*), (*a*), (*d*), (*b*), (*e*)
B. (*e*), (*c*), (*a*), (*b*), (*d*)
C. (*a*), (*b*), (*e*), (*c*), (*d*)
D. (*c*), (*e*), (*b*), (*a*), (*d*)

80. नीचे दिए गए लोकतांत्रिक संक्रमण की विभिन्न लहरों के आरोही क्रम को ज्ञात कीजिए।

(*a*) प्रथम प्रतिवर्ती लहर
(*b*) लोकतंत्रीकरण की प्रथम लहर
(*c*) लोकतंत्रीकरण की द्वितीय लहर
(*d*) द्वितीय प्रतिवर्ती लहर
(*e*) लोकतंत्रीकरण की तृतीय लहर

A. (*a*), (*b*), (*c*), (*d*), (*e*)
B. (*b*), (*a*), (*c*), (*d*), (*e*)
C. (*e*), (*d*), (*c*), (*a*), (*b*)
D. (*c*), (*d*), (*e*), (*b*), (*a*)

81. नीचे दिए गए भारत सरकार एवं इसके प्रांतीय/प्रादेशिक संगठनों के मध्य हस्ताक्षरित समझौतों/अकार्डों के आरोही क्रम को ज्ञात कीजिए।

(*a*) असम समझौता (अकॉर्ड)
(*b*) आनन्दपुर साहिब संकल्प (प्रस्ताव)
(*c*) राजीव गाँधी-लोंगोवाल समझौता (अकॉर्ड)
(*d*) शिलाँग समझौता
(*e*) मिजो शांति समझौता (अकॉर्ड)

A. (*b*), (*d*), (*c*), (*a*), (*e*)
B. (*e*), (*a*), (*c*), (*b*), (*d*)
C. (*a*), (*b*), (*c*), (*d*), (*e*)
D. (*e*), (*d*), (*c*), (*b*), (*a*)

82. निम्नलिखित अंतर्राष्ट्रीय संगठनों के साथ भारत के जुड़ने को कालक्रमानुसार लगाइए :

(*a*) संयुक्त राष्ट्र
(*b*) G77
(*c*) नाम (NAM)
(*d*) G20

A. (*a*), (*b*), (*c*), (*d*)
B. (*a*), (*c*), (*b*), (*d*)
C. (*b*), (*a*), (*c*), (*d*)
D. (*d*), (*b*), (*a*), (*c*)

83. डब्ल्यू.टी.ओ. के भूतपूर्व महानिदेशकों को उनके पद पर रहने के आरोही क्रम में लगाइए :

(*a*) माइक मूर
(*b*) पास्कल लैमी
(*c*) सुपाचाई पनिचपाकडी
(*d*) रॉबर्ट अजेवेडो

A. (*a*), (*c*), (*b*), (*d*)
B. (*a*), (*b*), (*d*), (*c*)
C. (*c*), (*b*), (*a*), (*d*)
D. (*d*), (*a*), (*b*), (*c*)

84. भारत में भ्रष्टाचार एवं प्रशासनिक सुधारों के संदर्भ में निम्नलिखित समितियों को कालक्रमानुसार ढंग से व्यवस्थित कीजिए।

(*a*) गोरवाला समिति
(*b*) प्रथम प्रशासनिक सुधार आयोग

(*c*) वोहरा समिति
(*d*) संथानम समिति
A. (*a*), (*b*), (*c*), (*d*)
B. (*b*), (*a*), (*c*), (*d*)
C. (*a*), (*d*), (*b*), (*c*)
D. (*b*), (*a*), (*d*), (*c*)

85. निम्नलिखित प्रशासनिक विचारकों/सिद्धान्तकारों को कालक्रमानुसार ढंग से व्यवस्थित कीजिए।
(*a*) एफ.डब्ल्यू. विलोबी
(*b*) मैक्स वेबर
(*c*) डेविड ईस्टन
(*d*) एल्टन मेयो
A. (*a*), (*b*), (*c*), (*d*)
B. (*d*), (*c*), (*b*), (*a*)
C. (*b*), (*a*), (*d*), (*c*)
D. (*c*), (*b*), (*a*), (*d*)

86. नीचे दो कथन दिए गए हैं : एक को अभिकथन (A) और दूसरा उसके कारण (R) के रूप में कहा गया है।

अभिकथन (A): यह सोचना संभव है कि स्वायत्तता में एक प्रकार का कौशल शामिल है जिसे व्यक्ति को विकसित, उसका अभ्यास और बनाए रखना चाहिए। योजना और प्रबंधन की यह सतत प्रक्रिया स्वचालित नहीं है, बल्कि इसके लिए प्रयास और संसाधन अपेक्षित हैं जिन्हें राज्य द्वारा प्रदत्त सामाजिक और भौतिक स्थितियों से प्राप्त किया जाता है।

कारण (R): तथापि व्यक्तिगत स्वायत्तता के लिए प्रतिबद्धता उदारवादी राज्य को ऐसी सामाजिक और भौतिक स्थितियाँ प्रदान करने के लिए बाध्य नहीं कर सकती हैं, जिनके द्वारा नागरिक स्वायत्त बन सकते हों। यह व्यक्तियों पर निर्भर होना चाहिए कि वे अपनी स्वायत्तता हासिल करने के लिए स्वतंत्र रूप से प्रयास करें।

उपर्युक्त कथनों के आलोक में निम्नांकित विकल्पों में से सही उत्तर चुनें :
A. (A) और (R) दोनों सही हैं, और (R), (A) की सही व्याख्या है।
B. (A) और (R) दोनों सही हैं, लेकिन (R), (A) की सही व्याख्या नहीं है।
C. (A) सही है, लेकिन (R) सही नहीं है।
D. (A) सही नहीं है, लेकिन (R) सही है।

87. नीचे दो कथन दिए गए हैं : एक को अभिकथन (A) और दूसरा उसके कारण (R) के रूप में कहा गया है।

अभिकथन (A): अहिंसा गांधी के द्वन्द्व समाधान मॉडल की अनुपूरक थी, जो सामाजिक परिवर्तन और राजनीतिक कार्रवाई का निश्चित रूप से सबसे मूल और रचनात्मक मॉडल था।

कारण (R): यह राजनीतिक सिद्धांत धीरे-धीरे राष्ट्रीय राजनीतिक आंदोलन की एक प्रमुख विचारधारा बन गया जिसमें गांधी सर्वोपरि रहे।

उपर्युक्त कथनों के आलोक में निम्नांकित विकल्पों में से सही उत्तर चुनें :
A. (A) और (R) दोनों सही हैं, और (R), (A) की सही व्याख्या है।
B. (A) और (R) दोनों सही हैं, लेकिन (R), (A) की सही व्याख्या नहीं है।
C. (A) सही है, लेकिन (R) सही नहीं है।
D. (A) सही नहीं है, लेकिन (R) सही है।

88. नीचे दो कथन दिए गए हैं :

कथन I: भारत की अर्थव्यवस्था का रूपान्तरण उतना नाटकीय नहीं रहा है, जितना कि यह पूर्वी यूरोप के साम्यवादी शासन मुक्त देशों में रहा है।

कथन II: भारत ने वर्ष 2010 के दशक में चीन के जितनी उच्च विकासदर प्रस्तुत की है।

उपर्युक्त कथनों के आलोक में निम्नलिखित विकल्पों में से सही उत्तर चुनें।
A. कथन I और कथन II दोनों सत्य हैं।
B. कथन I और कथन II दोनों असत्य हैं।
C. कथन I सत्य है, किंतु कथन II असत्य है।
D. कथन I असत्य है, किंतु कथन II सत्य है।

89. नीचे दो कथन दिए गए हैं : एक को अभिकथन (A) और दूसरा उसके कारण (R) के रूप में कहा गया है।

अभिकथन (A): भारत को ऐतिहासिक रूप से शरणार्थियों के लिए सुरक्षित स्थान माना जाता है।

कारण (R): भारत के पास कोई शरणार्थी कानून नहीं है, और उसने 1951 के शरणार्थी अभिसमय पर हस्ताक्षर नहीं किया है।

उपर्युक्त कथनों के आलोक में निम्नांकित विकल्पों में से सही उत्तर चुनें :

A. (A) और (R) दोनों सही हैं, और (R), (A) की सही व्याख्या है।
B. (A) और (R) दोनों सही हैं, लेकिन (R), (A) की सही व्याख्या नहीं है।
C. (A) सही है, लेकिन (R) सही नहीं है।
D. (A) सही नहीं है, लेकिन (R) सही है।

90. नीचे दो कथन दिए गए हैं : एक को अभिकथन (A) और दूसरा उसके कारण (R) के रूप में कहा गया है।

अभिकथन (A): संविदा पर काम कराना और सार्वजनिक निजी भागीदारियाँ अब कई देशों में लोक सेवा और निर्णय प्रक्रिया की वास्तविकता है।

कारण (R): शासन से संबंधित निर्णय प्रक्रिया की जटिल वास्तविकता तथा सरकार को उचित ठहराने के लिए उपयोग किए जाने वाली मानक संहिताओं के बीच विच्छेद है।

उपर्युक्त कथनों के आलोक में निम्नांकित विकल्पों में से सही उत्तर चुनें :

A. (A) और (R) दोनों सही हैं, और (R), (A) की सही व्याख्या है।
B. (A) और (R) दोनों सही हैं, लेकिन (R), (A) की सही व्याख्या नहीं है।
C. (A) सही है, लेकिन (R) सही नहीं है।
D. (A) सही नहीं है, लेकिन (R) सही है।

निर्देश (प्रश्न संख्या 91 से 95 तक): *नीचे दिए गए गद्यांश को पढ़िए तथा प्रश्नों के उत्तर दीजिए।*

नागरिक सद्गुण की बीजभूमि क्या है? उदारवादी समाज के अनेक पहलू हो सकते हैं जिन्हें नागरिक सद्गुणों के प्रेरक तत्वों के रूप में देखा जा सकता है जिनमें बाजार, नागरिक संघ और परिवार शामिल हैं। मैं इनमें से प्रत्येक को संक्षेप में बताता हूँ। नव दक्षिणपंथ के सिद्धांतकार प्रायः बाजार की प्रशंसा नागरिक सद्गुणों के विद्यालय के रूप में करते हैं। 1980 के दशक के थैचर/रीगन के अनेक सुधारों का लक्ष्य–मुक्त व्यापार, विनियमन हटाने, कर कटौतियाँ, ट्रेड यूनियनों को कमजोर बनाने और कल्याणकारी लाभों में कमी करने के जरिए अंशतः लोगों के जीवन में बाजार के दायरे का विस्तार करना था ताकि लोगों को पहल करने और आत्मनिर्भरता के सद्गुणों को सिखाया जा सके। कल्याणकारी राष्ट्र के बारे में हाल के अधिकांश दक्षिणपंथी हमले यथार्थ रूप में नागरिकता के अनुसार निर्मित हैं। कल्याणकारी राष्ट्र को गरीबों के बीच निष्क्रियता, आश्रितता की संस्कृति के निर्माण को बढ़ावा देने वाला, नौकरशाही की सरपरस्ती में नागरिकों को निष्क्रिय आश्रित बना देने वाला कहा जाता है। इसके विपरीत, बाजार लोगों को आत्मनिर्भर बनने के लिए प्रोत्साहित करता है। नव दक्षिणपंथ मानता है कि आत्मनिर्भर होना न केवल स्वयं में एक महत्वपूर्ण नागरिक सद्गुण है बल्कि समाज के एक पूर्ण सदस्य के रूप में स्वीकृत किए जाने की एक पूर्व शर्त भी है। आत्मनिर्भर होने के दायित्व को पूरा नहीं करने पर, दीर्घावधिक बेरोजगार समाज तथा स्वयं के लिए शर्म का कारण होते हैं।

91. नव-दक्षिणपंथ किस बात को नागरिक सद्गुण के रूप में 'आत्मनिर्भरता के साथ नहीं जोड़ता है'?

A. नागरिकता
B. समाज की पूर्ण सदस्यता
C. एक कैरियर उन्मुखी स्वार्थी व्यक्ति होना
D. स्वयं की सहायता के दायित्व को पूरा करना

92. कल्याणकारी राष्ट्र गरीबों में निष्क्रियता को कैसे बढ़ावा देता है?

A. अयोग्य लोगों को रोजगार देकर
B. आश्रीतता की संस्कृति का निर्माण करके
C. संपूर्ण जनसंख्या को मुफ्त सब्सिडियाँ देकर
D. आलस्य की आदत को प्रोत्साहन देकर

93. नव-दक्षिणपंथी सिद्धांतकारों के अनुसार बाजार कैसे नागरिक सदगुण को मन में बैठाता है?

A. व्यापार और वाणिज्य को तीव्र करके

B. लाभकारी रोजगार देकर

C. आत्मनिर्भरता को प्रोत्साहित करके

D. बेरोजगारों को दंड देकर

94. नीचे दिए गए पहलुओं में से कौन-सा ऐसा निर्देश नहीं है, जिसका थैचर/रीगन सुधारों द्वारा पक्ष लिया गया?

A. विनियमन हटाना

B. कर कटौतियाँ

C. मजबूत ट्रेड यूनियनें

D. कल्याणकारी लाभ कम करना

95. निम्नलिखित में से कौन-सा नागरिक सद्गुण का एक स्रोत नहीं है?

A. सेना B. परिवार

C. नागरिक संघ D. बाजार

निर्देश (प्रश्न संख्या 96 से 100 तक): *नीचे दिए गए गद्यांश को पढ़िए तथा प्रश्नों के उत्तर दीजिए।*

ग्रुप ऑफ ट्वेंटी या G20 पिछले कुछ समय में अंतर्राष्ट्रीय सहयोग के एक प्रमुख मंच के रूप में उभरा है। इसका महत्व इस तथ्य से है कि इसके सदस्य विश्व की विकसित और विकासशील अर्थव्यवस्थाओं वाले हैं। G20 के सदस्य लगभग 85% वैश्विक जीडीपी, 80% वैश्विक व्यापार और विश्व की दो-तिहाई जनसंख्या का प्रतिनिधित्व करते हैं। G20 की स्थापना एशिया की उभरती अर्थव्यवस्थओं में 1990 के दशक में आए वित्तीय संकट से उभरने के लिए की गई थी। यह संगठन व्यापक प्रतिनिधित्व वाला और समावेशी है क्योंकि G20 की अध्यक्षता वार्षिक रूप से चक्रानुक्रम में प्रदान की जाती है और विभिन्न देशों के क्षेत्रीय समूह से किसी सदस्य को इसकी अध्यक्षता के लिए निर्वाचित किया जाता है। भारत ने इसके प्रारंभ से ही G20 की प्रक्रिया में सक्रिय रूप से भाग लिया है। भारत एक प्रमुख हितधारक है और विश्व अर्थव्यवस्था के स्थायित्व में रुचि रखता है। सियोल शिखर सम्मेलन के दौरान भारत के समर्थन से विकास को एजेंडा की मद के रूप में शामिल किया गया और सियोल में विकास के संबंध में आम सहमति भी बनी। G20 में भारत की रुचि ने G20 की चर्चाओं को जीवंत और विश्वसनीय बना दिया है। हाल ही में भारत द्वारा नई दिल्ली में G20 शिखर सम्मेलन के सफल आयोजन ने मजबूत, सतत और संतुलित विकास के लिए एक फ्रेमवर्क और वैकल्पिक विश्व व्यवस्था की स्थापना की आशओं को पुनः जागृत कर दिया है।

96. G20 की स्थापना का निम्नलिखित में से कौन-सा कारण है?

A. विश्व का वित्तीय संकट

B. एशियाई वित्तीय संकट

C. अफ्रीकी वित्तीय संकट

D. यूरोपीय वित्तीय संकट

97. भारत ने G20 में सक्रिय रुचि क्यों ली है?

A. अपने स्वयं के आर्थिक स्थायित्व के लिए नहीं

B. वैश्विक आर्थिक स्थायित्व को सुनिश्चित करने के लिए

C. अपने ऋण संकट के समाधान के लिए

D. स्वयं को एक प्रमुख आर्थिक शक्ति के रूप में स्थापित करने के लिए नहीं

98. G20 को एक प्रतिनिधिक मंच क्यों माना जाता है?

A. अध्यक्षता चक्रानुक्रम में नहीं होती है।

B. अध्यक्षता हर बार अलग-अलग क्षेत्र से चीन के खिलाफ एक रणनीतिक गुट का निर्माण करती है।

C. अध्यक्षता वार्षिक रूप से और अलग-अलग क्षेत्र से चक्रानुक्रम में होती है।

D. अध्यक्षता की अवधि तीन वर्ष के लिए सीमित होती है।

99. निम्नलिखित में से कौन-सा G20 का उद्देश्य है?

A. अंतर्राष्ट्रीय सहयोग

B. क्षेत्रीय सहयोग

C. सेक्टोरल सहयोग

D. राजनीतिक मामलों पर शक्तियों के साथ सहयोग

100. हाल ही में संपन्न हुए G20 शिखर सम्मेलन का महत्व क्या है?

A. सतत और संतुलित विकास के फ्रेमवर्क पर आम सहमति

B. महिलाओं के नेतृत्व में विकास प्रक्रिया

C. ग्लोबल साउथ का एक आवाज के रूप में उभरना

D. उपर्युक्त सभी

उत्तरमाला

1. **(C):** रॉबर्ट नॉजिक का 'अधिकारिता सिद्धांत' तीन मूल सिद्धांतों से बना है, जिसमें 'अंतिम अधिग्रहण का सिद्धांत' शामिल नहीं है। सिद्धांत उन स्थितियों को रेखांकित करता है जिनके तहत वितरण को उचित माना जाता है : उचित प्रारंभिक अधिग्रहण, उचित हस्तांतरण, और अन्याय का सुधार। अंतिम अधिग्रहण का सिद्धांत नॉजिक के ढांचे के भीतर मौजूद नहीं है; इसके बजाय, ध्यान इस बात पर है कि शुरुआत में होल्डिंग्स कैसे हासिल की जाती हैं, स्थानांतरित की जाती हैं और अन्याय को कैसे ठीक किया जाता है।

2. **(B):** दार्शनिक अराजकतावाद राज्य प्राधिकरण की वैधता के खिलाफ तर्क देता है। यह सिद्धांत सुझाव देता है कि किसी भी राज्य के पास अपने शासन या अपने नागरिकों पर अधिकार का नैतिक औचित्य नहीं है। हालाँकि यह सिद्धांत यह दावा नहीं करता है कि राज्यों का अस्तित्व नहीं होना चाहिए, लेकिन यह राज्य के प्राधिकार के आधार और ऐसे प्राधिकार का पालन करने के लिए व्यक्तियों के नैतिक दायित्वों पर सवाल उठाता है।

3. **(D):** बर्मा (म्यांमार) को 'एशियाई टाइगर' अर्थव्यवस्थाओं का हिस्सा नहीं माना जाता है। 'एशियन टाइगर्स' का तात्पर्य हांगकांग, सिंगापुर, दक्षिण कोरिया और ताइवान से है, जो 1960 से 1990 के दशक तक अपने तीव्र औद्योगीकरण और उच्च विकास दर के लिए जाने जाते हैं। इसके विपरीत, बर्मा ने इन देशों के समान आर्थिक विकास पैटर्न का अनुभव नहीं किया है।

4. **(C):** अरस्तू को चिंता थी कि यदि जनता को शक्ति दी गई, तो वे जनोत्तेजक-करिश्माई नेताओं के प्रभाव के प्रति संवेदनशील हो जाएंगे, जो युक्तिसंगत तर्क के बजाय भावनाओं, भय और पूर्वाग्रहों की अपील करते हैं। उसे डर था कि ये नेता आसानी से जनता को बरगला सकते हैं, जिससे अस्थिरता और अत्याचार उत्पन्न हो सकता है।

5. **(C):** 'वर्ग अपने आप में' एक अवधारणा है जो जॉन रॉल्स से संबंधित नहीं है बल्कि कार्ल मार्क्स के सामाजिक वर्गों और वर्ग चेतना के सिद्धांत से संबंधित है। रॉल्स की अवधारणा, जिसमें 'निष्पक्षता के रूप में न्याय', 'वितरणात्मक न्याय', और 'अज्ञानता का पर्दा' शामिल है, न्याय के सिद्धांतों पर केंद्रित है जिन्हें समाज में किसी के स्वयं के स्थान के ज्ञान के बिना, निष्पक्षता की शर्तों के तहत चुना जाएगा।

6. **(A):** सूजान सोनटैग, जिन्हें मुख्य रूप से एक आलोचक, लेखक और फिल्म निर्माता के रूप में जाना जाता है, आमतौर पर सूचीबद्ध अन्य विकल्पों के समान ही प्रत्यक्ष तरीके से नारीवादी सिद्धांत से जुड़ी नहीं हैं। यद्यपि उनका काम नारीवादी विषयों से जुड़ा हुआ है, तथापि उनके बौद्धिक योगदान का मूल नारीवादी सिद्धांत की पारंपरिक सीमाओं के बाहर है, खासकर कैरोल पैटमैन, मार्था नुस्बाम और जूडिथ बटलर के विपरीत, जिन्होंने नारीवादी विचार में महत्वपूर्ण योगदान दिया है।

7. **(D):** भीखू पारेख का कहना है कि भारतीय राजनीतिक विचारक राजनीतिक अर्थव्यवस्था से संबंधित प्रश्नों को नजरअंदाज नहीं करते हैं। जबकि आधुनिक व्यक्तिगत विचारक, भारतीय राज्य की प्रकृति और सामाजिक न्याय भारतीय राजनीतिक चिंतन के अंतर्गत विचार के विषय नहीं रहे हैं। पारेख राजनीतिक अर्थव्यवस्था की सापेक्ष उपेक्षा पर प्रकाश डालते हैं–एक ऐसा क्षेत्र जिसमें यह अध्ययन शामिल है कि आर्थिक सिद्धांत राजनीतिक और सामाजिक संरचनाओं को कैसे प्रभावित करते हैं।

8. **(D):** 'औपनिवेशिक शासन से मुक्ति' का मामला महात्मा गांधी और रवींद्रनाथ टैगोर के बीच बहस का विषय नहीं था। हालांकि अपने दृष्टिकोण और दर्शन में भिन्न थे, ब्रिटिश औपनिवेशिक शासन से भारत की आजादी के लिए प्रतिबद्ध थे। उनकी बहसें स्वतंत्रता के व्यापक लक्ष्य के बजाय सांस्कृतिक और वैचारिक मुद्दों जैसे अंग्रेजी भाषा, राष्ट्रवाद और चरखे के उपयोग पर अधिक केंद्रित थीं।

9. (A): रवींद्रनाथ टैगोर ने कबीर को 'मुक्तिदूत' के रूप में वर्णित किया, जिसका अनुवाद 'मुक्ति का दूत' या 'मुक्तिदाता' है। टैगोर ने कबीर की आध्यात्मिक और सामाजिक शिक्षाओं की प्रशंसा की, जो सांप्रदायिक सीमाओं से परे थी और सार्वभौमिक मानव मुक्ति के उद्देश्य से थी। ईश्वरीय और सामाजिक समानता के प्रत्यक्ष अनुभव पर जोर देने वाली कबीर की कविताएँ और दर्शन ने टैगोर के विचारों को बहुत प्रभावित किया।

10. (B): कबीर 'समन्वयवाद' से जुड़े हैं—विभिन्न धार्मिक, सांस्कृतिक, या दार्शनिक मान्यताओं को एक सामंजस्यपूर्ण धारा में मिलाना। 15वीं सदी के कवि और संत कबीर ने अपने जीवन और शिक्षाओं में हिंदू और मुस्लिम दोनों मान्यताओं पर आधारित समन्वयवाद को शामिल किया। उनका काम हिंदू धर्म और इस्लाम के आध्यात्मिक सिद्धांतों के अभिसरण को दर्शाता है, जो दिव्य सत्य के लिए एक सार्वभौमिक मार्ग की वकालत करता है जो उनके समय के सांप्रदायिक विभाजन का अतिक्रमण करता है।

11. (C): ई.वी. रामास्वामी नायकर, जिन्हें पेरियार के नाम से भी जाना जाता है, ने सामाजिक सुधार के एक भाग के रूप में आत्म-सम्मान आंदोलन की शुरुआत की। 20वीं सदी की शुरुआत में शुरू किए गए इस आंदोलन का उद्देश्य एक ऐसे समाज का निर्माण करना था जहां पिछड़ी जातियों और वर्गों को समान मानवाधिकार प्राप्त होंगे और उन्हें अब ब्राह्मणवादी जाति व्यवस्था द्वारा दबाया नहीं जाएगा। इसने मुक्ति की कुंजी के रूप में आत्म-सम्मान पर जोर दिया और जाति के आधार पर भेदभाव को समाप्त करने की मांग की।

12. (D): मनु के अनुसार, 'अनुबंध' को कूटनीति और राष्ट्रनीति के आधार के रूप में वर्णित नहीं किया गया है। प्राचीन भारतीय राजनीतिक सिद्धांत, जैसा कि मनु द्वारा उल्लिखित है, ने शासन कला और कूटनीति के लिए विग्रह, तटस्थता और संश्रय सहित विभिन्न रणनीतियों की पहचान की, लेकिन आधुनिक अर्थों में अनुबंधों को स्पष्ट रूप से आधार नहीं माना। मनु का ग्रंथ विस्तृत कानूनी समझौतों के बजाय राज्यों के बीच संबंधों को नियंत्रित करने वाले व्यापक सिद्धांतों पर केंद्रित है।

13. (A): 'पूंजीवाद, समाजवाद और लोकतंत्र' जोसेफ शुम्पीटर द्वारा लिखित एक मौलिक कृति है। 1942 में प्रकाशित, शुम्पीटर की पुस्तक पूंजीवाद के विकास की प्रक्रिया, लोकतंत्र के साथ इसकी अनुकूलता और समाजवाद के एक व्यवहार्य विकल्प के रूप में उभरने की क्षमता का विश्लेषण करती है। शुम्पीटर रचनात्मक विनाश के अपने सिद्धांत के लिए प्रसिद्ध हैं, एक अवधारणा जिसे वह इस कृति के अंतर्गत विस्तार से बताता है, पूंजीवादी अर्थव्यवस्थाओं की गतिशीलता और सामाजिक और राजनीतिक संरचनाओं पर उनके प्रभाव की खोज करता है।

14. (C): परम्परागत आधुनिकीकरण सिद्धांत मानता है कि जैसे-जैसे देश आर्थिक रूप से विकसित होते हैं, उनके लोकतांत्रिक होने और लोकतांत्रिक संस्थानों को बनाए रखने की अधिक संभावना होती है। यह सिद्धांत आर्थिक विकास और लोकतांत्रिक शासन के बीच एक सकारात्मक सहसंबंध का सुझाव देता है, यह तर्क देते हुए कि आर्थिक विकास से सामाजिक और राजनीतिक परिवर्तन होते हैं जो लोकतंत्र के फलने-फूलने और कायम रहने के लिए आवश्यक परिस्थितियों को बढ़ावा देते हैं।

15. (B): 'ऊपर से नीचे लोकतांत्रिक परिवर्तन' उस प्रक्रिया का वर्णन करता है जिसके तहत तानाशाही शासन करने वाला अभिजात वर्ग उदारीकरण सुधारों की शुरुआत करता है जिससे लोकतांत्रिक परिवर्तन होता है। लोकतंत्रीकरण का यह मॉडल तब अस्तित्ववान होता है जब सत्ता में बैठे लोग, अक्सर सत्तावादी शासन के भीतर से, उन परिवर्तनों को लागू करने का निर्णय लेते हैं जो धीरे-धीरे राजनीतिक व्यवस्था में लोकतांत्रिक तत्वों को शामिल करते हैं। ये सुधार विभिन्न प्रेरणाओं से उत्पन्न हो सकते हैं, जिनमें आर्थिक दबाव, अंतर्राष्ट्रीय प्रभाव, या नेतृत्व की अपने शासन को वैध बनाने की इच्छा शामिल है।

16. (D): ताजिकिस्तान के वर्तमान राजनीतिक शासन को नागरिक तानाशाही के रूप में जाना जाता है। यह एक मजबूत कार्यकारी शाखा वाला गणतंत्र है जिसमें राष्ट्रपति इमोमली रहमान और उनकी पार्टी का वर्चस्व है। हालाँकि चुनाव होते हैं, लेकिन उन्हें व्यापक रूप से न तो स्वतंत्र और न ही निष्पक्ष माना जाता है, सत्तारूढ़ दल राजनीतिक परिदृश्य पर कड़ा नियंत्रण बनाए रखता है, विपक्ष को दबाता है और राजनीतिक बहुलवाद को सीमित करता है।

17. (B): 11 सितंबर की घटना, विशेष रूप से 2001 में 11 सितंबर के हमलों ने, जॉर्ज डब्लू. बुश को अपनी विदेश नीति को वैश्विक शक्ति प्रक्षेपण और हस्तक्षेपवाद में बदलने के लिए प्रेरित किया। हमलों के जवाब में, बुश प्रशासन ने 'आतंकवाद के विरुद्ध युद्ध' (War on Terror) शुरू किया, जिसमें अफगानिस्तान और इराक पर आक्रमण शामिल था, जिसने अमेरिकी विदेश नीति को अंतरराष्ट्रीय मामलों में सक्रिय हस्तक्षेप की ओर महत्वपूर्ण रूप से स्थानांतरित कर दिया।

18. (B): आधुनिक राज्य प्रणाली की वास्तविक शुरुआत 1648 में वेस्टफेलिया की संधि के साथ तीस वर्षीय के युद्ध के अंत से होती है। इस अवधि ने अन्य राज्यों के आंतरिक मामलों में गैर-हस्तक्षेप और सम्प्रभुता के सिद्धांतों को स्थापित किया, साथ ही राष्ट्र-राज्य प्रणाली के लिए आधार तैयार किया।

19. (B): अर्नेस्ट बी. हास ने 'शक्ति संतुलन' शब्द के लिए आठ अलग-अलग अर्थ बताए। अंतर्राष्ट्रीय संबंध सिद्धांत में उनके काम और शक्ति संतुलन के उनके विश्लेषण ने इस जटिल अवधारणा को समझने में महत्वपूर्ण योगदान दिया है, जिसमें राज्यों के बीच शक्ति वितरण, निवारक रणनीतियों और अंतर्राष्ट्रीय स्थिरता बनाए रखने के तंत्र से संबंधित विभिन्न व्याख्याएं शामिल हैं।

20. (A): हंस जे. मॉर्गेंथाऊ वह विद्वान हैं जिन्होंने कहा था कि राजनेता 'शक्ति के रूप में परिभाषित हित के संदर्भ में सोचते और कार्य करते हैं।' यह परिप्रेक्ष्य मॉर्गेंथाऊ के राजनीतिक यथार्थवाद के सिद्धांत के केंद्र में है, जो बताता है कि अंतरराष्ट्रीय क्षेत्र में राज्यों की कार्रवाई राष्ट्रीय हितों की खोज से प्रेरित होती है, जो मुख्य रूप से शक्ति के संदर्भ में परिभाषित होती है। मोर्गेंथाऊ के काम का अंतरराष्ट्रीय संबंधों के अध्ययन और यथार्थवादी सिद्धांत के विकास पर गहरा प्रभाव पड़ा है।

21. (B): भारत और संयुक्त राज्य अमेरिका की नौसेनाएं संयुक्त रूप से मलक्का जलडमरूमध्य में गश्त करती हैं। यह सहयोग दोनों देशों के बीच रणनीतिक साझेदारी को दर्शाता है, जिसका उद्देश्य दुनिया के सबसे व्यस्त शिपिंग लेन में से एक के माध्यम से समुद्री सुरक्षा और सुरक्षित मार्ग सुनिश्चित करना है, जो अंतर्राष्ट्रीय व्यापार और ऊर्जा परिवहन के लिए महत्वपूर्ण है। मलक्का जलडमरूमध्य हिंद महासागर तथा प्रशांत महासागर को जोड़ता है।

22. (A): संयुक्त राष्ट्र जलवायु परिवर्तन सम्मेलन, जिसे आमतौर पर कोपेनहेगन शिखर सम्मेलन के रूप में जाना जाता है, 2009 में आयोजित किया गया था। यह शिखर सम्मेलन जलवायु परिवर्तन को संबोधित करने के अंतरराष्ट्रीय प्रयासों में एक महत्वपूर्ण घटना थी, जिसका उद्देश्य क्योटो प्रोटोकॉल को सफल बनाने के लिए एक वैश्विक समझौता स्थापित करना था। उच्च अपेक्षाओं के बावजूद, सम्मेलन को एक बाध्यकारी समझौते तक पहुंचने में चुनौतियों का सामना करना पड़ा।

23. (C): प्रधानमंत्री मनमोहन सिंह ने 2008 में चीन का दौरा किया। यह यात्रा व्यापार, सीमा विवाद और क्षेत्रीय सुरक्षा सहित विभिन्न मुद्दों को संबोधित करते हुए भारत और चीन के बीच द्विपक्षीय संबंधों को बेहतर बनाने के लिए चल रहे प्रयासों का हिस्सा थी। दोनों देशों के बीच बातचीत और सहयोग को बढ़ावा देने के लिए ऐसी यात्राएं महत्वपूर्ण हैं।

24. (B): भारत ने 'शांति और समृद्धि के लिए रणनीतिक और सहकारी साझेदारी विकसित करने के माध्यम से स्थायी शांति और आम समृद्धि की सामंजस्यपूर्ण विश्व के निर्माण को बढ़ावा देने के लिए' चीन के साथ

घोषणापत्र पर हस्ताक्षर किए। यह घोषणा क्षेत्र और उससे परे शांति, समृद्धि और स्थिरता पर ध्यान केंद्रित करते हुए अपनी रणनीतिक साझेदारी को बढ़ाने में दोनों देशों के पारस्परिक हित का प्रतीक है।

25. (C): फिलिबस्टरिंग प्रत्यक्ष लोकतंत्र का प्रमुख तत्व नहीं है। प्रत्यक्ष लोकतंत्र में नागरिक सीधे कानूनों और नीतियों के बारे में निर्णय लेते हैं, आमतौर पर रेफरेण्डम, रिकॉल और प्लेबिसिट जैसे तंत्रों के माध्यम से। दूसरी ओर, फिलिबस्टरिंग एक विधायी रणनीति है जिसका उपयोग कुछ संसदीय या विधायी निकायों में बहस को बढ़ाने या कार्यवाही में देरी करने के लिए किया जाता है, और इसमें आम जनता द्वारा सीधे निर्णय लेने की प्रक्रिया शामिल नहीं होती है।

26. (B): सत्यमित्र दुबे ने कहा है कि धर्म मनु की राज्यव्यवस्था की महान कसौटी है। मनु के काम पर दुबे का विश्लेषण प्राचीन भारतीय ग्रंथों में उल्लिखित शासन और सामाजिक संरचना पर धार्मिक सिद्धांतों के गहरे प्रभाव पर प्रकाश डालता है, जहां धर्म (नैतिक कानून) राज्य के संगठन और कार्य में केंद्रीय भूमिका निभाता है।

27. (B): 1971 में पारित भारतीय संविधान का चौबीसवां संशोधन, 1967 में तय किए गए गोलकनाथ मामले को खारिज कर दिया है। गोलकनाथ के फैसले में कहा गया कि संसद संविधान के भाग III में संशोधन नहीं कर सकती, जिसमें मौलिक अधिकार शामिल हैं। चौबीसवें संशोधन ने मौलिक अधिकारों सहित संविधान के किसी भी हिस्से में संशोधन करने की संसद की शक्ति की पुष्टि करके इसका प्रतिकार किया, इस प्रकार विधायिका और न्यायपालिका के बीच शक्ति संतुलन बहाल किया गया।

28. (C): 'बाजार और मेले' भारतीय संविधान में समवर्ती सूची का हिस्सा नहीं हैं। समवर्ती सूची में ऐसे विषय शामिल हैं जिन पर केंद्र और राज्य सरकारों दोनों का अधिकार क्षेत्र है, जैसे शोधन अभिक्षमता और दिवालियापन, जानवरों के प्रति क्रूरता की रोकथाम, और आर्थिक और सामाजिक योजना। हालाँकि, बाजार और मेले आम तौर पर राज्य सरकारों के दायरे में होते हैं, जो समवर्ती सूची के बजाय राज्य सूची के विषय हैं।

29. (B): बी.आर. अम्बेडकर ने दूसरे गोलमेज सम्मेलन के दौरान दलित वर्गों के लिए एक अलग निर्वाचन क्षेत्र की मांग की। अलग निर्वाचन क्षेत्रों के लिए उनकी वकालत का उद्देश्य सामान्य निर्वाचन क्षेत्रों से अलग, दलित वर्गों के लिए पर्याप्त राजनीतिक प्रतिनिधित्व सुनिश्चित करना था। इस मांग के कारण 1932 में गाँधी और अम्बेडकर के बीच पूना संधि पर हस्ताक्षर किए गए, जिसमें अलग निर्वाचन क्षेत्रों के बजाय सामान्य निर्वाचन क्षेत्रों में दलित वर्गों के लिए आरक्षित सीटें प्रदान की गईं।

30. (A): संविधान सभा को सलाह देने के लिए गठित भाषाई प्रांत आयोग को लोकप्रिय रूप से दर आयोग के नाम से जाना जाता है। इस आयोग को भाषाई आधार पर राज्यों के पुनर्गठन की व्यवहार्यता की जांच करने का काम सौंपा गया था, जो भारत की स्वतंत्रता के बाद की अवधि के दौरान एक महत्वपूर्ण मुद्दा था। आयोग की सिफारिशों ने भाषाई पहचान के आधार पर राज्यों के गठन और देश के संघीय ढांचे को आकार देने में महत्वपूर्ण भूमिका निभाई।

31. (B): सत्यशोधक समाज की स्थापना ज्योतिबा फुले ने की थी। 1873 में स्थापित, इस सोसायटी का उद्देश्य सामाजिक समानता को बढ़ावा देना और भारत में महिलाओं, किसानों और निचली जातियों सहित हाशिए पर रहने वाले समुदायों की स्थिति को ऊपर उठाना था, जो प्रचलित जाति व्यवस्था और ब्राह्मणवादी व्यवस्था के वर्चस्व को चुनौती देते थे।

32. (C): भारतीय संविधान के अनुच्छेद 328 के तहत, राज्य विधायिका को ऐसी विधायिका के चुनाव के संबंध में, जहाँ तक संसद इस निमित्त उपबंध नहीं करती है, वहाँ तक प्रावधान करने की शक्ति है। यह अनुच्छेद राज्य विधानमंडलों को संविधान के ढांचे के भीतर और संसद द्वारा बनाए गए किसी भी कानून के अधीन राज्य विधानमंडलों के चुनावों के संचालन पर कानून बनाने का अधिकार देता है।

33. (A): मैरी पार्कर फॉलेट ने 'रचनात्मक संघर्ष' के अभिनव विचार को प्रतिपादित किया। संगठनात्मक सिद्धांत और व्यवहार के क्षेत्र में एक अग्रणी विचारक फॉलेट ने तर्क दिया कि संघर्ष, जब ठीक से प्रबंधित किया जाता है, तो संगठन के लिए हानिकारक होने के बजाय रचनात्मक हो सकता है। उन्होंने एकीकरण के महत्व और समझ तथा आपसी सम्मान के माध्यम से संघर्षों के रचनात्मक समाधान पर जोर दिया।

34. (B): फ्रेडरिक टेलर ने संगठनों में सप्ताह में 40 घंटे कार्य, समय एवं गति अध्ययनों, मात्रानुपाती दर व्यवस्था के साथ-साथ "दिन के उचित कार्य के लिए दिन का उचित वेतन" की अवधारणाओं का प्रारंभ किया। टेलर को वैज्ञानिक प्रबंधन के जनक के रूप में जाना जाता है। उन्होंने व्यवस्थित अध्ययन और कार्य प्रक्रियाओं में वैज्ञानिक तरीकों के अनुप्रयोग के माध्यम से औद्योगिक दक्षता और श्रम उत्पादकता में सुधार करने की कोशिश की।

35. (B): 1887 में पॉलिटिकल साइंस क्वार्टरली में प्रकाशित 'द स्टडी ऑफ एडमिनिस्ट्रेशन', वुडरो विल्सन द्वारा लिखा गया था। इस पेपर को लोक प्रशासन के क्षेत्र में एक मौलिक कार्य माना जाता है, जो एक विशिष्ट क्षेत्र के रूप में लोक प्रशासन में अध्ययन और व्यवस्थित विचार की शुरुआत को दर्शाता है। विल्सन के कार्य ने एक शैक्षणिक अनुशासन और पेशे के रूप में लोक प्रशासन के विकास की नींव रखी।

36. (B): पीटर ड्रकर ने 'मैनेजमेंट : टास्क्स, रेस्पांसिबिलिटीज प्रैक्टिसेज' नामक पुस्तक लिखी। प्रबंधन सिद्धांत और व्यवहार में उनके व्यापक योगदान के लिए ड्रकर को आधुनिक प्रबंधन के जनक के रूप में व्यापक रूप से मान्यता प्राप्त है। उनके काम में प्रबंधन विषयों की एक विस्तृत श्रृंखला शामिल है, जिसमें नेतृत्व, नवाचार और प्रभावी व्यावसायिक प्रथाएं शामिल हैं, जो व्यावसायिक नेताओं और विद्वानों की पीढ़ियों को प्रभावित करती हैं।

37. (C): मजदूर किसान शक्ति संगठन (एमकेएसएस) ने भारत में सूचना का अधिकार आंदोलन का नेतृत्व किया, जो जन सुनवाई (सार्वजनिक सुनवाई) की प्रणाली से निकटता से जुड़ा हुआ है। इन सार्वजनिक सुनवाईयों के माध्यम से, एमकेएसएस ने भ्रष्टाचार को उजागर किया और शासन में पारदर्शिता की वकालत की, 2005 में सूचना का अधिकार अधिनियम के अधिनियमन में महत्वपूर्ण योगदान दिया।

38. (B): नागरिक चार्टर को पहली बार यूके में 1991 में एक राष्ट्रीय कार्यक्रम के रूप में व्यक्त और कार्यान्वित किया गया था। इस पहल का उद्देश्य सार्वजनिक सेवाओं को नागरिकों की जरूरतों और प्राथमिकताओं के प्रति अधिक उत्तरदायी बनाकर बेहतर बनाना था। इसमें सेवा वितरण के लिए मानक निर्धारित करने, पारदर्शिता सुनिश्चित करने और फीडबैक और निवारण के लिए तंत्र स्थापित करने की मांग की गई।

39. (C): यह पता लगाने के लिए नियंत्रक एवं महालेखा परीक्षक (सीएजी) की रिपोर्ट की जांच करना कि संसद द्वारा स्वीकृत किए गए धन का उपयोग संबंधित प्राधिकारी द्वारा किया गया है, प्राक्कलन समिति का कार्य नहीं है। यह कार्य मुख्य रूप से लोक लेखा समिति का है, जो व्यय की जांच करती है और सरकारी वित्त का ऑडिट करती है ताकि यह सुनिश्चित किया जा सके कि उनका प्रभावी ढंग से और इच्छित उद्देश्यों के लिए उपयोग किया जाए।

40. (B): लोक लेखा समिति (पीएसी) एकल हस्तांतरणीय वोट प्रणाली के माध्यम से आनुपातिक प्रतिनिधित्व के सिद्धांत के अनुसार एक वार्षिक निर्वाचित निकाय है। यह सुनिश्चित करता है कि पीएसी की संरचना संसद में विभिन्न राजनीतिक दलों की आनुपातिक प्रतिनिधित्व को दर्शाती है, जिससे यह सरकारी व्यय और जवाबदेही की निगरानी बनाए रखने के लिए सबसे महत्वपूर्ण समितियों में से एक बन जाती है।

41. (C): भीखू पारेख की मानव प्रकृति की अवधारणा मनुष्यों की सांस्कृतिक अंतर्निहितता और विभिन्न समाजों में उनकी समझ और अनुभव की परिवर्तनशीलता पर जोर देती है। वह मानव स्वभाव के संदर्भों की आलोचनात्मक जांच की वकालत करते हैं, व्यक्तियों

पर सांस्कृतिक संदर्भों के गहरे प्रभाव को पहचानते हैं, साथ ही विभिन्न समाजों में त्वचा के रंग, लिंग और शारीरिक विशेषताओं जैसी सार्वभौमिक मानवीय विशेषताओं की विविध अवधारणाओं को भी स्वीकार करते हैं। यह दृष्टिकोण इस विचार के विपरीत है कि मानव व्यवहार सभी संस्कृतियों में एक समान है या त्वचा का रंग सार्वभौमिक रूप से शक्ति और स्थिति को निर्धारित करता है।

42. (B): 'दक्षिणपंथी' राजनीतिक ताकतों से जुड़े तर्क अक्सर संरचनात्मक असमानता के ऊपर व्यक्तिगत जिम्मेदारी के ऊपर जोर देते हैं, अपने लाभार्थियों के बीच संभावित रूप से निर्भरता पैदा करने के लिए कल्याणकारी राज्य की आलोचना करते हैं, और गरीबी बेघर होना और शिक्षा जैसे सामाजिक मुद्दों को संबोधित करने में राज्य के हस्तक्षेप की प्रभावशीलता पर सवाल उठाते हैं। इन दृष्टिकोणों में गरीबों को धन के पुनर्वितरण के परिणामों के बारे में चिंताएं, कल्याणकारी नीतियों द्वारा लोगों को गरीबी में फंसाने की संभावना और अप्रत्याशित नकारात्मक परिणामों के बिना जटिल सामाजिक समस्याओं को सुधारने की राज्य की क्षमता के बारे में सामान्य संदेह शामिल हैं।

43. (A): विचार-विमर्श लोकतंत्र की विशेषता नीतियों या सिद्धांतों पर आम सहमति तक पहुंचने के लिए सार्वजनिक तर्क विनिमय में संलग्न स्वतंत्र और समान नागरिकों के मानक आदर्श की विशेषता है। यह सार्वजनिक विचार-विमर्श की प्रक्रिया को महत्व देता है जहां व्यक्ति मिलकर निर्णय लेने के लिए तर्क करते हैं जो सामूहिक हितों और नैतिक विचारों को प्रतिबिंबित करते हैं, जो वास्तव में लोकतांत्रिक संघों के अंतर्निहित नैतिक अंतर्ज्ञान को उजागर करते हैं। विचार-विमर्श लोकतंत्र का मूलभूत तर्क राजनीतिक जीवन की व्यावहारिक बाधाओं या पक्षपातपूर्ण विभाजन और समझौतों की अनिवार्यता के अनुरूप होने के बजाय, समान लोगों के बीच तर्कसंगत समझौते से प्राप्त वैधता है।

44. (B): गांधी का सत्याग्रह का सिद्धांत, अहिंसा और सत्य पर आंशिक पकड़ की मान्यता पर जोर देते हुए, आपसी अविश्वास से ग्रस्त बहुल समाजों में संवाद को बढ़ावा दे सकता है। संवाद की पूर्व शर्तों पर ध्यान और हमारी सीमित समझ की स्वीकार्यता प्रतिभागियों के बीच आत्म-संयम और सम्मान को प्रोत्साहित करती है। अहिंसा के प्रति प्रतिबद्धता भी अलगाव को कम करती है, जिससे अधिक समावेशी और सहानुभूतिपूर्ण जुड़ाव की सुविधा मिलती है। हालाँकि, समझौता करने की तत्परता, जिसे नैतिक प्रतिष्ठा को नकारने के रूप में सुझाया गया है, संवाद में इस सकारात्मक योगदान का हिस्सा नहीं है।

45. (C): कैरोल पेटमैन, बेंजामिन बार्बर और सी.बी. मैकफर्सन जैसे सहभागी लोकतंत्र सिद्धांतकार एक ऐसी राजनीतिक प्रणाली के लिए तर्क देते हैं जहां निर्णय लेने की प्रक्रियाओं में व्यक्तियों की प्रत्यक्ष भागीदारी होती है, जो लोकतांत्रिक शासन में भागीदारी और भागीदारी के महत्व पर जोर देते हैं। उनका काम सामूहिक रूप से पारंपरिक प्रतिनिधि तंत्र से परे लोकतांत्रिक प्रक्रिया में नागरिकों की भूमिका का विस्तार करने की वकालत करता है, जिसका उद्देश्य लोकतांत्रिक जुड़ाव को गहरा करना और यह सुनिश्चित करना है कि राजनीतिक निर्णय सार्वजनिक इच्छा और हितों के प्रति अधिक प्रतिबिंबित हों।

46. (A): राज्यपाल की नियुक्ति के लिए सही योग्यताओं में यह शामिल है कि वह भारत का नागरिक होना चाहिए। आयु की आवश्यकता वास्तव में यह है कि उसने 25 नहीं, बल्कि 35 वर्ष की आयु पूरी कर ली हो। राज्यपालों की नियुक्ति भारत के राष्ट्रपति द्वारा की जाती है, प्रधानमंत्री द्वारा नहीं। राज्यपाल का कार्यकाल छह वर्ष नहीं बल्कि पांच वर्ष का होता है। एक राज्यपाल प्रधानमंत्री को नहीं बल्कि राष्ट्रपति को संबोधित अपने हाथ से लिखकर इस्तीफा देता है।

47. (*)

48. (B): राम मनोहर लोहिया जो अपनी कृतियों में सात क्रांतियों की चर्चा करते हैं, 'आस्पेक्ट्स ऑफ सोशियलिस्ट पॉलिसी' के लेखक हैं और उन्होंने वास्तव में कहा है, 'स्वतंत्रता के विकास का इतिहास मानवीय

संबंधों की पूर्णता का इतिहास है।' यद्यपि 'दलविहीन लोकतंत्र' की अवधारणा जयप्रकाश नारायण से अधिक निकटता से जुड़ी हुई है तथापि लोहिया ने लोकतंत्र और समाजवाद के विभिन्न पहलुओं पर चर्चा की, लेकिन एक विशिष्ट शब्द के रूप में 'दलविहीन लोकतंत्र' उनका नहीं है। इसके अतिरिक्त, लोहिया विकल्प (*d*) में दावे का खंडन करते हुए 'चार-स्तंभीय राज्य' की वकालत करने के लिए जाने जाते हैं।

49. (D): डॉ. सर्वपल्ली राधाकृष्णन, वी.वी. गिरि, डॉ. शंकर दयाल शर्मा और आर. वेंकटरमन सभी ने देश के राष्ट्रपति बनने से पहले भारत के उपराष्ट्रपति के रूप में कार्य किया। बी.डी. जत्ती ने उपराष्ट्रपति के रूप में कार्य करते हुए कार्यवाहक राष्ट्रपति के रूप में कार्य किया, लेकिन उन्हें कभी भी पूर्ण राष्ट्रपति के रूप में नहीं चुना गया।

50. (D): महात्मा गांधी ने 'रचनात्मक कार्यक्रम' और 'हिंद स्वराज' लिखा। 'आधुनिक भारत' और 'स्वतंत्रता के लिए भारत का संघर्ष' उनकी रचनाएँ नहीं हैं, और 'समाजवाद क्यों' समाजवाद पर एक व्यापक विमर्श को दर्शाता है जिसका श्रेय सीधे तौर पर गांधी को नहीं दिया जाता है। 'हिंद स्वराज' एक प्रमुख पुस्तक है जिसमें गांधी भारत के लिए अपने दृष्टिकोण को रेखांकित करते हैं और आधुनिक सभ्यता की आलोचना करते हैं, जबकि 'रचनात्मक कार्यक्रम' सकारात्मक कार्रवाई के माध्यम से राष्ट्र के निर्माण के लिए उनके विचारों का विवरण देता है।

51. (D): दिए गए विकल्पों के अनुसार, विभिन्न विद्वानों द्वारा पार्टी प्रणालियों की सही परिभाषाओं में (*a*) काट्ज द्वारा 'आधुनिक लोकतंत्र एक दलीय लोकतंत्र है' और (*c*) लिपसेट द्वारा 'दल लोकतांत्रिक राजनीति के मुख्य संस्थान हैं' शामिल हैं। ये कथन आधुनिक लोकतंत्रों के कामकाज में राजनीतिक दलों की अभिन्न भूमिका पर जोर देते हैं, राजनीतिक बहस की संरचना, चुनावी प्रतियोगिता आयोजित करने और प्रतिनिधित्व की सुविधा प्रदान करने में उनके महत्व पर प्रकाश डालते हैं।

52. (D): 'असफल राज्य' की सही समझ में (*a*) सिएरा लियोन का उदाहरण शामिल है, जिसे अक्सर गृहयुद्ध और शासन की चुनौतियों के साथ ऐतिहासिक संघर्षों के कारण राज्य की विफलता की चर्चा में उद्धृत किया जाता है, और (*b*) परिभाषा एक असफल राज्य उन कार्यों को प्रदान करने में असमर्थ है जो उन्हें राज्यों के रूप में परिभाषित करते हैं, जैसे आंतरिक व्यवस्था बनाए रखना, कानून के शासन को कायम रखना और अपने नागरिकों को बुनियादी सेवाएं प्रदान करना। यह राज्य की विफलता के सार को दर्शाता है, जहाँ सरकार की अपनी मौलिक भूमिका निभाने में असमर्थता महत्वपूर्ण अस्थिरता और अव्यवस्था को जन्म देती है।

53. (C): लोकतंत्र पर रचनावादी तर्क, सटीक रूप से प्रस्तुत किया गया है (*c*) 'रचनावादी तर्क संस्कृति को विरासत में मिली बजाय निर्मित या आविष्कार की गई चीज के रूप में मानता है' और (*d*) 'रचनावादी तर्क का दावा है कि संस्कृति का एक कारण प्रभाव होता है', इस विचार पर ध्यान केंद्रित करता है कि संस्कृति एक निश्चित या अपरिवर्तनीय इकाई नहीं है बल्कि सामाजिक अंतःक्रियाओं और राजनीतिक प्रक्रियाओं से आकार लेती है। रचनावादियों का तर्क है कि राजनीतिक और सामाजिक गतिशीलता सांस्कृतिक पहचान और मानदंडों को बनाने में महत्वपूर्ण भूमिका निभाती है, जो बदले में राजनीतिक संरचनाओं और लोकतांत्रिक प्रथाओं को प्रभावित कर सकती है।

54. (D): 1980 के दशक में भारत में बाजार समर्थक और व्यापार समर्थक राज्य के हस्तक्षेप के बीच अतुल कोहली के अंतर को (*a*) 'व्यापार समर्थक रणनीति मुख्य रूप से स्थापित उत्पादकों का समर्थन करती है' द्वारा सही ढंग से वर्णित किया गया है, जो मौजूदा उत्पादकों की सहायता पर सरकार के फोकस को उजागर करता है। व्यवसायों को अपनी उत्पादकता और प्रतिस्पर्धात्मकता बढ़ाने के लिए, और (*d*) 'प्रो-मार्केट रणनीति नए प्रवेशकों और उपभोक्ताओं का समर्थन करती है', प्रतिस्पर्धा को प्रोत्साहित करने और बेहतर विकल्पों और कम कीमतों के माध्यम से उपभोक्ताओं

को लाभान्वित करने के लिए अर्थव्यवस्था को उदार बनाने के उद्देश्य से नीतियों को दर्शाती है।

55. (C): 108वें संशोधन विधेयक, 2008 के सही पहलू हैं (*a*) 'महिलाओं के लिए आरक्षित सीटों का आरक्षण इस विधेयक के लागू होने के 15 साल बाद समाप्त हो जाएगा', और (*d*) 'राज्य या केंद्रशासित प्रदेशों में विभिन्न निर्वाचन क्षेत्रों में रोटेशन द्वारा आरक्षित सीटें आवंटित की जा सकती हैं', जो विधायी निकायों में महिलाओं के व्यापक प्रतिनिधित्व को सुनिश्चित करने के लिए विभिन्न चुनावी निर्वाचन क्षेत्रों में सीट आरक्षण लागू करने के लिए एक तंत्र का सुझाव देती है।

56. (A): भारत यूरोपीय आर्थिक समुदाय (ईईसी), जो अब यूरोपीय संघ (ईयू) है, के साथ राजनयिक संबंध स्थापित करने वाले पहले देशों में से एक था, जो दोनों संघों के बीच लंबे समय से चले आ रहे और विकसित हो रहे संबंधों को उजागर करता है। साझेदारी को वास्तव में 2004 में रणनीतिक स्तर पर उन्नत किया गया था, जिसमें कई क्षेत्रों में सहयोग के लिए गहरी प्रतिबद्धता पर जोर दिया गया था। इसके अतिरिक्त, ईयू भारत के लिए प्रत्यक्ष विदेशी निवेश (एफडीआई) के सबसे बड़े स्रोतों में से एक है, जो इस रिश्ते के आर्थिक महत्व को प्रदर्शित करता है। हालाँकि, यूरोपीय संघ, एक सुप्रनेशनल इकाई होने के नाते, संयुक्त राष्ट्र महासभा में सदस्यता नहीं रखता है, जो संप्रभु राज्यों के लिए आरक्षित है।

57. (D): किसी भी समुदाय के भीतर मौजूद विविध हितों और मूल्यों के कारण समाज और राजनीति में संघर्ष अपरिहार्य माना जाता है। हिंसा के खिलाफ विरोध प्रदर्शनों की प्रभावशीलता सीमित है, और हालांकि वे जागरूकता बढ़ा सकते हैं, लेकिन वे संघर्षों में हिंसा के उपयोग को खत्म करने में हमेशा सफल नहीं हो सकते हैं। अहिंसक कार्रवाई, जिसमें विरोध और अनुनय, असहयोग और अहिंसक हस्तक्षेप शामिल हैं, सामाजिक और राजनीतिक परिवर्तन के लिए एक शक्तिशाली तरीका साबित हुआ है। हालाँकि, अहिंसक तरीकों का उपयोग सफलता की गारंटी नहीं है, क्योंकि परिणाम विभिन्न कारकों पर निर्भर करते हैं, जिनमें नियोजित रणनीतियाँ, संघर्ष का संदर्भ और सत्ता में मौजूद लोगों की प्रतिक्रियाएँ शामिल हैं।

58. (B): भारत ने 1 अप्रैल 1950 को चीन के साथ राजनयिक संबंध स्थापित किए, ऐसा करने वाला वह पहला गैर-समाजवादी गुट देश बन गया। इस कदम से एक जटिल द्विपक्षीय रिश्ते की शुरुआत हुई। 1988 में द्विपक्षीय संबंधों में एक महत्वपूर्ण सुधार शुरू हुआ, जो तनाव की अवधि के बाद जुड़ाव और बातचीत की ओर बदलाव का संकेत देता है। प्रधानमंत्री नेहरू ने 1954 में चीन का दौरा किया, इस दावे का खंडन करते हुए कि उन्होंने अपने प्रधानमंत्रित्व काल के दौरान कभी चीन का दौरा नहीं किया। राजीव गांधी की चीन यात्रा 1993 में नहीं, बल्कि 1988 में हुई थी, जो 1962 के युद्ध के बाद संबंधों को सामान्य बनाने के उद्देश्य से नेहरू की यात्रा के बाद किसी भारतीय प्रधानमंत्री की पहली चीन यात्रा थी।

59. (A): संयुक्त राष्ट्र चार्टर के अध्याय VII के तहत, सुरक्षा परिषद को अंतरराष्ट्रीय शांति और सुरक्षा को बनाए रखने या बहाल करने के लिए उपाय करने का अधिकार है। अनुच्छेद 41 निर्दिष्ट करता है कि परिषद यह तय कर सकती है कि उसके निर्णयों को प्रभावी बनाने के लिए सशस्त्र बलों के उपयोग को शामिल नहीं करने वाले कौन से उपाय नियोजित किए जाएंगे, जिसमें प्रतिबंध शामिल हो सकते हैं। हालाँकि, प्रतिबंध संयुक्त राष्ट्र महासभा के नहीं, बल्कि सुरक्षा परिषद के विवेक पर लागू और वापस लिए जाते हैं। शांतिपूर्ण बदलावों का समर्थन करने, असंवैधानिक परिवर्तनों को रोकने और अन्य सुरक्षा चुनौतियों का समाधान करने के लिए सुरक्षा परिषद द्वारा विभिन्न संदर्भों में प्रतिबंध लागू किए गए हैं, जो अंतरराष्ट्रीय शासन के लिए एक उपकरण के रूप में उनकी बहुमुखी प्रतिभा का प्रदर्शन करते हैं।

60. (C): सामूहिक विनाश के हथियार (डब्लूएमडी) में परमाणु विस्फोटक हथियारों सहित हथियारों की एक विस्तृत शृंखला शामिल है, जो वैश्विक सुरक्षा के लिए

गंभीर खतरे को उजागर करते हैं। रासायनिक हथियार सम्मेलन (सीडब्ल्यूसी), जो 1998 में नहीं बल्कि 1997 में लागू हुआ, का उद्देश्य रासायनिक हथियारों के विकास, उत्पादन, अधिग्रहण, भंडारण, प्रतिधारण, स्थानांतरण या उपयोग पर प्रतिबंध लगाकर डब्ल्यूएमडी की एक पूरी श्रेणी को खत्म करना है। एक कथन के विपरीत, जैविक हथियार वास्तव में सामूहिक विनाश के हथियार माने जाते हैं और उनकी अपनी संधि, जैविक हथियार कन्वेंशन (बीडब्ल्यूसी) के अंतर्गत आते हैं, जो इन खतरनाक हथियारों के प्रसार को संबोधित करने के लिए अंतर्राष्ट्रीय समुदाय की प्रतिबद्धता को प्रदर्शित करता है।

61. (C): 1992 के 73वें संवैधानिक संशोधन अधिनियम ने विकेंद्रीकरण और स्थानीय शासन को मजबूत करने के उद्देश्य से भारत में पंचायती राज संस्थानों को सशक्त बनाने के लिए महत्वपूर्ण प्रावधान पेश किए। मुख्य प्रावधानों में राज्य विधायिका कानूनों (*a*) द्वारा निर्धारित ग्राम स्तर पर कुछ शक्तियों का प्रयोग करने और कार्य करने के लिए ग्राम सभा को सशक्त बनाना, वित्तीय समीक्षा के लिए हर पांचवें वर्ष राज्यपाल द्वारा राज्य वित्त आयोग का गठन करना शामिल है। पंचायतों की स्थिति और सिफारिशें करना (*b*), और आवश्यकता है कि पंचायत के गठन के लिए चुनाव उसके विघटन से छह महीने की समाप्ति से पहले पूरा किया जाना चाहिए (*d*)।

कथन (*c*) के विपरीत, संशोधन राज्य विधानमंडलों को स्व-शासन संस्थानों के रूप में कार्य करने, स्वायत्तता और दक्षता को बढ़ावा देने के लिए पंचायतों को आवश्यक शक्तियां और अधिकार प्रदान करने में सक्षम बनाता है।

62. (D): जवाबदेही शासन और सार्वजनिक प्रशासन में एक मौलिक अवधारणा है, जो किसी व्यक्ति या निकाय (*a*) द्वारा कार्यों के औचित्य के लिए निरीक्षण, निर्देश या अनुरोध की विशेषता है, और इसमें कानूनी, सामाजिक और राजनीतिक जवाबदेही सहित विभिन्न प्रकार शामिल हैं (*b*)। यह एक सार्वभौमिक सिद्धांत है जो न केवल विकसित देशों में बल्कि सभी देशों में लागू होता है, जो सार्वजनिक अधिकारियों की प्रभावशीलता के मूल्यांकन और शासन में पारदर्शिता और जिम्मेदारी को बढ़ाने में सक्षम बनाता है (कथन (*c*) और (*d*) के विपरीत)।

जवाबदेही तंत्र यह सुनिश्चित करने के लिए महत्वपूर्ण हैं कि सार्वजनिक अधिकारी और संस्थान अपने कार्यों और निर्णयों के लिए जवाबदेह हों, और अधिक प्रभावी और नैतिक शासन में योगदान दें।

63. (C): प्रशासनिक सिद्धांतों में, मैक्स वेबर आदर्श प्रकार की नौकरशाही तैयार करने के लिए प्रसिद्ध हैं, जो लक्ष्यों को कुशलतापूर्वक प्राप्त करने के लिए डिजाइन किए गए तर्कसंगत और उच्च संरचित संगठन का वर्णन करता है (*a*)। वैज्ञानिक प्रबंधन सिद्धांत के जनक के रूप में पहचाने जाने वाले फ्रेडरिक टेलर ने व्यवस्थित अध्ययन और कार्य प्रक्रियाओं के डिजाइन के माध्यम से औद्योगिक उत्पादकता और दक्षता में सुधार के लिए सिद्धांत पेश किए (*b*)। कथन (*c*) के विपरीत, हेनरी फेयोल को मानव संबंध सिद्धांत के जनक होने के बजाय प्रबंधन के सिद्धांतों के लिए जाना जाता है, जो एल्टन मेयो के साथ अधिक निकटता से जुड़ा हुआ है, विशेष रूप से हॉथोर्न प्रयोगों (विरोधाभासी कथन (*d*)) के माध्यम से जिसने उत्पादकता पर सामाजिक कारकों के प्रभाव पर जोर दिया।

64. (A): फ्रेड डब्ल्यू रिग्स की पुस्तक 'एडमिनिस्ट्रेशन इन डेवलपिंग कंट्रीज : द थ्योरी ऑफ प्रिज्मेटिक सोसाइटी' में प्रिज्मीय समाजों पर काम पारंपरिक से आधुनिक राज्यों में संक्रमण करने वाले समाजों की अनूठी विशेषताओं की पड़ताल करता है। वह इस बात पर प्रकाश डालते हैं कि आधुनिक समाज में कार्यात्मिक रूप से विशिष्ट संरचनाएं होती हैं (*a*), एक संरचना को व्यवहार के किसी भी पैटर्न के रूप में परिभाषित करता है जो एक सामाजिक प्रणाली (*b*) की एक मानक विशेषता बन जाती है, और पारंपरिक और आधुनिक सामाजिक मॉडल को दर्शाते हुए एग्रेरिया और इंडस्ट्री की अवधारणा के विपरीत है, क्रमशः,

इंडस्ट्रीया से एग्रेरिया में संक्रमण का सुझाव दिए बिना ((*c*) के विपरीत)।

इसके बजाय, रिग्स इन दो मॉडलों के बीच संक्रमणकालीन समाजों, या 'प्रिज़्मेटिक' समाजों के सामने आने वाली जटिलताओं और चुनौतियों पर चर्चा करते हैं, और स्पष्ट करते हैं कि एग्रेरिया और इसकी 'छवि' एक जुड़े हुए समाज मॉडल (*d*) के समान नहीं है।

65. (B): आईसीटी-आधारित ई-गवर्नेंस को सरकारी संचालन की दक्षता, पारदर्शिता और जवाबदेही बढ़ाने के लिए डिजाइन किया गया है। इसका उद्देश्य प्रक्रियाओं को सुव्यवस्थित करके और नागरिकों के लिए सूचना और सेवाओं को अधिक सुलभ बनाकर सरकार की लागत को कम करना है। ई-गवर्नेंस से सरकारी कार्यों और निर्णयों को जनता के लिए अधिक दृश्यमान और समझने योग्य बनाकर पारदर्शिता ((*b*) के विपरीत) बढ़ाने की उम्मीद की जाती है।

यह सरकार (*c*) में नागरिक इनपुट को बढ़ाने का भी प्रयास करता है, जिससे शासन प्रक्रियाओं में अधिक भागीदारी की अनुमति मिलती है। हालाँकि, संभावित रूप से बढ़ती नौकरशाही लालफीताशाही (*d*) के लिए कभी-कभी ई-गवर्नेंस की आलोचना की जाती है, हालाँकि इसके प्राथमिक लक्ष्यों में ऐसी अक्षमताओं को कम करना शामिल है। कथन (*b*) और (*d*) ई-गवर्नेंस के बारे में आम चिंताओं या गलत धारणाओं को उजागर करते हैं जो इसके इच्छित लाभों और प्रभावों को सटीक रूप से प्रतिबिंबित नहीं कर सकते हैं।

66. (D): उदारवाद स्वतंत्र और समान नागरिकों (III) के रूप में एक दूसरे के लिए नैतिक चिंता से जुड़ा है, जो कानून के समक्ष व्यक्तिगत अधिकारों और समानता पर इसके जोर को दर्शाता है। समुदायवाद सामुदायिक मूल्यों और सामाजिक सामंजस्य के महत्व पर प्रकाश डालते हुए सदस्यों के लिए एक समान संस्कृति, इतिहास, विश्वदृष्टि, भाषा या मूल्य प्रणाली (II) साझा करने की आवश्यकता के खिलाफ तर्क देता है। उदार राष्ट्रवाद साझा राष्ट्रीयता पर आधारित है, जिसमें एक सामान्य इतिहास, भाषा और संस्कृति (IV) शामिल है, जो उदार लोकतांत्रिक ढांचे में राष्ट्रीय पहचान की भूमिका पर जोर देता है। बहुसंस्कृतिवाद/अंतर सिद्धांत एक समाज के भीतर विविध संस्कृतियों की पहचान की वकालत करता है, जो एक साझा इतिहास, संस्कृति या विश्वदृष्टि (I) से उत्पन्न होने वाली साझा समझ और सामान्य अर्थ पर आधारित है, जो कई सांस्कृतिक पहचानों के सह-अस्तित्व का समर्थन करता है।

67. (C): एंटोनियो ग्राम्शी को उनके काम 'प्रिजन नोटबुक्स' (II) के लिए जाना जाता है, जहां उन्होंने सांस्कृतिक आधिपत्य की अवधारणा विकसित की। रॉबर्ट पुटनम ने 'बॉलिंग अलोन : द कोलैप्स एंड रिवाइवल ऑफ अमेरिकन कम्युनिटी' (IV) लिखी है, जो संयुक्त राज्य अमेरिका में सामाजिक पूंजी की गिरावट पर चर्चा करती है। रूढ़िवादी विचारधारा और राजनीतिक दर्शन पर अपने काम के लिए जाने जाने वाले दार्शनिक माइकल ओकशॉट ने 'ऑन ह्यूमन कंडक्ट' (I) लिखा। मैक्स वेबर 'द प्रोटेस्टेंट एथिक एंड द स्पिरिट ऑफ कैपिटलिज्म' (III) के लेखक हैं, जो समाजशास्त्र और अर्थशास्त्र पर एक मूलभूत पाठ है जो धर्म और आर्थिक विकास के बीच संबंधों की पड़ताल करता है।

68. (B): 'भारतीय राजनीति के पुनर्निर्माण के लिए एक याचिका' जयप्रकाश नारायण से संबंधित है। 'मेरे सपनों का भारत' एम.के. गाँधी से संबंधित है, जिन्होंने अहिंसा और नैतिक शासन के सिद्धांतों पर आधारित भारत की कल्पना की थी।

'1857 का भारतीय स्वतंत्रता संग्राम' के लेखक वी.डी. सावरकर थे। सावरकर 1857 के विद्रोह पर एक राष्ट्रवादी दृष्टिकोण प्रदान करते हैं। 'मार्क्स, गांधी और समाजवाद' गांधीवादी दर्शन को समाजवादी सिद्ध ांतों के साथ एकीकृत करने पर राममनोहर लोहिया के विचारों को दर्शाता है।

69. (D): संघीय प्रणालियों का विभिन्न प्रकारों में वर्गीकरण विभिन्न विद्वानों से जुड़ा है। अत्यधिक संघीय प्रणालियों की चर्चा पॉल एप्पलबी (IV) द्वारा की गई है, जिन्होंने संघीय शासन की गतिशीलता का पता लगाया।

अर्ध-संघीय प्रणालियों का वर्णन के.सी. व्हेयर (III) द्वारा किया गया है। कुछ देशों में संघीय और एकात्मक विशेषताओं के मिश्रण पर प्रकाश डालता है। सौदेबाजी संघवाद का श्रेय मॉरिस जोन्स (I) को दिया जाता है, जो संघीय व्यवस्थाओं में निहित संवाद और समझौते को दर्शाता है। ग्रेनविल ऑस्टिन (II) द्वारा चर्चा की गई सहकारी संघवाद, एक संघीय प्रणाली के भीतर सरकार के विभिन्न स्तरों के बीच सहयोग पर जोर देती है।

70. (A): सार्वभौमिक मताधिकार (III) व्यापक चुनावी भागीदारी सुनिश्चित करने के लिए जाति, लिंग, विश्वास या सामाजिक स्थिति के आधार पर प्रतिबंध के बिना वोट देने के अधिकार को संदर्भित करता है। बहुसंख्यक चुनावी प्रणाली (IV) में चुनावी तंत्र शामिल होता है जहां सबसे अधिक वोट प्राप्त करने वाले उम्मीदवार या पार्टियां जीतती हैं, जो बहुमत शासन के सिद्धांत को मूर्त रूप देती हैं। एकल-सदस्यीय जिला बहुलता प्रणाली (I) एक चुनावी प्रणाली है जहां व्यक्ति एकल-सदस्यीय जिले में एक उम्मीदवार के लिए एक ही वोट डालते हैं, जिसमें सबसे अधिक वोट प्राप्त करने वाला उम्मीदवार सीट जीतता है। वैकल्पिक वोट (II) बहुसंख्यक चुनावी प्रणालियों का एक रूप है जिसमें वरीयता मतदान शामिल है, जो मतदाताओं को यह सुनिश्चित करने के लिए वरीयता के क्रम में उम्मीदवारों को रैंक करने की अनुमति देता है कि निर्वाचित अधिकारियों को व्यापक समर्थन प्राप्त है।

71. (C): 'भारत के लोकतंत्र की सफलता' भारत की राजनीतिक व्यवस्था पर विश्लेषणात्मक और मूल्यांकन कार्यों से जुड़ी है, संभवतः अतुल कोहली जैसे विद्वानों के साथ जुड़ सकती है जो राजनीतिक गतिशीलता और शासन की जांच करते हैं।

हालाँकि, यह विशिष्ट शीर्षक भारत की लोकतांत्रिक प्रणाली के व्यापक मूल्यांकन में लगे लेखकों के साथ अधिक निकटता से मेल खाता है, जिसमें संभावित रूप से निरजा जयाल और प्रताप बी मेहता जैसे विद्वान शामिल हैं, जिन्होंने भारत की राजनीतिक संरचनाओं और प्रक्रियाओं की जांच करने वाले संस्करणों का संपादन किया है। 'भारतीय राजनीति में जाति' प्रसिद्ध रूप से रजनी कोठारी से जुड़ी है, जिन्होंने भारतीय राजनीतिक परिदृश्य में जाति के प्रभाव का व्यापक विश्लेषण किया है।

'भारत में राजनीतिक प्रक्रिया, 1947-1991' स्वतंत्रता के बाद के भारत में ऐतिहासिक और राजनीतिक विकास पर सी.पी. भांबरी के विचार पर प्रकाश डालती है। एक ऐसा विषय जो उस अवधि की राजनीतिक गतिशीलता की जांच करने वाले इतिहासकारों या राजनीतिक विश्लेषकों को आकर्षित कर सकता है। निरजा जयाल और प्रताप बी. मेहता द्वारा लिखित 'द ऑक्सफोर्ड कम्पेनियन टू पॉलिटिक्स इन इंडिया' एक व्यापक संदर्भ कार्य है जो भारतीय राजनीति के विभिन्न पहलुओं पर गहन अंतर्दृष्टि प्रदान करता है।

72. (B): सुरक्षा, अर्थव्यवस्था और संस्कृति पर अपने सदस्यों के बीच बहुपक्षीय सहयोग पर ध्यान केंद्रित करते हुए, शंघाई सहयोग संगठन (एससीओ) की स्थापना 2001 में की गई थी। BRIC दुनिया की अग्रणी उभरती अर्थव्यवस्थाओं, अर्थात् ब्राजील, रूस, भारत और चीन के समूह का संक्षिप्त रूप है। 2006 में BRIC विदेश मंत्रियों की पहली बैठक के दौरान समूह को औपचारिक रूप दिया गया था। दक्षिण अफ्रीका को दिसंबर 2010 में BRIC में शामिल होने के लिए आमंत्रित किया गया था, जिसके बाद समूह ने संक्षिप्त नाम BRICS अपनाया। आसियान (दक्षिण पूर्व एशियाई देशों का संघ) की स्थापना 1967 में की गई थी, जिसका उद्देश्य दक्षिण पूर्व एशिया में राजनीतिक और आर्थिक सहयोग को बढ़ावा देना था। यूरोपीय आर्थिक समुदाय (ईईसी) की स्थापना 1957 में की गई थी, जिसने अपने सदस्य देशों के बीच आर्थिक एकीकरण पर ध्यान केंद्रित करते हुए, यूरोपीय संघ बनने की नींव रखी।

73. (*)

74. (C): 'विकासशील देशों में प्रशासन : प्रिज्मीय समाज का सिद्धांत' वास्तव में फ्रेड डब्ल्यू रिग्स (III) द्वारा लिखा गई है, जिन्होंने विकासशील देशों की नौकरशाही

की अनूठी विशेषताओं का वर्णन करने के लिए प्रिज्मीय समाजों की अवधारणा पेश की थी।

संगठनात्मक निर्णय लेने और व्यवहार को समझने में एक महत्वपूर्ण पाठ 'प्रशासनिक व्यवहार', प्रशासनिक और संगठनात्मक सिद्धांत के क्षेत्र में अग्रणी हर्बर्ट साइमन (I) द्वारा लिखा गया है। 'लोक प्रशासन की गतिशीलता : सिद्धांत और व्यवहार में वर्तमान परिवर्तनों के लिए दिशानिर्देश' जेराल्ड ई. काइडेन द्वारा लिखी गई है और 'औद्योगिक सभ्यता की मानवीय समस्या' एल्टन मेयो से सीधे तौर पर जुड़ा है।

75. (A): फ्रेडरिक डब्ल्यू टेलर को जिम्मेदार वैज्ञानिक प्रबंधन सिद्धांत, दक्षता और उत्पादकता में सुधार के लिए कार्य के सच्चे विज्ञान के विकास पर जोर देता है, जिससे श्रमिकों और प्रबंधकों (II) दोनों को लाभ होता है। यह दृष्टिकोण कार्य प्रक्रियाओं और श्रम प्रबंधन को अनुकूलित करने की दिशा में प्रबंधन की सोच में एक महत्वपूर्ण बदलाव का प्रतीक है।

नए सार्वजनिक प्रबंधन (एनपीएम) की विशेषता शासन की ओर एक बदलाव है जो निजी क्षेत्र की प्रथाओं को प्रतिबिंबित करता है, जिसका लक्ष्य सार्वजनिक सेवा वितरण की गुणवत्ता और नागरिक आवश्यकताओं के प्रति सार्वजनिक सेवाओं की जवाबदेही को बढ़ाना है (III)। मानवीय संबंध सिद्धांत, जो एल्टन मेयो द्वारा किए गए हॉथोर्न प्रयोगों से उभरा, काम के मनोवैज्ञानिक और सामाजिक पहलुओं पर ध्यान केंद्रित करते हुए, कार्यस्थलों (IV) के भीतर सामाजिक संपर्क, कार्यकर्ता संतुष्टि और अनौपचारिक संगठन के महत्व को रेखांकित करता है। तर्कसंगत निर्णय लेने का सिद्धांत, जो अक्सर हर्बर्ट साइमन से जुड़ा होता है, निर्णय लेने की एक व्यवस्थित प्रक्रिया की रूपरेखा तैयार करता है जिसमें समस्या की पहचान (बुद्धिमत्ता), विकल्पों का निर्माण (डिजाइन), और कार्रवाई के तरीके का चयन (पसंद) (I) के चरण शामिल हैं।

76. (B): इतिहास की मार्क्सवादी या भौतिकवादी अवधारणा में, अनुक्रम सामंतवाद के तहत तकनीकी प्रगति से शुरू होता है जो आधुनिक उद्योग के लिए आधार तैयार करता है (*e*)। यह आर्थिक परिवर्तन पूंजीपति वर्ग को शासक वर्ग (*d*) के रूप में स्थापित करने में मदद करता है, जो समाज की संरचना को मौलिक रूप से बदलता है।

जैसे-जैसे पूंजीवाद विकसित होता है, बहुसंख्यक लोग सर्वहारा (*c*) में बदल जाते हैं, जिससे इस वर्ग के लिए अंततः राजनीतिक सत्ता (*a*) पर कब्जा करने का मंच तैयार हो जाता है। इस प्रक्रिया की परिणति सभी वर्गों, वर्ग विरोधों और स्वयं राज्य (*b*) का उन्मूलन है, जो एक साम्यवादी समाज में संक्रमण का प्रतिनिधित्व करता है।

77. (C): नागरिक समाज की ऐतिहासिक और वैचारिक प्रस्तुति इसे परिवार, अर्थव्यवस्था और राजनीति सहित बड़े समाज (*c*) के कई क्षेत्रों में से एक के रूप में पहचानने से शुरू होती है। यह बहुआयामी दृष्टिकोण बताता है कि नागरिक समाज एक अखंड इकाई नहीं है बल्कि व्यापक सामाजिक ताने-बाने का हिस्सा है। यह अवधारणा विशिष्ट और सीमित उद्देश्यों (*a*) के साथ एक सामूहिक इकाई के रूप में देखी जाने के लिए विकसित होती है, जो नागरिक समाज को राज्य और बाजार से अलग सामाजिक कार्रवाई के एक संगठित कार्यक्षेत्र के रूप में समझने की दिशा में बदलाव का प्रतीक है।

यूरोप में 17वीं और 18वीं शताब्दी में नागरिक समाज की पहली अभिव्यक्ति ने आर्थिक और राजनीतिक उदारवाद से प्रभावित होकर इसके विकास की नींव रखी, विशेष रूप से जॉन लॉक द्वारा व्यक्त की गई और स्कॉटिश प्रबुद्धता (*b*) द्वारा लोकप्रिय की गई। 19वीं शताब्दी तक, नागरिक समाज को हेगेल और मार्क्स (*d*) के लेखन में महत्वपूर्ण विस्तार मिला, जिन्होंने आधुनिक पूंजीवादी समाजों और उनकी राजनीतिक अर्थव्यवस्थाओं के संदर्भ में इसकी भूमिका और निहितार्थ का पता लगाया।

78. (C): 'शारदा सदन' की स्थापना पंडिता रमाबाई ने 19वीं शताब्दी के अंत में एक महिला शिक्षा और सशक्तिकरण केंद्र के रूप में की थी (*d*)।

स्वामी विवेकानन्द द्वारा स्थापित 'रामकृष्ण मिशन' समाज के आध्यात्मिक, सांस्कृतिक और सामाजिक उत्थान के लिए समर्पित है (*c*)। स्वतंत्रता सक्रियता के लिए एक गुप्त सोसायटी 'अभिनव भारत सोसाइटी' की स्थापना वी.डी. सावरकर (*b*) द्वारा की गई थी। 'टॉल्स्टॉय फार्म' की स्थापना गांधीजी ने दक्षिण अफ्रीका में एक सामुदायिक जीवन और अहिंसा अभ्यास केंद्र के रूप में की थी (*a*)। 'बहिष्कृत हितकारिणी सभा' की स्थापना डॉ. बी.आर. ने अम्बेडकर ने सामाजिक रूप से हाशिये पर पड़े लोगों के कल्याण को बढ़ावा देने के लिए (*e*) की थी।

79. (D): कालानुक्रमिक क्रम में अरबिंदो के जीवन की घटनाएं शिक्षा के लिए इंग्लैंड जाने से शुरू होती हैं (*c*), उसके बाद आईसीएस परीक्षा उत्तीर्ण करना, जो उनकी अकादमिक उत्कृष्टता का प्रमाण है (*e*)। आईसीएस पद को अस्वीकार करते हुए, वह बड़ौदा कॉलेज के वाईस-प्रिंसिपल बने, जो शिक्षा और राष्ट्रवाद की ओर उनके बदलाव का संकेत था (*b*)। उनकी राजनीतिक सक्रियता का प्रमाण कांग्रेस के बनारस अधिवेशन (*a*) में भाग लेने से मिलता है, जिसकी परिणति अलीपुर बम मामले (*d*) के लिए उनकी गिरफ्तारी के रूप में हुई, जो भारत के स्वतंत्रता संग्राम में उनकी सक्रिय भागीदारी को उजागर करती है।

80. (B): लोकतांत्रिक परिवर्तनों का कालानुक्रमिक क्रम 'लोकतंत्रीकरण की पहली लहर' से शुरू होता है, जो 19वीं शताब्दी में शुरू हुआ, जो लोकतांत्रिक शासन के प्रसार को चिह्नित करता है (*b*)। 'पहली प्रतिवर्ती लहर' इन लोकतांत्रिक लाभों (*a*) से पीछे हटने की अवधि का प्रतिनिधित्व करती है। द्वितीय विश्व युद्ध के बाद 'लोकतंत्रीकरण की दूसरी लहर' आई, क्योंकि कई देशों में लोकतंत्रीकरण हुआ (*c*)। 'दूसरी प्रतिवर्ती लहर' के बाद इनमें से कुछ लोकतंत्र सत्तावादी शासन (*d*) में वापस आ गए। अंततः, 1970 के दशक में 'लोकतंत्रीकरण की तीसरी लहर' शुरू हुई, जिससे वैश्विक स्तर पर लोकतांत्रिक राज्यों की संख्या में उल्लेखनीय वृद्धि हुई (*e*)।

81. (A): भारत सरकार और उसके प्रांतीय संगठनों के बीच आरोही क्रम में हस्ताक्षरित समझौते आनंदपुर साहिब संकल्प से शुरू होते हैं, जिसे 1973 में शिरोमणि अकाली दल द्वारा अपनाया गया था, जिसमें पंजाब के लिए स्वायत्तता और अधिकारों की मांग को रेखांकित किया गया था। 1975 में शिलांग समझौते का पालन किया गया, जिसमें नागा विद्रोह के मुद्दों को निपटाने के लिए भारत सरकार और नागा राष्ट्रीय परिषद शामिल थी। अगला राजीव गांधी-लोंगोवाल समझौता (जिसे पंजाब समझौते के रूप में भी जाना जाता है) है, जिस पर पंजाब में मांगों और शिकायतों को संबोधित करने के लिए 1985 में हस्ताक्षर किए गए थे। अवैध आप्रवासन और सांस्कृतिक पहचान के मुद्दों को संबोधित करते हुए, असम आंदोलन को समाप्त करने के लिए 1985 में असम समझौते पर हस्ताक्षर किए गए थे। अंततः, 1986 में मिजो शांति समझौते ने मिजोरम में उग्रवाद को समाप्त कर दिया और शांति और विधायी स्वायत्तता की स्थापना हुई।

82. (B): अंतरराष्ट्रीय संगठनों के साथ भारत का जुड़ाव कालानुक्रमिक रूप से स्वतंत्रता प्राप्त करने के ठीक पहले 1945 में संयुक्त राष्ट्र में इसकी स्थापना सदस्यता के साथ शुरू होता है। यह सदस्यता भारत की अंतर्राष्ट्रीय भागीदारी और राजनयिक प्रयासों के लिए महत्वपूर्ण थी। गुटनिरपेक्ष आंदोलन (NAM) इसके बाद आया, जिसमें भारत 1961 में एक संस्थापक सदस्य था, जिसने शीत युद्ध के दौरान किसी भी प्रमुख शक्ति गुट के साथ गठबंधन नहीं करने के अपने रुख पर जोर दिया। फिर, भारत 1964 में आर्थिक हितों की वकालत करने वाले विकासशील देशों के समूह 77 (जी77) में शामिल हो गया। G20 एक अंतःसरकारी मंच है, जिसमें 19 सम्प्रभु राष्ट्र, अफ्रीकी संघ ओर यूरोपीय संघ शामिल हैं। इसकी स्थापना 1999 में हुई और भारत इसका संस्थापक सदस्य है।

83. (A): विश्व व्यापार संगठन (डब्ल्यूटीओ) के महानिदेशक, जिन्होंने आरोही क्रम में कार्यालय संभाला, की शुरुआत 1999 से 2002 तक माइक मूर की सेवा से हुई,

जिन्होंने न्यूजीलैंड के राजनीतिक परिदृश्य से वैश्विक व्यापार संगठन में अपना अनुभव साझा किया। सुपाचाई पनिचपाकडी ने अगला पदभार संभाला, 2002 से 2005 तक सेवा की और थाईलैंड के पहले डब्ल्यूटीओ महानिदेशक होने के लिए उल्लेखनीय थे। पास्कल लैमी ने 2005 से 2013 तक सेवा की, अपने कार्यकाल में वैश्विक व्यापार वार्ता की जटिलताओं को सुलझाने पर ध्यान केंद्रित किया। इसके बाद रॉबर्टो अजेवेडो ने 2013 से 2020 तक सेवा की, और कई व्यापार चर्चाओं और चुनौतियों के माध्यम से संगठन का नेतृत्व किया।

84. **(C):** भारत में भ्रष्टाचार और प्रशासनिक सुधारों से संबंधित समितियों का क्रम गोरवाला समिति से शुरू होता है, जिसकी स्थापना 1951 में लोक प्रशासन प्रणालियों की समीक्षा के लिए की गई थी। संथानम समिति 1964 में आई, जिसने विशेष रूप से सरकार के भीतर भ्रष्टाचार विरोधी उपायों और प्रथाओं पर ध्यान केंद्रित किया। प्रथम प्रशासनिक सुधार आयोग का गठन 1966 में किया गया था, जिसका उद्देश्य भारत की प्रशासनिक प्रणालियों में सुधार के लिए व्यापक समीक्षा और सिफारिश करना था। आखिरकार, राजनीति के अपराधीकरण और नौकरशाही के साथ इसकी सांठगांठ के मुद्दे की जांच के लिए 1993 में वोहरा समिति की स्थापना की गई थी।

85. **(C):** प्रशासनिक विचारकों/सिद्धांतकारों को कालानुक्रमिक रूप से व्यवस्थित करते हुए, मैक्स वेबर का समाजशास्त्र और लोक प्रशासन में योगदान, विशेष रूप से नौकरशाही पर उनका सिद्धांत, 20वीं शताब्दी की शुरुआत में आया, जिसने संगठनात्मक सिद्धांत के अनगिनत पहलुओं को प्रभावित किया। एफ.डब्ल्यू. विलोबी, जिनका कार्य लगभग उसी कालावधि में सरकारी संचालन और लोक प्रशासन में शामिल था, इस क्षेत्र में मूलभूत अंतर्दृष्टि प्रदान करता है। एल्टन मेयो के शोध, विशेष रूप से 1920 के दशक के अंत और 1930 के दशक की शुरुआत में किए गए हॉथोर्न प्रयोगों ने मानव संबंध आंदोलन की नींव रखी। डेविड ईस्टन, एक राजनीतिक वैज्ञानिक जो राजनीति विज्ञान के अपने प्रणाली सिद्धांत के लिए जाने जाते हैं, ने 20वीं सदी के मध्य में महत्वपूर्ण योगदान दिया, जिससे प्रशासनिक और राजनीतिक सिद्धांत के क्षेत्र का और विस्तार हुआ।

86. **(C):** कथन (A) मानता है कि स्वायत्तता एक कौशल है जिसे व्यक्तियों द्वारा सक्रिय रूप से विकसित और बनाए रखा जाना चाहिए, जिसके लिए राज्य द्वारा सुगम सामाजिक और भौतिक स्थितियों द्वारा अक्सर प्रयास और संसाधनों की आवश्यकता होती है। यह स्वायत्तता की समझ को केवल व्यक्तिगत इच्छा का मामला नहीं बल्कि एक अनुकूल वातावरण द्वारा पोषित चीज के रूप में दर्शाता है।

कारण (R) सुझाव देता है कि व्यक्तिगत स्वायत्तता के प्रति प्रतिबद्धता उदार राज्य को नागरिकों को स्वायत्तता प्राप्त करने के लिए आवश्यक शर्तें प्रदान करने के लिए बाध्य नहीं करती है, जिसका अर्थ है कि व्यक्तियों को स्वतंत्र रूप से इसके लिए प्रयास करना चाहिए। जबकि (A) स्वायत्तता को सक्षम करने में राज्य की भूमिका को पहचानता है, (R) इस संबंध में राज्य को जिम्मेदारी से मुक्त करता है। इसलिए, (A) स्वायत्तता प्राप्त करने की जटिलता को उजागर करने में सही है, जबकि (R) गलत तरीके से सुझाव देता है कि इस प्रक्रिया को सुविधाजनक बनाने में राज्य की भूमिका आवश्यक नहीं है।

87. **(A):** कथन (A) और कारण (R) दोनों सही हैं, और (R), (A) के लिए सही स्पष्टीकरण प्रदान करता है। अहिंसा वास्तव में सामाजिक परिवर्तन और राजनीतिक कार्रवाई के लिए गांधी के दर्शन और कार्यप्रणाली का केंद्र थी, जो संघर्ष समाधान के उनके मॉडल का पूरक थी।

यह दृष्टिकोण मौलिक और रचनात्मक था, जिसने भारत के स्वतंत्रता संग्राम को महत्वपूर्ण रूप से प्रभावित किया। कारण (R) स्पष्ट करता है कि कैसे गांधी का राजनीतिक सिद्धांत, अहिंसा की विशेषता, राष्ट्रीय

आंदोलन की प्रमुख विचारधारा बन गई, जिसमें गांधी एक प्रमुख व्यक्ति थे। अहिंसा के लिए गांधी की वकालत और राष्ट्रीय आंदोलन द्वारा इसे अपनाने के बीच यह संबंध कथन के लिए एक स्पष्ट व्याख्या प्रदान करता है, जिससे (R), (A) के लिए एक उपयुक्त स्पष्टीकरण बन जाता है।

88. **(C):** कथन I यह देखने में सही है कि भारत में आर्थिक परिवर्तन उतना नाटकीय नहीं रहा है जितना कि पूर्वी यूरोप में साम्यवाद के बाद के देशों में देखा गया था, जहां राज्य-संचालित अर्थव्यवस्थाओं से बाजार अर्थव्यवस्थाओं में बदलाव और आर्थिक संरचनाओं और नीतियों में तेजी से बदलाव अक्सर महत्वपूर्ण होता था

कथन II गलत है; हालाँकि भारत ने उच्च विकास दर की अवधि का अनुभव किया है, विशेष रूप से 2010 की शुरुआत में, यह लगातार चीन की तुलना में उच्च विकास दर के बराबर या कायम नहीं रहा है, जो कई दशकों से दुनिया की सबसे तेजी से बढ़ती अर्थव्यवस्थाओं में से एक रहा है।

89. **(B):** कथन (A) और कारण (R) दोनों सही हैं, लेकिन (R), (A) के लिए सही स्पष्टीकरण नहीं है। पड़ोसी देशों में उत्पीड़न या संघर्ष से भागने वाले विभिन्न समूहों को शरण प्रदान करने के अपने इतिहास के कारण भारत को वास्तव में शरणार्थियों के लिए एक सुरक्षित आश्रय माना गया है।

यह प्रतिष्ठा विशिष्ट शरणार्थी कानून न होने और 1951 के शरणार्थी कन्वेंशन पर हस्ताक्षर न करने के बावजूद आश्रय और सहायता प्रदान करने की भारत की प्रथा से उत्पन्न हुई है। औपचारिक शरणार्थी कानून की कमी या सम्मेलन में शामिल न होना शरणार्थियों के मेजबान के रूप में भारत के कार्यों को स्वाभाविक रूप से स्पष्ट नहीं करता है : इसके बजाय, ये कार्रवाइयां मानवतावाद और गैर-शोधन के व्यापक सिद्धांतों को दर्शाती हैं जिन्होंने औपचारिक कानूनी प्रतिबद्धताओं के अभाव में भी भारत के दृष्टिकोण का मार्गदर्शन किया है।

90. **(B):** कथन (A) आधुनिक सार्वजनिक प्रशासन की वास्तविकता को सटीक रूप से दर्शाता है, जहां दक्षता बढ़ाने, विशेषज्ञता का लाभ उठाने और सार्वजनिक सेवाओं को वित्तपोषित करने के लिए निजी संस्थाओं और सार्वजनिक-निजी भागीदारी के लिए सेवाओं का अनुबंध करना आम रणनीति बन गई है।

यह प्रवृत्ति सार्वजनिक सेवाओं को वितरित करने और निर्णय लेने के तरीके में एक महत्वपूर्ण बदलाव का प्रतीक है। कारण (R) समकालीन शासन की जटिलता, जिसमें ऐसी साझेदारियां शामिल हैं, और सरकारी कार्यों को समझाने और उचित ठहराने के लिए उपयोग किए जाने वाले पारंपरिक मानक ढांचे के बीच अंतर को संबोधित करता है। हालांकि दोनों कथन सटीक हैं, (R) शासन की जटिलता और मानक औचित्य के व्यापक मुद्दे को संबोधित करता है, जो विशेष रूप से अनुबंध और सार्वजनिक-निजी भागीदारी के उदय के लिए स्पष्टीकरण नहीं है जैसा कि (A) में उल्लिखित है।

91. **(C):** 'नव अधिकार' एक कैरियर-उन्मुख स्वार्थी व्यक्ति होने को नागरिक गुण के रूप में 'आत्म-समर्थन' से नहीं जोड़ता है। स्वावलंबन पर उनका जोर इस विश्वास में निहित है कि यह व्यक्तियों को पहल और आत्मनिर्भरता के गुण सिखाता है, जो कि कल्याणकारी राज्य पर निर्भरता की संस्कृति के विपरीत है।

इसका तर्क है कि स्वावलंबी व्यक्ति स्वयं और समाज के प्रति एक दायित्व को पूरा करते हैं, जो समाज के पूर्ण सदस्यों के रूप में उनकी स्वीकृति में योगदान करते हैं। यह परिप्रेक्ष्य कैरियरवाद या स्वार्थ को नहीं, बल्कि निर्भरता पर आत्मनिर्भरता को प्राथमिकता देता है।

92. **(B):** कहा जाता है कि कल्याणकारी राज्य निर्भरता की संस्कृति पैदा करके गरीबों में निष्क्रियता को बढ़ावा देता है। 'नव अधिकार' के आलोचकों के अनुसार, कल्याणकारी लाभ और सहायता प्रणालियाँ व्यक्तियों को रोजगार खोजने और आत्मनिर्भर बनने से हतोत्साहित करती हैं, जिससे काम और जीवन के प्रति निष्क्रिय रवैया पैदा होता है। निर्भरता की इस संस्कृति को

नौकरशाही नियंत्रण के तहत नागरिकों को निष्क्रिय आश्रितों में बदलने के रूप में देखा जाता है, जो बाजार ताकतों द्वारा प्रचारित पहल और आत्मनिर्भरता के गुणों के विपरीत है।

93. (C): 'नव अधिकार' सिद्धांतकारों के अनुसार, बाजार लोगों को स्वावलंबी होने के लिए प्रोत्साहित करके नागरिक गुण पैदा करता है। यह परिप्रेक्ष्य मानता है कि बाजार-संचालित अर्थव्यवस्थाएं पहल, आत्मनिर्भरता और व्यक्तिगत जिम्मेदारी को बढ़ावा देती हैं, ये गुण सक्रिय नागरिकता के लिए आवश्यक माने जाते हैं। बाजार की गतिविधियों में संलग्न होकर, व्यक्ति स्वयं का समर्थन करना और समाज में सकारात्मक योगदान देना सीखते हैं, जिससे महत्वपूर्ण नागरिक गुणों का समावेश होता है।

94. (C): थैचर/रीगन सुधारों द्वारा समर्थित दिशाओं में, मजबूत ट्रेड यूनियन शामिल नहीं हैं। इसके बजाय, इन सुधारों का उद्देश्य ट्रेड यूनियनों की शक्ति को कमजोर करने के साथ-साथ विनियमन, कर कटौती और कल्याणकारी लाभों को कम करना था। लक्ष्य बाजारों का दायरा बढ़ाना, मुक्त व्यापार को बढ़ावा देना और राज्य के हस्तक्षेप और ट्रेड यूनियनों जैसी सामूहिक सौदेबाजी संस्थाओं के प्रभाव को कम करके व्यक्तिगत पहल और आत्मनिर्भरता को प्रोत्साहित करना था।

95. (A): दिए गए विकल्पों में से, परिच्छेद में नागरिक गुणों के स्रोत के रूप में सेना का स्पष्ट रूप से उल्लेख नहीं किया गया है। यह परिच्छेद उदार समाज के भीतर नागरिक गुणों के बीज के रूप में बाजार, नागरिक संघों और परिवार पर प्रकाश डालता है, इस बात पर जोर देता है कि कैसे ये क्षेत्र पहल, आत्मनिर्भरता और सक्रिय नागरिकता जैसे नागरिक गुणों को बढ़ावा देने में योगदान करते हैं। हालाँकि सेना कुछ गुणों को स्थापित कर सकती है, लेकिन इस विशेष संदर्भ में इसकी चर्चा नहीं की जाती है।

96. (B): विश्व आर्थिक स्थिरता सुनिश्चित करने के लिए भारत जी20 में सक्रिय रूप से भाग लेता है। इसकी भागीदारी एक जिम्मेदार वैश्विक खिलाड़ी के रूप में अपनी भूमिका को प्रदर्शित करते हुए वैश्विक आर्थिक स्थिरता, वृद्धि और विकास को बढ़ावा देने के उद्देश्य से चर्चाओं और पहलों में योगदान देने की प्रतिबद्धता को दर्शाती है।

97. (B)

98. (C): जी20 को एक प्रतिनिधि मंच माना जाता है क्योंकि इसकी अध्यक्षता वार्षिक रूप से और एक अलग द्वारा की जाती है। यह व्यापक प्रतिनिधित्व और समावेशिता सुनिश्चित करता है, जिससे देशों के विभिन्न क्षेत्रीय समूहों को भाग लेने और योगदान करने की अनुमति मिलती है, जिससे मंच की वैधता और प्रभावशीलता बढ़ती है।

99. (A): जी20 का उद्देश्य अंतर्राष्ट्रीय सहयोग है। यह सदस्य देशों के लिए संवाद में शामिल होने, नीतियों का समन्वय करने और वित्तीय स्थिरता, सतत विकास, व्यापार और निवेश जैसे वैश्विक आर्थिक मुद्दों पर सहयोग करने के लिए एक मंच के रूप में कार्य करता है, जिसका उद्देश्य साझा चुनौतियों का समाधान करना और सामूहिक समाधान को बढ़ावा देना है।

100. (D): हाल ही में संपन्न जी20 शिखर सम्मेलन उपभोक्ताओं के लिए सतत संतुलित विकास, महिला नेतृत्व वाली विकास प्रक्रियाओं और एक एकीकृत आवाज के रूप में ग्लोबल साउथ के उद्भव के ढांचे पर महत्व रखता है। ये परिणाम विविध प्राथमिकताओं और उद्देश्यों को दर्शाते हैं, वैश्विक आर्थिक स्थिरता, समावेशिता और सहयोग को बढ़ावा देते हैं।

National Testing Agency (NTA)

UGC-NET जूनियर रिसर्च फैलोशिप तथा सहायक प्राध्यापक पात्रता परीक्षा

राजनीति विज्ञान, जून-2023

(Exam held on 15-06-2023)

प्रश्न-पत्र-II

1. निम्नलिखित में से कौन-सी वेबसाईट भारत सरकार के नागरिक चार्टर से संबंधित एक विस्तृत वेबसाईट है?
A. www.goecharters.nic.in
B. www.goindiacharters.nic.in
C. www.goicharters.nic.in
D. www.echartersind.nic.in

2. तुलनात्मक राजनीति में सामाजिक आन्दोलनों के 'प्रक्रिया मॉडल' के प्रस्तावक निम्नलिखित में से कौन हैं?
A. पीटर इवांस
B. चार्ल्स टिली
C. डग मैक एडम्स
D. राल्फ ए. टर्नर

3. निम्नांकित में से किस विद्वान का कथन है कि "समयानुक्रम में यद्यपि (जब नेहरू जीवित थे), कांग्रेस पार्टी आंदोलन न होकर एक दल और सरकार का स्वरूप ग्रहण कर ली।"
A. जेम्स मैनर B. मौरिस जोन्स
C. रजनी कोठारी D. योगेन्द्र यादव

4. निम्नलिखित पुस्तकों को उनके प्रकाशन वर्ष के आधार पर कालक्रम में व्यवस्थित कीजिए।
(*a*) लिबर्टी ऑफ्टर फ्रीडम
(*b*) फॉर एसेज ऑन लिबर्टी
(*c*) द कांस्टीट्यूशन ऑफ लिबर्टी
(*d*) टू कांसेप्ट्स ऑफ लिबर्टी

नीचे दिए गए विकल्पों में से सही उत्तर का चयन कीजिए :
A. (*a*), (*b*), (*c*), (*d*) B. (*b*), (*c*), (*d*), (*a*)
C. (*c*), (*a*), (*b*), (*d*) D. (*d*), (*c*), (*b*), (*a*)

5. निम्नांकित में से कौन-से कथन आतंकवाद पर वैश्वीकरण के प्रभाव को निरूपित करता है :
(*a*) वैश्वीकरण के फलस्वरूप उन विचार और वस्तु का विनिमय करना सुगम हो गया है जिसका प्रयोग आतंकवादी समूह करते हैं।
(*b*) इंटरनेट के कारण आतंकवादी नए अनुयायियों की भर्ती करने लगे हैं।
(*c*) नई प्रौद्योगिकियों के कारण आतंकवादी अत्यधिक विस्तृत वैश्विक नेटवर्क में अपने कृत्य का निष्पादन कर पाते हैं।
(*d*) इराक और सीरिया के विद्रोही और आतंकवादी समूह वैश्विक संसाधन की उपलब्धता के बावजूद समुन्नत विस्फोटक उपकरण (आई.ई.डी.) नहीं बना पाए हैं।

नीचे दिए गए विकल्पों में से सही उत्तर का चयन कीजिए :
A. केवल (*a*), (*b*), (*c*) और (*d*)
B. केवल (*b*) और (*c*)
C. केवल (*a*), (*b*) और (*c*)
D. केवल (*a*), (*b*) और (*d*)

6. यू.एस.ए. के संवैधानिक विकास की निम्नलिखित घटनाओं को आरोही क्रम में व्यवस्थित कीजिए :

(*a*) यू.एस.ए. की संघीय परिषद की स्थापना

(*b*) यू.एस.ए. परिसंघ के अनुच्छेद का पुनःस्थापन

(*c*) यू.एस.ए. के संविधान में अधिकार पत्र को योजित करना

(*d*) अमेरिकी संविधान में विधियों का समान संरक्षण की गारंटी प्रदान किए जाने संबंधी 14वां संशोधन

नीचे दिए गए विकल्पों में से सही उत्तर का चयन कीजिए :

A. (*a*), (*c*), (*b*), (*d*) B. (*c*), (*a*), (*d*), (*b*)
C. (*b*), (*d*), (*c*), (*a*) D. (*b*), (*a*), (*c*), (*d*)

7. नीचे दो कथन दिए गए हैं :

कथन I: भारतीय विदेश नीति क्षेत्रीय अखंडता, राष्ट्रीयता और निर्णय कार्य/निर्णयन की स्वतंत्रता के बारे में सुचिंतितता के साथ पूर्ण रूपेण संलग्न होती है।

कथन II: वैश्विक द्विध्रुवीय संघर्ष का संरचनात्मक तर्क भारत और पाकिस्तान के बीच क्षेत्रीय द्विध्रुवीय संघर्ष के रूप में प्रतिबिंबित होता है।

उपरोक्त कथनों के आलोक में नीचे दिए गए विकल्पों में से सबसे उपयुक्त उत्तर का चयन कीजिए :

A. कथन I और कथन II दोनों सही हैं।
B. कथन I और कथन II दोनों सही नहीं हैं।
C. कथन I सही है, किंतु कथन II गलत है।
D. कथन I गलत है, किंतु कथन II सही है।

8. निम्नांकित राजनीतिक दलों को उनकी स्थापना वर्ष के आधार पर कालक्रम में व्यवस्थित कीजिए।

(*a*) समाजवादी पार्टी

(*b*) भारतीय जनता पार्टी

(*c*) कम्युनिस्ट पार्टी ऑफ इंडिया (मार्क्सवादी)

(*d*) शिवसेना

नीचे दिए गए विकल्पों में से सही उत्तर का चयन कीजिए :

A. (*b*), (*c*), (*d*), (*a*) B. (*d*), (*b*), (*a*), (*c*)
C. (*c*), (*d*), (*b*), (*a*) D. (*c*), (*a*), (*b*), (*d*)

9. पीटर ड्रकर के अनुसार प्रबंधन के बारे में निम्नांकित में से कौन-से कथन सही नहीं हैं?

(*a*) प्रबंधन व्यक्तिनिष्ठ होता है।

(*b*) प्रबंधन को विशिष्ट भूमिका का निर्वहन करना पड़ता है।

(*c*) प्रबंधन का अभिकल्प साधारण नागरिक के लिए भी होता है।

(*d*) प्रबंधन में संगठनात्मक प्रबंध के यांत्रिक प्रारूप (निदर्श) को स्वीकृति दी गई है।

नीचे दिए गए विकल्पों में से सही उत्तर का चयन कीजिए :

A. केवल (*b*) और (*d*)
B. केवल (*c*) और (*d*)
C. केवल (*a*) और (*b*)
D. केवल (*a*) और (*d*)

10. जुआन लिंज और अल्फ्रेड स्टीपन द्वारा दिए गए निम्नलिखित में से कौन-से कथन सही हैं?

(*a*) नागरिक समाज और राजनैतिक समाज दोनों एक-दूसरे के पूरक हैं।

(*b*) पूरकता सदैव अभिज्ञात होती है।

(*c*) विधि का शासन लोकतंत्र के समेकन की शर्त है।

(*d*) आधुनिक समेकित लोकतंत्र में केवल शुद्ध बाजार अर्थव्यवस्था होती है।

(*e*) आधुनिक लोकतंत्र में आदेश, विनिमय और दोहन की प्रभावी क्षमता होती है।

नीचे दिए गए विकल्पों में से सही उत्तर का चयन कीजिए :

A. केवल (*a*), (*c*) और (*e*)
B. केवल (*a*) और (*b*)
C. केवल (*b*), (*c*) और (*e*)
D. केवल (*b*), (*c*) और (*d*)

11. भारतीय विदेश नीति पर वैकल्पिक दृष्टिकोण के उदय के बारे में निम्नलिखित में से कौन-से कथन सही हैं?

(*a*) 1960 के दशक के मध्य में स्वतंत्रता पार्टी ने विदेश नीति पर क्लासिक रूढ़िगत दृष्टिकोण/ परिप्रेक्ष्य प्रस्तुत किया।

(*b*) आई.के. गुजराल ने उसका नेतृत्व किया।

(*c*) इसके समर्थक पूर्व नौकरशाहों, व्यापार समुदाय और रियासती परिवारों के सदस्यों से आए थे।

(*d*) वे नेहरू की फेबियन अर्थव्यवस्थाओं के विरोध हेतु एकजुट हुए थे।

(*e*) वे बाजार तथा निजी उद्यमों की शक्तियों पर विश्वास करते थे।

नीचे दिए गए विकल्पों में से सही उत्तर का चयन कीजिए :

A. केवल (*a*), (*b*), (*c*), (*d*)

B. केवल (*a*), (*c*), (*d*), (*e*)

C. केवल (*b*), (*c*), (*d*), (*e*)

D. केवल (*a*), (*b*), (*d*), (*e*)

12. निम्नलिखित में से किसने 'पब्लिक पॉलिसीमेंकिंग–रिएक्जामिन्ड एंड डिजाइन फॉर पॉलिसी साइसेंज' नामक पुस्तक लिखी है?

A. हैराल्ड लॉसवेल B. थॉम्स आर.डाई

C. रोजोलियो पीटर D. एहेजकल ड्रार

13. निम्नांकित में से किनका कथन है कि मार्क्स द्वारा 1845 में स्वयं को लिखे गए लघु ग्यारह परिच्छेदों या शोध प्रबंध में प्रैक्सिस का विचार सर्वाधिक स्पष्टतः पल्लवित होता है?

A. एच.जे. लॉस्की B. बी.आर. नेल्सन

C. जे. वुड D. आर.ई. लेंसर

14. निम्नलिखित में से किसके द्वारा नगरपालिकाओं में निर्वाचित अध्यक्ष का पुरःस्थापन निम्नांकित में से किसमें अभिगृहीत किया गया था?

A. लॉर्ड रिपन संकल्पन, 1882

B. लॉर्ड मेयो संकल्प, 1870

C. बॉम्बे (मुम्बई) नगर निगम अधिनियम, 1888

D. गुजरात नगरपालिका अधिनियम, 1964

15. निम्नांकित में से किस चिंतक ने कहा था कि, "अमूर्त तथ्य अभिमत, सुझाव और संदेश जिन्हें औपचारिक माध्यमों से नहीं प्रेषित किया जा सकता है, उन्हें अनौपचारिक माध्यमों से संप्रेषित किया जाता है?"

A. हर्बर्ट साइमन

B. मैक्स वेबर

C. क्रिस आर्गारिस

D. चेस्टर बर्नार्ड

16. निम्नलिखित में से किस विचारक का यह मत है कि, "कोई भी नागरिक इतना अधिक धनी नहीं होना चाहिए कि वह किसी दूसरे को खरीदने में सक्षम हो जाए, और कोई इतना निर्धन नहीं हो कि उसे स्वयं को बेचने हेतु विवश होना पड़े"?

A. लॉक B. बर्क

C. रूसो D. कांट

17. निम्नांकित में से किस कथन से भारत में राजनीति का जेंडर के आधार पर प्रशासन होने के फलस्वरूप लोकतंत्र की जड़ें मजबूत होने का निरूपण होता है?

A. समुदाय या समूह के रूप में राजनीति में महिलाओं की भागीदारी

B. महिलाओं की राजनीतिक आवाज की प्रबल अभिव्यक्ति

C. ऊँची जाति की महिलाओं द्वारा मूक क्रान्ति किया जाना

D. महिलाओं की सार्वजनिक गतिविधियों में संलग्नता

18. श्री अरविंद के अनुसार आध्यात्मिक क्रान्ति का कार्य आधारित है :

A. सच्ची चेतना B. संसदीय लोकतंत्र

C. उग्रवादी मानववाद D. व्यक्तिवाद

19. सूची-I का सूची-II से मिलान कीजिए।

सूची-I (विचारक/चिंतक)	सूची-II (विदेश नीति के निर्धारक)
(*a*) के.जे. होल्स्ट्री	I. राष्ट्रीय भूमिका अवधारणाएँ
(*b*) जोनाथन मार्कर	II. संवेग और संज्ञान एक साथ संवेगों को उत्पन्न करते हैं
(*c*) जेनिस ग्रॉस स्टेन	III. राजनीतिक अधिगम की प्रक्रिया
(*d*) अरनॉल्ड वोल्फर्स	IV. अस्पष्ट प्रतीक के रूप में राष्ट्रीय सुरक्षा

नीचे दिए गए विकल्पों में से सही उत्तर का चयन कीजिए :

	(a)	(b)	(c)	(d)
A.	I	II	III	IV
B.	II	III	IV	I
C.	III	IV	I	II
D.	IV	III	II	I

20. निम्नांकित में से कौन चिन्तक सार्वभौम लोकतंत्र के पक्षधर हैं?

A. प्लेटो B. हेगल

C. कांट D. एस.डी. लॉरेंस

21. संविधान के किस अधिनियम द्वारा सीमित मताधिकार की शुरूआत की गई थी?

A. भारतीय परिषद अधिनियम, 1892

B. भारतीय सरकार अधिनियम, 1935

C. भारतीय स्वतंत्रता अधिनियम, 1947

D. इनमें से कोई नहीं

22. निम्नलिखित में से कौन-सा कथन न्याय संगत युद्ध के सिद्धांतों का प्रतिनिधित्व करता है?

(*a*) अंतिम उपाय के रूप में युद्ध।

(*b*) युद्ध का प्रयोजन प्रतिशोध है।

(*c*) युद्ध अनिवार्यतः नैतिक रूप से स्वीकार्य लक्ष्यों के आधार पर ही घोषित किया जाना चाहिए

(*d*) युद्ध के फलस्वरूप हानि से अधिक लाभ होना चाहिए।

(*e*) समग्रतः बड़े स्तर पर आक्रमण सीमा पर होने वाले आक्रमण की न्यायोचित अनुक्रिया है।

नीचे दिए गए विकल्पों में से सही उत्तर का चयन कीजिए :

A. केवल (*a*), (*c*) और (*d*)

B. केवल (*a*), (*b*) और (*c*)

C. केवल (*a*) और (*c*)

D. केवल (*a*), (*c*), (*d*) और (*e*)

23. 'एन्वाय टु नेहरू' नामक आलोचनात्मक विद्वत्तापूर्ण इतिवृत्त के लेखक कौन हैं?

A. स्कॉट रीड B. वाल्टर क्राकर

C. रामचन्द्र गुहा D. प्रताप भानु मेहता

24. डॉ. बी.आर. अम्बेडकर की रचनाओं को उनके कालक्रम में सुव्यवस्थित कीजिए :

(*a*) एनिहिलेशन ऑफ कास्ट

(*b*) हू वेयर दि शूद्राज?

(*c*) फ्यूचर ऑफ पार्लियामेंटरी डेमोक्रेसी

(*d*) दि अनटचेबल्स

नीचे दिए गए विकल्पों में से सही उत्तर का चयन कीजिए :

A. (*a*), (*b*), (*c*) और (*d*)

B. (*b*), (*a*), (*d*) और (*c*)

C. (*a*), (*d*), (*b*) और (*c*)

D. (*a*), (*b*), (*d*) और (*c*)

25. कल्याणकारी राज्य का निम्नलिखित में से कौन-सा शासन रिचर्ड टिटमस के कल्याणकारी राज्य के वर्गीकरण के सांस्थानिक पुनर्वितरण के अनुरूप है?

A. आंग्ल-सेक्शन शासन

B. स्कैन्डीनेवियाई सामाजिक लोकतांत्रिक शासन

C. अनुदारवादी महाद्वीपीय शासन

D. ऑस्ट्रेलियाई शासन

26. भारतीय राज्य व्यवस्था के पुनर्गठन की जे.पी. नारायण योजना के बारे में निम्नलिखित में से कौन-से कथन सही हैं?

(*a*) उन्होंने निचले स्तर से स्वराज्य को पुनर्जीवित करने की अपेक्षा की।

(*b*) राजनीतिक संगठन की मूलभूत इकाई ग्राम पंचायत होगी।

(*c*) ग्रामसभा जमीनी स्तर के लोकतंत्र के आधार के रूप में कार्य करेगी।

(*d*) यह पंचायती राज की विभिन्न इकाइयों के बीच सांगठनिक संबंध स्थापित करने में भी संलग्न होगा।

नीचे दिए गए विकल्पों में से सही उत्तर का चयन कीजिए :

A. केवल (*a*) और (*b*) B. केवल (*b*) और (*c*)

C. केवल (*c*) और (*d*) D. केवल (*a*), (*c*) और (*d*)

27. अरविंद पनगढ़िया के अनुसार 1980 के दशक में निम्नांकित अर्थव्यवस्था में से किन दो कारणों के कारण भारतीय अर्थव्यवस्था की विकास दर में वृद्धि हुई?

(*a*) नीति निर्माताओं के अभिवृत्तिजन परिवर्तन।

(*b*) निजी कंपनियों के लिए निर्यात प्रोत्साहन।

(*c*) राजनीतिक नेतृत्व को आयात प्रतिस्थापन औद्योगिकीकरण के बारे में संदेह था।

(*d*) अपेक्षाकृत अधिक यथार्थपरक विनिमय दर नीति।

नीचे दिए गए विकल्पों में से सही उत्तर का चयन कीजिए :

A. केवल (*b*) और (*d*)

B. केवल (*b*) और (*c*)

C. केवल (*d*) और (*c*)

D. केवल (*a*) और (*b*)

28. भारत के उच्चतम न्यायालय के बारे में निम्नलिखित में से कौन कथन सही है/हैं?

(*a*) मध्यस्थम और सुलह अधिनियम, 1996 के अधीन अंतर्राष्ट्रीय वाणिज्यिक मध्यस्थतम भी उच्चतम न्यायालय में आरंभ हो सकता है।

(*b*) अनुच्छेद 143 के अधीन उच्चतम न्यायालय के पास विशेष सलाहकारी अधिकारिता है।

(*c*) संविधान के अनुच्छेद 32 में मौलिक अधिकारों के प्रवर्तन के संबंध में उच्चतम न्यायालय को व्यापक मौलिक अधिकारिता दी गई है।

नीचे दिए गए विकल्पों में से सही उत्तर का चयन कीजिए :

A. केवल (*a*) और (*b*) B. केवल (*b*) और (*c*)

C. केवल (*a*) और (*c*) D. केवल (*a*), (*b*), (*c*)

29. नीचे दो कथन दिए गए हैं; एक को अभिकथन (A) और दूसरा उसके कारण (R) के रूप में कहा गया है।

अभिकथन (A): आर्थिक वैश्वीकरण, समृद्धि एवं सभी के लिए अवसर को प्रोत्साहित करता है।

कारण (R): आर्थिक वैश्वीकरण ऐसी मुक्त बाजार आधारित अर्थव्यवस्था को प्रोत्साहन देती है, जिससे सामाजिक एवं राजनीतिक लाभ प्राप्त होता है।

उपर्युक्त कथनों के आलोक में निम्नांकित विकल्पों में से सही उत्तर चुनें :

A. (A) और (R) दोनों सत्य हैं, और (R), (A) की सही व्याख्या है।

B. (A) और (R) दोनों सही हैं, लेकिन (R), (A) की सही व्याख्या नहीं है।

C. (A) सत्य है, लेकिन (R) असत्य है।

D. (A) असत्य है, लेकिन (R) सत्य है।

30. निम्नलिखित में से कौन-सा एक विचारक इस कथन के साथ समीकृत किया जा सकता है कि 'उसने तापस (तपस्वी) साम्यवाद को प्रस्तुत किया, जिसका उद्देश्य इच्छा (आकांक्षा) के उद्देश्यों से दूर जाना है?

A. कार्ल मार्क्स B. प्लेटो

C. ग्लॉकन D. पॉलीबियस

31. निम्नलिखित किसी विद्वान ने जे.एस. मिल की आलोचना में यह चिह्नित किया है कि "हम किसी व्यक्ति के व्यक्तिगत आचरण को विभिन्न उपखंडों में नहीं पृथक् कर सकते।"

A. बार्कर B. सी.ई.एम. जोड

C. एल.टी. हाबहाउस D. आर.एम. मैकाइवर

32. सूची-I का सूची-II से मिलान कीजिए।

सूची-I	सूची-II
(*a*) पॉलिटिक्स एंड इथिक्स ऑफ द इंडियन कांस्टीट्यूशन	I. बी.एल. शंकर और बेलेरियन
(*b*) द इंडियन पार्लियामेंट	II. के.सी. व्हेलर
(*c*) फेडरल गवर्नमेंट	III. राजीव भार्गव
(*d*) इंडियन कॉन्स्टीट्यूशन कार्नरस्टोन ऑफ ए नेशन	IV. ग्रेनविल ऑस्टिन

निम्नलिखित विकल्पों में से सही उत्तर का चयन कीजिए:

	(*a*)	(*b*)	(*c*)	(*d*)
A.	III	II	I	IV
B.	III	I	II	IV
C.	II	I	III	IV
D.	IV	III	II	I

33. निम्नांकित में से किन विचारकों का मत है कि स्वतंत्रता नष्ट हो जाती है क्योंकि सम्पत्ति सम्पन्न वर्ग के पास अन्य व्यक्तियों पर प्रभुत्व की शक्ति होती है?

(*a*) रूसो (*b*) मार्क्स

(*c*) सी. लॉक (*d*) एंजेल्स

नीचे दिए गए विकल्पों में से सही उत्तर का चयन कीजिए :

A. केवल (*b*), (*c*), (*d*)

B. केवल (*a*), (*b*), (*c*)

C. केवल (*a*), (*b*), (*d*)

D. केवल (*b*) और (*d*)

34. पुस्तक 'फेडरेशन वर्सेस फ्रीडम' के लेखक कौन हैं?

A. पंडिता रमाबाई

B. एम.एन. राय

C. डॉ. बी.आर. अम्बेडकर

D. राम मनोहर लोहिया

35. फ्रेंज फेनॉन की पुस्तक ब्लैक स्किन, ह्वाइट मॉस्क में निम्नलिखित अध्याय शामिल हैं :

(*a*) द नीग्रो एंड लैंग्वेज

(*b*) नीग्रो एंड कल्चर

(*c*) नीग्रो एंड साइकोपैथोलॉजी

(*d*) नीग्रो एंड रिकॉग्निशन

नीचे दिए गए विकल्पों में से सही उत्तर का चयन कीजिए :

A. केवल (*a*), (*b*), (*c*) B. केवल (*b*) और (*d*)

C. केवल (*a*) और (*c*) D. केवल (*a*), (*c*), (*d*)

36. सूची-I का सूची-II से मिलान कीजिए।

सूची-I (एस.डी.जी. लक्ष्य संख्या)	**सूची-II (लक्ष्य)**
(*a*) 5	I. वहनीय एवं स्वच्छ ऊर्जा
(*b*) 7	II. पृथ्वी पर जीवन
(*c*) 10	III. लिंग (जेंडर) समानता
(*d*) 15	IV. असमानताओं को कम करना

नीचे दिए गए विकल्पों में से सही उत्तर का चयन कीजिए :

	(*a*)	(*b*)	(*c*)	(*d*)
A.	I	II	III	IV
B.	II	I	IV	III
C.	III	I	IV	II
D.	I	III	II	IV

37. किसने कहा था, ''सच्चाई यह नहीं है कि पश्चिमी राष्ट्रवाद के मूल और केंद्र में और संघर्ष की आत्मा और विजय निहित है।''

A. स्वामी विवेकानन्द B. रवीन्द्रनाथ टैगोर

C. एम.के. गांधी D. डॉ. बी.आर. अम्बेडकर

38. कौटिल्य के अनुसार, भावी आक्रान्ता अपने राज्यों के प्रभुत्व वाले क्षेत्र में विदेश नीति के छः विधियों में निम्नलिखित में किनका प्रयोग करते हैं?

(*a*) शांति स्थापना

(*b*) गैर-अहिंसा की स्थिति बनाए रखना

(*c*) शांत रहना

(*d*) समर्थन प्राप्त करना

नीचे दिए गए विकल्पों में से सही उत्तर का चयन कीजिए :

A. केवल (*a*), (*b*), (*c*), (*d*)

B. केवल (*a*), (*b*), (*c*)

C. केवल (*b*), (*c*), (*d*)

D. केवल (*a*), (*c*), (*d*)

39. निम्नलिखित में से किन सिद्धांतों का प्रयोग 'लोगों की अभिवृत्ति' अर्थात् तुलनात्मक राजनीति में राजनैतिक संस्कृति के अध्ययन के लिए किया गया है?

(*a*) रिकर का रणनीतिक सिद्धांत

(*b*) व्युत्क्रम सिद्धांत

(*c*) रॉबिन्सन का सिद्धांत

(*d*) गैलीगस का न्यूनतम वर्ग सूचक

(*e*) रे का गुटबंदीकरण सूचक

नीचे दिए गए विकल्पों में से सही उत्तर का चयन कीजिए :

A. केवल (*b*) और (*c*)

B. केवल (*c*) और (*e*)

C. केवल (*a*) और (*b*)
D. केवल (*b*) और (*d*)

40. सूची-I का सूची-II से मिलान कीजिए।

सूची-I	सूची-II
(*a*) लोक प्रशासन का विवेकपूर्ण विकल्प सिद्धांत	I. इसमें निजी क्षेत्र की पद्धति का अनुसरण किया गया है।
(*b*) नव लोक प्रशासन	II. इसमें नीति-विश्लेषण में अनुसंधान को प्रोत्साहन दिया गया है।
(*c*) नव लोक प्रबंधन	III. इसमें लोक प्रशासन के सिद्धांत और नियम बनाए गए हैं।
(*d*) लोक प्रशासन का स्वर्ण युग	IV. इसमें प्रतिमान और सेवार्थी की निष्ठा पर बल दिया जाता है।

नीचे दिए गए विकल्पों में से सही उत्तर का चयन कीजिए :

	(*a*)	(*b*)	(*c*)	(*d*)
A.	I	III	IV	II
B.	II	IV	I	III
C.	III	II	I	IV
D.	IV	III	II	I

41. निम्नलिखित कौन-से/सी आयोग/समितियों ने पहली बार लोकपाल एवं लोकायुक्त की स्थापना की संस्तुति किया था?
A. प्रथम प्रशासनिक सुधार आयोग
B. संथानम कमेटी (समिति)
C. ए.डी. गोरवाला समिति
D. द्वितीय वेतन आयोग

42. निम्नलिखित में से कौन-सी/से विधियाँ/नियम लोक (जन) से संबंधित शासकीय सूचना को प्रकट (उद्भाषित) करने से प्रतिबंधित करती है :
(*a*) शासकीय/आधिकारिक गोपनीयता अधिनियम, 1923
(*b*) जाँच-आयोग अधिनियम, 1952
(*c*) भारतीय साक्ष्य अधिनियम, 1872
(*d*) पंचम वेतन आयोग

नीचे दिए गए विकल्पों में से सही उत्तर का चयन कीजिए :
A. केवल (*a*), (*b*), (*c*), (*d*)
B. केवल (*a*), (*b*) और (*c*)
C. केवल (*b*), (*c*) और (*d*)
D. केवल (*a*), (*b*) और (*d*)

43. 'सामूहिक कार्यवाई का तर्क' जिसमें, तुलनात्मक राजनैतिक विश्लेषण में हित समूहों के अभियोजन (लामबंदी) की व्याख्या निम्नलिखित में से किस विद्वान द्वारा प्रदान की गई है?
A. थेड़ा स्कोकपाल B. मैनकुर ओल्सन
C. निकोलस पोलान्ज़ा D. पॉल पियर्सन

44. 'स्टेट इन कैपिटलिस्ट सोसायटी' पुस्तक के लेखक कौन हैं?
A. निकोलस पोलान्ज़ा B. कार्ल मार्क्स
C. रोजां लक्जेमबर्ग D. राल्फ मिलिबैंड

45. फ्रेडरिक टेलर के प्रकार्यात्मक फोरमैनशिप के अनुसार शॉप फ्लोर के सेवार्थ निम्नांकित में से कौन-से अवयव सम्मिलित हैं जिसकी व्याख्या उन्होंने प्रबंध सिद्धांत में की है?
(*a*) स्पीड बॉस
(*b*) रिपेयर बॉस
(*c*) रूट क्लर्क
(*d*) टाइम क्लर्क
(*e*) निरीक्षण फोरमैन

नीचे दिए गए विकल्पों में से सही उत्तर का चयन कीजिए :
A. केवल (*c*), (*d*) और (*e*)
B. केवल (*b*), (*d*) और (*a*)
C. केवल (*a*), (*b*) और (*e*)
D. केवल (*b*), (*a*) और (*c*)

46. निम्नलिखित में से कौन-से कथन हेराल्ड जे. लॉस्की से संबंधित है?
(*a*) प्रत्येक राज्य स्वयं अनुरक्षित अधिकारों से जाना जाता है।

(*b*) अधिकार से तात्पर्य उन कतिपय ऐतिहासिक दशाओं से नहीं है, जो बाल्यावस्था में प्राप्त था किन्तु प्रक्रम में हम उनसे वंचित हो गए।
(*c*) वस्तुतः अधिकार सामाजिक जीवन की वे दशाएँ हैं जिनके बिना कोई भी मनुष्य सामान्यतया सर्वोत्तम जीवन निर्वाह नहीं कर सकता।
(*d*) अधिकार सफल जीवन निर्वाह के लिए विधिक अवसर है।

नीचे दिए गए विकल्पों में से सही उत्तर का चयन कीजिए :

A. केवल (*a*), (*b*), (*c*)
B. केवल (*a*), (*c*), (*d*)
C. केवल (*a*) और (*c*)
D. केवल (*b*) और (*c*)

47. नीचे दो कथन दिए गए हैं; एक को अभिकथन (A) और दूसरा उसके कारण (R) के रूप में कहा गया है।

अभिकथन (A): एक समपार्श्वीय समाज में असमान संरचनाएँ साथ-साथ अस्तित्व में होती हैं जो बिल्कुल एक-दूसरे के विरोधी होती हैं।

कारण (R): समपार्श्वीय समाज में सामाजिक परिवर्तन असंगत, अपूर्ण और अनुत्तरदायी होगी।

उपर्युक्त कथनों के आलोक में निम्नांकित विकल्पों में से सही उत्तर चुनें :

A. (A) और (R) दोनों सत्य हैं, और (R), (A) की सही व्याख्या है।
B. (A) और (R) दोनों सही हैं, लेकिन (R), (A) की सही व्याख्या नहीं है।
C. (A) सत्य है, लेकिन (R) असत्य है।
D. (A) असत्य है, लेकिन (R) सत्य है।

48. नीचे दो कथन दिए गए हैं :

कथन I: फ्रांस में समाजवादी आंदोलन श्रेणीवाद के रूप में उत्पन्न हुआ।

कथन II: श्रेणीवाद में वर्ग संघर्ष के विचार को स्वीकार्यता नहीं दी गई है।

उपरोक्त कथनों के आलोक में नीचे दिए गए विकल्पों में से सबसे उपयुक्त उत्तर का चयन कीजिए :

A. कथन I और कथन II दोनों सही हैं।
B. कथन I और कथन II दोनों सही नहीं हैं।
C. कथन I सही है, किंतु कथन II गलत है।
D. कथन I गलत है, किंतु कथन II सही है।

49. यदि सत्याग्रह के गाँधीवादी विचार को एक संवाद के रूप में माना जाता है तो निम्नलिखित में कौन-से कथन सही नहीं है?

(*a*) गाँधी के सत्य का स्वरूप संवाद को सुसाध्य बनाता है।
(*b*) गाँधी के सत्य का स्वरूप समानता का विरोधी है।
(*c*) ऐसे संवाद में, दल विरोधी रूप में निर्मित किए जाते हैं।
(*d*) सत्य की खोज एक साझा प्रयोग है।

नीचे दिए गए विकल्पों में से सही उत्तर का चयन कीजिए :

A. केवल (*a*) और (*b*)
B. केवल (*c*) और (*d*)
C. केवल (*b*) और (*c*)
D. केवल (*a*) और (*d*)

50. सूची-I का सूची-II से मिलान कीजिए।

सूची-I (पुस्तकें)	**सूची-II (लेखक)**
(*a*) ऑन वायलेन्स	I. हन्ना आरेंट
(*b*) रीजन एंड रिवॉल्यूशन	II. हर्बट मारक्यूस
(*c*) ह्वेयर डू वी गो फ्रॉम हियर	III. किर्क रसेल
(*d*) द कंजरवेटिव माइंड फ्रॉम बर्क टु इलियट	IV. मार्टिन लूथर किंग जूनियर

नीचे दिए गए विकल्पों में से सही उत्तर का चयन कीजिए :

	(*a*)	(*b*)	(*c*)	(*d*)
A.	I	II	IV	III
B.	III	IV	II	I
C.	I	II	III	IV
D.	IV	III	I	II

51. निम्नलिखित विधायी अधिनियमों का कालक्रमानुसार व्यवस्थित कीजिए।

(*a*) सूचना का अधिकार अधिनियम

(*b*) उपभोक्ता संरक्षण अधिनियम

(*c*) शिक्षा का अधिकार अधिनियम

(*d*) लोकपाल और लोकायुक्त अधिनियम

नीचे दिए गए विकल्पों में से सही उत्तर का चयन कीजिए :

A. (*b*), (*a*), (*d*), (*c*)
B. (*a*), (*c*), (*d*), (*b*)
C. (*a*), (*b*), (*c*), (*d*)
D. (*c*), (*a*), (*d*), (*b*)

52. निम्नलिखित में से कौन-सा समझौता देश-विशिष्ट उत्सर्जन लक्ष्यों संबंधी रूपरेखा नहीं निर्धारित करता है किन्तु जलवायु परिवर्तन उपशमन पर बल देता है।

A. क्योटो प्रोटोकॉल
B. समुद्री संधि संबंधी विधि
C. मॉन्ट्रियल प्रोटोकॉल
D. पेरिस समझौता

53. निम्नांकित में से किन्होंने विमर्शी लोकतंत्र की परिभाषा 'बहुलवादी संघ' के रूप में दी है?

A. जी.सी. सेन B. ए. हैंसन
C. जे. कोहेन D. पी. सैम्यूल्सन

54. निम्नलिखित किस राजनीतिक विचारक ने नारीवादी दृष्टिकोण से हैंस जे. मॉरगेन्थाउ द्वारा प्रस्तुत यथार्थवाद के सिद्धांतों को पुनर्सूत्रबद्ध किया?

A. गुंटर फ्रैंक
B. जानेट आबू
C. ऐन. टिकनर
D. हेन्नेस पेल्टोनेन

55. विल किमलिका के अनुसार निम्नांकित में से कौन-सा अधिकार सामूहिक नहीं है?

A. स्वशासी अधिकार
B. बहु नृजातीय अधिकार
C. विशेष प्रतिनिधि अधिकार
D. त्वरित विचारण का अधिकार

56. सूची-I का सूची-II से मिलान कीजिए।

सूची-I (पुस्तक और अवधारणाएँ)	सूची-II (चिंतक)
(*a*) एथिक्स ऑफ केयर	I. केट मिलेट
(*b*) सेक्सुअल पॉलिटिक्स	II. कैरोल गिलिगन
(*c*) पावर्स ऑफ हॉरर	III. जूलिया क्रिस्टोवा
(*d*) इक्रित्यूर फेमिनीन	IV. हेलेन सिचु

नीचे दिए गए विकल्पों में से सही उत्तर का चयन कीजिए :

	(*a*)	(*b*)	(*c*)	(*d*)
A.	I	II	III	IV
B.	IV	III	II	I
C.	II	I	III	IV
D.	II	IV	I	III

57. निम्नलिखित प्रधानमंत्रियों में से किसने अमरीका और सोवियत संघ के बीच बढ़ते शीत युद्ध की स्थिति में भारत के दृष्टिकोण के बारे में कहा था, "वे एशिया में हमारे पड़ोसी हैं और हमें अनिवार्यतः अनेक समान कार्य करने होंगे और एक-दूसरे के साथ कार्य करने होंगे।"

A. जवाहरलाल नेहरू
B. पी.वी. नरसिम्हा राव
C. अटल बिहारी वाजपेयी
D. मनमोहन सिंह

58. लेवियॉथन पुस्तक के निम्नलिखित अध्यायों को सही अनुक्रम में व्यवस्थित कीजिए :

(*a*) ऑफ सेंस

(*b*) ऑफ इमेजिनेशन

(*c*) ऑफ रीजन एंड साइंस

(*d*) ऑन स्पीच

नीचे दिए गए विकल्पों में से सही उत्तर का चयन कीजिए :

A. (*a*), (*b*), (*d*), (*c*) B. (*d*), (*b*), (*c*), (*a*)
C. (*a*), (*c*), (*b*), (*a*) D. (*c*), (*d*), (*a*), (*b*)

59. यह किसका कथन है कि, यदि जीवन का केवल मात्र एक उद्देश्य होता, तो दास और क्रूर जानवर अवश्य ही एक राज्य का निर्माण करते।

A. प्लेटो B. अरस्तू
C. कन्फ्यूसियस D. हन्नाह आरेन्ट

60. संसदीय कार्यवाही के संबंध में कौन-सा निम्नलिखित कथन सही है/हैं?

(*a*) तारांकित प्रश्नों के मौखिक उत्तर दिए जाते हैं और पूरक प्रश्नों में भी इसका अनुसरण किया जा सकता है।

(*b*) अल्प सूचना प्रश्न 2 दिन पूर्व सूचना देकर पूछे जाते हैं।

(*c*) स्थगन प्रस्ताव के लिए 50 सदस्यों के द्वारा इसे मान्यता दिए जाने की आवश्यकता होती है।

(*d*) शून्यकाल की शुरूआत प्रश्नकाल के तुरंत बाद हो जाती है और दिनभर के लिए कार्यसूची तक यह चलता रहता है।

नीचे दिए गए विकल्पों में से सही उत्तर का चयन कीजिए :

A. केवल (*a*), (*b*), (*c*) और (*d*)
B. केवल (*a*), (*c*) और (*d*)
C. केवल (*b*) और (*d*)
D. केवल (*a*), (*b*) और (*c*)

61. अंतर्राष्ट्रीय संबंधों में 'शक्ति का संतुलन' प्रतिस्थापित करने के लिए प्रस्तावित आदर्शवादी विचार का मत है :

A. गुप्त कूटनीति
B. निरस्त्रीकरण
C. स्वेच्छाचारी शासन
D. युद्ध

62. निम्नलिखित में से किस चिन्तक ने 'मानसिक क्रांति' की अवधारणा का प्रस्ताव दिया था?

A. एफ.डब्ल्यू. टेलर B. एल्टन मेयो
C. चेस्टर बर्नार्ड D. एच. साइमन

63. सूची-I का सूची-II से मिलान कीजिए।

सूची-I	**सूची-II**
(*a*) रवीन्द्रनाथ टैगोर	I. वास्तविक/सच्ची स्वतंत्रता
(*b*) जे.पी. नारायण	II. चौखंभा मॉडल
(*c*) राम मनोहर लोहिया	III. हिन्दू राष्ट्र
(*d*) वी.डी. सावरकर	IV. सम्पूर्ण क्रांति

नीचे दिए गए विकल्पों में से सही उत्तर का चयन कीजिए :

	(*a*)	(*b*)	(*c*)	(*d*)
A.	I	III	IV	II
B.	III	IV	II	I
C.	I	IV	II	III
D.	IV	I	III	II

64. रि-मैपिंग इंडिया : न्यू स्टेट्स एंड देयर पॉलिटिकल ओरिजीन्स' नामक पुस्तक किनकी कृति है?

A. आशुतोष वार्ष्णेय B. लुईस टिलीन
C. पॉल ब्रास D. सुहास पालशीकर

65. सूची-I का सूची-II से मिलान कीजिए।

सूची-I (संकल्पना/सिद्धांत)	**सूची-II (प्रतिपादक)**
(*a*) विवेकपूर्ण विकल्प संस्थावाद के सार्वभौमिक सामान्यीकरण के पक्षपात की आलोचना	I. कैम्पबेल और पेडर्सन
(*b*) ब्रिटेन, जर्मनी, जापान और अमरीका में कौशल प्रबंध में सांस्थानिक परिवर्तन का अध्ययन	II. शार्फ
(*c*) समाजशास्त्रीय संस्थावाद का मूल	III. कैथलीन थेलीन
(*d*) तर्कमूलक संस्थावाद	IV. मेवर और रोवन

नीचे दिए गए विकल्पों में से सही उत्तर का चयन कीजिए :

	(*a*)	(*b*)	(*c*)	(*d*)
A.	II	IV	I	III
B.	III	IV	I	II
C.	II	III	IV	I
D.	I	II	III	IV

66. गुट निरपेक्ष आन्दोलन की सदस्यता के मानक निम्नलिखित में से कौन हैं?

(*a*) देश के राष्ट्रीय स्वतंत्रता आंदोलन का समर्थन करना चाहिए।

(*b*) देश के महासत्ता संघर्ष के संदर्भ में, देश को बहुस्तरीय सैन्य गठबंधन का एक सदस्य होना चाहिए।

(*c*) वह देश जो राज्यों के सह-अस्तित्व पर केन्द्रित स्वतंत्र नीति को अपनाया हो।

(*d*) यदि देश विदेशी सत्ता को सैन्य आधार स्थापित करने की स्वीकृति देता है, तो महा सत्ता संघर्षों के संदर्भ में, उसे छूट होनी चाहिए।

नीचे दिए गए विकल्पों में से सही उत्तर का चयन कीजिए :

A. केवल (*a*) और (*b*)
B. केवल (*a*) और (*c*)
C. केवल (*a*) और (*d*)
D. केवल (*b*), (*c*) और (*d*)

67. निम्नलिखित शांति स्थापना अभियानों को कालक्रम के अनुसार सुव्यवस्थित कीजिए।

(*a*) डर्फर में UNAMID
(*b*) दक्षिण सूडान में UNMISS
(*c*) रवांडा में UNAMIR
(*d*) पूर्व यूगोस्लाविया में UNPROFOR

नीचे दिए गए विकल्पों में से सही उत्तर का चयन कीजिए :

A. (*a*), (*b*), (*c*) और (*d*)
B. (*b*), (*c*), (*a*) और (*d*)
C. (*d*), (*c*), (*a*) और (*b*)
D. (*c*), (*d*), (*b*) और (*a*)

68. निम्नलिखित में से कौन-सा देश NAM (गुट निरपेक्ष संघ) का सदस्य देश नहीं है?

A. बुर्किना फासो
B. अंगोला
C. कैमरून
D. दक्षिण सूडान

69. स्थानीय शासन से संबंधित निम्नलिखित समितियों/आयोगों को कालक्रमानुसार ढंग से व्यवस्थित कीजिए।

(*a*) जी.वी.के. राव समिति
(*b*) अशोक मेहता समिति
(*c*) थुंगन समिति
(*d*) एल.एम. सिंघवी समिति

नीचे दिए गए विकल्पों में से सही उत्तर का चयन कीजिए :

A. (*a*), (*d*), (*c*), (*b*) B. (*b*), (*a*), (*d*), (*c*)
C. (*a*), (*b*), (*c*), (*d*) D. (*a*), (*c*), (*d*), (*b*)

70. लोक प्रशासन की निम्नलिखित घटनाओं/सम्मेलनों को कालानुक्रम में व्यवस्थित कीजिए।

(*a*) फिलाडेल्फिया सम्मेलन
(*b*) प्रथम मिन्नोब्रुक सम्मेलन
(*c*) वाल्डो द्वारा लिखित 'पब्लिक एडमिनिस्ट्रेशन इन ए टाइम ऑफ टर्बुलान्स' पुस्तक का प्रकाशन
(*d*) ऊर्विक द्वारा लिखित 'द एलीमेन्ट्स ऑफ एडमिनिस्ट्रेशन' का प्रकाशन

नीचे दिए गए विकल्पों में से सही उत्तर का चयन कीजिए :

A. (*b*), (*a*), (*c*), (*d*) B. (*d*), (*b*), (*c*), (*a*)
C. (*a*), (*d*), (*c*), (*b*) D. (*d*), (*a*), (*b*), (*c*)

71. वर्ष 2001 से रणनीतिक सहयोग में अमरीका समर्थन में भारत के पहलों की सूची में निम्नलिखित में से कौन-कौन सम्मिलित हैं?

(*a*) अफगानिस्तान में आतंकविरोधी अमरीकी मिशन में भारत ने समर्थन देने का प्रस्ताव नहीं किया था।
(*b*) भारत ने ए.बी.एम. संधि से बाहर निकलने के राष्ट्रपति बुश के निर्णय का विरोध किया।
(*c*) सितम्बर 2005 में अन्तर्राष्ट्रीय परमाणविक ऊर्जा अनुपालन शासी मंडल की बैठक में इरान को एन.पी.टी. के अनुपालक देश घोषित करने में भारत ने अमरीका के साथ मतदान किया था।

नीचे दिए गए विकल्पों में से सही उत्तर का चयन कीजिए :

A. केवल (*a*) B. केवल (*b*)
C. केवल (*c*) D. केवल (*a*) और (*b*)

72. निम्नांकित में से कौन-से वाक्य अमर्त्य सेन द्वारा वर्णित समानता के दृष्टिकोण से सम्बद्ध है?

(*a*) समानता की मूलभूत अभियोग्यता नैतिक भलाई का एकमात्र निर्देशक हो सकता है।

(*b*) नैतिक का संबंध केवल एकता से नहीं है।

(*c*) मूलभूत योग्यता संबंधी समानता उस नैतिक भलाई का आंशिक निर्देशन है जो समानता के विचार से सहबद्ध है।

(*d*) मूलभूत अभियोग्यता से सूचक यथा उपयोगिता का प्रयोग विभिन्न रूपों में किया जा सकता है।

नीचे दिए गए विकल्पों में से सही उत्तर का चयन कीजिए :

A. केवल (*b*) और (*d*)

B. केवल (*a*) और (*d*)

C. केवल (*a*), (*b*), (*c*)

D. केवल (*b*), (*c*), (*d*)

73. आधुनिक पूँजीवाद के संकटों की अवधि को काल-क्रमानुसार व्यवस्थित कीजिए :

(*a*) यू.एस. सब प्राइम बंधन (मोर्टगेज) संकट

(*b*) अर्जेंटेनियाई आर्थिक संकट

(*c*) आई.टी. से संबंधित स्टॉक में डॉट कॉम संकट

(*d*) मैक्सिको का आर्थिक संकट

नीचे दिए गए विकल्पों में से सही उत्तर का चयन कीजिए :

A. (*d*), (*b*), (*c*) और (*a*)

B. (*b*), (*d*), (*a*) और (*c*)

C. (*a*), (*b*), (*c*) और (*d*)

D. (*d*), (*b*), (*a*) और (*c*)

74. राजीव गाँधी की छः देश, पाँच महाद्वीप शांति पहल पर सहयोग का उद्देश्य वाला अभियान था :

A. नाभिकीय (परमाणु) परीक्षणों को समाप्त करने हेतु

B. अफ्रीकी क्षेत्रीय संस्थानों के साथ एकीकरण लाने हेतु

C. प्रतिस्थापन लाने हेतु

D. प्रजाति-पार्थक्य व्यवस्था को समाप्त करने हेतु

75. एम.पी. फॉलेट के अनुसार संगठन के सिद्धान्तों में कौन-सा समन्वय प्राप्ति का माध्यम नहीं है?

A. किसी स्थिति विशेष में समन्वय सभी कारकों से संबंधित अन्योन्य होता है।

B. अप्रत्यक्ष नियंत्रण द्वारा समन्वय।

C. आरंभिक चरणों में समन्वय।

D. सतत प्रक्रिया के रूप में समन्वय।

76. ग्राम्शी का अभिमत है कि :

(*a*) प्रगति एक विचारधारा है और बिकमिंग एक दार्शनिक अवधारणा है।

(*b*) बिकमिंग एक दार्शनिक अवधारणा है, जिसमें प्रगति का विचार अनुपस्थित है।

(*c*) प्रगति एक विशेष मनःस्थिति पर निर्भर करता है।

(*d*) प्रगति और बिकमिंग का उद्‌भव एक ही समय में हुआ है।

नीचे दिए गए विकल्पों में से सही उत्तर का चयन कीजिए :

A. केवल (*a*), (*c*), (*d*)

B. केवल (*a*), (*b*), (*c*), (*d*)

C. केवल (*a*) और (*c*)

D. केवल (*b*) और (*d*)

77. लोक प्रशासन के उद्‌विकास के किस काल को 'गवेषणात्मक काल' कहा जाता है?

A. 1887-1910

B. 1910-1947

C. 1947-1970

D. 1970-1980

78. मानवतावादी हस्तक्षेप के लिए औचित्य निम्नलिखित में से किसमें निहित होता है?

(*a*) वैश्विक परस्पर निर्भरता

(*b*) राष्ट्रीय हित

(*c*) नैतिक बहुलतावाद

(*d*) क्षेत्रीय स्थिरता

नीचे दिए गएं विकल्पों में से सही उत्तर का चयन कीजिए :

A. केवल (*a*) और (*c*)

B. केवल (*b*) और (*c*)

C. केवल (*b*) और (*d*)

D. केवल (*a*) और (*d*)

79. किसने कहा था, "उग्रवादी न तो राष्ट्र न ही वर्ग के संबंध में चिंतन करता है, इसकी चिंता मानव है, इसकी चिंता व्यक्तिगत स्वतंत्रता के रूप में स्वतंत्रता है।"

A. श्री अरविंद
B. वी.डी. सावरकर
C. एम.एन. रॉय
D. दीनदयाल उपाध्याय

80. नीचे दो कथन दिए गए हैं; एक को अभिकथन (A) और दूसरा उसके कारण (R) के रूप में कहा गया है।

अभिकथन (A): एक मजबूत मूल परिवर्तनकारी सिद्धांत के साथ ध्रुवीकृत बहुदलीय व्यवस्था में राजनीतिक दलों के बीच एक व्यापक वैचारिक अंतर होता है।

कारण (R): ध्रुवीकृत बहुदलीय व्यवस्था में राजनीतिक गठबंधन व्यवहार्य है।

उपर्युक्त कथनों के आलोक में नीचे दिए गए विकल्पों में से सबसे उपयुक्त उत्तर का चयन कीजिए :

A. (A) और (R) दोनों सत्य हैं, और (R), (A) की सही व्याख्या है।
B. (A) और (R) दोनों सही हैं, लेकिन (R), (A) की सही व्याख्या नहीं है।
C. (A) सत्य है, लेकिन (R) असत्य है।
D. (A) असत्य है, लेकिन (R) सत्य है।

81. निम्नलिखित किसके संकल्प को ध्यान में रखकर महिलाओं की परिस्थिति संबंधी आयोग की स्थापना की गई थी?

A. ECOSOC B. UNEP
C. WHO D. UNEF

82. सूची-I का सूची-II से मिलान कीजिए।

सूची-I (राज्य/संघ राज्य क्षेत्र)	सूची-II (स्थापना वर्ष)
(*a*) पंजाब	I. 1966
(*b*) गुजरात	II. 1960
(*c*) लद्दाख	III. 2014
(*d*) तेलंगाना	IV. 2019

नीचे दिए गए विकल्पों में से सही उत्तर का चयन कीजिए :

	(*a*)	(*b*)	(*c*)	(*d*)
A.	I	II	IV	III
B.	I	II	III	IV
C.	II	I	IV	III
D.	II	I	III	IV

83. निम्नलिखित किस तिथि को कैबिनेट सचिवालय संकल्प (प्रस्ताव) के माध्यम से नीति आयोग की स्थापना की गई थी?

A. 01-12-2014 B. 01-01-2015
C. 01-01-2016 D. 01-12-2016

84. निम्नांकित में से किनका तर्क था कि, "गैर सरकारी संगठनों के सामाजिक आंदोलन के साथ संयोजित होने की दशा में कभी-कभार गैर सरकारी संगठनों ने अपने राजनीतिक एजेंडें में परिवर्तन किया है।"

A. नीरा चंडोक
B. गुरप्रीत महाजन
C. नीरजा गोपाल जयाल
D. मनोरंजन मोहंती

85. मुख्य सूचना आयोग (CIC) के बारे में निम्नलिखित में से कौन-सा/से कथन सही है/हैं?

(*a*) CIC का गठन सूचना के अधिकार (RTI) अधिनियम 2005 के प्रावधानों के अंतर्गत शासकीय गजट अधिसूचना के माध्यम से किया गया था।
(*b*) CIC का जब गठन हुआ था तब से ही इसमें मुख्य सूचना आयुक्त सहित पाँच आयुक्त होते हैं।
(*c*) मुख्य सूचना आयुक्त अपने पदग्रहण की तिथि (तारीख) से तीन वर्ष की अवधि तक अपने पद पर बना रहता है।

नीचे दिए गए विकल्पों में से सही उत्तर का चयन कीजिए :

A. केवल (*a*) और (*b*)
B. केवल (*a*) और (*c*)
C. केवल (*b*) और (*c*)
D. केवल (*a*), (*b*) और (*c*)

86. सूची-I का सूची-II से मिलान कीजिए।

सूची-I	सूची-II
(*a*) रॉबर्ट कॉक्स	I. सहयेाग पर अंतर्राष्ट्रीय प्रतिष्ठानों (सत्ता) का प्रभाव
(*b*) रॉबर्ट क्योहेन	II. सामाजिक ताकतों, राज्य के स्वरूपों और विश्वव्यवस्था के मध्य अंतःक्रिया
(*c*) अलेक्जेंडर वेण्ड्ट	III. सामाजिक संरचनाओं के रचनावादी विचार
(*d*) रॉब वॉकर	IV. मुख्य बल 'सातत्य' और सामाजिक संरचना में दोहराव (पुनरावृत्ति)

निम्नलिखित विकल्पों में से सही उत्तर का चयन कीजिए :

	(*a*)	(*b*)	(*c*)	(*d*)
A.	II	I	III	IV
B.	I	II	III	IV
C.	III	IV	I	II
D.	II	I	IV	III

87. भारतीय संविधान संशोधन द्वारा किस वर्ष पंचायती राज के उपबंधों का विस्तार अनुसूचित क्षेत्रों तक किया गया?

A. 1992
B. 1995
C. 1996
D. 1997

88. निम्नांकित में से क्या भारत में जाति आधारित राजनीति के बारे में एम.एन. श्रीनिवास के कथन नहीं हैं :

(*a*) भारत में जाति के आधार पर क्षैतिज एकजुटता है।
(*b*) आधुनिक प्रौद्योगिकी के कारण जाति संहति (एकात्मकता) के मार्ग में बाधा उत्पन्न हुई।
(*c*) विभिन्न जातियों के मध्य ऊर्ध्वाधर एकात्मकता भी थी।
(*d*) राजनीतिक आर्थिक क्षेत्र मेनन विभिन्न जातियों के मध्य प्रतिस्पर्धा थी।

नीचे दिए गए विकल्पों में से सही उत्तर का चयन कीजिए :

A. केवल (*a*) और (*b*)
B. केवल (*b*) और (*c*)
C. केवल (*b*), (*c*) और (*d*)
D. केवल (*a*), (*c*) और (*d*)

89. यूरोप के राष्ट्रवाद के एरिक हॉब्सबॉम के सिद्धांत की मूल विशेषताएँ निम्नलिखित में से कौन-सी हैं?

(*a*) राष्ट्रवाद के तीन चरणों में पश्चिमी देशों में राज्यों का निर्माण हुआ है।
(*b*) उसने राष्ट्रवाद को परिभाषित किया है उदाहरणार्थ, परंपराओं का पुनर्सृजन।
(*c*) उसने पृथकतावादी राष्ट्रवाद का समर्थन करने वाले समूह के रूप में निम्न-बुर्जुआ वर्ग को चिह्नित किया।
(*d*) उसने पूर्वी एवं पश्चिमी यूरोप में नृजातीय-भाषाई राष्ट्रवाद के आविर्भाव को नजर अंदाज किया।

नीचे दिए गए विकल्पों में से सही उत्तर का चयन कीजिए :

A. केवल (*a*), (*b*), (*d*)
B. केवल (*b*) और (*d*)
C. केवल (*b*) और (*c*)
D. केवल (*a*), (*c*) और (*d*)

90. उच्च न्यायालय द्वारा की गई व्याख्या के अनुसार निम्नांकित में से क्या भारतीय संविधान के अनुच्छेद 21 के अधीन जीवन के अधिकार में शामिल नहीं हैं?

A. आत्महत्या का अधिकार
B. निजता का अधिकार
C. सरकार द्वारा फांसी दिए जाने के विरुद्ध अधिकार
D. उत्तम स्वास्थ्य का अधिकार

निर्देश (प्रश्न संख्या 91 से 95 तक): *नीचे दिए गए गद्यांश को पढ़िए तथा प्रश्नों के उत्तर दीजिए।*

यह दिलचस्प है कि जॉन स्टुअर्ट मिल का संकीर्ण उपयोगितावाद से दूर होना रोमांटिक कवियों वर्ड्सवर्थ और कोलरिज को पढ़ने के साथ शुरू हुआ था, जिन्होंने साहित्य में उस बात का समर्थन किया। जिसे एडमंड बर्क ने दार्शनिक रूप से स्वीकार किया था। उन्होंने केवल तर्क और विचार की तर्क संगत श्रेणियों के बजाय भावना और अंतर्ज्ञान पर बल दिया। और यह मानव अनुभव के भावनात्मक स्तर पर जोर था जिसने युवा व्यक्ति के रूप में उपयोगितावाद के वैज्ञानिक तथा तटस्थ तर्कवादी सिद्धांत अत्यधिक रूप से अवगत था और उस सिद्धांत में उसकी परवरिश ने उसे इस संबंध में बहुत हद तक पृथक कर दिया था कि वास्तव में मानव का

स्वरूप क्या है। लेकिन मिल ने डी. टॉकविले को भी पढ़ा था। और जिस तरह रोमांटिक कवियों ने मिल को सिखाया कि उपयोगितावादी मनोविज्ञान में मानवीय दृष्टि से कमी थी, डी. टॉकविले ने उन्हें इसकी समाजशास्त्रीय अपर्याप्तता की ओर इशारा किया। दोनों ने मानवता और समाज पर एक निश्चित रूढ़िवादी दृष्टिकोण की आवश्यकता का प्रदर्शन किया। साथ में, उन्होंने बर्क के साथ-साथ मानव व्यवहार के भावनात्मक पहलुओं पर जोर दिया और शास्त्रीय उदारवाद के कुछ कड़ाई से तर्कसंगत व्यक्तिवादी परिप्रेक्ष्य में मानव को एकीकृत करने की आवश्यकता पर बल दिया। जॉन स्टुअर्ट मिल शास्त्रीय सिद्धांत की अंतर्निहित मान्यताओं के अपने संशोधन में उदार विचार के विकास में विशिष्ट रूप से क्या महत्वपूर्ण बनाता है। यह डी. टॉकविले ने नहीं किया, यह उदारवादी विचारधारा के वैधता पर विमर्श करने के बजाय उदार लोकतंत्र के एक ठोस उदाहरण का आलोचनात्मक विश्लेषण करने की दार्शनिक वैधता से ठीक-ठीक रुचि रखते थे। उनके विचार से अमरीका में लोकतंत्र में डी. टॉकविले के समर्थन करने वाले ठोस सुधारों के लिए उदारवाद की बुनियादी दार्शनिक मान्यताओं के अधिक मौलिक सुधार की आवश्यकता थी।

91. निम्नलिखित में से टॉकविले की रचनाओं/लेखन में स्पष्ट रूप से प्रतिबिंबित होता है?

A. वैधता पर विमर्श

B. आलोचनात्मक विश्लेषण

C. उदारवाद की दार्शनिक वैधता

D. मिल पर दबाव निर्माण

92. सूची-I का सूची-II से मिलान कीजिए।

सूची-I	**सूची-II**
(*a*) टॉकविले	I. तर्कवादी सिद्धांत
(*b*) यांग मिल	II. अमरीका में लोकतंत्र
(*c*) एडमंड बर्क	III. साहित्य में समर्थित
(*d*) वर्ड्सवर्थ	IV. दार्शनिक रूप से समर्थित

निम्नलिखित विकल्पों में से सही उत्तर का चयन कीजिए :

	(*a*)	(*b*)	(*c*)	(*d*)
A.	I	II	III	IV
B.	IV	III	II	I
C.	III	II	I	IV
D.	II	I	IV	II

93. नीचे दो कथन दिए गए हैं; एक को अभिकथन (A) और दूसरा उसके कारण (R) के रूप में कहा गया है।

अभिकथन (A): युवा मिल/उपयोगितावाद के वैज्ञानिक सिद्धांत के बारे में अत्यधिक रूप से अवगत थे।

कारण (R): उपयोगितावाद सिद्धांत ने उसे मानव के वास्तविक स्वरूप से पृथक् कर दिया था।

उपर्युक्त कथनों के आलोक में नीचे दिए गए विकल्पों में से सबसे उपयुक्त उत्तर का चयन कीजिए :

A. (A) और (R) दोनों सत्य हैं, और (R), (A) की सही व्याख्या है।

B. (A) और (R) दोनों सही हैं, लेकिन (R), (A) की सही व्याख्या नहीं है।

C. (A) सत्य है, लेकिन (R) असत्य है।

D. (A) असत्य है, लेकिन (R) सत्य है।

94. निम्नलिखित चिंतकों में से किसके लेखन/रचनाओं से प्रभावित होने के बाद जॉन स्टुअर्ट मिल ने भावना और अन्तर्ज्ञान पर बल दिया?

A. लॉक

B. बेथम

C. वर्ड्सवर्थ

D. आर.सी. स्मिथ

95. नीचे दो कथन दिए गए हैं :

कथन I: रोमांटिक कवियों ने मिल को सिखाया कि उपयोगितावाद मनोविज्ञान में मानवीय दृष्टि से कमी थी।

कथन II: टॉकविले ने दर्शनशास्त्र की वैज्ञानिक उपयोगिता की अपर्याप्तताओं की ओर इशारा किया।

उपरोक्त कथनों के आलोक में नीचे दिए गए विकल्पों में से सबसे उपयुक्त उत्तर का चयन कीजिए :

A. कथन I और कथन II दोनों सत्य हैं।

B. कथन I और कथन II दोनों असत्य हैं।

C. कथन I सत्य है, किंतु कथन II असत्य है।

D. कथन I असत्य है, किंतु कथन II सत्य है।

निर्देश (प्रश्न संख्या 96 से 100 तक): *नीचे दिए गए गद्यांश को पढ़िए तथा प्रश्नों के उत्तर दीजिए।*

नीति का मूल्यांकन चुनौतीपूर्ण अनुभव है जिसमें जटिल (समिश्र) ज्ञान और सांख्यिकीय एवं आर्थिक तकनीकों का कुशाग्र अनुप्रयोग अपेक्षित होता है। नीतिगत परिवर्तन के बारे में चौंकाने वाला तथ्य यह है कि यह न तो रातों-रात होता है न ही जहाँ पर्यावरणीय तत्व स्थैतिक रहते हैं। इसके परिणामस्वरूप प्रेक्षित परिणाम में विशिष्ट परिवर्तन गंभीर पद्धति परक चुनौती बन जाते हैं। तथापि विशिष्ट नीतिगत विमर्श की प्रभाविता के मूल्यांकन के लिए अनेक मानक प्रविधियाँ उभरकर सामने आए हैं। इनमें से कुछ उपागमों के बारे में व्यापक विमर्श से नीति के मूल्यांकन के बारे में चिंतन के तर्क को समझने में सहायता मिलती है। प्रभाव मूल्यांकन में प्रायः 'स्वर्ण मानक' कहे जाने वाले नीति प्रभाव मापक के लिए सर्वाधिक सुविख्यात तकनीक यादृच्छिक नियंत्रण पुच्छक (आर.सी.टी.) है।

औषधि और भेषज शोध आर.सी.टी. विधि का सर्वोत्तम उदाहरण है। मानक पद्धति उत्तरदाताओं के समूह का चयन करना है। जिन पर औषधि के कार्य करने की संभावना है। तत्पश्चात वह औषधि उस समूह से अकस्मात् चयनित व्यक्ति को दी जाती है। यहाँ आर.सी.टी. उपागम पूर्णतः हस्तक्षेप के प्रभाव मूल्यांकन करने हेतु संभाव्य लाभार्थी समूह में प्राप्त करने वालों के अकस्मात चयनित समूह पर हस्तक्षेप प्रदान करता है। आर.सी.टी. प्रदानकर्ता नीति निर्माता को लाभार्थी एकक के संबंध में अपना विकल्प चुनने के लिए अनुनय कर सकता है। यह कार्य अन्य नियम से इसे अनुरेखित करने की बजाय अकस्मात किया जाता है।

96. नीचे दो कथन दिए गए हैं :

कथन I: नीति परिवर्तन के बारे में हट बुद्धिकारी चीज यह है कि न तो यह रातों-रात होता है न ही ऐसे व्यवस्थापन में होता है, जहाँ पर्यावरणीय तत्व स्थिर रहते हैं।

कथन II: प्रक्षेपित परिणामी परिवर्तन पर विशिष्ट परिवर्तन के प्रभाव का पता लगाने के फलस्वरूप पद्धति संबंधी गंभीर चुनौती उत्पन्न होती है।

उपरोक्त कथनों के आलोक में नीचे दिए गए विकल्पों में से सबसे उपयुक्त उत्तर का चयन कीजिए :

A. कथन I और कथन II दोनों सही हैं।
B. कथन I और कथन II दोनों सही नहीं हैं।
C. कथन I सही है, किंतु कथन II गलत है।
D. कथन I गलत है, किंतु कथन II सही है।

97. 'यादृच्छिक नियंत्रण पुच्छक (अनुयान)' का प्रयोग ज्यादातर किस क्षेत्र में किया जाता है?

A. अंतरिक्ष अनुसंधान B. रक्षा अनुसंधान
C. भेषज अनुसंधान D. महासागरीय अनुसंधान

98. 'यादृच्छिक नियंत्रण पृच्कछक (आर.सी.टी.) उपागम संकाव्य वृहद् लाभार्थी समूह से लाभप्राप्त करने वाले ________ समूह में हस्तक्षेप करना हैं।

A. विशिष्टरूप से चयनित
B. अकस्मात चयनित
C. अर्हत चयन
D. पूर्व-अवधारित चयन

99. निम्नांकित में से किस प्राविधि को 'स्वर्ण मानक' माना जाता है?

A. यादृच्छिक प्रतिचयन
B. न्यायोचित प्रतिचयन
C. यादृच्छिक नियंत्रण पुच्छन
D. स्नो बॉल विधि

100. नीचे दो कथन दिए गए हैं :

कथन I: मानव विधि प्रत्यर्थियों (उत्तरदाताओं) के एक समूह का चयन करना है।

कथन II: आर.सी.टी. पुच्छन में प्रत्येक प्रतिभागी का विचार एक-दूसरे से भिन्न होता है।

उपरोक्त कथनों के आलोक में, नीचे दिए गए विकल्पों में से सबसे उपयुक्त उत्तर का चयन कीजिए :

A. कथन I और कथन II दोनों सही हैं।
B. कथन I और कथन II दोनों सही नहीं हैं।
C. कथन I सही है, किंतु कथन II गलत है।
D. कथन I गलत है, किंतु कथन II सही है।

उत्तरमाला

1. (C): प्रशासनिक सुधार और लोक शिकायत विभाग (डीएआरपीजी) ने 31 मई, 2002 को भारत सरकार के नागरिक चार्टर के लिए एक व्यापक वेबसाइट लॉन्च की। जिसका नाम www.goicharters.nic.in है। नागरिक चार्टर सेवा प्रदाताओं द्वारा उनके सेवा मानकों, विकल्प, पहुंच, गैर-भेदभाव, पारदर्शिता और जवाबदेही के बारे में एक स्वैच्छिक घोषणा है। इसे सार्वजनिक सेवाओं की गुणवत्ता में सुधार के लिए 1997 में पेश किया गया था। चार्टर में सेवा मानक, शिकायत निवारण तंत्र और उपभोक्ता/नागरिक समूहों द्वारा निष्पक्ष जांच का प्रावधान शामिल है।

2. (C): डग मैक एडम्स ने सामूहिक कार्रवाई को आकार देने में सांस्कृतिक ढांचे, सामाजिक नेटवर्क और आंदोलन संगठनों की भूमिका पर प्रकाश डालकर वास्तव में प्रक्रिया मॉडल को परिष्कृत किया है। सामाजिक और राजनीतिक लामबंदी को प्रभावित करने वाली गतिशीलता और कारकों को बेहतर ढंग से समझने के लिए, उन्होंने अक्सर संयुक्त राज्य अमेरिका में विशिष्ट आंदोलनों पर ध्यान केंद्रित करते हुए गहन केस अध्ययन किए हैं। सामाजिक आंदोलन कैसे उभरते हैं, विकसित होते हैं और अपने लक्ष्यों को कैसे प्राप्त करते हैं, इस बारे में हमारी समझ को आगे बढ़ाने में उनका काम प्रभावशाली रहा है।

3. (C): यह कथन 'समय के साथ, हालांकि (जब नेहरू जीवित थे), कांग्रेस पार्टी एक आंदोलन नहीं रह गई और एक पार्टी और सरकार बन गई' विद्वान रजनी कोठारी से जुड़ा है। वे एक भारतीय राजनीतिक वैज्ञानिक थे, उन्होंने भारतीय राजनीति, विशेषकर कांग्रेस पार्टी के विकास को समझने में महत्वपूर्ण योगदान दिया। स्वतंत्रता के बाद के भारत के शुरुआती वर्षों में, जवाहरलाल नेहरू जैसी शख्सियतों के नेतृत्व में कांग्रेस पार्टी ने देश की आजादी की लड़ाई में महत्वपूर्ण भूमिका निभाई। इस अवधि के दौरान, कांग्रेस न केवल एक राजनीतिक दल थी, बल्कि इसे भारतीय लोगों की आकांक्षाओं का प्रतिनिधित्व करने वाले एक व्यापक आंदोलन के रूप में भी देखा जाता था। यह कथन स्वतंत्रता संग्राम के दौरान एक आंदोलन से लेकर स्वतंत्रता के बाद शासन में सक्रिय रूप से शामिल एक राजनीतिक दल तक कांग्रेस पार्टी के विकास पर कोठारी के दृष्टिकोण को प्रस्तुत करता है। यह उस अवधि के दौरान भारतीय राजनीति की बदलती गतिशीलता के उनके व्यापक विश्लेषण को दर्शाता है।

4. (D):

(*d*) **'टू कॉन्सेप्ट्स ऑफ लिबर्टी'** 31 अक्टूबर, 1958 को ऑक्सफोर्ड विश्वविद्यालय के समक्ष उदारवादी राजनीतिक दार्शनिक यशायाह बर्लिन द्वारा दिया गया उद्घाटन व्याख्यान था। इसे बाद में क्लेरेंडन प्रेस में ऑक्सफोर्ड विश्वविद्यालय द्वारा 57 पेज के पैम्फलेट के रूप में प्रकाशित करवाया गया था।

(*c*) **द कॉन्स्टिट्यूशन ऑफ लिबर्टी,** 1960 फ्रेडरिक हेयक की किताब है जिसे आर्थिक दर्शन की एक उत्कृष्ट रचना माना जाता है। यह पुस्तक स्वतंत्रता के दर्शन के बुनियादी सिद्धांतों का पुनर्कथन है। इसे तीन भागों में विभाजित किया गया है : स्वतंत्रता का मूल्य, स्वतंत्रता और कानून, और कल्याणकारी राज्य में स्वतंत्रता। इस पुस्तक को आधुनिक उदारवाद का एक मौलिक ग्रंथ माना जाता है और यह एक स्वतंत्र समाज के सिद्धांतों का बचाव करती है। यह कानून के शासन की उत्पत्ति, उत्थान और पतन का भी पता लगाता है।

(*b*) **'फोर एसेज ऑन लिबर्टी'**, 1969 यशायाह बर्लिन की एक चर्चित कृति है। यशायाह बर्लिन अमेरिकी स्वेच्छातंत्रवादी विचारक थे। बर्लिन ने अपनी इस कृति में नकारात्मक स्वतंत्रता का समर्थन किया है।

(*a*) **लिबर्टी ऑफ्टर फ्रीडम : ए हिस्ट्री ऑफ आर्टिकल 21, ड्यू प्रोसेस एंड द कॉन्स्टिट्यूशन ऑफ इंडिया** रोहन जे. अल्वा की 2022 की किताब है।

यह पुस्तक जीवन और व्यक्तिगत स्वतंत्रता के अधिकार की उत्पत्ति की पड़ताल करती है, जिसकी गारंटी भारतीय संविधान के अनुच्छेद 21 द्वारा दी गई है। यह इस बात की भी जांच करता है कि द्वितीय विश्व युद्ध के बाद गोपनीयता जैसे स्वतंत्रता हितों की रक्षा के लिए भारत के संविधान की व्याख्या कैसे की गई थी।

5. (C):

(*a*) वैश्वीकरण ने विचारों और वस्तुओं के आदान-प्रदान की अनुमति दी है जिसका आतंकवादी समूहों द्वारा उपयोग किया जाता है—वैश्वीकरण ने सीमाओं के पार विचारों, सूचनाओं और वस्तुओं की आवाजाही को सुविधाजनक बनाया है। आतंकवादी समूह संचार, वित्त पोषण और संसाधन अधिग्रहण के लिए इन वैश्विक नेटवर्क का लाभ उठा सकते हैं। इस अंतर्संबंध ने उन्हें वैश्विक प्रणालियों के खुलेपन का फायदा उठाने की अनुमति दी है।

(*b*) इंटरनेट ने आतंकवादियों को नए अनुयायियों की भर्ती करने की अनुमति दी है—इंटरनेट, वैश्वीकरण का एक प्रमुख घटक, संचार और भर्ती के लिए एक मंच प्रदान करता है। आतंकवादी समूह अपनी विचारधारा फैलाने, नए सदस्यों की भर्ती करने और गतिविधियों के समन्वय के लिए ऑनलाइन चौनलों का उपयोग कर सकते हैं। इंटरनेट की पहुंच उन्हें वैश्विक दर्शकों तक पहुंचने और दुनिया के विभिन्न हिस्सों से व्यक्तियों को आकर्षित करने की अनुमति देती है।

(*c*) नई प्रौद्योगिकियां आतंकवादियों को अत्यधिक वितरित नेटवर्क में काम करने की अनुमति देती हैं—प्रौद्योगिकी में प्रगति ने आतंकवादी समूहों को विकेंद्रीकृत और वितरित नेटवर्क में काम करने में सक्षम बनाया है। इससे अधिकारियों के लिए उनकी गतिविधियों पर नजर रखना और उनका प्रतिकार करना चुनौतीपूर्ण हो जाता है। एन्क्रिप्टेड संचार और परिष्कृत तकनीकों का उपयोग आतंकवादी संगठनों की चपलता और अनुकूलन क्षमता को बढ़ाता है।

6. (D):

(*b*) परिसंघ के अनुच्छेदों को 15 नवंबर 1777 को महाद्वीपीय कांग्रेस द्वारा अपनाया गया था। यह दस्तावेज संयुक्त राज्य अमेरिका के पहले संविधान के रूप में कार्य करता था। यह 1 मार्च 1781 से 1789 तक लागू रहा जब तक कि वर्तमान संविधान लागू नहीं हो गया।

(*a*) संयुक्त राज्य अमेरिका की संघीय सरकार संयुक्त राज्य अमेरिका की राष्ट्रीय सरकार है, जो मुख्य रूप से उत्तरी अमेरिका में स्थित एक संघीय गणराज्य है। इसकी स्थापना वर्ष 1789 में हुई थी। इसमें 50 राज्य, पांच प्रमुख स्वशासित क्षेत्र, कई द्वीप अधिकार क्षेत्र और वाशिंगटन, डी.सी. का संघीय जिला और राष्ट्रीय राजधानी शामिल है, जहां अधिकांश संघीय सरकार केन्द्रित है।

(*c*) एक संयुक्त सदन और सीनेट सम्मेलन समिति ने सितंबर में शेष असहमतियों का निपटारा किया। 2 अक्टूबर 1789 को, राष्ट्रपति वाशिंगटन ने कांग्रेस द्वारा अपनाए गए 12 संशोधनों की प्रतियां राज्यों को भेजीं। 15 दिसंबर 1791 तक, तीन-चौथाई राज्यों ने इनमें से 10 का अनुमोदन कर दिया था, जिसे अब 'बिल ऑफ राइट्स' के रूप में जाना जाता है।

(*d*) अमेरिकी संविधान में 14वां संशोधन 9 जुलाई 1868 को किया गया था। समान सुरक्षा खंड 14वें संशोधन का पहला खंड है, और यह सभी नागरिकों के लिए कानून के तहत समान सुरक्षा की गारंटी देता है। 14वां संशोधन संयुक्त राज्य अमेरिका में जन्में या देशीयकृत हुए सभी लोगों को नागरिकता प्रदान करता है, जिसमें पूर्व में गुलाम बनाए गए लोग भी शामिल हैं। यह पूर्व में गुलाम बनाए गए लोगों तक बिल ऑफ राइट्स द्वारा दी गई स्वतंत्रता और अधिकारों का भी विस्तार करता है। समान सुरक्षा खंड ने राज्यों को लक्षित किया क्योंकि वे नए मुक्त दासों के साथ भेदभाव कर रहे थे।

7. (A): **कथन I:** यह कथन काफी हद तक सत्य है। भारत की विदेश नीति परंपरागत रूप से अपनी सीमाओं को सुरक्षित करने, अपनी राष्ट्रीय पहचान को संरक्षित करने और निर्णय लेने में स्वायत्तता बनाए रखने पर केंद्रित रही है। यह इससे स्पष्ट है : भारत को अपने पड़ोसियों, विशेषकर पाकिस्तान और चीन के साथ कई क्षेत्रीय विवादों का सामना करना पड़ा है। इन विवादों ने इसकी विदेश नीति और इसके रणनीतिक गठबंधनों को आकार दिया है। भारत विश्व मंच पर अपनी विशिष्ट सांस्कृतिक एवं ऐतिहासिक पहचान को बनाये रखने को लेकर चिंतित रहता है। यह गुटनिरपेक्षता पर उसके जोर और बाहरी दबावों के प्रति उसके प्रतिरोध में परिलक्षित होता है। भारत का लक्ष्य वैश्विक मंच पर एक प्रमुख खिलाड़ी बनना है और किसी अन्य शक्ति के अधीन होने से बचना है। यह इसकी स्वतंत्र विदेश नीति विकल्पों और सैन्य गठबंधनों में शामिल होने की अनिच्छा से स्पष्ट है।

कथन II: जबकि शीत युद्ध के उपरांत (अमेरिका और यूएसएसआर के बीच) वैश्विक द्विध्रुवीय संघर्ष काफी हद तक समाप्त हो गया है, क्षेत्रीय संघर्षों पर इसका प्रभाव बना हुआ है। भारत-पाकिस्तान संघर्ष की जड़ें शीत युद्ध में हैं, यूएसएसआर भारत का समर्थन करता है और अमेरिका पाकिस्तान का समर्थन करता है। यह विरासत, चल रहे क्षेत्रीय विवादों और वैचारिक मतभेदों के साथ मिलकर, वैश्विक बदलाव के बावजूद एक क्षेत्रीय द्विध्रुवीय गतिशीलता का निर्माण करती है। इसलिए, दोनों कथन भारत की विदेश नीति और पाकिस्तान के साथ उसके संबंधों के क्षेत्रीय संदर्भ को समझने में महत्वपूर्ण हैं।

8. (C):

(*c*) **भारतीय कम्युनिस्ट पार्टी (मार्क्सवादी)** (संक्षेप में सीपीआई (एम)/सीपीआईएम/सीपीएम) भारत में एक कम्युनिस्ट राजनीतिक दल है। सदस्यता और चुनावी सीटों के मामले में यह भारत की सबसे बड़ी कम्युनिस्ट पार्टी है, और भारत की राष्ट्रीय पार्टियों में से एक है। पार्टी की स्थापना 1964 में सीपीआई से अलग होकर हुई थी और यह जल्द ही प्रमुख गुट बन गई।

(*d*) **शिव सेना** भारत में एक दक्षिणपंथी मराठी क्षेत्रवादी और हिंदू अतिराष्ट्रवादी राजनीतिक दल है जिसकी स्थापना 1966 में बाल ठाकरे ने की थी। वर्तमान में एकनाथ शिंदे के नेतृत्व वाली यह पार्टी 2019 से भारतीय राज्य महाराष्ट्र की सत्तारूढ़ पार्टी है। शिव सेना का चुनाव चिन्ह धनुष और तीर है।

(*b*) **जनता पार्टी** के भीतर असंतुष्टों द्वारा विभाजन के बाद 1980 में औपचारिक रूप से भाजपा की स्थापना हुई थी। 2014 से, यह मौजूदा प्रधान मंत्री नरेंद्र मोदी के नेतृत्व में भारत में सत्तारूढ़ राजनीतिक दल है। भाजपा दक्षिणपंथी राजनीति से जुड़ी हुई है, और इसकी नीतियां हिंदुत्व, एक हिंदू राष्ट्रवादी विचारधारा का पालन करती हैं। इसका राष्ट्रीय स्वयंसेवक संघ (आरएसएस) स्वयंसेवी अर्धसैनिक संगठन के साथ घनिष्ठ वैचारिक और संगठनात्मक संबंध है।

(*a*) 4 अक्टूबर 1992 को स्थापित **समाजवादी पार्टी** भारत में एक समाजवादी राजनीतिक दल है। इसकी स्थापना पूर्व जनता दल राजनेताओं मुलायम सिंह यादव, बेनी प्रसाद वर्मा, आजम खान द्वारा की गई थी और इसका मुख्यालय नई दिल्ली में है। जबकि पार्टी मुख्य रूप से उत्तर प्रदेश में आधारित है, अन्य राज्यों में भी इसकी मामूली उपस्थिति है।

9. (D):

(*a*) कथन 'प्रबंधन व्यक्तिपरक हैं' बताता है कि प्रबंधकीय प्रक्रियाओं में महत्वपूर्ण स्तर की व्यक्तिपरकता शामिल होती है, क्योंकि निर्णय, बातचीत और संगठनात्मक दृष्टिकोण व्यक्तिगत दृष्टिकोण, निर्णय और मूल्यों से प्रभावित होते हैं। प्रबंधकीय भूमिका में अद्वितीय परिस्थितियों के आकलन के आधार पर व्यक्तिपरक निर्णय लेना शामिल है, और एक टीम के भीतर पारस्परिक संबंध स्वाभाविक रूप से प्रबंधक की

व्यक्तिगत शैली से आकार लेते हैं। इसके अलावा, संगठनात्मक संस्कृति, प्रबंधन का एक प्रमुख पहलू, नेताओं द्वारा चुने गए व्यक्तिपरक विकल्पों को दर्शाता है। रणनीतिक दृष्टिकोण तैयार करने में, प्रबंधक कारोबारी माहौल की अपनी व्यक्तिपरक समझ का उपयोग करते हैं, जिससे प्रबंधन सिद्धांतों की विविध व्याख्याएं और कार्यान्वयन होते हैं। यह व्यक्तिपरकता प्रबंधन की जटिलता और मानव-केंद्रित प्रकृति को स्वीकार करती है, जहां नेता अलग-अलग दृष्टिकोणों से गुजरते हैं और वास्तविक दुनिया के परिदृश्यों द्वारा प्रस्तुत सूक्ष्म चुनौतियों को अपनाते हैं।

(*d*) प्रसिद्ध प्रबंधन विचारक पीटर ड्रकर ने संगठनात्मक प्रबंधन के यंत्रवत मॉडल की धारणा को खारिज कर दिया। कठोर संरचनाओं और पदानुक्रमित नियंत्रण का समर्थन करने वाले पारंपरिक दृष्टिकोणों के विपरीत, ड्रकर ने प्रबंधन की अधिक गतिशील और अनुकूली शैली पर जोर दिया। उनका मानना था कि प्रभावी प्रबंधन को कारोबारी माहौल की उभरती जटिलताओं के प्रति उत्तरदायी होना चाहिए। ड्रकर ने निश्चित प्रक्रियाओं के पालन के बजाय लचीलेपन, नवीनता और परिणामों पर ध्यान केंद्रित करने की वकालत की। उनके विचार में, सफल प्रबंधन के लिए बाहरी वातावरण की गहरी समझ, निरंतर सीखने और सुधार के प्रति प्रतिबद्धता और बदलती परिस्थितियों के जवाब में रणनीतियों और संरचनाओं को अनुकूलित करने की क्षमता की आवश्यकता होती है। ड्रकर के दृष्टिकोण ने संगठनों के अधिक जैविक और मानव-केंद्रित दृष्टिकोण को बढ़ावा दिया, इस विचार को चुनौती दी कि प्रबंधन को प्रक्रियाओं और नियंत्रणों के एक यंत्रवत मॉडल तक कम किया जा सकता है।

10. (A): जुआन लिंज और अल्फ्रेड स्टीपन द्वारा दिए गए निम्नलिखित कथन सही हैं :

(*a*) **नागरिक समाज और राजनीतिक समाज दोनों एक दूसरे के पूरक हैं :** यह कथन इस विचार पर जोर देता है कि नागरिक समाज (गैर-सरकारी संगठन, मुखर समूह, आदि) और राजनीतिक समाज (सरकारी संस्थान और संरचनाएं) पूरक हैं और एक साथ काम करते हैं। यह इस धारणा के अनुरूप है कि एक अच्छी तरह से कार्य करने वाले लोकतंत्र में इन दो क्षेत्रों के बीच संतुलन शामिल है, क्योंकि वे लोकतांत्रिक प्रणाली के समग्र स्वास्थ्य और कामकाज में योगदान करते हैं।

(*c*) **कानून का शासन लोकतंत्र की मजबूती के लिए एक शर्त है :** यह कथन लोकतंत्र की मजबूती में कानून के शासन के महत्व पर प्रकाश डालता है। कानून का एक मजबूत शासन यह सुनिश्चित करता है कि सुसंगत और निष्पक्ष कानूनी ढांचे हों, जो व्यक्तिगत अधिकारों की रक्षा और लोकतांत्रिक संस्थानों की स्थिरता को बढ़ावा देने के लिए महत्वपूर्ण है।

(*e*) **आधुनिक लोकतंत्रों में आदेश देने, विनियमित करने और दोहन की प्रभावी क्षमता होनी चाहिए :** यह कथन राज्य की प्रभावी ढंग से शासन करने, आर्थिक गतिविधियों को विनियमित करने और कराधान के माध्यम से संसाधन एकत्र करने की क्षमता के महत्व को रेखांकित करता है। यह इस विचार को दर्शाता है कि एक अच्छी तरह से कार्यशील लोकतंत्र के लिए एक सक्षम और उत्तरदायी राज्य की आवश्यकता होती है।

11. (B):

(*a*) **1960 के दशक के मध्य में, स्वतंत्र पार्टी ने विदेश नीति पर एक शास्त्रीय रूढ़िवादी परिप्रेक्ष्य प्रस्तुत किया :** 1959 में स्थापित स्वतंत्र पार्टी ने वास्तव में विदेश नीति सहित विभिन्न मुद्दों पर एक वैकल्पिक परिप्रेक्ष्य प्रस्तुत किया। इसका झुकाव शास्त्रीय उदारवादी और रूढ़िवादी विचारधाराओं की ओर था, जो अधिक बाजार-उन्मुख और कम राज्य-नियंत्रित दृष्टिकोण की वकालत करता था।

(*c*) **पार्टी समर्थकों में पूर्व नौकरशाह, व्यापारिक समुदाय और राजसी परिवारों के सदस्य शामिल थे :** स्वतंत्र पार्टी को विभिन्न वर्गों से समर्थन मिला,

जिनमें नौकरशाही की पृष्ठभूमि वाले व्यक्ति, व्यापारिक समुदाय और राजसी परिवारों से जुड़े लोग शामिल थे। इस गठबंधन ने आर्थिक उदारीकरण को बढ़ावा देने और राज्य के हस्तक्षेप को कम करने में साझा रुचि को दर्शाया।

(*d*) **पार्टी के सदस्य नेहरू के फेबियन अर्थशास्त्र के विरोध में एकजुट हुए :** स्वतंत्र पार्टी ने जवाहरलाल नेहरू की आर्थिक नीतियों का विरोध किया, जो फेबियन समाजवाद से प्रभावित थीं। उन्होंने व्यक्तिगत पहल और निजी उद्यम पर जोर देते हुए अधिक बाजार-संचालित आर्थिक सिद्धांतों की ओर बदलाव की वकालत की।

(*e*) **स्वतंत्र पार्टी बाजार और निजी उद्यमों की ताकतों में विश्वास करती थी :** स्वतंत्र पार्टी अपने बाजार समर्थक रुख के लिए जानी जाती थी, जो उन नीतियों की वकालत करती थी जो आर्थिक स्वतंत्रता को बढ़ावा देती थीं, सरकारी हस्तक्षेप को कम करती थीं और आर्थिक विकास को आगे बढ़ाने में निजी उद्यमों की भूमिका का समर्थन करती थीं।

12. (D): एहेजकल ड्रोर, एक इजरायली राजनीतिक वैज्ञानिक, नीति विज्ञान और लोक नीति में अपने महत्वपूर्ण योगदान के लिए प्रसिद्ध हैं। अपनी पुस्तक 'पब्लिक पॉलिसी मेकिंग रीएक्सामिन्ड' में ड्रोर लोक नीति निर्माण में शामिल प्रक्रियाओं की आलोचनात्मक जांच करते हैं। वह लोक नीति के निर्णय लेने के पहलुओं में निहित जटिलताओं, चुनौतियों और गतिशीलता की पड़ताल करते हैं। इसके अतिरिक्त, उनका काम 'डिजाइन फॉर पॉलिसी साइंसेज' नीतियों के प्रभावी डिजाइन के लिए रूपरेखा और कार्यप्रणाली विकसित करने पर जोर को दर्शाता है। ड्रोर की अंतर्दृष्टि में अक्सर अंतःविषयक दृष्टिकोण शामिल होते हैं, जो राजनीति विज्ञान, समाजशास्त्र और प्रणाली सिद्धांत से लेते हैं, जो लोक नीतियों को समझने और आकार देने के लिए एक व्यापक और सूक्ष्म दृष्टिकोण प्रदान करते हैं। इन कार्यों के माध्यम से, उन्होंने नीति विज्ञान के क्षेत्र पर एक स्थायी प्रभाव छोड़ा है, जिससे विद्वानों और नीति निर्माताओं को लोक नीति की समझ और अभ्यास में समान रूप से प्रभावित किया है।

13. (B): मार्क्स पर बी.आर. नेल्सन के काम विशेष रूप से अभ्यास के लिए एकमात्र आधार के रूप में ग्यारह थीसिस को इंगित करते हैं, उनके व्यापक अध्ययन जैसे 'मार्क्सवाद का एक परिचय' मार्क्स के व्यापक वैचारिक ढांचे के भीतर अवधारणा के विकास में गहराई से उतरते हैं, संभावित रूप से उल्लिखित थीसिस से सीधा संबंध पेश करते हैं। 1845 में, कार्ल मार्क्स ने ब्रुसेल्स में 11 थीसिस लिखीं, जिनमें से एक को अक्सर उद्धृत किया जाता है : "दार्शनिकों ने केवल दुनिया की विभिन्न तरीकों से व्याख्या की है; मुद्दा इसे बदलने का है"। इस थीसिस में, मार्क्स ने व्यवहार पर आधारित वस्तुनिष्ठता की एक अवधारणा तैयार की। प्रैक्सिस एक प्राचीन दर्शन शब्द है, जिसे सबसे पहले अरस्तू ने प्रस्तुत किया था। यह एक प्रकार की गतिविधि का वर्णन करता है जो स्वयं में और स्वयं के लिए की जाती है : क्रिया ही लक्ष्य है।

14. (B): नगर पालिकाओं में एक निर्वाचित अध्यक्ष के लिए पुरःस्थापन की प्रक्रिया लॉर्ड मेयो के 1870 के संकल्प में प्रस्तावित की गई थी। तब से नगर निकायों का वर्तमान स्वरूप और संरचना स्थानीय स्व-शासन पर 1882 में अपनाए गए लॉर्ड रिपन के संकल्प के समान है। 1992 का 74वां संवैधानिक संशोधन अधिनियम शहरी स्थानीय निकायों को 18 विभिन्न शक्तियों के हस्तांतरण के लिए पेश किया गया था, जिसमें महापौर का चुनाव और उन्हें मान्यता देना शामिल था जिसमें नगर निगम, नगर पंचायत, नगर परिषद शामिल थे।

15. (D): "अमूर्त तथ्यों, राय, सुझावों और संदेहों का संचार जो औपचारिक चैनलों से नहीं गुजर सकते हैं, उन्हें अनौपचारिक चैनलों के माध्यम से संचारित किया जाता है", इस उक्ति के प्रतिपादन का श्रेय चेस्टर बर्नार्ड को दिया जाता है। बर्नार्ड, एक प्रमुख संगठनात्मक सिद्धांतकार, संगठनात्मक संचार में अनौपचारिक चौनलों के महत्व को उजागर करने वाले पहले लोगों में से एक थे। उन्होंने इस बात पर जोर दिया कि संगठनों के भीतर

अधिकांश महत्वपूर्ण सूचना प्रवाह औपचारिक संचार चैनलों को दरकिनार करते हुए अनौपचारिक नेटवर्क, गपशप और अफवाह के माध्यम से होता है। कथन की पदावली अनौपचारिक संचार के बारे में बर्नार्ड के विचारों से निकटता से मेल खाती है। उन्होंने अक्सर संगठनों के भीतर 'अमूर्त तथ्यों', 'राय' और 'सुझावों' के प्रसारण का उल्लेख किया और इस आदान-प्रदान को सुविधाजनक बनाने में अनौपचारिक चैनलों की भूमिका को पहचाना, खासकर जब औपचारिक चैनल अपर्याप्त या बोझिल साबित होते हैं।

16. (C): यह विचार कि 'कोई भी नागरिक इतना समृद्ध नहीं होना चाहिए कि दूसरे को खरीद सके और कोई भी इतना गरीब नहीं होना चाहिए कि खुद को बेचने के लिए मजबूर हो' जीन-जैक्स रूसो से जुड़ा है। एक प्रबुद्ध दार्शनिक और राजनीतिक सिद्धांतकार, जीन-जैक्स रूसो ने कई प्रमुख कार्यों में सामाजिक अनुबंध और आर्थिक असमानता पर अपने विचार व्यक्त किए। "Discourse on the Origin of Inequality" में रूसो इस विचार की पड़ताल करते हैं कि प्रकृति की स्थिति में, व्यक्ति स्वतंत्र और समान थे, लेकिन निजी संपत्ति और सामाजिक संरचनाओं के आगमन के साथ, असमानता उभरी। रूसो ने एक सामाजिक अनुबंध की कल्पना की जहां व्यक्ति सामूहिक रूप से एक सामान्य इच्छा द्वारा शासित होने के लिए सहमत होते हैं, जिसका लक्ष्य सामान्य भलाई को बढ़ावा देना है। उनका मानना था कि एक न्यायपूर्ण समाज में, किसी को भी इतना अमीर नहीं होना चाहिए कि वह अनिवार्य रूप से किसी अन्य व्यक्ति को खरीद सके (उन्हें गुलाम बना सके), और इसके विपरीत, किसी को भी इतना गरीब नहीं होना चाहिए कि वह खुद को आर्थिक दासता के रूप में बेचने के लिए मजबूर हो जाए।

17. (C): उच्च जाति की महिलाओं से जुड़ी 'मूक क्रांति' की अवधारणा जरूरी नहीं कि लैंगिक राजनीति द्वारा समर्थित लोकतंत्र की जड़ों को मजबूत करने का संकेत दे। इसकी व्याख्या अधिक सूक्ष्म या क्रमिक परिवर्तन के रूप में की जा सकती है, लेकिन यह स्वाभाविक रूप से ऐसे परिवर्तन को प्रतिबिंबित नहीं करता है जो लोकतांत्रिक प्रथाओं को मजबूत करने में महत्वपूर्ण योगदान देता है। दूसरी ओर, अन्य विकल्प आम तौर पर बढ़ती भागीदारी, राजनीतिक आवाज की अभिव्यक्ति और सार्वजनिक क्षेत्र में भागीदारी के विचार के साथ संरेखित होते हैं, जो महिलाओं के दृष्टिकोण सहित विविध आवाजों को शामिल करने के माध्यम से लोकतंत्र की संभावित मजबूती के संकेत हैं।

18. (A): एक दार्शनिक और आध्यात्मिक शिक्षक, श्री अरबिंदो ने मानव चेतना में गहन परिवर्तन की वकालत की, जिसे उन्होंने 'आध्यात्मिक क्रांति' कहा। उनका दर्शन चेतना की उच्च्य अवस्था की ओर विकसित होने के विचार में गहराई से निहित है, जहां व्यक्ति आध्यात्मिक सत्य और सिद्धांतों से परिचित हो जाते हैं। श्री अरबिंदो के अनुसार, यह परिवर्तन केवल एक व्यक्तिगत प्रयास नहीं है, बल्कि इसका समाज के सामूहिक विकास पर भी प्रभाव पड़ता है।

श्री अरबिंदो की शिक्षाओं में 'सच्ची चेतना' की अवधारणा का तात्पर्य जागरूकता की स्थिति से है जहाँ व्यक्ति सार्वभौमिक और पारलौकिक सत्य से जुड़ने के लिए अहंकार और बुद्धि की सीमाओं से परे जाते हैं। यह सत्य केवल बौद्धिक या वैचारिक नहीं है बल्कि अनुभवात्मक और परिवर्तनकारी है। इसमें किसी के जीवन और कार्यों को अस्तित्व की गहरी आध्यात्मिक वास्तविकताओं के साथ संरेखित करना शामिल है।

श्री अरबिंदो ने अपनी आध्यात्मिक क्रांति के लिए संसदीय लोकतंत्र जैसी राजनीतिक व्यवस्था को आधार नहीं बनाया। इसके बजाय, उन्होंने व्यक्तिगत परिवर्तन और एक उच्च्य, अधिक जागरूक समाज के उद्भव के महत्व पर जोर दिया। श्री अरबिंदो के दर्शन के संदर्भ में कट्टरपंथी मानवतावाद को संभवतः व्यक्तियों के अपने गहरे आध्यात्मिक स्वभाव के प्रति जागृति, संपूर्ण मानवता के साथ एकता और अंतर्संबंध की भावना को बढ़ावा देने के परिणाम के रूप में देखा जाएगा।

19. (A)

20. (C): सूचीबद्ध विचारकों में सार्वभौम लोकतंत्र के समर्थक कांट हैं। एक प्रबुद्ध दार्शनिक इमैनुएल कांट ने विश्वव्यापी लोकतंत्र की वकालत की, एक ऐसी दुनिया की कल्पना की जहां लोकतांत्रिक सिद्धांत और व्यक्तिगत अधिकार राष्ट्रीय सीमाओं से परे हों। अपनी कृति 'शाश्वत शांति' (Perpetual Peace) में, कांट ने सार्वभौम नैतिकता और राजनीतिक सिद्धांतों पर जोर देते हुए, स्वतंत्र राज्यों के एक वैश्विक संघ के विचार का प्रस्ताव रखा।

यह सार्वभौम लोकतंत्र व्यक्तियों को अंतर्निहित गरिमा के साथ तर्कसंगत प्राणी के रूप में मान्यता देने, राष्ट्रीय संबद्धताओं से परे वैश्विक नागरिकता और नैतिक दायित्वों की भावना को बढ़ावा देने में निहित होगा। कांट का दृष्टिकोण राज्यों के भीतर लोकतांत्रिक शासन और राष्ट्रों के बीच सहकारी प्रयासों के माध्यम से स्थायी शांति स्थापित करना है, जो न्याय, मानवाधिकार और भौगोलिक और सांस्कृतिक विभाजन से परे एक साझा विश्वव्यापी पहचान के प्रति प्रतिबद्धता को दर्शाता है।

21. (A): 1892 का भारतीय परिषद अधिनियम, ने औपनिवेशिक युग के दौरान भारत के राजनीतिक परिदृश्य के विकास में एक महत्वपूर्ण विकास को चिह्नित किया। इस अधिनियम ने मताधिकार का एक सीमित रूप पेश किया, जिससे चुनिंदा संख्या में भारतीयों को विधान परिषदों में भाग लेने की अनुमति मिल गई। हालाँकि, यह भागीदारी विभिन्न प्रतिबंधों द्वारा बाधित थी, जिसमें संपत्ति योग्यता और विशिष्ट हित समूहों द्वारा नामांकन शामिल थे। जबकि अधिनियम का उद्देश्य प्रतिनिधि शासन की झलक प्रदान करना था, सीमित मताधिकार सच्चे लोकतांत्रिक समावेशन से कम हो गया, क्योंकि अधिकांश भारतीय आबादी मताधिकार से वंचित रही। यह अधिनियम संवैधानिक सुधारों की दिशा में एक कदम का प्रतिनिधित्व करता है लेकिन भारत की आजादी के बाद के वर्षों में व्यापक राजनीतिक प्रतिनिधित्व और मताधिकार के लिए चल रहे संघर्ष पर प्रकाश डालता है।

22. (A):

(*a*) **अंतिम उपाय के रूप में युद्ध :** यह युद्ध का सहारा लेने से पहले सभी शांतिपूर्ण संभावनाओं की समाप्ति पर विंच के आग्रह के अनुरूप है। उनका मानना था कि युद्ध के बारे में तभी विचार किया जाना चाहिए जब अन्य सभी रास्ते समाप्त हो जाएं।

(*c*) **युद्ध की घोषणा सामान्यतः नैतिक रूप से स्वीकार्य लक्ष्यों के आधार पर की जानी चाहिए :** यह जस एड बेलम (युद्ध में जाने का अधिकार) में अंतरराष्ट्रीय कानून और न्याय के सिद्धांतों के पालन पर विंच के आग्रह को दर्शाता है। उन्होंने तर्क दिया कि युद्ध उचित उद्देश्य के लिए होना चाहिए, जैसे आत्मरक्षा या मानवीय अत्याचारों को रोकना।

(*d*) **सीमा पर घुसपैठ के लिए एक उचित प्रतिक्रिया :** जबकि विंच के विचार में आनुपातिकता महत्वपूर्ण है, वह स्वीकार करते हैं कि विशिष्ट परिस्थितियों के आधार पर, सीमा उल्लंघन के जवाब में कुछ स्तर के बल को उचित माना जा सकता है। वह आवश्यक रूप से पहली प्रतिक्रिया के रूप में व्यापक पैमाने पर आक्रमण की वकालत नहीं करेगा, लेकिन आनुपातिकता की सीमा के भीतर एक संतुलित और उचित प्रतिक्रिया कुछ शर्तों के तहत स्वीकार्य हो सकती है।

23. (A): स्कॉट रीड 1981 के विद्वत्तापूर्ण संस्मरण एनवॉय टू नेहरू के लेखक हैं। रीड 1952 से 1957 तक भारत में कनाडाई उच्चायुक्त थे। 'एन्वॉय टू नेहरू' भारत में उनके समय के दौरान उनके व्यक्तिगत अनुभवों और टिप्पणियों पर आधारित है, जो जवाहरलाल नेहरू के साथ उनकी बातचीत, उस अवधि के राजनीतिक परिदृश्य और भारत के साथ कनाडा के संबंध के बारे में अंतर्दृष्टि प्रदान करता है। यह पुस्तक उपनिवेशवाद की राख से एक लोकतांत्रिक व्यवस्था के निर्माण की चुनौतियों पर प्रत्यक्ष नजर डालती है। रीड ने भारत की विविध आबादी की जटिलताओं, क्षेत्रीय और

राज्य-स्तरीय राजनीति के उदय और राष्ट्र को एकजुट करने के नेहरू के प्रयासों का वर्णन किया है। 'एन्वॉय टू नेहरू' एक मूल्यवान ऐतिहासिक दस्तावेज है जो नेहरू, भारत के प्रारंभिक लोकतंत्र और शीत युद्ध के दौरान विश्व मंच पर इसकी जटिल स्थिति की अंतर्दृष्टि प्रदान करता है।

24. (D):

(*a*) **'एनिहिलेशन ऑफ कास्ट'** की रचना 1936 में भीमराव रामजी अंबेडकर द्वारा की गई थी। यह पुस्तक हिंदू धर्म की जाति व्यवस्था के कारण होने वाले नुकसान और इसे क्यों समाप्त किया जाना चाहिए, इसका विस्तृत विवरण है। अम्बेडकर का तर्क है कि जाति का कोई वैज्ञानिक आधार नहीं है और उन धार्मिक धारणाओं को नष्ट करना आवश्यक है जिन पर यह आधारित है। उनका यह भी तर्क है कि सामाजिक सुधार को राजनीतिक और धार्मिक सुधार पर प्राथमिकता दी जानी चाहिए।

(*b*) **'शूद्र कौन थे?'** भीमराव रामजी अंबेडकर की एक पुस्तक है, जो 1946 में प्रकाशित हुई थी। यह पुस्तक भारतीय जाति व्यवस्था में शूद्र वर्ण की उत्पत्ति पर चर्चा करती है। अम्बेडकर का तर्क है कि शूद्र मूल रूप से आर्य थे जिन्हें ब्राह्मणों ने जीत लिया था और उन्हें अधीनस्थ स्थिति में रहने के लिए मजबूर किया था। उन्होंने आर्य नस्लीय सिद्धांत को भी चुनौती दी, जो तर्क देता है कि आर्य एक श्रेष्ठ नस्ल थे जिन्होंने भारत के मूल लोगों पर विजय प्राप्त की। शूद्र कौन थे? भारतीय सामाजिक चिंतन के इतिहास में एक ऐतिहासिक कार्य है। इस पुस्तक ने भारत में शूद्रों और अन्य निचली जातियों की दुर्दशा के बारे में जागरूकता बढ़ाने में मदद की। इसने दलित आंदोलन के विकास में भी योगदान दिया, जो दलितों के अधिकारों की वकालत करता है, एक ऐसा शब्द जो भारत की सभी हाशिए पर पड़ी जातियों को शामिल करता है।

(*d*) **'अछूत : वे कौन थे? और वे अछूत क्यों बने'**, डॉ. भीमराव रामजी अंबेडकर की एक महत्वपूर्ण कृति है, जो 1948 में प्रकाशित हुई थी। यह भारतीय जाति व्यवस्था के भीतर अछूतों, जिन्हें दलित भी कहा जाता है, की जटिल उत्पत्ति और चल रहे संघर्षों पर प्रकाश डालता है। यह पुस्तक जाति व्यवस्था और अस्पृश्यता को उचित ठहराने के लिए इस्तेमाल किए जाने वाले विभिन्न मिथकों को नष्ट करती है, जिसमें नस्ल, मूल और व्यवसाय के सिद्धांत भी शामिल हैं। अम्बेडकर का तर्क है कि अस्पृश्यता सामाजिक और आर्थिक कारकों से उत्पन्न हुई, न कि अंतर्निहित विशेषताओं से। यह पुस्तक दलित मुक्ति की चुनौतियों को भी संबोधित करती है और सामाजिक और राजनीतिक परिवर्तन के संभावित रास्ते तलाशती है। अम्बेडकर जाति व्यवस्था को समाप्त करने और समानता प्राप्त करने के लिए शिक्षा, स्व-संगठन और राजनीतिक भागीदारी के महत्व पर जोर देते हैं।

(*c*) **'संसदीय लोकतंत्र का भविष्य'** डॉ. अंबेडकर द्वारा 1951 में पूरा किया गया कार्य है। डॉ. अंबेडकर का मानना था कि राजनीतिक लोकतंत्र सामाजिक और आर्थिक लोकतंत्र के बिना सफल नहीं हो सकता। उनका यह भी मानना था कि लोगों को समानता, स्वतंत्रता और भाईचारे पर आधारित सामाजिक लोकतंत्र के लिए प्रयास करना चाहिए। 1949 में संविधान सभा में अपने भाषण में अम्बेडकर ने कहा, 'राजनीतिक लोकतंत्र तब तक टिक नहीं सकता जब तक इसके आधार पर सामाजिक लोकतंत्र न हो'।

25. (B): रिचर्ड टिटमस के कल्याणकारी राज्यों के त्रिस्तरीय वर्गीकरण में संस्थागत पुनर्वितरण मॉडल शामिल है, जो स्कैंडिनेवियाई सामाजिक लोकतांत्रिक शासन से जुड़ा हुआ है। इस मॉडल में, कल्याणकारी राज्य की विशेषता सामाजिक समानता और धन के पुनर्वितरण के लिए संस्थागत तंत्र पर जोर देना है। स्वीडन, नॉर्वे, डेनमार्क और फिनलैंड जैसे स्कैंडिनेवियाई देश व्यापक सामाजिक कल्याण नीतियों को लागू करके

इस मॉडल का उदाहरण प्रस्तुत करते हैं। इन नीतियों का लक्ष्य नागरिकों के लिए उच्च स्तर की सामाजिक सुरक्षा सुनिश्चित करते हुए प्रगतिशील कराधान, उदार सामाजिक लाभ और सार्वजनिक सेवाओं के माध्यम से सामाजिक असमानताओं को कम करना है। संस्थागत पुनर्वितरण पर जोर स्कैंडिनेवियाई सामाजिक लोकतांत्रिक शासन को समानता और सामाजिक एकजुटता के सिद्धांतों के साथ संरेखित करते हुए अन्य कल्याणकारी राज्य मॉडल से अलग करता है।

26. (D): जेपी के नाम से मशहूर जयप्रकाश नारायण भारत के एक प्रमुख राजनीतिक नेता और समाज सुधारक थे। भारतीय राजनीति के पुनर्निर्माण की उनकी योजना विकेंद्रीकरण और जमीनी स्तर पर लोकतंत्र के प्रति प्रतिबद्धता को दर्शाती है। जेपी नारायण की योजना के प्रमुख पहलुओं में शामिल हैं :

(*a*) **'नीचे से स्वराज' को पुनर्जीवित करना :** जेपी नारायण ने जमीनी स्तर पर स्व-शासन या 'स्वराज' के पुनरुद्धार की वकालत की। इस अवधारणा का उद्देश्य निर्णय लेने की प्रक्रियाओं में भागीदारी पर जोर देते हुए स्थानीय समुदायों और व्यक्तियों को सशक्त बनाना है।

(*c*) **जमीनी स्तर के लोकतंत्र के आधार के रूप में ग्राम सभा :** जेपी नारायण की दृष्टि में, ग्राम सभा की कल्पना राजनीतिक संगठन की मूल इकाई के रूप में की गई थी। ग्राम सभा स्थानीय निवासियों के लिए निर्णय लेने में सक्रिय रूप से भाग लेने, सामुदायिक मुद्दों पर चर्चा करने और अपने गांव के शासन में योगदान देने के लिए एक मंच के रूप में काम करेगी।

(*d*) **पंचायती राज इकाइयों के बीच एक जैविक संबंध स्थापित करना :** स्थानीय स्वशासन पर जोर देने वाली पंचायती राज प्रणाली, जेपी नारायण की योजना का एक केंद्रीय घटक थी। उनका उद्देश्य प्रभावी शासन के लिए सहयोग और समन्वय को बढ़ावा देकर, पंचायती राज की विभिन्न इकाइयों के बीच एक अंतर्संबंधित और जैविक लिंक बनाना था।

कुल मिलाकर, भारतीय राजनीति के पुनर्निर्माण के लिए जेपी नारायण की योजना विकेंद्रीकरण, सामुदायिक भागीदारी और जमीनी स्तर पर सशक्तीकरण के सिद्धांतों पर आधारित थी। उनका दृष्टिकोण स्थानीय शासन संरचनाओं को मजबूत करने, लोगों को उनकी नियति पर अधिक नियंत्रण देने और लोकतंत्र के अधिक समावेशी और भागीदारी वाले स्वरूप को बढ़ावा देने का था।

27. (A): अरविंद पनगढ़िया दो महत्वपूर्ण कारकों की ओर इशारा करते हैं जिन्होंने 1980 के दशक में भारतीय अर्थव्यवस्था की बढ़ी हुई विकास दर में योगदान दिया :

(*b*) **निजी कंपनियों के लिए विशेषज्ञ प्रोत्साहन :** 1980 के दशक में आर्थिक उदारीकरण नीतियों की ओर बदलाव देखा गया जिसका उद्देश्य सरकारी नियंत्रण को कम करना और निजी क्षेत्र की भागीदारी को बढ़ावा देना था। निवेश, नवाचार और उद्यमिता को प्रोत्साहित करने के लिए निजी कंपनियों को प्रोत्साहन प्रदान किया गया। नीति में इस बदलाव ने व्यापक राज्य नियंत्रण के पहले के युग से प्रस्थान को चिह्नित किया और निजी क्षेत्र की गतिशीलता का लाभ उठाकर आर्थिक विकास को बढ़ावा देने में महत्वपूर्ण भूमिका निभाई।

(*d*) **अधिक यथार्थवादी विनिमय दर नीति :** अधिक यथार्थवादी विनिमय दर नीति को अपनाना भारत के आर्थिक परिदृश्य को आकार देने में सहायक था। यथार्थवादी विनिमय दर ने भारतीय वस्तुओं को वैश्विक बाजार में अधिक प्रतिस्पर्धी बनाकर अंतर्राष्ट्रीय व्यापार को बढ़ावा देने में मदद की। इस नीतिगत बदलाव को आर्थिक खुलेपन की दिशा में व्यापक कदम के साथ जोड़ा गया, जिसमें व्यापार के महत्व पर जोर दिया गया और संरक्षणवादी उपायों पर निर्भरता कम की गई। एक यथार्थवादी विनिमय दर नीति ने संसाधनों के अधिक कुशल आवंटन में योगदान दिया और बढ़े हुए निर्यात और आयात के माध्यम से आर्थिक विकास को सुविधाजनक बनाया।

ये दो कारक, निजी कंपनियों के लिए विशेषज्ञ प्रोत्साहन और एक यथार्थवादी विनिमय दर नीति, 1980 के दशक में आर्थिक सुधारों की ओर व्यापक रुझान और आयात प्रतिस्थापन औद्योगीकरण (आईएसआई) मॉडल से प्रस्थान को दर्शाते हैं। सुधारों का उद्देश्य निजी क्षेत्र की क्षमता को उजागर करना, वैश्विक आर्थिक एकीकरण को प्रोत्साहित करना और अधिक व्यावहारिक आर्थिक नीतियों को अपनाना है, जो उस अवधि में देखी गई उच्च विकास प्रक्षेपवक्र में सामूहिक रूप से योगदान करते हैं।

28. (D):

(*a*) **मध्यस्थता और सुलह अधिनियम 1996 के तहत, सर्वोच्च न्यायालय में अंतर्राष्ट्रीय वाणिज्यिक मध्यस्थता भी शुरू की जा सकती है :** यह कथन सटीक है। जबकि भारत के सर्वोच्च न्यायालय के पास अंतर्राष्ट्रीय वाणिज्यिक मध्यस्थता से संबंधित अपीलों पर अधिकार क्षेत्र है, इसके पास सीधे ऐसी मध्यस्थता शुरू करने का मूल क्षेत्राधिकार है। सही समझ यह है कि सर्वोच्च न्यायालय मध्यस्थता और सुलह अधिनियम के तहत उच्च न्यायालयों के निर्णयों या कुछ न्यायाधिकरणों के आदेशों से उत्पन्न होने वाली अपीलों पर सुनवाई कर सकता है।

(*b*) **सर्वोच्च न्यायालय के पास अनुच्छेद 143 के तहत विशेष सलाहकार क्षेत्राधिकार है :** यह कथन सही है। भारतीय संविधान का अनुच्छेद 143 भारत के राष्ट्रपति को सार्वजनिक महत्व के कानून या तथ्य के किसी भी प्रश्न पर सर्वोच्च न्यायालय की सलाह लेने का अधिकार देता है। सलाहकार क्षेत्राधिकार राष्ट्रपति को मार्गदर्शन के लिए जटिल कानूनी या संवैधानिक प्रश्नों को सर्वोच्च न्यायालय में भेजने की अनुमति देता है।

(*c*) **संविधान का अनुच्छेद 32 मौलिक अधिकारों को लागू करने के संबंध में सर्वोच्च न्यायालय को व्यापक मूल अधिकार क्षेत्र देता है :** यह कथन भी सही है। भारतीय संविधान का अनुच्छेद 32 मौलिक अधिकारों के प्रवर्तन के लिए सर्वोच्च न्यायालय को मूल अधिकार क्षेत्र प्रदान करता है। व्यक्ति अपने मौलिक अधिकारों के उल्लंघन के समाधान के लिए अनुच्छेद 32 के तहत रिट याचिका दायर करके सीधे सर्वोच्च न्यायालय का रुख कर सकते हैं। इस प्रावधान के माध्यम से सर्वोच्च न्यायालय मौलिक अधिकारों के संरक्षक के रूप में कार्य करता है और उनकी सुरक्षा सुनिश्चित करता है।

29. (A): कथन (A): (आर्थिक वैश्वीकरण सभी के लिए समृद्धि और अवसर को बढ़ावा देता है) सत्य है : यद्यपि आर्थिक वैश्वीकरण की अपनी कमियाँ और जटिलताएं हैं, तथापि इसने व्यापार और निवेश में भी वृद्धि की है, जो आर्थिक वृद्धि और विकास को बढ़ावा दे सकता है। यह संभावित रूप से कई लोगों के लिए, विशेषकर विकासशील देशों में, बेहतर जीवन स्तर और अवसरों में तब्दील हो सकता है।

कारण (R): (आर्थिक वैश्वीकरण एक खुली, बाजार-आधारित अर्थव्यवस्था को बढ़ावा देता है जो सामाजिक और राजनीतिक लाभ लाता है) भी सत्य है : खुले बाजार और कम व्यापार बाधाएं आम तौर पर आर्थिक लाभ से जुड़ी होती हैं। हालाँकि, यह प्रतिध्वनि वैश्वीकरण और सामाजिक और राजनीतिक परिणामों के बीच संबंधों की जटिलताओं को पूरी तरह से गुंजित करती है। वैश्वीकरण सीधे तौर पर इन लाभों की गारंटी दे सकता है, यह उनके विकास के लिए अनुकूल परिस्थितियाँ पैदा कर सकता है, यह इस बात पर निर्भर करता है कि इसके प्रभावों को कैसे प्रबंधित और वितरित किया जाता है।

30. (B): प्लेटो के दार्शनिक संवादों में, विशेष रूप से 'फीडो' और 'द रिपब्लिक' जैसे कार्यों में, तपस्या की अवधारणा ज्ञान, सदाचार और सांसारिक इच्छाओं के पारगमन की खोज से जुड़ी है। प्लेटो के शिक्षक, सुकरात को अक्सर एक सरल और तपस्वी जीवन जीने वाले के रूप में चित्रित किया जाता है, जो भौतिक या कामुक गतिविधियों के बजाय बौद्धिक और नैतिक विकास पर ध्यान केंद्रित करते हैं।

प्लेटो के दर्शन में तपस्या के पीछे का विचार इस विश्वास पर आधारित है कि भौतिक संपत्ति, शारीरिक सुख और सांसारिक आकर्षणों के प्रति अत्यधिक लगाव आत्मा की ज्ञान की खोज और उच्च सत्य की प्राप्ति में बाधा डालता है। प्लेटो भौतिक संसार के आकर्षणों और प्रलोभनों से आत्मा को शुद्ध करने के साधन के रूप में एक तपस्वी जीवन की कल्पना करता है।

'द रिपब्लिक' में, प्लेटो के पात्र सुकरात ने दार्शनिक का वर्णन उस व्यक्ति के रूप में किया है जो सत्य, न्याय और आकारों–वस्तुओं की आदर्श, अमूर्त अवधारणाओं की तलाश करता है। प्लेटो के अनुसार, दार्शनिक को भौतिक संसार से अलग हो जाना चाहिए और चिंतन और बौद्धिक गतिविधियों का जीवन जीना चाहिए। इस तपस्वी दृष्टिकोण में उच्च, अधिक उत्कृष्ट समझ के पक्ष में धन, प्रसिद्धि और शारीरिक सुखों की इच्छाओं पर काबू पाना शामिल है।

31. (A): प्रश्न में दिया गया उदाहरण इस बात पर प्रकाश डालता है कि जे.एस. मिल की स्वतंत्रता की रक्षा के खिलाफ प्रमुख आलोचना सर अर्नेस्ट बार्कर द्वारा प्रस्तुत की जाती है। सर अर्नेस्ट बार्कर, एक राजनीतिक सिद्धांतकार और विद्वान, मिल की स्वतंत्रता की अवधारणा के आलोचक थे, विशेष रूप से व्यक्तिवाद और उपयोगितावादी दर्शन के संबंध में।

मिल की स्वतंत्रता की रक्षा का एक प्रमुख पहलू उपयोगितावाद के सबसे बड़े खुशी सिद्धांत के साथ व्यक्तिगत स्वतंत्रता को समेटने का उनका प्रयास है। जबकि मिल ने जेरेमी बेंथम के उपयोगितावाद का विस्तार किया और व्यक्तिगत स्वतंत्रता की रक्षा के लिए नुकसान सिद्धांत पेश किया, सर अर्नेस्ट बार्कर जैसे आलोचकों ने मिल के संश्लेषण की सुसंगतता पर सवाल उठाया।

बार्कर की आलोचना में मिल के दृष्टिकोण की व्यावहारिकता और निरंतरता, व्यक्तिगत अधिकारों और सामान्य कल्याण के बीच संभावित संघर्ष, या राजनीतिक सिद्धांत और शासन के लिए मिल के विचारों के व्यापक निहितार्थ पर सवाल उठाना शामिल हो सकता है।

32. (B)

33. (C):

(*a*) **रूसो :** रूसो के सामाजिक अनुबंध सिद्धांत की व्याख्या संकेंद्रित शक्ति के तहत स्वतंत्रता पर सवाल उठाने के रूप में भी की जा सकती है। उनका तर्क है कि व्यक्ति सामूहिक लाभ के लिए कुछ स्वतंत्रताएँ 'सामान्य इच्छा' को सौंप देते हैं। हालाँकि, यदि संपत्तिवान वर्ग इस अनुबंध के भीतर महत्वपूर्ण प्रभाव रखते हैं, तो उनके हित उस 'सामान्य इच्छा' को असमान रूप से आकार दे सकते हैं, प्रभावी ढंग से एक ऐसी प्रणाली बना सकते हैं जहां वे इस कथित सामूहिक आवाज के माध्यम से व्यक्तिगत स्वतंत्रता को सीमित करके 'दूसरों पर हावी' होते हैं।

(*b*) **मार्क्स :** कार्ल मार्क्स ने वर्ग संघर्ष को मुख्य रूप से उत्पादन के साधनों के असमान स्वामित्व से प्रेरित माना। उन्होंने तर्क दिया कि पूंजीपति वर्ग, संपत्ति और संसाधनों को नियंत्रित करके, शक्ति का प्रयोग करता है और श्रमिक वर्ग का शोषण करता है, उनकी स्वतंत्रता को प्रभावी ढंग से सीमित करता है।

(*d*) **एंजेल्स :** मार्क्स के समान, एंजेल्स ने संपत्ति के स्वामित्व को पूंजीपति वर्ग के हाथों में प्रभुत्व के एक उपकरण के रूप में देखा। उनका मानना था कि जब तक पूंजीवादी व्यवस्था को खत्म नहीं किया जाएगा और उत्पादन के साधनों को सामूहिक नहीं किया जाएगा, तब तक सच्ची स्वतंत्रता मौजूद नहीं होगी।

34. (C): 'फेडरेशन वर्सेज फ्रीडम' डॉ. बी.आर. द्वारा लिखित एक महत्वपूर्ण कृति है। 1955 में प्रकाशित यह पुस्तक संघवाद की जटिलताओं और भारत के लिए इसके निहितार्थों पर प्रकाश डालती है। डॉ. अम्बेडकर केंद्र और राज्यों के बीच शक्तियों के वितरण, राष्ट्रपति की भूमिका और व्यक्तिगत स्वतंत्रता के लिए संभावित खतरों जैसे मुद्दों पर चर्चा करते हुए, संघीय ढांचे द्वारा प्रस्तुत चुनौतियों और अवसरों की आलोचनात्मक जांच

करते हैं। सावधानीपूर्वक विश्लेषण के माध्यम से, अंबेडकर एक मजबूत, केंद्रीकृत सरकार और व्यक्तिगत राज्यों की स्वायत्तता के बीच संतुलन को संबोधित करते हैं, एक संवैधानिक ढांचे को तैयार करने के जटिल कार्य में अंतर्दृष्टि प्रदान करते हैं जो भारत जैसे विशाल राष्ट्र में एकता और विविधता दोनों सुनिश्चित करता है। यह पुस्तक सामाजिक न्याय, संवैधानिक सिद्धांतों और राष्ट्र निर्माण के प्रति उनके दूरदर्शी दृष्टिकोण के प्रति गहरी प्रतिबद्धता को दर्शाती है।

35. (D):

(*a*) **नीग्रो और भाषा :** इस अध्याय में, फ्रांज फैनन काले व्यक्ति की पहचान और चेतना पर भाषा के प्रभाव की पड़ताल करते हैं। वह उपनिवेशीकरण के भाषाई पहलुओं और भाषा नस्लीय और सांस्कृतिक पहचान के निर्माण में कैसे योगदान देती है, इसकी गहराई से पड़ताल करता है।

(*c*) **नीग्रो और साइकोपैथोलॉजी :** यह अध्याय काले व्यक्तियों के मानसिक स्वास्थ्य और कल्याण पर उपनिवेशवाद और नस्लवाद के मनोवैज्ञानिक प्रभावों पर प्रकाश डालता है। फैनन उन तरीकों की जांच करता है जिनसे नस्लीय पूर्वाग्रह और भेदभाव मनोविकृति संबंधी स्थितियों में योगदान करते हैं और नस्लवाद के आंतरिक प्रभावों की पड़ताल करते हैं।

(*d*) **नीग्रो और मान्यता :** यह अध्याय मान्यता और पहचान के विषय को संबोधित करता है। फैनन मान्यता के लिए संघर्ष और काले व्यक्तियों की आत्म-धारणा पर सामाजिक और सांस्कृतिक दृष्टिकोण के प्रभाव पर चर्चा करते हैं। यह पता लगाता है कि दूसरों के साथ बातचीत और सामाजिक अपेक्षाओं के माध्यम से पहचान कैसे बनती है।

ये अध्याय सामूहिक रूप से 'ब्लैक स्किन, व्हाइट मास्क' में नस्लवाद और उपनिवेशीकरण के मनोवैज्ञानिक, सांस्कृतिक और सामाजिक आयामों के फैनन के व्यापक अन्वेषण में योगदान करते हैं। फैनन के स्वयं के अनुभवों और टिप्पणियों के संदर्भ में लिखी गई पुस्तक, उत्तर-औपनिवेशिक अध्ययन और महत्वपूर्ण नस्ल सिद्धांत में एक मौलिक कार्य बनी हुई है।

36. (C)

37. (B): एक प्रमुख भारतीय कवि, दार्शनिक और नोबेल पुरस्कार विजेता, रवीन्द्रनाथ टैगोर ने 20वीं सदी की शुरुआत में पश्चिमी राष्ट्रवाद की गहन आलोचना की। राष्ट्रवाद की प्रचलित धारणाओं को चुनौती देते हुए, टैगोर ने इस बात पर जोर दिया कि पश्चिमी राष्ट्रवाद का सार सहयोग, एकता या साझा मानवता की भावना में नहीं, बल्कि संघर्ष और विजय में निहित है। उन्होंने तर्क दिया कि साम्राज्यवादी प्रवृत्तियों से चिह्नित पश्चिमी राष्ट्रवाद की आक्रामक और बहिष्कारवादी प्रकृति के वैश्विक सद्भाव पर प्रतिकूल परिणाम थे।

टैगोर ने राष्ट्रवाद की अधिक समावेशी और आध्यात्मिक समझ की वकालत की, जो संकीर्ण सीमाओं से परे थी और सभी मनुष्यों की परस्पर संबद्धता पर आधारित थी। उनकी आलोचना ने शांतिपूर्ण विश्व को बढ़ावा देने के लिए सांस्कृतिक विविधता और पारस्परिक सम्मान के महत्व पर जोर देते हुए, राष्ट्रवाद के प्रति अधिक मानवीय और सहानुभूतिपूर्ण दृष्टिकोण के व्यापक आह्वान को प्रतिबिंबित किया।

38. (D): कौटिल्य के अर्थशास्त्र में, जो शासन कला और राजनीति पर एक शास्त्रीय ग्रंथ है, 'मित्र' (मित्र), 'अमित्य' (तटस्थ), और 'शत्रु' (शत्रु) की अवधारणा विदेश नीति को आकार देने में महत्वपूर्ण भूमिका निभाती है। राज्यों के चक्र या पड़ोसी राज्यों के तत्वों से विभिन्न तरीकों का उपयोग करके रणनीतिक रूप से संपर्क किया जाता है :

(*a*) **शांति स्थापना :** कौटिल्य पड़ोसी राज्यों के साथ शांतिपूर्ण संबंध स्थापित करने के महत्व को स्वीकार करते हैं। शांति स्थापित करने में स्थिरता और पारस्परिक लाभ सुनिश्चित करने के लिए संधियों, गठबंधनों और समझौतों पर बातचीत करना शामिल है। यह अनावश्यक विवादों से बचने के लिए एक रणनीतिक कदम है जो राज्य को कमजोर कर सकता है।

(*c*) **शांत रहना :** विदेश नीति के संदर्भ में शांत रहना, रणनीतिक संयम के रूप में समझा जा सकता है। कौटिल्य सुझाव देते हैं कि कभी-कभी किसी राज्य के लिए अनावश्यक उकसावे या टकराव से बचना समझदारी है। शांत रहकर कोई राज्य आंतरिक विकास पर ध्यान केंद्रित कर सकता है और अपनी ताकत को मजबूत कर सकता है।

(*d*) **समर्थन प्राप्त करना :** कौटिल्य गठबंधन बनाने और अन्य राज्यों का समर्थन प्राप्त करने के महत्व पर जोर देते हैं। इसमें उन लोगों के साथ जुड़ने के राजनयिक प्रयास शामिल हैं जो राज्य के रणनीतिक हितों में योगदान दे सकते हैं। समर्थन मांगने से राज्य की भू-राजनीतिक स्थिति में सुधार हो सकता है और जरूरत के समय अतिरिक्त संसाधन या समर्थन प्रदान किया जा सकता है।

ये तरीके कौटिल्य के वास्तविक राजनीतिक दृष्टिकोण को दर्शाते हैं, जहां विदेश नीति को राज्य के हितों की व्यावहारिक खोज के रूप में देखा जाता है। अर्थशास्त्र शासकों को राज्य की सुरक्षा और समृद्धि सुनिश्चित करने के लिए राजनयिक संबंधों और भू-राजनीतिक चुनौतियों से निपटने के बारे में एक व्यापक मार्गदर्शिका प्रदान करता है।

39. (A):

(*b*) व्युत्क्रम सिद्धांत राजनीतिक दृष्टिकोण बनाने में मानव सूचना प्रसंस्करण की सीमाओं को स्वीकार करता है। हालाँकि यह सीधे तौर पर दृष्टिकोण को नहीं मापता है, लेकिन इन सीमाओं को समझने से यह व्याख्या करने में मदद मिलती है कि लोग अपने विचार कैसे बनाते हैं और कैसे रखते हैं, जिससे उनका अध्ययन करना प्रासंगिक हो जाता है।

(*c*) रॉबिन्सन का सिद्धांत राजनीतिक संस्कृति को आकार देने में औपचारिक और अनौपचारिक संस्थानों की महत्वपूर्ण भूमिका पर जोर देता है। ये संस्थाएं किसी समाज के भीतर प्रमुख मूल्यों, मानदंडों और विश्वास प्रणालियों को प्रभावित और प्रतिबिंबित करती हैं, जो बदले में इसके सदस्यों के दृष्टिकोण को आकार देती हैं।

इसलिए, (*b*) और (*c*) दोनों विभिन्न राजनीतिक संस्कृतियों के भीतर लोगों के दृष्टिकोण को आकार देने और प्रतिबिंबित करने के तरीके को समझने और तुलना करने में मूल्यवान अंतर्दृष्टि प्रदान करते हैं।

40. (B):

41. (A): प्रथम प्रशासनिक सुधार आयोग (एआरसी) का गठन 1966 में भारत सरकार द्वारा किया गया था, और इसकी अध्यक्षता मोरारजी देसाई ने की थी। आयोग को सरकार की प्रशासनिक मशीनरी के सुधार और आधुनिकीकरण पर जांच करने और सिफारिशें करने का काम सौंपा गया था। 1966 में 'नागरिकों की शिकायतों के निवारण की समस्याएं' शीर्षक से प्रस्तुत अपनी अंतरिम रिपोर्ट में, एआरसी ने नागरिक शिकायतों के समाधान से संबंधित महत्वपूर्ण सुधारों का प्रस्ताव रखा और, विशेष रूप से, लोकपाल और लोकायुक्त जैसी संस्थाओं की स्थापना की सिफारिश की। इन निकायों की कल्पना क्रमशः केंद्र और राज्य स्तर पर भ्रष्टाचार और कुप्रशासन की शिकायतों की जांच और निवारण के लिए लोकपाल संस्थानों के रूप में की गई थी।

प्रथम एआरसी की सिफारिशों ने बाद की चर्चाओं और विकास के लिए मार्ग प्रशस्त किया, जिसके परिणामस्वरूप भारत में लोकपाल और लोकायुक्त की स्थापना हुई। ये संस्थाएँ नागरिकों को भ्रष्टाचार और कदाचार के बारे में चिंताएँ जाहिर करने के अवसर प्रदान करके लोक प्रशासन में पारदर्शिता, जवाबदेही और सत्यनिष्ठा को बढ़ावा देने में महत्वपूर्ण भूमिका निभाती हैं। भारत में भ्रष्टाचार विरोधी ढांचे में प्रथम एआरसी का योगदान महत्वपूर्ण है, और इसकी सिफारिशें इस संबंध में बाद की विधायी और प्रशासनिक कार्रवाइयों के लिए मंच तैयार करती हैं।

42. (B):

(*a*) **आधिकारिक गोपनीयता अधिनियम, 1923:** यह कानून विशेष रूप से आधिकारिक जानकारी के अनधिकृत प्रकटीकरण को रोकने के लिए बनाया गया है जो राष्ट्रीय सुरक्षा से समझौता कर सकता है।

यह व्यक्तियों को संवेदनशील या वर्गीकृत मानी जाने वाली जानकारी को संप्रेषित करने, रखने या प्रकाशित करने से प्रतिबंधित करता है।

(*b*) **जांच आयोग अधिनियम, 1952:** यह अधिनियम मुख्य रूप से सरकार को सार्वजनिक महत्व के विशिष्ट मामलों की जांच के लिए जांच आयोग नियुक्त करने का अधिकार देता है। हालाँकि यह जांच प्रक्रिया से निपट सकता है, लेकिन यह आधिकारिक जानकारी के प्रकटीकरण पर स्वाभाविक रूप से प्रतिबंध नहीं लगाता है।

(*c*) **भारतीय साक्ष्य अधिनियम, 1872:** यह अधिनियम कानूनी कार्यवाही में साक्ष्य की स्वीकार्यता के संबंध में नियम और विनियम प्रदान करता है। यह सीधे तौर पर आधिकारिक जानकारी के प्रकटीकरण को प्रतिबंधित करने से संबंधित नहीं है, बल्कि अदालतों में साक्ष्य पेश करने के मानकों पर केंद्रित है।

43. (B): मैनकुर ओल्सन जूनियर ने 1965 में द लॉजिक ऑफ कलेक्टिव एक्शन : पब्लिक गुड्स एंड द थ्योरी ऑफ ग्रुप्स प्रकाशित किया। इस पुस्तक को लोक चयन के अध्ययन में सबसे प्रभावशाली कार्यों में से एक माना जाता है। यह राजनीति विज्ञान में एक मौलिक कार्य है जो हित समूहों की लामबंदी को समझने के लिए एक सैद्धांतिक रूपरेखा प्रदान करता है। ओल्सन का तर्क है कि जब सामूहिक कार्रवाई की बात आती है तो व्यक्तियों में दूसरों के प्रयासों पर स्वतंत्र रूप से निर्भर रहने की प्रवृत्ति होती है। वह 'सामूहिक वस्तुओं' की अवधारणा का परिचय देते हैं और बताते हैं कि तर्कसंगत व्यक्तियों के समूह की गतिविधियों में भाग लेने की संभावना कम होती है जब वे सक्रिय रूप से योगदान किए बिना लाभों का आनंद ले सकते हैं। ओल्सन का विश्लेषण सामान्य लक्ष्यों को प्राप्त करने के लिए सदस्यों को संगठित करने और संगठित करने में रुचि समूहों के सामने आने वाली चुनौतियों पर प्रकाश डालता है। इस पुस्तक का राजनीति विज्ञान और सामूहिक कार्रवाई के अध्ययन पर गहरा प्रभाव पड़ा है, जिसने हित समूहों की गतिशीलता और राजनीतिक परिणामों को आकार देने में उनकी भूमिका पर चर्चा को प्रभावित किया है।

44. (D): राल्फ मिलिबैंड द्वारा लिखित 'स्टेट इन कैपिटलिस्ट सोसाइटी', मार्क्सवादी राजनीतिक सिद्धांत में एक महत्वपूर्ण काम है, जो 1969 में प्रकाशित हुआ था। मिलिबैंड पूंजीवादी समाज में राज्य की भूमिका की आलोचनात्मक जांच करता है, पारंपरिक मार्क्सवादी विचारों को चुनौती देता है। राज्य को केवल शासक वर्ग का एक साधन मात्र माना जाता है। इसके बजाय, मिलिबैंड का तर्क है कि राज्य के पास सापेक्ष स्वायत्तता है और वह पूंजीवादी वर्ग पर प्रभाव डाल सकता है। वह उन तरीकों की खोज करता है जिनसे राज्य तंत्र, जिसमें उसके संस्थान और नौकरशाही शामिल हैं, कुछ हद तक स्वतंत्रता विकसित कर सकते हैं और पूंजीवादी व्यवस्था के भीतर प्रतिस्पर्धी हितों के बीच मध्यस्थ के रूप में काम कर सकते हैं। मिलिबैंड का विश्लेषण राज्य और पूंजीवादी वर्ग के बीच जटिल संबंधों की सूक्ष्म समझ में योगदान देता है, जो उन तंत्रों में अंतर्दृष्टि प्रदान करता है जिनके माध्यम से राज्य सत्ता पूंजीवादी समाज में संचालित होती है।

45. (C): फ्रेडरिक टेलर का वैज्ञानिक प्रबंधन सिद्धांत, विशेष रूप से कार्यात्मक फोरमैनशिप की अवधारणा, का उद्देश्य पर्यवेक्षी कार्यों को विशेष भूमिकाओं में विभाजित करके शॉप फ्लोर पर दक्षता और उत्पादकता को अनुकूलित करना है। यहां उल्लिखित प्रत्येक भूमिका का अधिक विस्तृत विवरण दिया गया है :

(*a*) **स्पीड बॉस :** इस फोरमैन की जिम्मेदारी यह सुनिश्चित करना है कि कर्मचारी सबसे कुशल गति से काम कर रहे हैं। वे प्रत्येक कर्मचारी के उत्पादन और उत्पादकता को अधिकतम करने पर ध्यान केंद्रित करते हैं।

(*b*) **रिपेयर बॉस :** रिपेयर बॉस रखरखाव और मरम्मत कार्य का प्रभारी होता है। यह सुनिश्चित करने में उनकी भूमिका महत्वपूर्ण है कि उत्पादन में व्यवधानों को रोकने के लिए मशीनरी और उपकरणों को अच्छी कार्यशील स्थिति में रखा जाए।

(*e*) **निरीक्षण फोरमैन :** यह फोरमैन गुणवत्ता नियंत्रण और निरीक्षण प्रक्रियाओं की देखरेख करता है। वे यह सुनिश्चित करने के लिए जिम्मेदार हैं कि उत्पाद उत्पादन लाइन छोड़ने से पहले आवश्यक गुणवत्ता मानकों को पूरा करते हैं।

संक्षेप में, टेलर की कार्यात्मक फोरमैनशिप का उद्देश्य विशिष्ट फोरमैन को विशिष्ट कार्य सौंपकर दक्षता बढ़ाना है, जिनमें से प्रत्येक उत्पादन के एक विशेष पहलू पर ध्यान केंद्रित करता है। उल्लिखित भूमिकाओं में गति और दक्षता, रखरखाव और गुणवत्ता नियंत्रण जैसे पहलू शामिल हैं, जो वैज्ञानिक और व्यवस्थित तरीके से उत्पादन प्रक्रियाओं को अनुकूलित करने के समग्र लक्ष्य में योगदान करते हैं।

46. (A):

(*a*) **'प्रत्येक राज्य को उसके द्वारा प्रदत्त अधिकारों से जाना जाता है।'** यह कथन इस विचार पर जोर देता है कि किसी राज्य के चरित्र को उसके द्वारा प्रदत्त अधिकारों से समझा और परिभाषित किया जा सकता है। किसी राज्य के भीतर मान्यता प्राप्त और संरक्षित अधिकार उसकी पहचान और मूल्यों में योगदान करते हैं।

(*b*) **'अधिकारों से हमारा तात्पर्य कुछ ऐतिहासिक परिस्थितियों के अनुदान से नहीं है जो बचपन में मौजूद थीं लेकिन समय की प्रक्रिया में खो गईं।'** लास्की इस ओर इशारा कर रहे हैं कि अधिकारों का जिक्र करते समय, वह ऐतिहासिक विशेषाधिकारों के बारे में बात नहीं कर रहे हैं जो अतीत में मौजूद थे लेकिन समय के साथ धीरे-धीरे खो गए थे। इसके बजाय, वह संभवतः अधिकारों के समसामयिक और चल रहे पहलुओं पर ध्यान केंद्रित करता है।

(*c*) **'अधिकार वास्तव में सामाजिक जीवन की वे स्थितियाँ हैं जिनके बिना कोई भी व्यक्ति, सामान्यतः, स्वयं को सर्वोत्तम रूप में प्राप्त नहीं कर सकता।'** यह कथन बताता है कि, लास्की के अनुसार, अधिकार सामाजिक जीवन में आवश्यक शर्तें हैं। किसी व्यक्ति को अपनी पूरी क्षमता तक पहुंचने या खुद का सर्वश्रेष्ठ रूप बनने के लिए, समाज में कुछ अधिकार और शर्तें मौजूद होनी चाहिए। यह इस दृष्टिकोण को दर्शाता है कि अधिकार केवल कानूनी अवधारणाएं नहीं हैं बल्कि व्यक्तिगत विकास और सामाजिक कल्याण का अभिन्न अंग हैं।

साथ में, ये कथन राज्य के चरित्र को आकार देने में अधिकारों के महत्व, अधिकारों की समकालीन प्रकृति और व्यक्तियों को समाज के भीतर पनपने में सक्षम बनाने में उनकी महत्वपूर्ण भूमिका पर लास्की के दृष्टिकोण को रेखांकित करते हैं।

47. (A): कथन (A): एक प्रिज्मीय समाज राजनीतिक वैज्ञानिक फ्रेड रिग्स द्वारा प्रस्तुत की गई एक अवधारणा है जो उन समाजों का वर्णन करती है जो सामाजिक संगठन के पारंपरिक और आधुनिक दोनों रूपों की विशेषताओं को प्रदर्शित करते हैं। ये विशेषताएँ एक-दूसरे के साथ-साथ मौजूद होती हैं और प्रकृति में काफी भिन्न हो सकती हैं। उदाहरण के लिए, एक प्रिज्मीय समाज में, आप आधुनिक नौकरशाही संस्थानों के साथ-साथ पारंपरिक रक्त-संबंधी तंत्र को देख सकते हैं।

कारण (R): इन विविध, अक्सर विपरीत, संरचनाओं के सह-अस्तित्व से असंगत, अपूर्ण और अनुत्तरदायी सामाजिक परिवर्तन हो सकता है। आधुनिकीकरण के प्रयासों में पारंपरिक प्रथाओं के कारण बाधा उत्पन्न हो सकती है, जबकि पारंपरिक मानदंडों को आधुनिक मूल्यों से चुनौती मिल सकती है। यह एक जटिल और कभी-कभी विरोधाभासी गतिशीलता पैदा करता है जो कुशल और सुसंगत सामाजिक परिवर्तन में बाधा बन सकता है।

अतः कथन और कारण दोनों सत्य हैं, और कारण, कथन की सही व्याख्या करता है।

48. (C): कथन I: यह कथन सही है। सिंडिकलिज्म एक राजनीतिक और श्रमिक आंदोलन है जिसकी शुरुआत 19वीं सदी के अंत में फ्रांस में हुई थी। यह सामाजिक

परिवर्तन प्राप्त करने में ट्रेड यूनियनों और कार्यकर्ता एकजुटता की भूमिका पर जोर देता है। सिंडिकलिस्टों ने अक्सर प्रत्यक्ष कार्रवाई और सामान्य हड़तालों के माध्यम से उत्पादन के साधनों पर श्रमिकों के नियंत्रण और पूंजीवाद के उन्मूलन की वकालत की।

कथन II: यह कथन गलत है। सिंडिकलवाद मूलतः वर्ग संघर्ष की अवधारणा पर आधारित है। यह समाज को दो मुख्य वर्गों में विभाजित मानता है : श्रमिक वर्ग (सर्वहारा) और पूँजीपति वर्ग (बुर्जुआ वर्ग)। सिंडिकलिस्टों का मानना है कि इन वर्गों में मौलिक रूप से हितों का विरोध है और श्रमिक वर्ग को अंततः क्रांतिकारी कार्रवाई के माध्यम से पूंजीवादी व्यवस्था को उखाड़ फेंकना होगा।

इसलिए, जबकि कथन I सिंडिकलवाद की उत्पत्ति और मूल सिद्धांतों की सही पहचान करता है, कथन II वर्ग संघर्ष पर इसके आवश्यक फोकस को गलत तरीके से प्रस्तुत करता है।

49. (C):

(*b*) **गांधी की सत्य की प्रकृति समानता के विपरीत है :** यह कथन गलत है। इसके विपरीत, गांधी सत्य को समानता और न्याय से अविभाज्य मानते थे। उनका मानना था कि सत्य की खोज के लिए सभी मनुष्यों की अंतर्निहित गरिमा और समान मूल्य को स्वीकार करना और उनका सम्मान करना आवश्यक है, चाहे उनकी सामाजिक स्थिति या मतभेद कुछ भी हों।

(*c*) **ऐसे संवाद में पार्टियों को प्रतिद्वंद्वी के रूप में निर्मित किया जाता है :** यह कथन गलत है। जबकि विरोधी दृष्टिकोण मौजूद हो सकते हैं, सत्याग्रह विरोध पर सहानुभूति और समझ पर जोर देता है। प्रतिभागी सत्य के साथी अन्वेषकों के रूप में संवाद में संलग्न होते हैं, जिसका लक्ष्य सम्मानजनक संचार और परिवर्तन की क्षमता के माध्यम से अपनी स्थितियों के बीच अंतर को पाटना है।

50. (A)

51. (B):

(*a*) भारतीय नागरिकों को सार्वजनिक प्राधिकरणों से जानकारी का अनुरोध करने का अधिकार देने के लिए सूचना का अधिकार अधिनियम (आरटीआइ) 2005 में पारित किया गया था। इस अधिनियम का उद्देश्य सरकार और उसके अधिकारियों को अधिक जवाबदेह और जिम्मेदार बनाना है। यह अधिनियम नागरिकों को संसद और राज्य विधानसभाओं के सदस्यों के समान सूचना का अधिकार देता है। इसका मतलब यह है कि जो जानकारी संसद या राज्य विधानमंडल को देने से इनकार नहीं किया जा सकता, उसे किसी भी व्यक्ति को देने से इनकार नहीं किया जा सकता। यह अधिनियम नागरिकों को शासन में गोपनीयता और शक्ति के दुरुपयोग पर सवाल उठाने का अधिकार देता है। सूचना में किसी भी रूप में कोई भी सामग्री शामिल हो सकती है, जैसे रिकॉर्ड, दस्तावेज, मेमो, ईमेल, राय, सलाह, प्रेस विज्ञप्ति, परिपत्र, आदेश, लॉगबुक, अनुबंध, रिपोर्ट, कागजात, नमूने, मॉडल और किसी भी इलेक्ट्रॉनिक रूप में रखी गई डेटा सामग्री।

(*c*) बच्चों के लिए मुफ्त और अनिवार्य शिक्षा का अधिकार अधिनियम, या शिक्षा का अधिकार अधिनियम (आरटीई), 4 अगस्त, 2009 को भारत की संसद द्वारा अधिनियमित किया गया था। यह अधिनियम भारत में 6 और 14 वर्ष की आयु के बच्चों के लिए मुफ्त और अनिवार्य शिक्षा के महत्व का वर्णन करता है। 86वें संवैधानिक संशोधन (2002) ने भारतीय संविधान में अनुच्छेद 21A को समाविष्ट किया, जिसमें कहा गया है कि राज्य 6 से 14 वर्ष के सभी बच्चों को मुफ्त और अनिवार्य शिक्षा प्रदान करेगा।

(*d*) लोकपाल और लोकायुक्त अधिनियम, 2013 भारतीय संसद का एक भ्रष्टाचार विरोधी कानून है। यह कुछ सार्वजनिक अधिकारियों के खिलाफ भ्रष्टाचार के आरोपों की जांच के लिए संघ के लिए लोकपाल और राज्यों के लिए लोकायुक्त की

स्थापना करता है। राष्ट्रपति ने 1 जनवरी 2014 को इस अधिनियम को अपनी सहमति दे दी। यह अधिनियम नागरिकों को प्रधानमंत्री, अन्य मंत्रियों, सांसदों और केंद्र सरकार के समूह ए, बी, सी और डी अधिकारियों के खिलाफ लोकपाल के पास भ्रष्टाचार की शिकायत दर्ज करने की अनुमति देता है। .

(*b*) उपभोक्ता संरक्षण अधिनियम, 2019 (सीपीए) उपभोक्ताओं के हितों की रक्षा करने और उनकी शिकायतों के समाधान के लिए एक कुशल ढांचा स्थापित करने के लिए भारत में अधिनियमित कानून का एक महत्वपूर्ण हिस्सा है। अधिनियम 'उपभोक्ता' की परिभाषा का विस्तार करते हुए इसमें ऐसे किसी भी व्यक्ति को शामिल करता है जो विचारार्थ कोई सामान या सेवाएँ खरीदता है। इसका मतलब है कि अधिक व्यक्ति अधिनियम के संरक्षण में आते हैं। उपभोक्ता संरक्षण अधिनियम, 2019 भारत में उपभोक्ता संरक्षण में एक महत्वपूर्ण प्रगति का प्रतिनिधित्व करता है। उपभोक्ताओं को सशक्त बनाकर, निष्पक्ष व्यापार प्रथाओं को बढ़ावा देकर और विवाद समाधान को सुव्यवस्थित करके, इसका उद्देश्य सभी के लिए अधिक सुरक्षित और न्यायपूर्ण बाजार बनाना है।

52. (D): जलवायु परिवर्तन पर संयुक्त राष्ट्र फ्रेमवर्क कन्वेंशन (यूएनएफसीसीसी) के तहत 2015 में अपनाया गया पेरिस समझौता एक ऐतिहासिक अंतरराष्ट्रीय समझौता है जो जलवायु परिवर्तन से निपटने के वैश्विक प्रयासों पर केंद्रित है। अपने पूर्ववर्ती, क्योटो प्रोटोकॉल के विपरीत, पेरिस समझौता एक बॉटम-अप दृष्टिकोण को नियोजित करता है, जहां प्रत्येक भाग लेने वाला देश जलवायु परिवर्तन शमन को संबोधित करने के लिए स्वेच्छा से अपने स्वयं के राष्ट्रीय रूप से निर्धारित योगदान (एनडीसी) प्रस्तुत करता है। जबकि क्योटो प्रोटोकॉल ने विकसित देशों के लिए विशिष्ट उत्सर्जन कटौती लक्ष्य निर्धारित किए हैं, पेरिस समझौता राष्ट्रों को उनकी क्षमताओं और परिस्थितियों के आधार पर उनके अद्वितीय योगदान को निर्धारित करने की अनुमति देकर लचीलेपन पर जोर देता है। समझौते का मुख्य उद्देश्य वैश्विक तापमान वृद्धि को पूर्व-औद्योगिक स्तर से 2 डिग्री सेल्सियस से नीचे सीमित करना है, साथ ही इसे 1.5 डिग्री सेल्सियस तक सीमित करने के अधिक महत्वाकांक्षी लक्ष्य को आगे बढ़ाने का प्रयास करना है। पेरिस समझौता एक सहयोगात्मक और समावेशी दृष्टिकोण को रेखांकित करता है, जो जलवायु परिवर्तन से उत्पन्न जटिल चुनौतियों से निपटने में राष्ट्रों की विविध जिम्मेदारियों और क्षमताओं को पहचानता है।

53. (C): जे. कोहेन ने, विमर्शी लोकतंत्र के बहुलवादी संघ के संदर्भ में परिभाषित किया है, इस विचार पर जोर देते हुए कि व्यक्ति लोकतांत्रिक विचार-विमर्श में अलग-थलग संस्थाओं के रूप में नहीं बल्कि विविध और परस्पर जुड़े सामाजिक समूहों के सदस्यों के रूप में भाग लेते हैं। कोहेन के अनुसार, विचार-विमर्श प्रक्रिया में विभिन्न सामाजिक संघों से उत्पन्न होने वाले दृष्टिकोणों और हितों की बहुलता पर विचार करना चाहिए, यह सुनिश्चित करते हुए कि विमर्श समाज की विविधता को दर्शाता है। यह दृष्टिकोण लोकतांत्रिक विचार-विमर्श ढांचे के भीतर व्यक्तियों की पहचान और संबद्धता की बहुमुखी प्रकृति को पहचानने और शामिल करने के महत्व को रेखांकित करता है, जिसका लक्ष्य अधिक समावेशी और प्रतिनिधिक निर्णय लेने की प्रक्रिया है। विचार-विमर्श लोकतंत्र पर कोहेन का दृष्टिकोण बहुलवाद की स्वीकृति और लोकतांत्रिक विमर्श और निर्णय परिणामों को आकार देने में विभिन्न सामाजिक संघों की जटिल अंतर्क्रिया के साथ संरेखित होता है।

54. (C): एक प्रमुख नारीवादी अंतरराष्ट्रीय संबंध विद्वान एन टिकनर को इस क्षेत्र में उनके महत्वपूर्ण योगदान के लिए जाना जाता है। नारीवादी दृष्टिकोण से हैंस जे. मॉर्गेंथाऊ के यथार्थवाद के सिद्धांत को सुधारने में, टिकनर ने पारंपरिक यथार्थवादी धारणाओं को चुनौती दी है जो अक्सर लिंग की गतिशीलता और अंतरराष्ट्रीय संबंधों में महिलाओं के अनुभवों की उपेक्षा

करती हैं। उनका तर्क है कि सत्ता की राजनीति, सैन्य क्षमताओं और राज्य-केंद्रित विश्लेषण पर पारंपरिक यथार्थवादी ध्यान वैश्विक राजनीति को आकार देने में एक महत्वपूर्ण कारक के रूप में लिंग के महत्व को नजरअंदाज करता है। टिकनर अंतरराष्ट्रीय संबंधों के लिए अधिक समावेशी और लिंग-संवेदनशील दृष्टिकोण की वकालत करते हैं जो पुरुषों और महिलाओं दोनों के अनुभवों और दृष्टिकोणों पर विचार करता है। नारीवादी अंतर्दृष्टि को यथार्थवादी ढांचे में शामिल करके, वह अंतरराष्ट्रीय प्रणाली को आकार देने में शक्ति और लिंग के अंतर्संबंध पर प्रकाश डालती है, वैश्विक राजनीति की अधिक व्यापक समझ के साथ प्रवचन को समृद्ध करती है।

55. (D): विल किमलिका, एक राजनीतिक दार्शनिक, बहुसंस्कृतिवाद और अल्पसंख्यक अधिकारों पर अपने काम के लिए जाने जाते हैं। किमलिका के अनुसार, त्वरित सुनवाई के अधिकार को समूह अधिकार के रूप में वर्गीकृत नहीं किया गया है। समूह अधिकार, जैसा कि किमलिका द्वारा संकल्पित किया गया है, आम तौर पर एक व्यापक समाज के भीतर अपनी विशिष्ट पहचान की रक्षा और बनाए रखने के लिए सांस्कृतिक या राष्ट्रीय समूहों के लिए सामूहिक अधिकार शामिल होते हैं। इसके विपरीत, त्वरित सुनवाई का अधिकार कानूनी और न्याय ढांचे के भीतर एक व्यक्तिगत अधिकार है, जिसका उद्देश्य कानूनी आरोपों का सामना करने वाले व्यक्तियों के लिए समय पर कानूनी कार्यवाही सुनिश्चित करना है। समूह अधिकारों पर किमलिका का ध्यान अक्सर स्व-सरकारी अधिकारों, बहुजातीय अधिकारों और विशेष प्रतिनिधित्व अधिकारों जैसे मुद्दों पर केंद्रित होता है, जो त्वरित परीक्षण के अधिकार जैसे व्यक्तिगत कानूनी अधिकारों के बजाय सांस्कृतिक या राष्ट्रीय समूहों के सामूहिक अधिकारों से संबंधित होते हैं।

56. (C)

57. (A): भारत के पहले प्रधानमंत्री जवाहरलाल नेहरू ने शीत युद्ध के दौरान संयुक्त राज्य अमेरिका और सोवियत संघ के प्रति भारत के दृष्टिकोण के बारे में भावना व्यक्त की। नेहरू ने दोनों महाशक्तियों से भारत की भौगोलिक निकटता पर जोर दिया और उन्हें एशिया में पड़ोसी बताया। उनका कथन एक व्यावहारिक समझ को दर्शाता है कि, एक ऐसे क्षेत्र में स्थित राष्ट्र के रूप में जहां दोनों महाशक्तियों का महत्वपूर्ण प्रभाव था, भारत अनिवार्य रूप से संयुक्त राज्य अमेरिका और सोवियत संघ दोनों के साथ साझा जिम्मेदारियों और सहयोग में संलग्न होगा। नेहरू के दृष्टिकोण की विशेषता गुटनिरपेक्षता के प्रति प्रतिबद्धता, भारत की स्वतंत्रता को बनाए रखने और शीत युद्ध के दौरान किसी भी प्रमुख शक्ति गुट के साथ गठबंधन न करने की वकालत करना था। इस रुख का उद्देश्य शीत युद्ध के वैचारिक और भू-राजनीतिक तनाव के बीच भारत की संप्रभुता की रक्षा करना और अंतरराष्ट्रीय संबंधों में अपना रास्ता आगे बढ़ाना था।

58. (A): थॉमस हॉब्स की प्रसिद्ध पुस्तक 'लेवियाथन' के अध्यायों का सही अनुक्रम :

(*a*) **संवेदना के बारे में :** हॉब्स मानव अनुभव में संवेदी धारणा की मौलिक भूमिका की जांच से शुरू करता है। वह पता लगाता है कि कैसे हमारी इंद्रियाँ सभी ज्ञान और समझ के लिए कच्चा माल प्रदान करती हैं।

(*b*) **कल्पना के बारे में :** इंद्रिय बोध की नींव पर निर्माण करते हुए, हॉब्स कल्पना की शक्ति में गहराई से उतरता है। वह बताता है कि कैसे कल्पना हमें संवेदी छापों को बनाए रखने और उनमें हेरफेर करने, मानसिक छवियां बनाने और भविष्य के अनुभवों का अनुमान लगाने में सक्षम बनाती है।

(*d*) **भाषण के बारे में :** हॉब्स फिर भाषा की ओर मुड़ता है, जिसे वे संचार और तर्क के लिए एक महत्वपूर्ण उपकरण के रूप में देखता है। वह भाषा की प्रकृति, इसकी उत्पत्ति और सामाजिक संपर्क और ज्ञान के विकास में इसकी भूमिका पर चर्चा करता है।

(*c*) **तर्क और विज्ञान के बारे में :** अंत में, हॉब्स तर्क शक्ति की जांच करता है, जिसे वह सर्वोच्च मानवीय क्षमता मानते हैं। वह तर्क की प्रकृति, उसके सिद्धांतों और विज्ञान, राजनीति और नैतिकता सहित विभिन्न क्षेत्रों में उसके अनुप्रयोग की पड़ताल करता है।

59. (B): प्राचीन यूनानी दार्शनिक, अरस्तू ने यह धारणा व्यक्त की कि यदि सार्वजनिक जीवन का एकमात्र उद्देश्य जीवन का संरक्षण होता, तो यह कल्पना की जा सकती है कि एक राज्य में सार्वजनिक दास और जानवर दोनों शामिल होते। अपनी कृति 'पॉलिटिक्स' में, अरस्तू ने राजनीतिक संघों की प्रकृति और उद्देश्य पर अपने विचारों को रेखांकित किया, यह तर्क देते हुए कि मानव समाज केवल अस्तित्व के लिए संगठित नहीं हैं, बल्कि सामान्य भलाई की खोज और गुणों के विकास द्वारा अधिक गहराई से चित्रित किए गए हैं। जबकि अरस्तू ने जीवन के लिए बुनियादी जरूरतों की आवश्यकता को स्वीकार किया, उनका मानना था कि राज्य का असली सार उच्च आदर्शों, नैतिक गुणों की खोज और जीवित रहने के लिए व्यक्तियों के मात्र एकत्रीकरण के बजाय साझा उत्कर्ष की प्राप्ति में निहित है।

60. (B):

(*a*) **तारांकित प्रश्न :** संसदीय कार्यवाही में, प्रश्नों को तारांकित और अतारांकित के रूप में वर्गीकृत किया जाता है। तारांकित प्रश्नों के लिए मौखिक उत्तर की आवश्यकता होती है और आगे के स्पष्टीकरण के लिए पूरक प्रश्नों का पालन किया जा सकता है।

(*c*) **स्थगन प्रस्ताव :** स्थगन प्रस्ताव एक संसदीय प्रक्रिया है, जिसे यदि स्वीकार कर लिया जाता है, तो अत्यावश्यक सार्वजनिक महत्व के किसी विशिष्ट मुद्दे पर चर्चा करने के लिए सदन का कामकाज निलंबित हो जाता है। इसमें शामिल होने के लिए कम से कम 50 सदस्यों के समर्थन की आवश्यकता होती है।

(*d*) **शून्यकाल :** संसदीय कार्यवाही में शून्यकाल एक विशेष काल है। यह प्रश्नकाल के तुरंत बाद शुरू होता है। यह आम तौर पर प्रश्नकाल के बाद दोपहर 12 बजे शुरू होता है, और संसद सदस्यों को महत्वपूर्ण मामलों को उठाने का अवसर प्रदान करता है जिन्हें नियमित एजेंडे में जगह नहीं मिलती है।

61. (B): अंतर्राष्ट्रीय संबंधों में आदर्शवादी विचारधारा राष्ट्रों के बीच स्थायी शांति और सहयोग को बढ़ावा देने के साधन के रूप में निरस्त्रीकरण की अवधारणा के साथ 'शक्ति संतुलन' प्रतिमान के प्रतिस्थापन की वकालत करती है। आदर्शवादी अधिक सामंजस्यपूर्ण वैश्विक वातावरण बनाने के लिए राजनयिक वार्ता, अंतर्राष्ट्रीय कानून और सैन्य क्षमताओं में कमी में विश्वास करते हैं। उनकी दृष्टि में, निरस्त्रीकरण संघर्षों को रोकने और कथित खतरों के जवाब में सैन्य ताकत बनाने वाले देशों से उत्पन्न होने वाली सुरक्षा दुविधा को कम करने की दिशा में एक सक्रिय कदम का प्रतिनिधित्व करता है। आपसी विश्वास और सहयोग को बढ़ावा देकर, आदर्शवादियों का तर्क है कि निरस्त्रीकरण विवादों के शांतिपूर्ण समाधान और सामूहिक सुरक्षा की विशेषता वाली विश्व व्यवस्था का मार्ग प्रशस्त कर सकता है, जो शक्ति की गतिशीलता और रणनीतिक प्रतिस्पर्धा पर पारंपरिक यथार्थवादी जोर को चुनौती देता है।

62. (A): औद्योगिक युग में, वैज्ञानिक प्रबंधन के वास्तुकार, फ्रेडरिक विंसलो टेलर ने एक आदर्श बदलाव की कल्पना की थी। उन्होंने इसे 'मानसिक क्रांति' कहा, जो प्रबंधकों और श्रमिकों दोनों की मानसिकता में एक आवश्यक परिवर्तन है। प्रबंधकों के लिए, इसका मतलब श्रमिकों के अंतर्निहित आलस्य में विश्वास को त्यागना और कार्यों को अनुकूलित करने में उन्हें मूल्यवान भागीदार के रूप में गले लगाना है। उन्हें टास्कमास्टर से वैज्ञानिक विश्लेषकों में परिवर्तन करना था, इष्टतम वर्कफ्लो डिजाइन करना था और अधिकतम दक्षता के लिए प्रशिक्षण प्रदान करना था। दूसरी ओर, श्रमिकों को प्रबंधन के प्रति अपना अविश्वास और नाराजगी

दूर करने के लिए प्रोत्साहित किया गया। टेलर का मानना था कि प्रबंधकों को कौशल विकास और बढ़ी हुई कमाई के लिए एक संसाधन के रूप में देखकर, श्रमिक 'औद्योगिक सेना में सैनिक' मानसिकता को छोड़ सकते हैं और संगठनात्मक सफलता में सक्रिय रूप से योगदान दे सकते हैं। दृष्टिकोण में यह क्रांतिकारी बदलाव, एक सच्ची 'मानसिक क्रांति', सहयोगात्मक प्रयास के माध्यम से दक्षता और उत्पादकता के अभूतपूर्व स्तर को प्राप्त करने के लिए टेलर की आधारशिला थी। यह आपसी सम्मान, साझा लक्ष्यों और औद्योगिक परिदृश्य के लिए जीत-जीत दृष्टिकोण का आह्वान था। जबकि टेलर के तरीकों को विवाद का सामना करना पड़ा, 'मानसिक क्रांति' अवधारणा ने निर्विवाद रूप से प्रबंधन की सोच पर एक स्थायी छाप छोड़ी, जिससे कार्यस्थल में सहयोग और मानवीय क्षमता पर जोर देने वाले भविष्य के मॉडल का मार्ग प्रशस्त हुआ।

63. (C)

64. (B): लुईस टिलीन द्वारा लिखित 'रि-मैपिंग इंडिया : न्यू स्टेट्स एंड देयर पॉलिटिकल ओरिजीन्स' समकालीन भारत में राज्य गठन की जटिल प्रक्रिया का एक व्यापक अन्वेषण है। यह पुस्तक उस राजनीतिक गतिशीलता पर प्रकाश डालती है जिसके कारण भारतीय संघीय ढांचे के भीतर नए राज्यों का निर्माण हुआ, और इन परिवर्तनों को आकार देने वाले ऐतिहासिक, सामाजिक और राजनीतिक कारकों की जांच की गई। टिलीन राज्य की मांग के पीछे की प्रेरणाओं, क्षेत्रीय आंदोलनों द्वारा अपनाई गई रणनीतियों और केंद्र सरकार की प्रतिक्रियाओं की जांच करता है। विस्तृत केस अध्ययनों के माध्यम से, लेखक झारखंड, छत्तीसगढ़ और उत्तराखंड जैसे राज्यों के विविध अनुभवों पर प्रकाश डालता है, जो पहचान की राजनीति, क्षेत्रीय आकांक्षाओं और शासन के मुद्दों की जटिल परस्पर क्रिया में अंतर्दृष्टि प्रदान करता है। 'रि-मैपिंग इंडिया' दुनिया के सबसे बड़े लोकतंत्र में राजनीतिक सीमाओं के पुनर्गठन से जुड़ी चुनौतियों और निहितार्थों की हमारी समझ में योगदान देता है।

65. (C)

66. (B): गुटनिरपेक्षता की सदस्यता के मानदंड में शामिल हैं :

(*a*) **राष्ट्रीय स्वतंत्रता आंदोलनों के लिए समर्थन :** गुटनिरपेक्ष सदस्य आम तौर पर राष्ट्रों के आत्मनिर्णय और स्वतंत्रता के अधिकार के समर्थक हैं। यह मानदंड आंदोलन के ऐतिहासिक संदर्भ से मेल खाता है, जो शीत युद्ध के दौरान उभरा जब कई देश औपनिवेशिक या शाही शासन से अपनी स्वतंत्रता का दावा करना चाह रहे थे।

(*c*) **सह-अस्तित्व पर आधारित एक स्वतंत्र नीति को अपनाना :** गुटनिरपेक्ष देशों से ऐसी विदेशी नीतियों को आगे बढ़ाने की उम्मीद की जाती है जो राष्ट्रों के बीच शांतिपूर्ण सह-अस्तित्व को प्राथमिकता देती हैं। यह आंदोलन इस विचार को बढ़ावा देता है कि देश प्रमुख शक्ति समूहों के साथ गठबंधन किए बिना या उनके संघर्षों में उलझे बिना अपनी संप्रभुता बनाए रख सकते हैं और विकास लक्ष्यों को प्राप्त कर सकते हैं।

ये मानदंड गुटनिरपेक्षता, संप्रभुता और सहयोग के गुटनिरपेक्ष आंदोलन के मूलभूत सिद्धांतों को दर्शाते हैं। यह आंदोलन सदस्य देशों को प्रमुख शक्तियों के वैचारिक या सैन्य संघर्षों में शामिल हुए बिना अपने राष्ट्रीय हितों को आगे बढ़ाने के लिए एक मंच प्रदान करना चाहता है। इसलिए, इन मानदंडों को पूरा करने वाले देश को गुटनिरपेक्ष आंदोलन के सिद्धांतों के साथ तालमेल बैठाने की संभावना है।

67. (C)

68. (D): दक्षिण सूडान गुटनिरपेक्ष आंदोलन (एनएएम) का सदस्य नहीं है। गुटनिरपेक्ष आंदोलन उन राज्यों का एक समूह है जो किसी भी प्रमुख शक्ति गुट के साथ गठबंधन नहीं करते हैं और अपनी संप्रभुता और स्वतंत्रता को बनाए रखना चाहते हैं। जबकि बुर्किना फासो, अंगोला और कैमरून एनएएम से जुड़े हुए हैं, दक्षिण सूडान, एक अपेक्षाकृत नया देश जिसने 2011 में स्वतंत्रता प्राप्त की, इस आंदोलन में शामिल नहीं

हुआ है। एनएएम सहित अंतरराष्ट्रीय संगठनों में शामिल होने या न शामिल होने का निर्णय आम तौर पर किसी देश की विदेश नीति की प्राथमिकताओं और उसके मूल्यांकन पर आधारित होता है कि ऐसी सदस्यताएं उसके राष्ट्रीय हितों और उद्देश्यों के साथ कैसे सरेखित होती हैं। वर्तमान स्थिति को सत्यापित करना उचित है, क्योंकि अंतर्राष्ट्रीय संबंध समय के साथ विकसित हो सकते हैं।

69. (B):

(*b*) अशोक मेहता समिति की स्थापना 1977 में भारत में पंचायती राज संस्थानों की स्थिति की जांच करने के लिए की गई थी। समिति की अध्यक्षता अशोक मेहता ने की और अगस्त 1978 में अपनी रिपोर्ट सौंपी। समिति ने जर्जर पंचायती राज व्यवस्था को मजबूत करने के लिए 132 सिफारिशें कीं। समिति ने राज्यों को अपनी स्वयं की पंचायत प्रणाली विकसित करने के लिए एक रूपरेखा भी प्रदान की। इसके परिणामस्वरूप 73वें संवैधानिक संशोधन से पहले कई राज्यों में कार्यशील पंचायत प्रणाली मौजूद थी।

(*a*) जी.वी.के. राव समिति की नियुक्ति ग्रामीण क्षेत्रों में प्रशासनिक व्यवस्थाओं की समीक्षा के लिए 1985 में की गई। समिति का लक्ष्य ग्रामीण क्षेत्रों में प्रशासनिक, शैक्षिक और सार्वजनिक स्वास्थ्य विभागों में सुधार करना था। समिति ने सिफारिश की कि जिला योजना की मूल इकाई हो और नियमित चुनाव कराये जायें। समिति ने जिला विकास आयुक्त को जिला परिषद के सीईओ के रूप में नियुक्त करने का भी सुझाव दिया। समिति ने निष्कर्ष निकाला कि विकास प्रक्रिया तेजी से नौकरशाहीकृत हो गई है और पंचायती राज से अलग हो गई है। समिति ने पंचायती राज व्यवस्था को मजबूत और पुनर्जीवित करने के लिए सिफारिशें कीं।

(*d*) एल.एम. सिंघवी समिति पंचायती राज से संबंधित एक समिति है। भारत सरकार ने लोकतंत्र और विकास के लिए पंचायती राज प्रणालियों को पुनर्जीवित करने के कदमों की सिफारिश करने के लिए 1986 में समिति की नियुक्ति की। समिति ने पंचायतों को मजबूत करने के लिए उन्हें अधिक वित्तीय संसाधन और संवैधानिक दर्जा प्रदान करने की सिफारिश की।

(*c*) थुंगन समिति की स्थापना 1988 में जिलों और जिला योजना की राजनीतिक और प्रशासनिक संरचना की जांच करने के लिए की गई थी। समिति ने स्थानीय सरकारी निकायों को संवैधानिक मान्यता देने और पंचायती राज व्यवस्था को मजबूत करने की सिफारिश की। समिति ने स्थानीय सरकारी संस्थानों में समय-समय पर चुनाव कराने और फंड के साथ-साथ उन्हें उचित कार्य सौंपने के लिए एक संवैधानिक संशोधन की भी सिफारिश की। इस समिति की नियुक्ति राजीव गांधी के समय में की गई थी।

70. (D):

(*d*) लिंडल उर्विक (1891-1983) द्वारा लिखित द एलिमेंट्स ऑफ एडमिनिस्ट्रेशन पहली बार 1944 में प्रकाशित हुआ था। यह पुस्तक न्यूयॉर्क में हार्पर एंड ब्रदर्स द्वारा प्रकाशित की गई थी। दूसरा संस्करण 1961 में पिटमैन द्वारा प्रकाशित किया गया था। यह पुस्तक औद्योगिक प्रबंधन के बारे में हैं। उर्विक ने अपनी इस पुस्तक में संगठन के 10 सिद्धांत भी प्रस्तावित किए।

(*a*) लोक प्रशासन के सिद्धांत और व्यवहार पर फिलाडेल्फिया सम्मेलन 1967 में आयोजित किया गया था। सम्मेलन में लोक प्रशासन के विद्वानों और पेशेवरों के एक समूह ने भाग लिया था, जो इस क्षेत्र के भविष्य पर चर्चा करने में रुचि रखते थे।

(*b*) पहला मिनोब्रुक सम्मेलन, जिसे मिनोब्रुक I के नाम से भी जाना जाता है, 1968 में सिरैक्यूज विश्वविद्यालय के सम्मेलन हॉल में हुआ था। यह सम्मेलन 1960 के दशक की सामाजिक अशांति

को संबोधित करने के लिए शुरू किया गया था। सम्मेलन का नेतृत्व ड्वाइट वाल्डो ने किया और लोक प्रशासन के क्षेत्र को आकार देने में महत्वपूर्ण भूमिका निभाई। मिनोब्रुक सम्मेलन संयुक्त राज्य अमेरिका में लोक प्रशासन पर एक महत्वपूर्ण शैक्षणिक सम्मेलन है। यह हर 20 साल में होता है और यह 1960 के दशक के अंत और 1970 के दशक की शुरुआत की सामाजिक असंतुलन का परिणाम है।

(*c*) ड्वाइट वाल्डो द्वारा लिखित पब्लिक एडमिनिस्ट्रेशन इन ए टाइम ऑफ टर्बुलेंस पहली बार 1971 में प्रकाशित हुई थी। इस पुस्तक में तेजी से सामाजिक और तकनीकी परिवर्तन के युग में लोक प्रशासन के सामने आने वाली चुनौतियों की जांच की गई थी। वाल्डो ने तर्क दिया कि सार्वजनिक प्रशासन के लिए पारंपरिक दृष्टिकोण अब पर्याप्त नहीं थे, और इस क्षेत्र को समय की नई वास्तविकताओं के अनुकूल बनाने की आवश्यकता थी।

71. (C)

72. (D):

(*b*) **'नैतिकता का संबंध केवल समानता से नहीं है।'** यह कथन बताता है कि अमर्त्य सेन नैतिक विचारों की जटिलता को स्वीकार करते हैं और नैतिकता को केवल भौतिक या आर्थिक समानता की चिंताओं तक सीमित करने के खिलाफ तर्क देते हैं। वह नैतिकता की व्यापक समझ पर जोर देते हैं जो सिर्फ आर्थिक कारकों से परे विभिन्न आयामों को शामिल करती है।

(*c*) **'बुनियादी योग्यता संबंधी, समानता नैतिक अच्छाई के उस हिस्से के लिए एक आंशिक मार्गदर्शिका है जो समानता के विचार से जुड़ी है।'** सेन की 'बुनियादी क्षमता' की धारणा उन व्यक्तियों को संदर्भित करती है जिनके पास मूल्यवान कामकाज हासिल करने की योग्यताएं या क्षमताएं हैं। जबकि आर्थिक संसाधन महत्वपूर्ण हैं, सेन का तर्क है कि बुनियादी क्षमताओं पर ध्यान केंद्रित करना समानता के लिए अधिक व्यापक दृष्टिकोण है। यह कथन रेखांकित करता है कि बुनियादी क्षमताओं में समानता के व्यापक विचार से संबंधित नैतिक अच्छाई का एक प्रमुख पहलू है।

(*d*) **'उपयोगिता जैसी बुनियादी क्षमताओं के सूचकांक का उपयोग कई अलग-अलग तरीकों से किया जा सकता है।'** एक सूचकांक के रूप में बुनियादी क्षमताओं पर सेन का जोर एक संकीर्ण उपयोगितावादी परिप्रेक्ष्य से परे है। उनका सुझाव है कि बुनियादी क्षमताओं के संदर्भ में समानता को मापने से कल्याण की अधिक सूक्ष्म और लचीली समझ बनती है। यह उनके क्षमता दृष्टिकोण के अनुरूप है, जो इस बात पर जोर देता है कि व्यक्तियों को अपनी क्षमताओं के आधार पर मूल्यवान कार्यप्रणाली को चुनने और हासिल करने की स्वतंत्रता होनी चाहिए।

समानता के प्रति सेन का दृष्टिकोण केवल भौतिक समानता से परे है और नैतिक अच्छाई के प्रमुख पहलू के रूप में बुनियादी क्षमताओं के महत्व पर जोर देता है। यह परिप्रेक्ष्य समानता की एक समृद्ध समझ की अनुमति देता है जो मानव कल्याण के विविध आयामों पर विचार करता है।

73. (A):

(*d*) मेक्सिकन पेसो संकट, जिसे टकीला संकट के रूप में भी जाना जाता है, 20 दिसंबर 1994 को शुरू हुआ और 3 जनवरी 1995 को समाप्त हुआ। यह संकट मेक्सिकन सरकार द्वारा अमेरिकी डॉलर के मुकाबले पेसो के आश्चर्यजनक अवमूल्यन के कारण हुआ था। यह संकट पूंजी पलायन के कारण उत्पन्न पहले अंतरराष्ट्रीय वित्तीय संकटों में से एक था। यह संकट घरेलू और अंतर्राष्ट्रीय आर्थिक कारकों के साथ-साथ राजनीतिक ताकतों के संयोजन के कारण हुआ था। मेक्सिकन सरकार एक क्रॉलिंग पेग विनिमय दर नीति का उपयोग कर रही थी जिसने पेसो को धीरे-धीरे मूल्यह्रास करने की अनुमति दी थी।

(*b*) 2001 में अर्जेंटीना का आर्थिक संकट एक राजनीतिक, आर्थिक, सामाजिक और संस्थागत संकट था। यह बैंकिंग प्रणाली पर चल रही हलचल के कारण शुरू हुआ, जब लोगों को एहसास हुआ कि प्रणाली में सभी जमाओं को कवर करने के लिए पर्याप्त डॉलर नहीं थे। इस संकट के कारण जमा पर आंशिक रोक लग गई, सार्वजनिक ऋण पर आंशिक चूक हुई और एक दशक लंबे मुद्रा बोर्ड का अंत हो गया। संकट के कारण उत्पादन में गिरावट, उच्च बेरोजगारी और राजनीतिक और सामाजिक उथल-पुथल हुई। 26 दिसंबर 2001 को, अर्जेंटीना ने अपने 93 बिलियन डॉलर के विदेशी ऋण का भुगतान नहीं किया। इस संकट को कभी-कभी अर्जेंटीनाजो के रूप में जाना जाता है, और 'उन सभी को जाना होगा!' के नारे के तहत एक विद्रोह द्वारा भड़काया गया था।

(*c*) डॉट-कॉम बबल, जिसे इंटरनेट बबल के रूप में भी जाना जाता है, 1995 से 2000 तक की अवधि में जब निवेशकों ने इंटरनेट स्टार्टअप्स में पैसा लगाया था। 2000 में बुलबुला फूट गया, जिससे शेयर बाजार में गिरावट आई। अक्टूबर 2002 तक, शेयरों ने अपने मूल्य का 75% खो दिया था। बुलबुला अपने आप को हमेशा के लिए कायम नहीं रख सका। बढ़ती ब्याज दरों, एक संतृप्त बाजार और कई स्टार्टअप्स के अस्थिर व्यापार मॉडल की प्राप्ति सहित कई कारकों ने 2000 में बुलबुले के फूटने का कारण बना। NASDAQ कंपोजिट इंडेक्स, जो प्रौद्योगिकी शेयरों पर भारी भार डालता है, मार्च 2000 में 5,048 के अपने शिखर से गिर गया। अक्टूबर 2002 में 1,139 हो गया, 75% से अधिक की गिरावट।

(*a*) अमेरिकी सबप्राइम मोर्टगेज संकट एक वित्तीय संकट था जो 2007-2010 तक चला। 2008 के वित्तीय संकट और महान मंदी में इसका प्रमुख योगदान था। इस संकट के कारण गंभीर आर्थिक मंदी आई, कई व्यवसाय दिवालिया हो गए और लाखों लोगों की नौकरियाँ चली गईं। यह संकट वर्षों तक विस्तारित मोर्टगेज पहुंच के कारण हुआ, जिसने आवास की मांग और कीमतों को बढ़ा दिया। इससे रियल एस्टेट में बुलबुला पैदा हुआ। जब आवास का बुलबुला फूटा, तो कई उधारकर्ता अपना ऋण चुकाने में असमर्थ हो गए। फौजदारी में नाटकीय वृद्धि के कारण कई वित्तीय संस्थान ध्वस्त हो गए। कुछ उधारदाताओं या मोर्टगेज दलालों ने यह धारणा दी कि इन बंधकों पर कोई जोखिम नहीं था और लागत इतनी अधिक नहीं थी। हालाँकि, कई उधारकर्ताओं ने बस मोर्टगेज ले लिया जिसे वे वहन नहीं कर सकते थे।

74. **(A):** 1988 में छह देशों, पांच महाद्वीपों की शांति पहल में राजीव गांधी की भागीदारी परमाणु परीक्षण को समाप्त करने का एक अभियान था। अर्जेंटीना, ग्रीस, मैक्सिको, स्वीडन, तंजानिया और भारत के शासनाध्यक्षों को एक साथ लाने के लिए प्रधान मंत्री इंदिरा गांधी द्वारा छह राष्ट्र पांच महाद्वीप पहल का गठन किया गया था।

इस पहल का उद्देश्य महाशक्तियों पर हथियारों की संख्या कम करने और परमाणु हथियारों को खत्म करने के लिए अंतरराष्ट्रीय दबाव डालना था। 1988 में, प्रधान मंत्री राजीव गांधी ने परमाणु हथियार मुक्त और अहिंसक विश्व व्यवस्था के लिए एक कार्य योजना का प्रस्ताव रखा। कार्य योजना में 2010 तक चरणबद्ध रूप में परमाणु हथियारों के उन्मूलन के लिए सभी देशों द्वारा एक बाध्यकारी प्रतिबद्धता की कल्पना की गई थी।

1988 में स्टॉकहोम में छह राष्ट्र–पांच महाद्वीप शांति पहल के उद्घाटन सत्र में अपने भाषण में, गांधी ने कहा कि हथियारों के लिए संसाधनों के उपयोग को वैश्विक विकास के लिए संसाधनों के बंटवारे में परिवर्तित किया जाना चाहिए।

75. **(B):** प्रबंधन और संगठनात्मक सिद्धांत के क्षेत्र में एक अग्रणी विचारक फॉलेट ने जोर देकर कहा कि किसी स्थिति विशेष में सभी कारकों के बीच प्रत्यक्ष और पारस्परिक संबंधों के माध्यम से समन्वय सबसे अच्छा हासिल किया जाता है।

उन्होंने अप्रत्यक्ष नियंत्रण तंत्र की धारणा को चुनौती देते हुए एक गतिशील और सतत प्रक्रिया के रूप में समन्वय की वकालत की। फॉलेट के अनुसार, अप्रत्यक्ष नियंत्रण पर भरोसा करना, जहां समन्वय को पदानुक्रमित प्राधिकरण या सख्त नियमों के माध्यम से लागू किया जाता है, प्रभावी सहयोग की क्षमता को कमजोर करता है।

इसके बजाय, उन्होंने इसमें शामिल सभी तत्वों के बीच पारस्परिक संबंध के रूप में, निर्णय लेने के शुरुआती चरणों में और संगठन के भीतर एक सतत और विकसित प्रक्रिया के रूप में समन्वय के महत्व पर जोर दिया।

फॉलेट के लिए, समन्वय प्राप्त करना आंतरिक रूप से एक संगठन के भीतर व्यक्तियों और समूहों के बीच समझ और सहयोग को बढ़ावा देने से जुड़ा हुआ है।

76. (B)

77. (A): लोक प्रशासन के विकास में गवेषणात्मक अवधि 1887 से 1910 तक विस्तृत है, जिसमें महत्वपूर्ण बौद्धिक अन्वेषण और मूलभूत सिद्धांतों की स्थापना शामिल है। इस अवधि ने अध्ययन के एक विशिष्ट क्षेत्र के रूप में लोक प्रशासन के प्रारंभिक विकास को चिह्नित किया। वुड्रो विल्सन, फ्रैंक गुडनाउ और लियोनार्ड व्हाइट जैसे अग्रदूतों ने राजनीति विज्ञान, इतिहास और प्रबंधन सिद्धांतों से प्रेरणा लेते हुए, इसकी सैद्धांतिक नींव स्थापित करने पर ध्यान केंद्रित किया। उन्होंने भविष्य की प्रगति के लिए आधार तैयार करते हुए दक्षता, योग्यता और व्यावसायिकता जैसी अवधारणाओं की खोज की। इस युग के दौरान, विद्वान और व्यवसायी लोक प्रशासन के क्षेत्र को परिभाषित और परिष्कृत करने में सक्रिय रूप से लगे हुए थे। औद्योगीकरण, शहरीकरण और सामाजिक जटिलताओं के संदर्भ में शासन की उभरती चुनौतियों को समझने पर ध्यान केंद्रित किया गया था।

78. (D):

(*a*) **वैश्विक परस्पर निर्भरता :** यह अवधारणा मानवीय हस्तक्षेप को उचित ठहरा सकती है क्योंकि वैश्विक के अंतर्संबंध का मतलब है विश्व के एक कोने की आपदा दूसरे कोने को प्रभावित कर सकती है। मानवाधिकारों के हनन और मानवीय आपदाओं जैसी वैश्विक समस्याओं के समाधान के लिए हस्तक्षेप को एक कर्तव्य के रूप में देखा जा सकता है।

(*d*) **क्षेत्रीय स्थिरता :** क्षेत्रीय स्थिरता बनाए रखने के लिए मानवीय हस्तक्षेप को उचित ठहराया जा सकता है। बड़े पैमाने पर मानवीय संकट पड़ोसी देशों में फैल सकता है, जिससे प्रवासन, संघर्ष और सुरक्षा खतरे बढ़ सकते हैं। क्षेत्रीय अस्थिरता को रोकने के लिए हस्तक्षेप को आवश्यक माना जा सकता है।

इसलिए, मानवीय हस्तक्षेप का औचित्य मुख्य रूप से वैश्विक समस्याओं को संबोधित करने और वैश्विक परस्पर निर्भरता के विचारों के माध्यम से क्षेत्रीय स्थिरता बनाए रखने और केवल राष्ट्रीय हित पर आधारित हस्तक्षेपों से बचने में निहित है।

79. (C): एक भारतीय क्रांतिकारी दार्शनिक और राजनीतिज्ञ एम.एन. रॉय ने भारतीय स्वतंत्रता आंदोलन में महत्वपूर्ण भूमिका निभाई और उग्र मानवतावाद के संस्थापक के रूप में एक स्थायी विरासत छोड़ी। यह दार्शनिक ढांचा, जिसे उन्होंने विकसित किया, पारंपरिक राष्ट्रवादी और वर्ग-आधारित विचारधाराओं से परे, व्यक्तिगत स्वतंत्रता और मानवीय मूल्यों पर अगाध बल दिया। उद्धृत कथन रॉय के उग्र मानवतावाद के सार को समाहित करता है, जो राष्ट्र या वर्ग के साथ संकीर्ण जुड़ाव से इसके प्रस्थान पर प्रकाश डालता है। इसके बजाय, दर्शन मानवता के लिए व्यापक चिंता पर केंद्रित है, जो व्यक्ति के मौलिक अधिकार के रूप में स्वतंत्रता की वकालत करता है। एम. एन. रॉय की दृष्टि ने व्यक्तिगत स्वतंत्रता की खोज को मानव मुक्ति की व्यापक खोज के साथ सामंजस्य बिठाने की कोशिश की, जिससे वह स्वतंत्रता के लिए भारत के संघर्ष के बौद्धिक परिदृश्य में एक उल्लेखनीय व्यक्ति बन गए।

80. (C)

81. (A): आर्थिक और सामाजिक परिषद के संकल्प को ध्यान में रखकर महिलाओं की परिस्थिति संबंधी आयोग की स्थापना की गई थी। आर्थिक और सामाजिक परिषद (ईसीओएसओसी) संयुक्त राष्ट्र प्रणाली के तहत वैश्विक आर्थिक और सामाजिक मुद्दों के समन्वय के लिए जिम्मेदार प्रमुख निकाय के रूप में मौजूद है। संयुक्त राष्ट्र चार्टर के तहत 1945 में स्थापित, ECOSOC सतत विकास के लिए अंतर्राष्ट्रीय सहयोग को बढ़ावा देने में महत्वपूर्ण भूमिका निभाता है। यह विभिन्न संयुक्त राष्ट्र विशिष्ट एजेंसियों, कार्यात्मक आयोगों और क्षेत्रीय आयोगों के काम की देखरेख और समन्वय करता है, जिससे आर्थिक विकास, सामाजिक प्रगति, पर्यावरणीय स्थिरता और मानवाधिकार जैसे विभिन्न क्षेत्रों में सामंजस्य और सहयोग सुनिश्चित होता है।

82. (A)

83. (B): 1 जनवरी 2015 को स्थापित नीति आयोग, आर्थिक योजना और विकास के लिए भारत के दृष्टिकोण में एक महत्वपूर्ण संस्थागत बदलाव का प्रतिनिधित्व करता है। योजना आयोग के स्थान पर गठित, नीति आयोग एक नीति विशेषज्ञ दल और सहकारी संघवाद और सहभागी शासन को बढ़ावा देने के लिए एक मंच के रूप में कार्य करता है।

84. (A): एक प्रमुख राजनीतिक वैज्ञानिक नीरा चंडोक ने गैर-सरकारी संगठनों (एनजीओ) की भूमिका और सामाजिक आंदोलनों के साथ उनके संबंधों का व्यापक अध्ययन किया है। उनका तर्क है कि जब गैर सरकारी संगठन सामाजिक आंदोलनों से जुड़ जाते हैं, तो एक गतिशील परस्पर क्रिया होती है जिससे उनके राजनीतिक एजेंडे में बदलाव आ सकता है। गैर सरकारी संगठनों और सामाजिक आंदोलनों के बीच सहयोग दोनों संस्थाओं की प्राथमिकताओं और लक्ष्यों को प्रभावित कर सकता है। चंडोक का परिप्रेक्ष्य उस परिवर्तनकारी क्षमता को रेखांकित करता है जो तब उत्पन्न होती है जब एनजीओ सक्रिय रूप से जमीनी स्तर के आंदोलनों के साथ जुड़ते हैं, यह सुझाव देते हैं कि सामाजिक आंदोलनों के भीतर सामूहिक सक्रियता और साझा उद्देश्य एनजीओ की रणनीतियों और प्राथमिकताओं को प्रभावित कर सकते हैं, जिससे उनके राजनीतिक एजेंडे में विकास हो सकता है। यह सूक्ष्म समझ राजनीतिक विमर्श और कार्रवाई को आकार देने में गैर सरकारी संगठनों और सामाजिक आंदोलनों के बीच पारस्परिक संबंध पर प्रकाश डालती है।

85. (D): सीआईसी का गठन आरटीआई अधिनियम 2005 के प्रावधानों के तहत एक आधिकारिक राजपत्र अधिसूचना के माध्यम से किया गया था : यह कथन सही है। सूचना का अधिकार अधिनियम, 2005 के प्रावधानों के अनुसार, केंद्रीय सूचना आयोग की स्थापना 12 अक्टूबर 2005 को की गई थी। आधिकारिक अधिसूचना 13 अक्टूबर 2005 को भारत के राजपत्र में प्रकाशित की गई थी। जब सीआईसी के गठन के समय मुख्य सूचना आयुक्त सहित पांच आयुक्त होते थे। बाद में 2005 में आरटीआई अधिनियम में संशोधन के माध्यम से सूचना आयुक्तों की संख्या बढ़ाकर दस कर दी गई। मुख्य सूचना आयुक्त अपने पद ग्रहण करने की तिथि से तीन वर्ष की अवधि के लिए पद धारण करता है।

86. (A)

87. (C): भारतीय संविधान के भाग IX के प्रावधानों को आवश्यक संशोधनों और अपवादों के साथ अनुसूचित क्षेत्रों तक विस्तारित करने के लिए 24 दिसंबर 1996 को पंचायत (अनुसूचित क्षेत्रों तक विस्तार) अधिनियम (PESA)अधिनियमित किया गया था।

इस कानून का उद्देश्य आदिवासी समुदायों को संविधान की पांचवीं अनुसूची के तहत पहचाने गए क्षेत्रों में स्व-शासन प्रदान करके सशक्त बनाना है। पेसा जनजातीय आबादी की विशिष्ट सामाजिक-सांस्कृतिक प्रथाओं को मान्यता देता है और पारंपरिक प्रणालियों के माध्यम से स्थानीय स्वशासन प्रदान करता है।

88. (C)

89. (C): एरिक हॉब्सबॉम के यूरोप में राष्ट्रवाद के सिद्धांत, विशेष रूप से उनकी कृति '1780 से राष्ट्र और

राष्ट्रवाद' में उल्लिखित, निम्नलिखित प्रमुख विशेषताएं शामिल हैं :

(*b*) **उदाहरण के लिए, वह राष्ट्रवाद को परंपराओं के पुनर्निमाण के रूप में परिभाषित करते हैं :** हॉब्सबॉम का तर्क है कि निरंतरता और साझा पहचान की भावना पैदा करने के लिए राष्ट्र अक्सर परंपराओं का निर्माण या पुनर्निमाण करते हैं। वह इस बात पर जोर देते हैं कि कई राष्ट्रवादी प्रथाएं, प्रतीक और अनुष्ठान आधुनिक आविष्कार हैं जो विभिन्न समूहों के बीच ऐतिहासिक निरंतरता और एकता की भावना को बढ़ावा देने के लिए डिजाइन किए गए हैं।

(*c*) **वह निम्न पूंजीपति वर्ग की पहचान अलगाववादी राष्ट्रवाद की वकालत करने वाले समूह के रूप में करते हैं :** हॉब्सबॉम अलगाववादी राष्ट्रवाद की वकालत करने और समर्थन करने में निम्न पूंजीपति वर्ग, विशेष रूप से शिक्षित और ऊपर की ओर गतिशील मध्यम वर्ग की भूमिका पर प्रकाश डालते हैं। यह वर्ग अक्सर विशिष्ट राष्ट्रीय पहचान को बढ़ावा देकर अपना सांस्कृतिक और राजनीतिक प्रभुत्व स्थापित करना चाहता है।

90. (A): भारतीय संविधान के अनुच्छेद 21 के तहत जीवन का अधिकार, जैसा कि सर्वोच्च न्यायालय द्वारा व्याख्या किया गया है, व्यक्तियों की गरिमा और भलाई की रक्षा करने के उद्देश्य से कई आयामों को शामिल करता है। हालाँकि इसमें निजता का अधिकार, सार्वजनिक फांसी से सुरक्षा और अच्छे स्वास्थ्य का अधिकार शामिल है, लेकिन आत्महत्या के अधिकार को इस संवैधानिक प्रावधान के हिस्से के रूप में मान्यता नहीं दी गई है।

91. (B): दिए गए परिच्छेद में, टॉकविले के दृष्टिकोण के संदर्भ से पता चलता है कि उनका झुकाव उदार लोकतंत्र के व्यावहारिक और ठोस विश्लेषण की ओर अधिक था। वाक्यांश 'उदार लोकतंत्र के ठोस उदाहरण का गंभीर रूप से विश्लेषण करना' इंगित करता है कि टॉकविले वास्तविक दुनिया के परिदृश्यों में उदार लोकतांत्रिक सिद्धांतों के कामकाज और निहितार्थ का अध्ययन करने में रुचि रखते थे, विशेष रूप से अमेरिका में जैसा कि उनके काम 'अमेरिका में लोकतंत्र' में दर्शाया गया है। जॉन स्टुअर्ट मिल के विपरीत, जो परिच्छेद के अनुसार, उदारवाद की दार्शनिक वैधता में तल्लीन थे, टॉकविले का ध्यान व्यावहारिक पहलुओं और उदार लोकतंत्र के वास्तविक कामकाज पर था। जबकि मिल ने दार्शनिक स्तर पर शास्त्रीय उदारवाद की अंतर्निहित धारणाओं का पुनर्मूल्यांकन और संशोधन करने की मांग की, टॉकविले का योगदान लोकतांत्रिक समाजों के अनुभवजन्य अवलोकन और विश्लेषण में अधिक था।

92. (D)

93. (B): कथन (A) में कहा गया है कि युवा मिल उपयोगितावाद के वैज्ञानिक सिद्धांत से अत्यधिक परिचित था, जो कि परिच्छेद में दी गई जानकारी के आधार पर सही है। जॉन स्टुअर्ट मिल, एक युवा व्यक्ति के रूप में, उपयोगितावादी दर्शन से व्यापक रूप से प्रभावित थे, जिसने नैतिक निर्णय लेने के लिए एक मार्गदर्शक सिद्धांत के रूप में प्रसन्नता को अधिकतम करने पर जोर दिया था।

कारण (R) बताता है कि उपयोगितावादी सिद्धांत ने उसे वास्तव में मानवीय चीजों से बहुत दूर कर दिया था। परिच्छेद के आधार पर यह कारण भी सही है, क्योंकि इससे पता चलता है कि मिल के उपयोगितावाद में विश्वास के अपने परिणाम थे, जिससे संभावित रूप से मानवीय अनुभव के उन पहलुओं से एक निश्चित अलगाव हो गया जो भावनात्मक और सहज ज्ञान युक्त आयामों जैसे सख्त उपयोगितावादी गणनाओं से परे हैं।

94. (C): यह परिच्छेद इस बात पर प्रकाश डालता है कि जॉन स्टुअर्ट मिल का संकीर्ण उपयोगितावाद से दूर होना रोमांटिक कवियों, विशेष रूप से वर्ड्सवर्थ से प्रभावित था। वर्ड्सवर्थ ने, कोलरिज के साथ, साहित्य में उस बात की वकालत की, जिसका एडमंड बर्क ने दार्शनिक रूप से समर्थन किया था, केवल तर्क और विचार की तर्कसंगत श्रेणियों पर भावना और अंतर्ज्ञान पर जोर

दिया। मिल के लिए, जो अपने पालन-पोषण के दौरान उपयोगितावाद के वैज्ञानिक और तर्कसंगत सिद्धांत से अत्यधिक परिचित थे, वर्ड्सवर्थ और रोमांटिक कवियों द्वारा मानवीय अनुभव के भावनात्मक पहलुओं पर जोर ने उनके बौद्धिक प्रक्षेपवक्र को आकार देने में महत्वपूर्ण भूमिका निभाई। मिल की सोच में भावना और अंतर्ज्ञान के समावेश ने कठोर उपयोगितावादी ढांचे से प्रस्थान का संकेत दिया और मानव स्वभाव और मूल्यों की अधिक सूक्ष्म समझ में योगदान दिया।

95. (C): कथन I परिच्छेद के आधार पर सटीक है, जो इस बात पर जोर देता है कि रोमांटिक कवियों, विशेष रूप से वर्ड्सवर्थ ने जॉन स्टुअर्ट मिल को यह धारणा दी कि उपयोगितावादी मनोविज्ञान में मानव अनुभव के संदर्भ में गहराई का अभाव है, क्योंकि यह अत्यधिक तर्कसंगतता पर निर्भर करता है। यह इस विचार के अनुरूप है कि भावना और अंतर्ज्ञान सख्त उपयोगितावादी गणनाओं द्वारा उपेक्षित महत्वपूर्ण पहलू थे।

हालाँकि, कथन II उपयोगितावादी दर्शन की वैज्ञानिक अपर्याप्तताओं की ओर इशारा करने के लिए टॉकविले को जिम्मेदार ठहराने में गलत है। यह परिच्छेद टॉकविले को वैज्ञानिक दृष्टिकोण से उपयोगितावादी दर्शन की आलोचना के रूप में निर्दिष्ट नहीं करता है। बल्कि, यह सुझाव देता है कि रोमांटिक कवियों की तरह टॉकविले ने उपयोगितावादी विचारों में समाजशास्त्रीय अपर्याप्तताओं को उजागर करने में योगदान दिया। इसलिए, सही व्याख्या यह है कि टॉकविले की आलोचना वैज्ञानिक से अधिक समाजशास्त्रीय थी।

96. (A): कथन I नीति परिवर्तन की सूक्ष्म प्रकृति को सही ढंग से उजागर करता है, इस बात पर जोर देता है कि यह अचानक ('रातोंरात') नहीं होता है और आम तौर पर गतिशील सेटिंग्स में होता है जहां अन्य पर्यावरणीय तत्व स्थिर नहीं होते हैं। नीति परिवर्तन के अस्थायी और प्रासंगिक पहलुओं की यह पहचान इसकी गतिशीलता को समझने में शामिल जटिलता को रेखांकित करती है।

कथन II देखे गए परिणामों पर एक विशिष्ट नीति परिवर्तन के प्रभाव का मूल्यांकन करने में अंतर्निहित कठिनाई को संबोधित करके कथन I को पूरक करता है। शब्द 'मेट्रोलॉजिकल' माप-संबंधी चुनौतियों को संदर्भित करता है, जो दर्शाता है कि नीति परिवर्तन के प्रभावों का सटीक आकलन करने के लिए जटिल माप तकनीकों की आवश्यकता होती है। यह परिच्छेद प्रभावी नीति मूल्यांकन के लिए आवश्यक सांख्यिकीय और आर्थिक तकनीकों के जटिल ज्ञान और चतुर उपयोग को स्वीकार करता है। यह नीति निर्माताओं द्वारा नीतिगत बदलाव के वास्तविक प्रभाव को निर्धारित करने में सामना की जाने वाली पद्धतिगत चुनौतियों को रेखांकित करता है।

97. (C): यादृच्छिक नियंत्रण परीक्षण (आरसीटी) मुख्य रूप से फार्मास्युटिकल अनुसंधान में कार्यरत हैं। इस क्षेत्र में, आरसीटी को प्रभाव मूल्यांकन के लिए 'स्वर्ण मानक' माना जाता है। कार्यप्रणाली में उत्तरदाताओं के एक समूह का चयन करना शामिल है, जैसे कि मरीज, जो किसी विशेष दवा या हस्तक्षेप के संभावित लाभार्थी हैं। मुख्य विशेषता यह है कि व्यक्तियों को या तो दवा या हस्तक्षेप (उपचार समूह) प्राप्त करना है या इसे प्राप्त नहीं करना है (नियंत्रण समूह)। यह यादृच्छिकीकरण भ्रमित करने वाले चरों को नियंत्रित करने में मदद करता है, जिससे यह सुनिश्चित होता है कि परिणामों में देखे गए किसी भी अंतर को हस्तक्षेप के लिए अधिक आत्मविश्वास से जिम्मेदार ठहराया जा सकता है। फार्मास्युटिकल शोधकर्ता नई दवाओं, उपचारों या चिकित्सा हस्तक्षेपों की प्रभावशीलता और सुरक्षा का कठोरता से आकलन करने के लिए आरसीटी का उपयोग करते हैं, जो स्वास्थ्य देखभाल उद्योग में निर्णय लेने के लिए मजबूत सबूत प्रदान करते हैं।

98. (B): यादृच्छिक नियंत्रण परीक्षणों (आरसीटी) के संदर्भ में, 'यादृच्छिक रूप से चयनित' शब्द महत्वपूर्ण है क्योंकि यह प्रयोगात्मक डिजाइन में एक महत्वपूर्ण सिद्धांत को दर्शाता है। आरसीटी आयोजित करते समय, शोधकर्ताओं का लक्ष्य चयन पूर्वाग्रह को कम

करना और यह सुनिश्चित करना है कि उपचार समूह और नियंत्रण समूह अध्ययन किए जा रहे हस्तक्षेप को छोड़कर सभी पहलुओं में तुलनीय हैं। यादृच्छिक चयन प्रक्रिया में संभावित लाभार्थियों के बड़े समूह से व्यक्तियों को यादृच्छिक और निष्पक्ष विधि, जैसे कि यादृच्छिक संख्या जनरेटर या ड्राइंग लॉट का उपयोग करके उपचार या नियंत्रण समूह में नियुक्त करना शामिल है। यह यादृच्छिकता व्यक्तियों के बीच पहले से मौजूद किसी भी अंतर को नियंत्रित करने में मदद करती है और यह सुनिश्चित करती है कि परिणामों में देखे गए किसी भी अंतर को समूहों की विशेषताओं में व्यवस्थित अंतर के बजाय हस्तक्षेप के लिए जिम्मेदार ठहराया जा सकता है। यादृच्छिक चयन पर जोर आरसीटी की एक प्रमुख ताकत है, जो फार्मास्युटिकल अनुसंधान, सामाजिक विज्ञान और नीति मूल्यांकन सहित विभिन्न क्षेत्रों में हस्तक्षेपों के कारण प्रभाव का मूल्यांकन करने के लिए एक मजबूत पद्धति के रूप में उनकी विश्वसनीयता में योगदान देता है।

99. (C): प्रभाव मूल्यांकन में यादृच्छिक नियंत्रण परीक्षण (आरसीटी) को व्यापक रूप से 'स्वर्ण मानक' माना जाता है। इस प्रयोगात्मक पद्धति में बड़े पूल से व्यक्तियों को यादृच्छिक रूप से या तो एक उपचार समूह में नियुक्त करना शामिल है, जो हस्तक्षेप प्राप्त करता है, या एक नियंत्रण समूह, जो हस्तक्षेप प्राप्त नहीं करता है। यादृच्छिकीकरण यह सुनिश्चित करने में मदद करता है कि परिणामों में देखे गए किसी भी अंतर को समूहों के बीच पहले से मौजूद मतभेदों के विपरीत, हस्तक्षेप के लिए ही जिम्मेदार ठहराया जा सकता है। आरसीटी को विशेष रूप से भ्रमित करने वाले चर को नियंत्रित करने और कार्य-कारण के कठोर साक्ष्य प्रदान करने की उनकी क्षमता के लिए महत्व दिया जाता है। इस दृष्टिकोण का व्यापक रूप से फार्मास्युटिकल अनुसंधान, सामाजिक विज्ञान और नीति मूल्यांकन जैसे क्षेत्रों में उपयोग किया जाता है, जो हस्तक्षेपों की प्रभावशीलता का आकलन करने और निर्णय लेने की प्रक्रियाओं में मूल्यवान अंतर्दृष्टि का योगदान करने के लिए एक मजबूत और वैज्ञानिक रूप से कठोर तरीका प्रदान करता है।

100. (C): कथन I सत्य है क्योंकि यह बताता है कि यादृच्छिक नियंत्रण परीक्षणों (आरसीटी) के संदर्भ में मानक मेट्रोलॉजिकल तकनीक में उत्तरदाताओं के एक समूह का चयन करना शामिल है। यह आरसीटी के मूल सिद्धांत के अनुरूप है, जहां शोधकर्ता बड़ी आबादी से एक नमूना चुनते हैं और यादृच्छिक रूप से व्यक्तियों को उपचार या नियंत्रण समूह में नियुक्त करते हैं।

हालाँकि, कथन II सत्य नहीं है। आरसीटी में, उद्देश्य यह सुनिश्चित करना नहीं है कि परीक्षण में भाग लेने वाला प्रत्येक व्यक्ति अन्य सभी से भिन्न हो। इसके बजाय, संभावित भ्रमित करने वाले चरों को नियंत्रित करने के लिए अलग-अलग समूहों में व्यक्तियों के यादृच्छिक असाइनमेंट पर जोर दिया जाता है। रैंडमाइजेशन प्रक्रिया यह सुनिश्चित करती है कि उपचार और नियंत्रण समूहों के बीच परिणामों में देखे गए किसी भी अंतर की संभावना प्रतिभागियों के बीच पहले से मौजूद मतभेदों के बजाय हस्तक्षेप के कारण ही है।

जबकि कथन I कार्यप्रणाली को सही ढंग से दर्शाता है, कथन II आरसीटी में यादृच्छिकीकरण के उद्देश्य को गलत तरीके से प्रस्तुत करता है, जिससे यह निष्कर्ष निकलता है कि कथन I सत्य है, लेकिन कथन II गलत है।

पिछले प्रश्न-पत्र (हल सहित)

National Testing Agency (NTA)

UGC-NET जूनियर रिसर्च फैलोशिप तथा सहायक प्राध्यापक परीक्षा

राजनीति शास्त्र, मार्च-2023

(Exam held on 06-03-2023)

प्रश्न-पत्र-II

1. निम्नलिखित में से किसने यह कहा था कि 'लोकतंत्र शासन के एक प्रकार (रूप) से कुछ अधिक है, यह सहयोजित जीवन निर्वाह का एक साधन है।'

A. जवाहर लाल नेहरू B. जॉन लॉक

C. जॉन डिवी D. गाँधी

2. सोफी अथवा सोफिया निम्नांकित में से किस पुस्तक का एक पात्र है?

A. रिपब्लिक

B. ए विन्डिकेशन ऑफ द राइट्स ऑफ वूमेन

C. द आर्कियोलॉजी ऑफ नॉलेज

D. द ह्यूमन कंडीशन

3. बहुसंस्कृतिवाद के विमर्श में निम्नलिखित से किसने आन्तरिक प्रतिबंध एवं बाह्य प्रतिबंध शब्दों का उपयोग किया है?

A. भीखू पारेख B. विल किमलिका

C. ओकिन D. बी. बैरी

4. निम्नांकित में से किसके लिए एम.बी. फोस्टर ने कहा है कि उनका राजनीतिक विचार प्रोटेस्टेंट धर्म की अपेक्षा पैगन पुनरुत्थान को अधिक प्रस्तुत करता है?

A. मैकियावेली B. हॉब्स

C. बेंथम D. जे.एस. मिल

5. "हमारी आत्मा पूर्णता की ओर ले जाने वाले हमारे विज्ञान एवं हमारी कलाओं के उन्नयन के अनुपात में भ्रष्ट हो गई है" यह निम्नांकित में उल्लिखित है:

A. डिसकोर्स ऑन द साइंस एण्ड आर्ट्स

B. रिवोल्ट अगेन्स्ट रीजन

C. द वेल्थ ऑफ नेशन

D. द थ्योरी ऑफ मोरल सेंटीमेंट्स

6. निम्नलिखित में से कौन-सी एक अरस्तू की कृति (रचना) नहीं है?

A. पॉलिटिक्स B. निकोमेचिएन

C. इयूडेमियन एथिक्स D. अपोलॉजी

7. प्लेटो के अनुसार निम्नलिखित में से कौन एक पूर्ण, शाश्वत एवं नियत है?

A. पदार्थ B. विचार

C. अशोधित सामग्री D. डार्कनेस

8. 'सूक्ति संग्रह' (Analects) निम्नलिखित में से किससे संबंधित है?

A. निकोमैकस B. प्लेटो

C. कन्फ्यूशियस D. चाऊ राजवंश

9. दक्षिण अफ्रीका में भारतीयों द्वारा कब और कहाँ पर प्रदर्शन किया गया एवं उनके द्वारा एकत्र होकर निष्क्रिय प्रतिरोध करने की विधिवत शपथ ली गई?

A. सितम्बर 1906, जोहॉन्सबर्ग

B. अक्टूबर 1906, नेटाल

C. सितम्बर 1905, प्रिटोरिया

D. अक्टूबर 1905, पीटरमेरिट्जबर्ग

10. निम्नलिखित में से किसने वर्ष 1925 में 'आत्म-सम्मान आन्दोलन' (Self-Respect Movement) की शुरुआत की थी?

A. डॉ. बी.आर. अम्बेडकर

B. महात्मा फुले

C. ई.वी. रामास्वामी नायकर

D. जे.पी. नारायण

11. निम्नलिखित में से किसने विधि (कानूनों) को दो प्रकार, शरीयत एवं जवाबित के रूप में वर्गीकृत किया था?

A. दारा शिकोह B. बासवा

C. अबुल फजल D. जियाउद्दीन बरनी

12. निम्नांकित में से किस वर्ष में एम.एन. रॉय ने अपनी रेडिकल डेमोक्रेटिक पार्टी को खंडित (समाप्त) कर दिया?

A. 1940 B. 1945

C. 1948 D. 1950

13. रॉबर्ट नोजिक राज्य के दृष्टिकोण के बारे में अराजकतावादी अभिकथन से क्यों सहमत हैं। निम्नलिखित में से गलत तर्क को चुनिए:

A. यह अंतर्भूत रूप से अनैतिक है

B. यह बल के प्रयोग पर एकाधिकार बनाए रखता है

C. यह व्यक्तिगत अधिकारों का उल्लंघन करता है

D. इसका अभिप्रेरक नागरिकों का कल्याण है

14. निम्नलिखित में से कौन-सा कथन संघ लोक सेवा आयोग (UPSC) के बारे में सही नहीं है?

A. भारत के राष्ट्रपति संघ लोक सेवा आयोग के अध्यक्ष को पद से हटा सकते हैं

B. अध्यक्ष (चेयरमैन) को हटाए जाने की स्थिति में, राष्ट्रपति इस मामले को जाँच हेतु उच्चतम न्यायालय को संदर्भित करता है

C. किसी मंत्रालय अथवा विभाग को संघ लोक सेवा आयोग की सलाह को नहीं मानने की शक्ति नहीं प्राप्त है

D. कोई भी राज्य सरकार, संघ लोक सेवा आयोग से संबंधित राज्य के लिए परीक्षाओं को संचालित करने के लिए आग्रह कर सकती है

15. राष्ट्रपति चुनाव में किसी संसद सदस्य के मत मूल्य के संदर्भ में निम्नलिखित में से कौन-सा कथन सही है?

A. संसद सदस्य का मत मूल्य

$$= \frac{\text{सभी राज्यों एवं संघ राज्य शासित क्षेत्रों के सभी विधान सभा सदस्यों के मतों का कुल मूल्य}}{\text{संसद के कुल सदस्य}}$$

B. संसद सदस्य का मत मूल्य

$$= \frac{\text{सभी राज्यों एवं संघ राज्य शासित क्षेत्रों के सभी विधान सभा सदस्यों के मतों का कुल मूल्य}}{\text{संसद के चुने गये सदस्यों की कुल संख्या}}$$

C. संसद सदस्य का मत मूल्य

$$= \frac{\text{देश के सभी मतदाताओं के मतों का कुल मूल्य}}{\text{संसद के कुल सदस्य}}$$

D. संसद सदस्य का मत मूल्य

$$= \frac{\text{सभी राज्यों एवं संघ राज्य शासित क्षेत्रों के सभी विधान सभा सदस्यों के मतों का कुल मूल्य}}{\text{लोकसभा के कुल सदस्य}}$$

16. निम्नलिखित में से कौन-सा मौलिक कर्तव्य 86वें संविधान संशोधन के द्वारा अनुच्छेद 51-A में जोड़ा गया है?

A. व्यक्तिगत एवं सामूहिक कार्यकलाप के राभी क्षेत्रों में उत्कृष्टता प्राप्त करने का प्रयास करना

B. माता-पिता द्वारा अपने बच्चों को शिक्षा के अवसर प्रदान करना

C. वैज्ञानिक मनोभाव, मानवतावाद तथा पृच्छा की भावना एवं सुधारों को विकसित करना

D. राष्ट्रीय ध्वज एवं प्रतीकों का सम्मान करना

17. राष्ट्रीय अल्पसंख्यक आयोग अधिनियम, 1992 के अंतर्गत केन्द्र सरकार द्वारा गठित राष्ट्रीय अल्पसंख्यक आयोग (NCM) द्वारा निम्नलिखित में से कौन-से छह धार्मिक अल्पसंख्यक समुदाय अधिसूचित किये गये हैं?

A. मुस्लिम, ईसाई, सिख, बौद्ध, पारसी, सिन्धी

B. मुस्लिम, ईसाई, सिख, बौद्ध, सिन्धी, बहाई

C. मुस्लिम, ईसाई, सिख, सिन्धी, बहाई, यहूदी

D. मुस्लिम, ईसाई, सिख, बौद्ध, पारसी, जैन

18. मतदान स्थल पर चुनाव का संचालन निम्नलिखित में से कौन करता है?

A. मतदान अभिकर्ता B. पीठासीन अधिकारी

C. निर्वाचन अधिकारी D. राजस्व अधिकारी

19. निम्नलिखित में से कौन जनहित याचिका के अगुआ (पथप्रदर्शक) थे?
A. न्यायमूर्ति एस.एन. बनर्जी
B. न्यायमूर्ति पी.एन. भगवती
C. न्यायमूर्ति हिंगोरानी
D. न्यायमूर्ति रंजन गोगोई

20. राष्ट्रीय ग्रामीण रोजगार गारंटी अधिनियम को बनाने में निम्नलिखित में से किसने योगदान दिया था?
A. जीन द्रेज B. अरुणा रॉय
C. मेधा पाटकर D. बाबा आम्टे

21. 'नागरिक चार्टर आन्दोलन' के लिए मूल रूप से बनाए गए छह सिद्धांतों में से निम्नलिखित कौन-सा एक सिद्धांत नहीं है?
A. चुनाव B. मूल्य
C. जवाबदेही D. मात्रा

22. निम्नलिखित में से कौन-सा संशोधन 'दलबदल-विरोध' से संबंधित है?
A. 51वाँ संशोधन B. 52वाँ संशोधन
C. 53वाँ संशोधन D. 59वाँ संशोधन

23. लूथर गुलिक द्वारा प्रतिपादित विभागीकरण के 4Ps सिद्धांत में 4Ps का तात्पर्य है :
A. उद्देश्य, व्यक्ति, स्थान, प्रक्रिया
B. व्यक्ति, स्थान, प्रक्रिया और कार्यक्रम
C. प्रक्रिया, लोग, नीतियाँ और बोध
D. लोग, सार्वजनिक, समस्याएँ और बोध

24. फोलेट के अनुसार 'शक्ति' और 'सत्ता' के मध्य अंतर है :
A. शक्ति तब अस्तित्ववान होती है जब आदेशों का प्रतिरोध-निरपेक्ष होकर पालन किया जाता है, सत्ता तब अस्तित्ववान होती है जब आदेशों का स्वेच्छापूर्वक पालन किया जाता है
B. शक्ति को कभी भी प्रत्यायोजित नहीं किया जा सकता है, सत्ता प्रत्यायोजित की जा सकती है
C. सत्ता तब अस्तित्ववान होती है जब आदेशों को प्रतिरोध-निरपेक्ष होकर पालन किया जाता है, शक्ति तब अस्तित्ववान होती है जब आदेशों का पालन बलपूर्वक होता है
D. सत्ता को कभी भी प्रत्यायोजित नहीं किया जा सकता है, शक्ति को सदैव प्रत्यायोजित किया जा सकता है

25. नवीन लोक प्रशासन पर आधारित साहित्य निम्नलिखित पर बल देता है :
A. प्रासंगिकता, संबद्धता, नैतिक मूल्य और समता
B. प्रासंगिकता, मूल्य, नीतिशास्त्र और परिवर्तन
C. मूल्य, नीतिशास्त्र, संबद्धता और आत्मनिर्भरता
D. प्रासंगिकता, मूल्य, समता और परिवर्तन

26. हेरॉल्ड लॉसवेल के अनुसार निम्नांकित में से कौन-सी एक, नीति-चक्र की पाँचवीं अवस्था है?
A. संवर्धन B. आह्वान
C. अनुप्रयोग D. बुद्धि

27. निम्नलिखित में से कौन-सा मंत्रालय स्वच्छ सर्वेक्षण अभियान से संबंधित है?
A. जल एवं स्वच्छता मंत्रालय
B. आवासन एवं शहरी कार्य मंत्रालय
C. ग्रामीण विकास मंत्रालय
D. वित्त मंत्रालय

28. निम्नलिखित में से कौन-सा वह पहला भारतीय राज्य है जिसने सामाजिक संपरीक्षा-विधि को लागू किया है?
A. आन्ध्र प्रदेश B. मेघालय
C. त्रिपुरा D. छत्तीसगढ़

29. निम्नलिखित में से कौन-सा मंत्रालय/आयोग सुशासन सूचकांक से संबंधित है?
A. कार्मिक लोक शिकायत एवं पेंशन मंत्रालय
B. ग्रामीण विकास मंत्रालय
C. आवासन एवं शहरी कार्य मंत्रालय
D. नीति आयोग

30. निम्नलिखित में से किस अधिनियम को 'हाइड एक्ट' के रूप में भी जाना जाता है?
A. यू.एस.-भारत आर्थिक सहयोग अधिनियम
B. यू.एस.-भारत शांतिपूर्ण परमाणु ऊर्जा सहयोग अधिनियम
C. यू.एस.-भारत व्यापार सहयोग अधिनियम
D. यू.एस.-भारत शस्त्र व्यापार अधिनियम

31. निम्नलिखित में से कौन-से पंचशील के सिद्धांत हैं?

(*a*) एक-दूसरे की प्रादेशिक अखंडता और संप्रभुता के प्रति पारस्परिक सम्मान

(*b*) पारस्परिक अनाक्रमण

(*c*) एक-दूसरे के मामलों में हस्तक्षेप

(*d*) पारस्परिक लाभ के लिए समानता और सहयोग

(*e*) समान अस्तित्व

नीचे दिए गए विकल्पों में से सबसे उपयुक्त उत्तर का चयन कीजिए :

A. केवल (*a*), (*b*), (*c*)

B. केवल (*a*), (*b*), (*d*)

C. केवल (*b*), (*c*), (*d*)

D. केवल (*c*), (*d*), (*e*)

32. भारत की किसी महिला पुलिस कर्मी ने ''सर्वप्रथम शांति स्थापना अभियान'' के कार्यों में कब भाग लिया था?

A. जनवरी 2007 B. फरवरी 2008

C. जनवरी 2006 D. फरवरी 2009

33. 'विस्तारित पड़ोस' (Extended Neighbourhood) भारतीय विदेश नीति का अवधारणात्मक छत्र (Conceptual umbrella) बन गया है। नीचे दिए गए विकल्पों में से कौन-सा विकल्प भारत के विस्तारित पड़ोस के कार्य-क्षेत्र के अंतर्गत नहीं आता है?

A. स्वेज नहर

B. दक्षिणी चीन सागर

C. पूर्वी अफ्रीका

D. एशिया प्रशांत क्षेत्र (Asia Pacific)

34. भारत के विदेश मंत्री एस. जयशंकर ने बहुपक्षीय कार्रवाई के बारे में भारत के उपागम को पांच S के रूप में रखा है। गलत विकल्प को चुनें :

A. सम्मान B. सामंजस्य

C. संवाद D. समृद्धि

35. निम्नलिखित में से किस सम्मेलन में विश्व बैंक की स्थापना का निर्णय लिया गया था?

A. न्यूयॉर्क B. ब्रेटन वुड्स

C. मेसाच्यूसेट्स D. पेरिस

36. निम्नलिखित में से किस वर्ष में संयुक्त राष्ट्र की स्थापना की गई थी?

A. 1944 B. 1945

C. 1946 D. 1950

37. निम्नलिखित में से किसने 'प्रभाव की रोकथाम' (Containment) पद की रचना की थी?

A. जॉर्ज कैनन B. अल्फ्रेड सोवी

C. जॉर्ज मार्शल D. जॉन मार्शल

38. निम्नलिखित में से किसने भारत को उन्नत ''परमाणु प्रौद्योगिकी वाले एक उत्तरदायी राज्य'' के रूप में वर्गीकृत किया था?

A. राष्ट्रपति जॉर्ज डब्ल्यू. बुश

B. राष्ट्रपति बिल क्लिंटन

C. राष्ट्रपति जिमी कार्टर

D. राष्ट्रपति बराक ओबामा

39. निम्नलिखित में से कौन-से कथन पारिस्थितिकीय दृष्टिकोण से सही है?

(*a*) 'Ecology' शब्द यूनानी मूल का है।

(*b*) 'Ecology' शब्द को अर्न्स्ट हैकेल ने प्रतिपादित किया।

(*c*) एंड्रयु डॉबसन ने पर्यावरणवाद एवं पारिस्थितिकीवाद के मध्य विभेद किया।

(*d*) हरित विचारधारा वाद-विवाद 16वीं शताब्दी में उद्भूत वाद-विवाद है।

नीचे दिए गए विकल्पों में से सबसे उपयुक्त उत्तर का चयन कीजिए :

A. केवल (*a*), (*b*), (*c*)

B. केवल (*b*), (*d*)

C. केवल (*c*), (*d*)

D. केवल (*a*), (*d*)

40. निम्नलिखित में से यह किसका/किनका विश्वास (कथन) है कि अधिसंरचना (Superstructure) सापेक्षिक रूप से स्वायत्त होती है?

(*a*) लुईस अल्थ्युसर

(*b*) ग्राम्शी

(*c*) पोलान्ज

(*d*) माओ जेदांग

नीचे दिए गए विकल्पों में से सबसे उपयुक्त उत्तर का चयन कीजिए :

A. केवल (*a*) और (*b*)
B. केवल (*c*) और (*a*)
C. केवल (*b*), (*c*) और (*d*)
D. केवल (*b*)

41. मैकियावेली की पुस्तक 'द प्रिंस' के संदर्भ में निम्नलिखित में से कौन-सा कथन सही है?

(*a*) यह पुस्तक लोकतांत्रिक भावना के साथ लिखी गयी है।
(*b*) इस पुस्तक में द्वि-नैतिकता को स्थापित किया गया है।
(*c*) यह पुस्तक अपने धर्मनिरपेक्षता विरोधी दृष्टिकोण (उपागम) के लिए प्रसिद्ध है।
(*d*) यह पुस्तक एक नागरिक सेना के पक्ष में बात करती है।

नीचे दिए गए विकल्पों में से सबसे उपयुक्त उत्तर का चयन कीजिए :

A. केवल (*b*) और (*d*)
B. केवल (*a*) और (*c*)
C. केवल (*c*) और (*d*)
D. केवल (*b*) और (*c*)

42. जॉन लॉक के बारे में निम्नलिखित में से कौन-से कथन सही हैं?

(*a*) वे अनुभववाद के समर्थक थे।
(*b*) उन्होंने मानव समझ से संबंधित सरोकारों पर निबंध लिखा है।
(*c*) वे सीमित (Limited) राज्य में विश्वास करते थे।
(*d*) वे लोकप्रिय संप्रभुता के प्रतिपादक हैं।

नीचे दिए गए विकल्पों में से सबसे उपयुक्त उत्तर का चयन कीजिए :

A. केवल (*a*), (*b*), (*c*)
B. केवल (*c*), (*d*)
C. केवल (*a*), (*d*)
D. केवल (*b*), (*d*)

43. टैगोर के दर्शन के संदर्भ में निम्नलिखित में से कौन-से कथन सही हैं?

(*a*) टैगोर 'सच्ची स्वतंत्रता' के प्रतिपादक थे।
(*b*) टैगोर शाश्वत सत्य के अन्वेषक बनकर उभरे।
(*c*) टैगोर ने विविधता में सृजनात्मक एकता को प्रोत्साहित किया।
(*d*) टैगोर ने आक्रामक राष्ट्रवाद का समर्थन किया।

नीचे दिए गए विकल्पों में से सबसे उपयुक्त उत्तर का चयन कीजिए :

A. केवल (*a*), (*b*), (*c*)
B. केवल (*a*), (*b*), (*d*)
C. केवल (*b*), (*c*), (*d*)
D. (*a*), (*b*), (*c*), (*d*)

44. कौटिल्य के अनुसार दण्डनीति के उद्देश्य कौन-से हैं?

(*a*) अनार्जित का अधिग्रहण
(*b*) अर्जित का प्रस्तुतीकरण
(*c*) राज्य के भीतर कानून एवं व्यवस्था का प्रबंध करना
(*d*) संरक्षित का संवर्धन
(*e*) संवर्धित का उचित वितरण

नीचे दिए गए विकल्पों में से सबसे उपयुक्त उत्तर का चयन कीजिए :

A. केवल (*a*), (*b*), (*c*), (*d*)
B. केवल (*b*), (*c*), (*d*), (*e*)
C. केवल (*a*), (*c*), (*d*), (*e*)
D. केवल (*a*), (*b*), (*d*), (*e*)

45. निम्नलिखित में से राजनीतिक प्रणालियों के कार्य कौन-से हैं?

(*a*) राजनीतिक समाजीकरण
(*b*) राजनीतिक अपक्षय
(*c*) राजनीतिक भर्ती
(*d*) राजनीतिक क्रांतियाँ

नीचे दिए गए विकल्पों में से सबसे उपयुक्त उत्तर का चयन कीजिए :

A. केवल (*a*) और (*b*)
B. केवल (*b*) और (*c*)
C. केवल (*a*) और (*c*)
D. केवल (*b*) और (*d*)

46. निम्नलिखित में से कौन-से कारक राजनीतिक व्यवस्था में क्रांतियों का मार्ग प्रशस्त करते हैं?

(*a*) तीव्र वर्ग विभाजन

(*b*) जनता को एकजुट करने में बुद्धिजीवियों की भूमिका

(*c*) सामाजिक असंतुलन

(*d*) शांति की तीव्र इच्छा

(*e*) अभिवृद्धि परिवर्तन

नीचे दिए गए विकल्पों में से सबसे उपयुक्त उत्तर का चयन कीजिए :

A. केवल (*a*), (*b*) और (*e*)

B. केवल (*b*), (*c*) और (*d*)

C. केवल (*a*), (*b*) और (*c*)

D. (*a*), (*b*), (*c*), (*d*) और (*e*)

47. निम्नलिखित में कौन-से कथन लोक सभा के अध्यक्ष की शक्तियों के बारे में सही है/हैं?

(*a*) दल-बदल विरोधी कानून स्पीकर पर अपनी पार्टी को छोड़ने की स्थिति में भी अनुप्रयोज्य होता है।

(*b*) जब स्पीकर को उसके पद से हटाए जाने का प्रस्ताव विचाराधीन हो तो वह अध्यक्षता नहीं करता है।

(*c*) स्पीकर के पद से हटाए जाने के किसी भी मामले में वह सदन में मतदान कर सकता है।

नीचे दिए गए विकल्पों में से सही उत्तर का चयन कीजिए :

A. (*a*), (*b*) और (*c*)

B. केवल (*b*) और (*c*)

C. केवल (*a*) और (*c*)

D. केवल (*a*) और (*b*)

48. भारतीय संविधान की उद्देशिका (प्रस्तावना) के संदर्भ में निम्नलिखित में से कौन-से कथन सही हैं?

(*a*) बेरुबारी मामले में उच्चतम न्यायालय ने निर्णय दिया कि उद्देशिका संविधान का भाग नहीं है।

(*b*) केशवानन्द भारती मामले में उच्चतम न्यायालय ने निर्णय दिया कि उद्देशिका संविधान का एक भाग है।

(*c*) भारतीय जीवन बीमा निगम (L.I.C.) मामले में उच्चतम न्यायालय ने निर्णय दिया कि उद्देशिका संविधान का भाग नहीं है।

नीचे दिए गए विकल्पों में से सही उत्तर का चयन कीजिए :

A. (*a*), (*b*) और (*c*)

B. केवल (*b*) और (*c*)

C. केवल (*a*) और (*b*)

D. केवल (*a*) और (*c*)

49. वैश्वीकरण को निम्नलिखित में से कौन मजबूती प्रदान करते हैं?

(*a*) राष्ट्रों के बीच वस्तुओं एवं सेवाओं के मुक्त व्यापार को बढ़ावा देता है।

(*b*) विकासशील विश्व की बाजार अर्थव्यवस्थाओं को मजबूती मिलती है।

(*c*) देशों के मध्य सामाजिक-आर्थिक अंतःक्रिया को बढ़ावा देता है।

(*d*) धनी एवं निर्धन के मध्य आर्थिक विषमता में वृद्धि होती है।

(*e*) यह देशों के मध्य मानवीय एवं सांस्कृतिक अंतःक्रियाओं को प्रोत्साहित नहीं करता है।

नीचे दिए गए विकल्पों में से सबसे उपर्युक्त उत्तर का चयन कीजिए :

A. केवल (*a*), (*b*) और (*c*)

B. केवल (*b*), (*c*) और (*d*)

C. केवल (*c*), (*d*) और (*e*)

D. केवल (*a*), (*d*) और (*e*)

50. भारत के संविधान के अनुच्छेद 26 के अनुसार प्रत्येक धार्मिक पंथ के पास इस बात का अधिकार है :

(*a*) धार्मिक एवं पूर्त (Charitable) उद्देश्य हेतु संस्थाओं की स्थापना करना एवं उसकी देखभाल करना।

(*b*) अपने धर्म के विषयों से संबंधित कार्यों का प्रबंध करना।

(*c*) चल संपत्ति का स्वामित्व एवं उसे अर्जित करना।

(*d*) सामाजिक मामलों (कार्यों) का प्रबंध करना।

(*e*) अचल संपत्ति का स्वामित्व एवं उसे अर्जित करना।

नीचे दिए गए विकल्पों में से सबसे उपयुक्त उत्तर का चयन कीजिए :

A. केवल (*a*), (*b*), (*c*), (*d*)

B. केवल (*b*), (*c*), (*d*), (*e*)

C. केवल (*a*), (*b*), (*c*), (*e*)

D. केवल (*a*), (*c*), (*d*), (*e*)

51. प्रशासन के शास्त्रीय (Classical) सिद्धांत के बारे में निम्नलिखित में से कौन सही है?

(*a*) इसने विवेकपरक एवं यहाँ तक कि उत्पादन अभिप्रेरक में ध्यान देने योग्य भूमिका का निर्वहन किया है।

(*b*) इसने प्रशासन में अवधारणाओं के एक समूह (समुच्चय) को सूत्रबद्ध किया।

(*c*) यह इस विचार को प्रतिपादित करने वाला प्रथम सिद्धांत था कि प्रशासन एक पृथक गतिविधि है।

नीचे दिए गए विकल्पों में से सबसे उपयुक्त उत्तर का चयन कीजिए :

A. केवल (*a*) और (*b*)

B. केवल (*b*) और (*c*)

C. केवल (*a*) और (*c*)

D. (*a*), (*b*) और (*c*)

52. फेरल हेडी के अनुसार, तुलनात्मक लोक प्रशासन निम्नलिखित में से किन मुद्दों से संबंधित है?

(*a*) सिद्धांत की खोज

(*b*) व्यवहारिक अनुप्रयोग का आग्रह।

(*c*) तुलनात्मक राजनीति के सीमा क्षेत्र का योगदान।

(*d*) लोक प्रशासन में विद्यमान समस्याओं का तुलनात्मक विश्लेषण।

नीचे दिए गए विकल्पों में से सबसे उपयुक्त उत्तर का चयन कीजिए :

A. (*a*), (*b*), (*c*) और (*d*)

B. केवल (*a*), (*b*) और (*c*)

C. केवल (*b*), (*c*) और (*d*)

D. केवल (*a*), (*c*) और (*d*)

53. निम्नांकित में से जनहित याचिका (PIL) के बारे में कौन-सा/से कथन सही नहीं है/हैं?

(*a*) केवल पंजीकृत नागरिक समाज संगठन PIL दाखिल (File) कर सकता है।

(*b*) PIL, अनुच्छेद 32 के अन्तर्गत उच्चतम न्यायालय में दाखिल की जा सकती है।

(*c*) PIL, अनुच्छेद 226 के अन्तर्गत उच्च न्यायालय में दाखिल की जा सकती है।

(*d*) PIL को दाखिल करने के लिए कोई कोर्ट शुल्क (Fees) नहीं लगाया जाता है।

नीचे दिए गए विकल्पों में से सबसे उपयुक्त उत्तर का चयन कीजिए :

A. केवल (*b*) और (*c*)

B. केवल (*a*)

C. केवल (*d*)

D. केवल (*a*) और (*d*)

54. वर्ष 2019 में RTI अधिनियम में किए गए संशोधन के बारे में निम्नलिखित में से क्या सही है?

(*a*) 5 वर्ष की निश्चित अवधि से अब आयुक्त का पद सरकार की इच्छा/कृपा पर निर्भर करेगा।

(*b*) अब 10 से अधिक केन्द्रीय सूचना आयुक्त हो सकते हैं।

(*c*) अब आयुक्त के वेतन एवं भत्ते भी सरकार द्वारा निर्धारित किए जाते हैं।

(*d*) अब मुख्य सूचना आयुक्त की सेवानिवृत्ति हेतु आयु 62 वर्ष होगी।

नीचे दिए गए विकल्पों में से सही उत्तर का चयन कीजिए :

A. केवल (*c*) B. केवल (*a*) और (*b*)

C. केवल (*a*) और (*c*) D. केवल (*a*) और (*d*)

55. भारतीय विदेश नीति के मूल मूल्य कौन-से हैं?

(*a*) आदर्शवाद और यथार्थवाद का सम्मिश्रण

(*b*) सहिष्णुता का मूल्य

(*c*) साम्राज्यवाद-विरोध और उपनिवेशवाद-विरोध

(*d*) प्रादेशिक विस्तार

(*e*) पड़ोस सर्वप्रथम (Neighbourhood First) का राजनय

नीचे दिए गए विकल्पों में से सही उत्तर का चयन कीजिए :

A. केवल (*a*), (*b*), (*c*)

B. केवल (*a*), (*b*), (*d*)

C. केवल (*b*), (*c*), (*d*)

D. केवल (*a*), (*b*), (*d*), (*e*)

56. निम्नलिखित में से कौन-सी शीत युद्ध की विशेषताएँ नहीं हैं?

(*a*) परमाणु हथियारों की होड़ थी।

(*b*) प्रोपेगेन्डा युद्ध था।

(*c*) गुट निरपेक्ष देशों के विरुद्ध आर्थिक नाकाबंदी थी।

(*d*) तीसरे विश्व के देश इसमें प्रत्यक्ष रूप से सम्मिलित थे।

नीचे दिए गए विकल्पों में से सही उत्तर का चयन कीजिए :

A. केवल (*a*) और (*b*)

B. केवल (*b*) और (*c*)

C. केवल (*c*) और (*d*)

D. केवल (*b*) और (*d*)

57. नीचे दो कथन दिए गए हैं : एक अभिकथन (A) के रूप में लिखित है तो दूसरा उसके कारण (R) के रूप में :

अभिकथन (A) : द्वितीय विश्व युद्ध की समाप्ति के बाद से ही अंतर्राष्ट्रीय वातावरण पर सोवियत संघ के साथ अमेरिकी संबंधों का प्रभुत्व रहा है, जिसका शीत युद्ध के लक्षण के रूप में वर्णन किया जाता है।

कारण (R) : शीत युद्ध ने न केवल अमेरिका एवं सोवियत संघ के साथ अमेरिका से संबद्ध देशों और सोवियत संघ के मित्र-राष्ट्रों, बल्कि अन्य गुट निरपेक्ष देशों के साथ अमेरिका और उसके मित्रों के संबंधों को भी रंग-रंजित किया।

उपरोक्त कथन के आलोक में, नीचे दिए गए विकल्पों में से सही उत्तर का चयन कीजिए :

A. (A) और (R) दोनों सत्य हैं और (R), (A) की सही व्याख्या है

B. (A) और (R) दोनों सत्य हैं, लेकिन (R), (A) की सही व्याख्या नहीं है

C. (A) सत्य है, लेकिन (R) असत्य है

D. (A) असत्य है, लेकिन (R) सत्य है

58. नीचे दो कथन दिए गए हैं : एक अभिकथन (A) के रूप में लिखित है तो दूसरा उसके कारण (R) के रूप में :

अभिकथन (A) : हमारे समय में, इतिहास वह है जो कि दस्तावेजों को स्मारकों में रूपान्तरित करता है।

कारण (R) : ज्ञान का पुरातत्व-विज्ञान स्मारकों के अंतर्भूत वर्णन (अंकन) की खोज करता है।

उपरोक्त कथन के आलोक में, नीचे दिए गए विकल्पों में से सही उत्तर का चयन कीजिए :

A. (A) और (R) दोनों सत्य हैं और (R), (A) की सही व्याख्या है

B. (A) और (R) दोनों सत्य हैं, लेकिन (R), (A) की सही व्याख्या नहीं है

C. (A) सत्य है, लेकिन (R) असत्य है

D. (A) असत्य है, लेकिन (R) सत्य है

59. नीचे दो कथन दिए गए हैं : एक अभिकथन (A) के रूप में लिखित है तो दूसरा उसके कारण (R) के रूप में :

अभिकथन (A) : पूँजीवाद के आन्तरिक विरोधाभास, पूँजीवाद को समाप्त कर देंगे।

कारण (R) : अधिशेष मूल्य का शोषण (संदोहन) पूँजीवाद का सबसे बड़ा विरोधाभास है।

उपरोक्त कथन के आलोक में, नीचे दिए गए विकल्पों में से सही उत्तर का चयन कीजिए :

A. (A) और (R) दोनों सत्य हैं और (R), (A) की सही व्याख्या है

B. (A) और (R) दोनों सत्य हैं, लेकिन (R), (A) की सही व्याख्या नहीं है

C. (A) सत्य है, लेकिन (R) असत्य है

D. (A) असत्य है, लेकिन (R) सत्य है

60. नीचे दो कथन दिए गए हैं : एक अभिकथन (A) के रूप में लिखित है तो दूसरा उसके कारण (R) के रूप में :

अभिकथन (A) : आर्थिक रूप से, 'सर्वोदय' व्यवस्था की रूपरेखा देश में एक संतुलित एवं साम्यिक आर्थिक व्यवस्था स्थापित करने का प्रयत्न करेगी।

कारण (R) : जय प्रकाश (जे.पी.) लोगों के आर्थिक जीवन में कृषिगत क्रियाकलापों को प्रथम स्थान प्रदान करना चाहते थे।

उपरोक्त कथन के आलोक में, नीचे दिए गए विकल्पों में से सही उत्तर का चयन कीजिए:

A. (A) और (R) दोनों सत्य हैं और (R), (A) की सही व्याख्या है
B. (A) और (R) दोनों सत्य हैं, लेकिन (R), (A) की सही व्याख्या नहीं है
C. (A) सत्य है, लेकिन (R) असत्य है
D. (A) असत्य है, लेकिन (R) सत्य है

61. नीचे दो कथन दिए गए हैं : एक अभिकथन (A) के रूप में लिखित है तो दूसरा उसके कारण (R) के रूप में :

अभिकथन (A) : राजनीतिक संस्कृति, राजनीति के बारे में विश्वासों और मनोभावों का एक समुच्चय है, जैसा कि लोगों के मौखिक और अमौखिक व्यवहार में सम्मिलित है।

कारण (R) : राजनीतिक संस्कृति के प्रतीकात्मक और रूपात्मक प्रतिमान (मॉडल) इस बात के द्योतक हैं कि उतनी ही राजनीतिक संस्कृतियाँ हो सकती हैं, जितनी कि राजनीतिक प्रणालियों में राजनीतिक विकास की गतिशीलता।

उपरोक्त कथन के आलोक में, नीचे दिए गए विकल्पों में से सही उत्तर का चयन कीजिए:

A. (A) और (R) दोनों सत्य हैं और (R), (A) की सही व्याख्या है
B. (A) और (R) दोनों सत्य हैं, लेकिन (R), (A) की सही व्याख्या नहीं है
C. (A) सत्य है, लेकिन (R) असत्य है
D. (A) असत्य है, लेकिन (R) सत्य है

62. नीचे दो कथन दिए गए हैं : एक अभिकथन (A) के रूप में लिखित है तो दूसरा उसके कारण (R) के रूप में :

अभिकथन (A) : राबर्ट डहल ने लोक प्रशासन में अन्तःसांस्कृतिक अध्ययन का सुझाव दिया है।

कारण (R) : उनका मानना है कि लोक प्रशासन राजनीतिक, सांस्कृतिक एवं पर्यावरणीय व्यवस्थाओं के प्रभाव, जिसमें यह विकसित होता है, उससे बच सकता है।

उपरोक्त कथन के आलोक में, नीचे दिए गए विकल्पों में से सही उत्तर का चयन कीजिए:

A. (A) और (R) दोनों सत्य हैं और (R), (A) की सही व्याख्या है
B. (A) और (R) दोनों सत्य हैं, लेकिन (R), (A) की सही व्याख्या नहीं है
C. (A) सत्य है, लेकिन (R) असत्य है
D. (A) असत्य है, लेकिन (R) सत्य है

63. नीचे दो कथन दिए गए हैं :

कथन (I) : अधिकार अनिवार्य रूप से व्यक्तियों एवं राज्य के मध्य परस्पर-विरोधी दावों संबंधी क्षेत्र से संबंधित होते हैं।

कथन (II) : कोई भी राजनीतिक सिद्धांत, अधिकारों का सिद्धांत तब तक नहीं हो सकता है जब तक कि उसमें 'राज्य के विरुद्ध' व्यक्तियों को कुछ अधिकार न दिए गए हों।

उपरोक्त कथन के आलोक में, नीचे दिए गए विकल्पों में से सही उत्तर का चयन कीजिए:

A. कथन (I) और (II) दोनों सत्य हैं
B. कथन (I) और (II) दोनों असत्य हैं
C. कथन (I) सत्य है, लेकिन कथन (II) असत्य है
D. कथन (I) असत्य है, लेकिन कथन (II) सत्य है

64. नीचे दो कथन दिए गए हैं :

कथन (I) : वैश्विक पर्यावरणीय परिवर्तन की समस्याएँ आधुनिक प्रौद्योगिकियों एवं जनसंख्या सघनताओं के बिना अस्तित्ववान नहीं हो सकती हैं।

कथन (II) : जलवायु परिवर्तन की समस्याओं का समाधान करना कठिन है क्योंकि इसमें अन्तरा एवं अन्तर-पीढ़ीगत दोनों प्रकार की सामूहिक क्रिया जन्य समस्याएँ शामिल होती हैं।

उपरोक्त कथन के आलोक में, नीचे दिए गए विकल्पों में से सही उत्तर का चयन कीजिए:

A. कथन (I) और (II) दोनों सत्य हैं
B. कथन (I) और (II) दोनों असत्य हैं
C. कथन (I) सत्य है, लेकिन कथन (II) असत्य है
D. कथन (I) असत्य है, लेकिन कथन (II) सत्य है

65. नीचे दो कथन दिए गए हैं :

कथन (I) : नेहरू ने समाज के समाजवादी प्रतिरूप का समर्थन किया।

कथन (II) : नेहरू की नागरिक स्वतंत्रताओं के प्रति प्रतिबद्धता ने उन्हें 'सर्वहारा की तानाशाही' के विचार को स्वीकार करने से रोका।

उपरोक्त कथन के आलोक में, नीचे दिए गए विकल्पों में से सही उत्तर का चयन कीजिए :

A. कथन (I) और (II) दोनों सत्य हैं
B. कथन (I) और (II) दोनों असत्य हैं
C. कथन (I) सत्य है, लेकिन कथन (II) असत्य है
D. कथन (I) असत्य है, लेकिन कथन (II) सत्य है

66. नीचे दो कथन दिए गए हैं :

कथन (I) : दलीय प्रणालियाँ राजनीतिक लड़ाइयाँ लड़ने के साधारण साधन प्रदान करती हैं।

कथन (II) : दलीय प्रणाली का एक उद्देश्य पारम्परिक अभिजात वर्ग को नए अभिजात वर्ग से प्रतिस्थापित करना है।

उपरोक्त कथन के आलोक में, नीचे दिए गए विकल्पों में से सही उत्तर का चयन कीजिए :

A. कथन (I) और (II) दोनों सत्य हैं
B. कथन (I) और (II) दोनों असत्य हैं
C. कथन (I) सत्य है, लेकिन कथन (II) असत्य है
D. कथन (I) असत्य है, लेकिन कथन (II) सत्य है

67. नीचे दो कथन दिए गए हैं :

कथन (I) : निर्गम मतानुमान (एक्जिट पोल) चुनाव के बाद होने वाला मतानुमान है जिसे तब सम्पादित किया जाता है जब मतदाता अपना मतदान करने के बाद बाहर आते हैं।

कथन (II) : मत सर्वेक्षण (ओपिनियम पोल) शोध सर्वेक्षण का वह प्रकार है जिसे चुनावों के बाद जनमत का पता लगाने हेतु संचालित किया जाता है।

उपरोक्त कथन के आलोक में, नीचे दिए गए विकल्पों में से सही उत्तर का चयन कीजिए :

A. कथन (I) और (II) दोनों सत्य हैं
B. कथन (I) और (II) दोनों असत्य हैं
C. कथन (I) सत्य है, लेकिन कथन (II) असत्य है
D. कथन (I) असत्य है, लेकिन कथन (II) सत्य है

68. नीचे दो कथन दिए गए हैं : भारत के उपराष्ट्रपति के संदर्भ में निम्नलिखित कथन पर विचार कीजिए :

कथन (I) : वह पाँच वर्ष की अवधि तक अपने पद पर बना रहता है किंतु पदावधि की समाप्ति के बाद भी अपने उत्तराधिकारी के पद ग्रहण करने तक वह अपने पद पर बना रह सकता है।

कथन (II) : संविधान इस बात पर मौन है कि उपराष्ट्रपति की पदावधि समाप्त होने के पूर्व यदि यह पद खाली हो जाता है तो, उसके दायित्वों का निर्वहन कौन करेगा?

उपरोक्त कथन के आलोक में, नीचे दिए गए विकल्पों में से सही उत्तर का चयन कीजिए :

A. कथन (I) और (II) दोनों सत्य हैं
B. कथन (I) और (II) दोनों असत्य हैं
C. कथन (I) सत्य है, लेकिन कथन (II) असत्य है
D. कथन (I) असत्य है, लेकिन कथन (II) सत्य है

69. नीचे दो कथन दिए गए हैं :

कथन (I) : नीति (पॉलिसी) एजेंडा (कार्यसूची) उन सभी राजनीतिक मांगों का योग होता है जिसे लोगों अथवा समूहों द्वारा नीति (पॉलिसी) एजेंडा में लाए जाने के लिए प्रयास किया गया होता है।

कथन (II) : नीति (पॉलिसी) एजेंडा (कार्यसूची) उन माँगों से बना होता है जिन पर विचार करने हेतु नीति-निर्माता सहमत होते हैं।

उपरोक्त कथन के आलोक में, नीचे दिए गए विकल्पों में से सही उत्तर का चयन कीजिए :

A. कथन (I) और (II) दोनों सत्य हैं
B. कथन (I) और (II) दोनों असत्य हैं
C. कथन (I) सत्य है, लेकिन कथन (II) असत्य है
D. कथन (I) असत्य है, लेकिन कथन (II) सत्य है

70. नीचे दो कथन दिए गए हैं :

कथन (I) : IMF और IBRD दोनों के मुख्यालय वाशिंगटन में हैं।

कथन (II) : भारत का IMF में मत-हिस्सा 10 प्रतिशत है।

उपरोक्त कथन के आलोक में, नीचे दिए गए विकल्पों में से सही उत्तर का चयन कीजिए :

A. कथन (I) और (II) दोनों सत्य हैं
B. कथन (I) और (II) दोनों असत्य हैं
C. कथन (I) सत्य है, लेकिन कथन (II) असत्य है
D. कथन (I) असत्य है, लेकिन कथन (II) सत्य है

71. सूची-I के साथ सूची-II का मिलान कीजिए :

सूची-I (पुस्तकें)	**सूची-II (लेखक)**
(*a*) बिटवीन पास्ट एंड फ्यूचर	I. आइजिया बर्लिन
(*b*) विको एंड हर्डर : टू स्टडीज इन द हिस्ट्री ऑफ आइडियाज	II. हन्ना आरेन्ट
(*c*) द वॉइस ऑफ लिबरल लर्निंग	III. माइकल जे. सैन्डेल
(*d*) द टाइरेनी ऑफ मेरिट	IV. माइकल ऑक्शॉट

नीचे दिए गए विकल्पों में से सही उत्तर का चयन कीजिए :

	(*a*)	(*b*)	(*c*)	(*d*)
A.	I	II	III	IV
B.	II	I	IV	III
C.	IV	III	II	I
D.	III	II	I	IV

72. सूची-I के साथ सूची-II का मिलान कीजिए :

सूची-I (अवधारणाएँ)	**सूची-II (विचारक/चिंतक)**
(*a*) सद्गुण ही ज्ञान है	I. मैकियावेली
(*b*) सफलता ही सद्गुण है	II. प्लेटो
(*c*) ज्ञान ही शक्ति है	III. फूको
(*d*) शक्ति ही अभिप्रेत प्रभावों का उत्पादन है	IV. रसेल

नीचे दिए गए विकल्पों में से सही उत्तर का चयन कीजिए :

	(*a*)	(*b*)	(*c*)	(*d*)
A.	IV	III	I	II
B.	II	I	III	IV
C.	III	II	IV	I
D.	I	II	III	IV

73. सूची-I के साथ सूची-II का मिलान कीजिए :

सूची-I (घटनाएँ)	**सूची-II (वर्ष)**
(*a*) सूरत विभाजन	I. 1927
(*b*) भारत छोड़ो आन्दोलन	II. 1919-21
(*c*) असहयोग आन्दोलन	III. 1942
(*d*) महाड़ सत्याग्रह	IV. 1907

नीचे दिए गए विकल्पों में से सही उत्तर का चयन कीजिए :

	(*a*)	(*b*)	(*c*)	(*d*)
A.	I	II	III	IV
B.	IV	III	II	I
C.	II	I	III	IV
D.	IV	I	III	II

74. सूची-I के साथ सूची-II का मिलान कीजिए :

सूची-I (पुस्तकें)	**सूची-II (लेखक)**
(*a*) पॉलिटिकल चेंज इन अंडरडेवलप्ड कन्ट्रीज : नेशनलिज्म एंड कम्युनिज्म	I. डेविड ई. एप्टर
(*b*) पॉलिटिकल डेवलपमेंट	II. एस.एन. आइजेनस्टैड
(*c*) द पॉलिटिक्स ऑफ मॉडर्नाइजेशन	III. सी.एच. डॉड
(*d*) ट्रेडिशन, चैंज एंड मॉडर्निटी	IV. जॉन एच. कौटस्की

नीचे दिए गए विकल्पों में से सही उत्तर का चयन कीजिए :

	(*a*)	(*b*)	(*c*)	(*d*)
A.	IV	II	I	III
B.	III	I	II	IV
C.	I	IV	III	II
D.	IV	III	I	II

75. सूची-I के साथ सूची-II का मिलान कीजिए :

सूची-I (अनुसूची)	सूची-II (विवरण)
(*a*) चौथी अनुसूची	I. राज्य सभा हेतु सीटों का आवंटन
(*b*) दसवीं अनुसूची	II. दल-बदल से संबंधित प्रावधान
(*c*) सातवीं अनुसूची	III. केंद्र एवं राज्य के मध्य शक्तियों का बंटवारा
(*d*) छठी अनुसूची	IV. कुछ राज्यों में जनजातीय क्षेत्रों का प्रशासन

नीचे दिए गए विकल्पों में से सही उत्तर का चयन कीजिए :

	(*a*)	(*b*)	(*c*)	(*d*)
A.	I	II	IV	III
B.	I	II	III	IV
C.	II	I	IV	III
D.	II	I	III	IV

76. सूची-I के साथ सूची-II का मिलान कीजिए :

सूची-I (क्षेत्रीय राजनीतिक दल)	सूची-II (संस्थापक नेता)
(*a*) डी.एम.के.	I. एम.जी. रामचन्द्रन
(*b*) ए.आई.डी.एम.के.	II. एन.टी. रामाराव
(*c*) टी.डी.पी.	III. सी.एन. अन्नादुरई
(*d*) पी.डी.पी.	IV. मुफ्ती मोहम्मद सईद

नीचे दिए गए विकल्पों में से सही उत्तर का चयन कीजिए :

	(*a*)	(*b*)	(*c*)	(*d*)
A.	I	II	III	IV
B.	IV	I	III	II
C.	III	I	II	IV
D.	II	I	IV	III

77. सूची I के साथ सूची-II का मिलान कीजिए :

सूची-I (अवधारणा)	सूची-II (चिंतक)
(*a*) आज्ञा-पालन एवं स्वीकार्यता के मध्य विभेद	I. एच. साइमन
(*b*) आर्थिक कार्य में लगा व्यक्ति एवं प्रशासनिक व्यक्ति के मध्य विभेद	II. चेस्टर बर्नार्ड
(*c*) करिश्माई नेता एवं विधिक-तार्किक प्राधिकार के मध्य विभेद	III. एफ.डब्ल्यू. टेलर
(*d*) प्रबंध के सिद्धातों एवं तंत्र के मध्य विभेद	IV. मैक्स वेबर

नीचे दिए गए विकल्पों में से सही उत्तर का चयन कीजिए :

	(*a*)	(*b*)	(*c*)	(*d*)
A.	I	III	II	IV
B.	II	III	IV	I
C.	II	I	IV	III
D.	I	III	IV	II

78. सूची-I के साथ सूची-II का मिलान कीजिए :

सूची-I (योजना)	सूची-II (मंत्रालय)
(*a*) उज्जवला	I. ऊर्जा मंत्रालय
(*b*) सौभाग्यम योजना	II. वित्त मंत्रालय
(*c*) अटल पेंशन योजना	III. महिला एवं बाल विकास मंत्रालय
(*d*) राष्ट्रीय सामाजिक सहायता कार्यक्रम	IV. ग्रामीण विकास मंत्रालय

नीचे दिए गए विकल्पों में से सही उत्तर का चयन कीजिए :

	(*a*)	(*b*)	(*c*)	(*d*)
A.	II	III	I	IV
B.	I	III	IV	II
C.	III	I	IV	II
D.	III	I	II	IV

79. सूची-I के साथ सूची II का मिलान कीजिए :

सूची-I	सूची-II
(*a*) श्रीलंका में भारतीय शांति स्थापना बल	I. इंदिरा गांधी
(*b*) शिमला समझौता	II. राजीव गांधी
(*c*) लाहौर घोषणा	III. अटल बिहारी वाजपेयी
(*d*) एक्ट ईस्ट नीति	IV. नरेन्द्र मोदी

नीचे दिए गए विकल्पों में से सही उत्तर का चयन कीजिए :

	(*a*)	(*b*)	(*c*)	(*d*)
A.	II	I	III	IV
B.	I	II	IV	III
C.	IV	III	II	I
D.	III	IV	I	II

80. सूची-I के साथ सूची-II का मिलान कीजिए :

सूची-I (वर्ष)	सूची-II (शिखर सम्मेलन)
(*a*) 1955	I. बांडुंग शिखर सम्मेलन
(*b*) 1961	II. बेलग्रेड शिखर सम्मेलन
(*c*) 1983	III. नई दिल्ली शिखर सम्मेलन
(*d*) 1998	IV. डरबन शिखर सम्मेलन

नीचे दिए गए विकल्पों में से सही उत्तर का चयन कीजिए :

	(*a*)	(*b*)	(*c*)	(*d*)
A.	II	III	IV	I
B.	III	I	II	IV
C.	I	II	III	IV
D.	IV	II	I	III

81. निम्नलिखित अवधारणाओं को उनके विकास के कालक्रमानुसार व्यवस्थित कीजिए :

(*a*) विधिक संप्रभुता

(*b*) लोकप्रिय संप्रभुता

(*c*) राजनीतिक संप्रभुता

(*d*) बहुल संप्रभुता का सिद्धांत

नीचे दिए गए विकल्पों में से सही उत्तर का चयन कीजिए :

A. (*a*), (*d*), (*c*), (*b*)
B. (*a*), (*b*), (*d*), (*c*)
C. (*a*), (*c*), (*b*), (*d*)
D. (*d*), (*b*), (*a*), (*c*)

82. निम्नलिखित पुस्तकों को उनके प्रकाशन वर्ष के कालक्रमानुसार ढंग से व्यवस्थित कीजिए :

(*a*) द आर्कियोलॉजी ऑफ नॉलेज

(*b*) द ह्यूमन कंडीशन

(*c*) स्फेयर्स ऑफ जस्टिस

(*d*) आफ्टर वर्चू

नीचे दिए गए विकल्पों में से सही उत्तर का चयन कीजिए :

A. (*b*), (*a*), (*d*), (*c*) B. (*a*), (*b*), (*c*), (*d*)
C. (*d*), (*a*), (*b*), (*c*) D. (*c*), (*d*), (*a*), (*b*)

83. निम्नलिखित संकल्पनाओं (अवधारणाओं) को उनके आविर्भाव (उद्भव) के क्रम में व्यवस्थित कीजिए।

(*a*) सम्पूर्ण क्रांति

(*b*) राज्य का सप्तांग सिद्धांत

(*c*) उग्र मानवतावाद

(*d*) सत्याग्रह

नीचे दिए गए विकल्पों में से सही उत्तर का चयन कीजिए :

A. (*b*), (*c*), (*d*), (*a*) B. (*a*), (*d*), (*c*), (*b*)
C. (*d*), (*a*), (*b*), (*c*) D. (*a*), (*c*), (*d*), (*b*)

84. संविधानवाद की निम्नलिखित विशेषताओं को उस कालक्रम में व्यवस्थित कीजिए, जैसा कि वे समय के साथ विकसित हुई थीं।

(*a*) नियंत्रण और संतुलन

(*b*) विधि का संहिताकरण

(*c*) राजनीतिक पृथकतावाद

(*d*) संवैधानिक राजतंत्र

नीचे दिए गए विकल्पों में से सही उत्तर का चयन कीजिए :

A. (*c*), (*b*), (*a*), (*d*) B. (*a*), (*b*), (*c*), (*d*)
C. (*b*), (*c*), (*a*), (*d*) D. (*c*), (*b*), (*d*), (*a*)

85. राज्य की नीति के निम्नलिखित निर्देशक तत्वों को भारतीय संविधान में उनके उल्लेख के अनुसार अनुक्रम में व्यवस्थित कीजिए।

(*a*) पुरुष एवं महिलाओं को समान कार्य हेतु समान वेतन।

(*b*) सभी नागरिकों के लिए पूरे देश में एक समान नागरिक संहिता लागू करना।

(*c*) निर्धन के लिए समान न्याय को बढ़ावा देना एवं मुफ्त विधिक सहायता प्रदान करना।

(*d*) लोक सेवाओं में न्यायपालिका का कार्यपालिका से पृथक्करण।

नीचे दिए गए विकल्पों में से सही उत्तर का चयन कीजिए :

A. (*a*), (*b*), (*c*) और (*d*)
B. (*a*), (*c*), (*b*) और (*d*)
C. (*c*), (*a*), (*b*) और (*d*)
D. (*d*), (*b*), (*c*) और (*a*)

86. निम्नलिखित आन्दोलनों को कालक्रमानुसार व्यवस्थित कीजिए :

(*a*) चिपको आन्दोलन
(*b*) जल सत्याग्रह
(*c*) एपिको आन्दोलन
(*d*) जन लोकपाल आन्दोलन
(*e*) नर्मदा बचाओ आन्दोलन

नीचे दिए गए विकल्पों में से सही उत्तर का चयन कीजिए :

A. (*b*), (*c*), (*d*), (*e*), (*a*)
B. (*a*), (*c*), (*e*), (*d*), (*b*)
C. (*d*), (*c*), (*a*), (*e*), (*b*)
D. (*c*), (*a*), (*d*), (*b*), (*e*)

87. एल्टन मेयो के निम्नलिखित प्रयोगों को कालक्रमानुसार व्यवस्थित कीजिए :

(*a*) रिले असेंबली टेस्ट रूम एक्सपेरीमेंट
(*b*) इल्युमिनेशन एक्सपेरीमेंट
(*c*) मास इंटरव्यू प्रोग्राम
(*d*) बैंक वायरिंग एक्सपेरीमेंट

नीचे दिए गए विकल्पों में से सही उत्तर का चयन कीजिए :

A. (*c*), (*a*), (*b*) और (*d*)
B. (*b*), (*a*), (*c*) और (*d*)
C. (*c*), (*b*), (*a*) और (*d*)
D. (*d*), (*a*), (*c*) और (*b*)

88. भारत सरकार द्वारा उठाए गए निम्नलिखित भ्रष्टाचार विरोधी कदमों (उपयों) को कालक्रमानुसार व्यवस्थित कीजिए :

(*a*) भ्रष्टाचार के विरुद्ध संयुक्त राष्ट्र अभिसमय (UNCAC) का अनुसमर्थन
(*b*) काला धन (अज्ञात विदेशी आय तथा परिसंपत्ति) तथा कर अधिनियम
(*c*) धनशोधन निवारण अधिनियम
(*d*) बेनामी संव्यवहार (प्रतिषेध) अधिनियम

नीचे दिए गए विकल्पों में से सही उत्तर का चयन कीजिए :

A. (*d*), (*a*), (*b*), (*c*)   B. (*d*), (*c*), (*a*), (*b*)
C. (*d*), (*c*), (*b*), (*a*)   D. (*d*), (*b*), (*c*), (*a*)

89. भारतीय वायुसेना द्वारा किए गए संयुक्त अभ्यासों को कालक्रमानुसार सूचीबद्ध कीजिए :

(*a*) इंद्रधनुष-IV   (*b*) डेजर्ट ईगल-II
(*c*) टेबिल टॉप   (*d*) संवेदना

नीचे दिए गए विकल्पों में से सही उत्तर का चयन कीजिए :

A. (*a*), (*b*), (*c*) और (*d*)
B. (*b*), (*c*), (*d*) और (*a*)
C. (*c*), (*d*), (*a*) और (*b*)
D. (*d*), (*a*), (*b*) और (*c*)

90. निम्नलिखित ब्रिक्स (BRICS) शिखर सम्मेलनों को उनके आयोजन के क्रम में व्यवस्थित कीजिए :

(*a*) उफा, रूस
(*b*) जोहान्सबर्ग, दक्षिण अफ्रीका
(*c*) डरबन, दक्षिण अफ्रीका
(*d*) बीजिंग वर्चुअल समिट

नीचे दिए गए विकल्पों में से सही उत्तर का चयन कीजिए :

A. (*c*), (*a*), (*b*) और (*d*)
B. (*b*), (*c*), (*a*) और (*d*)
C. (*a*), (*b*), (*c*) और (*d*)
D. (*d*), (*b*), (*a*) और (*c*)

निर्देश (प्र.सं. 91 से 95 तक): *निम्नलिखित गद्यांश को पढ़िए एवं प्रश्नों के उत्तर दीजिए।*

अधिनायकवाद को अत्यधिक संकेन्द्रित और केन्द्रित शक्ति से चित्रित किया जाता है, जिसे राजनीतिक दमन और राजनीतिक चुनौतियों के बहिष्करण के माध्यम से बनाए रखा जाता है। इसमें शासन के लक्ष्यों की प्राप्ति के लिए राजनीतिक दलों एवं जन-संगठनों का उपयोग करते हुए जनता को लामबन्द किया जाता है। अधिनायकवाद में सत्ता के प्रति कोई भी प्रश्न किए बिना आज्ञापालन की अपेक्षा, इस विश्वास के साथ की जाती

है कि यह सामाजिक व्यवस्था को बनाए रखने और अस्त-व्यवस्तता की रोकथाम के लिए महत्वपूर्ण है। उनकी रूपात्मक भिन्नताओं के वर्णन के लिए अनेक प्रारूप विकसित किए गए हैं। दल, नेता या सैन्य शासन के आधार पर, शासन व्यवस्थाएँ प्रकृति में निरंकुश या अल्पतंत्रीय हो सकती हैं। अधिनायकवादी सरकारों में प्रायः नेताओं के स्वतंत्र एवं प्रतिस्पर्धात्मक प्रत्यक्ष या अप्रत्यक्ष चुनाव या दोनों का अभाव होता है। ये वाक् एवं अभिव्यक्ति की स्वतंत्रता जैसी नागरिक स्वतंत्रताओं पर भी नियंत्रण रखती हैं। सत्तावादी राज्य नामिक रूप में लोकतांत्रिक संस्थाओं, जैसे—राजनीतिक दलों, संसद और चुनाव को सम्मिलित कर सकते हैं ताकि कपटपूर्ण तथा अप्रतिस्पर्धात्मक तरीकों से चुनाव के माध्यम से तानाशाही को वैध ठहराया जा सके।

91. निम्नलिखित में से कौन-सी अधिनायकवादी शासन की एक विशेषता नहीं है?

A. नामिक रूप में लोकतांत्रिक संस्थाएँ
B. नेतृत्व का अप्रतिस्पर्धात्मक तरीके से चुनाव
C. शासन के लक्ष्यों की प्राप्ति के लिए जनता को लामबन्द करना
D. लोकतंत्र की मजबूती के लिए जन-संगठनों का उपयोग करना

92. नीचे दो कथन दिए गए हैं:

कथन (I) : अधिनायकवाद में सत्ता के प्रति कोई भी प्रश्न किए बिना आज्ञापालन की अपेक्षा की जाती है।
कथन (II) : अधिनायकवादी सरकारों में प्रायः नेताओं के स्वतंत्र एवं प्रतिस्पर्धात्मक चुनाव का अभाव होता है।

उपरोक्त कथन के आलोक में, नीचे दिए गए विकल्पों में से सही उत्तर का चयन कीजिए:

A. कथन (I) और (II) दोनों सत्य हैं
B. कथन (I) और (II) दोनों असत्य हैं
C. कथन (I) सत्य है, लेकिन कथन (II) असत्य है
D. कथन (I) असत्य है, लेकिन कथन (II) सत्य है

93. अधिनायकवादी शासन व्यवस्थाएँ क्यों अपनी राजनीतिक सत्ता की अविवेकी स्वीकार्यता का आदेश देती है?

A. लोकतांत्रिक आदर्शों को मजबूत करने के लिए
B. नागरिक स्वतंत्रताओं के संवर्धन के लिए
C. संवैधानिक शासन के लिए
D. राजनीतिक अस्त-व्यस्तता की रोकथाम के लिए

94. निम्नलिखित में से किन पद्धतियों के माध्यम से अधिनायकवादी शासन व्यवस्थाएँ अपनी तानाशाही को वैध बनाती है?

(*a*) आवधिक निष्पक्ष चुनाव के माध्यम से
(*b*) नेताओं के प्रतिस्पर्धात्मक चुनाव के माध्यम से
(*c*) कपटपूर्ण और अप्रत्यक्ष चुनाव के माध्यम से
(*d*) संभाव्य चुनौतियों हेतु अवसरों को रोकने के माध्यम से

नीचे दिए गए विकल्पों में से सबसे उपयुक्त उत्तर का चयन कीजिए:

A. केवल (*a*) और (*b*) B. केवल (*b*) और (*c*)
C. केवल (*c*) और (*d*) D. केवल (*a*) और (*d*)

95. अधिनायकवादी शासन व्यवस्थाओं में नागरिक स्वतंत्रताओं की स्थिति क्या रहती है?

A. उसी रूप में स्वतंत्र रहती है जैसे कि लोकतांत्रिक शासन व्यवस्थाओं में
B. उनकी स्थिति अपरिवर्तित रहती है
C. उनका अधिक आदर किया जाता है
D. उपर्युक्त सभी गलत हैं

निर्देश (प्र.सं. 96 से 100 तक): *निम्नलिखित गद्यांश को पढ़िए एवं प्रश्नों के उत्तर दीजिए।*

लोकप्रशासन संक्रमणकाल का विषय है। वास्तव में, इसमें सदैव निरंतर गतिविधियाँ होती रही हैं, किन्तु इसकी गतिविधियाँ सदैव एक दिशा में नहीं रही हैं। नौकरशाही की भारी, औपचारिक एवं दृढ़ छवि के विपरीत अमेरिका, यूरोप और अन्यत्र के सार्वजनिक क्षेत्र के निकायों में 1990 के दशक से ही द्रुतगति से तीव्र संक्रमण हुआ। पिछली सदी के दौरान, लोकप्रशासन में संकटों के अलावा अति सक्रिय वातावरण में भेदन के परिणामस्वरूप महत्वपूर्ण परिवर्तन आये। करीब 30 वर्ष पूर्व, वाल्डो (1968) ने यह पाया कि इन चल रहे रूपांतरणों ने निर्माण में विज्ञान की पहचान के संकट को प्रतिबिंबित किया। उन्होंने कला, ज्ञान के निकाय और एक व्यवसाय के रूप में लोक प्रशासन के अभिज्ञान और वैधता के संघर्ष का भी संकेत किया है (लिन, 1996)। ऐसा प्रतीत होता है कि आज 21वीं सदी के आरंभ में, लोक प्रशासन का निर्माण अभी अधूरा है। यह समूचे विश्व के अकादमिक सदस्यों और व्यवहारकर्ताओं के मध्य वाद-विवाद का विषय है, जो उच्च एवं अत्यधिक व्यापक

वैज्ञानिक अभिज्ञान, अधिक परिशुद्ध आत्म-व्याख्या और आधुनिक जीवन में द्रुत परिवर्तनों के क्षेत्र की उत्तम प्रयोजनीयता की जिज्ञासा रखते हैं। यह प्रक्रिया लोक प्रशासन के समक्ष नई चुनौतियाँ खड़ी करती है। कदाचित् सर्वाधिक महत्वपूर्ण समर्थ जन कार्रवाई और गुणवत्तापूर्ण शासकीय कार्यकलापों से युक्त सामाजिक विज्ञानों के अधिक विस्तृत मौजूदा ज्ञान को एकीकृत करना है। आगामी वर्षों में लोक प्रशासन का मूल्यांकन सिद्धांत संसजकता के उच्च मानकों और विभिन्न वैज्ञानिक क्षेत्रों के वैविध्य मूलक अधिक विस्तृत निष्पादन सूचकों के द्वारा होगा।

'प्रशासन' के 'लोक' पर विचार-विमर्श और उपयोगी क्षेत्र में दो निर्मितियों के एकीकरण की जटिलताओं के साथ-साथ आश्वासनों को भी शामिल करता है। किन्तु, कम से कम एक मुद्दे पर आम राय है : वह यह कि लोगों को बेहतर नौकरशाही की आवश्यकता है। लोगों को योग्य और कुशल प्रशासकों की भी अपेक्षा है, जो गुणवत्तापूर्ण सेवाओं और प्रभावी प्रबंधन के गूढ़ार्थों से परिचित हों। केवल वही बेहतर 'सार्वजनिक कल्याण' कर सकते हैं और न्यूनतम समय एवं कीमत में उसे समाज के सभी क्षेत्रों में पहुँचा सकते हैं। यह वर्तमान समय के अनुप्रयोज्य लोक प्रशासन प्रणाली के आदर्श प्रकार का संशोधित संस्करण है।

राज्य की भूमिका और इसका नौकरशाही तथा नागरिकों के साथ संबंध, न केवल लोगों के मन में अपितु वैज्ञानिक चिंतन में भी, महत्वपूर्ण परिवर्तन का अनुभव कर रहा है। द्रुत गति से परिवर्तनशील वातावरण में, लोक प्रशासन के प्रमुख कार्य एवं नये लक्ष्यों को स्पष्ट तौर पर मान्यता मिलनी चाहिए।

96. भविष्य में लोक प्रशासन की प्रमुख भूमिका का मुख्य कारण क्या है?

A. लोगों के बीच वैज्ञानिक चिंतन

B. नागरिक स्थिर हैं

C. राजनैतिक जटिलता के कारण नागरिक अधिक सक्रिय हैं

D. राज्य एवं नागरिकों के संबंध में गिरावट

97. निम्नलिखित में से लोक प्रशासन के एक व्यवसाय के रूप में संक्रमण को किसने चिह्नित किया?

A. डवाइट वाल्डो B. वुडरो विल्सन

C. लिन D. एफ.एम. मार्क्स

98. निम्नलिखित कथनों में से कौन-सा लोक प्रशासन विषय में संक्रमण से संबंधित नहीं है?

A. परिशुद्ध आत्म-परिभाषा

B. आधुनिक जीवन में परिवर्तन

C. व्यापक वैज्ञानिक अभिज्ञान

D. बाजारों का आर्थिक एवं वित्तीय संकट

99. नीचे दो कथन दिए गए हैं : एक अभिकथन (A) के रूप में लिखित है तो दूसरा उसके कारण (R) के रूप में :

अभिकथन (A) : भविष्य में, लोकप्रशासन का मूल्यांकन वैज्ञानिक उपकरणों अर्थात निष्पादन सूचकों और उच्च मानकीकृत सिद्धांत द्वारा होगा।

कारण (R) : लोक विकल्प एवं NPM का प्रभाव वर्तमान समय के प्रशासन पर अधिक है।

उपरोक्त कथन के आलोक में, नीचे दिए गए विकल्पों में से सबसे उपयुक्त उत्तर का चयन कीजिए :

A. (A) और (R) दोनों सही हैं और (R), (A) की सही व्याख्या है

B. (A) और (R) दोनों सही हैं, लेकिन (R), (A) की सही व्याख्या नहीं है

C. (A) सही है, लेकिन (R) सही नहीं है

D. (A) सही नहीं है, लेकिन (R) सही है

100. लोक प्रशासन विषय से संबंधित निम्नलिखित कथनों में से सही विकल्प को चिह्नित कीजिए :

(*a*) लोगों को अच्छे और कुशल प्रशासकों की अपेक्षा है

(*b*) लोगों को गुणवत्तापूर्ण सेवाओं की अपेक्षा है

(*c*) लोगों को संस्थानों के प्रभावी प्रबंधन की अपेक्षा है

(*d*) लोग नौकरशाही के वर्तमान प्रारूप के साथ ही आगे बढ़ना चाहते हैं

नीचे दिए गए विकल्पों में से सही उत्तर का चयन कीजिए :

A. केवल (*a*), (*b*) और (*c*)

B. केवल (*a*), (*b*) और (*d*)

C. केवल (*a*), (*c*) और (*d*)

D. केवल (*b*), (*c*) और (*d*)

उत्तरमाला

1. **(C):** 'लोकतंत्र शासन के एक प्रकार (रूप) से कुछ अधिक है, यह सहयोजित जीवन निर्वाह का एक साधन है' यह कथन अमेरिकी दार्शनिक, मनोविज्ञानी, और शिक्षा सुधारक जॉन डिवी का है। डिवी का काम ज्ञानशास्त्र, नैतिकता, और शिक्षा सिद्धांत में बहुत प्रसिद्ध है। उनका मानना था कि लोकतंत्र सिर्फ सरकार के रूप में नहीं बल्कि जीवन के तरीके, सांस्कृतिक प्रथाओं, और सामाजिक संगठन के रूप में भी था। वे मानते थे कि लोकतंत्र केवल अधिकारियों को चुनने का एक तंत्र नहीं है, बल्कि यह एक ऐसी जीवन शैली है जो नागरिकों के बीच सक्रिय भागीदारी और आपसी सम्मान को बढ़ावा देती है। डिवी का लोकतंत्र का विचार शिक्षा की आवश्यकता पर जोर देता है, जो न केवल औपचारिक रूप में बल्कि जीवन भर के सद्गुणों, सामाजिक कौशल, और बौद्धिक आदतों में भी विद्यमान रहता है। लोकतंत्र पर उनके विचार 'डेमोक्रेसी एंड एजुकेशन' जैसी उनकी कृतियों में विस्तार से बताए गए हैं। डिवी के अनुसार, एक सच्चा लोकतंत्री समाज वही होगा जहाँ हर संस्थान, चाहे वो निजी क्षेत्र में हो या सार्वजनिक, अपने सदस्यों को सामाजिक, राजनीतिक, और आर्थिक जीवन में पूरी तरह से भाग लेने की अनुमति देगा।

2. **(B):** 'ए विंडीकेशन ऑफ द राइट्स ऑफ वुमन' नामक कृति में सोफी या सोफिया एक पात्र है, जिसे मैरी वॉल्स्टोनक्राफ्ट ने लिखा है। यह कृति वॉल्स्टोनक्राफ्ट महिलाओं के अधिकारों से संबंधित विभिन्न मुद्दों को उठाती है और महिलाओं की शिक्षा की समानता के लिए अपने तर्क प्रस्तुत करती है। वे सामाजिक मानकों को चुनौती देने के लिए दार्शनिक दृष्टिकोण अपनाती हैं। सोफिया का पात्र उसी प्रकार की तार्किक एवं शिक्षित महिला के उदाहरण स्वरूप लिया गया है, जिसे वॉल्स्टोनक्राफ्ट का मानना है कि अगर समाज एक निष्पक्ष तरीके से संरचित होता, तो यह अधिक सामान्य होना चाहिए। यह पुस्तक नारीवादी दर्शन का एक मौलिक पाठ है और उस समय के लिए क्रांतिकारी भी। इस पुस्तक ने लिंग समानता पर आने वाली चर्चाओं के लिए आधार रखा और जो कालांतर में नारीवादी आंदोलन आए, उनके बौद्धिक आधार के रूप में कार्य किया।

3. **(B):** कनाडियन दार्शनिक विल किमलिका ने 'आंतरिक प्रतिबंध' और 'बाहरी सुरक्षा' जैसे शब्द बहुसंस्कृतिवाद के विवाद में उपयोग किए हैं। किमलिका इन शब्दों का उपयोग उस तरीके को वर्णन करने में करते हैं, जिसमें अल्पसंख्यक सांस्कृतिक समुदायों को बहुसंख्यक सांस्कृतिक समुदाय में सुरक्षित या प्रतिबंधित किया जा सकता है। 'आंतरिक प्रतिबंध' से उनका तात्पर्य उन सीमाओं से है, जो कोई सांस्कृतिक समुदाय अपने सदस्यों पर सांस्कृतिक संरक्षण के नाम पर लगा सकता है। दूसरी ओर, 'बाहरी सुरक्षा' बहुसंख्यक समाज की क्षमता के खिलाफ सुरक्षा के रूप में कार्य करती है, जो अपनी संस्कृति को अल्पसंख्यक पर थोप सकता है। किमलिका का तर्क है कि बाहरी सुरक्षा अक्सर अल्पसंख्यक संस्कृतियों की सुरक्षा के लिए उचित होती है, जबकि आंतरिक प्रतिबंध व्यक्तिगत स्वतंत्रता और समानता के सिद्धांतों के साथ संघर्ष कर सकते हैं।

4. **(A):** एम.बी. फॉस्टर का कहना है कि निकोलो मैकियावेली का राजनीतिक विचार 'पेगन पुनर्जीवन' का अधिक प्रतिनिधित्व करता है, ना कि प्रोटेस्टेंट धर्म का। मैकियावेली का सबसे प्रसिद्ध काम 'द प्रिंस' अक्सर एक व्यावसायिक मार्गदर्शिका के रूप में देखा जाता है, जो नैतिक या धार्मिक सिद्धांतों से भिन्न है। मैकियावेली का समय वही था जब प्रोटेस्टेंट सुधार धीरे-धीरे प्रभावी होने लग रहे थे, लेकिन उनके अपने दृष्टिकोण अधिक धर्मनिरपेक्ष या 'पेगन' राजनीति की ओर झुके थे, जो शक्ति की कठोर यथार्थवादी सोच पर केंद्रित थे। उन्होंने बल दिया कि कुशल शासकों

को शक्ति को बनाए रखने या राजनीतिक उद्देश्यों को हासिल करने के लिए नैतिक रूप से श्रेष्ठ कार्यों में भी शामिल होना पड़ सकता है। फॉस्टर का वर्णन मैकियावेली के राजनीतिक दर्शन की उसी प्रवृत्ति को उजागर करता है, जो उससे पहले आए धार्मिक, नैतिक और राजनीतिक सिद्धांतों से भिन्न है।

5. **(A):** 'हमारी आत्माएं उसी अनुपात में बिगड़ी हैं, जिसमें हमारे विज्ञान और कला की पूर्णता की ओर प्रगति हुई है' यह कथन जॉन-जैक रूसो के 'डिस्कोर्स ऑन द साइंसेस एंड आर्ट्स' में मिलता है, जिसे 'फर्स्ट डिस्कोर्स' भी कहा जाता है। रूसो का तर्क है कि विज्ञान और कला में प्रगति ने नैतिकता या सामाजिक सुधार में योगदान नहीं दिया। दरअसल, वे मानते हैं कि ऐसी प्रगति ने नैतिकता का ह्रास और सामाजिक असमानता को बढ़ावा दिया है। रूसो का यह विचार ज्ञान की प्रगति के प्रति प्रबोधनकालीन आशावाद की तीव्र आलोचना था। वे मानते थे कि कला और विज्ञान की प्रगति ने सद्गुणों का ह्रास किया, क्योंकि ये प्रयास बजाय वास्तविक नैतिक चरित्र को बढ़ावा देने के अहंकार, भव्यता, और आलस्य को बढ़ावा देते हैं। यह कृति रूसो के बाद के कामों के लिए मंच तैयार करती है, जहाँ वे सभ्यता और उसके प्रभाव पर आगे जाकर विचार करते हैं।

6. **(D):** 'अपोलोजी' नामक कृति अरस्तू द्वारा नहीं लिखी गई है; यह प्लेटो का एक संवाद है। 'अपोलोजी' में प्लेटो ने अपने गुरु सुकरात की याचिका का विवरण दिया है। इसमें, सुकरात स्वयं पर लगे आरोपों जैसे युवाओं को बिगाड़ने और एथेंस के देवों में विश्वास नहीं करने के आरोपों के खिलाफ बचाव करते हैं। अरस्तू, जो नैतिकता, राजनीति, तत्वमीमांसा, और अन्य विषयों पर व्यापक रूप में और व्यवस्थित ढंग से लिखते थे, के मुकाबले में, सुकरात की शिक्षाएं प्लेटो के संवादों के माध्यम से प्रस्तुत की गई हैं। अरस्तू की 'राजनीति', 'निकोमाखियन नैतिकता', और 'यूदेमियन नैतिकता' पश्चिमी दर्शन में मौलिक कृतियाँ हैं, जो आदर्श राज्य, सद्गुण नैतिकता, और मानव खुशी जैसे विषयों का अध्ययन करते हैं। ये कृतियाँ पश्चिमी बौद्धिक परंपरा पर शताब्दियों तक प्रभाव डालते आए हैं।

7. **(B):** प्लेटो के अनुसार, विचार (या फॉर्म्स) पूर्ण, शाश्वत, और स्थिर हैं। प्लेटो का फॉर्म्स का सिद्धांत उनके दर्शन का एक महत्वपूर्ण हिस्सा है, जिसे 'द रिपब्लिक' जैसे संवादों में प्रस्तुत किया गया है। फॉर्म्स भौतिक दुनिया से अलग एक क्षेत्र में मौजूद हैं, जो एक अमूर्त, आदर्श अवधारणाएं हैं। वे हमारी इंद्रियों के माध्यम से अनुभव की जा रही हमेशा बदलती, अधूरी दुनिया के विपरीत एक 'सच्ची' वास्तविकता है। प्लेटो के लिए, फॉर्म्स भौतिक दुनिया का सब कुछ को मापने और समझने के बेंचमार्क हैं। वे अपरिवर्तनीय हैं और समय एवं स्थान के बाहर मौजूद हैं। यह प्लेटोनिक दर्शन विभिन्न क्षेत्रों में, जैसे कि दर्शन, तत्वमीमांसा, और यहाँ तक कि धर्मशास्त्र में भी, अत्यंत प्रभावशाली रहा है।

8. **(C):** 'अनालेक्ट्स' का संबंध प्राचीन चीनी दार्शनिक और शिक्षक कन्फ्यूशियस से है। अनालेक्ट्स एक संग्रह है जिसमें कन्फ्यूशियस और उनके शिष्यों के कथन और विचार शामिल हैं, और यह कन्फ्यूशियनिज्म के मौलिक पाठ के रूप में कार्य करता है। अनालेक्ट्स में नैतिकता, उचित व्यक्तिगत आचरण, और आदर्श सामाजिक व्यवस्था पर ध्यान केंद्रित किया गया है। यह दो हजार वर्ष से अधिक समय से चीनी संस्कृति, दर्शन, और शासन पर गहरा प्रभाव डाल रहा है। इस पाठ में विभिन्न विषयों की चर्चा की गई है, जैसे कि राजनीति, नैतिकता, शिक्षा और सामाजिक सामंजस्य, जो एक अच्छी तरह से व्यवस्थित समाज का व्यापक दृष्टिकोण प्रस्तुत करते हैं।

9. **(A):** सितंबर 1906 में, जोहान्सबर्ग, दक्षिण अफ्रीका में, भारतीयों ने नए एशियाई पंजीकरण अधिनियम, जिसे ब्लैक ऐक्ट भी कहा जाता है, के खिलाफ निष्क्रिय प्रतिरोध की शपथ ली, और प्रदर्शन किए। यह उपनिवेशवाद विरोधी संघर्षों में एक महत्वपूर्ण घटना थी और इसने महात्मा गांधी के सत्याग्रह

आंदोलन की शुरुआत की। गांधी, जो उस समय दक्षिण अफ्रीका में एक युवा वकील थे, ने इस प्रतिरोध का नेतृत्व किया। इस मुहिम में भेदभावपूर्ण कानूनों के खिलाफ नागरिक अवज्ञा और अहिंसक प्रदर्शन शामिल थे। इस घटना ने बाद में भारत के स्वतंत्रता संग्राम में गांधी की भागीदारी, और ग्लोबल सिविल राइट्स आंदोलनों पर भी लंबे समय तक प्रभाव डाला।

10. (C): आत्म-सम्मान आन्दोलन की शुरुआत 1925 में ई.वी. रामस्वामी नायकर, जिन्हें आमतौर पर पेरियार कहा जाता है, द्वारा की गई थी। यह आंदोलन मुख्यतः भारत के दक्षिणी राज्य तमिलनाडु में आधारित था और इसका उद्देश्य एक ऐसे समाज को प्राप्त करना था जहाँ पिछड़ी जातियों के पास भी समान मानवाधिकार हों। यह आंदोलन ब्राह्मणविरोधी प्रकृति का था और इसने तमिलनाडु में ब्राह्मणवादी प्रभुत्व का विरोध किया। यह भी एक कठोर जातीय सोपान द्वारा बनाए गए सामाजिक असमानताओं को चुनौती देने और तोड़ने का प्रयास करता था। आत्म-सम्मान आन्दोलन एक सामाजिक-राजनीतिक आंदोलन था जिसने तमिल समाज और राजनीति पर गहरा प्रभाव डाला। इसने द्रविड़ राजनीतिक दलों के लिए एक वैचारिक आधार तैयार किया जिन्होंने तमिलनाडु में कई वर्षों तक शासन किया।

11. (D): विधियों को दो प्रकार—शरीयत और जवाबित में वर्गीकृत करने का श्रेय जियाउद्दीन बरनी को जाता है, जो दिल्ली सल्तनत के दौरान भारत में 14वीं शताब्दी के एक मुस्लिम इतिहासकार और राजनीतिक विचारक थे। शरीयत इस्लामिक कानून को कहते हैं, जो जीवन के विभिन्न पहलुओं, जैसे कि सामाजिक, आर्थिक, और आध्यात्मिक मामलों, को नियंत्रित करने के लिए धार्मिक सिद्धांतों और दिशानिर्देशों का एक समुच्चय है। दूसरी ओर, जवाबित राज्य कानून हैं, जो सामाजिक-राजनीतिक परिस्थितियों को ध्यान में रखकर तैयार किए जा सकते हैं, और जो इस्लामिक शिक्षाओं के साथ कड़ाई से मेल कर सकते हैं या नहीं। यह भेद ध्यान देने योग्य है क्योंकि यह धार्मिक कानून और शासन की व्यावसायिक आवश्यकताओं को मेल कराने की एक प्रारंभिक कोशिश को दर्शाता है, एक चुनौती जो मुस्लिम-बहुसंख्यक देशों में विभिन्न रूपों में बनी रही है।

12. (C): एम.एन. रॉय ने अपने रैडिकल डेमोक्रेटिक पार्टी को 1948 में विघटित कर दिया था। एम.एन. रॉय एक प्रमुख भारतीय क्रांतिकारी, दार्शनिक, और राजनीतिक सिद्धांतकार थे जिन्होंने प्रारंभ में अपने कम्युनिस्ट विचारों के साथ अपने राजनीतिक जीवन की शुरुआत की, लेकिन फिर बाद में रैडिकल मानवता की ओर मुड़ गए। रैडिकल डेमोक्रेटिक पार्टी उनके विचारों के लिए एक राजनीतिक मंच प्रदान करने का प्रयास था, जिसमें मार्क्सवाद के तत्वों को लोकतांत्रिक सिद्धांतों के मजबूत महत्व के साथ मिश्रित किया गया था। हालाँकि, दलीय राजनीति में विचारात्मक परिवर्तन लाने के अपने प्रयासों में अव्यावधानिक अक्षमता से निराश होकर, रॉय ने पार्टी को विघटित कर दिया। उनका आगामी काम बौद्धिक और दार्शनिक जागरूकता पर अधिक था, खासकर उनके 'रैडिकल मानवता' के अवसर को बढ़ावा देने के रूप में, जो व्यक्तिगत स्वतंत्रता और लोकतांत्रिक शासन के सिद्धांतों पर आधारित एक नए सामाजिक व्यवस्था की मांग करता था।

13. (D): रॉबर्ट नोजिक, एक प्रमुख अमेरिकी राजनीतिक दार्शनिक, खासकर अपनी पुस्तक 'अनार्की, राज्य, और यूटोपिया' में प्रस्तुत अपने उदारवादी दृष्टिकोणों के लिए जाने जाते हैं। वह एक कल्याणकारी राज्य के विचार के खिलाफ हैं और कहते हैं कि न्यूनतम राज्य ही सबसे व्यापक राज्य है जिसे उचित ठहराया जा सकता है। वह मानते हैं कि राज्य बल का उपयोग करने का एकमात्र स्रोत है और वह व्यक्तिगत अधिकारों का उल्लंघन कर सकता है, लेकिन वे नहीं कहते हैं कि राज्य का मूल मकसद उसके नागरिकों का कल्याण है। वास्तव में, नोजिक का कहना है कि न्यूनतम राज्य, केवल समझौतों के प्रवर्तन और बल,

चोरी तथा धोखाधड़ी के खिलाफ सुरक्षा द्वारा फोकस करने वाला सबसे व्यापक रूप से सर्वोत्तम राज्य है जिसे योग्य तरीके से प्रमाणित किया जा सकता है।

14. (D): संघ लोक सेवा आयोग (यूपीएससी) एक केंद्रीय संस्था है जो भारत सरकार के अधीन विभिन्न पदों की भर्ती के लिए परीक्षण आयोजित करता है। राज्य सरकारों के पास यह कार्य करने के लिये अपने ही लोक सेवा आयोग (पीएससी) होते हैं। हालाँकि, यदि दो या दो से अधिक राज्यों द्वारा अनुरोध किया जाता है, तो यूपीएससी उनकी परीक्षा आयोजित करने में सहायक हो सकता है, लेकिन यह व्यक्तिगत राज्य सरकारों के यूपीएससी से अपनी परीक्षा कराने के लिए कहने के समान नहीं है।

15. (B): भारत में राष्ट्रपति के चुनाव में एक संसद सदस्य (MP) की मतदान मूल्य का सूत्र है :

संसद सदस्य का मत मूल्य

$$= \frac{\text{सभी राज्यों एवं संघ राज्य शासित क्षेत्रों के सभी विधान सभा सदस्यों के मतों का कुल मूल्य}}{\text{संसद के चुने गये सदस्यों की कुल संख्या}}$$

यह सूत्र भारत के राष्ट्रपति के चुनाव की निर्वाचन प्रक्रिया का हिस्सा है, जिसमें संसद के दोनों सदनों के चुने गए सदस्यों और राज्यों एवं संघ शासित प्रदेशों के विधानसभाओं के चुने गए सदस्यों से मिलकर बने चुनावी महासभा का हिस्सा होता है। इस सूत्र का उद्देश्य राज्यों और संघ के बीच मतदान की शक्ति का संतुलन बनाना है, जिससे राष्ट्रपति उम्मीदवार के लिए एक व्यापक सहमति सुनिश्चित की जाती है। यह महत्वपूर्ण है कि प्रत्येक सांसद के लिए मतदान का मूल्य समान होता है, जबकि विधानसभा सदस्य के लिए जनसंख्या के आधार पर राज्य दर राज्य बदलता रहता है।

16. (B): 2002 में 86वें संविधान संशोधन द्वारा भारतीय संविधान के अनुच्छेद 51-ए में एक नया मौलिक कर्तव्य जोड़ा गया। इस कर्तव्य के तहत माता-पिता को अपने बच्चे को छः से चौदह साल के बीच शिक्षा के अवसर प्रदान करने का कर्तव्य होता है। यह संशोधन शिक्षा के अधिकार का अधिनियम से संबंधित है, जिसका उद्देश्य इस आयु समूह के सभी बच्चों को मुफ्त और अनिवार्य शिक्षा प्रदान करना था।

17. (D): राष्ट्रीय अल्पसंख्यक आयोग (NCM), जो 1992 के राष्ट्रीय अल्पसंख्यक आयोग अधिनियम के तहत संघ सरकार द्वारा स्थापित किया गया है, ने छः धार्मिक समुदायों को अल्पसंख्यक के रूप में घोषित किया है : मुस्लिम, ईसाई, सिख, बौद्ध, जरोस्ट्रियन (पारसी), और जैन। इन समुदायों को जनसंख्या में उनके प्रतिनिधित्व के आधार पर अल्पसंख्यक की स्थिति प्रदान की जाती है, जिससे उन्हें अल्पसंख्यक समुदायों को प्राप्त होने वाली सरकारी योजनाओं का लाभ मिल सकता है। इस आयोग का गठन अल्पसंख्यक समुदायों के उद्धार के लिए डिजाइन किया गया है।

18. (B): मतदान स्थल पर पीठासीन अधिकारी चुनाव आयोजित करता है। इस व्यक्ति की जिम्मेदारी होती है कि मतदान प्रक्रिया सुगम और कानूनी तरीके से सम्पन्न हो। इसमें मतदाताओं के पहचान की जाँच करना, इलेक्ट्रॉनिक वोटिंग मशीन (EVM) के सही काम करने को सुनिश्चित करना, और EVM को सुरक्षित मतगणना केन्द्रों तक पहुँचाने की जिम्मेदारी शामिल है। मतदान स्थल पर मतदान के समय वे सबसे अधिक सक्षम अधिकारी होते हैं, और वोटिंग की अखंडता बनाए रखने के लिए उनकी भूमिका महत्वपूर्ण होती है।

19. (B): न्यायमूर्ति पी.एन. भगवती को भारत में जनहित याचिका (PIL) के अग्रदूत के रूप में माने जाते हैं। उनके कार्यकाल के तहत, भारतीय न्यायपालिका में महत्वपूर्ण परिवर्तन हुआ, खासकर मानवाधिकार और सामाजिक न्याय के संदर्भ में। उन्होंने भारतीय कानून प्रणाली में PIL की अवधारणा पेश की, जिससे व्यक्तियों और संगठनों को उन लोगों की ओर से अदालत का दरवाजा खटखटाने में सक्षम बनाया गया जो स्वयं ऐसा करने में असमर्थ हैं। इसके अधीन

आधिकृत प्रक्रियाओं में ढिलाई दी गई और ध्यान केंद्रित किया गया कि उन लोगों को जल्दी न्याय दिया जाए जिनके अधिकार उल्लंघित हो रहे थे।

20. (A): जीन ड्रेज, बेल्जियम में पैदा हुए भारतीय अर्थशास्त्री ने महात्मा गांधी राष्ट्रीय ग्रामीण रोजगार गारंटी अधिनियम (MGNREGA) को तैयार करने में महत्वपूर्ण भूमिका निभाई। ड्रेज विकासात्मक अर्थशास्त्र में काम करने के लिए प्रसिद्ध हैं, जिसमें भूख, अकाल, और सार्वजनिक कल्याण जैसे मुद्दों पर ध्यान केंद्रित किया गया है। इस अधिनियम के तहत ग्रामीण परिवारों को उनके वयस्क सदस्यों के लिए एक वित्तीय वर्ष में कम से कम 100 दिन के वेतन वाले रोजगार का अधिकार होता है, जो अकुशल शारीरिक काम करने को तैयार होते हैं। यह अभूतपूर्व कदम ग्रामीण गरीबी को कम करने और उन्हें रोजगार के अवसर प्रदान करने का उद्देश्य रखता है।

21. (D): उपलब्ध विकल्पों में से 'मात्रा' (Quantity) नागरिक प्राधिकार आंदोलन के लिये मूल रूप से तैयार किए गए छः सिद्धांतों में नहीं है। सार्वजनिक सेवाओं के वितरण में नागरिक प्राधिकार समानता, विकल्प और जवाबदेही को प्रोत्साहित करने वाले उपकरण का कार्य करता है। नागरिक प्राधिकार के छः सिद्धांतों में विकल्प, धन का महत्व, मानक, पारदर्शिता, जवाबदेही और सुधार शामिल हैं। ये सिद्धांत यह मार्गदर्शन करते हैं कि सार्वजनिक सेवाओं का नागरिकों के साथ कैसा व्यवहार होना चाहिये। सार्वजनिक सेवाओं को सिर्फ उच्च-गुणवत्ता की सेवा के वादे ही नहीं बल्कि असफलता की स्थिति में सुधार के लिये भी तैयार रहना चाहिये। संक्षेप में कहा जाए तो नागरिक प्राधिकार जन सेवाओं को नागरिक-केन्द्रित बनाने पर बल देता है।

22. (B): 'दल-बदल विरोधी कानून' संविधान के 52वें संशोधन से संबंधित है। इस संशोधन के द्वारा संविधान में एक नई अनुसूची (10वीं अनुसूची) जोड़ी गई और दल-बदल विरोधी कानून उसके तहत ही रखे गए। वस्तुतः 1960 के दशक के उत्तरार्द्ध में विभिन्न राज्यों में क्षेत्रीय दलों के अविर्भाव और भारतीय राष्ट्रीय कांग्रेस के पराभव से दल-बदल की समस्या उत्पन्न हुई। परिणामस्वरूप, निर्वाचित प्रतिनिधियों के निरंतर दल-बदल के कारण आए दिन सरकारों का पतन होने लगा। अतः इस समस्या के स्थायी निदान हेतु 1985 में दल-बदल विरोधी कानून पारित किया गया।

23. (A): लूथर गुलिक ने अपने लोक प्रशासन के सिद्धांत में कहा कि किसी संगठन में विभागों का विभाजन 4 Ps–उद्देश्य (Purpose), प्रक्रिया (Process), व्यक्ति (Person) और स्थान (Place) के आधार पर करना चाहिये। यहाँ "उद्देश्य" का अर्थ वह लक्ष्य है जिसे विभाग को प्राप्त करना है; "प्रक्रिया" किये जाने वाले कार्यों या गतिविधियों से संबंधित है; "व्यक्ति" का तात्पर्य उन लोगों से है जिनकी विभाग को सेवा करनी है और "स्थान" का तात्पर्य उस भौगोलिक क्षेत्र से है जिसके लिये विभाग उत्तरदायी है। इस सिद्धांत का उद्देश्य सार्वजनिक क्षेत्र के संस्थाओं की कार्यप्रणाली को अधिक क्षमतावान और उत्तरदायी बनाना है।

24. (*)

25. (D): नवीन लोक प्रशासन पर लिखित साहित्य 'प्रासंगिकता', 'मूल्य', 'समानता' और 'परिवर्तन' पर बल देता है। 1960 और 1970 के दशकों में परंपरागत लोक प्रशासन की आलोचना से नवीन लोक प्रशासन की उत्पत्ति हुई। जहाँ परम्परागत सिद्धांत निरपेक्षता, क्षमता और प्रक्रिया-आधारित बौद्धिकता पर बल देता है, वहीं नवीन सिद्धांत लोक प्रशासन के मूल्य आधारित, समता-मूलक और समाजिक रूप से प्रासंगिक दृष्टिकोण पर बल देता है। इस सिद्धांत का मानना है कि लोक प्रशासन कानून लागू करने का साधन-मात्र नहीं है, बल्कि यह सामाजिक परिवर्तन का एक सक्रिय उपकरण है।

26. (C): हैरोल्ड लॉसवेल द्वारा नीति चक्र का पाँचवा चरण अनुप्रयोग है। हेरोल्ड लॉसवेल, नीति विज्ञान के क्षेत्र में प्रमुख व्यक्ति, ने नीति निर्माण के लिए सात

चरणों की प्रक्रिया की रूपरेखा बनाई—बुद्धिमत्ता, अनुशंसा, निर्देशन, आह्वान, अनुप्रयोग, मूल्यांकन और समापन। 'अनुप्रयोग' चरण में, जो नीति निर्धारित की गई है, उसे क्रियान्वित किया जाता है। यह वह चरण है जहाँ योजनाएँ और रणनीतियाँ क्रियान्वित की जाती हैं, जिसमें अक्सर सरकारी विभागों और मंत्रालयों के विभिन्न कार्यों के समन्वय की आवश्यकता होती है। नीति की सफलता बड़े पैमाने पर इस चरण पर निर्भर करती है, क्योंकि इसमें नीति की क्षमता का परीक्षण किया जाता है। प्रभावी अनुप्रयोग को अक्सर मूल योजना के समायोजन और अनुकूलन की आवश्यकता होती है, जिससे नीति निर्माण की गतिविधि का ऊर्जावान और उद्विकासी स्वरूप प्रदर्शित होता है।

27. (B): 'स्वच्छ सर्वेक्षण' को भारत के आवासन और शहरी कार्य मंत्रालय से जोड़ा गया है। यह वार्षिक सर्वेक्षण शहरों को सफाई और शहरी स्वच्छता के आधार पर श्रेणीबद्ध करने का उद्देश्य रखता है। इस पहल का उद्घाटन स्वच्छ भारत मिशन की प्रगति का मूल्यांकन करने के लिए किया गया था, जिसका उद्देश्य भारत को खुले में शौच से मुक्त करना और स्वच्छता में सुधार करना है। स्वच्छ सर्वेक्षण केवल प्रदर्शन सूचक ही नहीं है, बल्कि शहरों के बीच स्वच्छता मानकों को सुधारने की प्रतियोगिता को भी बढ़ावा देता है। इसमें सॉलिड वेस्ट प्रबंधन, स्वच्छता रणनीतियों, नागरिक प्रतिक्रिया, और स्वतंत्र दृष्टांतों का मूल्यांकन करने जैसे विभिन्न मापदंड शहरों को श्रेणीबद्ध करने के लिए उपयोग किए जाते हैं।

28. (B): मेघालय भारत में सोशल ऑडिट कानून लाने वाला पहला राज्य है। सोशल ऑडिटिंग संगठनों और सरकारों को उनके सामाजिक और नैतिक लक्ष्यों की प्रभावकारिता को मापने और समझने का एक तरीका है। 2017 में, मेघालय ने 'कम्युनिटी लेड इनिशिएटिव्स फॉर रूरल डेवलपमेंट (सीएलआईआरडी) अधिनियम' पास किया, जिसमें सभी विकासात्मक कार्यक्रमों के लिए सोशल ऑडिट को संस्थागत किया गया। यह पारदर्शिता और जवाबदेही के लिए एक अद्वितीय कदम था, जो समुदायों को विभिन्न योजनाओं की सफलता में सक्रिय भूमिका निभाने और मूल्यांकन करने की अनुमति देता है।

29. (A): सुशासन सूचकांक का संबंध कार्मिक लोक शिकायत एवं पेंशन मंत्रालय से है। भारतीय राज्यों और संघ क्षेत्रों के बीच शासन की स्थिति का मूल्यांकन करने के उद्देश्य से 2019 में इस सूचकांक की शुरुआत की गई। यह शासन में सुधार करने के लिए कार्यात्मक परिणाम प्रदान करता है और राज्यों के बीच स्वस्थ प्रतिस्पर्धा को बढ़ावा देने के लिए एक उपकरण के रूप में कार्य करता है। इस सूचकांक में वाणिज्य और उद्योग, मानव संसाधन विकास, सार्वजनिक स्वास्थ्य, और सार्वजनिक आधारभूत संरचना आदि विभिन्न क्षेत्रों को शामिल किया गया है। यह संयोजित सूचकांक विभिन्न सूचकों पर आधारित एक समग्र शासन मूल्यांकन प्रदान करता है, जिससे राज्य और संघ क्षेत्रों के स्तर पर शासन की गुणवत्ता का एक समग्र दृष्टिकोण प्राप्त होता है।

30. (B): 'यू.एस.-भारत शांतिपूर्ण परमाणु ऊर्जा सहयोग अधिनियम' को 'हाइड एक्ट' के नाम से भी जाना जाता है। अमेरिकी कांग्रेसमैन हेनरी जे. हाइड के नाम पर रखे गए इस अधिनियम को 2006 में अमेरिकी राष्ट्रपति जॉर्ज डब्ल्यू. बुश द्वारा स्वीकृति प्रदान की गई थी। यह भारत-संयुक्त राज्य नागरिक नाभिकरण समझौते को सुविधाजनक बनाने के लिए यू.एस. का घरेलू कानून ढांचा प्रदान करता है। हाइड एक्ट गैर-प्रसारण संधि के हस्ताक्षरकर्ता न होने के बावजूद भारत के साथ संघीय नागरिक ऊर्जा व्यापार में शामिल होने की अनुमति देता है। इस कानून ने यू.एस. की पूर्व नीति में महत्वपूर्ण परिवर्तन का आगाज किया और इसने यू.एस.-भारत संबंधों को मजबूत बनाने में महत्वपूर्ण भूमिका निभाई।

31. (B): पंचशील के सिद्धांत में एक-दूसरे की प्रादेशिक अखंडता और सम्प्रभुता के प्रति पारस्परिक सम्मान, पारस्परिक अनाक्रमण एवं पारस्परिक लाभ के लिए

समानता और सहयोग शामिल हैं। ये सिद्धांत पहली बार 1954 में भारत और चीन के बीच आपसी सहमति से द्विपक्षीय संबंधों के लिए स्वीकृत किए गए थे, लेकिन इन्हें अंतरराष्ट्रीय संबंधों के मार्गदर्शक सिद्धांत के रूप में भी माना जाता है। पंचशील को प्रारंभिक रूप में विभिन्न राष्ट्रों के बीच शांतिपूर्ण सहअस्तित्व के लिए एक आधार के रूप में देखा गया था, खासकर उन राष्ट्रों के बीच जिनकी राजनीतिक प्रणालियां भिन्न थीं।

32. (A): 2007 में पहली बार भारत से महिला पुलिस कर्मियों की संयुक्त राष्ट्र शांति सेवा में तैनाती हुई। संयुक्त राष्ट्र लाइबेरिया मिशन (UNMIL) के तहत भारत की सिर्फ महिला पुलिसकर्मियों की एक इकाई को लाइबेरिया में तैनात किया गया था। यह तैनाती संयुक्त राष्ट्र शांति सेवाओं में महिलाओं की भागीदारी के इतिहास में एक महत्वपूर्ण कदम था, जो महिलाओं की भूमिका को सुदृढ़ बनाने और शांति संरक्षण में लिंग संतुलित दृष्टिकोण की ओर एक महत्वपूर्ण योगदान था। इस इकाई ने कई सामाजिक कर्तव्यों में शामिल होकर अपने लिये प्रशंसा अर्जित की।

33. (C): भारतीय विदेश नीति में 'विस्तारित पड़ोस' शब्द का शामिल होना उस विस्तारित भौगोलिक क्षेत्र की व्याख्या करता है जो निकटतम पड़ोस के सीमा क्षेत्र से कहीं आगे है। इसमें स्वेज नहर, दक्षिण चीन सागर, और एशिया-पैसिफिक जैसे क्षेत्र शामिल हैं। पूर्वी अफ्रीका पारंपरिक रूप से भारत के 'विस्तारित पड़ोस' का हिस्सा नहीं माना जाता है। हालाँकि भारत के पूर्वी अफ्रीका के कई देशों के साथ मजबूत ऐतिहासिक और सांस्कृतिक संबंध हैं किन्तु यह 'विस्तारित पड़ोस' की अवधारणा के दृष्टिकोण में नहीं आता है।

34. (B): भारत का बहुपक्षीय कार्रवाई के प्रति दृष्टिकोण, जैसे कि विदेश मंत्री एस. जयशंकर ने बताया है, पाँच 'S' में आधारित है–सम्मान (Respect), संवाद (Dialogue), सहयोग (Cooperation), शांति (Peace), और समृद्धि (Prosperity)। ये सिद्धांत एक सामंजस्यपूर्ण और पारस्परिक रूप से लाभप्रद अंतर्राष्ट्रीय व्यवस्था को बढ़ावा देने के भारत के दर्शन को समाहित करते हैं। 'सामंजस्य' (Harmony) इस सूची में शामिल नहीं है। ये सिद्धांत भारत की विभिन्न बहुपक्षीय मंचों जैसे–संयुक्त राष्ट्र से लेकर सार्क और एसियान जैसे क्षेत्रीय संगठनों में सक्रिय भागीदारी को आधार देते हैं।

35. (B): विश्व बैंक की स्थापना का निर्णय जुलाई 1944 में ब्रेटन वुड्स, न्यू हैम्पशायर, संयुक्त राज्य में हुए ब्रेटन वुड्स सम्मेलन में लिया गया था। इस सम्मेलन में 44 देशों के प्रतिनिधियों ने भाग लिया और इसके परिणामस्वरूप ब्रेटन वुड्स प्रणाली, अंतरराष्ट्रीय मुद्रा कोष (IMF) अंतर्राष्ट्रीय पुनर्निमाण एवं विकास बैंक (IBRD) का गठन हुआ, जो आज के विश्व बैंक समूह का हिस्सा हैं। विश्व बैंक का मुख्य ध्यान प्रारंभ में यूरोप के युद्ध-प्रभावित देशों के पुनर्निर्माण के लिए ऋण प्रदान करना था। हालाँकि, वक्त के साथ इसका कार्य क्षेत्र विस्तृत हो गया है, और अब यह प्राथमिक रूप से गरीबी को कम करने और विकास को ध्यान में रखकर कार्य करता है।

36. (B): संयुक्त राष्ट्र (UN) की आधिकारिक रूप से स्थापना द्वितीय विश्वयुद्ध के समापन के बाद 24 अक्टूबर, 1945 को की गई थी। बुनियादी चार्टर पर प्रारंभ में 51 सदस्य राज्यों ने हस्ताक्षर किया था। संयुक्त राष्ट्र की स्थापना का मुख्य उद्देश्य भविष्य के अंतरराष्ट्रीय संघर्षों को रोकना और राष्ट्रों के बीच सहयोग सुनिश्चित करना था। वर्षों के साथ, संयुक्त राष्ट्र ने अपनी भूमिका को शांति स्थापन, मानवाधिकारों को बढ़ावा देने, सामाजिक और आर्थिक विकास को बढ़ावा देने, और आपदाओं के दौरान मानवीय सहायता को संचालित करने जैसे कार्यों में विस्तारित किया है। 24 अक्टूबर को संयुक्त राष्ट्र दिवस के रूप में मनाया जाता है ताकि इस महत्वपूर्ण अंतरराष्ट्रीय निकाय की स्थापना की स्मृति की जा सके। संयुक्त राष्ट्र की स्थापना लीग ऑफ नेशन्स (राष्ट्र संघ) की असफलताओं और द्वितीय विश्व युद्ध के भयानक परिणामों के परिणामस्वरूप हुई थी।

37. (A): प्रभाव की रोकथाम (Containment) शब्द का प्रयोग जॉर्ज एफ. केनन ने किया था, जो एक अमेरिकी राजनयिक और इतिहासकार थे। उन्होंने इस विचार को पहली बार 1947 में 'फॉरेन अफेयर्स' नामक जर्नल में एक अनामक लेख के रूप में प्रस्तुत किया था। 'कॉन्टेनमेंट' नीति का मुख्य उद्देश्य वैश्विक रूप से साम्यवाद के प्रसार को प्रतिबंधित करना था और इसका प्रतिपादन सोवियत संघ को ध्यान में रखकर किया गया था। केनन के कॉन्टेनमेंट के विचार ने शीत युद्ध काल के दौरान अमेरिकी विदेश नीति पर गहरा प्रभाव डाला। इसके परिणामस्वरूप, साम्यवाद के प्रसार का विरोध करने के लिए आर्थिक सहायता, कूटनीतिक सहयोग, और सैन्य हस्तक्षेप जैसी विभिन्न रणनीतियों का संचालन किया गया।

38. (A): अमेरिकी राष्ट्रपति जॉर्ज डब्ल्यू. बुश ने यू.एस. -इंडिया सिविल न्यूक्लियर समझौता, जिसे 123 समझौता भी कहा जाता है, के दौरान भारत को 'एक जिम्मेदार राज्य जिसमें उन्नत परमाणु प्रौद्योगिकी से है' के रूप में वर्गीकृत किया था। यह यू.एस. की पारंपरिक नीति से एक महत्वपूर्ण विचलन था, जो भारत के परमाणु कार्यक्रम पर संदेहपूर्ण था, क्योंकि भारत ने परमाणु अप्रसार संधि (NPT) पर हस्ताक्षर नहीं किया था। इस बयान ने भारत की परमाणु क्षमता को मान्यता देते हुए भारत के जिम्मेदार आचरण में एक स्तर की विश्वसनीयता लाने का महत्वपूर्ण कदम था।

39. (A) **40. (C)**

41. (A): मैकियावेली के "The Prince" में, द्वैत नैतिकता की अवधारणा अच्छी तरह से स्थापित है। मैकियावेली यह तर्क देते हैं कि शासकों को परम्परागत नैतिकता के सिद्धांतों का त्याग कर शक्ति बनाए रखने और राज्य की सुरक्षा के लिए व्यावहारिक और अक्सर क्रूर रणनीतियों का समर्थन करना चाहिए। मैकियावेली के तर्क के अनुसार उद्देश्य साधन के उपाय को स्वीकार करता है। मैकियावेली नागरिक सेना के विचार का भी समर्थन करते हैं, उनका मानना था कि किराये के सैनिक अविश्वसनीय होते हैं अतः एक राजा को अपनी खुद की सेना रखनी चाहिए। लोकप्रिय व्याख्याओं के विपरीत, मैकियावेली का काम आमतौर पर 'अनैतिक' नहीं है, बल्कि नीति-निरपेक्ष है; वह राजा को शैतान बनने की प्रेरणा नहीं देते बल्कि यह सलाह देते हैं कि पारम्परिक नैतिकता के नियमों से अभीष्ट की प्राप्ति नहीं हो सकती।

42. (A): जॉन लॉक एक अनुभववादी हैं, यानी उनका मानना है कि ज्ञान प्रमुख रूप से संवेदनात्मक अनुभव से आता है। उनकी रचना 'An Essay Concerning Human Understanding' एक महत्वपूर्ण पुस्तक है जो अनुभववाद के सिद्धांतों को निरूपित करता है। लॉक एक सीमित राज्य के पक्ष में हैं, जहाँ सरकार की शक्तियों पर कानून और जनता की इच्छा का बंधन हो। इसके अलावा, लॉक को लोकप्रिय शासन की अवधारणा का समर्थक माना जाता है, जिसके अनुसार राज्य के अधिकार की उत्पत्ति और संचालन उसके लोगों की इच्छा द्वारा होता है। लॉक के विचारों ने आधुनिक राजनीतिक विचार पर महत्वपूर्ण प्रभाव डाला और कई लोकतंत्रिक प्रणालियों को प्रेरित किया।

43. (A): रवींद्रनाथ टैगोर, एक बहुगुणी और नोबेल पुरस्कार विजेता लेखक, वास्तविक स्वतंत्रता के प्रवक्ता थे, जो उनके लिए सिर्फ राजनीतिक स्वतंत्रता नहीं बल्कि एक गहरे, आंतरिक मुक्ति भी थी। वे शाश्वत सत्यों के अन्वेषक थे, जिसका पता उनकी विभिन्न रचनाओं, जैसे कविताएँ, गीत और निबंधों में मिलता है। टैगोर ने भिन्नता के बीच सृजनात्मक एकता के विचार का समर्थन भी किया, जिसका प्रमुख उद्देश्य लोकतंत्र में समानता की रक्षा करना है, जैसा कि उनके राष्ट्रवाद की आलोचना में प्रकट होता है, जो स्थानीय संस्कृतियों को एक करने और नष्ट करने की कोशिश करता है। उनका ख्याल था कि ऐसा राष्ट्रवाद मानव स्वतंत्रता और सत्य की खोज के लिए एक खतरा बन सकता है। वह सक्रिय रूप से बढ़ते राष्ट्रवाद का समर्थन नहीं करते थे, जिससे भारत के समकालीन स्वतंत्रता सेनानियों से वे भिन्न थे।

44. (D)

45. (C): एक राजनीतिक प्रणाली के कार्यों में राजनीतिक समाजीकरण और राजनीतिक भर्ती शामिल हैं। राजनीतिक समाजीकरण एक जीवनकालिक प्रक्रिया है जिसमें लोग अपने राजनीतिक विश्वास और मूल्यों को तय करते हैं। इसमें परिवार, शिक्षा प्रणाली, सहकर्मी समूह और मीडिया शामिल हैं। राजनीतिक भर्ती उन तरीकों को संदर्भित करता है जिनमें व्यक्तियों का चयन राजनीति में शामिल होने के लिए किया जाता है। राजनीतिक अपक्षय और राजनीतिक क्रांतियाँ एक राजनीतिक प्रणाली के कार्यों के रूप में नहीं होते हैं, बल्कि एक राजनीतिक प्रणाली जो अनुभव कर सकती है, उसके परिणाम होते हैं।

46. (C): तीव्र वर्ग विभाजन, जनता को एकजुट करने में बुद्धिजीवियों की भूमिका, और सामाजिक असंतुलन जैसे कारक राजनीतिक प्रणाली में क्रांतियों के मुख्य सहयोगी हैं। तीव्र वर्ग विभाजन असंतोष की एक मजबूत अंतर्धारा का निर्माण करता है जो सामाजिक और आर्थिक अस्थिरता का परिणाम हो सकता है, क्रांति के लिए फलप्रद आधार प्रदान करता है। बुद्धिजीवियों की मुख्य भूमिका होती है शिकायतों की अभिव्यक्ति, विचारधारा तैयार करना और क्रांतिकारी परिवर्तन के लिए समर्थन जुटाना। सामाजिक असंतुलन, जैसे सामाजिक एवं आर्थिक सुधारों के बिना तीव्र आधुनिकीकरण, भी क्रांतियों का कारण बन सकता है। शांति और संक्षेपण के लिए एक मजबूत इच्छा, क्रांतिकारी परिवर्तन के बजाय सामान्यतः स्थिरता से जुड़े होते हैं।

47. (B)

48. (C): बेरुबारी यूनियन मामले (1960) में, सुप्रीम कोर्ट ने कहा कि प्रस्तावना संविधान का हिस्सा नहीं है और, इसलिए, इसे संशोधित नहीं किया जा सकता है। हालांकि, इस प्रावधान को 1973 में बड़े फैसले केसवानंद भारती केस (1973) में पलट दिया गया, जहाँ सुप्रीम कोर्ट ने कहा कि प्रस्तावना वाकई संविधान का हिस्सा है और संशोधित किया जा सकता है, लेकिन प्रस्तावना में दी गई मौलिक संरचना को नहीं बदला जा सकता है। भारतीय जीवन बीमा मामले से संबंधित विकल्प सही नहीं है।

49. (A): वैश्वीकरण विश्वभर में वस्तुओं और सेवाओं के मुफ्त व्यापार को प्रोत्साहित करता है, पूंजी, प्रौद्योगिकी और विचारों के प्रवाह को सुविधापूर्ण बनाता है। इससे विकासशील दुनिया में, विदेशी निवेश को आकर्षित करके और प्रतिस्पर्धा को बढ़ावा देकर बाजारी अर्थव्यवस्था को मजबूती प्राप्त हो सकती है। इसके अलावा, वैश्वीकरण विभिन्न देशों के बीच सामाजिक-आर्थिक अंतःक्रिया को बढ़ावा देता है, जहाँ देश आपसी सफलताओं और असफलताओं से सीख सकते हैं।

50. (C): भारतीय संविधान के अनुच्छेद 26 में भारतीय नागरिकों को धार्मिक कार्यों के प्रबंध की स्वतंत्रता प्रदान की गई है। इसके अनुसार, प्रत्येक धार्मिक सम्प्रदाय या उसके किसी अनुभाग को,

- धार्मिक एवं पूर्त (Charitable) उद्देश्य हेतु संस्थाओं की स्थापना करना एवं उसकी देखभाल का;
- अपने धर्म विषयक कार्यों का प्रबंध करने का;
- चल एवं अचल संपत्ति के अर्जन और स्वामित्व का तथा
- ऐसी सम्पत्ति का विधि के अनुसार प्रबंधन करने का अधिकार होगा।

इनमें सामाजिक मामलों (कार्यों) के प्रबंधन का अधिकार शामिल नहीं है।

51. (D): लोक प्रशासन में शास्त्रीय सिद्धांत इस विषय के अध्ययन का सबसे पहला प्रयास था, और इसने इस क्षेत्र पर महत्वपूर्ण प्रभाव डाला। इस सिद्धांत ने निर्माण को तर्कसंगत करने और उत्पादन को प्रोत्साहित करने में महत्वपूर्ण भूमिका निभाई। इसके लिए मुख्यतः श्रम विभाजन की अवधारणा के माध्यम से व्यवस्थाओं में कुशलता और प्रभावकारिता पर ध्यान केंद्रित किया गया।

52. (A) **53. (D)** **54. (C)**

55. (A): भारतीय विदेश नीति के मूल्यों में आदर्शवाद और यथार्थवाद का मिश्रण होता है। आदर्शवाद को भारत की विदेश नीति में उसके साम्राज्यवाद विरोधी दृष्टिकोणों और निर्गुट आंदोलन में भारत की प्रमुख भूमिका से देखा जा सकता है। यथार्थवाद को राष्ट्रीय हित पर आधारित उसके रणनीतिक संबंधों में देखा जा सकता है। सहिष्णुता का मूल्य भी भारत के विविधतापूर्ण समाज और अंतर्राष्ट्रीय संबंधों के प्रति उसके दृष्टिकोण का प्रतिबिंब है।

56. (C)

57. (A)

58. (A)

59. (A): पूँजीवाद के आंतरिक विरोधाभास ही पूँजीवाद को समाप्त कर देंगे मुख्य रूप से यह कथन मार्क्सवादी सिद्धांत से संबंधित है। मार्क्स यह मानते थे कि पूंजीवाद ने मजदूरों का शोषण करके खुद की बर्बादी के बीज बो दिये हैं, जिससे अधिशेष उत्पादन और आखिरकार क्रांति के संकट पैदा होते हैं। मार्क्सवादी विचारधारा के अनुसार अधिशेष मूल्य का संदोहन पूंजीवाद का सबसे बड़ा विरोधाभास है। इसलिए, कथन (A) और कारण (R) दोनों सही हैं, और (R), (A) के लिए सही व्याख्या प्रदान करता है।

60. (B): 'सर्वोदय' शब्द का मतलब होता है 'सार्वभौम उत्थान' या 'सभी के लिए प्रगति', जिसका उद्देश्य एक संतुलित और न्यायसंगत आर्थिक व्यवस्था स्थापित करना है। यह जयप्रकाश नारायण, जो जेपी के नाम से प्रसिद्ध थे, का भी उद्देश्य था। उन्होंने कृषि को आर्थिक जीवन का मूल माना और माना कि न्यायसंगत विकास केवल कृषि को प्राथमिकता देने से ही प्राप्त किया जा सकता है। हालाँकि दोनों कथन सही हैं, लेकिन जेपी की कृषि पर केंद्रित अवधारणा सर्वसामान्य और न्यायसंगत आर्थिक व्यवस्था की स्थापना का सीधा व्याख्यान नहीं होता, क्योंकि सर्वोदय में कृषि विकास के सिवाय भी कई अन्य विषय शामिल हैं। इसलिए, दोनों (A) और (R) सही हैं, लेकिन (R) (A) की सही व्याख्या नहीं है।

61. (B): राजनीतिक संस्कृति उन धारणाओं, विश्वासों और भावनाओं का समुच्चय होती है जो एक राजनीतिक प्रक्रिया को क्रम और सार्थकता प्रदान करती है तथा अधःस्थ कल्पनाएँ एवं नियमों की रूपरेखा तैयार करती है जो राजनीतिक प्रणाली में व्यवहार को नियमित करते हैं। यह आमतौर पर ऐतिहासिक, सांस्कृतिक और सामाजिक संदर्भों द्वारा आकार दी जाती है। कारण (R) द्वारा उल्लिखित किया गया है कि राजनीतिक विकास की गतिविधियों के आधार पर विभिन्न प्रकार की राजनीतिक संस्कृतियाँ हो सकती हैं, जो सही बयान है, लेकिन यह सीधे तौर पर उसे परिभाषित नहीं करता कि राजनीतिक संस्कृति क्या है, जैसा कि कथन (A) में उल्लिखित है। प्रतीकात्मक और रूपात्मक प्रतिमान से राजनीतिक संस्कृतियों की विविधता की जाँच की जाती है, लेकिन यह नहीं परिभाषित करता कि राजनीतिक संस्कृति क्या है। इसलिए, दोनों कथन सही हैं, लेकिन (R) (A) के लिए सही व्याख्यान नहीं है।

62. (C) **63. (A)** **64. (A)**

65. (A) **66. (A)** **67. (C)**

68. (A) **69. (D)** **70. (C)**

71. (B) **72. (B)** **73. (B)**

74. (D) **75. (B)** **76. (C)**

77. (C) **78. (D)** **79. (A)**

80. (C)

81. (C): वैधानिक संप्रभुता संभवतः आधुनिक राज्य प्रणाली के संदर्भ में विकसित किया गया पहला विचार था। यह वेस्ट फालिया की संधि (1648) में निहित है, जिसमें यह बताया गया कि किसी प्रदेश में सर्वोच्च वैधानिक अधिकार राज्य ही है। फिर राजनीतिक संप्रभुता आया, जो शक्ति एवं सत्ता के वास्तविक अभ्यास में गहराई से प्रवेश करता है और कानूनी मानदंडों तथा राजनीतिक वास्तविकताओं का ख्याल रखता है। लोकप्रिय संप्रभुता लोकतांत्रिक क्रांतियों के साथ उद्भव करता है, जिसका मानना है कि एक

राज्य में अधिकतम प्राधिकृति का स्रोत वहाँ की जनता है। आखिरकार, 20वीं सदी में बहुल संप्रभुता का सिद्धांत है, जिसने सार्वभौमिक सत्ता के मोनोलिथिक अवबोध को चुनौती देने के रूप में कई स्तरों की सत्ता को स्वीकार करने का समर्थन किया।

82. (A): "The Human Condition" ह्नाना अरेंड के द्वारा 1958 में प्रकाशित हुई थी और मानव अस्तित्व का काम, श्रम, और क्रिया के अवबोध के संदर्भ में अन्वेषण करती है। "The Archaeology of Knowledge" मिसेल फॉको के द्वारा, 1969 में प्रकाशित हुई, ऐतिहासिक ज्ञान और प्रमाण विज्ञान की जटिलताओं पर प्रकाश डालती है। "After Virtue" अलासदुमिर मेंकिन्टायर के द्वारा 1981 में प्रकाशित हुई, नैतिक भाषा के गिरावट के साथ संबंध बताती है। अंत में, "Spheres of Justice" माइकल वॉजर के द्वारा 1983 में प्रकाशित हुई और न्याय के लिए एक पुराना समाजवादी सिद्धांत प्रस्तुत करती है।

83. (A)

84. (D)

85. (B): भारतीय संविधान के भाग 4 में राज्य के नीति निदेशक तत्वों का उल्लेख किया गया है, जो अनुच्छेद 36 से 51 तक विस्तृत है। व्यक्तिगत और समान रूप से काम के लिए समान वेतन अनुच्छेद 39(d) के तहत आता है, गरीबों को निःशुल्क न्याय और मुफ्त कानूनी सहायता प्रोत्साहित करने वाला अनुच्छेद 39(A) के तहत आता है, समान नागरिक संहिता अनुच्छेद 44 के अन्तर्गत आता है, और न्यायपालिका से कार्यपालिका का पृथक्करण अनुच्छेद 50 के तहत आता है।

86. (B): चिपको आंदोलन की शुरुआत 1973 में भारत के उत्तराखंड राज्य में हुई थी, जहाँ लोगों ने पेड़ों को कटने से बचाने के लिए पेड़ों के साथ चिपकने की प्रक्रिया को शुरू किया। आप्पिको आंदोलन चिपको से प्रेरित हुआ था और 1983 में पश्चिमी घाटों के वनों की सुरक्षा के लिए कर्णाटक में शुरू हुआ था। नर्मदा बचाओ आंदोलन 1985 में शुरू हुआ था नर्मदा नदी पर बन रहे बांधों के खिलाफ। जन लोकपाल आंदोलन जो 2011 में अन्ना हजारे के नेतृत्व में किया गया था, लोकपाल विधेयक के पारित होने की मांग करने के लिए। आखिरकार, ओमकारेश्वर डैम में पानी के वृद्धि के खिलाफ 2012 में मध्य प्रदेश राज्य में शुरू हुआ जल सत्याग्रह।

87. (B): एल्टन मेयो ने शिकागो की वेस्टर्न इलेक्ट्रिक कंपनी के हॉथोर्न प्लांट में कई प्रयोग किए। पहला प्रयोग प्रकाशन प्रयोग (1924-1927) था, जिसका उद्देश्य श्रमिकों की उत्पादकता पर प्रकाश की स्थितियों के प्रभाव को समझना था। अगला सुचालन असेंबली टेस्ट रूम प्रयोग (1927-1932) था, जिसमें महिला कर्मियों के एक समूह पर विभिन्न स्थितियों के प्रभाव का अध्ययन किया गया। इसके बाद मास इंटरव्यू प्रोग्राम (1928-1930) था, जिसमें कर्मचारियों से उनकी शिकायतों और आवश्यकताओं को समझने के लिए इंटरव्यू किए गए। आखिरकार बैंक वायरिंग प्रयोग (1931-1932) था, जिसमें उत्पादकता पर प्रभाव डालने वाले सामाजिक वातावरण पर ध्यान केंद्रित था।

88. (B): भारत सरकार द्वारा भ्रष्टाचार पर रोक लगाने के लिए समय-समय पर विभिन्न कानून लागू किए गए जिनका क्रम इस प्रकार है :

- **बेनामी संव्यवहार (प्रतिषेध) अधिनियम (1988) :** कर चोरी या कालाधन छिपाने के लिये किसी व्यक्ति की सम्पत्ति का भुगतान अन्य द्वारा किया जाना।
- **धनशोधन निवारण अधिनियम (2002) :** धनशोधन पर रोक लगाने के लिए।
- **भ्रष्टाचार के विरुद्ध संयुक्त राष्ट्र अभिसमय (UNCAC) का अनुसमर्थन (2011) :** अंतर्राष्ट्रीय स्तर पर भ्रष्टाचार के विरुद्ध संघर्ष के प्रति प्रतिबद्धता प्रदर्शित करना।
- **काला धन (अज्ञात विदेशी आय तथा परिसंपत्ति) तथा कर अधिनियम (2015) :** विदेशों में स्थित अज्ञात सम्पत्ति पर कराधान।

89. (A): भारतीय वायुसेना द्वारा आयोजित संयुक्त अभ्यासों का कालक्रम निम्न प्रकार है :

- **इंद्रधनुष-IV :** भारत-ब्रिटेन द्विपक्षीय सहयोग के तहत अभ्यास इन्द्रधनुष-IV, आरएएफ बेस, ब्रिज नॉर्टन और हानिंगटन में 21-23 जुलाई, 2015 के बीच संपन्न हुआ।
- **डेजर्ट ईगल-II :** भारतीय वायु सेना एवं संयुक्त अरब अमीरात (UAE) के मध्य द्विपक्षीय सैन्य युद्धाभ्यास का 3 जून, 2016 को समापन हुआ। दोनों सेनाओं के बीच यह दूसरा युद्धाभ्यास था। दस दिवसीय इस अभ्यास में दोनों देशों की सेनाओं ने आबु धाबी के अल-धारा एयर बेस में 22 मई, 2016 को भाग लेना आरंभ किया था। इस युद्धाभ्यास में भारतीय वायु सेना की ओर से एसयू 30 एमकेआई, मिराज 2000-09 एवं यूएई की ओर से एफ-16 ब्लॉक 60 ने भाग लिया था। इस सुद्धाभ्यास में विपरीत परिस्थितियाँ एवं 40 डिग्री से अधिक तापमान के बावजूद भारतीय वायुसेना ने उच्च गुणवत्ता का प्रदर्शन किया।
- **टेबल टॉप :** इस युद्धाभ्यास का आयोजन वर्ष 2017 में किया गया था। इस युद्धाभ्यास में तीन प्रमुख राष्ट्रों संयुक्त राज्य अमेरिका, जापान और भारत की वायुसेना ने भाग लिया। यह अभ्यास मुख्यतः मानव सहायता एवं आपदा राहत से संबंधित था।
- **संवेदना :** भारतीय वायु सेना द्वारा पहली बार मानवीय सहायता और आपदा राहत (HADR) अभ्यास आरंभ किया गया। यह अभ्यास दक्षिण एशिया क्षेत्र के देशों के साथ मिलकर 12 मार्च, 2018 को केरल के तट पर आरंभ किया गया। इस अभ्यास का नाम 'संवेदना' है तथा यह दक्षिण एशिया क्षेत्र का पहला सैन्य राहत आपदा अभ्यास है, यह 12 से 17 मार्च, 2018 तक आयोजित किया गया। इस अभ्यास का मुख्य उद्देश्य मानवीय सहायता और आपदा राहत प्रयासों के समन्वय में सभी हितधारकों को एकीकृत करना था।

90. (A): ब्रिक्स सम्मेलनों के आयोजन का क्रम इस प्रकार है :

- मार्च 2013 में डरबन (द. अफ्रीका) में हुए 5वें ब्रिक्स शिखर सम्मेलन का परिणाम-ब्रिक्स के नेतृत्व में नवीन विकास बैंक स्थापना की उद्घोषणा, ब्रिक्स देशों के बीच आकस्मिक आरक्षित व्यवस्था के माध्यम से सुरक्षा जाल का सृजन और व्यावसायिक परिषद् तथा थिंक टैंक परिषद की स्थापना आदि था।
- ब्रिक्स देशों के सातवें शिखर सम्मेलन का आयोजन 8-9 जुलाई, 2015 को उफा (रूस) में किया गया। इस सम्मेलन का मुख्य विषय "ब्रिक्स साझेदारी-वैश्विक उन्नति का एक शक्तिशाली साधन" था।
- 25-27 जुलाई, 2018 के मध्य 10वें ब्रिक्स शिखर सम्मेलन (10वाँ ब्रिक्स सम्मेलन) का आयोजन जोहान्सबर्ग, दक्षिण अफ्रीका में किया गया। इस शिखर सम्मेलन का मुख्य विषय–"अफ्रीका में ब्रिक्स : चौथी औद्योगिक क्रांति में समावेशी विकास और साझा समृद्धि के लिए सहयोग" था। इस शिखर सम्मेलन की अध्यक्षता दक्षिण अफ्रीका के राष्ट्रपति सिरिल रैमफोसा ने की।
- 14वाँ ब्रिक्स शिखर सम्मेलन, 22-23 जून, 2022 को चीन के राष्ट्रपति शी जिनपिंग की अध्यक्षता में वर्चुअल माध्यम से आयोजित किया गया। भारत के प्रधानमंत्री नरेंद्र मोदी ने सम्मेलन में भाग लिया। 14वें ब्रिक्स सम्मेलन का विषय था–"उच्च गुणवत्ता वाली ब्रिक्स साझेदारी को बढ़ावा देना, वैश्विक विकास के लिए एक नये युग की शुरुआत करना।"

91. (D) **92. (A)** **93. (D)**
94. (C) **95. (D)** **96. (A)**
97. (C) **98. (D)** **99. (A)**
100. (A)

पिछले प्रश्न-पत्र (हल सहित)

National Testing Agency (NTA)

UGC-NET जूनियर रिसर्च फैलोशिप तथा सहायक प्राध्यापक परीक्षा

राजनीति शास्त्र, जून-2022

(Online exam held on 11-10-2022)

प्रश्न-पत्र-II

नोटः *इस प्रश्न-पत्र में* **सौ (100)** *बहु-विकल्पीय प्रश्न हैं। प्रत्येक प्रश्न के* **दो (2)** *अंक हैं।* **सभी** *प्रश्न अनिवार्य हैं।*

1. निम्नलिखित में कौन-से तुलनात्मक राजनीति में एक नव संस्थान उपागमों के रूप में यौक्तिक पसंद संस्थानवाद के अभिलक्षण को दर्शाता है?

(*a*) यह राजनीतिक कर्ताओं के हित आधारित अभिप्रेरणाओं की व्याख्या करता है।

(*b*) यह सामूहिक क्रिया-प्रसूत दुविधा के संकल्प की व्याख्या करता है।

(*c*) यह हित और संस्थानों के सांस्कृतिक संरचना की व्याख्या करता है।

(*d*) यह निगमनात्मक उपागम का अनुगमन करता है।

नीचे दिए गए विकल्पों में से सबसे उपयुक्त उत्तर का चयन कीजिए :

A. केवल (*a*), (*b*) और (*c*)

B. केवल (*a*), (*b*) और (*d*)

C. केवल (*a*) और (*b*)

D. केवल (*b*) और (*c*)

2. निम्नलिखित में से कौन-सी योजनाएँ वर्तमान केन्द्र सरकार द्वारा शुरू की गई है/हैं?

(*a*) प्रधानमंत्री आवास योजना

(*b*) किसान न्याय योजना

(*c*) प्रधानमंत्री गरीब कल्याण योजना

(*d*) मेरी पॉलिसी मेरे हाथ

दिए गए विकल्पों में से सही उत्तर का चयन कीजिए :

A. केवल (*a*), (*b*), (*d*) B. केवल (*a*), (*b*), (*c*)

C. केवल (*a*), (*c*), (*d*) D. केवल (*a*), (*c*)

3. शांतिपूर्ण नाभिकीय विस्फोट (पीएनई) निम्नांकित में से किसके नेतृत्व में भारत सरकार की नीति थी?

A. अटल बिहारी वाजपेयी

B. इंदिरा गाँधी

C. नरसिम्हा राव

D. नरेन्द्र मोदी

4. ''ब्लैक स्किन, व्हाइट मास्क'' के लेखक कौन हैं?

A. हन्ना एरेंड्ट B. फ्रेंज फेनन

C. मेरी वॉल्स्टन क्राफ्ट D. मार्कस ग्रैवेग

5. नीचे दो कथन दिए गए हैं : एक अभिकथन (Assertion (A)) के रूप में लिखित है तो दूसरा उसके कारण (Reason (R)) के रूप में :

अभिकथन (A) : जब तक इस दुनिया के राजा और राजकुमार में दार्शनिकता वाला स्वभाव और क्षमता नहीं होगी तब तक नगर राज्य को बुराईयों से मुक्त नहीं किया जा सकता।

कारण (R) : किसी राज्य में रिपब्लिक का उद्देश्य तभी परिपूर्ण होगा जब मानव जीवन का प्रतिनिधित्व न्याय और शुभ के विचार पर आधारित रहते हुए शासन किया जाए।

उपरोक्त कथन के आलोक में, नीचे दिए गए विकल्पों में से *सबसे उपयुक्त उत्तर* का चयन कीजिए।

A. (A) और (R) दोनों सही हैं और (R), (A) की सही व्याख्या है।

B. (A) और (R) दोनों सही हैं, लेकिन (R), (A) की सही व्याख्या नहीं है।

C. (A) सही है, लेकिन (R) सही नहीं है।

D. (A) सही नहीं है, लेकिन (R) सही है।

6. निम्नलिखित में से कौन क्रांति को 'सामाजिक व्यवस्था के प्रबल मिथक में आमूल-चूलकारी मौलिक परिवर्तन' के रूप में देखता है?

A. न्यूमैन B. एस.पी. हटिंगटन

C. टी.एस. कुह्न D. जी.एस. पेटे

7. संसद में लोकपाल विधेयक पहली बार कब पुरःस्थापित किया गया?

A. 1971 B. 1967

C. 1968 D. 1969

8. इनमें से किसकी संस्तुति के बिना कोई भी धन विधेयक विधानसभा में प्रस्तुत नहीं किया जा सकता?

A. अध्यक्ष (स्पीकर) B. राज्यपाल

C. मुख्यमंत्री D. वित्त मंत्री

9. निम्नलिखित क्षेत्रीय राजनैतिक दलों को स्थापना वर्ष के कालक्रमानुसार व्यवस्थित कीजिए।

(*a*) डीएमके

(*b*) शिरोमणि अकाली दल

(*c*) टीडीपी

(*d*) बीजू जनता दल

दिए गए विकल्पों में से सही उत्तर का चयन कीजिए :

A. (*b*), (*a*), (*c*), (*d*) B. (*a*), (*b*), (*c*), (*d*)

C. (*a*), (*b*), (*d*), (*c*) D. (*d*), (*a*), (*b*), (*c*)

10. भारत के उच्चतम न्यायालय ने किस मामले में यह निर्णय दिया कि न्यायिक पुनरावलोकन का उपबंध भारतीय संविधान की अनिवार्य विशेषता के अन्तर्गत आता है?

A. एस.आर. बोम्मई मामला

B. गोलकनाथ मामला

C. मिनर्वा मिल्स मामला

D. इंदिरा साहनी मामला

11. "द इंडियन पैराडॉक्स" नामक पुस्तक के संपादक निम्नलिखित में से कौन हैं?

A. राजीव भार्गव B. मायरन वीनर

C. सुभाष कश्यप D. ग्रेनविले ऑस्टिन

12. समाजवादी पार्टी, तेलुगु देशम पार्टी और मणिपुर पीपुल्स पार्टी के चुनाव चिह्न में एक समान क्या है?

A. पत्ती B. साइकिल

C. लालटेन D. फूल

13. निम्नलिखित को कालक्रमानुसार क्रम में व्यवस्थित कीजिए:

(*a*) क्योटो प्रोटोकॉल

(*b*) आर्थिक, सामाजिक और सांस्कृतिक अधिकारों पर अंतर्राष्ट्रीय प्रसंविदा

(*c*) रियो-डि जेनेरियो में पर्यावरण पर यू.एन. सम्मेलन

(*d*) मानवाधिकारों पर यू.एन. उद्घोषणा

दिए गए विकल्पों में से सही उत्तर का चयन कीजिए :

A. (*a*), (*c*), (*b*), (*d*)

B. (*d*), (*b*), (*c*), (*a*)

C. (*d*), (*c*), (*a*), (*b*)

D. (*b*), (*c*), (*a*), (*d*)

14. नीति विश्लेषण के 'पाँच ई' उपागम में निम्नलिखित में से कौन-सा सम्मिलित नहीं है?

A. प्रभाविता B. दक्षता

C. नैतिक विचार D. साक्ष्य

15. नीचे दो कथन दिए गए हैं : एक अभिकथन (Assertion (A)) के रूप में लिखित है तो दूसरा उसके कारण (Reason (R)) के रूप में :

अभिकथन (A) : तुलनात्मक राजनीति के किसी भी विद्यार्थी को मतदाताओं के व्यवहारों का अध्ययन करना चाहिए।

कारण (R) : तुलनात्मक राजनीति के किसी भी विद्यार्थी को समस्त राजनीतिक तंत्र का अध्ययन करना पड़ता है।

उपरोक्त कथन के आलोक में, नीचे दिए गए विकल्पों में से *सबसे उपयुक्त उत्तर* का चयन कीजिए।

A. (A) और (R) दोनों सही हैं और (R), (A) की सही व्याख्या है।

B. (A) और (R) दोनों सही हैं, लेकिन (R), (A) की सही व्याख्या नहीं है।

C. (A) सही है, लेकिन (R) सही नहीं है।

D. (A) सही नहीं है, लेकिन (R) सही है।

16. निम्नलिखित में से कौन सही ढंग से सुमेलित है?
(*a*) सेक्सुअल पॉलिटिक्स – काटे मिलेट
(*b*) सेकेंड सेक्स – शुलामिथ फायरस्टोन
(*c*) द फैमिनाइन मिस्टीक – बेट्टी फ्रीडेन
(*d*) द डायलेक्टिक ऑफ सेक्स – निकोलसन
नीचे दिए गए विकल्पों में से *सबसे उपयुक्त उत्तर* का चयन कीजिए :
A. केवल (*a*) और (*b*) B. केवल (*b*) और (*c*)
C. केवल (*a*) और (*c*) D. (*a*), (*b*), (*c*), (*d*)

17. 'द राइज ऑफ द प्लेबियन्स' पुस्तक किसने लिखी?
A. अमर्त्य सेन
B. पार्था चटर्जी
C. क्रिस्टोफ जफरलो और संजय कुमार
D. सुहास पालशिकर

18. निम्नलिखित को कालक्रमानुसार व्यवस्थित कीजिए :
(*a*) लाहौर उद्घोषणा
(*b*) ताशकंद समझौता
(*c*) भारत-अमरीका सिविल न्यूक्लियर सहयोग समझौता
(*d*) शांति, मित्रता और सहयोग आधारित भारत-सोवियत संधि
दिए गए विकल्पों में से सही उत्तर का चयन कीजिए :
A. (*d*), (*c*), (*b*), (*a*) B. (*b*), (*d*), (*a*), (*c*)
C. (*a*), (*c*), (*b*), (*d*) D. (*d*), (*a*), (*b*), (*c*)

19. निम्नलिखित में से कौन सही ढंग से सुमेलित है?
(*a*) परमाणवीय क्षति-पूर्ति सिविल देयता अधिनियम – 2010
(*b*) रक्षा सहयोग हेतु भारत-अमेरिका दसवर्षीय फ्रेमवर्क समझौता – 2015
(*c*) रक्षा प्रौद्योगिकी और व्यापारिक पहल – 2020
(*d*) बेसिक आदान-प्रदान (एक्सचेंज) सहयोग समझौता – 2019
नीचे दिए गए विकल्पों में से *सबसे उपयुक्त उत्तर* का चयन कीजिए :
A. केवल (*a*) और (*b*) B. केवल (*b*) और (*c*)
C. केवल (*b*) और (*d*) D. केवल (*a*) और (*d*)

20. निम्नलिखित में से किसने समाजवाद को गिरगिट के रूप में व्याख्यायित किया है, जो पर्यावरण के अनुसार अपना रंग बदलता है?
A. सी.ई.एम. जोड B. इमाइल
C. रेमजे म्योर D. हयम

21. निम्नलिखित में से कौन-से सही हैं?
(*a*) संरचनात्मक उपागम अर्थव्यवस्था एवं दक्षता पर केन्द्रित होते हैं।
(*b*) मानवीय संबंध उपागम, संगठन में कार्य कर रहे लोगों के बीच संबंध से संबंधित होते हैं।
(*c*) व्यवहारवादी उपागम, प्रशासन के विकास दृष्टिकोण के अध्ययन पर बल देता है।
(*d*) राजनैतिक अर्थव्यवस्था उपागम आर्थिक विधियों एवं राजनैतिक समस्या के प्रारूपों के अनुप्रयोग पर बल देता है।
दिए गए विकल्पों में से *सही उत्तर* का चयन कीजिए :
A. केवल (*a*), (*b*), (*d*) B. केवल (*b*), (*c*), (*d*)
C. केवल (*a*), (*b*) D. केवल (*c*), (*d*)

22. संयुक्त राष्ट्र संघ ने संकल्प सं., 69/131 के माध्यम से किस वर्ष अन्तर्राष्ट्रीय योग दिवस की घोषणा की थी?
A. 2015 B. 2014
C. 2016 D. 2017

23. निम्नलिखित में से किसने वर्ष 1866 में 'पारिस्थितिकी' पद निर्मित किया?
A. अर्नेस्ट हेकेल B. एफ. रिग्स
C. आर.ए. डहल D. ह्यूटन मिफिन

24. भारत में सहकारी संघवाद की संवृद्धि के कारण निम्नलिखित में से कौन-से हैं?
(*a*) आर्थिक मामलों में संघ-राज्य सहयोग
(*b*) संघ-राज्य विधायी संबंध
(*c*) विकास वित्त की अनिवार्यता
(*d*) चुनावी राजनीति की गतिकी
नीचे दिए गए विकल्पों में से *सबसे उपयुक्त उत्तर* का चयन कीजिए :
A. केवल (*a*), (*c*) B. केवल (*a*), (*d*)
C. केवल (*b*), (*c*) D. केवल (*b*), (*d*)

25. सूची-I के साथ सूची-II का मिलान कीजिए :

सूची-I (सिद्धांत/संकल्पना)	**सूची-II (विचारक)**
(*a*) कान्स्ट्रक्टिव कान्फ्लिक्ट	(*i*) फ्रेडरिक हर्जबर्ग
(*b*) एक्सेपटेन्स थिअरी ऑफ अथारिटी एंड जोनल इनडिफरेन्स	(*ii*) अब्राहम मैस्लो
(*c*) हाइरार्की ऑफ नीड्स	(*iii*) चेस्टर आई. बर्नार्ड
(*d*) हाइजीन-मोटिवेशन थिअरी	(*iv*) मेरी पार्कर फोलेट

नीचे दिए गए विकल्पों में से *सही उत्तर* का चयन कीजिए :

	(*a*)	(*b*)	(*c*)	(*d*)
A.	(*iv*)	(*iii*)	(*i*)	(*ii*)
B.	(*iv*)	(*iii*)	(*ii*)	(*i*)
C.	(*iv*)	(*ii*)	(*iii*)	(*i*)
D.	(*iv*)	(*i*)	(*ii*)	(*iii*)

26. निम्नलिखित में से कौन सही ढंग से सुमेलित हैं?

(*a*) सार्क – काठमांडू

(*b*) एक्ट ईस्ट पॉलिसी – नरसिंह राव

(*c*) पहले पड़ोसी देश की नीति – नरेंद्र मोदी

(*d*) एशियाई अवसंरचना निवेश बैंक – क्वालालाम्पुर

नीचे दिए गए विकल्पों में से *सबसे उपयुक्त उत्तर* का चयन कीजिए :

A. केवल (*c*) और (*d*) B. केवल (*a*) और (*c*)

C. केवल (*b*) और (*c*) D. केवल (*a*) और (*d*)

27. 'जेंडर इन इंटरनेशनल रिलेसन्स' नामक पुस्तक किसने लिखी है?

A. एन टिकनर B. सिंथिया इन्लो

C. अरुंधती रॉय D. हिलेरी क्लिंटन

28. सूची-I के साथ सूची-II का मिलान कीजिए :

सूची-I (स्थान)	**सूची-II (जन सुनवाई)**
(*a*) कोट किराना	(*i*) चौथी जन सुनवाई
(*b*) भीम	(*ii*) प्रथम जन सुनवाई
(*c*) बीजापुरा	(*iii*) दूसरी जन सुनवाई
(*d*) जावजा	(*iv*) तीसरी जन सुनवाई

दिए गए विकल्पों में से *सही उत्तर* का चयन कीजिए :

	(*a*)	(*b*)	(*c*)	(*d*)
A.	(*ii*)	(*iii*)	(*i*)	(*iv*)
B.	(*i*)	(*ii*)	(*iii*)	(*iv*)
C.	(*ii*)	(*iii*)	(*iv*)	(*i*)
D.	(*iii*)	(*iv*)	(*i*)	(*ii*)

29. कौटिल्य का राजमंडल सिद्धांत निम्नलिखित से संबंधित है :

A. सामाजिक संरचना

B. अर्थव्यवस्था

C. विदेश नीति एवं अन्तर-राज्य संबंध

D. धर्म की संरचना

30. राष्ट्रपति के कार्यों का निर्वहन करते समय भारत के उपराष्ट्रपति के संदर्भ में निम्नलिखित में से कौन-सा गलत है?

A. वे राज्य सभा अध्यक्ष पद के कर्तव्यों का निर्वहन करेंगे

B. वे राज्य सभा अध्यक्ष पद के कर्तव्यों का निर्वहन नहीं करेंगे

C. वे राज्य सभा अध्यक्ष को देय किसी वेतन या भत्ते के हकदार नहीं होंगे

D. वे कोई भी लाभ का पद ग्रहण नहीं करेंगे

31. पॉलिटिक्स की निम्नलिखित पुस्तकों में से किसमें अरस्तू ने दासप्रथा को न्यायोचित ठहराया है?

A. बुक-1 B. बुक-4

C. बुक-6 D. बुक-7

32. इनमें से किसने आधुनिकीकरण की प्रक्रिया को मानव चिंतन और गतिविधि के सभी क्षेत्रों में शामिल होने वाले परिवर्तन की बहुफलकित (मल्टी फेसटेड) प्रक्रिया के रूप में वर्णित किया है?

A. हंटिंगटन B. एस.एम. लिपसेट

C. रस्टो और वांड D. डेविड ईस्टन

33. 'संश्लेषी सार्वभौमवाद' के बारे में किसने चर्चा की है?

A. एम.एन. रॉय B. विनोबा भावे

C. एम.के. गाँधी D. रबीन्द्रनाथ टैगोर

34. निम्नलिखित में से कौन सही ढंग से सुमेलित हैं?

(*a*) आतंकवाद के विरुद्ध युद्ध – यू.एस.ए.

(*b*) सामुद्रिक सिल्क मार्ग – भारत

(*c*) विक्टर यानुकोविच – यूक्रेन

(*d*) नियंत्रण रेखा – चीन

नीचे दिए गए विकल्पों में से सही उत्तर का चयन कीजिए :

A. केवल (*a*) और (*d*) B. केवल (*a*) और (*c*)

C. केवल (*b*) और (*c*) D. केवल (*c*) और (*d*)

35. नीचे दो कथन दिए गए हैं :

कथन I : कार्ल मार्क्स हीगल से सहमत थे कि इतिहास द्वंद्वात्मक योजना के अनुसार अपने आपको प्रकट करता है। किंतु मार्क्स के अनुसार विचार भौतिक स्थितियों के परिणाम थे।

कथन II : द्वंद्वात्मक भौतिकवाद पदार्थ एवं गति की अपार्थक्यता में विश्वास करता है।

उपरोक्त कथन के आलोक में, नीचे दिए गए विकल्पों में से *सबसे उपयुक्त उत्तर* का चयन कीजिए।

A. कथन I और कथन II दोनों सही हैं

B. कथन I और कथन II दोनों गलत हैं

C. कथन I सही है, लेकिन कथन II गलत है

D. कथन I गलत है, लेकिन कथन II सही है

36. पैरा डिप्लोमेसी (अर्द्ध कूटनीति) निम्नांकित में से किसके नेतृत्व में भारत की विदेश नीति है?

A. पी.वी. नरसिम्हा राव B. राजीव गांधी

C. डॉ. मनमोहन सिंह D. नरेन्द्र मोदी

37. सूची-I के साथ सूची-II का मिलान कीजिए :

सूची-I (चिंतक)	**सूची-II (विचार)**
(*a*) हॉब्स	(*i*) आनुपातिक प्रतिनिधित्व
(*b*) लॉक	(*ii*) लोकप्रिय संप्रभुता
(*c*) रूसो	(*iii*) संवैधानिक शासन
(*d*) जॉन स्टुअर्ट मिल	(*iv*) निरंकुशतावाद

नीचे दिए गए विकल्पों में से सही उत्तर का चयन कीजिए :

	(*a*)	(*b*)	(*c*)	(*d*)
A.	(*i*)	(*ii*)	(*iii*)	(*iv*)
B.	(*iv*)	(*iii*)	(*ii*)	(*i*)
C.	(*ii*)	(*i*)	(*iii*)	(*iv*)
D.	(*iii*)	(*ii*)	(*i*)	(*iv*)

38. क्रम में व्यवस्थित कीजिए–

भारत के संविधान में धार्मिक स्वतंत्रता के अधिकार के रूप में प्रतिष्ठापित अधिकारों को क्रमानुसार व्यवस्थित कीजिए।

(*a*) धार्मिक मामलों के प्रबंधन की स्वतंत्रता।

(*b*) किसी भी धर्म के संवर्धन हेतु करों के भुगतान की स्वतंत्रता।

(*c*) धर्म की चेतना और मुक्त व्यवसाय, अभ्यास और प्रचार की स्वतंत्रता।

(*d*) किसी शैक्षणिक संस्थान में धार्मिक अनुदेश अथवा धार्मिक पूजा-पद्धति में उपस्थित होने की स्वतंत्रता।

नीचे दिए गए विकल्पों में से सही उत्तर का चयन कीजिए :

A. (*c*), (*a*), (*b*), (*d*) B. (*b*), (*a*), (*d*), (*c*)

C. (*a*), (*b*), (*c*), (*d*) D. (*b*), (*a*), (*c*), (*d*)

39. निम्नलिखित में कौन सही ढंग से सुमेलित है :

(*a*) डोकलाम – त्रिजंक्शन

(*b*) ईस्टर डे आतंकी हमला – श्रीलंका

(*c*) यूक्रेन – नाटो

(*d*) इराक – जी.सी.सी.

नीचे दिए गए विकल्पों में से *सही उत्तर* का चयन कीजिए :

A. केवल (*a*) और (*d*) B. केवल (*a*) और (*b*)

C. केवल (*b*) और (*c*) D. केवल (*a*) और (*d*)

40. निम्नलिखित अधिकारों संबंधी अभिसमयों को कालक्रमानुसार व्यवस्थित कीजिए :

(*a*) नागरिक और राजनीतिक अधिकारों पर अन्तर्राष्ट्रीय प्रसंविदा

(*b*) महिलाओं के खिलाफ भेदभाव के सभी स्वरूपों के अपनयन पर अभिसमय

(*c*) मानवाधिकारों पर अमेरिकी अभिसमय

(*d*) मानवाधिकारों की सार्वभौमिक उद्घोषणा

नीचे दिए गए विकल्पों में से *सही उत्तर* का चयन कीजिए :

A. (*a*), (*b*), (*c*), (*d*) B. (*d*), (*a*), (*c*), (*b*)

C. (*c*), (*d*), (*b*), (*a*) D. (*b*), (*a*), (*d*), (*c*)

41. यूनाइटेड किंगडम ने किस वर्ष ब्रेक्सिट के पक्ष में मतदान किया?

A. 2017 B. 2019
C. 2016 D. 2020

42. निम्नलिखित में से कौन-से उपकरण (इंस्ट्रूमेंट) स्विट्जरलैंड में प्रत्यक्ष लोकतंत्र के प्रकार्यात्मक स्थिति में हैं?

(*a*) लैंडसजिमिएन
(*b*) जनमत संग्रह
(*c*) पहल
(*d*) प्रत्याह्वान

नीचे दिए गए विकल्पों में से *सबसे उपयुक्त उत्तर* का चयन कीजिए :

A. केवल (*a*), (*b*), (*c*) B. केवल (*a*), (*c*), (*d*)
C. केवल (*b*), (*c*), (*d*) D. (*a*), (*b*), (*c*), (*d*)

43. खाद्य सुरक्षा पर वैश्वीकरण के क्या प्रभाव हैं?

A. धनी देश आर्थिक सहायता (सब्सिडी) प्रदान करते हैं और व्यापारिक बाधाएं विकासशील देशों द्वारा खाद्य सुरक्षा उन्नयन करने हेतु वैश्वीकरण के संभाव्य के लाभ को प्राप्त करना दुष्कर बना देती है।
B. विश्व व्यापार संगठन के नियम कृषि क्षेत्र पर लागू नहीं होते, इसलिए वैश्वीकरण खाद्य सुरक्षा पर वास्तव में व्यवहृत नहीं होती।
C. सुपरमार्केट ही जहाँ तक वह क्षेत्र हैं, जिसमें खाद्य एवं कृषि क्षेत्रों में वैश्वीकरण के प्रभाव को अनुभूत किया गया है।
D. विकासशील देशों को संभाव्य लाभ को प्राप्त करने के क्रम में सरकारी स्वामित्ववाली खाद्य भंडारों को निर्मित करने की आवश्यकता है।

44. निम्नलिखित में से किसने 'इंट्रोडक्शन टु द स्टडी ऑफ लॉ ऑफ द कांस्टीट्यूशन' नामक पुस्तक लिखी है?

A. ए.वी. डायसी B. जेरमी वाल्ड्रान
C. स्टीफेन एम. ग्रिफिन D. गॉर्डन स्कोल

45. नागरिकता के संबंध में विचार कीजिए :

(*a*) कोई नागरिक अपने अधिकारों जिसके उपयोग करने की उसे अनुमति होती हो, उससे जाना जाता है।
(*b*) राज्य में रह रहा कोई व्यक्ति राज्य का नागरिक होता है।
(*c*) नागरिकता देशीयकरण की प्रक्रिया द्वारा स्वीकृत की जा सकती है।
(*d*) यदि कोई व्यक्ति किसी राज्य के भूभाग में जन्म लेता है तो वह नागरिक के रूप में माना जाएगा।

नीचे दिए गए विकल्पों में से *सही उत्तर* का चयन कीजिए :

A. केवल (*a*), (*b*), (*c*) B. केवल (*b*), (*c*), (*d*)
C. केवल (*a*), (*c*), (*d*) D. केवल (*a*), (*b*), (*d*)

46. सूची-I के साथ सूची-II का मिलान कीजिए :

सूची-I (महिला समूह)	**सूची-II (स्थान)**
(*a*) फोरम अगेन्स्ट ओप्रेसन ऑफ वुमन	(*i*) दिल्ली
(*b*) सहेली	(*ii*) मुंबई
(*c*) स्त्रीशक्ति संगठन	(*iii*) बेंगलोर
(*d*) विमोचना	(*iv*) हैदराबाद

नीचे दिए गए विकल्पों में से *सही उत्तर* का चयन कीजिए :

	(*a*)	(*b*)	(*c*)	(*d*)
A.	(*i*)	(*ii*)	(*iv*)	(*iii*)
B.	(*ii*)	(*iii*)	(*i*)	(*iv*)
C.	(*iv*)	(*i*)	(*ii*)	(*iii*)
D.	(*ii*)	(*i*)	(*iv*)	(*iii*)

47. निम्नलिखित में से किसने "अ डिस्कोर्स ऑन द मोरल इफेक्ट्स ऑफ द आर्ट्स एण्ड साइंस" शीर्षक से शोधपत्र लिखा?

A. दांते एलिघिएरी B. सेंट थॉमस एक्विनास
C. जॉन लॉक D. जीन जेक्स रूसो

48. भारत में निम्नलिखित आंदोलनों का सही क्रम क्या है?

(*a*) भारत छोड़ो आंदोलन
(*b*) असहयोग आंदोलन
(*c*) सविनय अवज्ञा आंदोलन
(*d*) संपूर्ण क्रांति आंदोलन

नीचे दिए गए विकल्पों में से सही उत्तर का चयन कीजिए :

A. (*b*), (*c*), (*a*), (*d*) B. (*d*), (*c*), (*a*), (*b*)
C. (*b*), (*c*), (*d*), (*a*) D. (*d*), (*b*), (*c*), (*a*)

49. किसी पंचायत के उसके कार्यकाल समाप्ति के पूर्व भंग होने की स्थिति में पुनः गठित पंचायत कार्य करेगी :

A. शेष अवधि के लिए

B. पूरे पाँच वर्ष के लिए

C. ग्राम सभा द्वारा जैसा विनिश्चिय किया जाए

D. ग्राम प्रधान द्वारा जैसा विनिश्चिय किया जाए

50. पीटर ड्रकर के बारे में निम्नलिखित में से कौन-सा सही नहीं है?

A. उन्होंने 'द इफेक्टिव एक्जीक्यूटिव' शीर्षक पुस्तक लिखी थी

B. उन्होंने 'ज्ञान कार्यकर्ता' (नॉलेज वर्कर) पद निर्मित किया

C. उन्होंने 'एम.बी.ओ.' पद निर्मित किया

D. उन्होंने 'एस.एम.ए.आर.टी.' पद निर्मित किया

51. नीचे दो कथन दिए गए हैं :

कथन I : जॉन स्टुअर्ट मिल ने व्यक्तियों की क्रियाओं को दो श्रेणियों में विभाजित किया अर्थात् स्वविषय क्रियाएँ और अन्य विषयक क्रियाएँ

कथन II : जॉन स्टुअर्ट मिल कहता है, "जो व्यक्ति करना चाहता है, उसे न करने में स्वतंत्रता निहित है।"

उपरोक्त कथन के आलोक में, नीचे दिए गए विकल्पों में से *सबसे उपयुक्त उत्तर* का चयन कीजिए।

A. कथन I और कथन II दोनों सही हैं

B. कथन I और कथन II दोनों गलत हैं

C. कथन I सही है, लेकिन कथन II गलत है

D. कथन I गलत है, लेकिन कथन II सही है

52. निम्नलिखित में से कौन-सी लोकतंत्र की आवश्यक स्थिति नहीं है?

A. स्वतंत्रता

B. समानता

C. न्यायपालिका की स्वतंत्रता

D. प्रतिबद्ध न्यायपालिका

53. अरब स्प्रिंग किस देश में आरंभ हुआ?

A. लीबिया B. सीरिया

C. मिस्र D. ट्यूनीशिया

54. थियोडोर जे. लॉबी द्वारा प्रस्तावित नीतियों के प्रकार निम्नलिखित हैं :

(*a*) वितरक, पुनर्वितरक

(*b*) नियामक, संघटक

(*c*) मौलिक, प्रक्रियागत

(*d*) वितरक, मौलिक

(*e*) संघटक, प्रक्रियागत

नीचे दिए गए विकल्पों में से *सही उत्तर* का चयन कीजिए :

A. केवल (*a*) और (*b*) B. केवल (*b*) और (*c*)

C. केवल (*c*) और (*d*) D. केवल (*d*) और (*e*)

55. संविधान का अनुच्छेद 169 निम्नलिखित के उन्मूलन अथवा सर्जन का उपबंध प्रदान करता है :

A. राज्य विधान परिषद

B. राज्य सभा में सीटों की संख्या निर्धारित करना

C. अखिल भारतीय सेवाएँ

D. उपरोक्त में से कोई नहीं

56. 'सॉफ्ट पावर' पद निम्नांकित में से किसकी निर्मिति है?

A. हैंस जे. मॉर्गेन्थाऊ B. जोसेफ एस. ने

C. रॉबर्ट जर्विस D. एन टिकनर

57. निम्नलिखित में से कौन भारत में चुनाव-सुधार से संबंधित समितियाँ हैं?

(*a*) दिनेश गोस्वामी समिति

(*b*) इंद्रजीत गुप्ता समिति

(*c*) तारकुंडे समिति

(*d*) संथानम समिति

दिए गए विकल्पों में से *सही उत्तर* का चयन कीजिए :

A. केवल (*a*), (*b*) B. केवल (*b*), (*c*)

C. केवल (*a*), (*b*), (*c*) D. (*a*), (*b*), (*c*), (*d*)

58. जॉन राल्स के न्याय सिद्धांत के संबंध में निम्नलिखित कथनों पर विचार कीजिए :

(*a*) न्याय सामाजिक संस्थानों का पहला सद्गुण है।

(*b*) न्याय राज्य संस्थानों का पहला सद्गुण है।

(*c*) एक न्याय परक समाज में न्याय द्वारा सुरक्षित अधिकार राजनीतिक सौदाकारी का विषय नहीं है।

(*d*) एक न्याय परक समाज में न्याय द्वारा सुरक्षित अधिकार सामाजिक बाध्यता का विषय नहीं है।

दिए गए विकल्पों में से *सही उत्तर* का चयन कीजिए :

A. केवल (*a*), (*b*) B. केवल (*b*), (*c*)
C. केवल (*a*), (*c*) D. (*a*), (*b*), (*c*), (*d*)

59. सूची-I के साथ सूची-II का मिलान कीजिए :

सूची-I (पुस्तक)	सूची-II (लेखक)
(*a*) ट्रेजडी ऑफ ग्रेट पॉवर पॉलिटिक्स	(*i*) जकारिया
(*b*) पॉलिटिक्स एमांग नेशन्स	(*ii*) वाल्ट्ज
(*c*) थ्योरी ऑफ इंटरनेशनल पॉलिटिक्स	(*iii*) मारगेन्थाऊ
(*d*) फ्राम वेल्थ टू द पावर	(*iv*) मियरशेमर

नीचे दिए गए विकल्पों में से *सही उत्तर* का चयन कीजिए :

	(*a*)	(*b*)	(*c*)	(*d*)
A.	(*iv*)	(*iii*)	(*ii*)	(*i*)
B.	(*iii*)	(*i*)	(*iv*)	(*ii*)
C.	(*iii*)	(*ii*)	(*i*)	(*iv*)
D.	(*i*)	(*ii*)	(*iv*)	(*iii*)

60. निम्नलिखित में से कौन सही ढंग से सुमेलित हैं?

(*a*) शीत युद्ध – द्विध्रुवीय
(*b*) बर्लिन संकट – 1955
(*c*) क्यूबा मिसाइल संकट – 1962
(*d*) मार्शल योजना (प्लान) – जापान

नीचे दिए गए विकल्पों में से *सही उत्तर* का चयन कीजिए :

A. केवल (*a*) और (*d*) B. केवल (*b*) और (*d*)
C. केवल (*a*) और (*c*) D. केवल (*c*) और (*d*)

61. सूची-I के साथ सूची-II का मिलान कीजिए :

सूची-I (लेखक)	सूची-II (पुस्तक)
(*a*) डी.डी. राफेल	(*i*) एलीमेन्ट्स ऑफ सोशल जस्टिस
(*b*) अर्नेस्ट बार्कर	(*ii*) प्रॉब्लम्स ऑफ पोलिटिकल फिलासफी
(*c*) एल.टी. हाबहाउस	(*iii*) प्रिंसिपल्स ऑफ सोशल एंड पोलिटिकल थियरी
(*d*) एफ.ए. हायेक	(*iv*) कान्स्टीट्यूशन ऑफ लिबर्टी

नीचे दिए गए विकल्पों में से *सही उत्तर* का चयन कीजिए :

	(*a*)	(*b*)	(*c*)	(*d*)
A.	(*ii*)	(*iii*)	(*i*)	(*iv*)
B.	(*iii*)	(*ii*)	(*iv*)	(*i*)
C.	(*i*)	(*ii*)	(*iii*)	(*iv*)
D.	(*iv*)	(*i*)	(*iii*)	(*ii*)

62. सरकार 2.0 क्या है?

A. यह एनडीए का दूसरा कार्यकाल है।
B. इसका तात्पर्य सरकार की नीतियों से है जिसका उद्देश्य ओपन सोर्स कम्प्यूटिंग प्लेटफॉर्म का सृजन करने के लिए अन्तः क्रियात्मक इंटरनेट उपकरणों (युक्तियों) का उपयोग करना है।
C. इसका संबंध मेटावर्स वर्चुअल रिएलिटी वर्ल्ड (आभासी यथार्थ जगत) से है।
D. यह द्वितीय विश्वयुद्ध के बाद उभरनेवाले राष्ट्रों की सरकारों से संबंधित है।

63. संविधान सभा की सलाहकार समिति के अध्यक्ष निम्नलिखित में से कौन थे?

A. राजेन्द्र प्रसाद
B. जवाहरलाल नेहरू
C. वल्लभभाई पटेल
D. मौलाना अबुल कलाम आजाद

64. 'किसी संविधान को बनाने की अपेक्षा उसे लागू करना दुरूह होता है' यह कथन किसने दिया?

A. एल.डी. व्हाइट B. रोनाल्ड रीगन
C. वुडरो विल्सन D. मार्ग्रेट थैचर

65. निम्नलिखित में से कौन सही ढंग से सुमेलित है?

(*a*) जल विद्युत कूटनीति – भारत-नेपाल
(*b*) बेसिक ग्रुप – चीन
(*c*) समूह-77 – यू.एस.ए.
(*d*) बिमस्टेक – पाकिस्तान

नीचे दिए गए विकल्पों में से *सबसे उपयुक्त उत्तर* का चयन कीजिए :

A. केवल (*a*) और (*d*)
B. केवल (*a*) और (*b*)
C. केवल (*c*) और (*d*)
D. केवल (*b*) और (*d*)

66. दासता को न्यायोचित ठहराने के क्रम में अरस्तू कहता है :

(*a*) जन्म से ही कुछ व्यक्ति दासता के लिए और अन्य शासन करने के लिए निर्दिष्ट होते हैं।

(*b*) कि वे प्रकृति द्वारा स्वयं के दिमाग से कार्य करने के लिए क्षमता, दूरदर्शिता, आत्मनिर्भरता और सद्गुण वाले जीवन से अभीष्ट व्यक्ति होते हैं।

(*c*) कि उनमें विवेकपूर्ण ढंग से स्वयं मात्र के कर्तव्यों के निर्वहन की क्षमता होती है।

(*d*) कि वे बिना बुद्धि उपयोग करने की क्षमता वाली मशीन हैं।

नीचे दिए गए विकल्पों में से *सही उत्तर* का चयन कीजिए :

A. केवल (*b*), (*c*), (*d*) B. केवल (*d*), (*c*), (*a*)
C. केवल (*a*), (*b*), (*c*) D. केवल (*d*), (*b*), (*a*)

67. नीचे दो कथन दिए गए हैं : एक अभिकथन (Assertion (A)) के रूप में लिखित है तो दूसरा उसके कारण (Reason (R)) के रूप में :

अभिकथन (A) : भारत की राजनीतिक और नीति निर्माण प्रक्रिया में दबाव समूह प्रत्यक्ष या अप्रत्यक्ष साधनों के माध्यम से शामिल होते हैं।

कारण (R) : वे अपने लक्ष्यों को प्राप्त करने हेतु सत्ता प्राप्त करने की आकांक्षा रखते हैं।

उपरोक्त कथन के आलोक में, नीचे दिए गए विकल्पों में से *सही उत्तर* का चयन कीजिए।

A. (A) और (R) दोनों सत्य हैं और (R), (A) की सही व्याख्या है।
B. (A) और (R) दोनों सत्य हैं, लेकिन (R), (A) की सही व्याख्या नहीं है।
C. (A) सत्य है, लेकिन (R) असत्य है।
D. (A) सत्य नहीं है, लेकिन (R) सत्य है।

68. ग्रैबियल आमण्ड द्वारा निहित हित समूहों के वर्गीकरण में निम्नांकित में से क्या सम्मिलित नहीं है?

A. गैर संस्थानिक हित समूह
B. गैर संगठनात्मक हित समूह
C. बेनामी हित समूह
D. संगठनात्मक हित समूह

69. नीचे दो कथन दिए गए हैं : एक अभिकथन (Assertion (A)) के रूप में लिखित है तो दूसरा उसके कारण (Reason (R)) के रूप में :

अभिकथन (A) : भारत में सरकार की संकर व्यवस्था है।

कारण (R) : संकर व्यवस्था में दो पुरातन प्रारूप- ब्रिटिश परंपरा एवं अमेरिकी सिद्धांत सम्मिलित हैं।

उपरोक्त कथन के आलोक में, नीचे दिए गए विकल्पों में से *सबसे उपयुक्त उत्तर* का चयन कीजिए।

A. (A) और (R) दोनों सही हैं और (R), (A) की सही व्याख्या है।
B. (A) और (R) दोनों सही हैं, लेकिन (R), (A) की सही व्याख्या नहीं है।
C. (A) सही है, लेकिन (R) सही नहीं है।
D. (A) सही नहीं है, लेकिन (R) सही है।

70. ओपन डोर पॉलिसी (खुला द्वार नीति) निम्नांकित में से किनसे सहयोजित था?

A. मिखाइल गोर्बाचोव B. हो ची मिन्ह
C. स्कवार्ज D. डेंग जियाओपिंग

71. मौसम परियोजना नीति निम्नांकित में से किससे संबद्ध है?

A. पर्यावरण संरक्षण B. जलवायु परिवर्तन
C. हिंद महासागर क्षेत्र D. बंगाल की खाड़ी

72. निम्नलिखित में से कौन-सी रिपोर्ट नीति-आयोग द्वारा प्रकाशित की जाती है?

A. राष्ट्रीय बहुआयामी निर्धनता सूचकांक
B. आर्थिक सर्वेक्षण
C. बेरोजगारी दर
D. राष्ट्रीय प्रतिदर्श सर्वेक्षण

73. निम्नलिखित विचारकों को उनके जन्म वर्ष के क्रम के अनुसार व्यवस्थित कीजिए :

(*a*) विमुद्रीकरण
(*b*) माल एवं सेवाकर (जीएसटी) अधिनियम
(*c*) प्रधानमंत्री जनधन योजना
(*d*) बेटी बचाओ, बेटी पढ़ाओ

नीचे दिए गए विकल्पों में से सही उत्तर का चयन कीजिए :

A. (*a*), (*b*), (*c*), (*d*) B. (*a*), (*b*), (*d*), (*c*)
C. (*d*), (*a*), (*b*), (*c*) D. (*c*), (*d*), (*a*), (*b*)

74. राज्य के सप्तांग सिद्धांत में शामिल हैं :

(*a*) स्वामी, आमात्य
(*b*) जनपद/राष्ट्र, मित्र
(*c*) दुर्ग, कोष, दंड
(*d*) अध्यक्ष, अयामुखम्

नीचे दिए गए विकल्पों में से *सही उत्तर* का चयन कीजिए :

A. (*a*), (*b*), (*c*) और (*d*)
B. केवल (*c*), (*d*), (*a*)
C. केवल (*b*), (*c*), (*d*)
D. केवल (*a*), (*b*), (*c*)

75. सूची-I के साथ सूची-II का मिलान कीजिए :

सूची-I (श्रमिक संघ)	सूची-II (पार्टी संगठन/संबद्धन)
(*a*) आल इंडिया सेन्ट्रल कौंसिल ऑफ ट्रेड यूनियन	(*i*) द्रविड़ मुनेत्र कझगम
(*b*) भारतीय मजदूर संघ	(*ii*) कम्युनिस्ट पार्टी ऑफ इंडिया (एमएल)
(*c*) इंडियन नेशनल ट्रेड यूनियन कांग्रेस	(*iii*) इंडियन नेशनल कांग्रेस
(*d*) लेबर प्रोग्रेसिव फेडरेशन	(*iv*) राष्ट्रीय स्वयंसेवक संघ

नीचे दिए गए विकल्पों में से *सही उत्तर* का चयन कीजिए :

	(*a*)	(*b*)	(*c*)	(*d*)
A.	(*iv*)	(*i*)	(*ii*)	(*iii*)
B.	(*i*)	(*ii*)	(*iii*)	(*iv*)
C.	(*ii*)	(*iv*)	(*iii*)	(*i*)
D.	(*ii*)	(*iii*)	(*iv*)	(*i*)

76. निम्नलिखित में से कौन-सी पुस्तकें मैक्स वेबर द्वारा लिखी गई हैं?

(*a*) द थियरी ऑफ सोशल एंड इकोनॉमिक आर्गनाइजेशन
(*b*) द थियरी ऑफ एडमिनिस्ट्रेशन ऑफ द स्टेट
(*c*) इकोनॉमी एंड सोसाइटी
(*d*) द एलीमेन्ट्स ऑफ एडमिनिस्ट्रेशन

नीचे दिए गए विकल्पों में से *सबसे उपयुक्त उत्तर* का चयन कीजिए :

A. केवल (*a*) B. केवल (*a*) और (*b*)
C. केवल (*a*) और (*d*) D. केवल (*a*) और (*c*)

77. एक नागरिक समाज परितंत्र के परिधि में सामान्यतया यह शामिल होते हैं?

(*a*) अलाभकारी संगठन
(*b*) ऑनलाइन समूह
(*c*) धार्मिक नेता
(*d*) विधायिका

दिए गए विकल्पों में से *सही उत्तर* का चयन कीजिए :

A. केवल (*a*), (*b*), (*d*) B. केवल (*a*), (*b*)
C. केवल (*a*), (*b*), (*c*) D. केवल (*a*)

78. सूची-I के साथ सूची-II का मिलान कीजिए :

सूची-I (सिद्धांत/संकल्पना)	सूची-II (विचारक)
(*a*) एकात्म मानववाद	(*i*) एम.एन. रॉय
(*b*) संपूर्ण क्रांति	(*ii*) दीनदयाल उपाध्याय
(*c*) उग्र मानवतावाद	(*iii*) पेरियार
(*d*) आत्मसम्मान आंदोलन	(*iv*) जयप्रकाश नारायण

नीचे दिए गए विकल्पों में से *सही उत्तर* का चयन कीजिए :

	(*a*)	(*b*)	(*c*)	(*d*)
A.	(*iii*)	(*i*)	(*ii*)	(*iv*)
B.	(*ii*)	(*iv*)	(*i*)	(*iii*)
C.	(*i*)	(*ii*)	(*iv*)	(*iii*)
D.	(*iv*)	(*i*)	(*ii*)	(*iii*)

79. डॉ. बी.आर. अंबेडकर का लेख 'स्मॉल होल्डिंग्स इन इंडिया एंड देयर रेमेडीज' निम्नलिखित से संबंधित है :

A. भारतीय कृषिक व्यवस्था
B. भारतीय राजनीतिक व्यवस्था
C. भारतीय शिक्षा व्यवस्था
D. भारतीय संस्कृति मात्र

80. निम्नलिखित में से किसने भारतीय संसद में संवैधानिक रूप से लोकपाल की अवधारणा का प्रस्ताव किया?

A. डॉ. एल.एम. सिंघवी B. अशोक कुमार सेन
C. शांति भूषण D. अरुणा रॉय

81. आत्म सम्मान आंदोलन कब और किसने आरंभ किया?
A. 1940, एम.के. गाँधी
B. 1932, जे.एल. नेहरू
C. 1925, पेरियार
D. 1920, तिलक

82. नीचे दो कथन दिए गए हैं :
कथन I : संयुक्त राष्ट्र संघ ने सुशासन के 12 स्तंभों को परिभाषित किया है।
कथन II : सतत विकास लक्ष्य-14 सीधे तौर पर शासन में सुधार से संबद्ध है।
उपरोक्त कथन के आलोक में, नीचे दिए गए विकल्पों में से *सही उत्तर* का चयन कीजिए।
A. कथन I और कथन II दोनों सत्य हैं
B. कथन I और कथन II दोनों असत्य हैं
C. कथन I सत्य है, लेकिन कथन II असत्य है
D. कथन I असत्य है, लेकिन कथन II सत्य है

83. निम्नलिखित में से कौन-सी पुस्तक माइकल ऑक्शॉट द्वारा नहीं लिखी गई है?
A. एक्सपीरियन्स एंड इट्स मोड्स
B. रेसनलिज्म इन पॉलिटिक्स
C. द हिस्ट्री ऑफ इंग्लैंड
D. इंट्रोडक्शन टू लेवियाथन

84. निम्नलिखित में से किसने असमानता को नैसर्गिक असमानता एवं परंपरागत असमानता के रूप में चिह्नित किया है?
A. थॉमस हाब्स B. जॉन लॉक
C. जे.जे. रूसो D. मांटेस्क्यू

85. निम्नलिखित में से कौन हटिंग्टन के अनुसार आधुनिकीकरण की प्रक्रिया के अभिलक्षण नहीं है/हैं?
(*a*) यह एक क्रांतिकारी प्रक्रिया है।
(*b*) यह एक विपर्ययी प्रक्रिया है।
(*c*) यह एक समजातीय प्रक्रिया है।
(*d*) यह एक जटिल प्रक्रिया है।
नीचे दिए गए विकल्पों में से *सबसे उपयुक्त उत्तर* का चयन कीजिए :
A. केवल (*a*), (*c*) B. केवल (*b*)
C. केवल (*a*), (*b*) D. केवल (*a*)

86. हीगल की पुस्तक 'फिलॉसोफी ऑफ राइट' कब प्रकाशित हुई थी?
A. 1820 B. 1821
C. 1827 D. 1837

87. निम्नलिखित विचारकों को उनके जन्म वर्ष के क्रम के अनुसार व्यवस्थित कीजिए :
(*a*) चेस्टर बर्नार्ड
(*b*) एम.पी. फोलेट
(*c*) हेनरी फेयोल
(*d*) ड्वाइट वाल्डो
नीचे दिए गए विकल्पों में से सही उत्तर का चयन कीजिए :
A. (*b*), (*c*), (*d*), (*a*) B. (*c*), (*b*), (*a*), (*d*)
C. (*c*), (*d*), (*b*), (*a*) D. (*a*), (*b*), (*c*), (*d*)

88. सूची-I के साथ सूची-II का मिलान कीजिए :

सूची-I (पुस्तकें)	सूची-II (लेखक)
(*a*) पोलिटिकल पार्टीज	(*i*) सी. राइट मिल्स
(*b*) रूलिंग क्लास	(*ii*) राबर्ट माइकल
(*c*) दी पावर एलीट	(*iii*) गैटनो मोस्का
(*d*) दी माइंड एंड दी सोसाइटी	(*iv*) विल्फ्रेड पेरेटो

नीचे दिए गए विकल्पों में से *सही उत्तर* का चयन कीजिए :

	(*a*)	(*b*)	(*c*)	(*d*)
A.	(*ii*)	(*i*)	(*iii*)	(*iv*)
B.	(*ii*)	(*iv*)	(*iii*)	(*i*)
C.	(*ii*)	(*iii*)	(*iv*)	(*i*)
D.	(*ii*)	(*iii*)	(*i*)	(*iv*)

89. निम्नलिखित में से कौन-से विचार सांस्कृतिक क्रांति के भाग हैं?
(*a*) बच्चे नए समाज के मालिक (मास्टर) हैं।
(*b*) भूमि सुधारों हेतु मात्र निर्धन किसान ही मूल कारक होते हैं और उनके ऊपर ही विश्वास किया जाना चाहिए।
(*c*) सामंती अधीनता के अन्तर्गत विवाह एक बर्बर और अमानवीय संस्थान है।
(*d*) महिलाएँ घरेलू कार्यों हेतु ही नियत होती है।

नीचे दिए गए विकल्पों में से *सही उत्तर* का चयन कीजिए :

A. केवल (*a*), (*b*), (*c*) B. केवल (*a*), (*c*), (*d*)
C. केवल (*b*), (*c*), (*d*) D. (*a*), (*b*), (*c*), (*d*)

90. जयप्रकाश नारायण के संदर्भ में निम्नलिखित कथनों में से कौन-से असत्य हैं?

(*a*) उन्होंने पूर्ण व्यष्टि एवं नागरिक स्वतंत्रता की गारंटी पर विश्वास किया।
(*b*) उन्होंने ग्राम पंचायतों द्वारा सहकारी कृषि के संचालन पर विश्वास किया।
(*c*) सच्चा राष्ट्रवादी प्राचीन न्यास को निर्मित करना चाहता है।
(*d*) उनका मानना था कि स्वराज्य केवल अधिकार नहीं है बल्कि धर्म है।
(*e*) जे.पी. सर्वोदयी नेता थे।

नीचे दिए गए विकल्पों में से *सही उत्तर* का चयन कीजिए :

A. केवल (*a*), (*b*) B. केवल (*c*), (*d*)
C. केवल (*b*), (*d*) D. केवल (*d*), (*e*)

निर्देश (प्र.सं. 91 से 95 तक): *निम्नलिखित गद्यांश को पढ़िए एवं प्रश्नों के उत्तर दीजिए।*

दावोस में आयोजित विश्व आर्थिक फोरम की वार्षिक बैठक 2019, की विषय वस्तु वैश्वीकरण 4.0 थी। वैश्वीकरण 1.0 वर्ष 1820 में आरंभ हुआ एवं प्रथम विश्व युद्ध के आरंभ में समाप्त हुआ। वैश्वीकरण 2.0 द्वितीय विश्व युद्ध के बाद आरंभ हुआ और वर्ष 1990 के आस-पास समाप्त हुआ। ये दोनों प्राचीन वैश्वीकरण कहलाते हैं। प्राचीन वैश्वीकरण विशेष तौर पर वर्तमान धनी राष्ट्रों के लिए हितकारी था। जी-7 ने प्राचीन वैश्वीकरण के दौरान वर्तमान निर्धन राष्ट्रों की तुलना में निर्यात, आय एवं उद्योग में तीव्र वृद्धि दर्ज की जिसके कारण एक इतिहासकार केन्नेथ पोमरेन्ज इसे विशाल अपसरण कहते हैं। वैश्वीकरण 3.0 को नव वैश्वीकरण कहा गया था।

इस 'नव वैश्वीकरण' या वैश्वीकरण 3.0 ने वैश्विक आय (जीडीपी) साझेदारी पर प्रभावशाली ढंग से पृथक प्रभाव डाला है। मात्र 20 वर्षों में, विश्व जीडीपी में जी-7 की साझेदारी 50% और व्यापार की साझेदारी 32% तक घट गई है। यह प्रवृत्ति, जिसे 'विशाल अभिसरण' कहा जा सकता है, निसंदेह पिछले 20 या 30 वर्षों की महत्वपूर्ण आर्थिक वास्तविकता है।

वैश्विक विनिर्माण के परिदृश्य का क्या हुआ? जी-7 राष्ट्रों की वर्ष 1970 और 1990 के बीच क्रमशः साझेदारी की क्षति हुई, वर्ष 1990 से आगे भी अभिसरित गिरावट जारी रही। विनिर्माण कहाँ हुआ? मात्र छह विकासशील देशों, जिन्हें हम 'तीव्रता पूर्वक औद्योगीकृत होते 6' या आई-6 कह सकते हैं, को इसका बड़ा भाग मिला। आई-6 में चीन, कोरिया, भारत, पोलैण्ड, इंडोनेशिया और थाइलैंड शामिल हैं। मात्र बीस वर्षों में इसने विश्व विनिर्माण का लगभग 16 प्रतिशत अंश प्राप्त कर लिया है।

वैश्वीकरण 4.0 ए.आई. क्लाउड कम्प्यूटिंग आदि जैसी तीक्ष्ण नयी प्रौद्योगिकी द्वारा संचालित है। ये प्रौद्योगिकियाँ दूरियों को संकुचित कर रही हैं, सीमाओं तथा मस्तिष्क को खोल रही हैं और विश्व के सभी लोगों को समीप ला रही हैं। ये प्रौद्योगिकियाँ अपने कार्य की प्रकृति को बदल रही हैं जहाँ श्रमिकों की भौतिक उपस्थिति आवश्यक नहीं होगी। ऐसे श्रमिकों को टेलीमाइग्रेन्ट व्यक्ति कहा गया है, जो किसी विकसित देश में स्थित कंपनी में कार्य करने के दौरान दूसरे विकासशील देश में रहते हैं।

91. विशाल अपसरण पद किससे संबंधित है?

(*a*) वैश्वीकरण 1.0 (*b*) वैश्वीकरण 2.0
(*c*) वैश्वीकरण 3.0 (*d*) वैश्वीकरण 4.0

नीचे दिए गए विकल्पों में से *सही उत्तर* का चयन कीजिए :

A. केवल (*c*) B. केवल (*a*), (*b*)
C. केवल (*d*) D. केवल (*b*), (*c*)

92. नीचे दो कथन दिए गए हैं :

कथन I : वैश्वीकरण 2.0 प्रथम विश्व युद्ध के बाद आरंभ हुआ और 1990 के आस-पास समाप्त हुआ।

कथन II : वैश्वीकरण 2.0 यूएन-आईएमएफ और विश्व बैंक की स्थापना का गवाह बना।

उपरोक्त कथन के आलोक में, नीचे दिए गए विकल्पों में से *सही उत्तर* का चयन कीजिए।

A. कथन I और कथन II दोनों सही हैं
B. कथन I और कथन II दोनों गलत हैं
C. कथन I सही है, लेकिन कथन II गलत है
D. कथन I गलत है, लेकिन कथन II सही है

93. विश्व की आर्थिक फोरम की वार्षिक बैठक 2019 निम्नलिखित देशों में से कहाँ आयोजित हुई थी?

A. यू.एस.ए. B. ब्रिटेन

C. स्विट्ज़रलैंड D. ऑस्ट्रेलिया

94. 'टेलीमाइग्रेन्ट्स' पद किस वैश्वीकरण से संबंधित है?

A. 1.0 B. 2.0

C. 3.0 D. 4.0

95. सूची-I के साथ सूची-II का मिलान कीजिए :

सूची-I	**सूची-II**
(*a*) आई 6	(*i*) इटली
(*b*) वैश्वीकरण 3.0	(*ii*) वैश्वीकरण 4.0
(*c*) जी 7	(*iii*) चीन
(*d*) रिमोट वर्किंग का विकसित होना	(*iv*) नव वैश्वीकरण

नीचे दिए गए विकल्पों में से सही उत्तर का चयन कीजिए :

	(*a*)	(*b*)	(*c*)	(*d*)
A.	(*iii*)	(*ii*)	(*i*)	(*iv*)
B.	(*i*)	(*iv*)	(*iii*)	(*ii*)
C.	(*iii*)	(*iv*)	(*i*)	(*ii*)
D.	(*i*)	(*ii*)	(*iv*)	(*iii*)

निर्देश (प्र.सं. 96 से 100 तक): *निम्नलिखित गद्यांश को पढ़िए एवं प्रश्नों के उत्तर दीजिए।*

सुशासन की 8 प्रमुख विशेषताएँ हैं। यह सहभागितापूर्ण आम सहमति उन्मुख, जवाबदेही, पारदर्शी, प्रभावी और कुशल साम्यतापूर्ण और समावेशी होता है और इसमें विधि के शासन का अनुसरण किया जाता है। इसमें इस बात का आश्वासन दिया जाता है कि भ्रष्टाचार का परिमाण न्यूनतम हो, अल्प संख्यक वर्ग के दृष्टिकोण व मत पर विचार किया जाए और इसके साथ-साथ निर्णय लेने की प्रक्रिया में समाज के सबसे दुर्बल व्यक्ति की भी सुनवाई हो। इसमें समाज के वर्तमान और भावी अपेक्षाओं के प्रति भी उत्तरदायित्व निहित होता है।

पुरुष और महिला दोनों की भागीदारी सुशासन की आधारशिला है। भागीदारी या तो प्रत्यक्ष हो सकती है या विधिक मध्यवर्ती संस्थाओं या प्रतिनिधियों के माध्यम से हो सकती हैं। यहाँ यह उल्लेख करना महत्वपूर्ण है कि प्रतिनिध्यात्मक लोकतंत्र से अनिवार्यतः यह अभिप्रेत नहीं है कि निर्णय लेने की प्रक्रिया में समाज के सबसे दुर्बल वर्गों की चिन्ताओं पर विचार किया जाएगा। भागीदारी को संसूचित और संगठित होने की आवश्यकता है। जहाँ एक ओर इसका अभिप्राय संगठन और अभिव्यक्ति की स्वतंत्रता है, वहीं दूसरी ओर इससे संगठित नागरिक समाज (सिविल सोसायटी) अभिप्रेत है।

सुशासन में ऐसी निष्पक्ष रूपरेखा अपेक्षित होती है जिन्हें निष्पक्ष रूप से प्रवर्तन में लाया जाए। इसमें मानवाधिकारों विशेष रूप से अल्पसंख्यकों के मानवाधिकारों का पूर्ण संरक्षण अपेक्षित होता है। विधियों के निष्पक्ष प्रवर्तन में स्वतंत्र न्यायपालिका और निष्पक्ष एवं सच्चरित्र पुलिस बल की भी अपेक्षा की जाती है।

पारदर्शिता का अभिप्राय है कि लिए गए निर्णय तथा उनका प्रवर्तन इस रीति से किया जाए जिसमें नियमावली और विनियमों का अनुसरण किया जाए। इसका तातपर्य यह भी है कि सूचना निर्बाध उपलब्ध हो और इस तरह के निर्णय और उनके प्रवर्तन से प्रभावित होने वाले व्यक्तियों को प्रत्यक्ष रूप से अभिगम्य हो। इससे यह भी अभिप्रेत है कि पर्याप्त सूचना प्रदान की जाए और यह सुगमतापूर्वक बोधगम्य रूपों और माध्यमों में प्रदान की जाए।

सुशासन में अपेक्षा की जाती है कि संस्थाएँ और प्रक्रियाओं के माध्यम से सभी हितधारकों की उचित समय-सीमा के भीतर सेवा करने का प्रयास किया जाए। किसी भी समाज विशेष में अनेकों कार्यकर्ता और बहुत से दृष्टिकोण विद्यमान होते हैं। सुशासन में पूरे समुदाय के सर्वोत्तम हित में समाज में व्यापक सहमति बनाने के लिए समाज के विभिन्न हितों का हस्तक्षेप अपेक्षित होता है साथ ही इन हितों की प्राप्ति के तरीकों का भी उल्लेख किए जाने की अपेक्षा की जाती है। इसमें संधारणीय मानव विकास के लिए अपेक्षित व्यापक और दीर्घकालिक परिप्रेक्ष्य तथा इस तरह के विकास लक्ष्यों की प्राप्ति के साधनों का उल्लेख भी अपेक्षित होता है। यह किसी समाज या समुदाय विशेष की ऐतिहासिक, सांस्कृतिक और सामाजिक संदर्भों के बारे में सूझ-बूझ के फलस्वरूप ही संभव हो सकता है।

किसी भी समाज की भलाई (well being) इस बात को सुनिश्चित करने पर निर्भर होती है कि इसके सभी सदस्यों में यह भाव प्रबल हो कि इसमें उनका हित सम्मिलित है और वे समाज की मुख्यधारा से बहिष्कृत महसूस नहीं करते हैं। इसके लिए आवश्यक है कि सभी समूह विशेष रूप से सर्वाधिक दुर्बल व उपेक्षित समूह के लोगों को अपनी भलाई (well being) में सुधार लाने या उसे अक्षुण्ण रखने के अवसर उपलब्ध हों।

सुशासन से अभिप्रेत है कि प्रक्रियाएँ और संस्थान परिणामोत्पादी हों जिनसे उपलब्ध संसाधनों का इष्टतम उपयोग करने के क्रम में समाज की अपेक्षाएँ पूरी हों। सुशासन के संदर्भ में दक्षता की संकल्पना में प्राकृतिक संसाधनों का संधारणीय उपयोग और पर्यावरण का संरक्षण भी सम्मिलित है।

96. सुशासन के प्रमुख अभिलक्षणों को चिह्नांकित कीजिए।

(*a*) समावेशिता

(*b*) पारदर्शी और प्रत्युत्तरदायी

(*c*) अभिजनोन्मुख

(*d*) केवल समाज की वर्तमान आवश्यकताओं पर ध्यान केन्द्रित किया जाता है।

नीचे दिए गए विकल्पों में से *सही उत्तर* का चयन कीजिए :

A. केवल (*a*), (*b*), (*c*) B. केवल (*b*), (*c*)

C. केवल (*a*), (*b*), (*d*) D. केवल (*a*), (*b*)

97. पारदर्शिता की व्याख्या किस रूप में की जा सकती है?

A. सूचना का प्रतिबंधित (सीमित) अभिगम

B. नियम और विनियम के अनुसार निर्णय

C. सद्चरित्र पुलिस बल

D. समाज के विभिन्न हितों का हस्तक्षेप

98. निम्नांकित में से क्या सुशासन के संदर्भ में दक्षता की संकल्पना से संबंधित *नहीं* है?

A. पर्यावरण संरक्षण

B. प्राकृतिक संसाधनों का संधारणीय उपयोग

C. समाज की मुख्यधारा से बहिष्करण

D. समाज के संदर्भ की समझ

99. नीचे दो कथन दिए गए हैं : एक अभिकथन (Assertion (A)) के रूप में लिखित है तो दूसरा उसके कारण (Reason (R)) के रूप में :

अभिकथन (A) : भागीदारी संसूचित और संगठित होनी चाहिए।

कारण (R) : प्रतिनिध्यात्मक लोकतंत्र का अभिप्राय यह नहीं है कि समाज का दुर्बल वर्ग निर्णय लेने की प्रक्रिया का अंग होगा।

उपरोक्त कथन के आलोक में, नीचे दिए गए विकल्पों में से *सही उत्तर* का चयन कीजिए।

A. (A) और (R) दोनों सत्य हैं और (R), (A) की सही व्याख्या है।

B. (A) और (R) दोनों सत्य हैं, लेकिन (R), (A) की सही व्याख्या नहीं है।

C. (A) सत्य है, लेकिन (R) असत्य है।

D. (A) सत्य नहीं है, लेकिन (R) सत्य है।

100. निम्नांकित में से कौन-सी विशेषताएँ/अभिलक्षण सुशासन से संबंधित हैं?

(*a*) निष्पक्ष विधिक रूपरेखा

(*b*) निष्पक्षता

(*c*) अल्पसंख्यक वर्ग का संरक्षण

(*d*) केन्द्रीकृत न्यायपालिका तंत्र

नीचे दिए गए विकल्पों में से *सही उत्तर* का चयन कीजिए :

A. केवल (*a*), (*c*), (*d*) B. केवल (*b*), (*c*), (*d*)

C. केवल (*a*), (*b*), (*c*) D. (*a*), (*b*), (*c*), (*d*)

उत्तरमाला

1. (B): यौक्तिक पसंद संस्थानवाद (आरसीआई) संस्थानों के अध्ययन के लिए एक सैद्धांतिक उपागम है जो तर्क देता है कि कार्यकर्ता अपनी उपयोगिता को अधिकतम करने के लिए संस्थानों का उपयोग करते हैं, और संस्थान तर्कसंगत व्यक्तिगत व्यवहार को प्रभावित करते हैं। 1970 के दशक के अंत में अमेरिकी कांग्रेस के व्यवहार के अध्ययन से यौक्तिक पसंद संस्थानवाद की शुरूआत हुई। आरसीआई की प्रभावशाली बौद्धिकता की शुरूआत कैलिफोर्निया इंस्टीट्यूट ऑफ टेक्नोलॉजी, रोचेस्टर विश्वविद्यालय और वाशिंगटन विश्वविद्यालय में राजनीतिक अर्थशास्त्रियों द्वारा की गई थी। संस्थान कैसे बनाए जाते हैं, इसके भीतर राजनीतिक अभिकर्ताओं का व्यवहार और रणनीतिक बातचीत का परिणाम क्रमशः कैसा और क्या होता है, इसकी व्याख्या करने के लिए यह नव-शास्त्रीय अर्थशास्त्र से उधार लिए गए विश्लेषणात्मक उपकरणों

का उपयोग करता है। यह एक निगमनात्मक उपागम का अनुसरण करता है।

2. (C): किसान न्याय योजना को छोड़कर बाकी सभी योजनाएं वर्तमान केंद्र सरकार द्वारा शुरू की गई हैं। किसान न्याय योजना की शुरुआत छत्तीसगढ़ सरकार ने 21 मई, 2020 को पूर्व प्रधानमंत्री राजीव गांधी की पुण्यतिथि पर की थी। यह योजना किसानों को अधिक फसल पैदा करने के लिए प्रोत्साहित करती है और उन्हें सही कीमत दिलाने में मदद करती है।

3. (B): 18 मई, 1974 को इंदिरा गांधी ने राजस्थान के रेगिस्तानी क्षेत्र के पोखरण में भारत के पहले परमाणु परीक्षण के लिए हरी झंडी दे दी। इस विस्फोट को भारत सरकार ने 'शांतिपूर्ण परमाणु विस्फोट' (पीएनई) करार दिया था। इसे भारतीय विदेश नीति में प्रमुख बदलाव के रूप में माना जा सकता था, लेकिन इसे 'विदेश नीति के कार्य के रूप में भी स्वीकार नहीं किया गया'।

4. (B): 1952 में प्रकाशित 'ब्लैक स्किन, व्हाइट मास्क' दार्शनिक फ्रैंज फेनन की किताब है। यह पुस्तक स्व नृवंशविज्ञान की शैली में लिखी गई है, जिसमें फेनन ने मानव मानस पर औपनिवेशिक वर्चस्व की स्थितियों में निहित नस्लवाद और अमानवीयकरण के प्रभावों की ऐतिहासिक आलोचना प्रस्तुत करते हुए अपने अनुभव साझा किए हैं। यह एक दोहरी प्रक्रिया है जो हीनता के एपिडर्मलाइजेशन के माध्यम से आर्थिक और आंतरिक है। फेनन के हिंसक स्वरों को दो श्रेणियों में विभाजित किया जा सकता है; अंतरिक्ष के सीमांकन के साथ-साथ शरीर, मानस, संस्कृति के विनाश के माध्यम से उपनिवेशवादी हिंसा। और दूसरी, उपनिवेशवाद-विरोधी संघर्ष के माध्यम से प्रतिष्ठा, स्वयं की भावना और इतिहास को पुनः प्राप्त करने के प्रयास के रूप में उपनिवेश की हिंसा।

5. (B)

6. (A): सिगफ्रीड न्यूमैन ने क्रांति को "विकास की निरंतरता में एक प्रमुख विराम का संकेत देते हुए राजनीतिक संगठन, सामाजिक संरचना, आर्थिक संपत्ति नियंत्रण और एक सामाजिक व्यवस्था के प्रमुख मिथक में एक व्यापक मौलिक परिवर्तन के रूप में परिभाषित किया।"

7. (C): 'लोकपाल' शब्द 1963 में डॉ. एल.एम. सिंघवी द्वारा गढ़ा गया था। संवैधानिक लोकपाल की अवधारणा पहली बार 1960 के दशक की शुरुआत में कानून मंत्री अशोक कुमार सेन द्वारा संसद में प्रस्तावित की गई थी। पहला जन लोकपाल विधेयक 1968 में अधिवक्ता शांति भूषण द्वारा प्रस्तावित किया गया था और 1969 में चौथी लोकसभा में पारित किया गया था, लेकिन राज्यसभा से यह पारित नहीं हुआ। इसके बाद, 1971, 1977, 1985 में फिर से राजीव गांधी कैबिनेट में कानून मंत्री के रूप में अशोक कुमार सेन द्वारा और फिर 1989, 1996, 1998, 2001, 2005 और 2008 में 'लोकपाल बिल' पेश किए गए, फिर भी वे कभी पास नहीं हुए। अंततः दसवें प्रयास के बाद 18 दिसंबर, 2013 को भारत में लोकपाल विधेयक को आखिरकार अधिनियमित किया गया। राष्ट्रपति ने 1 जनवरी, 2014 को लोकपाल और लोकायुक्त अधिनियम को अपनी स्वीकृति प्रदान की।

लोकपाल विधेयक लोकपाल के पास प्रधानमंत्री, अन्य मंत्रियों, सांसदों और केंद्र सरकार के समूह ए, बी, सी और डी अधिकारियों के खिलाफ भ्रष्टाचार की शिकायतों को दाखिल करने का प्रावधान करता है।

8. (B): राज्यपाल की अनुशंसा के बिना कोई भी धन विधेयक पेश नहीं किया जा सकता है। ऐसा विधेयक एक सरकारी विधेयक होता है और इसे केवल एक मंत्री द्वारा ही पेश किया जा सकता है। इसे केवल विधान सभा में पेश किया जा सकता है। पारित होने पर विधेयक विधान परिषद में जाता है।

9. (A): शिरोमणि अकाली दल (एसएडी) पंजाब में एक केंद्रीय-दक्षिणपंथी सिख-केंद्रित राज्य स्तरीय राजनीतिक दल है। 1920 में स्थापित होने वाली यह पार्टी, कांग्रेस के बाद भारत में दूसरी सबसे पुरानी पार्टी है।

द्रविड़ मुनेत्र कड़गम (DMK) तमिलनाडु राज्य में स्थित एक राजनीतिक दल है। DMK की स्थापना 1949 में तमिलनाडु के पूर्व मुख्यमंत्री सी. एन. अन्नादुरई (अन्ना) ने ई.वी. रामासामी (पेरियार) के नेतृत्व वाली द्रविड़ कड़गम से अलग होकर की।

तेलुगु देशम पार्टी (TDP) एक भारतीय क्षेत्रीय राजनीतिक पार्टी है जिसका आंध्र प्रदेश और तेलंगाना राज्य में बहुत

प्रभाव है। इसकी स्थापना 1982 में आंध्र प्रदेश के पूर्व मुख्यमंत्री एन टी रामाराव (NTR) ने की थी।

बीजू जनता दल (BJD) भारतीय राज्य ओडिशा में एक क्षेत्रीय राजनीतिक दल है, जिसकी स्थापना और नेतृत्व ओडिशा के वर्तमान मुख्यमंत्री नवीन पटनायक ने किया था। इसकी स्थापना 1997 में हुई थी।

10. **(C)** **11.** **(*)** **12.** **(B)**

13. **(B):** मानव अधिकारों की सार्वभौम घोषणा (यूडीएचआर) 1948 में संयुक्त राष्ट्र महासभा द्वारा अपनाया गया एक अंतरराष्ट्रीय दस्तावेज है जो सभी मनुष्यों के अधिकारों और स्वतंत्रता को सुनिश्चित करता है।

आर्थिक, सामाजिक और सांस्कृतिक अधिकारों पर अंतर्राष्ट्रीय प्रसंविदा (आईसीईएससीआर) 1966 में संयुक्त राष्ट्र महासभा (जीए) द्वारा अपनाई गई एक बहुपक्षीय संधि है, और 3 जनवरी 1976 से लागू हुई।

पर्यावरण और विकास पर संयुक्त राष्ट्र सम्मेलन (UNCED), जिसे 'पृथ्वी शिखर सम्मेलन' के रूप में भी जाना जाता है, 3-14 जून, 1992 को रियो डी जनेरियो, ब्राजील में आयोजित किया गया था।

क्योटो प्रोटोकॉल एक अंतरराष्ट्रीय संधि है जिसने जलवायु परिवर्तन पर 1992 के संयुक्त राष्ट्र फ्रेमवर्क कन्वेंशन का विस्तार किया जो सदस्य देशों को ग्रीनहाउस गैस उत्सर्जन को कम करने के लिए प्रतिबद्ध करता है। क्योटो प्रोटोकॉल का उद्देश्य कार्बन डाइऑक्साइड उत्सर्जन और वातावरण में ग्रीनहाउस गैसों (जीएचजी) की उपस्थिति को कम करना है। औद्योगिक राष्ट्रों द्वारा उत्सर्जन की संख्या को कम करना इस समझौते का अनिवार्य पहलू है। क्योटो प्रोटोकॉल 11 दिसंबर, 1997 को अपनाया गया था, 16 फरवरी 2005 को लागू हुआ और वर्तमान में इससे 192 देश जुड़े हुए हैं।

14. **(D):** जब सार्वजनिक नीति का विश्लेषण किया जाता है, तो नीति के दो मुख्य पहलू विशेष ध्यान देने की मांग करते हैं। वे दो पहलू नीति के 'प्रभाव' और 'कार्यान्वयन' हैं। प्रभाव वाला हिस्सा उस समस्या को हल करने के मामले में नीति की प्रभावशीलता का आकलन करने में मदद करता है जिसे वह संबोधित करना चाहता है। चूँकि कई नीतियाँ अच्छे इरादों के साथ लाई जाती हैं और कागजों पर प्रभावी लगती हैं, लेकिन नीतियों के कार्यान्वयन के चरण में कमियों के कारण समस्याओं का समाधान करने में विफल रहती हैं। नीति विश्लेषण का 5-ई दृष्टिकोण सार्वजनिक नीतियों के विश्लेषण के बुनियादी मॉडलों में से एक है और इस दृष्टिकोण के भीतर नीतियों को पाँच बेंचमार्क तक मापा जाता है–प्रभावशीलता, दक्षता, नैतिक विचार, विकल्पों का मूल्यांकन और सिफारिशों की स्थापना।

15. **(A)** **16.** **(B)**

17. **(C):** राइज ऑफ द प्लेबीयन्स : द चेंजिंग फेस ऑफ द इंडियन लेजिस्लेटिव एसेंबलीज को क्रिस्टोफ जैफ्रेलॉट और संजय कुमार ने लिखा था। यह पुस्तक भारतीय राजनीति की वर्तमान गतिशीलता में रुचि रखने वाले पाठकों के लिए अत्यधिक अनुशंसित है, विशेष रूप से सत्ता में 'जनसाधारण' के उदय के संबंध में, कुछ प्रमुख भारतीय राज्यों और भारतीय राजनीति से संबंधित केंद्रीय मुद्दों पर स्पष्ट ऐतिहासिक अंतर्दृष्टि प्रदान करती है।

18. **(B):** (*i*) ताशकंद समझौता वर्ष 1966 में हुआ था।

(*ii*) भारत-सोवियत मैत्री संधि वर्ष 1971 में हुई थी।

(*iii*) 1999 में भारत और पाकिस्तान ने लाहौर घोषणापत्र पर हस्ताक्षर किए थे।

(*iv*) भारत-अमेरिका परमाणु संधि साल 2005 में हुई थी।

19. **(A):** परमाणु क्षति अधिनियम, 2010 के लिए नागरिक दायित्व का उद्देश्य उन लोगों के लिए नागरिक आवश्यकताओं को पूरा करना है जो परमाणु आपदाओं के कारण प्रभावित हुए थे। यह अधिनियम पीड़ितों के लिए मददगार के रूप में उपयुक्त मुआवजा सुनिश्चित करता है।

रक्षा सहयोग के लिए भारत-अमेरिका दस वर्षीय रूपरेखा समझौता 2015 में लागू हुआ। यह समझौता दोनों देशों के बीच रक्षा समझौतों की आवश्यकता और रक्षा क्षमताओं को मजबूत करने को दर्शाता है। अगली पीढ़ी के सुरक्षात्मक पहनावे और मोबाइल इलेक्ट्रिक हाइब्रिड पावर स्रोतों का

एक संयुक्त उत्पादन, जेट इंजन के विकास में सहयोग, विमान वाहक डिजाइन और निर्माण भी फ्रेमवर्क समझौते की घटक बातें हैं। इनमें सबसे महत्वपूर्ण 'मेक इन इंडिया' की धारणा है, जिसके अंतर्गत भारत में कारखाने और दुकान स्थापित करने वाले अमेरिकी रक्षा समूहों के माध्यम से इसे क्रियान्वित करने का इरादा है।

20. **(C):** रैम्जे म्योर लिखते हैं, ''समाजवाद गिरगिट जैसा पंथ है। यह अपने वातावरण के अनुसार अपना रंग बदलता है। स्ट्रीट कॉमर और क्लब रूम के लिए, यह वर्ग युद्ध के ज्वलंत लाल रंग को पहनता है; बुद्धिजीवियों के लिए यह गहरे लाल रंग का है; भावुकतावादियों के लिए, यह एक नाजुक गुलाब गुलाबी हो जाता है, और लिपिक हलकों में यह एक कुंवारी सफेद मान लेता है जिसे उदार आकांक्षा के एक बेहोश फ्लश के साथ स्पर्श किया जाता है।''

21. **(A)**

22. **(B):** योग एक प्राचीन शारीरिक, मानसिक और आध्यात्मिक अभ्यास है जिसकी उत्पत्ति भारत में हुई है। 'योग' शब्द संस्कृत से निकला है और इसका अर्थ है जुड़ना या एकजुट होना, जो शरीर और चेतना के मिलन का प्रतीक है। आज यह दुनिया भर में विभिन्न रूपों में प्रचलित है और इसकी लोकप्रियता में वृद्धि जारी है। इसकी सार्वभौमिक अपील को स्वीकार करते हुए, 11 दिसंबर 2014 को, संयुक्त राष्ट्र ने संकल्प संख्या 69/131 द्वारा 21 जून को अंतर्राष्ट्रीय योग दिवस के रूप में घोषित किया। योग के अंतर्राष्ट्रीय दिवस का उद्देश्य योग के अभ्यास के कई लाभों के बारे में दुनिया भर में जागरूकता बढ़ाना है।

अंतर्राष्ट्रीय योग दिवस की स्थापना का मसौदा प्रस्ताव भारत द्वारा प्रस्तावित किया गया था और रिकॉर्ड 175 सदस्य देशों द्वारा इसका समर्थन किया गया था। यह प्रस्ताव सबसे पहले प्रधानमंत्री नरेंद्र मोदी ने महासभा के 69वें सत्र के उद्घाटन के दौरान अपने संबोधन में पेश किया था, जिसमें उन्होंने कहा था : ''योग हमारी प्राचीन परंपरा का एक अमूल्य उपहार है। योग मन और शरीर, विचार और क्रिया की एकता का प्रतीक है ... एक समग्र दृष्टिकोण जो, हमारे स्वास्थ्य और हमारी भलाई के लिए मूल्यवान है। योग केवल व्यायाम के बारे में नहीं है; यह आपके, दुनिया और प्रकृति के साथ एकता की भावना को खोजने का एक तरीका है।''

23. **(B):** 'पारिस्थितिकी' शब्द 1866 में जर्मन वैज्ञानिक अर्नेस्ट हेकेल द्वारा दिया गया था। अर्नेस्ट हैकेल एक जर्मन प्राणी विज्ञानी थे। उन्होंने फाइलम, फाइलोजेनी और प्रोटिस्टा जैसे शब्दों को भी गढ़ा।

24. **(A):** भारत में सहकारी संघवाद का विकास आर्थिक मामलों और विधायी संबंधों में संघ-राज्य सहयोग के कारण हुआ है। सहकारी संघवाद में केंद्र और राज्य एक क्षैतिज संबंध साझा करते हैं, जहां वे बड़े जनहित में 'सहयोग' करते हैं। यह राष्ट्रीय नीतियों के निर्माण और कार्यान्वयन में राज्यों की भागीदारी को सक्षम बनाने का एक महत्वपूर्ण साधन है। संविधान की अनुसूची VII में निर्दिष्ट मामलों पर संघ और राज्य एक दूसरे के साथ सहयोग करने के लिए संवैधानिक रूप से बाध्य हैं।

25. **(B)**

26. **(B):** सार्क की स्थापना 1985 में सात राज्यों द्वारा की गई थी। 2005 में, अफगानिस्तान ने सार्क में शामिल होने का अनुरोध किया और उसी वर्ष सदस्यता के लिए औपचारिक रूप से आवेदन किया। इस संगठन का गठन 8 दिसंबर, 1985 को ढाका में हुआ था और इसका सचिवालय काठमांडू, नेपाल में स्थित है। सार्क में 8 सदस्य देश और 9 पर्यवेक्षक देश शामिल हैं।

भारत की 'पहले पड़ोसी देश की नीति' (नेबरहुड फर्स्ट पॉलिसी), भारत की विदेश नीति का एक प्रमुख घटक है, जो भारतीय उपमहाद्वीप के अपने दक्षिण एशियाई पड़ोसियों के साथ विविध विषयों जैसे आर्थिक, प्रौद्योगिकी, अनुसंधान और शिक्षा, कनेक्टिविटी (डिजिटल, सतह और हवाई परिवहन, ऊर्जा ग्रिड कनेक्टिविटी, लॉजिस्टिक चेन आदि), अंतरिक्ष कार्यक्रम, रक्षा सुरक्षा, पर्यावरण और जलवायु चुनौती को शामिल करते हुए शांतिपूर्ण संबंधों और सहयोगी तालमेल सह-विकास पर केंद्रित है। इसकी परिकल्पना नरेंद्र मोदी ने अपनी प्राथमिकता के रूप में की थी, जिसमें शुरुआती दिनों में तत्कालीन विदेश मंत्री सुषमा स्वराज ने महत्वपूर्ण भूमिका निभाई थी, जिसे पूर्व विदेश सचिवों और अगले विदेश मंत्री एस

जयशंकर ने आगे बढ़ाया और इन सभी को एनएसए, अजीत डोभाल और कई विदेश सचिवों द्वारा निभाई गई महत्वपूर्ण भूमिकाओं का समर्थन मिला।

27. (A): जेंडर इन इंटरनेशनल रिलेशंस में, जे. एन टिकनर अंतरराष्ट्रीय संबंधों की घटनाओं के लिए विभिन्न प्रकार के समकालीन नारीवादी दृष्टिकोणों का विस्तार करती है और इसे लागू करती है। देखने के ये नए तरीके यथार्थवादी, उदारवादी और मार्क्सवादी सिद्धांतों की रचनात्मक आलोचनाओं का सुझाव देते हैं, और विशेष रूप से राज्य की पहचान और नागरिक जिम्मेदारियों के ऐतिहासिक निर्माण में लैंगिक अंतर और असमानताओं को प्रकट करते हैं। टिकनर आर्थिक और पर्यावरण संबंधी चिंताओं की पड़ताल करती है। वह प्रदर्शित करती है कि कैसे अंतरराष्ट्रीय संबंधों पर एक नारीवादी दृष्टिकोण बदलता है और वैश्विक व्यवस्था के बारे में हमारे दृष्टिकोण का विस्तार करता है। अंतरराष्ट्रीय संबंधों पर एक लैंगिक परिप्रेक्ष्य पेश करने के बाद, लेखिका इसे यथार्थवाद और नवयथार्थवाद की हालिया आलोचनाओं से जोड़ती है, जो उनका दावा है कि आज अंतरराष्ट्रीय राजनीति की व्याख्या करने के लिए अपर्याप्त हैं। इसके अलावा, पुस्तक उन तरीकों की पड़ताल करती है जिसमें विश्व अर्थव्यवस्था ने पुरुषों और महिलाओं को अलग-अलग पुरस्कृत किया है, और प्रकृति पर आधुनिक मानव जाति के वर्चस्व के लिंग निहितार्थों की फिर से जांच की है। राजनीतिक, सैन्य, आर्थिक और पारिस्थितिक संबंधों में लैंगिक अंतर की यह समीक्षा विश्व राजनीति में महिलाओं और पुरुषों द्वारा सामना की जाने वाली असुरक्षाओं का एक नया दृष्टिकोण प्रस्तुत करती है। टिकनर की सुरक्षा की नारीवादी पुनर्संकल्पना व्यापक और सामान्य दोनों तरह की अधिक पर्याप्त सुरक्षा व्यवस्थाओं के निर्माण के लिए अंतरराष्ट्रीय संबंधों में हाल के सैद्धांतिक प्रयासों को गहरा और पुनर्गठित करती है।

28. (C)

29. (C): राजमंडल (या राजा-मंडल का अर्थ है 'राजाओं का चक्र') शब्द को भारतीय लेखक चाणक्य (कौटिल्य) ने राजनीति पर लिखी अपनी पुस्तक 'अर्थशास्त्र' में प्रतिपादित किया है। यह राजा, राज्य के आसपास के मित्र और शत्रु राज्यों के घेरे का वर्णन करता है। इसे विदेश नीति के मंडल सिद्धांत या केवल मंडल सिद्धांत के रूप में भी जाना जाता है। इस सिद्धांत को विदेश नीति के संबध में कौटिल्य की सबसे महत्वपूर्ण अवधारणाओं में से एक कहा जाता है।

30. (A): भारत के उपराष्ट्रपति राष्ट्रपति के बाद भारत में दूसरा सर्वोच्च संवैधानिक कार्यालय है। भारतीय संविधान के अनुच्छेद 63 में कहा गया है कि भारत का एक उपराष्ट्रपति होगा। मृत्यु, इस्तीफे, महाभियोग, या अन्य स्थितियों के कारण राष्ट्रपति की अनुपस्थिति में उपराष्ट्रपति राष्ट्रपति के रूप में कार्य करेगा। भारत के उपराष्ट्रपति राज्य सभा के पदेन सभापति भी होते हैं। जबकि वह राष्ट्रपति के कार्यों का निर्वहन करता है, वह राज्य सभा के अध्यक्ष के पद के कर्तव्यों का पालन नहीं करेगा।

31. (A): अरस्तू सबसे महान दार्शनिकों में से एक हैं। उनका नैतिक और राजनीतिक दर्शन विशेष रूप से प्रभावशाली है। लेकिन उनका यह भी मानना था कि कुछ लोगों के लिए, गुलामी करना उनके लिए उचित और फायदेमंद भी था।

पॉलिटिक्स के बुक I में, अरस्तू ने अपनी जैविक जांच की विधि और कार्य-कारण के संबंध में नौ सिद्धांतों और उनके भौतिकी, मनोविज्ञान और जीव विज्ञान से ज्ञात प्रकृति के कार्य का उपयोग यह प्रदर्शित करने के लिए किया है कि असभ्य या गँवार लोग प्राकृतिक दास हैं। उनकी प्रक्रिया उनके सोचने के सामान्य तरीके के अनुरूप है।

32. (A): राजनीतिक आधुनिकीकरण सामाजिक और भौतिक वातावरण में परिवर्तन के जवाब में राजनीतिक संस्कृति के परिवर्तन के लिए खड़ा है। हंटिंगटन ने आधुनिकीकरण को "मानव विचार और गतिविधि के सभी क्षेत्रों में परिवर्तन को शामिल करने वाली एक बहुआयामी प्रक्रिया" के रूप में वर्णित किया है। आधुनिकीकरण एक ऐसी प्रक्रिया है जो सभी स्तरों के पुरुषों को प्रभावित करती है। यह परिवर्तन लाता है जो मनोवैज्ञानिक, सामाजिक, राजनीतिक, आर्थिक, सांस्कृतिक, बौद्धिक और जनसांख्यिकीय होते हैं।

राजनीतिक आधुनिकीकरण के लक्षण : 1. प्रौद्योगिकी और मशीनीकरण का अनुप्रयोग; 2. औद्योगीकरण; 3. शहरीकरण; 4. राष्ट्रीय आय और प्रति व्यक्ति आय में वृद्धि करना; 5. साक्षरता का विकास; 6. राजनीतिक लामबंदी; 7. मास-मीडिया; 8. सामाजिक गतिशीलता; 9. राष्ट्रीय पहचान।

आधुनिकीकरण के एजेंट : 1. उपनिवेशवाद; 2. संभ्रांत; 3. सैन्य नेता; 4. राजनीतिक दल; 5. नौकरशाही।

33. (D): रवींद्रनाथ टैगोर ने 'राष्ट्रवाद और संश्लेषी सार्वभौमिकता' के बारे में बात की है।

टैगोर के लिए राष्ट्रवाद एक बड़ा खतरा था। वे इस बारे में कहते हैं कि उन्होंने राष्ट्रीय आंदोलन से अपना समर्थन क्यों वापस ले लिया क्योंकि भारतीय राजनीतिक दल, जिन्हें पहले औपनिवेशिक सत्ता के खिलाफ कुछ शिकायतें थीं, ने स्वायत्तता की माँग करना शुरू कर दिया। उनके पास किसी वास्तविक कार्यक्रम या रचनात्मक उपायों की कमी थी, वे सिर्फ उच्च प्रतिनिधित्व चाहते थे। भारत को भीख की जरूरत नहीं; इसे भीतर से रचनात्मक विकास की जरूरत है। उन्होंने भारतीय में चरमपंथियों की भी आलोचना की। राष्ट्रीय कांग्रेस जो क्रांति का अंधानुकरण कर रही है और अपने ही राष्ट्र के लिए हिंसक उपायों को अपना रही है वास्तव में वह अपने ही लोगों की वास्तविक पीड़ाओं को अनदेखा कर रही है।

वह युवाओं को बहुत देर होने से पहले अपने स्वभाव को नियंत्रित करने के लिए कहते हैं। अपने कठोर सामाजिक संगठन को उसकी शान बताकर भारतीय आज भी अपने ऊँचे घोड़ों पर सवार हैं लेकिन यह भारत के लिए लकवे की स्थिति पैदा कर देगा। वे हमारी सामाजिक संरचना में समस्या को हल करने में असमर्थता के लिए शिक्षित वर्गों की आलोचना करते हैं। उनकी सामाजिक संरचना परिपूर्ण है और यही कारण है कि वे केवल राजनीतिक उद्देश्यों के लिए काम करते हैं, सामाजिक उद्देश्यों के लिए नहीं।

34. (B): आतंकवाद के विरुद्ध युद्ध, 11 सितंबर, 2001 के आतंकवादी हमलों के जवाब में शुरू किए गए अमेरिकी नेतृत्व वाले वैश्विक आतंकवाद विरोधी अभियान का वर्णन करने के लिए इस्तेमाल किया जाने वाला शब्द है। इसके दायरे में, व्यय और अंतर्राष्ट्रीय संबंधों पर प्रभाव, आतंकवाद पर युद्ध शीत युद्ध के बराबर था; इसका उद्देश्य वैश्विक राजनीतिक संबंधों में एक नए चरण का प्रतिनिधित्व करना था और सुरक्षा, मानवाधिकारों, अंतर्राष्ट्रीय कानून, सहयोग और शासन के लिए इसके महत्वपूर्ण परिणाम थे।

विक्टर फेडोरोविच यानुकोविच एक पूर्व राजनीतिज्ञ हैं, जिन्होंने 2010 से यूक्रेन के चौथे राष्ट्रपति के रूप में कार्य किया, जब तक कि उन्हें 2014 में उनके यूरोपीय संघ के साथ घनिष्ठ संबंधों के समर्थन में विभिन्न नागरिकों द्वारा विरोध प्रदर्शनों की एक लंबी शृंखला के बाद गरिमा की क्रांति में पद से हटा नहीं दिया गया था। 2006 से 2007 तक वह यूक्रेन के प्रधानमंत्री थे; उन्होंने नवंबर 2002 से जनवरी 2005 तक, दिसंबर 2004 में एक लघु व्यवधान के साथ, इस पद पर भी काम किया। वह वर्तमान में रूस में निर्वासन की जिंदगी जी रहे हैं, जहां वे 2014 में पद से हटाए जाने के बाद से रह रहे हैं।

35. (A)

36. (D): पैरा डिप्लोमेसी (अर्द्ध कूटनीति) जैसा कि उप-राज्य सरकारों द्वारा संचालित किया जाता है, क्षेत्रीय सरकारों को अंतरराष्ट्रीय क्षेत्र में प्रमुख अभिनेता बनाने के लिए राजनीतिक शक्ति के विकेंद्रीकरण के विचार का परिचय देता है।

यद्यपि मोदी सरकार को भारतीय नीति-निर्माण के केंद्र-स्तर पर पैराडिप्लोमेसी लाने का श्रेय दिया जा सकता है, तथापि, उपराष्ट्रीय स्तर पर अंतरराष्ट्रीय संबंधों को गढ़ने का विचार कोई नया नहीं है। उप-राज्य संस्थाओं की बढ़ती नीति निर्माण क्षमता के साथ राजनयिक मुद्दों को हल करने के लिए राज्यों, प्रांतों और यहां तक कि शहरों द्वारा संघीय और साथ ही एकात्मक राज्यों दोनों में पैराडिप्लोमेसी को नियोजित किया जा सकता है।

पैराडिप्लोमेसी की अवधारणा पहली बार 1990 में एक अमेरिकी विद्वान जॉन किनकैड द्वारा प्रस्तावित की गई थी, जिन्होंने एक लोकतांत्रिक संघीय प्रणाली के भीतर स्थानीय सरकारों के लिए विदेश नीति की भूमिका को

रेखांकित किया था। विशेष रूप से व्यापार और निवेश से संबंधित आर्थिक समानांतर कूटनीति दुनिया भर में एक संस्थागत अभ्यास बन गई है—संयुक्त राज्य अमेरिका, कनाडा और बेल्जियम जैसे संघीय राज्यों में, स्पेन जैसे अर्ध-संघीय राज्य, जापान जैसे गैर-संघीय राज्य और यहां तक कि गैर-लोकतांत्रिक राज्य पीपुल्स रिपब्लिक ऑफ चाइना की तरह भी।

पैराडिप्लोमेसी को विभिन्न प्रकार के लक्ष्यों के साथ नियोजित किया जा सकता है, जो वैश्विक मंच पर क्षेत्रीय मुद्दों को लाकर, व्यापार, पर्यटन, सांस्कृतिक संबंधों को बढ़ावा देने और यहां तक कि संघर्ष के बाद के सामंजस्य को स्थानीय स्तर पर लाकर घरेलू मुद्दों के अंतर्राष्ट्रीयकरण के लिए विकेंद्रीकृत आयाम लाने से लेकर हो सकता है। अंतरराष्ट्रीय समर्थन के लिए राजनीतिक सक्रियता मांगी जा रही है। क्षेत्र-विशिष्ट आर्थिक लाभ चाहने वाले, निवेश को बढ़ावा देने और आकर्षित करने के लिए उप-राष्ट्रीय संबंध भी संचालित किए जा सकते हैं।

एक से अधिक तरीकों से, पैराडिप्लोमेसी की उत्पत्ति वैश्वीकरण से हुई है। जैसा कि विश्व अर्थव्यवस्था तेजी से वैश्विक हो गई है और विभिन्न तरीकों से तेजी से एकीकृत हो गई है, उप-राष्ट्रीय इकाइयों (क्षेत्रों, राज्यों, प्रांतों और यहां तक कि शहरों) ने अपने कार्यों और गतिविधियों को वैश्विक व्यवस्था द्वारा परिचालित पाया है। पैराडिप्लोमेसी के विकास में संघवाद का भी महत्वपूर्ण योगदान है। औपचारिक कानूनी व्यक्तित्व वाले राज्यों और प्रांतों जैसे उप-राष्ट्रीय अभिकर्ताओं के स्थानीय और अंतर्राष्ट्रीय हितों और विशेषाधिकारों को बढ़ावा देने और उनकी रक्षा करने के लिए डिजाइन की गई अंतर्राष्ट्रीय गतिविधियों में संलग्न होने की अधिक संभावना है। कनाडा पैराडिप्लोमेसी का एक पाठ्यपुस्तक उदाहरण है, जिसमें क्यूबेक और ब्रिटिश कोलंबिया जैसे प्रांत संवैधानिक रूप से अपनी आर्थिक कूटनीति को स्वतंत्र रूप से चलाने के लिए सशक्त हैं।

37. (B)

38. (A): धर्म की स्वतंत्रता का अधिकार : भारत का संविधान न केवल व्यक्तियों को बल्कि भारत में धार्मिक समूहों को भी धर्म की स्वतंत्रता के अधिकार की गारंटी देता है। यह अनुच्छेद 25 से 28 में निहित है।

अनुच्छेद 25 (अंतरात्मा की स्वतंत्रता और धर्म के स्वतंत्र पेशे, अभ्यास और प्रचार)

अनुच्छेद 25 : सभी नागरिकों को अंतरात्मा की स्वतंत्रता, धर्म को मानने, आचरण करने और प्रचार करने की स्वतंत्रता की गारंटी देता है।

- उपर्युक्त स्वतंत्रताएं सार्वजनिक व्यवस्था, स्वास्थ्य और नैतिकता के अधीन हैं।
- यह लेख यह भी प्रावधान करता है कि राज्य कानून बना सकता है : जो किसी भी धार्मिक अभ्यास से जुड़ी किसी भी वित्तीय, आर्थिक, राजनीतिक, या अन्य धर्मनिरपेक्ष गतिविधि को नियंत्रित और प्रतिबंधित करता है। यह सामाजिक कल्याण और सुधार या हिंदुओं के सभी वर्गों के लिए एक सार्वजनिक चरित्र के हिंदू धार्मिक संस्थानों को खोलने का प्रावधान करता है। इस प्रावधान के तहत, हिंदुओं को सिख, जैन, या बौद्ध धर्मों को मानने वाले लोगों के रूप में माना जाता है, और हिंदू संस्थानों को भी तदनुसार माना जाएगा।
- कृपाण धारण करने और लेकर चलने वाले सिख धर्म के लोगों को सिख धर्म के पेशे में शामिल माना जाएगा।

अनुच्छेद 26 (धार्मिक मामलों के प्रबंधन की स्वतंत्रता)

यह अनुच्छेद प्रदान करता है कि प्रत्येक धार्मिक संप्रदाय के पास नैतिकता, स्वास्थ्य और सार्वजनिक व्यवस्था के अधीन निम्नलिखित अधिकार हैं।

1. धार्मिक और धर्मार्थ उद्देश्यों के लिए संस्थाएँ बनाने और बनाए रखने का अधिकार।
2. धर्म के मामले में अपने स्वयं के मामलों का प्रबंधन करने का अधिकार।
3. चल और अचल संपत्ति अर्जित करने का अधिकार।
4. कानून के अनुसार ऐसी संपत्ति को प्रशासित करने का अधिकार।

अनुच्छेद 27 (किसी विशेष धर्म के प्रचार के लिए करों के भुगतान के संबंध में स्वतंत्रता)

संविधान के अनुच्छेद 27 के अनुसार, कोई कर नहीं हो सकता है, जिसकी आय सीधे किसी विशेष धर्म/धार्मिक संप्रदाय के प्रचार और/या रखरखाव के लिए उपयोग की जाती है।

अनुच्छेद 28 (कुछ शैक्षणिक संस्थानों में धार्मिक शिक्षा या धार्मिक उपासना में उपस्थिति के संबंध में स्वतंत्रता) यह लेख धार्मिक समूहों द्वारा चलाए जा रहे शैक्षणिक संस्थानों को धार्मिक निर्देश प्रसारित करने की अनुमति देता है।

- यह प्रावधान करता है कि राज्य द्वारा संचालित शैक्षणिक संस्थानों में कोई धार्मिक निर्देश प्रदान नहीं किया जाएगा।
- राज्य द्वारा प्रशासित शैक्षणिक संस्थान, लेकिन जो किसी बंदोबस्ती या ट्रस्ट के तहत स्थापित किए गए थे, जिसके लिए आवश्यक है कि ऐसे संस्थानों में धार्मिक शिक्षा प्रदान की जाएगी, वे उपरोक्त खंड से मुक्त हैं (कि कोई धार्मिक निर्देश प्रदान नहीं किया जाएगा)।
- कोई भी व्यक्ति जो राज्य द्वारा मान्यता प्राप्त या राज्य से सहायता प्राप्त करने वाले किसी भी शैक्षणिक संस्थान में जाता है, उसे ऐसी संस्था में दी जाने वाली किसी भी धार्मिक शिक्षा में भाग लेने की आवश्यकता नहीं होगी, या ऐसी संस्थाओं में किसी भी धार्मिक पूजा में भाग लेने की आवश्यकता नहीं होगी, जब तक कि उसने इस हेतु सहमति नहीं दी हो। नाबालिगों के मामले में, अभिभावकों को इसके लिए सहमति देनी चाहिए।

39. (B): डोकलाम चीन और भूटान के बीच एक विवादित क्षेत्र है जो भारत के साथ उनके त्रि-जंक्शन के पास स्थित है। चीन और भूटान के विपरीत, भारत डोकलाम पर दावा नहीं करता है लेकिन भूटान के दावे का समर्थन करता है।

21 अप्रैल 2019, ईस्टर रविवार को, श्रीलंका में तीन चर्चों और वाणिज्यिक राजधानी कोलंबो में तीन लक्जरी होटलों को समन्वित इस्लामी आतंकवादी द्वारा आत्मघाती बम विस्फोटों की एक श्रृंखला में लक्षित किया गया था। उस दिन बाद में, डेमाटागोडा में एक आवासीय परिसर और देहीवाला में एक गेस्ट हाउस में छोटे विस्फोट हुए। कम से कम 45 विदेशी नागरिकों, तीन पुलिस अधिकारियों और आठ बम फेंकने वालों सहित कुल 269 लोग मारे गए और कम से कम 500 घायल हुए।

40. (B)

41. (C): 'ब्रेक्सिट' नाम यूनाइटेड किंगडम के यूरोपीय संघ से प्रस्थान के लिए दिया गया है। यह 'ब्रिटेन' और 'एग्जिट' का मेल है।

23 जून 2016 को, ब्रिटेन ने यूरोपीय संघ की सदस्यता पर जनमत संग्रह कराया। मतदाताओं के सामने सवाल था : 'यूनाइटेड किंगडम को यूरोपीय संघ का सदस्य रहना चाहिए या यूरोपीय संघ छोड़ देना चाहिए?' 51.89% मतदाताओं ने यूरोपीय संघ छोड़ने के लिए मतदान किया। ब्रिटेन ने 31 जनवरी, 2020 को यूरोपीय संघ छोड़ दिया।

42. (D): स्विट्ज़रलैंड ने प्रत्यक्ष लोकतंत्र की व्यवस्था का विकल्प चुना है। 1874 में स्विस संविधान में शामिल वैकल्पिक जनमत संग्रह का अधिकार, नागरिकों को संसद द्वारा अधिनियमित कानूनों पर अंतिम निर्णय लेने की अनुमति देता है। 1891 में, संविधान में एक संशोधन ने लोकप्रिय पहल की शुरुआत की जो नागरिकों को अनुरोध करने की अनुमति देती है कि संविधान में आंशिक संशोधन किया जाए। प्रत्यक्ष लोकतंत्र के ये दो उपकरण संघीय और स्थानीय स्तरों पर मौजूद हैं।

एपेंजेल इनरहोडेन के कैंटन में, पीपुल्स असेंबली (लैंडजेमेइन्डे) अभी भी हाथों के संकेत द्वारा राज्यों की परिषद में अपना प्रतिनिधि चुनती है। निर्वाचित अधिकारियों को वापस बुलाने का अधिकार स्विट्ज़रलैंड में प्रचलित है।

43. (A)

44. (A): ए.वी. डायसी ने 'संविधान के कानून के अध्ययन का परिचय' पुस्तक लिखी, जो 1885 में प्रकाशित हुई थी जिसमें उन्होंने 'कानून के शासन' शब्द की पहचान की थी।

45. (C): एक नागरिक एक राजनीतिक समुदाय का एक सहभागी सदस्य है। राष्ट्रीय, राज्य या स्थानीय सरकार

की कानूनी आवश्यकताओं को पूरा करके नागरिकता प्राप्त की जाती है। एक राष्ट्र अपने नागरिकों को कुछ अधिकार और विशेषाधिकार प्रदान करता है। बदले में, नागरिकों से उम्मीद की जाती है कि वे अपने देश के कानूनों का पालन करें और अपने दुश्मनों के खिलाफ इसका बचाव करें।

नागरिकता का मूल्य एक राष्ट्र से दूसरे राष्ट्र में भिन्न होता है। कुछ देशों में, नागरिकता का मतलब यह हो सकता है कि एक नागरिक को वोट देने का अधिकार है, सरकारी कार्यालय रखने का अधिकार है, और बेरोजगारी बीमा भुगतान एकत्र करने का अधिकार है।

किसी देश में रहने का मतलब यह नहीं है कि वह व्यक्ति उस देश का नागरिक है। एक देश के नागरिक जो एक विदेशी देश में रहते हैं, उन्हें एलियंस के रूप में जाना जाता है। उनके अधिकार और कर्तव्य राजनीतिक संधियों और उस देश के कानूनों द्वारा निर्धारित किए जाते हैं जिसमें वे रहते हैं।

नागरिकता प्राप्त करने के लिए प्रमुख आधार (अंतर्राष्ट्रीय लेनदेन जैसे कि क्षेत्र या विकल्प के हस्तांतरण के अलावा) एक निश्चित क्षेत्र के भीतर जन्म, नागरिक माता-पिता से वंश, नागरिक से विवाह और प्राकृतिककरण हैं। जन्म के समय के रूप में नागरिकता निर्धारित करने के लिए दो मुख्य प्रणालियाँ उपयोग की जाती हैं : जस सोली, (jus soli) जिसके द्वारा माता-पिता की नागरिकता की परवाह किए बिना राज्य के क्षेत्र के भीतर जन्म से नागरिकता प्राप्त की जाती है और जस सेंगुइनिस (jus sanguinis), जिसके द्वारा कोई व्यक्ति, जहां कहीं भी पैदा हुआ हो, राज्य का नागरिक होता है, यदि उसके जन्म के समय, उसके माता-पिता एक हैं।

46. (D)

47. (D): जीन जैक्स रूसो (1712-1778), एक प्रसिद्ध राजनीतिक विचारक और राजनीतिक विचारों के इतिहास में एक विवादास्पद व्यक्ति हैं। वह अपने समकालीनों से हर बात में अलग थे। उनका चरित्र, जीवन के बारे में उनका दृष्टिकोण, उनके मूल्यों का पैमाना, सभी अनिवार्य रूप से उससे अलग थे जिसे प्रबुद्धता प्रशंसनीय मानती थी। लोकप्रिय संप्रभुता के अपने भावुक दावे के कारण रूसो के लेखन बेहद प्रभावी थे। जनता से उनकी अपील का उद्देश्य उन समस्याओं का समाधान करना था जिनसे उस समय फ्रांस की राजनीति पीड़ित थी। वह फ्रांस में उदारवादी सुधार के विचारों से सहमत नहीं था। वह विशेषाधिकारों के पूर्ण उन्मूलन के पक्ष में थे और चाहते थे कि मध्यम और निम्न वर्गों को समान अधिकार दिए जाएं। उनके आदर्शों का उद्देश्य प्रत्यक्ष लोकतंत्र और समानता था। अपने लेखन के माध्यम से रूसो ने सामाजिक और राजनीतिक व्यवस्था के एक क्रांतिकारी पुनर्निर्माण की मांग की और तार्किक रूप से फ्रांसीसी क्रांति का नेतृत्व किया। रूसो के महत्वपूर्ण कार्यों में शामिल हैं :

1. कला और विज्ञान के नैतिक प्रभावों पर एक भाषण (1751)।
2. पुरुषों के बीच असमानता की उत्पत्ति और आधार पर भाषण (1755)।
3. राजनीतिक अर्थव्यवस्था (अनुच्छेद 1755)
4. द नोविले हेलोइज (1760)
5. एमिल (1762)
6. सामाजिक अनुबंध (1762)

रूसो ने अपने 'कन्फेशंस', 'डायलॉग्स' और 'रेवरीज' लिखकर अपने साहित्यिक जीवन को समाप्त कर दिया। सामाजिक अनुबंध चार पुस्तकों में विभाजित एक लघु कार्य है। पुस्तक के दूसरे अध्याय में, वह प्रसिद्ध वाक्यांश बनाता है 'मनुष्य स्वतंत्र पैदा होता है, और हर जगह वह जंजीरों में जकड़ा हुआ है।'

48. (A): जेपी आंदोलन जिसे बिहार आंदोलन के रूप में भी जाना जाता है, 1974 में भारतीय राज्य बिहार में छात्रों द्वारा शुरू किया गया एक राजनीतिक आंदोलन था जो अनुभवी गांधीवादी, समाजवादी जयप्रकाश नारायण जिन्हें जेपी के नाम से जाना जाता था, के नेतृत्व में राज्य सरकार के कुशासन और भ्रष्टाचार के खिलाफ था। यह आंदोलन आगे चलकर केंद्र सरकार में प्रधानमंत्री इंदिरा गांधी की सरकार के खिलाफ हो गया। इसे संपूर्ण क्रांति (संपूर्ण क्रांति आंदोलन) और जेपी आंदोलन भी कहा जाता है।

भारत छोड़ो आंदोलन : अगस्त 1942 में, गांधीजी ने 'भारत छोड़ो आंदोलन' शुरू किया और अंग्रेजों को भारत छोड़ने के लिए मजबूर करने के लिए 'करो या मरो' के आह्वान पर एक व्यापक सविनय अवज्ञा आंदोलन शुरू करने का फैसला किया। इसे भारत अगस्त आंदोलन या भारत छोड़ो आंदोलन के रूप में भी जाना जाता है। यह 8 अगस्त, 1942 को महात्मा गांधी द्वारा अखिल भारतीय कांग्रेस कमेटी (AICC) के बॉम्बे सत्र में शुरू किया गया था।

सविनय अवज्ञा आन्दोलन : इसे महात्मा गांधी के नेतृत्व में मार्च 1930 में शुरू किया गया था। इसकी शुरुआत महात्मा गांधी के प्रसिद्ध दांडी मार्च से हुई जिसका आरम्भ अहमदाबाद में साबरमती स्थित उनके आश्रम से हुआ। सविनय अवज्ञा आंदोलन की शुरुआत के समय लॉर्ड इरविन वायसराय थे। सरोजिनी नायडू उन नेताओं में शामिल थीं जो दांडी मार्च के दौरान महात्मा गांधी के साथ थीं। नमक मार्च को नमक सत्याग्रह, दांडी मार्च या सविनय अवज्ञा आंदोलन के रूप में भी जाना जाता है।

असहयोग आंदोलन : महात्मा गांधी के नेतृत्व में असहयोग आंदोलन भारतीय स्वतंत्रता के इतिहास में पहला राष्ट्रव्यापी सामूहिक विरोध था। सितंबर 1920 से फरवरी 1922 तक गांधीजी द्वारा असहयोग आंदोलन का पालन किया गया।

49. (A): अनुच्छेद 243 ई :

1. प्रत्येक पंचायत, जब तक कि तत्समय प्रवृत्त किसी कानून के अंतर्गत शीघ्र ही भंग न कर दी जाए, अपनी पहली बैठक के लिए नियत तारीख से पांच वर्ष तक बनी रहेगी और इससे अधिक नहीं।
2. तत्समय प्रवृत्त किसी भी कानून में किसी भी संशोधन का प्रभाव पंचायत के किसी भी स्तर पर, जो इस तरह के संशोधन से ठीक पहले कार्य कर रहा है, खंड (1) में निर्दिष्ट इसकी अवधि की समाप्ति तक भंग करने का प्रभाव नहीं होगा।
3. पंचायत गठित करने के लिए चुनाव संपन्न किया जाएगा–
   (अ) खंड (1) में निर्दिष्ट इसकी अवधि की समाप्ति से पहले–
   (ब) इसके विघटन की तारीख से छह महीने की अवधि की समाप्ति से पहले, बशर्ते कि जहां शेष अवधि जिसके लिए भंग पंचायत बनी रहती है, छह महीने से कम है, इस खंड के तहत ऐसी अवधि के लिए पंचायत का गठन करने के लिए वहां कोई चुनाव कराने की आवश्यकता नहीं होगी।
4. किसी पंचायत की अवधि समाप्त होने से पहले उसके विघटन पर गठित पंचायत केवल उस शेष अवधि के लिए बनी रहेगी, जिसके लिए खंड (1) के तहत विघटित पंचायत बनी रहती, अगर उसे इस तरह भंग नहीं किया जाता।

50. (D): एस.एम.ए.आर.टी.–एक स्मरक परिवर्णी शब्द है, जो लक्ष्यों और उद्देश्यों की स्थापना में मार्गदर्शन करने के लिए मानदंड देता है, जो कि बेहतर परिणाम देने के लिए माना जाता है। उदाहरण के लिए, परियोजना प्रबंधन, कर्मचारी-प्रदर्शन प्रबंधन और व्यक्तिगत विकास। यह शब्द पहली बार प्रबंधन समीक्षा के नवंबर 1981 के अंक में जॉर्ज टी. डोरन द्वारा प्रस्तावित किया गया था। उन्होंने सुझाव दिया कि लक्ष्य स्मार्ट (विशिष्ट, मापने योग्य, असाइन करने योग्य, यथार्थवादी और समय से संबंधित) होने चाहिए।

तब से, परिवर्णी शब्द के अन्य रूपों का उपयोग किया गया है, आमतौर पर इस्तेमाल किए जाने वाले संस्करण में वैकल्पिक शब्द शामिल हैं : प्राप्य, प्रासंगिक और समय पर। कुछ लेखकों द्वारा अतिरिक्त पत्र जोड़े गए हैं।

जो लोग SMART उद्देश्यों के उपयोग का समर्थन करते हैं, वे सुझाव देते हैं कि वे लक्ष्य निर्धारित करने वाले व्यक्ति और उनकी प्रगति का मूल्यांकन करने वाले व्यक्ति (जैसे कर्मचारी और नियोक्ता, या एथलीट और कोच) दोनों के लिए एक स्पष्ट रोड मैप प्रदान करते हैं। कहा जाता है कि लक्ष्य निर्धारित करने वाले व्यक्ति को इस बात की स्पष्ट समझ होती है कि क्या दिया जाना चाहिए और मूल्यांकन करने वाला व्यक्ति परिभाषित मानदंडों के आधार पर परिणाम का आकलन कर सकता है। स्मार्ट मानदंड आमतौर पर उद्देश्यों (एमबीओ) की अवधारणा द्वारा डकर्स के प्रबंधन से जुड़े होते हैं।

51. (C): जॉन स्टुअर्ट मिल ने आत्म-संबंधित और अन्य-संबंधित कार्यों के बीच स्पष्ट अंतर किया। उन्होंने तर्क दिया कि व्यक्ति स्व-संबंधित कार्यों में संलग्न होने के लिए स्वतंत्र है, भले ही समाज उन कार्यों को अनुचित मानता हो। हालाँकि, जब ऐसी कार्रवाइयां दूसरों की स्वतंत्रता पर अतिक्रमण करती हैं, तो एक प्रतिबंध लगाया जा सकता है।

पोर्नोग्राफी के प्रति सामाजिक दृष्टिकोण मिल के स्व-संबंधित कार्यों और अन्य-संबंधित कार्यों के बीच अंतर का एक अच्छा उदाहरण है। जबकि अश्लील कृत्यों की ग्राफिक छवियां निस्संदेह अपमान करने की क्षमता रखती हैं, निजी क्षेत्र में ऐसी सामग्री तक पहुंच सीधे दूसरों पर प्रभाव नहीं डालती है, बशर्ते कि यह अन्य लोगों की स्वतंत्रता को खतरा पैदा करने वाले कार्यों का कारण न बने।

जॉन स्टुअर्ट मिल ने प्रसिद्ध उदारवादी तर्क को भी सामने रखा कि 'एकमात्र उद्देश्य जिसके लिए किसी सभ्य समुदाय के किसी भी सदस्य पर उसकी इच्छा के विरुद्ध शक्ति का सही प्रयोग किया जा सकता है, वह है दूसरों को नुकसान पहुँचाना। उसकी अपनी इच्छा, या तो शारीरिक या नैतिक, पर्याप्त प्रमाण नहीं है। यह राजनीतिक स्पेक्ट्रम के उदारवादी पक्ष के संदर्भ में उदारवादियों और अराजकतावादियों के बीच प्रस्थान का एक महत्वपूर्ण बिंदु है।

52. (D): प्रतिबद्ध न्यायपालिका उस न्यायपालिका को संदर्भित करती है जो सत्ता में सरकार के लिए एक तरह से कानूनों और संविधान की व्याख्या करके सत्ता में सरकार की नीतियों को बनाए रखने के लिए प्रतिबद्ध है। यदि न्यायपालिका प्रतिबद्ध है तो 'न्यायपालिका की स्वतंत्रता' और 'नियंत्रण और संतुलन की प्रणाली', जो संविधान की आवश्यक विशेषताएं हैं, संकट में पड़ जाएगी और सवैधानिक लोकतंत्र बहुमत के अत्याचार में बदल जाएगा। प्रतिबद्ध न्यायपालिका उस संघीय ताने-बाने को भी नष्ट कर देगी जो संविधान के मूल ढांचे का आंतरिक हिस्सा है। भारत संघ के राज्यों के बीच आपसी अविश्वास होगा। राज्यों के बीच कई विवाद हैं और केंद्र सरकार पर भरोसा नहीं करना एक स्वाभाविक प्रवृत्ति बन गई है क्योंकि उन्हें लग सकता है कि केंद्र की सत्ताधारी पार्टी उन राज्यों का पक्ष लेती है, जहां वह सत्ता में है।

53. (D): अरब स्प्रिंग, 2010 और 2011 में मध्य पूर्व और उत्तरी अफ्रीका में लोकतंत्र समर्थक विरोध और विद्रोह की लहर जो क्षेत्र के कुछ स्थापित सत्तावादी शासनों को चुनौती दे रहे थे, शुरू हुआ। लहर तब शुरू हुई जब ट्यूनीशिया और मिस्र में विरोध प्रदर्शनों ने त्वरित अनुक्रम में वर्तमान शासन को गिरा दिया और अन्य अरब देशों में इसी तरह के प्रयासों को प्रेरित किया। हालांकि, हर देश ने विरोध आंदोलन में सफलता नहीं देखी, और अपनी राजनीतिक और आर्थिक शिकायतों को व्यक्त करने वाले प्रदर्शनकारियों को अक्सर उनके देशों के सुरक्षा बलों द्वारा हिंसक कार्रवाई का सामना करना पड़ा। पहला प्रदर्शन मध्य ट्यूनीशिया में दिसंबर 2010 में हुआ था, जो एक 26 वर्षीय स्ट्रीट वेंडर मोहम्मद बउजीजी के आत्मदाह से उत्प्रेरित हुआ था तथा जो स्थानीय अधिकारियों द्वारा उसके इलाज का विरोध कर रहा था। परिणामस्वरूप एक विरोध आंदोलन, जिसे मीडिया में 'जैस्मीन क्रांति' करार दिया गया, तेजी से पूरे देश में फैल गया। ट्यूनीशियाई सरकार ने सड़क प्रदर्शनों के खिलाफ हिंसा का उपयोग करके और राजनीतिक और आर्थिक रियायतें देकर अशांति को समाप्त करने का प्रयास किया। हालाँकि, विरोध प्रदर्शनों ने जल्द ही देश के सुरक्षा बलों को अभिभूत कर दिया, जिससे राष्ट्रपति जीन अल-अबिदीन बेन अली को 14 जनवरी, 2011 को पद छोड़ने और देश से भागने के लिए मजबूर होना पड़ा। अक्टूबर 2011 में वहाँ एक नये संविधान के लिए स्वतंत्र चुनाव हुआ। लोकतांत्रिक रूप से चुने गए राष्ट्रपति और प्रधान मंत्री ने दिसंबर 2011 में पदभार ग्रहण किया, और जनवरी 2014 में एक नया संविधान लागू किया गया। अक्टूबर-नवंबर 2019 में, ट्यूनीशिया अरब स्प्रिंग विरोध प्रदर्शनों का पहला देश बन गया, जो लोकतांत्रिक रूप से चुने गए एक सरकार से दूसरे को सत्ता के शांतिपूर्ण हस्तांतरण से गुजरा।

54. (A)

55. (A): अनुच्छेद 169: राज्यों में विधान परिषदों का उन्मूलन या निर्माण :

1. अनुच्छेद 168 में किसी बात के होते हुए भी, संसद विधि द्वारा विधान परिषद वाले राज्य की विधान

परिषद को समाप्त करने या ऐसी परिषद वाले राज्य में ऐसी परिषद के निर्माण के लिए प्रावधान कर सकती है, यदि राज्य की विधान सभा विधानसभा की कुल सदस्यता के बहुमत से और विधानसभा में उपस्थित और मतदान करने वाले सदस्यों के कम से कम दो तिहाई बहुमत से इस आशय का प्रस्ताव पारित करता है।

2. खंड (1) में निर्दिष्ट किसी भी कानून में इस संविधान के संशोधन के लिए ऐसे प्रावधान शामिल होंगे जो कानून के प्रावधानों को प्रभावी बनाने के लिए आवश्यक हो सकते हैं और इसमें ऐसे पूरक, प्रासंगिक और परिणामी प्रावधान भी शामिल हो सकते हैं जिन्हें संसद आवश्यक समझे।

3. पूर्वोक्त किसी भी कानून को अनुच्छेद 368 के प्रयोजनों के लिए इस संविधान का संशोधन नहीं माना जाएगा।

56. (B): राजनीति में (और विशेष रूप से अंतरराष्ट्रीय राजनीति में), सॉफ्ट पावर जबरदस्ती (कठोर शक्ति के विपरीत) के बजाय सह-चुनाव करने की क्षमता है। दूसरे शब्दों में, सॉफ्ट पावर में अपील और आकर्षण के माध्यम से दूसरों की प्राथमिकताओं को आकार देना शामिल है। सॉफ्ट पावर की एक परिभाषित विशेषता यह है कि यह गैर-जबरदस्ती है; सॉफ्ट पावर की मुद्रा में संस्कृति, राजनीतिक मूल्य और विदेश नीतियां शामिल हैं। 2012 में, हार्वर्ड विश्वविद्यालय के जोसेफ नी ने स्पष्ट किया कि सॉफ्ट पावर के साथ, 'सबसे अच्छा प्रचार प्रचार नहीं है', आगे यह भी कहा कि सूचना युग के दौरान, 'विश्वसनीयता दुर्लभतम संसाधन है'।

नी (Nye) ने अपनी 1990 की पुस्तक, ''बाउंड टू लीड : द चेंजिंग नेचर ऑफ अमेरिकन पावर'' में इस शब्द को लोकप्रिय बनाया। उन्होंने अपनी 2004 की पुस्तक, ''सॉफ्ट पावर : द मीन्स टू सक्सेस इन वर्ल्ड पॉलिटिक्स'' में इस अवधारणा को और विकसित किया है।

57. (C): विभिन्न समितियों और आयोगों ने भारत की चुनाव प्रणाली की विस्तार से जांच की है। उन्होंने चुनाव मशीनरी के कामकाज के साथ-साथ चुनाव प्रक्रिया का विश्लेषण किया है और सुधारों का सुझाव दिया है। कुछ समितियाँ हैं–

(*a*) **तारकुंडे समिति**–इसे 1974 ई. में जय प्रकाश नारायण (जेपी) द्वारा उनके 'संपूर्ण क्रांति' आंदोलन के दौरान नियुक्त किया गया था। यह एक अनौपचारिक समिति थी और इसने 1975 में अपनी रिपोर्ट प्रस्तुत की।

(*b*) चुनावी सुधारों पर दिनेश गोस्वामी समिति (1990)।

(*c*) अपराध एवं राजनीति के बीच संबंध पर वोहरा समिति (1993)।

(*d*) चुनावों के राज्य वित्त पोषण पर इंद्रजीत गुप्ता समिति (1998) - इसने राज्य चुनावों के वित्त पोषण की शुरूआत के तर्क को बरकरार रखा। इसने यह भी कहा कि राज्य चुनावों का वित्त पोषण जनहित में है और संवैधानिक और कानूनी रूप से न्यायोचित है।

(*e*) चुनावी कानूनों में सुधार पर भारतीय विधि आयोग की रिपोर्ट (1999)।

(*f*) संविधान के कामकाज की समीक्षा करने के लिए राष्ट्रीय आयोग (2000-2002) - इसकी अध्यक्षता एम एन वेंकटचलैया ने की थी।

(*g*) प्रस्तावित चुनावी सुधारों पर भारत निर्वाचन आयोग की रिपोर्ट (2004)।

(*h*) शासन में नैतिकता पर भारतीय प्रशासनिक सुधार आयोग की दूसरी रिपोर्ट (2007) - इसकी अध्यक्षता वीरप्पा मोइली ने की थी।

(*i*) तन्खा समिति - इसे 2010 में नियुक्त किया गया था। इसे चुनाव कानूनों और चुनावी सुधारों के पूरे दायरे को देखना था।

58. (C): जॉन रॉल्स का न्याय का सिद्धांत एक ध्वनि सिद्धांत है जो कहता है कि एक सुव्यवस्थित समाज को एक बुनियादी आवश्यकता के रूप में न्याय की अवधारणा की आवश्यकता होती है और इस तरह की अवधारणा को 'अज्ञानता के घूंघट' के पीछे तर्कसंगत व्यक्तियों द्वारा विकसित किया जा सकता है। अपनी स्वयं की स्थिति के बारे में, और इसमें मुख्य रूप से, सभी के लिए बुनियादी स्वतंत्रता का समान अधिकार शामिल होगा,

और दूसरी बात यह है कि सामाजिक और आर्थिक असमानताएँ समान अवसरों से प्राप्त होनी चाहिए और अंत में सबसे कम सुविधा प्राप्त होनी चाहिए।

राजनीतिक उदारवाद का औचित्य प्रदान करने के लिए रॉल्स ने न्याय के एक ऐसे सिद्धांत को विकसित करने का प्रयास किया जो एक 'सुव्यवस्थित समाज' के लिए उपयुक्त होगा। रॉल्स के लिए एक सुव्यवस्थित समाज या एक अच्छे समाज के दो प्रमुख पहलू होने चाहिए :

1. एक समाज "जैसा कि अपने सदस्यों की भलाई को आगे बढ़ाने के लिए डिजाइन किया गया है और न्याय की सार्वजनिक अवधारणा द्वारा प्रभावी रूप से विनियमित है"।
2. "... यह एक ऐसा समाज है जिसमें हर कोई स्वीकार करता है और जानता है कि अन्य लोग न्याय के समान सिद्धांत को स्वीकार करते हैं और बुनियादी सामाजिक संस्थाएं संतुष्ट हैं और इन सिद्धांतों को संतुष्ट करने के लिए जानी जाती हैं।"

59. (D)

60. (C): शीत युद्ध (1945-1989) के दौरान द्विध्रुवीयता को एक अनुभवजन्य स्थिति और एक केंद्रीय व्याख्यात्मक अवधारणा के रूप में देखा गया था, जब दो महाशक्तियों ने अंतर्राष्ट्रीय प्रणाली पर प्रभुत्व जमाया था। संयुक्त राज्य अमेरिका और सोवियत समाजवादी गणराज्य संघ (USSR) ने सैन्य और वैचारिक प्रतिद्वंद्वियों के रूप में एक-दूसरे का सामना किया, जो प्रतिस्पर्धी गठबंधन प्रणालियों का नेतृत्व कर रहे थे - 1949 में स्थापित उत्तरी अटलांटिक संधि संगठन (NATO), और 1955 में स्थापित वारसॉ संधि। विशेष रूप से 1949 में सोवियत संघ द्वारा अमेरिकी परमाणु एकाधिकार को तोड़ने के बाद परमाणु हथियार जोड़े गए जिसने वैश्विक महाशक्ति प्रतियोगिता में एक नई शिकन पैदा कर दी।

अक्टूबर 1962 का क्यूबा मिसाइल संकट शीत युद्ध के दौरान संयुक्त राज्य अमेरिका और सोवियत संघ के बीच एक सीधा और खतरनाक टकराव था और यह वह क्षण था जब दो महाशक्तियाँ परमाणु संघर्ष के सबसे करीब आ गईं। संकट कई मायनों में अद्वितीय था, जिसमें गणना और गलत गणना के साथ-साथ दोनों पक्षों के बीच प्रत्यक्ष और गुप्त संचार और गलत संचार शामिल थे। नाटकीय संकट को इस तथ्य से भी चित्रित किया गया था कि यह मुख्य रूप से व्हाइट हाउस और क्रेमलिन स्तर पर खेला गया था, जिसमें आमतौर पर विदेश नीति प्रक्रिया में शामिल संबंधित नौकरशाही से अपेक्षाकृत कम इनपुट था।

61. (A)

62. (B): सरकार 2.0 सरकारी नीतियों को संदर्भित करती है जो एक ओपन सोर्स कंप्यूटिंग प्लेटफॉर्म बनाने के लिए इंटरैक्टिव इंटरनेट टूल का उपयोग करती है। हर साल, अधिक से अधिक सरकारें नागरिकों के लिए अधिक उपयोगकर्ता-अनुकूल और पारदर्शी बनने के लिए प्रौद्योगिकी का उपयोग कर रही हैं, और अंततः, अधिक प्रभावी पुरानी शैली की संरक्षण राजनीति से प्रदर्शन की राजनीति की ओर बढ़ रही हैं। सरकार 2.0 उन सरकारी नेताओं के लिए शुरुआत करने के लिए एक बेहतरीन जगह है जो व्यापक प्रभाव डालने के लिए सही चुनाव करना चाहते हैं।

63. (C)

64. (C): वुडरो विल्सन (1856-1924) एक अमेरिकी राजनेता, अकादमिक और विश्वविद्यालय प्रशासक थे, जिन्होंने 1913 से 1921 तक संयुक्त राज्य अमेरिका के 28वें राष्ट्रपति के रूप में कार्य किया। विल्सन के लेख का तर्क है कि समाज की बढ़ती जटिलता और संबंधित मुद्दे सार्वजनिक नीति से निपटने के लिए सरकार के प्रशासनिक तरीकों की आवश्यकता होती है। उनका तर्क है कि संवैधानिक प्रश्नों की तुलना में प्रशासन के प्रश्न अमेरिकी सरकार के कार्य के लिए अधिक व्यावहारिक महत्व रखते हैं।

संवैधानिक सिद्धांत की भारी बहस अभी भी किसी भी तरह से समाप्त नहीं हुई है; लेकिन वे अब प्रशासन के सवालों से अधिक तात्कालिक व्यावहारिक क्षण नहीं रह गए हैं। एक संविधान बनाने की तुलना में एक संविधान चलाना कठिन होता जा रहा है।

65. (B): पानी वर्तमान में भारत और नेपाल के बीच कुछ तनाव का स्रोत है, लेकिन अगर दोनों सरकारों द्वारा अधिक आत्मविश्वास, सम्मान और सहयोगात्मक दृष्टिकोण बनाया जाता है, तो यह रिश्ते के लिए सबसे बड़ी संपत्ति बन सकता है।

बेसिक ग्रुप (बेसिक देश या BASIC) चार बड़े नए औद्योगीकृत देशों–ब्राजील, दक्षिण अफ्रीका, भारत और चीन का एक ब्लॉक है जो 28 नवंबर, 2009 को एक समझौते द्वारा गठित किया गया था। चारों कोपेनहेगन जलवायु शिखर सम्मेलन में संयुक्त रूप से कार्य करने के लिए प्रतिबद्ध हुए, जिसमें विकसित राष्ट्रों द्वारा उनकी सामान्य न्यूनतम स्थिति को पूरा नहीं किया जाता है, तो एक संभावित संयुक्त बहिर्गमन शामिल है।

66. (C): महान ग्रीक दार्शनिक, अरस्तू, पहले व्यक्ति थे जिन्होंने कहा गुलामी एक स्वाभाविक चीज है और मनुष्य दो प्रकार के होते हैं - गुलाम और गैर-गुलाम। उन्होंने कहा, कुछ लोग पैदाइशी गुलाम होते हैं और उन्हें किसी भी परिस्थिति में गुलाम होना चाहिए। अन्य लोग इन दासों पर शासन करने के लिए पैदा हुए थे, इन दासों को अपनी इच्छानुसार उपयोग कर सकते थे और उन्हें संपत्ति के रूप में मान सकते थे। प्राकृतिक दास गुलाम थे क्योंकि उनकी आत्मा पूर्ण नहीं थी - उनमें कुछ गुणों का अभाव था, जैसे कि ठीक से सोचने की क्षमता, और इसलिए उन्हें यह बताने के लिए स्वामी की आवश्यकता थी कि उन्हें क्या करना है।

यह स्पष्ट है कि अरस्तू का मानना है कि गुलामी उन लोगों के लिए अच्छी थी जो प्राकृतिक दास पैदा हुए थे, क्योंकि स्वामी के बिना उन्हें यह नहीं पता होता कि अपने जीवन को कैसे चलाना है। वास्तव में ऐसा लगता है कि अरस्तू ने सोचा था कि गुलाम घरेलू जानवरों की तरह 'जीवित उपकरण' थे, जो केवल शारीरिक श्रम के लिए उपयुक्त थे। दास विचार करने में पूरी तरह से अक्षम नहीं थे, लेकिन उन्हें केवल न्यूनतम मात्रा में तर्कसंगत क्षमता की आवश्यकता थी ताकि वे अपने कर्तव्यों को समझने और निभाने के लिए सक्षम हो जाए।

इसी तरह, दास 'पुण्य' से रहित नहीं थे, लेकिन एक बार फिर, उन्हें केवल अपने कर्तव्यों को पूरा करने के लिए पर्याप्त आवश्यकता थी। लेकिन वह 'पुण्य' उनके लिए मनुष्य के रूप में व्यवहार करने के लिए पर्याप्त था। अरस्तू प्राकृतिक दासों को पहचानने का कोई समझदार व्यावहारिक तरीका प्रदान नहीं करता है, और इसके बिना यह अपरिहार्य है कि कुछ लोगों को गुलाम बनाया जाएगा जो नहीं होना चाहिए। अरस्तू के पास 'कानूनी दास' की एक श्रेणी भी थी; वे प्राकृतिक गुलाम नहीं थे, लेकिन दुर्भाग्य से - शायद युद्ध में बंदी बना लिए गए - वे सिर्फ एक विशेष समय में गुलाम हो गए। अरस्तू ने तर्क दिया कि यदि दुनिया न्यायपूर्ण है, तो कानूनी गुलामों को मुक्त कर दिया जाएगा, और यदि कोई प्राकृतिक दास संयोग से स्वतंत्र है, तो उन्हें गुलाम बना दिया जाना चाहिए।

67. (C): भारत में प्रत्यक्ष और अप्रत्यक्ष माध्यमों से दबाव समूह राजनीति और नीति निर्माण प्रक्रिया में शामिल हैं। किसी राज्य व्यवस्था के लोकतांत्रिक कामकाज में, दबाव समूह महत्वपूर्ण भूमिका निभाते हैं। वे प्रमुख सार्वजनिक मुद्दों पर जनमत को बढ़ावा देने, चर्चा करने, बहस करने और जनमत जुटाने की कोशिश करते हैं। इस प्रक्रिया में, वे लोगों को शिक्षित करते हैं और उनकी दृष्टि को व्यापक बनाते हैं, उनकी लोकतांत्रिक भागीदारी को बढ़ाते हैं और विभिन्न मुद्दों को उठाते और स्पष्ट करते हैं। ये समूह सार्वजनिक नीति में परिवर्तन लाने का प्रयास करते हैं। अपने उद्देश्यों और लक्ष्यों को प्राप्त करने के लिए, दबाव समूह विभिन्न तकनीकों और विधियों का प्रयोग करते हैं। इनमें अपील, याचिकाएं, प्रदर्शन, धरना, पैरवी और जुलूस शामिल हैं। वे मीडिया में भी लिखते हैं, पर्चे बांटते हैं, प्रेस विज्ञप्तियां जारी करते हैं, चर्चाओं और बहसों का आयोजन करते हैं, पोस्टर लगाते हैं और नारे लगाते हैं। वे सत्याग्रह, यानी अहिंसक विरोध कर सकते हैं। कई बार, दबाव समूह विधायकों, कार्यकारी अधिकारियों, निर्णयकर्ताओं पर दबाव बनाने के लिए हड़ताल का सहारा लेते हैं। अक्सर, वे बहिष्कार का सहारा लेते हैं।

68. (A): हित समूह जो आधुनिक सरकारी प्रक्रिया का एक अनिवार्य हिस्सा हैं, निर्णय लेने में एक महत्वपूर्ण भूमिका निभाते हैं। यह जनमत की व्यवस्थित अभिव्यक्ति की

अनुमति देता है और राजनीतिक भागीदारी को बढ़ाता है। दबाव/हित समूहों द्वारा निभाई गई भूमिका को अब दुनिया भर के राजनीतिक वैज्ञानिकों द्वारा व्यापक रूप से मान्यता दी गई है। ये समूह अक्सर कानून को बढ़ावा देने, वापस लेने या निरस्त करने के लिए विधायिका को प्रभावित करने की कोशिश करते हैं।

गेब्रियल आमण्ड (1970) ने इन समूहों को संरचनात्मक रूपों के अनुसार वर्गीकृत किया है :

1. संस्थागत हित समूह।
2. गैर-सहयोगी हित समूह।
3. साहचर्य हित समूह।
4. अप्रतिमान हित समूह।

69. (A): भारतीय शासन प्रणाली का स्वरूप हाइब्रिड है। हाइब्रिड प्रणाली में दो शास्त्रीय मॉडलों का समन्वय होता है : संसदीय संप्रभुता और परिपाटियों पर आधारित ब्रिटिश परंपराएं और लिखित संविधान, शक्तियों के पृथक्करण और न्यायिक समीक्षा पर आधारित अमेरिकी सिद्धांत। चूँकि संसदीय संप्रभुता और संवैधानिक सर्वोच्चता परस्पर असंगत हैं, अतः दोनों मॉडल असंगत हैं। ब्रिटिश और अमेरिकी दोनों सिद्धांतों ने भारत के संविधान पर अपनी छाप छोड़ी है। दूसरे शब्दों में, भारत ने 1950 के संविधान को अपनाने के बाद से ब्रिटिश और अमेरिकी दोनों संवैधानिक प्रथाओं के तत्वों के साथ एक पूरी तरह से अलग राजनीतिक-संवैधानिक व्यवस्था विकसित की है। भिन्नता यह है कि संसदीय होने के बावजूद, भारत की राजनीतिक प्रणाली पूरी तरह से ब्रिटिश प्रणाली के अनुरूप नहीं है, क्योंकि इसने संघीय सिद्धांतों को भी अपनाया है; यह पूरी तरह से अमेरिकी भी नहीं होगी क्योंकि भारत की संसद संप्रभु बनी हुई है।

भारत ने, एक हाइब्रिड राजनीतिक व्यवस्था के रूप में, संसदीय-संघवाद के रूप में जानी जाने वाली एक पूरी तरह से अनूठी राजनीतिक-संवैधानिक व्यवस्था में योगदान दिया है, जिसका संवैधानिक विकास के इतिहास में कोई उदाहरण नहीं है। भारतीय राजनीतिक प्रणाली, जो संसदीय प्रथाओं और संघीय सिद्धांतों दोनों पर आधारित है, एक प्रकार की एक वैचारिक पहेली है जो ब्रिटिश परंपराओं और अमेरिकी सिद्धांतों से ओत-प्रोत राष्ट्र-राज्यों के सामाजिक-राजनीतिक इतिहास के पूर्व अज्ञात पहलुओं को उजागर करती है।

70. (D): शब्द 'ओपन डोर' देंग जियाओपिंग द्वारा 1978 में शुरू की गई आर्थिक नीति का वर्णन करता है, जो चीन को उन विदेशी व्यवसायों के लिए खोलने के लिए था जो देश में निवेश करना चाहते थे। नीति ने चीन के आर्थिक परिवर्तन को गति प्रदान की। 20वीं और 21वीं सदी में, नवयथार्थवादी स्कूल के क्रिस्टोफर लेन जैसे विद्वानों ने राष्ट्रों की 'राजनीतिक' खुली द्वार नीतियों और 'आर्थिक' खुली द्वार नीतियों में अनुप्रयोगों के लिए इस शब्द के उपयोग को सामान्यीकृत किया, जो वैश्विक या अंतर्राष्ट्रीय स्तर पर क्रिया करते हैं।

71. (C): परियोजना 'मौसम' संस्कृति मंत्रालय की एक परियोजना है जिसे इंदिरा गांधी राष्ट्रीय कला केंद्र (आईजीएनसीए), नई दिल्ली द्वारा भारतीय पुरातत्व सर्वेक्षण और राष्ट्रीय संग्रहालय के समर्थन से नोडल समन्वयक एजेंसी के रूप में कार्यान्वित किया जाना है।

प्रोजेक्ट 'मौसम' का उद्देश्य यह समझना है कि कैसे मानसूनी हवाओं के ज्ञान और बदलाव ने हिंद महासागर में पारस्परिक प्रभाव को आकार दिया है और समुद्री मार्गों के साथ साझा ज्ञान प्रणालियों, परंपराओं, प्रौद्योगिकियों और विचारों का प्रसार किया है।

72. (A): हाल ही में नीति आयोग ने बहुआयामी गरीबी सूचकांक (एमपीआई) जारी किया है। इससे पहले, संयुक्त राष्ट्र विकास कार्यक्रम (यूएनडीपी) और ऑक्सफोर्ड गरीबी और मानव विकास पहल (ओपीएचआई) द्वारा वैश्विक बहुआयामी गरीबी सूचकांक 2021 जारी किया गया था।

एमपीआई अपने कई आयामों के आधार पर गरीबी को मापना चाहता है और वास्तव में प्रति व्यक्ति उपभोग व्यय के आधार पर मौजूदा गरीबी के आंकड़ों को सम्पन्न करता है। इसके तीन समान भारित आयाम है–स्वास्थ्य, शिक्षा और जीवन स्तर। इन तीन आयामों को पोषण, स्कूल में उपस्थिति, स्कूली शिक्षा के वर्ष, पेयजल, स्वच्छता, आवास, बैंक खातों जैसे 12 संकेतकों द्वारा दर्शाया गया है।

73. (D)

74. (D): कौटिल्य ने राज्य के सात अंगों का वर्णन किया है तथा राज्य के सभी अंगों की तुलना शरीर के अंगों से की है। जबकि आधुनिक राज्यों में राज्य के चार लक्षण या अंग पाए जाते हैं, कौटिल्य द्वारा वर्णित राज्य के सात अंग निम्नलिखित हैं–

1. **राजा या स्वामी :** कौटिल्य ने राजा को राज्य का केंद्र व अभिन्न अंग माना है तथा उन्होंने राजा की तुलना शीर्ष से की है। उनका मानना है कि राजा को दूरदर्शी, आत्मसंयमी, कुलीन, स्वस्थ, बौद्धिक गुणों से संपन्न तथा महावीर होना चाहिए। वे राजा को कल्याणकारी तथा जनता के प्रति उत्तरदायी होने की सलाह देते हैं क्योंकि उनके अनुसार राजा कर्तव्यों से बँधा होता है। हालाँकि वे राजा को सर्वोपरि मानते हैं परन्तु उसे निरंकुश शक्ति नहीं देते। उन्होंने राजा की दिनचर्या को भी पहरों में बाँटा है अर्थात् वे राजा के लिए दिन को तथा रात को आठ-आठ पहरों में विभाजित करते हैं।
2. **अमात्य या मंत्री :** कौटिल्य ने अमात्य और मंत्री दोनों की तुलना की 'आँख' से की है। उनके अनुसार अमात्य तथा राजा एक ही गाड़ी के दो पहिये हैं। अमात्य उसी व्यक्ति को चुना जाना चाहिए जो अपनी जिम्मेदारियों को सँभाल-सके तथा राजा के कार्यों में उसके सहयोगी की भाँति भूमिका निभा सके।
3. **जनपद :** कौटिल्य ने इसकी तुलना 'पैर' से की है। जनपद का अर्थ है 'जनयुक्त भूमि'। कौटिल्य ने जनसंख्या तथा भू-भाग दोनों को जनपद माना है। उन्होंने दस गाँवों के समूह में 'संग्रहण', दो सौ गाँवों के समूह के बीच 'सार्वत्रिक', चार सौ गाँवों के समूह के बीच एक 'द्रोणमुख' तथा आठ सौ गाँवों में एक 'स्थानीय' अधिकारी की स्थापना करने की बात की है।
4. **दुर्ग :** कौटिल्य ने दुर्ग की तुलना 'बाँहों' या 'भुजाओं' से की है।
5. **कोष :** इसकी तुलना कौटिल्य ने 'मुख' से की है। उन्होंने कोष को राज्य का मुख्य अंग इसलिए माना है क्योंकि उनके अनुसार कोष से ही कोई राज्य वृद्धि करता है तथा शक्तिशाली बने रहने के लिए कोष के द्वारा ही अपनी सेना का भरण-पोषण करता है। उन्होंने कोष में वृद्धि का मार्ग करारोपण बताया है जिसमें प्रजा को अनाज का छठा, व्यापार का दसवाँ तथा पशु धन के लाभ का पचासवाँ भाग राजा को कर के रूप में अदा करना होगा।
6. **दंड या सेना :** कौटिल्य ने सेना की तुलना 'मस्तिष्क' से की है। उन्होंने सेना के चार प्रकार बताए हैं–हस्ति सेना, अश्व सेना, रथ सेना तथा पैदल सेना। उनके अनुसार सेना ऐसी होनी चाहिए जो साहसी हो, बलशाली हो तथा जिसके हर सैनिक के हृदय में देशप्रेम हो तथा वीरगति को प्राप्त हो जाने पर जिसके परिवार को उस पर अभिमान हो।
7. **मित्र :** मित्र को कौटिल्य ने 'कान' कहा है। उनके अनुसार राज्य की उन्नति के लिए तथा विपत्ति के समय सहायता के लिए राज्य को मित्रों की आवश्यकता होती है।

75. (C)

76. (D): मैक्सिमिलियन कार्ल एमिल वेबर एक जर्मन समाजशास्त्री, इतिहासकार, न्यायविद और राजनीतिक अर्थशास्त्री थे, जिन्हें आधुनिक पश्चिमी समाज के विकास के सबसे महत्वपूर्ण सिद्धांतकारों में से एक माना जाता है। उनके विचार सामाजिक सिद्धांत और शोध को गहराई से प्रभावित करते हैं। जबकि वेबर ने खुद को एक समाजशास्त्री के रूप में नहीं माना, फिर भी उन्हें अगस्ट कॉम्टे, कार्ल मार्क्स और एमिल दुर्खीम के साथ समाजशास्त्र के पिता के रूप में पहचाना जाता है।

मैक्स वेबर की ग्रंथ सूची :

द प्रोटेस्टेंट एथिक एंड दि स्पिरिट ऑफ कैपिटलिज्म

सामाजिक और आर्थिक संगठन का सिद्धांत।

अर्थव्यवस्था और समाज : व्याख्यात्मक समाजशास्त्र की रूपरेखा।

समाजशास्त्र में बुनियादी अवधारणाएँ।

77. (C)

78. (B)

79. (A): अम्बेडकर ने भारत में छोटी जोत की समस्याओं का अध्ययन किया और उपाय सुझाए जो आज भी काफी प्रासंगिक हैं। लैंड होल्डिंग पर उनके विचार सितंबर 1918 में जर्नल ऑफ द इंडियन इकोनॉमिक सोसाइटी, वॉल्यूम I द्वारा प्रकाशित 'स्मॉल होल्डिंग्स इन इंडिया एंड देयर रेमेडीज' शीर्षक वाले पेपर में प्रकाशित हुए थे। उक्त पेपर में उन्होंने बताया कि जोत का औसत आकार बॉम्बे प्रेसीडेंसी में 25.9 एकड़ से लेकर पुणे के पास पिंपला सौदागर में एक या दो एकड़ तक है। पुनः ये छोटी जोतें बहुत खंडित हो गईं, उदाहरण के लिए,

- रत्नागिरी जिले में, 20 गुंटा की जोत को तीन भूखंडों (40 गुंटा = 1 एकड़) में विभाजित किया गया था—थाने जिले में, एक एकड़ और नौ गुंटा की जोत में छह भूखंड शामिल थे;
- सूरत जिले में, एक एकड़ जोत में 14 भूखंड होते थे।

अम्बेडकर ने पर्याप्त डेटा के साथ निर्णायक रूप से साबित कर दिया कि भारतीय कृषि छोटी जोत से ग्रस्त है, प्रत्येक जोत अत्यधिक खंडित है। उन्होंने यह भी साबित किया कि कम कृषि उत्पादकता के लिए मुख्य रूप से छोटी और बिखरी जोतें जिम्मेदार थीं। छोटी जोत के अनेक दोष हैं। छोटी जोत का कारण अत्यधिक उप-विभाजन और विखंडन था, जो उनके अनुसार कृषि में उत्पादकता बढ़ाने के लिए जोत के समेकन द्वारा रोका जाना चाहिए। जोत का विखंडन खेती को काफी अक्षम बना देता है। जोत के चकबंदी को भूमि जोत के विखंडन को रोकने के लिए डिजाइन किया गया है।

80. (B): 'लोकपाल' शब्द 1963 में डॉ. एल.एम. सिंघवी द्वारा गढ़ा गया था। संवैधानिक लोकपाल की अवधारणा पहली बार 1960 के दशक की शुरुआत में कानून मंत्री अशोक कुमार सेन द्वारा संसद में प्रस्तावित की गई थी। पहला जन लोकपाल विधेयक 1968 में अधिवक्ता शांति भूषण द्वारा प्रस्तावित किया गया था और 1969 में चौथी लोकसभा में पारित किया गया था, लेकिन राज्यसभा से यह पारित नहीं हो सका।

लोकपाल के पास सार्वजनिक अधिकारियों के खिलाफ भ्रष्टाचार के आरोपों और भ्रष्टाचार से जुड़े मामलों की जांच करने का अधिकार है। 2011 में अन्ना हजारे के नेतृत्व में जन लोकपाल आंदोलन के बाद लोकपाल और लोकायुक्त अधिनियम 2013 में संसद में संशोधन के साथ पारित किया गया था। लोकपाल राष्ट्रीय स्तर पर भ्रष्टाचार के आरोपों की जांच के लिए जिम्मेदार है, जबकि लोकायुक्त राज्य स्तर पर समान कार्य करता है।

81. (C): आत्म-सम्मान आंदोलन एक गतिशील सामाजिक आंदोलन था जिसका उद्देश्य समकालीन हिंदू सामाजिक व्यवस्था को उसकी समग्रता में नष्ट करना और जाति, धर्म और भगवान के बिना एक नया, तर्कसंगत समाज बनाना था।

इसकी शुरुआत ई.वी. रामास्वामी नायकर (पेरियार) द्वारा 1925 में तमिलनाडु में किया गया था। यह एक समतावादी आंदोलन था जिसने ब्राह्मणवादी आधिपत्य को तोड़ने, समाज में पिछड़े वर्गों और महिलाओं के लिए समान अधिकार और द्रविड़ियन भाषाओं, जैसे—तेलुगु, तमिल, कन्नड़ और मलयालम के पुनरोद्धार की विचारधाराओं का प्रचार किया।

तमिलनाडु में कई राजनीतिक दल, जैसे द्रविड़ मुनेत्र कड़गम (DMK) और अखिल भारतीय अन्ना द्रविड़ मुनेत्र कड़गम (AIADMK) की उत्पत्ति आत्म-सम्मान आंदोलन से हुई है।

82. (B) **83. (C)**

84. (C): जीन-जैक्स रूसो एक फ्रांसीसी राजनीतिक सिद्धांतकार और दार्शनिक थे। फ्रांसीसी क्रांति और प्रबुद्धता के युग के नेताओं पर उनके प्रभाव के कारण उन्हें बहुत प्रभावशाली माना जाता है। उनकी सबसे उल्लेखनीय कृतियों में से एक असमानता पर आधारित उनका सिद्धांत है, जैसा कि उनकी पुस्तक 'डिसकोर्स ऑन इनइक्वलिटी' में बताया गया है। यह पुस्तक आधुनिक विश्व की आलोचना करती है और यह अंतर्दृष्टि प्रदान करती है कि समाज कैसे विकसित हो सकता है।

रूसो ने 2 प्रकार की असमानताओं के अस्तित्व का उल्लेख किया—प्राकृतिक और नैतिक या सामाजिक या पारंपरिक। पूर्व का तात्पर्य किसी की स्वास्थ्य स्थितियों, आयु या शारीरिक विशेषताओं से उत्पन्न असमानताओं से है। दूसरी ओर, नैतिक असमानता वह है जो मनुष्य

द्वारा स्थापित की जाती है। इन 2 सामाजिक असमानताओं में से, प्राकृतिक असमानताएँ अनुवांशिक हैं और इन्हें रोका नहीं जा सकता है जबकि नैतिक असमानताएँ अप्राकृतिक हैं और इन्हें रोका जा सकता है।

85. (B): सैमुअल पी. हंटिंगटन ने आधुनिकीकरण की निम्नलिखित नौ विशेषताओं को इंगित किया है, जिन्हें विकास के सूचकांक के रूप में भी उपयोग किया जाता है :

1. आधुनिकीकरण और विकास प्रौद्योगिकी और संस्कृति में परिवर्तन की मौलिक प्रक्रियाएँ हैं। इन्हें खानाबदोश से कृषि युग में परिवर्तन और कृषि से शहरी-औद्योगिक संस्कृति में वर्तमान परिवर्तन के साथ पहचाना जा सकता है।
2. ये जटिल और बहुआयामी प्रक्रियाएं हैं जो समाज में संज्ञानात्मक, व्यावहारिक और संस्थागत सुधार और संरचनात्मक सुधारों से जुड़ी हैं।
3. ये श्रेष्ठ प्रक्रियाएं हैं जो एक स्थान पर उत्पन्न होती हैं और फिर विश्व के अन्य हिस्सों को उनकी विचारधारा और प्रौद्योगिकी के साथ शामिल करतीहैं।
4. ये दीर्घकालिक प्रक्रियाएँ हैं और नियत समय में विकसित होती हैं।
5. दोनों अवधारणाएँ व्यवस्थित हैं और एक आयाम में परिवर्तन से दूसरे में परिवर्तन होता है।
6. इन प्रक्रियाओं में परिवर्तन के कई चरण शामिल होते हैं।
7. ये समरूप प्रक्रियाएँ हैं जिनके तहत समाजों के बीच भिन्नताएँ कम हो जाती हैं।
8. दोनों अपरिवर्तनीय प्रक्रियाएं हैं।
9. ये प्रगतिशील, अपरिहार्य और वांछनीय प्रक्रियाएँ हैं और मानव की भौतिक और सांस्कृतिक समृद्धि में दीर्घकाल में योगदान करती हैं।

86. (B): हेगेल ने 1821 में अपने फिलॉसफी ऑफ राइट को प्रकाशित किया। जॉर्ज विल्हेम फ्रेडरिक हेगेल (1770-1831) एक जर्मन दार्शनिक थे। वह जर्मन आदर्शवाद के सबसे महत्वपूर्ण विद्वानों में से एक हैं और आधुनिक पश्चिमी दर्शन के संस्थापक विद्वानों में से एक हैं। उनका प्रभाव ज्ञानमीमांसा और तत्वमीमांसा से लेकर कला दर्शन, इतिहास दर्शन, धर्म दर्शन, राजनीतिक दर्शन और दर्शन के इतिहास तक समकालीन दार्शनिक मुद्दों की पूरी श्रृंखला तक विस्तृत है।

87. (B) **88. (D)**

89. (A): सांस्कृतिक क्रांति के दौरान, लाखों शिक्षित युवाओं को ग्रामीण इलाकों में काम करने और किसानों से सीखने के लिए ग्रामीण इलाकों में भेजा गया था। माओ का मानना था कि यह अंततः एक नए समाज का निर्माण करेगा जहां शहरी और ग्रामीण, मजदूरों और बुद्धिजीवियों के बीच कोई अंतर नहीं होगा।

माओ के लिए क्रांति को एक स्थायी प्रक्रिया होना था, जिसे अंतहीन वर्ग संघर्ष के माध्यम से लगातार जीवित रखा गया था। पार्टी और बौद्धिक हलकों में छिपे दुश्मनों की पहचान करके उन्हें हटाना पड़ा। ''लोगों की आत्मा को छूने वाली क्रांति'' के रूप में कल्पना की गई, सांस्कृतिक क्रांति का उद्देश्य शिक्षा, कला और साहित्य के क्षेत्रों को साम्यवादी विचारधारा के अनुरूप ढालने के लिए चार पुराने-पुराने विचारों, पुरानी संस्कृति, पुराने रीति-रिवाजों और पुरानी आदतों पर हमला करना था। जिस किसी भी चीज के सामंती या बुर्जुआ होने का संदेह था, उसे नष्ट कर दिया जाना था।

90. (B) **91. (B)** **92. (D)**
93. (C) **94. (D)** **95. (C)**
96. (D) **97. (A)** **98. (C)**
99. (B) **100. (C)**

पिछले प्रश्न-पत्र (हल सहित)

National Testing Agency (NTA)

UGC-NET जूनियर रिसर्च फैलोशिप तथा सहायक प्राध्यापक परीक्षा

राजनीति शास्त्र, जून-2021

(Online exam held on 22-11-2021)

प्रश्न-पत्र-II

नोटः *इस प्रश्न-पत्र में* **सौ (100)** *बहु-विकल्पीय प्रश्न हैं। प्रत्येक प्रश्न के* **दो (2)** *अंक हैं।* **सभी** *प्रश्न अनिवार्य हैं।*

1. निम्नलिखित में से कौन-सा कथन सत्य है?

A. मनुष्य को सामाजिक हित के विरुद्ध कोई अधिकार नहीं दिए जा सकते हैं

B. अधिकार प्रदान करने का सामाजिक हित से कोई संबंध नहीं है

C. अधिकारों का स्वरूप समाजविरोधी हो सकता है

D. अधिकार स्वार्थी दावे होते हैं

2. आधुनिक उदारवाद किस पहलू में विश्वास नहीं रखता है?

A. सामाजिक उदारवाद

B. सकारात्मक स्वतंत्रता

C. पालने से कब्र तक कल्याण

D. न्यूनतम राज्य

3. ''हम एक प्रकार से इतिहास के अंश के साक्षी रहे हैं यानी मानव जाति के वैचारिक विकास का अन्तिम बिंदु और मानव शासन के अंतिम रूप में पश्चिमी उदार लोकतंत्र का सार्वभौमीकरण है।'' यह किसका विचार है?

A. फ्रांसिस फूकूयामा B. डेनियल बेल

C. मिल्टन फ्रीडमैन D. ए. मैकिंटायर

4. प्रारम्भिक उदारवाद को सी.बी. मेक्फर्सन किस प्रकार अभिलक्षित किया?

A. सत्व उदारवाद B. कल्याणवादी

C. परहितवादी D. विकासात्मक

5. निम्नलिखित में से कौन-सा सिद्धांत मार्क्स से संबंधित नहीं है?

A. अलगाव का सिद्धांत

B. अतिरिक्त मूल्य का सिद्धांत

C. सर्वहारा वर्ग की तानाशाही

D. परिवार, निजी संपत्ति और राज्य का उद्भव

6. निम्नलिखित में से किसका कथन है कि जीवन एक शक्ति के बाद दूसरी शक्ति पाते रहने की सतत एवं बेचैन इच्छा है, जिसका अंत मृत्यु के साथ ही होता है?

A. अरस्तु B. मैकियावेली

C. हॉब्स D. रूसो

7. निम्नलिखित में से किस चिंतक ने 'दी आर्ट ऑफ वॉर' लिखी है?

A. मैकियावेली B. माओ

C. हॉब्स D. रूसो

8. ''क्रान्तिकारी हिंसा न केवल भेदक होती है बल्कि उपनिवेशी प्रजा को स्वयं के पुनर्निर्माण का अवसर भी प्रदान करता है।'' यह किसका कथन है?

A. हैना अरेन्ड्ट B. फ्रैंट्ज़फैनन

C. मैकियावेली D. हॉब्स

9. निम्नलिखित में से कौन पंडित दीनदयाल उपाध्याय के राजनीतिक दर्शन का भाग नहीं है?

A. अणु के रूप में मनुष्य का विचार करना

B. सांस्कृतिक राष्ट्रवाद

C. एकीकृत मानववाद

D. लोकतांत्रिक शासन

10. ''भारत में ब्रिटिश नौकरशाही के कानों में अपील करने से या गला फाड़ने से हमें कुछ नहीं मिलेगा।'' यह किसने कहा?

A. लाला लाजपत राय B. सुभाष चंद्र बोस
C. बी.आर. आंबेडकर D. बाल गंगाधर तिलक

11. भारत की नागरिकता के संदर्भ में निम्नलिखित में से कौन-सा कथन सही नहीं है?

A. नागरिकता संबंधी प्रावधान 26 नवम्बर, 1949 को लागू हुए।

B. यदि कोई व्यक्ति किसी अन्य देश की नागरिकता ले लेता है तो उसकी भारत की नागरिकता खत्म हो जाती है।

C. भारत का एक नागरिक एक साथ अन्य देश का नागरिक भी हो सकता है।

D. संसद के पास यह शक्ति है कि वह नागरिकता को ग्रहण करने और उसे खत्म करने से संबंधित प्रावधान बना सकता है।

12. पेरियार इ.वी. रामासामी ने किसके पक्ष में तर्क दिया?

A. जाति-आधारित सामाजिक व्यवस्था
B. मनुष्य की गरिमा
C. वर्ण-आश्रम व्यवस्था
D. भारत में हिंदी की प्रतिष्ठा में वृद्धि करना

13. कौन नौकरशाही को 'राज्य की चेतना' मानते थे?

A. मार्क्स B. लेनिन
C. मिलिबैंड D. पोलन्जा

14. निम्नलिखित में से कौन-सा राजनीतिक पार्टियों का कार्य नहीं है?

A. जनमत बनाना
B. सरकार और वैकल्पिक सरकार बनाना
C. जनता को राजनीतिक शिक्षा देना
D. न्यायपालिका पर नियंत्रण रखना

15. निम्नलिखित में से कौन-सी संविधानवाद की विशेषता नहीं है?

A. मूल्य-आधारित अवधारणा
B. संस्कृति-आधारित अवधारणा
C. पार्टी-आधारित अवधारणा
D. गतिशील अवधारणा

16. निम्नलिखित में से किसने हित अभिमुखीकृत प्रकार्यों और अन्य अप्रतिमानित समूह प्रकार्यों में भेद किया?

A. आमंड और पावेल B. आमंड और कोलमैन
C. जिन ब्लौंडेल D. ह्यू हेक्ले

17. निम्नलिखित में से किस बहुदेशीय निर्यात नियंत्रण प्रणाली का भारत सदस्य नहीं है?

A. मिसाइल टेक्नोलॉजी कंट्रोल रिजीम (MTCR)
B. न्यूक्लियर सप्लायर्स ग्रुप (NSG)
C. वसेनार एरेंजमेंट (WA)
D. ऑस्ट्रेलियन ग्रुप (AG)

18. निम्नलिखित में से कौन अंतर्राष्ट्रीय संबंध के नव-यथार्थवादी सिद्धांत से संबंधित केंद्रीय विषय नहीं है?

A. कर्ता अराजक परिवेश में प्रतिक्रिया करते हैं।

B. कर्ता के व्यवहार का मुख्य निर्धारक संरचना है।

C. राज्य सतत एकाधिकार पूँजीवाद की प्रक्रिया में क्रियाशील होते हैं।

D. कर्ताओं में अविश्वास और भय का होना सुरक्षा दुविधा की समस्या उत्पन्न करता है।

19. निम्नलिखित में से कौन-सा 'सतत विकास' का अभिलक्षण नहीं है?

A. अनियंत्रित विकास
B. पीढ़ीगत सभ्यता के सिद्धांत पर आधारित
C. पर्यावरण ह्रास के बिना विकास
D. भविष्य की आवश्यकताओं से समझौता किए बिना वर्तमान आवश्यकताओं को संतुष्ट करना

20. निम्नलिखित में से किस निर्भरता के सिद्धांतकार ने 'अर्ध-परिधि' की संकल्पना को जोड़ा है?

A. राउल प्रबिश
B. आंद्रे गुंडर फ्रैंक
C. हैनरकि फर्नैंडो कार्डोसो
D. इमैनुएल वॉलस्टेन

21. 2014 में प्रधानमंत्री नरेंद्र मोदी के शपथग्रहण समारोह के दौरान किस संगठन के नेताओं को आमंत्रित किया गया था?

A. आसियॉन (ASEAN)
B. सार्क (SAARC)
C. बिम्सटेक (BIMSTEC)
D. एससीओ (SCO)

22. 'भारत की प्रवासी नागरिकता (OIC)' योजना के अंतर्गत भारत के प्रवासी जनसमूह को निम्नलिखित में से क्या प्रदान नहीं किया जाता है?
A. आर्थिक क्रियाओं का अधिकार
B. नागरिकों के रूप में राजनीतिक अधिकार
C. शैक्षणिक अधिकार
D. जीवनपर्यंत वीजा (Visa) की प्राप्ति

23. 2020 में भारत ने यूएसए (USA) के साथ रक्षा सहयोग के किस समझौते पर हस्ताक्षर किए?
A. बेसिक एक्सचेंज ऐंड कोऑपरेशन एग्रीमेंट (BECA)
B. जनरल सिक्युरिटी ऑफ मिलिट्री इंफॉर्मेशन एग्रीमेंट (GSOMIA)
C. लॉजिस्टिक एक्सचेंज ऐंड मेमोरैंडम एग्रीमेंट (LEMOA)
D. कम्युनिकेशन ऐंड इंफॉर्मेशन सिक्युरिटी मेमोरैंडम एग्रीमेंट (CISMOA)

24. भारत और चीन के मध्य की सीमा रेखा का नाम बताएँ।
A. डूरंड रेखा B. रैडक्लिफ रेखा
C. मैकमोहन रेखा D. पाक स्ट्रेट

25. जब राष्ट्रपति का पद रिक्त हो जाता है, तो उपराष्ट्रपति कितने समय तक राष्ट्रपति का कार्यभार संभाल सकता है?
A. छह महीने B. एक वर्ष
C. दो वर्ष D. पाँच वर्ष

26. चुनाव आयोग (भारत के संविधान के अनुच्छेद 324) द्वारा प्राप्त चुनावों के अधीक्षण, निर्देशन और नियंत्रण की शक्ति कब से लागू हुई?
A. 26 जनवरी, 1950 B. 15 अगस्त, 1947
C. 26 नवम्बर, 1949 D. 25 जनवरी, 1950

27. कौन-से संविधान संशोधन के माध्यम से 'समाजवादी, पंथनिरपेक्ष' और 'अखंडता' शब्दों का हमारे संविधान में समावेश किया गया?
A. 40वाँ संशोधन B. 42वाँ संशोधन
C. 44वाँ संशोधन D. 46वाँ संशोधन

28. निम्नलिखित में से कौन-सा एक कार्य स्थानीय शासन से संबंधित नहीं है?
A. लोक स्वास्थ्य
B. स्वच्छता
C. लोक उपयोगी सेवाएं
D. सार्वजनिक व्यवस्था का अनुरक्षण

29. निम्नलिखित कथनों में कौन एक सामाजिक सक्रिय समूह (सोशल एक्शन ग्रुप) का अभिलक्षण नहीं है?
A. वे पक्षपाती समूह हैं
B. वे गैर-संस्थानिक संगठन हैं
C. वे गैर-स्वायत्तशासी समूह हैं जो सरकार के समर्थन पर आश्रित हैं
D. वे गैर-व्यावसायिक रचनाएं (फारमेशन्स) हैं

30. निम्नलिखित में से किसने भारत की संविधान सभा को 'भारत के सूक्ष्म चित्र' की संज्ञा दी है?
A. बी.आर. आम्बेडकर B. ग्रेनविल ऑस्टिन
C. रजनी कोठारी D. राजेंद्र प्रसाद

31. निम्नलिखित में कौन-सा, भारत में अभी के चुनावी राजनीति का अभिलक्षण नहीं है?
A. बहु-दलीय प्रथा
B. गठबंधन निर्माण
C. कांग्रेस के प्रभुत्व वाली व्यवस्था का स्थिरीकरण
D. मतदाताओं के चुनावी पसंद के प्रसार में वृद्धि

32. आत्मनिर्भर भारत अभियान निम्नलिखित में से किस तिथि को प्रारंभ किया गया था?
A. 12 मई, 2020 B. 12 अक्टूबर, 2020
C. 12 नवंबर, 2020 D. 12 दिसंबर, 2020

33. प्रसिद्ध परवर्णी शब्द 'POSDCORB' किसका बताया हुआ है?
A. हेनरी फेयोल B. मैरी पी. फोलेट
C. गुलिक और ऊर्विक D. फ्रेडरिक टेलर

34. 'रीइनवेटिंग गवर्नमेंट (1992)' किसने लिखी है?
A. राबर्ट डेनहार्ट
B. पिफ्नर और प्रेस्थस
C. ओस्बोर्न और गेब्लर
D. गॉर्डन टुलॉक

35. 'तुलनात्मक लोक प्रशासन' का जनक किसे कहा जाता है?
A. एडवर्ड विडनर B. फ्रेड रिग्स
C. फेरेल हेडी D. चेस्टर बर्नार्ड

36. 'मानव संबंध सिद्धांत' (ह्यूमेन रिलेशंस थियोरी) के बारे में निम्नलिखित कथनों में से कौन-सा सही नहीं है?

A. संगठन को सामाजिक पद्धति के रूप में देखा जाना चाहिए।

B. श्रमिक संपूर्ण मानवगत लक्षणों से संपन्न मानवीय प्राणी हैं।

C. अनौपचारिक तत्व समग्र संगठनात्मक उत्पादन में महत्वपूर्ण भूमिका का निर्वाह नहीं करते।

D. संगठन में व्यक्तिगत मूल्यों की बजाय सामाजिक मूल्य होते हैं।

37. 1989 में विश्व बैंक ने निम्नलिखित में से किस राष्ट्र के संदर्भ में 'शासन' (गवर्नेंस) की संकल्पना की थी?

A. यूनाइटेड किंग्डम B. ऑस्ट्रेलिया
C. उप-सहारा अफ्रीका D. न्यूजीलैंड

38. किसने कहा है कि "लोक प्रशासन राजनीतिक रूप से निर्धारित लक्ष्यों की निष्पत्ति है"?

A. वुडरो विल्सन B. एल.डी. व्हाइट
C. कोर्सन और हेरिस D. डिमॉक और डिमॉक

39. "बजट एक दस्तावेज है जिसमें सार्वजनिक राजस्व और व्यय की प्रारंभिक स्वीकृत योजना होती है" यह परिभाषा किसने दी है?

A. लेरॉय ब्युलिको B. रॉबर्ट वालपोल
C. रेमो स्टोर्म D. विलोगबी

40. शिकागो विचारधारा के अर्थशास्त्रियों में से सर्वाधिक प्रमुख कौन है?

A. एडम स्मिथ B. मिल्टन फ्राइडमेन
C. कार्ल मेंगर D. फ्रेडरिक हाएक

41. निम्नलिखित में से कौन सकारात्मक स्वतंत्रता का समर्थक नहीं है?

(*a*) टी.एच. ग्रीन (*b*) जॉन लॉक
(*c*) हेराल्ड लास्की (*d*) जेरेमी बेंथम

नीचे दिए गए विकल्पों में से सही उत्तर चुनें :

A. केवल (*a*) और (*b*) B. केवल (*b*) और (*d*)
C. केवल (*a*) और (*c*) D. केवल (*c*) और (*d*)

42. अनुदारवाद के मूल विश्वास हैं :

(*a*) परंपरा (*b*) पद सोपानिकी और सत्ता
(*c*) सामाजिक डार्विनवाद (*d*) सामाजिक उदारवाद

नीचे दिए गए विकल्पों में से सही उत्तर चुनें :

A. केवल (*a*) और (*c*) B. केवल (*a*) और (*b*)
C. केवल (*b*) और (*c*) D. केवल (*a*) और (*d*)

43. निम्नलिखित में से किस पहलू का बचाव जे.एस. मिल द्वारा किया गया है?

(*a*) महिलाओं के अधिकार
(*b*) बेंथम का समग्र उपयोगितावाद
(*c*) विवाहित महिला संपत्ति विधेयक
(*d*) पितृसत्तात्मकता

नीचे दिए गए विकल्पों में से सही उत्तर चुनें :

A. केवल (*a*) और (*c*) B. केवल (*b*) और (*d*)
C. केवल (*c*) और (*d*) D. केवल (*a*) और (*d*)

44. हीगल के संबंध में निम्नलिखित में से कौन-सा कथन सही है?

(*a*) राज्य पृथ्वी पर ईश्वर का अग्रसर होना है।
(*b*) हीगल महिलाओं को कमतर मानते थे, उनका मानना था कि महिलाओं की तार्किक क्षमता कम होती है।
(*c*) हीगल ने सिविल सोसाइटी की अवधारणा को अस्वीकार कर दिया।
(*d*) हीगल का विश्वास युद्ध में नहीं है।

नीचे दिए गए विकल्पों में से सही उत्तर चुनें :

A. केवल (*a*) और (*c*) B. केवल (*b*) और (*c*)
C. केवल (*c*) और (*d*) D. केवल (*a*) और (*b*)

45. निम्नलिखित में से कौन-सा कथन राजा राममोहन राय के बारे में सही नहीं है?

(*a*) वे उपनिषदों से प्रभावित थे।
(*b*) वे युक्तिवादी थे और एकेश्वरवाद के समर्थक थे
(*c*) वे नास्तिक थे।
(*d*) वे ईसाईवाद द्वारा समर्थित त्रयात्मक ईश्वरवाद के सिद्धांत के आलोचक थे।

नीचे दिए गए विकल्पों में से सही उत्तर चुनें :

A. (*a*), (*b*), (*c*) और (*d*)
B. केवल (*a*), (*b*) और (*c*)
C. केवल (*a*), (*b*) और (*d*)
D. केवल (*b*), (*c*) और (*d*)

46. निम्नलिखित में से कौन-सा कथन बाल गंगाधर तिलक के संबंध में सही है?

(*a*) उन्होंने भाषाई आधारित राज्य निर्माण की कल्पना की।

(*b*) वे अस्थिर राष्ट्रवादी और यथार्थवादी दोनों थे।

(*c*) उन्होंने सामाजिक सुधार पर राजनीतिक स्वतंत्रता को वरीयता दी।

(*d*) तिलक के लिए राजनीतिक स्वतंत्रता और अधिकारों को प्रत्यक्ष कार्रवाई और दबाव से प्राप्त किया जा सकता है।

नीचे दिए गए विकल्पों में से सबसे उपयुक्त उत्तर का चयन कीजिए :

A. (*a*), (*b*), (*c*) और (*d*)

B. केवल (*b*), (*c*) और (*d*)

C. केवल (*a*) और (*b*)

D. केवल (*c*) और (*d*)

47. श्री अरविंदो राष्ट्रवाद को किस रूप में मानते हैं?

(*a*) आध्यात्मिक राष्ट्रवाद की पाश्चात्य जनधारणा से भिन्न।

(*b*) अव्ययी के रूप में राष्ट्र।

(*c*) धार्मिक लालसा और नैतिक दृष्टिकोण के रूप में राष्ट्रवाद।

(*d*) भौगोलिक इकाई के रूप में राष्ट्र।

नीचे दिए गए विकल्पों में से सही उत्तर चुनें :

A. (*a*), (*b*), (*c*) और (*d*)

B. केवल (*a*), (*b*) और (*c*)

C. केवल (*b*) और (*c*)

D. केवल (*c*) और (*d*)

48. निम्न में से तुलनात्मक पद्धति के लिए पूर्व शर्तें हैं:

A. इकाई के चयन में एक कारक के रूप में तुलनात्मक खाका

B. खोज के केंद्र के रूप में तुलनीय अवधारणात्मक मसला

C. खोज के केंद्र की परिभाषा

D. सिद्धांत निर्माण

49. निम्नलिखित में से कौन-से कथन तुलनात्मक राजनीति में कार्ल डब्ल्यू डॉयश के संचार दृष्टिकोण से संबंधित है?

(*a*) राजनीतिक व्यवस्था सूचना के आधार पर काम करने वाली मशीन के समान है।

(*b*) उनके सिद्धांत में गतिशीलता के लिए साम्य के स्थान पर समस्थिति का प्रयोग होता है।

(*c*) संरचना और प्रकार्यवाद पर बल दिया जाता है।

(*d*) निर्णय प्रकार्यों को अधिक महत्त्व दिया जाता है।

नीचे दिए गए विकल्पों में से सही उत्तर चुनें :

A. केवल (*b*) और (*c*) B. केवल (*c*) और (*d*)

C. केवल (*a*) और (*d*) D. केवल (*a*) और (*b*)

50. निम्नलिखित में से कौन-से नव-उपनिवेशवाद के उभरने के कारण हैं?

(*a*) यूरोपीय शक्तियों की कमजोर हुई स्थिति।

(*b*) साम्राज्यवाद के विरुद्ध सचेतता में वृद्धि।

(*c*) भारत की विदेश नीति।

(*d*) जापान की विदेश नीति।

नीचे दिए गए विकल्पों में से सही उत्तर चुनें :

A. केवल (*a*) और (*b*) B. केवल (*b*) और (*c*)

C. केवल (*c*) और (*d*) D. केवल (*a*) और (*d*)

51. यू एन चार्टर में शांति की संरक्षा के लिए निम्न में से कौन-सी विशेषताएँ दी गई हैं?

(*a*) विवादों के शांतिपूर्ण निपटारे के अध्याय-VI में शांति-बहाली की प्रक्रियाएं दी गई हैं।

(*b*) अध्याय-VIII शांति बहाली गतिविधियों से संबंधित हैं।

(*c*) अध्याय-VII में विवादों के बलपूर्वक निपटारे के लिए शांति प्रवर्तन दिया गया है।

(*d*) अध्याय-IX राज्यों में आर्थिक सहयोग से संबंधित है।

नीचे दिए गए विकल्पों में से सही उत्तर चुनें :

A. केवल (*a*) और (*b*) B. केवल (*a*) और (*c*)

C. केवल (*b*) और (*c*) D. केवल (*b*) और (*d*)

52. वैश्विक प्रणाली सिद्धांत के संबंध में निम्न में से क्या सही है?

(*a*) यह मार्क्स के धन संचय के विचार से प्रभावित है।

(*b*) धन संचय के आधार पर विश्व 'केंद्र', 'परिधि' और 'अर्ध-परिधि' के बीच बंटा है।

(*c*) इसमें खिलाड़ी, रणनीतियाँ, नियम और परिणाम जैसी महत्वपूर्ण अवधारणाएं शामिल हैं।

(*d*) यह राज्यों के मध्य संघर्ष, प्रतिस्पर्धा और सहयोग की स्थिति का विश्लेषण करता है।

नीचे दिए गए विकल्पों में से सही उत्तर चुनें :

A. केवल (*a*) और (*b*) B. केवल (*b*) और (*c*)
C. केवल (*c*) और (*d*) D. केवल (*a*) और (*d*)

53. अंतर्राष्ट्रीय नीतियों में शासनकाल सिद्धांत (रिजीम थ्योरी) के संबंध में निम्न में कौन सही है?

(*a*) यह अराजक अंतर्राष्ट्रीय प्रणाली में नियम शामिल व्यवहार की विद्यमानता के लिए प्रयास है।

(*b*) वे सामूहिक सुरक्षा प्रणाली को प्रतिस्थापित करने के लिए हैं।

(*c*) प्रमुख शक्तियां इस प्रणाली के माध्यम से द्वंद्वों का समाधान करती हैं।

(*d*) उन्हें सिद्धांतों, मानकों, नियमों और निर्णय लेने की प्रक्रियाओं द्वारा परिभाषित किया गया है।

नीचे दिए गए विकल्पों में से सही उत्तर चयन कीजिए:

A. केवल (*a*) और (*b*) B. केवल (*b*) और (*c*)
C. केवल (*c*) और (*d*) D. केवल (*a*) और (*d*)

54. भारत की विदेश नीति के नियम में निम्नांकित कथनों में कौन-से सही हैं?

(*a*) भारत ने वर्ष 2015 में बांग्लादेश के साथ सीमा समझौते (एल बी ए) पर हस्ताक्षर किए हैं।

(*b*) भारत ने वर्ष 2017 में श्रीलंका में हंबनटोटा बंदरगाह के निर्माण पर सहमती व्यक्त की है।

(*c*) भारत ने वर्ष 2011 में अफगानिस्तान के साथ रणनीतिक भागीदारी समझौते (एस पी ए) पर हस्ताक्षर किए हैं।

(*d*) मालद्वीप के अब्दुल्ला यमीन (2013-2018) के शासनकाल में भारत के साथ मैत्री संबंध थे।

नीचे दिए गए विकल्पों में से सही उत्तर का चयन कीजिए:

A. केवल (*a*) और (*b*) B. केवल (*b*) और (*c*)
C. केवल (*a*) और (*c*) D. केवल (*c*) और (*d*)

55. वित्त आयोग के सन्दर्भ में इनमें से कौन-से कथन सही नहीं हैं?

(*a*) वित्त आयोग का प्रावधान संविधान की धारा-280 में उल्लिखित है।

(*b*) वित्त आयोग अध्यक्ष और दो सदस्यों का बना होना चाहिए।

(*c*) वित्त आयोग अपनी सिफारिशें संसद (लोकसभा) में प्रस्तुत करता है।

(*d*) आयोग के सदस्यों की नियुक्ति की योग्यताओं को निश्चित करने के लिए संसद प्राधिकृत है।

नीचे दिए गए विकल्पों में से सही उत्तर का चयन कीजिए:

A. केवल (*a*) और (*b*) B. केवल (*b*) और (*c*)
C. केवल (*c*) और (*d*) D. केवल (*a*) और (*d*)

56. भारतीय विदेश नीति में 'इंदिरा सिद्धांत' किससे संबंधित है?

(*a*) इसका उद्देश्य भारत को वैश्विक शक्ति बनाना है।

(*b*) यह पड़ोसी देशों के साथ सहयोग विकसित करने की नीति थी।

(*c*) इसमें भारत की सुरक्षा दक्षिण एशिया के समकक्ष प्रदर्शित की गई है।

(*d*) दक्षिण एशियाई क्षेत्र में किसी भी हस्तक्षेप को भारत की सुरक्षा में खतरा समझा जाएगा।

नीचे दिए गए विकल्पों में से सही उत्तर का चयन कीजिए:

A. केवल (*a*) और (*b*) B. केवल (*b*) और (*c*)
C. केवल (*c*) और (*d*) D. केवल (*a*) और (*d*)

57. निम्नलिखित में से कौन लोकसभा के एकमेव अधिकार हैं?

(*a*) धन विधेयक का प्रस्तुतीकरण।

(*b*) आपात्काल घोषणा की पुष्टि करना।

(*c*) मंत्रिपरिषद् के विरुद्ध अविश्वास प्रस्ताव पारित करना।

(*d*) राष्ट्रपति के विरुद्ध महाभियोग का प्रस्ताव लाना।

नीचे दिए गए विकल्पों में से सही उत्तर का चयन कीजिए:

A. केवल (*a*) और (*b*)
B. केवल (*a*) और (*c*)
C. केवल (*a*) और (*d*)
D. केवल (*a*), (*b*) और (*c*)

58. भारत के सर्वोच्च न्यायालय ने 24 अगस्त, 2017 को के.एस. पुतुस्वामी (रिटायड) बनाम भारतीय संघ मुकदमे में निर्णय दिया था कि :

(*a*) निजता के अधिकार को संविधान के अनुच्छेद 21 के जीवन और व्यक्तिगत स्वतंत्रता के अधिकार के तात्विक भाग के रूप में तथा संविधान के भाग III द्वारा दी गई आजादियों के गारंटी के माध्यम से सुरक्षा प्राप्त है।

(*b*) केंद्र सरकार को भारतीय संविधान में संशोधन करके उसमें निजता का अधिकार जोड़ना चाहिए।

(*c*) निजता के अधिकार अनुच्छेद 14 (कानून के समक्ष समानता), अनुच्छेद 19 (स्वतंत्रता का अधिकार), अनुच्छेद 21 (जीवन और व्यक्तिगत स्वतंत्रता की सुरक्षा) द्वारा सुरक्षा प्राप्त है।

(*d*) निजता का अधिकार अनुच्छेद 25 (धार्मिक आजादी का अधिकार) और अनुच्छेद 29 (अल्पसंख्यक वर्गों के हितों का संरक्षण)।

नीचे दिए गए विकल्पों में से सही उत्तर का चयन कीजिए:

A. केवल (*a*) B. केवल (*b*)

C. केवल (*a*) और (*d*) D. केवल (*c*) और (*d*)

59. निम्नलिखित में से कौन चुनावी राजनीति में वादविवाद के विषय हैं?

(*a*) इलेक्ट्रॉनिक मतदान मशीन

(*b*) एक राष्ट्र, एक चुनाव

(*c*) एक सदस्यीय निर्वाचन आयोग

(*d*) स्थानीय चुनाव लड़ने के लिए दो बच्चों के मानक को प्रारम्भ करना

नीचे दिए गए विकल्पों में से सही उत्तर का चयन कीजिए:

A. केवल (*a*) और (*b*)

B. केवल (*a*), (*b*) और (*c*)

C. केवल (*a*), (*b*) और (*d*)

D. केवल (*b*), (*c*) और (*d*)

60. भारत में श्रमिक आंदोलन किन से दुष्प्रभावित होता है?

(*a*) कम सदस्यता

(*b*) कमजोर वित्त

(*c*) अनेक संघों का होना

(*d*) विभेदीय संगठनात्मक संरचना की उपस्थिति, जैसे श्रमिकों के विभिन्न वर्गों के लिए

नीचे दिए गए विकल्पों में से सही उत्तर का चयन कीजिए:

A. केवल (*a*) और (*d*)

B. केवल (*b*) और (*c*)

C. केवल (*a*), (*b*) और (*c*)

D. (*a*), (*b*), (*c*) और (*d*)

61. मैक ग्रेगर ने अपने प्रतिष्ठित मूल पाठ "द ह्यूमेन साइड ऑफ द इंटरप्राइज" में अपनी प्रसिद्ध 'सैद्धांतिक मान्यतायें' प्रदान की हैं। निम्नलिखित में से कौन सही मान्यता है?

(*a*) आम मानव जिसकी अपेक्षाकृत कम महत्त्वाकांक्षा है, निर्देशित होना पसंद करता है और उत्तरदायित्व से दूर रहना चाहता है सुरक्षा मुख्य चिंता रहती है।

(*b*) आम मानव समुचित स्थितियों में दायित्व न केवल स्वीकार करता है बल्कि उसको प्राप्त करना भी सीखता है।

(*c*) आम मानव का कार्य करने के प्रति न केवल स्वाभाविक विरोध करता है यदि वह उस कार्य से दूर रहने में समर्थ हो, तो दूर भी रहना चाहेगा

(*d*) उत्कृष्ट प्रबंधन एक सही विज्ञान है

नीचे दिए गए विकल्पों में से सही उत्तर का चयन कीजिए:

A. केवल (*a*) और (*b*)

B. केवल (*c*) और (*d*)

C. केवल (*a*) और (*d*)

D. केवल (*a*), (*b*) और (*c*)

62. निष्पादन बजट यह दर्शाता है कि कोई सरकारी इकाई अपने लक्ष्यों और उद्देश्यों को किस सुगमता से प्राप्त करते हैं। निम्नलिखित में से कौन निष्पादन बजट के केंद्रीय बिंदु हैं?

(*a*) इसमें निष्पादन स्तरों की स्थापना तथा सूचना संग्रहण की आवश्यकता होती है।

(*b*) जो कार्य किया जाता है, उसकी मात्रा का मापन होता है।

(*c*) उस कार्य की गुणवत्ता अथवा उसके परिणाम का मापन होता है।

(*d*) इसका इस बात पर प्रभाव पड़ता है कि किसी विभाग को भविष्य में कितना पैसा प्राप्त होगा।

नीचे दिए गए विकल्पों में से सही उत्तर का चयन कीजिए:

A. केवल (*a*), (*b*) और (*c*)

B. केवल (*b*) और (*c*)

C. केवल (*a*), (*b*), (*c*) और (*d*)

D. केवल (*c*) और (*d*)

63. निम्नलिखित में से कौन-से मैरी पी. फॉलेट के उन्नत विचार हैं?

(*a*) प्रकार्यात्मक फोरमैनी (*b*) रचनात्मक द्वंद्व

(*c*) स्वीकृति क्षेत्र (*d*) एकीकरण (इंटेगरेशन)

नीचे दिए गए विकल्पों में से सही उत्तर का चयन कीजिए:

A. केवल (*a*) और (*b*) B. केवल (*b*) और (*c*)

C. केवल (*c*) और (*d*) D. केवल (*b*) और (*d*)

64. निम्नलिखित में से कौन "नव दक्षिण पंथी सिद्धांत" (न्यू राइट आइडियोलॉजी) को मानने वाली विचारधारा स्कूल है?

(*a*) ऑस्ट्रियन स्कूल

(*b*) शिकागो स्कूल

(*c*) फ्रैंकफर्ट स्कूल

(*d*) न्यूयार्क स्कूल

नीचे दिए गए विकल्पों में से सही उत्तर का चयन कीजिए:

A. केवल (*a*) और (*b*) B. केवल (*a*) और (*d*)

C. केवल (*b*) और (*c*) D. केवल (*a*) और (*c*)

65. निम्नलिखित में से कौन मजदूरी वृद्धि और अवसंरचना विकास के कार्यक्रम थे/हैं?

(*a*) क्रैश स्कीम ऑफ रूरल इम्प्लॉयमेंट (ग्रामीण रोजगार क्रैश योजना)

(*b*) राष्ट्रीय ग्रामीण रोजगार गारंटी कार्यक्रम

(*c*) ग्रामीण भूमिहीन रोजगार गारंटी कार्यक्रम

(*d*) कृषि विज्ञान पद्धति में परिवर्तन

नीचे दिए गए विकल्पों में से सही उत्तर का चयन कीजिए:

A. केवल (*a*) और (*b*)

B. केवल (*a*) और (*d*)

C. केवल (*a*), (*b*) और (*c*)

D. केवल (*b*) और (*c*)

66. सूची-I के साथ सूची-II का मिलान कीजिए :

सूची-I	सूची-II
(*a*) कैथरीन मैकीनन	(*i*) फेमिनिज्म इज फॉर एवरीबॉडी
(*b*) सुजैन मोलर ऑकिन	(*ii*) द डॉयलेक्टिक ऑफ सेक्स
(*c*) एस. फायर्सटिन	(*iii*) टूवार्ड्स ए फेमिनिस्ट थ्योरी ऑफ स्टेट
(*d*) बेल हुक	(*iv*) जस्टिस, जेंडर एंड द फैमिली

नीचे दिए गए विकल्पों में से सही उत्तर का चयन कीजिए:

	(*a*)	(*b*)	(*c*)	(*d*)
A.	(*i*)	(*ii*)	(*iii*)	(*iv*)
B.	(*iii*)	(*iv*)	(*ii*)	(*i*)
C.	(*iv*)	(*iii*)	(*ii*)	(*i*)
D.	(*ii*)	(*i*)	(*iii*)	(*iv*)

67. सूची-I के साथ सूची-II का मिलान कीजिए :

सूची-I	सूची-II
(*a*) ब्यूरोक्रेटिक टेरर	(*i*) फ्रांज फेनेन
(*b*) कल्चरल रिवोल्यूशन	(*ii*) प्लेटो
(*c*) अपार्थिड	(*iii*) माओ जिदांग
(*d*) एलिगोरी ऑफ केव्स	(*iv*) हाना अरेन्ट

नीचे दिए गए विकल्पों में से सही उत्तर का चयन कीजिए:

	(*a*)	(*b*)	(*c*)	(*d*)
A.	(*iv*)	(*iii*)	(*i*)	(*ii*)
B.	(*ii*)	(*i*)	(*iii*)	(*iv*)
C.	(*i*)	(*ii*)	(*iii*)	(*iv*)
D.	(*iii*)	(*iv*)	(*i*)	(*ii*)

68. सूची-I के साथ सूची-II का मिलान कीजिए :

सूची-I (पुस्तक)	सूची-II (लेखक)
(*a*) फतवा-ए-जहानदारी	(*i*) चार्ल्स बेटलेहाइम
(*b*) थॉट्स ऑन लिंग्विस्टिक्स स्टेट्स	(*ii*) एम. एन. रॉय
(*c*) इंडिया इंडिपेनडेंट	(*iii*) जिया बरानी
(*d*) द फ्यूचर ऑफ इंडियन पॉलिटिक्स	(*iv*) बी.आर. अम्बेडकर

नीचे दिए गए विकल्पों में से सही उत्तर का चयन कीजिए:

	(*a*)	(*b*)	(*c*)	(*d*)
A.	(*i*)	(*iii*)	(*ii*)	(*iv*)
B.	(*iii*)	(*iv*)	(*i*)	(*ii*)
C.	(*ii*)	(*i*)	(*iii*)	(*iv*)
D.	(*iv*)	(*ii*)	(*i*)	(*iii*)

69. सूची-I के साथ सूची-II का मिलान कीजिए :

सूची-I (लेखक)	सूची-II (पुस्तक)
(*a*) लार्ड ब्राइस	(*i*) कम्पेरेटिव पॉलिटिक्स– एक डेवेलपमेंटल अप्रोच
(*b*) ग्राहम वॉलेस	(*ii*) न्यू आस्पेक्ट्स ऑफ पॉलिटिक्स
(*c*) गैब्रील अल्मांड	(*iii*) माडर्न डेमोक्रेसिज
(*d*) चार्ल्स ई. मेरियम	(*iv*) ह्यूमन नेचर इन पॉलिटिक्स

नीचे दिए गए विकल्पों में से सही उत्तर का चयन कीजिए:

	(*a*)	(*b*)	(*c*)	(*d*)
A.	(*i*)	(*ii*)	(*iii*)	(*iv*)

B. (*iii*) (*iv*) (*i*) (*ii*)
C. (*iv*) (*iii*) (*ii*) (*i*)
D. (*ii*) (*i*) (*iv*) (*iii*)

70. सूची-I के साथ सूची-II का मिलान कीजिए :

सूची-I	सूची-II
(*a*) साल्ट-I	(*i*) 1987
(*b*) साल्ट-II	(*ii*) 1990
(*c*) स्टार्ट-I	(*iii*) 1979
(*d*) आई. एन. एफ. ट्रीटी	(*iv*) 1972

नीचे दिए गए विकल्पों में से सही उत्तर का चयन कीजिए:

	(*a*)	(*b*)	(*c*)	(*d*)
A.	(*iv*)	(*iii*)	(*ii*)	(*i*)
B.	(*iii*)	(*ii*)	(*i*)	(*iv*)
C.	(*ii*)	(*iii*)	(*iv*)	(*i*)
D.	(*i*)	(*ii*)	(*iii*)	(*iv*)

71. सूची-I के साथ सूची-II का मिलान कीजिए :

सूची-I	सूची-II
(*a*) बेसिक एक्सचेंज एण्ड कोऑपरेशन अग्रीमेंट	(*i*) 2004
(*b*) इंडो-यू.एस. सिविल न्यूक्लियर डील	(*ii*) 2002
(*c*) हाई टेक्नोलॉजी को-ऑपरेशन ग्रुप	(*iii*) 2020
(*d*) नेक्स्ट स्टेप्स इन स्ट्रेटेजिक पार्टनरशिप	(*iv*) 2005

नीचे दिए गए विकल्पों में से सही उत्तर का चयन कीजिए:

	(*a*)	(*b*)	(*c*)	(*d*)
A.	(*i*)	(*iii*)	(*iv*)	(*ii*)
B.	(*ii*)	(*i*)	(*iii*)	(*iv*)
C.	(*iv*)	(*ii*)	(*iii*)	(*i*)
D.	(*iii*)	(*iv*)	(*ii*)	(*i*)

72. सूची-I के साथ सूची-II का मिलान कीजिए :

सूची-I (सरकार के स्वरूप)	सूची-II (अनिवार्य विशेषताएं)
(*a*) मंत्रिमंडलीय सरकार	(*i*) शक्तियों का वियोजन
(*b*) अध्यक्षात्मक सरकार	(*ii*) सामूहिक उत्तरदायित्व
(*c*) संघात्मक सरकार	(*iii*) शक्तियों का केन्द्रीकरण
(*d*) एकात्मक सरकार	(*iv*) शक्तियों का विभाजन

नीचे दिए गए विकल्पों में से सही उत्तर का चयन कीजिए:

	(*a*)	(*b*)	(*c*)	(*d*)
A.	(*iii*)	(*iv*)	(*i*)	(*ii*)
B.	(*ii*)	(*i*)	(*iv*)	(*iii*)
C.	(*i*)	(*ii*)	(*iii*)	(*iv*)
D.	(*iv*)	(*iii*)	(*ii*)	(*i*)

73. सूची-I के साथ सूची-II का मिलान कीजिए :

सूची-I (रचनाकार)	सूची-II (पुस्तक)
(*a*) रवीन्द्र रे	(*i*) द नक्सलाइट्स एंड देयर आइडियोलॉजी
(*b*) आशीष कुमार रॉय	(*ii*) द स्प्रिंग थंडर एंड आफ्टर
(*c*) कैरोल स्पेरी	(*iii*) जेंडर, डेवलपमेंट एंड द स्टेट इन इंडिया
(*d*) संजय कुमार (स.)	(*iv*) इंडियन यूथ एंड एजुकेशनल पॉलिटिक्स

नीचे दिए गए विकल्पों में से सही उत्तर का चयन कीजिए:

	(*a*)	(*b*)	(*c*)	(*d*)
A.	(*i*)	(*ii*)	(*iii*)	(*iv*)
B.	(*ii*)	(*i*)	(*iv*)	(*iii*)
C.	(*iii*)	(*iv*)	(*ii*)	(*i*)
D.	(*iv*)	(*iii*)	(*i*)	(*ii*)

74. सूची-I के साथ सूची-II का मिलान कीजिए :

सूची-I	सूची-II
(*a*) डिसीजन मेकिंग	(*i*) फ्रेड रिग्स
(*b*) इकोलॉजिकल अप्रोच	(*ii*) एडवार्ड वेडनर
(*c*) न्यू पब्लिक एडमिनिस्ट्रेशन	(*iii*) हर्बर्ट सिमोन
(*d*) डेवेलपमेंट एडमिनिस्ट्रेशन	(*iv*) मिन्नोब्रूक कॉन्फ्रेंस 1968

नीचे दिए गए विकल्पों में से सही उत्तर का चयन कीजिए:

	(*a*)	(*b*)	(*c*)	(*d*)
A.	(*i*)	(*ii*)	(*iii*)	(*iv*)
B.	(*iii*)	(*i*)	(*iv*)	(*ii*)
C.	(*ii*)	(*iii*)	(*iv*)	(*i*)
D.	(*iv*)	(*iii*)	(*i*)	(*ii*)

75. सूची-I के साथ सूची-II का मिलान कीजिए :

सूची-I	सूची-II
(*a*) इंश्यूरैंस रेग्यूलेट्री एंड डेवलपमेंट अथॉरिटी एक्ट	(*i*) 1988

(*b*) रिजर्व बैंक ऑफ इंडिया एक्ट (*ii*) 2003

(*c*) फिस्कल रिस्पॉन्सिबिलिटी एंड बजट मैनेजमेंट एक्ट (*iii*) 1999

(*d*) प्रीवेंशन ऑफ करप्शन (अमेंडमेंट) एक्ट (*iv*) 1934

नीचे दिए गए विकल्पों में से सही उत्तर का चयन कीजिए:

	(*a*)	(*b*)	(*c*)	(*d*)
A.	(*iii*)	(*iv*)	(*ii*)	(*i*)
B.	(*i*)	(*ii*)	(*iii*)	(*iv*)
C.	(*iv*)	(*iii*)	(*ii*)	(*i*)
D.	(*ii*)	(*iv*)	(*iii*)	(*i*)

76. विभिन्न चरणों में नारीवादी आंदोलन के विचारधारा संबंधी केंद्रीय विचार को कालक्रमानुसार व्यवस्थित कीजिए :

(*a*) महिलाओं को मताधिकार देने पर बल

(*b*) सामाजिक तथा आर्थिक समानता पर बल

(*c*) संस्कृति तथा सन्दर्भ पर बल

(*d*) पर्यावरण-नारीवाद (इको फेमिनिज्म) पर बल

नीचे दिए गए विकल्पों में से सही उत्तर का चयन कीजिए:

A. (*a*), (*b*), (*c*), (*d*) B. (*d*), (*c*), (*b*), (*a*)
C. (*b*), (*c*), (*d*), (*a*) D. (*c*), (*b*), (*a*), (*d*)

77. हनान अरेन्डट की रचनाओं को आरोही क्रम में व्यवस्थित कीजिए :

(*a*) द ओरिजिन्स ऑफ टोटलिटेरिअनिज्म

(*b*) द ह्यूमन कंडीशन

(*c*) ऑन रिवॉल्यूशन

(*d*) ऑन वायलेंस

नीचे दिए गए विकल्पों में से सही उत्तर का चयन कीजिए:

A. (*b*), (*c*), (*a*), (*d*) B. (*d*), (*b*), (*c*), (*a*)
C. (*a*), (*b*), (*c*), (*d*) D. (*c*), (*b*), (*a*), (*d*)

78. बी.आर. अम्बेडकर द्वारा लिखित निम्नलिखित पुस्तकों को उनके आरोही क्रम में व्यवस्थित कीजिए :

(*a*) गांधी एंड गांधीज्म

(*b*) द प्रॉब्लेम ऑफ द रूपी : इट्स ओरिजिन एंड इट्स सोल्यूशन

(*c*) द बुद्ध एंड हिज धम्म

(*d*) द राइज एंड फॉल ऑफ हिन्दू वूमैन

नीचे दिए गए विकल्पों में से सही उत्तर का चयन कीजिए:

A. (*a*), (*b*), (*c*), (*d*) B. (*b*), (*d*), (*c*), (*a*)
C. (*d*), (*a*), (*b*), (*c*) D. (*c*), (*b*), (*d*), (*a*)

79. निम्नलिखित पुस्तकों को उनके प्रकाशन के कालक्रम में व्यवस्थित कीजिए :

(*a*) जेम्स सी. चार्ल्सवर्थ, की कंटेम्पररी पॉलिटिकल एनालिसिस

(*b*) राबर्ट ए. डहल की मॉडर्न पॉलिटिकल एनालिसिस

(*c*) ए. एफ बेंटले की द प्रोसेस ऑफ गवर्नमेंट

(*d*) डेविड एस्टन की ए सिस्टम एनालाइसिस ऑफ पॉलिटिकल लाइफ

नीचे दिए गए विकल्पों में से सही उत्तर का चयन कीजिए:

A. (*a*), (*b*), (*c*), (*d*) B. (*b*), (*d*), (*c*), (*a*)
C. (*c*), (*b*), (*a*), (*d*) D. (*d*), (*c*), (*b*), (*a*)

80. निम्नलिखित अंतर्राष्ट्रीय संधियों को कालक्रमानुसार व्यवस्थित कीजिए :

(*a*) संयुक्त राष्ट्र संघ का चार्टर

(*b*) वेस्टफालीया की संधि

(*c*) वर्साय की संधि

(*d*) यूट्रेच की संधियां

नीचे दिए गए विकल्पों में से सही उत्तर का चयन कीजिए:

A. (*a*), (*b*), (*c*), (*d*) B. (*c*), (*b*), (*d*), (*a*)
C. (*b*), (*d*), (*c*), (*a*) D. (*c*), (*a*), (*d*), (*b*)

81. भारत द्वारा हस्तांक्षर किए गए निम्नलिखित समझौतों को उनके प्रकटन के क्रम में व्यवस्थित कीजिए :

(*a*) भू-सीमा समझौता

(*b*) ताशकंद समझौता

(*c*) मास्को टेस्ट बैन ट्रिटि

(*d*) भारत रूस मैत्री संधि

नीचे दिए गए विकल्पों में से सही उत्तर का चयन कीजिए:

A. (*c*), (*b*), (*d*), (*a*) B. (*b*), (*c*), (*a*), (*d*)
C. (*a*), (*c*), (*b*), (*d*) D. (*c*), (*d*), (*a*), (*b*)

82. निम्नलिखित को कालक्रमानुसार व्यवस्थित कीजिए :

(*a*) कम्यूनल अवार्ड

(*b*) साइमन कमीशन

(*c*) प्रथम गोलमेज सम्मेलन

(*d*) गांधी-इर्विन वार्ता

नीचे दिए गए विकल्पों में से सही उत्तर का चयन कीजिए:

A. (*a*), (*b*), (*c*), (*d*) B. (*b*), (*c*), (*d*), (*a*)
C. (*c*), (*d*), (*a*), (*b*) D. (*d*), (*a*), (*b*), (*c*)

83. निम्नलिखित मजदूर संघों (लेबर यूनियनों) को उनके गठन के वर्ष के अवरोही क्रम में व्यवस्थित कीजिए :

(*a*) इनटेक (INTUC)
(*b*) अहमदाबाद वस्त्र श्रमिक संघ (अहमदाबाद टेक्सटाइल लेबर एसोसिएशन)
(*c*) भारतीय मजदूर संघ
(*d*) बम्बे मिल हैंड्स एसोसिएशन

नीचे दिए गए विकल्पों में से सही उत्तर का चयन कीजिए:

A. (*c*), (*a*), (*b*), (*d*) B. (*a*), (*b*), (*d*), (*c*)
C. (*d*), (*a*), (*c*), (*b*) D. (*b*), (*d*), (*a*), (*c*)

84. रेनसीस लिकर्ट ने संगठन के स्तर तथा नियंत्रण के स्वरूप के आधार पर प्रबंधन की पद्धतियों की पहचान की है। उन्हें दक्षता के आरोही क्रम में व्यवस्थित कीजिए :

(*a*) हितकारी सत्तावादी
(*b*) विमर्शकारी नेतृत्त्व
(*c*) सहभागी
(*d*) शोषणकाल सत्तावादी

नीचे दिए गए विकल्पों में से सही उत्तर का चयन कीजिए:

A. (*a*), (*b*), (*c*), (*d*) B. (*d*), (*a*), (*b*), (*c*)
C. (*c*), (*b*), (*a*), (*d*) D. (*b*), (*a*), (*c*), (*d*)

85. निम्नलिखित पुस्तकों को उनके प्रकाशन के वर्ष के अनुसार व्यवस्थित कीजिए :

(*a*) ड्रोर, येहेपान्केल "पब्लिक पॉलिसी मेकिंग रिएक्जामिंड"
(*b*) डाई, थॉमस आर. "अंडरस्टैंडिंग पब्लिक पॉलिसी"
(*c*) भट्टाचार्य, मोहित, "न्यू होराइजन्स ऑफ पब्लिक एडमिनिस्ट्रेशन"
(*d*) एंडर्सन, जेम्स ई, "पब्लिक पॉलिसी मेकिंग"

नीचे दिए गए विकल्पों में से सही उत्तर का चयन कीजिए:

A. (*a*), (*b*), (*c*), (*d*) B. (*b*), (*d*), (*c*), (*a*)
C. (*b*), (*a*), (*d*), (*c*) D. (*d*), (*c*), (*a*), (*b*)

86. नीचे दो कथन दिए गए हैं : एक अभिकथन (A) के रूप में लिखित है तो दूसरा उसके कारण (R) के रूप में :

अभिकथन (A) : बी.आर. अम्बेडकर वर्तमान संघीय ढाँचे के आलोचक थे।

कारण (R) : अम्बेडकर के अनुसार, स्थानीय स्व-शासन के पास वास्तव में न तो विधायी शक्तियां हैं और न ही कार्यकारी शक्तियां।

उपरोक्त कथनों के आलोक में नीचे दिए गए विकल्पों में से सबसे उपयुक्त उत्तर का चयन कीजिए :

A. (A) और (R) दोनों सही हैं और (R), (A) की सही व्याख्या है
B. (A) और (R) दोनों सही हैं, लेकिन (R), (A) की सही व्याख्या नहीं है
C. (A) सही है, लेकिन (R) सही नहीं है
D. (A) सही नहीं है, लेकिन (R) सही है

87. नीचे दो कथन दिए गए हैं : एक अभिकथन (A) के रूप में लिखित है तो दूसरा उसके कारण (R) के रूप में :

अभिकथन (A) : जॉन लॉक स्वत्वात्मक व्यक्तिवादी प्रदर्शित किया गया है।

कारण (R) : जॉन लॉक केवल हितों की वृद्धि के पक्षधर नहीं थे।

उपरोक्त कथनों के आलोक में नीचे दिए गए विकल्पों में से सबसे उपयुक्त उत्तर का चयन कीजिए :

A. (A) और (R) दोनों सही हैं और (R), (A) की सही व्याख्या है
B. (A) और (R) दोनों सही हैं, लेकिन (R), (A) की सही व्याख्या नहीं है
C. (A) सही है, लेकिन (R) सही नहीं है
D. (A) सही नहीं है, लेकिन (R) सही है

88. नीचे दो कथन दिए गए हैं :

कथन (I) : शांति और सुरक्षा संबंधी मामलों पर संयुक्त राष्ट्र संघ के पाँच स्थायी सदस्यों सहित दो-तिहाई सदस्यों के बहुमत से निर्णय लिया जाता है।

कथन (II) : यू.एन. सुरक्षा परिषद पर्याप्त रूप में विश्व के सभी क्षेत्रों का प्रतिनिधित्व करता है।

उपरोक्त कथनों के आलोक में नीचे दिए गए विकल्पों में से सबसे उपयुक्त उत्तर का चयन कीजिए :

A. कथन I और II दोनों सत्य हैं
B. कथन I और II दोनों असत्य हैं
C. कथन I सत्य है, लेकिन कथन II असत्य है
D. कथन I असत्य है, लेकिन कथन II सत्य है

89. नीचे दो कथन दिए गए हैं : एक अभिकथन (A) के रूप में लिखित है तो दूसरा उसके कारण (R) के रूप में :

अभिकथन (A) : भारत वैश्विक परमाणु निःशस्त्रीकरण का समर्थन करता है, परन्तु उसकी इच्छा हैं कि वह 'विश्वसनीय न्यूनतम प्रतिरोध' का विकल्प भी रखें।

कारण (R) : भारतीय परमाणु नीति उसकी वैश्विक और क्षेत्रीय चिंताओं को दूर करने पर केंद्रित है।

उपरोक्त कथनों के आलोक में नीचे दिए गए विकल्पों में से सबसे उपयुक्त उत्तर का चयन कीजिए :

A. (A) और (R) दोनों सही हैं और (R), (A) की सही व्याख्या है
B. (A) और (R) दोनों सही हैं, लेकिन (R), (A) की सही व्याख्या नहीं है
C. (A) सही है, लेकिन (R) सही नहीं है
D. (A) सही नहीं है, लेकिन (R) सही है

90. नीचे दो कथन दिए गए हैं : एक अभिकथन (A) के रूप में लिखित है तो दूसरा उसके कारण (R) के रूप में :

अभिकथन (A) : जिन परिस्थितियों में संघीय इकाइयों को एकजुट रखने के लिए केंद्र शक्ति के 'हस्तांतरण' के लिए तैयार हुआ, उनके कारण भारत 'एकजुट रखनेवाले' संघ का दृष्टांत है।

कारण (R) : गठबंधन युग और केंद्र में कमजोर सरकारों के होने के साथ शक्ति विभाजन की इस असममिति के कारण राज्यों द्वारा स्वायत्तता की माँग की जाने लगी।

उपरोक्त कथनों के आलोक में नीचे दिए गए विकल्पों में से सबसे उपयुक्त उत्तर का चयन कीजिए :

A. (A) और (R) दोनों सही हैं और (R), (A) की सही व्याख्या है
B. (A) और (R) दोनों सही हैं, लेकिन (R), (A) की सही व्याख्या नहीं है
C. (A) सही है, लेकिन (R) सही नहीं है
D. (A) सही नहीं है, लेकिन (R) सही है

निर्देश (प्र.सं. 91 से 95 तक) : *निम्नलिखित गद्यांश को पढ़िए तथा नीचे दिए गए प्रश्नों के उत्तर दीजिए :*

अन्य अनेक क्षेत्रों की तरह मार्क्स ने महिलाओं के विषय में भी हीगेल से प्रारंभ किया। हीगेल महिलाओं को कमतर मानते थे। उनका मानना था कि महिलाओं में अपेक्षाकृत कम तार्किक योग्यता होती है और पुरुष तथा महिला में प्राकृतिक अंतर अपरिवर्तनीय है। मार्क्स ने महिलाओं की भूमिका तथा स्थिति के बारे में अधिक नहीं कहा। उन्होंने यह पक्का मान लिया था कि समाजवाद नारी को मुक्ति प्रदान करेगा। उन्होंने अपनी रचना 'जर्मन आइडियॉलॉजी' तथा 'कैपिटल' में परिवार में श्रम के प्राकृतिक तथा स्वतः प्रवर्तित विभाजन की बात कही है। इन्हीं प्राकृतिक संबंधों ने सामाजिक संबंध का प्रशस्त किया तथा प्रथम संपत्ति-संबंध तब बना जब पुरुष ने अपनी पत्नी तथा बच्चों को अपना दास माना।

पुरुष को उनके ऊपर अधिकार होता है और वह जैसा चाहे उनसे काम करा सकता था, यद्यपि मार्क्स ने यह स्पष्ट नहीं किया कि यह सब कैसे हुआ। मार्क्स ने महिलाओं की स्थिति तथा भूमिका पर ध्यान केंद्रित नहीं किया।

ऐंलिज्स ने अपनी कृति 'ऑरिजिन्स' में पित्रात्मक सत्ता' के उद्भव का भौतिकवादी दृष्टिकोण प्रस्तुत किया है तथा नारी की आश्रितता का संबंध निजी संपत्ति के उत्थान से जोड़ा है। अपनी रचना 'होली फैमिली' में मार्क्स तथा ऐंजिल्स का अवलोकन था कि नारी मुक्ति की अवस्था का उपयोग ऐसे मानक के रूप में किया जा सकता है। जिसके द्वारा कोई सामान्य मुक्ति को माप सकता है। मार्क्स ने इस विचार का डॉ. एल. कुगेलमन को लिखे एक पत्र में भी पुनः व्यक्त किया है कि सामाजिक प्रगति का सही-सही मूल्यांकन महिलाओं की स्थिति द्वारा किया जा सकता है। वर्ष 1845 में मार्क्स ने परिवार पर इसके विशिष्ट ऐतिहासिक वातावरण पर ध्यान दिए बिना विचार करने के विरुद्ध चेताया है। मैक्स स्टिर्नर (1805-1856) की आलोचना करते हुए मार्क्स ने टिप्पणी की थी कि बिना शर्त परिवार के बारे में चर्चा करना भ्रामक होगा। ऐतिहासिक रूप से बुर्जुआ लोगों ने बुर्जुआ परिवार की विशिष्टता प्रदान की, जिसमें संबंध ऊबाऊपन तथा पैसे पर आधारित था।

91. कार्ल मार्क्स के अनुसार, नारी मुक्ति का निर्धारण निम्नलिखित में से किसके द्वारा किया जा सकता है?

A. श्रम का विभाजन   B. उत्पादन के साधन

C. वर्ग विशिष्टता   D. सामान्य मुक्ति

92. मार्क्स के पूर्व किस राजनीतिक चिंतक की रचनाओं में लिंग के प्रति पूर्वाग्रह मिलता है?

A. हीगल   B. जे.एस. मिल

C. प्लेटो   D. मैरी वोल्सटनक्राफ्ट

93. ऐंजिल्स की पुस्तक "ऑरिजिन्स" का पूरा नाम क्या है?

A. द ऑरिजिन्स ऑफ फैमिली एंड द स्टेट

B. द ऑरिजिन्स ऑफ फैमिली एंड प्राइवेट प्रॉपर्टी

C. द ऑरिजिन्स ऑफ द फैमिली, प्राइवेट प्रॉपर्टी एंड द स्टेट

D. द ऑरिजिन्स ऑफ फैमिली एंड स्टेट प्रॉपर्टी

94. परिवार में महिलाओं की सामाजिक स्थिति का निर्धारण परिवार के किस प्रकृति द्वारा किया जा सकता है?

A. शैक्षिक पृष्ठभूमि

B. ऐतिहासिक वातावरण

C. परिवार के सदस्यों की संख्या

D. परिवार की आय

95. मार्क्सवादी दर्शन में नारी मुक्ति के संबंध में सामान्य समझ क्या है?

A. मार्क्स ने महिलाओं की स्थिति बहुत सही समझी थी

B. मार्क्स ने महिलाओं की स्थिति का विश्लेषण समाजवाद से बाहर नहीं किया है

C. वर्ग विभाजन के कारण महिलाओं को निम्नतर दर्जा मिला

D. पुरुषों तथा महिलाओं को समान दर्जा मिला था

निर्देश (प्र.सं. 96 से 100 तक) : *निम्नलिखित गद्यांश को ध्यानपूर्वक पढ़िए और नीचे दिए गए प्रश्नों के उत्तर दीजिए :*

1990 के दशक के दौरान भारतीय राज्य का अपने प्रवासी जनसमूह के साथ संबंध का प्रश्न—जिसके विषय में पहले मान लिया गया था कि इसका कमोबेश हल हो चुका है—एक बार पुनः – नीति-संबंधी बहस में आगे बढ़कर आया। प्रवासी समुदायों में, विशेषकर संयुक्त राज्य अमेरिका में, होनेवाले घटनाक्रम में इस प्रक्रिया को सुगम कर दिया। इन घटनाओं में प्रमुख थे 1989 में 'ग्लोबल ऑर्गेनाइजेशन ऑफ पीपल ऑफ इंडियन ओरिजिन' (GOPIO) का बनाया जाना और 1993 में अमेरिकी कांग्रेस के अंदर 'इंडिया कॉकस' की स्थापना जबकि पहले संगठन ने विभिन्न समुदायों के हितों को एक सूत्र में बाँधने का प्रयास किया, दूसरे संगठन ने इसकी संभावना जताई कि भारतीय प्रवासी-समूह का कम-से-कम एक वर्ग ऐसा हो सकता है जो अपने नए अपनाए गए देश में सचेतन राजनीतिक अभिकर्ता हो। उदाहरण के लिए GOPIO के सदस्यों ने 1990 के दशक के मध्य में भारत सरकार के साथ हुई अपनी बैठकों में 'पर्सन ऑफ इंडियन ऑरिजिन' (PIO) कार्ड का विचार प्रस्तावित कर प्रवासी समूह के विशेष स्थान को संस्थागत मान्यता देने के प्रश्न को जीवित रखा। संयुक्त राज्य अमेरिका के अंदर भारतीय मूल के राजनीतिक रूप से सक्रिय लॉबीकर्ता भारतीय सरकार के वस्तुत प्रवक्ता बन गए, विशेषकर 1998 के नाभिकीय परीक्षणों के बाद की परिस्थिति में संयुक्त राज्य अमेरिका द्वारा परीक्षणों के बाद लगाए गए आर्थिक प्रतिबंधों को कम करने में इन समूहों के समर्थन को, और साथ ही प्रतिबंधों को सह सकने के लिए नाभिकीय परीक्षणों के तुरंत बाद भारत सरकार द्वारा जारी किए गए 'रिसर्जेंट इंडिया' बांडों के प्रति दिखाए गए उनके उत्साह को, इसका महत्वपूर्ण द्योतक माना गया कि प्रवासी समूह स्वदेश के लिए सतत प्रतिबद्ध है। यह ऐसी प्रतिबद्धता थी जिसे भारतीय सरकार के अनुसार नए सहस्राब्दी में औपचारिक रूप में मान्यता प्रदान किया जाना आवश्यक था।

96. भारत के विदेश नीति निर्माताओं के लिए भारतीय प्रवासी समूह पर हो रही बहस को क्यों प्रमुखता मिली?

A. यू.एस.ए. की बदली हुई राजनीतिक परिस्थिति के कारण

B. पश्चिमी एशिया के प्रति भारत का आर्थिक रुझान

C. भारतीय समुदाय में पुनरुत्थान

D. भारत में वैश्वीकरण प्रक्रिया की मजबूरियां

97. 'ग्लोबल ऑर्गेनाइजेशन ऑफ पीपल ऑफ इंडियन ऑरिजिन' (GOPIO) का कार्य क्या रहा है?

A. प्रवासी भारतीयों की माँगों को मुखरता प्रदान करना

B. भारतीय मूल के विभिन्न लोगों के मुखरीकृत हितों का प्रतिनिधित्व करना

C. भारतीय संस्कृतिक क्रियाकलापों में वृद्धि

D. बॉलीवुड और हॉलीवुड के बीच संबंध

98. 'इंडिया कॉकस' का मुख्य कार्य क्या है?

A. यू.एस. के नीति-निर्माण को भारत के पक्ष में प्रभावित करना

B. भारतीय मूल के व्यक्तियों (PIOs) का संघ बनाना

C. PIOs और सरकार के बीच कड़ी का काम करना

D. भारतीय सरकार को प्रतिक्रिया (फीडबैक) देना

99. भारत सरकार द्वारा 'PIO कार्ड' जारी किए जाने का विचार किस संगठन ने दिया?

A. GOPIO B. इंडिया कॉकस

C. भारत-यूएस संघ D. एन.आर.आई. संघ

100. 1990 के दशक के अंत में PIO पर महत्त्वपूर्ण ध्यान क्यों दिया गया?

A. भारत और यूएस के बीच बढ़ता हुआ आर्थिक सहयोग

B. भारत-यूएस नाभिकीय असैन्य सौदा

C. पोखरण-II और अमेरिकी प्रतिबन्ध

D. भारत-अमेरिका रक्षा सौदा

उत्तरमाला

1	2	3	4	5	6	7	8	9	10
A	D	A	A	D	C	A	B	A	D
11	**12**	**13**	**14**	**15**	**16**	**17**	**18**	**19**	**20**
C	B	A	D	C	B	B	C	A	D
21	**22**	**23**	**24**	**25**	**26**	**27**	**28**	**29**	**30**
B	B	A	C	A	C	B	D	C	B
31	**32**	**33**	**34**	**35**	**36**	**37**	**38**	**39**	**40**
C	A	C	C	B	C	C	A	C	B
41	**42**	**43**	**44**	**45**	**46**	**47**	**48**	**49**	**50**
B	B	A	D	C	A	B	B	D	A
51	**52**	**53**	**54**	**55**	**56**	**57**	**58**	**59**	**60**
B	A	D	C	B	C	B	A	C	C
61	**62**	**63**	**64**	**65**	**66**	**67**	**68**	**69**	**70**
D	C	D	A	C	B	A	B	B	A
71	**72**	**73**	**74**	**75**	**76**	**77**	**78**	**79**	**80**
D	B	A	B	A	A	C	B	*	C
81	**82**	**83**	**84**	**85**	**86**	**87**	**88**	**89**	**90**
A	B	A	B	*	A	B	C	A	B
91	**92**	**93**	**94**	**95**	**96**	**97**	**98**	**99**	**100**
D	A	C	B	B	D	B	A	A	C

व्याख्यात्मक उत्तर

1. 'अधिकार' शब्द की उत्पत्ति संस्कृति भाषा के दो शब्दों 'अधि' और 'कार' से मिलकर हुई है, जिनका क्रमशः अर्थ है 'प्रभुत्व' और 'कार्य'। इस प्रकार शाब्दिक अर्थ में अधिकार का अभिप्राय उस कार्य से है, जिस पर व्यक्ति का प्रभुत्व है। मानव एक सामाजिक प्राणी होने के नाते समाज के अन्तर्गत ही व्यक्तित्व के विकास के लिए उपलब्ध सुविधाओं का उपभोग करता है। इन सुविधाओं अथवा अधिकारों के उपयोग से ही व्यक्ति,

अपने शारीरिक, मानसिक एवं नैतिक विकास का अवसर प्राप्त करता है। संक्षेप में, अधिकार मनुष्य के जीवन की वह अनिवार्य परिस्थिति है, जो विकास के लिए आवश्यक है तथा जिसे राज्य और समाज द्वारा मान्यता प्रदान की जाती है।

अधिकारों का दावा करने के लिए उपयुक्त आधार निम्नलिखित हो सकते हैं :

1. सम्मान और गरिमापूर्ण जीवन बसर करने के लिए अधिकारों का दावा किया जा सकता है।
2. अधिकारों की दावेदारी का दूसरा आधार यह है कि हमारी बेहतरी के लिए आवश्यक हैं।

अधिकारों का प्रकारः

अधिकार को तीन भागों में बाँटा गया है।

(*i*) प्राकृतिक अधिकार

(*ii*) नैतिक अधिकार

(*iii*) कानूनी अधिकार

अधिकारों की विशेषताएँः

(*i*) अधिकार असीमित नहीं होते हैं।

(*ii*) अधिकार समाज में ही संभव हो सकते हैं।

(*iii*) अधिकार व्यक्ति का दावा है।

(*iv*) अधिकार किसी व्यक्ति का विशिष्ट कार्य करने की शक्ति है।

(*v*) अधिकार समाज द्वारा मान्य होता है।

(*vi*) अधिकार सर्वव्यापी होते हैं।

(*vii*) अधिकार राज्य द्वारा प्रदत एवं सुरक्षित होता है।

(*viii*) अधिकार के साथ कर्तव्य जुड़े होते हैं।

2. आधुनिक उदारवाद के प्रवर्तकों में जे.एस. मिल के अलावा टी.एच. ग्रीन, एलटी हॉबहाउस, मैकाइवर, लॉस्की, आदि हैं।

आधुनिक उदारवाद व्यक्ति की स्वतन्त्रता और राज्य के साथ उसके सम्बन्ध एक कार्यक्षेत्र के बारे में सकारात्मक दृष्टिकोण लिए हुए है। आधुनिक समय में उदारवाद व्यक्ति की बजाय समाज के हित को प्राथमिकता देता है। इसी कारण आज राज्य को 'कल्याणकारी राज्य के लक्ष्य' को प्राप्त करने के लिए उदारवादी विचारक स्वतन्त्रता प्रदान करते हैं, चाहे इसके लिए राज्य को मानव की व्यक्तिगत स्वतन्त्रता का कुछ हनन ही क्यों न करना पड़े। इस प्रकार नवीन उदारवाद का दृष्टिकोण राज्य के प्रति सकारात्मक है, नकारात्मक नहीं।

आधुनिक उदारवाद का प्रमुख जोर इस बात पर है कि स्वतन्त्रता केवल एक अभाव नहीं है। उपयुक्त रूप में गठित संवैधानिक तन्त्र के माध्यम से व्यक्ति प्रभावी राजनीतिक क्षमता व्यक्त करने योग्य होना चाहिए। आधुनिक उदारवाद चाहता है कि उपेक्षित वर्गों को नया जीवन देकर उनकी रजानीतिक उदासीनता दूर की जाए और सत्ता का विकेन्द्रीकरण किया जाए। इसके लिए संसदीय व्यवस्था का पुनर्निर्माण किया जाए और अन्तर्राष्ट्रीय निकायों—जैसे संयुक्त राष्ट्र संघ आदि को सुदृढ़ करके राज्यों की प्रभुसत्ता को सीमित किया जाए। इसी कारण आज उदारवादी राष्ट्रीय आत्मनिर्णय के सिद्धान्त को सीमित करना चाहते हैं और अन्तर्राष्ट्रीय व विश्व शांति के विचार का समर्थन करते हैं। आज उदारवाद मुक्त मानव के सिद्धान्त का विरोध करता है और समाज हित में राज्य के अधिकाधिक हस्तक्षेप को उचित ठहराता है।

4. मैक्कर्सन ने राजनीति चिंतन के क्षेत्र में उदारवाद, लोकतंत्र और स्वतंत्रता के सिद्धांतों का गहन विश्लेषण करते हुए लोकतंत्र के समकालीन अनुभवमूलक सिद्धांत की आलोचना की और लोकतंत्र के सिद्धांत को एक नई दिशा प्रदान की है। इसके अतिरिक्त, उसने समकालीन उदारवादी सिद्धांत के तहत स्वतंत्रता की संकल्पना की आलोचना करते हुए सृजनात्मक स्वतंत्रता के विचार को बढ़ावा दिया है।

मैक्कर्सन के अनुसार, उदारवाद के प्रारम्भ में लोकतंत्र के विचार को नहीं अपनाया बल्कि उदारवाद और पूंजीवाद का आरंभ साथ-साथ हुआ परंतु स्वयं पूंजीवाद की सफलता के फलस्वरूप मजदूर-वर्ग बहुतायत में एक ही जगत केंद्रित होने लगा।

यह वर्ग अपनी दुर्दशा के कारणों को समझकर अपनी शक्ति के प्रति सचेत हो गया। इस वर्ग के बढ़ते हुए दबाव के कारण ही उदारवाद ने लोकतंत्र को अपनाया। लोकतंत्र को अपने तर्कसंगत परिणाम तक पहुँचाने के लिए राजनीतिक प्रणाली के नैतिक आधार का पुनर्निर्माण जरूरी हो जाता है।

मैक्फर्सन ने अपनी रचना 'लोकतंत्रीय सिद्धांत का पुनरुद्धार-1973' में लिखा है कि स्वत्वमूलक व्यक्तिवाद (Possessive Individualism) प्रतिस्पर्धात्मक पूंजीवादी बाजार अर्थव्यवस्था की उपज है। इसमें यह विचार निहित है कि व्यक्ति वस्तुतः अपने शरीर और सामर्थ्य का स्वामी है और इसके लिए वह समाज का बिल्कुल ऋणी नहीं है।

अतः अपने शरीर और सामर्थ्य की सहायता से व्यक्ति जो कुछ अर्जित करता है, वह उसकी अपनी संपत्ति बन जाता है। दूसरे शब्दों में, इस संपत्ति के साथ कोई दायित्व नहीं जुड़ा होता। इस दृष्टि से स्वतंत्रता का अर्थ इस संपत्ति के माध्यम से अपनी इच्छाएँ पूरी करना है। इस स्वतंत्रता को केवल उन्हीं नियमों के द्वारा प्रतिबंधित किया जा सकता है जो दूसरों को वैसी ही स्वतंत्रता प्रदान करने के लिए आवश्यक हो। इन मान्यताओं के आधार पर सर्वोत्तम समाज वह है जिसमें व्यक्तियों के सारे आपसी संबंध बाजार-संबंधों में बदल जाएं। इसमें मनुष्य अपनी-अपनी सामर्थ्य के स्वामी के रूप में एक-दूसरे से जुड़े होते हैं।

स्वत्वमूलक व्यक्तिवाद के विचार को स्पष्ट करने के लिए मैक्फर्सन सरल विनियम-अर्थव्यवस्था (Single Exchange Economy) और पूंजीवाद का विचार पूर्णरूपेण सार्थक नहीं हो सकता, क्योंकि उसमें उत्पादन के साधन बहुत सस्ते होते हैं और कामगार स्वयं उनके स्वामी होते हैं।

अतः वहाँ 'श्रम' को व्यक्ति से अलग करके खरीदा और बेचा नहीं जा सकता। इसके विपरीत पूंजीवादी अर्थव्यवस्था में 'श्रम' खरीदी और बेची जाने वाली वस्तु होती है। इसका परिणाम संपत्ति-सम्बन्धों की शोषणमूलक व्यवस्था के रूप में सामने आता है क्योंकि पूंजीपति कामगारों को उत्पादन के साधनों पर तभी काम करने देते हैं जब इससे काफी फायदा हो।

5. 'परिवार, निजी संपत्ति और राज्य का उद्भव' कार्ल मार्क्स का सिद्धांत नहीं है। यह कार्ल मार्क्स के सहयोगी फ्रेडरिक एंगेल्स की रचना है। फ्रेडरिक एंजेल्स को राजनीति, समाज और राज्य के बारे में अपने विचार को व्यक्त करने के लिए सबसे महान विचारकों में रखा जाता है। वे एक जर्मन पत्रकार, दार्शनिक, व्यवसायी और सामाजिक वैज्ञानिक थे। वह कार्ल मार्क्स के साथ-साथ ''मार्क्सवादी सिद्धांत'' के संस्थापक थे।

उनकी प्रमुख पुस्तकें निम्नलिखित हैं :

- कम्युनिस्ट घोषणापत्र
- द होली फैमिली
- परिवार, निजी संपत्ति और राज्य की उत्पत्ति
- साहित्य तथा कला (मार्क्स के साथ पत्र व्यवहार का संकलन)

6. हॉब्स ने मानव स्वभाव को नियंत्रित करने वाले संबंधों को ''एक शक्ति के बाद दूसरी शक्ति पाने के लिए सतत् और बेचैन इच्छा जो केवल मृत्यु में समाप्त होती है।'' के रूप में वर्णित किया है।

हॉब्स ने अपने राजनीतिक सिद्धांत और सामाजिक अध्ययन के सिलसिले में मनुष्य और उसके स्वभाव का अध्ययन किया है। उसके मत में, मनुष्य भी भौतिक विज्ञान का अध्ययन-विषय है, क्योंकि पदार्थों की भांति वह भी एक पदार्थ है। पदार्थों के गति संबंधी नियम उसके समाज में भी देखे जा सकते हैं। इस सिलसिले में उसने मानव-स्वभाव का जो चित्र अंकित किया है उसका वर्णन अग्रलिखित रूप में किया जा सकता है :

(1) मनुष्य में इच्छा और घृणा : हॉब्स के अनुसार, मनुष्य में वस्तुओं के प्रति आकर्षण और विकर्षण पाया जाता है। वस्तुओं का आकर्षण उसमें इच्छा को जन्म देता है। किसी चीज के प्रति विकर्षण उसमें घृणा पैदा करता है। अतः मनुष्य के लिए किसी वस्तु का अच्छा या बुरा होना उसकी भावना है।

(2) मनुष्य स्वार्थ-प्रेरित : हॉब्स का कहना है कि मानव के सारे कार्य स्वार्थ-भावना से प्रेरित होते हैं। स्वार्थ की भावना मनुष्य में बहुत प्रबल होती है। वह हमेशा स्वार्थों की सिद्धि में प्रयत्नशील रहता है।

(3) प्रतिद्वंदिता और संघर्ष : हॉब्स ने यह सिद्ध किया है कि मनुष्यों के लक्ष्य-प्राप्ति की योग्यता समान होती है। आगे वह कहता है कि समान मनुष्यों में सदैव प्रतिद्वंद्विता और संघर्ष की स्थिति बनी रहती है। हॉब्स के शब्दों में, ''संघर्ष प्रतिस्पर्धा के चलते

लाभ के लिए, अविश्वास के चलते रक्षा के लिए एवं वैभव-प्राप्ति के चलते प्रसिद्धि के लिए आपस में संघर्ष करते हैं।''

(4) मनुष्य पूर्णतया अहं केन्द्रित : हॉब्स के मतानुसार मनुष्य पूर्णतया अहं केंद्रित होता है। उसमें स्वार्थ की भावना कूट-कूट कर भरी होती है। इसके कारण ही उसमें सभी प्रकार के संवेग और आवेग जन्म लेते हैं।

(5) आत्मरक्षा की भावना : मनुष्य के साथ-साथ जीवों में आत्म-रक्षा की भावना सदैव बनी रहती है। मनुष्य अपने जीवन-तत्व को हमेशा बनाए रखने के लिए संघर्षशील रहता है। उसके संपूर्ण व्यवहार के मूल में यह मनोवैज्ञानिक सत्य क्रियाशील रहता है।

7. मैकियावेली न केवल एक अनुभवी कूटनीतिज्ञ एवं प्रशासक था, अपितु इतिहास और राजनीति का महान् लेखक भी था। यद्यपि नगर राज्यों की अस्थिर राजनीति के उसके कूटनीतिक भविष्य को अस्त-व्यस्त कर दिया था तथापि उसकी लेखनी ने उसके महानतम् राजनयिक लेखकों की श्रेणी में प्रस्थापित कर दिया। उसकी अधिकांश रचनाएँ (प्रिन्स तथा डिस्कोर्सेज) उसके जीवनकाल में प्रकाशित नहीं हुई थीं।

मैकियावेली की अन्य रचनाओं में History of Florence', Novelle Bafagor Arcidiavolo', 'Art of War' प्रमुख हैं।

8. फ्रैंट्जफैनन का यह कथन है कि "क्रांतिकारी हिंसा न केवल भेदक होती है, बल्कि यह औपनिवेशिक प्रजा को स्वयं के पुनर्निर्माण का अवसर भी प्रदान करता है। फ्रैंट्जफैनन का हिंसा के प्रति दृष्टिकोण और व्यक्ति पर इसके प्रभाव उसके जीवन के अनुभव से विशिष्ट रूप से निर्देशित होते हैं। फैनन ने हिंसा की संभावनाओं और नकारात्मक पहलुओं दोनों की रूपरेखा तैयार की है। उनकी सबसे प्रसिद्ध और विवादास्पद टिप्पणी वे हैं जो औपनिवेशिक प्रजा पर हिंसा के होने वाले वास्तविक प्रभाव के रूप में दृष्टिगोचर होते हैं।

9. दीनदयाल उपाध्याय का चिंतन शाश्वत विचारधारा से जुड़ा है। इसके आधार पर वह राष्ट्रभाव को समझने का प्रयास करते हैं। समस्याओं पर विचार करते हैं। उनका समाधान निकालते हैं। यह तथ्य ही भारत के अनुकूल प्रतीत होता है। ऐसे में पहली बात यह समझनी होगी कि अन्य विचारों की भाँति दीनदयाल उपाध्याय ने कोई वाद नहीं दिया। एकात्मक मानव, अन्त्योदय जैसे विचार वाद की श्रेणी में नहीं आते। यह दर्शन है, जो हमारी ऋषि परंपरा से जुड़ता है। इसके केंद्र में व्यक्ति या सत्ता नहीं है। जैसा कि पश्चिम या वामपंथी विचारों में कहा गया है। इसके विपरीत व्यक्ति, मन, बुद्धि, आत्मा सभी का महत्व है। प्रत्येक जीव में आत्मा का निवास होता है। आत्मा को परमात्मा का अंश माना जाता है। यह एकात्मक दर्शन है। इसमें समरसता का विचार है। इसमें भेदभाव नहीं है। व्यक्ति का अपना हित स्वाभाविक है। लेकिन यही सब कुछ नहीं है। उपभोगवाद से लोक कल्याण संभव नहीं है। इसमें व्यक्ति का भी कल्याण नहीं है। यदि ऐसा होता तो भौतिकवाद की दौड़ में कभी तो व्यक्ति को संतोष मिलता। लेकिन ऐसा नहीं होता। मन कभी संतुष्ट नहीं होता। व्यक्ति प्रारंभिक इकाई मात्र है। लेकिन वह परिवार का हिस्सा मात्र है। परिवार का हित हो तो व्यक्ति अपना हित छोड़ देता है। समाज का हित हो तो परिवार का हित छोड़ देना चाहिए। देश हित हो तो समाज का हित छोड़ देना चाहिए। राष्ट्रवाद का यह विचार प्रत्येक नागरिक में होना चाहिए। मानव जीवन का लक्ष्य भौतिक मात्र नहीं है। जीवन यापन के साधन अवश्य होना चाहिए। ये साधन है, साध्य नहीं। धर्म, अर्थ, काम, मोक्ष का विचार भी ध्यान में रखना चाहिए। सभी कार्य धर्म से प्रेरित होने चाहिए। अर्थात लाभ की कामना हो, लेकिन शुभ का होना अनिवार्य है।

एकात्म मानव दर्शन की प्रासंगिकता सदैव रहेगी, क्योंकि यह शाश्वत विचारों पर आधारित है। दीनदयाल जी ने संपूर्ण जीवन की रचनात्मक दृष्टि पर विचार किया। उन्होंने विदेशी विचारों को सार्वलौकिक नहीं माना। भारतीय संस्कृति संपूर्ण जीवन व संपूर्ण सृष्टि का संकलित विचार करती है। इसका दृष्टिकोण एकात्मवादी है। टुकड़ों-टुकड़ों में विचार नहीं हो सकता। संसार में एकता का दर्शन, उसके विविध रूपों के बीच परस्पर पूरकता को पहचानना, उनमें परस्पर अनुकूलता का विकास करना तथा उसका संस्कार करना ही संस्कृति है। प्रकृति को ध्येय की सिद्धि हेतु अनुकूल बनाना संस्कृति और उसके प्रतिकूल बनाना विकृति है। संस्कृति प्रकृति की अवहेलना

नहीं करती। भारतीय संस्कृति में एकात्म मानव दर्शन है। मानव केवल एक व्यक्ति मात्र नहीं है। शरीर, मन, बुद्धि और आत्मा का समुच्चय व्यक्ति केवल एकवचन 'मैं' तक सीमित नहीं है। समाज वह समष्टि तक उसकी भूमिका होती है। राष्ट्र भी आत्मा होता है। समाज और व्यक्ति में संघर्ष का विचार अनुचित है। राज्य ही सब कुछ नहीं होता। यह राष्ट्र का एकमात्र प्रतिनिधि नहीं होता। राज्य समाप्त होने के बाद भी राष्ट्र का अस्तित्व रहता है।

10. बाल गंगाधर तिलक का मानना था कि "भारत में ब्रिटिश नौकरशाही के कानों में अपील करने से या गला फाड़कर चिल्लाने से हमें कुछ नहीं मिलेगा।" काँग्रेस में प्रविष्ट होकर तिलक ने काँग्रेस के स्वरूप को ही बदलने का निश्चय किया। 1896 से ही वे काँग्रेस को इस बात के लिए प्रेरित करते रहे कि वह मजबूती दिखाये। किन्तु काँग्रेस के कुछ नेता वैधानिक आंदोलनों तथा सविनय प्रार्थना की नीति का अवलंबन कर सरकार के प्रति नरमी दिखा रहे थे। किन्तु तिलक ने कहा, मैं जानता हूँ कि हमें अपने अधिकारों के लिए माँग करनी चाहिए, पर हमें यह अनुभव करते हुए माँग करनी चाहिए कि वह माँग अस्वीकार नहीं की जा सके। माँग प्रस्तुत करने तथा याचना करने में बहुत बड़ा अंतर है। तिलक गरम दल के नेता तथा उग्रवादी थे। उन्होंने कहा, स्वराज्य मेरा जन्मसिद्ध अधिकार है और मैं इसे लेकर रहूँगा। वे उदारवादियों की भिक्षावृत्ति के कट्टर विरोधी थे। उनकी दृढ़ मान्यता थी कि स्वराज्य अपने आप नहीं आयेगा वरन् अंग्रेजों से छीनना पड़ेगा। अतः नरम दल और गरम दल में मतभेद बढ़ता गया और 1907 में सूरत के काँग्रेस अधिवेशन में यह मतभेद चरम बिन्दु तक पहुँच गया। अतः विवश होकर उन्हें नरम-दलीय काँग्रेस को छोड़ना पड़ा।

11. भारत के संविधान के अंतर्गत भारत के नागरिकों को केवल एकल नागरिकता प्राप्त है अर्थात सारे विश्व में केवल भारत की नागरिकता होनी चाहिए। किसी भी व्यक्ति को दोहरी नागरिकता नहीं दी जाती है। यदि कोई व्यक्ति भारत का नागरिक होना चाहता है तो वह केवल भारत का नागरिक रहेगा। भारत के साथ किसी अन्य देश का नागरिक नहीं हो सकता।

संविधान के भाग-II में अनुच्छेद 5 से 11 तक नागरिकता संबंधी उपबंध किये गए हैं। इस संबंध में नागरिकता अधिनियम, 1955 लागू किया गया जिसमें समय-समय पर संशोधन किया गया है।

नागरिकता अधिनियम, 1955 द्वारा नागरिकता अर्जन की निम्न शर्तें उपबंधित की गई है :

- जन्म के आधार पर
- वंशक्रम के आधार पर
- पंजीकरण के आधार पर
- देशीयकरण के आधार पर
- क्षेत्र समाविष्ट के आधार पर

12. पेरियार ई.वी. रामास्वामी नायकर ने बीसवीं सदी के भारतीय समाज में तर्क और विवेक के माध्यम से सामाजिक बदलाव हेतु आत्मसम्मान का आंदोलन चलाया। इनके आंदोलन से दक्षिण भारत के जनमानस में स्वतंत्रता, समानता और बंधुत्व की चेतना जागृत हुईं।

पेरियार ने अपने क्रांतिकारी विचारों से केवल क्षेत्रीय नहीं बल्कि राष्ट्रीय परिवेश पर महत्वपूर्ण प्रभाव डाला। उनके आत्मसम्मान आंदोलन ने सदियों से पशुवत दर्जा पाने वाली पिछड़ी और दलित जातियों में सम्मान और गरिमा के भाव जगाये, उनके जीवन में मनुष्यता के भाव का संचार किया और अधिकार की चेतना उत्पन्न की। उनकी वैचारिक ऊर्जा का स्रोत तमिल जीवन और परिवेश था लेकिन उनके चिंतन में राष्ट्रीय चिंता की भी झलक थी। यही वजह थी कि उनके विचारों का प्रसार सुदूर संयुक्त प्रांत तक में हुआ।

13. कार्ल मार्क्स ने नौकरशाही को 'राज्य की चेतना' के रूप में प्रदर्शित किया है। मार्क्स के अनुसार, औद्योगिक क्रांति के परिणामस्वरूप अनेक बड़े-बड़े कल-कारखाने अस्तित्व में आए जिनके मालिक पूँजीपति थे। हाथ की कारीगरी से बनने वाली चीजें उद्योगों और मशीनों से बनी वस्तुओं की बराबरी नहीं कर सकती थीं। इसलिए बुनकर, चर्मकार, शिल्पकार, बढ़ई, लुहार तथा इसी प्रकार के कार्य करने वाले दूसरे कारगीर बेकार और बेरोजगार हो गए। पेट पालने के लिए वे उद्योगों में कार्य करने लगे। एक पूँजीपति अथवा उद्योगपति इतने अधिक मात्रा में आए कि मजदूरों को अकेला नहीं संभाल सकता।

अतः वह इस कार्य के लिए प्रबंधक नियुक्त किया। ये प्रबन्धक तथा उनकी सहायता के लिए रखे गए अधिकारियों का वर्ग ही नौकरशाही है। मार्क्स के अनुसार, "नौकरशाही का अर्थ है वे अधिकारी जो मालिकों या शासकों की ओर से श्रमिकों एवं कर्मचारियों पर नियन्त्रण करते हैं; नौकरशाही का दायित्व पूँजीवाद की शोषणपूर्ण परिस्थितियों में श्रमिकों से काम लेना है।" मार्क्स की यह मान्यता है कि राज्य पूँजीपतियों का संगठन है जिसका उद्देश्य श्रमिकों का शोषण करना है। समाजवादी घोषणा-पत्र में राज्य को "पूँजीपतियों की कार्यकारिणी समिति" कहा गया है और नौकरशाही को उसका साधन माना है। पूँजीवाद के हितों की रक्षा के लिए राज्य न केवल पुलिस और सैनिक शक्ति रखता है बल्कि राज्य की न्याय प्रणाली भी इसी काम में प्रयुक्त होती है। मार्क्स आगे कहता है कि वर्ग-संघर्ष और क्रान्ति के द्वारा पूँजीवादी वर्ग को नष्ट कर दिया जाएगा और सर्वहारा वर्ग की अधिनायकत्व स्थापित हो जाएगा और इस प्रकार नौकरशाही प्रणाली का भी अन्त हो जाएगा।

14. **राजनीतिक पार्टी के कार्य :** राजनैतिक पदों को भरना और सत्ता का इस्तेमाल करना ही किसी पार्टी का मुख्य कार्य होता है। इस लक्ष्य को प्राप्त करने के लिये राजनीतिक पार्टियाँ निम्नलिखित कार्य करती हैं :

चुनाव लड़ना : राजनीतिक पार्टी चुनाव लड़ती हैं। एक पार्टी अलग-अलग निर्वाचन क्षेत्रों के लिये अपने उम्मीदवार को चुनावी मैदान में उतारती है।

नीति बनाना : हर राजनीतिक पार्टी जनहित को लक्ष्य में रखते हुए अपनी नीति बनाती है। वह अपनी नीतियों और कार्यक्रमों को जनता के सामने प्रस्तुत करती है। इससे जनता को इस बात में मदद मिलती है कि वह किसी एक पार्टी का चुनाव कर सके। एक राजनीतिक पार्टी एक ही मानसिकता वाले लाखों करोड़ों मतदाताओं को एक ही छत के नीचे लाने का काम करती है। जब किसी पार्टी को जनता सरकार बनाने के लिये चुनती है तो वह उस पार्टी से अपनी नीतियों और कार्यक्रमों को मूर्त रूप देने की अपेक्षा रखती है।

कानून बनाना : हम जानते हैं कि विधायिका में समुचित बहस के बाद ही कोई कानून बनता है। विधायिका के ज्यादातर सदस्य राजनीतिक पार्टियों के सदस्य होते हैं, इसलिए किसी भी कानून के बनने की प्रक्रिया में राजनीतिक पार्टियों की प्रत्यक्ष भूमिका होती है।

सरकार बनाना : जब कोई राजनीतिक पार्टी सबसे ज्यादा सीटों पर चुनाव जीतती है तो वह सरकार बनाती है। सत्ताधारी पार्टी के लोग ही कार्यपालिका का गठन करते हैं। सरकार चलाने के लिये विभिन्न राजनेताओं को अलग-अलग मंत्रालयों की जिम्मेदारी दी जाती है।

विपक्ष की भूमिका : जो पार्टी सरकार नहीं बना पाती है उसके विपक्ष की भूमिका निभानी पड़ती है।

जनमत का निर्माण : राजनीतिक पार्टी का एक महत्वपूर्ण काम होता है जनमत का निर्माण करना। इसके लिये वे विधायिका और मीडिया में ज्वलंत मुद्दों को उठाती हैं और उन्हें हवा देती हैं। पार्टी के कार्यकर्ता पूरे देश में फैलकर अपने मुद्दों से जनता को अवगत कराते हैं।

15. संविधानवाद की विशेषताएं ही संविधानवाद के स्वरूप को निश्चित करती हैं। संविधानवाद की प्रमुख विशेषताएं निम्नवत् हैं :

संविधानवाद एक गत्यात्मक अवधारणा है :

- गतिशीलता संविधानवाद का प्रमुख गुण होता है क्योंकि संविधानवाद विकास का सूचक होता है।
- समय व परिस्थितियों के अनुसार समाज के मूल्य व आदर्शों के बदलने के कारण संविधानवाद को भी अपनी प्रकृति को बदलना पड़ता है। यही संविधानवाद की गत्यात्मकता का आधार है।

संविधानवाद मूल्यों पर आधारित अवधारणा है :

- संविधानवाद का सम्बन्ध उन आदर्शों से होता है जो किसी राष्ट्र के लिए बहुत महत्वपूर्ण होते हैं और संविधान का आधार होते हैं।
- संविधानवाद उन विश्वासों, राजनीतिक आदर्शों और मूल्यों की तरफ इशारा करता है जो प्रत्येक नागरिक को बहुत ही प्रिय होते हैं।
- सामाजिक स्वीकृति के बाद ही ये मूल्य राष्ट्र-दर्शन के रूप में प्रतिष्ठित हो पाते हैं। अतः संविधानवाद मूल्य-युक्त अवधारणा है और इसका सम्बन्ध किसी राष्ट्र के लोकप्रिय जीवन मूल्यों एवं आदर्शों से है।

संविधानवाद संस्कृति समबन्ध अवधारणा है :

- प्रत्येक देश के मूल्य एवं आदर्श उस देश की संस्कृति की ही उपज होते हैं और उनका विकास भी राजनीतिक संस्कृति के विकास पर ही निर्भर करता है।
- संविधानवाद भी इन्हीं मूल्य और आदर्शों से घनिष्ट रूप से जुड़ा होता है।
- यद्यपि राजनीतिक समाज की संस्कृति में विविधता का गुण भी पाया जाता है, परन्तु संविधानवाद एक समन्वयकारी शक्ति के रूप में सभी विरोधी में सामंजस्य स्थापित करके उन्हें उस देश की संस्कृति का अंग बना देता है।
- इस तरह प्रत्येक देश की संस्कृति से ही संविधानवाद अपना विकास करता है। अतः संविधान का राजनीतिक संस्कृति से गहरा संबंध होता है।

संविधानवाद संविधान पर आधारित अवधारणा है :

- संविधान नागरिक समाज के मूल्यों व आदर्शों का प्रतिबिम्ब तथा किसी भी देश का सर्वोच्च कानून होता है।
- प्रतिबन्धों की व्यवस्था के कारण जनता का संविधान में गहरा विश्वास होता है और यह विश्वास और लगाव संविधान का आधार है।
- यदि संविधान और संविधानवाद में साम्य नहीं होगा तो राजनीतिक उथल-पुथल की घटनाएं शुरू हो सकती हैं और देश में अराजकता का माहौल पैदा हो सकता है।
- इसलिए संविधानवाद को संविधान पर आधारित माना जाता है।

संविधानवाद समभागी अवधारणा है :

- एक देश के मूल्य व आदर्श दूसरे देशों के संविधान का भी अंग बन सकते हैं, लेकिन ये समान आदर्श केवल मात्रात्मक आधर पर ही होते हैं, गुणात्मक आधार पर नहीं।
- लेकिन संविधानवाद का आदर्श बनाने पर ये मूल्य और मान्यताएं स्थायित्व का गुण प्राप्त कर लेती हैं।
- यद्यपि समान संविधानवाद वाले देशों में भी कुछ असमान लक्षण हो सकते हैं, लेकिन यह अन्तर मात्रात्मक ही रहता है, गुणात्मक नहीं।
- जैसे विकासशील प्रजातंत्रीय देशों में संविधानवाद के आधारभूत लक्षण लगभग समान मिलते हैं।
- अतः संविधानवाद एक समभागी अवधारणा है। संविधान तो प्रत्येक देश का अपना अलग होता है, संविधानवाद के लक्षण समान रूप से कई देशों में एक जैसे ही मिल सकते हैं।

संविधानवाद साध्यमूलक अवधारणा है :

- संविधानवाद का मुख्य उद्देश्य संविधान के लक्ष्यों को प्राप्त करना होता है।
- संविधान का मुख्य उद्देश्य संविधान के लक्ष्यों को प्राप्त करना होता है।
- इस प्रकार साध्य के रूप में संविधानवाद किसी संविधान या राजनीतिक समाज के मूल्यों व आदर्शों को प्राप्त करने का प्रयास करता है।
- अतः संविधानवाद एक साध्यमूलक अवधारणा है।

17. भारत ने विश्व समुदाय को साफ तौर पर बता दिया है जलवायु परिवर्तन के लक्ष्य को हासिल करने में सबसे बड़ी बाधा उसका न्यूक्लियर सप्लायर्स ग्रुप (एनएसजी) में शामिल नहीं होना है और चीन लगातार इस महत्वपूर्ण समूह की सदस्यता हासिल करने में रोड़ा अटका रहा है। भारत ने कहा है कि पश्चिमी देश जिस तरह के एक्शन की भारत से उम्मीद कर रहे हैं उसके लिए यह जरूरी है कि भारत एनएसजी में शामिल हो और उसे वह सभी तकनीक मिले जो उसके वैकल्पिक ईंधन की जरूरतों को पूरा कर सके।

एनएसजी के इस 48 देशों के समूह में 5 परमाणु हथियार संपन्न देश हैं, बाकि 43 देश परमाणु अप्रसार संधि (Nuclear Non Proliferation Treaty—NPT) पर हस्ताक्षर करने वाले देश हैं। अमेरिका के साथ असैन्य परमाणु करार (2008) से यह निष्कर्ष निकाला गया कि एनएसजी के सदस्य के रूप में भारत के आवेदन को मान्यता दी जाएगी। गौरतलब है कि एनएसजी ग्रुप में मौजूद अगर कोई भी देश किसी देश की सदस्यता का विरोध करता है, तो उसे इसमें शामिल नहीं किया जा सकता।

19. वर्ष 2015 में संयुक्त राष्ट्र महासभा की 70वीं बैठक में '2030 सतत् विकास हेतु एजेंडा' के तहत सदस्य देशों द्वारा 17 विकास लक्ष्य (Sustainable Development Goals—SDGs) तथा 169 प्रयोजन अंगीकृत किये गए हैं।

'पर्यावरण तथा विकास पर विश्व आयोग' (1983) के अंतर्गत बर्टलैंड कमीशन द्वारा जारी रिपोर्ट (1987) के अनुसार–'आने वाली पीढ़ी की अपनी आवश्यकताओं को पूरा करने की क्षमता से समझौता किये बिना वर्तमान पीढ़ी की आवश्यकताओं को पूरा करने हेतु विकास ही सतत् विकास है।'

संयुक्त राष्ट्र का एजेंडा 2030 (17 विकास लक्ष्य):

- गरीबी के सभी रूपों की पूरे विश्व से समाप्ति।
- भूख की समाप्ति, खाद्य सुरक्षा और बेहतर पोषण और टिकाऊ कृषि को बढ़ावा।
- सभी आयु के लोगों में स्वास्थ्य, सुरक्षा और स्वस्थ जीवन को बढ़ावा।
- समावेशी और न्यायसंगत गुणवत्तायुक्त शिक्षा सुनिश्चित करने के साथ ही सभी को सीखने का अवसर देना।
- लैंगिक समानता प्राप्त करने के साथ ही महिलाओं और लड़कियों को सशक्त करना।
- सभी के लिये स्वच्छता और पानी के सतत् प्रबंधन की उपलब्धता सुनिश्चित करना।
- सस्ती, विश्वसनीय, टिकाऊ और आधुनिक ऊर्जा तक पहुँच सुनिश्चित करना।
- सभी के लिये निरंतर समावेशी और सतत् आर्थिक विकास, पूर्ण और उत्पादक रोजगार तथा बेहतर कार्य को बढ़ावा देना।
- लचीले बुनियादी ढाँचे, समावेशी और सतत् औद्योगीकरण को बढ़ावा।
- देशों के बीच और भीतर असमानता को कम करना।
- सुरक्षित, लचीले और टिकाऊ शहर और मानव बस्तियों का निर्माण।
- स्थायी खपत और उत्पादन पैटर्न को सुनिश्चित करना।
- जलवायु परिवर्तन और उसके प्रभावों से निपटने के लिये तत्काल कार्रवाई करना।
- स्थायी सतत् विकास के लिये महासागरों, समुद्रों और समुद्री संसाधनों का संरक्षण और उपयोग।
- सतत् उपयोग को बढ़ावा देने वाले स्थलीय पारिस्थितिकीय प्रणालियों, सुरक्षित जंगलों, भूमि क्षरण और जैव-विविधता के बढ़ते नुकसान को रोकने का प्रयास करना।
- सतत् विकास के लिये शांतिपूर्ण और समावेशी समितियों को बढ़ावा देने के साथ ही साथ सभी स्तरों पर इन्हें प्रभावी, जवाबदेहपूर्ण बनाना ताकि सभी के लिये न्याय सुनिश्चित हो सके।
- सतत् विकास के लिये वैश्विक भागीदारी को पुनर्जीवित करने के अतिरिक्त कार्यान्वयन के साधनों को मजबूत बनाना।

20. इमैनुएल वालरस्टीन ने निर्भरता के सिद्धांत (Dependency Theory) में 'अर्ध-परिधि मॉडल (Semi-Periphery) की संकल्पना को जोड़ा है। वैश्विक प्रणाली सिद्धांत आर्थिक विकास के पारंपरिक व व्यावहारिक विश्लेषण के लिए एक वैकल्पिक पृष्ठभूमि प्रदान करता है। यह आधुनिकीकरण और औद्योगीकरण के विकास की प्रक्रियाओं के पारंपरिक ज्ञान को समझने के लिए एक आलोचनात्मक दृष्टिकोण के रूप में विकसित हुआ है। इस प्रकार वैश्विक प्रणाली सिद्धांत, निर्भरता के सिद्धांत के अत्यधिक निकट है, क्योंकि ये दोनों ही सिद्धांत मार्क्सवादी परंपरा से आरेखण करते हुए विकास की प्रक्रिया का आलोचनात्मक दृष्टिकोण प्रस्तुत करते हैं। मार्क्सवादी परंपरा से प्रभावित दोनों ही सिद्धांत, विश्व-प्रणाली सिद्धांत और निर्भरता का सिद्धांत, अधीनस्थ वर्चस्व के बीच पूंजी संचयन तथा प्रतिस्पर्धा और संघर्षपूर्ण हितों की प्रक्रिया के रूप में विकास को प्रतिबिंबित करने के लिए एक आधार प्रदान करते हैं। वैश्विक प्रणाली सिद्धांत विकास के आधुनिकीकरण के प्रतिमान को प्रस्तुत करता है। साथ ही, यह वैश्विक प्रणाली और निर्भरता सिद्धांत के बीच समानता और अंतर को दर्शाता है।

वैश्विक प्रणाली का सिद्धांत दुनिया के विस्तार और पूंजीवाद के विकास के साथ ही आधुनिकीकरण के प्रतिमानों पर एक स्पष्ट वैचारिक विराम प्रदान करता है। यह अपने पूर्ववर्ती निर्भरता के सिद्धांत के साथ निकट संबंध दिखाता है, जो आधुनिकीकरण सिद्धांत के लिए एक समालोचक के रूप में उत्पन्न हुआ।

वास्तव में, कोई मायनों में वैश्विक प्रणाली के सिद्धांत को निर्भरता के सिद्धांत के अनुकूलन के रूप में माना जाता है। वर्ष 1970 के दशक में जर्मन-अमेरिकी समाजशास्त्री आंद्रे गुंडर फ्रैंक, जो कि नव-मार्क्सवादी, जर्मन-अमरीकी समाजशास्त्री तथा आर्थिक इतिहासकार थे, विश्व-प्रणाली सिद्धांत की वकालत की। वर्ष 1984 के बाद के वर्षों में इन्होंने इस सिद्धांत के प्रचार में मौलिक भूमिका निभाई थी। निर्भरता के सिद्धांत के सिद्धांतकारों के समान ही वालरस्टीन ने आधुनिकीकरण प्रतिमान पर प्रश्न उठाया कि यह दुनिया भर में पूंजीवादी के विकासवादी पक्ष का एकल सार्वभौमिक मार्ग प्रस्तुत करता है।

23. भारत और अमेरिका के बीच चार मूलभूत रक्षा समझौते हैं :

- भू-स्थानिक निगरानी के लिये बुनियादी विनियम और सहयोग समझौता (BECA)।
- सामान्य सुरक्षा पर सैन्य सूचना समझौता (GSOMIA)।
- लॉजिस्टिक्स एक्सचेंज मेमोरेंडम ऑफ एग्रीमेंट (LEMOA)।
- संचार संगतता और सुरक्षा समझौता (COMCASA)।

अमेरिका-भारत रक्षा ढांचा समझौते की 15वीं वर्षगांठ के संदर्भ में दोनों देशों ने BECA को भारत तथा संयुक्त राज्य अमेरिका के बीच व्यापक, लचीला, और बहुआयामी प्रमुख रक्षा साझेदारी (एमडीपी) मानते हुए इसकी सराहना की। उन्होंने बुनियादी विनियम और सहयोग समझौता (BECA) पर हस्ताक्षर करने के महत्वपूर्ण कदम की सराहना की। उन्होंने अपने-अपने देशों की नौसेनाओं के बीच समुद्री सूचना को साझा करने तथा समुद्री क्षेत्र में जागरूकता बढ़ाने का भी स्वागत किया और संयुक्त-सेवा तथा सेवा-से-सेवा स्तरों पर मौजूदा रक्षा सूचना-साझाकरण का विकास करने तथा दोनों के लिए लाभकारी सहयोग के संभावित नए क्षेत्रों की तलाश करने पर अपनी प्रतिबद्धता दोहराई।

24.
- **रेडक्लिफ रेखा :** यह रेखा भारत और पाकिस्तान व भारत और बांग्लादेश को अलग करती है। मूलतः भारत और पाकिस्तान के बीच की इस रेडक्लिफ रेखा का निर्धारण *सर सायरिल रेडक्लिफ* द्वारा वर्ष 1947 में किया गया था। इस रेखा के निर्धारण के समय बांग्लादेश पूर्वी पाकिस्तान के नाम से जाना जाता था और पाकिस्तान का ही हिस्सा था। बाद में पूर्वी पाकिस्तान के बांग्लादेश के रूप में स्वतंत्रता होने के बाद रेडक्लिफ रेखा भारत और बांग्लादेश के बीच की भी सीमा रेखा बन गयी।
- **मैकमोहन रेखा :** मैकमोहन रेखा भारत को चीन से अलग करती है और इसका निर्धारण *सर हेनरी मैकमोहन* द्वारा वर्ष 1914 में किया गया था।
- **डूरंड रेखा :** डूरंड रेखा भारत को अफगानिस्तान से अलग करती है। इस रेखा का निर्धारण *सर हेनरी मोर्टिमर डूरंड* द्वारा वर्ष 1896 में किया गया था। भारत के विभाजन से पूर्व, भारत व पाकिस्तान एक ही देश थे, भारत व अफगानिस्तान की सीमा का निर्धारण डूरंड रेखा द्वारा ही होता था। यह भारत की सबसे छोटी सीमा रेखा है और वर्तमान में 'पाक-अधिकृत कश्मीर' (PoK) और अफगानिस्तान को अलग करती है।

25. उपराष्ट्रपति राष्ट्रपति की मृत्यु, पदत्याग, या बर्खास्तगी या अन्य कारणों से हुई राष्ट्रपति के पद की नैमित्तिक रिक्ति की स्थिति में नए राष्ट्रपति का यथाशीघ्र निर्वाचन होने तक, जो किसी भी स्थिति में रिक्ति होने की तारीख से छह माह के बाद नहीं होगा, राष्ट्रपति के रूप में कार्य करता है। जब राष्ट्रपति अनुपस्थिति, बीमारी या अन्य किसी कारण से अपने कृत्यों का निर्वहन करने में असमर्थ हो, तब उपराष्ट्रपति राष्ट्रपति द्वारा अपना कार्यभार पुनः ग्रहण करने तक उसके कृत्यों का निर्वहन करता है। इस अवधि के दौरान, उप-राष्ट्रपति को राष्ट्रपति की सभी शक्तियां, उन्मुक्तियां और विशेषाधिकार प्राप्त होते हैं और वह राष्ट्रपति को संदेय परिलब्धियां तथा भत्ते प्राप्त करता है।

अनुच्छेद-62 : राष्ट्रपति के पद में रिक्ति को भरने के लिए निर्वाचन करने का समय और आकस्मिक रिक्ति को भरने के लिए निर्वाचित व्यक्ति की पदावधि–

(1) राष्ट्रपति की पदावधि की समाप्ति से हुई रिक्ति को भरने के लिए निर्वाचन, पदावधि की समाप्ति से पहले ही पूर्ण कर लिया जाएगा।

(2) राष्ट्रपति की मृत्यु, पदत्याग या पद से हटाए जाने या अन्य कारण से हुई उसके पद में रिक्ति को भरने के लिए निर्वाचन, रिक्ति होने की तारीख के पश्चात् यथाशीघ्र और प्रत्येक दशा में छह मास बीतने से पहले किया जाएगा और रिक्ति को भरने के लिए निर्वाचित व्यक्ति, अनुच्छेद 56 के उपबंधों के अधीन रहते हुए, अपने पद ग्रहण की तारीख से पाँच वर्ष की पूरी अवधि तक पद धारण करने का हकदार होगा।

26. अनुच्छेद 324, 26 नवंबर, 1949 को लागू हुआ। यह अनुच्छेद भारत के चुनाव आयोग से संबंधित है। यह चुनावो के अधीक्षण, निर्देशन और नियंत्रण की शक्ति प्रदान करता है। संविधान के भाग XV में सिर्फ पाँच अनुच्छेद हैं। निर्वाचन आयोग के संबंध में संविधान सभा का ध्यान मुख्य रूप से इसकी स्वतंत्रता सुनिश्चित करने पर केंद्रित था।

बाबासाहेब अम्बेडकर ने 15 जून, 1949 को उक्त अनुच्छेद प्रस्तुत करते हुए कहा था कि "पूरी निर्वाचन मशीनरी एक केंद्रीय निर्वाचन आयोग के हाथों में होनी चाहिए, जो रिटर्निंग ऑफिसर्स, मतदान अधिकारियों और अन्य को निर्देश जारी करने का हकदार होगा।"

भारतीय संविधान के भाग 15 में अनुच्छेद 324 से लेकर अनुच्छेद 329 तक निर्वाचन की व्याख्या की गई है। अनुच्छेद 324 निर्वाचनों का अधीक्षण, निर्देशन और नियंत्रण का निर्वाचन आयोग में निहित होना बताता है। संविधान ने अनुच्छेद 324 में ही निर्वाचन आयोग को चुनाव संपन्न कराने की जिम्मेदारी दी है।

27. सामान्य अवधारणा के अनुसार, संविधान नियमों और उपनियमों का एक ऐसा लिखित दस्तावेज है, जिसके आधार पर किसी राष्ट्र की सरकार का संचालन किया जाता है।

यह देश की राजनीतिक व्यवस्था का बुनियादी ढाँचा निर्धारित करता है। कहा जा सकता है कि प्रत्येक देश का संविधान उस देश के आदर्शों, उद्देश्यों व मूल्यों का संचित प्रतिबिंब होता है।

इस संदर्भ में भारतीय संविधान का एक विशेष महत्व है। उल्लेखनीय है कि भारतीय संविधान की प्रस्तावना को 'संविधान की आत्मा' कहा जाता है। भारतीय संविधान की प्रस्तावना मूल रूप से जवाहरलाल नेहरू द्वारा प्रस्तुत किये गए 'उद्देश्य' प्रस्ताव' पर आधारित है।

संविधान की प्रस्तावना में नागरिकों के लिये राजनीतिक, आर्थिक व सामाजिक न्याय के साथ स्वतंत्रता के सभी रूप शामिल हैं। प्रस्तावना नागरिकों को आपसी भाईचारा व बंधुत्व के माध्यम से व्यक्ति के सम्मान तथा देश की एकता और अखंडता सुनिश्चित करने का संदेश देती है।

भारतीय संविधान की प्रस्तावना के अनुसार, भारत एक समाजवादी, धर्मनिरपेक्ष, लोकतांत्रिक और गणतांत्रिक राष्ट्र है। वर्ष 1976 में 42वें संविधान संशोधन अधिनियम के माध्यम से संविधान की प्रस्तावना में संशोधन किया गया और इसमें तीन नए शब्द (समाजवादी, धर्मनिरपेक्ष और अखंडता) जोड़े गए।

42वें संविधान संशोधन को लघु संविधान के रूप में भी जाना जाता है। इसके तहत प्रस्तावना में नए शब्द जोड़ने के अलावा कुछ अन्य महत्वपूर्ण संशोधन किये गए थे जो निम्नलिखित हैं :

- सरदार स्वर्ण सिंह समिति की सिफारिश पर संविधान संशोधन के माध्यम से मूल कर्त्तव्यों की व्यवस्था की गई।
- इसमें राष्ट्रपति को कैबिनेट की सलाह को मानने के लिये बाध्य किया गया।
- इसके तहत संवैधानिक संशोधन को न्यायिक प्रक्रिया से बाहर कर नीति निर्देशक तत्त्वों को व्यापक बनाया गया।
- शिक्षा, वन, वन्यजीवों एवं पक्षियों का संरक्षण, नाप-तौल और न्याय प्रशासन तथा उच्चतम और उच्च न्यायालय के अलावा सभी न्यायालयों के गठन और संगठन के विषयों को राज्य सूची से समवर्ती सूची में स्थानांतरित किया गया।

28. स्थानीय शासन के कार्य :

इस परिप्रेक्ष्य में संविधान में ग्यारहवीं अनुसूची जोड़ी गयी है, जिसमें पंचायती राज संस्थाओं से संबंधित 29 विषय रखे गये हैं। इन 29 विषयों में सम्मिलित हैं :

1. कृषि, जिसमें कृषि विस्तार भी सम्मिलित है;

2. भूमिसुधार, भू-सुधार का क्रियान्वयन, भूमि संयोजन एवं मृदा सरक्षण;
3. लघु सिंचाई, जल-प्रबंधन एवं वाटरशेड विकास;
4. पशुपालन, डेयरी एवं कुक्कुट पालन;
5. मत्स्यन;
6. सामाजिक वानिकी एवं उद्यान वानिकी;
7. लघु वन्य उपज;
8. लघु उद्योग, जिसमें विद्युत का वितरण भी सम्मिलित है;
9. ग्रामीण आवास;
10. खादी, ग्रामीण एवं सूती कपड़ा उद्योग;
11. पेयजल;
12. ईंधन एवं पशुचारा;
13. ग्रामीण विद्युतीकरण;
14. सड़कों, पुलों, घाटों, जलमार्गों एवं संचार के अन्य साधनों का विकास;
15. गैर-परंपरागत ऊर्जा स्रोत;
16. निर्धनता उन्मूलन कार्यक्रम;
17. शिक्षा, जिसमें प्राथमिक एवं माध्यमिक शिक्षा भी सम्मिलित है;
18. तकनीकी प्रशिक्षण एवं व्यावसायिक शिक्षा;
19. लेखा जांच एवं अनौपचारिक शिक्षा;
20. वाचनालय;
21. सांस्कृतिक गतिविधियां, एवं;
22. बाजार एवं हाट
23. स्वास्थ्य और स्वच्छता, जिनके अंतर्गत अस्पताल, प्राथमिक स्वास्थ्य केंद्र और औषधालय भी हैं।
24. परिवार कल्याण
25. महिला और बाल विकास
26. समाज कल्याण, जिसके अंतर्गत विकलांगों और मानसिक रूप से मंद व्यक्तियों का कल्याण भी है।
27. दुर्बल वर्गों का और विशिष्टता, अनुसूचित जातियों और अनुसूचित जनजातियों का कल्याण
28. सार्वजनिक वितरण प्रणाली
29. सामुदायिक आस्तियों का अनुरक्षण

32. आत्मनिर्भर भारत अभियान : मई 2020 में प्रधानमंत्री द्वारा 20 लाख करोड़ रुपए के इस कार्यक्रम को आर्थिक प्रोत्साहन पैकेज के साथ शुरू किया गया था–जिसका उद्देश्य आत्मनिर्भरता का लक्ष्य प्रापत करना था।

आत्मनिर्भर भारत के पाँच स्तंभ :

- **अर्थव्यवस्था (Economy):** जो वृद्धिशील परिबर्तन (Incremental Change): के स्थान पर लंबी उछाल (Quantum Jump) पर आधारित हो;
- **अवसंरचना (Infrastructure):** ऐसी अवसंरचना जो आधुनिक भारत की पहचान बने;
- **प्रौद्योगिकी (Technology):** 21वीं सदी प्रौद्योगिकी संचालित व्यवस्था पर आधारित प्रणाली;
- **गतिशील जनसांख्यिकी (Vibrant Demography):** जो आत्मनिर्भर भारत के लिये ऊर्जा का स्रोत है;
- **मांग (Demand):** भारत की मांग और आपूर्ति शृंखला की पूरी क्षमता का उपयोग किया जाना चाहिये।

33. लोक प्रशासन के कार्यक्षेत्र के सम्बन्ध में लूथर गुलिक ने जिस मत को प्रतिपादित किया, उसे पोस्डकॉर्ब (POSDCORB) कहा जाता है। 'पोस्डकॉर्ब' शब्द अंग्रेजी के सात शब्दों के प्रथम अक्षरों से मिलकर बना है।

P—Planning	(योजना बनाना)
O—Organising	(संगठन बनाना)
S—Staffing	(कर्मचारियों की व्यवस्था करना)
D—Directing	(निर्देशन करना)
Co—Co-ordinating	(समन्वय करना)
R—Reporting	(सूचना देना)
B—Budgeting	(बजट तैयार करना)

35. तुलनात्मक लोक प्रशासन के जनक के रूप में एफ.डब्ल्यू. रिग्स प्रसिद्ध हैं। तुलनात्मक लोक प्रशासन (Comparative Public Administration) का अर्थ है, दो या दो से अधिक प्रशासनिक इकाइयों की संरचना एवं कार्यात्मकता की तुलना। इसमें दो या दो से अधिक देशों, प्रान्तों तथा स्थानों की प्रशासनिक व्यवस्थाओं के मध्य तुलना की जाती है। तुलनात्मक लोक-प्रशासन का दृष्टिकोण सर्वप्रथम वुडरो विल्सन के नवीन लेख

'द स्टडी ऑफ एडमिनिस्ट्रेशन' (1887) में आया। इस लेख में विल्सन ने लोक प्रशासन के तुलनात्मक अध्ययन पर बल दिया।

तुलनात्मक लोक प्रशासन, लोक प्रशासन के अध्ययन के क्षेत्र में एक नवीन अवधारणा है। द्वितीय विश्वयुद्ध के पश्चात सामाजिक विज्ञानों ने अध्ययन के लिए तुलनात्मक आधार पर विशेष बल दिया इसी दौरान सामाजिक शास्त्रों को विज्ञान की श्रेणी में रखने के लिए विद्वान प्रयत्न करने में लगे थे। लोक प्रशासन में सन् 1952 में प्रिन्सटन में आयोजित 'तुलनात्मक प्रशासन सम्मेलन' द्वारा तुलनात्मक दृष्टिकोण का प्रथम प्रयास किया गया था। लेकिन राबर्ट ए. डाल ने कहा कि जब तक लोक प्रशासन का अध्ययन तुलनात्मक नहीं होता तब तक विज्ञान होने का इसका दावा खोखला है।

तुलनात्मक लोक प्रशासन के विकास में फैरल हैडी, ड्वाइट वाल्डो, रिचर्ड गैबल, फ्रेड रिग्स, जॉन मॉन्टगुमरी आदि विद्वानों का महत्त्वपूर्ण योगदान है। लोक प्रशासन के विद्वानों ने तुलनात्मक विश्लेषण पर बल देना प्रारम्भ किया। प्रशासन का तुलनात्मक अध्ययन उनके सामाजिक, सांस्कृतिक, राजनीतिक तथा आर्थिक पर्यावरण के सन्दर्भ में किया जाना चाहिए। तुलनात्मक लोक प्रशासन एक नवीन अवधारणा है जिसमें विभिन्न प्रशासनिक व्यवस्थाओं का तुलनात्मक अध्ययन करके प्रशासन को अधिकाधिक वैज्ञानिक बनाने का प्रयास किया जाता है।

तीसरी दुनिया के देशों के प्रशासनों का अध्ययन व्यापक पैमाने पर करने पर यह ज्ञात हुआ कि इन देशों की विकास प्रक्रिया स्वदेशी न होकर विदेशों की नकल-मात्र है। यह देखा गया है कि विकासशील देशों की नौकरशाही औपचारिकताओं (Formalities) एवं लाल फीताशाही (Red Tapism) को अनावश्यक महत्त्व देती है। साथ ही इन देशों के प्रशासकों का जनता के प्रति व्यवहार सेवक जैसा नहीं वरन् मालिकों के समान है। इन देशों की नौकरशाही में विकास कार्यक्रमों को पूरा करने के लिये दक्ष एवं योग्य प्रशासकों का भी अभाव है। इन देशों में राजनीतिज्ञों का व्यवहार प्रशासकों के समान होता है, जबकि प्रशासक राजनीति के चक्र में फँसे रहते हैं। रिग्स (Riggs) ने यह सिद्ध करने का प्रयास किया कि पारिस्थितिकी प्रशासन को प्रभावित करती है तथा इन देशों में विकास प्रशासन की स्थापना एक कारगर कदम सिद्ध हो सकता है।

लोक प्रशासन के क्षेत्र में परम्परागत दृष्टिकोण की अपर्याप्तता, अनुसंधान के नए उपकरणों और नवीन सामाजिक संदर्भ, अन्तर्राष्ट्रीय निर्भरता आदि ने तुलनात्मक लोक प्रशासन को जन्म दिया और उसे आगे बढ़ाया। लोक प्रशासन के तुलनात्मक अध्ययन के परिणामों और प्रविधियों का समग्र रूप में लोक प्रशासन के स्वरूप पर गंभीर प्रभाव पड़ा।

38. वुडरो विल्सन के अनुसार, "लोक प्रशासन राजनीतिक रूप से निर्धारित उद्देश्यों की सिद्धि है"। उनके अनुसार लोक प्रशासन को नीति से संबंधित होना चाहिए, समस्याओं को हल करने और समाज के लक्ष्यों को प्राप्त करने के तरीकों की खोज करना चाहिए।

उनके लिए लोक प्रशासन का कार्य मुख्य रूप से सरकार के दैनिक कार्यों (सार्वजनिक नीतियों को लागू करने और निजी या व्यक्तिगत नीतियों को लागू करने) में व्यस्त होना नहीं है, सार्वजनिक हित सर्वोपरि है। लोक प्रशासन सरकारी नीति को लागू करने की मशीनरी है।

41. नकारात्मक स्वतंत्रता को प्राचीन विचारक ज्यादा महत्व देते हैं क्योंकि उनका मानना था कि स्वतंत्रता से अभिप्राय है मनुष्यों पर किसी भी प्रकार के बंधनों का अभाव/मुक्ति से है या मनुष्य पूर्ण रूप से स्वतंत्र हो। तथा उसके कार्यों पर किसी भी प्रकार का प्रतिबन्ध नहीं होना चाहिए। मनुष्य को अपने अनुसार कार्य करने की स्वतंत्रता होनी चाहिए। वह जीवन के प्रत्येक क्षेत्र जैसे राजनीतिक, आर्थिक, सामाजिक तथा धार्मिक रूप से स्वतंत्र होना चाहिए। व्यक्ति को अपने विवेक के अनुसार जो कुछ करना चाहता है उसे करने देना चाहिए। राज्य के द्वारा उस पर किसी भी प्रकार से प्रतिबन्ध नहीं लगाना चाहिए।

जॉन लॉक, एडम स्मिथ और जे.एस. मिल आदि विचारक स्वतंत्रता के नकारात्मक पक्षधर थे। जॉन लॉक नकारात्मक स्वतंत्रता के प्रतिपादक माने जाते हैं, इनके अनुसार :

- स्वतंत्रता का अर्थ प्रतिबंधों का अभाव है।
- व्यक्ति पर राज्य द्वारा कोई नियंत्रण नहीं होना चाहिए।
- वह सरकार सर्वोत्तम है जो कम से कम शासन करे।
- सम्पत्ति और जीवन की स्वतंत्रता असीमित होती है।

ग्रीन लास्की और मैकाइवर स्वतंत्रता के सकारात्मक सिद्धांत के प्रमुख समर्थक हैं। इनका मानना है कि स्वतंत्रता केवल बंधनों का अभाव नहीं है। मनुष्य समाज में रहता है और समाज का हित ही उसका हित है। समाज हित के लिए सामाजिक नियमों तथा आचरणों द्वारा नियंत्रित रहकर व्यक्तित्व के पूर्ण विकास के लिए अवसर की प्राप्ति ही स्वतंत्रता है।

सकारात्मक स्वतंत्रता की विशेषताएँ :

- स्वतंत्रता का अर्थ प्रतिबंधों का अभाव नहीं है। सामाजिक हित लिए व्यक्ति की स्वतंत्रता पर प्रतिबंध लगाये जा सकते हैं।
- स्वतंत्रता और राज्य के कानून परस्पर विरोधी नहीं हैं। कानून स्वतंत्रता को नष्ट नहीं करते बल्कि स्वतंत्रता की रक्षा करते हैं।
- स्वतंत्रता का अर्थ उस सामाजिक परिस्थियों का विद्यमान होना है जो व्यक्ति के व्यक्तित्व के विकास में सहायक हों।

42. रूढ़िवाद एक राजनीतिक सिद्धांत है जो पारंपरिक संस्थानों और प्रथाओं के मूल्य पर जोर देता है।

रूढ़िवाद अमूर्त और आदर्श के बजाय ऐतिहासिक रूप से विरासत में मिली प्रथाओं को प्राथमिकता देता है। यह विरासत परंपरागत रूप से समाज की एक जैविक अवधारणा पर टिकी हुई है–यानी, इस विश्वास पर कि समाज केवल व्यक्तियों का एक ढीला संग्रह नहीं है बल्कि एक जीवित जीव है जिमसें निकट से जुड़े, अन्योन्याश्रित सदस्य शामिल हैं। रूढ़िवादी इस प्रकार संस्थानों और प्रथाओं का समर्थन करते हैं जो धीरे-धीरे विकसित हुए हैं और निरंतरता और स्थिरता की अभिव्यक्ति हैं। सरकार की जिम्मेदारी है कि वह मौजूदा जीवन पद्धतियों का स्वामी न होकर सेवक बने, और इसलिए राजनेताओं को समाज और राजनीति को बदलने के प्रलोभन का विरोध करना चाहिए। रूढ़िवाद न केवल राजनीतिक विचारों के कट्टरपंथी रूपों से बल्कि उदारवाद से भी अलग है, जो सामाजिक और राजनीतिक शक्ति के दुरुपयोग के परिणामस्वरूप होने वाली बुराइयों को ठीक करने के लिए समर्पित एक आधुनिकीकरण, परंपरा विरोधी आंदोलन है।

43. समकालीन सामाजिक चिंतन के अंतर्गत नारीवादी सिद्धांत (Feminist Theory) के समर्थक जो तर्क दे रहे हैं, उनकी सबसे पहली सशक्त अभिव्यक्ति मिल के चिंतन में मिलती है। मिल ने अपनी चर्चित कृति 'Subjection of Women–1869' के अंतर्गत यह मुद्दा उठाया कि आधी मानवता-अर्थात् स्त्री जाति को चिरकाल से दूसरी आधी मानवता-अर्थात् पुरुष जाति की पराधीनता में क्यों रखा गया है?

मिल न यह प्रश्न उठाया कि यह पराधीनता चाहे कानून के माध्यम से स्थापित की गई हो या रीति-रिवाज के माध्यम से–इसे उपयोगितावाद के आधार पर कहाँ तक उचित ठहराया जा सकता है?

इस प्रश्न के उत्तर में मिल ने पूरी दृढ़ता के साथ यह मान्यता रखी है कि स्त्रियों की पराधीनता को किसी भी आधार पर उचित नहीं ठहराया जा सकता। यह सच है कि जीववैज्ञानिक दृष्टि से स्त्री और पुरुष की बनावट में अंतर पाया जाता है, और बहुत छोटे शिशुओं की देख-रेख करना भी स्त्रियों का स्वाभाविक कृत्य है, परंतु इससे यह सिद्ध नहीं होता कि उन्हें मताधिकार से वंचित रखना चाहिए; उन्हें ऊँचे व्यवसायों से बाहर रखना चाहिए; या उन्हें उन्नति के उन सब अवसरों से दूर रखना चाहिए जो ऐतिहासिक दृष्टि से पुरुषों को सुलभ रहे हैं।

मिल ने स्त्री-पुरुष की समानता के पक्ष में जो तर्क दिए हैं, वे अपने-आप में बेजोड़ हैं। मिल ने तर्क दिया कि पुरुष के प्रति स्त्री की अधीनता न केवल अपने-आप में अनुचित है, बल्कि यह मानव जाति की उन्नति के मार्ग की मुख्य बाधा भी है। अतः सामाजिक प्रगति को बढ़ावा देने के लिए स्त्रियों की पराधीनता को समाप्त करके स्त्री-पुरुष की पूर्ण समानता स्थापित कर देनी चाहिए। ऐसा न हो कि एक पक्ष को शक्ति एवं विशेषाधिकार प्राप्त हों, और दूसरे पक्ष को अशक्त एवं अयोग्य बना दिया जाए।

मिल ने लिखा है कि स्त्रियों की पराधीनता ऐसी विश्वजनीन प्रथा का रूप धारण कर चुकी है कि जब कहीं स्त्री के वर्चस्व का कोई संकेत मिलता है तो वह अस्वाभाविक प्रतीत होता है। दुनिया के दूर-दराज के हिस्सों में जब

लोगों को यह बताया जाता है कि इंग्लैंड में महारानी का शासन है तो उन्हें अत्यंत आश्चर्य होता है, और वे इस बात पर सहज विश्वास नहीं कर पाते।

इधर इंग्लैंड के लोगों को महारानी के शासन में तो कोई विचित्र बात दिखाई नहीं देती, परंतु वे यह नहीं सोच पाते कि स्त्रियाँ सैनिक और संसद-सदस्य भी हो सकती हैं। दूसरी और, यूनान और अन्य प्राचीन देशों के लोगों को यह विचार उतना अस्वाभाविक प्रतीत नहीं होता था क्योंकि स्पार्टा में स्त्रियों को कुशल सैनिक बनने की शिक्षा दी जाती थी। वैसे कानून की दृष्टि से वे भी पुरुषों के अधीन थीं।

स्पार्टा की स्त्रियों के उदाहरण से प्रेरित होकर ही प्लेटो को स्त्री-पुरुष की समान क्षमताओं में विश्वास हो गया था और उसने अपने चिंतन के अंतर्गत स्त्री-पुरुष की सामाजिक और राजनीतिक समानता का समर्थन किया था। इन सब तर्कों के आधार पर मिल ने तत्कालीन परिस्थितियों में स्त्रियों को मताधिकार एवं सम्पत्ति संबंधी अधिकार प्रदान करने के प्रस्ताव की शानदार पैरवी की।

47. अरविंदो के दर्शन में जिस राष्ट्रवाद का उल्लेख है वह मूलरूप से आध्यात्मिकता पर आधारित है। अरविन्दो के अनुसार मानव एकता के आदर्श को यह स्वीकार करना चाहिए कि आध्यात्मवाद ही इकलौता सुरक्षा कवच है तथा राजनैतिक रूप से महान बनने और उन्मुक्ति प्राप्त करने हेतु महान और उन्मुक्त होना आवश्यक है। महर्षि अरविन्दो ने राष्ट्र और राष्ट्रीयता की संकल्पना को एक वृहद दृष्टिकोण प्रदान किया। उनके अनुसार राष्ट्रीयता एक आध्यात्मिक बल है जो सदैव विद्यमान रहती है और इसमें किसी प्रकार का क्षरण नहीं होता। अरविन्दों राष्ट्रवाद को ही सच्चा धर्म मानते थे और राजनीतिक स्वतंत्रता को ईश्वरीय कार्य की संज्ञा देते हैं।

अरविन्दो का कथन है राष्ट्रवाद महज एक राजनीतिक कार्यक्रम नहीं है, बल्कि राष्ट्रवाद एक धर्म है, जिसका स्रोत ईश्वर है। अरविन्दो आध्यात्मिक राष्ट्रवाद को 'आदर्श राज्य' के रूप में प्रस्तुत करते हैं और यही आदर्श राज्य स्वराज का रूप लेता है। महर्षि अरविन्दो का लक्ष्य था एक आदर्श आध्यात्मिक समाज कि सथापना करना। उनका मानना था कि एक पूर्ण समाज अपूर्ण व्यक्तियों द्वारा नहीं बन सकता और बिना आध्यात्म के व्यक्ति की पूर्णता सम्भव नहीं है। यही कारण है कि अरविन्दो ने 'धर्म' को ही भारतीय लोकतन्त्र का मूल बताया जिसे पूरे भारत को एकता के सूत्र में बाँधने के बाद ही प्राप्त किया जा सकता है।

50. द्वितीय विश्वयुद्ध तक पहुंचते-पहुंचते साम्राज्यवादी शक्तियां इतनी अधिक कमजोर हो गईं कि वे पराधीन राष्ट्रों पर अपना साम्राज्यवादी नियंत्रण बनाए रखने में अयोग्य सिद्ध होने लगे। साथ में पराधीन देशों में निरन्तर उभर रही राजनीतिक चेतना के परिणामस्वरूप उभरे स्वतन्त्रता आन्दोलन ने भी साम्राज्यवादी शक्तियों को बहुत हानि पहुंचाई। दो विश्व युद्धों ने साम्राज्यवादी देशों की अर्थव्यवस्थाओं को भारी नुकसान पहुंचाया। वे अब इस स्थिति में नहीं रहे कि आन्दोलनकारी ताकतों से लोहा ले सकें। इसलिए उन्होंने अपना साम्राज्यवादी नियंत्रण ढीला कर दिया और उपनिवेशी शासन का अन्त होने लगा। लेकिन इसके बाद एक नए प्रकार के साम्राज्यवाद का जन्म हुआ जिसे नव-उपनिवेशवाद या आर्थिक साम्राज्यवाद के नाम से जाना जाता है। यह विकसित साम्राज्यवादी देशों द्वारा अपनी खण्डित अर्थव्यवस्थाओं को पटरी पर लाने के लिए किए गए प्रयासों का महत्वपूर्ण हिस्सा था। साम्राज्यवादी ताकतें चाहती थीं कि आर्थिक नियंत्रण द्वारा वे नवोदित स्वतन्त्र राष्ट्रों के आर्थिक जीवन पर अपना नियंत्रण लादकर उनसे पहले जैसा ही लाभ उठा सकती हैं। इसके जन्म के निम्नलिखित कारण हैं :

उपनिवेशों में राजनीतिक चेतना का उदय : धीरे-धीरे औपनिवेशिक शोषण के शिकार देशों में राजनीतिक चेतना का उदय हुआ। इससे वहाँ पर स्वतन्त्रता आन्दोलन का तेजी से विकास होने लगा। भारत जैसे राष्ट्रीय मुक्ति आन्दोलन ने औपनिवेशिक ताकतों को यह अहसास करा दिया कि अब उनका नियंत्रण ज्यादा दिन तक नहीं टिक सकता। संयुक्त राष्ट्र संघ के चार्टर में आत्मनिर्णय के अधिकार को स्वीकृति मिल चुकी थी। इसलिए समय की नाजुकता को देखकर उन्हें अपने उपनिवेशों को स्वतन्त्र करना पड़ा। परन्तु उन देशों की राजनीतिक अस्थिरता ने इन देशों को अपना आर्थिक नियंत्रण स्थापित करने का मौका दे दिया। इससे पुराना उपनिवेशवाद नए रूप में परिवर्तित हो गया।

यूरोपीय ताकतों का कमजोर होना : दो विश्व युद्धों ने यूरोप की साम्राज्यवादी ताकतों को भयंकर हानि पहुंचाई। अब उपनिवेशों में शासन चलाना उनके सामर्थ्य से बाहर हो गया। लगातार उठ रहें मुक्ति आंदोलनों ने भी बड़े-बड़े साम्राज्यों को नष्ट कर दिया। भारत में इंग्लैण्ड को जो हानि उठानी पड़ी, उससे भयभीत होकर अंग्रेजों ने यहाँ पर अपना औपनिवेशिक शासन जारी रखने में असमर्थता जाहिर की। नवोदित प्रभुसत्ता सम्पन्न राज्यों ने अंतर्राष्ट्रीय सम्बन्धों को प्रभावित करना शुरू कर दिया। 1949 में चीन एक साम्यवादी शक्ति के रूप में उभरा। अब वहाँ पर साम्राज्यवादी ताकतों का टिकना मुश्किल हो गया। माओ ने सभी साम्राज्यवादी ताकतों को भयंकर परिणाम की चेतावनी दे डाली। लेकिन सभी नवोदित राष्ट्र चीन व भारत जैसे शक्तिशाली नहीं थे। अधिकतर देशों में अपने आर्थिक विकास का सामर्थ्य नहीं था। इसलिए उन्होंने अपने पुराने साहूकारों पर ही निर्भरता की इच्छा व्यक्त की। सभी साम्राज्यवादी ताकतें आर्थिक सहायता के नाम पर अपने अधीन रहे देशों में हस्तक्षेप के प्रयास करने लगी। इससे वहाँ नव-उपनिवेशवाद का जन्म हुआ।

51. संयुक्त राष्ट्र का घोषणापत्र :

अध्याय छः विवादों का शान्तिपूर्ण निपटरा।

अध्याय सातः शान्ति को खतरे में डालने वाले मामलों, शान्ति भंग और आक्रामक कार्यों के सम्बन्ध में कार्रवाई।

52. वैश्विक प्रणाली सिद्धान्त (World-systems theory) : विश्व इतिहास एवं सामाजिक परिवर्तन को समझने का एक प्रणाली सिद्धांत (system theory) है। इसका मानना है कि सामाजिक अध्ययन के लिए पूरे विश्व को मूल इकाई माना जाना चाहिए न कि देशों या राज्यों को। विश्व राष्ट्र-राज्यों में बँटा हुआ है, पर उसे एक वैश्विक प्रणाली के रूप में देखने का आग्रह करने वाले विद्वान इस विभाजन को एकता के संदर्भ में समझने का प्रयास करते हैं। उनकी मान्यता है कि सामाजिक सीमाओं और सामाजिक निर्णय-प्रक्रिया का अध्ययन करने के लिए राष्ट्र-राज्यों को एक इकाई के रूप में ग्रहण करने के बजाय वैश्विक प्रणाली को विश्लेषण का आधार बनाया जाना चाहिए। इस बौद्धिक परियोजना के आधार पर किये गये सूत्रीकरण को 'वैश्विक प्रणाली-सिद्धांत के रूप में जाना जाता है। इसका विकास पचास के दशक में प्रतिपादित निर्भरता-सिद्धांत से प्रभावित है। वर्ल्ड-सिस्टम थ्योरी के मुख्य जनक इमैनुएल वालरस्टीन हैं। वालरस्टीन और वैश्विक प्रणाली के अन्य सिद्धांतकार मानते हैं कि विश्व की पूँजीवादी अर्थव्यवस्था चार बुनियादी अंतर्विरोधों से ग्रस्त है जिनके कारण उसका अंत अवश्वयम्भावी है, भले ही शीत-युद्ध के खात्मे और सोवियत संघ के पराभव के कारण फिलहाल सारी दुनिया में उसका बोलबाला हो गया हो। इनमें पहला अंतर्विरोध है आपूर्ति और माँग के बीच का लगातार जारी असंतुलन। यह असंतुलन तब तक जारी रहेगा जब तक उत्पादन संबंधी निर्णय फर्म के स्तर पर लिए जाते रहेंगे। दूसरा है उपभोग से पैदा हुए अधिशेष मूल्य के एक हिस्से को अपने मुनाफे के तौर पर देखने की पूँजीपतियों की प्रवृत्ति। अधिशेष को और बड़े पैमाने पर पैदा करने के लिए आगे चलकर मौजूदा अधिशेष का पुनर्वितरण करना होगा। तीसरा अंतर्विरोध का समर्थन हासिल करने में कामयाब होती रहेगी। चौथा अंतर्विरोध एक वैश्विक प्रणाली और अनगिनत राज्यों के बीच है। इन दोनों के सह-अस्तित्व से प्रणाली का विस्तार तो हुआ है, पर साथ ही प्रणालीगत संकटों से निबटने के लिए जरूरी बेहतर आपसी सहयोग की संभावनाएं भी कम हुई हैं।

55. वित्त आयोग से संबंधित संवैधानिक प्रावधान :

संवैधानिक प्रावधान :

- वित्त आयोग के संबंध में भारतीय संविधान के अनुच्छेद 280 और 281 में उल्लेख किया गया है।
- वित्त आयोग एक अर्द्धन्यायिक एवं सलाहकारी निकाय है।

संरचना/गठन :

- अनुच्छेद 280(1) के तहत उपबंध है कि वित्त आयोग राष्ट्रपति द्वारा नियुक्त किये जाने वाले एक अध्यक्ष और चार अन्य सदस्यों से मिलकर बनेगा।
- अनुच्छेद 280(2) के तहत संसद को शक्ति प्राप्त है कि वह वित्त आयोग की संख्या निर्धारित करे।

- संसद द्वारा वित्त आयोग के सदस्यों की अर्हताएँ निर्धारित करने हेतु वित्त आयोग (प्रकीर्ण उपबंध) अधिनियम, 1951 पारित किया गया है, इसके अंतर्गत निम्नलिखित अर्हताएँ हैं :
    - ❑ अध्यक्ष एक ऐसा व्यक्ति हो जो लोक मामलों का ज्ञाता हो।
    - ❑ अन्य चार सदस्यों में उच्च न्यायालय का न्यायाधीश बनने की अर्हता हो या उन्हें प्रशासन व वित्तीय मामलों का विशेष ज्ञान हो या अर्थशास्त्र का विशिष्ट ज्ञान हो।

कार्य :

- भारत के राष्ट्रपति को यह सिफारिश करना कि संघ एवं राज्यों के बीच करों की शुद्ध प्राप्तियों को कैसे वितरित किया जाए एवं राज्यों के बीच ऐसे आगमों का आवंटन।
- अनुच्छेद 275 के तहत संचित निधि में से राज्यों को अनुदान/सहायता दिये जाना चाहिये।
- राज्य वित्त आयोग द्वारा की गई सिफारिशों के आधार पर पंचायतों एवं नगरपालिकाओं के संसाधनों की आपूर्ति हेतु राज्य की संचित निधि में संवर्द्धन के लिये आवश्यक कदमों की सिफारिश करना।
- राष्ट्रपति द्वारा प्रदत्त अन्य कोई विशिष्ट निर्देश, जो देश के सुदृढ़ वित्त के हित में हों।

शक्तियाँ :

- आयोग अपनी रिपोर्ट राष्ट्रपति को सौंपता है, जिसे राष्ट्रपति संसद के दोनों सदनों के समक्ष रखवाता है।
- प्रस्तुत सिफारिशों के साथ स्पष्टीकारक ज्ञापन भी रखवाना होता है ताकि प्रत्येक सिफारिश के संबंध में हुई कार्यवाही की जानकारी हो सके।
- वित्त आयोग द्वारा की गई सिफारिशें सलाहकारी प्रवृत्ति की होती हैं इसे मानना या न मानना सरकार पर निर्भर करता है।

57. **भारतीय संसद के दो सदन होते हैं :** लोकसभा और राज्यसभा। लोकसभा संसद का प्रथम अथवा निम्न सदन है और राज्यसभा द्वितीय और उच्च सदन है। लोकसभा को "लोकप्रिय सदन" और राज्यसभा को "वरिष्ठ सदन" भी कहा जाता है।

वित्तीय विधेयकों के सम्बन्ध में संविधान के द्वारा ही लोकसभा को राज्यसभा के अधिक शक्ति दी गई है। संविधान के अनुसार, वित्त विधेयक लोकसभा में ही प्रस्तावित किये जायेंगे और लोकसभा से पारित होने पर ये विधेयक राज्यसभा में आयेंगे, जिसके द्वारा अधिक-से-अधिक 14 दिन तक ऐसे किसी विधेयक पर विचार किया जा सकता है। राज्यसभा के सुझावों को मानना या न मानना लोकसभा की इच्छा पर निर्भर है।

संसदात्मक शासन में मंत्रिमंडल संसद के लोकप्रिय सदन के ही प्रति सामूहिक रूप से उत्तरदायी होता है, अतः भारत में भी मंत्रिमंडल लोकसभा के ही प्रति उत्तरदायी है, राज्यसभा के प्रति नहीं, राज्यसभा के सदस्य मंत्रियों से प्रश्न और पूरक प्रश्न पूछ सकते हैं और उनकी आलोचना भी कर सकते हैं, परन्तु अविश्वास प्रस्ताव के आधार पर मंत्रिमंडल को पदच्युत करने का अधिकार केवल लोकसभा को ही प्राप्त है। अतः कार्यपालिका पर नियंत्रण की दृष्टि से लोकसभा राज्यसभा की तुलना में निश्चित रूप से अधिक शक्तिशाली है।

58. 'निजता के अधिकार' में 'भूल जाने का अधिकार' और 'अकेले रहने का अधिकार' भी शामिल हैं।

'पुट्टस्वामी बनाम भारत संघ' (वर्ष 2017) मामले में निजता के अधिकार को सर्वोच्च न्यायालय द्वारा मौलिक अधिकार घोषित किया गया था। 'निजता का अधिकार' संविधान के अनुच्छेद-21 के तहत जीवन का अधिकार एवं व्यक्तिगत स्वतंत्रता के आंतरिक हिस्से के रूप में और संविधान के भाग III द्वारा गारंटीकृत स्वतंत्रता के एक हिस्से के रूप में संरक्षित है।

नौ जजों वाली सुप्रीम कोर्ट की संविधान पीठ ने सर्वसम्मति से निजता के अधिकार को मौलिक अधिकार बताया है। पीठ में मुख्य न्यायाधीश जे.एस. खेहर, जस्टिस जे चेलमेश्वर, जस्टिस एस.ए. बोबडे, जस्टिस आर.के. अग्रवाल, जस्टिस आर.एफ. नरीमन, जस्टिस ए.एम. सप्रे, जस्टिस डी.वाई चंद्रचूड़, जस्टिस एस के कौल और जस्टिस एस अब्दुल नजीर शामिल थे।

62. निष्पादन बजट प्रणाली को आमतौर पर एक ऐसी व्यवस्था के रूप में जाना जाता है जिसके तहत सार्वजनिक

व्यय की प्रस्तुति, मुख्यतः सरकारी लागत तथा उत्पादन को प्रदर्शित करते हुए कार्यों, कार्यक्रमों, निष्पादन इकाइयों अर्थात् गतिविधियों/परियोजनाओं के आधार पर की जाती है। निश्चित रूप से यह एक ऐसी प्रक्रिया है जो संपूर्ण सरकारी कामकाज को कार्यों, कार्यक्रमों तथा गतिविधियों के एक वर्गीकरण के माध्यम से पेश करती है। पर्याप्त विस्तृत विवरणों तथा काम के बोझ के आंकड़ों के जरिये, जो कि प्रस्तुति का एक अभिन्न हिस्सा होते हैं, यह किये गये कार्य, अथवा प्रस्तावित कार्य तथा उन्हें पूरा करने संबंधी लागत को प्रदर्शित करती है। निष्पादन बजट प्रणाली का मुख्य जोर दीर्घकालिक परिप्रेक्ष्य के तहत उत्पादन-उन्मुख सूचनाएँ उपलब्ध कराने पर रहता है ताकि स्रोतों का आवंटन कुशलता एवं प्रभावी ढंग से किया जा सके। यह उपलब्धियाँ हासिल करने के साधनों के बजाय उपलब्धियाँ हासिल करने पर जोर देती है। निष्पादन बजट प्रणाली के अंतर्गत सरकारी व्यय का मकसद, व्यय की मदों से अधिक महत्वपूर्ण माना जाता है। अतः निष्पादन बजट प्रणाली, किसी निर्धारित वर्ष के दौरान, कार्यभारों, उन्हें पूरा करने के साधनों तथा आवश्यक लागत के निश्चित संकेतों सहित, एक प्रकार की कार्य योजना है। यह प्रत्येक कार्यक्रम तथा गतिविधि के भौतिक एवं वित्तीय पहलू को परिभाषित करने का प्रयास करती है और इस तरह लागत तथा उत्पादों के बीच एक रिश्ता कायम करती है। निष्पादन बजट प्रणाली स्पष्ट तौर पर परिभाषित लक्ष्यों की रूपरेखा के अंतर्गत काम करती है जिन्हें सम्बद्ध निकाय द्वारा हाथ में लिये गये विभिन्न कार्यक्रमों व गतिविधियों के माध्यम से सफलतापूर्वक प्राप्त किया जाना हो। इसीलिए निष्पादन बजट प्रणाली के तहत अपेक्षाकृत परिष्कृत प्रबंध उपकरणों, जैसे-कार्य का आंकलन, निष्पादन स्तर, इकाई लागत आदि, को शामिल किया जाता है।

निष्पादन बजट प्रणाली : उद्देश्य

(*i*) कार्यक्रमों व गतिविधियों के भौतिक एवं वित्तीय पहलू के बीच संबंध कायम करने,

(*ii*) सरकारी तंत्र में प्रबंधक के सभी स्तरों पर बजट प्रस्थापनाओं, समीक्षा तथा निर्णय लेने में सुधार करने,

(*iii*) विधान मंडलों द्वारा बेहतर गुण-विवेचन तथा समीक्षा में सहायता देने,

(*iv*) अधिक प्रभावी निष्पादन लेखा परीक्षा को संभव बनाने,

(*v*) योजना में परिकल्पिक दीर्घकालीन लक्ष्यों की प्रगति को आंकने, तथा

(*vi*) वार्षिक बजटों तथा विकास योजनाओं को समभाषा में एक साथ पेश करने का उद्देश्य रखती है।

76. नारीवाद एक आंदोलन के साथ-साथ एक विचारधारा भी है। एक विचारधारा के रूप में नारीवाद इस बात की वकालत करता है कि महिला और पुरुषों में जीवन के सभी क्षेत्रों में समानता होनी चाहिए। अपने अधिकारों के लिए सामूहिक रूप से आंदोलनरत होने की प्रेरणा स्त्री जाति को फ्रांसीसी क्रांति (1789) से प्राप्त हुई थी। एक आंदोलन के रूप में नारीवाद ने बहुत से तरीके अपनाकर महिलाओं के अधिकार, सम्मान और दूसरों के आधिपत्य व द्वितियक दर्जे से मिलकर महिला सशक्तिकरण के उद्देश्य को प्राप्त करना चाहता है।

नारीवादी आंदोलन के उदय एवं विकास को विभिन्न चरणों में दर्शाया जा सकता है :

प्रथम चरण : 19वीं सदी का अंत और 20वीं सदी का प्रारम्भ उदार नारीवाद का प्रतिनिधित्व करता है। इस चरण में परम्परागत उदारवाद ने मुख्य रूप से अधिकारों की बहत पर जोर दिया जिसका अमेरिका में महत्वपूर्ण प्रभाव पड़ा। महिला मताधिकार की मांग के साथ-साथ महिलाओं के साधारण नागरिक और राजनीतिक अधिकारों में विस्तार की मांग की जो नारीवादी लेखकों एमिली पंखुश्ट, क्रिस्टबेल पंखुश्ट, मेरी वोल्स्टोनक्राफ्ट, जे. एस. मिल, हैरियट टेलर, रिबेका वॉकर, बैटी फ्रीडन, मागरिट फुलर आदि के कार्यों में दिखाई देती है।

प्रथम चरण के नारीवादियों का विश्वास था कि मत देने का अधिकार प्राप्त करने से महिलाओं की सभी समस्याओं का अंत हो जायेगा। उनकी सोच थी कि धीरे-धीरे और आराम से महिलाऐं इस असमानता ओर पूर्वाग्रह को पछाड़ कर बराबरी का स्थान प्राप्त कर लेंगी। किंतु नारीवादियों के लिए चिंता का विषय यह रहा कि उन्होंने जो सोचा था वैसा कुछ हुआ नहीं। सिर्फ अधिकारों का

विस्तार ही महिला मुक्ति के लिए काफी नहीं था। इस असफलता ने उन्हें और अधिक अधिक निराश कर दिया। महिलाओं की इस निराशा और व्याकुलता को बैटी फ्रीडन ने अपनी पुस्तक 'द फैमिनिस्ट मिस्टिक'' (1963) में चित्रित किया।

दूसरा चरण : दूसरे चरण का अंदाजा 1960 में ही लगना शुरू हो गया था। इसके उदय के बहुत से कारण रहे हैं। इस काल में बहुत अधिक मात्रा में अमेरिका ओर यूरोप में महिलाओं की शिक्षा का विकास हुआ। जिन व्यवसायों में पहले पुरुषों का आधिपत्य था, उनमें महिलाओं ने प्रशिक्षण और योग्यता हासिल करना शुरू कर दिया। इसी के साथ 1960 में बहुत सारे कानूनी बदलाव हुए जिनमें समान शिक्षा, गर्भपात क़र कानून, समान वेतन और नागरिक अधिकार प्रमुख हैं। इतना ही नहीं, इस दौर में महिलाओं का जन्म नियंत्रण और परिवार नियोजन से भी परिचय हुआ और निश्चित रूप से गर्भनिरोधक गोलियों ने महिलाओं को निजी और सार्वजनिक स्वतंत्रता प्रदान की।

इस दौर में बहुत अधिक मात्रा में महिला साहित्य पर कार्य हुआ। 'सिमोन द बुआ' की 'द सैकेंड सेक्स' (1961), सुलामिथ फायरस्टोन की 'द डायलैक्टिक ऑफ सेक्स (1970), जरमाइन ग्रीअर की 'द फीमेल यूनक' (1970), कैट मिलेट की 'द सैक्सुअल पॉलिटिक्स' (1970) इवा फिजि की 'पैट्रियार्कल एप्टीट्यूडस' (1970) और मैरी डेली की 'द चर्च एण्ड द सैकंड सैक्स' (1968) आदि पुस्तकें इस दौर में प्रकाशित हुईं।

इस लहर ने महिलाओं पर होने वाले व्यक्तिगत, मनोवैज्ञानिक और लिंग संबंधी अत्याचारों पर ध्यान आकर्षित किया। इस दौर के उग्र नारीवादियों ने लैंगिकता और महिलाओं के विरुद्ध हिंसा पर विशेष ध्यान दिया। इस युग के सभी लेखकों एवम् विचारकों ने महिला की सर्वोच्चता, उसका गौरव, उसकी नैतिक सर्वोच्चता, राजनीतिक भागीदारी, महिला समलैंगिकता और पुरुषों से महिला का विवाह-विच्छेद अर्थात् अलग होने का समझौता आदि को दर्शाया और परिवार समेत सभी संस्थाओं को महिलाओं पर लिंग संबंधी अत्याचार के लिए प्रयोग की जाने वाली संस्था के रूप में चिन्हित किया गया।

तीसरा चरण : यह चरण महिला आंदोलन के विखंडन का गवाह बना। अलग-अलग स्वायत्त महिला आंदोलनों से नए-नए कथन उभर कर आए। नारीवाद का तीसरा चरण 1990 से अब तक जारी है। इसने पहली और दूसरी लहर की असफलता और प्रतिबंद्धता पर बात की। दूसरे चरण के नारीवादियों के विपरीत तीसरे चरण के नारीवादियों ने लैंगिकता की सकारात्क रूप से प्रशंसा की। इस चरण में मुख्य रूप से लैंगिक हिंसा और कार्यस्थल पर लैंगिक दमन का विरोध किया गया तथा प्रजनन अधिकार, बलात्कार, मातृत्व अवकाश और एकल माताओं के समर्थन में आवाज उठाई गई।

20वीं सदी के पिछले तीन दशकों में नारीवाद प्रमुख रूप से यूरोप और उत्तरी-अमेरिका तक न सिमटकर पूरे विश्व में फैल चुका है। इस दौर में बहुत सारी शोध पत्रिकाएं और महिला पत्रिकाएं आनी शुरू हो गई। इस प्रकार महिलाओं से संबंधित साहित्य हर क्षेत्र में आगे बढ़ा है। महिलाओं से संबंधित अध्ययन, विषय व पाठ्यक्रम उच्च शिक्षा में आ गये और महिला मुद्दों पर लगातार जागृति आ रही है।

78. डॉक्टर अम्बेडकर द्वारा लिखी गयी पुस्तकों के नाम हैं

क्रम संख्या	पुस्तक का नाम	छपाई का वर्ष
1.	भारत का राष्ट्रीय अंश	1916
2.	भारत में जातियां और उनका मशीनीकरण	1916
3.	भारत में लघु कृषि और उनके उपचार	1917
4.	मूक नायक (साप्ताहिक)	1920
5.	ब्रिटिश भारत में साम्राज्यवादी वित्त का विकेंद्रीकरण	1921
6.	रुपये की समस्या : उद्भव और समाधन	1923
7.	ब्रिटिश भारत में प्रांतीय वित्त का अभ्युदय	1925
8.	बहिष्कृत भारत (साप्ताहिक)	1927
9.	जनता (साप्ताहिक)	1930
10.	जाति का उच्छेद	1937

11.	संघ बनाम स्वतंत्रता	1939
12.	पाकिस्तान पर विचार	1940
13.	श्री गाँधी एवं अछूतों की विमुक्ति	1942
14.	रानाडे, गाँधी और जिन्ना	1943
15.	कांग्रेस और गाँधी ने अछूतों के लिए क्या किया	1945
16.	शूद्र कौन और कैसे	1948
17.	महाराष्ट्र भाषाई प्रान्त	1948
18.	भगवान बुद्ध और उनका धम्म	1957

82. साइमन कमीशन की नियुक्ति ब्रिटिश प्रधानमंत्री ने सर जॉन माइमन के नेतृत्व में की थी। इस कमीशन में सात सदस्य थे, जो सभी ब्रिटेन की संसद के मनोनीत सदस्य थे। यही कारण था कि इसे 'श्वेत कमीशन' कहा गया। साइमन कमीशन की घोषणा 8 नवम्बर, 1927 ई. को की गई। कमीशन को इस बात की जाँच करनी थी कि क्या भारत इस लायक हो गया है कि यहाँ लोगों को संवैधानिक अधिकार दिये जाएँ। इस कमीशन में किसी भी भारतीय को शामिल नहीं किया गया, जिस कारण इसका बहुत ही तीव्र विरोध हुआ।

प्रथम गोलमेज सम्मेलन 12 नवंबर, 1930 से 19 जनवरी 1931 तक आयोजित किया गया था। कांग्रेस ने भारत के पूर्ण स्वराज पर चर्चा की मांग के कारण सम्मेलन का बहिष्कार किया, जिसे ब्रिटिश सरकार ने अस्वीकार कर दिया। सम्मेलन में रियासतों, अल्पसंख्यक समुदायों और दबे-कुचले वर्ग के प्रतिनिधियों ने भाग लिया। लेकिन कांग्रेस के बिना, सम्मेलन भारतीय समस्याओं पर किसी भी समझौते तक पहुंचने में विफल रहा।

प्रथम गोलमेज सम्मेलन की असफलता के बाद सरकार द्वारा कांग्रेस के साथ एक समझौता करने का प्रयास किया गया ताकि वह अगले दौर के सम्मेलन में भाग ले सके। वाइसराय, लॉर्ड इरविन, महात्मा गांधी के साथ बातचीत करने के लिए अधिकृत थे। अंत में, गांधी और इरविन 5 मार्च 1931 को एक समझौते पर पहुँचे। समझौते को गांधी-इरविन समझौता कहा जाता है। इस समझौते के द्वारा, सरकार ने अधिकांश सविनय अवज्ञा स्वयंसेवकों को रिहा करने पर सहमति व्यक्त की, जिनके खिलाफ हिंसा का कोई आरोप नहीं था। कांग्रेस ने सविनय अवज्ञा आंदोलन स्थगित कर दिया और दूसरे गोलमेज सम्मेलन में भाग लेने के लिए सहमत हो गई।

अगस्त 1932 में, सरकार ने सांप्रदायिक पांचाट की घोषणा की, जिसमें मुसलमानों, सिखों और दबे-कुचले वर्गों के लिए अलग-अलग निर्वाचक मंडल बनाए गए थे। गांधी ने यारवडा जेल में आमरण अनशन करके इस निर्णय का कड़ा विरोध किया। गांधी के निर्णय पर राष्ट्र स्तब्ध था। नेताओं ने तुरंत पिछड़ी जातियों के प्रतिनिधियों के साथ बातचीत की और समझौता प्रभावित हुआ।

88. निसन्देह सुरक्षा परिषद संयुक्त राष्ट्र का सबसे अभिन्न अंग है जिसका निर्माण स्थाई आधार पर किया गया है ताकि यह अंतर्राष्ट्रीय शांति एवं सुरक्षा को बनाए रखने के प्राथमिक दायित्व का वहन कर सके। सामूहिक सुरक्षा के सिद्धान्त के अनुरूप कार्य करने के लिए सुरक्षा परिषद् का गठन इस प्रकार किया गया है जिससे यह सभी देशों को उचित प्रतिनिधित्व प्रदान करते हुए विश्व राजनीति की वास्तविक स्थिति को प्रतिबंधित करती है।

सुरक्षा परिषद् के 15 सदस्य हैं। यू.के., चीन, फ्रांस, रूसी गणराज्य और अमेरिका इसके स्थाई सदस्य हैं। अन्य दस सदस्यों में से पाँच सदस्यों का निर्वाचन प्रति वर्ष महासभा द्वारा दो वर्ष की अवधि के लिए होता है और पाँच सदस्य प्रति वर्ष सेवानिवृत हो जाते हैं। प्रत्येक सदस्य को एक वोट प्राप्त है। दैनिक कार्यवाही के लिए अनुमोदन हेतु नौ 'स्वीकृत' मतों की जरूरत होती है। अन्य मामलों पर इन नौ 'स्वीकृत' मतों में सभी पाँच स्थाई सदस्यों के वोट भी शामिल होते हैं।

सुरक्षा परिषद् की कार्यप्रणाली "महान शक्तियों की एकात्मकता" अर्थात् 'वीटो' शक्ति से जुड़ी है। इसके बिना सुरक्षा परिषद् संयुक्त राष्ट्र का निष्क्रिय अंग बन जाएगा जिसके परिणामस्वरूप इसकी स्थिति और भूमिका समाप्त हो जाएगी।

YOUR SPACE

पिछले प्रश्न-पत्र (हल सहित)

National Testing Agency (NTA)

UGC-NET जूनियर रिसर्च फैलोशिप तथा सहायक प्राध्यापक परीक्षा

राजनीति शास्त्र, जून-2020

(Online exam held on 09-10-2020)

प्रश्न-पत्र-II

नोटः *इस प्रश्न-पत्र में* **सौ (100)** *बहु-विकल्पीय प्रश्न हैं। प्रत्येक प्रश्न के* **दो (2)** *अंक हैं।* **सभी** *प्रश्न अनिवार्य हैं।*

1. 'वितरणात्मक न्याय' के लिए भाग्य के सभी पहलू, नैसर्गिक योग्यता सहित, अप्रासंगिक हैं – यह कथन किस अवधारणा को इंगित करता है?

A. योग्यता तंत्र B. धनिक तंत्र

C. भाग्य समतावाद D. कुलीन तंत्र

2. 'व्यक्तिवादी अराजकतावाद' की निम्नलिखित में से कौन-सी एक मुख्य विशेषता नहीं है?

A. निजी सम्पत्ति B. अतिउदारवाद

C. सविनय अवज्ञा D. जैववादिता

3. "अपने अस्तित्व को स्वतः बनाये रखने के लिए कार्य वाली पृथ्वी को एक जीवंत इकाई के रूप में सबसे अधिक समझा जाता है।" यह सिद्धांत किस नाम से जाना जाता है?

A. जन सामान्य की त्रासदी

B. संपोषणीयता

C. सामाजिक पारिस्थितिकी

D. गेया परिकल्पना

4. निम्नलिखित में से किस देश का संविधान लिखित नहीं है?

A. आस्ट्रेलिया B. न्यूजीलैंड

C. स्पेन D. फ्रांस

5. निम्न में से मैकियाविली के लिए सरकार का कौन-सा रूप आदर्श है?

A. गणतंत्र B. कुलीन तंत्र

C. लोकतंत्र D. वंशानुगत राजतंत्र

6. निम्न विचारकों में कौन-से विचारक महिला समानता में विश्वास नहीं रखते थे?

A. प्लेटो और मिल

B. अरस्तू और हीगेल

C. मिल और मैरी वॉलस्टोनक्राफ्ट

D. प्लेटो और मैरी वॉलस्टोनक्राफ्ट

7. 'द कंसीडरेशन्स ऑन रिप्रेजेंटेटिव गवर्नमेंट' में जे.एस. मिल ने किसका विस्तार से वर्णन नहीं किया है?

A. समानुपातिक प्रतिनिधित्व पर आधारित आदर्श सरकार

B. अल्पसंख्यकों की सुरक्षा

C. स्व-शासन की संस्थाएँ

D. राजनीतिक अर्थव्यवस्था

8. अरस्तू का "आदर्श राज्य सदैव प्लेटो का दूसरा सर्वाधिक अच्छा राज्य है।" यह किसका कथन है?

A. जी.एच. सेबाइन B. डब्ल्यू. एबेंस्टाइन

C. जे.ए. डनिंग D. सी.एल. वेपर

9. कौटिल्य के अनुसार, निम्नलिखित में से कौन-सा राज्य का कार्य नहीं है?

A. उसका अधिग्रहण जो उसके नियंत्रण और स्वामित्व में नहीं है

B. जो कुछ अधिग्रहित किया गया है उसका संरक्षण

C. जो कुछ संरक्षित किया गया है उसका प्रबलन

D. केवल साम्राज्य निर्माण

10. 'अग्गनसुत्त' संबंधित है :

A. हिन्दू दर्शन B. बौद्ध दर्शन

C. जैन दर्शन D. वेदान्त दर्शन

11. ई.वी. रामास्वामी पेरियार, सर्वप्रथम निम्न में से किस दल में सम्मिलित हुए थे?

A. भारतीय जनता पार्टी

B. भारतीय राष्ट्रीय कांग्रेस

C. जस्टिस पार्टी

D. भारतीय कम्युनिस्ट पार्टी

12. 'विश्वसनीय न्यूनतम निवारक' की संकल्पना निम्न में से किस प्रकार के अस्त्रों से संबद्ध है?

A. रासायनिक B. जैविक

C. नाभिकीय D. अंतरिक्ष-आधारित

13. उत्तर शीतयुद्ध युग में निर्गुट आंदोलन की प्रासंगिकता का विश्लेषण करने हेतु किसने, "द न्यू नॉरदन कॉन्सर्ट ऑफ पावर" (एन.एन.सी.पी.) का विचार दिया?

A. एम.एस. राजन B. एस.डी. मुनि

C. ए.पी. राणा D. मुचकुंद दुबे

14. निम्नलिखित में से किन विषयों में राज्य सभा को लोक सभा से अधिक शक्तियाँ प्राप्त हैं?

A. किसी राज्य में राष्ट्रपति शासन का अनुमोदन

B. नई अखिल भारतीय सेवा का सृजन

C. किसी राज्य में विधान परिषद का सृजन

D. किसी राज्य की सीमा में परिवर्तन

15. भारतीय संविधान का कौन-सा अनुच्छेद न्यायिक सक्रियता से सम्बन्धित है?

A. 14 B. 18

C. 21 D. 25

16. निम्नलिखित में से कौन भारत में पंचायती राज व्यवस्था के विचार का कट्टर विरोधी था?

A. बी.आर. अम्बेडकर

B. जयप्रकाश नारायण

C. राम मनोहर लोहिया

D. महात्मा गांधी

17. भारतीय संघवाद के संबंध में निम्नलिखित में से कौन-सा कथन असत्य है?

A. यह संघवाद को "संगठित रखने" का एक अच्छा उदाहरण है

B. इसमें अधिक शक्तिशाली केन्द्रीय सरकार की प्रवृत्ति है

C. यह 'एक साथ आने' के संघवाद की भावना को प्रतिबिंबित करता है

D. इसे 'अर्द्ध संघीय' प्रणाली कहा गया है

18. हिन्दू राष्ट्र का विचार मूलतः किसका है?

A. वी.डी. सावरकर B. के.बी. हेडगेवार

C. बी.एस. मुंजे D. एम.एस. गोलवलकर

19. भारतीय राजव्यवस्था को गतिहीन अनुत्तरदायी राज्य के स्थान पर 'नियामित आंदोलन' की दृष्टि से स्थायी किसने कहा है?

A. माइरन विनर B. डब्ल्यू.एच. मॉरिस जोन्स

C. जेम्स मेनर D. अतुल कोहली

20. निम्नलिखित में से कौन कांग्रेस पार्टी के 'सिंडिकेट' समूह का सदस्य नहीं था?

A. एम.एन. निजलिंगप्पा B. मोरारजी देसाई

C. के. कामराज D. वाई.वी. चव्हाण

21. चेस्टर बर्नार्ड के अनुसार एक औपचारिक संगठन अस्तित्व में तब आता है जब

A. ऐसे व्यक्ति हों जो कार्य योगदान के इच्छुक हों

B. ऐसे व्यक्ति हों जिनके लक्ष्य और उद्देश्य भिन्न हों

C. ऐसे व्यक्ति हों जो केवल अनौपचारिक माध्यमों से संप्रेषण के इच्छुक हों

D. कार्यकारी संगठन के भीतर प्रोत्साहनों की अर्थव्यवस्था संभालने का अनिच्छुक हो

22. पारंपरिक प्राधिकार या सत्ता की अवधारणा में निम्नलिखित में से क्या सम्मिलित है?

A. व्यक्तियों द्वारा विरासत में प्राप्त प्रतिष्ठा के कारण प्राधिकार या सत्ता का प्रयोग

B. नियमों-विनियमों के अधीन शक्ति का प्रयोग

C. किसी व्यक्ति द्वारा चमत्कारिक गुणों के आधार पर शक्ति का प्रयोग

D. विरासत में प्राप्त प्रतिष्ठा तथा विकसित व्यापार संगठन के इतिहास में असाधारण योगदान के अनुसार शक्ति/प्राधिकार का प्रयोग

23. निम्नलिखित में से किन कारकों ने वैज्ञानिक प्रबंधन सिद्धांत के क्रमिक विकास में योगदान नहीं किया?

A. कार्य के प्रभावी मानकों की कमी

B. कर्मचारी-प्रबंधन उत्तरदायित्वों की स्पष्ट समझ का अभाव

C. प्रबंधन द्वारा कामचलाऊ आधार पर निर्णय लेना
D. समुचित कार्य अभिकल्प और कर्मचारियों को आर्थिक प्रोत्साहन

24. 'उपभोक्ता संरक्षण अधिनियम 2019' के संबंध में निम्नलिखित में से कौन-सा कथन सही नहीं है?
A. इसमें 'उपभोक्ता' की परिभाषा विस्तृत की गई है
B. यह शिकायत के ई-फाइलिंग की व्यवस्था करता है
C. यह केन्द्रीय उपभोक्ता संरक्षण प्राधिकरण की स्थापना करता है
D. यह विवादों के निपटारे के वैकल्पिक तंत्र के रूप में मध्यस्थता की अनदेखी करता है

25. 'उपभोक्ता संरक्षण विधेयक 2019' को भारत की संसद द्वारा पारित किया गया।
A. 13 जुलाई, 2019 को
B. 25 जुलाई, 2019 को
C. 6 अगस्त, 2019 को
D. 9 अगस्त, 2019 को

26. 'प्राधान्य' सम्बन्धित है :
A. आर्थिक शोषण
B. ढांचागत असमानता
C. विरोधी विचारों के अपदस्त कर प्रभावतः उस काल का सामान्य बोध बन जाने की बुर्जुवाजी की क्षमता
D. सैन्य प्रभुत्व

27. निम्नलिखित में से किसने "वैज्ञानिक नियतत्वाद" को अस्वीकृत किया और राजनीतिक तथा बौद्धिक संघर्ष का समर्थन किया?
A. एन्टोनियो ग्राम्सी B. कार्ल मार्क्स
C. वी.आई. लेनिन D. फ्रेडरिक एंगेल्स

28. समकालीन समय में भारत में नियोजन के स्वरूप को निम्नलिखित में से कौन इंगित करता है?
A. वार्षिक नियोजन B. केन्द्रीकृत नियोजन
C. परिप्रेक्ष्य नियोजन D. पंचवर्षीय योजना

29. निम्न में से कौन भारत में नीति आयोग का प्रथम अध्यक्ष था/है?
A. अमिताभ कांत B. अरविन्द पनगढ़िया
C. नरेन्द्र मोदी D. मनमोहन सिंह

30. निम्नलिखित में से लोक नीति का क्रमिक वृद्धि प्रतिरूप किसने प्रस्तुत किया?
A. हेनरी फेयोल B. चार्ल्स ई. लिंडब्लोम
C. फ्रेड डब्ल्यू. रिग्स D. डेविड ईस्टन

31. निम्न में से कौन-सा प्रतिनिधित्व का सिद्धांत अथवा प्रतिरूप नहीं है?
A. न्यासिता B. प्रदत्तीकरण
C. जनादेश D. सर्वसम्मति

32. शासनों के वर्गीकरण की यूनानी पद्धति के अनुसार अनेकों द्वारा शासन के विकृत रूप को जाना जाता है?
A. निरकुंश शासन
B. कुलीन तंत्र
C. अराजक लोकतंत्र (भीड़ का शासन)
D. अल्पतंत्र

33. निम्न में से किसे प्रायः सांस्कृतिक राष्ट्रवाद के जनक के रूप में निरूपित/चित्रित किया जाता है?
A. गुईसेप मैजीनी B. चार्ल्स मॉराज
C. फ्रैंट्स फैनॉन D. जॉन गोटफ्राइड हर्डर

34. लोकतंत्रीकरण के संदर्भ में निम्न में से कौन-सा लोकतांत्रिक विवर्तन का कारण नहीं है?
A. आयात-प्रतिस्थापन का संकट
B. सैन्य शासन व्यवस्थाओं द्वारा अपनी लोकप्रियता एवं वैधता का खोना
C. सामाजिक परिवर्तन
D. जनमाध्यम

35. निम्नलिखित में से किसने नारीवाद दृष्टिकोण से हैन्स मार्गेन्थाऊ के 'सिक्स प्रिंसिपल्स ऑफ पॉलिटिकल रियलिज्म' का पुनर्निरूपण किया था?
A. जूडिथ बटलर B. जें.एन टिकनेर
C. हेलेने एम. किन्सेला D. बेट्टी फ्राइडेन

36. 'उदार लोकतंत्र और बाजार के योग ने राजनीतिक और सामाजिक विकास के इतिहास में समापन रेखा खींच दी है।' यह कथन किसका है?
A. सैमुअल पी. हंटिंग्टन
B. बेंजामिन बारबर
C. फ्रांसिस फुकुयामा
D. एलेक्जेंडर वेंड्ट

37. निम्नलिखित में से यूरोपीय संघ की कार्यकारी-नौकरशाही भुजा कौन-सी है?

A. यूरोपीय परिषद् B. यूरोपीय आयोग
C. परिषद् D. यूरोपीय संसद्

38. निम्नलिखित में से कौन-सा *"जस एड बेलम"* (युद्ध का न्यायसंगत विकल्प) का सिद्धांत नहीं है?

A. न्यायसंगत कारण B. विधि संगत प्राधिकार
C. समानुपातिकता D. मानवता

39. निम्नलिखित में से कौन 'रूढ़िवाद' के प्रमुख विचारक नहीं हैं?

A. टी.एच. ग्रीन B. एडमंड बर्क
C. माइकल ऑकशॉट D. फ्रेड्रिक वॉन हायेक

40. निम्नलिखित में से किस देश में सत्ता में सहभागिता के तंत्र के रूप में 'समपरिवर्तनियता' को नहीं अपनाया जाता है?

A. जर्मनी B. नीदरलैंड
C. स्विट्जरलैंड D. बेल्जियम

41. निम्नलिखित में से कौन समाजवाद के सिद्धांत संबंधी जी.ए. कोहेन के विचार का तत्व नहीं है?

(*a*) पूंजीवाद के अंतर्गत स्वतंत्रता के अनुचित वितरण का सिद्धांत
(*b*) उदारवादी समतावाद से प्रख्यापित वास्तविक भ्रातृत्व
(*c*) जॉन रॉल्स के सिद्धांत की 'गहन असमतामूलक' संरचना
(*d*) बाजारोन्मुख समाजवाद

नीचे दिए गए विकल्पों में से सही उत्तर चुनिए :

A. केवल (*a*) और (*b*) B. केवल (*a*) और (*c*)
C. केवल (*b*) और (*c*) D. केवल (*c*) और (*d*)

42. पराश्रिता सिद्धांत के बारे में निम्न में से कौन-से कथन सत्य हैं?

(*a*) पराश्रिता सिद्धांत पर उन मार्क्सवादियों और गैर-लेनिनवादियों का बहुत प्रभाव पड़ा जो विकास सिद्धांत के आलोचक थे।
(*b*) पराश्रिता सिद्धांत आधुनिकीकरण के शांतिपूर्ण, क्रमिक विकास प्रक्रिया पर बल देता है।
(*c*) तीसरी दुनिया का विकास पहले से विकसित देशों के विकास पर निर्भर करता था।
(*d*) पहली दुनिया तीसरी दुनिया का शोषण नहीं करती है।

नीचे दिए गए विकल्पों में से सही उत्तर चुनिए :

A. केवल (*a*) और (*b*) B. केवल (*a*) और (*d*)
C. केवल (*a*) और (*c*) D. केवल (*c*) और (*d*)

43. निम्न में से कौन-से कथन निरकुंशतावाद और सर्वसत्तावाद के संबंध में सत्य है?

(*a*) निरकुंश शासन व्यवस्था में सरकार संवैधानिक रूप से जनता के प्रति उत्तरदायी नहीं होती।
(*b*) निरकुंश शासन व्यवस्थाएँ संस्थानीकृत और वैध हो सकती हैं।
(*c*) सर्वसत्तावादी शासन व्यवस्थाएँ राज्य, समाज और अर्थव्यवस्था के सभी पक्षों को नियंत्रित करने और परिवर्तन करने का प्रयास करती हैं।
(*d*) सर्वसत्तावादी शासन व्यवस्थाओं का कोई सशक्त विचारधारात्मक लक्ष्य नहीं होता और वे संस्थाओं को पुनर्निमित करने हेतु हिंसा को एक अस्त्र के रूप में प्रयोग नहीं करती हैं।

नीचे दिए गए विकल्पों में से सही उत्तर चुनिए :

A. केवल (*b*), (*c*) और (*d*)
B. केवल (*c*), (*d*) और (*a*)
C. केवल (*d*), (*a*) और (*b*)
D. केवल (*a*), (*b*) और (*c*)

44. अरस्तू के अनुसार कौन-सा अधिकथन सही है?

(*a*) पोलिस को इतना वृहत होना चाहिए कि आत्मनिर्भरता सुनिश्चित करे और इतना सूक्ष्म होना चाहिए कि सुशासन सुनिश्चित हो सके।
(*b*) पोलिस प्राकृतिक था और व्यक्ति से पूर्व रूप से था, कालक्रमानुसार नहीं अपितु उद्देश्यपरक रूप से।
(*c*) पोलिस मानव संघों का उच्चतम और सर्वाधिक व्यापक रूप है।
(*d*) पोलिस मानव का वृहतसय है।

नीचे दिए गए विकल्पों में से सही उत्तर चुनिए :

A. केवल (*a*) और (*d*)
B. केवल (*b*) और (*d*)
C. केवल (*c*) और (*d*)
D. केवल (*a*), (*b*) और (*c*)

45. मार्क्स के विसंबंधित श्रम की संकल्पना में सम्मिलित है?

(*a*) उत्पाद से विसंबंधन

(*b*) प्रक्रिया से विसंबंधन

(*c*) प्रजातियों से विसंबंधन

(*d*) प्रकृति से विसंबंधन

नीचे दिए गए विकल्पों में से सही उत्तर चुनिए :

A. केवल (*a*) और (*b*)

B. केवल (*b*) और (*c*)

C. केवल (*c*) और (*d*)

D. (*a*), (*b*), (*c*) और (*d*) सभी

46. नीचे निष्क्रिय प्रतिरोध और सत्याग्रह के मध्य के अंतर के बारे में कथन दिए गए हैं। इनमें से कौन से कथन सही हैं?

(*a*) निष्क्रिय प्रतिरोध कमजोर वर्गों का हथियार है, सत्याग्रह कभी भी विरोधी को आतंकित नहीं करना चाहता है।

(*b*) निष्क्रिय प्रतिरोध व्यवहार में नकारात्मक है, जबकि सत्याग्रह सकारात्मक नैतिकता है।

(*c*) निष्क्रिय प्रतिरोध, सत्याग्रह के समान है।

(*d*) निष्क्रिय प्रतिरोध को शारीरिक बल से भय नहीं होता है जबकि सत्याग्रह को शारीरिक बल से भय होता है।

नीचे दिए गए विकल्पों में से सही उत्तर चुनिए :

A. केवल (*a*) और (*b*)

B. केवल (*c*) और (*d*)

C. केवल (*b*) और (*c*)

D. केवल (*a*) और (*d*)

47. जयप्रकाश नारायण ने निम्न में से किन दलों का गठन किया था?

(*a*) कांग्रेस सोशलिस्ट पार्टी

(*b*) भूदान आन्दोलन पार्टी

(*c*) प्रजा सोशलिस्ट पार्टी

(*d*) डेमोक्रेटिक प्रजा सोशलिस्ट पार्टी

नीचे दिए गए विकल्पों में से सर्वाधिक उपयुक्त उत्तर चुनिए :

A. केवल (*a*) और (*b*) B. केवल (*b*) और (*c*)

C. केवल (*c*) और (*d*) D. केवल (*a*) और (*c*)

48. जियाउद्दीन बर्नी की 'फतवा-ए-जहांदारी' निम्नलिखित में से किससे संबंधित है?

(*a*) धार्मिक पुण्य और प्रजा की कृतज्ञता अर्जित करने हेतु मुस्लिम शासकों के लिए परामर्श

(*b*) सभी शासकों के लिए परामर्श

(*c*) राज्य की उत्पत्ति का वर्णन

(*d*) पंथ निरपेक्षता के नियम

नीचे दिए गए विकल्पों में से सही उत्तर चुनिए :

A. केवल (*a*) और (*b*) B. केवल (*a*)

C. केवल (*b*) और (*c*) D. केवल (*c*) और (*d*)

49. निम्नलिखित में से कौन से कथन पंडिता रमाबाई के संबंध में सत्य हैं?

(*a*) वह हिन्दू-दर्शन की कट्टर समर्थक थीं

(*b*) वह भारत में महिलाओं की शिक्षा और मुक्ति के क्षेत्र में अग्रणी थीं

(*c*) वह 'द हाई कास्ट हिन्दू वूमेन' की लेखिका थीं

(*d*) वह ईसाई धर्म विरोधी थीं

नीचे दिए गए विकल्पों में से सही उत्तर चुनिए :

A. केवल (*a*) और (*b*) B. केवल (*b*) और (*c*)

C. केवल (*c*) और (*d*) D. केवल (*a*) और (*d*)

50. निम्न में से किन देशों में भारत ने शांति स्थापना कार्यों में भाग लिया था?

(*a*) कोरिया (*b*) गाजा पट्टी

(*c*) साइप्रस (*d*) लेबनान

नीचे दिए गए विकल्पों में से सही उत्तर चुनिए :

A. केवल (*a*) और (*b*)

B. केवल (*a*), (*b*) और (*c*)

C. केवल (*b*), (*c*) और (*d*)

D. (*a*), (*b*), (*c*) और (*d*) सभी

51. भारतीय राजनीतिक व्यवस्था के संदर्भ में कौन-से कथन असत्य हैं?

(*a*) दोहरा शासन

(*b*) संसद की सर्वोच्चता

(*c*) संघ की अक्षुण्णता

(*d*) राज्यों की अक्षुण्णता

नीचे दिए गए विकल्पों में से सही उत्तर चुनिए :

A. केवल (*a*) और (*b*) B. केवल (*b*) और (*c*)

C. केवल (*b*) और (*d*) D. केवल (*c*) और (*d*)

52. निम्नलिखित में से कौन सभ्य समाज के संगठन हैं?

(*a*) बचपन बचाओ आंदोलन

(*b*) इंडिया अगेंस्ट करप्शन

(*c*) विज्ञान प्रसार

(*d*) मजदूर किसान संघर्ष समिति

नीचे दिए गए विकल्पों में से सही विकल्प का चयन करें :

A. केवल (*a*) और (*c*)

B. केवल (*a*) और (*b*)

C. (*a*), (*b*), (*c*) और (*d*) सभी

D. केवल (*a*), (*b*) और (*d*)

53. निम्नलिखित कथनों में से कौन-से कथन भारत में महिला आंदोलन के संबंध में सही हैं?

(*a*) आर्य समाज महिला मुद्दों के बारे में पूर्णतः निरपेक्ष था।

(*b*) अखिल भारतीय महिला सम्मेलन (ऑल इंडिया वीमैन्स कान्फ्रेंस) की स्थापना 1924 में हुई।

(*c*) सरोजिनी नायडू और एनी बेसेंट ने महिलाओं के वोट के अधिकार का मुद्दा उठाया।

(*d*) तिलक के 'गणेश उत्सवों' का मुख्य उद्देश्य राष्ट्रीय आंदोलन में महिलाओं को सम्मिलित करना था।

नीचे दिए गए विकल्पों में से सही उत्तर चुनिए :

A. केवल (*a*) और (*b*)

B. केवल (*b*) और (*c*)

C. केवल (*c*) और (*d*)

D. केवल (*a*) और (*d*)

54. भारतीय राज्य की प्रकृति के बारे में संरचनात्मक-प्रकार्यात्मक परिप्रेक्ष्य किनके द्वारा प्रस्तुत किया गया है?

(*a*) डब्ल्यू.एच. मोरिस जोन्स

(*b*) रजनी कोठारी

(*c*) फ्रांसिन फ्रेंकल

(*d*) लॉयड रूडोल्फ

नीचे दिए गए विकल्पों में से सही उत्तर चुनिए :

A. केवल (*a*) और (*b*)

B. केवल (*b*) और (*c*)

C. केवल (*c*) और (*d*)

D. (*a*), (*b*), (*c*) और (*d*) सभी

55. एफ.डब्ल्यू. रिग्स के समपार्श्वीय (प्रिज्मेटिक) मॉडल की कौन-सी निम्नलिखित विशिष्टताएं हैं?

(*a*) औपचारिकतावाद (*b*) विषम जातीयता

(*c*) आच्छादन (*d*) ब्यूरो अथवा कार्यालय

नीचे दिए गए विकल्पों में से सही उत्तर चुनिए :

A. केवल (*a*), (*b*) और (*c*)

B. (*a*), (*b*), (*c*) और (*d*) सभी

C. केवल (*b*) और (*d*)

D. केवल (*c*) और (*d*)

56. निम्नलिखित में से कौन-सा शासन की धारणा से संबंधित है?

(*a*) प्रतिस्पर्द्धात्मक लोकतंत्र

(*b*) सहभागी लोकतंत्र

(*c*) लोकतांत्रिक प्रशासन

(*d*) परिवर्तनोत्मुखी लोकतंत्र

नीचे दिए गए विकल्पों में से सही उत्तर दीजिए :

A. केवल (*a*) और (*b*) B. केवल (*b*) और (*c*)

C. केवल (*c*) और (*d*) D. केवल (*b*) और (*d*)

57. शासन के बारे में निम्नलिखित में से कौन-सा कथन सही है?

(*a*) इसका सामान्य आशय प्रशासन अथवा शासन (rule) नहीं है।

(*b*) भूमंडलीकरण के संदर्भ में इसका विशेष अर्थ है।

(*c*) यह शक्ति के प्रयोग करने का तरीका है।

(*d*) शासन और सरकार एक ही हैं।

नीचे दिए गए विकल्पों में से सही उत्तर दीजिए :

A. केवल (*a*) और (*b*)

B. केवल (*a*), (*b*) और (*c*)

C. (*a*), (*b*), (*c*) और (*d*) सभी

D. केवल (*b*), (*c*) और (*d*)

58. निम्नलिखित में कौन-सी धारणा राज्य का 'साफ्टवेयर' मानी जाती है?

A. क्षमता B. जवाबदेही

C. जीवटता D. अनुक्रियाशीलता

59. निम्नलिखित में से किसने राज्य को एक 'आवश्यक बुराई' माना है?

A. जेरेमी बेंथम B. टॉमस पेन

C. जेम्स मिल D. जे.एस. मिल

60. निम्नलिखित में से कौन उत्तर आधुनिक विचारक नहीं है?

A. जीन फ्रांस्वा लोईटार्ड

B. मिशेल फूको

C. रिचर्ड रोर्टी

D. हरबर्ट मार्क्यूज

61. सूची-I को सूची-II से सुमेलित कीजिए।

सूची-I	**सूची-II**
(*a*) सहमति का युग	(*i*) जेकस डेरिडा
(*b*) पेयरकॉन	(*ii*) नाउमी क्लेन
(*c*) मार्क्स की छाया (स्पैम्टर ऑफ मार्क्स)	(*iii*) जॉर्ज मॉनवायट
(*d*) नो लोगो	(*iv*) माईकल अल्बर्ट

नीचे दिए गए विकल्पों में से सही उत्तर चुनिए :

	(*a*)	(*b*)	(*c*)	(*d*)
A.	(*ii*)	(*i*)	(*iv*)	(*iii*)
B.	(*iv*)	(*iii*)	(*ii*)	(*i*)
C.	(*iii*)	(*iv*)	(*ii*)	(*i*)
D.	(*i*)	(*ii*)	(*iii*)	(*iv*)

62. सूची-I को सूची-II के साथ सुमेलित कीजिए।

सूची-I	**सूची-II**
(*a*) सुरक्षा परिसर	(*i*) कार्ल दोऐच
(*b*) सामूहिक सुरक्षा	(*ii*) रॉबर्ट जेरविस
(*c*) सुरक्षा समुदाय	(*iii*) बेरी बुजान
(*d*) सुरक्षा शासन व्यवस्थाएँ	(*iv*) पाल्मे रिपोर्ट, 1992

नीचे दिए गए विकल्पों में से सही उत्तर चुनिए :

	(*a*)	(*b*)	(*c*)	(*d*)
A.	(*i*)	(*ii*)	(*iii*)	(*iv*)
B.	(*iv*)	(*iii*)	(*ii*)	(*i*)
C.	(*iv*)	(*iii*)	(*i*)	(*ii*)
D.	(*iii*)	(*iv*)	(*i*)	(*ii*)

63. सूची-I को सूची-II के साथ सुमेलित कीजिए।

सूची-I	**सूची-II**
(*a*) द्वि-ध्रुवीयता शक्ति का सर्वाधिक स्थिर वितरण है	(*i*) केनेर्थ वाल्ट्ज
(*b*) हितों को शक्ति के रूप में परिभाषित किया गया है	(*ii*) जॉन मियरशेमर
(*c*) राज्य अपनी सापेक्षिक शक्ति स्थिति को अधिकतम बनाने का प्रयास करते हैं।	(*iii*) हान्स मार्गेन्थाऊ
(*d*) अंतर्राष्ट्रीय राजनीति में न्याय, कानून और समाज का कोई स्थान नहीं है अथवा उन्हें परिसीमित किया जाता है।	(*iv*) थूसिडाइड्स

नीचे दिए गए विकल्पों में से सही उत्तर चुनिए :

	(*a*)	(*b*)	(*c*)	(*d*)
A.	(*iv*)	(*ii*)	(*iii*)	(*i*)
B.	(*i*)	(*iii*)	(*ii*)	(*iv*)
C.	(*iii*)	(*i*)	(*iv*)	(*ii*)
D.	(*ii*)	(*iv*)	(*i*)	(*iii*)

64. इंटरनेशनल क्रिमिनल कोर्ट (ICC) की निम्नलिखित में से कौन-सी विशिष्टताएं हैं?

(*a*) आईसीसी को 'कोर्ट ऑफ लास्ट रिसोर्ट' के रूप में रोम विधि (स्टैचूट) द्वारा स्थापित किया गया था।

(*b*) आईसीसी अपने अधिकार क्षेत्र का तभी प्रयोग कर सकता है जब राष्ट्रीय न्यायालय जांच करने अथवा अभियोजन चलाने के लिए अनिच्छुक अथवा असमर्थ हों।

(*c*) यह युद्ध आपराधिक कृत्यों के विरुद्ध अभियोजन नहीं चला सकता है।

(*d*) आईसीसी हेग में स्थित नहीं है।

नीचे दिए गए विकल्पों में से सही उत्तर चुनिए :

A. केवल (*a*) और (*b*) B. केवल (*b*) और (*c*)

C. केवल (*c*) और (*d*) D. केवल (*a*) और (*d*)

65. निम्नलिखित में कौन-सी सतही अथवा सुधारवादी पारिस्थितिकी की विशिष्टताएँ हैं?

(*a*) सुधारवादी पारिस्थितिकी, पारिस्थितिकी व पूंजीवादी आधुनिकता के मध्य सामंजस्य स्थापित करना चाहती है।

(*b*) यह 'वृद्धि की सीमाओं' को स्वीकार करती है।

(*c*) यह पारिस्थितिक केन्द्रवाद को अपनाते हुए मानवकेन्द्रवाद के समस्त रूपों को अस्वीकार करती है।

(*d*) यह पर्यावरण की क्षति को बाह्यता अथवा 'सामाजिक लागत' मानती है।

नीचे दिए गए विकल्पों में से सही उत्तर चुनिए :

A. केवल (*a*), (*b*) और (*c*)

B. केवल (*b*), (*c*) और (*d*)

C. केवल (*a*), (*b*) और (*d*)

D. केवल (*a*), (*c*) और (*d*)

66. अंतर्राष्ट्रीय मुद्रा कोष (आई.एम.एफ.) के संबंध में निम्नलिखित में से कौन-सा कथन सही है?

(*a*) आई.एम.एफ. का सृजन ब्रेटन वुड्स समझौते द्वारा नहीं किया गया था।

(*b*) इसका कार्य विनिमय दर की स्थिरता को सुनिश्चित करना है।

(*c*) आलोचक आई.एम.एफ. को नव उदारवादी वैश्वीकरण की राजनीतिक भुजा के रूप में देखते हैं।

(*d*) आई.एम.एफ. संयुक्त राष्ट्र की विशिष्टिकृत एजेंसी नहीं है।

नीचे दिए गए विकल्पों में से सही उत्तर चुनिए :

A. केवल (*a*) और (*b*) B. केवल (*c*) और (*d*)

C. केवल (*b*) और (*c*) D. केवल (*a*) और (*d*)

67. सूची-I को सूची-II सुमेलित कीजिए।

सूची-I (लेखक)	**सूची-II (पुस्तक)**
(*a*) हानाह ऐरेंड	(*i*) लिटिल रेड बुक
(*b*) फ्रैंट्ज फनोन	(*ii*) द रैचेड ऑफ द अर्थ
(*c*) माओ-त्से-तुंग	(*iii*) एफ्लुऐंट सोसायटी
(*d*) जॉन के. गॉलब्रेथ	(*iv*) द ह्यूमन कंडीशन

नीचे दिए गए विकल्पों में से सही उत्तर चुनिए :

	(*a*)	(*b*)	(*c*)	(*d*)
A.	(*i*)	(*ii*)	(*iii*)	(*iv*)
B.	(*ii*)	(*iii*)	(*iv*)	(*i*)
C.	(*iv*)	(*ii*)	(*i*)	(*iii*)
D.	(*iii*)	(*ii*)	(*iv*)	(*i*)

68. सूची-I को सूची-II के साथ सुमेलित कीजिए।

सूची-I (रविन्द्रनाथ टैगोर की रचनाएं)	**सूची-II (रचना की विषय वस्तु)**
(*a*) गीतांजली	(*i*) जीवन का बोध
(*b*) गोरा	(*ii*) ईश्वर के प्रति समर्पण
(*c*) साधना	(*iii*) स्वदेशी आंदोलन की पृष्ठभूमि में जीवन का गहन अर्थ
(*d*) घरे-बायरे (द होम एंड द वर्ल्ड)	(*iv*) औपनिवेशिक भारत में विविधतापूर्ण सामाजिक जीवन का विश्लेषण

नीचे दिए गए विकल्पों में से सही उत्तर चुनिए :

	(*a*)	(*b*)	(*c*)	(*d*)
A.	(*iii*)	(*ii*)	(*i*)	(*iv*)
B.	(*iv*)	(*i*)	(*ii*)	(*iii*)
C.	(*ii*)	(*iv*)	(*i*)	(*iii*)
D.	(*ii*)	(*i*)	(*iv*)	(*iii*)

69. सूची-I को सूची-II के साथ सुमेलित कीजिए।

सूची-I (भारतीय विदेश नीति के मील के पत्थर)	**सूची-II (प्रधानमंत्री)**
(*a*) शिमला समझौता	(*i*) राजीव गाँधी
(*b*) एक्ट ईस्ट पॉलिसी	(*ii*) इंदिरा गाँधी
(*c*) श्रीलंका में भारतीय शांति स्थापना	(*iii*) अटल बिहारी वाजपेयी
(*d*) लाहौर घोषणा	(*iv*) नरेंद्र मोदी

निम्न विकल्पों में से सही उत्तर चुनिये :

	(*a*)	(*b*)	(*c*)	(*d*)
A.	(*i*)	(*ii*)	(*iii*)	(*iv*)
B.	(*ii*)	(*iv*)	(*i*)	(*iii*)
C.	(*iv*)	(*iii*)	(*ii*)	(*i*)
D.	(*iii*)	(*ii*)	(*iv*)	(*i*)

70. सूची-I को सूची-II के साथ सुमेलित कीजिए।

सूची-I (राष्ट्रपति)	**सूची-II (कार्यकाल)**
(*a*) शंकर दयाल शर्मा	(*i*) 2012-2017
(*b*) आर. वेंकटरमन	(*ii*) 2007-2012
(*c*) प्रतिभा पाटिल	(*iii*) 1992-1997
(*d*) प्रणब मुखर्जी	(*iv*) 1987-1992

निम्न विकल्पों में से सही उत्तर चुनिये :

	(*a*)	(*b*)	(*c*)	(*d*)
A.	(*iii*)	(*iv*)	(*i*)	(*ii*)
B.	(*iii*)	(*iv*)	(*ii*)	(*i*)
C.	(*iv*)	(*ii*)	(*iii*)	(*i*)
D.	(*ii*)	(*i*)	(*iv*)	(*iii*)

71. सूची-I को सूची-II से सुमेलित कीजिये।

सूची-I (पर्यावरण आंदोलन)	सूची-II (राज्य)
(*a*) नर्मदा बचाओ आंदोलन	(*i*) ओडिसा
(*b*) चिपको आंदोलन	(*ii*) कर्नाटक
(*c*) अपिको आंदोलन	(*iii*) उत्तराखंड
(*d*) चिलका आंदोलन	(*iv*) मध्य प्रदेश

निम्न विकल्पों में से सही उत्तर चुनिये :

	(*a*)	(*b*)	(*c*)	(*d*)
A.	(*i*)	(*ii*)	(*iii*)	(*iv*)
B.	(*iv*)	(*iii*)	(*ii*)	(*i*)
C.	(*iii*)	(*ii*)	(*i*)	(*iv*)
D.	(*iv*)	(*iii*)	(*i*)	(*ii*)

72. सूची-I को सूची-II से सुमेलित कीजिये।

सूची-I (आदि द्रविड़ आंदोलन के केन्द्र)	सूची-II (नेता)
(*a*) मद्रास	(*i*) विठोबा रावजी
(*b*) हैदराबाद	(*ii*) मुरुगेश पिल्लई
(*c*) मैसूर	(*iii*) बी.आर. वर्मा
(*d*) नागपुर	(*iv*) एम.एस. राजा

निम्न विकल्पों में से सही उत्तर चुनिये :

	(*a*)	(*b*)	(*c*)	(*d*)
A.	(*i*)	(*ii*)	(*iii*)	(*iv*)
B.	(*ii*)	(*iii*)	(*i*)	(*iv*)
C.	(*iv*)	(*iii*)	(*ii*)	(*i*)
D.	(*iii*)	(*ii*)	(*i*)	(*iv*)

73. सूची-I को सूची-II के साथ सुमेलित कीजिए।

सूची-I (पुस्तकें)	सूची-II (लेखक)
(*a*) पॉलिसी साईंस	(*i*) राबर्ट डहल
(*b*) प्रिंसिपल्स ऑफ पब्लिक एडमिनिस्ट्रेशन	(*ii*) हर्बर्ट साइमन
(*c*) एडमिनिस्ट्रेटिव बिहेवियर : ए स्टडी ऑफ डिसिजन मेकिंग प्रोसेसिज इन एडमिनिस्ट्रेटिव आर्गेनाइजेशन	(*iii*) डी. लर्नर एंड हेराल्ड लास्वेल
(*d*) द साईंस ऑफ पब्लिक एडमिनिस्ट्रेशन : थ्री प्राब्लम्स	(*iv*) डब्ल्यू.एफ. विलोगबी

नीचे दिए गए विकल्पों में से सही उत्तर चुनिए :

	(*a*)	(*b*)	(*c*)	(*d*)
A.	(*i*)	(*ii*)	(*iii*)	(*iv*)
B.	(*iii*)	(*iv*)	(*ii*)	(*i*)
C.	(*ii*)	(*i*)	(*iv*)	(*iii*)
D.	(*iv*)	(*iii*)	(*i*)	(*ii*)

74. संविधान के अनुच्छेद 19 में उद्धृत निम्नलिखित स्वतंत्रताओं को क्रमबद्ध कीजिये :

(*a*) संघ अथवा यूनियन का गठन

(*b*) कोई भी व्यवसाय अपनाना

(*c*) भारत के भूभाग में कहीं भी स्वतंत्र भ्रमण करना

(*d*) शांतिपूर्ण तरीके से बिना हथियार के एकत्रित होना

नीचे दिये गये विकल्पों में से सही उत्तर चुनिए :

A. (*c*), (*b*), (*a*), (*d*) B. (*d*), (*a*), (*c*), (*b*)

C. (*a*), (*b*), (*c*), (*d*) D. (*b*), (*c*), (*d*), (*a*)

75. निम्नलिखित संसदीय समितियों को उनके निर्माण के क्रमानुसार लगाएं :

(*a*) प्राक्कलन समिति (*b*) विभागीय स्थायी समिति

(*c*) लोक लेखा समिति (*d*) लोक उद्यम समिति

नीचे दिये गये विकल्पों में से सही उत्तर चुनिए :

A. (*a*), (*b*), (*c*), (*d*) B. (*d*), (*c*), (*b*), (*a*)

C. (*c*), (*a*), (*d*), (*b*) D. (*b*), (*c*), (*d*), (*a*)

76. भारतीय विदेश नीति के आधारभूत तत्वों को उनके अस्तित्व में आने के क्रमानुसार लगाइए :

(*a*) गुजराल सिद्धांत

(*b*) पंचशील

(*c*) लुक ईस्ट पॉलिसी

(*d*) भारत-सोवियत मैत्री संधि

नीचे दिये गये विकल्पों में से सही उत्तर चुनिए :

A. (*a*), (*b*), (*c*), (*d*) B. (*d*), (*c*), (*b*), (*a*)

C. (*c*), (*d*), (*a*), (*b*) D. (*b*), (*d*), (*a*), (*c*)

77. कार्ल मार्क्स की कृतियों को आरोही क्रम में लगाइए :

(*a*) द कैपिटल (दास कैपिटल)

(*b*) द कम्युनिस्ट मैनिफेस्टो

(*c*) द क्रिटीक ऑफ द गोथा प्रोग्राम

(*d*) द इकोनोमिक एंड फिलोसोफिकल मैनूस्क्रिप्ट्स

नीचे दिये विकल्पों में से सही उत्तर चुनिए :

A. (*a*), (*b*), (*c*), (*d*) B. (*c*), (*a*), (*b*), (*d*)

C. (*b*), (*a*), (*c*), (*d*) D. (*d*), (*b*), (*c*), (*a*)

78. सूची-I से सूची-II को सुमेलित कीजिए।

सूची-I (पुस्तक)	सूची-II (लेखक)
(*a*) पोलिटिक्स एंड मारकिट्स	(*i*) रॉबर्ट डैह्ल
(*b*) द पावर ऐलीट	(*ii*) सी राइट मिल्स
(*c*) ए प्रीफेस टू डेमोक्रेटिक थ्यॉरी	(*iii*) मैनक्योर ओल्सन
(*d*) द लॉजिक ऑफ क्लेक्टिव एक्शन : पब्लिक गुड्स एंड थियरी ऑफ ग्रुप्स	(*iv*) चार्ल्स लिंडब्लौम

नीचे दिये गये विकल्पों में से सही उत्तर चुनिए :

	(*a*)	(*b*)	(*c*)	(*d*)
A.	(*iii*)	(*i*)	(*iv*)	(*ii*)
B.	(*iv*)	(*iii*)	(*ii*)	(*i*)
C.	(*i*)	(*ii*)	(*iii*)	(*iv*)
D.	(*iv*)	(*ii*)	(*i*)	(*iii*)

79. किसने 1857 के विद्रोह को स्वतंत्रता का प्रथम युद्ध कहा?

A. वी.डी. सावरकर

B. राम मनोहर लोहिया

C. स्वामी विवेकानंद

D. दीनदयाल उपाध्याय

80. नीचे दो कथन दिए गए हैं। एक को अभिकथन (A) और दूसरे को तर्क (R) कहा गया है :

अभिकथन (A) : स्वदेशी, बहिष्कार, राष्ट्रीय शिक्षा और निष्क्रिय प्रतिरोध विरोध के वे तरीके थे जिनका बाल गंगाधर तिलक ने प्रयोग किया था।

तर्क (R) : तिलक बहिष्कार को एक प्रभावी हथियार के रूप में स्वीकार करते थे।

उपर्युक्त कथनों के आलोक में निम्नलिखित विकल्पों में से सर्वाधिक उपयुक्त उत्तर चुनिए :

A. (A) और (R) दोनों सही हैं और (A) की सही व्याख्या (R) है।

B. (A) और (R) दोनों सही हैं, परन्तु (A) की सही व्याख्या (R) नहीं है।

C. (A) सही है, परन्तु (R) सही नहीं है।

D. (A) सही नहीं है, परन्तु (R) सही है।

81. नीचे दो कथन दिये गये हैं। एक को अभिकथन (A) और दूसरे को तर्क (R) कहा गया है :

अभिकथन (A) : अभिशासन का विचार राज्य एकाधिकार को समाप्त करके नियमों की बहुलता की ओर संकेत करते हुए तेजी से उभरा है।

तर्क (R) : अभिशासन की संकल्पना विश्व बैंक से संबद्ध है।

उपर्युक्त कथनों के आलोक में निम्नांकित विकल्पों में से सर्वाधिक उपयुक्त उत्तर चुनें :

A. (A) और (R) दोनों सही हैं और (A) की सही व्याख्या (R) है।

B. (A) और (R) दोनों सही हैं, परन्तु (A) की सही व्याख्या (R) नहीं है।

C. (A) सही है, परन्तु (R) सही नहीं है।

D. (A) सही नहीं है, परन्तु (R) सही है।

निर्देश (प्र. सं. 82-90): *नीचे दो कथन दिये गये हैं। उपर्युक्त कथनों के आलोक में निम्नांकित विकल्पों में से सर्वाधिक उपयुक्त उत्तर चुनें :*

A. कथन I और II दोनों सही हैं

B. कथन I और II दोनों सही नहीं हैं

C. कथन I सही है, किंतु कथन II सही नहीं है

D. कथन I सही नहीं है, किंतु कथन II सही है

82. **कथन I** : भूमंडलीकरण ने भारत में लोकतंत्र को सुदृढ़ करने में सहायता की है।

कथन II : भूमंडलीकरण ने भारतीय समाज पर गहन प्रभाव डाला है।

83. **कथन I** : चौधरी चरणसिंह भारत के पहले ऐसे प्रधानमंत्री थे जिन्होंने संसद का सामना नहीं किया।

कथन II : लोक सभा में अविश्वास मत पारित होने पर सरकार को शासन से बाहर होना पड़ता है।

84. **कथन I** : संविधान द्वारा, भारत को जान-बूझकर 'फेडरेशन ऑफ स्टेट' (राज्यों का संघ) के बजाय 'यूनियन ऑफ स्टेट' (संघीय राज्य) कहा गया है।

कथन II : संविधान निर्माताओं की दृष्टि में 'यूनियन' शब्द एक विशेष प्रकार के 'फेडरेशन' का भाव दर्शाता है।

85. कथन I : किसी देश की विदेश नीति उसके इतिहास का परिणाम होती है।

कथन II : भारतीय विदेश नीति राष्ट्रीय आंदोलन के केन्द्रीय मूल्यों से निर्मित है।

86. कथन I : मार्क्स द्वारा प्रतिपादित इतिहास की आर्थिक व्याख्या को एम.एन. राय गलत और अपूर्ण मानते थे।

कथन II : एम.एन. राय का तर्क था कि सामाजिक और आर्थिक प्रक्रिया के वास्तविक रूप का निर्धारण मात्र भौतिक संसाधनों के प्रकार से नहीं होता है।

87. कथन I : अल्पतंत्र वह सरकार है जिसमें कुछ लोगों का प्रभुत्व होता है।

कथन II : रॉबर्ट मैकंजी ने अल्पतंत्र के लौह सिद्धांत की परिकल्पना की थी।

88. कथन I : स्वतंत्रता और समानता को एकजुट करने हेतु सामाजिक लोकतंत्र उदारवाद और समाजवाद के तत्वों को समावेशित करता है।

कथन II : सामाजिक लोकतांत्रिक शासन नव निगमवाद की प्रणाली का प्रयोग करते हैं जिसमें नीति-निर्धारण में राज्य, श्रम और व्यापार सम्मिलित होते हैं।

89. कथन I : प्रत्येक संविधान का अपना दर्शन होता है।

कथन II : भारतीय संविधान में निहित दर्शन को समझने के लिए हमें पंडित नेहरू के ऐतिहासिक उद्देश्यपरक संकल्प पर ध्यान केन्द्रित करना होगा।

90. कथन I : चेस्टर बर्नार्ड ने संगठन को दो या अधिक व्यक्तियों की सचेतन समन्वित क्रियाकलापों की प्रणाली के रूप में परिभाषित किया है।

कथन II : चेस्टर बर्नार्ड ने इस दृष्टिकोण का समर्थन किया कि मनुष्य मुख्यतया आर्थिक प्रोत्साहनों द्वारा प्रेरित होता है।

निर्देश (प्र. सं. 91-95): *निम्नलिखित गद्यांश को पढ़िए और प्रश्नों के उत्तर दीजिए।*

लोकतंत्र के इस परिप्रेक्ष्य में प्रतिनिधित्व लोकतंत्र को सहायता या हानि कर सकता है भले ही प्रतिनिधित्व लोकतांत्रिक न हो क्योंकि यह लोगों की प्रतिवृति नहीं हो सकता है। किंतु प्रतिनिधित्व का परिदृश्य भावनात्मक रोलर कोस्टर (उतार और चढ़ाव) को दर्शाता है जिसमें चुनाव अभियान के दौरान बड़ी आशा और सरकार के कार्यों पर बहुत निराशा व्यक्त की जाती है। यह समस्या इस तथ्य से उत्पन्न होती है कि प्रतिनिधि, सरकार और जनता मुख्यतः प्रति विरोधों के आधार पर कार्य करते हैं। एक प्रतिनिधि का पद चुनाव से प्राप्त होता है जो कानून बनाने के लिए शासितों पर राजनीतिक शासकों के एक समूह को उन्नत करता है। वे पद पर रहते हुए विधायी कार्य करने के लिए समझौता करते हैं। प्रतिनिधि अपने किए गए कार्य पर गर्व कर सकते हैं क्योंकि उन्होंने निर्णय लिए जिसने समझौते को जन्म दिया। किंतु नागरिक विधायी कार्य पर गर्व नहीं कर सकते और वे प्रायः समझौते से उत्पन्न दुष्परिणामों का सामना करते हैं। इसका यह अर्थ नहीं कि प्रतिनिधियों को सदैव घृणा की दृष्टि से देखा जाएगा, जैसा कि ऊपर उल्लेखित है, उनका कार्यालय उन्हें राजनीतिक पहल करने में समर्थ बनाता है जो चुनाव प्रचार में व्यवहार्य नहीं है या उन अल्पसंख्यकों की आवश्यकताओं की उपेक्षा करवाता है जिनकी आवश्यकताओं की उपेक्षा हुई है। यह बताता है कि विधायी समझौते संबंधी आवश्यक कार्य का प्रभाव लोगों पर प्रत्यक्ष और अप्रत्यक्ष रूप में पड़ता है। अतः यह यूनानी और अरस्तूवादी लोकतंत्र की उस समझ के प्रतिकूल है, जो राजनीतिक व्यवस्था के रूप में सत्तावादी शक्ति के साथ नागरिकों (अर्थात् जनता) के विचारण और निर्णायक शक्ति पर आधारित होती है।

ऐसा कहा जाता है कि एथेनियन लोकतंत्र में नागरिक और शासक एक-दूसरे पर परिवर्तित रूप से शासन करते थे किंतु प्रत्येक विषय में उनकी शक्ति नागरिकों की राजनीतिक उपस्थिति और विचारण कार्यवाही पर अपेक्षित थी।

91. निम्नलिखित में से किसे प्रतिनिधित्व के परिदृश्य में दर्शाया गया है?

A. चुनाव अभियान के दौरान बड़ी आशाएँ

B. पदासीन सरकार के कार्य की बहुत सराहना करना

C. प्रतिनिधि-लोकतंत्र से बड़ी आशाएँ

D. उदारीकरण, निजीकरण और वैश्वीकरण से बड़ी चुनौतियाँ

92. चुनाव का स्पष्ट परिणाम क्या है?

A. नेता का कैरियर

B. राजनीतिज्ञों का मंत्री पद

C. प्रतिनिधि का पद

D. एक उभरते कार्यकर्ता के लिए भावी संभावनाएँ

93. लोकतंत्रों की यूनानी और अरस्तूवादी अवधारणा का अर्थ है :

A. नागरिकों की विचारण शक्तियों पर राजनीतिक आदेशों की निर्भरता

B. राजनीतिक प्रणाली का जमीनी राजनीति में अंतर्निहित होना

C. यूनान के नगर राज्य में प्रचलित या विद्यमान शासन प्रणाली

D. लोकतंत्र का पाश्चात्य संप्रत्ययीकरण

94. लोगों पर प्रत्यक्ष या अप्रत्यक्ष रूप से क्या प्रभाव पड़ता है?

A. कार्यकारी दंभ

B. न्यायिक सक्रियता

C. संसदीय संप्रभुता

D. विधायी समझौता

95. प्रतिनिधियों ने अपनी उपलब्धियों पर क्यों गर्व अनुभव किया था?

A. उन्होंने अपने समर्थकों के लिए निर्णय लिए

B. उन्होंने ऐसे निर्णय लिए जिससे समझौता हुआ

C. उन्होंने अपने कैरियर में उल्लेखनीय प्रगति की

D. उन्होंने अपने विरोधियों को अपने मुख्य मूल्यों से समझौता कराया

निर्देश (प्र. सं. 96-100): *निम्नलिखित गद्यांश को पढ़िए और प्रश्नों के उत्तर दीजिए।*

रोनैल्ड ड्वार्किन का विचार यह है कि लोगों के कुछ अधिकार तो मौलिक होते हैं लेकिन अनेक अधिकार मौलिक नहीं होते। वे मौलिक हैं क्योंकि वे, "राज्य के विरुद्ध अधिकार हैं। ड्वार्किन का कहना है कि तुरुप के पत्ते के रूप में अधिकारों की अवधारणा, राज्य के विरुद्ध व्यक्ति के अधिकार की विशिष्ट संकल्पना को चिह्नित करता है जोकि संयुक्त राज्य में सवैधानिक सिद्धांत का केंद्र है" विशेष परिशिष्ट में ड्वार्किन ने इस बात की वकालत की कि सरकार के विरुद्ध अधिकार की संकल्पना उस स्थिति में और भी उपयोगी हो जाती है जब समाज को नस्ली आधार पर बहुसंख्यक और अल्पसंख्यक में विभाजित किया है। अभिव्यक्ति की स्वतंत्रता का अधिकार और धार्मिक स्वतंत्रता का अधिकार इसी कोटि में आते हैं। अतः वे सबल अधिकार हैं। वे जोर देते हैं कि इस अधिकारों की अनुमति होनी चाहिए और इनमें हस्तक्षेप नहीं करना चाहिए और न ही इनको प्रतिबंधित करना चाहिए। इन स्वतंत्रताओं की अनुमति देनी चाहिए भले ही इससे सामूहिकता के कल्याण का उल्लंघन होता हो।

इसके विपरीत, वह अधिकारों के एक बड़े क्षेत्र की पूर्वकल्पना करते हैं जहाँ राज्य सामान्य कल्याण के लक्ष्य को प्राप्त करने हेतु उन अधिकारों को सीमित करने के लिए विधायन बना सकता है। इन्हें अशक्त अधिकार कह सकते हैं। उदाहरण के लिए समानता का अधिकार, जो एक सशक्त अधिकार है की तुलना में स्वतंत्रता का अधिकार एक अशक्त अधिकार बन जाता है। यह प्रथम दृष्टया परस्पर विरोधी लग सकता है लेकिन ऐसा है नहीं। उदाहरण के लिए सुरक्षा एवं निर्बाध ट्रैफिक प्रवाह के लिए सड़कों पर लोगों की आवाजाही को नियंत्रित करने का अर्थ अधिकारों को सीमित करना नहीं है, दूसरी ओर प्रकाशन पर प्रतिबंध अथवा अभिव्यक्ति की स्वतंत्रता पर प्रतिबंध अधिकारों का दमन करेगा भले ही वह सामान्य कल्याण में वृद्धि करे। अतः हालाँकि दोनों विषयों में अधिकार सम्मलित हैं लेकिन एक को सीमित करना न्यायोयित है जबकि दूसरे को सीमित करना सही नहीं है।

96. राज्य के विरुद्ध जिन अधिकारों का दावा किया जाता है उन्हें माना जाता है :

A. मौलिक अधिकार B. मानवाधिकार

C. प्राकृतिक अधिकार D. वैधानिक अधिकार

97. सरकार के विरुद्ध अधिकार तब बहुत उपयोगी हो जाते हैं जब समाज को बहुसंख्यक और अल्पसंख्यक के आधारों पर बाँटा जाता है :

A. जाति के आधार पर

B. वर्ग के आधार पर

C. नस्ल के आधार पर

D. धर्म के आधार पर

98. सशक्त अधिकारों के लिए आवश्यक है :

A. अनुमानित होना

B. अनुमति प्राप्त करना

C. ग्रहीत होना

D. विहित किया जाना

99. निम्न में से कौन-सा अशक्त अधिकार है?
A. संपत्ति का अधिकार
B. समानता का अधिकार
C. स्वतंत्रता का अधिकार
D. धार्मिक स्वतंत्रता का अधिकार

100. सामान्य कल्याण के लक्ष्य को प्राप्त करने हेतु जिन अधिकारों को सीमित किया जा सकता है उन्हें कहा जा सकता है?
A. सशक्त अधिकार B. मौलिक अधिकार
C. मानवाधिकार D. अशक्त अधिकार

उत्तरमाला

1	**2**	**3**	**4**	**5**	**6**	**7**	**8**	**9**	**10**
C	D	D	B	A	B	D	A	D	B
11	**12**	**13**	**14**	**15**	**16**	**17**	**18**	**19**	**20**
B	C	C	B	C	A	C	A	B	D
21	**22**	**23**	**24**	**25**	**26**	**27**	**28**	**29**	**30**
A	A	D	D	C	C	A	C	C	B
31	**32**	**33**	**34**	**35**	**36**	**37**	**38**	**39**	**40**
D	C	D	D	B	C	B	D	A	A
41	**42**	**43**	**44**	**45**	**46**	**47**	**48**	**49**	**50**
B	C	D	D	D	A	D	B	B	D
51	**52**	**53**	**54**	**55**	**56**	**57**	**58**	**59**	**60**
C	D	C	A	A	A	B	B	B	D
61	**62**	**63**	**64**	**65**	**66**	**67**	**68**	**69**	**70**
C	D	B	A	C	*	C	C	B	B
71	**72**	**73**	**74**	**75**	**76**	**77**	**78**	**79**	**80**
B	C	B	B	C	D	C	D	A	A
81	**82**	**83**	**84**	**85**	**86**	**87**	**88**	**89**	**90**
A	D	A	C	A	A	C	A	A	C
91	**92**	**93**	**94**	**95**	**96**	**97**	**98**	**99**	**100**
A	C	A	D	B	A	C	B	C	D

* *No option is correct or the question is wrong.*

व्याख्यात्मक उत्तर

1. भाग्य समतावाद न्यायिक सिद्धांतों का वह समूह है जो इस अवधारणा को मानता है कि "विवरणात्मक न्याय" के लिए भाग्य के सभी पहलू, नैसर्गिक योग्यता सहित, अप्रासंगिक है"। ड्वोर्किन (2000) और कोहेन (1989) इस अवधारणा के जाने-माने समर्थक हैं। इस अवधारणा के अनुसार एक न्यायपूर्ण समाज में क्रूर भाग्य के परिणामों की क्षतिपूर्ति तो संभव है परन्तु किसी कारक के उत्तरदायित्व के फलस्वरूप आए बुरे परिणामों की क्षतिपूर्ति संभव नहीं है।

2. व्यक्तिवादी अराजकतावाद में व्यक्ति और व्यक्तिगत स्वतंत्रता को सर्वोपरि माना जाता है। निजी संपत्ति, अतिउदारवाद तथा सविनय अवज्ञा इसकी प्रमुख विशेषताएं हैं। व्यक्तिवादी अराजकतावाद के अंतर्गत राज्य की समाप्ति को आवश्यक माना जाता है क्योंकि राज्य को

कर तथा कानून लागू करने का अधिकार होता है और इन सभी बंधनों से मुक्त होकर व्यक्ति विचारपूर्ण रूप से व्यवहार कर सकता है और अपनी संप्रभुता के साथ स्व-इच्छित उद्देश्यों की प्राप्ति के लिए मिलकर कार्य कर सकता है।

3. गेया परिकल्पना के अनुसार पृथ्वी को एक ऐसी जीवित (जीवंत) इकाई के रूप में सबसे अच्छी तरह से समझा जाता है जो अपने अस्तित्व को स्वतः बनाए रखने के लिए कार्य करती है। ज्ञात हो कि ग्रीक मान्यता के अनुसार पृथ्वी की देवी को "गेया" नाम से जाना जाता है। इस परिकल्पना का आधार यह है कि पृथ्वी के जैवमंडल, वायुमंडल, महासागरों और मृदा में आत्म-विनियमन के बिलकुल वही गुण देखे जा सकते हैं जो कि किसी अन्य जीवित स्वरूप में मिलते हैं। गेया के कारण ही सौर मंडल में अनेकों परिवर्तन होने के बाद भी संतुलन की अवस्था बनी हुई है। इस तथ्य की पुष्टि इस बात से की जा सकती है कि पृथ्वी पर जीवन की उत्पत्ति से लेकर अब तक सूर्य के तापमान में लगभग 25% तक की वृद्धि हो गई है परन्तु इसकी तुलना में पृथ्वी के तापमान में लगभग ना के बराबर वृद्धि हुई है।

4. दिए गए विकल्पों में से न्यूजीलैंड का संविधान लिखित नहीं है जबकि ऑस्ट्रेलिया, फ्रांस और स्पेन में लिखित संविधान पाया जाता है। ज्ञात हो कि संविधान विधियों और सिद्धांतों का एक तंत्र है जिसके आधार पर किसी देश का शासन चलाया जाता है। एक ऐसा संविधान जो कि व्यवस्थित रूप से तथा अच्छे से एक दस्तावेज के रूप में लिखा गया हो, लिखित संविधान कहलाता है जबकि वह संविधान जिसके प्रावधान लिखित रूप में मौजूद नहीं हैं, अलिखित संविधान कहलाता है।

5. मैकियाविली के लिए सरकार का गणतंत्र रूप एक आदर्श है। ऐसे देश जिनकी प्रकृति शांतिपूर्ण है, वहां गणतंत्र स्वरूप की सरकार की स्थापना हो सकती है जबकि ऐसे देश जहाँ विभाजन और भ्रष्टाचार जैसी समस्याएं हैं, वहां एक सशक्त शासक वाला राजतंत्र प्रभावी होगा। उन्होंने रोम के समान अन्य गणराज्यों की भूरिभूरि प्रशंसा की है क्योंकि इन देशों में निजी हित के स्थान पर सामान्य हित को महत्त्व दिया गया था। उनका मानना था कि गणतंत्रात्मक शासन में लोग मतलबी नहीं होते हैं बल्कि लोक हित के लिए मिलकर कार्य करते हैं। इसी कारण से गणतंत्रात्मक शासन एक आदर्श शासन है। मैकियाविली ने इस कथन को नकार दिया कि लोकतंत्रात्मक राज्य समय के साथ-साथ समाप्त होते चले जाते हैं बल्कि उनका मानना था कि यदि लोग और उनके प्रतिनिधि कानूनों के अधीन होंगे तो समाज स्थाई होगा। अव्यवस्था केवल तभी फैलती है जब लोग स्वयं को कानून से ऊपर समझने लगते हैं। गणतंत्र के संबंध में उनके समर्थन को इस बात से ही समझा जा सकता है जब उन्होंने कहा था कि किसी परिस्थिति में एक राजकुमार की तुलना में लोग ज्यादा बेहतर समझ वाले और न्यायसंगत होते हैं।

7. जे.एस. मिल का निबंध "ऑन लिबर्टी" वर्ष 1859 में प्रकाशित हुआ था। इसके बाद वर्ष 1869 में "द सब्जेक्शन ऑफ वीमेन" प्रकाशित हुआ। ये दोनों ही विधि, स्वतंत्रता और अधिकार के संबंध में मुक्त विचारधारा के उत्कृष्ट उदाहरण हैं। इन्हीं की एक अन्य कृति "द कंसीडरेशंस ऑन रिप्रेजेन्टेटिव गवर्नमेंट" का प्रकाशन वर्ष 1861 में हुआ था और इसमें आनुपातिक प्रतिनिधित्व के आधार पर बनी आदर्श सरकार की रूपरेखा प्रस्तुत की गई थी। इसमें अल्पसंख्यकों का संरक्षण और स्वशासन की संस्थाओं के सिद्धांतों का वर्णन भी किया गया है। अतः स्पष्ट है कि "द कंसीडरेशंस ऑन रिप्रेजेन्टेटिव गवर्नमेंट" में राजनीतिक अर्थव्यवस्था का वर्णन नहीं है।

8. अरस्तू का "आदर्श राज्य सदैव प्लेटो का दूसरा सर्वाधिक अच्छा राज्य है", यह जी.एच. सेबाइन का कथन है। आदर्श राज्य की व्याख्या करते समय अरस्तू ने प्लेटो के प्रभाव को महसूस किया। हालांकि वह प्लेटो की तुलना में अधिक व्यावहारिक और यथार्थवादी था। एक यथार्थवादी के तौर पर अरस्तू, प्लेटो के रिपब्लिक के स्थान पर उसके सिद्धांतों के अधिक निकट दिखाई देते हैं। बार्कर ने भी कहा है कि, "यदि अरस्तू अपना सर्वोत्तम पेश करते हैं तो वह प्लेटो का दूसरा सबसे अच्छा राज्य होगा। इसका कारण यह है कि अपनी यथार्थवादी सोच में अरस्तू की कल्पना उस स्तर तक नहीं पहुँच सकी जिस स्तर तक प्लेटो की कल्पना पहुंची थी।

9. कौटिल्य के अनुसार केवल साम्राज्य का निर्माण करना ही राज्य का कार्य नहीं है। जो नियंत्रण और स्वामित्व में नहीं है उसका अधिग्रहण करना (अलब्ध लाभार्थ), अधिग्रहित का संरक्षण करना (लब्ध परिरक्षणी) और संरक्षित का प्रबलन करना (रक्षित विवर्धनी) तथा योग्य को अधिशेष प्रदान करना (वृद्धस्य तीर्थेशु प्रतिपादिनी) ही राज्य का कार्य है। ज्ञात हो कि कौटिल्य द्वारा रचित अर्थशास्त्र राजनीति विज्ञान की एक पुस्तक है जिससे मौर्यकालीन राजव्यवस्था का पता चलता है।

10. अग्नसुत्त का संबंध बौद्ध धर्म से है। यह सुत्त पिटक का भाग है और इसमें मानव समाज की उत्पत्ति और विकास का वर्णन किया गया है। इसमें राजशाही की उत्पत्ति का भी वर्णन किया गया है। ज्ञात हो कि सुत्त पिटक, विनय पिटक और अभिधम्म पिटक बौद्ध धर्म के तीन पिटक हैं और इनको त्रिपिटक के नाम से जाना जाता है।

11. ई. रामास्वामी पेरियार सर्वप्रथम भारतीय राष्ट्रीय कांग्रेस में सम्मिलित हुए थे। युवाओं के लिए कांग्रेस द्वारा संचालित प्रशिक्षण शिविर में एक ब्राह्मण प्रशिक्षक द्वारा गैर-ब्राह्मण छात्रों के प्रति भेदभाव बरतते देख उनके मन में कांग्रेस के प्रति विरक्ति आ गई। उन्होंने कांग्रेस के नेताओं के समक्ष दलितों तथा पीड़ितों के लिए आरक्षण का प्रस्ताव भी रखा जिसे मंजूरी नहीं मिल सकी। अंततः उन्होंने कांग्रेस छोड़ दिया। दलितों के समर्थन में 1925 में उन्होंने एक आंदोलन भी चलाया। सोवियत रूस के दौरे पर जाने पर उन्हें साम्यवाद की सफलता ने बहुत प्रभावित किया। वापस आकर उन्होंने आर्थिक नीति को साम्यवादी बनाने की घोषणा की पर बाद में अपना विचार बदल लिया। भीमराव अम्बेडकर और पेरियार ने फिर जस्टि्स पार्टी, जिसकी स्थापना कुछ गैर ब्राह्मणों ने की थी, का नेतृत्व संभाला। 1944 में जस्टिस पार्टी का नाम बदलकर द्रविड़ कड़गम कर दिया गया।

12. विश्वसनीय न्यूनतम निवारक (Credible Minimum Deterrent: CMD) का संबंध नाभिकीय अस्त्रों से है। यह भारतीय नाभिकीय नीति का एक महत्वपूर्ण स्तम्भ है। इसके तहत परमाणु हथियारों का पहले इस्तेमाल नहीं करने और गैर परमाणु हथियार वाले राष्ट्र के खिलाफ नाभिकीय हथियारों का इस्तेमाल नहीं करने की बात की गई है। भारत की नाभिकीय नीति हमेशा से न्यूनतम निवारण के सिद्धांत पर आधारित रही है और वर्ष 1998 के परीक्षण के बाद तो भारत की नाभिकीय क्षमता के लिए यह आवश्यक हो गई।

13. ए.पी. राणा ने उत्तर शीतयुद्ध युग में गुट निरपेक्ष आंदोलन की प्रासंगिकता का विश्लेषण करते हुए "द न्यू नार्दर्न कॉन्सर्ट ऑफ पॉवर (एन.एन.सी.पी.) का विचार दिया था।

14. राज्य सभा को दो ऐसे अनन्य अधिकार भी प्राप्त हैं जो लोकसभा को प्राप्त नहीं हैं और जिनका प्रयोग अकेले राज्य सभा ही करती है। इस प्रकार की शक्तियों का संबंध देश के संघीय ढाँचे से है। राज्य सभा को राज्यों का एकमात्र प्रतिनिधि होने के नाते इस प्रकार की शक्तियां प्राप्त हैं :

- अनुच्छेद 249 के अनुसार, राज्य सभा उपस्थित और मतदान में भाग लेने वाले सदस्यों के दो-तिहाई बहुमत से राज्यसूची के किसी विषय को राष्ट्रीय महत्व का विषय घोषित कर सकती है। राज्यसभा द्वारा ऐसा प्रस्ताव पास कर दिये जाने पर संसद उस विषय पर कानून का निर्माण कर सकती है। ऐसा प्रस्ताव प्रारम्भ में एक वर्ष के लिए पारित किया जाएगा, किन्तु उसका काल बढ़ाया जा सकता है।
- संविधान के अनुच्छेद 312 के अनुसार, राज्यसभा ही अपने दो-तिहाई बहुमत से प्रस्ताव पारित कर नयी अखिल भारतीय सेवाएं स्थापित करने का अधिकार केन्द्रीय सरकार को दे सकती है। राज्यसभा जब तक इस प्रकार का प्रस्ताव पारित न कर दे, तब तक संसद या भारत सरकार किन्हीं नवीन अखिल भारतीय सेवाओं की व्यवस्था नहीं कर सकती है।
- उपराष्ट्रपति को पद से हटाने का प्रस्ताव प्रथम बार राज्यसभा में ही पारित होकर लोकसभा के पास जाता है।

15. 'न्यायिक सक्रियता' शब्द का प्रयोग प्रायः 'न्यायिक संयम' के विपरीत आशय में किया जाता है। ऑर्थर स्लेसिंगर जूनियर ने जनवरी, 1947 में फॉर्च्यून पत्रिका

में प्रकाशित 'द सुप्रीम कोर्टः 1947' शीर्षक लेख में पहली बार ''ज्यूडिशियल एक्टिविज्म'' (Judicial Activism) शब्द का प्रयोग किया था। ब्लैक्स लॉ डिक्शनरी (Black's Law Dictionary) के अनुसार, न्यायिक सक्रियता एक 'न्यायिक दर्शन है जो न्यायाधीशों को पारंपरिक पूर्व-दृष्टांतों या निर्णयों से हटकर प्रगतिशील और नई सामाजिक नीतियों के पक्ष में आगे बढ़ने को प्रेरित करती है।' न्यायिक सक्रियता उन न्यायिक निर्णयों को प्रकट करती है जिन पर विद्यमान विधि के बजाय व्यक्तिगत या राजनीतिक विचारों पर आधारित होने का संदेह है।

न्यायाधीशों से अपेक्षा की जाती है कि वे निर्णय देते समय विधि की व्याख्या संविधान के अनुसार करें। लेकिन न्यायिक सक्रियतावादी न्यायालय के समक्ष प्रस्तुत विधिक मामलों पर विधि निर्माण के लिये अपनी इच्छा का प्रयोग करते प्रतीत होते हैं। न्यायिक सक्रियता का प्रश्न संवैधानिक व्याख्या, सांविधिक संरचना और शक्तियों के पृथक्करण से घनिष्ठ रूप से संबंधित है। इसे कभी-कभी न्यायिक संयम के विलोम के रूप में भी उपयोग किया जाता है। मामलों पर निर्णय लेते समय न्यायाधीशों को यह सुनिश्चित करना चाहिए कि विधि की व्याख्या और उसका प्रवर्तन समकालीन परिस्थितियों व मूल्यों में हो रहे परिवर्तनों के आधार पर किया जाए। चूँकि समाज में परिवर्तन होता रहता है और उसकी मान्यताएँ व मूल्य भी बदलते रहते हैं, न्यायालयों के निर्णय में उनका प्रतिबिंबन होना चाहिये।

न्यायिक सक्रियता के विचार के अनुसार न्यायाधीशों को अन्यायपूर्ण कृत्यों के प्रतिकार के लिये अपनी शक्तियों का उपयोग करना चाहिये विशेष रूप से जब सरकार के अन्य अंग इस दिशा में प्रयास नहीं करते। संक्षेप में, न्यायालयों को नागरिक अधिकारों, व्यक्तिगत अधिकारों की सुरक्षा, राजनीतिक भेदभाव और सार्वजनिक नैतिकता जैसे विषयों पर सामाजिक नीति को आकार देने में सक्रिय भूमिका निभानी चाहिये।

मेनका गांधी मामले में उच्चतम न्यायालय का निर्णय, भारतीय संविधान के अनुच्छेद 21 से संबंधित निर्णय आदि न्यायिक सक्रियता के उदाहरण हैं।

16. डॉ. बी.आर. अम्बेडकर पंचायती राज व्यवस्था के विचार के कट्टर विरोधी थे। उनका मानना था कि इसके द्वारा केवल पहले से प्रभावशाली उच्च जाति के स्थानीय लोगों को अधिकार मिलेंगे जिससे निम्न वर्गों का शोषण और बढ़ेगा।

17. संघवाद, सरकार का वह स्वरूप है जिसमें शक्तियां केंद्र और राज्यों के बीच विभाजित होती हैं। जैसे कि भारतीय संघवाद में शक्तियों का विभाजन भी केंद्र और राज्य सरकारों के बीच किया गया है। केंद्र और राज्य सरकार के बीच संबंधों के आधार पर संघवाद की अवधारणा को दो भागों में विभाजित किया गया है :

- **सहकारी संघवाद** में केन्द्र व राज्य एक-दूसरे के साथ क्षैतिज संबंध स्थापित करते हुए एक-दूसरे के सहयोग से अपनी समस्याओं को हल करने का प्रयास करते हैं। सहकारी संघवाद की इस अवधारणा में यह स्पष्ट किया जाता है कि केंद्र और राज्य में से कोई भी किसी से श्रेष्ठ नहीं है। जानकारों का मानना है कि यह राष्ट्रीय नीतियों के निर्माण और कार्यान्वयन में राज्यों की भागीदारी सुनिश्चित करने के लिये एक महत्त्वपूर्ण उपकरण है। संघ और राज्य संवैधानिक रूप से संविधान की 7वीं अनुसूची में निर्दिष्ट मामलों पर एक-दूसरे के साथ सहयोग करने हेतु बाध्य हैं।
- **प्रतिस्पर्द्धी संघवाद** की अवधारणा को देश में 1990 के दशक के आर्थिक सुधारों के बाद से महत्त्व प्राप्त हुआ। प्रतिस्पर्द्धी संघवाद में राज्यों को आपस में और केंद्र के साथ लाभ के उद्देश्य से प्रतिस्पर्द्धा करनी होती है। सभी राज्य धन और निवेश को आकर्षित करने के लिये एक-दूसरे के साथ प्रतिस्पर्द्धा करते हैं, ताकि विकास संबंधी गतिविधियों को बढ़ावा दिया जा सके। सामान्यतः निवेशक अपने पैसे का निवेश करने के लिये अधिक विकसित राज्यों को पसंद करते हैं। उल्लेखनीय है कि प्रतिस्पर्द्धी संघवाद भारतीय संविधान की मूल संरचना का हिस्सा नहींहै।

18. हिन्दू राष्ट्र शब्द का सर्वप्रथम प्रतिपादन वी.डी. सावरकर ने किया था। वर्ष 1924 में उनकी पुस्तक ''हिंदुत्व'' का प्रकाशन हुआ था जिसमें उन्होंने इस सिद्धांत की व्याख्या की थी। अपने इस सिद्धांत की व्याख्या के लिए उन्होंने क्षेत्रीय राष्ट्रवाद को नकार दिया था क्योंकि

उनका मानना था कि मात्र क्षेत्र की उपस्थिति से राष्ट्र नहीं बनते हैं बल्कि राष्ट्र का निर्माण उन व्यक्तियों से होता है जो सांस्कृतिक और पारंपरिक रूप से जुड़े हुए हैं।

20. वाई.वी. चव्हाण कांग्रेस पार्टी के "सिंडिकेट समूह" के सदस्य नहीं थे। वर्ष 1969 में लालबाग (बैंगलोर) में संपन्न हुई अखिल भारतीय राष्ट्रीय समिति की बैठक में कांग्रेस पार्टी विभक्त हो गई। श्री निजलिंगप्पा सिंडिकेट समूह के सदस्य थे और इस समूह के अन्य सदस्य थे–कामराज नडार, एस. के पाटिल, अतुलिया घोष तथा मोरारजी देसाई। इस समय श्रीमति इंदिरा गांधी का समर्थन "युवा तुर्क" नामक छोटे से समूह ने किया जिसमें चंद्रशेखर, कृष्णकान्त तथा मोहन धारिया सदस्य थे। इस बैठक में सिंडिकेट समूह, जो कि अप्रत्यक्ष रूप से देश का शासन कर रहे थे, ने डॉ. जाकिर हुसैन के निधन के पश्चात रिक्त हुए राष्ट्रपति के पद के लिए डॉ. नीलम संजीवा रेड्डी का नाम प्रस्तावित किया। इंदिरा गाँधी और उनके समर्थकों ने इस प्रस्ताव का विरोध किया और इस बैठक को छोड़कर चले गए। दिल्ली पहुँचकर इन्होंने भारत के तत्कालीन उपराष्ट्रपति श्री वी.वी. गिरी को राष्ट्रपति पद के लिए प्रस्तावित किया।

21. चेस्टर बर्नार्ड के अनुसार एक औपचारिक संगठन तब अस्तित्व में आता है जब उस संगठन में ऐसे व्यक्ति हों जो कार्य करने के इच्छुक हों। बर्नार्ड के अनुसार "दो या दो से अधिक व्यक्तियों की विवेकपूर्ण रूप से समन्वित गतिविधियों का संगठन" औपचारिक संगठन कहलाता है। यह परिभाषा सभी पर लागू होती है, चाहे वह चर्च हो या राज्य या परिवार या कोई फैक्ट्री हो। कोई संगठन तब अस्तित्व में आता है यदि–व्यक्ति एक-दूसरे से संवाद करने में सक्षम हों, कोई कार्य करने के लिए योगदान करने के इच्छुक हों और एक संयुक्त उद्देश्य को पूरा करने के इच्छुक हों।

23. कार्य के प्रभावी मानकों में कमी, कर्मचारी प्रबंधन उत्तरदायित्वों की स्पष्ट समझ का अभाव तथा प्रबंधन द्वारा कामचलाऊ आधार पर निर्णय लेना वे कारक हैं जिन्होंने वैज्ञानिक प्रबंधन सिद्धांत के क्रमिक विकास में योगदान किया है।

24. उपभोक्ता संरक्षण अधिनियम, 2019 में उपभोक्ता की परिभाषा विस्तृत रूप से की गई है। यह अधिनियम शिकायतों की ई-फाइलिंग की व्यवस्था करने के साथ-साथ केन्द्रीय उपभोक्ता संरक्षण प्राधिकरण की स्थापना का प्रावधान भी करता है। ज्ञात हो कि उपभोक्ता वह व्यक्ति है जो अपने इस्तेमाल के लिये कोई वस्तु खरीदता है या सेवा प्राप्त करता है। इसमें वह व्यक्ति शामिल नहीं है जो दोबारा बेचने के लिये किसी वस्तु को हासिल करता है या कमर्शियल उद्देश्य के लिये किसी वस्तु या सेवा को प्राप्त करता है। इसमें इलेक्ट्रॉनिक तरीके, टेलीशॉपिंग, मल्टी लेवल मार्केटिंग या सीधे खरीद के जरिये किया जाने वाला सभी तरह का ऑफलाइन या ऑनलाइन लेन-देन शामिल है। केंद्रीय उपभोक्ता संरक्षण प्राधिकरण का उद्देश्य उपभोक्ता अधिकारों के उल्लंघन, अनुचित व्यापार और भ्रामक विज्ञापनों से संबंधित मामलों को विनियमित करना है। महानिदेशक की अध्यक्षता में केंद्रीय उपभोक्ता संरक्षण प्राधिकरण की एक अन्वेषण शाखा इनवेस्टिगेशन विंग का कार्य ऐसे उल्लंघनों की जाँच करना है।

25. उपभोक्ता संरक्षण विधेयक, 2019 को भारतीय संसद द्वारा 06 अगस्त, 2019 को पारित किया गया था। बिल में उपभोक्ताओं के कई अधिकारों को स्पष्ट किया गया है जिनमें निम्नलिखित शामिल हैं :

- ऐसी वस्तुओं और सेवाओं की मार्केटिंग के खिलाफ सुरक्षा प्रदान करना जो जीवन और संपत्ति के लिये जोखिमपूर्ण हैं।
- वस्तुओं या सेवाओं की गुणवत्ता, मात्रा, शुद्धता, मानक और मूल्य की जानकारी प्राप्त होना।
- प्रतिस्पर्द्धा मूल्य पर वस्तु और सेवा उपलब्ध कराने का आश्वासन प्राप्त होना।
- अनुचित या प्रतिबंधित व्यापार की स्थिति में मुआवजे की मांग करना।

29. ज्ञात हो कि 01 जनवरी, 2015 को भारत में वर्ष 1952 से आर्थिक नियोजन के लिए उत्तरदायी संस्था "योजना आयोग" को समाप्त कर दिया गया और उसके स्थान पर "नीति आयोग" (National Institute for Transforming India) की स्थापना की गई। प्रधानमंत्री

नरेंद्र मोदी, नीति आयोग के प्रथम अध्यक्ष हैं। नीति आयोग का गठन इस प्रकार है :

- भारत के प्रधानमंत्री- अध्यक्ष
- गवर्निंग काउंसिल में राज्यों के मुख्यमंत्री और केन्द्रशासित प्रदेशों (जिन केन्द्रशासित प्रदेशों में विधानसभा है वहां के मुख्यमंत्री) के उपराज्यपाल शामिल होंगे।
- विशिष्ट मुद्दों और ऐसे आकस्मिक मामले, जिनका संबंध एक से अधिक राज्य या क्षेत्र से हो, को देखने के लिए क्षेत्रीय परिषद गठित की जाएंगी। ये परिषदें विशिष्ट कार्यकाल के लिए बनाई जाएंगी। भारत के प्रधानमंत्री के निर्देश पर क्षेत्रीय परिषदों की बैठक होगी और इनमें संबंधित क्षेत्र के राज्यों के मुख्यमंत्री और केन्द्रशासित प्रदेशों के उपराज्यपाल शामिल होंगे (इनकी अध्यक्षता नीति आयोग के उपाध्यक्ष करेंगे)।
- संबंधित कार्य क्षेत्र की जानकारी रखने वाले विशेषज्ञ और कार्यरत लोग, विशेष आमंत्रित के रूप में प्रधानमंत्री द्वारा नामित किए जाएंगे।
- पूर्णकालिक संगठनात्मक ढांचे में (प्रधानमंत्री अध्यक्ष होने के अलावा) निम्न होंगे–
  - उपाध्यक्षः प्रधानमंत्री द्वारा नियुक्त
  - सदस्यः पूर्णकालिक
  - अंशकालिक सदस्यः अग्रणी विश्वविद्यालय, शोध संस्थानों और संबंधित संस्थानों से अधिकतम दो पदेन सदस्य, अंशकालिक सदस्य बारी के आधार पर होंगे।
  - पदेन सदस्यः केन्द्रीय मंत्रिपरिषद् से अधिकतम चार सदस्य प्रधानमंत्री द्वारा नामित होंगे। यदि बारी के आधार को प्राथमिकता दी जाती हो तो यह नियुक्ति विशिष्ट कार्यकाल के लिए होंगी।
  - मुख्य कार्यकारी अधिकारीः भारत सरकार के सचिव स्तर के अधिकारी को निश्चित कार्यकाल के लिए प्रधानमंत्री द्वारा नियुक्त किया जाएगा।
  - सचिवालय आवश्यकता के अनुसार।

30. चार्ल्स ई. लिंडब्लोम ने ''लोक नीति का क्रमिक वृद्धि प्रतिरूप'' प्रस्तुत किया था। इन्होंने ''द साइंस ऑफ मडलिंग थ्रू (1959) में निर्णय लेने की प्रक्रिया के इन्क्रीमेंटल मॉडल को प्रस्तुत किया था। लिंडब्लोम का मानना था कि निर्णय वाले पहले से ही उपस्थित कार्यक्रमों और नीतियों में कुछ अतिरिक्त योग करके उन्हें जारी रखते हैं।

31. सर्वसम्मति, प्रतिनिधित्व का सिद्धांत अथवा प्रतिरूप नहीं है जबकि न्यासिता (Trusteeship), प्रदत्तीकरण (Delegation) तथा जनादेश (Mandate) इसके प्रतिरूप हैं।

32. शासनों के यूनानी वर्गीकरण के अनुसार, अनेकों द्वारा शासन के विकृत रूप को अराजक लोकतंत्र (भीड़ का शासन) कहा जाता है। यह वर्गीकरण अरस्तू के नियमों पर आधारित है हालांकि मूल रूप से अरस्तू ने इसका प्रतिपादन नहीं किया था। उन्होंने इस सिद्धांत को प्लेटो से लिया था और प्लेटो ने सुकरात से। अरस्तू ने इस वर्गीकरण को दो आधारों पर किया था–पहला उन लोगों की संख्या के आधार पर जो सर्वोच्च शक्ति रखते हैं और दूसरा उनके उद्देश्य के आधार पर।

33. जॉन गौटफ्राइड हर्डर को ''सांस्कृतिक राष्ट्रवाद का जनक'' माना जाता है। वे एक जर्मन कवि, आलोचक और दार्शनिक थे और उन पर गोथे जैसे विचारकों का प्रभाव था। रोमांटिसिज्म नामक व्यापक आन्दोलन के विकास में उनका अप्रतिम योगदान है।

34. जन माध्यम (Media), लोकतांत्रिक विवर्तन का कारण नहीं है जबकि आयात-प्रतिस्थापन का संकट, सामाजिक परिवर्तन तथा सैन्य शासन व्यवस्थाओं द्वारा अपनी लोकप्रियता एवं वैधता को खोना इसके कारण हैं।

37. यूरोपीय आयोग, यूरोपीय संघ का कार्यकारी-नौकरशाही अंग है। यूरोपियन संघ मुख्यतः यूरोप में स्थित 27 देशों का एक राजनैतिक एवं आर्थिक मंच है जिनमें आपस में प्रशासकीय साझेदारी होती है जो संघ के कई या सभी राष्ट्रों पर लागू होती है। इसका अभ्युदय 1957 में रोम की संधि द्वारा यूरोपीय आर्थिक परिषद के माध्यम से छह यूरोपीय देशों की आर्थिक भागीदारी से हुआ था। वर्ष 1993 में मॉस्ट्रिख संधि द्वारा इसके आधुनिक वैधानिक स्वरूप की नींव रखी गयी। दिसम्बर 2007 में लिस्बन समझौता के द्वारा इसमें और व्यापक सुधारों की प्रक्रिया 1 जनवरी, 2008 से शुरु की गयी है।

38. मानवता (Humanity), जस एड बेलम *(jus ad bellum)* अर्थात युद्ध का न्यायसंगत विकल्प का सिद्धांत नहीं है। जस एड बेलम मानदंड का एक सेट है जिसे युद्ध में उलझने से पहले सलाह दी जाती है ताकि यह निर्धारित किया जा सके कि युद्ध में प्रवेश करना अनुमत है, अर्थात क्या यह एक उचित युद्ध है। जस एड बेलम को कभी-कभी युद्ध के कानूनों का एक हिस्सा माना जाता है, लेकिन ''युद्ध के कानून'' शब्द को जस इन बेलो के रूप में संदर्भित करने के लिए भी माना जा सकता है, जो यह चिंता करता है कि क्या यह युद्ध का आयोजन सही रूप से किया जाता है। जस एड बेलम उन स्थितियों को संदर्भित करता है जिनके तहत राज्य युद्ध के लिए या सामान्य रूप से सशस्त्र बल के उपयोग का सहारा ले सकते हैं। ये नियम सिर्फ युद्ध करने के लिए कुछ मानदंडों पर ध्यान केंद्रित करते हैं।

39. टी.एच. ग्रीन ''रूढ़िवाद'' के प्रमुख विचारक नहीं हैं। उन्होंने राज्य की मिकेनिस्ट थ्योरी का समर्थन नहीं किया क्योंकि उनके अनुसार इससे राज्य एक कृत्रिम संस्था बनकर रह जायेगा और वे सभी पहलू जो राज्य निर्माण के लिए आवश्यक हैं उनको अनदेखा कर दिया जाएगा।

40. जर्मनी में सत्ता में सहभागिता के तंत्र के रूप में ''समपरिवर्तनीयता'' नहीं अपनाया जाता है। समपरिवर्तनीयता एक स्थाई लोकतंत्र से संबंधित है जो नीदरलैंड, ऑस्ट्रिया तथा बेल्जियम में पाई जाती है।

41. उदारवादी समतावाद में प्रख्यापित वास्तविक भातृत्व तथा बाजारोन्मुख समाजवाद दोनों ही समाजवाद के सिद्धांत संबंधी जी.एच. कोहेन के विचार के तत्व हैं।

42. पराश्रिता सिद्धांत पर उन मार्क्सवादियों और गैर-मार्क्सवादियों का बहुत प्रभाव पड़ा है जो विकास सिद्धांत के आलोचक थे। तीसरी दुनिया का विकास पहले से विकसित देशों के विकास पर निर्भर करता है। पराश्रिता का सिद्धांत 1960 के उत्तरार्ध में विकसित हुआ था इसकी उत्पत्ति मुख्यतः मार्क्सवादी विचारधारा से हुई थी।

43. निरंकुश शासन व्यवस्था कहीं ना कहीं तानाशाही का ही समानार्थी है और लोकतंत्र का विरोधी। यह प्राधिकार के पालन तथा व्यक्ति की स्वतंत्रता के विरोधी हैं। निरंकुश शासन व्यवस्थाएं वैध हो सकती हैं परन्तु इस व्यवस्था में सरकार संवैधानिक रूप से जनता के प्रति उत्तरदायी नहीं होती है। सर्वसत्तावादी शासन व्यवस्थाएं, राज्य, समाज और अर्थव्यवस्था के सभी पक्षों को नियंत्रित करने और परिवर्तन करने का प्रयास करती है।

44. अरस्तू के अनुसार, पोलिस को इतना वृहत होना चाहिए कि आत्मनिर्भरता सुनिश्चित करे और इतना सूक्ष्म होना चाहिए कि सुशासन सुनिश्चित हो सके। पोलिस प्राकृतिक था और व्यक्ति से पूर्व रूप से था, कालानुक्रमानुसार नहीं अपितु उद्देश्यपरक रूप से। पोलिस मानव संघों का उच्चतम और सर्वाधिक व्यापक रूप है।

45. मार्क्स के विसंबंधित श्रम की संकल्पना में उत्पाद से विसंबंधन, प्रक्रिया से विसंबंधन, प्रजातियों से विसंबंधन तथा प्रकृति से विसंबंधन सम्मिलित हैं। वर्ष 1844 में कार्ल मार्क्स ने ''द इकॉनोमिक एंड फिलोसोफिकल मैनुस्क्रिप्ट्स'' की रचना की थी। उन्होंने इसमें उन सभी तरीकों का वर्णन किया है जिनसे पूंजीपति कर्मचारी वर्ग का शोषण करते हैं और स्वयं के लिए लाभ कमाते हैं।

46. निष्क्रिय प्रतिरोध कमजोर वर्गों का हथियार है और सत्याग्रह कभी भी विरोधी को आतंकित नहीं करना चाहता है। निष्क्रिय प्रतिरोध व्यवहार में नकारात्मक है जबकि सत्याग्रह सकारात्मक नैतिकता है। गांधी जी ने अपनी संपूर्ण अहिंसक कार्य पद्धति को 'सत्याग्रह' का नाम दिया। उनके लिये सत्याग्रह का अर्थ सभी प्रकार के अन्याय, अत्याचार और शोषण के खिलाफ शुद्ध आत्मबल का प्रयोग करने से था।

47. जयप्रकाश नारायण ने कांग्रेस सोशलिस्ट पार्टी (1948) तथा प्रजा सोशलिस्ट पार्टी (1952) नामक संस्थाओं का गठन किया था। जयप्रकाश नारायण एक भारतीय स्वतंत्रता सेनानी और राजनेता थे। उन्हें 1970 में इंदिरा गांधी के विरुद्ध विपक्ष का नेतृत्व करने के लिए जाना जाता है। इन्दिरा गांधी को पदच्युत करने के लिये उन्होंने 'सम्पूर्ण क्रांति' नामक आन्दोलन चलाया। वे समाज-सेवक थे, जिन्हें 'लोकनायक' के नाम से भी जाना जाता है। 1999 में उन्हें मरणोपरान्त 'भारत रत्न' से सम्मानित किया गया। इसके अतिरिक्त उन्हें समाजसेवा के लिए 1965 में मैग्सेसे पुरस्कार प्रदान किया गया था।

48. जियाउद्दीन बरनी की ''फतवा-ए-जहांदारी'' का संबंध धार्मिक पुण्य और प्रजा की कृतज्ञता अर्जित करने हेतु मुस्लिम शासकों के लिए परामर्श से संबंधित है। जियाउद्दीन बरनी का जन्म 1285 ई. में सैय्यद परिवार में हुआ था। ये अलाउद्दीन खिलजी के सलाहकार थे। जियाउद्दीन बरनी को मुहम्मद तुगलक के शासन काल में 17 वर्ष तक संरक्षण में रहने का सौभाग्य प्राप्त हुआ था। फिरोजशाह तुगलक के शासन काल में उन्हें कुछ समय तक जेल में भी रहना पड़ा।

49. पंडिता रमाबाई भारत में महिलाओं की शिक्षा और मुक्ति के क्षेत्र में अग्रणी थी और उन्होंने ''द हाई कास्ट हिन्दू वूमेन'' का लेखन भी किया था। पंडिता रमाबाई (23 अप्रैल, 1858—05 अप्रैल, 1922) तक एक प्रतिष्ठित भारतीय समाज सुधारिका एवं सामाजिक कार्यकर्ता थीं। वह कवयित्री, अध्येता और भारतीय महिलाओं के उत्थान की प्रबल समर्थक थीं। ब्राह्मण होकर भी एक गैर ब्राह्मण से विवाह किया था। महिलाओं के उत्थान के लिये उन्होंने न सिर्फ संपूर्ण भारत बल्कि इंग्लैंड की भी यात्रा की। 1881 में उन्होंने 'आर्य महिला सभा' की स्थापना भी की थी।

51. भारतीय राजनीतिक व्यवस्था में संविधान सर्वोच्च है और आजीवन अक्षुण्ण नहीं है। समय की मांग के अनुसार इनके आकार, नाम और क्षेत्र में परिवर्तन किया जा सकता है। यहाँ दोहरा शासन (संघीय व्यवस्था) है और भारत राज्यों का एक अक्षुण्ण संघ है जिसमें राज्यों को अलग होने का अधिकार नहीं है।

52. बचपन बचाओ आन्दोलन, इंडिया अगेंस्ट करप्शन तथा मजदूर किसान संघर्ष समिति सभी समाज संगठन हैं।

- बचपन बचाओ आंदोलन बाल अधिकारों के लिए संघर्ष करने वाला देश का सबसे लंबा आंदोलन है। नोबल पुरस्कार विजेता कैलाश सत्यार्थी द्वारा इसकी शुरुआत वर्ष 1980 में की गई थी। इसका मिशन बच्चों को बाल सुलभ समाज प्रदान करने के लिये रोकथाम, प्रत्यक्ष हस्तक्षेप, सामूहिक प्रयास और कानूनी कार्रवाई के माध्यम से बच्चों को दासता से मुक्त कराना, उन्हें पुनःस्थापित करना, शिक्षित करना है। यह एक गैर-सरकारी संगठन है जो मुख्यतः बंधुआ मजदूरी, बाल-श्रम, मानव व्यापार की समाप्ति के साथ-साथ सभी बच्चों के लिये शिक्षा के समान अधिकार की मांग करता है। यह 'विश्व बाल श्रम निषेध दिवस' (World Day Against Child Labour) यानी 12 जून के दिन 'बाल पंचायत' का आयोजन करता है। वर्ष 2014 में कैलाश सत्यार्थी एवं मलाला युसुफजई को बाल शिक्षा के क्षेत्र में उनके अतुलनीय योगदान के लिये संयुक्त रूप से शांति के नोबल पुरस्कार से सम्मानित किया गयाथा।
- इंडिया अगेंस्ट करप्शन (IAC) भारत में एक भ्रष्टाचार-विरोधी आंदोलन है, जो 2011 के जन-विरोधी विरोध प्रदर्शनों के दौरान विशेष रूप से प्रमुख थाऔर इसका संबंध जन लोकपाल बिल पेश करने से था।
- मजदूर किसान संघर्ष समिति की स्थापना बिहार में वर्ष 1981 में डॉ. विनयन, अरविंद जी और अन्य बड़े नेताओं द्वारा की गई थी।

53. सरोजिनी नायडू तथा एनी बेसेंट ने महिलाओं के वोट के अधिकार का मुद्दा उठाया था। तिलक के गणेश उत्सवों का मुख्य उद्देश्य राष्ट्रीय आंदोलन में महिलाओं को सम्मिलित करना था। सरोजिनी नायडू (1879-1949) महिलाओं के मताधिकार और भारतीय स्वतंत्रता आंदोलन में एक अग्रणी व्यक्तित्व रही हैं। सरोजिनी नायडू ने ब्रिटिश सरकार को भारतीय महिलाओं को मतदान का अधिकार देने के लिए मनाने का प्रयास किया परन्तु यह विफल रहा और भारतीय राज्यों को इस मुद्दे को तय करने का मार्ग प्रशस्त किया। अगस्त 1919 में, बेसेंट और नायडू ने ज्वाइंट सेलेक्ट कमेटी को महिलाओं के मताधिकार के लिए दलीलें पेश कीं। बेसेंट ने इस तर्क का भी इस्तेमाल किया कि अगर भारतीय महिलाओं को वोट नहीं दिया गया, तो वे उपनिवेश विरोधी आंदोलन का समर्थन कर सकती हैं।

54. डब्ल्यू एच. मोरिस जोन्स तथा रजनी कोठारी ने भारतीय राज्य की प्रकृति के बारे में संरचनात्मक- प्रकार्यात्मक परिप्रेक्ष्य प्रस्तुत किया था। वर्ष 1950-60 के दशक के मध्य विभिन्न विद्वानों की मुख्य थीम भारत के वास्तविक स्वरूप को उजागर करना था। डब्ल्यू एच. मोरिस जोन्स की पुस्तक ''द गवर्नमेंट एंड पॉलिटिक्स ऑफ इंडिया

(1964)" में भारतीय राजनीति के संरचनात्मक-प्रकार्यात्मक परिप्रेक्ष्य को प्रस्तुत किया गया।

55. औपचारिकतावाद, विषम जातीयता तथा आच्छादन, एफ, डब्ल्यू. रिग्स के समपार्श्वीय मॉडल की विशेषताएं हैं। रिग्स के अनुसार डेवेलपमेंट एडमिनिस्ट्रेशन दो प्रक्रियाओं अर्थात् एडमिनिस्ट्रेशन ऑफ डेवलपमेंट तथा डेवलपमेंट ऑफ एडमिनिस्ट्रेशन का संयुक्त प्रभाव है। रिग्स ने प्रिज्मेटिक मॉडल प्रस्तुत किया था जो कि प्रिज्म की उस क्रियाविधि पर आधारित था जिसमें प्रिज्म से गुजरने पर सफेद प्रकाश विभिन्न रंगों में विभक्त हो जाता है। इस मॉडल में फ्यूज्ड लाइट से तात्पर्य एक पारंपरिक समाज से है जिसमें समस्त क्रियाएं संपन्न होती हैं जबकि विवर्तित प्रकाश समाज के विभिन्न संस्थानों को प्रदर्शित करता है जो मुख्य कार्य करते हैं।

56. प्रतिस्पर्धात्मक लोकतंत्र तथा सहभागी लोकतंत्र दोनों ही शासन की धारणा से संबंधित हैं। ज्ञात हो कि अभिजात्यों तथा अभिजात्य-विरोधियों के बीच की प्रतिस्पर्द्धा से प्रतिस्पर्द्धात्मक लोकतंत्र का जन्म होता है। सहभागी लोकतंत्र से तात्पर्य ऐसी शासन-व्यवस्था से है जिसमें देश के राजनीतिक प्रणाली में नागरिकों की यथोचित भागीदारी हो। इसमें प्रत्यक्ष रूप से जनता द्वारा नीति-निर्माण की प्रक्रिया को प्रभावित किया जाता है।

57. शासन का सामान्य अर्थ प्रशासन से नहीं है परन्तु भूमंडलीकरण के संदर्भ में इसका एक विशेष अर्थ है। वास्तव में शासन, शक्ति के प्रयोग का एक तरीका है। शासन शब्द का अर्थ : आज्ञा देना, उपदेश देना या फिर राज करना होता है। इसका मुख्य अर्थ ऐसे नियंत्रण से है जिसके अधीन निर्धारित नियम, व्यवस्था, आदेश आदि के विपरीत कार्य न किया जा सके। देश, प्रांत, स्थान, संस्थान या संगठन आदि पर इस प्रकार से नियंत्रण रखने की व्यवस्था करना ताकि किसी प्रकार से अराजकता पैदा न हो, शासन का मकसद होता है। किसी भी देश में राजा, सेनापति, राष्ट्रपति या मंत्रियों का समूह वहाँ का शासन चलाता है। किसी देश या राज्य शासन करने के तरीके को शासन प्रणाली और जिस सिद्धांत के आधार पर शासन की व्यवस्था की जाती है, उसे शासन तंत्र कहते हैं।

58. जवाबदेही को राज्य का सॉफ्टवेयर माना जाता है। जवाबदेही यह सुनिश्चित करती है कि सार्वजनिक अधिकारियों द्वारा की जाने वाली कार्रवाइयों और उनके द्वारा लिये गए निर्णयों की समीक्षा की जाए ताकि इस बात का निर्धारण किया जा सके कि सरकार की पहलें उनके घोषित उद्देश्यों को पूरा कर रही हैं अथवा नहीं और जिस समुदाय को वे लाभान्वित करने का लक्ष्य रखती हैं, उन्हें लाभ पहुँचा रही हैं या नहीं। यह ये भी सुनिश्चित करती है कि बेहतर प्रशासन द्वारा निर्धनता का उन्मूलन हो भी रहा है अथवा नहीं। जवाबदेही सुशासन के प्रमुख आधारों में से एक है। जवाबदेही की धारणा एक अस्पष्ट अवधारणा है जिसे सटीक शब्दों में परिभाषित करना कठिन है। हालाँकि मोटे तौर पर कहा जाए तो जवाबदेही तब होती है जब किसी एक व्यक्ति या निकाय और उस व्यक्ति या निकाय द्वारा किये गए कार्यों का किसी अन्य व्यक्ति या निकाय द्वारा निरीक्षण अथवा समीक्षा की जाती है और वे उनके कृत्यों के औचित्य से उन्हें अवगत कराते हैं। जवाबदेही की अवधारणा में दो विशिष्ट चरण शामिल हैं: (Answerability) और प्रवर्तन (Enforcement)।

59. टॉमस पेन ने राज्य को एक आवश्यक बुराई माना है। व्यक्तिवाद की विचारधारा के अनुसार राज्य एक आवश्यक बुराई है। व्यक्तिवाद के अंतर्गत राज्य द्वारा व्यक्ति के जीवन में अहस्तक्षेप के सिद्धांत का समर्थन किया जाता है। व्यक्तिवाद के अनुसार प्रत्येक व्यक्ति की अपनी सोच होती है और किसी भी व्यक्ति के विकास के लिए आवश्यक है कि उसे अपने ढंग से जीने दिया जाए।

60. हर्बर्ट मार्क्यूज एक उत्तर आधुनिक विचारक नहीं हैं जबकि कार्ल मार्क्स, रूसो, इमानुएल कांट और कार्ल पॉपर आधुनिक विचारकों की श्रेणी में आते हैं। हरबर्ट मार्क्यूज 1898 में बर्लिन, जर्मनी में जन्मे एक समाजशास्त्री और दार्शनिक थे, जो पूंजीवादी समाज पर अपने महत्वपूर्ण विचारों के लिए जाने जाते थे। मार्क्यूज के आलोचनात्मक विचार जॉर्ज हेगेल, कार्ल मार्क्स, ग्यॉरगी लुकाक्स और मैक्स वेबर जैसे बुद्धिजीवियों और शोधकर्ताओं द्वारा प्रभावित थे।

64. आई.सी.सी. अर्थात् इंटरनेशनल क्रिमिनल कोर्ट को "कोर्ट ऑफ लास्ट रिसोर्ट" के रूप में रोम विधि (स्टेच्यूट)

द्वारा स्थापित किया गया था। यह स्टेच्यूट 17 जुलाई, 1998 को अपनाया गया था और यह 01 जुलाई, 2002 को प्रभावी हुआ था। वर्तमान में कुल 123 देश इसके सदस्य हैं और यह अपने अधिकार क्षेत्र का प्रयोग तभी कर सकता है जब राष्ट्रीय न्यायालय जांच करने अथवा अभियोजन चलाने के लिए अनिच्छुक अथवा असमर्थ हो।

65. सुधारवादी अथवा सतही पारिस्थितिकी, पूंजीवादी आधुनिकता और पारिस्थितिकी के मध्य सामंजस्य स्थापित करना चाहती है और वृद्धि की सीमाओं को स्वीकार करती है। यह पारिस्थितिकी केन्द्रवाद को अपनाते हुए मानवकेंद्रवाद के समस्त रूपों को अस्वीकार करती है। यह मुख्य रूप से चरित्र में सुधारवादी है क्योंकि यह पूंजीवादी आधुनिकता की केंद्रीय विशेषताओं – विकास, भौतिकवाद, व्यक्तिगत स्वयं-प्राप्ति, आदि को चुनौती दिए बिना पारिस्थितिक सिद्धांतों और पर्यावरणीय रूप से जिम्मेदार आचरण को बढ़ावा देना चाहता है। सतत विकास को बढ़ावा देना इसकी प्रमुख विशेषता है।

74. भारतीय संविधान के अनुच्छेद 19(1) के अनुसार भारत के नागरिकों को निम्न अधिकार प्राप्त हैं :

- वाक्-स्वातंत्र्य और अभिव्यक्ति-स्वातंत्र्य का
- शांतिपूर्वक और निरायुध सम्मेलन का
- संगम या संघ बनाने का
- भारत के राज्यक्षेत्र में सर्वत्र अबाध संचरण का
- भारत के राज्यक्षेत्र के किसी भाग में निवास करने और बस जाने का
- कोई वृत्ति, उपजीविका, व्यापार या कारोबार करने का अधिकार होगा।

75. संसदीय समितियों के निर्माण के अनुसार सही कालानुक्रम है– लोक लेखा समिति, प्राक्कलन समिति, लोक उद्यम समिति तथा विभागीय स्थाई समिति।

- लोक लेखा समिति को प्राक्कलन समिति की जुड़वां बहन के रूप में जाना जाता है। इस समिति में 22 सदस्य होते हैं, जिनमें से 15 सदस्य लोकसभा के सदस्यों द्वारा तथा 7 सदस्य राज्यसभा के सदस्यों द्वारा चुने जाते हैं। 1967 से स्थापित प्रथा के अनुसार इस समिति के अध्यक्ष के रूप में विपक्ष के किसी सदस्य को नियुक्त किया जाता है। इस समिति के कार्य निम्नलिखित हैं–
  - ❑ भारत के नियंत्रक-महालेखा परीक्षक द्वारा दी गयी लेखा परीक्षण संबंधी प्रतिवेदनों की जांच करना।
  - ❑ भारत सरकार के व्यय के लिए सदन द्वारा प्रदान की गयी राशियों का विनियोग दर्शाने वाले लेखाओं की जांच करना। इसका उद्देश्य यह सुनिश्चित करना होता है कि क्या धन संसद द्वारा प्राधिकृत रूप से खर्च किया गया है, और उसी प्रयोजन के लिए खर्च किया गया है जिस प्रयोजन के लिए दिया गया था।
  - ❑ यदि किसी वित्तीय वर्ष के दौरान किसी सेवा पर उसके प्रयोजन के लिए सदन द्वारा प्रदान की गयी धनराशि से अतिरिक्त धनराशि को व्यय किया गया हो, तो समिति उन परिस्थितियों की जांच करती है, जिनके कारण ऐसा अतिरिक्त व्यय करना पड़ा है और इस संबंध में ऐसी सिफारिश करती है, जिसे वह उचित समझे।
  - ❑ समिति राष्ट्र के वित्तीय मामलों के संचालन में अपव्यय, भ्रष्टाचार, अकुशलता या कार्य-चालन में कमी से किसी प्रमाण की भी खोज करती है।
- प्राक्कलन समिति में लोकसभा में 30 सदस्य होते हैं और इसमें राज्यसभा के सदस्यों को शामिल नहीं किया जाता। इस समिति को ''स्थायी मितव्ययिता समिति'' भी कहा जाता है। यह समिति सरकारी अपव्यय को रोकने की सिफारिश करती है। समिति के सदस्यों का चुनाव प्रत्येक वर्ष आनुपातिक प्रतिनिधित्व के अनुसार एकल संक्रमणीय मत के माध्यम से एक वर्ष के लिए किया जाता है। इस समिति के निम्नलिखित कार्य हैं–
  - ❑ बजट अनुमानों की जांच कर यह बताना कि क्या उसमें शामिल नीति की मितव्ययिता, संगठन में सुधार, कार्य कुशलता या प्रशासनिक सुधार किये जा सकते हैं।
  - ❑ वह यह सिफारिश करे कि प्रशासन में कुशलता एवं मितव्ययिता लाने के लिए किस वैकल्पिक नीति को स्वीकार किया जा सकता है।

- ❑ वह यह जांच करे कि क्या बजट अनुमानों में शामिल नीति की सीमाओं में रहकर धन ठीक ढंग से लगाया गया है।
- ❑ वह यह सिफारिश करे कि संसद के समक्ष बजट अनुमान किस रूप में पेश किए जाएँ।

- 1964 में शुरू की गई सार्वजनिक उपक्रमों की समिति एक प्रकार की वित्तीय समिति है जो कृष्णा मेनन समिति की सिफारिशों पर अस्तित्व में आई। यह भारतीय संविधान में संसदीय समितियों (स्थायी समिति) में से एक है जिसे पीएसयू पर संसदीय नियंत्रण का विस्तार करने के लिए पेश किया गया था।
- संसद की 24 विभाग-संबंधित स्थायी समितियाँ (DRSC) हैं। इनमें से प्रत्येक समिति में 31 सदस्य हैं– 21 लोकसभा से और 10 राज्यसभा से।

76. सही कालानुक्रम है– पंचशील सिद्धांत, भारत-सोवियत मैत्री संधि, गुजराल सिद्धांत तथा लुक ईस्ट पॉलिसी।

- ध्यातव्य है कि भारत की विदेश नीति का आधार पंचशील सिद्धांत है। पंचशील सिद्धांत वास्तव में पांच सिद्धांतों का एक समूह है जिनका निर्माण वर्ष 1954 में भारत तथा चीन के मध्य हुआ था। ये पांच सिद्धांत गुट निरपेक्ष आन्दोलन के सिद्धांतों पर आधारित हैं और इनको पंडित जवाहर लाल नेहरू ने प्रतिपादित किया था।
- वर्ष 1971 में भारत तथा सोवियत युनियन के बीच भारत-सोवियत मैत्री संधि की गई थी।
- गुजराल सिद्धांत वास्तव में जून 1996 में देवगौड़ा सरकार के तत्कालीन विदेश मंत्री इंद्र कुमार गुजराल द्वारा प्रस्तुत विदेशी नीति का सिद्धांत है। ये भारत के पड़ोसी देशों के साथ विदेशी संबंधों के लिए निर्मित पांच सिद्धांतों का समूह है। ध्यातव्य है कि इंद्र कुमार गुजराल 27/04/1997 से 19/03/1998 तक भारत के बारहवें प्रधानमंत्री भी रहे थे।
- लुक ईस्ट पालिसी को वर्ष 1991 में तत्कालीन प्रधानमंत्री पी.वी. नरसिम्हा राव के द्वारा लांच किया गया था। इसका उद्देश्य देश के व्यापार को पश्चिमी देशों से हटाकर दक्षिण-पूर्वी एशियाई देशों की ओर केन्द्रित करना था। इसको बाद में वर्ष 2014 में प्रधानमंत्री नरेंद्र मोदी द्वारा ''एक्ट ईस्ट पालिसी'' से प्रतिस्थापित कर दिया गया।

77. प्रश्न में वर्णित पुस्तकों का कालानुक्रम निम्नवत है :

- द कम्यूनिस्ट मेनिफेस्टो – 1848
- दास कैपिटल – 1867
- द क्रिटिक ऑफ द गोथा प्रोग्राम – 1875
- द इकोनोमिक एंड फिलोसोफिकल मैनुस्क्रिप्ट – 1932

79. ''प्रथम स्वतंत्रता संग्राम'' पद को लोकप्रिय करने का श्रेय श्री विनायक दामोदर सावरकर को जाता है। इस शब्द का प्रयोग उन्होंने वर्ष 1909 में मराठी में लिखी अपनी पुस्तक ''भारतीय स्वतंत्रता संग्राम का इतिहास'' में किया था। ध्यातव्य है कि इस शब्द का प्रयोग 1857 के विद्रोह के संदर्भ में किया गया है।

80. स्वदेशी, बहिष्कार, राष्ट्रीय शिक्षा और निष्क्रिय प्रतिरोध विरोध के वे तरीके थे जिनका बाल गंगाधर तिलक ने प्रयोग किया था।

- बहिष्कार को तिलक एक प्रभावी हथियार के रूप में स्वीकार करते थे। अतिवादियों ने विदेशी शासकों पर दबाव डालने के लिये जो कार्यवाही का कार्यक्रम बनाया उसका दूसरा मोर्चा बहिष्कार था। तिलक ने बहिष्कार के सिद्धांत को लोकप्रिय बनाने में बहुत योगदान दिया था।
- स्वदेशी एक सकारात्मक हथियार था जिसका उद्देश्य लोगों को स्वदेशी उत्पादों के इस्तेमाल के लिए प्रेरित करना था चाहे वे महंगे ही क्यों न हों।
- भारत की पश्चिमी शिक्षा पद्धति एक ऐसे समाज का निर्माण करना चाहती थी जो मूल रूप से भारतीय हो परन्तु बौद्धिकता और संस्कृति के रूप से पश्चिमी हो। राष्ट्रवादी इस शिक्षा पद्धति का विरोध करते थे और इसीलिए उन्होंने लोगों में अपने धर्म, संस्कृति और विरासत के प्रति सम्मान और लगाव की भावना जगाने के लिए जो शिक्षा योजना बनाई उसको राष्ट्रीय शिक्षा का नाम दिया गया।
- निष्क्रिय प्रतिरोध वास्तव में बहिष्कार का ही विस्तृत रूप था। यह वास्तव में विदेशी उत्पादों का इस्तेमाल न करने और देश का प्रशासन चलाने में विदेशी अफसरशाही की मदद न करने का दृढ़ निश्चय था।

85. विदेश नीति एक ढाँचा है जिसके भीतर किसी देश की सरकार, बाहरी दुनिया के साथ अपने संबंधों को अलग-अलग स्वरूपों यानी द्विपक्षीय, क्षेत्रीय और बहुपक्षीय रूप से संचालित करती है। किसी भी देश की विदेश नीति का विकास घरेलू राजनीति, अन्य देशों की नीतियों या व्यवहार एवं विशिष्ट भू-राजनीतिक परिदृश्यों से प्रभावित होता है। यह संबंधित देश के इतिहास का परिणाम होता है और भारत की विदेश नीति पर भी भारतीय राष्ट्रीय आंदोलन का प्रभाव है। भारतीय विदेश नीति के मूलभूत सिद्धांत पंचशील सिद्धांत हैं जिनको सर्वप्रथम वर्ष 1954 में चीन के तिब्बत क्षेत्र तथा भारत के मध्य संधि करने के लिए प्रतिपादित किया गया और बाद में इसका प्रयोग वैश्विक स्तर पर अंतर्राष्ट्रीय संबंधों को संचालित करने के लिये भी किया गया। एक-दूसरे की क्षेत्रीय अखंडता और संप्रभुता का पारस्परिक सम्मान, पारस्परिक आक्रमण न करना, परस्पर हस्तक्षेप न करना, समता और आपसी लाभ तथा शांतिपूर्ण सह-अस्तित्व, ये पाँच सिद्धांत हैं।

86. मार्क्स द्वारा प्रतिपादित इतिहास की आर्थिक व्याख्या को एम.एन. रॉय गलत और अर्थपूर्ण मानते थे। उनका तर्क था कि सामाजिक और आर्थिक प्रक्रिया के वास्तविक रूप का निर्धारण मात्र भौतिक संसाधनों के प्रकार से नहीं होता है। उनके अनुसार मार्क्स द्वारा प्रतिपादित इतिहास की आर्थिक व्याख्या अर्थपूर्ण है क्योंकि इसमें सामाजिक प्रक्रियाओं में मानसिक क्रियाओं की कोई भूमिका नहीं है। केवल भौतिकवादी वस्तुवाद के आधार पर इतिहास की व्याख्या नहीं की जा सकती है। मनुष्य की बुद्धिमत्ता और उनकी संचयी क्रियाएं बहुत शक्तिशाली सामाजिक ताकतें हैं। इसके अलावा, चेतना को वास्तविकता के विपरीत माना जाता है। हालांकि बाद में मार्क्सवादियों ने विचारों और साामाजिक ताकतों के बीच संपर्क की अवधारणा के साथ सामग्री और सामाजिक वास्तविकता के प्रभुत्व के पुराने सिद्धांत को बदलने की कोशिश की और इतिहास के मार्क्सवादी दर्शन और विचारों की रचनात्मक भूमिका को कम-से-कम करने का प्रयास किया।

88. सामाजिक लोकतंत्र में स्वतंत्रता तथा समानता को एकजुट करने के उद्देश्य से उदारवाद तथा समाजवाद का समावेश किया जाता है। सामाजिक लोकतंत्र में शासन हेतु नव-निगमवाद प्रणाली का प्रयोग किया जाता है और इस प्रणाली में नीति निर्धारण के लिए राज्य, श्रम तथा व्यापार को सम्मिलित किया जाता है। निगमवाद (Corporatism) के अंतर्गत राज्य, समाज तथा बाजार को एक जैविक इकाई के रूप में देखा जाता है और इस इकाई का प्रत्येक तत्व एक-दूसरे के साथ सहयोग करते हुए अपने विशिष्ट और निर्धारित उत्तरदायित्वों का निर्वहन करते हैं जबकि नव-निगमवाद वह प्रणाली है जिसमें राज्य, श्रम तथा व्यापार को सम्मिलित किया जाता है। निगमवाद के माध्यम से सत्तावादी तंत्र कुछ सीमित संस्थाओं के माध्यम से जनता की रुचियों का प्रतिनिधित्व करके तथा राज्य द्वारा अनुमोदित नहीं की गई संस्थाओं पर पाबंदी लगाकर जनता पर अपने नियंत्रण को मजबूत करता है। नव-निगमवाद में व्यापार और श्रम के एक बड़े हिस्से का प्रतिनिधित्व करने वाले संघों का सीमित संख्या में निर्माण करके प्रतिस्पर्धा पर आम सहमति बनाने के लिए नीति का उपयोग किया जाता है, जो करते हैं। कई निर्णय तो अकेले राज्य पर छोड़ दिए जाते हैं।

89. संविधान किसी देश के शासन को चलाने के लिए आवश्यक सिद्धांतों का दस्तावेज होता है। प्रत्येक संविधान का अपना एक दर्शन होता है। भारतीय संविधान का भी अपना एक दर्शन है परन्तु उसको समझने के लिए हमें पंडित नेहरू द्वारा 13 दिसंबर, 1946 को संविधान सभा में प्रस्तुत किये गए उद्देश्य प्रस्ताव (Objective Resolution) पर ध्यान केन्द्रित करना होगा। ध्यातव्य है कि यह उद्देश्य प्रस्ताव ही हमारे संविधान की प्रस्तावना बना है।

90. चेस्टर बर्नार्ड के अनुसार, संगठन दो या दो से अधिक व्यक्तियों की सचेतन समन्वित क्रियाकलापों की प्रणाली है। उनके अनुसार संगठन का निर्माण होता है यदि एक-दूसरे से संवाद करने के लिए व्यक्ति उपस्थित हों तथा वे एक समान उद्देश्य को पूर्ण करने के लिए किसी कार्य को करने के इच्छुक हों।

पिछले प्रश्न-पत्र (हल सहित)

National Testing Agency (NTA)

UGC-NET जूनियर रिसर्च फैलोशिप तथा सहायक प्राध्यापक परीक्षा

राजनीति शास्त्र, दिसम्बर-2019*

प्रश्न-पत्र-II

नोटः *इस प्रश्न-पत्र में* **सौ (100)** *बहु-विकल्पीय प्रश्न हैं। प्रत्येक प्रश्न के* **दो (2)** *अंक हैं।* **सभी** *प्रश्न अनिवार्य हैं।*

1. निम्नलिखित में से कौन-सा सही नहीं है?
A. राष्ट्र एक मनोवैज्ञानिक संकल्पना है।
B. राज्य एक विधिक संकल्पना है।
C. राष्ट्रवाद राष्ट्र की विशेषता है।
D. राष्ट्र एवं राज्य सह-विस्तारी (को-टर्मिनस) हैं।

2. भारत के नियन्त्रक व महालेखा परीक्षक निम्नलिखित में से किसके आधार पर मूल्यांकन का अध्ययन कर सकते हैं?
(*a*) स्वयं की पहल पर
(*b*) वित्तीय समिति के अनुरोध पर
(*c*) व्यवस्थापिका के निर्देश पर
(*d*) मन्त्रालय के संगठन व विधि विभाग (मैथड्स डिवीजन) के अनुरोध पर

निम्नलिखित विकल्पों में से सही विकल्प चुनें:
A. (*a*), (*b*), (*c*) व (*d*) B. (*a*), (*b*) व (*d*)
C. (*b*), (*c*) व (*d*) D. (*a*), (*b*) व (*c*)

3. निम्नलिखित स्वतंत्रताओं में से किसका उल्लेख रूजवेल्ट ने नहीं किया था?
A. वाक् स्वतंत्रता
B. उपासना की स्वतंत्रता
C. भय से स्वतंत्रता
D. शोषण के विरुद्ध स्वतंत्रता

4. आगमनात्मक विधि को अंगीकार किए जाने से संबंधित निम्नलिखित में से कौन-से दो विकल्प सही हैं?
(*a*) प्लेटो
(*b*) मैकियावली
(*c*) थॉमस एक्यूनस
(*d*) थॉमस हॉब्स

सही विकल्प चुनें:
A. (*a*) व (*b*) B. (*a*) व (*c*)
C. (*b*) व (*d*) D. (*a*) व (*d*)

5. निर्णय-निर्माण सिद्धान्त को क्रमवार व्यवस्थित करें:
(*a*) सूचना हेतु खोज
(*b*) समस्या की पहचान
(*c*) विकल्प का चयन
(*d*) विकल्प की परिभाषा

सही विकल्प का चयन करें:
A. (*a*), (*c*), (*d*), (*b*) B. (*b*), (*d*), (*a*), (*c*)
C. (*b*), (*a*), (*c*), (*d*) D. (*b*), (*a*), (*d*), (*c*)

6. निम्नलिखित में से कौन-से दो सही हैं?
(*a*) प्लेटो ने अधिकारों की तुलना में कर्त्तव्यों पर अधिक बल दिया।
(*b*) उसका आदर्श राज्य केवल एक विचार था, न कि वास्तविकता।
(*c*) वह नारीवादी नहीं था।
(*d*) उसने वर्ग राज्य की बात कही।

सही विकल्प चुनें:
A. (*a*) व (*b*) B. (*a*) व (*c*)
C. (*a*) व (*d*) D. (*b*) व (*c*)

7. "वितरणात्मक न्याय मुख्यतः सम्मान या संपदा के वितरण से संबंधित है।" ऐसा किसने कहा था?

* *Online exam held on 05-12-2019.*

A. प्लेटो B. अरस्तू
C. मार्क्स D. ग्राम्शी

8. तालिका-I का तालिका-II से मिलान करें:

तालिका-I	**तालिका-II**
(*a*) मार्क्स का विसंबंधन-सिद्धान्त (थ्योरी ऑफ एलिएनेशन)	(*i*) हरबर्ट मारक्यूस
(*b*) विसंबंधन एवं विषयीकरण	(*ii*) एरिक फ्रोम
(*c*) विसंबंधन का समकालीन सिद्धान्त	(*iii*) जॉर्च लुकाच
(*d*) एक आयामी व्यक्तिः विकसित औद्योगिक समाज की विचारधारा पर अध्ययन	(*iv*) इकनॉमी एंड फिलासफिक मेन्यूस्क्रिप्ट ऑफ 1844

सही विकल्प का चयन करें:

	(*a*)	(*b*)	(*c*)	(*d*)
A.	(*i*)	(*ii*)	(*iii*)	(*iv*)
B.	(*i*)	(*iv*)	(*iii*)	(*ii*)
C.	(*iv*)	(*ii*)	(*i*)	(*iii*)
D.	(*iv*)	(*iii*)	(*ii*)	(*i*)

9. निम्नलिखित को सुमेलित कीजिए:

A	**B**
(*a*) दो या अधिक राज्यों के लिए एक साझा उच्च न्यायालय	(*i*) अनुच्छेद-229
(*b*) कतिपय मामलों का उच्च न्यायालय में हस्तांतरण	(*ii*) अनुच्छेद-233
(*c*) जिला न्यायाधीशों की नियुक्ति	(*iii*) अनुच्छेद-231
(*d*) उच्च न्यायालयों के प्रशासनिक व्यय	(*iv*) अनुच्छेद-228

सही विकल्प चुनिए:

	(*a*)	(*b*)	(*c*)	(*d*)
A.	(*iii*)	(*iv*)	(*ii*)	(*i*)
B.	(*ii*)	(*iv*)	(*i*)	(*iii*)
C.	(*iv*)	(*ii*)	(*i*)	(*iii*)
D.	(*iii*)	(*ii*)	(*iv*)	(*i*)

10. भारतीय संविधान की उद्देशिका के संबंध में निम्नलिखित में से कौन-से दो अभिकथन सही हैं?

(*a*) न्याय-सामाजिक, आर्थिक और राजनीतिक

(*b*) विचार, अभिव्यक्ति, विश्वास, आस्था और पूजा की स्वतंत्रता

(*c*) हैसियत (स्टेटस), चरित्र और अवसरों की समानता

(*d*) व्यक्ति की प्रतिष्ठा और सम्मान का आश्वासन देते हुए भाईचारा

सही विकल्प चुनिए:

A. (*a*) और (*c*) B. (*a*) और (*d*)
C. (*c*) और (*d*) D. (*a*) और (*b*)

11. निर्वाचन आयुक्त के बारे में निम्नलिखित में से कौन-से अभिकथन सही हैं?

(*a*) उनकी नियुक्ति राष्ट्रपति द्वारा की जाती है।

(*b*) उन्हें उन्हीं आधारों पर अपने पद से हटाया जा सकता है जैसे सर्वोच्च न्यायालय के न्यायाधीश को।

(*c*) मुख्य चुनाव आयुक्त की संस्तुतियों के आधार पर ही उन्हें राष्ट्रपति द्वारा हटाया जा सकता है।

(*d*) उनके पद का कार्यकाल छह वर्ष अथवा 65 वर्ष की आयु तक होता है – जो भी पहले आए।

सही विकल्प का चयन कीजिए:

A. (*a*), (*b*) B. (*b*), (*d*)
C. (*a*), (*c*) D. (*a*), (*c*), (*d*)

12. अर्थशास्त्र को निम्नलिखित में से किस रूप में जाना जाता है?

A. श्रुति B. स्मृति
C. संहिता D. नीतिशास्त्र

13. पुस्तक "नेशन एण्ड नैशनलिज्म्" के लेखक कौन हैं?

A. अर्नेस्ट गेलेनर B. हैन्स जे. मोर्गेन्थो
C. जे.एस. कोलमैन D. रजनी कोठारी

14. सूची-I को सूची-II से सुमेलित कीजिए:

सूची-I (संगठन)	**सूची-II (सदस्य राष्ट्रों की संख्या)**
(*a*) पश्चिम अफ्रीकी राष्ट्रों का आर्थिक समुदाय	(*i*) 6
(*b*) दक्षिण अफ्रीकी विकास समुदाय	(*ii*) 12
(*c*) केन्द्रीय अफ्रीकी राष्ट्रों का आर्थिक समुदाय	(*iii*) 16
(*d*) पूर्वी अफ्रीकी समुदाय	(*iv*) 15

सही विकल्प चुनिए:

	(a)	(b)	(c)	(d)
A.	(i)	(ii)	(iii)	(iv)
B.	(iv)	(iii)	(ii)	(i)
C.	(i)	(iv)	(iii)	(ii)
D.	(iii)	(iv)	(ii)	(i)

15. नीचे दो अभिकथन दिए गये हैं, जिनमें से एक को अभिकथन (A) एवं दूसरे को तर्क (R) कहा गया है:

अभिकथन (A): संयुक्त राष्ट्र संघ की स्थापना 24 अक्तूबर, 1945 को हुई थी।

तर्क (R): इसका मुख्य उद्देश्य विश्व शान्ति एवं सुरक्षा बनाए रखना है।

सही विकल्प का चयन करें:

A. (A) और (R) दोनों सही हैं तथा (R), (A) की सही व्याख्या है।

B. (A) और (R) दोनों सही हैं, लेकिन (R), (A) की सही व्याख्या नहीं है।

C. (A) सही है, लेकिन (R) गलत है।

D. (A) गलत है, लेकिन (R) सही है।

16. निम्नलिखित को क्रमानुसार व्यवस्थित करें:

(*a*) बेन और आर.एस. पीटर का सोशल प्रिंसिपल्स एंड डेमाक्रेटिक स्टेट

(*b*) जॉन रॉल्स का ए थ्योरी ऑफ जस्टिस

(*c*) सूसन मोलेसोकिन का जस्टिस जेंडर एंड फेमिली

(*d*) रूसो का सोशल कांट्रेक्ट

सही विकल्प चुनिए:

A. (*d*), (*b*), (*a*), (*c*) B. (*a*), (*d*), (*b*) और (*c*)

C. (*b*), (*a*), (*c*) और (*d*) D. (*c*), (*b*), (*d*) और (*a*)

17. राष्ट्रपति द्वारा अध्यादेश जारी करने की शक्ति भारतीय संविधान के किस अनुच्छेद द्वारा प्रदत्त की गई है?

A. अनुच्छेद 123 B. अनुच्छेद 221

C. अनुच्छेद 222 D. अनुच्छेद 223

18. निम्नलिखित को कालक्रमानुसार व्यवस्थित करें:

(*a*) जलियाँवाला बाग नरसंहार

(*b*) हंटर समिति द्वारा रिपोर्ट प्रस्तुतिकरण

(*c*) चौरी-चौरा कांड

(*d*) स्वराज पार्टी की स्थापना

सही विकल्प का चयन करें:

A. (*a*), (*b*), (*c*), (*d*) B. (*d*), (*c*), (*b*), (*a*)

C. (*a*), (*b*), (*d*), (*c*) D. (*d*), (*b*), (*a*), (*c*)

19. निम्नलिखित में से कौन-से दो कथन कश्मीर को लेकर भारत-पाक सम्बन्धों के बारे में सही हैं?

(*a*) सुरक्षा परिषद् ने वर्ष 1948 में पहली बार जम्मू-कश्मीर के मुद्दे पर चर्चा की थी।

(*b*) ए.बी. वाजपेयी और परवेज मुर्शरफ के बीच वर्ष 2004 में इस्लामाबाद में एक शिखर सम्मेलन हुआ था।

(*c*) युद्धविराम रेखा के आरपार एक बस सेवा का शुभारंभ वर्ष 2006 में हुआ था।

(*d*) वर्ष 2007 में समझौता एक्सप्रेस पर आतंकवादी हमला हुआ था।

सही विकल्प का चयन कीजिए:

A. (*a*) और (*b*) B. (*a*) और (*c*)

C. (*a*) और (*d*) D. (*c*) और (*d*)

20. निम्नलिखित में से कौन-से दो अभिकथन विकास के अधिकार के सम्बन्ध में सही हैं?

(*a*) विकास के अधिकार के घोषणा-पत्र को वर्ष 1986 में साधारण सभा में अंगीकार किया गया था।

(*b*) यह अनत्यसंक्राम्य मानव अधिकार है।

(*c*) इसे 1993 वियना घोषणा एवं कार्ययोजना में कोई जगह नहीं मिली थी।

(*d*) वर्ष 1990 में मानव अधिकारों के आयोग ने इसके कार्यक्रम की निगरानी हेतु एक कार्य समूह की स्थापना की।

सही विकल्प का चयन करें:

A. (*a*) और (*b*) B. (*b*) और (*c*)

C. (*c*) और (*d*) D. (*a*) और (*d*)

21. निम्नलिखित में से कौन स्वेच्छातंत्रवाद का समर्थक नहीं है?

A. राबर्ट नॉजिक B. मिल्टन फ्रीडमैन

C. राबर्ट डह्ल D. एफ.ए. हायेक

22. संगठन में संचार प्रक्रिया का क्रम है:

A. प्रेषक, संदेश, रिसीवर, एन्कोडिंग

B. संदेश, चैनल, फीडबैक, एन्कोडिंग

C. प्रेषक, एन्कोडिंग, डिकोडिंग, रिसीवर
D. प्रेषक, एनकोडिंग, संदेश, चैनल

23. निम्नलिखित में से कौन-से प्रकार का नीति मूल्यांकन उसके आधारभूत उद्देशों के प्राप्ति की सफलता के स्तर को निर्धारित करने पर बल देता है?
A. कार्यक्रम-रणनीति मूल्यांकन
B. कार्यक्रम-प्रभाव मूल्यांकन
C. परियोजना की निगरानी
D. लागत-लाभ विश्लेषण

24. विश्व व्यापार संगठन के सम्बन्ध में निम्नलिखित में से कौन-से दो अभिकथन सही हैं?
(*a*) यह एकमात्र अन्तर्राष्ट्रीय संगठन है, जो राष्ट्रों के बीच विश्व व्यापार नियमों से संबंधित है।
(*b*) इसकी स्थापना 1996 में की गई थी।
(*c*) इसका मुख्यालय जेनेवा (Geneva) में है।
(*d*) इसमें लगभग 680 स्टाफ नियुक्त हैं।

सही विकल्प का चयन करें:
A. (*a*) और (*b*) B. (*a*) और (*c*)
C. (*c*) और (*d*) D. (*a*) और (*d*)

25. जी.ए. ऑमंड (G.A. Almond) के अनुसार 'सजातीय संस्कृति' अपेक्षाकृत किसमें पायी जाती है?
A. विकसित देशों में
B. अविकसित देशों में
C. विकासशील देशों में
D. सर्वाधिक अल्पविकसित देशों में

26. निम्नलिखित में से कौन राजनीतिक दलों का कार्य नहीं है?
A. समाजीकरण और भर्ती
B. हित अभिव्यक्ति
C. हित समूहन
D. नियम अधिनिर्णय

27. यूनेस्को की स्थापना किस वर्ष में हुई थी?
A. 1945 B. 1946
C. 1947 D. 1948

28. मैरी वोल्स्टोनक्राफ्ट द्वारा रचित पुस्तक का पूरा शीर्षक निम्नलिखित में से कौन है?
A. ए विंडिकेशन ऑफ द राइट्स ऑफ वुमेन
B. ए विंडिकेशन ऑफ द राइट्स ऑफ वुमेन विथ स्ट्रिक्चर्स ऑन पॉलिटिकल एण्ड मॉरल सब्जेक्ट्स
C. रिफ्लेक्शन ऑन द फ्रेंच रिवोल्यूशन
D. ए विंडिकेशन ऑफ द राइट्स ऑफ ह्यूमैन बिंग्स

29. प्राकृतिक एवं परम्परागत असमानता के बीच किसने विभेद किया था?
A. हॉब्स B. लॉक
C. रूसो D. बेन्थम

30. क्योटो प्रोटोकॉल कब लागू हुआ था?
A. 1997 B. 2000
C. 2005 D. 2006

31. आकृति का सिद्धांत (थ्योरी ऑफ फॉर्म) और गुफाओं का रूपक (एलेगरी ऑफ केब्स) निम्नलिखित में से किससे संबंधित है?
A. प्लेटो B. अरस्तू
C. मैकियावेली D. हॉब्स

32. निम्नलिखित में से कौन-सा कथन गलत है?
A. वैश्वीकरण का अर्थ है अर्थव्यवस्था का अंतर्राष्ट्रीयकरण।
B. वैश्वीकरण बाजार-अर्थव्यवस्था पर जोर देता है।
C. वैश्वीकरण अर्थव्यवस्था के पर्यवेक्षण के लिए अंतर्राष्ट्रीय संस्थानों को जन्म देता है।
D. वैश्वीकरण संकीर्ण संस्कृति को स्थिर करने की ओर अग्रसर होता है।

33. किसने नेतृत्व को ''अधीनस्थों को लगन और विश्वास के साथ कार्य करने के लिए प्रेरित करने की प्रबंधक की योग्यता'' के रूप में परिभाषित किया?
A. कूंट्ज और ओ' डोनेल
B. चेस्टर बर्नाड
C. एम.पी. फॉलेट
D. पीटर ड्रकर

34. नीचे दो अभिकथन दिए गये हैं, जिसमें से एक अभिकथन (A) है व दूसरे को तर्क (R) कहा गया है:

अभिकथन (A): भारत व पाकिस्तान ने शिमला समझौते पर 1972 में हस्ताक्षर किए थे।

तर्क (R): इस समझौते में कहा गया है कि दोनों देश अपने विवादों को अन्य देशों की मध्यस्थता से सुलझाएंगे।

सही विकल्प चुनें:

A. (A) और (R) दोनों सही हैं तथा (R), (A) की सही व्याख्या है।

B. (A) और (R) दोनों सही हैं, परन्तु (R), (A) की सही व्याख्या नहीं है।

C. (A) सही है, लेकिन (R) गलत है।

D. (A) गलत है, लेकिन (R) सही है।

35. निम्नलिखित तिथियों में से किस तिथि को भारत 'संयुक्त राष्ट्र मानव अधिकार परिषद्' का सदस्य बना था?

A. 1 अगस्त, 2019 B. 1 जून, 2019

C. 1 जनवरी, 2019 D. 1 जुलाई, 2019

36. राष्ट्रपति के अधिकारों के संबंध में निम्नलिखित कथनों में से कौन-सा सही है?

A. वह जोनल काउंसिल की बैठकों की अध्यक्षता करता है।

B. वह अंतर्राज्यीय परिषद् का अध्यक्ष होता है।

C. वह चुनाव आयोग की सिफारिश पर संसद के किसी सदस्य को अनुच्छेद-102 के तहत अयोग्य ठहरा सकता है।

D. वह स्वविवेक के आधार पर आपातकाल की घोषणा कर सकता है।

37. निम्नलिखित को सुमेलित करें:

A	B
(*a*) एबसोल्युट वीटो	(*i*) जब पुनर्विचार के लिए एक विधेयक लौटाया जाता है।
(*b*) क्वालीफाइड वीटो	(*ii*) सदनों द्वारा पुनः पारित विधेयकों का राष्ट्रपति द्वारा न रोका जाना।
(*c*) सस्पेंसिव वीटो	(*iii*) राष्ट्रपति बिना किसी समय सीमा की अनुमति दे सकता है या मना कर सकता है।
(*d*) पॉकेट वीटो	(*iv*) दोनों सदनों द्वारा पारित विधेयक को मना करने की शक्ति।

सही विकल्प का चयन करें:

	(*a*)	(*b*)	(*c*)	(*d*)
A.	(*ii*)	(*i*)	(*iii*)	(*iv*)
B.	(*iv*)	(*iii*)	(*ii*)	(*i*)
C.	(*iv*)	(*ii*)	(*i*)	(*iii*)
D.	(*iii*)	(*ii*)	(*iv*)	(*i*)

38. तालिका-I का तालिका-II से मिलान करें:

तालिका-I	**तालिका-II**
(*a*) जयप्रकाश नारायण	(*i*) साल्ट टेक्सेशन इन इंडिया (Salt Taxation in India)
(*b*) राम मनोहर लोहिया	(*ii*) दि रिकन्स्ट्रक्शन ऑफ रिलीजियस थॉट् इन इस्लाम
(*c*) मुहम्मद इकबाल	(*iii*) व्हाई सोशलिज्म (Why Socialism)
(*d*) बरनी	(*iv*) फतवा-ए-जहाँदारी (Fatwo-i-Jahandari)

सही विकल्प का चयन करें:

	(*a*)	(*b*)	(*c*)	(*d*)
A.	(*iii*)	(*i*)	(*ii*)	(*iv*)
B.	(*ii*)	(*iii*)	(*iv*)	(*i*)
C.	(*i*)	(*ii*)	(*iii*)	(*iv*)
D.	(*iv*)	(*i*)	(*ii*)	(*iii*)

39. भारत में पंचायती राज निकायों के लिए निर्वाचन किस सवैधानिक प्रावधान के अधीन कराए जाते हैं?

A. अनुच्छेद 243 J B. अनुच्छेद 243 K

C. अनुच्छेद 243 L D. अनुच्छेद 243 M

40. निम्नलिखित में से किसने अपने न्याय सिद्धांत में उपयोगितावाद की निन्दा की थी?

A. प्लेटो B. हायेक

C. रॉल्स D. मिल्टन

41. निम्नलिखित में से किसने "सोसायटी फॉर राइट टू डाई विद डिगनिटी" का गठन किया था?

A. जय प्रकाश नारायण B. मीनू मसानी

C. कृष्णा अय्यर D. मेधा पाटकर

42. नीचे दो अभिकथन दिए गये हैं, जिनमें से एक को अभिकथन (A) के रूप में एवं दूसरे को तर्क (R) कहा गया है:

अभिकथन (A): प्लेटो के अनुसार मनुष्य की आत्मा में तीन घटक होते हैं– विवेक, साहस और क्षुधा।

तर्क (R): राज्य व्यक्ति का विराट् रूप है।

सही विकल्प का चयन करें:

A. (A) और (R) दोनों सही हैं तथा (R), (A) की सही व्याख्या है।

B. (A) और (R) दोनों सही हैं, लेकिन (R), (A) की सही व्याख्या नहीं है।

C. (A) सही है, लेकिन (R) गलत है।

D. (A) गलत है, लेकिन (R) सही है।

43. नीचे दो वक्तव्य दिए गए हैं, जिनमें से एक कथन और दूसरा कारण है।

अभिकथन (A): अरस्तू पहला चिंतक है जिसने संयोगवश आगमनात्मक पद्धति को अपनाया।

तर्क (R): मैकियावली ने सोच-विचारकर आगमनात्मक पद्धति को अपनाया।

सही विकल्प को चुनें:

A. (A) और (R) दोनों सही हैं तथा (R), (A) का सही व्याख्या है।

B. (A) और (R) दोनों सही हैं, लेकिन (R), (A) का सही व्याख्या नहीं है।

C. (A) सही है, लेकिन (R) गलत है।

D. (A) गलत है, लेकिन (R) सही है।

44. किस वर्ष में रवींद्रनाथ टैगोर ने जलियाँवाला बाग के नरसंहार के विरोध में नाइटहूड की उपाधि का त्याग कर दिया था?

A. 1919 B. 1924

C. 1935 D. 1937

45. लोक नीति की सार्थकता के बारे में निम्नलिखित कथनों में से कौन से सही हैं?

(*a*) लोक नीति सामाजिक-आर्थिक विकास में सहायक है।

(*b*) लोक नीति राष्ट्रीय एकता व अखंडता को बनाए रखने में सहायक है।

(*c*) इसका मुख्य उद्देश्य वैयक्तिक हितों की सेवा व सार्वजनिक समस्याओं का समाधान है।

(*d*) लोक नीति का उद्देश्य समाज को उसकी बेहतरी के लिए सुगठित करना है।

नीचे दिए गये विकल्पों में से सही चुनें:

A. (*a*), (*b*), (*c*) व (*d*) B. (*b*), (*c*) व (*d*)

C. (*a*), (*b*) व (*d*) D. (*a*), (*b*) व (*c*)

46. राज्य सभा के गठन के संबंध में निम्नलिखित में से कौन से कथन सही हैं?

(*a*) राज्य सभा में 238 से अनधिक सदस्य राज्यों और संघ राज्य क्षेत्रों का प्रतिनिधित्व करते हैं।

(*b*) राज्य सभा में पुडुचेरी की प्रतिनिधि निर्वाचित होते हैं।

(*c*) संविधान की तीसरी अनुसूची राज्य सभा में राज्यों को सीटों के आवंटन से संबंधित है।

(*d*) संविधान की चौथी अनुसूची राज्य सभा में राज्यों को सीटों के आवंटन से संबंधित है।

नीचे दिए गए विकल्पों से सही उत्तर चुनिए:

A. (*a*) और (*b*) B. (*b*) और (*c*)

C. (*a*) और (*c*) D. (*a*), (*b*) और (*d*)

47. विधिक दृष्टिकोण से निम्नलिखित में से किसे सॉफ्ट लॉ (Soft Law) कहा जाता है?

A. पर्यावरण का अधिकार

B. विकास का अधिकार

C. स्वास्थ्य का अधिकार

D. निजता का अधिकार

48. उदारीकरण के सकारात्मक प्रभाव हैं:

(*a*) विदेशी निवेश

(*b*) बढ़ा हुआ उत्पादन

(*c*) बढ़ी हुई बेरोजगारी

(*d*) प्रौद्योगिकीय उन्नति

सही उत्तर चुनिए:

A. (*a*), (*b*) और (*d*) B. (*b*) और (*c*)

C. (*a*) और (*c*) D. (*b*), (*c*) और (*a*)

49. राममनोहर लोहिया किसके विरोधी थे?

(*a*) पूंजीवाद

(*b*) साम्यवाद

(*c*) समाजवाद

(*d*) शक्तियों का विकेन्द्रीकरण

नीचे दिए गये विकल्पों में से सही उत्तर का चयन कीजिए :

A. (*a*) और (*b*) B. (*c*) और (*d*)
C. (*a*), (*b*) और (*c*) D. (*b*), (*c*) और (*d*)

50. निम्नलिखित संस्थाओं/संगठनों को कालक्रमानुसार व्यवस्थित करें:

(*i*) ब्रिक्स डेवलपमेंट बैंक
(*ii*) आई.बी.एस.ए. (IBSA)
(*iii*) जी-7 (G-7)
(*iv*) जी-20 (G-20)

सही विकल्प का चयन करें:

A. (*iii*), (*iv*), (*ii*), (*i*) B. (*i*), (*ii*), (*iii*), (*iv*)
C. (*iv*), (*iii*), (*ii*), (*i*) D. (*iii*), (*ii*), (*iv*), (*i*)

51. तालिका-I का तालिका-II से मिलान करें:

तालिका-I (चिंतक)	तालिका-II (पुस्तक)
(*a*) मेरी वालस्टोनक्राफ्ट (Mary Wollstone-craft)	(*i*) दि रेचड् ऑफ दि अर्थ (The Wretched of the Earth
(*b*) ग्राम्शी (Gramsci)	(*ii*) पॉलिटिकल लिबरेलिज्म (Political Libera-lism)
(*c*) फ्रेन्ट्ज फैनॉन (Frantz Fanon)	(*iii*) विन्डीकेशन ऑफ दि राइटस् ऑफ वुमेन (Vindication of the Rights of Women)
(*d*) जॉन रॉल्स (John Rawls)	(*iv*) दि प्रिजन नोटबुक (The Prison note-book)

निम्नलिखित में से सही विकल्प चुनिए:

	(*a*)	(*b*)	(*c*)	(*d*)
A.	(*iii*)	(*ii*)	(*iv*)	(*i*)
B.	(*iii*)	(*iv*)	(*i*)	(*ii*)
C.	(*ii*)	(*iii*)	(*iv*)	(*i*)
D.	(*i*)	(*ii*)	(*iii*)	(*iv*)

52. निम्नलिखित को आरोही क्रम में कालक्रमानुसार व्यवस्थित करें:

(*a*) शिक्षा का अधिकार अधिनियम
(*b*) उपभोक्ता संरक्षण (संशोधन) अधिनियम
(*c*) खाद्य सुरक्षा अधिनियम
(*d*) भ्रष्टाचार निवारण (संशोधन) अधिनियम

निम्नलिखित में से सही विकल्प का चयन करें:

A. (*b*), (*c*), (*d*) एवं (*a*) B. (*b*), (*a*), (*c*) एवं (*d*)
C. (*a*), (*b*), (*c*) एवं (*d*) D. (*c*), (*a*), (*d*) एवं (*b*)

53. निम्नलिखित संयुक्त राष्ट्र व्यवस्था (UN System) को कालक्रमानुसार व्यवस्थित करें:

(*i*) अन्तर्राष्ट्रीय पुनर्गठन एवं विकास बैंक
(*ii*) बहुपक्षीय निवेश गांरटी एजेंसी
(*iii*) अन्तर्राष्ट्रीय वित्त निगम
(*iv*) अन्तर्राष्ट्रीय विकास संघ

सही विकल्प का चयन करें:

A. (*iv*), (*iii*), (*ii*), (*i*) B. (*i*), (*iii*), (*iv*), (*ii*)
C. (*ii*), (*iv*), (*i*), (*iii*) D. (*iii*), (*iv*), (*i*), (*ii*)

54. निम्नलिखित को सुमेलित कीजिए:

A	B
(*a*) दो कारक सिद्धांत (टू फैक्टर थ्योरी)	(*i*) मेक्लेलेंड
(*b*) आवश्यकताओं का पदानुक्रम सिद्धांत (हायरारकी ऑफ नीड्स थ्योरी)	(*ii*) मेक्ग्रेगर
(*c*) आवश्यकता का सिद्धांत	(*iii*) मास्लो
(*d*) X और Y का सिद्धांत	(*iv*) हर्जबर्ग

सही उत्तर चुनिए:

	(*a*)	(*b*)	(*c*)	(*d*)
A.	(*ii*)	(*iv*)	(*iii*)	(*i*)
B.	(*iii*)	(*iv*)	(*ii*)	(*i*)
C.	(*iv*)	(*i*)	(*iii*)	(*ii*)
D.	(*iv*)	(*iii*)	(*i*)	(*ii*)

55. भारत सरकार ने किस वर्ष में स्वामी विवेकानन्द के जन्मदिवस को राष्ट्रीय युवा दिवस के रूप में मनाने का निर्णय लिया?

A. 1984 B. 1985
C. 1986 D. 1987

56. पुस्तक "आस्पेक्ट्स ऑफ पॉलिटिकल डेवेलपमेन्ट" किसके द्वारा लिखी गई है?

A. लूसियन पाई B. जी.ए. ऑमंड
C. जी.एच. सेबाइन D. मोरिस डुवर्जर

57. नागरिकता के बहुलवादी सिद्धांत का सर्वोत्तम प्रतिपादक कौन था?

A. टी.एच. मार्शल B. एंथनी गिड्डेन्स
C. बी.एस. टर्नर D. डेविड हेल्ड

58. "टूवड्र्स ए न्यू पब्लिक एडमिनिस्ट्रेशन-मिनोब्रूक" पुस्तक के संपादक का नाम बताएं

A. जेम्स चार्ल्सवर्थ B. फ्रेंक मारिनी
C. डब्ल्यू.एफ. विलोबी D. फ्रेंक जे. गुडनाउ

59. निम्नलिखित दो कथनों में से एक अभिकथन (A) व दूसरा तर्क (R) हैः

अभिकथन (A): हरबर्ट साइमन ने प्रशासन के सिद्धान्तों को रद्द किया था।

तर्क (R): साइमन के अनुसार, ये केवल लोकोक्तियां हैं।

उपरोक्त में से सही विकल्प चुनें:

A. (A) और (R) दोनों सही हैं तथा (R), (A) की सही व्याख्या है।
B. (A) और (R) दोनों सही हैं, लेकिन (R), (A) की सही व्याख्या नहीं है।
C. (A) सही है, लेकिन (R) गलत है।
D. (A) गलत है, लेकिन (R) सही है।

60. किस घटना ने पेरियार को नास्तिक बनाया?

A. आत्मसम्मान आन्दोलन ने
B. काशी तीर्थ यात्रा की घटना ने
C. द्रविड़ राष्ट्रीय आन्दोलन ने
D. समाज में भेदभाव के कारण

61. जयप्रकाश नारायण को भारत रत्न से कब सम्मानित किया गया?

A. 1999 B. 1998
C. 1997 D. 1996

62. निम्नलिखित में से कौन-से महिलाओं की समानता संबंधी तर्क हैं?

(*a*) पुरुषों की तुलना में महिलाओं की निम्नता, समाज द्वारा बनाई गई है, जो विधिक रूप से न्यायोचित नहीं है।
(*b*) मुक्ति व समानता के सिद्धान्त महिलाओं की स्थिति पर लागू न होना विरोधाभासी है।
(*c*) महिलाएं प्राकृतिक रूप से पुरुषों से निम्न हैं।
(*d*) महिला-असमानता बनी रही क्योंकि इसको न्यायोचित ठहराया गया था।

निम्नलिखित में से सही विकल्प चुनेंः

A. (*a*), (*b*) व (*c*) B. (*a*), (*b*), (*c*) व (*d*)
C. (*a*) व (*b*) D. (*c*) व (*d*)

63. निम्नलिखित में से राष्ट्रीय जल नीति 2012 की प्रमुख विशेषताएं कौन-सी हैं?

(*a*) जल विनियमन प्राधिकरण की स्थापना
(*b*) जल पुनर्चक्रण व पुनरुपयोग को प्रोत्साहित करना
(*c*) जल संसाधन की परियोजनाओं के रख-रखाव में सामुदायिक भागीदारी
(*d*) जल उपयोगकर्ता एसोसिएशन को वैधानिक शक्तियां प्रदान की जानी चाहिए

नीचे दिए गए विकल्पों में से सही उत्तर का चयन कीजिए :

A. (*a*), (*b*) और (*c*) B. (*a*), (*b*), (*c*) और (*d*)
C. (*b*), (*c*) और (*d*) D. (*a*), (*b*) और (*d*)

64. निम्नलिखित में से कौन-से दो कथन चीन की नीति "हथेली एवं पांच अंगुलियों के सिद्धान्त" के बारे में सही हैं?

(*a*) इसमें भूटान और नेपाल शामिल हैं।
(*b*) इसमें अरुणाचल प्रदेश, सिक्किम एवं लद्दाख शामिल हैं।
(*c*) इसमें मिजोरम और मणिपुर शामिल हैं।
(*d*) इसमें त्रिपुरा और मेघालय शामिल हैं।

सही विकल्प का चयन कीजिए :

A. (*a*) और (*c*) B. (*a*) और (*d*)
C. (*a*) और (*b*) D. (*b*) और (*c*)

65. किसने कहा था, "प्रत्येक राज्य को उसके द्वारा अनुरक्षित अधिकारों के लिए जाना जाता है"?

A. लास्की B. ग्रीन
C. हेगेल D. बेकर

66. राष्ट्रीय स्वास्थ्य नीति, 2017 के बारे में निम्नलिखित में से कौन-सा कथन सही है?

(*a*) इसका लक्ष्य प्रति 1000 जनसंख्या पर 2 बेड की उपलब्धता सुनिश्चित करना है।

(*b*) यह सभी सार्वजनिक अस्पतालों में मुफ्त दवाओं, मुफ्त निदान और मुफ्त आपातकालीन स्वास्थ्य देखभाल सेवाओं का प्रस्ताव करता है।

(*c*) 2025 तक राष्ट्रीय और राज्य स्तर पर कुल प्रजनन दर में 2.1 तक कमी लाना।

(*d*) 2020 तक 5 वर्ष से कम आयु के बच्चों की मृत्यु दर को घटाकर 23 प्रति 1000 करना।

सही विकल्प का चयन कीजिए:

A. (*a*), (*b*) और (*c*)

B. (*a*), (*b*), (*c*) और (*d*)

C. (*a*) और (*b*)

D. (*c*) और (*d*)

67. निम्नलिखित अभिकथनों में से कौन-से कथन कल्याणकारी राज्य की परिभाषा के बारे में सही है?

(*a*) यह एक ऐसा राज्य होता है जो अपने नागरिकों को विस्तृत स्तर पर सामाजिक सेवाएं उपलब्ध करवाता है।

(*b*) यह एक ओर साम्यवाद एवं दूसरी ओर अनियंत्रित व्यक्तिवाद के बीच समझौता है।

(*c*) कल्याणकारी राज्य किसी भी प्रकार के मानवोचित एवं प्रगतिशील समाज के लिए एक आदर्श स्थापित करता है।

(*d*) कल्याणकारी राज्य निजी क्षेत्र के उत्प्रेरकों (इन्सेंटिव्स) को हटाए बिना जीवन-निर्वाह के न्यूनतम स्तर की गारंटी देता है।

सही विकल्प का चयन कीजिए:

A. (*a*), (*b*) और (*c*) B. (*b*), (*c*) और (*d*)

C. (*a*), (*b*), (*c*) और (*d*) D. (*a*), (*b*) और (*d*)

68. निम्नलिखित में से किस आधार पर न्यायपालिका द्वारा उत्प्रेषण याचिका जारी की जा सकती है?

(*a*) क्षेत्राधिकार की कमी

(*b*) सुने जाने का अधिकार

(*c*) क्षेत्राधिकार की अधिकता

(*d*) विधि की गलती

सही विकल्प का चयन कीजिए:

A. (*a*), (*b*) और (*c*) B. (*a*), (*b*) और (*d*)

C. (*a*) और (*b*) D. (*a*) और (*c*)

69. तालिका-I का तालिका-II से मिलान करें:

तालिका-I (आधुनिकीकरण की विचारधारा)	**तालिका-II (विचारक)**
(*a*) मनोवैज्ञानिक विचारधारा	(*i*) डेनियल लर्नर
(*b*) मानकीय विचारधारा	(*ii*) महात्मा गांधी
(*c*) संरचरनात्मक विचारधारा	(*iii*) जी.ए. ऑमंड
(*d*) प्रौद्योगिकीय विचारधारा	(*iv*) डेविड एप्टर

निम्नलिखित में से सही विकल्प का चयन करें:

	(*a*)	(*b*)	(*c*)	(*d*)
A.	(*i*)	(*ii*)	(*iii*)	(*iv*)
B.	(*ii*)	(*iii*)	(*iv*)	(*i*)
C.	(*iv*)	(*ii*)	(*i*)	(*iii*)
D.	(*iii*)	(*i*)	(*ii*)	(*iv*)

70. वंदना शिवा निम्नलिखित में से किस रूप में जानी जाती हैं?

A. उत्तर आधुनिकतावादी

B. मार्क्सवादी

C. पर्यावरण-हितैषी नारीवादी (इको-फेमिनिस्ट)

D. रूढ़िवादी

71. सूची-I को सूची-II के साथ सुमेलित कीजिए:

सूची-I (लेखक)	**सूची-II (पुस्तक)**
(*a*) पॉल एच एपलबी	(*i*) प्रिंसिपल्स ऑफ पब्लिक एडमिनिस्ट्रेशन
(*b*) जॉन एम गास, एल.डी. व्हाइट और एम.ई. डीमॉक	(*ii*) आइडियाज एंड इश्यूज इन पब्लिक एडमिनिस्ट्रेशन
(*c*) डब्ल्यू.एफ. विलोबी	(*iii*) मोरेलिटी एंड एडमिनिस्ट्रेशन इन डेमोक्रेटिक गवर्नमेंट
(*d*) ड्वाईट वाल्डो	(*iv*) द फ्रंटियर्स ऑफ पब्लिक एडमिनिस्ट्रेशन

निम्नलिखित में से सही विकल्प चुनिए:

	(*a*)	(*b*)	(*c*)	(*d*)
A.	(*i*)	(*ii*)	(*iii*)	(*iv*)
B.	(*iii*)	(*iv*)	(*i*)	(*ii*)
C.	(*iv*)	(*ii*)	(*iii*)	(*i*)
D.	(*ii*)	(*i*)	(*iv*)	(*iii*)

72. द्वितीय प्रशासनिक सुधार आयोग की निम्नलिखित चार रिपोर्टों को उनके अपेक्षित क्रम में व्यवस्थित करें:

(*a*) सूचना का अधिकार

(*b*) मानव पूंजी को मुक्त करना

(*c*) संकट प्रबन्धन

(*d*) शासन में नैतिकता

सही विकल्प का चयन करें:

A. (*a*), (*b*), (*c*), (*d*) B. (*d*), (*c*), (*b*), (*a*)

C. (*a*), (*d*), (*b*), (*c*) D. (*c*), (*a*), (*d*), (*b*)

73. पुस्तक "पोलिटिकल ऑर्डर इन चेन्जिंग सोसायटिज" किसके द्वारा लिखी गई है?

A. लूसियन पाई B. जी.ए. ऑमंड

C. अर्नेस्ट बार्कर D. एस.पी. हंटिंगटन

74. किसने लोक प्रशासन को "राज्य के कार्यों पर प्रयुक्त प्रबंधन की कला और विज्ञान" के रूप में परिभाषित किया था?

A. एल.डी. व्हाइट B. एच. साइमन

C. डी. वाल्डो D. पिफनर एवं प्रेस्थस

75. गांधी द्वारा स्थापित निम्नलिखित आश्रमों/संस्थानों को कालक्रमानुसार लगाएं:

(*a*) फिनिक्स सेटलमेंट

(*b*) कोचराब आश्रम

(*c*) सेवाग्राम आश्रम

(*d*) टालस्टॉय फार्म

निम्नलिखित विकल्पों में से सही उत्तर चुनिए:

A. (*a*), (*b*), (*c*), (*d*) B. (*a*), (*d*), (*b*), (*c*)

C. (*d*), (*c*), (*b*), (*a*) D. (*a*), (*c*), (*d*), (*b*)

76. नव लोक प्रशासन प्रबन्धन के निम्नलिखित में से कौन-से विषय हैं?

(*a*) निजी क्षेत्रों के तौर-तरीकों (प्रैक्टिसेज) को अंगीकार करना

(*b*) संशोधित रिपोर्टिंग व निगरानी तंत्र

(*c*) निष्पादन लक्ष्य

(*d*) सार्वजनिक क्षेत्र के तौर-तरीकों (प्रैक्टिसेज) को अंगीकार करना

सही विकल्प का चयन कीजिए:

A. (*a*), (*b*) B. (*a*), (*b*), (*c*)

C. (*b*), (*c*), (*d*) D. (*c*), (*d*)

77. अन्तर्राष्ट्रीय श्रम संगठन किस वर्ष में संयुक्त राष्ट्र संघ की विशिष्ट एजेंसी बना था?

A. 1945 B. 1946

C. 1947 D. 1948

78. निम्नलिखित में से कौन-से लेखक इटली से हैं?

(*i*) विल्फ्रेडो पैरेटो

(*ii*) गेटेनो मोस्का

(*iii*) रॉबर्ट मिशल्स

(*iv*) सी. राइट मिल्स

सही विकल्प का चयन करें:

A. (*i*) व (*ii*) B. (*i*) व (*iii*)

C. (*i*) व (*iv*) D. (*iii*) व (*iv*)

79. निम्नलिखित पुस्तकों को उनके प्रकाशन वर्ष के क्रम में लगाएं:

(*a*) मार्डर्न डेमोक्रेसीज

(*b*) कॉन्स्टीट्यूशनल गवर्नमेंट एंड डेमोक्रेसी

(*c*) पब्लिक ओपिनियन एंड पॉपुलर गवर्नमेंट

(*d*) द अमेरिकन कॉमनवेल्थ

निम्नलिखित में से सही विकल्प चुनिए:

A. (*a*), (*b*), (*c*) और (*d*)

B. (*d*), (*c*), (*a*) और (*b*)

C. (*d*), (*a*), (*b*) और (*c*)

D. (*a*), (*c*), (*d*) और (*b*)

80. कौन-सा संवैधानिक प्रावधान ग्राम सभा के गठन से संबंधित है?

A. अनुच्छेद 243 A B. अनुच्छेद 243 B

C. अनुच्छेद 243 C D. अनुच्छेद 243 D

81. निम्नलिखित में से कौन-सा कबीर से संबंधित नहीं है?

A. बेगमपुरा B. भक्ति

C. पंचवाणी D. लैंगिक असमानता

82. निम्नलिखित में से कौन-से युग्म सही ढंग से सुमेलित हैं?

(*a*) जॉन रॉल्स – समतावादी

(*b*) प्लेटो – आदर्शवादी

(*c*) मेरी वोल्स्टोनक्राफ्ट कम्युनिस्ट (साम्यवादी)

(*d*) ग्रामशी – नारीवादी

नीचे दिए गए विकल्पों में से सही उत्तर चुनें:

A. (*a*) व (*b*) B. (*b*) व (*c*)

C. (*c*) व (*d*) D. (*c*) व (*a*)

83. "संस्कृतिकरण" शब्द की रचना किसने की थी?

A. एम.एन. श्रीनिवास B. एम.एस. गोलवलकर

C. एस.पी. मुखर्जी D. एन्द्रे बेते

84. निम्नलिखित में से कौन-से दो सही हैं?

(*a*) आगस्ट काम्टे के अनुसार, प्रेक्षण, प्रयोग, व तुलना मुख्य विधियां हैं।

(*b*) ब्लन्टश्ली के अनुसार दार्शनिक व ऐतिहासिक विधियां सही विधियां होती हैं।

(*c*) समकालीन समय में बहुत कम विचारक व्यवहारवादी व आगमनात्मक (इन्डक्टिव) विधियों का उपयोग करते हैं।

(*d*) जॉन रॉल्स ने निगमनात्मक व मताग्रही विधियों का उपयोग किया था।

सही विकल्प चुनें:

A. (*a*) व (*b*) B. (*a*) व (*c*)

C. (*a*) व (*d*) D. (*b*) व (*c*)

85. आतंकवाद के संबंध में सूची-I को सूची-II के साथ सुमेलित कीजिए:

सूची-I	सूची-II
(*a*) विमानों में किए गए अपराध व कतिपय अन्य कृत्य संबंधित कन्वेंशन (टोक्यो)	(*i*) 1999
(*b*) नागर विमानन की सुरक्षा के विरुद्ध विधि विरुद्ध कार्य निरोध संबंधित कन्वेंशन (मॉन्ट्रियल)	(*ii*) 1997
(*c*) आतंकवादी गोलाबारी निरोध संबंधित अंतर्राष्ट्रीय कन्वेंशन	(*iii*) 1971
(*d*) आतंकवाद के वित्तपोषण निरोध संबंधित अंतर्राष्ट्रीय कन्वेंशन	(*iv*) 1963

सही विकल्प चुनिए:

	(*a*)	(*b*)	(*c*)	(*d*)
A.	(*i*)	(*ii*)	(*iii*)	(*iv*)
B.	(*iv*)	(*iii*)	(*ii*)	(*i*)
C.	(*iv*)	(*ii*)	(*iii*)	(*i*)
D.	(*ii*)	(*iii*)	(*iv*)	(*i*)

86. राज्यों के गठन को कालक्रमानुसार व्यवस्थित करें:

(*a*) सिक्किम

(*b*) गोवा

(*c*) गुजरात

(*d*) तेलंगाना

सही विकल्प का चयन करें:

A. (*a*), (*b*), (*c*) एवं (*d*)

B. (*d*), (*b*), (*c*) एवं (*a*)

C. (*b*), (*c*), (*a*) एवं (*d*)

D. (*c*), (*a*), (*b*) एवं (*d*)

87. पुस्तक "एस्केप फ्रॉम फ्रीडम" के लेखक कौन हैं?

A. हरबर्ट मारक्यूस B. एरिक फ्रोम

C. जुर्गन हेबरमास D. थॉमस फ्रीडमैन

88. आगन्ना सूत्त (Agganna Sutta) किससे सम्बन्धित है?

(*a*) जीवन की उत्पत्ति

(*b*) समाज व्यवस्था एवं जातियों की उत्पत्ति

(*c*) धर्म निरपेक्षता की उत्पत्ति

(*d*) छह मोड़ वाली (सिक्स फोल्ड) नीति की उत्पत्ति

नीचे दिए गये विकल्पों में से सही उत्तर का चयन कीजिए:

A. केवल (*a*) B. केवल (*b*)

C. (*a*) और (*b*) D. (*a*), (*b*) और (*d*)

89. संविधान का 73वां संशोधन पंचायती राज संस्थाओं को निम्नलिखित में से क्या प्रदान करना चाहता है?

(*a*) संवैधानिक दर्जा (Status)

(*b*) वित्तीय स्वायत्ता

(*c*) ग्रामीण आबादी के वंचित वर्गों का सशक्तिकरण

(*d*) विकेन्द्रित नियोजन

निम्नलिखित में से सही विकल्प चुनें:

A. (*a*), (*b*) व (*c*) B. (*a*), (*b*), (*c*) व (*d*)

C. (*b*), (*c*) व (*d*) D. (*a*), (*b*) व (*d*)

90. रिग्स का फ्यूज़ड मॉडल निम्नलिखित में से किस पर आधारित है?

(*a*) कृषि पर निर्भरता

(*b*) समाज में उपलब्धि मूल्य (एटेनमेंट वैल्यू)

(*c*) राज परिवार का प्रभुत्व

(*d*) वस्तु विनिमय व्यवस्था पर आधारित आर्थिक व्यवस्था

सही विकल्प चुनिए:

A. (*a*), (*c*), (*d*) B. (*a*), (*b*)

C. (*b*), (*c*), (*d*) D. (*a*), (*b*), (*c*)

निर्देश (प्र.सं. 91-95): *निम्नलिखित गद्यांश को पढ़िए और प्रश्नों के उत्तर दीजिए।*

उत्तर आधुनिकतावादी विचारक इस विचार को मानते हैं कि सामाजिक मुद्दों का वस्तुनिष्ठ ज्ञान नहीं हो सकता। उत्तर आधुनिकतावादियों के अनुसार ज्ञान न केवल एक संज्ञानात्मक कारक है; बल्कि ज्ञान मानकीय (नॉर्मेटिव) और राजनीतिक भी है। सत्ता व ज्ञान स्वाभाविक रूप से सहयोगी हैं, और प्रत्यक्षतः एक-दूसरे के समानार्थी हैं। उत्तर आधुनिकतावादी क्लासिकीय उदारवादियों के साथ-साथ प्रत्यक्षवादी के समालोचक हैं जो वस्तुनिष्ठता व विज्ञान की श्रेष्ठता पर विश्वास करते थे। उत्तर आधुनिकतावादी नए लेन्सों (lenses) से प्रत्येक स्वीकृत या स्थापित विचारों को देखना चाहते हैं।

91. उत्तर आधुनिकतावादी विचारकों के अनुसार ज्ञान का कौन-सा गुण मौजूद नहीं है?

A. मानकीय (नॉर्मेटिव) B. संज्ञानात्मक

C. राजनीतिक D. वस्तुनिष्ठता

92. उत्तर आधुनिकतावादियों के अनुसार निम्नलिखित में से कौन-सा कथन गलत है?

A. उत्तर आधुनिकतावादी ने इस धारणा को चुनौती दी कि ज्ञान शाश्वत है।

B. ज्ञान सत्ता से सम्बद्ध है।

C. ज्ञान विश्व में प्रगति का मार्ग प्रशस्त करता है।

D. कोई भी ज्ञान निष्पक्ष नहीं होता है।

93. निम्नलिखित पद में से किसे उत्तर आधुनिकतावादी द्वारा स्वीकार नहीं किया जाता है?

A. उत्तर संरचनात्मकतावाद

B. विसंरचना (Deconstruction)

C. आधुनिकतावाद

D. आत्मपरकतावाद (Subjectivity)

94. निम्नलिखित में से कौन उत्तर आधुनिकतावादी विचारक हैं?

A. जेक्यूस देरिदा B. इमानुअल कांट

C. एच.जे. लास्की D. कार्ल डयूश

95. निम्नलिखित में से कौन उत्तर आधुनिकतावादी विचारक नहीं हैं?

A. रिचर्ड एशली B. जेनी एडकिन्स

C. माइकल फूको D. जे. बर्टन

निर्देश (प्र.सं. 96-100): *निम्नलिखित गद्यांश को पढ़िए और प्रश्नों के उत्तर दीजिए।*

''वैश्वीकरण'' शब्द का संकेत विश्व में अंतःसंबंधों (इंटरकनेक्टिडनैस) के उच्चतर स्तरों को सुगम बनाने वाली सीमाओं के परे व्यापार, पूंजी, माल और श्रम के आवागमन और संचार प्रणाली जैसी आर्थिक गतिविधियों की ओर है। इन आर्थिक गतिविधियों का राष्ट्रीय और अंतर्राष्ट्रीय स्तर पर सामाजिक-राजनीतिक क्षेत्रों में अधिक प्रभाव पड़ता है। गैर-राज्य अभिकर्ताओं जैसे बहु-राष्ट्रीय निगम, स्वयंसेवी संगठन और अंतःसरकारी संगठनों की उत्तरोत्तर सशक्त उपस्थिति ने राज्य की संप्रभुत्ता पर प्रश्नवाचक चिह्न लगा दिया है। समृद्ध देशों को पूंजी, प्रौद्योगिकी और संचार प्रणालियों के प्रवाह पर श्रेष्ठ नियंत्रण के कारण लाभ पहुँचता है। एक लाभोन्मुखी वैश्विक बाजार कभी भी विश्व के समस्त लोगों के लाभ के बारे में नहीं सोच सकता है। उत्तर-दक्षिण विभाजन मिटाया नहीं गया है।

96. वैश्वीकरण ने निम्नलिखित में से किसको अधिक प्रेरित किया है?

A. शहरीकरण B. परंपरा

C. ग्रामीण समाज D. संकीर्ण संस्कृति

97. वैश्वीकरण ने निम्नलिखित में से किसकी माँग को बढ़ाया है?

A. अहस्तक्षेपवादी राज्य B. कल्याणकारी राज्य

C. सर्वाधिकारवादी राज्य D. समाजवादी राज्य

98. निम्नलिखित में से किसने राज्य सम्प्रभुत्ता को सीमित नहीं किया है?

A. बहुराष्ट्रीय निगम

B. अंतःसरकारी संगठन

C. गैर-सरकारी संगठन

D. नामन-विकारी (एनामिक) दबाव समूह

99. निम्नलिखित में से कौन-सा सही नहीं है?

राज्य निम्नलिखित में से किसको आकार देने में कमजोर हो गया है?

A. पूंजी का प्रवाह
B. अंतर्राष्ट्रीय व्यापार और श्रम
C. वित्त
D. राजस्व संग्रहण

100. वैश्वीकरण ने निम्नलिखित में से कहाँ के देशों को लाभ पहुँचाया है?
A. यूरोप और अमरीका B. एशिया
C. अफ्रीका D. लातीनी अमरीका

उत्तरमाला

1	2	3	4	5	6	7	8	9	10
D	D	D	C	D	A	B	D	A	D
11	**12**	**13**	**14**	**15**	**16**	**17**	**18**	**19**	**20**
D	D	A	B	B	A	A	A	A	A
21	**22**	**23**	**24**	**25**	**26**	**27**	**28**	**29**	**30**
C	D	B	B	A	D	B	B	C	C
31	**32**	**33**	**34**	**35**	**36**	**37**	**38**	**39**	**40**
A	D	A	C	C	C	C	A	B	C
41	**42**	**43**	**44**	**45**	**46**	**47**	**48**	**49**	**50**
B	B	B	A	C	D	B	A	A	A
51	**52**	**53**	**54**	**55**	**56**	**57**	**58**	**59**	**60**
B	B	B	D	A	A	C	B	A	B
61	**62**	**63**	**64**	**65**	**66**	**67**	**68**	**69**	**70**
A	C	B	C	A	A	C	D	A	C
71	**72**	**73**	**74**	**75**	**76**	**77**	**78**	**79**	**80**
B	A	D	C	B	B	B	A	B	A
81	**82**	**83**	**84**	**85**	**86**	**87**	**88**	**89**	**90**
D	A	A	A	B	D	B	C	A	A
91	**92**	**93**	**94**	**95**	**96**	**97**	**98**	**99**	**100**
D	C	C	A	D	A	A	D	D	A

व्याख्यात्मक उत्तर

1. राष्ट्र और राज्य दो पृथक इकाईयाँ हैं। राज्य एक विधिक और राजनीतिक संकल्पना है जबकि राष्ट्र एक सांस्कृतिक और मनोवैज्ञानिक अवधारणा है। राज्य एक निश्चित क्षेत्र में लोगों का कानून के दायरे में एक व्यवस्थित समूह है। यह सदैव आंतरिक मामलों में सर्वशक्तिमान और बाह्य मामलों में स्वतंत्र होता है। राष्ट्र लोगों का वह समूह है जो विशेषतः भाषा, रीति-रिवाजों और समान सम्यता के कारण आपस में बंधे होते हैं, जो उनमें एकता की भावना जगाती है। राष्ट्र सांस्कृतिक रूप से समरस सामाजिक समूह है। संप्रभुता राज्य का विशिष्ट गुण है; यह एक राष्ट्र का गुण नहीं है। कोई राष्ट्र राष्ट्र-राज्य (Nation-State) बन जाता है जब वह सम्प्रभुता-सम्पन्न हो जाता है।

2. भारत का नियंत्रक व महालेखा परीक्षक (CAG) स्वयं की पहल पर, वित्तीय समिति के अनुरोध पर तथा व्यवस्थापिका के निर्देश पर मूल्यांकन अध्ययन कर

सकता है। संविधान के अनुच्छेद-148 में नियंत्रक एवं महालेखा परीक्षक के स्वतंत्र पद की व्यवस्था की गई है। यह भारतीय लेखा परीक्षण और लेखा विभाग का मुखिया होता है। यह लोक वित्त का संरक्षक होने के साथ-साथ देश की सम्पूर्ण वित्तीय व्यवस्था का नियंत्रक होता है। इसका नियंत्रण राज्य एवं केन्द्र दोनों स्तरों पर होता है। इसका कर्तव्य होता है कि भारत के संविधान एवं संसद की विधि के तहत वित्तीय प्रशासन को संभाले। वह संसद की लोक लेखा समिति के गाइड, मित्र और मार्गदर्शक के रूप में कार्य करता है।

CAG राष्ट्रपति को तीन लेखा परीक्षा प्रतिवेदन प्रस्तुत करता है – विनियोग लेखाओं पर लेखा परीक्षा रिपोर्ट, वित्त लेखाओं पर लेखा परीक्षा रिपोर्ट और सरकारी उपक्रमों पर लेखा परीक्षा रिपोर्ट।

3. मानवाधिकारों के अंतरराष्ट्रीयकरण के लिए द्वितीय विश्व युद्ध के पश्चात् मानवाधिकार आंदोलन का प्रारंभ हुआ माना जाता है। द्वितीय विश्व युद्ध के दौरान मानवता के विरुद्ध गंभीर रूप से अपराध किए गए और उसी दौरान मानवाधिकारों के हनन का दौर प्रारंभ हुआ था। इन परिस्थितियों में यह अनुभव किया गया कि अंतरराष्ट्रीय सुरक्षा और शांति के साथ-साथ कुछ ऐसे प्रयास किए जाएं, जिसके तहत लोगों की स्वतंत्रता और अधिकारों की सुरक्षा संभव हो सके। यही प्रयास आगे चलकर विभिन्न राज्यों की घोषणाओं में समाहित किया गया। इन्हीं घोषणाओं में 16 जनवरी, 1941 को अमेरिका के राष्ट्रपति फ्रेंकलिन रूजवेल्ट द्वारा मानवाधिकारों के संबंध में की गई एक ऐसी घोषणा थी, जिसके द्वारा संपूर्ण विश्व में मानवाधिकार संरक्षण की दिशा में महत्वपूर्ण अध्याय की शुरुआत हुई। संभवतः मानवाधिकार पद का सर्वप्रथम प्रयोग उक्त घोषणा में रूजवेल्ट ने ही किया था। रूजवेल्ट ने अपनी घोषणा में चार स्वतंत्रताओं पर बल दिया–विचार अभिव्यक्ति की स्वतंत्रता, धर्म एवं विश्वास की स्वतंत्रता, अभाव से स्वतंत्रता (गरीबी से मुक्ति) तथा भय से स्वतंत्रता।

5. निर्णय-निर्माण सिद्धांत के क्रमवार चरण निम्नलिखित हैं–

(*i*) उद्देश्य का निर्धारण होना;
(*ii*) समस्या की व्याख्या करना;
(*iii*) समस्या का विश्लेषण करना;
(*iv*) वैकल्पिक समाधानों का विकास करना;
(*v*) विकल्पों की छंटनी तथा
(*vi*) सर्वश्रेष्ठ विकल्प का चयन।

7. न्याय के प्रयोग-क्षेत्र को ध्यान में रखते हुए अरस्तू ने दो प्रकार के न्याय में अंतर किया हैः पहला वितरण न्याय (Distributive Justice) है; दूसरे को प्रतिवर्ती न्याय (Commutative Justice), परिशोधनात्मक न्याय (Rectificatory Justice) या प्रतिकारात्मक न्याय (Remedial Justice) कहा जाता है।

वितरण न्याय का सरोकार सम्मान (Honour) या धन-संपदा (Wealth) के वितरण से है। यह विधायक (Legislator) के विचार-क्षेत्र में आता है। इसका मूल सिद्धांत यह है कि 'समान लोगों के साथ समान बर्ताव किया जाए' (Treating equals equally)। इसके लिए सबसे पहले यह पता लगाना जरूरी है कि नागरिकों को किस आधार पर समान या असमान माना जाएगा? अरस्तू का विचार था कि इस मामले में प्रचलित प्रथाओं (Customs) और प्रथागत कानून (Customary Law) का सहारा लेना अधिक उपयुक्त होगा; लिखित कानून (Written Laws) उतने उपयुक्त सिद्ध नहीं होंगे क्योंकि इन्हें सत्ताधारी जब चाहें, बना सकते हैं, या बदल सकते हैं। अरस्तू ने चेतावनी दी हैः मनुष्यों के चरित्र को बदलना उतना सरल नहीं है जितनी सरलता से कानून बदल दिए जाते हैं!

अरस्तू ने तर्क दिया है कि वितरण न्याय के अंतर्गत पद-प्रतिष्ठा और धन-संपदा का वितरण अंकगणितीय अनुपात (Arithmetical Proportion) से नहीं होना चाहिए, बल्कि रेखागणितीय अनुपात (Geometrical Proportion) से होना चाहिए। इसका अर्थ यह है कि इनमें से सबको बराबर हिस्सा नहीं मिलना चाहिए बल्कि प्रत्येक को अपनी-अपनी योग्यता (Desert) के अनुसार हिस्सा मिलना चाहिए।

9. **अनुच्छेद 228:** यदि उच्च न्यायालय का यह समाधान हो जाता है कि उसके अधीनस्थ किसी न्यायालय में

लंबित मामले में इस संविधान के बारे में विधि का कोई सारवान (Substantial) प्रश्न अंतर्वलित है जिसका अवधारण मामले के निपटारे के लिए आवश्यक है तो वह उस मामले को अपने पास मंगा लेगा।

अनुच्छेद 229: उच्च न्यायालय के प्रशासनिक व्यय, जिनके अंतर्गत उस न्यायालय के अधिकारियों और सेवकों को या उनके सम्बन्ध में संदेय सभी वेतन, भत्ते और पेंशन हैं, राज्य की संचित निधि पर भारित होंगे और उस न्यायालय द्वारा ली गई फीसें और अन्य धनराशियाँ उस निधि का भाग होंगी।

अनुच्छेद 231: संसद, विधि द्वारा दो या अधिक राज्यों के लिए अथवा दो या अधिक राज्यों और किसी संघ राज्यक्षेत्र के लिए एक ही उच्च न्यायालय स्थापित कर सकेगी।

अनुच्छेद 233: किसी राज्य में जिला न्यायाधीश नियुक्त होने वाले व्यक्तियों की नियुक्ति तथा जिला न्यायाधीश की पदस्थापना और प्रोन्नति उस राज्य का राज्यपाल ऐसे राज्य के सम्बन्ध में अधिकारिता का प्रयोग करने वाले उच्च न्यायालय से परामर्श करके करेगा।

वह व्यक्ति, जो संघ की या राज्य की सेवा में पहले से ही नहीं है, जिला न्यायाधीश नियुक्त होने के लिए केवल तभी पात्र होगा जब वह कम-से-कम 7 वर्ष तक अधिवक्ता या प्लीडर रहा है और उसकी नियुक्ति के लिए उच्च न्यायालय ने सिफारिश की है।

10. भारतीय संविधान की प्रस्तावना या उद्देशिका (Preamble): हम भारत के लोग, भारत को एक सम्पूर्ण प्रभुत्व सम्पन्न, समाजवादी, पंथनिरपेक्ष, लोकतंत्रात्मक गणराज्य बनाने के लिए तथा उसके समस्त नागरिकों को–

सामाजिक, आर्थिक और राजनैतिक न्याय, विचार, अभिव्यक्ति, विश्वास, धर्म और उपासना की स्वतंत्रता, प्रतिष्ठा और अवसर की समता प्राप्त कराने के लिए, तथा उन सबमें व्यक्ति की गरिमा और राष्ट्र की एकता और अखण्डता सुनिश्चित करने वाली बंधुता बढ़ाने के लिए, दृढ़संकल्प होकर अपनी इस संविधान सभा में आज तारीख 26 नवम्बर, 1949 ई. को एतद् द्वारा इस संविधान को अंगीकृत, अधिनियमित और आत्मार्पित करते हैं।

11. अनुच्छेद 324(5) के अनुसार संसद् द्वारा बनाई गई किसी विधि के उपबन्धों के अधीन रहते हुए, निर्वाचन आयुक्तों और प्रादेशिक आयुक्तों की सेवा की शर्तें और पदावधि ऐसी होंगी जो राष्ट्रपति नियम द्वारा अवधारित करें।

परन्तु मुख्य निर्वाचन आयुक्त को उसके पद से उसी रीति से और उन्हीं आधारों पर ही हटाया जाएगा, जिस रीति से और जिन आधारों पर सर्वोच्च न्यायालय के न्यायाधीश को हटाया जाता है अन्यथा नहीं और मुख्य निर्वाचन आयुक्त की सेवा की शर्तों में उसकी नियुक्ति के पश्चात् उसके लिए अलाभकारी परिवर्तन नहीं किया जाएगा।

परन्तु यह और कि किसी अन्य निर्वाचन आयुक्त या प्रादेशिक आयुक्त को मुख्य निर्वाचन आयुक्त की सिफारिश पर ही पद से हटाया जाएगा, अन्यथा नहीं।

12. अर्थशास्त्र, कौटिल्य या चाणक्य (चौथी शती ईसापूर्व) द्वारा रचित संस्कृत का एक ग्रन्थ है। इसमें राज्यव्यवस्था, कृषि, न्याय एवं राजनीति आदि के विभिन्न पहलुओं पर विचार किया गया है। अपने तरह का (राज्य-प्रबन्धन विषयक) यह प्राचीनतम ग्रन्थ है। इसकी शैली उपदेशात्मक और सलाहात्मक (Instructional) है।

चाणक्य सम्राट् चंद्रगुप्त मौर्य (321-298 ई.पू.) के महामंत्री थे। उन्होंने चंद्रगुप्त के प्रशासकीय उपयोग के लिए इस ग्रंथ की रचना की थी। यह मुख्यतः सूत्रशैली में लिखा हुआ है और संस्कृत के सूत्रसाहित्य के काल और परंपरा में रखा जा सकता है। यह शास्त्र अनावश्यक विस्तार से रहित, समझने और ग्रहण करने में सरल एवं कौटिल्य द्वारा उन शब्दों में रचा गया है जिनका अर्थ सुनिश्चित हो चुका है।

अर्थशास्त्र से समसामयिक राजनीति, अर्थनीति, विधि, समाजनीति, तथा धर्मादि पर पर्याप्त प्रकाश पड़ता है। इस विषय के जितने ग्रंथ अभी तक उपलब्ध हैं उनमें से वास्तविक जीवन का चित्रण करने के कारण यह सबसे अधिक मूल्यवान् है। इस शास्त्र के प्रकाश में

न केवल धर्म, अर्थ और काम का प्रणयन और पालन होता है अपितु अधर्म, अनर्थ तथा अवांछनीय का शमन भी होता है।

13. ''नेशन एण्ड नेशनलिज्म'' पुस्तक के लेखक अर्नेस्ट आंद्रे गेलनर हैं। गेलनर (1925-1995) एक ब्रिटिश-चेक दार्शनिक और सामाजिक मानवविज्ञानी थे। वे दुनिया के सशक्त बुद्धिजीवियों में से एक थे। गेलनर ने लंदन स्कूल ऑफ इकोनॉमिक्स में 22 वर्षों तक दर्शनशास्त्र, तर्कशास्त्र और वैज्ञानिक पद्धति के प्रोफेसर के रूप में कार्य किया। उनकी यह पुस्तक 1983 में पहली बार प्रकाशित हुई, जो राष्ट्रवाद के उद्‌भव के ऊपर सबसे प्रभावशाली रचना मानी जाती है। उनकी पहली पुस्तक ''वर्ड्स एण्ड थिंग्स'' 1959 में प्रकाशित हुई थी।

15. द्वितीय विश्व युद्ध के बाद हुई याल्टा बैठक (Yalta Conference) के निर्णय के अनुसार 25 अप्रैल से 26 जून, 1945 तक सैन फ्रांसिस्को में मित्र राष्ट्रों (allied countries) का सम्मेलन आयोजित हुआ। सम्मेलन ने जर्मनी के आत्मसमर्पण से पहले से ही संयुक्त राष्ट्र घोषणा-पत्र पर विचार करना शुरू कर दिया था। जापान के आत्मसमर्पण के पहले 26 जून को 51 देशों ने, जिसमें भारत भी शामिल था, एक घोषणापत्र पर हस्ताक्षर किया। यह घोषणा-पत्र 24 अक्टूबर, 1945 से प्रभावी हो गया।

इस घोषणा-पत्र में संयुक्त राष्ट्र संघ के उद्देश्य तथा गठन की परिभाषा दी गई। संयुक्त राष्ट्र संघ (United Nations–UN) के निर्माण का उद्देश्य विश्व में विद्यमान संघर्षों का शांतिपूर्ण समाधान करना था। विश्व राजनीति का संचालन बल और हिंसा को परे रखकर सहयोग और सह-अस्तित्व के आधार पर होना चाहिए, ऐसा घोषणा-पत्र में उल्लिखित है। यह अंतर्राष्ट्रीय समुदाय के लिए अपरिहार्य है और यह बहुपक्षवाद का आधार है। यह मानव के निम्नतर विकास से उच्चतर विकास का द्योतक है। मानव के इस उच्चतर विकास में शांतिपूर्ण सह-अस्तित्व, स्वतंत्रता, समानता और मानवाधिकार जैसे मूल्य प्रमुख हैं।

16. अपनी प्रसिद्ध कृति 'सोशल कान्ट्रैक्ट' (1762) के अंतर्गत रूसो ने 'सामान्य इच्छा' (General will) के सिद्धांत का प्रतिपादन किया है। उसने इस पुस्तक में इस समस्या पर विचार किया कि मनुष्य ने किस तरह 'प्राकृतिक दशा' से निकलकर 'सभ्य समाज' का निर्माण किया।

जॉन रॉल्स की प्रसिद्ध कृति 'ए थ्योरी ऑफ जस्टिस' (1971) संयुक्त राज्य अमेरिका में प्रकाशित हुई। इस कृति में न्याय के अमूर्त्त और दार्शनिक सिद्धांतों को प्रतिपादित किया गया है।

एस. बेन और आर.एस. पीटर्स की 'सोशल प्रिंसिपल्स एण्ड डेमोक्रेटिक स्टेट' मूल रूप से 1959 में प्रकाशित हुई थी। यह पुस्तक उन सामाजिक सिद्धांतों को स्पष्ट करती है जो आधुनिक लोकतांत्रिक राज्य की प्रक्रियाओं और राजनीतिक व्यवहार को रेखांकित करते हैं।

सूसान एम. ओकिन की पुस्तक 'जस्टिस, जेंडर एण्ड पालिटिक्स' 1989 में प्रकाशित हुई थी। इस पुस्तक में आधुनिक राजनीतिक सिद्धांतों पर नारीवादी दृष्टिकोण से आलोचनात्मक विचार प्रस्तुत किया गया है।

17. 1. उस समय को छोड़कर जब संसद के दोनों सदन सत्र में हैं, यदि किसी समय राष्ट्रपति का यह समाधान हो जाता है कि ऐसी परिस्थितियाँ विद्यमान हैं जिनके कारण तुरंत कार्रवाई करना उसके लिए आवश्यक हो गया है तो वह ऐसे अध्यादेश प्रख्यापित कर सकेगा जो उसे उन परिस्थितियों में अपेक्षित प्रतीत हों।

2. इस अनुच्छेद (123) के अधीन प्रख्यापित अध्यादेश का वही बल और प्रभाव होगा जो संसद के अधिनियम का होता है, किन्तु प्रत्येक ऐसा अध्यादेश–

(क) संसद के दोनों सदनों के समक्ष रखा जाएगा और संसद के पुनः समवेत होने से छह सप्ताह की समाप्ति पर या यदि उस अवधि की समाप्ति से पहले दोनों सदन उसके निरानुमोदन (Disapproving) का संकल्प पारित कर देते हैं, तो इनमें से दूसरे संकल्प के पारित होने पर प्रवर्तन में नहीं रहेगा; और

(ख) राष्ट्रपति द्वारा किसी भी समय वापस लिया जा सकेगा।

स्पष्टीकरण—जहाँ संसद के सदन, भिन्न-भिन्न तारीखों को पुनः समवेत होने के लिए, आहूत किए जाते हैं वहाँ इस खंड के प्रयोजनों के लिए, छह सप्ताह की अवधि की गणना उन तारीखों में से पश्चात्‌वर्ती तारीख से की जाएगी।

3. यदि और जहाँ तक इस अनुच्छेद के अधीन अध्यादेश कोई ऐसा उपबंध करता है जिसे अधिनियमित करने के लिए संसद इस संविधान के अधीन सक्षम नहीं है तो और वहाँ तक वह अध्यादेश शून्य होगा।

18. जलियाँवाला बाग नरसंहार 13 अप्रैल, 1919 को अमृतसर में हुआ था। इस नृशंस हत्याकाण्ड की जाँच के लिए ब्रिटिश सरकार द्वारा 1 अक्टूबर, 1919 को हंटर समिति का गठन किया गया था। हंटर समिति ने मार्च, 1920 में अपनी रिपोर्ट प्रस्तुत की।

5 फरवरी, 1922 ई. को गोरखपुर जिले के चौरी-चौरा नामक स्थान पर असहयोग आन्दोलनकारियों ने क्रोध में आकर थाने में आग लगा दी जिसमें 22 लोगों की मृत्यु हो गई। इसी घटना को चौरी-चौरा कांड कहा जाता है।

1923 ई. में इलाहाबाद में चितरंजनदास एवं मोतीलाल नेहरू ने कांग्रेस के अंतर्गत स्वराज पार्टी की स्थापना की।

20. संयुक्त राष्ट्र द्वारा 1986 में "विकास के अधिकार पर घोषणा" में विकास के अधिकार को प्रतिपादित किया गया था, जिसे संयुक्त राष्ट्र महासभा के प्रस्ताव 41/128 द्वारा अपनाया गया। विकास का अधिकार एक व्यक्ति के अधिकार के विपरीत लोगों का एक सामूहिक अधिकार है, जिसकी पुष्टि 1993 के वियना घोषणा और कार्यक्रम में की गई थी।

विकास का अधिकार अब संयुक्त राष्ट्र के कई संस्थानों और कार्यालयों के अधिकार में शामिल है।

विकास के अधिकार पर घोषणा की प्रस्तावना "विकास एक व्यापक आर्थिक, सामाजिक, सांस्कृतिक और राजनीतिक प्रक्रिया है, जिसका उद्देश्य पूरी आबादी की भलाई और सभी व्यक्तियों की सक्रियता के आधार पर निरंतर सुधार करना है। विकास में और इसके परिणामस्वरूप लाभ के उचित वितरण में मुक्त और सार्थक भागीदारी।"

21. स्वेच्छातंत्रवाद व्यक्ति की पूर्ण स्वायत्तता (Full Autonomy) या स्वतंत्रता में विश्वास करता है। यह उन सब संस्थाओं से व्यक्ति की मुक्ति (Liberation) की कामना करता है जो उसकी विश्व-दृष्टि (Worldview) को सीमित करती हैं। अतः यह सिद्धांत राजनीतिक संस्थाओं के अलावा धर्म, परिवार और रीति-रिवाजों के ऐसे तत्वों को भी समाप्त कर देना चाहता है जो व्यक्ति को किसी बने-बनाए सांचे में ढालने की कोशिश करते हैं। दार्शनिक स्तर पर यह मानव-जीवन के नियतिवादी दृष्टिकोण (Deterministic Qutlook) का खंडन करता है, और यह दावा करता है कि मनुष्य के व्यक्तित्व, चरित्र, चिंतन और कर्म को उसकी परिस्थितियों का परिणाम नहीं माना जा सकता। दूसरे शब्दों में, यह मनुष्य को अपनी नियति का नियंता या भाग्य-निर्माता मानता है। अतः यह व्यक्ति की कार्य-स्वतंत्रता (Freedom of Action) पर लगाए गए समस्त सामाजिक और कानूनी प्रतिबंधों (Social and Legal Restraints) का विरोध करता है। राजनीतिक क्षेत्र में, स्वेच्छातंत्रवाद यह मांग करता है कि मनुष्य को अपनी उन्नति और समृद्धि का पूर्ण अवसर देने के लिए उसकी आर्थिक गतिविधियों को सब तरह के प्रतिबंधों से मुक्त रखना चाहिए।

स्वेच्छातंत्रवाद के उन्नायकों में एफ.ए. हेयक, मिल्टन फ्रीडमैन और रॉबर्ट नॉजिक का योगदान विशेष रूप से महत्वपूर्ण है।

22. संचार प्रक्रिया के प्रमुख अंग निम्नलिखित हैं:

1. **संवाद प्रेषक अथवा संवाददाता (Communicator):** सर्वप्रथम संवाददाता द्वारा संवाद भेजा जाता है।
2. **संवाद (Message):** संवाद से तात्पर्य उस सन्देश से है जो कि संवाददाता द्वारा भेजा जाता है। यह आदेश, सुझाव, निवेदन, प्रस्ताव, शिकायत किसी भी रूप में हो सकता है।

3. **माध्यम (Media):** संवाद को भेजने के लिये मौखिक, लिखित, सांकेतिक आदि किसी भी माध्यम को अपनाया जा सकता है।

4. **संवाद प्राप्तकर्ता (Message Receiver):** जिसके पास संवाद भेजा जाता है वह उसे प्राप्त करता है। ऐसा न होने पर संचार-कार्य अपूर्ण माना जाता है।

5. **प्रतिक्रिया (Reaction):** यदि संवाद प्राप्त होने के बाद प्राप्तकर्ता निर्देशों के अनुसार कार्य नहीं करता है तो संचार प्रभावहीन कहलाता है।

24.
- विश्व व्यापार संगठन (World Trade Organization) विश्व में व्यापार संबंधी अवरोधों को दूर कर वैश्विक व्यापार को बढ़ावा देने वाला एक अंतर-सरकारी संगठन है, जिसकी स्थापना वर्ष 1995 में मराकेश संधि के तहत की गई थी।
- इसका मुख्यालय जिनेवा में है। वर्तमान में विश्व के 164 देश इसके सदस्य हैं।
- 29 जुलाई, 2016 को अफगानिस्तान इसका 164वाँ सदस्य बना था।
- सदस्य देशों का मंत्रिस्तरीय सम्मलेन इसके निर्णयों के लिये सर्वोच्च निकाय है, जिसकी बैठक प्रत्येक दो वर्षों में आयोजित की जाती है।

25. जी.ए. ऑमंड के अनुसार, 'सजातीय संस्कृति' अपेक्षाकृत विकसित देशों में पाई जाती है। ऑमंड के अनुसार, राजनीतिक संस्कृति का अर्थ है राजनीतिक विषयों के प्रति कोई व्यक्ति अपने देश की सरकार से क्या आशा रखता है, और उसके काम में अपनी क्या भूमिका समझता है? क्या वह सरकार के सामने अपने-आपको विवश अनुभव करता है, या अपनी आवाज वहाँ तक पहुँचाने और न्याय प्राप्त करने की आशा रखता है? क्या वह सरकार के निर्णयों को प्रभावित करने की स्थिति में अपने-आपको पाता है? व्यक्ति का अभिविन्यास राजनीतिक कार्यवाही के प्रति उसके झुकाव का संकेत देता है। यह अभिविन्यास 3 प्रकार की होता है– ज्ञानात्मक अभिविन्यास, भावात्मक अभिविन्यास और मूल्यपरक अभिविन्यास।

26. राजनीतिक पार्टी का मुख्य काम होता है राजनैतिक पदों को भरना और सत्ता का इस्तेमाल करना। इस लक्ष्य को प्राप्त करने के लिये राजनीतिक पार्टियाँ निम्नलिखित कार्य करती हैं:

चुनाव लड़ना: राजनीतिक पार्टी चुनाव लड़ती है। एक पार्टी अलग-अलग निर्वाचन क्षेत्रों के लिये अपने उम्मीदवार मनोनीत करती है।

नीति बनाना: राजनीतिक पार्टी अपनी नीतियों और कार्यक्रमों को सामने रखती है ताकि मतदाता किसी एक पार्टी का चुनाव कर सके। एक राजनीतिक पार्टी एक ही तरह के असंख्य मतधारणाओं को एक ही छत के नीचे लाती है। इन मतधारणाओं के बिना पर नीतियों और कार्यक्रमों को तय किया जाता है। किसी भी सत्ताधारी दल की नीतियों और कार्यक्रमों को सरकार द्वारा क्रियांवित करने की अपेक्षा की जाती है।

कानून बनाना: देश के कानून को बनाने में राजनीतिक पार्टियों की अहम भूमिका होती है। आपको पता ही होगा कि विधायिका द्वारा समुचित बहस के बाद ही किसी कानून को पास किया जाता है। चूँकि विधायिका के अधिकतर सदस्य राजनीतिक पार्टियों के सदस्य होते हैं इसलिये किसी भी कानून के बनने में राजनीतिक दलों की प्रत्यक्ष भूमिका होती है।

सरकार बनाना: राजनीतिक पार्टियाँ सरकार बनाती और चलाती हैं। कार्यपालिका का गठन सत्ताधारी दल के लोगों द्वारा होता है। विभिन्न राजनेताओं को सरकार चलाने के लिये अलग-अलग मंत्रालयों की जिम्मेदारी दी जाती है।

27. यूनेस्को, संयुक्त राष्ट्र संघ का एक हिस्सा है जिसका कार्य शिक्षा, संस्कृति, प्रकृति तथा समाज विज्ञान के माध्यम से दुनिया में शांति को बनाए रखना है। यह बात 1942 के समय की है जब दुनिया युद्ध के कारण दो हिस्सों में बट गई थी तभी कुछ देशों के शिक्षा मंत्रियों ने यूनाइटेड किंगडम में एक मीटिंग की जिसका नाम Conference of Allied Ministers of Education रखा। इसका मकसद युद्ध से होने वाली तबाही को रोकना था जिसके लिए एक ऐसे संगठन का निर्माण करना था जिससे दुनिया में अमन और

शांति को बनाये रखा जा सके। इसीलिए इस मीटिंग में एक ऐसे संगठन बनाने का प्रस्ताव रखा जो शिक्षा और सांस्कृतिक कार्यों में काम करे यह विचार बहुत से देशों को पसंद आया और उन्होंने इस संगठन को बनाने में दिलचस्पी दिखाई। इसी के चलते 1945 में यूनाइटेड नेशंस में एक मीटिंग बुलाई गई जिसमे 44 देशों ने हिस्सा लिया। इस संगठन की स्थापना के लिए जिसे शांति का प्रतीक बताया जिससे आने वाले समय में विश्व युद्ध होने की स्थिति में उसे रोका जा सके। मीटिंग के बाद 37 देशों ने मिलकर इसकी स्थापना की और 16 नवंबर, 1945 को यूनेस्को के संविधान पर हस्ताक्षर कर 4 नवंबर, 1946 को इसे लागू कर दिया गया।

28. नारीवाद-आंदोलन के आरंभिक संकेत 18वीं और 19वीं शताब्दी के यूरोपिय चिंतन में ढूंढ़े जा सकते हैं। उदारवादी परंपरा के अंतर्गत मेरी वॉल्स्टनक्राफ्ट की कृति 'A vindication of the Rights of Woman with strictures on Political and Moral Subjects—1793' में स्त्रियों को कानूनी, राजनीतिक और शैक्षिक क्षेत्रों में समानता प्रदान करने के लिए शानदार पैरवी की गई थी। वॉल्स्टनक्राफ्ट ने विशेष रूप से स्त्री-पुरुष के लिए पृथक-पृथक सद्‌गुणों की प्रचलित धारणाओं को चुनौती देते हुए सामाजिक जीवन में स्त्री-पुरुष की एक-जैसी स्थिति और भूमिका की मांग की।

29. सामाजिक और राजनीतिक चिंतन के इतिहास में रूसो पहला ऐसा विचारक था जिसने समाज में प्रचलित विषमता का विश्लेषण करके उन विषमताओं को दूर करने की मांग की जो सामाजिक अन्याय (Social Injustice) का उदाहरण प्रस्तुत करती थीं। रूसो से पहले सब तरह की विषमताओं को एक ही श्रेणी में रखा जाता था जिनमें परिवर्तन की कोई गुंजाइश नहीं देखी जाती थी। ऐसी हालत में रूसो ने अपनी प्रसिद्ध कृति 'डिस्कोर्स ऑन इनिक्वैलिटी' (विषमता पर वार्ता) के अंतर्गत मनुष्यों में दो प्रकार की विषमताओं में अंतर कियाः प्राकृतिक विषमता (Natural Inequality) और परंपरागत विषगता (Conventional Inequality)। यह विचार हमें सामाजिक अन्याय पर प्रहार करने का सबसे शक्तिशाली अस्त्र प्रदान करता है।

रूसो के अनुसार, प्राकृतिक विषमता वस्तुस्थिति का विवरण देती है, जैसे कि मनुष्य-मनुष्य में आयु, स्वास्थ्य, सौंदर्य, बाहु-बल और बुद्धि-बल, इत्यादि में पाई जाने वाली भिन्नताएं। ये भिन्नताएं प्राकृतिक व्यवस्था की देन हैं और ये प्रायः अटल या अपरिवर्तनीय (Unalterable) हैं; इन्हें मनुष्य ने न तो स्वयं बनाया है, न वह इनमें कोई फेर-बदल कर सकता है। दूसरी ओर, परंपरागत विषमता धन-संपदा, पद-प्रतिष्ठा और शक्ति की भिन्नताओं को सूचित करती है। इसके अंतर्गत कुछ गिने-चुने लोगों को ऐसे विशेषाधिकार (Privileges) प्राप्त होते हैं जिनसे जनसाधारण को वंचित रखा जाता है। ये भिन्नताएं सामाजिक व्यवस्था की देन हैं, और ये परिवर्तनीय (Alterable) हैं; इन्हें मनुष्य ने स्वयं बनाया है, और वह इनमें फेर-बदल कर सकता है।

30. क्योटो प्रोटोकॉल 16 फरवरी, 2005 को प्रभाव में आया। यह अंतर्राष्ट्रीय संधि वातावरण में ग्रीनहाउस गैस की सांद्रता को कम करके ग्लोबल वार्मिंग से निपटने के लिए संयुक्त राष्ट्र फ्रेमवर्क कन्वेंशन ऑन क्लाइमेट चेंज (UNFCCC) के उद्देश्यों को लागू करना चाहती है।

प्रमुख ग्रीनहाउस गैसें हैं:

कार्बन डाइऑक्साइड (CO_2)

मीथेन (CH_4)

नाइट्रस ऑक्साइड (N_2O)

हाइड्रोफ्लोरोकार्बन (HFC)

परफ्लोरोकार्बन्स (PFCs)

सल्फर हेक्साफ्लोराइड (SF_6)

दिसंबर 2012 में, प्रोटोकॉल की पहली प्रतिबद्धता अवधि समाप्त होने के बाद, क्योटो प्रोटोकॉल में भाग लेने वाले देशों ने मूल क्योटो समझौते में संशोधन को अपनाने के लिए दोहा, कतर में मुलाकात की। इसे दोहा संशोधन कहा गया, जिसने इन देशों के लिए

2012-2020 की दूसरी प्रतिबद्धता अवधि के लिए नए उत्सर्जन में कमी के लक्ष्य को जोड़ा। 2015 में, पेरिस में आयोजित स्थायी विकास शिखर सम्मेलन में, सभी UNFCCC प्रतिभागियों ने अभी तक एक अन्य समझौता, पेरिस जलवायु समझौते पर हस्ताक्षर किए, जिसने क्योटो प्रोटोकॉल को प्रभावी रूप से प्रतिस्थापित किया।

32. वैश्वीकरण/भूमंडलीकरण (Globalization), विभिन्न देशों के लोगों, वहाँ की कम्पनियों और सरकारों के बीच अंतर्क्रिया और एकीकरण की एक ऐसी प्रक्रिया है जो अंतर्राष्ट्रीय व्यापार और निवेश द्वारा संचालित की जा रही है। सूचना प्रौद्योगिकी इसमें काफी सहायता प्रदान कर रही है। वैश्वीकरण के कारण पर्यावरण, संस्कृति, राजनैतिक व्यवस्थाओं, आर्थिक विकास और विश्वभर के समाजों में रह रहे मानवों के भौतिक जीवन में खासा प्रभाव पड़ रहा है।

वैश्वीकरण को लेकर कई तरह के विवाद भी जुड़े हुए हैं। इसके समर्थकों का मानना है कि इसकी वजह से गरीब देशों के नागरिकों को आर्थिक रूप से मजबूत होने और अपना जीवन-स्तर ऊँचा उठाने का मौका मिला है जबकि इसके विरोधी यह तर्क देते हैं कि इसकी वजह से केवल पश्चिमी देशों और उनकी बहुराष्ट्रीय कंपनियों को ही फायदा हुआ है जबकि स्थानीय लोगों को इस वजह से शोषण का शिकार होना पड़ा है।

34. इंदिरा गांधी और पाकिस्तान के प्रधानमंत्री जुल्फिकार अली भुट्टो के बीच एक शिखर सम्मेलन जून, 1972 में शिमला में हुआ, जिसे शिमला समझौता के नाम से जाना जाता है। भारत युद्ध के दौरान पाकिस्तान से हथियाए गए इलाकों को वापस करने पर सहमत हो गया सिवाय कश्मीर के कुछ रणनीति की दृष्टि से महत्वपूर्ण क्षेत्रों को छोड़कर, जो कारगिल सेक्टर में थे। ये क्षेत्र श्रीनगर और लद्दाख में लेह के बीच सामरिक दृष्टि से महत्वपूर्ण सड़क-संपर्क की सुरक्षा के लिए आवश्यक थे। बदले में पाकिस्तान कश्मीर में मौजूदा नियंत्रण रेखा का आदर करने के लिए सहमत हो गया। दोनों देश सभी आपसी विवादों को द्विपक्षीय बातचीत के द्वारा बिना किसी बाहरी शक्ति अथवा संयुक्त राष्ट्र की मध्यस्थता के आपस में सुलझाने को सहमत हुए।

36. संविधान के अनुसार कोई व्यक्ति संसद सदस्य नहीं बन सकताः

1. यदि वह भारत सरकार या किसी राज्य सरकार के अधीन कोई लाभ का पद धारण करता है (संसद द्वारा तय कोई पद या मंत्री पद को छोड़कर)।
2. यदि वह विकृत चित्त है और न्यायालय ने ऐसी घोषणा की है।
3. यदि वह घोषित दिवालिया है।
4. यदि वह भारत का नागरिक नहीं है या उसने किसी विदेशी राज्य की नागरिकता स्वेच्छा से अर्जित कर ली है या वह किसी विदेशी राज्य के प्रति निष्ठा को अभिस्वीकार किए हुए है।
5. यदि वह संसद द्वारा बनाई गई किसी विधि द्वारा निरर्हित कर दिया जाता है।

संसद ने जन प्रतिनिधित्व अधिनियम (1951) में निम्नलिखित अन्य निरर्हताएं निर्धारित की हैं:

1. वह चुनावी अपराध या चुनाव में भ्रष्ट आचरण के तहत दोषी करार न दिया गया हो।
2. उसे किसी अपराध में दो वर्ष या उससे अधिक की सजा न हुई हो। परन्तु प्रतिबंधात्मक निषेध विधि के अंतर्गत किसी व्यक्ति का बंदीकरण निरर्हता नहीं है।
3. वह निर्धारित समय के अंदर चुनावी खर्च का ब्यौरा देने में असफल न रहा हो।
4. उसे सरकारी ठेका, काम या सेवाओं में कोई दिलचस्पी न हो।
5. वह निगम में लाभ के पद या निदेशक या प्रबंध निदेशक के पद पर न हो, जिसमें सरकार का 25 प्रतिशत हिस्सा हो।
6. उसे भ्रष्टाचार या निष्ठाहीन होने के कारण सरकारी सेवाओं से बर्खास्त न किया गया हो।
7. उसे विभिन्न समूहों में शत्रुता बढ़ाने या रिश्वत खोरी के लिए दंडित न किया गया हो।

8. उसे इनमें छुआछूत, दहेज व सती जैसे सामाजिक अपराधों का प्रसार और संलिप्त न पाया गया हो।

किसी सदस्य में उपरोक्त निरर्हताओं संबंधी प्रश्न पर राष्ट्रपति का फैसला अंतिम होगा, यद्यपि राष्ट्रपति को निर्वाचन आयोग से राय लेकर उसी के तहत कार्य करना चाहिए।

37. संसद द्वारा पारित कोई विधेयक तभी अधिनियम बनता है जब राष्ट्रपति उसे अपनी सहमति देता है। जब ऐसा विधेयक राष्ट्रपति की सहमति के लिए प्रस्तुत होता है तो उसके पास तीन विकल्प होते हैं (संविधान के अनुच्छेद 111 के अंतर्गत):

1. वह विधेयक पर अपनी स्वीकृति दे सकता है; अथवा
2. विधेयक पर अपनी स्वीकृति को सुरक्षित रख सकता है; अथवा
3. वह विधेयक (यदि विधेयक धन विधेयक नहीं है) को संसद के पुनर्विचार हेतु लौटा सकता है। हालांकि यदि संसद इस विधेयक को पुनः बिना किसी संशोधन के अथवा संशोधन करके, राष्ट्रपति के सामने प्रस्तुत करे तो राष्ट्रपति को अपनी स्वीकृति देनी ही होगी।

इस प्रकार, राष्ट्रपति के पास संसद द्वारा पारित विधेयकों के संबंध में वीटो शक्ति होती है, अर्थात वह विधेयक को अपनी स्वीकृति के लिए सुरक्षित रख सकता है। राष्ट्रपति को ये शक्ति देने के दो कारण हैं–(अ) संसद को जल्दबाजी और सही ढंग से विचारित न किए गए विधान बनाने से रोकना, और; (ब) किसी असंवैधानिक विधान को रोकने के लिए।

वर्तमान राज्यों के कार्यकारी प्रमुखों की वीटो शक्तियों को चार प्रकार से वर्गीकृत किया जा सकता है:

1. अत्यांतिक वीटो, अर्थात् विधायिका द्वारा पारित विधेयक पर अपनी राय सुरक्षित रखना।
2. विशेषित वीटो, जो विधायिका द्वारा उच्च बहुमत द्वारा निरस्त की जा सके।
3. निलंबनकारी वीटो, जो विधायिका द्वारा साधारण बहुमत द्वारा निरस्त की जा सके।
4. पॉकेट वीटो, विधायिका द्वारा पारित विधेयक पर कोई निर्णय नहीं करना।

उपरोक्त चार में से, भारत के राष्ट्रपति में तीन शक्तियां अत्यांतिक वीटो, निलंबनकारी वीटो और पॉकेट वीटो निहित हैं। भारत के राष्ट्रपति के संदर्भ में विशेषित वीटो महत्वहीन है तथा यह अमेरिका के राष्ट्रपति द्वारा प्रयोग किया जाता है।

39. चुनावी प्रक्रियाओं की तैयारी की देखरेख, निर्देशन, मतदाता सूची तैयार करने पर नियंत्रण और पंचायतों के सभी चुनावों को संपन्न कराने की शक्ति राज्य निर्वाचन आयोग (A-243K) में निहित होगी। इसमें राज्यपाल द्वारा नियुक्त राज्य चुनाव आयुक्त सम्मिलित हैं। उसकी सेवा शर्तें और पदावधि भी राज्यपाल द्वारा निर्धारित की जाएंगी। इसे राज्य के उच्च न्यायालय के न्यायाधीश को हटाने के लिए निर्धारित तरीके के अलावा अन्य किसी तरीके से नहीं हटाया जाएगा। उसकी नियुक्ति के बाद उसकी सेवा शर्तों में ऐसा कोई परिवर्तन नहीं किया जाएगा जिससे उसका नुकसान हो। पंचायतों के चुनाव संबंधित सभी मामलों पर राज्य विधान कोई भी उपबंध बना सकता है।

40. रॉल्स ने अपने न्याय-सिद्धांत के अंतर्गत उपयोगितावाद के विभिन्न रूपों का विरोध किया है। उसके तर्क दिया है कि उपयोगितावाद का ध्येय कुल उपयोगिता की अधिकतम वृद्धि (Maximization of Total Utility) है, चाहे उसका वितरण किसी भी रूप में क्यों न हो। इसमें किसी व्यक्ति को यह निश्चय नहीं हो सकता कि उसे इससे अवश्य लाभ होगा। 'अधिकतम लोगों के अधिकतम सुख' (Greatest Happiness of the Greatest Number) का हिसाब लगाते समय समाज के किस सदस्य के सुख की अनदेखी कर दी जाएगी– यह कोई नहीं जान सकता। यह संभव है कि समाज में एक व्यक्ति को दूसरों का दास बनाकर 'अधिकतम लोगों के लिए अधिकतम सुख' का लक्ष्य पूरा कर सकते हों, परंतु इस प्रक्रिया में किसे दास बनना पड़ेगा– यह कोई नहीं जानता। यदि मूल स्थिति में, 'अज्ञान के पर्दे' के पीछे, विवेकशील वार्ताकारों (Rational

Negotiators) के सामने उपयोगितावादी प्रस्ताव रखा जाएगा तो वहां प्रत्येक व्यक्ति के लिए स्वामी या दास बनने की संभावनाएं बराबर होंगी। ऐसी हालत में कोई भी व्यक्ति दास बनने का जोखिम उठाने को तैयार नहीं होगा। अतः इस प्रस्ताव को अस्वीकार कर दिया जाएगा। रॉल्स की न्याय-व्यवस्था के अनुसार, सुखी लोगों के सुख को चाहे कितना ही क्यों न बढ़ा दें, उससे दुःखी लोगों के दुःख का हिसाब बराबर नहीं किया जा सकता।

42. चूंकि राज्य व्यक्ति का ही बृहत् रूप है (The State is individual writ large), इसलिए राज्य की प्रकृति को समझने के लिए मनुष्य की प्रकृति को समझना जरूरी है। प्लेटों के अनुसार, मनुष्य के व्यवहार के तीन मुख्य स्रोत हैं: इच्छा (Desire) या तृष्णा (Appetite), भावना या मनोवेग (Emotion) और ज्ञान (Knowledge) या बुद्धि (Intellect)। इच्छा का स्थान मनुष्य की कमर में है, भावना का स्थान हृदय में है, और ज्ञान का स्थान मस्तिष्क में है। वैसे ये सभी गुण सभी मनुष्यों में पाए जाते हैं, परंतु किसी में किसी गुण की प्रधानता रहती है, किसी में किसी और की। इस आधार पर प्लेटो ने समाज के तीन वर्गों की पहचान की है: जिनमें इच्छा या तृष्णा की प्रधानता है, वे उद्योग-व्यापार को तत्पर होते हैं; जिनमें भावना की प्रमुखता है, वे सैनिक या योद्धा का व्यवसाय अपनाते हैं; जो ज्ञान से संपन्न हैं, वे दार्शनिक के रूप में ख्याति अर्जित करते हैं। यदि हम मनुष्य की प्रकृति के लिए उपयुक्त सद्गुण निश्चित कर लें तो राज्य के लिए उपयुक्त सद्गुण निर्धारित करना सुगम हो जाएगा। प्लेटों ने चार मूल सद्गुणों (Cardinal virtues) का विवरण दिया है। इच्छा या तृष्णा के लिए उपयुक्त सद्गुण संयम (Temperance) है। अतः उद्योग-व्यापार में संलग्न वर्ग को सद्जीवन की प्राप्ति के लिए अपने अंदर संयम विकसित करना चाहिए। भावना या मनोवेग के लिए उपयुक्त सद्गुण साहस (Courage) है। अतः सैनिक वर्ग को सद्जीवन बिताने के लिए अपने अंदर साहस विकसित करना चाहिए। ज्ञान के लिए उपयुक्त सद्गुण विवेक (Wisdom) है। दार्शनिक या बुद्धिजीवी वर्ग को इस गुण का विकास करना चाहिए। चौथा या अंतिम सद्गुण न्याय (Justice) है जो कि सर्वोच्च सद्गुण है। यह समस्त सद्गुणों के उपयुक्त संयोग का सूचक है, अर्थात् व्यक्ति के संदर्भ में न्याय से तात्पर्य यह है कि तृष्णा को साहस का संबल मिल जाए, और विवेक से मार्गदर्शन प्राप्त हो।

44. रवींद्रनाथ टैगोर भारत ही नहीं एशिया के प्रथम व्यक्ति थे, जिन्हें नोबेल पुरस्कार से सम्मानित किया गया था। उन्हें 1913 में उनकी कृति गीतांजली के लिए नोबेल पुरस्कार से सम्मानित किया गया था। उनका जन्म 7 मई, 1861 को कोलकाता में हुआ था। आठ वर्ष की उम्र में उन्होंने अपनी पहली कविता लिखी, सोलह साल की उम्र में उन्होंने कहानियां और नाटक लिखना प्रारंभ कर दिया था।

16 अक्तूबर, 1905 को रवींद्रनाथ के नेतृत्व में कोलकाता में मनाया गया रक्षाबंधन उत्सव से 'बंग-भंग आंदोलन' का आरम्भ हुआ। इसी आंदोलन ने भारत में स्वदेशी आंदोलन का सूत्रपात किया। टैगोर ने विश्व के सबसे बड़े नरसंहारों में से एक जलियांवाला कांड (1919) की घोर निंदा की और इसके विरोध में उन्होंने ब्रिटिश प्रशासन द्वारा प्रदान की गई, 'नाइट हुड' की उपाधि लौटा दी। 'नाइट हुड' मिलने पर नाम के साथ 'सर' लगाया जाता है।

46. राज्यसभा की अधिकतम संख्या 250 निर्धारित है। इनमें 238 सदस्य राज्यों व संघ राज्य क्षेत्रों के प्रतिनिधि (अप्रत्यक्ष रूप से निर्वाचित) होंगे, जबकि 12 सदस्य राष्ट्रपति द्वारा मनोनीत किए जाएंगे।

वर्तमान में राज्यसभा में 245 सदस्य हैं। इनमें 229 सदस्य राज्यों का प्रतिनिधित्व करते हैं, 4 संघ राज्य क्षेत्रों का प्रतिनिधित्व करते हैं और 12 सदस्य राष्ट्रपति द्वारा मनोनीत हैं।

संविधान की चौथी अनुसूची में राज्यसभा के लिए राज्यों व संघ राज्य क्षेत्रों में सीटों के आवंटन का वर्णन किया गया है।

राज्यों का प्रतिनिधित्वः राज्यसभा में राज्यों के प्रतिनिधि का निर्वाचन राज्य विधानसभा के निर्वाचित सदस्य

करते हैं। चुनाव आनुपातिक प्रतिनिधित्व पद्धति के अनुसार एकल संक्रमणीय मत द्वारा होता है। राज्यसभा के लिए राज्यों की सीटों का बंटवारा उनकी जनसंख्या के आधार पर किया जाता है। इसलिए राज्य के प्रतिनिधियों की संख्या अलग-अलग राज्यों में अलग होती है। उदाहरणस्वरूप-उत्तर प्रदेश से 31 सदस्य हैं जबकि त्रिपुरा से 1 सदस्य है।

संघ राज्य क्षेत्रों का प्रतिनिधित्वः राज्यसभा में संघ राज्य क्षेत्र का प्रत्येक प्रतिनिधि इस कार्य के लिये निर्मित एक निर्वाचक मंडल द्वारा चुना जाता है। यह चुनाव भी आनुपातिक प्रतिनिधित्व पद्धति के अनुसार एकल संक्रमणीय मत द्वारा होता है। 9 संघ राज्य क्षेत्रों में से सिर्फ 3 (दिल्ली, पुडुचेरी व जम्मू-कश्मीर) के प्रतिनिधि राज्यसभा में हैं। अन्य छः संघशासित प्रदेशों की जनसंख्या तुलनात्मक रूप से काफी कम होने के कारण राज्यसभा में उन्हें अलग प्रतिनिधित्व प्राप्त नहीं है।

48. उदारीकरण एक नई आर्थिक नीति है जिसके द्वारा देश में ऐसा आर्थिक वातावरण स्थापित करने का प्रयास किया जाता है जिससे देश के व्यवसाय व उद्योग स्वतंत्र रूप से विकसित हो सके।

उदारीकरण का मतलब होता है व्यवसाय तथा उद्योग पर लगे प्रतिबन्धों को कम करना जिससे व्यवसायी तथा उद्यमियों को कार्य करने में किसी प्रकार की बाधाओं का सामना न करना पड़े।

उदारीकरण ने व्यापारिक दुनिया में क्रांतिकारी बदलाव किया है और सभी देशों के लिए अत्यधिक अवसर प्रदान किए हैं।

उदारीकरण नई औद्योगिक नीति का परिणाम है जो ''लाइसेंस प्रणाली'' को समाप्त कर देता है।

तो इस तरह से हम कह सकते हैं कि सरकार द्वारा व्यापार नीति को उदार बनाना जो देशों के बीच वस्तुओं और सेवाओं के प्रवाह पर टैरिफ, सब्सिडी और अन्य प्रतिबंधों को हटा रहा है, उदारीकरण के नाम से जाना जाता है।

49. राम मनोहर लोहिया ने प्रचलित आर्थिक प्रणालियों का विश्लेषण करते हुए यह संकेत किया है कि विश्व की दो-तिहाई आबादी के लिए पूंजीवादी और साम्यवादी दोनों प्रणालियाँ अनुपयुक्त हैं। इन दोनों प्रणालियों के अंतर्गत बड़ी-बड़ी मशीनों का प्रयोग और बड़े पैमाने पर उत्पादन होता है जो आर्थिक और राजनीतिक शक्ति के केन्द्रीकरण को जन्म देता है। इससे व्यक्ति की स्वतंत्रता दब जाती है। एशियाई देशों की श्रम-शक्ति के पूर्ण उपयोग के लिए छोटी-छोटी मशीनों के प्रयोग और कुटीर उद्योगों को बढ़ावा देना जरूरी है। इस तरह लोहिया ने आर्थिक और राजनीतिक विकेंद्रीकरण के लिए गांधीवादी ढंग के संगठन का समर्थन किया है। साथ ही उन्होंने लोकतंत्रीय व्यवस्था और राजनीतिक स्वतंत्रताओं–जैसे कि अभिव्यक्ति की स्वतंत्रता, संगठन बनाने की स्वतंत्रता और जीवन के अंतरंग क्षेत्र की सुरक्षा पर विशेष बल दिया है। भारत में लोकतंत्रीय समाजवाद को बढ़ावा देने में लोहिया के समाजवादी चिंतन का विशेष स्थान है।

50. इब्सा एक अनोखा मंच है जो तीन अलग-अलग महाद्वीपों के तीन बड़े लोकतंत्रों एवं प्रमुख अर्थव्यवस्थाओं अर्थात भारत, ब्राजील और दक्षिण अफ्रीका को एक मंच पर लाता है, जो समान चुनौतियों का सामना कर रहे हैं। ये तीनों ही देश विकासशील, बहुलवादी, बहुसांस्कृतिक, बहुजातीय, बहुभाषायी एवं बहुधार्मिक राष्ट्र हैं। जब इन तीनों देशों के विदेश मंत्रियों की 6 जून, 2003 को ब्रासीलिया में बैठक हुई तब इस समूह को औपचारिक रूप दिया गया तथा इसका नाम इब्सा वार्ता मंच रखा गया और ब्रासीलिया घोषणा जारी की गई।

G7 में कनाडा, फ्राँस, जर्मनी, इटली, जापान, यूनाइटेड किंगडम और संयुक्त राज्य अमेरिका शामिल हैं। यह एक अंतर-सरकारी संगठन है जिसका गठन वर्ष 1975 में उस समय की शीर्ष अर्थव्यवस्थाओं द्वारा वैश्विक मुद्दों पर चर्चा करने के लिये एक अनौपचारिक मंच के रूप में किया गया था। इसके तहत वैश्विक आर्थिक व्यवस्था, अंतर्राष्ट्रीय सुरक्षा और ऊर्जा नीति जैसे साझा

हित के मुद्दों पर चर्चा करने के लिये वार्षिक रूप से बैठक की जाती है।

वर्ष 1997 के वित्तीय संकट के पश्चात् यह निर्णय लिया गया कि दुनिया की प्रमुख अर्थव्यवस्थाओं को एक मंच पर एकत्रित होना चाहिये। G-20 समूह की स्थापना 1999 में 7 देशों–अमेरिका, कनाडा, ब्रिटेन, जर्मनी, जापान, फ्राँस और इटली के विदेश मंत्रियों के नेतृत्व में की गई थी। G-20 का उद्देश्य वैश्विक वित्त को प्रबंधित करना था। संयुक्त राष्ट्र (United Nation), अंतर्राष्ट्रीय मुद्रा कोष (IMF) तथा विश्व बैंक (World Bank) के स्टाफ स्थायी होते हैं और इनके हेड क्वार्टर भी होते हैं, जबकि G-20 का न तो स्थायी स्टाफ होता है और न ही हेड क्वार्टर, यह एक फोरम मात्र है। इस फोरम में भारत समेत 19 देश तथा यूरोपीय संघ भी शामिल है।

वर्ष 2012 में नई दिल्ली में आयोजित चौथे ब्रिक्स शिखर सम्मेलन में ब्रिक्स और अन्य उभरती अर्थव्यवस्थाओं के साथ-साथ विकासशील देशों में बुनियादी ढाँचा एवं सतत् विकास परियोजनाओं के लिये न्यू डेवलपमेंट बैंक की स्थापना पर विचार किया गया। वर्ष 2014 में ब्राजील के फोर्टालेजा में छठे ब्रिक्स शिखर सम्मेलन के दौरान ब्रिक्स नेताओं ने न्यू डेवलपमेंट बैंक (NDB) की स्थापना के लिये एक समझौते पर हस्ताक्षर किये। फोर्टालेजा घोषणा में कहा गया कि NDB ब्रिक्स देशों के बीच सहयोग को मजबूत करेगा और वैश्विक विकास के लिये बहुपक्षीय तथा क्षेत्रीय वित्तीय संस्थानों के प्रयासों को पूरा करके स्थायी एवं संतुलित विकास में योगदान देगा। NDB के संचालन के प्रमुख क्षेत्र हैं– स्वच्छ ऊर्जा, परिवहन, अवसंरचना, सिंचाई, स्थायी शहरी विकास और सदस्य देशों के बीच आर्थिक सहयोग। NDB सभी सदस्य देशों के समान अधिकारों के साथ ब्रिक्स सदस्यों के बीच एक परामर्श तंत्र पर काम करता है। NDB का मुख्यालय शंघाई (चीन) में है।

55. भारत में स्वामी विवेकानन्द की जयन्ती, अर्थात 12 जनवरी को प्रतिवर्ष राष्ट्रीय युवा दिवस के रूप में मनाया जाता है। संयुक्त राष्ट्र संघ के निर्णयानुसार सन् 1984 ई. को 'अन्तरराष्ट्रीय युवा वर्ष' घोषित किया गया। इसके महत्त्व का विचार करते हुए भारत सरकार ने घोषणा की कि सन् 1984 से 12 जनवरी यानी स्वामी विवेकानन्द जयन्ती का दिन राष्ट्रीय युवा दिवस के रूप में देशभर में सर्वत्र मनाया जाए।

इस सन्दर्भ में भारत सरकार का विचार था कि–

ऐसा अनुभव हुआ कि स्वामी जी का दर्शन एवं स्वामी जी के जीवन तथा कार्य के पश्चात निहित उनका आदर्श–यही भारतीय युवकों के लिए प्रेरणा का बहुत बड़ा स्रोत हो सकता है।

57. नागरिकता के बहुलवादी सिद्धांत का सर्वोत्तम प्रतिपादक वी.एस. टर्नर हैं। नागरिकता का बहुलवादी सिद्धांत वंचित वर्गों को मुख्यधारा में शामिल करने का प्रयास करता है और चूंकि वंचित वर्ग हमेशा परिवर्तनशील रहता है, अतः नागरिकता का विचार भी परिवर्तित होता रहता है। ज्यों-ज्यों सामाजिक चेतना का विकास होता है, नए-नए आंदोलनों का उत्कर्ष होता है। वर्तमान विश्व में नागरिकता की समस्या को नारीवाद, अश्वेत आंदोलन, पारिस्थितिक विज्ञान और बाल अधिकारों इत्यादि से सम्बद्ध आंदोलनों के संदर्भ में रखकर देखना चाहिए।

58. सन् 1968 के पश्चात् लोक प्रशासन के अध्ययन क्षेत्र में नए विचारों का उदय हुआ। इन विचारों को ही 'नवीन लोक प्रशासन' की संज्ञा दी गई। सन् 1967 में 'हनी प्रतिवेदन' के प्रकाशन के साथ ही 'नवीन लोक प्रशासन' को मान्यता मिली। तदुपरान्त नवीन लोक प्रशासन को आगे बढ़ाने में 'लोक प्रशासन के सिद्धांत एवं व्यवहार' पर सम्मेलन-1967; मिन्नोब्रुक सम्मेलन-1968 की उल्लेखनीय भूमिका रही। सन् 1971 में फ्रैंक मैरीनी द्वारा सम्पादित पुस्तक 'नवीन लोक प्रशासन की दिशाएँ: मिन्नोब्रुक परिप्रेक्ष्य में' के प्रकाशन के साथ ही 'नवीन लोक प्रशासन' को एक नई दिशा प्राप्त हुई। इस ग्रन्थ की रचना सन् 1968 में आयोजित 'मिन्नोब्रुक सम्मेलन' के निष्कर्षों के आधार पर की गई।

60. 1904 में पेरियार ने एक ब्राह्मण, जिसका कि उनके पिता बहुत आदर करते थे, के भाई को गिरफ्तार किया जा सके, इस हेतु न्यायालय के अधिकारियों की मदद की। इसके लिए उनके पिता ने उन्हें लोगों के सामने पीटा। इसके कारण कुछ दिनों के लिए पेरियार को घर छोड़ना पड़ा। पेरियार काशी चले गए। वहां निःशुल्क भोज में जाने की इच्छा होने के बाद उन्हें पता चला कि यह सिर्फ ब्राह्मणों के लिए था। ब्राह्मण नहीं होने के कारण उन्हें इस बात का बहुत दुःख हुआ और उन्होंने हिन्दुत्व के विरोध की ठान ली। इसके लिए उन्होंने किसी और धर्म को नहीं स्वीकारा और वे हमेशा नास्तिक रहे। इसके बाद उन्होंने एक मन्दिर के न्यासी का पदभार संभाला तथा जल्द ही वे अपने शहर के नगरपालिका के प्रमुख बन गए। चक्रवर्ती राजगोपालाचारी के अनुरोध पर 1919 में उन्होंने कांग्रेस की सदस्यता ली। इसके कुछ दिनों के भीतर ही वे तमिलनाडु इकाई के प्रमुख भी बन गए। केरल के कांग्रेस नेताओं के निवेदन पर उन्होंने वाईकॉम आन्दोलन का नेतृत्व भी स्वीकार किया जो मन्दिरों की ओर जाने वाली सड़कों पर दलितों के चलने की मनाही को हटाने के लिए संघर्षरत था। उनकी पत्नी तथा दोस्तों ने भी इस आंदोलन में उनका साथ दिया।

61. जयप्रकाश नारायण (11 अक्टूबर, 1902-8 अक्टूबर, 1979) भारतीय स्वतंत्रता सेनानी और राजनेता थे। उन्हें 1970 में इंदिरा गांधी के विरुद्ध विपक्ष का नेतृत्व करने के लिए जाना जाता है। इन्दिरा गांधी को पदच्युत करने के लिये उन्होंने 'सम्पूर्ण क्रांति' नामक आन्दोलन चलाया। वे समाज-सेवक थे, जिन्हें 'लोकनायक' के नाम से भी जाना जाता है। 1999 में उन्हें मरणोपरान्त भारत रत्न से सम्मानित किया गया। इसके अतिरिक्त उन्हें समाजसेवा के लिए 1965 में मैगसेसे पुरस्कार प्रदान किया गया था। पटना के हवाई अड्डे का नाम उनके नाम पर रखा गया है। दिल्ली सरकार का अस्पताल 'लोकनायक जयप्रकाश अस्पताल' भी उनके नाम पर है।

63. सरकार द्वारा 7 जून, 2012 को राष्ट्रीय जलनीति (2012) का संशोधित प्रारूप जारी किया गया। जल नीति की मुख्य विशेषताएं इस प्रकार हैं:

- जल प्राकृतिक संसाधन है और जीवन, जीविका, खाद्य सुरक्षा और निरंतर विकास का आधार है।
- जल संसाधनों के विषय में सार्वजनिक नीतियों का संचालन, कतिपय बुनियादी नियमों द्वारा करने की आवश्यकता है ताकि जल संसाधनों की आयोजना, विकास और प्रबंधन के दृष्टिकोणों में कुछ साझापन हो।
- जल के संबंध में समुचित नीतियां, कानून और विनियमन बनाने का अधिकार राज्य का है, तथापि, जल सम्बन्धी सामान्य सिद्धांतों का व्यापक राष्ट्रीय जल सम्बन्धी ढांचागत कानून तैयार करने की आवश्यकता है।
- जल घरेलू उपयोग, कृषि, जल विद्युत, ताप विद्युत, नौवहन मनोरंजन इत्यादि के लिए आवश्यक है। इन विभिन्न प्रकार के उपयोग के लिए जल का इष्टतम उपयोग किया जाना चाहिए तथा जल को एक दुर्लभ संसाधन मानने के लिए जागरूकता फैलानी चाहिए।
- जल संसाधन संरचनाओं अर्थात् बांध, बाढ़ सुरक्षा तटबंध, ज्वार सुरक्षा तटबंध आदि की आयोजना और प्रबंधन में संभावित जलवायु परिवर्तनों से निपटने वाली कार्यनीतियां शामिल होनी चाहिए।
- देश के विभिन्न बेसिनों तथा राज्यों के विभिन्न हिस्सों में जल संसाधन की उपलब्धता तथा इनके उपयोग का वैज्ञानिक पद्धति से आकलन और आवधिक रूप से अर्थात् प्रत्येक पांच वर्ष में, समीक्षा किये जाने की आवश्यकता है।
- विभिन्न प्रयोजनों के लिए जल उपयोग हेतु बेंचमार्क विकसित करने की एक प्रणाली अर्थात् जल के कुशल उपयोग को प्रोत्साहित करने एवं बढ़ावा देने के लिए प्रयोजना के लिए जल उपयोग हेतु मानदंड निर्धारित करने की प्रणाली अर्थ जल खपत स्तर और जल लेखा-जोखा विकसित की जानी चाहिए।

- नदी क्षेत्रों, जल निकायों एवं अवसंरचना का संरक्षण सामुदायिक सहभागिता के माध्यम से एक नियोजित पद्धति से शुरू किया जाना चाहिए।
- जल संसाधन परियोजनाओं की आयोजना विभिन्न स्थितियों के लिए निर्धारित दक्षता मानदंडों के अनुसार की जानी चाहिए। साथ ही प्राकृतिक जल निकास प्रणाली के पुर्नस्थापन पर भी अत्यधिक जोर दिया जाना चाहिए।
- शहरी तथा ग्रामीण क्षेत्रों में जल आपूर्ति के निर्धारण के बीच अधिक असमानता को हटाने की आवश्यकता है।
- पक्षकार राज्यों के बीच जल से संबंधित मुद्दों पर विचार-विमर्श करने तथा मतैक्य बनाने, सहयोग और सुलह करने हेतु राष्ट्रीय स्तर पर एक मंच होना चाहिए।
- अंतर्राष्ट्रीय नदियों के जल के बंटवारे और प्रबंधन हेतु सर्वोपरि राष्ट्रीय हितों को ध्यान में रखते हुए तटवर्ती राज्यों के परामर्श से द्विपक्षीय आधार पर विचार-विमर्श किया जाना चाहिए।
- संपूर्ण देश से नियमित रूप से जलविज्ञानीय आंकड़ों का संग्रहण, सूचीबद्ध करने और प्रक्रियान्वयन करने के लिए एक राष्ट्रीय जल सूचना केंद्र को स्थापित करना चाहिए तथा इनका प्रारंभिक प्रक्रियान्वयन करना चाहिए, और जीआईएस प्लेटफॉर्म पर खुले और पारदर्शी तरीके से रखरखाव किया जाना चाहिए।
- जल क्षेत्र के मुद्दों का वैज्ञानिक पद्धति से समाधान करने के लिए निरंतर अनुसंधान और प्रौद्योगिकी की प्रगति को अवश्य बढ़ावा दिया जाए।
- राष्ट्रीय जल बोर्ड को राष्ट्रीय जल नीति के कार्यान्वयन की नियमित निगरानी के लिए राष्ट्रीय जल संसाधन परिषद् द्वारा अनुमोदित राष्ट्रीय जल नीति के आधार पर एक कार्य योजना तैयार करनी चाहिए।

64. चीन की विदेश नीति में यथार्थवाद अत्यधिक प्रभावी रहा है। अंग्रेजी राज में 1914 में बनी मैक मोहन रेखा को खारिज कर चीन अरुणाचल प्रदेश को अपना हिस्सा बताते हुए उसे दक्षिण तिब्बत का भाग बताता रहा है। दूसरे विश्व युद्ध के बाद बदलते राजनीतिक परिदृश्य में ब्रिटेन की दक्षिण एशिया से विदाई के बाद माओ ने इस इलाके को कब्जाने की साजिश को बेहद चुपके से अंजाम दिया था। माओ ने सबसे पहले 1949 में तिब्बत को अपना निशाना बनाया और फिर भारत-चीन सीमा पर अपनी स्थिति मजबूत करते हुए 1956-57 में कराकोरम राजमार्ग भी बना लिया था। जल्दी ही चीन ने आधिकारिक रूप से यह घोषणा भी कर दी कि भारत और चीन सीमा का स्पष्ट विभाजन नहीं हुआ है।

चीन की भारत के साथ तकरीबन चार हजार किलोमीटर से भी लंबी सीमा रेखा है, लेकिन चीन ने अपनी सीमा को कभी रेखांकित नहीं किया है। इस समय चीन ने जम्मू-कश्मीर की अड़तीस हजार वर्ग किलोमीटर भूमि पर अवैध कब्जा कर रखा है साथ ही पाक अधिकृत कश्मीर का 5180 वर्ग किलोमीटर भूमि पाकिस्तान से अवैध रूप से प्राप्त कर रखा है। अरुणाचल प्रदेश को वह दक्षिण तिब्बत बताता है। वह अरुणाचल प्रदेश के नब्बे हजार वर्ग किलोमीटर पर अपना दावा करता है और भारत के अंग के रूप में अरुणाचल प्रदेश को मान्यता नहीं देता है। अरुणाचल प्रदेश को लेकर चीन ने अपनी विस्तारवादी आकांक्षाओं को तेज करते हुए अरुणाचल प्रदेश की छह जगहों के नाम बदलकर वोग्यैनलिंग, मिला री, काईनदेन गाब री, मेन क्यू का, बूमो ला और नामका पुब री रखा है। चीनी विशेषज्ञ इसे चीन की क्षेत्रीय संप्रभुता को सुनिश्चित करने के लिए उठाया गया बड़ा कदम बता चुके हैं।

चीनी हिमाकतों से निपटने के लिए इस समय भारत को लगातार सैन्य योजनाओं पर काम करने की जरूरत है। डोकलाम और ओबीआर पर भारत के सख्त तेवर चीन देख चुका है और अब पूर्वोत्तर में बोगीबिल पुल के निर्माण के बाद भारत की चीन सीमा पर स्थिति और मजबूत होगी। भारत को यह समझना होगा कि चीनी नीति में विस्तारवादी महत्त्वाकांक्षा सदैव विद्यमान रही है, इसलिए सीमा विवाद को दरकिनार कर चीन

से स्थिर संबंधों की अपेक्षा करना देश की संप्रभुता के लिए आत्मघाती है। फिलिपींस के पूर्व राष्ट्रपति बेनिग्रो एक्विनो ने एक बार कहा था यदि चीन आपको दबाता है और यदि आप झुके तो और अधिक दबाएगा। इसलिए चीन से ताकत से ही निपटा जा सकता है। इसलिए भारत का सामरिक रूप से अग्रगामी नीति पर चलना ही बेहतर होगा।

डोकलाम गतिरोध को समझने के लिए आपको चीन के 'दाहिने हाथ की हथेली और पांच उंगलियों' वाली रणनीति को समझना होगा।

चीनी नेता माओ जेदोंग ने तिब्बत को दाहिने हाथ की हथेली के रूप में जबकि लद्दाख, सिक्किम, भूटान, नेपाल और अरुणाचल प्रदेश को पांच उंगलियों के रूप में वर्णित किया था।

65. हेरल्ड जे. लास्की ने कहा था, "प्रत्येक राज्य को उसके द्वारा अनुरक्षित अधिकारों के लिए जाना जाता है।" लास्की ने अपनी पुस्तक 'The State in Theory and Practice—1935' के अंतर्गत राज्य के मूल्यांकन के लिए निम्नलिखित मानदंड प्रस्तावित किए हैं–"राज्य की ओर से आज्ञापालन का दावा इस आधार पर किया जा सकता है कि वह अपने नागरिकों की आवश्यकताओं की अधिकतम पूर्ति के लिए कितना इच्छुक और समर्थ है! इस दावे को वैध ठहराने के लिए इस कार्य की पूर्ति में कोई पक्षपात नहीं होना चाहिए। जहाँ राज्य अपनी सारी शक्तियां समाज के किसी विशेष समूह के हित-साधन में लगा देता है, वहाँ देर-सबेर क्रांति होकर रहेगी।"

66. राष्ट्रीय स्वास्थ्य नीति, 2017 को 15 मार्च, 2017 को "स्वास्थ्य और परिवार कल्याण मंत्रालय" द्वारा शुरू किया गया था। इस नीति में सरकार का ध्यान "बीमार की देखभाल" से शिफ्ट होकर "बीमार के कल्याण" पर होगा। यह भारत सरकार की तीसरी राष्ट्रीय स्वास्थ्य नीति है। भारत की पहली स्वास्थ्य नीति 1983 में बनी थी जबकि दूसरी स्वास्थ्य नीति 2002 में बनी थी। तीसरी नीति में सरकार स्वास्थ्य क्षेत्र पर खर्च बढ़ाकर, सकल घरेलू उत्पाद का 2.5% करना चाहती है।

राष्ट्रीय स्वास्थ्य नीति, 2017 के मुख्य लक्ष्य निम्नानुसार हैं:

1. स्वास्थ्य व्यय को वर्तमान सकल घरेलू उत्पाद के 1.15% से बढ़ाकर 2025 तक 2.5% करने के लक्ष्य।
2. जन्म के समय जीवन प्रत्याशा को 67.5 वर्ष से बढ़ाकर वर्ष 2025 तक 70 वर्ष करने का लक्ष्य।
3. कुल प्रजनन दर (TFR) को 2025 तक राष्ट्रीय और उप-राष्ट्रीय स्तर पर 2.1 के स्तर पर लाने का लक्ष्य है। वित्त वर्ष 2016 में, भारत में प्रति महिला TFR 2.3 थी।
4. वर्ष 2025 तक पांच वर्ष से कम की उम्र के बच्चों की मृत्यु दर को 23 प्रति हजार जीवित जन्म पर लाना जबकि मातृ मृत्यु दर को वर्तमान के 167 से घटाकर 100 पर लाना। ज्ञातव्य है कि भारत में पांच वर्ष से कम उम्र के बच्चों की मृत्यु दर (Under Five Mortality Rate) 2015 में 29 प्रति हजार थी।
5. वर्ष 2025 तक पांच वर्ष से कम उम्र के बच्चों में बौनेपन या वृद्धि रोक (Stunting) की समस्या को 40% तक कम करना है।
6. शिशु मृत्यु दर (IMR) को 2019 तक 28 तक घटाना। भारत में वर्ष 2016 में IMR 34 प्रति 1000 जीवित जन्म थी।
7. 2025 तक नवजात मृत्यु दर को 16 और जन्म दर को 'एकल अंक' में लाने का लक्ष्य है। वर्ष 2013 में भारत में नवजात मृत्यु दर (NMR) 28 प्रति 1000 जीवित जन्म थी।
8. वर्ष 2025 तक दृष्टिहीनता के प्रसार को घटाकर 0.25/1000 करना तथा रोगियों की संख्या को वर्तमान स्तर से घटाकर 1/3 करना।
9. वर्ष 2018 तक कुष्ठ रोग, वर्ष 2017 तक कालाजार तथा वर्ष 2017 तक लिम्फेटिक

फाइलेरियासिस का उन्मूलन करना तथा इस स्थिति को बनाए रखना।

राष्ट्रीय स्वास्थ्य नीति, 2017 का मुख्य ध्यान देश में स्वास्थ्य सेवा प्रणाली के समग्र विकास को बढ़ावा देना है। सरकार देश के स्वास्थ्य संस्थानों में कुशल डॉक्टरों, पर्याप्त दवाओं और आम लोगों के विकास को बढ़ाना चाहती है। नई राष्ट्रीय स्वास्थ्य नीति, 2017; देश की स्वास्थ्य प्रणाली की उन्नति में एक मील का पत्थर साबित होगी।

67. **कल्याणकारी राज्य (Welfare state):** शासन की वह संकल्पना है जिसमें राज्य नागरिकों के आर्थिक एवं सामाजिक उन्नति में महत्वपूर्ण भूमिका निभाता है। कल्याणकारी राज्य अवसर की समानता, धन-सम्पत्ति के समान वितरण, तथा जो लोग अच्छे जीवन की न्यूनतम आवश्यकताओं को स्वयं जुटा पाने में असमर्थ हैं उनकी सहायता करने जैसे सिद्धान्तों पर आधारित है। यह एक सामान्य शब्द है जिसके अन्तर्गत अनेकानेक प्रकार के आर्थिक एवं सामाजिक संगठन आ जाते हैं। कल्याणकारी राज्य सरकार का एक रूप है जिसमें राज्य समान अवसर के सिद्धांतों, धन के समान वितरण और नागरिकों के लिए सार्वजनिक जिम्मेदारी के आधार पर नागरिकों की आर्थिक और सामाजिक भलाई की रक्षा करता है और उन्हें बढ़ावा देता है, जो स्वयं का लाभ उठाने में असमर्थ हैं। एक अच्छे जीवन के लिए न्यूनतम प्रावधान। यह शब्द ग्रेट ब्रिटेन द्वारा अपनाए गए सामाजिक बीमा के व्यापक उपायों से जुड़ा है। समाजशास्त्री टीएच मार्शल ने आधुनिक कल्याणकारी राज्य को लोकतंत्र, कल्याण और पूंजीवाद के विशिष्ट संयोजन के रूप में वर्णित किया है।

लोककल्याणकारी राज्य के आदर्श स्वरूप के लिए निम्नलिखित लक्षण या विशेषताओं की आवश्यकता अनिवार्य हैः

1. **आर्थिक सुरक्षाः** इसके बिना लोककल्याणकारी राज्य का कोई महत्व नहीं है; क्योंकि सबके लिए रोजगार। न्यूनतम जीवन की गारण्टी, अधिकतम आर्थिक समानता होनी चाहिए। यदि शासन तन्त्र में राजसत्ता आर्थिक दृष्टि से सम्पन्न लोगों के हाथों में होगी, तो वह लोककल्याणकारी राज्य की श्रेणी में नहीं आयेगा।
2. **राजनीतिक सुरक्षा की व्यवस्थाः** लोककल्याणकारी राज्य को चाहिए कि वह ऐसी व्यवस्था करे कि राजनैतिक शक्ति सम्पूर्ण रूप से जनता के हाथ में हो। शासन व्यवस्था लोकहित में हो।
3. **सामाजिक सुरक्षाः** लोककल्याणकारी राज्य का प्रमुख लक्षण यह होना चाहिए कि वह सामाजिक सुरक्षा के साथ-साथ समाज में रंग, जाति, धर्म, सम्प्रदाय, वंश, लिंग के आधार पर भेदभाव न करें।
4. **राज्य के कार्यक्षेत्र में वृद्धिः** राज्य को लोककल्याण सम्बन्धी वे सभी कार्य करने चाहिए, जिससे नागरिकों की स्वतन्त्रता प्रभावित न हो और वे अपने कार्यक्षेत्र में पूर्ण क्षमता एवं स्वतन्त्रतापूर्वक कार्य कर सके।
5. **विश्वशान्ति एवं वसुधैव कुटुम्बकम् की भावनाः** लोककल्याणकारी राज्य का स्वरूप राष्ट्रीय न होकर अन्तर्राष्ट्रीय होता है। अतः राज्य विशेष को चाहिए कि वह विश्वकल्याण की भावना से सम्पूर्ण मानवता के लिए कार्य करे।

68. इसका शाब्दिक अर्थ 'प्रमाणित होना' या 'सूचना देना' है। इसे एक उच्च न्यायालय द्वारा अधीनस्थ न्यायालयों को या अधिकरणों को या लंबित मामलों के स्थानांतरण को सीधे या पत्र जारी कर किया जाता है। इसे अतिरिक्त न्यायिक क्षेत्र या न्यायिक क्षेत्र की कमी या कानून में खराबी के आधार पर जारी किया जा सकता है। इस तरह प्रतिषेध से हटकर जो कि केवल निवारक है; उत्प्रेषण निवारक एवं सहायक दोनों तरह का है। जैसा कि पहले उत्प्रेषण की रिट सिर्फ न्यायिक या अर्ध न्यायिक प्राधिकरणों के खिलाफ ही जारी किया जा सकता था, प्रशासनिक इकाइयों के खिलाफ नहीं। हालांकि 1991 में उच्चतम न्यायालय ने व्यवस्था दी कि उत्प्रेषण व्यक्तियों के अधिकारों को प्रभावित करने वाले प्रशासनिक प्राधिकरणों के खिलाफ भी जारी किया जा सकता है।

प्रतिषेध की तरह उत्प्रेषण भी विधिक निकायों एवं निजी व्यक्तियों का इकाइयों के विरुद्ध उपलब्ध नहीं है।

70. वंदना शिवा (जन्म 9 नवम्बर 1952, देहरादून), एक दार्शनिक, पर्यावरण कार्यकर्ता, पर्यावरण संबंधी नारी अधिकारवादी एवं कई पुस्तकों की लेखिका हैं। वर्तमान में दिल्ली में स्थित, शिवा अग्रणी वैज्ञानिक और तकनीकी पत्रिकाओं में 300 से अधिक लेखों की रचनाकार हैं। शिवा ने 1970 के दशक के दौरान अहिंसात्मक चिपको आंदोलन में भाग लिया। इस आंदोलन ने, जिसकी कुछ मुख्य प्रतिभागी महिलाएं थीं, पेड़ों की कटाई को रोकने के लिए पेड़ों के चारों तरफ मानव चक्र तैयार करने की पद्धति को अपनाया। वे वैश्वीकरण के संबंध में अंतरार्ष्ट्रीय फोरम की नेताओं में से एक हैं (जेरी मैंडर, एडवर्ड गोल्डस्मिथ, राल्फ नैडर, जेरेमी रिफकीन आदि के साथ) और वे वैश्वीकरण में परिवर्तन लाओ (अल्टर-ग्लोबलाइजेशन मूवमेंट) नामक वैश्विक एकजुटता आंदोलन की एक विभूति हैं। उन्होंने कई पारंपरिक प्रथाओं के ज्ञान के पक्ष में तर्क प्रस्तुत किया है, जो कि *वैदिक पर्यावरण* (रैन्कर प्राइम द्वारा रचित) में दिये गए उनके साक्षात्कार से स्पष्ट है जो भारत की वैदिक विरासत की ओर आकर्षित करता है।

वंदना शिवा ने वैश्विक पारिस्थितिकीय नारीवाद आंदोलन में एक प्रमुख भूमिका निभायी है। उनके लेख *इम्पॉवरिंग वूमेन* (महिलाओं के सशक्तिकरण) के अनुसार, शिवा यह सुझाव देती है कि भारत में महिलाओं को नियुक्त करने के प्रति अधिक केंद्रित रहने वाली एक कृषि प्रणाली को पुनःस्थापित कर कृषि के प्रति एक अधिक संपोषणीय एवं उत्पादक दृष्टिकोण प्राप्त किया जा सकता है। वे प्रचलित ''बहिष्करण के पितृसत्तात्मक तर्क'' के विरुद्ध दलील देती हैं और यह दावा करती हैं कि एक नारी केन्द्रित मौजूदा वर्तमान प्रणाली को एक अत्यंत सकारात्मक तरीके से बदल देगी।

इस तरह, भारतीय और वैश्विक खाद्य सुरक्षा को केवल कृषि व्यवस्था में महिलाओं को शामिल कर नारी सशक्तिकरण के प्रति ध्यान केंद्रित कर ही लाभ प्राप्त हो सकता है।

73. 'Political Order in Changing Societies' सैमुअल पी हंटिंगटन द्वारा रचित 1968 की पुस्तक है जो राजनीतिक प्रणालियों और राजनीतिक संस्थानों में परिवर्तन से संबंधित है। हंटिंगटन ने प्रचलित अधिक आशावादी आधुनिकीकरण सिद्धांतों को यह तर्क देते हुए खारिज कर दिया कि क्रम और स्थिरता स्वयं विकासशीस देशों में महत्वपूर्ण उद्देश्य हैं।

हंटिंगटन का तर्क है कि परिवर्तन राजनीतिक और सामाजिक व्यवस्था के भीतर तनाव के कारण होते हैं। आधुनिकीकरण सिद्धांत की आलोचना करते हुए, उन्होंने यह कहा कि आर्थिक परिवर्तन और विकास के लिए इसके तर्क स्थिर, लोकतांत्रिक राजनीतिक प्रणालियों के निर्माण के लिए जिम्मेदार कारक हैं, त्रुटिपूर्ण है। शहरीकरण, साक्षरता, सामाजिक गतिशीलता और आर्थिक विकास जैसे अन्य कारकों पर ध्यान केंद्रित करते हुए, उन्होंने जोर दिया कि उन कारकों का राजनीतिक विकास से महत्वपूर्ण संबंध नहीं है; वास्तव में उनके तर्क का एक प्रमुख हिस्सा यह है कि वे प्रक्रियाएं संबंधित हैं लेकिन अलग हैं।

74. लोक प्रशासन की परिभाषाएं (Definitions of Pubic Administration):

एपलबीः "लोक प्रशासन नीति-निर्माण है । प्रशासनिक प्रश्न हमारे समय में (1950 का दशक) राजनीतिक प्रश्न भी है।'' (उल्लेखनीय है कि बुडरो विल्सन ने कहा था कि राजनीतिक-प्रश्न प्रशासनिक प्रश्न नहीं होते)।

मार्शल डिमॉकः "प्रशासन सरकार के क्या (नीति) और कैसे (क्रियान्वयन) दोनों से संबंधित है।''

पिफनरः "लोक प्रशासन'' सरकार के "क्या'' और "कैसे'' दोनों हैं।

निग्रोः ''लोक प्रशासन लोक नीति का रचनाकार है।''

एफ.एम. मार्क्सः "अपने व्यापकतम अर्थ में लोक प्रशासन में सार्वजनिक नीति से संबंधित समस्त क्रियाएं आती हैं।''

लोक प्रशासन मात्र कार्यपालिका से संबंधित कार्य हैः

लूथर गुलिकः "अपने वास्तविक अर्थों में लोक प्रशासन प्रशासनिक विज्ञान का वह भाग है जो मुख्य रूप से सरकार के कार्यपालिका अंग से संबंधित है, जहां सरकार का कार्य मुख्य रूप से होता है।

विलोबीः "राजनीति विज्ञान में प्रशासन दो अर्थों में प्रयुक्त होता है, अपने संकुचित अर्थों में लोक प्रशासन सरकार की प्रशासकीय शाखा (कार्यपालिका) के कार्यों से संबंधित है। विषय के लिए यही अर्थ मायने रखता है।"

साइमनः "लोक प्रशासन का अर्थ है, वे कार्य जो केन्द्र, राज्य या स्थानीय कार्यपालिका करती है।"

डिमॉकः "सरकार की कार्यकारिणी वाला भाग लोक प्रशासन हैं।"

लोक प्रशासन सम्पूर्ण सरकार (उसके तीनों अंगों) से संबंधित कार्य है।

निग्रोः "लोक प्रशासन सरकार के तीनों अंगों और उनके परस्पर संबंधों से संबंधित है।"

विलोबीः "राजनीति विज्ञान में प्रशासन दो अर्थों में प्रयुक्त होता है, अपने प्रथम व्यापक अर्थ में यह समस्त सरकारी कार्यों के वास्तविक सम्पादन से संबंधित है, चाहे वह किसी भी शाखा के हों"।

वाल्डोः "लोक प्रशासन सभी सरकारी कार्यों के प्रबन्ध की कला और विज्ञान है"।

77. अंतर्राष्ट्रीय श्रम संगठन की स्थापना राष्ट्र संघ से संबद्ध एक स्वायत्त अंतरसरकारी अभिकरण के रूप में 11 अप्रैल, 1919 को हुई थी। यह 1946 में संयुक्त राष्ट्र का प्रथम विशिष्ट अभिकरण बना। इसका मुख्यालय जेनेवा में है।

आईएलओ का मूल उद्देश्य रहन-सहन के स्तर एवं श्रम की अन्य दशाओं को सुधारने तथा पूर्ण रोजगार का लक्ष्य प्राप्त करने पर केंद्रित अंतरराष्ट्रीय क्रिया-कलापों को प्रोत्साहित करना है। यह अंतरराष्ट्रीय श्रम संधियों एवं सिफारिशों के आधार पर श्रम मानदंडों की रचना करता है तथा रोजगार संवर्धन, मानव संसाधन विकास, सामाजिक संस्थाओं के विकास, ग्रामीण विकास, लघु उद्योग, सामाजिक सुरक्षा, औद्योगिक सुरक्षा जैसे क्षेत्रों में तकनीकी सहयोग का विस्तार करता है। संगठन द्वारा विशेषज्ञ अभियानों एवं फैलोशिप कार्यक्रमों के माध्यम से विभिन्न देशों की सरकारों की प्रेरक सहायता उपलब्ध करायी जाती है।

80. पंचायती राज को मजबूत बनाने के लिए संविधान के भाग-9 में 'अनुच्छेद 243' जोड़ा गया और इसमें 16 नये अनुच्छेद जोड़े गये।

1. **अनुच्छेद 243** – परिभाषाएँ
2. **अनुच्छेद 243 (A)** – ग्राम सभा
3. **अनुच्छेद 243 (B)** – पंचायतों का संविधान
4. **अनुच्छेद 243 (C)** – पंचायतों का गठन
5. **अनुच्छेद 243 (D)** – सीटों का आरक्षण
6. **अनुच्छेद 243 (E)** – पंचायतों का कार्यकाल इत्यादि
7. **अनुच्छेद 243 (F)** – सदस्यता से अयोग्यता
8. **अनुच्छेद 243 (G)** – पंचायतों की शक्तियाँ, प्राधिकार तथा उत्तरदायित्व
9. **अनुच्छेद 243 (H)** – पंचायतों की करारोपण की शक्ति
10. **अनुच्छेद 243 (I)** – वित्तीय स्थिति की समीक्षा के लिए वित्त आयोग का गठन
11. **अनुच्छेद 243 (J)** – पंचायतों के लेखा का अंकेक्षण
12. **अनुच्छेद 243 (K)** – पंचायतों का चुनाव
13. **अनुच्छेद 243 (L)** – संघीय क्षेत्रों पर लागू होना
14. **अनुच्छेद 243 (M)** – कतिपय मामलों में इस भाग का लागू नहीं होना
15. **अनुच्छेद 243 (N)** – पहले से विद्यमान कानूनों एवं पंचायतों का जारी रहना
16. **अनुच्छेद 243 (O)** – चुनावी मामलों में न्यायालयों के हस्तक्षेप पर रोक।

82. समकालीन उदारवादी चिंतन के अंतर्गत जॉन रॉल्स और सी.बी. मैक्फर्सन समतावादी (Egalitarianism) दृष्टिकोण का सर्वोत्तम प्रतिनिधित्व करते हैं। समतावाद उदारवादी सिद्धांत के अंतर्गत स्वतंत्रता और समानता में सामंजस्य स्थापित करना चाहता है। समतावाद ऐसी व्यवस्था का समर्थन करता है जिसमें समर्थ और सम्पन्न व्यक्तियों के साथ-साथ निर्बल, निर्धन और वंचित व्यक्तियों को भी आत्म-विकास के लिए उपयुक्त अवसर और अनुकूल परिस्थितियां प्राप्त हों।

प्लेटो आदर्शवादी विचारक है। प्लेटो की पद्धति के बारे में एक उल्लेखनीय बात यह है कि वह कल्पनावादी दार्शनिक था। पाश्चात्य संसार के कल्पनावादियों में उसका स्थान सम्भवतः प्रथम और सर्वोच्च है। इतिहास-सिद्ध वास्तविक राज्यों के वर्णन से उसका अधिक सम्बन्ध नहीं वरन् उसका अभीष्ट तो एक 'आदर्श' की खोज है। प्लेटो का कल्पित आदर्श राज्य, राज्य का एक सम्पूर्ण और आदर्श चित्र है तथा तुलना और समालोचना के माध्यम से प्लेटो उसकी खोज करना चाहता है।

83. एम.एन. श्रीनिवास भारत के सुप्रसिद्ध समाजशास्त्री थे। उन्होंने दक्षिण भारत में जाति तथा जाति प्रथा, सामाजिक स्तरीकरण, संस्कृतिकरण तथा पश्चिमीकरण पर कार्य किया। उन्होंने 'प्रबल जाति' (Dominant caste) की अवधारणा प्रस्तुत की। संस्कृतिकरण (Sanskritisation) भारत में देखा जाने वाला विशेष तरह का सामाजिक परिवर्तन है। इसका मतलब है वह प्रक्रिया जिसमें जातिव्यवस्था में निचले पायदान पर स्थित जातियाँ ऊँचा उठने का प्रयास करती हैं। ऐसा करने के लिए वे उच्च या प्रभावी जातियों के रीति-रिवाज या प्रचलनों को अपनाती हैं। यह समाजशास्त्र की पासिंग नामक प्रक्रिया के जैसे ही है। इस शब्द को भारतीय समाजशास्त्री श्रीनिवास ने 1950 के दशक में लोकप्रिय बनाया।

श्रीनिवास ने संस्कृतिकरण की परिभाषा देते हुए कहा कि "इस प्रक्रिया में निचली या मध्यम हिन्दू जाति या जनजाति या कोई अन्य समूह, अपनी प्रथाओं, रीतियों और जीवनशैली को उच्च या प्रायः द्विज जातियों की दिशा में बदल लेते हैं। प्रायः ऐसे परिवर्तन के साथ ही वे जातिव्यवस्था में उस स्थिति से उच्चतर स्थिति के दावेदार भी बन जाते हैं, जो कि परम्परागत रूप से स्थानीय समुदाय उन्हें प्रदान करते आया है।"

संस्कृतिकरण का एक स्पष्ट उदाहरण कथित "निम्न जातियों" के लोगों द्वारा द्विज जातियों के अनुकरण में शुद्ध शाकाहार को अपनाना है, जो कि परम्परागत रूप से अशाकाहारी भोजन के विरोधी नहीं होते।

एम.एन. श्रीनिवास के अनुसार, संस्कृतिकरण केवल नई प्रथाओं और आदतों का अंगीकार करना ही नहीं है, बल्कि संस्कृत वाङ्मय में विद्यमान नए विचारों और मूल्यों के साथ साक्षात्कार करना भी इसमें आ जाता है।

87. एरिक फ्रॉम आधुनिक अमेरिकी मनोवैज्ञानिक, सामाजिक विचारक और आलोचक के रूप में प्रसिद्ध हैं। राजनीतिक चिंतन के अंतर्गत स्वतंत्रता के सम्बन्ध में फ्रॉम के विचार विशेष रूप से महत्वपूर्ण हैं।

अपनी सबसे प्रसिद्ध कृति 'एस्केप फ्रॉम फ्रीडम-1941' के अंतर्गत फ्रॉम ने मनोविज्ञान और समाजविज्ञान के परस्पर संबंध को बहुत महत्व दिया है। उसने लिखा है कि जैसे व्यक्ति को समझने के लिए उसके सांस्कृतिक संदर्भ को समझना जरूरी है, वैसे ही सामाजिक प्रक्रिया को समझने के लिए व्यक्ति के भीतर की मनोवैज्ञानिक प्रक्रियाओं की जानकारी सर्वथा आवश्यक है।

89. इस अधिनियम ने भारत के संविधान में एक नया खंड-IX सम्मिलित किया। इसे 'पंचायतें' नाम से इस भाग में उल्लिखित किया गया और अनुच्छेद 243 से 243 'ण' के प्रावधान सम्मिलित किए गए। इस अधिनियम ने संविधान में एक नई 11वीं सूची भी जोड़ी। इस सूची में पंचायतों की 29 कार्यकारी विषय-वस्तु है। यह अनुच्छेद 243-जी से संबंधित है।

इस अधिनियम से संविधान के 40वें अनुच्छेद को एक व्यवहारिक रूप दिया, जिसमें कहा गया है कि, "ग्राम पंचायतों को गठित करने के लिए राज्य कदम उठाएगा

और उन्हें उन आवश्यक शक्तियों और अधिकारों से विभूषित करेगा जिससे कि वे स्वशासन की इकाई की तरह कार्य करने में सक्षम हो। यह अनुच्छेद राज्य नीति के निदेशक सिद्धांतों का एक हिस्सा है।''

इस अधिनियम ने पंचायती राज संस्थाओं को एक संवैधानिक दर्जा दिया और इसे संविधान के अंतर्गत वाद योग्य हिस्से के अधीन लाया। दूसरे शब्दों में इस अधिनियम के उपबंध के अनुसार नई पंचायती राज पद्धति को अपनाने के लिए राज्य सरकारें संवैधानिक रूप से बाध्य हैं। परिणामस्वरूप, पंचायत का गठन और नियमित अंतराल पर चुनाव राज्य सरकार की इच्छा पर निर्भर नहीं है।

इस अधिनियम के उपबंधों को दो हिस्सों में बांटा जा सकता है–अनिवार्य और स्वैच्छिक। अधिनियम के अनिवार्य हिस्से को पंचायती राज व्यवस्था के गठन के लिए राज्य के कानून में शामिल किया जाना आवश्यक है। दूसरे भाग के स्वैच्छिक उपबंधों को राज्यों के स्व-विवेकानुसार सम्मिलित किया जा सकता है। अतः स्वैच्छिक प्रावधान राज्य को नई पंचायती राज पद्धति को अपनाते समय भौगोलिक, राजनीतिक एवं प्रशासनिक तथ्यों को ध्यान में रखकर अपनाने का अधिकार सुनिश्चित करता है।

यह अधिनियम देश में जमीनी स्तर पर लोकतांत्रिक संस्थाओं के विकास में एक महत्वपूर्ण कदम है। यह प्रतिनिधित्व लोकतंत्र को 'भागीदारी लोकतंत्र' में बदलता है। यह देश में लोकतंत्र को जमीनी स्तर पर तैयार करने की एक क्रांतिकारी संकल्पना है।

90. एफ.डब्ल्यू. रिग्स ने लोक प्रशासन के परिवेश की व्याख्या के लिए कई 'आदर्श मॉडल' (वैचारिक मॉडल) बनाए। 1956 में साम्राज्यकालीन चीन और समकालीन अमेरिका की मिसाल लेते हुए 'कृषि उद्योग' (Agraria-Industrial) वर्गीकरण विकसित किया।

अगले साल, उन्होंने एक माध्यमिक मॉडल 'संक्रमणीय' (Transitia) का प्रतिपादन किया, जिसमें कृषक और औद्योगिक दोनों का ही चरित्र है जो संक्रमणकालीन समाज को दिखाता था लेकिन रिग्स ने इस ''कृषक-संक्रमणीय-औद्योगिक'' वर्गीकरण का परित्याग कर एक नए ''संलयित-प्रिज्मीय-विवर्तित (अपवर्तित) मॉडल को सूत्रबद्ध किया, जो अल्पविकसित, विकासशील और विकसित समाजों का प्रतिनिधित्व करता है।

रिग्स के शब्दों में– पारंपरिक कृषि-आधारित व लोक समाज (कृषक) 'संलयित समाज' और आधुनिक औद्योगिक समाज (औद्योगीय) 'विवर्तित समाज' के ही निकट पड़ता है। पहला 'कार्यात्मक रूप से विसरित' और दूसरा 'कार्यात्मक रूप से विशिष्ट' है। इस दोनों ध्रुवीय बिंदुओं के मध्य एक माध्यमिक स्तर है– 'प्रिज्मीय मॉडल' क्योंकि यह प्रिज्म ही होता है जिससे गुजरकर संलयित प्रकाश अपवर्तित हो जाता है।

पिछले प्रश्न-पत्र (हल सहित)

NTA-National Testing Agency

UGC-NET जूनियर रिसर्च फैलोशिप तथा सहायक प्राध्यापक परीक्षा

राजनीति शास्त्र, जून-2019*

प्रश्न-पत्र-II

नोट : *इस प्रश्न-पत्र में **सौ (100)** बहु-विकल्पीय प्रश्न हैं। प्रत्येक प्रश्न के **दो (2)** अंक हैं। **सभी** प्रश्न अनिवार्य हैं।*

1. निम्न में से कौन-से समाचार-पत्र तिलक से संबंधित ***नहीं*** हैं?

(*a*) केसरी (*b*) मराठा

(*c*) सुधारक (*d*) हरिजन

दिए गए विकल्पों में से सही उत्तर का चयन कीजिए :

A. (*a*) और (*b*) B. (*b*) और (*c*)

C. (*a*) और (*d*) D. (*c*) और (*d*)

2. नारीवादियों का तर्क है कि महिला मूल्य मुख्यतः आधारित हैं :

A. धार्मिक कानून पर

B. प्रदत्त सामाजिक भूमिकाओं पर

C. जैविक और प्रदत्त सामाजिक भूमिकाओं पर

D. जीवविज्ञान पर

3. किसने कहा कि मानव का विचार अभिव्यक्ति की स्वतंत्रता पर प्रतिबंध लगाना वर्तमान एवं भविष्य की नस्लों को लूटने के समान है?

A. जे.एस. मिल B. जॉन लॉक

C. इसाइया बर्लिन D. एफ. ए. हेयक

4. नीचे दो कथन दिए गए हैं, जिनमें से एक अभिकथन (A) है और दूसरा तर्क (R) है।

अभिकथन (A): मैक्यावली के दर्शन में साध्य साधनों की उपयोगिता को पुष्ट करता है।

तर्क (R): 'द प्रिंस' का मुख्य ध्येय राज्य की एकता एवं अखण्डता लाना है।

उपर्युक्त दोनों कथनों के आधार पर नीचे दिए विकल्पों में से सही उत्तर चुनिए :

A. (A) और (R) दोनों सही हैं तथा (R), (A) की सही व्याख्या है।

B. (A) और (R) दोनों सही हैं, परन्तु (R), (A) की सही व्याख्या नहीं है।

C. (A) सही है, परन्तु (R) गलत है।

D. (A) गलत है, परन्तु (R) सही है।

5. निम्न में से कौन-सा एक संगत मेल नहीं है?

A. फेबियनवाद — शांतिपूर्ण परिवर्तन

B. श्रेणी समाजवाद — व्यावसायिक प्रतिनिधित्व

C. श्रमिक संघवाद — ट्रेड यूनियनवाद

D. लोकतांत्रिक समाजवाद — आमूल परिवर्तन

6. इनमें से कौन नव-मार्क्सवाद से संबंधित नहीं है?

A. जुर्गेन हेबरमास B. एरिक फ्रॉम

C. हर्बर्ट मार्क्यूजे D. रोजा लक्जमबर्ग

7. 'किसी अन्य को निकृष्ट बनाए बिना कुछ को उत्कृष्ट बनाना' निम्न में से किससे संबंधित है?

A. पेप्टिरेटो का इष्टतम (ऑप्टिमैलिटी) का सिद्धांत

B. नोजिक का हकदारी (एनटाइटलमेंट) का सिद्धांत

C. फौकोल्ट के शक्ति (पावर) का सिद्धांत

D. रॉल्स के वितरणात्मक (डिस्ट्रीब्यूटिव) न्याय का सिद्धांत

8. एकीकृत मानववाद का अर्थ है :

(*a*) मानव जीवन अलग नहीं है

(*b*) व्यक्ति, समाज और राष्ट्र के मध्य सामंजस्य

(*c*) व्यक्ति की आवश्यक एकता

(*d*) राज्य, राष्ट्र से उच्चतर है

---

* *Online exam held on 25-06-2019.*

दिए गए विकल्पों में से सही उत्तर का चयन कीजिए :

A. (*a*), (*b*) और (*c*) B. (*a*), (*b*) और (*d*)

C. (*b*), (*c*) और (*d*) D. (*a*), (*c*) और (*d*)

9. गाँधी विश्वास करते थे :

A. साध्य, साधनों की उपयोगिता की पुष्टि करता है

B. साधन, साध्य की उपयोगिता की पुष्टि करते हैं

C. न तो साध्य, साधनों की और ना ही साधन साध्य की पुष्टि करते हैं

D. साधन और साध्य दोनों न्यायसंगत होने चाहिए

10. नीचे दो कथन दिए गए हैं, जिनमें से एक अभिकथन (A) है और दूसरा तर्क (R) है।

अभिकथन (A): गांधी के अनुसार धर्म से अलग राजनीति मृत्युजाल है।

तर्क (R): राजनीति में धर्म का प्रवेश आवश्यक है क्योंकि धर्म के अभाव में यह साम्प्रदायिक रंग ले सकती है।

उपर्युक्त दोनों कथनों के आधार पर नीचे दिए गए विकल्पों में से सही उत्तर चुनिए :

A. (A) और (R) दोनों सही हैं तथा (R), (A) की सही व्याख्या है।

B. (A) और (R) दोनों सही हैं, परन्तु (R), (A) की सही व्याख्या नहीं है।

C. (A) सही है, परन्तु (R) गलत है।

D. (A) गलत है, परन्तु (R) सही है।

11. "अंग्रेज सोचते हैं कि वे स्वतंत्र हैं, जबकि वे केवल संसद के सदस्यों के चुनाव के समय स्वतंत्र होते हैं" यह कथन किसका है?

A. जे.एस. मिल

B. टी.एच. ग्रीन

C. लॉक

D. रूसो

12. सूची-I को सूची-II से सुमेलित कीजिए :

सूची-I	**सूची-II**
(*a*) विलम्बित पूंजीवाद	(*i*) मिशेल फोकोल्ट
(*b*) विखंडनवाद	(*ii*) फ्रेडरिक जेमेसन
(*c*) महान वृत्तांतों का अंत	(*iii*) जैक्स डेरिडा
(*d*) ज्ञान एवं शक्ति की संकल्पना	(*iv*) ल्योटार्ड

दिए गए विकल्प में से सही उत्तर का चयन कीजिए :

	(*a*)	(*b*)	(*c*)	(*d*)
A.	(*ii*)	(*iii*)	(*iv*)	(*i*)
B.	(*i*)	(*iv*)	(*ii*)	(*iii*)
C.	(*ii*)	(*iv*)	(*i*)	(*iii*)
D.	(*iv*)	(*i*)	(*iii*)	(*ii*)

13. पंडिता रमाबाई को किस कारण 'पंडिता' की उपाधि दी गई?

A. समाज सुधार

B. महिलामुक्ति

C. जाति व्यवस्था उन्मूलन

D. संस्कृत विद्वान होने के कारण

14. कौटिल्य द्वारा राज्य के मण्डल सिद्धांत की कितनी प्रकृतियाँ हैं?

A. 60 B. 68

C. 70 D. 72

15. 'साइलेंट स्प्रिंग' पुस्तक के लेखक कौन हैं?

A. फ्रेंक थॉन B. रेमंड एल. ब्रायंट

C. रैशेल कारसन D. रॉय रैपापोर्ट

16. कार्ल मार्क्स, मार्क्सवाद के संस्थापक, निम्न में से किस देश के औपचारिक नागरिक थे?

A. जर्मनी

B. फ्रांस

C. यू.के.

D. उपर्युक्त में से कोई नहीं

17. 'ब्लैक स्किन व्हाइट मास्कस' किसके द्वारा लिखित है?

A. ग्राम्सी B. हैन्ना आरेंट

C. फ्रांज फनॉन D. वोलस्टोनक्राफ्ट

18. निम्नलिखित में से कौन-सी रचना मुहम्मद इकबाल की है?

(*a*) तराना-ए-हिन्द

(*b*) द रीकंस्ट्रक्शन ऑफ रीलिजियस थॉट इन इंडिया

(*c*) हिस्टोरिकल रोल ऑफ इस्लाम

(*d*) द बंग-ए-दारा

दिए गए विकल्पों में से सही उत्तर का चयन कीजिए :

A. (*a*), (*b*) और (*c*) B. (*a*), (*c*) और (*d*)

C. (*a*), (*b*) और (*d*) D. (*b*), (*c*) और (*d*)

19. अगाना सुत्त है :

A. दीघा निकाय का 27वाँ सुत्त

B. मज्झिमा निकाय का 27वाँ सुत्त

C. संजुत्ता निकाय का 26वाँ सुत्त

D. अंगुसूत्र निकाय का 27वाँ सुत्त

20. जयप्रकाश नारायण की आत्मकथा किसने लिखी?

A. स्वयं जयप्रकाश नारायण

B. रामवृक्ष बेनीपुरी

C. विनोबा भावे

D. नम्बूदरीपाद

21. रॉल्स के सिद्धांत में 'न्याय निष्पक्षता' के विचार का प्रवाह है :

A. व्यक्ति से B. समाज से

C. राज्य से D. राष्ट्र से

22. किसने कहा है कि राजनीतिक कार्य समस्त आर्थिक कार्य का जीवन रक्त है?

A. जॉन रॉल्स B. माओ जेदोंग

C. कार्ल मार्क्स D. फ्रांज फनॉन

23. निम्न में से कौन-सा एक उत्तर-आधुनिकता के संबंध में असंगत है?

A. ज्ञान के स्थान पर उपभोग प्रधान है

B. समग्रता का विखंडन

C. महानता को सामान्य बनाना

D. ऐतिहासिक प्रवृत्ति

24. इनमें से किस विचारक के लेखन में प्रथम बार द्वंद्वात्मक पद्धति का प्रयोग हुआ है?

A. सुकरात B. प्लेटो

C. हीगेल D. मार्क्स

25. 'ए ग्रेट एण्ड टेरीबल वर्ल्ड' पुस्तक का लेखक कौन है?

A. एंतोनिओ ग्राम्सी B. हैन्ना आरेंट

C. हीगेल D. जॉन रॉल्स

26. किसका विचार है कि कला, धर्म और दर्शन केवल रूप में भिन्न हैं, इनका ध्येय समान है?

A. जॉर्ज लुकास B. सार्त्रे

C. हीगेल D. ऐरिक ओलिन राइट

27. सूची-I को सूची-II से सुमेलित कीजिए :

सूची-I *(पुस्तकें)*	**सूची-II** *(विचारक)*
(*a*) मार्क्स, गांधी एण्ड सोशलिज्म	(*i*) अरबिन्दो
(*b*) गांधी एण्ड गांधीज्म	(*ii*) रवीन्द्रनाथ टैगोर
(*c*) सावित्री : ए लिजेण्ड एण्ड ए सिम्बल	(*iii*) राम मनोहर लोहिया
(*d*) गीतांजलि	(*iv*) बी.आर. अंबेडकर

दिए गए विकल्पों में से सही उत्तर का चयन कीजिए :

	(*a*)	(*b*)	(*c*)	(*d*)
A.	(*iii*)	(*iv*)	(*i*)	(*ii*)
B.	(*ii*)	(*i*)	(*iv*)	(*iii*)
C.	(*iv*)	(*iii*)	(*i*)	(*ii*)
D.	(*iii*)	(*i*)	(*ii*)	(*iv*)

28. बहुसंस्कृतिवाद के अंतर्गत वे प्रवासी जातीय सांस्कृतिक समूह, जिन्हें कभी-भी नागरिक बनने का अवसर नहीं मिलता, कहलाते हैं :

A. मेटिक्स

B. राष्ट्रीय अल्पसंख्यक

C. अप्रवासी समूह

D. अलग-थलग रहने वाले जातीय-धार्मिक समूह

29. 'मल्टीकल्चरल सिटिजनशिप : ए लिबरल थ्योरी ऑफ माइनॉरिटी राइट्स (1995) पुस्तक किसने लिखी?

A. टी. एच. मार्शल

B. बी.एस. टर्नर

C. विल किमलिका

D. भीखू पारेख

30. किसने कहा कि व्यक्ति का जीवन एकाकी, क्षुद्र, घिनौना, पशुवत् और अल्प है?

A. मैक्यावली B. हॉब्स

C. लॉक D. रूसो

निर्देश : (प्र.सं. 31 से 33 तक): *निम्नलिखित गद्यांश को पढ़कर प्रश्न के उत्तर दीजिए :*

स्वातंत्रोत्तर भारत के पूर्व सात दशकों में लोकतांत्रिक राजनीति में महत्वपूर्ण परिवर्तन आए हैं। पिछले दशकों में जहाँ चुनावी सहभागिता में अभूतपूर्व वृद्धि हुई है, वहाँ जातीयता से

जुड़ी आदिम अस्मिताओं ने 'जातियों के राजनीतिकरण' एवं 'राजनीति के जातीयकरण' को और अधिक सुदृढ़ किया है।

21वीं सदी के भारत में बाजार राज्य ने तृतीय लोकतांत्रिक अभ्युदय का मार्ग प्रशस्त किया है। किन्तु विकास प्राप्ति के अपने लक्ष्य में इन आदिम संरचनाओं को विखंडित करने की अपेक्षा, बाजार राज्य लोक लुभावनवाद तथा अभिशासन के मध्य झूल रहा है।

31. इनमें से कौन भारत की लोकतांत्रिक राजनीति में तीन लोकतांत्रिक अभ्युदय के प्रर्वतक हैं?

A. अतुल कोहली

B. लॉयड एवं सुजैन रुडोल्फस

C. पार्थ चटर्जी

D. उपरोक्त में से कोई नहीं

32. इनमें से किसने सर्वप्रथम भारतीय राजनीति में 'जाति के राजनीतिकरण' धारणा का प्रयोग किया था?

A. रजनी कोठारी

B. योगेन्द्र यादव

C. सुरेन्द्र जोधका

D. एम.एन. श्रीनिवास

33. निम्न में से कौन-सा आदिमवाद का तत्व नहीं है?

A. जाति B. वर्ग

C. समुदाय D. कुल

34. सूची-I को सूची-II से सुमेलित कीजिए :

सूची-I *(लेख)*	**सूची-II** *(अर्थ)*
(*a*) बन्दी प्रत्यक्षीकरण	(*i*) आदेश देना
(*b*) परमादेश	(*ii*) किस अधिकार से
(*c*) उत्प्रेषण	(*iii*) अपने शरीर को प्रस्तुत करना
(*d*) अधिकार पृच्छा	(*iv*) सूचित करना

दिए गए विकल्पों में से सही उत्तर का चयन कीजिए :

	(*a*)	(*b*)	(*c*)	(*d*)
A.	(*ii*)	(*i*)	(*iv*)	(*iii*)
B.	(*iii*)	(*i*)	(*iv*)	(*ii*)
C.	(*iii*)	(*iv*)	(*i*)	(*ii*)
D.	(*ii*)	(*i*)	(*iii*)	(*iv*)

35. आसियान से भारत किस राजमार्ग को वियतनाम तक विस्तार करने की बातचीत कर रहा है?

A. भारत-म्यांमार-थाईलैंड

B. भारत-म्यांमार-कोरिया

C. भारत-म्यांमार-बांग्लादेश

D. भारत-म्यांमार-चीन

36. ब्रेक्जिट के संबंध में निम्न में से कौन-सा कथन सत्य ***नहीं*** है?

A. ब्रेक्जिट का तात्पर्य है यू. के. का यूरोपियन यूनियन को छोड़ना।

B. यूरोपियन यूनियन से संबंध ने यू.के. में भारी आर्थिक भार व बेरोजगारी को जन्म दिया है।

C. ब्रेक्जिट वाद-विषय ने पी.एम. डेविड कैमरून को त्यागपत्र के लिये बाध्य किया।

D. ब्रेक्जिट के पक्ष में मुख्यतया युवा मतदाता ने अपना वोट दिया।

37. निम्न समितियों को कालानुक्रम में व्यवस्थित कीजिए :

(*a*) सतीश चंद्र समिति

(*b*) होता समिति

(*c*) कोठारी समिति

(*d*) योगेन्द्र के. अलघ समिति

नीचे दिए गए विकल्पों में से सही उत्तर का चयन कीजिए :

A. (*a*), (*b*), (*c*) और (*d*)

B. (*c*), (*a*), (*d*) और (*b*)

C. (*b*), (*d*), (*a*) और (*c*)

D. (*d*), (*c*), (*a*) और (*b*)

38. 'हरित प्रदेश' की माँग निम्न में से भारत के किस क्षेत्र से संबंधित है?

A. पश्चिमी उत्तर प्रदेश B. बुंदेलखंड

C. उत्तरांचल D. विदर्भ

39. एन.पी.टी व सी.टी.बी.टी. के संबंध में निम्न वाक्यों में से कौन-सा वाक्य सत्य है?

A. भारत ने एन.पी.टी. हस्ताक्षरित की परन्तु अनुमोदित नहीं की।

B. भारत ने सी.टी.बी.टी. हस्ताक्षरित की।

C. भारत ने एन.पी.टी. हस्ताक्षरित की।

D. भारत ने न ही एन.पी.टी. व सी.टी.बी.टी. हस्ताक्षरित की और न ही अनुमोदित की।

40. सैमुएल पी. हंटिंग्टन के 'लोकतंत्रीकरण की लहर' विश्लेषण में भारत कहाँ स्थित है?

A. प्रथम लहर B. द्वितीय लहर

C. तृतीय लहर D. चतुर्थ लहर

41. स्टेशियोलॉजी अध्ययन है :

A. सांख्यिकी का B. चुनाव का

C. राजनीतिक दल का D. आंदोलन का

42. मदन मोहन पुन्छी आयोग किसके अध्ययन के लिए नियुक्त हुआ?

A. केन्द्र-राज्य संबंध

B. राज्य पुनर्गठन

C. पंचायती राज

D. निर्वाचन क्षेत्रों का परिसीमन

43. प्रधानमंत्री एवं उप-प्रधानमंत्री सहित कुल मंत्रियों की संख्या, अधिक नहीं होगी :

A. लोक सभा के 20% सदस्यों से

B. लोक सभा के 10% सदस्यों से

C. लोक सभा के 15% सदस्यों से

D. लोक सभा के 25% सदस्यों से

44. 27 मार्च, 2019 को भारत द्वारा उपग्रह-भेदी प्रक्षेपास्त्र परीक्षित किये जाने को माना गया :

A. मिशन अन्तरिक्ष B. मिशन भारत

C. मिशन शक्ति D. मिशन ए-सैट

45. निम्न में से कौन-सा हिंसात्मक गैर-राज्य अभिकर्ता नहीं है?

A. आइ.एस.आइ.एस. B. बोकोहरम

C. पी.एल.ओ. D. हेजोबोलाह

46. निम्न में से कौन-सा राष्ट्रीय मानव अधिकार आयोग का नोडल मंत्रालय है?

A. मानव संसाधन विकास मंत्रालय

B. सामाजिक न्याय एवं अधिकारिता मंत्रालय

C. गृह मंत्रालय

D. कार्मिक, लोक शिकायत एव पेंशन मंत्रालय

47. 'द इंटेलेक्चुअल क्राइसिस इन अमेरिकन पब्लिक ऐडमिनिस्ट्रेशन' पुस्तक किससे संबंधित है?

A. लोक चयन उपागम

B. नव लोक प्रशासन

C. पारिस्थितिकी उपागम

D. निर्णय-निर्माण उपागम

48. कैबिनेट मिशन योजना के सदस्य थे :

A. लॉर्ड पैथिक-लॉरेंस, सर स्टेफर्ड क्रिप्स और ए.वी. अलेक्जेंडर

B. सर स्टेफर्ड क्रिप्स, ए.वी. एलेक्जेंडर और लॉर्ड वेवल

C. लॉर्ड पैथिक-लॉरेंस, ए.वी. एलेक्जेंडर और लॉर्ड रिपन

D. सर स्टेफर्ड क्रिप्स, लॉर्ड माउंटबैटन और लॉर्ड पेथिक-लॉरेंस

49. सूची-I को सूची-II से सुमेलित कीजिए :

सूची-I *(लेखक)*	**सूची-II** *(धारणा)*
(*a*) डेविड ईस्टन	(*i*) विकास सिन्ड्रोम
(*b*) लुशियन पाई	(*ii*) राजनीतिक मानव
(*c*) सैमुएल पी. हंटिंग्टन	(*iii*) ब्लैक बॉक्स
(*d*) सेम्यौर मार्टिन लिप्सेट	(*iv*) लोकतंत्रीकरण की लहर

दिए गए विकल्प में से सही उत्तर का चयन कीजिए :

	(*a*)	(*b*)	(*c*)	(*d*)
A.	(*iii*)	(*i*)	(*ii*)	(*iv*)
B.	(*i*)	(*iii*)	(*iv*)	(*ii*)
C.	(*iii*)	(*i*)	(*iv*)	(*ii*)
D.	(*ii*)	(*iii*)	(*iv*)	(*i*)

50. प्रसन्नता सूचकांक निम्न में से किस देश की सृजना है?

A. भूटान B. नेपाल

C. यू.के D. स्विट्जरलैंड

51. इनमें से कौन नव लोक प्रशासन के कथ्यों को पाँच मदों के अंतर्गत संक्षेपित करते हैं—प्रासंगिकता, मूल्य, सामाजिक क्षमता, परिवर्तन और ग्राहक-केन्द्रित?

A. फ्रैंक मेरीनी

B. डी. वाल्डो

C. एफ.डब्ल्यू. टेलर

D. एम.पी. फॉलेट

52. निम्न में से कौन-सा स्वैच्छिक संगठनों एवं गैर-सरकारी संगठनों के मध्य अंतर का आधार नहीं है?

A. लोकहितैषी

B. सदस्यता

C. निधियन

D. पंथनिरपेक्षीय एवं लोकतांत्रित मूल्यों के प्रति प्रतिबद्धता

53. भारत में कौन-सा सबसे बड़ा जी-20 निवेशक देश है?

A. जापान B. अमेरिका

C. यू.के. D. ब्राजील

54. 'jus in bello' पद का क्या अभिप्राय है?

A. युद्ध की ओर उचित प्रस्थान

B. वैध बल का सीमित प्रयोग

C. युद्ध का उचित संचालन

D. उपर्युक्त सभी

55. पाकिस्तान के साथ 'सिन्धु जल समझौते' के अन्तर्गत भारत का किन नदियों पर अनन्य अधिकार है?

A. चेनाब, रावी, ब्यास

B. रावी, ब्यास, सतलज

C. ब्यास, सतलज, झेलम

D. रावी, चेनाब, झेलम

56. 'फ्लाइंग बीस' शब्दबंध निम्न में से किस संस्था से जुड़ा है?

A. आसियान

B. सार्क

C. शंघाई कोऑपरेशन ऑर्गनाइजेशन

D. ब्रिक्स

57. निम्न में से विकास पर भ्रष्टाचार के नकारात्मक प्रभाव कौन-कौन से हैं?

(*a*) निम्नस्तरीय सामाजिक सेवाएँ

(*b*) निम्न आर्थिक वृद्धि

(*c*) उच्च कर बोझ और सीमित सेवाएँ

(*d*) कृषकों को उनके उत्पादन की बिक्री के कम अवसर

दिए गए विकल्पों में से सही उत्तर का चयन कीजिए :

A. केवल (*a*) और (*b*)

B. केवल (*b*) और (*d*)

C. (*b*), (*c*) और (*d*)

D. (*a*), (*b*), (*c*) और (*d*)

58. सूची-I को सूची-II से सुमेलित कीजिए :

सूची-I *(लोक प्रशासन के क्रमविकास के स्तर)*	सूची-II *(अवधि)*
(*a*) अस्मिता का संकट	(*i*) 1938-1947
(*b*) चुनौती का युग	(*ii*) 1927-1937
(*c*) प्रशासन के सिद्धांत	(*iii*) 1887-1926
(*d*) राजनीति-प्रशासन द्विविभाजन	(*iv*) 1948-1970

दिए गए विकल्प में से सही उत्तर का चयन कीजिए :

	(*a*)	(*b*)	(*c*)	(*d*)
A.	(*ii*)	(*i*)	(*iii*)	(*iv*)
B.	(*iv*)	(*i*)	(*ii*)	(*iii*)
C.	(*iv*)	(*ii*)	(*i*)	(*iii*)
D.	(*iv*)	(*iii*)	(*ii*)	(*i*)

59. भारत ने किस देश के साथ सुखोई एसयू-30 एम.के.आइ. लड़ाकू विमान बेड़े के लिये दीर्घावधि समझौता हस्ताक्षरित किया है?

A. अमरीका

B. जापान

C. इजराइल

D. रूस

60. भारत की पश्चिम दृश्य (Look West) नीति भारत के संबंधों की किसके साथ व्यापकता व विस्तार का पक्ष-पोषण करती है?

A. पश्चिमी देश

B. यूरोपियन यूनियन

C. पश्चिमी एशियाई देश

D. अफ्रीका व दक्षिण अमेरिका

61. निम्न में से कौन-सा सिद्धांत परम्परागत सिद्धांत कहलाता है?

A. संगठन सिद्धांत

B. मानव संबंध सिद्धांत

C. वैज्ञानिक प्रबंधन सिद्धांत

D. नौकरशाही सिद्धांत

62. भारत में चुनाव आयोग द्वारा परिभाषित निम्न में से कौन-सा राजनीतिक दल का वर्णित वर्ग नहीं है?

A. राष्ट्रीय दल

B. राज्य दल

C. क्षेत्रीय दल

D. पंजीकृत (अमान्यता प्राप्त) दल

63. 'अभिजन में परिसंचरण' निम्न में से किससे निकटता से संबंधित है?

A. अभिजन का क्रमावर्तन

B. अभिजन का प्रतिस्थापन

C. अभिजन का प्रतिधारण

D. अभिजन का पुनर्स्थापन

64. नीचे दो कथन दिए गए हैं, जिनमें से एक अभिकथन (A) है और दूसरा तर्क (R) है।

अभिकथन (A): पर्यवेक्षक के पर्यवेक्षण के लिए व्यक्तियों की कोई आदर्श संख्या नहीं है।

तर्क (R): कार्य, समय, स्थान और सत्ता प्रत्यायोजन जैसे कारकों की परिवर्तनीयता के कारण नियंत्रण का क्षेत्र परिवर्तित होता है।

उपर्युक्त दोनों कथनों के आधार पर नीचे दिए गए विकल्पों में से सही उत्तर चुनिए:

A. (A) और (R) दोनों सही हैं तथा (R), (A) की सही व्याख्या है।

B. (A) और (R) दोनों सही हैं, परन्तु (R), (A) की सही व्याख्या नहीं है।

C. (A) सही है, परन्तु (R) गलत है।

D. (A) गलत है, परन्तु (R) सही है।

65. किस केस में यह निर्णय दिया गया कि उद्देशिका संविधान का भाग नहीं है?

A. केशवानंद भारती केस

B. मेनका गांधी केस

C. विशाखा केस

D. बेरुबाड़ी केस

66. किसने कहा कि, "निर्धन निर्धन हैं इसलिये नहीं कि उनके पास कुछ नहीं है, बल्कि इसलिये कि वे क्या नहीं कर सकते हैं"?

A. हंस सिंगर | B. अमर्त्य सेन

C. महबूब उल हक | D. हर्ष मन्देर

67. किसने कहा, "जब कूटनीति का अन्त होता है, तो युद्ध आरम्भ होता है?"

A. अडोल्फ हिटलर

B. नेपोलियन बोनापार्ट

C. हंस मॉर्गेन्थाओ

D. माओत्से तुंग

68. निम्न में से किस आयोग/समिति ने प्रत्येक जिले में नगरीय एवं ग्रामीण प्रतिनिधित्व के लिए जिला परिषद् के सृजन की अनुशंसा की?

A. बलवंत राय मेहता समिति

B. एल.एम. सिंघवी समिति

C. अशोक मेहता समिति

D. द्वितीय प्रशासनिक सुधार आयोग

69. भारत की लोकतांत्रिक राजनीति में निम्न राजनीतिक दलों के प्रवेश के आरोही क्रम को कालानुक्रम में व्यवस्थित कीजिए:

(*a*) महाराष्ट्र नवनिर्माण सेना

(*b*) तेलंगाना राष्ट्र समिति

(*c*) अखिल भारतीय तृणमूल कांग्रेस

(*d*) राष्ट्रीय कांग्रेस पार्टी

सही उत्तर का चयन कीजिए:

A. (*a*), (*b*), (*c*) और (*d*)

B. (*c*), (*d*), (*b*) और (*a*)

C. (*c*), (*d*), (*a*) और (*b*)

D. (*d*), (*c*), (*b*) और (*a*)

70. निम्न में से कौन-सा असंगत युग्म है?

A. समाविष्ट घट : यू.एस.ए.

B. क्वथन घट : इजराइल

C. सलाद कटोरा : भारत

D. फल कटोरा : यू.के.

71. सूचना के अधिकार द्वारा राजनीतिक-प्रशासनिक व्यवस्था में निम्न में से किन विशिष्टताओं का प्रारंभ किया गया?

(*a*) सावधानी | (*b*) देख-रेख

(*c*) सतर्कता | (*d*) लाल-फीताशाही

नीचे दिए गए विकल्पों में से सर्वाधिक उपयुक्त उत्तर का चयन कीजिए :

A. (*a*), (*b*), (*c*) और (*d*)

B. (*a*), (*b*) और (*c*)

C. (*b*), (*c*) और (*d*)

D. (*b*) और (*d*)

72. सूची-I को सूची-II से सुमेलित कीजिए :

सूची-I *(व्यवस्था)*	**सूची-II** *(अनुच्छेद)*
(*a*) चुनावी व्यवस्था	(*i*) 243-243 (O)
(*b*) संघ और राज्यों के अंतर्गत सेवाएँ	(*ii*) 124-147
(*c*) पंचायतें	(*iii*) 324-329
(*d*) संघ स्तर पर न्यायिक व्यवस्थाएँ	(*iv*) 308-323

दिए गए विकल्प में से सही उत्तर का चयन कीजिए :

	(*a*)	(*b*)	(*c*)	(*d*)
A.	(*iii*)	(*iv*)	(*i*)	(*ii*)
B.	(*ii*)	(*i*)	(*iv*)	(*iii*)
C.	(*iii*)	(*i*)	(*iv*)	(*ii*)
D.	(*i*)	(*ii*)	(*iii*)	(*iv*)

73. निम्न में से कौन-सा हंस जे. मॉर्गेंथाऊ द्वारा लिखित पुस्तक का पूर्ण शीर्षक है?

A. पॉलिटिक्स अमंग नेशन्स

B. पॉलिटिक्स विदिन नेशन्स

C. पॉलिटिक्स अमंग नेशन्सः द स्ट्रगल फॉर पावर एण्ड पीस

D. पॉलिटिक्स अमंग नेशन्स : द स्ट्रगल फॉर पीस एण्ड पावर

74. किस अन्तर्राष्ट्रीय समझौते ने राज्यों को 'पहली बार' ग्रीनहाउस उत्सर्जन की कटौती पर वैधिक रूप से बाध्य लक्ष्य दिये?

A. कोपेनहेगन 2009

B. क्योटो प्रोटोकॉल 1997

C. डरबन कॉन्फेरेन्स 2011

D. रिओ डि जेनेरियो 1992

75. श्रमिकों, कृषकों एवं समाज के सीमांत वर्गों का प्राधान्य 'नव-लोकतंत्र', के रूप में निम्न में से किससे संबंधित है?

A. उपाश्रित स्कूल

B. मार्क्सवादी स्कूल

C. उत्तर-व्यवहारवादी स्कूल

D. उत्तर-आधुनिक स्कूल

76. इनमें से किसने यह पूर्वानुमान लगाया कि 20वीं शताब्दी में औद्योगिकीकरण की माँगों के अनुरूप नव सामाजिक व्यवस्थाओं की सुयोग्यतावश नौकरशाही अनुपयुक्त हो जायेगी?

A. वारेन बेन्निस B. मैक्स वेबर

C. पीटर ब्लाऊ D. मार्टिन एल्ब्रो

77. 2017 में संयुक्त राष्ट्र की निम्न में से किस कार्यकारी मण्डल पर भारत को पुनर्निर्वाचित किया गया?

A. यूनेस्को B. यू.एन.डी.पी.

C. यूनीसेफ D. यू.एन.ए.आई.डी.

78. भारत व यूरोपियन यूनियन के व्यापार संबंधों को प्रोत्साहित करने के लिये किस क्रियाविधि को स्थापित किया?

A. अन्तर्राष्ट्रीय सुसाधन क्रियाविधि

B. निवेश सुसाधन क्रियाविधि

C. वैश्विक सुसाधन क्रियाविधि

D. ई.यू.-भारत सुसाधन क्रियाविधि

79. निम्न में से कौन-से आयोग सांविधिक निकाय हैं?

(*a*) राष्ट्रीय अनुसूचित जनजाति आयोग

(*b*) राष्ट्रीय मानवाधिकार आयोग

(*c*) राष्ट्रीय अल्पसंख्यक आयोग

(*d*) राष्ट्रीय अनुसूचित जाति आयोग

दिए गए विकल्पों में से सही उत्तर का चयन कीजिए :

A. (*a*) और (*b*) B. (*b*), (*c*) और (*d*)

C. (*a*) और (*d*) D. (*b*) और (*c*)

80. नीति आयोग है :

A. एक स्टॉफ अभिकरण

B. एक सूत्र (लाइन) अभिकरण

C. एक सहायक अभिकरण

D. न तो स्टॉफ और न ही सूत्र (लाइन) अभिकरण

81. संविधान में निम्नांकित सेवाओं में से किस एक का वर्णन नहीं है?

A. भारतीय प्रशासनिक सेवा (IAS)

B. भारतीय पुलिस सेवा (IPS)

C. भारतीय विदेश सेवा (IFS)

D. भारतीय न्यायिक सेवा (IJS)

82. सूची-I को सूची-II से सुमेलित कीजिए :

सूची-I *(लेखक)*	**सूची-II** *(पुस्तकें)*
(*a*) ग्रेनविल ऑस्टिन	(*i*) द गवर्नमेंट एंड पॉलिटिक्स ऑफ इंडिया
(*b*) मोरिस जोन्स	(*ii*) सम करेक्टरेस्टिक्स ऑफ इंडियन कॉन्सटीट्यूशन
(*c*) एम.वी. पायली	(*iii*) द इंडियन कॉन्स्टीट्यूशनः कॉर्नरस्टोन ऑफ ए नेशन
(*d*) आइवर जैनिंग्स	(*iv*) कॉन्स्टीट्यूशनल गवर्नमेंट इन इंडिया

दिए गए विकल्पों में से सही उत्तर का चयन कीजिए :

	(*a*)	(*b*)	(*c*)	(*d*)
A.	(*iii*)	(*i*)	(*iv*)	(*ii*)
B.	(*ii*)	(*iv*)	(*i*)	(*iii*)
C.	(*iii*)	(*i*)	(*ii*)	(*iv*)
D.	(*iii*)	(*ii*)	(*i*)	(*iv*)

83. निम्नलिखित विकास कार्यक्रमों को आरोही क्रम में व्यवस्थित कीजिए :

(*a*) प्रधानमंत्री ग्राम सड़क योजना

(*b*) इंदिरा आवास योजना

(*c*) दीन दयाल उपाध्याय ग्राम ज्योति योजना

(*d*) अटल पेंशन योजना

दिए गए विकल्पों में से सही उत्तर का चयन कीजिए :

A. (*b*), (*a*), (*d*) और (*c*)

B. (*a*), (*b*), (*c*) और (*d*)

C. (*b*), (*a*), (*c*) और (*d*)

D. (*a*), (*b*), (*d*) और (*c*)

84. निम्न में से किस देश के साथ भारत ने 'व्यापक आर्थिक साझेदारी समझौता' हस्ताक्षरित किया?

A. अमेरिका | B. रूस

C. जापान | D. इजराइल

85. एकमात्र जनजातीय नेता, जिन्हें भारतीय संसद के संग्रहालय में चित्रण द्वारा सम्मानित किया गया है :

A. बिसोई | B. बिरसा मुंडा

C. कान्हो | D. भागीजी नाईक

86. लोकपाल और लोकायुक्त अधिनियम के अन्तर्गत किसी व्यक्ति को लोकपाल का अध्यक्ष नियुक्त किया जा सकता है, यदि वह :

(*a*) भारत का मुख्य न्यायाधीश हो अथवा रह चुका हो

(*b*) उच्चतम न्यायालय का न्यायाधीश हो अथवा रह चुका हो

(*c*) प्रतिष्ठित व्यक्ति हो अथवा रह चुका हो

(*d*) 10 वर्ष के अनुभव वाला प्रशासक हो अथवा रह चुका हो

दिए गए विकल्पों में से सही उत्तर का चयन कीजिए :

A. (*a*), (*b*), (*c*) और (*b*)

B. (*a*), (*b*) और (*d*)

C. (*a*), (*b*) और (*c*)

D. (*b*), (*c*) और (*d*)

87. निम्न में कौन-सी नियुक्तियाँ भारत के राष्ट्रपति द्वारा उनके हस्ताक्षर एवं मुहर लगे आज्ञापत्र से की जाती है?

(*a*) भारत के उच्चतम न्यायालय के न्यायाधीश

(*b*) राज्य के राज्यपाल

(*c*) संघ लोक सेवा आयोग के अध्यक्ष

(*d*) भारत के महान्यायवादी

दिए गए विकल्पों में से सही उत्तर का चयन कीजिए :

A. (*a*), (*b*), (*c*) और (*b*)

B. (*a*), (*b*) और (*c*)

C. (*a*), (*b*) और (*d*)

D. (*a*) और (*b*)

88. निम्न में से किस भारतीय परंपरा को हाल ही में 'मानवता की अमूर्त सांस्कृतिक विरासत' घोषित किया गया?

A. कुंभ | B. योग

C. नौराज | D. बीहू

89. निम्नलिखित में से वैज्ञानिक प्रबंध की मुख्य विशेषताएँ क्या हैं?

(*a*) एकल प्रशासनिक विज्ञान जिसके सिद्धांत न केवल व्यापार बल्कि सरकार, धर्म और अन्य संगठनों पर भी लागू होते हैं

(*b*) कार्यात्मक फोरमैनशिप

(*c*) योजना एवं क्रियान्वयन का पृथक्करण

(*d*) विभेदात्मक खण्डशः कार्ययोजना

दिए गए विकल्पों में से सर्वाधिक उपयुक्त विकल्प का चयन कीजिए :

A. (*b*), (*c*) और (*d*)

B. (*a*), (*b*) और (*d*)

C. (*a*), (*b*), (*c*) और (*d*)

D. (*b*) और (*d*)

90. संस्थावाद तथा नव-संस्थावाद के मध्य मौलिक अंतर को मुख्यतः किस सिद्धांत पर आधारित किया जा सकता है?

A. निगमनात्मक

B. आगमनात्मक

C. प्रयोगात्मक

D. अन्वेषणात्मक

91. 'क्लैश ऑफ सिविलाइजेशन' का अर्थ है :

A. धार्मिक संघर्ष पाठन की मुख्य धारा होगी

B. पश्चिम की सांस्कृतिक व राजनैतिक वंशागति की अस्वीकृति

C. नैतिक मूल्यों पर घोर असहमति

D. संघर्ष प्रमुख रूप से वैचारिक व आर्थिक न होकर, सांस्कृतिक चरित्र का होगा

92. निम्न में से किसने लोक प्रशासन एवं निजी प्रशासन के मध्य अंतर किया है?

(*a*) पॉल एपिलबी

(*b*) एल.डी. व्हाइट

(*c*) हर्बर्ट साइमन

(*d*) सर जोसिया स्टैम्प

दिए गए विकल्पों में से सही उत्तर का चयन कीजिए :

A. केवल (*a*) और (*b*)

B. केवल (*b*) और (*c*)

C. केवल (*a*), (*c*) और (*d*)

D. (*a*), (*b*), (*c*) और (*d*)

93. भारत का सर्वोच्च न्यायालय किसके द्वारा संघ और राज्यों के मध्य विवादों को अधिनिर्णित करता है?

A. अपीलीय अधिकारिता

B. प्रारंभिक अधिकारिता

C. सलाहकारी अधिकारिता

D. लेख अधिकारिता

94. क्रान्ति की 'ज्वर' से किसने तुलना की?

A. थेडा स्कॉकपॉल

B. बैरिंग्टन मूर

C. क्रेन ब्रिंटन

D. फ्रांसिन आर. फ्रैंकल

95. नीचे दो कथन दिए हैं, जिनमें से एक अभिकथन (A) है और दूसरा तर्क (R) है।

अभिकथन (A): राष्ट्र और राष्ट्रवाद को विविध प्रकार से परिभाषित एवं संकल्पित तो किया जा सकता है, किन्तु इन्हें समान सिद्धान्तीकरण द्वारा समानीकृत नहीं किया जा सकता।

तर्क (R): राष्ट्र और राष्ट्रवाद पर विमर्श तो हो सकता है किन्तु समान सिद्धांत नहीं।

उपर्युक्त दोनों कथनों के आधार पर नीचे दिए गए विकल्पों में से सही उत्तर चुनिए :

A. (A) और (R) दोनों सही हैं तथा (R), (A) की सही व्याख्या है।

B. (A) और (R) दोनों सही हैं, परन्तु (R), (A) की सही व्याख्या नहीं है।

C. (A) सही है, परन्तु (R) गलत है।

D. (A) गलत है, परन्तु (R) सही है।

96. निम्न में से कौन-सा योजना अवकाश/प्लान हॉलीडेज से असंगत है?

A. ये लघु-अवधि आकस्मिक योजनाएँ थीं।

B. इन योजनाओं की अवधि 1966-69 थी।

C. युद्ध, मुद्रास्फीति एवं सूखा इन योजनाओं के मुख्य कारण थे।

D. योजना अवकाश पहले तीन पंचवर्षीय योजनाओं की विफलता के कारण आरंभ हुए।

97. आंतरिक सम्प्रेषण हो सकता है :

A. केवल ऊर्ध्वगामी

B. केवल अधोगामी

C. केवल ऊर्ध्वगामी व अधोगामी

D. ऊर्ध्वगामी, अधोगामी एवं आर-पार

98. निम्न में से कौन-से कर संघ द्वारा उद्ग्रहित किए जाते हैं किन्तु राज्यों द्वारा संग्रहित एवं विनियोजित होते हैं?

(*a*) स्टाम्प ड्यूटी

(*b*) औषधीय एवं प्रसाधन सामग्रियों पर उत्पाद शुल्क

(*c*) बिक्री कर

(*d*) भू-राजस्व

दिए गए विकल्पों में से सही उत्तर का चयन कीजिए :

A. केवल (*a*) और (*b*)

B. केवल (*b*) और (*c*)

C. (*a*), (*b*) और (*c*)

D. केवल (*c*) और (*d*)

99. संगठन में संघर्ष समाधन के लिए मेरी पार्कर फॉलेट ने निम्न में से कौन-से मार्ग सुझाये हैं?

(*a*) आधिपत्य (*b*) समझौता

(*c*) समर्पण (*d*) एकीकरण

दिए गए विकल्पों में से सर्वाधिक उपयुक्त विकल्प चुनिए :

A. (*a*), (*b*) और (*c*)

B. (*a*), (*b*) और (*d*)

C. (*b*), (*c*) और (*d*)

D. (*a*), (*b*), (*c*) और (*d*)

100. शब्दबंध 'ए.बी.सी.डी.' निम्न में से मुख्यतः किससे संबंधित है?

A. राज्यों का निर्माण

B. राज्यों का पुनर्गठन

C. राज्यों का विकेन्द्रीकरण

D. राज्यों का संस्थाकरण

उत्तरमाला

1	**2**	**3**	**4**	**5**	**6**	**7**	**8**	**9**	**10**
D	B	A	A	D	D	A	A	D	A
11	**12**	**13**	**14**	**15**	**16**	**17**	**18**	**19**	**20**
D	A	D	D	C	D	C	C	A	B
21	**22**	**23**	**24**	**25**	**26**	**27**	**28**	**29**	**30**
A	B	D	B	A	C	A	A	C	B
31	**32**	**33**	**34**	**35**	**36**	**37**	**38**	**39**	**40**
D	A	B	B	A	D	B	A	D	B
41	**42**	**43**	**44**	**45**	**46**	**47**	**48**	**49**	**50**
C	A	C	C	C	C	A	A	C	A
51	**52**	**53**	**54**	**55**	**56**	**57**	**58**	**59**	**60**
A	D	C	C	B	A	D	B	D	C
61	**62**	**63**	**64**	**65**	**66**	**67**	**68**	**69**	**70**
A	C	A	A	D	B	A	D	B	D
71	**72**	**73**	**74**	**75**	**76**	**77**	**78**	**79**	**80**
B	A	C	B	A	A	A	B	D	A
81	**82**	**83**	**84**	**85**	**86**	**87**	**88**	**89**	**90**
*	A	A	C	B	C	D	A	A	C
91	**92**	**93**	**94**	**95**	**96**	**97**	**98**	**99**	**100**
D	C	B	C	A	D	D	A	B	A

* Error in Question/Option

व्याख्यात्मक उत्तर

1. सुधारक और हरिजन समाचार-पत्र के सम्पादक बाल गंगाधर तिलक नहीं थे। उन्होंने केसरी और मराठा समाचार पत्रों का सम्पादन किया था। गोपाल गणेश अगरकर महाराष्ट्र के समाज सुधारक एवं पत्रकार थे। वे मराठी के प्रसिद्ध समाचार-पत्र केसरी के प्रथम सम्पादक थे। किन्तु बाल गंगाधर तिलक से वैचारिक मतभेद के कारण उन्होंने केसरी का सम्पादकत्व छोड़कर सुधारक नामक पत्रिका का प्रकाशन आरम्भ किया।

   हरिजन नामक साप्ताहिक पत्रिका का प्रकाशन गांधीजी ने किया था। हरि का अर्थ है ''ईश्वर या भगवान'' और जन का अर्थ है ''लोग''। गाँधीजी ने ''हरिजन'' शब्द का प्रयोग हिन्दू समाज के उन समुदायों के लिए करना शुरू किया था जो सामाजिक रूप से बहिष्कृत माने जाते थे। इनके साथ सवर्ण जाति के लोग छुआछूत का व्यवहार करते थे। सामाजिक पुनर्निर्माण और इनके साथ भेद-भाव समाप्त करने के लिए गाँधीजी ने उन्हें ये नाम दिया था और बाद में इसी नाम से एक समाचार-पत्र भी निकाला जिसमें इस सामाजिक बुराई के लिए वे नियमित लेख लिखते थे।

2. नारीवादियों का तर्क है कि महिला मूल्य मुख्यतः प्रदत्त सामाजिक भूमिकाओं पर आधारित है। नारीवाद एक ऐसा दर्शन है, जिसका उद्देश्य है–समाज में महिलाओं की विशेष स्थिति के कारणों का पता लगाना और उनकी बेहतरी के लिए वैकल्पिक समाधान प्रस्तुत करना। नारीवादी-आंदोलन के आरंभिक संकेत 18वीं और 19वीं शताब्दी के यूरोपीय चिंतन में ढूंढे जा सकते हैं। उदारवादी परंपरा के अंतर्गत मेरी वॉल्स्टनक्राफ्ट की कृति 'Vindication of the Rights of Women—1793' में स्त्रियों को कानूनी, राजनीतिक और शैक्षिक क्षेत्रों में समानता प्रदान करने के लिए शानदार पैरवी की गई थी। वॉल्सटनक्राफ्ट ने विशेष रूप से स्त्री-पुरुष के लिए पृथक-पृथक सद्गुणों की प्रचलित धारणाओं को चुनौती देते हुए सामाजिक जीवन में स्त्री-पुरुष की एक-जैसी स्थिति और भूमिका की मांग की।

   इस विचारधारा के अनुसार स्त्री के शोषण का अंत करने का सही तरीका यह होगा कि लिंग पर आधारित श्रम-विभाजन को समाप्त कर दिया जाए। इसके लिए परंपरागत मूल-परिवार का पुनर्गठन करना होगा और अंततः उसे समाप्त कर देना होगा।

3. जे.एस. मिल का कथन है कि मनुष्य की विचार-अभिव्यक्ति की स्वतंत्रता पर प्रतिबंध लगाना वर्तमान एवं भविष्य की नस्लों को लूटने के समान है। स्वतंत्रता के महत्व को रेखांकित करते हुए मिल ने विशेष रूप से 3 तरह की स्वतंत्रता पर बल दिया है :

   (*i*) अंतरात्मा की स्वतंत्रता;

   (*ii*) अपनी अभिरूचियाँ विकसित करने और अपनी तरह का काम करने की स्वतंत्रता; तथा

   (*iii*) किसी उद्देश्य की पूर्ति के लिए संगठन बनाने की स्वतंत्रता।

   अभिव्यक्ति की स्वतंत्रता को उचित ठहराने के लिए मिल ने उपयोगितावादी और नैतिकतावादी दोनों तरह के तर्क का सहारा लिया है। उपयोगितावादी तर्क के अनुसार, विवेकसम्मत ज्ञान सामाजिक कल्याण का आधार है। दूसरी ओर, नैतिकतावादी तर्क के अनुसार, वैयक्तिक आत्म-निर्णय मनुष्य का मूल अधिकार है जो उसमें नैतिक दायित्व की भावना विकसित करने के लिए अनिवार्य है।

   यदि व्यक्ति को परस्पर विरोधी विचारों में से अपनी अंतरात्मा के अनुसार चयन करने की स्वतंत्रत न हो तो नैतिक और विवेकशील प्राणी के नाते वह अपनी उपयुक्त गरिमा से वंचित हो जाएगा। अतः समाज में परस्पर विरोधी विचारों की अभिव्यक्ति की स्वतंत्रता आवश्यक सिद्ध होती है।

   मिल ने तर्क दिया कि अल्पमत को यहाँ तक कि अकेले व्यक्ति को भी अपनी राय प्रकट करने का उतना ही अधिकार होना चाहिए जितना बहुमत को होता है। किसी भी मत का दमन करना सर्वथा अनुचित है, चाहे वह सच

हो या झूठ हो। कोई बात इसलिए सच नहीं हो जाती कि उसे बहुत ज्यादा लोग मानते हैं, और इसलिए झूठ नहीं हो जाती कि उसे बहुत कम लोग मानते हैं।

अतः सबसे पहले हर तरह के मत को प्रकट होने का अवसर मिलना चाहिए। यदि वह सच होगा तो उसका दमन करने से समाज सत्य के लाभ से वंचित हो जाएगा। यदि वह झूठ होगा तो उसका दमन करने से समाज सत्य के विस्तृत ज्ञान से वंचित हो जाएगा क्योंकि झूठ से टकराने के बाद सत्य अधिक स्पष्ट और प्रभावशाली रूप में सामने आता है। यदि वह कुछ सच और कुछ झूठ होगा तो उसकी अभिव्यक्ति हो जाने पर हमें सम्पूर्ण सत्य को जानने और समझने में सहायता मिलेगी। इस तरह परस्पर-विरोधी मतों के मुक्त प्रचार-प्रसार से समाज को लाभ ही लाभ है।

4. मैक्यावली के दर्शन में साध्य साधनों की उपयोगिता को पुष्ट करता है क्योंकि 'द प्रिंस' का मुख्य ध्येय राज्य की एकता एवं अखण्डता लाना है। उसके अनुसार यदि कोई कार्य या वस्तु राज्य के लिए लाभदायक और उपयोगी है तो उसे नैतिक मानना चाहिए। ठीक इसके विपरीत यदि उससे राज्य का अहित होता है तो उसे अनैतिक करार दिया जाना चाहिए। इससे स्पष्ट है कि मैक्यावली ने नैतिकता को राज्य के हित का एक साधन माना है। उसने अपने प्रिंस को यह अधिकार दिया है कि वह अपने साध्य की सिद्धि के लिए कोई भी साधन अपना सकता है। शासक की सफलता और उसके लक्ष्य की सिद्धि ही, मैक्यावली के अनुसार शासक द्वारा अपनाए गए साधनों के औचित्य की कसौटी है।

उपर्युक्त बातों से जाहिर है कि मैक्यावली की नैतिकता की धारणा सामान्य जनता और व्यक्ति की नैतिकता विषयक धारणा के सर्वथा विपरीत थी। सामान्यतया जिसे अनैतिक माना जाता है, वह मैक्यावली के राज्यदर्शन में राजा की लक्ष्य-सिद्धि के कारण नैतिक हो जाता है। दूसरे शब्दों में, मैक्यावली के अनुसार साध्य साधन के औचित्य को बतलाता है। शासक अथवा राजा चाहे जैसा भी हो जनता को उसकी आज्ञा का पालन करना चाहिए। राजा विजय प्राप्त करने तथा राज्य की सुरक्षा के लिए जो भी साधन अपनाता है उसे सदैव आदर और प्रशंसा मिलती रहनी चाहिए।

6. रोजा लक्जमबर्ग नव-मार्क्सवाद से सम्बन्धित नहीं हैं। लक्जमबर्ग यूरोपीय मार्क्सवादी क्रांतिकारी थी। नव-मार्क्सवादी चिंतकों में एंटोनियो ग्राम्शी, जॉर्ज ल्यूकाच, थ्योडोर एडोर्नो, मैक्स, हारर्वाइमर, लुई आल्थ्यूजर, एरिक फ्रॉम, ज्यां पाल सार्त्र, फ्रांज फैनन, चेग्वेवारा, हर्बर्ट मर्क्यूजे, युर्गेन हेबरमास के नाम प्रमुख हैं।

नव-मार्क्सवाद मार्क्सवादी चिंतन में नए मोड़ का संकेत देता है। यह मार्क्सवाद की कुछ पुरानी मान्यताओं से हटकर नई दिशाओं में सोचने का ढंग है। हालांकि यह मार्क्सवाद की कुछ बुनियादी मान्यताओं को अस्वीकार नहीं करता। उदाहरण के लिए, यह समाज के वर्ग चरित्र का खण्डन नहीं करता, परंतु वर्ग संघर्ष को केवल आर्थिक मुद्दों पर पूंजीपति या बुर्जुवा और सर्वहारा वर्गों का सीधा टकराव नहीं मानता। यह समकालीन समाज में विभिन्न स्तरों पर–जैसे कि आर्थिक, राजनीतिक, सांस्कृतिक और मनोवैज्ञानिक स्तरों पर प्रभुत्व और पराधीनता के गूढ़ तरीकों का विश्लेषण करता है। यह पूंजीवाद का विरोधी है, और उसे हटाने के लिए कृतसंकल्प है। परंतु यह पूंजीवाद को केवल उत्पादन के साधनों के स्वामित्व पर आधारित आर्थिक प्रणाली के रूप में नहीं देखता, बल्कि एक विस्तृत आर्थिक-राजनीतिक-सांस्कृतिक प्रणाली के रूप में देखता है, और इस विश्लेषण के संदर्भ में मनुष्य की स्वतंत्रता की समस्या पर विचार करता है। पूंजीवादी विचारधारा और संस्कृति के प्रभुत्व को क्षीण करने के लिए नवमार्क्सवाद एक विरोधी संस्कृति या प्रतिसंस्कृति के विकास को बढ़ावा देता है। फिर, इसमें परंपरागत मार्क्सवाद से जुड़े हुए ऐतिहासिक भौतिकवाद से हटकर चेतना को मार्क्सीय सामाजिक विश्लेषण के मुख्य घटक के रूप में देखा जाता है।

7. 'किसी अन्य को निकृष्ट बनाए बिना कुछ को उत्कृष्ट बनाना' पैरेटो के इष्टतम (Optimality) सिद्धांत से संबंधित है। अर्थशास्त्र के इतिहास में विलफ्रेडो पैरेटो का नाम एक ऐसे विद्वान के रूप में दर्ज है जिसने इस अनुशासन को पहले तो गणितीय और वैज्ञानिक आधार देने की भूमिका निभायी और फिर उसे ऐतिहासिक और

समाजशास्त्रीय अंतर्दृष्टियों से सम्पन्न करने के लिए काम किया। पैरेटो के मुताबिक बिना किसी का नुकसान किए अगर हर व्यक्ति की बेहतरी हो सके तो आर्थिक कल्याण में सुधार हो सकता है। यह अनुकूलतम परिस्थिति पैदा हो सके इसलिए लाजिमी समझा गया कि उपभोक्ताओं के स्तर पर जिस सीमांत दर से उपभोग में प्रतिस्थापन हो, उसी सीमांत दर से उत्पादक अपने उत्पादन में तब्दीली करें। पैरेटो के अनुसार केवल ऐसा होने पर ही सभी उत्पादन प्रक्रियाओं की सीमांत लागत सीमांत आमदनी के बराबर हो सकती है।

8. एकात्मक मानववाद (Integral Humanism) मानव जीवन व सम्पूर्ण सृष्टि के एकमात्र सम्बन्ध का दर्शन है। इसका वैज्ञानिक विवेचन पंडित दीनदयाल उपाध्याय ने किया था। एकात्म मानववाद, राष्ट्रीय स्वयंसेवक संघ का मार्गदर्शक दर्शन है। यह दर्शन पंडितजी द्वारा 22 से 25 अप्रैल, 1965 को मुम्बई में दिए गए चार व्याख्यानों के रूप में प्रस्तुत किया गया था।

भारतीय जनसंघ के इतिहास में यह ऐतिहासिक घटना 1965 के विजयवाड़ा अधिवेशन में हुई। इस अधिवेशन में उपस्थित सभी प्रतिनिधियों ने करतल ध्वनि से एकात्म मानव दर्शन को स्वीकार किया। इसकी तुलना साम्यवाद, समाजवाद, पूंजीवाद से नहीं की जा सकती। एकात्म मानववाद को किसी वाद के रूप में देखना भी नहीं चाहिए। इसे हम एकात्म मानव दर्शन कहें तो ज्यादा उचित होगा, किन्तु आधुनिक पद के चलते यह एकात्म मानववाद के रूप में प्रचलित है।

एकात्म मानववाद एक ऐसी धारणा है जो सर्पिलाकार मण्डलाकृति द्वारा स्पष्ट की जा सकती है जिसके केन्द्र में व्यक्ति, व्यक्ति से जुड़ा हुआ एक घेरा परिवार, परिवार से जुड़ा हुआ एक घेरा–समाज, जाति, फिर राष्ट्र, विश्व और फिर अनंत ब्रह्मांड को अपने में समाविष्ट किए है। इस अखण्डमण्डलाकार आकृति में एक घातक में से दूसरे फिर दूसरे से तीसरे का विकास होता जाता है। सभी एक-दूसरे से जुड़कर अपना अस्तित्व साधते हुए एक-दूसरे के पूरक एवं स्वाभाविक सहयोगी हैं। इनमें कोई संघर्ष नहीं है।

9. साधन और साध्य की पवित्रता में विश्वास (Believe in Holiness of Means and Ends): चूँकि गाँधी का दर्शन एक नैतिक दर्शन है इसलिए वह साधन एवं साध्य दोनों की पवित्रता पर बल देता है। गाँधी अक्सर कहा करते थे कि साधन और साध्य का एक-दूसरे से चोली-दामन का साथ है। एक की अपवित्रता दूसरे को भी भ्रष्ट कर देती है, इसलिए अगर आपका साध्य उत्तम है तो उसे प्राप्त करने के साधन भी उतने ही उत्तम होने चाहिए अन्यथा बुरे साधनों द्वारा प्राप्त हुए उसके अवगुण उसकी उत्तमता को फीका कर देंगे। गाँधी कौटिल्य के इस कथन से बिल्कुल सहमत नहीं थे कि साध्य ठीक होना चाहिए, साधन चाहे कैसे भी हो। गाँधी के शब्दों में–'साधन ही साध्य का निर्माण करता है। साधन बीज के समान है तो साध्य वृक्ष के समान। जिस तरह वृक्ष और बीज में सम्बन्ध है ठीक उसी तरह साधन और साध्य में सम्बन्ध है।' गाँधी ने अपने जीवन में सदैव आध्यात्मिकता और नैतिकता को ही प्रधानता दी थी और यही प्रधानता उनके सामाजिक, आर्थिक, राजनैतिक आदि सभी प्रकार के विचारों में भी स्पष्ट झलकती है। वास्तव में गाँधीवाद राजनैतिक विचार दर्शन होने की अपेक्षा एक नैतिक जीवन दर्शन अधिक है। गाँधी का विचार था कि मनुष्य की सम्पूर्ण राजनीतिक, आर्थिक एवं सामाजिक समस्याएँ अपने मूल रूप में नैतिक समस्याएँ हैं। इनका निराकरण तभी हो सकता है जब मनुष्य पवित्र आचरण एवं हृदय की शुद्धता पर अधिक बल दे। गाँधी का 'साधनों की पवित्रता' का यही विचार उसे मार्क्सवाद से अलग करता है। गाँधी ने जहाँ साधनों की पवित्रता पर आग्रह करके राजनीति के आध्यात्मीकरण का महानतम कदम उठाया वहीं मार्क्स एवं मैक्यावली 'साध्य साधनों का औचित्य है' की धारणा का प्रतिपादन करते हैं।

10. 15वीं शताब्दी के इटली के मैक्यावली ने राज्य को धर्मरहित बनाने में महती योगदान दिया। उसने यह साबित किया कि राजनीतिक सफलता के लिए नीति तथा धर्म को राजनीति से पूर्णतः अलग रखना चाहिए। वह कुटिल राजनीति का समर्थक था। मध्ययुग में देखें तो धर्म ने राजनीति पर नियंत्रण कर लिया था जिसका समाज पर गलत प्रभाव पड़ा। शायद यही वह समय था जब धर्मनिरपेक्ष राजनीति को बल मिला लेकिन इसके बाद राजनीति धर्मनिरपेक्ष होकर स्वच्छन्द और कुपथ-गामिनी हो गई। धर्म को 'अफीम की गोली' बताकर उसे त्याज्य

और घृणित बताया जाने लगा। इसी राजनीति के युग में गाँधी का भी अभ्युदय होता है। गाँधी ने समय को पहचाना और धर्म से अलग हो चुके राजनीति के विकृत रूप को बदलने की ठानी। गाँधी ने कहा कि धर्म के बिना राजनीति की कल्पना करना असंभव है। उन्होंने राजनीति के प्रचलित मूल्यों को स्वीकार कर राजनीति में शुद्ध धार्मिक तथा आध्यात्मिक मूल्यों की प्रतिष्ठा के लिए तमाम प्रयत्न किए। दूसरे शब्दों में कहें तो गांधी ने राजनीति का आध्यात्मीकरण किया। उनका मानना था कि राजनीति को मानव समाज के लिए वरदान तभी कहा जा सकता है जब वह उच्चतम नैतिक तथा आध्यात्मिक सिद्धांतों पर भी खरा उतरे। उन्होंने धर्म और राजनीति का सही समन्वय करते हुए राजनीति को उच्च नैतिकता और धार्मिकता की भावना से ओत-प्रोत किया।

उनके शब्दों में–'जो यह कहते हैं कि धर्म का राजनीति के साथ कोई सम्बन्ध नहीं है, वे यह नहीं जानते कि धर्म का वास्तविक अर्थ क्या है। धर्म से अलग होकर राजनीति की बात करना ही बेमानी है। धर्म से अलग राजनीति मृत्युजाल है क्योंकि यह आत्मा का हनन करती है।'

11. जे.जे. रूसो का कथन है कि ''अंग्रेज सोचते हैं कि वे स्वतंत्र हैं, जबकि वे केवल संसद के सदस्यों के चुनाव के समय स्वतंत्र होते हैं।'' उल्लेखनीय है कि शासन के विविध प्रकारों में रूसो का झुकाव यूनानी नगर-राज्यों के प्रत्यक्ष प्रजातंत्र की ओर है। वह प्रतिनिधि सभाओं को राजनीतिक पतन का चिन्ह मानता है। प्रतिनिधित्व का अर्थ है–स्वतंत्रता का हनन। ब्रिटेन की निर्वाचन प्रथा के विषय में उसका मत था कि वहाँ नागरिक केवल निर्वाचन काल में ही स्वतंत्र होते हैं, इसके बाद दास बन जाते हैं। रूसो ने देखा कि सरकार में लोक नियंत्रण से बचने और अपनी शक्तियों का प्रसार करने की प्रवृत्ति होती है। अतः उसने यह मत प्रकट किया कि छोटे राज्यों में और सरल जीवन के बीच ही सामान्य इच्छा (General Will) अपनी सर्वोच्चता स्थायी रूप से कायम रख सकती है। बड़े और जटिल राज्यों में सरकार द्वारा शक्ति के अपहरण को रोकने के लिए यह आवश्यक है कि प्रभुत्वसम्पन्न जनता की समय-समय पर सभाएँ हुआ करें जो यह निश्चित करें कि वर्तमान शासन-व्यवस्था और अधिकारियों में कोई परिवर्तन किया जाना उचित है अथवा नहीं। उसका यह भी कहना था कि जब जनता प्रभुत्व-सम्पन्न सभा के रूप में एकत्रित होती है तो सरकार का क्षेत्राधिकार समाप्त हो जाता है। रूसो के दृष्टिकोण में इस विचार का पूर्वाभाष मिलता है कि निश्चित अवधि पर संविधान की तथा सरकारी अधिकारियों के कार्यों की समीक्षा की जानी चाहिए।

13. पंडिता रमाबाई को संस्कृत विद्वान होने के कारण 'पंडिता' की उपाधि दी गई। 1878 ई. में कलकत्ता विश्वविद्यालय द्वारा उन्हें सरस्वती और पंडिता जैसी उपाधियों से विभूषित किया गया। वे प्रख्यात विदुषी होने के साथ-साथ अग्रणी समाजसुधारक भी थीं तथा जीवनपर्यंत भारतीय नारियों को उनकी पिछड़ी हुई स्थिति से ऊपर उठाने के लिए समर्पित रहीं। रमाबाई का जन्म 23 अप्रैल, 1858 ई. में मैसूर रियासत में हुआ था। उनके पिता 'अनंत शास्त्री' विद्वान और स्त्री-शिक्षा के समर्थक थे जिसका प्रभाव उन पर भी पड़ा। 12 वर्ष की उम्र में ही रमाबाई ने संस्कृत के 20 हजार श्लोक कंठस्थ कर लिए थे। देशाटन के कारण उन्होंने मराठी के साथ-साथ कन्नड़, हिन्दी तथा बांग्ला भाषाएँ भी सीख लीं। महिलाओं के अधिकार और शिक्षा को लेकर उन्होंने मुक्ति मिशन शुरू किया, जो ठुकराई गई महिलाओं-बच्चों का ठिकाना था। बंबई में 20 लड़कियों के साथ शारदा सदन की शुरुआत की। आर्य महिला समाज के जरिए उच्च जाति की हिन्दू महिलाओं को लड़कियों की शिक्षा की कोशिशों में जुटाया। रमाबाई अपने जीवन के उतरार्द्ध में धर्म परिवर्तन करके ईसाई बन गईं और उन्होंने बाइबल का अनुवाद मराठी में किया।

14. कौटिल्य (चाणक्य) ने अपने मण्डल सिद्धांत में विभिन्न राज्यों द्वारा दूसरे राज्यों के प्रति अपनाई नीति का वर्णन किया है। प्राचीन काल में भारत में अनेक छोटे-छोटे राज्यों का अस्तित्व था। शक्तिशाली राजा युद्ध द्वारा अपने साम्राज्य का विस्तार करते थे। राज्य कई बार सुरक्षा की दृष्टि से अन्य राज्यों से समझौता भी करते थे। कौटिल्य के अनुसार युद्ध व विजय द्वारा अपने साम्राज्य का विस्तार करने वाले राजा को अपने शत्रुओं की अपेक्षा मित्रों की संख्या बढ़ानी चाहिए, ताकि शत्रुओं पर नियंत्रण रखा जा सके।

दूसरी ओर निर्बल राज्यों को शक्तिशाली पड़ोसी राज्यों से सतर्क रहना चाहिए। उन्हें समान स्तर वाले राज्यों के साथ मिलकर शक्तिशाली राज्यों की विस्तार-नीति से बचने हेतु एक गुट या 'मण्डल' बनाना चाहिए। कौटिल्य का मंडल सिद्धांत भौगोलिक आधार पर यह दर्शाता है कि किस प्रकार विजय की इच्छा रखने वाले राज्य के पड़ोसी देश (राज्य) उसके मित्र या शत्रु हो सकते हैं। इस सिद्धांत के अनुसार मंडल के केन्द्र में एक ऐसा राजा होता है, जो अन्य राज्यों को जीतने का इच्छुक है, इसे "विजीगीषु" कहा जाता है। "विजीगीषु" के मार्ग में आने वाला सबसे पहला राज्य "अरि" (शत्रु) तथा शत्रु से लगा हुआ राज्य "शत्रु का शत्रु" होता है, अतः वह विजीगीषु का मित्र होता है। कौटिल्य ने "मध्यम" व 'उदासीन' राज्यों का भी वर्णन किया है, जो सामर्थ्य होते हुए भी रणनीति में भाग नहीं लेते।

कौटिल्य के ये 4 प्रकार के राज्य राज्य-मण्डल के घटक माने गए हैं और इन घटक राज्यों में प्रत्येक राज्य का भी एक अलग राज्य-मण्डल बनाया गया है। विजिगीषु राजा, उनका मित्र राजा व इनके मित्र का मित्र-राजा, इन तीनों राज्यों के तीन राजा तीन प्रकृति कहलाते हैं। इन तीनों राज्यों में से प्रत्येक राज्य की 6-6 प्रकृतियाँ (राजा, मंत्री, कोष, दण्ड, पुर, जनपद) मिलकर 18 प्रकृतियाँ हुई जो राज्य-मण्डल बनाती हैं। इसी प्रकार शत्रु-मण्डल, मध्यम-मण्डल और उदासीन-मण्डल बन जाते हैं। इसी प्रकार एक वृहद् राज्य-मण्डल बनता है जिसमें 12 राज प्रकृति और प्रत्येक राज्य की 5 अन्य प्रकृतियाँ होती हैं जिनको कौटिल्य ने द्रव्य-प्रकृति के नाम से सम्बोधित किया है। इन 12 राज्यों की 60 द्रव्य प्रकृतियाँ होती हैं। ये 12 राज-प्रकृतियाँ और 60 द्रव्य-प्रकृतियाँ मिलकर कुल 72 प्रकृतियों का एक वृहद्-मण्डल बनता है।

कौटिल्य का यह सिद्धांत यथार्थवाद पर आधारित है, जो युद्धों को अन्तर्राष्ट्रीय सम्बन्धों की वास्तविकता मानकर संधि व समझौते द्वारा शक्ति-सन्तुलन बनाने पर बल देता है। वास्तव में ये आज की विदेश नीति के लिए प्रेरणा स्रोत हैं।

15. 'साइलेंट स्प्रिंग' पुस्तक के लेखक रचेल कार्सन हैं। कार्सन एक अमेरिकी लेखक, वैज्ञानिक और पर्यावरणविद् हैं। इनको आधुनिक पर्यावरण आंदोलन की जननी के रूप में भी जाना जाता है। 1962 में प्रकाशित उनकी पुस्तक साइलेंट स्प्रिंग ने तत्कालीन अमेरिकी राष्ट्रपति जॉन एफ. कैनेडी को भी प्रभावित किया था। उन्होंने स्वयं वह पुस्तक पढ़ी और उसमें उल्लेख किए गए रसायनों का परीक्षण कराने का आदेश दिया।

यद्यपि साइलेंट स्प्रिंग को रासायनिक कम्पनियों द्वारा भारी विरोध का सामना करना पड़ा, तथापि इसने राष्ट्रीय कीटनाशक नीति में उलटफेर किया, जिसके कारण डीडीटी और अन्य कीटनाशकों पर देशव्यापी प्रतिबंध लगा दिया गया। इसने एक जमीनी स्तर के पर्यावरण आंदोलन को भी प्रेरित किया जिसने अमेरिकी पर्यावरण संरक्षण एजेंसी का निर्माण किया।

16. कार्ल मार्क्स एक जर्मन दार्शनिक, अर्थशास्त्री, इतिहासकार, समाजशास्त्री, राजनीतिक सिद्धांतकार, पत्रकार और समाजवादी क्रांतिकारी थे। उनके लेखन ने दुनिया में कम्युनिस्ट आंदोलन के लिए वैचारिक जमीन तैयार की। वे एक किताबी दार्शनिक नहीं थे। उन्होंने अपने विचारों को स्वयं अपने जीवन में उतारा। अपने दौर के मजदूर आंदोलनों और क्रांतिकारी आंदोलनों के साथ वे करीब से जुड़े हुए थे। अपने राजनीतिक प्रकाशनों के कारण, मार्क्स राज्यविहीन (Stateless) हो गए और दशकों तक लंदन में अपनी पत्नी और बच्चों के साथ निर्वासन में रहे, जहाँ उन्होंने जर्मन विचारक फ्रेडरिक एंगेल्स के साथ मिलकर अपने विचार विकसित किए और उनके लेखन को प्रकाशित किया।

17. 'ब्लैक स्किन, ह्वाइट मास्क्स—1952' फ्रांज फैनन की कृति है। आधुनिक अफ्रीकी क्रांतिकारी और समाज-दार्शनिक, फैनन मूलतः मनोरोग-वैज्ञानिक (Psychiatrist) था। अपनी इस कृति के अंतर्गत फैनन ने स्पष्ट किया है कि उपनिवेशवाद के अंतर्गत श्वेत और अश्वेत जातियां निरंतर तनाव की स्थिति में रहती हैं। इसमें यह मानकर चलते हैं कि अश्वेत लोग आदिवासी असभ्य (Primitive Savages) हैं जो वन्य जंतुओं की तरह खूंखार और खतरनाक हैं। उनके पास कोई ऐसी संस्कृति नहीं जो उनके मन में दया, ममता और मानवोचित भावनाओं का संचार कर सके। अतः श्वेत लोग उन पर अपना प्रभुत्व स्थापित करके भी मन-ही-मन उनसे डरते रहते हैं।

वे अपनी उपनिवेशवादी संस्थाएं और संगठन स्थापित करके उपनिवेश-पूर्व इतिहास और संस्कृति को मिटा देना चाहते हैं। श्वेत लोग अपने-आपको सम्पूर्ण सभ्यता, संस्कृति, कानून, शिक्षा और कला-कौशल के प्रवर्तक बनाकर अश्वेत लोगों पर हीनता का कलंक लगा देते हैं।

20. जयप्रकाश नारायण की आत्मकथा रामवृक्ष बेनीपुरी ने लिखी। रामवृक्ष बेनीपुरी भारत के प्रसिद्ध उपन्यासकार, कहानीकार, निबंधकार और नाटककार थे। ये एक महान विचारक, चिन्तक, मनन करने वाले क्रांतिकारी, साहित्यकार, पत्रकार और सम्पादक के रूप में भी अविस्मरणीय हैं। बेनीपुरी हिन्दी साहित्य के 'शुक्लोत्तर युग' के प्रसिद्ध साहित्यकार थे। ये एक सच्चे देशभक्त और क्रांतिकारी भी थे। इन्होंने भारतीय स्वतंत्रता संग्राम में 8 वर्ष जेल में बिताए। समाजवादी आंदोलन से रामवृक्ष बेनीपुरी का निकट का सम्बन्ध था। 'भारत छोड़ो आंदोलन' के समय जयप्रकाश नारायण के हजारीबाग जेल से भागने में भी बेनीपुरी ने उनका साथ दिया और उनके निकट सहयोगी रहे।

21. रॉल्स के सिद्धांत में 'न्याय निष्पक्षता' के विचार का प्रवाह व्यक्ति से संबंधित है। जॉन रॉल्स ने अपनी प्रसिद्ध कृति 'A Theory of Justice—1971' के अंतर्गत न्याय के निम्नलिखित नियमों को प्रतिपादित किया है–

(*i*) प्रत्येक व्यक्ति को सबसे विस्तृत स्वतंत्रता का ऐसा समान अधिकार प्राप्त होना चाहिए जो दूसरों की वैसी ही स्वतंत्रता के साथ निभ सकता हो। यह समान स्वतंत्रता का सिद्धांत है।

(*ii*) सामाजिक और आर्थिक विषमताएं इस ढंग से व्यवस्थित की जाएं कि इनसे हीनतम स्थिति वाले लोगों को अधिकतम लाभ हो (भेदमूलक सिद्धांत), और ये विषमताएं उन पदों और स्थितियों के साथ जुड़ी हों जो अवसर की उचित समानता की शर्तों पर सबके लिए सुलभ हों (अवसर की उचित समानता का सिद्धांत)।

22. माओ-त्से-तुंग (माओ जेदोंग) का कथन है कि राजनीतिक कार्य समस्त आर्थिक कार्य का जीवन रक्त है। माओ के अनुसार क्रांति का अर्थ केवल आर्थिक प्रणाली को नया रूप देना नहीं है। समाजवाद यह मांग करता है कि हम वस्तुओं के अलावा अपने-आप को भी क्रांति का विषय बनाएं। परंतु यह नहीं भूलना चाहिए कि चेतना में परिवर्तन लाने के लिए भौतिक परिवर्तन जरूरी है। दूसरी ओर, केवल उत्पादन की वृद्धि पर ध्यान देकर कोई क्रांति पूण नहीं हो सकती। जहाँ राजनीति और अर्थव्यवस्था में संघर्ष पैदा हो जाए, वहाँ राजनीति को प्रधानता मिलनी चाहिए। इसी तरह सांस्कृतिक क्रांति उतनी ही महत्वपूर्ण है, जितनी कि औद्योगिक क्रांति, क्योंकि वह ज्ञान की नई प्रणाली का सृजन करती है जो जनसाधारण को औद्योगीकरण की मूल्यवत्ता का अनुभव कराती है।

24. यूनानी/ग्रीक दार्शनिक प्लेटो के लेखन में प्रथम बार द्वंद्वात्मक पद्धति (Dialectical method) का प्रयोग हुआ है। प्लेटो ने संवाद शैली में जो कृतियां लिखीं, उनमें सुकरात को मुख्य वक्ता के रूप में प्रस्तुत किया गया है जो चर्चा आरम्भ करता है, बहुत तीक्ष्ण प्रश्न पूछता है और सारी चर्चा का निष्कर्ष निकालता है। प्लेटो ने अपने विचारों को भी सुकरात के मुँह से कहलाया है, और उसे अमर बना दिया है। यह बात महत्वपूर्ण है कि स्वयं सुकरात ने कोई ग्रंथ नहीं लिखा। परन्तु इसको अत्यंत सुलझा हुआ एवं स्पष्ट रूप सुकरात ने ही दिया। प्रश्न और उत्तर के माध्यम से समस्या पर विचार करते हुए समन्वय की ओर उत्तरोत्तर बढ़ते जाना इस पद्धति की मूल विशेषता है। प्लेटो ने इस पद्धति को प्रसिद्धि दिलायी। द्वंद्वात्मक तर्कपद्धति दो या दो से अधिक लोगों के बीच चर्चा करने की विधि है जो किसी विषय पर अलग-अलग राय रखते हैं किन्तु तर्कपूर्ण चर्चा की सहायता से सत्य तक पहुँचने के इच्छुक हैं।

26. जॉर्ज विल्हेल्म फ्रेडरिक हीगल का विचार है कि कला, धर्म और दर्शन केवल रूप में भिन्न हैं, इनका ध्येय समान है। हीगल द्वंद्वात्मक प्रणाली द्वारा राज्य के विकास का अध्ययन करते समय यह मानता है कि यूनानी राज्य मौलिक रूप (Thesis) थे, धर्म राज्य उसके विपरीत रूप (Antithesis), इसलिए राष्ट्रीय राज्य उनका एक सामंजस्यपूर्ण रूप (Synthesis) होगा। कला, धर्म तथा दर्शन को भी वह इसी प्रकार मूल रूप, विपरीत रूप तथा सामंजस्यपूर्ण रूप मानता है। कार्ल मार्क्स ने इतिहास की

अपनी भौतिकवादी व्याख्या करते समय हीगल की इस प्रणाली का अनुसरण किया है क्योंकि यह प्रणाली दार्शनिक दृष्टि से विकासवादी अध्ययन के लिए बहुत ठोस तथा सही प्रणाली है।

29. 'Multicultural Citizenship : A Liberal Theory of Minority Rights—1955' पुस्तक विल किमलिका ने लिखी है। आधुनिक समाजों के बढ़ते बहुसांस्कृतिक ताने-बाने ने कई नए मुद्दों और संघर्षों को जन्म दिया है, क्योंकि जातीय और राष्ट्रीय अल्पसंख्यक अपनी सांस्कृतिक पहचान के लिए मान्यता और समर्थन की मांग करते हैं। यह पुस्तक अल्पसंख्यक संस्कृतियों के अधिकारों और स्थिति की एक नई अवधारणा प्रस्तुत करती है। यह तर्क देता है कि अल्पसंख्यक संस्कृतियों के लिए कुछ प्रकार के अधिकार उदार लोकतांत्रिक सिद्धांतों के अनुरूप हैं और व्यक्तिगत स्वतंत्रता, सामाजिक न्याय और राष्ट्रीय एकता के आधार पर ऐसे अधिकारों को मान्यता देने के लिए मानक उदार आपत्तियों का जवाब दिया जा सकता है। हालांकि, सभी समूहों पर कोई एकल सूत्र लागू नहीं किया जा सकता है, और आप्रवासियों की आवश्यकताएं और आकांक्षाएं स्वदेशी लोगों और राष्ट्रीय अल्पसंख्यकों से बहुत अलग हैं। पुस्तक में कुछ मुद्दों का विश्लेषण किया गया है, जो बहुसांस्कृतिक राजनीति (जैसे भाषा अधिकार, समूह प्रतिनिधित्व, भूमि अधिकार, संघवाद और धर्मनिरपेक्षता) की समझ के लिए केन्द्रीय हैं, समकालीन उदारवादी सिद्धांत में आश्चर्यजनक रूप से उपेक्षित किया गया है।

30. मनुष्य की मूल प्रकृति का विस्तृत विवरण देने के लिए हॉब्स ने अपनी प्रसिद्ध कृति 'लेवियाथन' के अंतर्गत एक काल्पनिक स्थिति का उल्लेख किया है जिसे उसने 'प्राकृतिक दशा' (State of Nature) की संज्ञा दी है। इस अवस्था में मनुष्य पर राज्य का अंकुश नहीं होता, अतः वह अपनी मूल प्रकृति के अनुसार व्यवहार करता है। चूंकि मनुष्य स्वभाव से स्वार्थी और निर्मम प्राणी है, इसलिए प्राकृतिक दशा में बहुत सारे मनुष्य अपने-अपने स्वार्थ की पूर्ति में लगे होते हैं। उन पर किसी बाह्य शक्ति का नियंत्रण नहीं होता; वे केवल एक-दूसरे के विरूद्ध अपनी-अपनी शक्ति का प्रयोग कर सकते हैं। प्राकृतिक दशा की स्वतंत्रता या 'प्राकृतिक स्वतंत्रता' केवल अपनी-अपनी शक्ति के अनुसार दूसरों को धर-दबोचने और लूट लेने की आजादी है। ऐसी हालत में लड़ाई-झगड़े और छीना-झपटी का बोलबाला रहता है। यह 'प्रत्येक व्यक्ति के विरूद्ध प्रत्येक व्यक्ति की लड़ाई' की दशा है। यह अनंत उत्पीड़न और असुरक्षा की स्थिति है। ऐसी हालत में मनुष्यों के कोई मान्य अधिकार नहीं होते; कोई किसी के प्रति नैतिक दायित्व से नहीं बँधा होता। इसमें मनुष्य का जीवन "एकाकी, दीन-हीन, घृणित, पाशविक और क्षणभंगुर" होता है। हर मनुष्य दूसरे का शत्रु होता है। अपने सुख के लिए वह दूसरे को पराधीन बनाने के लिए तत्पर रहता है।

34. बन्दी प्रत्यक्षीकरण : उक्त प्रादेशों में सर्वाधिक महत्वपूर्ण है बंदी प्रत्यक्षीकरण प्रादेश (Writ of Habeas Corpus)। इसका वास्तविक अर्थ है "बंदी को सशरीर न्यायालय में प्रस्तुत किया जाए।" यह प्रादेश किसी व्यक्तिविशेष अथवा कारागार की हिरासत में निरुद्ध (detained) बंदी के व्यक्तिस्वातंत्र्य की सुरक्षा के लिए महत्वपूर्ण अस्त्र है। इस प्रादेश द्वारा न्यायालय बंदी व्यक्ति को अपने समक्ष उपस्थित किए जाने का आदेश देता है और उसके निरोध के कारणों की छानबीन करता है। यदि न्यायालय इस निष्कर्ष पर पहुँचता है कि बंदी का निरोध अवैध तथा अनौचित्यपूर्ण है, तो उस दशा में उसे निर्मुक्त कर दिया जाता है।

परमादेश : परमादेश (Mandamus) का अर्थ है "हमारा आदेश है।" आंग्लदेश में परमादेश न्यायालय के क्वींस बेंच डिवीजन द्वारा किसी अधिकारी, निगम अथवा नीचे की अदालतों के नाम जारी किया जाता है। इसमें इस बात की स्पष्ट आज्ञा होती है कि "प्रादेश में निर्दिष्ट कार्य का यथोचित संपादन किया जाए क्योंकि वही उसका (अधिकारी, निगम का, न्यायालय का) नियतकर्म अथवा कर्तव्य है।"

प्रादेश में निर्दिष्ट आज्ञा किसी कार्य के किए जाने अथवा उससे विरत होने से संबद्ध होती है। यह प्रादेश एक सामान्य वैधिक कर्तव्य के प्रवर्तन (enforcement) के लिए जारी किया जाता है और इसका प्रयोग प्रसंविदाजन्य कर्तव्यों (contractual obligations) के प्रवर्तन के लिए नहीं होता। इसका प्रयोग वहाँ भी नहीं किया जाता जहाँ इष्ट कार्य किसी अधिकारी के विवेक (discretion)

पर निर्भर होता है। किंतु उस अवस्था में जब विवेकाधिकार किसी कर्तव्य के साथ संलग्न हो, न्यायालय उसके संपादन के लिए आदेश दे सकता है। यदि अधिकारीविशेष अपने विवेकाधिकार का प्रयोग करते समय किन्हीं अनावश्यक विषयों पर ध्यान देता है अथवा आवश्यक वस्तुओं पर ध्यान नहीं देता तो इन दशाओं में न्यायालय उक्त अधिकारी के आदेश को रद्द करते हुए उस विषय पर पुनर्विचार करने का आदेश दे सकता है। परमादेश उस अवस्था में भी जारी किया जाता है जब कोई अधिकारी अपनी कार्यसीमा का अतिक्रमण अथवा अपने अधिकारों का दुरुपयोग करता है।

अधिकारपृच्छा : अधिकारपृच्छा प्रादेश (writ of quo warranto), सार्वजनिक अधिकारी के पद पर आसीन व्यक्ति के नाम जारी कर उससे यह प्रश्न किया जाता है कि किन प्रमाणों के द्वारा वह उक्त पद पर आसीन रहने के अधिकार का समर्थन करता है और किन प्रमाणों के आधार पर यह निश्चित किया जाए कि उस पद पर आसीन रहने का वास्तविक अधिकार उसे प्राप्त है।

उत्प्रेषण : उत्प्रेषणादेश (Centiorari) निषेधादेश की ही भाँति एक अत्यंत प्राचीन प्रादेश है जिसके द्वारा आंग्ल न्यायालय का 'क्वींस बेंच डिवीजन'' न्यायाधिकरणों तथा कल्प न्यायाधिकरणों की कार्यवाहियों को नियंत्रित किया करता था। इस विचित्र नामकरण का रहस्य यह है कि इसके लैटिन प्रारूप के लिए यह आवश्यक था कि अन्वेषणीय कार्यवाहियों को सम्राज्ञी के समक्ष प्रस्तुत किए जाने के पूर्व उनका ''क्वींस बेंच डिवीजन'' द्वारा प्रमाणीकरण हो जाए।

उत्प्रेषणादेश तभी जारी किए जाते हैं जब कि न्यायाधिकरण, अथवा अर्द्ध न्यायाधिकरण के आदेश उनकी शक्तिसीमा का अतिक्रमण करते हों, प्राकृतिक न्याय के सिद्धांतों की अवहेलना करते हों अथवा विधान के किसी ऐसे भ्रम से दूषित हों जो उनमें (आदेशों में) स्पष्ट दिखाई पड़ते हों (Apparent on the face of the record)।

35. 1360 किलोमीटर लंबा भारत-म्यांमार-थाईलैंड त्रिपक्षीय राजमार्ग भारत, म्यांमार और थाईलैंड से संबंधित एक पहल है। भारत म्यांमार में त्रिपक्षीय राजमार्ग के दो खंडों का निर्माण कर रहा है।

120.74 किमी. कलेवा-यागी सड़क खंड का निर्माण, और 149.70 किमी. तमू-कायगोन-कलेवा (TKK) सड़क खंड पर पहुंच मार्ग के साथ 69 पुलों का निर्माण।

उपर्युक्त परियोजनाओं को म्यांमार सरकार को अनुदान सहायता के तहत भारत सरकार द्वारा वित्त पोषित किया जाता है।

कार्गो और यात्री वाहनों के आवागमन को विनियमित करने और सुविधाजनक बनाने के लिए प्रोटोकॉल के साथ एक मोटर वाहन समझौता भारत, म्यांमार और थाईलैंड के बीच अंतर-सरकारी वार्ता के तहत है।

भारत-म्यांमार-थाईलैंड त्रिपक्षीय राजमार्ग भारत की पूर्व की ओर देखो नीति के तहत निर्माणाधीन राजमार्ग है जो मोरेह, भारत को म्यांमार के रास्ते थाईलैंड, माई सोत से जोड़ेगा।

यह सड़क आसियान-भारत मुक्त व्यापार क्षेत्र में और शेष दक्षिण पूर्व एशिया के साथ व्यापार और वाणिज्य को बढ़ावा देगी। भारत ने कंबोडिया, लाओस और वियतनाम के लिए राजमार्ग का विस्तार करने का भी प्रस्ताव दिया है।

36. ब्रेक्जिट (Brexit अर्थात Britain Exit) यूरोपीय संघ से अलग होने का प्रस्ताव है। इसकी शुरुआत साल 2008 में हुई जब ब्रिटेन की अर्थव्यवस्था मंदी की चपेट में आ गई थी। देश में महंगाई बढ़ गई थी, बेरोजगारी बढ़ गई थी, जिसका समाधान निकालने और अर्थव्यवस्था को ठीक करने के प्रयास चल रहे थे। इस बीच यूनाइटेड किंगडम इंडिपेंडेंस पार्टी ने साल 2015 के चुनावों के दौरान यह मुद्दा उठाया कि EU ब्रिटेन की आर्थिक मंदी को कम करने के लिए कुछ नहीं कर रहा है। उनका कहना था कि इसकी वजह से ही ब्रिटेन की स्थिति दिनोंदिन खराब होती जा रही है।

EU को आर्थिक मंदी का कारण मानते हुए वजह बताई गई कि ब्रिटेन को हर साल EU के बजट के लिए 9 अरब डॉलर देने होते हैं। EU की वजह से ब्रिटेन में बिना रोक-टोक के लोग बसते हैं। इसके साथ ही फ्री वीजा पॉलिसी से ब्रिटेन को भारी नुकसान हो रहा है। लेकिन इसके उलट ब्रिटेन के कई लोग EU से हो रहे लाभों के पक्ष में हैं और ब्रिटेन का इससे अलग होने के

फैसले को गलत बताते हैं। जैसे ब्रिटेन की कंजर्वेटिव पार्टी के प्रधानमंत्री (डेविड कैमरून) ने ब्रेक्जिट के विरोधस्वरूप प्रधानमंत्री के पद से त्यागपत्र दे दिया।

38. 'हरित प्रदेश' की मांग भारत के पश्चिमी उत्तर प्रदेश क्षेत्र से संबंधित है। इस प्रदेश में उत्तर प्रदेश के वर्तमान 6 मंडलों आगरा, अलीगढ़, बरेली, मेरठ, मुरादाबाद और सहारनपुर के अंतर्गत आने वाले 22 जिलों को शामिल करने की मांग होती रही है। राष्ट्रीय लोक दल पार्टी के नेता अजीत सिंह इस नए राज्य के प्रबल समर्थक हैं। दिसम्बर, 2009 में उत्तर प्रदेश की तत्कालीन मुख्यमंत्री मायावती ने भी हरित प्रदेश नाम से अलग राज्य के गठन का समर्थन किया था।

इस इलाके को अलग राज्य बनाने की मांग 70 के दशक से ही शुरू हो गई थी। तब से लेकर लगातार अलग राज्य की मांग को लेकर आंदोलन होते रहे हैं। कभी पश्चिमी उत्तर प्रदेश और कभी हरित प्रदेश के नाम से लोगों ने संघर्ष किया है। उत्तराखण्ड के अलग किए जाने के बाद यह मांग और ज्यादा मुखर हुई थी।

39. भारत ने न ही NPT व CTBT हस्ताक्षरित की और न ही अनुमोदित की। स्वतंत्रता की पूर्व संध्या पर भारत में होमी जहाँगीर भाभा के नेतृत्व में परमाणु कार्यक्रम की शुरुआत की गई। भारत के प्रथम प्रधानमंत्री जवाहर लाल नेहरू परमाणु के सैन्य उपयोग के पक्षधर नहीं थे, अतः आरंभ में परमाणु कार्यक्रम को सिर्फ असैन्य उपयोग तक ही सीमित रखा गया। द्वितीय विश्वयुद्ध के पश्चात् धीरे-धीरे अमेरिका, ब्रिटेन, रूस तथा फ्रांस ने परमाणु शक्ति हासिल कर ली। वर्ष 1962 में चीन के साथ युद्ध, वर्ष 1964 में चीन द्वारा परमाणु परीक्षण तथा वर्ष 1965 में पाकिस्तान से युद्ध आदि घटनाक्रम के पश्चात् भारत को अपनी नीति में बदलाव के लिये विवश होना पड़ा। इस नीति में बदलाव के साथ भारत ने पोखरण में वर्ष 1974 में प्रथम परमाणु परीक्षण किया। यह परीक्षण इसलिये भी आवश्यक था कि वर्ष 1965 के पश्चात् ऐसे देश जो परमाणु शक्ति संपन्न थे, उनको छोड़कर किसी अन्य को परमाणु क्षमता हासिल करने पर रोक लगा दी गई। इस भेदभावपूर्ण नीति का भारत द्वारा विरोध किया गया क्योंकि कुछ शक्तिशाली देशों को ही परमाणु क्षमता के योग्य माना गया तथा अन्य देशों पर निर्योग्यताएँ थोप दी गईं। भारत का मानना था कि यह भेदभाव समाप्त होना चाहिये तथा विश्व को निरस्त्रीकरण की ओर बढ़ना चाहिये। किंतु वर्ष 1968 में विभिन्न देशों पर परमाणु अप्रसार संधि (NPT) थोप दी गई, हालाँकि भारत ने इस संधि पर अभी तक हस्ताक्षर नहीं किया है।

वर्ष 1998 में पोखरण में दूसरे परमाणु परीक्षण के पश्चात् भारत ने स्वयं को परमाणु क्षमता सम्पन्न देश घोषित किया तथा 1996 में हस्ताक्षरित CTBT (व्यापक परमाणु परीक्षण प्रतिबंध संधि) संधि की अवहेलना की।

42. भारत सरकार ने दो दशक पूर्व सरकारिया आयोग द्वारा अंतिम बार केन्द्र-राज्य संबंधों से संबंधित मुद्दे पर विचार के बाद भारत की राजनीति और अर्थव्यवस्था में आए परिवर्तनों को ध्यान में रखते हुए केन्द्र-राज्य संबंधों से संबंधित नए मुद्दों पर विचार करने के लिए 27 अप्रैल, 2007 को भारत के पूर्व मुख्य न्यायाधीश न्यायमूर्ति मदन मोहन पुंछी की अध्यक्षता में एक आयोग का गठन किया था।

आयोग की संरचना :

- श्री न्यायमूर्ति मदन मोहन पुंछी (सेवानिवृत्त), भारत के पूर्व मुख्य न्यायाधीश, अध्यक्ष।
- श्री धीरेन्द्र सिंह, सदस्य।
- श्री विनोद कुमार दुग्गल, सदस्य।
- डॉ. एन.आर. माधव मेनन, सदस्य।
- श्री विजय शंकर, सदस्य सचिव।

आयोग ने केन्द्र और राज्यों के बीच मौजूद व्यवस्थाओं के प्रकार्य, विधायी संबंधों, प्रशासनिक संबंधों, राज्यपालों की भूमिका, आपातकालीन प्रावधानों, वित्तीय संबंधों, आर्थिक और सामाजिक नियोजन, पंचायती राज संस्थानों, अंतर्राज्य नदी जल सहित संसाधनों को साझा करना इत्यादि शामिल करके सभी क्षेत्रों में अधिकारों, प्रकार्यों और जिम्मेदारियों के संबंध में न्यायालयों द्वारा की गई विभिन्न उद्घोषणाओं की जांच और समीक्षा की। 30 मार्च, 2010 को सरकार को प्रस्तुत की गई सात खंडों की रिपोर्ट में आयोग ने 273 सिफारिशें की थीं।

43. प्रधानमंत्री एवं उप-प्रधानमंत्री सहित मंत्रिपरिषद् के सदस्यों की कुल संख्या, लोकसभा की कुल संख्या के

15% से अधिक नहीं होगी। इस उपबंध का समावेश 91वें संविधान संशोधन अधिनियम, 2003 द्वारा अनुच्छेद-75 (1क) में किया गया है। प्रधानमंत्री की नियुक्ति राष्ट्रपति करता है और अन्य मंत्रियों की नियुक्ति राष्ट्रपति, प्रधानमंत्री की सलाह पर करता है। मंत्री राष्ट्रपति के प्रसादपर्यंत अपने पदधारण करते हैं तथा वे सामूहिक रूप से लोकसभा के प्रति उत्तरदायी होते हैं।

44. 27 मार्च, 2019 को भारत ने मिशन शक्ति को सफलतापूर्वक अंजाम देते हुए एंटी-सैटेलाइट (A-SAT) से तीन मिनट में एक लाइव भारतीय सैटेलाइट को सफलतापूर्वक नष्ट कर दिया। अंतरिक्ष में 300 किमी. दूर पृथ्वी की निचली कक्षा (Low Earth Orbit-LEO) में घूम रहा यह लाइव सैटेलाइट एक पूर्व निर्धारित लक्ष्य था। अब तक रूस, अमेरिका और चीन के पास ही यह क्षमता थी और इसे हासिल करने वाला भारत दुनिया का चौथा देश बन गया है। 'मिशन शक्ति' का मूल उद्देश्य भारत की सुरक्षा, आर्थिक विकास और भारत की तकनीकी प्रगति को दर्शाना है।

गैरतलब है कि भारत ने 2012 में सिम्युलेटेड टेस्ट किया था और अपनी इस क्षमता का प्रदर्शन किया था, लेकिन उस समय सरकार ने इसके परीक्षण की अनुमति यह कहते हुए नहीं दी थी कि नष्ट हुए सैटेलाइट का मलवा अन्य देशों के सैटेलाइट को क्षति पहुँचा सकता है। अब DRDO की उसी मिसाइल के जरिये 'मिशन शक्ति' को अमलीजामा पहनाया गया। इस परीक्षण के लिए एक छोटे अप्रयोज्य उपग्रह को चुना गया, जो पृथ्वी की कक्षा में स्थापित किया गया था।

एंटी-सैटेलाइट मिसाइल का निशाना किसी भी देश के सामरिक सैन्य उद्देश्यों के उपग्रहों को निष्क्रिय करने या नष्ट करने पर होता है। वैसे आज तक किसी भी युद्ध में इस तरह के मिसाइल का उपयोग नहीं किया गया है। लेकिन कई देश अंतरिक्ष में अपनी क्षमताओं का प्रदर्शन और अपने अंतरिक्ष कार्यक्रम को निर्बाध गति से जारी रखने के लिये इस तरह के मिसाइल सिस्टम का होना जरूरी मानते हैं।

- भारत में इस मिसाइल का विकास DRDO ने किया है। A-SAT मिसाइल सिस्टम अग्नि मिसाइल और एडवांस्ड एयर डिफेंस सिस्टम का मिश्रण है। यह इंटरसेप्टर मिसाइल दो सॉलिड रॉकेट बूस्टरों सहित तीन चरणों वाली मिसाइल है।
- अमेरिका ने 1950 में WS-199A नाम से रणनीतिक रूप से अहम मिसाइल परियोजनाओं की एक श्रृंखला शुरू की थी। 2008 में अमेरिकी डिस्ट्रॉयर जहाज ने RIM-161 मिसाइल का प्रयोग कर अंतरिक्ष में USA 153 नाम के एक जासूसी उपग्रह को मार गिराया था।
- रूस ने मार्च 1961 में इस्ट्रेबिटेल स्पूतनिक के रूप में अपने फाइटर सैटेलाइट कार्यक्रम की शुरुआत की थी। रूस ने फरवरी 1970 में इंटरसेप्टर मिसाइल का दुनिया का पहला सफल परीक्षण किया था। बाद में रूस ने इस कार्यक्रम को बंद कर दिया था, लेकिन अमेरिका द्वारा फिर से परीक्षण शुरू किये जाने के बाद रूस ने 1976 में इसे फिर शुरू कर दिया।
- चीन ने जनवरी 2007 में A-SAT मिसाइल की सहायता से अपने खराब पड़े मौसम उपग्रह को नष्ट किया था।

45. फिलिस्तीनी मुक्ति संगठन (Palestine Liberation Organization, PLO) हिंसात्मक गैर-राज्य अभिकर्त्ता नहीं है। यह स्वतंत्र फिलिस्तीन राज्य स्थापित करने के उद्देश्य से 1964 में गठित एक संगठन है। 100 से अधिक राष्ट्रों ने इसे फिलिस्तीनी लोगों का एकमात्र वैधानिक प्रतिनिधि स्वीकार किया है। यह 1974 से संयुक्त राष्ट्र संघ में प्रेक्षक के रूप में मान्य है। 1991 में हुए मैड्रिड सम्मेलन के पहले इजरायल और अमेरिका इसे एक आतंकवादी संगठन मानते थे।

46. गृह मंत्रालय राष्ट्रीय मानव अधिकार आयोग का नोडल मंत्रालय है। राष्ट्रीय मानवाधिकार आयोग (NHRC) एक स्वतंत्र वैधानिक संस्था है, जिसकी स्थापना मानव अधिकार संरक्षण अधिनियम, 1993 के प्रावधानों के तहत 12 अक्टूबर, 1993 को की गई थी। इसका मुख्यालय नई दिल्ली में स्थित है। यह संविधान-प्रदत मानवाधिकारों जैसे–जीवन का अधिकार, स्वतंत्रता का अधिकार, समानता का अधिकार आदि की रक्षा करता है और उनके प्रहरी के रूप में कार्य करता है।

संयुक्त राष्ट्र की परिभाषा के अनुसार ये अधिकार जाति, लिंग, राष्ट्रीयता, भाषा, धर्म या किसी अन्य आधार पर

भेदभाव किए बिना सभी को प्राप्त हैं। मानवाधिकारों में मुख्यतः जीवन और स्वतंत्रता का अधिकार, गुलामी और यातना से मुक्ति का अधिकार, अभिव्यक्ति की स्वतंत्रता का अधिकार और काम एवं शिक्षा का अधिकार आदि शामिल हैं।

मानवाधिकारों की सार्वभौम घोषणा एक महत्वपूर्ण ऐतिहासिक दस्तावेज है, जिसे संयुक्त राष्ट्र महासभा द्वारा 10 दिसम्बर, 1948 को पेरिस में अपनाया गया था। 1991 में पेरिस में हुई संयुक्त राष्ट्र की बैठक ने सिद्धांतों का एक समूह (जिन्हें पेरिस सिद्धांतों के नाम से जाना जाता है) तैयार किया जो आगे चलकर राष्ट्रीय मानवाधिकार संस्थाओं की स्थापना और संचालन की नींव साबित हुए। इन्हीं अधिकारों का अनुसरण करते हुए भारत में मानवाधिकारों के प्रति अधिक जवाबदेही और मजबूती लाने के उद्देश्य से मानव अधिकार संरक्षण अधिनियम, 1993 बनाया गया। यह अधिनियम सभी राज्य सरकारों को भी राज्य मानवाधिकार आयोग बनाने का अधिकार देता है।

48. 22 जनवरी, 1946 को कैबिनेट मिशन को भेजने का निर्णय लिया गया था और 19 फरवरी, 1946 को ब्रिटिश प्रधानमंत्री सी.आर. एटली की सरकार ने हाउस ऑफ लॉर्ड्स में कैबिनेट मिशन के गठन और भारत छोड़ने की योजना की घोषणा की। तीन ब्रिटिश कैबिनेट सदस्यों का उच्च शक्ति सम्पन्न मिशन, जिसमें भारत सचिव लॉर्ड पैथिक लारेंस, बोर्ड ऑफ ट्रेड के अध्यक्ष सर स्टैफोर्ड क्रिप्स और नौसेना प्रमुख ए.वी. अलेक्जेंडर शामिल थे, 24 मार्च, 1946 को दिल्ली पहुँचा।

मिशन के प्रस्ताव

- मिशन ने ब्रिटिश भारत के निर्वाचित प्रतिनिधियों और भारतीय रजवाड़ों से संविधान के निर्माण के सम्बन्ध में विचार-विमर्श कर एक समझौते को तैयार करने का प्रस्ताव रखा।
- संवैधानिक निकाय के गठन का प्रस्ताव
- प्रमुख भारतीय दलों के समर्थन से एक कार्यकारी परिषद् के गठन का प्रस्ताव

मिशन का उद्देश्य

- भारतीय राष्ट्रीय कांग्रेस और अखिल भारतीय मुस्लिम लीग के मध्य के राजनीतिक गतिरोध को दूर करना और साम्प्रदायिक विवादों को रोकना था। इन दोनों में इस बात को लेकर मतभेद था कि एकीकृत या विभाजित कौन-सा विकल्प ब्रिटिश भारत के लिए बेहतर होगा?

मिशन की अनुशंसाएं

- भारत की एकता को बनाये रखा जाये।
- इसने सभी भारतीय क्षेत्रों को मिलाकर एक बहुत ही कमजोर संघ के गठन का प्रस्ताव रखा, जिसे केवल रक्षा, विदेशी मामलों और संचार पर ही नियंत्रण प्राप्त था। संघ को यह शक्ति प्राप्त होगी कि वह इन सभी विषयों के प्रबंधन के लिए आवश्यक वित्त जुटा सके।
- संघीय शक्तियों के अतिरिक्त अन्य सभी शक्तियां और अवशिष्ट शक्तियां ब्रिटिश भारत के प्रान्तों को प्रदान की गयीं।
- एक संविधान निर्मात्री निकाय या संविधान सभा का चुनाव किया जाये जिसमें सभी राज्यों को उनकी जनसंख्या के अनुपात में निश्चित सीटें प्रदान की जाएँ।
- इसने प्रस्तावित संविधान सभा में 292 सदस्यों को ब्रिटिश भारत से और 93 सदस्यों को रियासतों से शामिल करने का प्रस्ताव रखा।
- मिशन ने केंद्र में तत्काल अंतरिम सरकार के गठन को प्रस्तावित किया, जिसे सभी राजनीतिक दलों का समर्थन प्राप्त हो और जिसके सभी विभाग भारतीय के पास हों।

कैबिनेट मिशन का प्रमुख उद्देश्य भारत में सत्ता के शांतिपूर्ण हस्तांतरण के तरीकों को खोजना और संविधान का निर्माण करने वाले तंत्र के बारे में सुझाव देना था। अंतरिम सरकार का गठन करना भी इसका एक उद्देश्य था।

50. सरकारों को सकल राष्ट्रीय प्रसन्नता (ग्रॉस नेशनल हैपीनेस-जीएनएच) नापने का रास्ता 1972 में भूटान नरेश जिग्मे सुंग वांगचुक ने दिखाया था। भूटान स्टडीज सेंटर के मुखिया करमा उपा और कनाडियन डॉक्टर माइकल पेनॉक ने राष्ट्रीय प्रसन्नता नापने का एक

फार्मूला निकाला जो संशोधित होते होते अमेरिका के राष्ट्रपति बराक ओबामा, ब्रिटेन के प्रधानमंत्री डेविड कैमरून, फ्रांस के राष्ट्रपति निकोलस सरकोजी के दफ्तरों तक जा पहुंचा।

दुनिया के कम से कम आधा दर्जन देशों की सरकारें लोगों की खुशी नापने का उचित फार्मूला तलाश रही हैं। अमेरिकी श्रम आंकड़ा ब्यूरो डे रिकंस्ट्रेशन मेथड के जरिये यह जानने की कोशिश करेगा कि लोग अपना समय कैसे बिताते हैं। कोशिश लोगों को खुश रखने वाले कामों को पकड़ने की है। ब्रिटेन के प्रधानमंत्री डेविड कैमरून कहते रहे हैं कि सरकार का काम केवल लोगों की जेब में पैसा रखना ही नहीं बल्कि लोगों के दिल में खुशी भरना है। ब्रिटेन टोनी ब्लेयर के जमाने से हैपीनेस पॉलिसी पर बहस कर रहा है।

अगले कुछ वर्षों में ब्रिटेन सहित कुछ देशों में नेशनल हैपीनेस इंडेक्स या चियर मीटर जैसी नीतियां लागू हो सकती हैं क्योंकि आर्थिक व सामाजिक विकास के प्रयासों को प्रमाणिक बनाने के लिए राजनेताओं को इसकी जरूरत है। हो सकता है कि इस दशक के अंत तक शानदार सकल घरेलू उत्पाद (जीडीपी) वाले देश नहीं बल्कि शानदार सकल राष्ट्रीय प्रसन्नता (जीएनएच) वाले देश नीति बनाने वालों का आदर्श बन जाएं।

53. ब्रिटेन भारत में सबसे बड़ा G-20 निवेशक देश है। सितंबर 1999 में G-7 देशों के वित्त मंत्रियों ने G-20 का गठन एक ऐसे अंतरराष्ट्रीय मंच के तौर पर किया था जो अंतरराष्ट्रीय वित्तीय स्थिरता को बनाए रखने के साथ ब्रेटन वुड्स संस्थागत प्रणाली की रूपरेखा के भीतर आने वाले व्यवस्थित महत्वपूर्ण देशों के बीच अनौपचारिक बातचीत एवं सहयोग को बढ़ावा देता।

बीस का समूह (G-20) अपने सदस्यों के अंतरराष्ट्रीय आर्थिक सहयोग और कुछ मुद्दों पर निर्णय करने के लिए प्रमुख मंच है। इसमें 19 देश और यूरोपीय संघ शामिल हैं।

G-20 के नेता वर्ष में एक बार बैठक करते हैं; इसके अलावा, वर्ष के दौरान, देशों के वित्त मंत्री और केंद्रीय बैंक के गवर्नर वैश्विक अर्थव्यवस्था को मजबूत बनाने, अंतरराष्ट्रीय वित्तीय संस्थानों में सुधार लाने, वित्तीय नियमन में सुधार लाने और प्रत्येक सदस्य देश में जरूरी प्रमुख आर्थिक सुधारों पर चर्चा करने के लिए नियमित रूप से बैठक करते रहते हैं। इन बैठकों के अलावा वरिष्ठ अधिकारियों और विशेष मुद्दों पर नीतिगत समन्वय पर काम करने वाले कार्य समूहों के बीच वर्ष भर चलने वाली बैठकें भी होती हैं।

G-20 की शुरुआत, 1999 में एशिया में आए वित्तीय संकट के बाद वित्त मंत्रियों और सेंट्रल बैंक के गवर्नरों की बैठक के तौर पर हुई थी। वर्ष 2008 में G-20 के नेताओं का पहला शिखर सम्मेलन आयोजित किया गया था और समूह ने वैश्विक वित्तीय संकट का सामना करने में महत्वपूर्ण भूमिका निभाई थी। इसकी निर्णायक और समन्वित कार्रवाई ने उपभोक्ता और व्यापार में भरोसा रखने वालों को शक्ति दी और आर्थिक सुधार के पहले चरण का समर्थन किया।

G-20 शिखर सम्मेलन में रोजगार के सृजन और मुक्त व्यापार पर अधिक जोर देने के साथ वैश्विक आर्थिक विकास को समर्थन देने के उपायों पर फोकस जारी है। प्रत्येक G-20 अध्यक्ष हर वर्ष कई अतिथि देशों को आमंत्रित करता है।

G-20 वित्तीय स्थिरता बोर्ड, अंतरराष्ट्रीय श्रम संगठन, अंतरराष्ट्रीय मुद्रा कोष, आर्थिक सहयोग एवं विकास संगठन, संयुक्त राष्ट्र, विश्व बैंक और विश्व व्यापार संगठन के साथ मिलकर काम करता है। कई अन्य संगठनों को भी G-20 की प्रमुख बैठकों में हिस्सा लेने के लिए आमंत्रित किया जाता है।

G-20 के सदस्य वैश्विक सकल घरेलू उत्पाद का करीब 85%, वैश्विक व्यापार के 75% और विश्व की आबादी के दो-तिहाई से अधिक का प्रतिनिधित्व करते हैं।

G-20 के सदस्य हैं–अर्जेंटीना, ऑस्ट्रेलिया, ब्राजील, कनाडा, चीन, फ्रांस, जर्मनी, भारत, इंडोनेशिया, इटली, जापान, रिपब्लिक ऑफ कोरिया, मैक्सिको, रूस, सऊदी अरब, दक्षिण अफ्रीका, तुर्की, यूनाइटेड किंगडम, संयुक्त राज्य अमेरिका, यूरोपीय संघ।

55. सिंधु प्रणाली में मुख्यतः सिंधु, झेलम, चिनाब, रावी, ब्यास और सतलज नदियाँ शामिल हैं। इन नदियों के बहाव

वाले क्षेत्र (Basin) को प्रमुखतः भारत और पाकिस्तान साझा करते हैं। इसका एक बहुत छोटा हिस्सा चीन और अफगानिस्तान को भी मिला हुआ है।

- 1947 में आजादी मिलने और देश विभाजन के बाद अन्य कई मुद्दों की तरह भारत और पाकिस्तान के बीच पानी के मुद्दे को लेकर भी विवाद शुरू हो गया।
- जब इस मुद्दे का कोई हल नजर नहीं आया तो 1949 में एक अमेरिकी विशेषज्ञ डेविड लिलियेन्थल ने इस समस्या को राजनीतिक के बजाय तकनीकी तथा व्यापारिक स्तर पर सुलझाने की सलाह दी।
- उन्होंने दोनों देशों को राय दी कि वे इस मामले में विश्व बैंक से मदद भी ले सकते हैं। सितंबर 1951 में विश्व बैंक के तत्कालीन अध्यक्ष यूजीन रॉबर्ट ब्लेक ने मध्यस्थता करना स्वीकार कर लिया।
- इसके बाद सालों चली बातचीत के बाद 19 सितंबर, 1960 को भारत और पाकिस्तान के बीच समझौता हुआ। इसे ही 1960 की सिंधु जल संधि कहते हैं।
- इस संधि पर भारत के तत्कालीन प्रधानमंत्री जवाहरलाल नेहरू और पाकिस्तान के तत्कालीन राष्ट्रपति अयूब खान ने रावलपिंडी में दस्तखत किये थे।
- 3 पूर्वी नदियों (रावी, ब्यास और सतलज) के पानी पर भारत को पूरा हक दिया गया।
- शेष 3 पश्चिमी नदियों (झेलम, चिनाब, सिंधु) के पानी के बहाव को बाधारहित पाकिस्तान को देना तय हुआ।
- 12 जनवरी, 1961 से संधि की शर्तें लागू कर दी गई थीं। संधि के तहत् 6 नदियों के पानी का बँटवारा तय हुआ, जो भारत से पाकिस्तान जाती हैं।

संधि में तय मानकों के मुताबिक भारत में पश्चिम नदियों के पानी का भी इस्तेमाल किया जा सकता है और इनका करीब 20 प्रतिशत हिस्सा भारत के लिये है। समझौते के तहत भारत को पश्चिमी नदियों से 36 लाख एकड़ फीट पानी स्टोर करने का अधिकार है। भारत इन पश्चिमी नदियों के पानी से 7 लाख एकड़ क्षेत्र में लगी फसलों की सिंचाई कर सकता है। भारत इन नदियों पर जलविद्युत परियोजनाएँ बना सकता है, लेकिन उसे रन ऑफ द रिवर प्रोजेक्ट ही बनाने होंगे, जिनके तहत पानी को रोका नहीं जाता।

59. भारत ने रूस के साथ सुखोई एसयू-30 MKT लड़ाकू विमान बेड़े के लिए दीर्घावधि समझौता हस्ताक्षरित किया है। भारत की सुरक्षा को लेकर प्रतिबद्ध सरकार ने रूस के साथ एक अहम रक्षा समझौता किया है। भारत ने विजुअल रेंज वारफेयर से परे अपनी क्षमताओं को बढ़ाते हुए रूस से R-27 एयर-टू-एयर मिसाइलों को हासिल करने के लिए लगभग 1500 करोड़ रुपए के सौदों पर हस्ताक्षर किए हैं, जो कि Su-30 MKT लड़ाकू विमानों से सुसज्जित है। विशिष्ट जानकारी के मुताबिक विस्तारित रेंज वाली रूसी मिसाइलें लम्बी दूरी पर दुश्मन के विमानों को निशाना बनाने के लिए सुखोई को एक और क्षमता प्रदान करेंगी।

60. प्रधानमंत्री मोदी ने भारतीय विदेश-नीति में आमूलचूल बदलाव लाने के लिए जो व्यक्तिगत रुचि दिखाते हुए प्रयास किए हैं, उससे इतना तो साफ है कि भारत वैश्विक स्तर पर चीन से मुकाबले हेतु एक बड़े किरदार को निभाने के लिए तैयार हो रहा है। पूर्वी एशिया के साथ नरसिम्हा राव के समय से चली आ रही 'लुक ईस्ट' पॉलिसी को उन्होंने न सिर्फ 'एक्ट ईस्ट' पॉलिसी का नाम दिया, बल्कि उसमें व्यापक परिवर्तन भी कर दिखाए हैं और अब इजरायली प्रधानमंत्री की मेजबानी करके एवं अरब देशों की यात्रा से लौटने के तुरंत बाद ईरानी राष्ट्रपति रूहानी को मेहमान बना के पीएम मोदी भारत की पश्चिम एशिया नीति में जो बदलाव ला रहे हैं, उसे वरिष्ठ पत्रकार संजय बारू 'लुक वेस्ट पॉलिसी' का नाम देते हैं।

आने वाले समय में पश्चिम एशिया से भारत के ऐतिहासिक संबंधों की महत्ता बढ़नी ही है। सामरिक, सांस्कृतिक और भू-राजनीतिक सन्दर्भ के अलावा भारत के लिए तीन अन्य विषयों के कारण यह क्षेत्र और भी महत्वपूर्ण हो जाता है। पहला है भारत की ऊर्जा-सुरक्षा। ज्ञात रहे कि भारत पचपन प्रतिशत तेल और प्राकृतिक गैस इसी क्षेत्र से आयात करता है। दूसरा है पश्चिम एशिया में काम करने वाले प्रवासी भारतीय, जिनकी संख्या लगभग सत्तर से अस्सी लाख है जो वापस अपने देश में करीब छत्तीस अरब डॉलर भेज कर देश की

अर्थव्यवस्था में बड़ा योगदान देते हैं। तीसरा है आतंकवाद और आंतरिक सुरक्षा। अंतरराष्ट्रीय आतंकवाद और धार्मिक कट्टरवाद को रोकने के लिए भारत को पश्चिमी एशियाई देशों के साथ की बहुत आवश्यकता है। इस क्षेत्र के तीन बड़े खिलाड़ी इजरायल, ईरान और सऊदी अरब तीन अलग-अलग शक्तियों का प्रतिनिधित्व करते हैं और तीनों ही आपस में एक-दूसरे के धुर-विरोधी भी हैं।

61. प्रशासन एक सहकारी प्रक्रिया है। इसमें अनेक व्यक्ति पूर्व निर्धारित योजना के अनुसार मिलकर कार्य करते हैं। योजनाबद्ध व्यवहार किसी संगठन की मूल विशेषता होती है। लोक प्रशासन को सफलता की सीढ़ियाँ चढ़ने के लिए संगठन के सिद्धांत का अनुसरण करना चाहिए। प्रशासकीय विभागों में पारस्परिक आदान-प्रदान के साथ-साथ समन्वय होना नितान्त आवश्यक है।

संगठन में दो बातें सम्मिलित हैं—श्रम-विभाजन और कार्य-विशेषीकरण, दोनों की सफलता इस बात में है कि किरी भी कार्य के आते ही जनता और सरकारी कर्मचारियों को यह पता लग जाए कि उसका संबंध सरकार के किस विभाग तथा संगठन के किस सोपान से है।

संगठन की सफलता के लिए आवश्यक है कि लाइन तथा स्टॉफ अभिकरणों में स्पष्ट विभाजन हो। कोई भी प्रशासनिक क्रिया संगठन के बिना संचालित नहीं की ज़ा सकती। प्रशासन और संगठन के बीच अटूट संबंध है।

62. क्षेत्रीय दल भारत में चुनाव आयोग द्वारा परिभाषित राजनीतिक दल का वर्णित वर्ग नहीं है। एक राजनीतिक पार्टी ऐसे लोगों का एक समूह है जो समान राजनीतिक विचारों को साझा करते हैं, चुनाव लड़ने और सरकार में सत्ता संभालने की कोशिश करते हैं। राजनीतिक दलों के सदस्य सामूहिक भलाई को बढ़ावा देने की दृष्टि से समाज के लिए कुछ नीतियों और कार्यक्रमों पर सहमत होते हैं।

स्थानीय, राज्य या राष्ट्रीय चुनाव लड़ने के लिए राजनीतिक दलों को भारतीय चुनाव आयोग द्वारा पंजीकृत होना आवश्यक है। राष्ट्रीय और राज्य दलों की संख्या/स्थिति चुनावों में उनके प्रदर्शन के आधार पर बढ़ती या घटती है। चुनाव आयोग ने एक पार्टी को राष्ट्रीय या राज्य स्तर की पार्टियों के रूप में मान्यता देने के लिए कुछ मानदण्ड निर्धारित किए हैं, जो निम्नलिखित हैं :

राष्ट्रीय पार्टी :

(*i*) उसे कम-से-कम तीन अलग-अलग राज्यों से लोकसभा में न्यूनतम 2% सीटें जीतनी होंगी।

(*ii*) आम चुनावों में, पार्टी को 6% वोट हासिल करने के साथ-साथ कम-से-कम 4 लोकसभा सीटें जीतनी होंगी।

(*iii*) पार्टी को चार या अधिक राज्यों में 'राज्य स्तरीय पार्टी' के रूप में मान्यता प्राप्त होनी चाहिए।

राज्य पार्टी :

(*i*) पार्टी को राज्य विधान सभा में कम-से-कम 3 सीटें या 3% सीटें जीतनी चाहिए।

(*ii*) चुनाव में पार्टी को कुल मतों का कम-से-कम 6% प्राप्त होना चाहिए, और एक लोकसभा और दो विधानसभा सीटें भी जीतनी चाहिए।

63. बिलफ्रेडो पेरेटो ने सामाजिक परिवर्तन का वह चक्रीय सिद्धान्त दिया जिसे अभिजात वर्ग के परिभ्रमण का सिद्धान्त कहते हैं। उन्होंने इसका प्रतिपादन अपनी पुस्तक 'Mind and Society' में किया। सामाजिक परिवर्तन को उन्होंने वर्ग व्यवस्था में होने वाले चक्रीय परिवर्तनों के आधार पर समझाया है। प्रत्येक समाज में दो वर्ग दिखायी देते हैं—उच्च या अभिजात वर्ग तथा निम्न वर्ग।

ये दोनों वर्ग स्थिर नहीं होते वरन् इनमें परिवर्तन का चक्रीय क्रम पाया जाता है। निम्न वर्ग के व्यक्ति अपने गुण एवं कुशलता में वृद्धि करके अभिजात वर्ग में सम्मिलित हो जाते हैं। अभिजात वर्ग के लोगों की कुशलता एवं योग्यता में धीरे-धीरे ह्रास होने लगता है और वे अपने गुणों को खो देते हैं तथा भ्रष्ट हो जाते हैं। इस प्रकार वे निम्न वर्ग की ओर बढ़ते हैं।

उच्च या अभिजात वर्ग में रिक्त स्थानों को भरने के लिए निम्न वर्ग के बुद्धिमान, चरित्रवान, कुशल, योग्य एवं साहसी व्यक्ति ऊपर की ओर जाते हैं। इस प्रकार उच्च वर्ग से निम्न वर्ग में तथा निम्न वर्ग से उच्च वर्ग में जाने की प्रक्रिया चलती रहती है।

इस चक्रीय गति के कारण सामाजिक संरचना में भी परिवर्तन आता है। चूंकि यह परिवर्तन चक्रीय गति से होता है, इसलिए इसे सामाजिक परिवर्तन का 'चक्रीय सिद्धान्त' अथवा 'अभिजात परिभ्रमण का सिद्धान्त' कहते हैं।

राजनीतिक क्षेत्र में दो प्रकार के व्यक्ति दिखाई देते हैं– शेर तथा लोमड़ियाँ। 'शेर' लोगों का आदर्शवादी लक्ष्यों में दृढ़ विश्वास होता है जिन्हें प्राप्त करने के लिए वे शक्ति का सहारा लेते हैं। 'शेर' वे लोग हैं जो सत्ता में होते हैं। चूंकि 'शेर' लोग शक्ति का प्रयोग करते हैं अतः समाज में भयंकर प्रतिक्रिया हो सकती है।

अतः वे कूटनीति का सहारा लेते हैं और शेर से अपने को 'लोमड़ियों' में बदल लेते हैं तथा लोमड़ियों की तरह चालाकी से शासन चलाते हैं एवं सत्ता में बने रहते हैं। किन्तु निम्न वर्ग में भी कुछ लोमड़ियां होती हैं जो सत्ता को हथियाने की फिराक में रहती हैं।

एक समय ऐसा अवसर आता है कि उच्च वर्ग की लोमड़ियों से सत्ता निम्न वर्ग की लोमड़ियों के हाथ में आ जाती है। ऐसी स्थिति में सत्ता परिवर्तन के कारण राजनीतिक व्यवस्था एवं संगठन में भी परिवर्तन आता है। पेरेटो का मत है कि सभी समाजों में शासन के लिए तर्क के स्थान पर शक्ति का प्रयोग अधिक होता है। शासन करने वाले लोगों में जब बल का प्रयोग करने की इच्छा व शक्ति कमजोर हो जाती है तब वे शक्ति के स्थान पर लोमड़ियों की तरह चालाकी से काम लेते हैं। शासित वर्ग की लोमड़ियाँ उनसे अधिक चतुर होती हैं, अतः वे उच्च वर्ग की लोमड़ियों से सत्ता छीन लेती हैं। अतः जब शासन बदलते हैं एवं सत्ता परिवर्तित होती है तो समाज में परिवर्तन आता है।

65. बेरूबाड़ी संघ मामले (1960) में उच्चतम न्यायालय ने कहा कि प्रस्तावना संविधान में निहित सामान्य प्रयोजनों को दर्शाता है और इसलिए संविधान निर्माताओं के मस्तिष्क के लिए एक कुंजी है। इसके अतिरिक्त अनुच्छेद में प्रयोग की गई व्यवस्थाओं के अनेक अर्थ निकलते हैं। इस व्यवस्था के उद्देश्य को प्रस्तावना में शामिल किया गया है। प्रस्तावना की विशेषता को स्वीकारने के लिए इस उद्देश्य के बारे में व्याख्या करते हुए उच्चतम न्यायालय ने कहा कि प्रस्तावना संविधान का भाग नहीं है।

केशवानंद भारती मामले (1973) में उच्चतम न्यायालय ने पूर्व व्याख्या को अस्वीकार कर दिया और यह व्यवस्था दी कि प्रस्तावना संविधान का एक भाग है। यह महसूस किया गया कि प्रस्तावना में उल्लिखित महान विचारों को ध्यान में रखकर संविधान का अध्ययन किया जाना चाहिए। एल.आई.सी. ऑफ इंडिया मामले (1995) में भी पुनः उच्चतम न्यायालय ने व्यवस्था दी कि प्रस्तावना संविधान का आंतरिक हिस्सा है।

66. अमर्त्य सेन का कहना हैं कि, ''निर्धन, निर्धन हैं इसलिए नहीं कि उनके पास कुछ नहीं है, बल्कि इसलिए कि वे क्या नहीं कर सकते हैं''। कल्याणकारी अर्थव्यवस्था के जनक कहे जाने वाले अमर्त्य सेन भारत के गिने-चुने 'नोबेल पुरस्कार' विजेताओं में से एक हैं। अर्थशास्त्र विषय में उत्कृष्ट योगदान के लिए उन्हें वर्ष 1998 में यह सम्मान प्रदान किया गया था। सेन ने अपने लेखों और शोध के माध्यम से गरीबी मापने के ऐसे तरीके विकसित किए जिससे गरीबों की आर्थिक स्थिति सुधारने के लिए उपयोगी जानकारी मिली। उन्होंने 1981 में अपनी चर्चित पुस्तक 'पावर्टी एण्ड फेमिंस : ऐन एस्से ऑन एनटाइटलमेंट एण्ड डीप्राइवेशन' प्रकाशित की। सन् 2009 में सेन ने 'द आईडिया ऑफ जस्टिस' नामक पुस्तक प्रकाशित की जिसके द्वारा उन्होंने अपने 'न्याय के सिद्धांत' का प्रतिपादन किया।

68. द्वितीय प्रशासनिक सुधार आयोग (2nd ARC) ने प्रत्येक जिले में नगरीय एवं ग्रामीण प्रतिनिधित्व के लिए जिला परिषद के सृजन की अनुशंसा की थी। 31 अगस्त, 2005 को सरकार ने कर्नाटक के पूर्व मुख्यमंत्री वीरप्पा मोइली की अध्यक्षता में 'द्वितीय प्रशासनिक सुधार आयोग' का गठन किया। आयोग के अध्यक्ष ने जब वर्ष 2009 में पद त्यागा, तब तक यह अपनी सिफारिशों की 15 रिपोर्ट्स दे चुका था। इस पाँच सदस्यीय आयोग का प्रमुख कार्य मंत्रालयों एवं विभागों का पुनर्गठन करने तथा उनकी भूमिका को वैश्वीकरण के अनुरूप बनाने के लिये सिफारिशें देना था। इस आयोग को सरकार के सभी स्तरों पर देश के लिये एक सक्रिय, प्रतिक्रियाशील,

जवाबदेह, सतत् प्रशासन के लिये सुझाव देने की जिम्मेदारी भी दी गई थी। इसके अलावा आयोग ने निम्नलिखित पर भी अपने सुझाव दियेः

- सूचना का अधिकार
- भारत सरकार का संगठनात्मक ढाँचा
- मानव सम्पदा का व्यापक विस्तार
- शासन में नैतिकता
- कार्मिक प्रशासन की पुनर्संरचना
- वित्तीय प्रबंधन प्रणालियों का सुदृढ़ीकरण
- राज्य स्तर पर प्रभावी प्रशासन सुनिश्चित करने के उपाय
- प्रभावी जिला प्रशासन सुनिश्चित करने के उपाय
- स्थानीय स्व-शासन और पंचायती राज संस्थान
- सामाजिक पूंजी, विश्वास और भागीदारपूर्ण सरकारी सेवा प्रदायगी
- नागरिक केंद्रित प्रशासन
- ई-प्रशासन को प्रोत्साहित करना
- संघीय राजतंत्र के मुद्दे
- संकट प्रबंधन या आपदा प्रबंधन
- सार्वजनिक व्यवस्था

69. भारत की लोकतांत्रिक राजनीति में प्रमुख राजनीतिक दलों के प्रवेश का काल निम्नलिखित है :

(1) भारतीय राष्ट्रीय कांग्रेस —1885
(2) भारतीय कम्युनिस्ट पार्टी —1925
(3) द्रविड़ मुनेत्र कड़गम —1949
(4) शिव सेना —1966
(5) ऑल इण्डिया अन्ना द्रविड़ मुनेत्र कड़गम —1972
(6) मार्क्सवादी कम्युनिस्ट पार्टी —1964
(7) झारखण्ड मुक्ति मोर्चा —1972
(8) भारतीय जनता पार्टी —1980
(9) बहुजन समाज पार्टी —1984
(10) तृणमूल कांग्रेस पार्टी —1998
(11) राष्ट्रवादी कांग्रेस पार्टी —1999
(12) समाजवादी पार्टी —1992
(13) शिरोमणि अकाली दल —1920
(14) राष्ट्रीय जनता दल —1997
(15) तेलंगाना राष्ट्र समिति —2001
(16) महाराष्ट्र नवनिर्माण सेना —2006
(17) जनता दल (यूनाइटेड) —1999
(18) जनता दल (सेक्यूलर) —1999
(19) बीजू जनता दल —1997
(20) असम गण परिषद् —1985

71. सूचना के अधिकार द्वारा राजनीतिक–प्रशासनिक व्यवस्था में सावधानी, देख-रेख, सतर्कता आदि जैसे विशिष्टताओं को प्रारंभ किया गया। सूचना का अधिकार अधिनियम, 2005 प्रत्येक लोक प्राधिकारी के कार्यकरण में पारदर्शिता और उत्तरदायित्व के संवर्धन, लोक प्राधिकारियों के नियंत्रणाधीन सूचना तक पहुँच सुनिश्चित करने के लिए नागरिकों के सूचना के अधिकार की व्यावहारिक शासन पद्धति स्थापित करने, एक केंद्रीय सूचना आयोग तथा राज्य सूचना आयोग का गठन करने और उनसे सम्बन्धित या उनके आनुषंगिक विषयों का उपबंध करने के लिए अधिनियमित किया गया हैं।

विश्व में सबसे पहले स्वीडन ने सूचना का अधिकार कानून 1766 में लागू किया, जबकि फ्रांस ने 1978, कनाडा ने 1982 तथा मैक्सिको ने 2002 में लागू किया। विश्व में स्वीडन पहला ऐसा देश है, जिसके संविधान में सूचना की स्वतंत्रता प्रदान की गई है।

73. **हंस मॉर्गेंथाऊ** बीसवीं सदी के अंतरराष्ट्रीय राजनीति के अध्ययन में अग्रणी विद्वानों में से एक थे। उन्होंने अंतरराष्ट्रीय संबंधों के सिद्धांत और अंतरराष्ट्रीय कानून के अध्ययन में ऐतिहासिक योगदान दिया और उनकी पुस्तक 'Politics Among Nations : The Struggle for Power and Peace', 1948 में पहली बार प्रकाशित हुई। यह अमेरिकी विश्वविद्यालयों में अपने क्षेत्र में सबसे अधिक इस्तेमाल की जाने वाली पाठ्यपुस्तक थी। मॉर्गेंथाऊ अंतरराष्ट्रीय सम्बन्धों के सिद्धांत में यथार्थवादी परम्परा से सम्बन्धित हैं, और उन्हें आमतौर पर जॉर्ज एफ कैनन और रेनूहाल्डनेबूर के साथ द्वितीय विश्व युद्ध के बाद के तीन प्रमुख अमेरिकी यथार्थवादियों में से एक माना जाता है। उनका मानना था कि अंतरराष्ट्रीय

राजनीति मानवीय व्यवहार पर आधारित होता है तथा अंतरराष्ट्रीय राजनीति में राष्ट्रीय हित सर्वोपरि होता है।

74. क्योटो प्रोटोकॉल संयुक्त राष्ट्र के पर्यावरण बदलाव पर एक अंतर्राष्ट्रीय संधि है। इस संधि पर दिसम्बर, 1997 में क्योटो सम्मेलन के दौरान हस्ताक्षर किये गये। यह एक कानूनी एवं बाध्यकारी संधि है। इसके तहत संधि में शामिल सभी 38 विकसित देशों द्वारा सामूहिक रूप से ग्रीन हाउस गैस उत्सर्जन को 1990 के स्तर पर लाने के लिए 2012 तक 5.2 प्रतिशत कटौती करने का संकल्प व्यक्त किया गया है। इसका लक्ष्य ग्रीन हाउस गैसों, यथा-कार्बन डाईऑक्साइड, मीथेन, नाइट्रस ऑक्साइड, सल्फर हेक्साफ्लोराइड, हाइड्रो क्लोरो कार्बन और क्लोरो-फ्लोरो कार्बन के उत्सर्जन में वर्ष 2008 से 2012 तक प्रभावी कमी करना है। प्रोटोकॉल में स्पष्ट रूप से उल्लेख किया गया है कि समझौते को लागू करने हेतु सम्मेलन में शामिल सभी 55 देशों, जिनमें 38 विकसित देश भी शामिल हैं, द्वारा पुष्टि होनी चाहिए एवं इन देशों का उत्सर्जन स्तर कुल ग्रीन हाउस उत्सर्जन का 55 प्रतिशत हो। इन दो शर्तों में से प्रथम शर्त जिसमें 55 देशों के हस्ताक्षर की बात कही गई है 23 मई, 2004 को ही पूरा हो गया था, परन्तु 55 प्रतिशत ग्रीन हाउस उत्सर्जन से संबंधित शर्त को पूरा करने हेतु संयुक्त राज्य अमेरिका की पुष्टि आवश्यक है, क्योंकि ग्रीन हाउस गैसों का सर्वाधिक उत्सर्जन (24 प्रतिशत) वही करता है। पर विडंबना है कि वर्ष 2001 में अमेरिका ने इस संधि को मानने से इंकार कर दिया। इस स्थिति में यूरोपीय संघ के प्रयासों से रूस एवं जापान को क्योटो प्रोटोकॉल की पुष्टि के लिए सहमत किया गया। इस प्रकार रूस के राष्ट्रपति व्लादिमीर पुतिन द्वारा 4 नवम्बर, 2004 को इस संधि पर हस्ताक्षर करने तथा 18 नवंबर, 2004 को संधि की पुष्टि करने के बाद 16 फरवरी, 2005 को क्योटो प्रोटोकॉल प्रभावी हो गया।

75. सबाल्टर्न (उपाश्रित) अध्ययन समूह 20वीं सदी के 8वें दशक में दक्षिण एशियाई इतिहास और समाज का अध्ययन करने वाले इतिहासकारों का एक अकादमिक समूह है। सबाल्टर्न अध्ययन औपनिवेशिक कालखण्ड में अभिजात्य (Elite) आधिकारिक स्रोतों से इतर जनता द्वारा, जनता के लिए, जनता का इतिहास विनिर्मित करने की प्रविधि है। यह श्रमिकों, कृषकों एवं समाज के सीमांत वर्गों का प्राधान्य 'नवलोकतंत्र' के रूप से सम्बन्धित है। प्रसिद्ध सबाल्टर्न अध्येता रंजीत गुहा, पार्थ चटर्जी आदि ने भारत में राष्ट्र की अवधारणा को भ्रामक प्रत्यय माना। उनकी यह धारणा बेनेडिक्ट एंडरसन की कल्पित समुदाय की अवधारणा से प्रभावित है। पार्थ चटर्जी ने माना है कि भारत का एक अखण्ड इतिहास लिखने की जगह उसके खण्डों, टुकड़ों का इतिहास लिखा जाना चाहिए।

सबाल्टर्न इतिहासकारों ने यह धारणा प्रस्तुत की कि औपनिवेशिक दासता से ग्रस्त या उबर चुके राष्ट्र में राष्ट्रवादी इतिहास का लिखा जाना जातीय गौरव का प्रतीक बन जाता है। राष्ट्रवादी इतिहासकारों द्वारा उपनिवेश विरोधी चेतना के निर्माण हेतु समृद्ध विरासत को पुनर्जीवित करने का ही प्रयास किया जाता है। इस विचारधारा ने जातीयता और राष्ट्र की मूलभूत अवधारणा पर प्रश्नचिह्न लगा दिया। इन्होंने समस्त राष्ट्रवादी इतिहास लेखन को अभिजनवादी कहकर अपर्याप्त घोषित कर दिया, साथ ही स्वातंत्र्योत्तर भारत के इतिहासकारों के समक्ष चुनौती रखी कि वे औपनिवेशिक भारत और स्वतंत्रता संघर्ष के इतिहास को सबाल्टर्न इतिहास के रूप में अर्थात् उस साधारण जनता के दृष्टिकोण से प्रस्तुत करें जिनकी राष्ट्रीय चेतना और प्रतिरोध का नेतृत्व हमेशा अभिजात प्रभावशाली राष्ट्रीय नेताओं द्वारा किया गया।

77. भारत को 2017 में संयुक्त राष्ट्र शैक्षिक, वैज्ञानिक तथा सांस्कृतिक संगठन (UNESCO) के कार्यकारी बोर्ड कें सदस्य के रूप में फिर से चुना गया है। फ्रांस की राजधानी पेरिस में UNESCO की आम सभा के 39वें सत्र में यह चयन किया गया। यह वैश्विक स्तर पर भारत की स्थिति को प्रकट करती है। कार्यकारी बोर्ड शीर्ष निर्णय लेने वाली संस्था है, इसलिए यह एक महत्वपूर्ण उपलब्धि है।'' आम सभा में संगठन के सदस्य देशों के प्रतिनिधि शामिल हैं। यूनेस्को के अनुसार यह बैठक प्रत्येक 2 वर्षों में होती है जिसमें सदस्य देशों और एसोसिएट सदस्यों के साथ गैर-सदस्य देशों, अंतर्राष्ट्रीय

संगठनों और गैर-सरकारी संगठनों के पर्यवेक्षक शामिल होते हैं।

78. यूरोपीय संघ (ईयू) और भारत ने भारत में यूरोपीय संघ के निवेश के लिए एक निवेश सुविधा तंत्र (आईएफएम) की स्थापना की घोषणा की। यह तंत्र यूरोपीय संघ और भारत सरकार के बीच घनिष्ठ समन्वय की अनुमति देगा, जिसका उद्देश्य भारत में यूरोपीय संघ के निवेश को बढ़ावा देना और उसे सुविधाजनक बनाना है। यह समझौता मार्च 2016 में ब्रुसेल्स में आयोजित 13वें यूरोपीय संघ-भारत शिखर सम्मेलन के संयुक्त वक्तव्य पर आधारित है, जहां यूरोपीय संघ ने इस तरह के तंत्र को स्थापित करने के लिए भारत की तत्परता का स्वागत किया था। दोनों पक्षों के नेताओं ने संरक्षणवाद का विरोध करने और काम करने के लिए अपनी साझा प्रतिबद्धता की फिर से पुष्टि की ताकि एक निष्पक्ष, पारदर्शी और नियम-आधारित व्यापार और निवेश वातावरण का माहौल निर्मित हो। IFM के हिस्से के रूप में यूरोपीय संघ के प्रतिनिधिमंडल और भारत के औद्योगिक नीति और संवर्धन विभाग (DIPP), वाणिज्य और उद्योग मंत्रालय ने यूरोपीय संघ के निवेशकों के लिए ''व्यापार करने में आसानी'' का आकलन करने और सुविधा के लिए नियमित रूप से उच्च स्तरीय बैठकें आयोजित करने पर सहमति व्यक्त की। इसमें यूरोपीय संघ की कंपनियों और निवेशकों द्वारा भारत में अपने कार्यों को स्थापित करने या चलाने में आने वाली प्रक्रियात्मक बाधाओं का समाधान करना और उनकी जगह बनाना शामिल होगा।

79. राष्ट्रीय मानवाधिकार आयोग और राष्ट्रीय अल्पसंख्यक आयोग सांविधिक निकाय (Statutory body) हैं जबकि राष्ट्रीय अनुसूचित जाति आयोग और राष्ट्रीय अनुसूचित जनजाति आयोग संवैधानिक निकाय (Constitutional body) हैं। सांविधिक निकायों का गठन मंत्रिमंडल के निर्णय के फलस्वरूप होता है जबकि संवैधानिक निकायों के गठन की शक्ति संवैधानिक प्रावधानों द्वारा आच्छादित है।

राष्ट्रीय अल्पसंख्यक आयोग की स्थापना 1992 में संसद द्वारा की गई थी जबकि राष्ट्रीय मानवाधिकार आयोग की स्थापना 1993 में हुई थी। धर्मनिरपेक्ष परंपरा को बनाए रखने के लिए तथा राष्ट्रीय एकता को बढ़ावा देने के लिए भारत सरकार ने राष्ट्रीय अल्पसंख्यक आयोग गठित की। वहीं राष्ट्रीय मानवाधिकार आयोग देश में मानवाधिकारों का प्रहरी है, यह संविधान द्वारा अभिनिश्चित तथा अंतर्राष्ट्रीय संधियों द्वारा निर्धारित व्यक्तिगत अधिकारों का संरक्षक है।

80. नीति आयोग एक स्टॉफ अभिकरण है। जहाँ तक प्रशासनिक क्षेत्र का सम्बन्ध है, किसी भी प्रशासनिक संगठन के शीर्ष पर मुख्य कार्यपालिका होती है जिसे अपने दायित्वों के निर्वहन हेतु व्यापक शक्तियाँ प्रदान की जाती हैं। मुख्य कार्यपालिका के सहायतार्थ अधीनस्थ अधिकारी होते हैं। इस वर्ग का संबंध नीति-निर्माण व उसके क्रियान्वयन से है। इस वर्ग के सहायतार्थ एक मंत्रणा देने वाला वर्ग होता है जिसका कार्य केवल परामर्श देना होता है। इसे मंत्रणा या स्टॉफ अभिकरण (Staff Agency) कहा जाता है।

स्टॉफ का साहित्यिक अर्थ 'छड़ी' है जिस प्रकार 'छड़ी' सहारा देती है तथा मार्ग प्रदर्शन करती है, उसी प्रकार स्टॉफ का कार्य नीति निर्धारण आदि के सम्बन्ध में परामर्श देना है। स्टॉफ या छड़ी स्वयं गतिशील नहीं होते हैं केवल सहारा-मात्र होते हैं। प्रशासन के क्षेत्र में स्टॉफ का कार्य कार्यपालिका को प्रशासन सम्बन्धी कार्यों में सहायता प्रदान करना है।

विभिन्न विद्वानों ने 'स्टॉफ' की परिभाषा निम्नलिखित रूपों में की है :

हेनरी फेयोल के अनुसार– ''यह एक सहायता है.... यह प्रबन्धक के व्यक्तित्व का एक प्रकार से विस्तार है जिससे कि अपने कर्त्तव्यों को पूर्ण करने में उसे सहायता मिल सके।''

मूने के मतानुसार–''स्टॉफ कार्यपालिका के व्यक्तित्व का ही विस्तार है। इसका अर्थ है अधिक आँखें, अधिक कान और अधिक हाथ जो कि उसको योजना बनाने तथा क्रियान्वित करने में सहायता दे सकें।''

प्रो. ह्वाइट लिखते हैं–''स्टॉफ उच्च श्रेणी के पदाधिकारी को परामर्श देने वाला एक अभिकरण होता है, जिसकी कोई क्रियात्मक जिम्मेदारी नहीं होती है।''

लेपावस्की के शब्दों में–''स्टॉफ सूत्र विभाग के लिए योजनाएँ बनाता है, उसको सलाह देता है और उसकी सहायता करता है, परन्तु यह आदेश नहीं दे सकता है। स्टॉफ अभिकरणों का मुख्य उद्देश्य प्रबन्ध सम्बन्धी अथवा गृह प्रबन्ध सम्बन्धी सेवाएँ सम्पन्न करना है जिससे कि लक्ष्य फल प्राप्त हो सकें।''

डॉ. विबासि के शब्दों में–''स्टॉफ सूत्र विभाग के लिए योजनाएँ बनाता है, उसको सलाह देता है, किन्तु आदेश नहीं दे सकता है।''

इस प्रकार स्टॉफ एक परामर्शदात्री निकाय है जो किसी भी प्रकार से नीतिनिर्माण या आदेश सम्बन्धी कार्य नहीं करता है।

83. प्रधानमंत्री ग्रामीण आवास योजना (PMGAY), पहले इंदिरा आवास योजना (IAY), भारत में ग्रामीण गरीबों के लिए आवास प्रदान करने के लिए भारत सरकार द्वारा बनाया गया एक सामाजिक कल्याण प्रमुख कार्यक्रम है। इंदिरा आवास योजना 1985 में भारत के तत्कालीन प्रधानमंत्री राजीव गांधी द्वारा शुरू की गई थी, जो कि ग्रामीण विकास मंत्रालय के प्रमुख फ्लैगशिप कार्यक्रमों में से एक है, जो गांवों में बीपीएल आबादी के लिए घर बनाने के लिए है।

प्रधानमंत्री ग्राम सड़क योजना (पीएमजीएसवाई) की शुरुआत 2000 में भारत के तत्कालीन प्रधानमंत्री स्वर्गीय श्री अटल बिहारी वाजपेयी द्वारा की गई थी। अटल पेंशन योजना (या एपीवाई, जिसे पहले स्वावलंबन योजना के रूप में जाना जाता था) भारत में एक सरकार समर्थित पेंशन योजना है, जो मुख्य रूप से असंगठित क्षेत्र पर लक्षित है। इसका उल्लेख 2015 के बजट भाषण में तत्कालीन वित्त मंत्री अरुण जेटली ने किया था। इसे प्रधानमंत्री नरेंद्र मोदी ने 9 मई को कोलकाता में लॉन्च किया था।

भारत सरकार ने 2015 में ग्रामीण विद्युतीकरण के लिए ''दीनदयाल उपाध्याय ग्राम ज्योति योजना'' शुरू की है। ग्रामीण विद्युतीकरण निगम DDUGJY के कार्यान्वयन के लिए नोडल एजेंसी है। यह योजना मौजूदा राजीव गांधी ग्रामीण विद्युतीकरण योजना (RGGVY) को प्रतिस्थापित करेगी लेकिन RGGVY की सुविधाओं को DDUGJY की नई योजना में सम्मिलित किया जाएगा तथा RGGVY योजना की खर्च नहीं की गई राशि को DDUGJY में शामिल किया जाएगा। यह योजना विद्युत मंत्रालय के प्रमुख कार्यक्रमों में से एक है और बिजली की 24 × 7 आपूर्ति की सुविधा को सुगम बनाएगी।

85. बिरसा मुंडा एकमात्र जनजातीय नेता हैं जिन्हें भारतीय संसद के संग्रहालय में चित्रण द्वारा सम्मानित किया गया है। झारखंड के आदिवासी दम्पति सुगना और करमी के घर 15 नवंबर 1875 को जन्मे बिरसा मुंडा ने साहस की स्याही से पुरुषार्थ के पृष्ठों पर शौर्य की शब्दावली रची। उन्होंने हिन्दू धर्म और ईसाई धर्म का बारीकी से अध्ययन किया तथा इस निष्कर्ष पर पहुंचे कि आदिवासी समाज मिशनरियों से तो भ्रमित है ही हिन्दू धर्म को भी ठीक से न तो समझ पा रहा है, न ग्रहण कर पा रहा है। बिरसा मुंडा ने महसूस किया कि आचरण के धरातल पर आदिवासी समाज अंधविश्वासों की आंधियों में तिनके-सा उड़ रहा है तथा आस्था के मामले में भटका हुआ है। उन्होंने यह भी अनुभव किया कि सामाजिक कुरीतियों के कोहरे ने आदिवासी समाज को ज्ञान के प्रकाश से वंचित कर दिया है। धर्म के बिंदु पर आदिवासी कभी मिशनरियों के प्रलोभन में आ जाते हैं, तो कभी ढकोसलों को ही ईश्वर मान लेते हैं। भारतीय जमींदारों और जागीरदारों तथा ब्रिटिश शासकों के शोषण की भट्टी में आदिवासी समाज झुलस रहा था। बिरसा मुंडा ने आदिवासियों को शोषण की नाटकीय यातना से मुक्ति दिलाने के लिए उन्हें तीन स्तरों पर संगठित करना आवश्यक समझा। पहला तो सामाजिक स्तर पर ताकि आदिवासी-समाज अंधविश्वासों और ढकोसलों के चंगुल से छूट कर पाखंड के पिंजरे से बाहर आ सके। इसके लिए उन्होंने आदिवासियों को स्वच्छता का संस्कार सिखाया। शिक्षा का महत्व समझाया। सहयोग और सरकार का रास्ता दिखाया।

दूसरा था आर्थिक स्तर पर सुधार ताकि आदिवासी समाज को जमींदारों और जागीरदारों के आर्थिक शोषण से मुक्त किया जा सके। बिरसा मुंडा ने जब सामाजिक स्तर पर आदिवासी समाज में चेतना पैदा कर दी तो आर्थिक स्तर पर सारे आदिवासी शोषण के विरुद्ध स्वयं

ही संगठित होने लगे। बिरसा मुंडा ने उनके नेतृत्व की कमान संभाली।

आदिवासियों ने 'बेगारी प्रथा' के विरुद्ध जबर्दस्त आंदोलन किया। परिणामस्वरूप जमींदारों और जागीरदारों के घरों तथा खेतों और वन की भूमि पर कार्य रूक गया।

तीसरा था राजनीतिक स्तर पर आदिवासियों को संगठित करना। चूंकि उन्होंने सामाजिक और आर्थिक स्तर पर आदिवासियों में चेतना की चिंगारी सुलगा दी थी, अतः राजनीतिक स्तर पर इसे आग बनने में देर नहीं लगी। आदिवासी अपने राजनीतिक अधिकारों के प्रति सजग हुए। ब्रिटिश हुकूमत ने इसे खतरे का संकेत समझकर बिरसा मुंडा को गिरफ्तार करके जेल में डाल दिया। वहां अंग्रेजों ने उन्हें धीमा जहर दिया था। जिस कारण वे 9 जून, 1900 को शहीद हो गए।

भारतीय इतिहास में बिरसा मुंडा एक ऐसे नायक थे जिन्होंने भारत के झारखंड में अपने क्रांतिकारी चिंतन से उन्नीसवीं शताब्दी के उत्तरार्द्ध में आदिवासी समाज की दशा और दिशा बदलकर नवीन सामाजिक और राजनीतिक युग का सूत्रपात किया। काले कानूनों को चुनौती देकर बर्बर साम्राज्य को सांसत में डाल दिया।

86. लोकपाल और लोकायुक्त अधिनियम के अंतर्गत किसी व्यक्ति को लोकपाल का अध्यक्ष नियुक्त किया जा सकता है, यदि वह भारत का मुख्य न्यायाधीश हो अथवा रह चुका हो; उच्चतम न्यायालय का न्यायाधीश हो अथवा रह चुका हो या प्रतिष्ठित व्यक्ति हो।

लोकपाल उच्च सरकारी पदों पर आसीन व्यक्तियों द्वारा किये जा रहे भ्रष्टाचार की शिकायतें सुनने एवं उस पर कार्यवाही करने के निमित्त पद है। संयुक्त राष्ट्र संघ के एक सेमिनार में राजनीतिज्ञों और नौकरशाहों के आचरण तथा कर्तव्य पालन की विश्वसनीयता तथा पारदर्शिता को लेकर दुनिया की विभिन्न राजनीतिक प्रणालियों में उपलब्ध संस्थाओं की जांच की गई। स्टॉकहोम में हुए इस सम्मेलन में वर्षों पूर्व आम आदमी की प्रशासन के प्रति विश्वसनीयता तथा प्रशासन के माध्यम से आम आदमी के प्रति सत्तासीन व्यक्तियों की जवाबदेही बनाए रखने के संबंध में विचार-विमर्श हुआ। लोक सेवकों के आचरण की जांच और प्रशासन के स्वस्थ मानदंडों को प्रासंगिक बनाए रखने के संदर्भों की पड़ताल भी की गई।

इस सेमिनार ने पांच मुख्य संस्थाओं की जांच की जो पूरी दुनिया में जांच एजेंसियों के रूप में उस समय लागू थीं। इनमें संसदीय जांच समितियां, रूस की प्रोक्यूरेसी, अंग्रेजी विधि व्यवस्था में वर्णित न्यायिक अनुतोष, फ्रांसीसी पद्धति की जांच व्यवस्थाएं तथा स्कैण्डिनेवियन देशों में प्रचलित ओम्बुड्समैन भी शामिल रहे हैं।

इनमें ओम्बुड्समैन नामक संस्था ने प्रशासन के प्रहरी बने रहने में अंतर्राष्ट्रीय सफलता प्राप्त की है। स्वीडन को इस बात का श्रेय है। वहां वर्ष 1713 में किंग चार्ल्स बारहवें ने अपने एक सभापद को उन अधिकारियों को दंडित करने के लिए नियुक्त किया जो कानून का उल्लंघन करते थे। स्वीडन में नया संविधान बनने पर संविधान सभा के सदस्यों ने जिद की कि उनका ही एक अधिकारी जांच का कार्य करेगा। वह सरकारी अधिकारी नहीं हो सकता। तब 1809 में स्वीडन के संविधान में ओम्बुड्समैन की व्यवस्था हुई जो अदालतों और लोकसेवकों द्वारा कानूनों तथा विनियमों के उल्लंघन के प्रकरण की जांच करेगा।

87. नियंत्रक और महालेखा परीक्षक (CAG), सर्वोच्च न्यायालय के न्यायाधीश तथा राज्य के राज्यपालों की नियुक्ति राष्ट्रपति के मुहर लगे आज्ञापत्र (By warrant upder his hand and seal) के माध्यम से होती है। 'राष्ट्रपति के मुहर लगे आज्ञापत्र' शब्द से तात्पर्य है कि नियुक्ति पत्र में भारत के राष्ट्रपति की मुहर और हस्ताक्षर हैं। यह भारत के संविधान के अनुच्छेद 155 में निहित है।

88. आध्यात्मिक देश होने के कारण भारत में कई धार्मिक यज्ञ, मेला आदि समय-समय पर आयोजित होते रहते हैं। कुंभ मेला भी इसी तरह का एक आध्यात्मिक मेला है, जहाँ बहुत विधि-विधान के साथ पूजा-पाठ, यज्ञ, आदि होता है। ऐसा माना जाता है कि कुंभ मेले में आने वाले श्रद्धालुओं के सारे पाप नष्ट हो जाते हैं और वो जीवन-मरण के चक्र से मुक्त हो जाते हैं। दिसम्बर 2017 में यूनेस्को ने भारत में आयोजित इस मेले को

'मानवता की अमूर्त सांस्कृतिक विरासत' घोषित किया है। इस तरह से यह मेला एक वैश्विक स्तर का आयोजन बन गया है।

कुंभ मेले का आयोजन हर स्थान पर नहीं हो सकता है। इसके लिए शास्त्रों के अनुसार 4 विशेष स्थान तय हैं, ये चार स्थान हैं नासिक में गोदावरी नदी के तट पर, उज्जैन में क्षिप्रा नदी के तट पर, हरिद्वार में गंगानदी के तट पर और प्रयाग में संगम के तट पर। यह अद्भुत मेला प्रत्येक 12 वर्षों के अंतराल में लगता है। इस 12 वर्ष के बीच 6 वर्षों में इस मेले का आयोजन 'अर्द्ध कुंभ' के नाम से होता है।

89. टेलर ने जिस वैज्ञानिक प्रबंध का प्रतिपादन किया उसकी विशेषताएं निम्नलिखित हैं :

1. **निष्पादन प्रभाव का निर्धारण :** टेलर ने फोरमैन के रूप में अपने अनुभव में यह किया कि वास्तव में किसी को भी यह पता नहीं होता है कि एक श्रमिक से 1 घंटे में या एक दिन में कितना काम करने की अपेक्षा रखी लाए। उन्होंने अपनी प्रसिद्ध 'समय व गति अध्ययन' की शुरुआत की।

   निष्पादन के प्रमापों का निर्धारण इस आधार पर किया जाता है कि कार्य के प्रत्येक अंश के निष्पादन में कितना समय लगता है। गतियों का विश्लेषण कर प्रत्येक परिचालन के लिए आवश्यक गतियों का पता लगाया जाता है वह अनावश्यक गति को रोका जाता है।

2. **क्रियात्मक फोरमैनशिप :** टेलर अपने समय के विभिन्न व्यवसाय संगठनों की कार्य प्रणाली को देखने के बाद इस निष्कर्ष पर पहुंचे कि प्रत्येक व्यक्ति प्रशिक्षु के समय दूसरे से सीखे गए ढंग से अपने कार्य का नियोजन करता है जो कि अकुशलता और अपव्यय का प्रमुख कारण है। टेलर ने पर्यवेक्षक कार्य को एक नए सिरे से संगठित करने की आवश्यकता महसूस की। इसके लिए उन्होंने दो बातों पर बल दिया।
   - नियोजन का क्रियान्वयन से पृथकीकरण
   - क्रियात्मक फोरमैनशिप

   प्रत्येक क्रियात्मक फोरमैन एक ही कार्य का विशेषज्ञ होता है। क्रियात्मक फोरमैन द्वारा प्रत्येक व्यक्ति श्रमिक के कृत्य के विभिन्न आयामों का नियोजन किया जाता है।

3. **प्रबंध के उत्तरदायित्व :** टेलर का विश्वास है कि प्रबंधकों को नियोजन, निदेशन व संगठन का उत्तरदायित्व स्वीकार करना चाहिए। वह भी मानते हैं कि प्रबंधकों को यह कार्य वैज्ञानिक प्रबंध से करने चाहिए।

4. **मजदूरी भुगतान की विभेदात्मक कार्यदर पद्धति :** टेलर इस बात को सुनिश्चित करने हेतु आतुर थे कि श्रमिकों से अनुकूलतम उत्पादन की प्राप्ति हो, किंतु उन्होंने पाया कि वे यथासंभव कम उत्पादन में रुचि रखते हैं। वह इस निष्कर्ष पर पहुंचे कि मजदूरी भुगतान की प्रचलित पद्धति में अच्छे श्रमिक को कठोर परिश्रम करने से भी कोई लाभ नहीं होता।

   टेलर ने इस समस्या को दूर करने के लिए 'विभेदात्मक कार्यदर पद्धति' का विकास किया जिससे कि कामगारों को अधिकतम कुशलता से कार्य करने के लिए प्रेरित किया जा सके। इस मजदूरी पद्धति के अंतर्गत ऐसा श्रमिक जो नियत समय में प्रमापित कार्य को पूरा कर देता है या उससे अधिक कार्य करता है तो उसे उच्च दर से मजदूरी दी जाती है।

5. **मानसिक क्रांति :** टेलर के अनुसार वैज्ञानिक प्रबंध का सार 'मानसिक क्रांति' है। इसमें श्रमिकों की अपने कार्य के प्रति मनोवृतियों में पूर्ण मानसिक क्रांति शामिल है। उनके अनुसार बढ़ी हुई उत्पादकता से कर्मचारी और कर्मचारियों के नियोक्ता दोनों को लाभ होता है और इस प्रकार से एक 'मानसिक क्रांति' संपन्न होती है। इसमें प्रबंध की अपने अनुयायियों, श्रमिकों व जिस ढंग से वह अपनी दैनिक समस्याओं को प्रतिबंधित करते हैं और उनके प्रति मनोवृत्तियों में भी मानसिक क्रांति शामिल हैं।

91. **सभ्यताओं का संघर्ष** (Clash of Civilizations) राजनीति विज्ञानी सैमुअल पी. हंटिंगटन (Samuel P. Huntington) द्वारा प्रतिपादित एक सिद्धांत है जिसका सार यह है कि शीतयुद्धोत्तर संसार में लोगों की सांस्कृतिक एवं धार्मिक पहचान ही संघर्षों का मुख्य कारण होगी। अमेरिकी विद्वान ने तर्क दिया कि भविष्य के युद्ध देशों के बीच नहीं, बल्कि संस्कृतियों के बीच लड़े जाएंगे। इस अभिव्यक्ति को 1992 में अमेरिकी उद्यम संस्थान के एक व्याख्यान में प्रस्तावित किया गया, जो बाद में विदेशी मामलों के एक लेख में 'सभ्यताओं का संघर्ष' शीर्षक से विकसित हुआ। हंटिंगटन का यह विचार उनके पूर्व छात्र फ्रांसिस फुकुयामा की पुस्तक 'The End of History and the Last Man—1992' के प्रत्युतर में था। हंटिंगटन ने बाद में अपनी पुस्तक 'The Clash of Civilizations and the Remaking of World Order—1996' में अपने थीसिस का विस्तार किया।

92. लोक प्रशासन उस परिवेश के अर्थों में (संस्थागत परिवेश) निजी प्रशासन से भिन्न होता है जिसमें यह काम करता है। पॉल एच. एपलबी, सर जोसिया स्टैंप, हरबर्ट ए. साइमन और पीटर ड्रकर ने लोक और निजी प्रशासन में भेद किया है।

एपलबी का उपागम : उनके अनुसार, लोक प्रशासन निजी प्रशासन से तीन पहलुओं में भिन्न है:

(*i*) राजनीतिक चरित्र,

(*ii*) उद्देश्य, प्रभाव और विचार की व्यापकता,

(*iii*) जन जवाबदेही।

जोसिया स्टैंप का दृष्टिकोण : उनके अनुसार लोक प्रशासन निजी प्रशासन से चार पहलुओं में अलग है:

(*i*) एकरूपता का सिद्धांत,

(*ii*) बाहरी वित्तीय नियंत्रण का सिद्धांत,

(*iii*) जनता के प्रति जिम्मेदारी का सिद्धांत,

(*iv*) सेवा प्रेरण का सिद्धांत।

हरबर्ट साइमन का दृष्टिकोण : उनके अनुसार लोक प्रशासन और निजी प्रशासन के बीच का अंतर जन कल्पना में निहित है, जो तीन बिंदुओं से संबंधित है :

(*i*) लोक प्रशासन नौकरशाही जैसा है, जबकि निजी प्रशासन व्यापार जैसा।

(*ii*) लोक प्रशासन राजनीतिक है, जबकि निजी प्रशासन गैर-राजनीतिक।

(*iii*) लोक प्रशासन की पहचान लाल फीताशाही है, जबकि निजी प्रशासन इससे मुक्त है।

ड्रकर का दृष्टिकोण : उनके अनुसार, लोक प्रशासन (सेवा संस्थान) निजी प्रशासन (व्यापार संस्थान) से बुनियादी तौर पर अलग है। उनके शब्दों में–"यह अपने विस्तार क्षेत्र में अलग है। इसके मूल्य अलग हैं। इसे अलग उद्देश्यों की जरूरत है और यह समाज को एक अलग योगदान देता है। 'प्रदर्शन और परिणाम' सेवा संस्थान में उस चीज से बिल्कुल अलग होते हैं जो वे एक व्यापार संस्थान में होते हैं। 'प्रदर्शन का प्रबंधन' ऐसा एक क्षेत्र है जिसमें सेवा संस्थान व्यापार संस्थान से अहम तरीके से अलग है।"

93. उच्चतम न्यायालय भारत के संघीय ढांचे की विभिन्न इकाइयों के बीच किसी विवाद पर संघीय न्यायालय की तरह निर्णय देता है। किसी भी विवाद को जो :

(*i*) केंद्र व एक या अधिक राज्यों के बीच हों, या

(*ii*) केंद्र और कोई राज्य या राज्यों का एक तरफ होना एवं एक या अधिक राज्यों का दूसरी तरफ होना, या

(*iii*) दो या अधिक राज्यों के बीच।

उपरोक्त संघीय विवाद पर उच्चतम न्यायालय में 'विशेष मूल' न्यायक्षेत्र निहित है। विशेष का अभिप्राय है किसी अन्य न्यायालय को विवादों के निपटाने में इस तरह की शक्तियां प्राप्त नहीं हैं।

उच्चतम न्यायालय के विशेष आधारभूत न्यायाधिकरण के संबंध में दो बिंदुओं को ध्यान में रखना चाहिए। पहला, विवाद ऐसा होना चाहिए जिस पर विधिक अधिकार निहित हो। इस तरह राजनीतिक प्रकृति का प्रश्न इसमें समाहित नहीं है। दूसरा, किसी नागरिक द्वारा केंद्र या राज्य के विरुद्ध लाए गए मामले को इसके अंतर्गत स्वीकार नहीं किया जाता है।

94. इतिहासकार क्रेन ब्रिंटन ने अपनी चर्चित कृति 'The Anatomy of Revolution—1938' के अंतर्गत क्रांति की तुलना बुखार या ज्वर (Fever) से की है। क्लेरेंस क्रेन ब्रिंटन इतिहासकार होने के साथ-साथ विचारों के इतिहासकार भी हैं। उन्होंने उपरोक्त पुस्तक में इंग्लैंड, अमेरिका, फ्रांस और रूस की क्रांतियों का तुलनात्मक अध्ययन प्रस्तुत किया है। ब्रिंटन ने क्रांति की चिरसम्मत (Classical) व्याख्याओं से भिन्न दृष्टिकोण व्यक्त किया है।

96. भारत में आर्थिक नियोजन की अवधारणा USSR से ली गई थी। आर्थिक नियोजन वह प्रक्रिया है जिसमें वांछित लक्ष्यों को प्राप्त करने के लिए सीमित प्राकृतिक संसाधनों का कुशलतापूर्वक उपयोग किया जाता है। भारत ने अब तक 12 पंचवर्षीय योजनाएँ लॉन्च की हैं और वर्तमान NDA सरकार ने भारत में पंचवर्षीय योजनाओं को बनाना बंद कर दिया है। भारत की पहली पंचवर्षीय योजना 1951 में शुरू की गई थी।

योजना अवकाश की समयावधि 1966-1969 थी। इन तीन सालों में कोई भी पंचवर्षीय योजना नहीं बनाई गई थी बल्कि हर साल एकवर्षीय योजना बनाई गई थी और हर योजना में कृषि व सम्बद्ध क्षेत्रों के साथ-साथ उद्योग क्षेत्र को समान प्राथमिकता दी गई थी। योजना अवकाश को बनाने के पीछे का कारण भारत-पाकिस्तान युद्ध, मुद्रास्फीति, सूखा और तीसरी पंचवर्षीय योजना की विफलता थी।

97. किसी संगठन में संचार आंतरिक, बाह्य तथा अंतरवैयक्तिक (Interpersonal) होता है। प्रथम, आंतरिक संचार का संबंध संगठन तथा कर्मचारियों के मध्य के संबंधों से होता है। द्वितीय, बाह्य संचार का संबंध जनता और संगठन के अभिकरणों के संबंधों से होता है, और इसे, 'लोक संबंध' कहते हैं। तृतीय, अंतरवैयक्तिक संचार का संबंध अभिकरणों के कर्मचारियों के अपने आपस के ही अंतःसंबंधों से होता है।

संचार को तीन वर्गों : 'ऊर्ध्व' (Up), 'अधो' (Down) तथा 'अधो-पार्श्व' (Across) में भी वर्गीकृत किया गया है। 'ऊर्ध्व' संचार कार्य करने तथा प्रगति के विषय में लिखित, मौलिक तथा व्यवस्थित प्रतिवेदन की रीतियों से प्राप्त होता है; कार्य के संबंध में सांख्यिकी तथा गणना प्रतिवेदन, मार्गदर्शन, सुझावों तथा चर्चाओं संबंधी लिखित तथा मौद्रिक निवेदन किये जाते हैं।

इस प्रकार कार्य की समस्याओं के विषय में साक्ष्य प्राप्त करने के लिए उच्च स्तर के अधिकारियों को साधन प्राप्त हो जाते हैं। 'अधो' संचार निर्देश पुस्तिका, लिखित या मौखिक विशिष्ट आदेश या अनुदेश कर्मचारी वर्ग के सम्मेलन, बजट अनुमोदन तथा स्थापना प्राधिकरण जैसे साधनों से संभव होता है।

उच्चतम तल पर नई युक्तियों का प्रयोग केवल समादेश तथा नियंत्रण के लिए ही नहीं किया जाता, बल्कि नीचे के सभी स्तरों एवं कर्मचारियों को अपने रुख तथा विचारों की सूचना देने तथा मौखिक सूचना तथा प्रतिवेदन के आदान-प्रदान, औपचारिक तथा अनौपचारिक व्यक्तिगत संपर्कों, कर्मचारी-वर्ग की बैठकों तथा समन्वय करने वाली समितियों द्वारा संभव होता है। संगठन के अलग-अलग किंतु संबंधित भागों को एक जगह लाना संचार का लक्ष्य होता है।

98. **केंद्र द्वारा उद्‌गृहीत एवं राज्यों द्वारा संगृहीत एवं विनियोजित कर (अनुच्छेद 268)** : इस श्रेणी में अग्रलिखित कर एवं शुल्क आते हैं :

(*i*) विनिमय पत्रों, चेकों, वादा नोटों, नीतियों, बीमा तथा शेयरों एवं अन्य के अंतरण पर लगने वाला स्टाम्प शुल्क।

(*ii*) औषधीय एवं प्रसाधन की वस्तुएं, जिनमें एल्कोहल एवं नारकोटिक्स शामिल हैं, पर उत्पाद शुल्क।

किसी राज्य से उगाही की गई इन शुल्कों की प्राप्तियां भारत की समेकित निधि का भाग नहीं होतीं बल्कि उसी राज्य को दी जाती हैं।

99. फॉलेट के लिए वैयक्तिक मतभेदों के कारण संगठन में विरोध अवश्यंभावी है। विरोध युद्ध नहीं है बल्कि संगठन में लोगों की विभिन्न श्रेणियों के बीच मतों और हितों में अंतर का प्रकट होना है। इसलिए विरोध को बेकार और नुकसानदायक नहीं बल्कि एक सामान्य प्रक्रिया समझा जाना चाहिए और उसे रचनात्मक ढंग से हल किया जाना चाहिए।

अतः फॉलेट ने 'रचनात्मक विरोध' की अवधारणा प्रतिपादन किया। यह सांगठनिक लक्ष्यों की पूर्ति के लिए विरोधों के समाधान के प्रति एक सकारात्मक कदम है।

फॉलेट ने संगठन में विरोध के समाधान के तीन रास्ते बताए :

(*i*) प्रभुत्व : एक पक्ष की दूसरे पक्ष पर जीत।

(*ii*) समझौता : दोनों पक्ष अपनी मांगों का कुछ हिस्सा छोड़ते हैं।

(*iii*) एकीकरण : नए समाधान की खोज, जो दोनों पक्षों की 'असली जरूरतें' पूरी करें और किसी पक्ष को कोई कुर्बानी न देनी पड़े।

फॉलेट तीनों में एकीकरण को सबसे बेहतर रास्ता मानती थीं क्योंकि इसके निम्न लाभ थे :

(*i*) यह हमेशा के लिए मूल विरोध मिटा देता है क्योंकि समस्या की जड़ तक जाता है।

(*ii*) यह बेहतर तकनीक का प्रयोग करता है और समय और संसाधन बचाता है।

(*iii*) यह नए मूल्यों के उदय की ओर ले जाता है और एक नई परिस्थिति पैदा करता है।

100. 1947 में भारत के ब्रिटिश साम्राज्य से स्वतंत्र होने के बाद, भारत की घटक इकाइयों को निम्नलिखित विभिन्न श्रेणियों में वर्गीकृत किया गयाः

भाग 'ए' राज्य : असम, बिहार, बॉम्बे, पूर्वी पंजाब, मध्य प्रदेश, मद्रास, ओडिशा, उत्तर प्रदेश और पश्चिम बंगाल।

भाग 'बी' राज्य : हैदराबाद, जम्मू और कश्मीर, मध्य भारत, मैसूर, पटियाला और पूर्वी पंजाब राज्य संघ (PEPSU), राजस्थान, सौराष्ट्र, त्रावणकोर-कोचीन, और विंध्य राज्य प्रदेश।

भाग 'सी' राज्य : अजमेर, कूर्ग, कूच-बिहार, भोपाल, बिलासपुर, दिल्ली, हिमाचल प्रदेश, कच्छ, मणिपुर और त्रिपुरा।

भाग 'डी' राज्य : अंडमान और निकोबार द्वीपसमूह।

पिछले प्रश्न-पत्र (हल सहित)

UGC-NET जूनियर रिसर्च फैलोशिप तथा सहायक प्राध्यापक परीक्षा

राजनीति शास्त्र, दिसम्बर-2018*

प्रश्न-पत्र-II

नोट : *इस प्रश्न-पत्र में **सौ (100)** बहु-विकल्पीय प्रश्न हैं। प्रत्येक प्रश्न के **दो (2)** अंक हैं। **सभी** प्रश्न अनिवार्य हैं।*

1. नीचे दो सूचियाँ दी गई हैं, सूची-I में कौटिल्य के अनुसार राज्य के अंग, जबकि सूची-II में मानव शरीर के अंग हैं। इन दोनों सूचियों को सुमेलित कीजिए और नीचे दिए गए कूट का प्रयोग करते हुए सही उत्तर को चुनिए:

सूची-I (कौटिल्य के अनुसार राज्य के अंग)	सूची-II (मानव शरीर के अंग)
(*a*) अमात्य	(*i*) मुख
(*b*) सुहरिद	(*ii*) आँखें
(*c*) दुर्ग	(*iii*) भुजाएँ
(*d*) कोष	(*iv*) कान

कूट

	(*a*)	(*b*)	(*c*)	(*d*)
A.	(*iv*)	(*iii*)	(*ii*)	(*i*)
B.	(*ii*)	(*iv*)	(*iii*)	(*i*)
C.	(*i*)	(*iii*)	(*ii*)	(*iv*)
D.	(*iii*)	(*ii*)	(*iv*)	(*i*)

2. निम्नलिखित में से कौन-सी शिक्षा के बारे में प्लेटो द्वारा दिए गए सिद्धांत की विशेषताएँ हैं?

(*i*) यह सामाजिक सदाचार तथा सत्य की अनुभूति का एक साधन है।

(*ii*) बचपन से लेकर छह वर्ष की उम्र तक प्राथमिक शिक्षा आरंभ होती है।

(*iii*) सार्वजनिक परीक्षा बीस वर्ष की उम्र में होती है।

(*iv*) तीस वर्ष की उम्र में दूसरी चयन परीक्षा होती है।

नीचे दिए गए कूट में से सही उत्तर चुनिए:

A. केवल (*i*) और (*i*)

B. केवल (*ii*) और (*iii*)

C. केवल (*i*), (*iii*) और (*iv*)

D. (*i*), (*ii*), (*iii*) और (*iv*)

3. थॉमस हॉब्स ने निम्नलिखित में से किससे प्राप्त अभिधारणा के आधार पर अपने राजनीतिक दर्शन का निर्माण किया है?

A. प्राकृतिक विज्ञान के सिद्धांत

B. सामाजिक विज्ञान

C. धर्मविज्ञान

D. तत्वमीमांसा

4. रूसो की सामान्य इच्छा (General Will) का अर्थ है :

A. वास्तविक इच्छा

B. इच्छाओं का सर्वयोग

C. बहुसंख्यक इच्छा

D. यथार्थ इच्छा

5. निम्नलिखित में से यह किसका दृढ़ विश्वास था कि आवधिक व्यक्ति-समुदाय में सुधार आवश्यक है क्योंकि 'उदारवाद' एक आत्म-विध्वंसक सिद्धांत है?

A. जॉन रॉल्स | B. आर. नॉजिक

C. आर. डोर्किन | D. एम. बाल्जर

6. निम्नलिखित में से किसने इस गैर-उपयोगिता कथन को स्थापित करने का प्रयास किया कि कुछ आनंद अन्य की तुलना में अधिक गुणवत्ता वाले होते हैं?

A. प्रीस्टले | B. हचेसन

C. जे. बेन्थम | D. जे.एस. मिल

* *Online exam held on 21-12-2018.*

7. निम्नलिखित में से किसने आधुनिक लोकतंत्र का वर्णन 'बहुतंत्र' के रूप में किया है?

A. डेविड ईस्टन B. रॉबर्ट डहल
C. जोसेफ शूम्पीटर D. एस. हंटिंग्टन

8. नीचे दो सूचियाँ दी गई हैं, सूची-I में लेखक, जबकि सूची-II में उनकी महत्वपूर्ण अवधारणाएँ हैं। इन दोनों सूचियों को सुमेलित कीजिए और नीचे दिए गए कूट का प्रयोग करते हुए सही उत्तर को चुनिए:

सूची-I *(लेखक)*	**सूची-II** *(महत्वपूर्ण अवधारणाएँ)*
(*a*) जॉन रॉल्स	(*i*) न्याय का समुदायवादी दृष्टिकोण
(*b*) रॉबर्ट नॉजिक	(*ii*) वैश्विक न्याय
(*c*) माइकल वाल्जर	(*iii*) वितरणात्मक न्याय
(*d*) थॉमस पोगे	(*iv*) न्याय, पात्रता के रूप में

कूटः

	(*a*)	(*b*)	(*c*)	(*d*)
A.	(*iii*)	(*iv*)	(*i*)	(*ii*)
B.	(*i*)	(*ii*)	(*iii*)	(*iv*)
C.	(*ii*)	(*i*)	(*iv*)	(*iii*)
D.	(*iv*)	(*iii*)	(*ii*)	(*i*)

9. लेनिन की निम्नलिखित रचनाओं को उनके प्रकाशित होने के क्रम में व्यवस्थित कीजिए:

(*i*) मैटिरिएलिज्म एण्ड एम्पीरियो-क्रिटिसिज्म
(*ii*) सोशलिज्म एण्ड वार
(*iii*) ह्वाट इज टू बी डन?
(*iv*) द डेवलपमेंट ऑफ कैपिटलिज्म इन एशिया

नीचे दिए गए कूट में से सही उत्तर को चुनिए:

A. (*i*), (*ii*), (*iii*), (*iv*)
B. (*iv*), (*iii*), (*i*), (*ii*)
C. (*iii*), (*i*), (*ii*), (*iv*)
D. (*ii*), (*iv*), (*iii*), (*i*)

10. निम्नलिखित में से यह किसका कथन है "राजनीतिक व्यवहार का अर्थ बौद्धिक प्रवृत्ति तथा ठोस शैक्षणिक आंदोलन दोनों है"?

A. आर.ए. डाहल B. जी.ए. आमण्ड
C. आर्थर बेन्टले D. डेविड ईस्टन

11. जॉन रॉल्स के 'वेल ऑफ इग्नोरेंस' की धारणा का आशय निम्नलिखित में से क्या ***नहीं*** है?

A. कोई समाज में अपना स्थान नहीं जानता
B. कोई अपनी वर्ग स्थिति अथवा सामाजिक दर्जा नहीं जानता
C. कोई प्राकृतिक संपदाओं के वितरण में अपना भविष्य नहीं जानता
D. दल उनके अच्छे की अवधारणा जानते हैं

12. नीचे दो कथन दिए गए हैं, जिनमें से एक अभिकथन (A) है और दूसरा तर्क (R) है। कथनों को पढ़िए और नीचे दिए दिए कूट का प्रयोग कर सही उत्तर चुनिए।

अभिकथन (A): कार्लाइल ने बेंथम के उपयोगितावादी सिद्धांत को 'शूकर सिद्धांत' कहा है।

तर्क (R): उसके अनुसार प्रसन्नता (Happiness) आनंद (Pleasure) से बढ़कर है।

कूटः

A. (A) और (R) दोनों सही हैं तथा (R), (A) की सही व्याख्या है।
B. (A) और (R) दोनों सही हैं, परन्तु (R), (A) की सही व्याख्या नहीं है।
C. (A) सही है, परन्तु (R) गलत है।
D. (A) गलत है, परन्तु (R) सही है।

13. नीचे दो कथन दिए गए हैं, जिनमें से एक अभिकथन (A) है और दूसरा तर्क (R) है। कथनों को पढ़िए और नीचे दिए दिए कूट का प्रयोग कर सही उत्तर चुनिए।

अभिकथन (A): गांधीजी के अनुसार, प्रबुद्ध अराजकता का तात्पर्य उस समाज से है जो राज्य के निग्रह बल के बिना कार्य करता है।

तर्क (R): व्यक्तियों को अपने ऊपर पूर्ण नियंत्रण होता है।

कूटः

A. (A) और (R) दोनों सही हैं तथा (R), (A) की सही व्याख्या है।
B. (A) और (R) दोनों सही हैं, परन्तु (R), (A) की सही व्याख्या नहीं है।
C. (A) सही है, परन्तु (R) गलत है।
D. (A) गलत है, परन्तु (R) सही है।

14. राजनीतिक सिद्धांत के पतन के लिए निम्नलिखित में से कौन-से कारक उत्तरदायी हैं?

(*i*) इतिहासवाद

(*ii*) प्रत्यक्षवाद

(*iii*) नैतिक सापेक्षवाद

(*iv*) अतितथ्यात्मकतावाद

नीचे दिए गए कूट से सही उत्तर को चुनिए:

A. केवल (*i*) और (*ii*)

B. केवल (*ii*) और (*iii*)

C. केवल (*i*), (*iii*) और (*iv*)

D. (*i*), (*ii*), (*iii*) और (*iv*)

15. अरस्तू के अनुसार निम्नलिखित में से कौन-सी विशेषताएँ एथेन्स का नागरिक बनने की आवश्यक शर्तों को पूरा ***नहीं*** करतीं?

(*i*) किसी विशेष स्थान का निवासी

(*ii*) वाद चलाने और परिवादी बनने का अधिकार

(*iii*) वे जो मताधिकार से वंचित या देश से निर्वासित हैं

(*iv*) किसी नागरिक के वंशज

नीचे दिए गए कूट से सही उत्तर को चुनिए:

A. केवल (*i*) और (*ii*)

B. केवल (*ii*) और (*iv*)

C. केवल (*ii*), (*iii*) और (*iv*)

D. (*i*), (*ii*), (*iii*) और (*iv*)

16. अम्बेडकर की निम्नलिखित रचनाओं को उनके प्रकाशित होने के क्रम में व्यवस्थित कीजिए:

(*i*) द अनटचेब्लस

(*ii*) हू वेयर द शूद्राज?

(*iii*) एनिहिलेशन ऑफ कास्ट

(*iv*) द बुद्धा एण्ड हिज धर्मा

नीचे दिए गए कूट से सही उत्तर को चुनिए:

A. (*iii*), (*ii*), (*i*), (*iv*)

B. (*iv*), (*iii*), (*ii*), (*i*)

C. (*ii*), (*i*), (*iii*), (*iv*)

D. (*i*), (*iii*), (*ii*), (*iv*)

17. एम.एन. रॉय के समेकित वैज्ञानिक मानववाद को अन्य किस रूप में जाना जाता है?

A. मार्क्सवाद

B. रूढ़िवादी मार्क्सवाद

C. वैज्ञानिक समाजवाद

D. नव मानववाद

18. निम्नलिखित में से राज्य के बारे में हीगल के सिद्धांत की कौन-सी विशेषताएँ सही हैं?

(*i*) राज्य एक महासंस्थान है।

(*ii*) यह "पृथ्वी पर ईश्वर की यात्रा है।"

(*iii*) यह अपने आप में साध्य है।

(*iv*) यह नैतिक कानून द्वारा नियंत्रित नहीं होता है क्योंकि यह स्वयं नैतिकता का जन्मदाता है।

नीचे दिए गए कूट में से सही उत्तर को चुनिए:

A. केवल (*ii*) और (*iii*)

B. केवल (*i*) और (*iv*)

C. केवल (*ii*), (*iii*) और (*iv*)

D. (*i*), (*ii*), (*iii*) और (*iv*)

19. ग्राम्शी के संबंध में निम्नलिखित में से कौन-से कथन सही हैं?

(*i*) सिविल सोसाइटी की गहन समझ के बिना राज्य को नहीं समझा जा सकता।

(*ii*) सिविल सोसाइटी आमतौर से 'निजी' कहे जाने वाली संरचनाओं का सामूहिक प्रभाव नहीं है।

(*iii*) आधिपत्य के लिए सिविल सोसाइटी में संघर्ष होता है।

(*iv*) उन्होंने सिविल सोसाइटी और राजनीतिक सोसाइटी शब्द हीगेल से लिया है।

नीचे दिए गए कूट से सही उत्तर को चुनिए:

A. केवल (*i*) और (*iv*)

B. केवल (*ii*) और (*iii*)

C. केवल (*i*), (*iii*) और (*iv*)

D. (*i*), (*ii*), (*iii*) और (*iv*)

20. मार्क्स के द्वंद्वात्मक भौतिकवाद की निम्नलिखित में से कौन-सी विशेषताएँ सही हैं?

(*i*) इतिहास की सम्पूर्ण सामूहिक घटनाओं का निर्धारण आर्थिक स्थितियों के द्वारा होता है।

(*ii*) उत्पादन सर्वाधिक महत्वपूर्ण मानवीय कार्यकलाप है।

(*iii*) व्यक्ति अकेले की तुलना में संघ में रहकर अधिक उत्पादन करता है।

(*iv*) धर्म जनता की अफीम है।

नीचे दिए गए कूट में से सही उत्तर को चुनिएः

A. केवल (*i*) और (*iv*)

B. केवल (*ii*) और (*iv*)

C. केवल (*i*), (*ii*) और (*iii*)

D. (*i*), (*ii*), (*iii*) और (*iv*)

21. आमण्ड की राजनीतिक व्यवस्था की विशिष्टताओं के संबंध में निम्नलिखित में से कौन-से कथन सही हैं?

(*i*) सभी राजनीतिक व्यवस्थाओं की राजनीतिक संरचनाएँ होती हैं।

(*ii*) सभी राजनीतिक व्यवस्थाएँ समान प्रकार्य नहीं करतीं।

(*iii*) सभी राजनीतिक व्यवस्थाएँ बहु-प्रकार्यात्मक नहीं हैं।

(*iv*) सभी राजनीतिक व्यवस्थाएँ सांस्कृतिक मायने में मिश्रित व्यवस्थाएँ हैं।

नीचे दिए गए कूट में से सही उत्तर को चुनिएः

A. केवल (*i*), (*ii*) और (*iii*)

B. केवल (*i*) और (*iv*)

C. केवल (*ii*) और (*iv*)

D. केवल (*iii*) और (*iv*)

22. डेविड ईस्टन ने माँगों के संदर्भ में आगतों के चार प्रकारों की पहचान की थी। वे कौन-से हैं?

A. वस्तुओं और सेवाओं का आबंटन, व्यवहार का विनियमन, आर्थिक व्यवस्था में भागीदारी, संप्रेषण और सूचना

B. व्यवहार का विनियमन, राजनीतिक व्यवस्था में भागीदारी, वस्तुओं और सेवाओं का आबंटन, संप्रेषण और सूचना

C. संप्रेषण और सूचना, अंतर्राष्ट्रीय व्यवस्था में भागीदारी, वस्तुओं और सेवाओं का आबंटन, व्यवहार का विनियमन

D. सामाजिक व्यवस्था में भागीदारी, वस्तुओं और सेवाओं का आबंटन, संप्रेषण और सूचना, व्यवहार का विनियमन

23. किसने कहा, "संविधान के बिना सरकार अधिकार बिना शक्ति के समान है"?

A. थॉमस पेन B. कार्ल ड्यूश

C. डेविड ऐप्टर D. वाल्टर बेगहॉट

24. निम्नलिखित में से कौन-से कथन सही हैं?

(*i*) स्विट्ज़रलैण्ड के फेडरल काउंसलर पर महाभियोग चलाया जा सकता है।

(*ii*) अमेरिकन कांग्रेस के संयुक्त सत्रों की अध्यक्षता उप-राष्ट्रपति करते हैं।

(*iii*) भारत के राष्ट्रपति ने भारतीय संसद को एक बार संदेश भेजा।

(*iv*) ब्रिटेन के प्रधानमंत्री सिविल सेवाओं और सरकारी एजेन्सियों के प्रचालन की निगरानी करते हैं।

नीचे दिए गए कूट से सही उत्तर को चुनिएः

A. केवल (*i*), (*iii*) और (*iv*)

B. केवल (*ii*) और (*iv*)

C. केवल (*iii*) और (*iv*)

D. केवल (*i*) और (*iii*)

25. मैक्कुलोच बनाम मैरीलैण्ड वाद के निर्णय में अमेरिकन उच्चतम न्यायालय ने पहली बार किस सिद्धांत की स्थापना की?

A. राज्यों के बीच समानता

B. संघीय शासन और राज्यों के बीच समानता

C. संघीय शासन पर राज्यों की उत्कृष्टता

D. राज्यों पर संघीय शासन की उत्कृष्टता

26. पॉवेल के अनुसार, किसी राष्ट्र की राजनीतिक संस्कृति को तीन स्तरों में आंका जा सकता है। इन स्तरों की पहचान कीजिए।

A. राजनीतिक व्यवस्था स्तर, जनता स्तर, प्रक्रिया स्तर

B. जनता स्तर, प्रक्रिया स्तर, नीति स्तर

C. राजनीतिक व्यवस्था स्तर, प्रक्रिया स्तर, नीति स्तर

D. प्रक्रिया स्तर, नीति स्तर, शक्ति स्तर

27. लुसियन पाई ने उन 'संकटों' की पहचान की जिन्हें तीसरी दुनिया के नए राज्यों को राजनीतिक विकास हासिल करने में करना पड़ता है। निम्नलिखित में से कौन-सा एक समूह सही है?

A. पहचान, वैधता, भेदन, भागीदारी, एकीकरण, वितरण

B. पहचान, भेदन, भागीदारी, विघटन, वितरण, आर्थिक अस्थिरता

C. भेदन, विसरण, विघटन, केन्द्रीकरण, नेतृत्व, शासन

D. भागीदारी, प्रतिनिधित्व, भेदन, एकीकरण, वैधता, केन्द्रीकरण

28. नीचे दो कथन दिए गए हैं, जिनमें से एक अभिकथन (A) है और दूसरा तर्क (R) है। कथनों को पढ़िए और नीचे दिए गए कूट का प्रयोग कर सही उत्तर चुनिए।

अभिकथन (A): आजकल अधिकांश विधायिकाएं कानून नहीं बनातीं, बल्कि अन्यत्र बने कानूनों का औपचारिक रूप से अनुमोदन करती हैं।

तर्क (R): विधायिका राज्य का विधि निर्मात्री निकाय है।

कूटः

A. (A) और (R) दोनों सही हैं तथा (R), (A) की सही व्याख्या है।

B. (A) और (R) दोनों सही हैं, परन्तु (R), (A) की सही व्याख्या नहीं है।

C. (A) सही है, परन्तु (R) गलत है।

D. (A) गलत है, परन्तु (R) सही है।

29. नीचे दो सूचियाँ दी गई हैं, सूची-I में प्रतिपादक, जबकि सूची-II में अवधारणाएँ हैं। इन दोनों सूचियों को सुमेलित कीजिए और नीचे दिए गए कूट का प्रयोग करते हुए सही उत्तर को चुनिएः

सूची-I (*प्रतिपादक*)	सूची-II (*अवधारणा*)
(*a*) एस.पी. हंटिंग्टन	(*i*) संबंधित-विकास-निर्भरता
(*b*) आर.ए. डाहल	(*ii*) राजनीतिक अनुरूपण
(*c*) केनेथ बाऊलडिंग	(*iii*) राजनीतिक पतन
(*d*) फरनेन्डो एच. कारडोसो	(*iv*) बहुतंत्रीय लोकतंत्र

कूटः

	(*a*)	(*b*)	(*c*)	(*d*)
A.	(*iii*)	(*iv*)	(*ii*)	(*i*)
B.	(*iii*)	(*ii*)	(*iv*)	(*i*)
C.	(*i*)	(*iii*)	(*iv*)	(*ii*)
D.	(*ii*)	(*iv*)	(*iii*)	(*i*)

30. नीचे दो सूचियाँ दी गई हैं, सूची-I में पुस्तक, जबकि सूची-II में उनके लेखक हैं। इन दोनों सूचियों को सुमेलित कीजिए और नीचे दिए गए कूट का प्रयोग करते हुए सही उत्तर को चुनिएः

सूची-I (*पुस्तक*)	सूची-II (*लेखक*)
(*a*) ब्रिटिश पॉलिटिकल पार्टीज	(*i*) रॉबर्ट मिशेल्स
(*b*) पॉलिटिकल पार्टीज	(*ii*) रॉबर्ट मैकिन्जी
(*c*) कम्पेरेटिव गवर्नमेंटः एन इन्ट्रोडक्शन	(*iii*) जेम्स ए. बिल और रॉबर्ट एच. हार्डग्रेव
(*d*) कम्पेरेटिव पॉलिटिक्सः क्वेस्ट फॉर थ्योरी	(*iv*) जीन ब्लोंडेल

कूटः

	(*a*)	(*b*)	(*c*)	(*d*)
A.	(*i*)	(*iv*)	(*iii*)	(*ii*)
B.	(*iii*)	(*ii*)	(*i*)	(*iv*)
C.	(*ii*)	(*iii*)	(*iv*)	(*i*)
D.	(*ii*)	(*i*)	(*iv*)	(*iii*)

31. नीचे दो सूचियाँ दी गई हैं, सूची-I में क्रांति, जबकि सूची-II में राष्ट्र हैं। इन दोनों सूचियों को सुमेलित कीजिए और नीचे दिए गए कूट का प्रयोग करते हुए सही उत्तर को चुनिएः

सूची-I (*क्रांति*)	सूची-II (*राष्ट्र*)
(*a*) वेलवेट क्रांति	(*i*) उजबेकिस्तान
(*b*) ऑरेन्ज क्रांति	(*ii*) पुर्तगाल
(*c*) कॉरनेशन क्रांति	(*iii*) वियतनाम
(*d*) अगस्त क्रांति	(*iv*) चेकोस्लोवाकिया

कूटः

	(*a*)	(*b*)	(*c*)	(*d*)
A.	(*i*)	(*iii*)	(*ii*)	(*iv*)
B.	(*ii*)	(*iv*)	(*iii*)	(*i*)
C.	(*iii*)	(*ii*)	(*i*)	(*iv*)
D.	(*iv*)	(*i*)	(*ii*)	(*iii*)

32. अभिजात्य के सिद्धांतों के संबंध में निम्नलिखित में से कौन-सा/से कथन सही है/हैं?

(*i*) जेम्स बर्नहम ने 'अभिजात्यों का परिचालन' की अवधारणा का प्रतिपादन किया था।

(*ii*) सी. राइट मिल्स के त्रिशासकदल सत्ता समूह में राजनीतिक, आर्थिक तथा प्रबंधकीय वर्ग शामिल हैं।

(*iii*) जी. मोस्का ने अभिजात्य की व्यक्तिगत विशेषताओं पर बल दिया है।

(*iv*) अभिजात्य सिद्धांत बहुलवाद का समर्थन करता है।

नीचे दिए गए कूट से सही उत्तर को चुनिए:

A. केवल (*i*), (*iii*) और (*iv*)

B. केवल (*iii*)

C. केवल (*ii*)

D. केवल (*iii*) और (*iv*)

33. निम्नलिखित में से कौन-से कथन सही हैं?

(*i*) अमेरिकन सीनेट में राजस्व विधेयक में संशोधन करने की शक्ति है।

(*ii*) हाउस ऑफ रिप्रेजेन्टेटिव्स में राजस्व विधेयक प्रस्तुत करने की विशिष्ट शक्तियाँ हैं।

(*iii*) ब्रिटेन में कार्यपालिका तथा विधायी संबंध शक्तियों के प्रसार पर आधारित है।

(*iv*) अमेरिका का राष्ट्रपति हाउस ऑफ रिप्रेजेन्टेटिव्स को भंग कर सकता है।

नीचे दिए गए कूट से सही उत्तर को चुनिए:

A. केवल (*i*) और (*ii*)

B. केवल (*ii*) और (*iv*)

C. केवल (*i*), (*iii*) और (*iv*)

D. केवल (*i*) और (*iii*)

34. नीचे दो कथन दिए गए हैं, जिनमें से एक अभिकथन (A) है और दूसरा तर्क (R) है। कथनों को पढ़िए और नीचे दिए गए कूट का प्रयोग कर सही उत्तर चुनिए।

अभिकथन (A): संघवाद का सार संस्थागत या सवैधानिक संरचना में नहीं अपितु स्वयं समाज में ही है।

तर्क (R): गठबंधन सरकारें विजातीय समाज में सरकार का सर्वाधिक उपयुक्त रूप हैं।

कूट :

A. (A) और (R) दोनों सही हैं तथा (R), (A) की सही व्याख्या है।

B. (A) और (R) दोनों सही हैं, परन्तु (R), (A) की सही व्याख्या नहीं है।

C. (A) सही है, परन्तु (R) गलत है।

D. (A) गलत है, परन्तु (R) सही है।

35. अमेरिका में दी बिल ऑफ राइट्स (पहले दस संशोधन) में अन्य बातों के साथ-साथ निम्नलिखित में से कौन-से सम्मिलित हैं?

A. सभा करने का अधिकार, शस्त्र वहन करने का अधिकार, शीघ्र वाद सुनवाई का अधिकार, सामाजिक सुरक्षा भत्ते का अधिकार

B. सुरक्षा का अधिकार, जीवन का अधिकार, सभा करने का अधिकार, सामाजिक सुरक्षा भत्ते का अधिकार

C. सभा करने का अधिकार, शस्त्र वहन करने का अधिकार, शीघ्र वाद सुनवाई का अधिकार, अनुपयुक्त तफतीश के विरुद्ध सुरक्षा का अधिकार

D. शस्त्र वहन करने का अधिकार, वाक् स्वतंत्रता का अधिकार, समानता का अधिकार, सामाजिक सुरक्षा भत्ते का अधिकार

36. ल्यूक्स द्वारा वर्णित शक्ति के तीन रूपों में निम्नलिखित में से कौन सम्मिलित ***नहीं*** है?

A. निर्णय-निर्माण

B. विचार नियंत्रण

C. क्षमता अभिवर्धन

D. कार्यसूची तय करना

37. राजनीतिक समाजीकरण के प्रमुख अभिकर्ता हैं:

A. परिवार और विद्यालय

B. परिवार और सामाजिक वर्ग

C. विद्यालय और समकक्ष समूह

D. समकक्ष समूह और सामाजिक वर्ग

38. नीचे दो सूचियाँ दी गई हैं, सूची-I में राजनीतिक विकास का वर्णन, जबकि सूची-II में विद्वान हैं। इन दोनों सूचियों को सुमेलित कीजिए और नीचे दिए गए कूट का प्रयोग करते हुए सही उत्तर को चुनिए:

सूची-I ***(राजनीतिक विकास का वर्णन)***	**सूची-II** ***(विद्वान)***
(*a*) राजनीतिक आधुनिकीकरण	(*i*) जे. रोनाल्ड पेनॉक
(*b*) लोकतंत्र का निर्माण	(*ii*) एस.एम. लिप्सेट
(*c*) राष्ट्र राज्य का प्रचालन	(*iii*) टालकॉट पार्सन्स
(*d*) प्रशासनिक तथा विधायी विकास	(*iv*) एडवर्ड ए. शिल्स

कूट:

	(*a*)	(*b*)	(*c*)	(*d*)
A.	(*ii*)	(*iv*)	(*iii*)	(*i*)
B.	(*ii*)	(*i*)	(*iv*)	(*iii*)
C.	(*iv*)	(*ii*)	(*iii*)	(*i*)
D.	(*i*)	(*iii*)	(*ii*)	(*iv*)

39. निम्नलिखित में से कौन-से आरेन्ड लिज्फर्ट द्वारा वर्णित दलीय व्यवस्था के प्रकार हैं?

A. सहमति-जन्य दलीय व्यवस्था, संघर्षशील दलीय व्यवस्था तथा समायोजनशील दलीय व्यवस्था

B. संघर्षशील दलीय व्यवस्था, लोकतांत्रिक दलीय व्यवस्था तथा समायोजनशील दलीय व्यवस्था

C. समायोजनशील दलीय व्यवस्था, धर्मनिरपेक्ष दलीय व्यवस्था तथा सहमति-जन्य दलीय व्यवस्था

D. धर्मनिरपेक्ष दलीय व्यवस्था, सहमति-जन्य दलीय व्यवस्था तथा लोकतांत्रिक दलीय व्यवस्था

40. निम्नलिखित में से कौन-से राजनीतिक संस्कृति के परिवर्ती एस.ई. फाइनर द्वारा सुझाए गए हैं?

A. परिपक्व राजनीतिक संस्कृति, विकसित राजनीतिक संस्कृति तथा धर्मनिरपेक्ष राजनीतिक संस्कृति

B. विकसित राजनीतिक संस्कृति, निम्न राजनीतिक संस्कृति तथा लोकतांत्रिक राजनीतिक संस्कृति

C. परिपक्व राजनीतिक संस्कृति, पंथवादी राजनीतिक संस्कृति तथा ऑर्थोजेनिक राजनीतिक संस्कृति

D. परिपक्व राजनीतिक संस्कृति, विकसित राजनीतिक संस्कृति तथा निम्न राजनीतिक संस्कृति

41. निम्नलिखित में से किसने मोहनदास करमचंद गांधी के आगमन से पूर्व राष्ट्रवादी आन्दोलन को आम लोगों के उलट, "वर्ग विशिष्ट का प्रतिनिधित्व करने वाले आन्दोलन" के रूप में वर्णित किया है?

A. जुडिथ ब्राउन B. रवीन्द्र कुमार

C. माइकल ब्रेचर D. बिपिन चन्द्र

42. निम्नलिखित में से कौन-सी 1919 के भारत सरकार अधिनियम की विशेषता नहीं है?

A. केन्द्र में द्विसदनीय विधानमंडल

B. विधान सभा में निर्वाचित बहुमत का होना

C. विधान परिषद् को बजट पर संकल्प पारित करने का अधिकार दिया गया

D. सिक्खों को सांप्रदायिक प्रतिनिधित्व दिया गया

43. निम्नलिखित कथनों पर विचार कीजिए:

(*i*) मौलिक अधिकार राज्य के कृत्यों को सीमित करता है, नीति निर्देशक सिद्धांत राज्य को कुछ कार्य करने का अनुदेश देते हैं।

(*ii*) नीति निर्देशक सिद्धांत न्यायालयों में प्रवर्तनीय नहीं हैं।

(*iii*) यदि संविधान के भाग IV में उद्धृत किसी निर्देशक सिद्धांत को लागू करने के लिए कोई कानून बनाया जाता है, तो वह अनुच्छेद 14 और 19 द्वारा प्रदत्त मूल अधिकारों के उल्लंघन के आधार पर असंवैधानिकता से प्रतिरक्षित होगा।

(*iv*) निर्देशक सिद्धांतों को विधान द्वारा लागू करना होता है।

नीचे दिए गए कूट से सही उत्तर को चुनिए:

A. (*i*) और (*ii*) सही हैं

B. (*ii*) और (*iv*) सही हैं

C. (*iii*) और (*iv*) सही हैं

D. (*i*), (*ii*) और (*iv*) सही हैं

44. मौलिक कर्तव्यों के संबंध में निम्नलिखित में से कौन-सा/से कथन सही ***नहीं*** है/हैं?

(*i*) मौलिक कर्तव्य संविधान के अनुच्छेद 51क (भाग IVक) में शामिल हैं।

(*ii*) मौलिक कर्तव्य 42वें संविधान संशोधन अधिनियम, 1976 द्वारा संविधान में अंतःस्थापित किए गए हैं।

(*iii*) मौलिक कर्तव्य भारत में रहने वाले प्रत्येक व्यक्ति को पूरे करने होंगे।

(*iv*) ग्यारहवाँ मौलिक कर्तव्य 86वें संविधान संशोधन अधिनियम, 2006 द्वारा जोड़ा गया है।

नीचे दिए गए कूट से सही उत्तर को चुनिए:

A. (*i*) और (*ii*) सही नहीं हैं

B. (*ii*) और (*iii*) सही नहीं हैं

C. (*iii*) और (*iv*) सही नहीं हैं

D. केवल (*iii*) सही नहीं है

45. किस सांविधानिक संशोधन अधिनियम द्वारा 'वन तथा वन्य जीवों के संरक्षण' को राज्य से हटाकर समवर्ती सूची में डाला गया है?

A. 39वाँ सांविधानिक संशोधन

B. 40वाँ सांविधानिक संशोधन

C. 41वाँ सांविधानिक संशोधन

D. 42वाँ सांविधानिक संशोधन

46. किस संविधान संशोधन द्वारा एक ही व्यक्ति को एक या एक से अधिक राज्यों का राज्यपाल या संघ राज्य क्षेत्रों का उप-राज्यपाल नियुक्त किया जा सकता है?

A. चौथा संशोधन अधिनियम, 1955

B. पाँचवाँ संशोधन अधिनियम, 1955

C. छठा संशोधन अधिनियम, 1956

D. सातवाँ संशोधन अधिनियम, 1956

47. नीचे दो सूचियाँ दी गई हैं, सूची-I में प्रधानमंत्री, जबकि सूची-II में सरकार हैं। इन दोनों सूचियों को सुमेलित कीजिए और नीचे दिए गए कूट का प्रयोग करते हुए सही उत्तर को चुनिए:

सूची-I *(प्रधानमंत्री)*	**सूची-II** *(सरकार)*
(*a*) चन्द्र शेखर	(*i*) संयुक्त मोर्चा
(*b*) देवे गौडा	(*ii*) राष्ट्रीय लोकतांत्रिक गठबंधन
(*c*) अटल बिहारी वाजपेयी	(*iii*) संयुक्त प्रगतिशील गठबंधन
(*d*) मनमोहन सिंह	(*iv*) राष्ट्रीय मोर्चा

कूटः

	(*a*)	(*b*)	(*c*)	(*d*)
A.	(*iv*)	(*ii*)	(*i*)	(*iii*)
B.	(*iv*)	(*i*)	(*ii*)	(*iii*)
C.	(*ii*)	(*iii*)	(*i*)	(*iv*)
D.	(*iii*)	(*iv*)	(*i*)	(*ii*)

48. लोकसभा के निम्नलिखित अध्यक्षों को उनके कालक्रमानुसार व्यवस्थित कीजिए:

(*i*) शिवराज वी. पाटिल

(*ii*) सोमनाथ चटर्जी

(*iii*) मनोहर जोशी

(*iv*) एन. संजीवा रेड्डी

नीचे दिए गए कूट से सही उत्तर को चुनिए:

A. (*iv*), (*iii*), (*i*), (*ii*) B. (*ii*), (*i*), (*iii*), (*iv*)

C. (*iii*), (*ii*), (*iv*), (*i*) D. (*iv*), (*i*), (*iii*), (*ii*)

49. राज्यपाल की नियुक्ति के बारे में सरकारिया आयोग ने निम्नलिखित में से कौन-सी सिफारिशें की थीं?

(*i*) वह जीवन के किसी क्षेत्र में प्रतिष्ठित होना चाहिए।

(*ii*) वह राज्य से बाहर का व्यक्ति होना चाहिए।

(*iii*) वह तटस्थ व्यक्ति होना चाहिए और राज्य की स्थानीय राजनीति से घनिष्ठ रूप से जुड़ा नहीं होना चाहिए।

(*iv*) वह एक ऐसा व्यक्ति होना चाहिए जिसने सामान्यतया राजनीति में विशेषकर हालिया राजनीति में बहुत भाग न लिया हो।

नीचे दिए गए कूट में से सही उत्तर को चुनिए:

A. केवल (*i*) और (*ii*)

B. केवल (*i*) और (*iii*)

C. केवल (*i*), (*iii*) और (*iv*)

D. (*i*), (*ii*), (*iii*) और (*iv*)

50. पंचायत की पदावधि के संबंध में निम्नलिखित कथनों पर विचार कीजिए:

(*i*) पंचायत की पदावधि उसके निर्वाचित होने की तारीख से पाँच वर्षों तक की होनी चाहिए।

(*ii*) यदि यह पहले भंग हो जाती है, तो चुनाव इसके भंग होने के छः माह के भीतर हो जाने चाहिए।

(*iii*) समय से पूर्व भंग होने के पश्चात् गठित किसी पंचायत को नए सिरे से पाँच वर्षों का कार्यकाल दिया जाएगा।

(*iv*) यदि किसी पंचायत की पदावधि छः माह से कम की है, तो चुनाव कराना आवश्यक नहीं होगा।

नीचे दिए गए कूट में से सही उत्तर को चुनिए:

A. केवल (*i*) सही है

B. केवल (*i*) और (*ii*) सही हैं

C. केवल (*ii*) और (*iii*) सही हैं

D. केवल (*i*), (*ii*) और (*iv*) सही हैं

51. नीचे दो कथन दिए गए हैं, जिनमें से एक अभिकथन (A) है और दूसरा तर्क (R) है। कथनों को पढ़िए और नीचे दिए गए कूट का प्रयोग कर सही उत्तर चुनिए।

अभिकथन (A): अनुच्छेद 1 में भारत को "राज्यों के संघ" के रूप में वर्णित किया गया है।

तर्क (R): "राज्यों का संघ" शब्द का उपयोग उप-राष्ट्रवाद की भावना को दबाने और देश की एकता और अखण्डता को सुदृढ़ करने के लिए किया गया था।

कूटः

A. (A) और (R) दोनों सही हैं तथा (R), (A) की सही व्याख्या है।

B. (A) और (R) दोनों सही हैं, परन्तु (R), (A) की सही व्याख्या नहीं है।

C. (A) सही है, परन्तु (R) गलत है।

D. (A) गलत है, परन्तु (R) सही है।

52. निम्नलिखित में से किसने उच्चतम न्यायालय को प्राप्त अत्यधिक शक्तियों और सीमित जवाबदेही के कारण 'गहन विरोधाभासपूर्ण संस्थान' कहकर उच्चतम न्यायालय की आलोचना की है?

A. ग्रानविले आस्टिन B. जेम्स मेनर

C. प्रताब बी. मेहता D. नीरजा गोपाल जयाल

53. संविधान का कौन-सा अनुच्छेद यह कहता है कि सभी प्राधिकरण भारत के उच्चतम न्यायालय की सहायता करेंगे?

A. अनुच्छेद 139 B. अनुच्छेद 141

C. अनुच्छेद 144 D. अनुच्छेद 142

54. नीचे दो सूचियाँ दी गई हैं, सूची-I में समाचार-पत्र का नाम, जबकि सूची-II में मुख्य संपादक हैं (जुलाई, 2018 की स्थिति अनुसार)। इन दोनों सूचियों को सुमेलित कीजिए और नीचे दिए गए कूट का प्रयोग करते हुए सही उत्तर को चुनिए:

सूची-I *(समाचार-पत्र का नाम)*	**सूची-II** *(मुख्य संपादक)*
(*a*) दी हिन्दू	(*i*) जयदीप बोस
(*b*) दी टाइम्स ऑफ इंडिया	(*ii*) राज कमल झा
(*c*) दी हिन्दुस्तान टाइम्स	(*iii*) एन. रवि
(*d*) दी इंडियन एक्सप्रेस	(*iv*) सुकुमार रंगनाथन

कूटः

	(*a*)	(*b*)	(*c*)	(*d*)
A.	(*iv*)	(*i*)	(*iii*)	(*ii*)
B.	(*iii*)	(*ii*)	(*iv*)	(*i*)
C.	(*iii*)	(*i*)	(*iv*)	(*ii*)
D.	(*ii*)	(*iii*)	(*i*)	(*iv*)

55. राज्यों के निम्नलिखित समूहों में से कौन-सा समूह ऐसा है जिसमें 16वें लोक सभा चुनाव में भा.ज.पा. ने सभी सीटें जीती थीं?

A. राजस्थान, दिल्ली, हिमाचल प्रदेश और हरियाणा

B. गुजरात, दिल्ली, मध्य प्रदेश और उत्तराखण्ड

C. राजस्थान, गुजरात, उत्तराखण्ड और हिमाचल प्रदेश

D. उत्तराखण्ड, हिमाचल प्रदेश, दिल्ली और झारखण्ड

56. नीचे दो सूचियाँ दी गई हैं, सूची-I में निर्वाचकीय समस्याएँ, जबकि सूची-II में निर्वाचकीय सुधार हैं। इन दोनों सूचियों को सुमेलित कीजिए और नीचे दिए गए कूट का प्रयोग करते हुए सही उत्तर को चुनिए:

सूची-I *(निर्वाचकीय समस्याएँ)*	**सूची-II** *(निर्वाचकीय सुधार)*
(*a*) मतदाताओं का जाली पंजीकरण	(*i*) चरणबद्ध मतदान
(*b*) मतगणना में देरी	(*ii*) अभ्यर्थियों की जमानत राशि बढ़ाया जाना
(*c*) निर्वाचन के दौरान हिंसा	(*iii*) इलेक्ट्रॉनिक वोटिंग मशीन
(*d*) अत्यधिक उम्मीदवार	(*iv*) फोटो पहचान पत्र

कूटः

	(*a*)	(*b*)	(*c*)	(*d*)
A.	(*i*)	(*ii*)	(*iii*)	(*iv*)
B.	(*iv*)	(*iii*)	(*ii*)	(*i*)
C.	(*ii*)	(*i*)	(*iv*)	(*iii*)
D.	(*iv*)	(*iii*)	(*i*)	(*ii*)

57. नीचे दो कथन दिए गए हैं, जिनमें से एक अभिकथन (A) है और दूसरा तर्क (R) है। कथनों को पढ़िए और नीचे दिए गए कूट का प्रयोग कर सही उत्तर चुनिए।

अभिकथन (A): भारत में अभिजात्य वर्ग द्वारा लोकतंत्र पहले ही प्रदान किया जा चुका था, परंतु अभिजात्य वर्ग ने दशकों तक शक्ति पर एकाधिकार बनाए रखा था।

तर्क (R): अब क्रांति मतदान केन्द्र के माध्यम से होती है।

कूटः

A. (A) और (R) दोनों सही हैं तथा (R), (A) की सही व्याख्या है।

B. (A) और (R) दोनों सही हैं, परन्तु (R), (A) की सही व्याख्या नहीं है।

C. (A) सही है, परन्तु (R) गलत है।

D. (A) गलत है, परन्तु (R) सही है।

58. निम्नलिखित में से कौन-सा युग्म सही सुमेलित है?

सूची-I	सूची-II
(*a*) मायरन वीनर	(*i*) तृतीय लोकतांत्रिक आवेग
(*b*) रजनी कोठारी	(*ii*) भारतीय विडम्बना
(*c*) सुहास पल्सीकर	(*iii*) कांग्रेस व्यवस्था
(*d*) योगेन्द्र यादव	(*iv*) परा-कांग्रेस राजव्यवस्था

कूटः

	(*a*)	(*b*)	(*c*)	(*d*)
A.	(*iv*)	(*ii*)	(*iii*)	(*i*)
B.	(*iii*)	(*ii*)	(*i*)	(*iv*)
C.	(*ii*)	(*iii*)	(*iv*)	(*i*)
D.	(*ii*)	(*iv*)	(*iii*)	(*i*)

59. नीचे दो सूचियाँ दी गई हैं, सूची-I में दृष्टिकोण, जबकि सूची-II में भारतीय लोकतंत्र की आलोचना है। इन दोनों सूचियों को सुमेलित कीजिए और नीचे दिए गए कूट का प्रयोग करते हुए सही उत्तर को चुनिए:

सूची-I *(दृष्टिकोण)*	सूची-II *(भारतीय लोकतंत्र की आलोचना)*
(*a*) हिन्दू राष्ट्रवादी	(*i*) प्रत्यक्ष और स्थानीय लोकतंत्र के लिए बेहद सीमित स्थान
(*b*) गांधीवादी	(*ii*) वैयक्तिक गरिमा और स्वतंत्रता सुनिश्चित करने में सफल नहीं हुआ
(*c*) मार्क्सवादी	(*iii*) स्वदेशीय लोकतांत्रिक परम्पराओं की उपेक्षा करते हुए पश्चिमी लोकतंत्र का अनुकरण
(*d*) उदारवादी लोकतांत्रिक	(*iv*) एक छलावा है क्योंकि यह प्रभावशाली हितों की शक्तियों और विशेषाधिकारों को बनाए रखता है

कूटः

	(*a*)	(*b*)	(*c*)	(*d*)
A.	(*iii*)	(*ii*)	(*i*)	(*iv*)
B.	(*i*)	(*iii*)	(*iv*)	(*ii*)
C.	(*ii*)	(*i*)	(*iii*)	(*iv*)
D.	(*iii*)	(*i*)	(*iv*)	(*ii*)

60. स्वतंत्र भारत का ऐसा पहला राज्य कौन-सा था जिसमें जोड़-तोड़ और दल-बदल के बाद सरकार बनी?

A. पेप्सु (PEPSU) B. मद्रास
C. आंध्र D. राजस्थान

61. निम्नलिखित में से किसने कहा था, "भौतिकी या रसायन की तरह प्रशासन भी सिद्धांतों से शासित होता है"?

A. एल.डी. व्हाइट B. एच. साइमन
C. गुलिक D. उर्विक

62. हेनरी फेयोल ने प्रशासन के निम्नलिखित प्रकार्यों का उल्लेख किया है। उन्हें सही क्रम में रखिए।

(*i*) संगठित करना (*ii*) नियोजन
(*iii*) आदेश (*iv*) नियंत्रण
(*v*) समन्वयन

नीचे दिए गए कूट से सही उत्तर को चुनिए:

A. (*i*), (*ii*), (*iii*), (*iv*), (*v*)
B. (*ii*), (*i*), (*iii*), (*v*), (*iv*)
C. (*ii*), (*i*), (*v*), (*iii*), (*iv*)
D. (*ii*), (*i*), (*iv*), (*iii*), (*v*)

63. निम्नलिखित में से विकास प्रशासन के संबंध में कौन-से कथन सही हैं?

(*i*) यह परिवर्तन उन्मुखी है।
(*ii*) इसके उद्देश्य सरल हैं।
(*iii*) यह गतिक तथा लचीला है।
(*iv*) यह नए कार्यों से संबंधित है।

नीचे दिए गए कूट से सही उत्तर को चुनिए:

A. (*i*), (*ii*), (*iii*) और (*iv*)
B. केवल (*i*), (*iii*) और (*iv*)
C. केवल (*ii*), (*iii*) और (*iv*)
D. केवल (*i*), (*ii*) और (*iv*)

64. सूची-I के साथ सूची-II का मिलान कीजिए और नीचे दिए गए कूट से सही उत्तर का चयन कीजिए:

सूची-I	सूची-II
(*a*) एल्टन मेयो	(*i*) संगठन का शास्त्रीय सिद्धांत
(*b*) हेनरी फेयोल	(*ii*) वैज्ञानिक प्रबंधन
(*c*) निकोलस हेनरी	(*iii*) मानव संबंध सिद्धांत
(*d*) एफ.डब्ल्यू. टेलर	(*iv*) नव लोक प्रबंधन

कूटः

	(a)	(b)	(c)	(d)
A.	(iii)	(i)	(iv)	(ii)
B.	(i)	(iii)	(iv)	(ii)
C.	(i)	(ii)	(iii)	(iv)
D.	(iii)	(iv)	(ii)	(i)

65. सूची-I के साथ सूची-II का मिलान कीजिए और नीचे दिए गए कूट से सही उत्तर का चयन कीजिए:

सूची-I	सूची-II
(a) बर्नार्ड	(i) प्रत्यायोजन
(b) फेयोल	(ii) प्रबंधन के सिद्धांत
(c) गुलिक	(iii) कार्यकारी के प्रकार्य
(d) टैरी	(iv) संगठन के आधार

कूटः

	(a)	(b)	(c)	(d)
A.	(iii)	(ii)	(iv)	(i)
B.	(ii)	(iii)	(iv)	(i)
C.	(iii)	(iv)	(i)	(ii)
D.	(ii)	(iv)	(iii)	(i)

66. निम्नलिखित में से किसने प्रत्यायोजन की अवधारणा को संगठनात्मक (प्रशासनिक) सिद्धांत का मिथक मात्र माना है?

A. फोलेट B. टैरी
C. मूने D. मिलेट

67. निम्नलिखित में से निर्णय करने का आबद्ध तार्किकता मॉडल किसने प्रतिपादित किया?

A. हर्बर्ट साइमन B. एल्टन मेयो
C. डी. ओस्बोर्न D. एडवर्ड वीडनर

68. निम्नलिखित में से कौन-सा वैज्ञानिक प्रबंधन का लक्ष्य है?

A. रोजगार सृजन करना
B. सामाजिक कल्याण को अधिकतम करना
C. उच्चतर औद्योगिक दक्षता
D. श्रमिकों का कल्याण

69. उपनिवेशी शासन में निम्नलिखित में से नौकरशाही का कौन-सा प्रकार पाया जाता है?

A. शासक-प्रभुत्व नौकरशाही
B. शासकीय नौकरशाही
C. जाति नौकरशाही
D. दल-राज्य नौकरशाही

70. निम्नलिखित में से किसने कहा है कि "संसदीय लोकतंत्र की कीमत नौकरशाही है"?

A. रैम्से म्योर B. एच.जे. लास्की
C. हर्बर्ट मोरिसन D. एफ.एम. मार्क्स

71. कार्यपालिका पर विधायी नियंत्रण करने के क्रम में निम्नलिखित में से कौन-सी समिति की सहायता नियंत्रक महालेखा परीक्षक (सी.ए.जी.) द्वारा की जाती है?

(i) प्राक्कलन समिति
(ii) लोक लेखा समिति
(iii) कार्य मंत्रणा समिति
(iv) सरकारी आश्वासनों संबंधी समिति

नीचे दिए गए कूट से सही उत्तर को चुनिएः

A. केवल (i) और (ii)
B. केवल (ii) और (iv)
C. केवल (i), (ii) और (iv)
D. (i), (ii) (iii) और (iv)

72. निम्नलिखित में से किसने भारत के नियंत्रक और महालेखा परीक्षक के पद को समाप्त करने का सुझाव दिया था?

A. पॉल ऐपलबी B. ए.डी. गोरवाला
C. एन.एन. वोहरा D. एल.के. झा

73. निम्नलिखित में से किस देश में कोई व्यक्ति लोक सेवा में लगभग किसी भी स्तर पर लगभग किसी भी आयु में प्रविष्ट हो सकता है?

A. यूनाइटेड किंगडम B. संयुक्त राज्य अमेरिका
C. भारत D. फ्रांस

74. निम्नलिखित में से कौन-से घटक लोक सेवकों द्वारा प्रशासनिक नैतिकता के पालन में बाधक हैं?

(i) गुमनामी
(ii) नम्रता
(iii) उदासीनता
(iv) अंधनियमपरकता (अनाधिकार)

नीचे दिए गए कूट से सही उत्तर को चुनिएः

A. केवल (ii) और (iv)
B. केवल (iii) और (iv)
C. केवल (ii) और (iii)
D. केवल (ii), (iii) और (iv)

75. 'लोकतंत्र और विकास के लिए पंचायती राज संस्थानों के पुनरुद्धार' के संबंध में निम्नलिखित में से किस समिति को नियुक्त किया गया था?

A. बलवंत राय मेहता समिति
B. अशोक मेहता समिति
C. जी.वी.के. राव समिति
D. एल.एम. सिंघवी समिति

76. ब्रिटिश सिविल सर्विस के लिए "यूनिफाइड ग्रेडिंग स्ट्रक्चर" की अनुशंसा किस समिति ने की?

A. मास्टरमैन B. फुल्टन
C. एशटन D. मैकग्रॉ

77. निम्नलिखित में से किस देश को दोहरी नागरिकता प्राप्त है—राष्ट्रीय नागरिकता और राज्य नागरिकता?

A. भारत और यू.एस.ए.
B. भारत और स्विट्जरलैंड
C. स्विट्जरलैंड और यू.एस.ए.
D. यू.एस.ए. और यू.के.

78. नीचे दो कथन दिए गए हैं, जिनमें से एक अभिकथन (A) है और दूसरा तर्क (R) है। कथनों को पढ़िए और नीचे दिए गए कूट का प्रयोग कर सही उत्तर चुनिए।

अभिकथन (A): भारत के मुख्य निर्वाचन आयुक्त की अनुशंसा के बिना किसी निर्वाचन आयुक्त को पद से नहीं हटाया जा सकता।

तर्क (R): उसे मुख्य निर्वाचन आयुक्त की सिफारिश पर नियुक्त किया जाता है।

कूटः

A. (A) और (R) दोनों सही हैं तथा (R), (A) की सही व्याख्या है।
B. (A) और (R) दोनों सही हैं, परन्तु (R), (A) की सही व्याख्या नहीं है।
C. (A) सही है, परन्तु (R) गलत है।
D. (A) गलत है, परन्तु (R) सही है।

79. नीचे दो कथन दिए गए हैं, जिनमें से एक अभिकथन (A) है और दूसरा तर्क (R) है। कथनों को पढ़िए और नीचे दिए गए कूट का प्रयोग कर सही उत्तर चुनिए।

अभिकथन (A): भारत के नियंत्रक और महालेखा परीक्षक के वेतन और सेवा शर्तों में उनकी नियुक्ति के उपरांत कोई परिवर्तन नहीं किया जा सकता।

तर्क (R): नियंत्रक और महालेखा परीक्षक का पद एक संवैधानिक पद है।

कूटः

A. (A) और (R) दोनों सही हैं तथा (R), (A) की सही व्याख्या है।
B. (A) और (R) दोनों सही हैं, परन्तु (R), (A) की सही व्याख्या नहीं है।
C. (A) सही है, परन्तु (R) गलत है।
D. (A) गलत है, परन्तु (R) सही है।

80. नीचे दो सूचियाँ दी गई हैं, सूची-I में उपागम, जबकि सूची-II में विशेषता है। इन दोनों सूचियों को सुमेलित कीजिए और नीचे दिए गए कूट का प्रयोग करते हुए सही उत्तर को चुनिएः

सूची-I *(उपागम)*	सूची-II *(विशेषता)*
(*a*) पारिस्थितिकीय	(*i*) विधिक-तर्कपूर्ण
(*b*) निर्णय-निर्माण	(*ii*) नकारात्मक प्रतिसंभरण
(*c*) नौकरशाही	(*iii*) अग्रेरिया-इंडस्ट्रिया
(*d*) सामान्य व्यवस्था	(*iv*) तथ्य-मूल्य कथन (Proposition)

कूटः

	(*a*)	(*b*)	(*c*)	(*d*)
A.	(*iv*)	(*ii*)	(*iii*)	(*i*)
B.	(*iii*)	(*iv*)	(*i*)	(*ii*)
C.	(*iii*)	(*i*)	(*iv*)	(*ii*)
D.	(*ii*)	(*iii*)	(*i*)	(*iv*)

81. निम्नलिखित में से किस चिंतक ने सर्वप्रथम 'महाशक्ति (Superpower)' शब्द का उपयोग किया था?

A. हेंस जे. मॉर्गेन्थाऊ B. विलियम फॉक्स
C. ई.एच. कार D. रॉबर्ट कॉक्स

82. निम्नलिखित में से कौन-सा कथन सही ***नहीं*** है?

A. आदर्शवादी उपागम में नैतिक मूल्यों की भूमिका पर बल दिया जाता है
B. आदर्शवाद अनिवार्यतः उदार अन्तर्राष्ट्रीयवाद का एक परिवर्ती है

C. आदर्शवादी उपागम का लक्ष्य अंतर्राष्ट्रीय कानून द्वारा अन्तर्राष्ट्रीय व्यवस्था में सुधार करना है

D. आदर्शवाद उदारवाद का सह-विस्तृत है

83. निम्नलिखित घटनाक्रमों को कालक्रम में व्यवस्थित कीजिए:

(*i*) न्यूरेमबर्ग और टोक्यो ट्रायल

(*ii*) गोर्बाचेव को सी.पी.एस.यू. का महासचिव नियुक्त किया जाना

(*iii*) ईरान में इस्लामी क्रांति

(*iv*) औपचारिक रूप से शीत युद्ध की समाप्ति हेतु सी.एस.सी.ई. की बैठक

नीचे दिए गए कूट से सही उत्तर को चुनिए:

A. (*i*), (*iii*), (*ii*), (*iv*)
B. (*iii*), (*ii*), (*iv*), (*i*)
C. (*ii*), (*iv*), (*i*), (*iii*)
D. (*iv*), (*i*), (*iii*), (*ii*)

84. सूची-I को सूची-II से मिलान कीजिए और नीचे दिए गए कूट से सही उत्तर का चयन कीजिए:

सूची-I	सूची-II
(*a*) द ट्वेन्टी ईयर्स क्राइसिस, 1919-39	(*i*) कार्ल ड्यूश
(*b*) द एनालाइसिस ऑफ इन्टरनेशनल रिलेशंस	(*ii*) क्वामे नक्रूमा
(*c*) इम्पीरिएलिज्म : ए स्टडी	(*iii*) ई.एच. कार
(*d*) निओ-कोलोनिएलिज्म : द लास्ट स्टेज ऑफ इम्पीरिएलिज्म	(*iv*) जे.ए. हॉब्सन

कूटः

	(*a*)	(*b*)	(*c*)	(*d*)
A.	(*iii*)	(*i*)	(*iv*)	(*ii*)
B.	(*i*)	(*ii*)	(*iii*)	(*iv*)
C.	(*iv*)	(*iii*)	(*ii*)	(*i*)
D.	(*ii*)	(*iv*)	(*iii*)	(*i*)

85. निम्नलिखित में से कौन-सा कथन अमेरिका की रोकथाम की नीति के संबंध में सही ***नहीं*** है?

A. नीति का लक्ष्य सोवियत प्रभाव को रोकना था

B. अमेरिका ने विदेशी सहायता का उपयोग 'अवरोध' के साधन के रूप में किया

C. इस नीति का उद्देश्य केवल पूर्वी यूरोप में सोवियत प्रभाव को रोकना था

D. 'अवरोध' के इस उद्देश्य की प्राप्ति हेतु कूटनीति तथा सैन्य हस्तक्षेप का भी उपयोग किया गया

86. यह किसका कथन है कि किसी सिद्धांत पर विचार "किसी ऐसे पूर्व-चिंतित दुर्बोध सिद्धांत अथवा अवधारणा के आधार पर नहीं करना चाहिए जिसका वास्तविकता से कोई संबंध न हो। इसका उद्देश्य किसी सामूहिक दृश्य/घटना में व्यवस्था कायम करना तथा उसे अर्थ प्रदान करना है"?

A. ई.एच. कार
B. हेंस जे. मॉर्गेन्थाऊ
C. स्टीफेन क्रासनर
D. केनेथ वाल्ट्ज

87. नीचे दो सूचियाँ दी गई हैं, सूची-I में संधि, जबकि सूची-II में वर्ष हैं। इन दोनों सूचियों को सुमेलित कीजिए और नीचे दिए गए कूट का प्रयोग करते हुए सही उत्तर को चुनिए:

सूची-I (*संधि*)	सूची-II (*वर्ष*)
(*a*) व्यापक शस्त्र परीक्षण प्रतिबंध संधि (सी.टी.बी.टी.)	(*i*) 2002
(*b*) प्रक्षेपास्त्र रोधी मिसाइल (ए.बी.एम.) संधि	(*ii*) 1991
(*c*) सामरिक हथियार कटौती संधि-I (स्टार्ट-I)	(*iii*) 1972
(*d*) सामरिक आक्रामक हथियार कटौती संधि (सोट)	(*iv*) 1996

कूटः

	(*a*)	(*b*)	(*c*)	(*d*)
A.	(*i*)	(*ii*)	(*iv*)	(*iii*)
B.	(*ii*)	(*iv*)	(*iii*)	(*i*)
C.	(*iv*)	(*iii*)	(*ii*)	(*i*)
D.	(*iii*)	(*iv*)	(*i*)	(*ii*)

88. रिक्तिपूर्व (प्री-एम्पटिव) रणनीति के बारे में निम्नलिखित में से कौन-सा कथन सही ***नहीं*** है?

A. यह रणनीति युद्ध रोकने के लिए तैयार की गई थी

B. यह रणनीति दुर्जन-शासन से मिलने वाली धमकी से संबंधित है

C. यह रणनीति किसी संभावित आक्रामक के बलवती होने से पूर्व आक्रमण का अनुमोदन करती है

D. यह रणनीति संयुक्त राष्ट्र चार्टर के अनुरूप है

89. निम्नलिखित में से कौन-सा देश अरब स्प्रिंग 2011 के पश्चात् राजनीतिक हिंसा का साक्षी ***नहीं*** रहा?

A. ट्यूनिसिया

B. मिस्र

C. लीबिया

D. सऊदी अरब

90. सीरियाई सिविल युद्ध में संयुक्त राष्ट्र की भूमिका के संबंध में निम्नलिखित में से कौन-सा कथन सही है?

A. अरब स्प्रिंग के बाद 2011 में संयुक्त राष्ट्र संघ ने सीरिया में हस्तक्षेप किया

B. सीरियाई सेना के लिए हेजबोलाह के समर्थन के पश्चात् संयुक्त राष्ट्र संघ ने 2003 में पुनः हस्तक्षेप किया

C. 2013 में दमास्कस में हुए सारिन नर्व गैस हमले के पश्चात् संयुक्त राष्ट्र संघ ने रासायनिक हथियारों को नष्ट करने के लिए मतदान किया था

D. संयुक्त राष्ट्र संघ सीरिया के रासायनिक हथियारों के जखीरे को नष्ट करना चाहता था परंतु उसे नष्ट करने के लिए कोई समय सीमा तय नहीं की गई

91. किसने कहा कि "हमें विश्व के सबसे बड़े लोकतंत्र के साथ बुद्धिमत्ता से पेश आना चाहिए... हमें भारत को सहयोग देने के लिए कड़ा परिश्रम सतत रूप से करने की आवश्यकता है... हालांकि हमें पाकिस्तान में अपने मित्रों की उपेक्षा भी नहीं करनी है"?

A. निकोलस बर्न्स

B. कोलिन पॉवेल

C. डेविड सी. मलफोर्ड

D. हेनरी किसिंजर

92. पी.वी. नरसिम्हा राव ने 'लुक ईस्ट पॉलिसी' को पहली बार कब प्रस्तुत किया?

A. सितम्बर, 1994 में अपने व्याख्यान द्वारा सिंगापुर में

B. जनवरी, 1992 में जब भारत आसियान का क्षेत्रीय वार्ता भागीदार बना

C. 1995 में आसियान के 'पूर्ण वार्ता भागीदार' के रूप में भारत का स्थान ऊँचा होने के अवसर पर

D. वर्ष 1995-96 के लिए विदेश मंत्रालय के वार्षिक प्रतिवेदन के माध्यम से

93. निम्नलिखित में से किसने स्व-रक्षा, अधिकारों के प्रवर्तन, क्षति के लिए मुआवजा माँगने तथा गलत करने वालों को दण्ड देने को न्यायोचित युद्ध का कारण माना है?

A. एम. कोसकेन्निमी

B. हूगो ग्रोशियस

C. सी. ग्रे

D. जे.जी. स्टार्क

94. 1998 में पोखरण में भारत के परमाणु विस्फोट के पश्चात् निम्नलिखित में से कौन-सी प्रतिक्रियाएँ हुईं?

(*i*) अमेरिका ने भारत और पाकिस्तान दोनों के परमाणु परीक्षणों की भर्त्सना की।

(*ii*) संयुक्त राष्ट्र सुरक्षा परिषद ने परमाणु विस्फोटों की भर्त्सना करते हुए संकल्प पारित किया।

(*iii*) अमेरिका तथा उसके सामरिक सहयोगियों ने भारत पर आर्थिक प्रतिबंध लगाए।

(*iv*) अमेरिका के दबाव के बाद भारत अप्रसार संधि पर हस्ताक्षर करने के लिए सहमत हुआ।

नीचे दिए गए कूट से सही उत्तर को चुनिए:

A. केवल (*i*), (*ii*) और (*iv*)

B. केवल (*i*) और (*ii*)

C. केवल (*i*), (*ii*) और (*iii*)

D. केवल (*i*), (*iii*) और (*iv*)

95. निम्नलिखित में से कौन-सा 2000 में संयुक्त राष्ट्र महासभा द्वारा अनुमोदित सहस्राब्दि विकास लक्ष्यों का भाग ***नहीं*** था?

A. अत्यधिक गरीबी और भूख का उन्मूलन

B. सार्वभौमिक प्राथमिक शिक्षा की प्राप्ति

C. विकासात्मक सहायता के लिए समृद्ध राष्ट्रों द्वारा सकल घरेलू उत्पाद के 2% भाग का योगदान

D. पर्यावरणीय संपोषणीयता सुनिश्चित करना

96. निम्नलिखित में से किस प्रधानमंत्री ने 'विशुद्ध गुट-निरपेक्षता' के विचार को प्रतिपादित किया?

A. मोरारजी देसाई

B. जवाहरलाल नेहरू

C. लाल बहादुर शास्त्री

D. इन्दर कुमार गुजराल

97. जनवरी, 2002 में, निम्नलिखित में से किन देशों को अमेरिकन राष्ट्रपति द्वारा 'दुष्टता की धुरी' के रूप में वर्णित किया गया था?

A. ईरान, लीबिया, उत्तरी कोरिया

B. उत्तरी कोरिया, ईरान, इराक

C. उत्तरी कोरिया, अफगानिस्तान, सीरिया

D. सीरिया, ईरान, इराक

98. भारत का पोखरन II के उपरांत लगाए गए प्रतिबंधों को अमेरिका ने कब हटाया था?

A. अक्टूबर, 2001 में 9/11 हमले के बाद

B. मार्च, 2003 में अमेरिका द्वारा किए गए इराक हमले के समय

C. जनवरी, 2005 में बुश के दूसरे कार्यकाल के प्रारंभ की पूर्व संध्या पर

D. 60वीं संयुक्त राष्ट्र महासभा की बैठक के दौरान सितम्बर, 2005 में

99. सद्दाम हुसैन के शासनकाल के दौरान परमाणु हथियारों का पता लगाने के लिए इराक के स्थानों की जाँच करने के लिए बनाई गई संयुक्त राष्ट्र समिति का सभापति कौन था?

A. एम.जे. मिलर B. हेंस ब्लिक्स

C. मोहम्मद महाथिर D. एम. बोआजिजि

100. निम्नलिखित में से कौन-सा कथन सही ***नहीं*** है?

A. प्रथम विश्व युद्ध के संत्रास के पश्चात् उदारवादी अंतर्राष्ट्रीयवादियों ने युद्ध को समाप्त करने का प्रयास किया

B. उनका विश्वास था कि आत्मनिर्णय तथा राज्य का दर्जा प्रदान करने की अनुमति नहीं दी जा सकती

C. उनका विश्वास था कि शक्ति संतुलन से सामूहिक सुरक्षा का मार्ग प्रशस्त होगा

D. उनका यह भी विश्वास था कि कूटनीति को सर्वसम्मति द्वारा प्रतिस्थापित किया जाएगा

उत्तरमाला

1	2	3	4	5	6	7	8	9	10
B	D	A	D	D	D	B	A	B	D
11	**12**	**13**	**14**	**15**	**16**	**17**	**18**	**19**	**20**
D	A	A	D	D	A	D	D	C	D
21	**22**	**23**	**24**	**25**	**26**	**27**	**28**	**29**	**30**
B	B	A	B	D	C	A	B	A	D
31	**32**	**33**	**34**	**35**	**36**	**37**	**38**	**39**	**40**
*	D	A	B	C	C	B	B	A	D
41	**42**	**43**	**44**	**45**	**46**	**47**	**48**	**49**	**50**
B	C	D	C	D	D	B	D	D	D
51	**52**	**53**	**54**	**55**	**56**	**57**	**58**	**59**	**60**
A	C	C	C	C	D	B	C	D	B
61	**62**	**63**	**64**	**65**	**66**	**67**	**68**	**69**	**70**
C	B	B	A	A	A	A	C	B	C
71	**72**	**73**	**74**	**75**	**76**	**77**	**78**	**79**	**80**
A	A	B	B	D	B	*	C	A	B
81	**82**	**83**	**84**	**85**	**86**	**87**	**88**	**89**	**90**
B	D	A	A	C	B	C	D	D	C
91	**92**	**93**	**94**	**95**	**96**	**97**	**98**	**99**	**100**
B	A	B	C	C	A	B	A	B	B

* Error in Question/Option

व्याख्यात्मक उत्तर

1. प्राचीन भारतीय राजनीति-चिंतन के अंतर्गत राजनीतिक संगठन और राज्य-शिल्प या शासन-कला और कूटनीति के सिद्धांत अत्यंत विकसित रूप में मिलते हैं। राज्य का सप्तांग सिद्धांत राजनीतिक संगठन का सर्वमान्य सिद्धांत था, जिसे मनुस्मृति और कौटिल्य के अर्थशास्त्र में विशेष स्थान दिया गया है। इसके अंतर्गत राज्य रूपी शरीर के 7 अंग माने गए हैं, और उनके कृत्यों को स्पष्ट करने के लिए उनकी तुलना शरीर के महत्वपूर्ण अंगों से की गई है। इस रूपक के अनुसार, स्वामी अर्थात् राजा इसका शीर्ष है; अमात्य अर्थात् मंत्री राज्य की आंखें हैं; सुहृद् (राजा के मित्र) राजा के कान हैं; कोष राज्य का मुख है; सेना राज्य का मस्तिष्क है; दुर्ग राज्य की बांहें और पुर (भूक्षेत्र एवं प्रजा) राज्य की जंघाएं हैं।

इस प्रकार 'सप्तांग सिद्धांत' न केवल राज्य के सावयव स्वरूप का निरूपण करता है, बल्कि यह संकेत भी देता है कि राज्य के किस-किस अंग का क्या-क्या कार्य है? इसके अतिरिक्त, इस सिद्धांत से यह भी पता चलता है कि राज्य की विशेषताएं क्या-क्या हैं? दूसरे शब्दों में, राज्य का अस्तित्व तभी संभव है, जब उसमें राजा, मंत्री, मित्र, कोष, सेना, दुर्ग और पुर का समावेश हो।

2. दार्शनिकों के शासन को व्यावहारिक रूप देने के लिए प्लेटो ने दो बातों पर विशेष बल दिया है– राज्य के समस्त नागरिकों के लिए उपयुक्त शिक्षा-प्रणाली की व्यवस्था; और संरक्षक वर्ग के लिए एक विशेष जीवन-पद्धति जिसमें संपत्ति और स्त्रियों का साम्यवाद प्रचलित होगा। संरक्षक वर्ग में दार्शनिक और सैनिक दोनों आएंगे।

शिक्षा-प्रणाली के अंतर्गत सभी नागरिकों को एक-जैसे अवसर दिए जाएंगे। नवजात शिशुओं को माता-पिता से अलग करके राज्य अपने संरक्षण में ले लेगा। दस वर्ष की आयु तक उन्हें मुख्यतः शारीरिक शिक्षा दी जाएगी। इन दस वर्षों में व्यक्ति के स्वास्थ्य की नींव इतनी सुदृढ़ हो जानी चाहिए कि भविष्य में औषधियों की आवश्यकता ही न रहे। ग्यारह से पंद्रह वर्ष की आयु तक व्यक्ति को मुख्यतः संगीत की शिक्षा दी जाएगी, ताकि शारीरिक दृढ़ता के साथ-साथ बालक-बालिका के चरित्र में मानसिक मृदुलता भी विकसित की जा सके। संगीत-शिक्षा के दौरान गणित, इतिहास और विज्ञान जैसे विषयों की भी शिक्षा दी जाएगी। सोलह से बीस वर्ष की आयु तक, विद्यार्थियों को नैतिक शिक्षा दी जाएगी। बीस वर्ष की आयु में पहली विशाल परीक्षा आयोजित की जाएगी। इसमें जो विद्यार्थी अनुत्तीर्ण होंगे, उन्हें व्यापारी, किसान, इत्यादि के काम में लगा दिया जाएगा। जो लोग इसमें उत्तीर्ण होंगे, उन्हें 21 से 30 वर्ष की आयु तक उन्नत कोटि का शारीरिक, मानसिक और चारित्रिक प्रशिक्षण दिया जाएगा। 30 वर्ष की आयु में दूसरी महान परीक्षा होगी। जो इसमें अनुत्तीर्ण होंगे, उन्हें सहायक अर्थात् सैनिक बनने के लिए भेज दिया जाएगा। जो उत्तीर्ण होंगे, उन्हें 31 से 35 तक दर्शनशास्त्र की शिक्षा दी जाएगी। 36 से 50 वर्ष की आयु तक इन लोगों को सांसारिक जीवन में लौटकर यथार्थ जीवन की कठिनाइयों से जूझना होगा। फिर अंतिम परीक्षा होगी। इसमें जो उत्तीर्ण होंगे, वे राज्य के शासक बन जाएंगे। जो अनुत्तीर्ण होंगे, वे सहायक वर्ग के साथ जा मिलेंगे।

3. थॉमस हॉब्स ने प्राकृतिक विज्ञान के सिद्धांत से प्राप्त अभिधारणा के आधार पर अपने राजनीतिक दर्शन का निर्माण किया है। हॉब्स का महत्व राजनीतिक दर्शन को एक वैज्ञानिक रूप प्रदान करने में है। उसने अपने राजदर्शन में निरंकुशतावाद तथा धर्म-निरपेक्षतावाद के लिए एक वैज्ञानिक आधार तैयार किया और भौतिक विज्ञान में प्रयुक्त होने वाली पद्धति को दर्शन तथा राजनीतिक चिन्तन का आधार देकर राजनीति को विज्ञान का स्वरूप दिया। हॉब्स पर डेकार्ट (Descartes) का बहुत बड़ा प्रभाव पड़ा जो वैज्ञानिक पद्धति का प्रणेता माना जाता है। उसका मत था कि भौतिक विज्ञानों की भाँति सामाजिक विज्ञानों की भी एक निश्चित पद्धति होनी चाहिए। उसकी वैज्ञानिक पद्धति के आधारभूत सिद्धांत थे–निर्णय लेने में शीघ्रता, निष्पक्षता, वस्तु को छोटे-छोटे भागों में बाँट कर व्याख्या से सम्पूर्ण हल निकालना, तथ्यों को देखते हुए आगे बढ़ना, सरलता से जटिलता की ओर बढ़ना, तथ्य

एकत्रित कर फिर परीक्षण और तत्पश्चात् निष्कर्ष निकालना आदि। राजनीतिक चिन्तन के क्षेत्र में इस पद्धति को प्रयोग में लाने के फलस्वरूप हॉब्स के दर्शन में शुष्क बौद्धिक दृष्टिकोण का परित्याग हुआ।

हॉब्स वस्तुतः वैज्ञानिक सिद्धांतों के आधार पर एक सम्पूर्ण दर्शन की रचना करना चाहता था। राजनीतिक दर्शन उसके इस संपूर्ण चिन्तन का एक अंग-मात्र था और इस सम्पूर्ण दर्शन को ही भौतिकवाद कहा गया है। गैलीलियो की भाँति ही हॉब्स ने पुराने विषय में से एक नए विज्ञान को जन्म दिया और यह नया विज्ञान गति का था। हॉब्स ने इसी गति सम्बन्धी सिद्धांत को अपने दर्शन का केन्द्र-बिन्दु बनाया।

4. यदि राजनीतिक विचारों के इतिहास में रूसो के योगदान को एक ही शब्द में व्यक्त करना हो तो इसके लिए 'सामान्य इच्छा' का सिद्धांत पर्याप्त होगा। 'सामान्य इच्छा' की संकल्पना को स्पष्ट करने के लिए सबसे पहले तात्कालिक इच्छा (Actual will) और तात्विक इच्छा (Real will) में अंतर करना आवश्यक है। रूसो के अनुसार, तात्कालिक इच्छा वह है जिसे व्यक्ति क्षणिक आवेश में अनुभव करता है; यह परिवर्तनशील एवं तुच्छ कोटि की इच्छा है। यह आकस्मिक और तर्कशून्य इच्छा है। अतः तात्कालिक इच्छा की पूर्ति से किसी व्यक्ति को क्षणिक संतोष तो मिल सकता है; इससे उसका अपना या संपूर्ण समाज का कल्याण नहीं हो सकता। इसके विपरीत, तात्विक इच्छा (यथार्थ इच्छा) नित्य और निर्विकार है; यह परम कल्याण का आधार है; यही सच्ची स्वतंत्रता की अभिव्यक्ति है। तात्विक इच्छा मनुष्य की तर्कबुद्धि से प्रेरित होती है, क्षणिक आवेश से नहीं। अतः सामान्य इच्छा समुदाय के सभी सदस्यों की तात्विक इच्छा का सामान्य आधार प्रस्तुत करती है।

5. माइकल वाल्जर का दृढ़ विश्वास था कि आवधिक व्यक्ति-समुदाय में सुधार आवश्यक है क्योंकि 'उदारवाद एक आत्म-विध्वंसक सिद्धांत' है। वाल्जर एक समुदायवादी सिद्धांतकार हैं। समुदायवाद एक समकालीन दर्शन है। यह उदारवाद की त्रुटियों की ओर संकेत करके एक नई व्यवस्था स्थापित करने का निर्देश देता है। उदारवाद ने व्यक्ति की स्वतंत्रता पर बल देते हुए ऐसे व्यक्तिवाद को बढ़ावा दिया था जिससे व्यक्ति और समुदाय के बीच का रिश्ता टूट गया था। जब प्रत्येक व्यक्ति अपनी-अपनी सूझ-बूझ से अपने-अपने हित की चिंता करने लगा, तब भावात्मक स्तर पर उसे किसी के साथ लगाव नहीं रहा। अपने लिए सुख-सुविधाओं के विस्तृत साधन तो जुटा लिए, परंतु वह अपनी भावनात्मक सुरक्षा खो बैठा।

समुदाय वाद ने इस विलक्षण स्थिति की समीक्षा करते हुए व्यक्ति और समुदाय के परस्पर संबंध को नए परिप्रेक्ष्य में रखकर देखने की कोशिश की। उदारवाद के अनुसार तो व्यक्ति का अपना अस्तित्व और उसकी अपनी क्षमताएं प्रकृति की देन हैं। इनके लिए वह समाज का ऋणी बिल्कुल नहीं है। अतः वह इनका मनचाहा उपयोग करने के लिए स्वतंत्र है। अपने उद्देश्य या अपनी भूमिकाएं निर्धारित करते समय वह समाज या अन्य व्यक्तियों के प्रति उत्तरदायी नहीं है। इन मामलों में वह किन्हीं परंपराओं या दायित्वों से नहीं बँधा है। इसके विपरीत, समुदायवाद के अनुसार, व्यक्ति का अपना अस्तित्व और व्यक्तित्व ऐसी सामाजिक स्थिति, भूमिकाओं और प्रथाओं पर आश्रित है जो समाज की देन हैं। इन सबके प्रति उसकी प्रतिबद्धता उसके व्यक्तित्व का आवश्यक अंग है।

जहाँ उदारवाद व्यक्ति की स्वतंत्रता, स्वार्थ और अधिकारों पर बल देता है, वहाँ समुदायवाद उसके कर्तव्यों और दायित्वों तथा समाज के सामान्य हित पर ध्यान केंद्रित करता है। वह हम सबकी सामान्य पहचान के साथ-साथ उन मूल्यों और मान्यताओं को विशेष महत्व देता है जिनके प्रति हम सब आस्था रखते हैं।

6. जे.एस. मिल ने बेंथम के उपयोगितावादी सिद्धांत में दो महत्वपूर्ण परिवर्तन किया। बेंथम के अनुसार भिन्न-भिन्न प्रकार के सुखों में कोई गुणात्मक अंतर (Qualitative Difference) नहीं होता; उनमें केवल परिमाणात्मक अंतर (Quantitative Difference) होता है परंतु मिल ने तर्क दिया कि भिन्न-भिन्न प्रकार के सुखों में गुणात्मक अंतर अवश्य होता है, और किसी सुख की गुणवत्ता उसके परिमाण से कम महत्वपूर्ण नहीं होती। मनुष्य केवल भौतिक सुखों के पीछे नहीं दौड़ता, बल्कि उसकी नैतिक, बौद्धिक और कलात्मक अभिरूचियों का विकास भी जरूरी है। जो सुख मनुष्य की उच्चतर क्षमताओं से प्राप्त किया जाता है, वह अन्य सुखों की

तुलना में उत्तम है। उच्च कोटि का सुख कम संतुष्टिदायक होने पर भी ग्राह्य है। निम्न कोटि का सुख/आनंद (Pleasure) अधिक संतुष्टिदायक होने पर भी त्याज्य है। मिल के शब्दों में, ''एक संतुष्ट मूर्ख की तुलना में असंतुष्ट सुकरात होना कहीं अच्छा है।''

पुराने उपयोगितावादी स्वतंत्रता को महत्वपूर्ण तो मानते थे, परंतु उनके विचार से यह उपयोगिता का सारतत्व नहीं थी। मिल ने अपनी विचार-प्रणाली के अंतर्गत स्वतंत्रता को उपयोगिता का सार-तत्व बना दिया। उसने तर्क दिया कि सच्चा सुख केवल भौतिक संतुष्टि में निहित नहीं है, बल्कि वह चरित्र के विकास से प्राप्त होता है। उच्च चरित्र वाला व्यक्ति ही उच्च कोटि के सुख का अनुभव कर सकता है। चरित्र के विकास के लिए व्यक्तिगत स्वतंत्रता सर्वथा आवश्यक है।

7. समकालीन राजनीति-सिद्धांत के अंतर्गत रॉबर्ट डाहल ने अपनी चर्चित कृति 'A Preface to Democratic Theory–1956' के अंतर्गत लोकतंत्रीय प्रक्रिया का ऐसा प्रतिरूप विकसित किया है जिसे उसने बहुलतंत्र (Polyarchy) की संज्ञा दी है। इस संकल्पना के अनुसार, लोकतंत्रीय समाज में नीति-निर्माण की प्रक्रिया ऊपर से देखने में चाहे कितनी ही केंद्रीकृत क्यों न दिखाई दे, वास्तव में यह अत्यंत विकेंद्रीकृत प्रक्रिया है। इसके अंतर्गत अनेक स्वायत्त समूह आपस में समझौता या सौदेबाजी करते हैं। अतः सार्वजनिक नीति उन सब समूहों की परस्पर-क्रिया का परिणाम होती है जो उससे संबंधित विषय में दिलचस्पी का दावा करते हैं। इस सिद्धांत के अनुसार नीति-निर्माण में सरकार की भूमिका बहुत कम रह जाती है क्योंकि वह विभिन्न स्वायत्त समूहों को केवल सहमति की स्थिति तक पहुँचने में मदद करती है।

9. ब्लादिमीर इलियच लेनिन रूस की बोल्शेविक क्रांति के कर्णधार के रूप में प्रसिद्ध है। उसने अपनी अनेक कृतियों के माध्यम से मार्क्सवादी सिद्धांत और व्यवहार के विकास में विशेष योगदान दिया है, यहाँ तक कि सोवियत रूस और जनवादी चीन में साम्यवादी सरकारों की आधिकारिक नीतियों को मार्क्सवाद-लेनिनवाद की संज्ञा दी गई।

समाजवादी क्रांति के विचार को व्यावहारिक रूप देने के लिए और समाजवादी व्यवस्था को व्यावहारिक रूप में चलाने के लिए लेनिन ने मार्क्सवादी सिद्धांत की नई व्याख्या प्रस्तुत की। उसने मार्क्सवादी चिंतन में विशेष रूप से तीन नए विचारों का समावेश किया–

(*i*) विचारधारा की भूमिका

(*ii*) साम्राज्यवाद-विरोधी संघर्ष, और

(*iii*) साम्यवादी दल की भूमिका।

लेनिन की कृतियों का क्रम इस प्रकार है–

(*i*) The Development of Capitalism in Russia – 1899

(*ii*) Socialism and War – 1915

(*iii*) Materialism and Empirio-criticism – 1909

(*iv*) What is to be Done – 1902

10. डेविड ईस्टन का कथन है कि ''राजनीतिक व्यवहार का अर्थ बौद्धिक प्रवृत्ति तथा ठोस शैक्षणिक आंदोलन दोनों है।'' 20वीं सदी के सातवें दशक के अंत में डेविड ईस्टन ने व्यवहारवाद की तत्कालीन प्रवृत्तियों पर प्रबल प्रहार दिया, हालांकि व्यवहारवाद के विकास में स्वयं ईस्टन की महत्वपूर्ण भूमिका रही थी। उत्तर-व्यवहारवाद व्यवहारवाद की विशेषताओं को बनाए रखना चाहता है। ईस्टन ने कहा है, ''यह प्रतिक्रिया न होकर क्रांति है। इसमें यथास्थिति नहीं, वरन् नया स्वरूप उभर रहा है। यह सुधार है, प्रति सुधार नहीं।'' इसे किसी एक विचारधारा या विचारवाद से संयुक्त करना गलत होगा। उत्तर व्यवहारवाद शैक्षिक तथा मूल्यात्मक महत्व को दिखाना चाहता है। उत्तर व्यवहारवाद में परम्परागत तथा व्यवहारवादी दोनों राजनीति की विशेषताएं शामिल हैं। यह तथ्य और मूल्य दोनों को साथ लेकर चलता है।

11. न्याय की सर्वसम्मत प्रक्रिया निर्धारित करने के लिए रॉल्स ने एक विशेष तर्क-प्रणाली का सहारा लिया है। सामाजिक अनुबंध की तर्क-प्रणाली का अनुसरण करते हुए रॉल्स ने एक अन्वेषणात्मक युक्ति का प्रयोग किया है। इसके अंतर्गत उसने यह कल्पना की है कि यदि व्यक्तियों को उनकी वर्तमान सामाजिक और आर्थिक परिस्थितियों से पृथक् कर दिया जाए और समाज में प्रचलित भेदभाव के ज्ञान से भी परे हटा दिया जाए तो वे भावी समाज में अपने हितों की अधिकतम वृद्धि के लिए सामाजिक जीवन के नियमों, सिद्धांतों और

संस्थाओं का पुनर्निर्माण किस प्रकार करेंगे? इस काल्पनिक स्थिति को रॉल्स ने मूल स्थिति (Original Position) की संज्ञा दी है। मूल स्थिति में लोग परस्पर सहमति से जो नियम स्वीकार करेंगे, उन्हें विश्वव्यापी आधार पर न्याय के नियम मान सकते हैं।

मूल स्थिति का वर्णन करते हुए जॉन रॉल्स ने यह कल्पना की है कि मनुष्य अज्ञान के पर्दे (Veil of Ignorance) के पीछे बैठे हैं। यह एक काल्पनिक स्थिति है जिसमें मनुष्य अपनी-अपनी आवश्यकताओं, हितों, निपुणताओं, योग्यताओं, इत्यादि से बिल्कुल बेखबर होते हैं। वे यह भी नहीं जानते कि वास्तविक समाज में कौन-कौन सी बातें संघर्ष पैदा करती हैं?

12. थॉमस कार्लाइल ने बेंथम के उपयोगितावादी सिद्धांत को 'शूकर सिद्धांत' (Pig Philosophy) कहा है क्योंकि उसके अनुसार प्रसन्नता (Happiness) आनंद (Pleasure) से बढ़कर है। कार्लाइल ने बेंथम के उपयोगिता-सिद्धांत की कड़ी आलोचना की है। उसने नैतिकवादी और आदर्शवादी दृष्टिकोण से इसे निकृष्ट भौतिकवाद की संज्ञा दी है। उसका कहना है कि बेंथम मनुष्य को सुअर समझता है।

बेंथम अपने सिद्धांत के प्रतिपादन में अव्यावहारिक बन जाता है। अपने आनन्दवादी व्यक्ति के चित्रण में बेंथम वास्तविक जीवन से अलग होकर आगे बढ़ता प्रतीत होता है। लोग स्वार्थ तथा कर्त्तव्य के बीच अंतर मानते हैं, परंतु बेंथम इसे स्वीकार नहीं करता। अपने प्रामाणिक व्यक्ति के अध्ययन में बेंथम समाज तथा इतिहास को सम्मिलित नहीं करता। इसी प्रकार यह उन सर्वोच्च क्षमताओं को छोड़ देता है जो मनुष्य को मनुष्य बनाती हैं।

13. गाँधीजी के अनुसार, प्रबुद्ध अराजकता का तात्पर्य उस समाज से है जो राज्य के निग्रह बल (Coercive power) के बिना कार्य करता है क्योंकि उस समाज में व्यक्तियों को अपने ऊपर पूर्ण नियंत्रण होता है। भारत के राष्ट्रपिता महात्मा गांधी ने सत्य और अहिंसा को सामाजिक जीवन का मार्गदर्शक सिद्धांत मानते हुए यह तर्क दिया कि राज्य संस्था 'बल-प्रयोग' (Coercion) पर आधारित है, अतः वह हिंसा के साथ जुड़ी है। आदर्श समाज के अंतर्गत जब सभी व्यक्ति अहिंसा की भावना से प्रेरित होकर एक-दूसरे के साथ सहज-स्वाभाविक रूप से समायोजन कर सकेंगे, तब कोई किसी पर बल-प्रयोग नहीं करेगा; बलवान निर्बल को नहीं सताएगा; धनवान निर्धन का शोषण नहीं करेगा। ऐसी हालत में राज्य और राजनीतिक शक्ति का अस्तित्व निरर्थक और अनावश्यक हो जाएगा। इस तरह गांधीजी ने 'राज्यहीन समाज' की वकालत करके नैतिक आधार पर अराजकतावाद की पुष्टि की है।

14. राजनीतिक सिद्धांत के पतन के लिए इतिहासवाद, प्रत्यक्षवाद, नैतिक सापेक्षवाद तथा अतितथ्यात्मकतावाद (Hyperfactualism) उतरदायी हैं। राजनीति-सिद्धांत के पतन या ह्रास के बारे में 1950 के दशक में जो विवाद शुरू हुआ उसके संदर्भ में डेविड ईस्टन, अलफ्रेड कॉबन, रॉबर्ट डाल, पीटर लासलेट, कार्ल पॉपर आदि समकालीन विचारकों ने अपने विचार व्यक्त किए। कॉबन ने 1953 में 'Political Science Quarterly' में प्रकाशित अपने लेख के अंतर्गत यह तर्क दिया कि समकालीन समाज में न तो पूंजीवादी प्रणालियों में राजनीति-सिद्धांत की कोई प्रासंगिकता रह गई है, न साम्यवादी प्रणाली में।

ईस्टन ने लिखा कि परंपरागत राजनीतिक सिद्धांत उस उथल-पुथल की उपज है जो बीते युगों के इतिहास की विशेषता रही है। प्लेटो-पूर्व यूनान, 15वीं सदी के इटली, 16वीं-17वीं सदी के इंग्लैण्ड और 18वीं सदी के फ्रांस में ऐसी उथल-पुथल के कारण ही राजनीतिक-चिंतन को पनपने का अवसर मिला था। वर्तमान समय में उसकी कोई प्रासंगिकता नहीं है।

15. अरस्तू ने अपनी कृति 'पॉलिटिक्स' में राज्य एवं नागरिकता सम्बन्धी विचार प्रकट किए हैं। फिर भी उसने नागरिकता की परिभाषा देने का कोई विशेष प्रयत्न नहीं किया है। अरस्तू प्रश्न करता है कि– "राज्य क्या है?" इसके उत्तर में वह स्वयं ही कहता है कि "राज्य बाह्य दृष्टि से नागरिकों का एक समुदाय है।" राज्य नागरिकों के मेल से बनता है। इसके बाद यह प्रश्न स्वतः ही उठता है कि "नागरिक कौन है?" एवं "नागरिकता से क्या तात्पर्य है?" अरस्तू ने इन प्रश्नों का उत्तर निश्चयात्मक रूप से नहीं दिया है, अपितु इन शब्दावलियों की व्याख्या निषेधात्मक रूप से

की है। उसने सर्वप्रथम यह बतलाया है कि कौन नागरिक नहीं हो सकते हैं? इस सम्बन्ध में उसने नागरिकता की तत्कालीन प्रचलित मान्यताओं का खण्डन किया है। उसने किसी मनुष्य के राज्य में निवास करते हुए भी नागरिक न होने की निम्नलिखित 4 दशाएँ बतलाई हैं–

(*i*) राज्य के किसी स्थान-विशेष में निवास करने मात्र से नागरिकता नहीं मिल सकती, क्योंकि स्त्री, बच्चे, दास और विदेशी जिस राज्य में रहते हैं, उन्हें वहाँ का नागरिक नहीं माना जाता है।

(*ii*) किसी पर अभियोग चलाने का अधिकार रखने वाले व्यक्ति को भी नागरिक नहीं माना जा सकता, क्योंकि संधि द्वारा यह अधिकार विदेशियों को भी दिया जा सकता है।

(*iii*) उन व्यक्तियों को नागरिक नहीं माना जा सकता जिनके माता-पिता किसी दूसरे राज्य के नागरिक हैं क्योंकि ऐसा करने से हम नागरिकता-निर्धारण के किसी सिद्धांत का निर्माण नहीं करते।

(*iv*) निष्कासित तथा मताधिकार से वंचित व्यक्ति भी राज्य के नागरिक नहीं हो सकते।

16. डॉ. भीमराव अंबेडकर आधुनिक भारतीय राजनीति-विचारक थे जिन्हें 'दलितों के मसीहा' और 'भारतीय संविधान के प्रमुख निर्माता' के रूप में याद किया जाता है। जवाहरलाल नेहरू के शब्दों में, वे "हिन्दू समाज के अत्याचारपूर्ण तत्वों के प्रति विद्रोह के प्रतीक" थे। उन्होंने हिंदुओं में अछूत या अस्पृश्य मानी जाने वाली जातियों को संगठित किया; शासन के अंगों में उनके प्रतिनिधित्व के लिए संघर्ष किया और उनकी शिक्षा को बढ़ावा दिया। स्वयं अछूत जाति में जन्म लेकर उन्होंने अनवरत संघर्ष और आत्मविश्वास के बल पर उच्च शिक्षा प्राप्त की थी। अंबेडकर ने छुआछूत को गुलामी से भी ज्यादा बदतर बताया। उन्होंने अपनी अनेक कृतियों के माध्यम से इन कुरूतियों पर प्रहार किया। अंबेडकर द्वारा रचित कृतियाँ निम्नलिखित हैं–

(*i*) The Evolution of Provincial Finance in British India – 1925
(*ii*) The Problem of Rupees : Its Origin and Its Solution – 1923
(*iii*) Annihilation of Caste – 1936
(*iv*) Who Were the Shudras – 1946
(*v*) The Untouchables – 1948
(*vi*) The Buddha and His Dharma – 1957
(*vii*) States and Minorities – 1947
(*viii*) Communal Deadlock and a Way to Solve It – 1946
(*ix*) Which Way to Emancipation – 1936
(*x*) Riddle's in Hinduism – 1954

17. एम.एन. रॉय के समेकित वैज्ञानिक मानववाद को नव मानववाद के रूप में जाना जाता है। रॉय ने नव मानववाद की संकल्पना अपनी अनेक कृतियों के अंतर्गत प्रस्तुत की। इनमें 'New Humanism: A Manifesto – 1947' 'Reason, Romanticism and Revolution', 'The Problem of Freedom' और 'Scientific Politics' विशेष रूप से उल्लेखनीय हैं। इस नव मानववाद को 'उत्कट मानववाद' या 'आमूलपरिवर्तनवादी मानववाद' (Radical Humanism) तथा 'वैज्ञानिक मानववाद' (Scientific Humanism) की संज्ञा भी दी गई है। इसका मूल स्वर 'मनुष्य की स्वतंत्रता' है जो उसकी सृजनात्मक शक्तियों के प्रयोग में निहित है। अज्ञान की स्थिति में मनुष्य अंधविश्वासों में फँस जाता है और अलौकिक शक्तियों में विश्वास करते हुए अपने-आपको विवश अनुभव करता है जिससे उसकी सृजनात्मक शक्तियाँ कुंठित हो जाती है। ज्ञान और विज्ञान मनुष्य को इन निराधार विश्वासों से मुक्ति प्रदान करते हैं।

18. हीगल के मतानुसार राज्य आत्मा के उच्चतम विकास का प्रतीक है, ईश्वर ही महायात्रा का अन्तिम पड़ाव है, और इससे आगे कोई विकास नहीं है। यह एक महासंस्थान (Super-organism) है। उसने राज्य को "पृथ्वी पर ईश्वर की यात्रा" (The march of God on Earth) कहा है। राज्य विषयक हीगल के विचारों से स्पष्ट है कि राज्य एक उच्च प्रकार का भौतिक शरीर है जो समाज और परिवार को संगठित कर उन्हें ऐसे स्तर पर उठा देता है जिसमें प्रत्येक इकाई समूह के हित को अपना हित मानकर व्यवहार करती है। हीगल की विकासवादी प्रक्रिया में राज्य से परे तथा राज्य से उच्चतर और अधिक पूर्ण अन्य कोई वस्तु नहीं है। वह राज्य को बुद्धि के द्वन्द्वात्मक विकास की चरम सीमा समझता है ठीक उसी प्रकार जिस प्रकार कि भौतिक अथवा जैविक रूप में मनुष्य है। यहाँ आकर विकास समाप्त हो जाता है।

हीगल राज्य को सर्वोच्च नैतिक और व्यक्ति से उच्चतर मानता है। समस्त नैतिकता, कानून आदि राज्य के अंतर्गत हैं। उस पर किसी कानून अथवा नैतिकता का नियमन नहीं हो सकता। नैतिकता की सर्वोत्तम अभिव्यक्ति राज्य में ही होती है और राज्य ही नैतिक मानदण्ड का संरक्षक है। वह स्वतंत्र है, प्रतिबन्धों से पूर्णतया मुक्त है और स्वयं अपना नियामक है। वह अपने नागरिकों की सामाजिक नैतिकता को अपने में समेटे हुए है तथा उनका प्रतिनिधित्व करता है।

19. एंटोनियो ग्राम्शी 20वीं शताब्दी के पूर्वार्द्ध का इतालवी विचारक था जिसका मानना था कि नागरिक समाज की गहन समझ के बिना राज्य को नहीं समझा जा सकता है। ग्राम्शी ने आधिपत्य या प्राधान्य (Hegemony) का विचार प्रतिपादित करते हुए कहा कि इसके लिए नागरिक समाज में संघर्ष होता है। उसने नागरिक समाज और राजनीतिक समाज शब्द हीगल से लिया था।

ग्राम्शी ने 'प्राधान्य' के सिद्धान्त के द्वारा अधिरचना (Superstructure) के महत्व को स्वीकार किया है। उसने पूंजीवादी समाज की अधिरचना के दो स्तरों का उल्लेख किया (और इसी आधार पर समाज में बौद्धिक लोगों की भूमिका को दो वर्गों में विभाजित किया) – नागरिक समाज और राजनीतिक समाज। नागरिक समाज में वे समस्त निजी संस्थाएं शामिल हैं जो बल प्रयोग न करके सहज प्रयास द्वारा सामाजिक व राजनीतिक चेतना का निर्माण करती हैं, जैसे– चर्च, क्लब, स्कूल आदि। इसके विपरीत राजनीतिक समाज में वे सरकारी संस्थाएं आती हैं जो सीधे प्रभुत्व द्वारा आधिपत्य स्थापित करने का प्रयास करती हैं, जैसे– सरकार, न्यायालय, पुलिस बल, सेना आदि। ये संस्थाएं राज्य के पर्यायवाची के रूप में देखी जाती हैं।

शासक वर्ग दोनों ही स्तरों पर अपनी शक्ति का प्रयोग समाज पर करता है ताकि वह अपने विचारों एवं मूल्यों को जन-मानस में स्वीकार करा सके लेकिन अलग-अलग पद्धति के द्वारा नागरिक समाज विचारों का एक खुला बाजार है जहाँ बौद्धिक-जन प्रतिस्पर्धी संस्कृतियों के विक्रेता के रूप में कार्य करते हैं। बौद्धिक वर्ग उस सीमा तक प्राधान्य स्थापित करने में सफल होते हैं जिस सीमा तक वे शासक वर्ग की विश्व दृष्टि को शासित वर्ग के मध्य स्थापित कर पाते हैं। इस प्रकार, वे आम-जन की देश के कानून व व्यवस्था के प्रति स्वीकृति प्राप्त कर लेते हैं। इस कार्य में बौद्धिक वर्ग जिस सीमा तक असफल सिद्ध हो जाते हैं उस सीमा तक वे राज्य के बाध्यकारी तंत्र का सहारा लेते हैं। दूसरे शब्दों में – नागरिक समाज अपने सदस्यों में सत्ता के प्रति निष्ठा एवं सम्मान का बोध जागृत करता है ताकि बुर्जुआ समाज को कोई चुनौती न दी जा सके एवं बुर्जुआ समाज के मूल्यों को वैधता मिल सके। जब कभी नागरिक समाज अपने सदस्यों की स्वीकृति प्राप्त करने में असफल हो जाता है तब राजनीतिक समाज बल प्रयोग का सहारा लेता है।

अतः ग्राम्शी के अनुसार साम्यवाद का ध्येय पूंजीवादी समाज को समाप्त करने तक सीमित न होकर उसके मूल्यों, आदर्शों, सिद्धान्तों को भी नष्ट करने का होना चाहिये अर्थात् उस प्राधान्य को भी समाप्त करना चाहिये जो वैचारिक स्तर पर जन-मानस में स्थापित की जाती है।

20. द्वंद्वात्मक भौतिकवाद का सिद्धांत मार्क्सवाद का दार्शनिक आधार प्रस्तुत करता है जबकि ऐतिहासिक भौतिकवाद को द्वंद्वात्मक भौतिकवाद के पूरक सिद्धांत के रूप में मान्यता दी जाती है। ऐतिहासिक भौतिकवाद इस मान्यता से शुरू होता है कि इतिहास के किसी भी युग में समाज के आर्थिक सम्बन्ध समाज की प्रगति का रास्ता तैयार करते हैं और वे राजनीतिक, कानूनी, सामाजिक, बौद्धिक और नैतिक संबंधों का स्वरूप निधारित करने में सबसे बढ़कर प्रभाव डालते हैं। दूसरे शब्दों में, किसी राष्ट्र या समाज के विकास में आर्थिक तत्व अर्थात् वस्तुओं के उत्पादन, विनिमय और वितरण प्रणाली की भूमिका सबसे प्रधान होती है। इसका मतलब यह नहीं कि अन्य कोई तत्व–कानून, धर्म, साहित्य, विज्ञान, कला, संस्कृति, इत्यादि–समाज की प्रगति में कोई भूमिका नहीं निभाते; मतलब यह है कि अन्य सब तत्वों की भूमिका आर्थिक तत्व के साथ जुड़ी रहती है, और उसके उपाश्रित के रूप में सक्रिय होती है। भौतिक जीवन की उत्पादन प्रणाली मानव जीवन की सामाजिक, राजनीतिक और आध्यात्मिक प्रक्रियाओं के सामान्य स्वरूप को निर्धारित करती है।

मार्क्स ने इतिहास की 'आर्थिक व्याख्या' में 'धर्म' को बड़ा निम्न स्तर प्रदान किया है। उसने धर्म को नशा (अफीम) और एक झूठी सांत्वना माना है और इस प्रकार धर्म के प्रति अविश्वास एवं अज्ञान प्रकट किया है।

21. अमेरिकी राजनीति–वैज्ञानिक गेब्रियल आमण्ड ने राजनीति-विश्लेषण के लिए संरचनात्मक-कृत्यात्मक उपागम का ढांचा विकसित किया। आमण्ड ने ईस्टन के आगत-निर्गत विश्लेषण (Input-Output Analysis) को अधूरा मानते हुए 1960 में 'The Politics of the Developing Areas' के अंतर्गत यह तर्क दिया कि ये आगत और निर्गत तत्व वस्तुतः राजनीतिक प्रणाली के कृत्य हैं। आमण्ड ने न केवल इन कृत्यों का विस्तृत वर्गीकरण प्रस्तुत किया बल्कि ऐसे प्रत्येक कृत्य के लिए उपयुक्त संरचनाओं की पहचान भी की। इस तरह आमण्ड ने राजनीति-विश्लेषण के क्षेत्र में संरचनात्मक-कृत्यात्मक विश्लेषण की नींव रखी। आमण्ड ने 4 प्रकार के आगत कृत्यों और 3 प्रकार के निर्गत कृत्यों तथा इनके साथ जुड़ी हुई संरचनाओं का पता लगाया। वैसे किसी भी कृत्य के लिए अनेक संरचनाओं की जरूरत हो सकती है, और कोई भी संरचना अनेक कृत्यों को सम्पन्न करने में अपना योग दे सकती है।

राजनीतिक प्रणाली (Political System) के इस प्रतिरूप का विस्तृत निरूपण आमण्ड और जी.बी. पॉवल की चर्चित कृति 'Comparative Politics: A Development Approach' के अंतर्गत किया गया है।

22. डेविड ईस्टन ने राजनीतिक प्रणाली के आगत और निर्गत तत्वों का विस्तृत वर्गीकरण प्रस्तुत किया है। इससे राजनीतिक प्रणाली के गहन विश्लेषण में सहायता मिलती है। ईस्टन ने माँगों के संदर्भ में आगतों के चार प्रकारों की पहचान की है, जो निम्नलिखित हैं–

(i) वस्तुओं और सेवाओं के आबंटन की माँगें– कामगारों की मजदूरी और काम की परिस्थितियों में सुधार, शैक्षिक अवसरों, मनोरंजन-सुविधाओं, सड़कों और परिवहन-व्यवस्था की मांगें;

(ii) व्यवहार के विनियमन की माँगें– सार्वजनिक सुरक्षा, बाजार के नियंत्रण, वैवाहिक कानून, सार्वजनिक व्यवस्था और स्वच्छता को कायम रखने की मांगें;

(iii) राजनीतिक जीवन में सहभागिता से संबंधित मांगें– वोट देने और सरकारी पद प्राप्त करने के अधिकार, सरकारी विभागों और अधिकारियों के पास याचिका भेजने के अधिकार और राजनीतिक संघ बनाने के अधिकार की मांगें; और

(iv) संप्रेषण एवं सूचना से संबंधित मांगें–सरकारी नीति के उद्देश्य की जानकारी, और विदेशी आक्रमण की धमकियों के समय तथा औपचारिक अवसरों पर राष्ट्र के गौरव और शक्ति के प्रदर्शन की मांगें।

डेविड ईस्टन का निवेश–निर्गत मॉडल

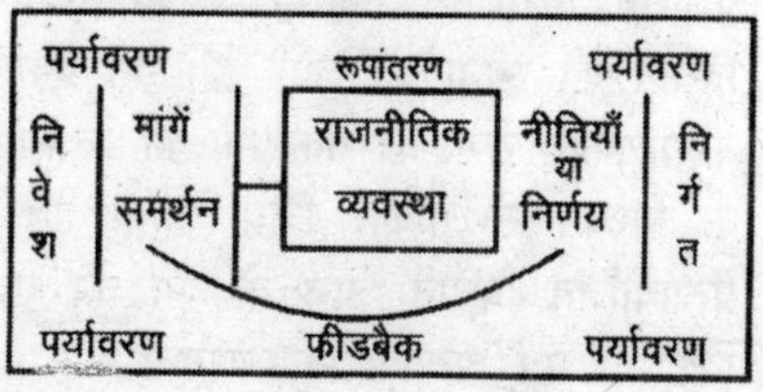

27. लुसियन पाई ने अपनी पुस्तक 'Aspects of Political Development' में इंग्लैण्ड के विकास का राजनीतिक विश्लेषण करते समय राजनीतिक व्यवस्था के 6 संकटों की पहचान की जिनका सामना तीसरी दुनिया के नए राज्यों को राजनीतिक विकास हासिल करने में करना पड़ता है। इन संकटों को राजनीतिक विकास की अवस्थाओं के साथ भी जोड़ा जा सकता है। ये अवस्थाएं हैं–

- पहचान (Identity)
- वैधता (Legitimacy)
- भेदन (Penetration)
- सहभागिता (Participation)
- एकीकरण (Integration)
- वितरण (Distribution)

ये अवस्थाएं आर्गेन्सकी के विचारों के काफी समीप हैं लेकिन इस विश्लेषण का प्रमुख दोष यह है कि यह विकसित देशों के सम्बन्ध में तो सही है, परन्तु विकासशील देशों में इसका निश्चित क्रम संभव नहीं है।

28. विधायिका राज्य का विधि निर्मात्री निकाय है परन्तु आजकल अधिकांश विधायिकाएँ कानून नहीं बनातीं, बल्कि अन्यत्र बने कानूनों का औपचारिक रूप से अनुमोदन करती हैं। यह प्रत्यायोजित विधान (Delegated Legislation) का उदाहरण है। ऐतिहासिक दृष्टिकोण से प्रत्यायोजित विधान का विकास इंग्लैण्ड से प्रारम्भ हुआ जब 1832 में वहाँ संसद द्वारा सुधार अधिनियम पारित किया गया। इस अधिनियम के अंतर्गत सर्वप्रथम सरकारी विभागों को अपना कार्य सुचारू ढंग से सम्पादित करने के लिए विधायी शक्ति प्रत्यायोजित की गई। प्रत्यायोजित/अधीनस्थ विधान के अंतर्गत विधानमंडल आधारभूत नीति का निरूपण करके उन नीतियों के क्रियान्वयन का भार प्रशासन को सौंप देता है और प्रशासन द्वारा उन नीतियों के क्रियान्वयन के लिए विधान की रचना की जाती है। इस प्रकार आज की कल्याणकारी राज्य की संकल्पना को प्रत्यायोजित विधान के माध्यम से साकार किया जाता है। इस कारण प्रत्यायोजित विधान आज के युग की एक अनिवार्य विशेषता एवं अत्यावश्यक बाध्यता है।

32. विशिष्टवर्गवादी सिद्धांत (Elitist Theory) की मुख्य मान्यता यह है कि किसी भी समाज या संगठन के अंतर्गत सारे महत्वपूर्ण निर्णय इने-गिने लोग ही करते हैं; बाकी लोग केवल उनका अनुसरण करते हैं। इस दृष्टि से प्रत्येक समाज या संगठन के सदस्य दो भागों में बँटे रहते हैं– (*i*) विशिष्टवर्ग (Elites) और (*ii*) जनसाधारण या जनपुंज (Masses)। विशिष्टवर्ग के सदस्य अल्पसंख्यक होते हैं जबकि जनपुंज के सदस्य बहुसंख्यक। सामाजिक जीवन के अंतर्गत केवल विशिष्टवर्ग शक्ति का प्रयोग करता है जबकि जनपुंज के ऊपर शक्ति का प्रयोग किया जाता है।

20वीं शताब्दी के आरंभ में पैरेटो, मोस्का और मिशेल्स ने इस सिद्धांत को प्रतिपादित किया। मोस्का ने 'The Ruling Class' के अंतर्गत अभिजात्य या विशिष्टवर्ग की व्यक्तिगत विशेषताओं पर बल देते हुए कहा कि इस वर्ग के सदस्य अपनी असाधारण योग्यता, अनोखी सूझ-बूझ, कार्यकुशलता या प्रबंध-क्षमता के बल पर संपूर्ण संगठन में प्रभावशाली स्थान प्राप्त कर लेते हैं, और उसे अपनी इच्छा या योजना के अनुसार संचालित करते हैं।

33. संयुक्त राज्य अमेरिका के विधानमण्डल को 'कांग्रेस' कहा जाता है। अमेरिका में संघीय शासन प्रणाली प्रचलित है। वहाँ की संघीय सरकार पूरे राष्ट्र से संबंधित मामलों का संचालन करती है जबकि पचास राज्यों की सरकारें अपने-अपने राज्य से संबंधित मामलों का शासन चलाती है। संघीय प्रणाली की आवश्यकता के अनुरूप वहाँ संघ के विधानमंडल में दो सदनों की व्यवस्था की गई है– (*i*) प्रतिनिधि सभा (House of Representatives) और सीनेट (Senate)। प्रतिनिधि सभा संपूर्ण राष्ट्र के जनसाधारण का प्रतिनिधित्व करती है तथा सीनेट पृथक-पृथक राज्यों का प्रतिनिधित्व करती है। प्रतिनिधि सभा को निम्न सदन या अवर सदन (Lower House) कहा जाता है जबकि सीनेट को उच्च सदन (Upper House) या दूसरा सदन (Second Chamber) कहा जाता है।

राजस्व विधेयक केवल प्रतिनिधि सभा से ही शुरू किए जा सकते हैं परंतु सीनेट को उसमें संशोधन करने की शक्ति है। इस दृष्टि से विधानमंडल के दूसरे सदन के रूप में सीनेट की शक्ति बेजोड़ है। यही कारण है कि अमेरिकी सीनेट को विश्व का सबसे शक्तिशाली दूसरा सदन कहा जाता है।

37. राजनीतिक समाजीकरण (Political Socialization) वह प्रक्रिया है जिसके माध्यम से राजनीतिक समुदाय के सदस्य अपने समाज की राजनीतिक संस्कृति को आत्मसात् करते हैं। इसके अंतर्गत वे अपने शैशव काल से ही ऐसी अभिवृत्तियां, मान्यताएं और व्यवहार के प्रतिमान सीख लेते हैं जो उनके समुदाय की राजनीतिक संस्थाओं और प्रक्रियाओं को वैधता प्रदान करते हैं। अतः राजनीतिक समाजीकरण के परिणामस्वरूप व्यक्ति अपने समाज के राजनीतिक जीवन के प्रति अनुकूल दृष्टिकोण बनाता है; अपने समाज, राष्ट्र या राज्य के प्रति निष्ठा विकसित करता है, और सत्ता के प्रति सम्मान का भाव रखना सीखता है।

इस प्रक्रिया में व्यक्ति का परिवार, मित्रमंडली, शिक्षा संस्थान और अन्य बड़े-बड़े समूह प्रमुख अभिकर्त्ता के रूप में भूमिका निभाते हैं। नागरिक तथा राजनीतिक जीवन में सहभागिता, जनसम्पर्क के साधनों के प्रभाव तथा अनेक सभा-संगठनों की उपस्थिति से इसकी पुष्टि होती है। राजनीतिक समाजीकरण के माध्यम से समाज

अपने राजनीतिक मानकों, मान्यताओं और विश्वासों को एक पीढ़ी से दूसरी पीढ़ी तक पहुँचाता है। यह जरूरी नहीं कि इस प्रक्रिया के परिणामस्वरूप सभी व्यक्ति बने-बनाए सांचों में ढल जाएं, परंतु इससे राजनीतिक जीवन में निरंतरता बनी रहती है, और राजनीतिक प्रणाली नए दबावों और तनावों को सहन करने की क्षमता विकसित कर लेती है।

42. भारत शासन अधिनियम, 1919 के अंतर्गत विधान परिषद् को बजट पर संकल्प पारित करने का अधिकार नहीं दिया गया था। इस अधिनियम को मांटेग्यू-चेम्सफोर्ड सुधार भी कहा जाता है। मांटेग्यू भारत के राज्य सचिव थे जबकि चेम्सफोर्ड भारत के वायसराय थे। इस अधिनियम ने पहली बार देश में द्विसदनीय व्यवस्था और प्रत्यक्ष निर्वाचन की व्यवस्था प्रारंभ की। इस प्रकार भारतीय विधान परिषद् के स्थान पर द्विसदनीय व्यवस्था यानी लोकसभा और राज्यसभा का गठन किया गया। दोनों सदनों के बहुसंख्यक सदस्यों को प्रत्यक्ष निर्वाचन के माध्यम से निर्वाचित किया जाता था। इस कानून ने संपत्ति, कर या शिक्षा के आधार पर सीमित संख्या में लोगों को मताधिकार प्रदान किया। इसी अधिनियम के द्वारा 1926 में सिविल सेवकों की भर्ती के लिए एक लोक सेवा आयोग का गठन किया गया। इस अधिनियम के द्वारा साम्प्रदायिक आधार पर सिखों, भारतीय ईसाईयों, आंग्ल-भारतीयों और यूरोपियनों के लिए भी पृथक् निर्वाचन के सिद्धांत को विस्तारित कर दिया गया। इसने पहली बार केन्द्रीय बजट को राज्यों के बजट से अलग कर दिया और राज्य विधानसभाओं को अपना बजट स्वयं बनाने के लिए अधिकृत कर दिया।

44. भारतीय संविधान के भाग IVक में अनुच्छेद-51क के तहत मौलिक कर्तव्यों का वर्णन है। सरदार स्वर्ण सिंह समिति की सिफारिश पर 42वें संविधान संशोधन द्वारा 10 मौलिक कर्तव्यों को संविधान में समाविष्ट किया गया जबकि 11वें कर्तव्य को 86वें संविधान संशोधन, 2002 के द्वारा जोड़ा गया। इस तरह भारतीय संविधान में नागरिकों के लिए कुल 11 कर्त्तव्य वर्णित हैं। इनमें से कुछ नैतिक कर्तव्य हैं तो कुछ नागरिक। उदाहरण के लिए स्वतंत्रता संग्राम के उच्च आदर्शों का सम्मान एक नैतिक दायित्व है, जबकि राष्ट्रीय ध्वज एवं राष्ट्रीय गान का आदर करना नागरिक कर्तव्य। ये मूल्य भारतीय परंपरा, पौराणिक कथाओं, धर्म एवं पद्धतियों से संबंधित हैं। कुछ मूल अधिकार जो सभी लोगों के लिए हैं चाहे वे नागरिक हों या विदेशी, लेकिन मूल कर्तव्य केवल नागरिकों के लिए हैं न कि विदेशियों के लिए। निदेशक तत्वों की तरह मूल कर्तव्य गैर-न्यायोचित है। संविधान में सीधे न्यायालय के जरिए उनके क्रियान्वयन की व्यवस्था नहीं है।

45. 42वें संशोधन अधिनियम, 1976 को लघु संविधान भी कहा जाता है। यह सबसे महत्वपूर्ण संशोधन है। इस संविधान संशोधन द्वारा 5 विषयों को राज्य सूची से समवर्ती सूची में स्थानांतरित किया गया, जैसे–शिक्षा, वन, वन्य जीवों एवं पक्षियों का संरक्षण, नाप-तौल और न्याय प्रशासन एवं उच्चतम और उच्च न्यायालय के अलावा सभी न्यायालयों का गठन और संगठन। इस संशोधन द्वारा प्रस्तावना में तीन नए शब्द जोड़े गए–समाजवादी, पंथनिरपेक्ष एवं अखण्डता। इसने लोकसभा एवं विधान सभाओं के कार्यकाल को 5 वर्ष से बढ़ाकर 6 वर्ष कर दिया; हालांकि 44वें संशोधन द्वारा इनके कार्यकाल को पुनः 5 वर्ष कर दिया गया। इसी संशोधन के द्वारा तीन नए निदेशक तत्वों को संविधान में समाविष्ट किया गया–समान न्याय और निःशुल्क विधिक सहायता, उद्योगों के प्रबंध में कर्मकारों का भाग लेना तथा पर्यावरण का संरक्षण तथा संवर्धन और वन तथा वन्य जीवों की रक्षा।

48. भारतीय संविधान के अनुच्छेद-93 में लोकसभा के अध्यक्ष का वर्णन है। अध्यक्ष का पद सदन का सर्वाधिक महत्वपूर्ण, परम्परागत एवं औपचारिक पद है। अध्यक्ष लोकसभा का सर्वोच्च प्राधिकार प्राप्त अधिकारी होता है, जो कि उसकी अनन्य निष्पक्षता पर आधारित होता है। अध्यक्ष की अधिकांश शक्तियों एवं कार्यों का उल्लेख संविधान के अंतर्गत किया गया है, जबकि कुछ मामलों में उसे अपने विवेकानुसार कार्य करना पड़ता है। लोकसभाध्यक्षों का कार्यकाल निम्नानुसार है–

1. नीलम संजीव रेड्डी (1967-69 और 1977)
2. शिवराज वी. पाटिल (1991-96)
3. मनोहर जोशी (2002-2004)
4. सोमनाथ चटर्जी (2004-2009)

62. हेनरी फेयोल को 'आधुनिक प्रबंध विचारधारा' का जन्मदाता माना जाता है। उन्होंने प्रबंध के क्षेत्र में जिन सामान्य सिद्धांतों का सम्पादन किया है वे आज भी समस्त राष्ट्रों व संगठनों में उपयोगी सिद्ध हो रहे हैं। उन्होंने उच्च प्रबंध एवं प्रशासन के क्षेत्र में आधारभूत दर्शन एवं दृष्टिकोण को जन्म दिया। फेयोल ही पहले व्यक्ति थे जिन्होंने प्रबंध की सार्वभौमिकता को बतलाया तभी सभी प्रकार के औद्योगिक, वाणिज्यिक, राजनैतिक, धार्मिक, सामाजिक और शैक्षणिक उपक्रमों के संचालन में प्रबंध की महत्वपूर्ण भूमिका को स्पष्ट किया। इसीलिए उन्हें 'सर्वयुक्तिवादी' के रूप में जाना जाता है। फेयोल ने प्रबंधकीय क्रियाओं के अन्तर्गत निम्नलिखित 5 मुख्य प्रकार्यों का उल्लेख किया है—

(*i*) योजना बनाना
(*ii*) संगठित करना
(*iii*) आदेश देना
(*iv*) समन्वय करना
(*v*) नियंत्रण करना।

63. विकास प्रशासन की मुख्य विशेषताओं की चर्चा करते हुए जॉर्ज ग्रांट ने कहा है कि "विकास प्रशासन अपने प्रयोजन, अपनी आस्था एवं अपनी अभिवृत्ति द्वारा चरित्रगत होना चाहिए।" विकास प्रशासन का प्रयोजन मूल्य–उन्मुख परिवर्तनों को लाना है जिन्हें वांछनीय माना जाता है। विकास प्रशासन का प्रयोजन मूल्योन्मुख और लक्ष्योन्मुख होना है तथा प्रशासन को नम्य बनाना है। विकास प्रशासन की आस्थाएं सेवार्थियों की ओर होती है। यह उपागम प्रशासन को भागीदार, उत्तरदायी एवं संवेदनशील बनाता है। विकास प्रशासन की अभिवृत्ति हमेशा धनात्मक एवं प्रत्यायक होती है। इसकी अभिवृत्ति प्रशासन में अभिनव परिवर्तन लाना तथा इसे अधिक उत्तरदायी एवं संवेदनशील बनाना है। विकास प्रशासन की मुख्य विशेषताएं निम्नलिखित हैं—

(*i*) परिवर्तनोन्मुख/लक्ष्य प्रशासन
(*ii*) कार्योन्मुख प्रशासन
(*iii*) प्रशासन का लक्ष्योन्मुखन
(*iv*) समाज के मूल्यों के प्रति कटिबद्धता
(*v*) सेवार्थी-उन्मुख अथवा भागीदारी-उन्मुख प्रशासन
(*vi*) संवेदनशील एवं उत्तरदायी प्रशासन
(*vii*) प्रशासन में अभिनव परिवर्तन
(*viii*) प्रशासन में कालिक आयाम यानी एक उचित समय-सीमा के भीतर योजनाओं और परियोजनाओं को पूरा करने का लक्ष्य;
(*ix*) कार्यरत कार्मिकों का उच्चतर अभिप्रेरण या मनोबल।

68. एफ डब्ल्यू टेलर के अनुसार वैज्ञानिक प्रबंधन का मुख्य उद्देश्य उच्चतर औद्योगिक दक्षता हासिल करना है। टेलर के अनुसार प्रबंध तथा कर्मचारियों के बीच सहमति प्राप्त करने के लिए वैज्ञानिक पद्धतियों को अपनाया जाना चाहिए। वैज्ञानिक पद्धतियों का उपयोग कर्मचारियों के चयन, उनके कार्यों के निर्धारण तथा प्रबंध एवं कर्मचारियों के बीच आम सहमति प्राप्त करने में किया जा सकता है। इन सभी कार्यों में वैज्ञानिक पद्धतियों का उपयोग करने से उद्योग की कार्यकुशलता बढ़ जाती है। टेलर ने कहा है, "सार रूप में वैज्ञानिक प्रबंध किसी प्रतिष्ठान अथवा उद्योग में कार्यरत व्यक्तियों की अपने कर्तव्यों के प्रति, अपने कार्य के प्रति, अपने सहकर्मियों के प्रति तथा अपने नियोजकों के प्रति 'मानसिक क्रांति' में सम्मिलित है।"

अतः टेलर ने यह निष्कर्ष निकाला कि वैज्ञानिक विधियों का प्रयोग करके बिना अतिरिक्त मानवीय ऊर्जा एवं प्रयासों के उत्पादकता बढ़ायी जा सकती है ताकि श्रमिकों को उच्च वेतन व नियोजक को उच्च लाभ प्रदान किए जा सकें।

71. कार्यपालिका पर विधायी नियंत्रण करने के क्रम में प्राक्कलन और लोक लेखा समिति की सहायता नियंत्रक एवं महालेखा परीक्षक (CAG) द्वारा की जाती है। वह संसद की लोक लेखा समिति के गाइड, मित्र और मार्गदर्शक के रूप में कार्य करता है। वित्तीय प्रशासन के क्षेत्र में भारत के संविधान एवं संसदीय विधि के अनुरक्षण के प्रति महालेखा परीक्षक उत्तरदायी होता है। मंत्रिपरिषद् की संसद के प्रति वित्तीय प्रशासन का उत्तरदायित्व कैग की लेखा परीक्षा रिपोर्टों के माध्यम से सुनिश्चित किया जाता है। महालेखा परीक्षक संसद का एजेंट होता है और उसी के माध्यम से खर्चों का लेखा परीक्षण करता है। इस तरह वह केवल संसद के प्रति जिम्मेदार होता है।

72. पॉल एच. एपलबी ने भारतीय प्रशासन पर अपनी दो रिपोर्टों में सी.ए.जी. की भूमिका की कड़ी आलोचना की है तथा उसके कार्य के महत्व पर भी प्रश्न चिह्न लगाया है। उसने राय दी कि सी.ए.जी. को लेखा परीक्षा के दायित्व से मुक्त कर देना चाहिए। भारतीय लेखा परीक्षा की उसकी आलोचना के निम्नलिखित बिन्दु हैं:

(*i*) भारत में सी.ए.जी. का कार्य वास्तव में औपनिवेशिक शासन की एक विरासत के रूप में है।

(*ii*) आज सी.ए.जी. निर्णय लेने तथा काम करने की बढ़ती अनिच्छा का प्राथमिक कारण है। लेखा परीक्षा का दमनात्मक तथा नकारात्मक प्रभाव है।

(*iii*) संसद की लेखा परीक्षा को संसदीय दायित्व के महत्व को बढ़ा-चढ़ाकर देखा जाता है। इसलिए संसद सी.ए.जी. के कार्यों को परिभाषित करने में विफल रही है जैसा कि संविधान में उससे अपेक्षा की गई है।

(*iv*) वास्तव में सी.ए.जी. का कार्य बहुत महत्वपूर्ण नहीं है। लेखा परीक्षक अच्छे प्रशासन के बारे में न तो जानते हैं, न ही उनसे ऐसी अपेक्षा की जा सकती है।

(*v*) लेखा परीक्षक जानते हैं कि लेखा परीक्षा क्या होती है, लेकिन यह प्रशासन नहीं है, यह आवश्यक है किन्तु यह एक अत्यंत नीरस तथा सीमित परिप्रेक्ष्य एवं सीमित उपयोगिता वाला कार्य है।

(*vi*) किसी विभाग का उप-सचिव अपने विभाग की समस्याओं के बारे में सी.ए.जी तथा उनके समस्त कर्मचारियों से ज्यादा जानता है।

75. 1986 में राजीव गांधी सरकार ने 'लोकतंत्र व विकास के लिए पंचायती राज संस्थाओं का पुनरुद्धार' पर एक अवधारणा पत्र तैयार करने के लिए एक समिति का गठन एल.एम. सिंधवी की अध्यक्षता में किया। इसने निम्न सिफारिशें दीं:

1. पंचायती राज संस्थाओं को संवैधानिक रूप से मान्यता देने और उनके संरक्षण की आवश्यकता है। इस कार्य के लिये भारत के संविधान में एक नया अध्याय जोड़ा जाये। इससे उनकी पहचान और विश्वसनीयता अनुलंघनीय होने में महत्वपूर्ण मदद मिलेगी। इसने पंचायती राज निकाय के नियमित, स्वतंत्र एवं निष्पक्ष चुनाव कराने के लिए संवैधानिक उपबंध की सलाह भी दी।
2. गांवों के समूह के लिए न्याय पंचायतों की स्थापना की जाये।
3. ग्राम पंचायतों को ज्यादा व्यावहारिक बनाने के लिए गांवों का पुनर्गठन किया जाना। इसने ग्राम सभा की महत्ता पर भी जोर दिया तथा इसे प्रत्यक्ष लोकतंत्र की मूर्ति बताया।
4. गांव की पंचायतों को ज्यादा आर्थिक संसाधन उपलब्ध कराये जाने चाहिये।
5. पंचायती राज संस्थाओं के चुनाव, उनके विघटन एवं उनके कार्यों से संबंधित जो भी विवाद उत्पन्न होते हैं, उनके निस्तारण के लिये न्यायिक अधिकरणों की स्थापना की जानी चाहिये।

78. संविधान के अनुच्छेद-324 में चुनाव आयोग से संबंधित उपबंध किए गए हैं। निर्वाचन आयोग मुख्य निर्वाचन आयुक्त और अन्य आयुक्तों से मिलकर बना होता है। मुख्य निर्वाचन आयुक्त और अन्य निर्वाचन आयुक्तों की नियुक्ति राष्ट्रपति के द्वारा की जाती है। मुख्य निर्वाचन आयुक्त व दो अन्य निर्वाचन आयुक्तों के पास समान शक्तियाँ होती हैं। ऐसी स्थिति में जब मुख्य निर्वाचन आयुक्त व दो अन्य निर्वाचन आयुक्तों के बीच विचार में मतभेद होता है तो आयोग बहुमत के आधार पर निर्णय करता है। उनका कार्यकाल 6 वर्ष या 65 वर्ष की आयु तक, जो पहले हो, तक होता है। वे किसी भी समय त्यागपत्र दे सकते हैं या उन्हें कार्यकाल समाप्त होने से पूर्व भी हटाया जा सकता है। मुख्य निर्वाचन आयुक्त को उसके पद से उसी रीति से व उन्हीं आधारों पर ही हटाया जा सकता है, जिस रीति व आधारों पर सर्वोच्च न्यायालय के न्यायाधीशों को हटाया जाता है, अन्यथा नहीं। अन्य निर्वाचन आयुक्तों को मुख्य निर्वाचन आयुक्त की सिफारिश पर ही हटाया जा सकता है, अन्यथा नहीं।

79. भारत के नियंत्रक और महालेखा परीक्षक (CAG) के वेतन और सेवा शर्तों में उनकी नियुक्ति के उपरांत कोई परिवर्तन नहीं किया जा सकता क्योंकि CAG का पद एक संवैधानिक पद है।

भारत सरकार के अंतर्गत यह अत्यधिक महत्वपूर्ण पद है, जिसके द्वारा देश की समस्त वित्तीय प्रणाली को नियंत्रित किया जाता है। भारत के नियंत्रक महालेखा परीक्षक की व्यवस्था की व्याख्या संविधान के भाग-5 में की गई है। संविधान में नियंत्रक-महालेखा परीक्षक का पद भारत शासन अधिनियम, 1935 के अधीन महालेखा परीक्षक के नमूने के आधार पर बनाया गया है। अनुच्छेद-148 के अनुसार, भारत के नियंत्रक-महालेखा परीक्षक की नियुक्ति राष्ट्रपति द्वारा की जाती है। इसकी कार्यावधि 6 वर्ष है। इसको पदच्युत करने के लिए दोनों सदनों के समावेदन की आवश्यकता पड़ती है। यह पद उस नियम का अपवाद है। जिसमें संघ के सभी लोक सेवक राष्ट्रपति के प्रसादपर्यंत पद धारण करते हैं। भारत का नियंत्रक महालेखा परीक्षक पद-त्याग के पश्चात भारत सरकार अथवा किसी राज्य सरकार के अधीन लाभ के किसी पद को ग्रहण नहीं कर सकता। नियंत्रक-महालेखा परीक्षक अधिनियम, 1971 को संशोधित करके 1976 में इस अधिनियम द्वारा नियंत्रक-महालेखा परीक्षक के लिए निर्धारित की गई सेवा की शर्तों के संबंध में उपबंध इस प्रकार हैं:

(*i*) 65 वर्ष की आयु तक ही नियंत्रक-महालेखा परीक्षक अपने पद पर कार्य कर सकता है।

(*ii*) वह किसी भी समय राष्ट्रपति को संबोधित करके अपने हस्ताक्षर सहित लेख द्वारा पद त्याग कर सकता है।

(*iii*) अनुच्छेद [148(1), 124(4)] के अनुसार उसे महाभियोग द्वारा हटाया जा सकता है।

(*iv*) उसका वेतन उच्चतम न्यायालय के न्यायाधीशों के समतुल्य होगा।

(*v*) अन्य विषयों में उसकी सेवा की शर्तें उन्हीं नियमों से अवधारित होंगी जो भारत सरकार के सचिव की पंक्ति के भारतीय प्रशासनिक सेवा के सदस्यों के लिए लागू हैं।

(*vi*) नियंत्रक-महालेखा परीक्षक के कार्यालय का प्रशासनिक व्यय, कर्मचारियों के वेतन आदि भारत की संचित निधि पर भारित होंगे।

81. विलियम थॉर्नटन रिकर्ट फॉक्स, जिसे आमतौर पर विलियम टी.आर. फॉक्स के रूप में जाना जाता है, कोलंबिया विश्वविद्यालय में अमेरिकी विदेश नीति के प्रोफेसर और अंतर्राष्ट्रीय सम्बन्ध सिद्धांतकार हैं। उन्हें संभवतः 1944 में "महाशक्ति" (Superpower) शब्द के प्रथम प्रयोगकर्ता के रूप में जाना जाता है। उन्होंने USA और UK की विदेश नीति पर कई किताबें लिखीं। वे एक प्रमुख शैक्षणिक अनुशासन के रूप में, अंतर्राष्ट्रीय सम्बन्धों की स्थापना तथा राज्यशिल्प और युद्ध के व्यवस्थित अध्ययन में अग्रणी थे। राष्ट्रीय सुरक्षा नीति तथा नागरिक सैन्य संबंधों की पड़ताल भी उनकी रूचि के विषय थे। फॉक्स कोलंबिया विश्वविद्यालय के इंस्टीट्यूट ऑफ वॉर एण्ड पीस स्टडीज के संस्थापक निदेशक होने के साथ-साथ इस पद पर 1951-1976 तक आसीन भी रहे।

85. अमेरिकी रोकथाम नीति (US policy of containment) का उद्देश्य केवल पूर्वी यूरोप में सोवियत प्रभाव को रोकना नहीं था। द्वितीय विश्व युद्ध के बाद सोवियत संघ ने पूर्वी यूरोप से अपनी सेनाएं हटाने से इंकार कर दिया और वहाँ साम्यवादी शासन की स्थापना का प्रयास किया। अमेरिका ने इसका लाभ उठाकर साम्यवाद विरोधी नारा दिया और यूरोपीय देशों को साम्यवादी खतरे से सावधान किया। फलतः यूरोपीय देश एक ऐसे संगठन के निर्माण हेतु तैयार हो गए जो उनकी सुरक्षा करे। द्वितीय विश्व युद्ध के दौरान पश्चिमी यूरोपीय देशों ने अत्यधिक नुकसान उठाया था। अतः उनके आर्थिक पुनर्निर्माण के लिए अमेरिका से बहुत बड़ी आशा थी। ऐसे में अमेरिका द्वारा नाटो (NATO) की स्थापना का उन्होंने समर्थन किया। नाटो के निम्नलिखित उद्देश्य थे–

(*i*) यूरोप पर आक्रमण के समय अवरोधक की भूमिका निभाना।

(*ii*) सोवियत संघ के पश्चिमी यूरोप में तथाकथित विस्तार को रोकना तथा युद्ध की स्थिति में लोगों को मानसिक रूप से तैयार करना।

(*iii*) सैन्य तथा आर्थिक विकास के लिए अपने कार्यक्रमों द्वारा यूरोपीय राष्ट्रों के लिए सुरक्षा कवच प्रदान करना।

(*iv*) पश्चिमी यूरोप के देशों को एक सूत्र में संगठित करना।

(*v*) इस प्रकार नाटो का उद्देश्य ''स्वतंत्र विश्व'' की रक्षा के लिए साम्यवाद को और यदि संभव हो तो साम्यवाद को पराजित करने के लिए अमेरिका की प्रतिबद्धता को स्वीकार किया गया।

92. पी.वी. नरसिम्हा राव ने लुक ईस्ट पॉलिसी (पूर्व की ओर देखो) को पहली बार सितम्बर, 1994 में अपने व्याख्यान द्वारा सिंगापुर में प्रस्तुत किया। पूर्व की ओर देखो नीति भारत द्वारा दक्षिण-पूर्व एशिया के देशों के साथ आर्थिक और सामरिक सम्बन्धों को प्रगाढ़ बनाने, भारत को एक क्षेत्रीय शक्ति के रूप में स्थापित करने और इस क्षेत्र में चीन के प्रभाव को संतुलित करने के उद्देश्यों से बनाई गई नीति है।

वस्तुतः यह नीति शीत युद्ध की समाप्ति के बाद उभरे नए वैश्विक और क्षेत्रीय परिप्रेक्ष्यों, शक्ति संतुलन और भारत की नई आर्थिक नीतियों के साथ विदेश नीति के समन्वय की अवधारणा का परिणाम है जिसके मूल रूपरेखाकार/शिल्पीकार के रूप में तत्कालीन वित्त मंत्री मनमोहन सिंह को देखा जाता है। यह इन क्षेत्रों के साथ नए रिश्ते बनाने की शुरूआत नहीं थी बल्कि प्राचीन काल के, किन्तु एक दीर्घअवधि से उपेक्षित, रिश्तों को पुनर्जीवित करने की कोशिश थी।

2014 में मोदी सरकार ने भारत की 'लुक ईस्ट' नीति को उत्क्रमित (Reverse) कर 'एक्ट ईस्ट' बना दिया। भारत-आसियान (Indian-Asean) सम्मेलन, 2014 को सम्बोधित करते हुए प्रधानमंत्री मोदी ने कहा, आर्थिक विकास, औद्योगीकरण एवं व्यापार का एक नया युग भारत में आरंभ हुआ है। भारत की 'लुक ईस्ट' नीति अब 'एक्ट ईस्ट' नीति बन गई है।

94. 1998 में पोखरण में भारत के परमाणु विस्फोट के पश्चात् दुनिया के तमाम देशों में इसकी तीखी प्रतिक्रिया हुई। एकमात्र इजरायल ही ऐसा देश था, जिसने भारत के इस परीक्षण का समर्थन किया। अमेरिका ने भारत और पाकिस्तान दोनों के परमाणु परीक्षणों की भर्त्सना की। अमेरिकी खुफिया एजेंसी ने अपनी विफलता पर शर्मिंदगी महसूस किया क्योंकि वह परीक्षण के लिए तैयारी का पता लगाने में असफल सिद्ध हुआ था। कनाडा ने भारतीय परीक्षण की सख्त आलोचना की। भारत पर जापान द्वारा भी प्रतिबन्ध लगाए गए तथा जापान ने मानवीय सहायता को छोड़कर सभी नए ऋण और अनुदानों को रोक दिया। 6 जून 1998 को संयुक्त राष्ट्र सुरक्षा परिषद के संकल्प 1172 द्वारा भारत के परमाणु परीक्षण की निंदा की गई। चीन ने अंतर्राष्ट्रीय समुदाय से भारत पर NPT पर हस्ताक्षर और परमाणु शस्त्रागार को समाप्त करने के लिए दबाव डलवाया। परीक्षणों के उपरांत लगाए गए अधिकांश आर्थिक प्रतिबंध 5 वर्षों के भीतर हटा लिए गए थे।

95. संयुक्त राष्ट्र संघ के वर्ष 2000 के सहस्राब्दि शिखर सम्मेलन में 2015 तक के लिये 8 वैश्विक विकास लक्ष्य निर्धारित किये गये थे जिन्हें सहस्राब्दी विकास लक्ष्य (Millennium Development Goals (MDGs)) कहा जाता है। संयुक्त राष्ट्र के उस समय के 189 सदस्य राष्ट्रों तथा 22 अन्तर्राष्ट्रीय संस्थाओं ने 2015 तक निम्नलिखित लक्ष्यों की प्राप्ति के लिये संकल्प लिया–

1. भूखमरी तथा गरीबी को समाप्त करना
2. सार्वजनिक प्राथमिक शिक्षा
3. लिंग समानता तथा महिला सशक्तिकरण
4. शिशु-मृत्यु दर घटाना
5. मातृत्व स्वास्थ्य को बढ़ावा देना
6. HIV/AIDS, मलेरिया तथा अन्य बीमारियों से छुटकारा पाना।
7. पर्यावरण सततता (Sustainability)
8. वैश्विक विकास के लिए सम्बन्ध स्थापित करना।

पिछले प्रश्न-पत्र (हल सहित)

UGC-NET जूनियर रिसर्च फैलोशिप तथा सहायक प्राध्यापक परीक्षा

राजनीति शास्त्र, जुलाई-2018*

प्रश्न-पत्र-II

नोट : *इस प्रश्न-पत्र में* ***सौ (100)*** *बहु-विकल्पीय प्रश्न हैं। प्रत्येक प्रश्न के* ***दो (2)*** *अंक हैं।* ***सभी*** *प्रश्न अनिवार्य हैं।*

1. कौटिल्य की दृष्टि से निम्नलिखित में से कौन-सा कथन सही **नहीं** है?

A. वे राजनीतिक अर्थशास्त्र को एक स्वतंत्र विषय बनाने वाले प्रथम व्यक्ति थे।

B. उन्होंने राजनीति के एक ऐसे सिद्धांत का प्रतिपादन किया जो राज-व्यवस्था के प्रत्यक्ष व्यवहारिक सरोकारों से संबंधित था।

C. उन्हें नीतिशास्त्र परम्परा का संस्थापक होने का श्रेय दिया जाता है।

D. पहली बार उन्होंने भारत में एक सुदृढ़ राजनीतिक नियंत्रण की जरूरत पर जोर दिया।

2. निम्नलिखित में से किसने कहा कि रिपब्लिक इस कारण से एक आदर्श-राज्य की तस्वीर नहीं देता है कि यह एक रोमांस है बल्कि प्लेटो चाहते थे कि यह "भलाई के विचार" पर एक वैज्ञानिक आक्रमण की शुरुआत बने?

A. जी.एच. सेबाइन B. डनिंग

C. ई. बार्कर D. एबिन्सटीन

3. निम्नलिखित में से किसने कहा कि काल के क्रम में राज्य परिवार या व्यक्ति के बाद आता है लेकिन प्रकृति के क्रम में उनसे पहले आता है?

A. सेफालस B. थ्रासीमाकस

C. अरस्तू D. लेकोफोन

4. लॉक के लिए निम्नलिखित में से कौन सामाजिक संविदा की दृष्टि से सही **नहीं** है?

A. संविदा, एक बार किए जाने पर, अपरिवर्तनीय हो जाती है

B. संविदा जिसके प्रति हरेक पीढ़ी को सहमति नहीं देनी चाहिए

C. संविदा जिसमें व्यक्ति वे कुछेक अधिकार छोड़ देते हैं जो वे प्रकृति की स्थिति में रखते थे

D. संविदा प्रकृति के नियम पर विराम नहीं लगाती है

5. रूसो के लिए निम्नलिखित में से कौन सही **नहीं** है?

A. व्यक्ति के आत्म-प्रेम, जो उसकी वास्तविक जरूरतों की पूर्ति करता है, सिर्फ गौरव बनने के लिए वरण करने के निमित्त है

B. गौरव सहानुभूति से असंगत बन जाता है

C. गौरव से सभी बुराई उत्पन्न हुई है

D. गौरव तर्क को उत्प्रेरित नहीं करता है

6. नीचे दो कथन दिए गए हैं, एक को **अभिकथन (A)** के रूप में और दूसरे को **कारण (R)** के रूप में निरूपित किया गया है। नीचे दिए गए कूट से **सही** उत्तर का चयन करें :

अभिकथन (A) : जे.एस. मिल के लिए इच्छाशक्ति राज्य सहित सभी संस्थाओं का आधार है।

कारण (R) : इच्छाशक्ति न केवल संख्या पर निर्भर है, बल्कि इसका एक गुणवत्तापरक आधार है और वह इच्छाशक्ति जो संस्थाओं को बनाती है, विश्वास का रूप ले लेती है।

कूट :

A. (A) और (R) दोनों सही हैं और (R), (A) की सही व्याख्या है।

B. (A) और (R) दोनों सही हैं, लेकिन (R), (A) की सही व्याख्या नहीं है।

*परीक्षा 8 जुलाई 2018 को आयोजित हुई थी।

C. (A) सही है, लेकिन (R) गलत है।

D. (A) गलत है, लेकिन (R) सही है।

7. सूची-I (स्रोतों) और सूची-II (विचार) जिन्होंने गांधी को प्रभावित किया, को सुमेलित करें और नीचे दिए गए कूट में से **सही** उत्तर का चयन करें :

सूची-I (स्रोत)	सूची-II (प्रमुख विचार)
(*a*) जैन धर्म	1. दृष्टिकोण की विश्वजनीनता
(*b*) वैष्णव धर्म	2. औद्योगिक सभ्यता और निश्चेष्ट प्रतिरोध के विचारों के लिए तिरस्कार
(*c*) रस्किन और टॉलस्टाय	3. आदर्शवाद और नैतिक मूल्यों के लिए चिंता
(*d*) प्लेटो	4. अहिंसा पर बल

कूट :

	(*a*)	(*b*)	(*c*)	(*d*)
A.	1	3	2	4
B.	4	1	2	3
C.	2	3	4	1
D.	3	2	4	1

8. निम्नलिखित में से किसने साप्ताहिक पत्रिका, कर्मयोगी और धर्म को शुरू किया था?

A. महात्मा गांधी B. अरबिंदो

C. रानाडे D. तिलक

9. नीचे दो कथन दिए गए हैं, एक को **अभिकथन (A)** और दूसरे को **कारण (R)** के रूप में निरूपित किया गया है। नीचे दिए गए कूट में से **सही** उत्तर का चयन करें :

अभिकथन (A) : एम.एन. रॉय ने मार्क्स के इतिहास के भौतिकवादी व्याख्या को नहीं स्वीकार किया।

कारण (R) : इनमें निर्धारणवाद और आदर्शवाद का तत्व था।

कूट :

A. (A) और (R) दोनों सही हैं और (R), (A) की सही व्याख्या है।

B. (A) और (R) दोनों सही हैं, लेकिन (R), (A) की सही व्याख्या नहीं है।

C. (A) सही है, लेकिन (R) गलत है।

D. (A) गलत है, लेकिन (R) सही है।

10. राज्य पुनर्गठन आयोग की रिपोर्ट के संदर्भ में निम्नलिखित में से किसने कहा, ''मेमनों से ऊन कतर लिए गए हैं'' और ''वे सर्दी की तीव्रता महसूस कर रहे हैं''?

A. जवाहरलाल नेहरू B. बी.आर. आम्बेडकर

C. बी.एन. राव D. के.टी. शाह

11. निम्नलिखित में से कौन-सा कथन सही **नहीं** है?

A. पारम्परिक राजनीतिक सिद्धांत अनुशासन मूलक और मानकीय है

B. व्यवहारवादी राजनीतिक सिद्धांत एकरूपताओं और नियमितताओं से जुड़ा हुआ है

C. उत्तर-व्यवहारवादी राजनीतिक सिद्धांत कार्रवाई और संगतता से जुड़ा हुआ है

D. उत्तर-व्यवहारवादी राजनीतिक सिद्धांत समग्रात्मक नहीं है

12. आईसा बर्लिन का निम्नलिखित में से कौन-सा तर्काधार राजनीतिक सिद्धांत (राजनीतिक दर्शन) के पुनरुत्थान के संदर्भ में सही **नहीं** है?

A. राजनीति समाज में विद्यमान रहती है जहाँ उद्देश्य टकराते हैं। उदारवादी व्यवस्था में, राजनीतिक सिद्धांत का कभी भी अंत नहीं हो सकता

B. राजनीतिक सिद्धांत के पतन के लिए पक्के अनुभववादियों को उत्तरदायी ठहराया जा सकता है जिन्होंने क्लासिकी परम्परा को प्रतिस्थापित कर दिया है

C. आदमी के जिज्ञासु और तर्क संगत पृच्छा के परिणामस्वरूप राजनीतिक सिद्धांत का अस्तित्व बना रहेगा

D. उन्हें राजनीतिक सिद्धांत (दर्शन) के पुनरुत्थान के प्रति संदेह है

13. निम्नलिखित में से किसने समाज के 'परस्पर फायदे के लिए एक सहकारी उद्यम, कमोबेश आत्मनिर्भर और अवश्यतया नियमों के द्वारा शासित' के रूप में परिकल्पना की?

A. रॉबर्ट नोजिक B. फ्रेडरिक हाइक

C. जॉन रॉल्स D. कार्ल मार्क्स

14. निम्नलिखित में से किसने आलेख, "दी जिगजैग ऑफ पॉलिटिक्स" लिखा है?

A. जॉन रॉल्स

B. एफ.ए. हाइक

C. आर. नोजिक

D. जे. हैबरमॉस

15. निम्नलिखित में से कौन समुदायवाद के प्रतिपादक **नहीं** हैं?

A. एलसडेयर माकिनटीयर

B. माइकल सांडेल

C. माइकल वालजर

D. फ्रेडरिक हाइक

16. निम्नलिखित में से कौन लोकतंत्र की विशेषताएँ हैं?

(*a*) लोकतंत्र के लिए राजनीतिक समानता अपेक्षित है।

(*b*) सभी नागरिकों को निर्वाचन में खड़े होने का हक प्राप्त है, चाहे उनकी नस्ल, लिंग, रंग या धर्म कुछ भी हो।

(*c*) सभी नागरिकों के पास एक मत अवश्य होना चाहिए (सर्वसुलभ वयस्क मताधिकार)

(*d*) राजनीतिक समानता का अर्थ 'एक व्यक्ति एक मत, एक मत एक मान' है।

नीचे दिए गए कूट में से **सही** उत्तर का चयन करें :

A. (*a*) और (*c*)

B. (*a*), (*c*) और (*d*)

C. (*a*), (*b*) और (*c*)

D. (*a*), (*b*), (*c*) और (*d*)

17. सूची-I को सूची-II के साथ सुमेलित करें और नीचे दिए गए कूट में से **सही** उत्तर का चयन करें :

सूची-I (लेखक)	**सूची-II (पुस्तक)**
(*a*) ब्रीयाँ बेरी	1. जस्टिस
(*b*) सुसन मोलर ओकिन	2. आइडिया ऑफ जस्टिस
(*c*) अमर्त्य के. सेन	3. जस्टिस, जेंडर एण्ड फेमिली
(*d*) टॉम कैम्पबेल	4. दी लिबरल थ्योरी ऑफ जस्टिस

कूट :

	(*a*)	(*b*)	(*c*)	(*d*)
A.	4	3	2	1
B.	4	1	2	3
C.	3	4	2	1
D.	1	3	2	4

18. मार्क्स के अधिशेष मूल्य सिद्धांत की निम्नलिखित में से कौन-कौन-सी विशेषताएँ हैं?

(*a*) यह रिकार्डो के सिद्धांत का विस्तारित रूप है

(*b*) श्रम शक्ति श्रमिक की मस्तिष्क, मांसपेशी और तंत्रिका के बराबर होती है

(*c*) प्रत्येक पदार्थ का मूल्य उसमें निहित श्रम की मात्रा के समानुपाती नहीं है

(*d*) उत्पादन में जितने श्रम घंटे लगे, कामगार को उसकी संख्या के अनुपात में अवश्य भुगतान किया जाना चाहिए

नीचे दिए गए कूट में से **सही** उत्तर चुनिए :

A. (*a*) और (*b*)

B. (*b*) और (*d*)

C. (*a*), (*b*) और (*d*)

D. (*a*), (*b*), (*c*) और (*d*)

19. निम्नलिखित में से कौन मार्क्सवादी सिद्धांत में लेनिन का योगदान है?

(*a*) 'सर्वहारा के अग्र-दल' के रूप में पार्टी का उनका सिद्धांत जो क्रांति के पहले और बाद दोनों में जनसाधारण का मार्गदर्शन करता है

(*b*) पूंजीवादी साम्राज्यवाद का उनका सिद्धांत जिसको उन्होंने पूँजीवाद के मध्यवर्ती चरण के रूप में माना

(*c*) दुनिया के पहले सर्वहारा राज्य के पुनर्निर्माण के लिए उनका विचार

(*d*) क्रांति की रणनीति और दांव-पेंच का उनका सिद्धांत

नीचे दिए गए कूट से **सही** उत्तर चुनिए :

A. (*a*) और (*d*)

B. (*a*), (*c*) और (*d*)

C. (*a*), (*b*) और (*c*)

D. (*a*), (*b*), (*c*) और (*d*)

20. निम्नलिखित में से कौन एक विचारधारा की विशेषता **नहीं** है?

A. एक राजनीतिक आस्था प्रणाली

B. राजनीतिक विचारों का एक कार्रवाई-उन्मुख समुच्चय

C. एक खास सामाजिक वर्ग या सामजिक समूह का वैश्विक नजरिया

D. वे राजनीतिक विचार जो वर्ग या सामाजिक हितों को समाविष्ट या व्यक्त नहीं करते

21. निम्नलिखित में से किसने तुलनात्मक राजनीति की परिभाषा दलों, हितों और नेतृत्व संरचना से मुख्य रूप से संबंधित होने के रूप में दी?

A. गैब्रियल आल्मंड

B. सिग्मंड न्यूमैन

C. राय सी. मैक्रिडीस और वार्ड

D. एम.जी. स्मिथ

22. ''द प्रेजिडेंशियल रिपब्लिक'' पुस्तक के लेखक कौन थे?

A. जीन ब्लोंडेल B. डोरोथी पिकल्स

C. वाल्टर बेजहॉट D. ई.एच. कार

23. नीचे **अभिकथन (A)** और **तर्क (R)** के रूप में दो वक्तव्य दिए गए हैं। दिए गए कूट में से **सही** उत्तर का चयन करें :

अभिकथन (A) : तुलनात्मक राजनीति के सिस्टम के सिद्धांत में साम्यता बनाए रखने के लिए आगम संरचना और निर्गम संरचना के मध्य संतुलन को मान्यता दी गई है।

तर्क (R) : सिस्टम के सिद्धांत की आलोचना यथापूर्व स्थिति-परक निदर्श के रूप में की जाती है।

कूट :

A. (A) और (R) दोनों सही हैं और (R), (A) की सही व्याख्या है।

B. (A) और (R) दोनों सही हैं, किन्तु (R), (A) की सही व्याख्या नहीं है।

C. (A) सही है, किन्तु (R) गलत है।

D. (A) गलत है, किन्तु (R) सही है।

24. गैब्रियल आलमंड द्वारा निर्धारित हित समूहों को क्रम से व्यवस्थित कीजिए :

(*a*) संस्थानिक समूह (*b*) गैर-सहयोजी समूह

(*c*) सहयोजी समूह (*d*) अप्रत्याशित समूह

कूट :

A. (*c*), (*b*), (*d*), (*a*) B. (*a*), (*c*), (*d*), (*b*)

C. (*b*), (*d*), (*a*), (*c*) D. (*d*), (*a*), (*c*), (*b*)

25. निम्नलिखित में से कौन-सा युग्म सुमेलित **नहीं** है?

A. चार्टिस्ट आंदोलन – इंग्लैंड में पौरुष मत संग्रह की माँग

B. फिलाडेल्फिया अभिसमय – संयुक्त राज्य अमेरिका में आजादी की घोषणा और संविधान पर हस्ताक्षर किया जाना

C. मेफ्लावर समझौता – संयुक्त राज्य अमेरिका में दासता उत्सादन

D. 1832 का सुधार अधिनियम – ब्रिटेन की निर्वाचन प्रणाली में परिवर्तन

26. नीचे **अभिकथन (A)** और **तर्क (R)** के रूप में दो वक्तव्य दिए गए हैं। नीचे दिए गए कूट में से **सही** उत्तर का चयन करें :

अभिकथन (A) : द्वितीय विश्वयुद्ध के पश्चात् बहुत से अफ्रीकी एशियाई राष्ट्र स्वतंत्र हो गए।

तर्क (R) : आर्थिक विकास नहीं होने के कारण उनकी स्वतंत्रता यथार्थपरक होने की बजाय अधिक औपचारिकता की ओर प्रवृत्त होने लगी।

कूट :

A. (A) और (R) दोनों सही हैं और (R), (A) की सही व्याख्या है।

B. (A) और (R) दोनों सही हैं, किन्तु (R), (A) की सही व्याख्या नहीं है।

C. (A) सही है, किन्तु (R) गलत है।

D. (A) गलत है, किन्तु (R) सही है।

27. निम्नलिखित में से कौन-सा युग्म सुमेलित **नहीं** है?

A. पोलिटिकल कंटीन्यूटी एण्ड चेंज – पीटर एच. मर्केल

B. कम्पेरेटिव पॉलिटिक्स टुडे – एस.पी. हंटिंगटन

C. द मैन ऑन द हॉर्सबैक – सैम्युल फाइनर

D. मॉडर्न पोलिटीकल सिस्टम्स : एशिया – आर.सी. मैक्रिडिस

28. किसी क्रांति के संबंध में निम्नलिखित में से कौन-से तत्व सही हैं?

(*a*) संविधान में परिवर्तन

(*b*) एक शासक वर्ग दूसरे शासक वर्ग द्वारा प्रतिस्थापित होता है

(*c*) राजनीतिक संस्थाओं में रूप भेद

(*d*) सामाजिक-आर्थिक और राजनीतिक संरचनाओं में मौलिक परिवर्तन

कूट :

A. (*a*) और (*b*) B. (*b*) और (*c*)

C. (*a*) और (*d*) D. (*a*), (*b*), (*c*), (*d*)

29. सरकार की एकात्मक प्रणाली के बारे में निम्नलिखित में से कौन-से कथन सही हैं?

(*a*) यह राष्ट्र की एकता और अखंडता को अक्षुण्ण रखने में सर्वाधिक प्रभावी है।

(*b*) प्रशासनिक सुविधा की दृष्टि से शक्ति स्थानीय इकाइयों को प्रत्यायोजित की जाती है।

(*c*) इसमें एकल विधि-निर्माण निकाय होता है।

(*d*) स्थानीय प्रशासनिक इकाइयाँ संविधान से अपनी शक्ति नहीं प्राप्त करती हैं।

सही उत्तर चुनिए :

A. केवल (*a*) और (*c*)

B. (*a*), (*b*), (*c*) और (*d*)

C. केवल (*c*) और (*d*)

D. केवल (*b*), (*c*) और (*d*)

30. अमरीकी संविधान के किन संशोधनों में विधायी और कार्यकारी कृत्यों की न्यायिक संवीक्षा के संबंध में ''विधि की सम्यक प्रक्रिया'' का उल्लेख किया गया?

(*a*) चौथा संशोधन (*b*) पाँचवां संशोधन

(*c*) चौदहवां संशोधन (*d*) सोलहवां संशोधन

नीचे दिए गए विकल्पों में से **सही** उत्तर चुनिए :

A. (*b*) और (*c*) B. (*a*) और (*b*)

C. (*a*) और (*d*) D. (*c*) और (*d*)

31. निम्नलिखित में से कौन-सा युग्म सुमेलित **नहीं** है?

A. प्रशासनिक विधि – फ्रांस

B. न्यायाधीशों की आजीवन नियुक्ति – स्विट्ज़रलैंड

C. सीनेट सभा में राज्यों का एकसमान प्रतिनिधित्व – संयुक्त राज्य अमेरिका

D. विधि का शासन – इंग्लैंड

32. निम्नलिखित में से किसने राजनीतिक विकास की व्याख्या ''प्रशासनिक और विधिक विकास'' के रूप में की?

A. पॉल बैरन B. जेम्स एस. कोलमैन

C. एडवार्ड शिल्स D. मैक्स वेबर

33. नीचे **अभिकथन (A)** और **तर्क (R)** दिए गए हैं। दिए गए कूट में से **सही** उत्तर चुनिए :

अभिकथन (A) : लोकतांत्रिक प्रणाली में सभी व्यक्तियों को एक समान माना जाता है और यह आम आदमी की सरकार का द्योतक है।

तर्क (R) : आम धारणा है कि सरकार ज्यादातर शक्ति अभिजन के नियंत्रण व प्रबंधन में कार्य करती है।

कूट :

A. (A) और (R) दोनों सही हैं और (R), (A) की सही व्याख्या है।

B. (A) और (R) दोनों सही हैं, किन्तु (R), (A) की सही व्याख्या नहीं है।

C. (A) सही है, किन्तु (R) गलत है।

D. (A) गलत है, किन्तु (R) सही है।

34. मैक्स वेबर के नौकरशाही के सिद्धांत के बारे में निम्नलिखित में से कौन-से कथन **सही** हैं?

(*a*) यह नियम-आधारित युक्ति संगत नियंत्रण का लोहे का पिंजरा है।

(*b*) यह युक्ति-युक्त विधिक प्राधिकार का महत्वपूर्ण हिस्सा है।

(*c*) नौकरशाही से मेधा के रूप में ''ज्ञान के माध्यम से प्रभुत्व'' अभिप्रेत है।

(*d*) लोकतंत्र में इसकी सहज ग्राहयता है।

सही उत्तर चुनिए :

A. (*a*) और (*d*)

B. (*a*), (*b*) और (*c*)

C. (*c*) और (*d*)

D. (*b*), (*c*) और (*d*)

35. सूची-I और सूची-II को सुमेलित कीजिए और दिए गए विकल्प में से **सही** कूट चुनिए :

सूची-I (लेखक)	**सूची-II (कृति)**
(*a*) राबर्ट डल	1. लिगैलिटी एण्ड लेजिटीमेसी
(*b*) एस.एम. लिप्सेट	2. पॉलिआर्की : पार्टिसीपेशन एण्ड अपोजीशन
(*c*) स्कमीटकार्ल	3. पोलिटीकल मैन
(*d*) रोजर चार्ल्टन	4. पोलिटीकल रियलीटिज : कम्पेरेटिव गवर्नमेंट

कूट :

	(*a*)	(*b*)	(*c*)	(*d*)
A.	2	3	1	4
B.	3	1	4	2
C.	1	4	2	3
D.	4	2	3	1

36. **अभिकथन (A)** और **तर्क (R)** के रूप में दो कथन दिए गए हैं। नीचे दिए गए कूट में से **सही** उत्तर चुनिए :

अभिकथन (A) : राष्ट्रपति शासन-प्रणाली में पूर्ण कार्यकाल के लिए स्थायी शासन व्यवस्था का उपबंध है।

तर्क (R) : राष्ट्रपति शासन-प्रणाली में शक्ति का अभिकेन्द्रण अन्तर्जात है।

कूट :

A. (A) और (R) दोनों सही हैं और (R), (A) की सही व्याख्या है।

B. (A) और (R) दोनों सही हैं, किन्तु (R), (A) की सही व्याख्या नहीं है।

C. (A) सही है, किन्तु (R) गलत है।

D. (A) गलत है, किन्तु (R) सही है।

37. सूची-I और सूची-II को सुमेलित कीजिए और दिए गए कूट में से **सही** उत्तर चुनिए :

सूची-I	**सूची-II**
(*a*) इस्लामिक क्रांति	1. का नेतृत्व बोल्शेविक पार्टी द्वारा किया गया था।
(*b*) रूसी क्रांति	2. ईरान में चलाया गया आधुनिकी-करण-विरोधी आंदोलन
(*c*) गौरवपूर्ण क्रांति	3. चार्ल्स द्वितीय की यादृच्छिक शक्ति को परिसीमित करने के लिए 1649 की क्रांति
(*d*) अति-नैतिक क्रांति	4. इंग्लैंड में संवैधानिक सरकार की स्थापना

कूट :

	(*a*)	(*b*)	(*c*)	(*d*)
A.	2	1	4	3
B.	1	3	2	4
C.	4	2	3	1
D.	3	4	1	2

38. आधुनिकीकरण को सामान्यतया निम्नलिखित में से किसके सादृश्य माना जाता है?

(*a*) पश्चिमीकरण

(*b*) यूरोपीयकरण

(*c*) राष्ट्र-राज्य तंत्र का उदय

(*d*) औद्योगीकरण

नीचे दिए गए विकल्पों में से **सही** उत्तर चुनिए :

A. (*c*), (*d*)

B. (*b*), (*c*)

C. (*a*), (*b*), (*c*)

D. (*a*), (*b*), (*c*), (*d*)

39. मीडिया के संबंध में निम्नलिखित कथनों को ध्यानपूर्वक पढ़िए :

(*a*) समकालिक लोकतंत्र में प्रिंट मीडिया की भूमिका हाशिए पर आ गई है।

(*b*) इलेक्ट्रॉनिक मीडिया की भूमिका निर्णायक हो गई है।

(*c*) मीडिया सभी राजनीतिक शासन व्यवस्थाओं में तटस्थ और निष्पक्ष रहती है।

(*d*) मीडिया के अभिकरण औद्योगिक और कॉर्पोरेट समूहों के नियंत्रण में रहते हैं।

नीचे दिए गए विकल्पों में से **सही** उत्तर चुनिए :

A. (*a*), (*b*), (*c*), (*d*)

B. (*a*) और (*c*)

C. (*a*), (*b*), (*c*)

D. (*a*), (*b*) और (*d*)

40. सूची-I और सूची-II को सुमेलित कीजिए और दिए गए कूट में से **सही** विकल्प चुनिए :

सूची-I (लेखक)	**सूची-II (अवधारणा)**
(*a*) डाइसी	1. अप्रत्याशित हित समूह
(*b*) एस.पी. हंटिंग्टन	2. न्यायिक समीक्षा
(*c*) आल्मंड	3. राजनीतिक क्षय
(*d*) मैर्बरी बनाम मेडिसन	4. विधि का शासन

कूट :

	(*a*)	(*b*)	(*c*)	(*d*)
A.	4	3	1	2
B.	2	4	3	1
C.	3	1	2	4
D.	1	2	4	3

41. निम्नलिखित में से कौन भारत सरकार अधिनियम, 1919 की एक विशेषता **नहीं** थी?

A. केन्द्र में द्विसदनीय विधानमंडल की व्यवस्था

B. विधान सभा में एक निर्वाचित बहुमत होगा और उसका मंत्रियों पर नियंत्रण होगा

C. साम्प्रदायिक प्रतिनिधित्व न केवल बरकरार रखा गया बल्कि उसे बढ़ाया गया

D. प्रांतों और इम्पीरियल विधान मंडल दोनों के लिए निर्वाचकों को बढ़ा दिया गया

42. निम्नलिखित में से किसने भारतीय राजनीति का अध्ययन करने के लिए स्वतंत्रता-पूर्व एवं स्वतंत्रता-उपरांत सांस्थानिक फ्रेमवर्क उपलब्ध कराया?

A. रजनी कोठारी B. मायरॉन वाइनर

C. मॉरिस जोन्स D. पॉल आर. ब्रॉस

43. भारतीय संविधान के अंतर्गत मौलिक अधिकारों के बारे में निम्नलिखित में से कौन **सही** है?

(*a*) इसे संविधान द्वारा संरक्षित और प्रवर्तित किया गया है।

(*b*) इसे सामान्य विधान मंडल प्रक्रिया द्वारा परिवर्तित किया जा सकता है।

(*c*) उच्चतम न्यायालय मौलिक अधिकारों का अभिभावक है।

(*d*) सभी संवैधानिक अधिकार मौलिक अधिकार हैं।

नीचे दिए गए कूट में से **सही** उत्तर का चयन करें :

A. केवल (*a*) और (*c*)

B. केवल (*a*) और (*b*)

C. केवल (*a*), (*b*) और (*d*)

D. केवल (*a*), (*c*) और (*d*)

44. सूची-I को सूची-II के साथ सुमेलित करें और नीचे दिए गए कूट में से **सही** उत्तर का चयन करें :

सूची-I (विचार/अवधारणा)	**सूची-II (सम्बद्ध व्यक्ति)**
(*a*) मृदु राज्य	1. अतुल कोहली
(*b*) अभाव की राजनीति	2. सुब्रत के. मित्र
(*c*) शासनशीलता का संकट	3. गुन्नार मिर्डल
(*d*) विवादास्पद लोकतंत्र	4. मायरन वाइनर

कूट :

	(*a*)	(*b*)	(*c*)	(*d*)
A.	3	4	1	2
B.	2	3	1	4
C.	4	2	3	1
D.	1	4	2	3

45. अनुच्छेद 368 के अंतर्गत संविधान के संशोधन के बारे में निम्नलिखित में से कौन सही **नहीं** है?

A. विधेयक संसद के किसी भी सदन में पेश किया जा सकता है

B. विधेयक विशेष बहुमत (2/3 उपस्थित एवं मतदान में भाग लिया तथा कुल सदस्यता के 50% से अधिक) द्वारा अवश्य पारित होना चाहिए

C. सदनों के बीच असहमति होने की दशा में संयुक्त बैठक बुलाई जानी चाहिए

D. राष्ट्रपति विधिवत रूप से पारित एवं अनुसमर्थित विधेयक को अपनी मंजूरी देने के लिए बाध्य है

46. सन् 1989 से भारत के निम्नलिखित राष्ट्रपतियों को उनके कालक्रम के अनुसार रखें और नीचे दिए गए कूट की सहायता से **सही** उत्तर का चयन करें :

के.आर. नारायणन, ए.पी.जे. अब्दुल कलाम, आर. वेंकटरमण, शंकर दयाल शर्मा, प्रतिभा पाटिल

कूट :

A. के.आर. नारायणन, आर. वेंकटरमण, प्रतिभा पाटिल, ए.पी.जे. अब्दुल कलाम, शंकर दयाल शर्मा

B. आर. वेंकटरमण, ए.पी.जे. अब्दुल कलाम, शंकर दयाल शर्मा, प्रतिभा पाटिल, के.आर. नारायणन

C. प्रतिभा पाटिल, के.आर. नारायणन, शंकर दयाल शर्मा, आर. वेंकटरमण, ए.पी.जे. अब्दुल कलाम

D. आर. वेंकटरमण, शंकर दयाल शर्मा, के.आर. नारायणन, ए.पी.जे. अब्दुल कलाम, प्रतिभा पाटिल

47. भारतीय संविधान का कौन-सा अनुच्छेद संसद को इस बात के लिए समर्थ बनाता है कि वह राष्ट्रपति एवं उपराष्ट्रपति के पदों का मृत्यु, त्यागपत्र, हटाए जाने या अन्यथा की वजह से रिक्त हो जाने पर आकस्मिकता के लिए प्रावधान करें?

A. अनुच्छेद 123 B. अनुच्छेद 72
C. अनुच्छेद 70 D. अनुच्छेद 58

48. "या तो मार्गरेट थैचर या टोनी ब्लेयर के अंतर्गत यूनाइटेड किंगडम में प्रधानमंत्रियों द्वारा सत्ता का जितना दुरुपयोग किया गया उसकी तुलना में सन् 1989 से भारत में प्रधानमंत्रियों द्वारा सत्ता का अपेक्षाकृत कम दुरुपयोग देखा गया।" यह कथन किनका है?

A. अतुल कोहली B. ग्रेनविले ऑस्टिन
C. जेम्स मेनर D. क्रिस्टोफ जेफरलॉट

49. निम्नलिखित में से कौन भारत के उच्चतम न्यायालय का दोहरा व्यक्तित्व (स्वरूप) मानते हैं–एक विधिक संस्था और एक लोक संस्था?

A. ग्रेनविले ऑस्टिन
B. उपेन्द्र बख्शी
C. माधव खोसला एवं अनंत पद्मनाभन
D. एन. रॉबिन्सन

50. कौन भारत निर्वाचन आयोग को स्वतंत्र एवं निष्पक्ष निर्वाचनों का एक प्रभावी कवच कहते हैं?

A. एलिएस्टर मैकमिलन
B. लॉयड एवं सुसान रुडोल्फ
C. आर.पी. भल्ला
D. एम. काटजू

51. सूची-I को सूची-II के साथ सुमेलित करें और नीचे दिए गए कूट में से **सही** उत्तर का चयन करें :

सूची-I (पुस्तक)	सूची-II (लेखक)
(*a*) एन अनडाक्युमेंटेड वंडर : दी मेकिंग ऑफ दी ग्रेट इंडियन इलेक्शन	1. बी.एस. राव
(*b*) दी फ्रेमिंग ऑफ इंडियाज कॉन्स्टीट्यूशन : ए स्टडी	2. ग्रेनविले ऑस्टिन
(*c*) वर्किंग ए डेमोक्रेटिक कॉन्स्टीट्यूशन : दी इंडियन एक्सपीरिएंस	3. एस.वाई. कुरेशी
(*d*) दी पॉलिटिक्स ऑफ इंडिया सिंस इंडीपेंडेंस	4. पॉल आर. ब्रास

कूट :

	(*a*)	(*b*)	(*c*)	(*d*)
A.	2	3	4	1
B.	3	1	2	4
C.	4	2	3	1
D.	1	4	2	3

52. सूची-I को सूची-II के साथ सुमेलित करें और नीचे दिए गए कूट में से **सही** उत्तर का चयन करें :

सूची-I (राज्य)	सूची-II (मुख्यमंत्री)
(*a*) उत्तर प्रदेश	1. जयराम ठाकुर
(*b*) असम	2. सर्बानंद सोनोवाल
(*c*) केरल	3. योगी आदित्यनाथ
(*d*) हिमाचल प्रदेश	4. पिनराई विजयन

कूट :

	(*a*)	(*b*)	(*c*)	(*d*)
A.	3	4	1	2
B.	3	2	4	1
C.	2	3	4	1
D.	4	1	3	2

53. कौन भारतीय संघवाद को एक "धारित किया हुआ" फेडरेशन के रूप में वर्णित करते हैं और न कि 'एक साथ आने वाले' फेडरेशन के रूप में?

A. पी. बर्धन
B. आर.एल. वॉट्स
C. डगलस वर्नी
D. डी.डी. बसु

54. भारत में पंचायती राज पर कौन-सी समिति तीन चरणों की बात करती है : "प्रभुत्व का चरण, प्रगति-रोध का चरण और अवनति का चरण"?

A. सादिक अली
B. एल.एम. सिंघवी
C. अशोक मेहता
D. बी.आर. मेहता

55. वे कौन-कौन-से आधार हैं जिन पर भारत में राज्यों में राष्ट्रपति शासन अधिरोपित किया गया है?

(*a*) यदि कोई स्थिर सरकार का गठन नहीं किया जा सकता।

(*b*) यदि मंत्रिमंडल ने बहुमत गंवा दिया है और विधान सभा में बहुमत रखने वाले कोई भी अन्य मंत्रिमंडल का तुरंत गठन नहीं किया जा सकता।

(*c*) यदि राज्य सरकार, संघ सरकार द्वारा दिए गए निदेशों का पालन नहीं करता है या संघीय ढांचा विभंग हो गया है।

(*d*) भ्रष्टाचार

नीचे दिए गए कूट में से **सही** उत्तर का चयन करें :

A. केवल (*a*) और (*b*)
B. केवल (*a*), (*b*) और (*c*)
C. केवल (*a*), (*b*) और (*d*)
D. (*a*), (*b*), (*c*) और (*d*)

56. सूची-I को सूची-II के साथ सुमेलित करें और नीचे दिए गए कूट में से **सही** उत्तर का चयन करें :

सूची-I (आंदोलन)	**सूची-II (राज्य)**
(*a*) तेभागा आंदोलन	1. ओडिशा
(*b*) साइलैंट वैली प्रोजेक्ट	2. उत्तर प्रदेश
(*c*) वनवासी सेवा आंदोलन	3. केरल
(*d*) चिलका बचाओ आंदोलन	4. पश्चिम बंगाल

कूट :

	(*a*)	(*b*)	(*c*)	(*d*)
A.	2	4	1	3
B.	1	3	2	4
C.	4	3	2	1
D.	3	2	4	1

57. पॉल आर. ब्रॉस द्वारा अपनी पुस्तक, दी पॉलिटिक्स ऑफ इंडिया सिंस इंडीपेंडेंस में निम्नलिखित में से किसका भारत की राष्ट्रीय एकता के संकट के रूप में वर्णन किया गया है?

(*a*) पंजाब
(*b*) उत्तर-पूर्व
(*c*) जातिवाद
(*d*) कश्मीर

नीचे दिए गए कूट में से **सही** उत्तर का चयन करें :

A. केवल (*a*) और (*d*)
B. केवल (*b*) और (*c*)
C. केवल (*a*), (*b*) और (*c*)
D. केवल (*a*), (*b*) और (*d*)

58. निम्नलिखित कथनों पर विचार करें और नीचे दिए गए कूट में से **सही** उत्तर का चयन करें :

अभिकथन (A) : लांट प्रिटचेट भारत को "एक असफल होता राज्य" कहते हैं।

तर्क (R) : भारत में राज्य अत्यन्त जटिल कार्यों को सापेक्षिक कार्यकुशलता के साथ हाथ में लेता प्रतीत होता है–जैसे आण्विक हथयार कार्यक्रम को चलाना या मौद्रिक नीति को विनियमित करना–जबकि वह शासन के अधिक साधारण कार्यों को निष्पादित करने में संघर्ष करता है–जैसे बुनियादी स्वास्थ्य एवं शिक्षा उपलब्ध कराना।

कूट :

A. (A) और (R) दोनों सही हैं और (R), (A) की सही व्याख्या है।
B. (A) और (R) दोनों सही हैं, लेकिन (R), (A) की सही व्याख्या नहीं है।
C. (A) सही है, लेकिन (R) गलत है।
D. (A) गलत है, लेकिन (R) सही है।

59. निम्नलिखित में से कौन-सा आयोग पिछड़े वर्गों से संबंधित **नहीं** है?

A. बख्शी आयोग
B. मंडल आयोग
C. हैवनूर आयोग
D. शाह आयोग

60. "यदि ह्यूम और दूसरे इंग्लिश उदारवादी कांग्रेस का एक सेफ्टी-वाल्व के रूप में इस्तेमाल करने की उम्मीद करते थे तो कांग्रेस नेतागण ह्यूम का एक लाइटनिंग-कंडक्टर के रूप में इस्तेमाल करने की उम्मीद करते थे।" यह कथन किसका है?

A. एस.आर. मेहरोत्रा
B. सुमित सरकार
C. बिपन चन्द्र
D. तपन रायचौधुरी

61. निम्नलिखित में से किसने सर्वप्रथम प्रबंधन में कामगार की भागीदारी के विचार को प्रस्तुत किया?

A. हेनरी फायोल B. हर्बर्ट साइमन

C. एफ.डब्ल्यू. टेलर D. मैरी पार्कर फोलेट

62. सूची-I को सूची-II के साथ सुमेलित करें और नीचे दिए गए कूट में से **सही** उत्तर का चयन करें :

सूची-I	**सूची-II**
(*a*) व्यवहारात्मक	1. समाज की उप-प्रणाली के रूप में प्रशासनिक प्रणाली
(*b*) नौकरशाही	2. एग्रेरियन-ट्रांजिटिया- इंडस्ट्रिया
(*c*) पारिस्थितिकीय	3. विधिक-विवेकशील प्राधिकारी
(*d*) सामान्य प्रणाली	4. प्रशासनिक व्यवस्था में मानव व्यवहार का विश्लेषण

कूट :

	(*a*)	(*b*)	(*c*)	(*d*)
A.	4	3	2	1
B.	3	4	2	1
C.	4	1	3	2
D.	3	2	4	1

63. निम्नलिखित में से कौन-सी नया लोक प्रबंधन की विशेषता है?

(*a*) संविदा देना

(*b*) प्राधिकार का हस्तांतरण

(*c*) निष्पादन मूल्यांकन पर ध्यान

(*d*) प्रबंधन पर ध्यान

नीचे दिए गए कूट में से **सही** उत्तर का चयन करें :

A. (*a*) और (*c*)

B. (*a*) और (*b*)

C. (*a*), (*b*) और (*c*)

D. (*a*), (*b*), (*c*) और (*d*)

64. निम्नलिखित में से किसने क्लासिकल सिद्धांत की समालोचना 'सुखकर लोकोक्ति, मिथक, नारा और आडंबरपूर्ण समरूपताओं' के रूप में की है?

A. डब्ल्यू.एफ. विलोबी

B. लूथर गुलिक

C. हेनरी फायोल

D. हर्बर्ट साइमन

65. निम्नलिखित में से किसने कहा कि प्रशासन में व्यवहार का अध्ययन मनोविश्लेषण के जरिये किया जाना चाहिए?

A. एलेक्स बैवेलस B. ओर्वे टीड

C. अब्राहम मैसलो D. चेस्टर बनार्ड

66. हवथोर्न के प्रयोग निम्नलिखित काल के हैं :

A. 1930 के दशक के मध्य के

B. 1930 के दशक के अंत के

C. 1920 के दशक के आरंभ के

D. 1920 के दशक के अंत के

67. निम्नलिखित में से किसने नौकरशाही को 'महाद्वीपीय उपद्रव' बताया?

A. मैक्स वेबर B. थॉमस कारनाइल

C. एम. क्रोजियर D. कार्ल मार्क्स

68. 'नियंत्रण की एकता' का अर्थ है कि :

A. अधीनस्थ का केवल एक पर्यवेक्षक होगा

B. अधीनस्थ का एक से अधिक पर्यवेक्षक होगा

C. सभी एककों को एक प्रमुख के अधीन रखा जाता है

D. सभी अधीनस्थों के बीच काम का वितरण किया जाता है

69. किसी राज्य का राज्यपाल निकटवर्ती संघ राज्य क्षेत्र के प्रशासक के रूप में निम्नलिखित से स्वतंत्र रूप से अपने कार्य का निर्वहन करता है :

A. भारत का राष्ट्रपति B. केंद्रीय मंत्रिमंडल

C. केंद्रीय गृह मंत्री D. राज्य मंत्री परिषद्

70. नियंत्रण काल की अवधि निर्धारित करने वाले कारक निम्नलिखित में से कौन-से हैं?

(*a*) संगठन की अवधि

(*b*) पर्यवेक्षक का व्यक्तित्व

(*c*) अधीनस्थ व्यक्तियों की क्षमता

(*d*) संगठनात्मक ढाँचा

नीचे दिए गए कूट में से **सही** उत्तर का चयन करें :

A. (*b*) और (*c*)

B. (*a*) और (*c*)

C. (*b*), (*c*) और (*d*)

D. (*a*), (*b*), (*c*) और (*d*)

71. निम्नलिखित में से कौन-से ई-गवर्नेंस के लाभ हैं?

(*a*) यह सरकार को अधिक उत्तरदायी बनाता है।

(*b*) इससे सरकार के कार्य में लोगों की भागीदारी कम होती है।

(*c*) इससे नौकरशाही की प्रवृत्तियां बढ़ती हैं।

(*d*) इससे लेन-देन के खर्चे में कमी आती है।

(*e*) इससे सरकार और नागरिक के बीच विश्वास निर्माण में मदद मिलती है।

नीचे दिए गए कूट में से **सही** उत्तर का चयन करें :

A. (*a*), (*b*), (*c*), (*d*) और (*e*)

B. (*a*), (*b*), (*c*) और (*d*)

C. (*a*), (*b*), (*d*) और (*e*)

D. (*a*), (*d*) और (*e*)

72. नीचे दो कथन दिए गए हैं, एक **अभिकथन (A)** के रूप में चिह्नित है और दूसरा **कारण (R)** के रूप में चिह्नित है। नीचे दिए गए कूट से **सही** उत्तर का चयन करें :

अभिकथन (A) : ग्लीन स्टाल के अनुसार, जब तक भर्ती दुरुस्त नहीं होगी, उत्तम कर्मचारी के भर्ती होने की आशा नहीं होती है।

कारण (R) : वह भर्ती को संपूर्ण सार्वजनिक कर्मचारी ढाँचे के आधारशिला के रूप में मानते हैं।

कूट :

A. (A) और (R) दोनों सही हैं और (R), (A) की सही व्याख्या है।

B. (A) और (R) दोनों सही हैं, लेकिन (R), (A) की सही व्याख्या नहीं है।

C. (A) सही है, लेकिन (R) गलत है।

D. (A) गलत है, लेकिन (R) सही है।

73. नीचे दो कथन दिए गए हैं, एक **अभिकथन (A)** के रूप में चिह्नित है और दूसरा **कारण (R)** के रूप में चिह्नित है। नीचे दिए गए कूट में से **सही** उत्तर का चयन करें :

अभिकथन (A) : क्लासिकल सिद्धांत सार्वभौमिक सिद्धांतों के आधार पर संगठन को प्राधिकार के औपचारिक ढाँचे के रूप में देखता है।

कारण (R) : क्लासिकल सिद्धांत संगठन को चलाने वाली मानव जाति को केवल मशीन में चक्रदंत (Cogs) के रूप में देखता है।

कूट :

A. (A) और (R) दोनों सही हैं और (R), (A) की सही व्याख्या है।

B. (A) और (R) दोनों सही हैं, लेकिन (R), (A) की सही व्याख्या नहीं है।

C. (A) सही है, लेकिन (R) गलत है।

D. (A) गलत है, लेकिन (R) सही है।

74. सूची-I को सूची-II से सुमेलित कीजिए और नीचे दिए गए कूट से **सही** उत्तर चुनिए :

सूची-I	**सूची-II**
(*a*) नियंत्रण की अवधि	1. पर्यवेक्षण
(*b*) पदक्रम	2. एक मात्र बॉस
(*c*) प्रत्यायोजन	3. उचित माध्यम के द्वारा
(*d*) नियंत्रण की एकता	4. प्राधिकार का प्रवाह

कूट :

	(*a*)	(*b*)	(*c*)	(*d*)
A.	2	1	3	4
B.	1	3	4	2
C.	3	1	4	2
D.	3	2	1	4

75. 73वें और 74वें संशोधन अधिनियमों के परिणामस्वरूप निम्नलिखित हुए :

(*a*) सरकार में पारदर्शिता

(*b*) सरकार में उत्तरदायित्व

(*c*) महिला सशक्तिकरण

(*d*) जनतंत्र की मजबूती

नीचे दिए गए कूट में से **सही** उत्तर का चयन करें :

A. (*c*) और (*d*)

B. (*a*) और (*c*)

C. (*b*), (*c*) और (*d*)

D. (*a*), (*b*), (*c*) और (*d*)

76. स्वतंत्रता के बाद, जिला अधिकारी की भूमिका में मुख्य रूप से निम्नलिखित के कारण बहुत अधिक परिवर्तन हुआ है :

A. राजनीतिक जागरण

B. जन संचार की भूमिका

C. जनतांत्रिक विकेन्द्रीकरण

D. आवधिक चुनाव

77. 'राइट टू इनफॉरमेशन : मास्टर की टू गुड गवर्नेंस' प्रतिवेदन निम्नलिखित में से एक के द्वारा प्रस्तुत किया गया :

A. सरकारिया आयोग
B. पंछी आयोग
C. प्रथम प्रशासनिक सुधार आयोग
D. दूसरा प्रशासनिक सुधार आयोग

78. निम्नलिखित में से किस आयोग/समिति/चिंतक ने भ्रष्टाचार के 27 रीतियों की पहचान की है?

A. कौटिल्य B. वोहरा समिति
C. संथानम् समिति D. केंद्रीय सतर्कता आयोग

79. भारत में संयुक्त परामर्शी तंत्र निम्नलिखित में से किसकी सिफारिश पर स्थापित किया गया?

A. प्रथम वेतन आयोग
B. द्वितीय वेतन आयोग
C. प्रथम प्रशासनिक सुधार आयोग
D. पॉल एपलबी रिपोर्ट

80. निम्नलिखित में से किन आयोगों/समितियों ने भारत में भ्रष्टाचार के मुख्य कारण के रूप में 'कमजोर शासन' की पहचान की है?

A. पहला प्रशासनिक सुधार आयोग
B. दूसरा प्रशासनिक सुधार आयोग
C. वोहरा समिति
D. संथानम् समिति

81. निम्नलिखित में से कौन-सा एक राष्ट्रों का स्वीकृत परमाणु शक्ति बनने का कालानुक्रमिक क्रम है?

A. अमेरिका, ब्रिटेन, सोवियत यूनियन, फ्रांस और चीन
B. अमेरिका, सोवियत यूनियन, फ्रांस, ब्रिटेन और चीन
C. सोवियत यूनियन, अमेरिका, ब्रिटेन, चीन और फ्रांस
D. अमेरिका, सोवियत यूनियन, ब्रिटेन, फ्रांस और चीन

82. संयुक्त राष्ट्र संघ का कौन-सा अध्याय 'विवादों का शांतिपूर्ण समाधान' से संबंधित है?

A. अध्याय II B. अध्याय III
C. अध्याय IV D. अध्याय I

83. नीचे दो कथन दिए गए हैं, एक **अभिकथन (A)** के रूप में चिह्नित है और दूसरा **कारण (R)** के रूप में चिह्नित है। नीचे दिए गए कूट से **सही** उत्तर का चयन करें :

अभिकथन (A) : शीत युद्ध और राजनैतिक स्वतंत्रता की प्रक्रिया ने संयुक्त राष्ट्र संघ द्वारा राष्ट्र में अधिक सक्रिय भागीदारी को निरुत्साहित किया।

कारण (R) : राष्ट्रों का राष्ट्रीय हित उनका प्रमुख हित है।

कूट :

A. (A) और (R) दोनों सही हैं और (R), (A) की सही व्याख्या है।
B. (A) और (R) दोनों सही हैं, लेकिन (R), (A) की सही व्याख्या नहीं है।
C. (A) सही है, लेकिन (R) गलत है।
D. (R) सही है, लेकिन (A) गलत है।

84. भारत ने निम्नलिखित के साथ कार्यनीतिक भागीदारी समझौतों पर हस्ताक्षर किये हैं :

A. फ्रांस, रूस, ईरान और दक्षिण अफ्रीका
B. चीन, अमेरिका, ब्रिटेन और अर्जेंटीना
C. आसियान, जापान, ऑस्ट्रेलिया और तंजानिया
D. वियतनाम, सेसिल्स, मंगोलिया और सिंगापुर

85. भारत और आसियान (ए.एस.ई.ए.एन.) के संबंध में निम्नलिखित कथनों पर विचार कीजिए।

(*a*) भारत 1992 में आसियान का क्षेत्रीय भागीदार बना।
(*b*) दिल्ली वार्ता आसियान और भारत के बीच राजनीतिक-आर्थिक मुद्दों के संबंध में है।
(*c*) भारत 1996 में आसियान का वार्ता भागीदार बन गया।
(*d*) भारत 2000 में आसियान का शिखर सम्मेलन स्तर का भागीदार बन गया।

नीचे दिए गए कूट में से **सही** उत्तर का चयन करें :

A. (*a*) और (*d*) B. (*a*) और (*c*)
C. (*b*) और (*d*) D. (*a*) और (*b*)

86. सार्क के बारे में निम्नलिखित में से कौन-सा कथन **सही** है?

(*a*) ऑस्ट्रेलिया, अमेरिका, जापान और रूस पर्यवेक्षक हैं।

(*b*) सदस्य राष्ट्रों के बीच सामूहिक सुरक्षा का संवर्धन करना और सुदृढ़ करना।

(*c*) भारतीय दो बार सार्क के महासचिव बने।

(*d*) सार्क का दूसरा शिखर सम्मेलन भारत में हुआ।

नीचे दिए गए कूट में से **सही** उत्तर का चयन करें :

A. (*a*), (*c*) और (*d*) B. (*b*) और (*c*)

C. (*c*) और (*d*) D. (*b*), (*c*) और (*d*)

87. किसने यह तर्क दिया है कि वस्तुपरक यथार्थ से हटकर, अंतर्राष्ट्रीय राजनीति 'हमारे निर्माण का विश्व' है?

A. यथार्थवादी B. स्त्रीवादी

C. आदर्शवादी D. निर्माणवादी

88. निम्नलिखित कथनों पर विचार कीजिए :

(*a*) भारत की 'लिंक वेस्ट पॉलिसी' पश्चिमी जगत से पुनः जुड़ने का एक प्रयास है।

(*b*) 'प्रोजेक्ट मौसम' हिंद महासागर क्षेत्र में समुद्री सहयोग के लिए भारतीय पहल है।

(*c*) 'ऑपरेशन राहत' भारत द्वारा लीबिया से भारतीयों का बचाव करने के लिए चलाया गया।

(*d*) भारत शंघाई सहयोग संगठन का सदस्य बन गया है।

नीचे दिए गए कूट में से **सही** उत्तर का चयन करें :

A. (*c*), (*d*) और (*b*)

B. (*a*), (*b*) और (*c*)

C. (*a*), (*b*), (*c*) और (*d*)

D. (*b*) और (*d*)

89. नीचे दो कथन दिए गए हैं, एक **अभिकथन (A)** के रूप में चिह्नित है और दूसरा **कारण (R)** के रूप में चिह्नित है। नीचे दिए गए कूट में से **सही** उत्तर का चयन करें :

अभिकथन (A) : सुरक्षा विवादित अवधारणा है।

कारण (R) : सुरक्षा अपनी अनुभूति में बहुआयामी है।

कूट :

A. (A) और (R) दोनों सही हैं और (R), (A) की सही व्याख्या है।

B. (A) और (R) दोनों सही हैं, लेकिन (R), (A) की सही व्याख्या नहीं है।

C. (A) सही है, लेकिन (R) गलत है।

D. (A) गलत है, लेकिन (R) सही है।

90. निम्नलिखित कथनों पर विचार कीजिए :

(*a*) ओपेक का गठन 1960 में रियाद सम्मेलन में हुआ।

(*b*) ओ.ए.एस. चार्टर पर 1948 में हस्ताक्षर किया गया।

(*c*) इंडोनेशिया ओपेक का सदस्य है।

(*d*) क्यूबा ओ.ए.एस. का सदस्य है।

नीचे दिए गए कूट में से **सही** उत्तर का चयन करें :

A. (*b*) और (*c*) B. (*a*) और (*d*)

C. (*b*), (*c*) और (*d*) D. (*c*) और (*d*)

91. नव उदारवादी, अपने लॉक वादी ब्रह्माण्ड से अंतर्राष्ट्रीय साम्राज्य सृजित करने की चेष्टा करते हैं जो निम्नलिखित में क्या अधिकतम करता है?

A. प्रकृति का विवेकपूर्ण दोहन

B. राष्ट्र प्रणाली की विवेकपूर्ण क्रियाशीलता

C. शक्ति का विवेकपूर्ण प्रयुक्ति

D. शस्त्रों का विवेकपूर्ण उपयोग

92. लोकतांत्रिक शांति सिद्धांत व्यापक रूप से किसके लेखों से संबंधित है?

A. इमैन्युअल कांट और वॉलटायर

B. माइकल डॉयल और ब्रूस रूसेट्ट

C. थॉमस क्रिस्टेंसेन और थॉमस शैलिंग

D. महात्मा गांधी और जवाहरलाल नेहरू

93. राष्ट्र के अधिकारों और कर्तव्यों पर वर्ष 1933 में मॉटीविडियों सम्मेलन द्वारा निर्धारित चार मुख्य मानदंडों का हिस्सा निम्नलिखित में से कौन-सा **नहीं** है?

A. अन्य राष्ट्रों के साथ संबंध प्रारम्भ करने की क्षमता

B. निर्धारित क्षेत्र

C. युद्ध करने की ताकत

D. स्थायी जनसंख्या

94. सूची-I को सूची-II से सुमेलित कीजिए और नीचे दिए गए कूट में से **सही** उत्तर चुनिए :

सूची-I (संधि)	**सूची-II (समझौते का उद्देश्य)**
(*a*) जेनेवा प्रोटोकोल	1. वाहनों का स्वतंत्र पुनः प्रवेश निषेध करता है

(*b*)	एस.टी.ए.आर.टी.-2	2.	रासायनिक शस्त्रों का निषेध
(*c*)	आई.एन.एफ.	3.	सामरिक शस्त्रों की कटौती
(*d*)	एस.टी.ए.आर.टी.-1	4.	दो वर्गों के भू-आधारित मिसाइलों का निषेध

कूट :

	(*a*)	(*b*)	(*c*)	(*d*)
A.	1	3	4	2
B.	3	2	4	1
C.	4	1	3	2
D.	2	1	4	3

95. निम्नलिखित में से कौन-सा कथन **गलत** है?

A. सामूहिक सुरक्षा यथापूर्ण स्थिति की रक्षा का लक्ष्य करती है

B. सामूहिक सुरक्षा सांस्थानिक रूपरेखा में कार्य करती है

C. खाड़ी संकट 1990-91 का विसरण सामूहिक सुरक्षा का सफल प्रयोग है

D. सामूहिक सुरक्षा और शक्ति संतुलन की नीति सामान्य परिस्थितियों में संगत रहती हैं

96. विचारधाराओं के मॉर्गनथाऊ वर्गीकरण में क्या सम्मिलित **नहीं** है?

A. यथापूर्व स्थिति की विचारधारा

B. साम्राज्यवाद की विचारधारा

C. अस्पष्ट विचारधाराएँ

D. आधिपत्य की विचारधारा

97. निम्नलिखित में से कौन-सा एक पाँच वैश्विक सर्वसामान्यों का हिस्सा **नहीं** है?

A. प्रचण्ड सागर (हाई सीज)

B. जलवायु व्यवस्था

C. गहन सागर तल

D. उत्तर-ध्रुवीय क्षेत्र

98. शस्त्र नियंत्रण के बारे में निम्नलिखित कथनों पर ध्यान दीजिए :

(*a*) इसका अर्थ सुरक्षा द्विविधा निर्मित करने से है।

(*b*) सिद्धांतः यह रक्षात्मक कूटनीति है।

(*c*) यह शस्त्र दृष्टिकोण के बगैर ही शांति की बात करता है।

(*d*) यह पक्षों के बीच पारस्परिक सुरक्षा और अतिस्थायित्व का लक्ष्य करता है।

नीचे दिए गए कूट में से **सही** उत्तर का चयन करें :

A. (*b*), (*c*) और (*d*) B. (*b*) और (*d*)

C. (*b*) और (*c*) D. (*a*), (*c*) और (*d*)

99. कौन-सा युग्म सही सुमेलित **नहीं** है?

A.	यथार्थवाद	–	राष्ट्र
B.	वैश्वीकता	–	राज्येतर संस्थाएँ
C.	निर्भरता	–	आर्थिक हित
D.	नारीवाद	–	जेंडर

100. निम्नलिखित में कौन-सा युग्म **गलत** मेलित है?

	पुस्तकें		**लेखक**
A.	दी रेचिड ऑफ दी अर्थ	–	फ्रांज फैनॉन
B.	वर्ल्ड ऑर्डर	–	हेनरी किसिंजर
C.	इंप्लोजन ऑफ कैपिटलिज्म	–	समीर अमीन
D.	नियोकोलोनियलिज्म : दी लास्ट स्टेज ऑफ इम्पीरियलिज्म	–	जुलियस नाईरीरी

उत्तरमाला

1	2	3	4	5	6	7	8	9	10
C	B	C	B	D	A	B	B	A	B
11	**12**	**13**	**14**	**15**	**16**	**17**	**18**	**19**	**20**
D	D	C	C	D	D	A	C	B	D
21	**22**	**23**	**24**	**25**	**26**	**27**	**28**	**29**	**30**
C	A	B	*	C	B	B	D	B	A
31	**32**	**33**	**34**	**35**	**36**	**37**	**38**	**39**	**40**
B	D	B	B	A	B	A	D	D	A

41	42	43	44	45	46	47	48	49	50
B	C	A	A	C	D	C	C	C	B
51	**52**	**53**	**54**	**55**	**56**	**57**	**58**	**59**	**60**
B	B	A	C	D	C	D	A	D	C
61	**62**	**63**	**64**	**65**	**66**	**67**	**68**	**69**	**70**
D	A	D	D	C	D	B	*	D	D
71	**72**	**73**	**74**	**75**	**76**	**77**	**78**	**79**	**80**
D	B	B	B	D	C	D	D	B	B
81	**82**	**83**	**84**	**85**	**86**	**87**	**88**	**89**	**90**
D	*	A	D	B	C	D	D	A	*
91	**92**	**93**	**94**	**95**	**96**	**97**	**98**	**99**	**100**
A	B	C	D	D	D	D	B	B	D

* Denotes either questions or option is worng.

व्याख्यात्मक उत्तर

1. कौटिल्य को नीतिशास्त्र परम्परा का संस्थापक होने का श्रेय प्राप्त नहीं है। वे वस्तुतः राजमर्मज्ञ, कूटनीतिज्ञ तथा राज्यशिल्प के सिद्धांतकार हैं। कौटिल्य ने कूटनीति के जिन साधनों एवं विधियों—साम, दाम, दण्ड, भेद का समर्थन किया है, वे इसी दृष्टिकोण की पुष्टि करते हैं। इनमें राज्यशक्ति के संरक्षण को मुख्य लक्ष्य मानते हुए सामान्य नैतिकता के सिद्धांतों को गौण स्थान दिया गया है। गुप्तचर-व्यवस्था के संदर्भ में कौटिल्य ने ऐसे गुप्तचर रखने की सलाह भी दी है जिनका कार्य गुप्त रूप से राजा के शत्रुओं की हत्या करा देना था, और ऐसे गुप्तचर रखने का सुझाव भी दिया है जो परोक्ष रूप से राजा के यश का प्रसार करें। राजदूत के कार्यों में उन्होंने ऐसे कार्य भी गिनाए हैं, जिनका ध्येय विदेश में राजद्रोह को प्रोत्साहन देना और विदेशी राज्यों के बीच फूट को बढ़ावा देकर उन्हें शक्तिहीन कर देना था। उनका विचार है कि जब राजा शक्ति अर्जित कर ले तो वह पुरानी शांति-संधियों, आश्वासनों और प्रतिज्ञाओं को तोड़कर दूसरों पर अपना आधिपत्य जमाने के लिए स्वतंत्र है। सामान्य नैतिकता का कौन-सा नियम इन सिद्धांतों के अनुरूप हो सकता है?

2. डनिंग का कहना है कि रिपब्लिक इस कारण से एक आदर्श-राज्य की तस्वीर नहीं देता है कि यह एक रोमांस है बल्कि प्लेटो चाहते थे कि यह ''भलाई के विचार'' पर एक वैज्ञानिक आक्रमण की शुरुआत बने। प्लेटो के समय यूनान में जो राजनीतिक अराजकता व्याप्त थी, उसी की प्रतिक्रियास्वरूप उसने एक 'आदर्श राज्य' की कल्पना कर उसे 'रिपब्लिक' में प्रस्तुत किया है। प्लेटो का 'आदर्श राज्य' सभी आने वाले समय और सभी स्थानों के लिए एक आदर्श का प्रस्तुतीकरण है। उसने 'आदर्श राज्य' की कल्पना करते समय उसकी व्यावहारिकता की उपेक्षा की है।

यद्यपि प्लेटो के विचारों में व्यावहारिकता की कमी है, लेकिन हमें उस पृष्ठभूमि को नहीं भूलना चाहिए, जिसने उसके मस्तिष्क में 'आदर्श राज्य' की कल्पना जाग्रत की। प्लेटोकालीन यूनानी समाज में जो अराजकता व्याप्त थी, उसी के निराकरण हेतु उसने एक आदर्श राज्य की कल्पना की। उसने राज्य के लिए यह आवश्यक समझा कि शासन का अधिकार केवल ज्ञानी दार्शनिकों को ही होना चाहिए जिन्हें 'अच्छे' या 'शुभ' का विस्तृत ज्ञान है।

3. अरस्तू ने कहा है कि काल के क्रम में राज्य परिवार या व्यक्ति के बाद आता है लेकिन प्रकृति के क्रम में उनसे पहले आता है। उसके अनुसार राज्य का निर्माण व्यक्ति या व्यक्ति-समूह ने जान-बूझकर और सोच-विचार कर किसी भी काल में नहीं किया। राज्य एक प्राकृतिक संस्था है जिसका जन्म और विकास प्राकृतिक रूप से हुआ है। वह कहते हैं कि ''मनुष्य एक राजनीतिक प्राणी है जो अपने स्वभाव से ही राजकीय जीवन के लिए बना है।'' अपनी स्वभाव-जन्य भौतिक, सांस्कृतिक एवं नैतिक आवश्यकताओं की संतुष्टि के लिए स्वामी तथा दास और

स्त्री एवं पुरुष एक-दूसरे की ओर आकृष्ट होते हैं। इस प्रकार उनके संयोग तथा मेल से परिवार का जन्म होता है। परिवार प्रकृति द्वारा स्थापित मनुष्य की दैनिक आवश्यकताओं को पूरा करने वाली संस्था है। जब परिवारों का एकत्रीकरण हो जाता है और इस संगठन का उद्देश्य दैनिक आवश्यकताओं की पूर्ति से कुछ अधिक हो जाता है, तब एक ग्राम का अस्तित्व बनता है। शनैःशनैः अनेक ग्राम एकत्रित और संगठित होकर एक समाज के रूप में इतने बड़े हो जाते हैं कि वे अपनी आवश्यकताओं के बारे में लगभग आत्मनिर्भर हो जाते हैं, तब नगर अथवा राज्य का जन्म होता है। इस प्रकार राज्य का जन्म मनुष्य की भौतिक मूल आवश्यकताओं की पूर्ति के लिए होता है और वह इसलिए कायम रहता है कि उसमें व्यक्तियों का श्रेष्ठ जीवन संभव है। अतः समाज या राज्य के जन्म के अंकुर सर्वप्रथम परिवार में देखने को मिलते हैं। इन्हीं कारणों के शनैःशनैः विकसित एवं प्रस्फुटित होने से अन्त में राज्य का उदय होता है। स्वयं अरस्तू के ही शब्दों में, ''राज्य प्रकृति की उपज है और व्यक्ति स्वभाव से ही राजनीतिक प्राणी है। जो व्यक्ति अपनी प्रकृति से (न कि संयोग से) बिना किसी राज्य के जीता है–वह मनुष्य की श्रेणी से या तो ऊपर है या नीचे।''

4. प्राकृतिक असुविधाओं से राहत पाने के लिए मनुष्य ने न्यूनतम प्रतिरोध का मार्ग अपनाते हुए एक समझौता द्वारा राज्य का निर्माण किया। सब मनुष्यों के समान होने के कारण यह समझौता समाज के सभी व्यक्तियों का सभी व्यक्तियों के साथ किया गया। इस प्रकार संविदा का स्वरूप सामाजिक है। लॉक का समझौता सर्वसम्मति से सम्पन्न हुआ है। वह जन-इच्छा पर आधारित है। कोई भी व्यक्ति इस नवीन समाज में सहमति के बिना प्रविष्ट नहीं हो सकता। ''सहमति ही विश्व में प्रत्येक वैध सरकार का निर्माण करती है।'' संविदा को मान्य होने के लिए प्रत्येक पीढ़ी द्वारा उसे पुनः स्वीकार किया जाना आवश्यक है। लॉक का समझौता एक बार हो जाने पर कभी रद्द न हो सकने वाला है। यहाँ वह हॉब्स के समकक्ष ही हैं। हाँ, यह अवश्य है कि निर्मित सरकार यदि किसी संकटवश विनष्ट हो जाए, तो उसका पुनर्निर्माण हो सकता है। सर्वसम्मति से निर्मित होने वाले राजनीतिक समाज में बहुमत के शासन का सिद्धांत अनिवार्यतः निहित है। अल्पसख्यकों को बहुमत की इच्छा का पालन करना चाहिए, चूँकि इस सिद्धांत को स्वीकार करना सामाजिक व्यवस्था के संचालन और सामूहिक कार्यों को सम्भव बनाने के लिए नितान्त आवश्यक है। संविदा की यह महत्वपूर्ण शर्त है जिसके उल्लंघन पर वह सर्वथा महत्वहीन हो जाता है।

6. जे.एस. मिल के लिए इच्छाशक्ति राज्य सहित सभी संस्थाओं का आधार है क्योंकि इच्छाशक्ति न केवल संख्या पर निर्भर है, बल्कि इसका एक गुणवत्तापरक आधार है और वह इच्छाशक्ति जो संस्थाओं को बनाती हैं, विश्वास का रूप ले लेती हैं। मिल के स्वतंत्रता संबंधी विचारों का समावेश उसकी पुस्तक 'On Liberty' में है। मिल के समय राज्य का कार्यक्षेत्र बहुत अधिक बढ़ गया था और सरकार जनहित के नाम पर जीवन के प्रत्येक क्षेत्र को विनियोजित करने वाले कानून बनाने लगी थी। सामाजिक व्यवस्थापन द्वारा सामान्य जनता की सुख-वृद्धि के प्रयास में ब्रिटिश सरकार जिस प्रकार वैयक्तिक स्वतंत्रता में हस्तक्षेप करने लगी थी उससे मिल को यह भय हो गया था कि जनता का बहुमत अथवा लोकप्रिय शासन भी कहीं भूतकालीन निरंकुश शासन के समान आततायी और स्वेच्छाचारी न बन जाए। उसका विश्वास था कि राज्य द्वारा अधिक अधिनियमों के निर्माण का अर्थ है–व्यक्ति और उसकी स्वतंत्रता पर अधिक प्रतिबंधों का होना जिसका परिणाम था राज्य के समक्ष नागरिक के व्यक्तित्व का हनन। उसकी मान्यता थी कि राज्य को वैयक्तिक स्वतंत्रता का हनन करने का कोई अधिकार नहीं है। 'जनता के शासन' के नाम पर बहुमत द्वारा अल्पमत पर मनचाहे प्रतिबन्ध लगाना अथवा लोकमत के नाम पर अनुचित कानूनों को थोप देना सर्वथा अवांछनीय है। अपने इन्हीं विचारों के कारण मिल ने मानव-स्वतंत्रता के व्यक्तिवादी रूप का प्रतिपादन किया।

8. श्री अरविंद या महर्षि अरविंद (अरविंद घोष) ने साप्ताहिक पत्रिका कर्मयोगी और धर्म को शुरू किया था। उन्होंने अलीपुर षड्यन्त्र केस से रिहा होने के बाद 1909 में अंग्रेजी साप्ताहिक पत्रिका कर्मयोगी का सम्पादन किया था। यह पत्रिका राष्ट्रीय धर्म, साहित्य, विज्ञान, दर्शन,

आदि से संबंधित था। धर्म पत्रिका का सम्पादन उन्होंने बंगाली भाषा में किया था।

महर्षि अरविंद (1872-1950) आधुनिक भारत के ऐसे राजनीतिक विचारक थे जिन्हें भारतीय राष्ट्रवाद का महान् उन्नायक माना जाता है। वे भारतीय स्वाधीनता आंदोलन के साथ निकट से जुड़े थे और उन्होंने भारत की पूर्ण स्वाधीनता की मांग पर बल दिया। उनके अनुसार, 'स्वराज' की मांग राष्ट्रवाद का स्वाभाविक अंग है, क्योंकि कोई भी राष्ट्र विदेशी सत्ता के आधिपत्य में रहकर अपने विलक्षण व्यक्तित्व और स्वतंत्र अस्तित्व को कायम नहीं रख सकता। उन्होंने कहा कि अंग्रेजी संस्कृति भौतिकवाद से प्रेरित है; भारतीय संस्कृति को अध्यात्मवाद में अगाध आस्था है। सच्चे राष्ट्रवाद की भावना ही भारतीय संस्थाओं और संस्कारों को नष्ट होने से बचा सकती है। यूरोप की नकल करके भारत अपना पुनरुत्थान कभी नहीं कर सकता।

9. एम.एन. रॉय ने मार्क्स के इतिहास के भौतिकवादी व्याख्या को स्वीकार नहीं किया क्योंकि इसमें निर्धारणवाद और आदर्शवाद का तत्व था। रॉय ने तर्क दिया कि आधुनिक युग में विज्ञान की उन्नति ने मनुष्य को अंधविश्वासों और भूत-प्रेतों के भय से मुक्त कर दिया है। इसने सिद्ध कर दिया है कि सृष्टि की कोई भी शक्ति ऐसी नहीं है जिसे मनुष्य अपने ज्ञान और सूझबूझ के बल पर अपने वश में नहीं कर सकता है। अतः मनुष्य स्वयं अपनी नियति का नियंता है। किसी युग में मनुष्य अपनी नियति (Destiny) को कैसे नियत करेगा—यह ज्ञान-विज्ञान की उन्नति पर निर्भर है। ज्ञान-विज्ञान की उन्नति की कोई सीमा नहीं है, इसलिए मनुष्य के भविष्य की कोई निश्चित रूपरेखा प्रस्तुत नहीं की जा सकती। अतः नव-मानववाद स्वतंत्रता के प्रयोग की अनंत संभावनाओं में आस्था रखते हुए उसे किसी ऐसी विचारधारा के साथ नहीं बांधना चाहता जो किसी पूर्वनिर्धारित लक्ष्य की सिद्धि को ही उसके जीवन का ध्येय मानती हो।

10. राज्य पुनर्गठन आयोग की रिपोर्ट के संदर्भ में डॉ. बी. आर. अम्बेडकर ने कहा कि ''मेमनों से ऊन कतर लिए गए हैं'' और ''वे सर्दी की तीव्रता महसूस कर रहे हैं।'' भारत सरकार ने दिसम्बर, 1953 में फजल अली की अध्यक्षता में एक तीन सदस्यीय राज्य पुनर्गठन आयोग का गठन किया जिसके अन्य दो सदस्य थे—के.एम. पणिक्कर और एच.एन. कुंजरू। इसने अपनी रिपोर्ट 1955 में पेश की और इस बात को व्यापक रूप से स्वीकार किया कि राज्यों के पुनर्गठन में भाषा को मुख्य आधार बनाया जाना चाहिए, लेकिन इसने 'एक राज्य एक भाषा' के सिद्धांत को अस्वीकार कर दिया। इसका मत था कि किसी भी राजनीतिक इकाई के पुनर्निर्धारण में भारत की एकता को प्रमुखता दी जानी चाहिए। आयोग ने किसी राज्य पुनर्गठन योजना के लिए चार बड़े कारकों की पहचान की—

- देश की एकता एवं सुरक्षा की अनुरक्षण एवं संरक्षण।
- भाषायी व सांस्कृतिक एकरूपता।
- वित्तीय, आर्थिक एवं प्रशासनिक तर्क।
- प्रत्येक राज्य एवं पूरे देश में लोगों के कल्याण की योजना और इसका संवर्धन।

11. पारम्परिक राजनीतिक सिद्धांत अनुशासन मूलक और मानकीय है। व्यवहारवादी राजनीतिक सिद्धांत एकरूपताओं और नियमितताओं से जुड़ा है। उत्तर-व्यवहारवादी राजनीतिक सिद्धांत कार्रवाई और संगतता से जुड़ा हुआ है तथा यह सिद्धांत समग्रात्मक (Holistic) है। उत्तर-व्यवहारवाद ने व्यवहारवाद की तीव्र आलोचना की परंतु उसने परंपरावाद को फिर से स्थापित करने का समर्थन नहीं किया। उसने व्यवहारवादी युग की उपलब्धियों को स्वीकार करते हुए राजनीति विज्ञान के नए क्षितिज की ओर संकेत किया। अतः न तो यह प्रतिक्रिया का सूचक था, न प्रतिक्रांति का; इसने केवल सुधार की मांग की। इसने किसी विशेष विचारधारा को भी नहीं अपनाया। इसकी दो मुख्य मांगें थीं—प्रासंगिकता (Relevance) और कार्रवाई (Action)।

उत्तर-व्यवहारवाद ने व्यवहारवाद की उपलब्धियों को समेकित करके उसके विकास की नई दिशा का संकेत दिया ताकि वह सामाजिक पुनर्निर्माण में सहायक हो सके। इसमें अनुभवमूलक उपागम के विकसित रूप को मानकीय उपागम के साथ जोड़ने की कोशिश की गई।

13. जॉन रॉल्स ने समाज के 'परस्पर फायदे के लिए एक सहकारी उद्यम, कमोबेश आत्मनिर्भर और आवश्यक नियमों के द्वारा शासित' के रूप में परिकल्पना की। रॉल्स

ने यह तर्क दिया है कि उत्तम समाज में अनेक सद्गुण अपेक्षित हैं; उनमें न्याय का स्थान सर्वप्रथम है। दूसरे शब्दों में, 'न्यायपूर्ण समाज और उत्तम समाज एक ही बात नहीं है। न्याय उत्तम समाज की आवश्यक शर्त है, परंतु यह उसकी पर्याप्त शर्त नहीं है। समाज में न्याय के अलावा दूसरे नैतिक गुणों की प्रधानता हो सकती है, परंतु अन्यायपूर्ण समाज विशेष रूप से निंदनीय होगा। न्याय के नियम किसी समाज को जितनी दृढ़ता से बांधते हैं, उतनी दृढ़ता अन्य नैतिक गुणों में नहीं पाई जाती। अन्य नैतिक गुण प्रशंसनीय हो सकते हैं, परंतु वे न्याय की तरह मनुष्य के लिए बाध्यकारी नहीं होते।

14. रॉबर्ट नॉजिक ने "दी जिगजैग ऑफ पॉलिटिक्स" नामक आलेख लिखा है। नॉजिक समकालीन अमेरिकी दार्शनिक है जिसने स्वेच्छातंत्रवाद (Libertarianism) के क्षेत्र में विशेष योगदान दिया है। नॉजिक ने जॉन लॉक के राज्य-सिद्धांत को नए संदर्भ में दोहराया है। लॉक की तरह नॉजिक ने तर्क दिया है कि प्राकृतिक दशा में व्यक्तियों के अपने अधिकार होते हैं। इन्हीं अधिकारों की रक्षा के लिए समाज और राज्य का निर्माण किया जाता है। नॉजिक के चिंतन का केन्द्र व्यक्ति है। वह यह नहीं मानता कि समाज, राज्य या अन्य किसी समुदाय के कोई अधिकार या कर्तव्य हो सकते हैं। उनकी वैधता वहीं तक है जहाँ तक वे व्यक्तियों के स्वैच्छिक समूह हैं, इसलिए नहीं कि वे अपने सदस्यों का कल्याण कर सकते हैं।

15. एफ़.ए. हेयक को छोड़कर शेष सभी समुदायवाद (Communitarianism) के प्रतिपादक हैं। यह एक आधुनिक विचारधारा है। इसके आरंभिक संकेत प्राचीन यूनानी दार्शनिक अरस्तू, रूसो, हीगल और टी.एच. ग्रीन के चिंतन में मिलते हैं। समकालीन दार्शनिकों में माइकल ओकशॉट और हन्ना आरेंट के विचारों में समुदायवाद के प्रति रुझान के संकेत मिलते हैं, परंतु 1980 के दशक में आकर ही इसे एक पूर्ण-विकसित सिद्धांत का रूप मिला है। समकालीन विचारकों में समुदायवाद के सबसे मुखर प्रवर्त्तक एलेस्डेयर मैकिंटाइर (After virtue—1981), माइकल सैंडेल (Liberalism and the Limits of Justice—1982), माइकल वाल्जर (Spheres of Justice—1983) और चार्ल्स टेलर (Sources of the Self—1989) हैं। समुदायवाद की संकल्पना व्यक्ति की स्थिति और उद्देश्यों के बारे में व्यक्तिवाद या उदारवाद की मान्यताओं से भिन्न दृष्टिकोण प्रस्तुत करती है। इस संकल्पना के अनुसार, व्यक्ति का अपना अस्तित्व ऐसी सामाजिक स्थिति, भूमिकाओं और प्रथाओं पर आश्रित है जो समाज की देन हैं; इन सबके प्रति उसकी प्रतिबद्धता उसके व्यक्तित्व का आवश्यक अंग है।

16. प्लेटो से आज तक राजनीति विज्ञान में 'लोकतंत्र' ('जनतंत्र' या 'प्रजातंत्र') चर्चा का विषय रहा है। लोकतंत्र के अंग्रेजी पर्याय 'डेमोक्रेसी' शब्द की व्युत्पत्ति ग्रीक मूल के शब्द 'डेमोस' से हुई है जिसका अर्थ है, 'जनसाधारण'। इसमें 'क्रेसी' शब्द जोड़ा गया है जिसका अर्थ है, 'शासन' या 'सरकार'। इस तरह 'लोकतंत्र' शब्द का मूल अर्थ ही 'जनसाधारण' या 'जनता' का शासन है। अब्राहम लिंकन ने लोकतंत्र की जो परिभाषा दी है, वह इसके शब्दार्थ के बहुत निकट है। इसके अनुसार लोकतंत्र "जनता का, जनता के द्वारा और जनता के लिए" शासन प्रणाली है।

उदार लोकतंत्र के समर्थक लोकतंत्र की संस्थाओं और प्रक्रियाओं पर विशेष बल देते हैं। किसी देश में लोकतंत्र है, या नहीं—यह पता लगाने के लिए वे यह जांच करते हैं कि वहाँ पर सरकार इन संस्थाओं और प्रक्रियाओं के माध्यम से चलाई जाती है, या नहीं? उनका विश्वास है कि जनसाधारण की इच्छा को शासन का आधार बनाने के लिए ये संस्थाएं और प्रक्रियाएं अनिवार्य हैं। अन्य कोई ढांचा चाहे कितना ही उन्नत क्यों न हो, लोकतंत्र की भावना को कार्यरूप नहीं दे सकता।

उदार-लोकतंत्र की विशेषताएं निम्नलिखित हैं :

- एक से अधिक राजनीतिक दलों में राजनीतिक सत्ता के लिए मुक्त प्रतिस्पर्धा।
- राजनीतिक पद किसी विशिष्ट वर्ग तक सीमित न हो।
- सार्वजनिक वयस्क मताधिकार पर आधारित आवधिक चुनाव।
- नागरिक स्वतंत्रताओं की व्यवस्था।
- न्यायपालिका की स्वाधीनता।

18. अतिरिक्त या अधिशेष मूल्य का सिद्धांत (Theory of Surplus Value) मार्क्सवाद का आर्थिक आधार प्रस्तुत

करता है। इस सिद्धांत के अनुसार, वस्तुओं का सामान्य 'सामाजिक सारतत्व' केवल श्रम है। परंपरागत अर्थशास्त्र के अंतर्गत उत्पादन के 4 तत्व गिनाए गए हैं–भूमि, श्रम, पूंजी और संगठन। मार्क्स ने तर्क दिया है कि इनमें से तीन तत्व–भूमि, पूंजी और संगठन वास्तविक उत्पादन की कोई क्षमता नहीं रखते, क्योंकि इनमें जो कुछ लगाया जाता है, ये उसी का पुनरुत्पादन मात्र करते हैं। अतः सही अर्थ में ये तत्व कोई मूल्य पैदा नहीं करते। केवल श्रम ही ऐसा तत्व है जो समाज के लिए मूल्य का सृजन करता है। अतः श्रम ही मूल्य का यथार्थ स्रोत है।

पूंजीवादी व्यवस्था के अंतर्गत कामगार की पूरी क्षमता के अनुसार उससे काम लिया जाता है, परंतु उसे केवल अपने और अपने परिवार के भरण-पोषण के लिए निर्वाह-मजदूरी ही दी जाती है। मान लें, एक कामगार को अपनी और अपने परिवार की औसत दैनिक आवश्यकता की वस्तुएं जुटाने के लिए औसतन 6 घंटे प्रतिदिन श्रम करना चाहिए। यदि उससे 6 घंटे ही काम कराया जाता है, और इस श्रम का पूरा मूल्य मजदूरी के रूप में चुका दिया जाता है तो उसके शोषण का सवाल पैदा नहीं होता। पर चूँकि कामगार को अपना श्रम बाजार में पूंजीपति के हाथों बेचना पड़ता है, इसलिए उसकी कीमत भी अन्य वस्तुओं की तरह लगाई जाती है, अर्थात् मांग और पूर्ति में उतार-चढ़ाव के साथ-साथ श्रम की बाजार कीमत भी घटती-बढ़ती रहती है। जैसे-जैसे बाजार में काम की तलाश करने वाले कामगारों की संख्या बढ़ जाती है, श्रम की बाजार कीमत गिर जाती है। परिणामतः कामगार को इन 6 घंटों के अलावा कुछ और घंटे भी काम करना पड़ता है। उदाहरण के लिए, उसे 10 घंटे काम करना पड़ सकता है। इस तरह वह 4 घंटे का जो 'अतिरिक्त श्रम' करता है, वह 'अतिरिक्त मूल्य' या 'अतिरिक्त उत्पादन' में बदल जाता है।

19. ब्लादिमीर इलियच लेनिन रूस की बोल्शेविक क्रांति के कर्णधार के रूप में प्रसिद्ध हैं। उन्होंने अपनी अनेक कृतियों के माध्यम से मार्क्सवादी सिद्धांत और व्यवहार के विकास में विशेष योगदान दिया है, यहाँ तक कि सोवियत रूस और जनवादी चीन में साम्यवादी सरकारों की आधिकारिक नीतियों को मार्क्सवाद-लेनिनवाद की संज्ञा दी गई। लेनिन 20वीं सदी के शुरू-शुरू में रूस की उत्पीड़नकारी व्यवस्था के विरुद्ध संघर्ष कर रहे थे। उन्होंने वहाँ समाजवादी क्रांति लाने और समाजवादी व्यवस्था स्थापित करने की योजना बनाई, और इसे कार्यान्वित करने के लिए उन्होंने मार्क्स और एंगेल्स के विचारों को प्रामाणिक मार्गदर्शक के रूप में स्वीकार किया, परंतु समाजवादी क्रांति के विचार को व्यवहारिक रूप देने के लिए और समाजवादी व्यवस्था को व्यावहारिक रूप में चलाने के लिए लेनिन ने मार्क्सवादी सिद्धांत की नई व्याख्या प्रस्तुत की। उन्होंने मार्क्सवादी चितंन में विशेष रूप से तीन नए विचारों का समावेश किया–(*i*) विचारधारा की भूमिका (*ii*) साम्राज्यवाद विरोधी संघर्ष और (*iii*) साम्यवादी दल की भूमिका।

20. वे राजनीतिक विचार जो वर्ग या सामाजिक हितों को समाविष्ट या व्यक्त नहीं करते विचारधारा की विशेषता नहीं होते हैं। विचारधारा का अर्थ है, किसी समाज या समूह में प्रचलित उन विचारों का समुच्चय जिनके आधार पर वह किसी विशेष ढंग के सामाजिक, आर्थिक और राजनीतिक संगठन को उचित या अनुचित ठहराता है। इस दृष्टि से विचारधारा विश्वास का विषय है; इसका कोई वैज्ञानिक आधार नहीं होता।

दूसरे संदर्भ में, विचारधारा 'विचारों के विज्ञान' का संकेत देती है। सबसे पहले फ्रांसीसी विचारक देस्तू द ट्रेसी (1754-1836) ने 19वीं सदी के आरंभिक वर्षों में 'विचारधारा' शब्द का प्रयोग 'विचारों के विज्ञान' के अर्थ में किया था। ट्रेसी ने तर्क दिया था कि सही अर्थ में हमारे विचार अनुभवमूलक ज्ञान पर आधारित होते हैं; अलौकिक या आध्यात्मिक घटनाएं सही विचारों के निर्माण में कोई भूमिका नहीं निभातीं।

21. राय सी. मैक्रिडीस और वार्ड ने तुलनात्मक राजनीति की परिभाषा दलों, हितों और नेतृत्व संरचना से मुख्य रूप से संबंधित होने के रूप में दी।

माइकल कर्टिस ने अपनी कृति "Comparative Government and Politics : An Introductory Essay in Political Science—1978" के अंतर्गत लिखा है कि "तुलनात्मक राजनीति का सरोकार ऐसे व्यवहार, संस्थाओं, प्रक्रियाओं, विचारों और मूल्यों से है जो एक

से अधिक देशों में पाए जाते हैं। इसके अंतर्गत एक से अधिक राष्ट्रों के बीच उन नियमितताओं और प्रतिमानों, उन समानताओं और भिन्नताओं का पता लगाते हैं जिनसे राज्यों की मूल प्रकृति, कार्य-विधि और मान्यताओं को स्पष्ट करने में सहायता मिल सके। इस अध्ययन के अंतर्गत संपूर्ण राष्ट्र-राज्यों या राजनीतिक प्रणालियों की तुलना भी कर सकते हैं, या फिर किन्हीं विशेष प्रक्रियाओं या संस्थात्मक गतिविधियों की तुलना कर सकते हैं।''

फिर, डेविड रॉबर्टसन ने "A Dictionary of Modern Politics—1985" के अंतर्गत 'तुलनात्मक शासन' और 'तुलनात्मक राजनीति' शब्दावली को एक-दूसरे की समानार्थक मानते हुए लिखा है कि ''एक अध्ययन के रूप में तुलनात्मक शासन का सारतत्व यह तुलना करना है कि भिन्न-भिन्न समाज विभिन्न समस्याओं का सामना कैसे करते हैं; इनसे जुड़ी हुई राजनीतिक संरचनाओं की भूमिका में इसकी खास दिलचस्पी रहती है। इसका उद्देश्य इस बात का ज्ञान विकसित करना है कि भिन्न-भिन्न संस्थात्मक तंत्र उनके संदर्भ में किस तरह कार्य करते हैं?'' इन परिभाषाओं से स्पष्ट है कि चाहे हम 'तुलनात्मक शासन' शब्द का प्रयोग करें या 'तुलनात्मक राजनीति' का, हमारे अध्ययन का सरोकार केवल राजनीतिक संरचनाओं और संस्थाओं के विवरण से नहीं होता, बल्कि हम भिन्न-भिन्न प्रकार की राज्य-व्यवस्थाओं की कार्य-प्रणाली के साथ जुड़ी हुई गहन प्रक्रियाओं को समझने के लिए भी तत्पर रहते हैं ताकि हम स्वयं राजनीति के अध्ययन के लिए व्यापक आधार विकसित कर सकें।

23. तुलनात्मक राजनीति के आधुनिक उपागम में प्रणाली-विश्लेषण का विशेष स्थान है। अमेरिकी राजनीति वैज्ञानिक डेविड ईस्टन ने 1953 में अपनी प्रसिद्ध कृति 'Political System—An Enquiry into the State of Political Science' के अंतर्गत यह तर्क दिया कि संपूर्ण राजनीतिक प्रक्रिया को सिद्धांत का विषय बनाना चाहिए, उसके कुछेक पक्षों को नहीं। उन्होंने ऐसे सिद्धांत का निर्माण करना चाहा जिसमें सारे सामाजिक विज्ञान समा जाएं। ईस्टन के अनुसार, राजनीतिक प्रणाली किसी समाज के अंदर उन अंतःक्रियाओं की प्रणाली को कहते हैं जिसके माध्यम से अनिवार्य या आधिकारिक आबंटन किए जाते हैं। मतलब यह कि इन अंतःक्रियाओं के माध्यम से ऐसे नियम निर्धारित किए जाते हैं या आदेश दिए जाते हैं जिनके द्वारा समाज के संसाधनों को भिन्न-भिन्न समूहों के उपयोग के लिए नियत किया जाता है, और इन नियमों तथा आदेशों को समाज के लिए प्रामाणिक या अनिवार्य मानकर उनका पालन किया जाता है।

राजनीतिक प्रणाली को अपने पर्यावरण से जो तत्व प्राप्त होते हैं, उन्हें आगत (Inputs) कहा जाता है, और यह प्रणाली जिन वस्तुओं का उत्पादन या निर्माण करती है उन्हें निर्गत (Outputs) कहा जाता है। ईस्टन के अनुसार, राजनीतिक प्रणाली को सामाजिक जीवन से 'मांगें और समर्थन' आगत के रूप में प्राप्त होते हैं, और यह प्रणाली 'नीतियां और निर्णय' बना-बनाकर उन्हें निर्गत के रूप में पर्यावरण की ओर प्रवाहित करती है। यही नीतियां और निर्णय आधिकारिक आबंटन का आधार बनते हैं।

26. द्वितीय विश्वयुद्ध के पश्चात् बहुत से अफ्रीकी एशियाई राष्ट्र स्वतंत्र हो गए, परंतु आर्थिक विकास नहीं होने के कारण उनकी स्वतंत्रता यथार्थपरक होने की बजाय अधिक औपचारिकता की ओर प्रवृत्त होने लगी। 'विकासशील देश', 'विकासशील राष्ट्र' या 'तीसरी दुनिया के देश' एशिया, अफ्रीका और लैटिन अमेरिका के उन देशों को कहा जाता है जिनमें मोटे तौर पर निम्नलिखित विशेषताएं पाई जाती हैं :

- औद्योगिक दृष्टि से विश्व के उन्नत देशों की तुलना में इनका आर्थिक और राजनीतिक विकास का स्तर बहुत नीचा है;
- ये देश पूंजीवादी जगत् और साम्यवादी जगत् के प्रभाव से अपने-आपको मुक्त रखने की कोशिश करते रहे; और
- इनमें से एशिया और अफ्रीका के देशों की उपनिवेशवादी प्रभुत्व से राजनीतिक स्वाधीनता दूसरे विश्व युद्ध के बाद प्राप्त हुई है। पराधीनता के दौरान इनके संसाधनों का इतना दोहन हुआ है कि इन्हें बहुत ही कमजोर और पिछड़ी हुई अर्थव्यवस्था विरासत में मिली है। लैटिन अमेरिका के देशों को यूरोपीय शासकों से स्वाधीनता 19वीं शताब्दी के दूसरे-तीसरे दशक में ही मिल गई थी, परंतु बाद में वे संयुक्त राज्य अमेरिका के प्रभाव और प्रभुत्व के नीचे दबे रहे। जब एशिया

और अफ्रीका के नवोदित देशों में विकास की आकांक्षा जागी, तब लैटिन अमेरिका के ये देश भी इनके साथ आकर खड़े हो गए, और उन्होंने तीसरी दुनिया के देशों के रूप में अपनी पहचान बना ली।

28. क्रांति का अर्थ है—सामाजिक जीवन में आकस्मिक, त्वरित और युगांतकारी परिवर्तन जो सारे सामाजिक संबंधों, संस्थाओं और विचार-प्रणाली को एकदम नए रूप में ढाल दे, और जिसका प्रभाव चिरस्थायी हो। इस परिवर्तन की शुरुआत राजनीतिक जीवन में भी हो सकती है, गैर-राजनीतिक जीवन में भी हो सकती है। उदाहरण के लिए फ्रांसीसी क्रांति, रूसी क्रांति, चीनी क्रांति, इत्यादि राजनीतिक क्रांतियों के रूप में शुरू हुईं, परंतु औद्योगिक क्रांति, वैज्ञानिक क्रांति, कलात्मक क्रांति और प्रबंधकीय क्रांति, इत्यादि गैर-राजनीतिक क्रांतियां थीं, हालांकि राजनीतिक जीवन पर इनका विस्तृत प्रभाव पड़ा।

राजनीति-सिद्धांत के अंतर्गत साधारणतः उन क्रांतियों की व्याख्या देने का प्रयत्न किया जाता है जो किसी देश में राजनीतिक सत्ता के आकस्मिक परिवर्तन से आरंभ होती हैं, और फिर वहाँ के सामाजिक जीवन को नए रूप में ढाल देती हैं। साधारणतः क्रांति एक विशेष स्थिति में जन्म लेती है, और एक विशेष प्रक्रिया के रूप में सम्पन्न होती है। इन विशेषताओं का विवरण चार भागों में दे सकते हैं :

- शुरू-शुरू में राजनीतिक शक्ति ऐसे वर्ग या गुट के हाथों में रहती है जो दूसरे समूहों या जनसाधारण की दृष्टि से उस शक्ति का दुरुपयोग कर रहा हो; दूसरों पर अन्याय कर रहा हो या देश का प्रशासन संभालने में असमर्थ हो गया हो;
- सत्तारूढ़ गुट को हटाने का कोई सांविधानिक तरीका उपलब्ध न हो, या उसका सार्थक प्रयोग संभव न हो;
- विरोधी समूह संगठित होकर और प्रायः जनपुंज के समर्थन से सत्तारूढ़ गुट को बलपूर्वक सत्ता से हटाकर स्वयं सत्ता संभाल लें; और
- सत्ता संभालने के बाद वे सारी सामाजिक-आर्थिक संस्थाओं को जनसाधारण की आकांक्षाओं के अनुरूप ढालने को तत्पर हों।

इस तरह किसी भी सफल क्रांति में गैर-सांविधानिक उपायों और हिंसा का प्रयोग हो सकता है; परंतु उसके साथ जो उद्देश्य जुड़ा रहता है, उसे जो जन-समर्थन मिलता है, और क्रांति के बाद सामाजिक पुनर्निर्माण का जो कार्यक्रम अपनाया जाता है, वह उस क्रांति की वैधता का प्रमाण बन जाता है।

29. एकात्मक राज्य एक ही केन्द्रीय सरकार के अंतर्गत संगठित होता है। इसका मतलब यह नहीं कि वहाँ प्रशासन की सुविधा के लिए विभिन्न जनपद या जिले संगठित नहीं किए जा सकते, परंतु यह आवश्यक है कि इन प्रशासनिक क्षेत्रों को जो भी शक्तियां प्राप्त हों, वे सब केन्द्रीय सरकार के 'विवेक' (Discretion) पर आश्रित हों। अतः यहाँ राज्य के पूरे भूक्षेत्र में केन्द्र की सत्ता सर्वोच्च होती है और किसी कानून के अंतर्गत उसके किसी हिस्से को कोई ऐसी विशेष शक्तियां प्राप्त नहीं होतीं जो केन्द्र की शक्ति को सीमित कर सकें। ए.वी. डायसी के शब्दों में, एकात्मकता ऐसे राजनीतिक संगठन का संकेत देती है, जिसमें "एक केन्द्रीय शक्ति नियमपूर्वक सर्वोच्च विधायी सत्ता का प्रयोग करती है।" एकात्मक राज्यों के प्रसिद्ध उदाहरण हैं—ग्रेट ब्रिटेन, फ्रांस और बेल्जियम।

एकात्मक शासन-प्रणाली के अनेक गुण स्वीकार किए जाते हैं :

- यह प्रणाली राष्ट्र की एकता और अखण्डता को अक्षुण्ण रखने में सर्वाधिक प्रभावी है।
- यह प्रणाली पूरे देश में एक-सी नीति, क़ानून और प्रशासन लागू करने में सहायक होती है।
- रक्षा तथा अंतर्राष्ट्रीय संबंधों के क्षेत्र में एकात्मक शासन-प्रणाली विशेष रूप से सुदृढ़ और शक्तिशाली सिद्ध होती है।
- इस प्रणाली में इकहरे शासन-तंत्र और सेवाओं से काम चल जाता है; उनकी दोहरी व्यवस्था नहीं करनी पड़ती। अतः संघात्मक प्रणाली की तुलना में एकात्मक शासन प्रणाली अपनाने में कम खर्च आता है।
- स्थानीय प्रशासनिक इकाइयाँ संविधान से अपनी शक्ति नहीं प्राप्त करती हैं बल्कि प्रशासनिक सुविधा की दृष्टि से शक्ति स्थानीय इकाइयों को प्रत्यायोजित की जाती हैं।

30. अमेरिकी संविधान के 5वें (1791) तथा 14वें (1868) संशोधनों में विधायी और कार्यकारी कृत्यों की न्यायिक संवीक्षा (Judicial Scrutiny) के संबंध में ''विधि की सम्यक प्रक्रिया'' का उल्लेख किया गया है। इन संशोधनों के माध्यम से यह व्यवस्था की गई कि 'कानून की उचित प्रक्रिया' (Due Process of Law) के बगैर किसी व्यक्ति को जीवन, स्वतंत्रता या संपत्ति से वंचित नहीं किया जा सकता। इस अवसर पर सर्वोच्च न्यायालय ने 'कानून की उचित प्रक्रिया' के अर्थ का विस्तार करते हुए यह व्यवस्था दी कि यदि कोई कानून व्यक्ति की स्वतंत्रता और सम्पत्ति पर अयुक्तियुक्त प्रतिबंध (Unreasonable Restraints) लगाता है तो वह संविधान के विरुद्ध होगा। इस दौर में—जो मोटे तौर पर 1890 से 1937 तक का दौर था—सर्वोच्च न्यायालय ने अपनी शक्तियों का प्रयोग पूंजीवाद को बढ़ावा देने के लिए किया हालांकि कहीं-कहीं इस न्यायालय ने प्रगतिशील दृष्टिकोण भी अपनाया। इस तरह लॉचनर बनाम न्यूयार्क के मुकदमे में सर्वोच्च न्यायालय ने 1905 में न्यूयार्क राज्य के उस कानून को संविधान के विरुद्ध घोषित कर दिया जिसके अंतर्गत बेकरियों में काम करने वाले कामगारों को घोर परिश्रम की अमानवीय परिस्थितियों से बचाने के लिए उनके काम के घंटे सीमित कर दिए गए थे। न्यूयार्क राज्य के इस कानून के विरुद्ध सर्वोच्च न्यायालय ने यह तर्क दिया कि यह कानून 'अनुबंध की स्वतंत्रता' के विरुद्ध था जिसे अमेरिकी संविधान के 14वें संशोधन के अंतर्गत संरक्षण प्रदान किया गया था।

31. न्यायाधीशों की आजीवन नियुक्ति का उपबंध अमेरिकी संविधान की विशेषता है। अमेरिकी संविधान के अंतर्गत सर्वोच्च न्यायालय संघ सरकार की न्यायिक शाखा का सर्वोच्च अंग है। इसमें मूलतः 5 न्यायाधीश रखे गए थे, परंतु समय के साथ इनकी संख्या भी बदलती रही है। 1869 के बाद से सर्वोच्च न्यायालय के न्यायाधीशों की संख्या 9 रही है जिनमें एक मुख्य न्यायाधीश होता है।

इन न्यायाधीशों की नियुक्ति का अधिकार राष्ट्रपति को है, परंतु इसके लिए सीनेट का अनुसमर्थन जरूरी है। ये न्यायाधीश 'सद्व्यवहार के दौरान' (During Good Behaviour) अपने पद पर बने रहते हैं, अर्थात् यदि इन पर देशद्रोह, भारी भ्रष्टाचार, जघन्य अपराध या दुष्कर्म का आरोप हो, तभी इन्हें महाभियोग की प्रक्रिया के द्वारा अपने पद से हटाया जा सकता है। अतः सामान्य परिस्थितियों में ये न्यायाधीश आजीवन अपने पद पर बने रहते हैं। परंतु यदि कोई न्यायाधीश कम-से-कम 10 वर्ष की सेवा पूरी कर चुका हो तो वह 70 वर्ष की आयु पूरी होने पर स्वेच्छा से सेवानिवृत्त हो सकता है। ऐसी हालत में उसे आजीवन पूरा वेतन मिलता है।

32. मैक्स वेबर ने राजनीतिक विकास की व्याख्या ''प्रशासनिक और विधिक विकास'' (Administrative and Legal Development) के रूप में की है। राजनीतिक विकास, जैसा कि लुसियन पाई द्वारा चर्चा की गई है, वह दृष्टिकोण है जो राजनीतिक विकास को संस्था निर्माण और नागरिकता विकास की प्रक्रिया के रूप में व्याख्या करता है। इस विचार में इसके समर्थकों में मैक्स वेबर और जोसेफ ला पालोम्बरा जैसे विद्वान शामिल हैं। इस दृष्टिकोण में, प्रशासनिक विकास तर्कसंगतता, धर्मनिरपेक्षता, कानूनी अवधारणाओं को मजबूत करने और मानवीय मामलों के क्षेत्र में तकनीकी और विशिष्ट ज्ञान की उन्नति के साथ जुड़ा है। कोई भी इस बात से इनकार नहीं कर सकता कि राजनीतिक विकास में प्रशासनिक और विधिक विकास शामिल है; हालांकि, कोई भी दोनों में समानता स्थापित भी नहीं कर सकता।

33. लोकतांत्रिक प्रणाली में सभी व्यक्तियों को एक समान माना जाता है और यह आम आदमी की सरकार का द्योतक है परंतु आम धारणा यह भी है कि सरकार ज्यादातर शक्ति अभिजन के नियंत्रण व प्रबंधन में कार्य करती है। विख्यात अमेरिकी समाज वैज्ञानिक सी. राइट मिल्स ने अपनी चर्चित कृति 'द पावर एलीट' (1956) के अंतर्गत विशिष्टवर्गवादी सिद्धांत का एक नया संस्करण प्रस्तुत करने का प्रयत्न किया है जिसे उसने शक्ति-अभिजन (Power Elite) की संज्ञा दी है। मिल्स ने समाज का जो जटिल चित्रण प्रस्तुत किया, उसकी धुरी शक्ति की संकल्पना थी। उसने यह संकेत दिया कि भिन्न-भिन्न समाजों और भिन्न-भिन्न युगों में शक्ति के रूप बदल जाते हैं, परंतु शक्ति सदैव सामाजिक जीवन का केन्द्र-बिन्दु रहती है।

विशिष्टवर्गवादी सिद्धांत समाजविज्ञान के क्षेत्र में यह व्याख्या देने के लिए विकसित किया गया कि सामाजिक संगठन के भीतर मनुष्य किस तरह व्यवहार करते हैं? 20वीं सदी के आरंभिक दौर में इटली के दो प्रसिद्ध समाजवैज्ञानिकों—विल्फ्रेडो पैरेटो और गीतानो मोस्का ने यह सिद्धांत प्रस्तुत किया कि किसी भी समाज या संगठन के अंतर्गत महत्वपूर्ण निर्णय केवल गिने-चुने लोग ही लेते हैं, चाहे उस संगठन का बाहरी रूप कैसा भी क्यों न हो!

जर्मन समाजवैज्ञानिक रॉबर्ट मिशेल्स ने 'गुटतंत्र के लौह नियम' (Iron Law of Oligarchy) की चर्चा करते हुए यह तर्क दिया है कि समाज में चाहे कोई भी शासन-प्रणाली क्यों न अपनाई जाए, वह अवश्य ही 'गुटतंत्र' या इने-गिने लोगों के शासन का रूप धारण कर लेती है।

34. मैक्स वेबर सत्ता के वर्गीकरण तथा प्रशासन की गुणवत्ता की दृष्टि से नौकरशाही व्यवस्था को महत्वपूर्ण मानता है। एक अच्छी नौकरशाही व्यवस्था के लिए वेबर निम्न गुणों को आवश्यक मानता है : (*i*) पदसोपान (*ii*) निर्वैयक्तिकता (*iii*) अनामिता (*iv*) कार्य-विभाजन (*v*) योग्यता पर आधारित चयन (*vi*) तटस्थता (*vii*) नियमोन्मुख्ता (*viii*) कार्यकाल की सुरक्षा (*ix*) सवैतनिक (*x*) आधिकारिक रिकॉर्ड व्यवस्था, इत्यादि।

वेबर की नौकरशाही का सिद्धांत वर्तमान समय में भी भारतीय नौकरशाही के लिए महत्वपूर्ण है। इसमें निहित पदसोपान की व्यवस्था और नियम-उन्मुखता के कारण नौकरशाही व्यवस्था में अनुशासन बना रहता है, जबकि योग्यता पर आधारित चयन और कार्यों का स्पष्ट विभाजन व्यक्तियों को कार्योन्मुख बनाता है। यह लोक कल्याणकारी राज्य की स्थापना के लिए आवश्यक है। जहाँ आधिकारिक रिकॉर्ड की व्यवस्था के कारण उनके कार्यों की जवाबदेही तय की जा सकती है, वहीं संवैधानिक व्यवस्था और कार्यकाल की सुरक्षा उन्हें ईमानदारी से कार्य करने के लिए प्रेरित करती है। तटस्थता, अनामिता तथा निर्वैयक्तिकता नौकरशाह को पक्षपात से बचाता है।

किन्तु इसके कुछ प्रावधानों का दुरूपयोग लोकतांत्रिक तथा लोक कल्याणकारी राज्य की अवधारणा को कमजोर भी करती है। पदसोपान की व्यवस्था उच्च पदधारकों में तानाशाही की भावना को जन्म देती है, वहीं नियम-उन्मुखता लालफीताशाही को बढ़ावा देती है, जबकि अनामिता का प्रावधान लोकसेवकों की प्रेरणा को कम भी करता है।

36. राष्ट्रपति शासन-प्रणाली में पूर्ण कार्यकाल के लिए स्थायी शासन व्यवस्था का उपबंध है तथा इस प्रणाली में शक्ति का अभिकेंद्रण अन्तर्जात है। राष्ट्रपति या अध्यक्षीय शासन-प्रणाली (Presidential System) के अंतर्गत कार्यपालिका (Executive) विधानमंडल (Legislature) के प्रति उत्तरदायी नहीं होती, न उसे विधानमंडल अपने पद से हटा सकता है, परंतु राष्ट्रपति को निश्चित अंतराल के बाद समूचे निर्वाचकमंडल का विश्वास प्राप्त करना पड़ता है। अध्यक्षीय प्रणाली का सबसे महत्वपूर्ण उदारहण संयुक्त राज्य अमेरिका की शासन पद्धति है। इसके अन्य उदाहरण अमेरिकी प्रणाली के अनुकरण मात्र हैं, जैसे कि फिलीपीन गणराज्य, लाइबेरिया तथा मध्य और दक्षिणी अमेरिका के अधिकांश देश। इस शासन प्रणाली में राष्ट्रपति और उसके मंत्रिमंडल के सदस्य अपने अस्तित्व के लिए विधानमंडल के विश्वास पर आश्रित नहीं होते। अध्यक्षीय शासन प्रणाली में शासन की स्थिरता बनी रहती है। अतः कार्यपालिका और विधानमंडल नियत समय तक निश्चिंत होकर अपनी योजनाओं और नीतियों को बढ़ावा दे सकते हैं। फ्रांस की संसदीय प्रणाली के अंतर्गत शासन की घोर अस्थिरता के कारण जैसी कठिनाइयां पैदा होती हैं, वैसी अध्यक्षीय प्रणाली में देखने को नहीं मिलतीं। इस प्रणाली के अंतर्गत कार्यकारी शक्ति एक ही व्यक्ति के हाथों में रहती है, अनेक मंत्रियों के हाथों में नहीं रहती। इसलिए इसमें आवश्यक निर्णय तुरंत किए जाते हैं, जिससे प्रशासनिक कार्यकुशलता बढ़ जाती है।

38. आधुनिकीकरण शब्द एक प्रक्रिया का बोध कराता है। आधुनिकीकरण से तात्पर्य सतत् एवं लगातार होने वाली क्रिया से है। साथ ही आधुनिकीकरण एक विस्तृत प्रक्रिया है। आधुनिकीकरण शब्द का प्रयोग सर्वप्रथम पश्चिमी समाजों से प्रारम्भ हुआ। तत्कालीन यूरोपीय समाज में पुनर्जागरण एवं औद्योगीकरण के कारण पश्चिमी समाजों में तीव्र परिवर्तन स्पष्ट होने लगे इससे समाज में भिन्नता

दिखाई देने लगी। एक तरफ परंपरागत समाज तथा दूसरी तरफ वे समाज जिनमें परिवर्तन हो रहे थे और आधुनिक समाज के रूप में नई पहचान प्राप्त कर रहे थे, इस स्थिति ने आधुनिकीकरण को जन्म दिया।

अंग्रेजीकरण, यूरोपीयकरण, पाश्चात्यकरण तथा शहरीकरण को आधुनिकीकरण के रूप में प्रयोग किया जाता है। औद्योगीकरण, नगरीकरण, आदि की तरह ही आधुनिकीकरण भी एक जटिल प्रक्रिया है।

आधुनिकीकरण एक मूल्य निरपेक्ष अवधारणा है अर्थात् आधुनिकीकरण की प्रक्रिया में इच्छित परिवर्तन नहीं होते। वास्तव में आधुनिकीकरण एक बहुदिशा में होने वाला परिवर्तन है न कि किसी क्षेत्र विशेष में होने वाला परिवर्तन। वास्तव में जब हम परंपरागत समाजों में होने वाले परिवर्तन का अध्ययन करते हैं तो हम आधुनिकीकरण की अवधारणा का ही प्रयोग करते हैं, जैसा कि आर. बेनडिक्स ने अपनी पुस्तक "Tradition and Modernity Reconsidered, Comparative Studies in Society and History—1967" में कहते हैं–"आधुनिकीकरण से मेरा तात्पर्य 1760-1840 में इंग्लैण्ड की औद्योगिक क्रांति तथा 1784-1794 में फ्रांस की क्रांति के दौरान उत्पन्न हुए। बेनडिक्स की परिभाषा के विश्लेषण से स्पष्ट होता है कि परंपरागत इंग्लैण्ड में औद्योगिकीकरण एवं फ्रांस में फ्रांस की क्रांति के कारण तत्कालीन समाज में सामाजिक, आर्थिक, राजनीतिक, शैक्षिक तथा अन्य क्षेत्रों में उल्लेखनीय परिवर्तन हुए। पश्चिमी देशों में होने वाले परिवर्तनों का अनुकरण यदि अन्य देश करते हैं तो इसे आधुनिकीकरण कहा जाएगा।

39. जिन साधनों का प्रयोग कर बहुत से मानव समूहों तक विचारों, भावनाओं व सूचनाओं को सम्प्रेषित किया जाता है, उन्हें हम जनसंचार माध्यम या मीडिया कहते हैं। मीडिया, 'मिडियम' शब्द का बहुवचन रूप है, जिसका अर्थ होता है–माध्यम।

मीडिया अर्थात् जनसंचार माध्यम को तीन वर्गों–मुद्रण माध्यम, इलेक्ट्रॉनिक माध्यम एवं नव इलेक्ट्रॉनिक माध्यम में विभाजित किया जा सकता है। मुद्रण माध्यम के अंतर्गत समाचार-पत्र, पत्रिकाएं, पैम्फलेट, पोस्टर, जर्नल, पुस्तकें, इत्यादि आती हैं। इलेक्ट्रॉनिक माध्यम के अंतर्गत रेडियो, टेलीविजन एवं सिनेमा आते हैं। नव इलेक्ट्रॉनिक माध्यम इन्टरनेट है। सूचना प्रौद्योगिकी के इस युग में सूचनाओं तक व्यक्ति की पहुँच में तेजी आने के साथ ही मीडिया के महत्व में भी वृद्धि हुई है।

मीडिया से किसी-न-किसी रूप में जुड़े रहना आधुनिक मानव की आवश्यकता बनती जा रही है। मोबाइल, रेडिया, टेलीविजन, इन्टरनेट, इत्यादि में से किसी-न-किसी माध्यम से व्यक्ति हर समय दुनियाभर की खबरों पर नजर रखना चाहता है।

लोकतांत्रिक भावनाओं की रक्षा करने में मीडिया के कार्य उसके लोकतंत्र का प्रहरी होने के प्रमाण हैं। मीडिया को लोकतंत्र का चौथा स्तम्भ माना जाता है। लोकतंत्र के अन्य तीन स्तम्भ हैं–विधायिका, कार्यपालिका एवं न्यायपालिका। विधायिका का कार्य कानून का निर्माण करना, कार्यपालिका का कार्य उसे लागू करना एवं न्यायपालिका का कार्य कानून का पालन करवाना होता है। इन तीनों स्तम्भों पर निगरानी रखकर लोकतांत्रिक भावनाओं की रक्षा की जिम्मेदारी मीडिया पर ही होती है। डैन ब्रान ने ठीक ही लिखा है–"मीडिया अव्यवस्था का उचित हथियार है।"

समकालिक लोकतंत्र में प्रिंट मीडिया की भूमिका हाशिए पर आ गई है क्योंकि इन्टरनेट हर मर्ज की दवा बन चुका है। इलेक्ट्रॉनिक मीडिया की भूमिका निर्णायक हो गई है। मीडिया के अभिकरण औद्योगिक और कॉर्पोरेट समूहों के नियंत्रण में रहते हैं।

मीडिया के प्रमुख कार्य हैं–लोकमत का निर्माण, सूचनाओं का प्रसार, भ्रष्टाचार एवं घोटालों का पर्दाफाश तथा समाज की सच्ची तस्वीर प्रस्तुत करना।

40. विख्यात ब्रिटिश न्यायवेत्ता ए.वी. डायसी ने अपनी विख्यात कृति "Introduction to the Study of the Law of the Constitution—1885" में 'विधि के शासन' (Rule of Law) को व्याख्यायित किया है। डायसी ने इंग्लैण्ड के संविधान को 'विधि के शासन' की संज्ञा दी है। उनके अनुसार 'विधि के शासन' में तीन अर्थ निहित हैं–

- यहाँ कानून का प्रयोग करते समय निरंकुश शक्ति के प्रयोग की कोई गुंजाइश नहीं है।
- 'विधि का शासन' सब नागरिकों को 'कानून के समक्ष समानता' (Equality before the Law) प्रदान करता है, तथा
- इंग्लैण्ड में 'विधि का शासन' यह संकेत देता है कि यहाँ नागरिकों के अधिकार संविधान के द्वारा सुरक्षित नहीं किए गए हैं बल्कि देश के साधारण कानून में विहित उपचारों के द्वारा उन्हें जो हितलाभ और स्वतंत्रताएं प्रदान की गई हैं, वही यहाँ के संविधान का आधार हैं।

सैमुअल पी. हंटिंगटन ने अपनी चर्चित कृति 'Political Order in Changing Societies—1968' के अंतर्गत यह तर्क दिया है कि राजनीतिक विकास और आधुनिकीकरण में सीधा संबंध नहीं है। हंटिंगटन के विचार से, राजनीतिक विकास का मुख्य लक्षण राजनीतिक व्यवस्था है, और इसमें मुख्य बाधा राजनीतिक अव्यवस्था से पैदा होती है जिसे उसने 'राजनीतिक क्षय' (Political Decay) की संज्ञा दी है। इस दृष्टि से प्राचीन काल की अनेक राजनीतिक प्रणालियां आधुनिक पश्चिमी प्रणालियों से कहीं अधिक विकसित थीं। उदाहरण के लिए, प्राचीन भारत, चीन, यूनान, रोम और मिस्र की राजनीतिक प्रणालियां अत्यंत विकसित थीं। इस तरह हंटिंगटन ने राजनीतिक विकास को केवल आज के विकासशील देशों की समस्या न मानते हुए एक चिरंतन समस्या का रूप दे दिया है। उसने चेतावनी दी है कि आज के विकासशील देशों में कभी-कभी आधुनिकीकरण की होड़ राजनीतिक अव्यवस्था पैदा कर देती है जिसका परिणाम राजनीतिक ह्रास या क्षय के रूप में सामने आता है।

गेब्रियल आल्मंड ने अप्रत्याशित हित समूह की अवधारणा को प्रतिपादित किया है।

मार्बरी बनाम मैडीसन (1803) के मुकदमे में अमेरिकी सर्वोच्च न्यायालय ने न्यायिक समीक्षा (Judicial Review) की शक्ति का प्रयोग किया। इस मुकदमे का निर्णय सुनाते हुए सर्वोच्च न्यायालय ने 1789 के न्यायिक अधिनियम को—जिसे अमेरिकी कांग्रेस ने पारित कर रखा था—संविधान के विरुद्ध घोषित कर दिया। इस निर्णय के अंतर्गत मुख्य न्यायाधीश मार्शल ने यह व्यवस्था दी कि अमेरिका के लिखित संविधान के अंतर्गत सरकार की शक्तियों को परिभाषित और परिसीमित किया गया है, संविधान ही देश का मूल कानून है जो कांग्रेस द्वारा पारित साधारण कानूनों से बढ़कर और ऊँचा है। यदि कांग्रेस का कोई कानून संविधान की किसी व्यवस्था के विरुद्ध हो तो उसे अवैध और शून्य (Null and Void) घोषित करना न्यायालयों का कर्तव्य है। इस तरह इस निर्णय के अंतर्गत किसी कानून की सांविधानिकता की जांच करने का अधिकार सर्वोच्च न्यायालय ने संभाल लिया।

41. भारत शासन अधिनियम, 1919 को मांटेग-चेम्सफोर्ड सुधार भी कहा जाता है। इस अधिनियम ने पहली बार देश में द्विसदनीय व्यवस्था और प्रत्यक्ष निर्वाचन की व्यवस्था प्रारंभ की। इस प्रकार भारतीय विधान परिषद के स्थान पर द्विसदनीय व्यवस्था यानी राज्यसभा और लोकसभा का गठन किया गया। दोनों सदनों के बहुसंख्यक सदस्यों को प्रत्यक्ष निर्वाचन के माध्यम से निर्वाचित किया जाता था। इसने साम्प्रदायिक आधार पर सिखों, भारतीय ईसाईयों, आंग्ल-भारतीयों और यूरोपियों के लिए भी पृथक निर्वाचन के सिद्धांत को विस्तारित कर दिया। इस प्रकार साम्प्रदायिक प्रतिनिधित्व न केवल बरकरार रखा गया बल्कि उसे बढ़ा दिया गया। इस कानून ने संपत्ति, कर या शिक्षा के आधार पर सीमित संख्या में लोगों को मताधिकार प्रदान किया। इसके अंतर्गत एक वैधानिक आयोग का गठन किया गया, जिसका कार्य 10 वर्ष बाद जाँच करने के बाद अपनी रिपोर्ट प्रस्तुत करना था। इस कानून द्वारा एक लोक सेवा आयोग का गठन किया गया।

43. संविधान के भाग-3 में अनुच्छेद 12 से 35 तक मूल अधिकारों का विवरण है। इस संबंध में संविधान निर्माता अमेरिकी संविधान से प्रभावित रहे। संविधान के इस भाग को 'भारत का मैग्नाकार्टा' की संज्ञा दी गई है, जो सर्वथा उचित है। संविधान द्वारा बिना किसी भेदभाव के हर व्यक्ति के लिए मूल अधिकारों के संबंध में गारंटी दी गई है। इनमें प्रत्येक व्यक्ति के लिए समानता, सम्मान, राष्ट्रहित और राष्ट्रीय एकता को समाहित किया गया है।

मूल अधिकारों का तात्पर्य राजनीतिक लोकतंत्र के आदर्शों की उन्नति से है। ये अधिकार देश में व्यवस्था बनाए रखने एवं राज्य के कठोर नियमों के खिलाफ नागरिकों की आजादी की सुरक्षा करते हैं। ये विधानमंडल के कानून के क्रियान्वयन पर तानाशाही को मर्यादित करते हैं। संक्षेप में इनके प्रावधानों का उद्देश्य कानून की सरकार बनाना है न कि व्यक्तियों की।

मूल अधिकारों को यह नाम इसलिए दिया गया है, क्योंकि इन्हें संविधान द्वारा संरक्षित एवं प्रवर्तित किया गया है, जो देश के कानून के मूल सिद्धांत हैं। ये 'मूल' इसलिए भी हैं क्योंकि ये व्यक्ति के चहुंमुखी विकास के लिए आवश्यक हैं। इन्हें सर्वोच्च न्यायालय द्वारा गारंटी व सुरक्षा प्रदान की गई है, इसीलिए सर्वोच्च न्यायालय को मौलिक अधिकारों का अभिभावक कहा जाता है। राष्ट्रीय आपातकाल की सक्रियता के दौरान (अनुच्छेद 20 और 21 में वर्णित अधिकारों को छोड़कर) इन्हें निलंबित किया जा सकता है। अनुच्छेद-19 में उल्लिखित 6 मूल अधिकारों को तब स्थगित किया जा सकता है, जब युद्ध या विदेशी आक्रमण के आधार पर राष्ट्रीय आपातकाल की घोषणा की गई हो। इसे सशस्त्र विद्रोह (आंतरिक आपातकाल) के आधार पर स्थगित नहीं किया जा सकता।

45. अनुच्छेद-368 में संसद को संविधान एवं इसकी व्यवस्था में संशोधन की शक्ति प्रदान की गई है। यह उल्लिखित करता है कि संसद अपनी संविधायी शक्ति का प्रयोग करते हुए इस संविधान के किसी उपबंध का परिवर्धन, परिवर्तन या निरसन के रूप में संशोधन कर सकती है। हालांकि संविधान उन व्यवस्थाओं को संशोधित नहीं कर सकता, जो संविधान के मूल ढांचे से संबंधित हों। यह व्यवस्था उच्चतम न्यायालय द्वारा केशवानंद भारती मामले (1973) में दी गई थी।

अनुच्छेद-368 दो प्रकार के संशोधनों की व्यवस्था करता है। ये हैं—संसद के विशेष बहुमत द्वारा और आधे राज्यों द्वारा साधारण बहुमत के माध्यम से संस्तुति द्वारा लेकिन कुछ अन्य अनुच्छेद संसद के साधारण बहुमत से ही संशोधित किए जा सकते हैं। यह बहुमत प्रत्येक सदन में उपस्थित एवं मतदान (साधारण विधायी प्रक्रिया) द्वारा होता है। उल्लेखनीय है कि ये संशोधन अनुच्छेद-368 के उद्देश्यों के तहत नहीं होते।

इस तरह संविधान संशोधन तीन प्रकार से हो सकता है—

- संसद के साधारण बहुमत द्वारा संशोधन।
- संसद के विशेष बहुमत द्वारा संशोधन अर्थात् प्रत्येक सदन के कुल सदस्यों का बहुमत (50% से अधिक) तथा प्रत्येक सदन के उपस्थिति और मतदान करने वाले सदस्यों का 2/3 बहुमत।
- संसद के विशेष बहुमत द्वारा एवं आधे राज्य विधानमंडलों की संस्तुति के उपरांत संशोधन।

संविधान संशोधन के बारे में यदि दोनों सदनों के बीच असहमति की स्थिति उत्पन्न होती है तब उस दशा में अनुच्छेद-108 के तहत संयुक्त बैठक नहीं बुलाई जा सकती है। संयुक्त बैठक का प्रावधान केवल साधारण विधेयकों से संबंधित है।

47. भारतीय संविधान का अनुच्छेद-70 संसद को इस बात के लिए समर्थ बनाता है कि वह राष्ट्रपति एवं उपराष्ट्रपति के पदों का मृत्यु, त्यागपत्र, हटाए जाने या अन्यथा की वजह से रिक्त हो जाने पर आकस्मिकता के लिए प्रावधान करे। यदि राष्ट्रपति का पद उसकी मृत्यु, त्यागपत्र, निष्कासन अथवा अन्य किसी कारण से रिक्त होता है तो नए राष्ट्रपति का चुनाव पद रिक्त होने की तिथि से 6 महीने के भीतर कराना चाहिए। नया निर्वाचित राष्ट्रपति पद ग्रहण करने से 5 वर्ष तक अपने पद पर बना रहेगा।

यदि राष्ट्रपति का पद उसकी मृत्यु, त्यागपत्र, निष्कासन या अन्य किन्हीं कारणों से रिक्त होता हो तो उपराष्ट्रपति, नए राष्ट्रपति के निर्वाचित होने तक कार्यवाहक राष्ट्रपति के रूप में कार्य करेगा। इसके अतिरिक्त यदि वर्तमान राष्ट्रपति अनुपस्थिति, बीमारी या अन्य कारणों से अपने पद पर कार्य करने में असमर्थ हों, तो उपराष्ट्रपति उसके पुनः पद ग्रहण करने तक कार्यवाहक राष्ट्रपति के रूप में कार्य करेगा।

यदि उपराष्ट्रपति का पद रिक्त हो, तो भारत का मुख्य न्यायाधीश (अथवा उसका भी पद रिक्त होने पर सर्वोच्च न्यायालय का वरिष्ठतम न्यायाधीश) कार्यवाहक राष्ट्रपति के रूप में कार्य करेगा तथा उसके कर्तव्यों का निर्वाह करेगा।

50. लॉयड एवं सुसान रुडोल्फ भारत निर्वाचन आयोग को स्वतंत्र एवं निष्पक्ष निर्वाचनों का एक प्रभावी कवच कहते हैं। भारत में अब तक 16 आम चुनाव हो चुके हैं और आयोग के चुनौतीपूर्ण कार्य को देखते हुए यह कहा जा सकता है कि निर्वाचन क्षेत्रों में परिसीमन से लेकर निर्वाचन अधिनिर्णय तक के कार्य को चुनाव आयोग ने सामान्यतया कार्यकुशलता, निष्पक्षता और ईमानदारी के साथ सम्पन्न किया है। यदि निर्वाचन आयोग निष्पक्ष न होता तो 1977 में श्रीमती इंदिरा गांधी और उनका दल पराजित न होता। केन्द्र में राष्ट्रीय मोर्चे, भाजपा एवं संयुक्त मोर्चे की सरकार एवं समय-समय पर विभिन्न राज्यों में गैर-कांग्रेसी दलों का सत्ता में आना निर्वाचन आयोग की निष्पक्षता का प्रमाण है।

53. पी. बर्धन भारतीय संघवाद को एक ''धारित किया हुआ'' (Holding together) संघ के रूप में वर्णित करते हैं और न कि 'एक साथ आने वाले' (Coming together) संघ के रूप में। धारित किए हुए संघ में राज्यों का गठन विभिन्न मानदंडों, जैसे भाषा, संस्कृति, इत्यादि के आधार पर किया जाता है और राज्यों को समान शक्तियां प्राप्त नहीं होती हैं।

भारत एक धारित किए हुए संघ का उदाहरण है क्योंकि यहाँ के प्रत्येक राज्य को विधायिका में समान हिस्सा प्राप्त नहीं है। उत्तर प्रदेश को लोकसभा में जहाँ 80 सीटें आवंटित हैं वहीं उत्तर-पूर्वी राज्यों को 1 या 2 सीटें आवंटित की कई हैं। कुछ राज्यों जैसे—जम्मू एवं कश्मीर, आदि को विशेष विशेषाधिकार प्राप्त हैं। इसके विपरीत अमेरिका 'एक साथ आने वाले' संघ का उदाहरण है क्योंकि वहाँ प्रत्येक राज्य की शक्तियाँ समान हैं। अमेरिका में सभी 50 राज्यों का सीनेट में समान प्रतिनिधित्व (2 सीटें) है।

54. भारत में पंचायती राज पर अशोक मेहता समिति तीन चरणों की बात करती है—''प्रभुत्व का चरण, प्रगति-रोध का चरण और अवनति का चरण।'' पंचायती राज को अधिक प्रभावशाली बनाने के लिए जनता सरकार ने 1977 में अशोक मेहता समिति का गठन किया था। बलवंत राय मेहता समिति की सिफारिशों के आधार पर स्थापित पंचायती राज व्यवस्था में कई कमियाँ उत्पन्न हो गई थीं, इन कमियों को ही दूर करने तथा सिफारिश करने हेतु 'अशोक मेहता **समिति**' का गठन किया गया था। इस समिति में कुल 13 सदस्य थे। इसने 1978 में अपनी रिपोर्ट सौंपी और देश में पतनोन्मुख पंचायती राज पद्धति को पुनर्जीवित और मजबूत करने हेतु 132 सिफारिशें कीं। इसकी मुख्य सिफारिशें इस प्रकार हैं :

- त्रिस्तरीय पंचायती राज पद्धति को द्विस्तरीय पद्धति में बदलना चाहिए। जिला परिषद जिला स्तर पर, और उससे नीचे मंडल पंचायत में 15000 से 20000 जनसंख्या वाले गांवों के समूह होने चाहिए।
- राज्य स्तर से नीचे लोक निरीक्षण में विकेन्द्रीकरण के लिए जिला ही प्रथम बिंदु होना चाहिए।
- पंचायती चुनावों में सभी स्तर पर राजनीतिक पार्टियों की आधिकारिक भागीदारी हो।
- 'न्याय पंचायत' को विकास पंचायत से अलग निकाय के रूप में रखा जाना चाहिए।
- पंचायती राज संस्थाओं को संवैधानिक मान्यता दी जानी चाहिए। इससे उन्हें उपयुक्त हैसियत के साथ ही सतत् सक्रियता का आश्वासन मिलेगा।

55. अनुच्छेद-355 केन्द्र को इस कर्तव्य के लिए विवश करती है कि प्रत्येक राज्य सरकार संविधान की प्रबंध व्यवस्था के अनुरूप ही कार्य करेंगी। इस कर्तव्य के अनुपालन के लिए केन्द्र, अनुच्छेद-356 के अंतर्गत राज्य में संविधान तंत्र के विफल हो जाने पर राज्य सरकार को अपने नियंत्रण में ले सकता है। यह सामान्य रूप में 'राष्ट्रपति शासन' के रूप में जाना जाता है। इसे 'राज्य आपात' भी कहा जाता है।

राष्ट्रपति शासन अनुच्छेद-356 के अंतर्गत दो आधारों पर घोषित किया जा सकता है—एक तो अनुच्छेद-356 में ही उल्लिखित है तथा दूसरा अनुच्छेद-365 में।

अनुच्छेद-356 राष्ट्रपति को घोषणा जारी करने का अधिकार देता है, यदि वह आश्वस्त है कि वह स्थिति आ गई है कि राज्य सरकार संविधान के प्रावधानों के अनुरूप नहीं चल सकती है। राष्ट्रपति, राज्य के राज्यपाल (रिपोर्ट) के आधार पर या दूसरे ढंग से (राज्यपाल के विवरण के बिना) भी प्रतिक्रिया कर सकता है।

अनुच्छेद-365 के अनुसार यदि कोई राज्य केन्द्र द्वारा दिए गए निर्देशों का पालन करने या उसे प्रभावी करने में असफल होता है तो यह राष्ट्रपति के लिए विधिसंगत होगा कि उस स्थिति को संभाले, जिसमें अब राज्य सरकार संविधान की प्रबंध व्यवस्था के अनुरूप नहीं चल सकती।

56. किसान आंदोलनों में सन् 1946 का बंगाल का तेभागा आंदोलन सर्वाधिक सशक्त आंदोलन था, जिसमें किसानों ने 'फ्लाइड कमीशन' की सिफारिश के अनुरूप लगान की दर घटाकर 1/3 करने के लिए संघर्ष शुरू किया था। बंगाल का 'तेभागा आंदोलन' फसल का 2/3 हिस्सा उत्पीड़ित बटाईदार किसानों को दिलाने के लिए किया गया था। यह बंगाल के 28 में से 15 जिलों में फैला, विशेषकर उत्तरी और तटवर्ती सुन्दरवन क्षेत्रों में।

केरल की शांत घाटी 89 वर्ग किलोमीटर क्षेत्र में विस्तृत है जो अपनी घनी जैव-विविधता के लिए विख्यात है। 1980 में यहाँ कुंतीपूंझ नदी पर एक परियोजना के अंतर्गत 200 MW बिजली निर्माण हेतु बांध का प्रस्ताव रखा गया। केरल सरकार इस परियोजना के लिए बहुत इच्छुक थी लेकिन इस परियोजना के विरोध में वैज्ञानिकों, पर्यावरण कार्यकर्ताओं तथा क्षेत्रीय लोगों के स्वर गूंजने लगे। इनका मानना था कि इससे इस क्षेत्र के कई विशेष फूलों, पौधों तथा लुप्त होने वाली प्रजातियों को खतरा है।

वनवासी सेवा आंदोलन 1954 में उत्तर प्रदेश के सोनभद्र जिले से प्रारम्भ हुआ था। इसकी स्थापना का श्रेय तत्कालीन मुख्यमंत्री पण्डित गोविन्द वल्लभ पंत को जाता है।

चिल्का ओडिशा में स्थित एशिया की सबसे बड़ी खारे पानी की झील है। यह लगभग 200 गाँवों की आजीविका का साधन है, जो मत्स्य पालन, खासकर झींगा मछली पर निर्भर है। 1977-78 का वर्ष झींगा मछली के उत्पादन तथा निर्यात के विकास का एक महत्वपूर्ण वर्ष था। चिल्का झींगा तथा पैसे का पर्यायवाची शब्द बन गया था। पूरे क्षेत्र को सोने की खान से आंका जाने लगा। इस परिवर्तन से यहाँ पर व्यापारिक आक्रमण दिखाई देने लगा। पहले व्यापारी तथा बिचौलिए फिर राजनीतिज्ञों तथा ओडिशा के व्यापारिक तथा औद्योगिक घरानों में राज्य सरकार की कृपा से विकास के नाम पर इस क्षेत्र को हथियाने की होड़ लग गई। इसके विरोध में 1991 में चिल्का के लगभग 200 गाँवों के मछुआरों ने 'मत्स्य महासंघ' के अंतर्गत एकजुट होकर अपने अधिकारों की लड़ाई शुरू की जो 'चिल्का बचाओ आंदोलन' के रूप में प्रसिद्ध हुआ।

57. **पॉल आर. ब्रॉस** द्वारा अपनी पुस्तक, 'दी पॉलिटिक्स ऑफ इण्डिया सिंस इंडीपेंडेंस—1994' में पंजाब, उत्तर-पूर्व, कश्मीर, आदि का भारत की राष्ट्रीय एकता के संकट के रूप में वर्णन किया गया है। ब्रॉस की यह पुस्तक भारत में स्वतंत्रता प्राप्त करने के बाद से भारत में प्रमुख राजनीतिक, सांस्कृतिक और आर्थिक परिवर्तनों का व्यापक अध्ययन प्रदान करती है। ब्रॉस एक मजबूत, एकीकृत राष्ट्र और एक गतिशील अर्थव्यवस्था के केन्द्रीकृत वाहक के परिणामों पर ध्यान केंद्रित करते हैं। पॉल रिचर्ड ब्रॉस हेनरी एम. जैक्सन स्कूल ऑफ इंटरनेशनल स्टडीज, वाशिंगटन विश्वविद्यालय में राजनीतिक विज्ञान और अंतर्राष्ट्रीय संबंधों के प्रोफेसर एमिरिटस हैं। उन्होंने सन् 1961 से भारतीय उपमहाद्वीप के बारे में अध्ययन किया है तथा भारतीय राजनीति पर कई किताबें प्रकाशित की हैं :

(*i*) Ethinic Groups and the State—1985
(*ii*) Caste, Faction and Party in Indian Politics—1985
(*iii*) Ethnicity and Nationalism—1991

58. लांट प्रिटचेट भारत को ''एक असफल होता राज्य'' (Flailing State) कहते हैं क्योंकि भारत में राज्य अत्यंत जटिल कार्यों को सापेक्षिक कार्यकुशलता के साथ हाथ में लेता प्रतीत होता है—जैसे आण्विक हथियार कार्यक्रम को चलाना या मौद्रिक नीति को विनियमित करना जबकि वह शासन के अधिक साधारण कार्यों को निष्पादित करने में संघर्ष करता है, जैसे—बुनियादी स्वास्थ्य एवं शिक्षा उपलब्ध कराना। प्रिटचेट एक अमेरिकी अर्थशास्त्री हैं तथा वर्तमान में हार्वर्ड विश्वविद्यालय के केनेडी स्कूल ऑफ गवर्नमेंट में अंतर्राष्ट्रीय विकास के प्रोफेसर हैं।

59. शाह आयोग पिछड़े वर्ग से संबंधित नहीं है। इस आयोग की नियुक्ति भारत सरकार द्वारा आपातकाल (1975-77) के समय की ज्यादतियों की जाँच के लिए मई,

1977 में की गई थी। भारत के भूतपूर्व मुख्य न्यायाधीश न्यायमूर्ति जे.सी. शाह इसके अध्यक्ष थे।

बख्शी आयोग पिछड़े वर्गों से संबंधित हैं जिसका गठन गुजरात सरकार द्वारा 1972 में किया गया था।

मंडल आयोग सन् 1979 में तत्कालीन जनता पार्टी की सरकार द्वारा गठित किया गया था। इस आयोग का कार्यक्षेत्र सामाजिक एवं आर्थिक रूप से पिछड़ों की पहचान करना था। श्री बिन्देश्वरी प्रसाद मंडल इसके अध्यक्ष थे।

पिछड़े वर्ग से संबंधित हैवनूर आयोग का गठन कर्नाटक सरकार द्वारा 1970 में किया गया था।

60. इतिहासकार बिपिन चन्द्र का कहना है कि ''यदि ह्यूम और दूसरे इंग्लिश उदारवादी कांग्रेस का एक सेफ्टी-वाल्व के रूप में इस्तेमाल करने की उम्मीद करते थे तो कांग्रेस नेतागण ह्यूम का एक लाइटनिंग-कंडक्टर के रूप में इस्तेमाल करने की उम्मीद करते थे।''

कहा जाता है कि कांग्रेस की स्थापना के पीछे ह्यूम का प्रमुख उद्देश्य शिक्षित भारतीयों में बढ़ रहे असंतोष की सुरक्षित निकासी के लिए एक ''सेफ्टी वाल्व'' बनाना था। वे असंतुष्ट राष्ट्रवादी शिक्षित वर्गों तथा असंतुष्ट किसान जनता के आपसी मेल को रोकना चाहते थे। मगर यह ''सेफ्टी वॉल्व'' का सिद्धांत सच्चाई का बहुत छोटा अंश है और यह पूरी तरह अपर्याप्त तथा भ्रामक है। ह्यूम के अपने उद्देश्य मिले-जुले थे। वे ''सेफ्टी वॉल्व'' बनाने के विचार से कहीं अधिक श्रेष्ठ विचारों से प्रेरित थे। वे भारत से तथा इसके गरीब किसानों से सचमुच प्यार करते थे। कुछ भी हो, कांग्रेस को जन्म देने में जिन भारतीय नेताओं ने ह्यूम से सहयोग किया, वे ऊँचे चरित्र वाले देशभक्त लोग थे। उन्होंने जान-बूझकर ह्यूम की सहायता इसलिए ली कि वे राजनीतिक कार्यकलाप के आरंभ में ही अपने प्रयासों के प्रति सरकार की शत्रुता मोल लेना नहीं चाहते थे। उन्हें आशा थी कि एक सेवानिवृत्त सिविल सर्वेंट की उपस्थिति अधिकारियों की आशंकाओं का समाधान करेगी। अगर ह्यूम कांग्रेस का उपयोग एक ''सेफ्टी वाल्व'' के रूप में करना चाहते थे तो कांग्रेस के आरंभिक नेताओं को आशा थी कि वे ह्यूम का उपयोग एक ''तड़ित चालक'' के रूप में कर सकेंगे।

69. किसी राज्य का राज्यपाल निकटवर्ती संघ राज्य क्षेत्र के प्रशासक के रूप में राज्य मंत्रिपरिषद् से स्वतंत्र रूप से अपने कार्य का निर्वहन है। संविधान के छठे भाग के अनुच्छेद 153 से 167 तक राज्य कार्यपालिका के बारे में बताया गया है। राज्य कार्यपालिका में शामिल होते हैं–राज्यपाल, मुख्यमंत्री, मंत्रिपरिषद और राज्य के महाधिवक्ता। राज्यपाल, राज्य का कार्यकारी प्रमुख होता है। वह केन्द्र सरकार के प्रतिनिधि के रूप में भी कार्य करता है। इस तरह राज्यपाल का कार्यालय दोहरी भूमिका निभाता है।

सामान्यतः प्रत्येक राज्य के लिए एक राज्यपाल होता है, लेकिन 7वें संविधान संशोधन अधिनियम, 1956 के द्वारा व्यवस्था की गई है कि एक ही व्यक्ति को दो या अधिक राज्यों या संघ राज्यक्षेत्रों का राज्यपाल भी नियुक्त किया जा सकता है।

71. ई-प्रशासन (E-governance) एक तकनीकी अवधारणा है। अतः इसे समझने के लिए विशेष ज्ञान एवं भाषा की आवश्यकता होती है। ई-प्रशासन के अंतर्गत सरकारी सेवाएं एवं सूचनाएं पहुँचाने में विभिन्न इलेक्ट्रॉनिक विधियों एवं उपकरणों का प्रयोग किया जाता है। इसके माध्यम से शासन को सरल, नागरिकोन्मुख, पारदर्शी, जवाबदेह एवं त्वरित बनाया जा सकता है।

ई-प्रशासन के अनेक लाभ हैं, जो निम्नलिखित हैं–

- यह सरकार को अधिक उत्तरदायी बनाता है।
- इससे लेन-देन के खर्चे में कमी आती है।
- इससे नागरिक और सरकार के बीच विश्वास निर्माण में मदद मिलती है।
- ग्रामीण क्षेत्र में रहने वाले लोग भी इसके माध्यम से देश-विदेश के घटनाक्रम से भली-भाँति परिचित हो सकेंगे।
- ई-प्रशासन से योजनाओं एवं दस्तावेजों का सुव्यवस्थित रख-रखाव संभव होता है।
- इससे विभिन्न योजनाओं/परियोजनाओं की जानकारी एक आम आदमी तक इंटरनेट के माध्यम से पहुँचायी जा सकती है ताकि वे उसके बारे में जान सकें एवं लाभान्वित हो सकें।

75. 73वें और 74वें संविधान संशोधन अधिनियमों के फलस्वरूप सरकार के कामकाज में पारदर्शिता आई है और वह पहले से ज्यादा उत्तरदायी हो गई है। इन संशोधनों के माध्यम से स्थानीय एवं शहरी निकायों में महिलाओं के लिए एक-तिहाई स्थानों को आरक्षित किया गया है ताकि उनका सशक्तिकरण किया जा सके। उपरोक्त संशोधनों के द्वारा भारत में तृणमूल स्तर (Grassroot Level) पर लोकतंत्र की स्थापना संभव हो सकी, जिससे भारत में जनतंत्र की जड़ें मजबूत हुईं।

संविधान के अनुच्छेद-40 के रूप में एक निदेश समाविष्ट किया गया है–''राज्य ग्राम पंचायतों का गठन करने के लिए कदम उठाएगा और उनको ऐसी शक्तियाँ और प्राधिकार प्रदान करेगा जो उन्हें स्वायत्त शासन की इकाइयों के रूप में कार्य करने योग्य बनाने के लिए आवश्यक हैं।''

इसी अनुच्छेद को कार्यान्वित करने के लिए संविधान के 73वें संशोधन द्वारा पंचायती राज्य संस्थाएं और 74वें संशोधन द्वारा नगरों के लिए स्थानीय स्वायत्त शासन की इकाइयाँ स्थापित की गईं।

80. दूसरा प्रशासनिक सुधार आयोग ने भारत में भ्रष्टाचार के मुख्य कारण के रूप में 'कमजोर शासन' की पहचान की है। जन-शिकायत एवं प्रशासनिक सुधार विभाग ने सन् 2005 में दूसरे प्रशासनिक सुधार आयोग की स्थापना वीरप्पा मोइली की अध्यक्षता में की। आयोग का प्रमुख कार्य जन-प्रशासनिक व्यवस्था में सुधार हेतु एक ब्लू प्रिंट बनाना था। प्रशासनिक सुधार आयोग द्वारा निम्नलिखित रिपोर्टें सरकार के सम्मुख रखी गईं–

- सूचना का अधिकार–सुशासन की कुंजी
- शासन में आचारशास्त्र
- सार्वजनिक व्यवस्था–प्रत्येक के लिए न्याय तथा सभी के लिए शांति
- असहमति संकल्प हेतु क्षमता निर्माण–मतभेद से संलयन तक
- सामाजिक पूंजी–एक साझा नियति
- कार्मिक प्रशासन का नया रूप–नई ऊँचाई छूना
- नागरिक उन्मुख प्रशासन।

86. दक्षिण एशियाई क्षेत्रीय सहयोग संगठन (साार्क) दक्षिण एशिया के 8 देशों का आर्थिक, राजनीतिक और सांस्कृतिक संगठन है। इसकी स्थापना 8 दिसम्बर, 1985 को भारत, पाकिस्तान, बांग्लादेश, श्रीलंका, नेपाल, मालदीव और भूटान द्वारा मिलकर की गई थी। अप्रैल, 2007 में इसके 14वें शिखर सम्मेलन में अफगानिस्तान इसका आठवाँ सदस्य बना। सार्क का मुख्यालय काठमांडू में है। सार्क सचिवालय जो काठमांडू में स्थित है, का प्रमुख महासचिव होता है। 1987 में बांग्लादेशी राजनयिक अबुल अहसान ने अपने पहले महासचिव के रूप में काठमांडू में सार्क सचिवालय की स्थापना की थी और नेपाल नरेश बिरेंद्र बीर विक्रम शाह ने उद्घाटन किया था। अब तक दो भारतीयों ने सार्क के महासचिव के पद को सुशोभित किया है। के. किशोर भार्गव 1989 से 1991 तक महासचिव रहे, जबकि शील शर्मा ने 2008 से 2011 तक सार्क के महासचिव के रूप में कार्य किया। सार्क का पहला शिखर सम्मेलन 1985 में ढाका में हुआ था, जबकि दूसरा सम्मेलन 1986 में बंगलुरू (भारत) में हुआ था।

91. नव उदारवादी, अपने लॉकवादी ब्रह्माण्ड से अंतर्राष्ट्रीय साम्राज्य सृजित करने की चेष्टा करते हैं जो प्रकृति का विवेकपूर्ण दोहन अधिकतम करता है। नव उदारवादी चिंतन एफ.ए. हेयक, आइजिया बर्लिन, मिल्टन फ्रीडमैन और रॉबर्ट नॉजिक के विचारों पर आधारित है। नव उदारवाद वह सिद्धांत है जो समकालीन विश्व में अहस्तक्षेप (Laissez Faire) की नीति को फिर से लागू करने की वकालत करता है। यह कल्याणकारी राज्य को आर्थिक विकास में बाधक मानता है क्योंकि उसमें समाज के प्रतिभाशाली और कर्मठ वर्गों पर भारी कर लगाकर अयोग्य और अकर्मण्य लोगों का पोषण किया जाता है। नव उदारवाद के पक्षधर राज्य के दूर-दूर तक फैले हुए कार्यक्षेत्र को 'फिर से समेटने' (Rolling Back the State) का समर्थन करते हैं।

95. अंतर्राष्ट्रीय संगठन का बुनियादी प्रयोजन शांतिमय अंतर्राष्ट्रीय संबंधों के विकास में मदद देना है। यह प्रयोजन पूरा करने के लिए कई तरीके अपनाए जाते हैं। उनमें से एक तरीका सामूहिक सुरक्षा का तरीका है जो न केवल राष्ट्रसंघ का, बल्कि संयुक्त राष्ट्रसंघ का भी

आधार रहा है। सामूहिक सुरक्षा के द्वारा जो लक्ष्य राष्ट्रसंघ (League of Nations) सिद्ध करना चाहता था और जिसे संयुक्त राष्ट्रसंघ (UNO) भी सिद्ध करना चाह रहा है वह है आक्रमण के विरोध में एक निवारक भय की व्यवस्था करना और यदि युद्ध हो तो आक्रामक के विरुद्ध शक्ति की अतिशयता एकत्र करके शंतिप्रिय राष्ट्रों के हितों की रक्षा करना। सामूहिक सुरक्षा चूँकि शांति कायम रखने और आक्रमण का निवारण करने की एक युक्ति है, इसलिए यह अंतर्राष्ट्रीय राजनीति में अध्ययन का एक महत्वपूर्ण विषय है।

सुरक्षा (Security) शब्द एक लक्ष्य को निरूपित करता है और सामूहिक (Collective) शब्द प्रयोग किए गए साधन के स्वरूप का द्योतक है। चूँकि साधन सामूहिक है, इसलिए लक्ष्य का स्वरूप भी निश्चय ही सामूहिक हो जाएगा। सामूहिक सुरक्षा पद के बहुत सारे अर्थ हो सकते हैं, पर मोटे तौर से सामूहिक सुरक्षा का आधारभूत तत्व यह है कि किसी एक राज्य पर किया गया हमला सब राज्यों पर हमला माना जाए।

96. विचारधाराओं के मार्गेन्थाऊ वर्गीकरण में आधिपत्य की विचारधारा सम्मिलित नहीं है। विचारधारा (Ideology) शब्द का प्रयोग दो भिन्न अर्थों में किया जाता है। पहले अर्थ में विचारधारा विचारों एवं विश्वासों का ऐसा समुच्चय है जो एक सुनिश्चित विश्वदृष्टि पर आधारित हो और अपने को अपने आप में पूर्ण मानता हो। यह संसार की सारी वास्तविकता की व्याख्या करने का आधार प्रदान करने का दावा करती है। इस अर्थ में विचारधारा मनुष्य की प्रकृति के बारे में कुछ अभिग्रह लेकर चलती है और उनके आधार पर मानव इतिहास का एक सिद्धांत, आचरण की एक नैतिक नियमावली, एक मिशन या त्यागमय कर्तव्य-भावना और कर्म का एक कार्यक्रम पेश करती है। विचारधाराएँ यह दावा करती हैं कि वे पूर्ण सत्य का मूर्त रूप हैं और किसी विचारधारा में पूर्ण निष्ठा रखने को बुद्धिसंगत और नैतिक दोनों दृष्टियों से उचित माना जाता है।

दूसरे अर्थ में, विचारधारा को विदेशनीति के वास्तविक उद्देश्य छिपाने का आवरण कहा जा सकता है। इस अर्थ में प्रयोग करने पर, विचारधारा विदेशनीति के तात्कालिक लक्ष्य के रूप में शक्ति प्राप्ति के बारे में तत्पर होती है और इसके लिए नैतिक, कानूनी और जैविकीय पदों में इसकी व्याख्या करके इसका औचित्य सिद्ध करती है।

साम्राज्यवाद की विचारधारा सदा यथापूर्व स्थिति बदलने के लिए किसी बहाने की तलाश में रहती है। इस विचारधारा के समर्थकों को यह सिद्ध करना पड़ता है कि जो यथापूर्वस्थिति वे पलटना चाहते हैं वह पलट देने ही योग्य है और शक्ति का पुनर्वितरण आवश्यक है।

98. शस्त्र नियंत्रण (Arms Control) सिद्धांततः एक रक्षात्मक कूटनीति है तथा यह पक्षों (Partners) के बीच पारस्परिक सुरक्षा और अतिस्थायित्व का लक्ष्य करता है। शस्त्र नियंत्रण निस्त्रीकरण (Disarmament) से भिन्न होता है। निरस्त्रीकरण से मौजूदा हथियारों (आयुधों) की सीमा निश्चित करने या उन पर नियंत्रण करने या उन्हें घटाने का विचार ध्वनित होता है। यह भविष्य के हथियारों के नियंत्रण को अपने दायरे में नहीं समेटता। भविष्य के हथियारों के नियंत्रण को शस्त्र नियंत्रण कहते हैं। इस प्रकार निरस्त्रीकरण शब्द का उपयोग मौजूदा अस्त्रों के नियंत्रण के लिए किया जाता है और शस्त्र नियंत्रण भविष्य के हथियारों के नियंत्रण के लिए। निरस्त्रीकरण आयुधों पर नियंत्रण करने का यत्न करता है और शस्त्र नियंत्रण शस्त्रों की होड़ या मुकाबलेबाजी रोकने की कोशिश करता है। इसलिए ये दोनों चीजें एक नहीं हैं। कारण यह है कि निरस्त्रीकरण ऐसा भी हो सकता है जो नियंत्रित न हो और शस्त्र नियंत्रण ऐसा भी हो सकता है जिसमें हथियारों में कमी न करनी पड़ती हो पर अंतर्राष्ट्रीय शांति के दृष्टिकोण से निरस्त्रीकरण और शस्त्र नियंत्रण एक-दूसरे के पूरक हैं तथा शस्त्र नियंत्रण वास्तव में निरस्त्रीकरण सिद्धांत के सहज तर्क का विस्तार ही है।

पिछले प्रश्न-पत्र (हल सहित)

UGC-NET जूनियर रिसर्च फैलोशिप तथा सहायक प्राध्यापक परीक्षा

राजनीति शास्त्र, नवम्बर-2017*

प्रश्न-पत्र-II

नोट : *इस प्रश्न-पत्र में **पचास (50)** बहु-विकल्पीय प्रश्न हैं। प्रत्येक प्रश्न के **दो (2)** अंक हैं। **सभी** प्रश्न अनिवार्य हैं।*

1. यह किसका कथन है "कौटिल्य का *अर्थशास्त्र* उग्र मैकियावेलिवाद का उदाहरण है, इसकी तुलना में मैकियावेली का *प्रिंस* अहानिकारक है"?

A. वेबर   B. मोरगेन्थू
C. वाल्ट्ज   D. किसिंजर

2. प्लेटो के अनुसार न्याय है :

A. वस्तु एवं सेवा का वितरण
B. भार और प्रसुविधा
C. दण्ड और प्रतिशोध
D. एक व्यक्ति एक कार्य, एक वर्ग का कर्तव्य

3. नीचे दो कथन दिए गए हैं, जिसमें से एक को अभिकथन (A) और दूसरे को तर्क (R) कहा गया है। नीचे दिए गए कूट का प्रयोग करते हुए सही उत्तर चुनिए :

अभिकथन (A) : ओकशॉट का कहना है कि हॉब्स अंग्रेजी बोलने वाले लोगों में पैदा होने वाला सबसे महान राजनीतिक चिंतक है।

तर्क (R) : कोई अन्य चिंतक उसके दार्शनिक आधार तथा विचार की स्पष्टता की बराबरी नहीं कर सकता।

कूट :

A. (A) और (R) दोनों सत्य हैं और (R), (A) का सही स्पष्टीकरण है।
B. (A) और (R) दोनों सत्य हैं, लेकिन (R), (A) का सही स्पष्टीकरण नहीं है।
C. (A) सत्य है, परंतु (R) असत्य है।
D. (A) असत्य है, परंतु (R) सत्य है।

4. हीगेल की द्वन्द्वात्मक विधि थी :

A. राजनीति के विज्ञान का निर्माण करना
B. ज्ञान की दार्शनिक विधि को स्वीकार करना
C. इस बात पर बल देना कि प्राकृतिक विज्ञान की विधियाँ तथा सामाजिक विज्ञान की विधियाँ एक समान हैं
D. प्रतिवाद की समस्या सुलझाना

5. किसने युवा मार्क्स और वृद्ध मार्क्स के बीच अंतर बताया?

A. अल्थूसर   B. लेनिन
C. मिलिबैंड   D. लुक्जमबर्ग

6. ग्रामशी ने फासीवाद की विशेषता बताई है :

A. प्राधान्य क्रांति   B. निष्क्रिय क्रांति
C. बुर्जुआ क्रांति   D. लघु बुर्जुआ क्रांति

7. नीचे दो कथन दिए गए हैं, जिसमें से एक को अभिकथन (A) और दूसरे को तर्क (R) कहा गया है। नीचे दिए गए कूट का प्रयोग करते हुए सही उत्तर चुनिए :

अभिकथन (A) : गांधी भौतिक सभ्यता के आलोचक थे और वह विशेष रूप से औद्योगिक क्रांति को पसंद नहीं करते थे।

तर्क (R) : उनका विश्वास था कि औद्योगिक क्रांति गहरे मूल्यों को नष्ट कर रही है।

कूट :

A. (A) और (R) दोनों सत्य हैं और (R), (A) का सही स्पष्टीकरण है।
B. (A) और (R) दोनों सत्य हैं, लेकिन (R), (A) का सही स्पष्टीकरण नहीं है।
C. (A) सत्य है, परंतु (R) असत्य है।
D. (A) असत्य है, परंतु (R) सत्य है।

*परीक्षा 5 नवम्बर 2017 को आयोजित हुई थी।

8. रॉय-लेनिन बहस किसके इर्द-गिर्द केंद्रित थी?
   A. द्वन्द्वात्मक भौतिकवाद
   B. इतिहास का मार्क्सवादी सिद्धांत
   C. अधिशेष मूल्य का सिद्धांत
   D. औपनिवेशिक प्रश्न

9. विमर्शिय लोकतंत्र है :
   A. एक सिद्धांत जो विशेष रूप से मानवाधिकारों का हिमायती है
   B. एक सिद्धांत जो पर्यावरण को सर्वाधिक महत्वपूर्ण कार्यक्रम के रूप में प्रस्तुत करता है
   C. एक सिद्धांत जो उदारवादी लोकतंत्र के सदृश ढांचे को परिमार्जित करने पर ध्यान केंद्रित करता है
   D. एक सिद्धांत जो लोकतांत्रिक साधनों की सहायता से समाजवाद लाना चाहता है

10. व्यवहारवाद अल्पकालिक क्यों था?
   A. क्योंकि वह सर्वसम्मति प्राप्त करने में अक्षम था
   B. इसमें अत्यधिक सैद्धांतिक हठधर्मिता थी
   C. यह किसी स्थान विशेष तक सीमित था
   D. यह शीत युद्ध के पूर्वाग्रह से ग्रसित था

11. नीचे दो कथन दिए गए हैं, जिसमें से एक को अभिकथन (A) और दूसरे को तर्क (R) कहा गया है। नीचे दिए गए कूट का प्रयोग करते हुए सही उत्तर चुनिए :

   अभिकथन (A) : वेबर के अनुसार, तुलनात्मक राजनीति को संस्कृति के वृहतर ढांचे में समझा जा सकता है, और उन्होंने यह कार्य मार्क्स के आर्थिक नियतिवाद के सिद्धांत की धज्जियां उड़ा कर किया।

   तर्क (R) : क्योंकि इस अस्वीकृति के बिना उनका सिद्धांत पूर्णतः अतर्कसंगत था।

   कूट :
   A. (A) और (R) दोनों सत्य हैं और (R), (A) का सही स्पष्टीकरण है।
   B. (A) और (R) दोनों सत्य हैं, लेकिन (R), (A) का सही स्पष्टीकरण नहीं है।
   C. (A) सत्य है, परंतु (R) असत्य है।
   D. (A) असत्य है, परंतु (R) सत्य है।

12. नीचे दो कथन दिए गए हैं, जिसमें से एक को अभिकथन (A) और दूसरे को तर्क (R) कहा गया है। नीचे दिए गए कूट का प्रयोग करते हुए सही उत्तर चुनिए :

   अभिकथन (A) : संस्थागत उपागम से राजनीति के परिदृश्य का खाका तैयार करने में मदद मिल सकती है।

   तर्क (R) : क्योंकि उस कार्यकलाप का उद्देश्य व्यक्तिगत स्वतंत्रता एवं सामूहिक समानता के प्रतिस्पर्धी मूल्यों में सामंजस्य स्थापित करना है।

   कूट :
   A. (A) और (R) दोनों सत्य हैं और (R), (A) का सही स्पष्टीकरण है।
   B. (A) और (R) दोनों सत्य हैं, लेकिन (R), (A) का सही स्पष्टीकरण नहीं है।
   C. (A) सत्य है, परंतु (R) असत्य है।
   D. (A) असत्य है, परंतु (R) सत्य है।

13. ईस्टन के अनुसार, कौन-सी सदी वैज्ञानिक विधि का युग है?
   A. सत्रहवीं सदी
   B. अठारहवीं सदी
   C. उन्नीसवीं सदी
   D. बीसवीं सदी

14. अरस्तू द्वारा किया गया संविधानों का वर्गीकरण इस पर आधारित था कि :
   A. कौन शासन करता है और शासन से कौन लाभान्वित होता है
   B. सत्ता में अनवरत बने रहने के उपाय
   C. प्लेटो के 'द रिपब्लिक' के मूल प्रतिपादन को स्वीकार करना
   D. बहुसंख्यक का शासन सुनिश्चित करना

15. निम्नलिखित में से किस देश में अर्ध-राष्ट्रपति प्रणाली प्रचलित है?
   A. श्रीलंका
   B. जर्मनी
   C. इटली
   D. फ्रांस

16. किसने इस स्थापित मत को अस्वीकार किया कि ग्रेट ब्रिटेन में कंजरवेटिव पार्टी अभिजनवादी है तथा इस पर नेतृत्व का वर्चस्व होता है और लेबर पार्टी आन्तरिक लोकतंत्र के उच्च मानदंड वाली पार्टी है?

A. राबर्ट मिशेल्स B. राबर्ट मेकेन्जी
C. टोनी बेन्न D. मोसे ओस्ट्रोग्नस्की

17. नौकरशाही सत्तावाद का प्रकार है :
A. सैनिक शासन B. फासीवाद
C. साम्यवाद D. निरंकुशवाद

18. यह किस सिद्धांत का मत है कि जैसे ही समाज का विकास होगा, वह पूंजीपति लोकतंत्र बन जायेगा जिसमें मूल्यों एवं अभिलक्षणों का एक सम्मिलित समुच्चय होगा?
A. आश्रयता सिद्धांत
B. संरचनात्मक प्रकार्यवादी सिद्धांत
C. आधुनिकीकरण सिद्धांत
D. उत्तर-आधुनिकीकरण सिद्धांत

19. वैधता के वेबर उपागम के विकल्प के रूप में वैधीकरण संकट विकसित किया गया :
A. मिलिबैंड और स्वीजी द्वारा
B. प्लेखानोव और लेनिन द्वारा
C. कामु और सार्त्र द्वारा
D. हेबरमास और ओफे द्वारा

20. यह किसने कहा है क्रांति का अभिप्राय किसी एक भूभागीय राजनीतिक सत्ता को चलाने वाले किसी प्रभारी समूह का किसी अन्य समूह द्वारा सशक्त आकस्मिक प्रतिस्थापन है?
A. हना आरेन B. थेडा स्कोकपॉल
C. क्रेन ब्रिंटन D. हुबर्ट जॉनसन

21. निम्नलिखित घटनाओं को उनके सही कालक्रम में व्यवस्थित कीजिये और नीचे दिये गये कूट से सही उत्तर चुनिये :

पूना पैक्ट, तीसरा गोल मेज सम्मेलन, स्वराज पार्टी, कम्यूनल अवार्ड, नेहरू रिपोर्ट

कूट :
A. स्वराज पार्टी, पूना पैक्ट, तीसरा गोल मेज सम्मेलन, नेहरू रिपोर्ट, कम्यूनल अवार्ड
B. स्वराज पार्टी, नेहरू रिपोर्ट, कम्यूनल अवार्ड, पूना पैक्ट, तीसरा गोल मेज सम्मेलन
C. पूना पैक्ट, स्वराज पार्टी, कम्यूनल अवार्ड, नेहरू रिपोर्ट, तीसरा गोल मेज सम्मेलन
D. नेहरू रिपोर्ट, तीसरा गोल मेज सम्मेलन, स्वराज पार्टी, पूना पैक्ट, कम्यूनल अवार्ड

22. निम्नलिखित में से किस दल/समूह को कैबिनेट मिशन ने मान्यता प्रदान नहीं की?
A. मुस्लिम लीग B. कांग्रेस
C. सिक्ख D. द प्रिंसेस गिल्ड

23. निम्नलिखित में से कौन भारत के संविधान के अनुच्छेद 21 के क्षेत्र में आते हैं?
(*a*) आश्रय का अधिकार
(*b*) अच्छी सड़कों का अधिकार
(*c*) ख्याति का अधिकार
(*d*) शुद्ध पेय जल का अधिकार
नीचे दिए गए कूट से **सही** उत्तर चुनिए :
A. (*a*) और (*b*)
B. (*a*), (*c*) और (*d*)
C. (*a*), (*b*) और (*d*)
D. (*a*), (*b*), (*c*) और (*d*)

24. निम्नलिखित में से कौन-से मामले भारतीय संविधान को आधारभूत ढांचे के मूल तत्व पर विचार करते हैं? नीचे दिए गए कूट का प्रयोग कर सही उत्तर चुनिए :
(*a*) इन्दिरा नेहरू गांधी बनाम राज नारायण
(*b*) केशवानन्द भारती बनाम केरल राज्य
(*c*) एस.पी. गुप्ता बनाम भारत संघ
(*d*) मिनर्वा मिल्स बनाम भारत संघ
कूट :
A. केवल (*a*), (*b*) और (*d*)
B. (*a*), (*b*), (*c*) और (*d*)
C. केवल (*c*), (*d*) और (*b*)
D. केवल (*a*), (*b*) और (*c*)

25. भारत में विभागों से संबंधित संसदीय स्थायी समितियों के बारे में नियम कब बनाये गये?
A. 1977 B. 1981
C. 1989 D. 2010

26. निम्नलिखित में से किस राज्य की विधान सभा में एक सीट धर्म के आधार पर आरक्षित है?
A. गोवा B. मिजोरम
C. जम्मू व कश्मीर D. सिक्किम

27. निम्नलिखित में से कौन-सा युग्म सुमेलित नहीं है :
A. चल कार्यक्रम (रोलिंग प्लान) – राष्ट्रीय मोर्चा सरकार

B. 20 सूत्री कार्यक्रम – कांग्रेस सरकार

C. संविधान की पुनरीक्षा हेतु राष्ट्रीय आयोग – एन डी ए-I सरकार

D. राष्ट्रीय ग्रामीण रोजगार गारण्टी अधिनियम – यू पी ए-I सरकार

28. निम्नलिखित में से कौन केन्द्र-राज्य संबंध के विषय में सरकारिया आयोग का सदस्य नहीं था?

A. न्यायमूर्ति आर.एस. सरकारिया

B. जी.वी. रामकृष्ण

C. बी. शिवरमन

D. डॉ. एस.आर. सेन

29. किस समय से भारत के चुनाव आयोग को तीन सदस्य वाला निकाय बनाया गया?

A. 1989 B. 1990

C. 1993 D. 2001

30. निम्नलिखित किसान आंदोलनों को उनके सही कालक्रमानुसार व्यवस्थित कीजिए। नीचे दिये गये कूट से सही उत्तर का चयन कीजिए :

(*a*) तेभागा (*b*) चम्पारण

(*c*) सिंगूर (*d*) बारडोली

कूट :

A. (*b*), (*a*), (*c*), (*d*) B. (*b*), (*d*), (*a*), (*c*)

C. (*c*), (*a*), (*b*), (*d*) D. (*d*), (*b*), (*c*), (*a*)

31. निम्नलिखित में से कौन-सा पारिस्थितिकी उपागम का पूर्ववर्ती है?

A. परम्परागत उपागम

B. मानव संबंध उपागम

C. व्यवस्था उपागम

D. व्यवहारवादी उपागम

32. सूची-I को सूची-II से सुमेलित करें और दिए गए कूट से सही उत्तर का चयन करें :

सूची-I (सिद्धांत)	**सूची-II (चिंतक)**
(*a*) परम्परागत सिद्धांत	1. एल्टन मेयो
(*b*) मानव संबंध सिद्धांत	2. हेनरी फेयोल
(*c*) निर्णय-निर्माण सिद्धांत	3. वी. ओस्ट्रोम
(*d*) लोक वरण सिद्धांत	4. हरबर्ट साइमन

कूट :

	(*a*)	(*b*)	(*c*)	(*d*)
A.	1	2	4	3
B.	2	3	4	1
C.	1	2	3	4
D.	2	1	4	3

33. निम्नलिखित में से किसने किसी प्रशासक/प्रबंधक की छह विशेषताएं विनिर्दिष्ट की हैं–शारीरिक, मानसिक, नैतिक, सामान्य शिक्षा, विशिष्ट ज्ञान और अनुभव?

A. फेयोल B. गुलिक

C. उर्विक D. फोलेट

34. निम्नलिखित में से कौन सहायक एजेंसी का एक उदाहरण है?

A. रक्षा विभाग

B. गृह विभाग

C. प्रधानमंत्री कार्यालय (पी एम ओ)

D. लोक निर्माण विभाग

35. नौकरशाही का निम्नलिखित में से कौन-सा प्रकार दलगत हितों के प्रति पूर्वाग्रह दर्शाता है?

A. जाति नौकरशाही B. संरक्षण नौकरशाही

C. संरक्षक नौकरशाही D. सत्ताधारी नौकरशाही

36. निम्नलिखित में से किन्हें सूचना का अधिकार अधिनियम में शामिल नहीं किया गया है?

(*a*) केन्द्रीय अन्वेषण ब्यूरो (सी बी आइ)

(*b*) रिसर्च एंड एनालाइसिस विंग (रॉ)

(*c*) केन्द्रीय रिजर्व पुलिस बल (सी आर पी एफ)

(*d*) प्रधानमंत्री कार्यालय (पी एम ओ)

नीचे दिये गये कूट से **सही** उत्तर का चसन करें:

A. (*a*) और (*d*) B. (*a*) और (*b*)

C. (*a*), (*b*) और (*c*) D. (*c*) और (*d*)

37. निम्नलिखित में से किस आयोग/समिति ने यह सिफारिश की है कि वित्त वर्ष 1 जनवरी से 31 दिसंबर तक हो?

A. एल.के. झा समिति

B. सरकारिया आयोग

C. छठा वेतन आयोग

D. द्वितीय प्रशासनिक सुधार आयोग

38. निम्नलिखित में से किस प्रकार के प्रशिक्षण द्वारा लोक सेवा हेतु भावी भर्ती किये जाने वालों को तैयार किया जाता है?

A. अनौपचारिक प्रशिक्षण
B. औपचारिक प्रशिक्षण
C. प्रवेश पूर्व प्रशिक्षण
D. प्रवेश पश्चात् प्रशिक्षण

39. निम्नलिखित में से कौन-से कथन केंद्रीय सतर्कता आयोग के बारे में सही हैं?

(*a*) इसकी स्थापना सन्थानम समिति की सिफारिश पर की गई थी।
(*b*) यह एक सांविधिक निकाय है।
(*c*) यह अनेक सदस्यों वाला एक आयोग है।
(*d*) यह केंद्रीय अन्वेषण ब्यूरो (सी बी आई) के कार्य का पर्यवेक्षण करता है।

नीचे दिये गये कूट से **सही** उत्तर का चयन करें :

A. केवल (*a*) और (*b*)
B. केवल (*b*) और (*c*)
C. (*a*), (*b*) और (*c*)
D. (*a*), (*b*), (*c*) और (*d*)

40. नीचे दो कथन दिए गए हैं, एक को अभिकथन (A) और दूसरे को तर्क (R) कहा गया है। नीचे दिए गए कूट का प्रयोग कर सही उत्तर चुनिए :

अभिकथन (A) : भारत की संचित निधि पर भारित व्यय संसद के मत के अध्यधीन नहीं है।

तर्क (R) : इसका स्वरूप बाध्यकर भुगतान का है।

कूट :

A. (A) और (R) दोनों सही हैं और (R), (A) का सही स्पष्टीकरण हैं।
B. (A) और (R) दोनों सही हैं, लेकिन (R), (A) का सही स्पष्टीकरण नहीं है।
C. (A) सत्य है, परंतु (R) असत्य है।
D. (A) असत्य है, परंतु (R) सत्य है।

41. निम्नलिखित में से वह कौन-सा समुच्चय है जिसका उपयोग खेल सिद्धांत (गेम थ्योरी) में निर्णय करने वालों के बीच रणनीतिक संवाद का विश्लेषण करने हेतु किया जाता है?

A. गणित और कारण
B. कारण और तर्क
C. तर्क और युक्तिमूलकता
D. गणित और तर्क

42. एम टी सी आर के संबंध में निम्नलिखित कथनों पर विचार करें :

(*a*) चीन एम टी सी आर का सदस्य नहीं है।
(*b*) भारत एम टी सी आर का सदस्य है।
(*c*) इसका लक्ष्य पूर्ण रॉकेट प्रणाली को सीमित करना है।
(*d*) पाकिस्तान एम टी सी आर का सदस्य है।

नीचे दिये गये कूट से **सही** उत्तर का चयन करें :

A. (*a*), (*b*), (*c*) B. (*b*), (*d*), (*c*)
C. (*b*), (*c*), (*d*) D. (*d*), (*b*), (*a*)

43. निम्न में से कौन न्याय युद्ध का एक मापदण्ड **नहीं** है?

A. सम्प्रभु राजकुमार द्वारा अधिकृत होना
B. आनुपातिक होना
C. न्यायसंगत उद्देश्य के लिए किया जाना
D. अघोषित होना

44. अमेरिका में किस राष्ट्रपति के कार्यकाल को 'आतंकवाद के विरुद्ध लड़ाई' के दौर के रूप में जाना जाता है?

A. जार्ज एच् डब्ल्यू बुश B. जार्ज डब्ल्यू बुश जूनियर
C. बिल क्लिंटन D. बराक ओबामा

45. एक एकध्रुवीय स्थिति जिसका उल्लेख जार्ज डब्ल्यू बुश जूनियर ने शक्ति के संतुलन के रूप में किया है जो हिमायती है :

A. सुरक्षा का B. सहयोग का
C. शांति का D. स्वतंत्रता का

46. सूची-I को सूची-II से सुमेलित करें और दिए गए कूट से सही उत्तर का चयन करें :

सूची-I (लेखक)	सूची-II (ग्रंथ)
(*a*) ऐन्ड्रयू लिंकलेटर	1. कोपरेशन अण्डर एनार्की
(*b*) एफ. क्लार्क	2. द ट्रांसफॉर्मेशन ऑफ पॉलिटिकल कम्यूनिटि
(*c*) केनेथ ओय	3. जेन्डरिंग वर्ल्ड पॉलिटिक्स
(*d*) जे.ए. टिकनर	4. हेजेमॉनी इन इन्टरनेशनल स्टडीज

कूट :

	(*a*)	(*b*)	(*c*)	(*d*)
A.	2	1	4	3
B.	3	2	1	4
C.	2	4	1	3
D.	4	2	1	3

47. नीचे दो कथन दिए गए हैं, एक को अभिकथन (A) और दूसरे को तर्क (R) कहा गया है। नीचे दिए गए कूट का प्रयोग करते हुए सही उत्तर चुनिए :

अभिकथन (A) : भारत संयुक्त राष्ट्र संघ की सुरक्षा परिषद का स्थायी सदस्य बनना चाहता है।

तर्क (R) : भारत एक परमाणु शक्ति सम्पन्न राष्ट्र है।

कूट :

A. (A) और (R) दोनों सत्य हैं और (R), (A) का सही स्पष्टीकरण है।

B. (A) और (R) दोनों सत्य हैं, परन्तु (R), (A) का सही स्पष्टीकरण नहीं है।

C. (A) सत्य है, परंतु (R) असत्य है।

D. (A) असत्य है, परंतु (R) सत्य है।

48. सूची-I को सूची-II से सुमेलित करें और दिए गए कूट से सही उत्तर का चयन करें :

सूची-I	**सूची-II**
(*a*) निक्सन सिद्धांत	1. गुरिल्ला विरोधी आंदोलनों का समर्थन
(*b*) केनेडी सिद्धांत	2. मित्र राष्ट्रों के साथ भागीदारी द्वारा शांति का प्रयास
(*c*) रीगन सिद्धांत	3. नर संहार रोकने हेतु हस्तक्षेप
(*d*) क्लिंटन सिद्धांत	4. लैटिन-अमेरिकी राष्ट्रों के प्रति विदेश नीति की पहल

कूट :

	(*a*)	(*b*)	(*c*)	(*d*)
A.	1	3	4	2
B.	3	2	4	1
C.	4	2	3	1
D.	2	4	1	3

49. निर्गुट आंदोलन के संबंध में निम्नलिखित कथनों पर विचार कीजिए :

(*a*) जुलियस न्यरेरे निर्गुट आंदोलन (नैम) के एक संस्थापक सदस्य थे।

(*b*) भारत ने सातवीं नैम शिखर बैठक की मेजबानी की थी।

(*c*) सत्रहवीं नैम शिखर बैठक वेनेजुएला में आयोजित की गई थी।

(*d*) नैम का मुख्यालय बेलग्रेड में है।

नीचे दिये गये कूट से सही उत्तर का चयन करें :

A. (*a*), (*b*) और (*c*) B. (*a*), (*c*) और (*d*)

C. (*b*) और (*c*) D. (*b*) और (*d*)

50. निम्नलिखित में से कौन आर 2 पी (संरक्षण का दायित्व) के 'तीन स्तंभों' का भाग नहीं है?

A. यदि राज्य अपनी जनसंख्या को संरक्षण प्रदान करने में विफल रहता है, तो अन्तर्राष्ट्रीय समुदाय संयुक्त राष्ट्र संघ के चार्टर के अनुसार सामूहिक कार्यवाई करेगा।

B. यह राज्य का दायित्व है कि वह अपनी जनसंख्या को चार सामूहिक अत्याचार अपराधों से संरक्षण प्रदान करे।

C. यह अन्तर्राष्ट्रीय समुदाय का कर्तव्य है कि वह मानवता के विरुद्ध अपराधों से जनता को संरक्षण प्रदान करे।

D. प्रत्येक राज्य के दायित्व के निर्वहन में उसकी सहायता हेतु अन्तर्राष्ट्रीय समुदाय का दायित्व।

उत्तरमाला

1	2	3	4	5	6	7	8	9	10
A	D	A	D	A	B	A	D	C	A
11	**12**	**13**	**14**	**15**	**16**	**17**	**18**	**19**	**20**
A	A	C	A	*	B	A	C	D	C
21	**22**	**23**	**24**	**25**	**26**	**27**	**28**	**29**	**30**
B	C	D	B	C	D	A	B	C	B
31	**32**	**33**	**34**	**35**	**36**	**37**	**38**	**39**	**40**
C	D	A	D	B	C	A	C	D	A
41	**42**	**43**	**44**	**45**	**46**	**47**	**48**	**49**	**50**
C	A	D	B	D	C	B	D	C	C

व्याख्यात्मक उत्तर

1. मैक्स वेबर का कथन है "कौटिल्य का अर्थशास्त्र उग्र मैकियावेलिवाद का उदाहरण है, इसकी तुलना में मैकियावेली का प्रिंस अहानिकारक है।" मैक्स वेबर वह पहला व्यक्ति था जिसने यह देखा कि मैकियावेली का लेखन अन्य सांस्कृतिक और राजनीतिक परंपराओं के क्रूर यथार्थवाद की तुलना में उतना उग्र नहीं है जितना कि वह कुछ आलोचकों को दिखाई देता है। वेबर ने अपने प्रसिद्ध व्याख्यान "Politics as a Vocation" में भारतीय कृति 'अर्थशास्त्र' को 'प्रिंस' से ज्यादा क्रूर बताया है।

राजा की अपनी स्थिति को सुदृढ़ करने के ध्येय से कौटिल्य ने विद्रोही राजकुमारों, राजपुरुषों और शत्रुओं को समाप्त करने के लिए दुरभिसंधियों का सहारा लेने की सलाह दी है। दुष्ट, अधर्मी और अत्याचारी लोगों के विनाश के लिए उसने तरह-तरह के विष, दवाओं और मंत्र-प्रयोगों का सुझाव दिया है। इसी संदर्भ में वेबर ने उपरोक्त टिप्पणी की है।

2. प्लेटो के अनुसार, न्याय का अर्थ एक व्यक्ति एक कार्य, एक वर्ग एक कर्तव्य है। प्लेटो के अनुसार, मनुष्य के व्यवहार के तीन मुख्य स्रोत हैं–इच्छा (Desire) या तृष्णा (Appetite), भावना या मनोवेग (Emotion) और ज्ञान (Knowledge) या बुद्धि (Intellect)। इच्छा का स्थान मनुष्य की कमर में है, भावना का स्थान हृदय में है और ज्ञान का स्थान मस्तिष्क में। वैसे ये सभी गुण सभी मनुष्यों में पाए जाते हैं, परंतु किसी में किसी गुण की प्रधानता रहती है, किसी में किसी और की। इस आधार पर प्लेटो ने समाज के 3 वर्गों की पहचान की है–जिनमें इच्छा या तृष्णा की प्रधानता है, वे उद्योग-व्यापार को तत्पर होते हैं; जिनमें भावना की प्रमुखता है, वे सैनिक या योद्धा का व्यवसाय अपनाते हैं; जो ज्ञान से सम्पन्न हैं, वे दार्शनिक के रूप में ख्याति अर्जित करते हैं। यदि हम मनुष्य की प्रकृति के लिए उपयुक्त सद्गुण निश्चित कर लें तो राज्य के लिए उपयुक्त सद्गुण निर्धारित करना सुगम हो जाएगा। प्लेटो ने 4 मूल सद्गुणों का विवरण दिया है। इच्छा या तृष्णा के लिए उपयुक्त सद्गुण संयम (Temperance) है। अतः उद्योग-व्यापार में संलग्न वर्ग को सद्जीवन की प्राप्ति के लिए अपने अंदर संयम विकसित करना चाहिए। भावना या मनोवेग के लिए उपयुक्त सद्गुण साहस है। अतः सैनिक वर्ग को सद्जीवन बिताने के लिए अपने अंदर साहस विकसित करना चाहिए। ज्ञान के लिए उपयुक्त सद्गुण विवेक है। दार्शनिक या बुद्धिजीवी वर्ग को इस गुण का विकास करना चाहिए। चौथा या अंतिम सद्गुण न्याय है जो कि सर्वोच्च सद्गुण है। यह समस्त सद्गुणों के उपयुक्त संयोग का सूचक है, अर्थात् व्यक्ति के संदर्भ में न्याय से तात्पर्य यह है कि तृष्णा को साहस का संबल मिल जाए, और विवेक से मार्गदर्शन प्राप्त हो।

3. माइकल ओकशॉट का कहना है कि हॉब्स अंग्रेजी बोलने वाले लोगों में पैदा होने वाला सबसे महान राजनीतिक चिंतक है क्योंकि कोई अन्य चिंतक उसके दार्शनिक आधार तथा विचार की स्पष्टता की बराबरी नहीं कर सकता। हॉब्स वास्तव में पहला अंग्रेज विचारक है जिसने राजनीतिक दर्शन पर इतना व्यापक रूप से लिखा और बहुमूल्य योगदान दिया। पाश्चात्य राजनीतिक चिंतन के इतिहास में वह सबसे महत्वपूर्ण और विवादास्पद व्यक्ति है। एक राजनीतिक चिंतक के रूप में उसकी पहचान 19वीं शताब्दी तक नहीं बन पाई थी लेकिन 20वीं शताब्दी के मध्य तक हॉब्स को "राजनीतिक दर्शन पर अंग्रेजी बोलने वाले लोगों में शायद सबसे महान लेखक के रूप में प्रशंसित किया गया।"

4. हीगल की द्वन्द्वात्मक पद्धति का उद्देश्य प्रतिवाद की समस्या सुलझाना था। हीगल मानता है कि यह विश्व एक स्थाई वस्तु न होकर गतिशील है। अतः उसका अध्ययन सदैव एक विकासवादी दृष्टिकोण से किया जाना चाहिए। विश्व के समस्त पदार्थों का विकास अविकसित तथा एकतापूर्ण स्थिति की ओर होता है जिसके कारण विरोधी वस्तुओं की स्थापना होती है। विकासवाद की इस क्रिया में निम्नकोटि की वस्तुएं उच्चकोटि की वस्तुओं में विकसित होकर पूर्णता प्राप्त कर लेती हैं। इस प्रक्रिया में वस्तुओं की निम्नता नष्ट

होकर उच्चता ग्रहण कर लेती है। विकसित होने के बाद कोई भी वस्तु वह नहीं रहती जो पहले थी, वह कुछ उन्नत हो जाती है। इस विकासवादी क्रिया को हीगल ने 'द्वन्द्वात्मक प्रक्रिया' (Dialectical Process) का नाम दिया है। वस्तुतः इस 'द्वन्द्वात्मक' या 'द्वन्द्ववाद' शब्द की उत्पत्ति यूनानी भाषा के शब्द 'Dialego' से हुई जिसका अर्थ वाद-विवाद करना होता है। इसमें सत्य तक पहुँचने के लिए तर्क-वितर्क की प्रक्रिया अपनानी पड़ती है। यूनानी लोगों ने अपने विचार-विमर्श में सर्वप्रथम इस तक-वितर्क प्रणाली को अपनाया था। इस प्रणाली में आपसी कथोपकथन, तर्क और वितर्क द्वारा ये सत्य को केवल प्रमाणित ही नहीं करते थे बल्कि सत्य की नई खोज भी करते थे। हीगल इस प्रणाली को विचारों पर भी लागू करता है। उसके अनुसार समस्त द्वन्द्वात्मक प्रणाली इस प्रकार है—"सर्वप्रथम प्रत्येक वस्तु का एक मौलिक रूप (Thesis) होता है। विकासवाद के अनुसार यह बढ़ती है और इसका विकसित रूप कालांतर में इसके मौलिक रूप से बिलकुल विपरीत हो जाता है। जिसे विपरीत रूप (Antithesis) कहते हैं। कालांतर में विकासवादी सिद्धांत के अनुसार ये मौलिक रूप तथा विपरीत रूप आपस में मिलते हैं और इन दोनों के मेल से वस्तु का नया सामंजस्य (Synthesis) स्थापित होता है। यह सामंजस्यपूर्ण रूप कुछ दिनों में फिर मौलिक रूप बन जाता है और वही क्रिया आवृत होने लगती है।" उदाहरण के लिए, दृश्य या बाह्य जगत में यह विकासवादी क्रिया एक अण्डे में देखी जा सकती है। अण्डे में एक जीव होता है। यह जीवन मौलिक रूप (Thesis) है। धीरे-धीरे गर्भाधान (Fertilization) के पश्चात् इसके निषेधात्मक गुण नष्ट हो जाते हैं। यह उसका विपरीत रूप है, किन्तु इन गुणों के नष्ट हो जाने से अण्डे के जीवन की मृत्यु नहीं होती, एक नए प्रकार के जीव का जन्म होता है जो पहले के दोनों रूपों से भिन्न है। यह इसका समन्वय रूप (Synthesis) है।

5. लुई आल्थ्यूजर ने युवा मार्क्स (Young Marx) और वृद्ध मार्क्स (Old Marx) के बीच अंतर बताया। आल्थ्यूजर ने अपनी प्रसिद्ध कृति 'For Marx-1965' के अंतर्गत यह तर्क दिया है कि मार्क्स की 1845 से पहले की कृतियाँ जिस दृष्टिकोण से लिखी गई हैं, इसके बाद की कृतियों में उससे हटकर एक नया दृष्टिकोण अपनाया गया है। ये दोनों दृष्टिकोण एक-दूसरे से इतने भिन्न हैं कि इनमें निरंतरता की तलाश बेकार होगी। आल्थ्यूजर के शब्दों में, इन दोनों के 'समस्या-समूह' (Problematic) या सैद्धांतिक ढांचे एक-दूसरे से कटे हुए हैं। 1845 में स्वयं मार्क्स ने अपनी '1844 की आर्थिक और दार्शनिक पांडुलिपियों' को अवैज्ञानिक मानते हुए रद्द कर दिया था। तरुण मॉर्क्स की इन कृतियों में हीगल के प्रभाव से पराएपन या अलगाव (Alienation) की समस्या को प्रमुखता दी गई है, और नैतिकतावादी एवं मानववादी पक्षों को उभारा गया है। इसके बाद ही मार्क्स की रचनाओं में 'वैज्ञानिक मार्क्सवाद' का निरूपण हुआ है। आल्थ्यूजर के विचार से यही सच्चा मार्क्सवाद है।

मार्क्स के चिंतन के ढंग में इस परिवर्तन को आल्थ्यूजर ने 'ज्ञानमीमांसीय अंतराल' (Epistemological Break) की संज्ञा दी है। इस दृष्टि से तरूण मार्क्स की कृतियां उसके मानववादी और स्वप्नदर्शी रूप को व्यक्त करती हैं; वे सच्चे मार्क्सवाद का प्रतिनिधित्व नहीं करतीं। आल्थ्यूजर ने इन्हें मार्क्सवाद-पूर्व चिंतन की कोटि में रखा है। इसके विपरीत, प्रौढ़ मार्क्स (Mature Marx) की कृतियों में इतिहास के वैज्ञानिक सिद्धांत के रूप में एक नए दर्शन की नींव रखी गई है। इसके अनुसार, इतिहास का रूप निर्धारित करने में मनुष्य वास्तविक भूमिका नहीं निभाते बल्कि उत्पादन की शक्तियाँ, उत्पादन के संबंध और उनके अंतर्विरोध ही ऐतिहासिक परिवर्तन की प्रेरक शक्ति की भूमिका निभाते हैं। यह ऐतिहासिक भौतिकवाद ही मार्क्सवाद का सारतत्व है। यह मार्क्सवादी सामाजिक विश्लेषण का सैद्धांतिक ढांचा प्रस्तुत करता है।

6. ग्राम्शी ने निष्क्रिय क्रांति को फासीवाद की विशेषता बताई है। फासीवाद कोई व्यवस्थित राजनीतिक सिद्धांत नहीं है। अधिक-से-अधिक इसे एक विकृत सिद्धांत मान सकते हैं। विलियम एबेंस्टाइन के शब्दों में, "फासिस्टवाद एकदंलीय अधिनायकतंत्र के अंतर्गत सरकार और समाज का सर्वाधिकारवादी संगठन है जो घोर राष्ट्रवादी, प्रजातिवादी, सैन्यवादी और साम्राज्यवादी है।"

निष्क्रिय क्रांति शब्द का प्रयोग एंटोनियो ग्राम्शी ने इटली के युद्धकालीन अवधि के दौरान किया था। उसने इस शब्द का प्रयोग अचानक परिवर्तन की जगह धीरे-धीरे बदलाव को इंगित करने के लिए किया था। उसने फ्रांस की राज्यक्रांति के विपरीत इटली के फासीवाद को सक्रिय क्रांति के रूप में चिह्नित किया। निष्क्रिय क्रांति मजबूत सामाजिक प्रक्रियाओं के बिना राजनीतिक और संस्थागत संरचनाओं का परिवर्तन है। इसके अलावा ग्राम्शी इस शब्द का प्रयोग पूंजीवादी आर्थिक उत्पादन के ढांचे के उत्परिवर्तन के लिए करता है जो कि प्राथमिक रूप से 1920-30 के दशक में अमेरिकी कारखाना प्रणाली के विकास में दृष्टिगोचर होता है।

7. गाँधी भौतिक सभ्यता के आलोचक थे और वह विशेष रूप से औद्योगिक क्रांति को पसंद नहीं करते थे क्योंकि उनका विश्वास था कि औद्योगिक क्रांति गहरे मूल्यों को नष्ट कर रही है। गांधीजी भारत की उन्नति के लिए उसे पश्चिमी सभ्यता के सांचे में ढालना नहीं चाहते थे। उनका दृढ़ विश्वास था कि पश्चिमी सभ्यता मनुष्य को उपभोक्तावाद का रास्ता दिखाकर नैतिक पतन की ओर ले जाएगी। नैतिक उत्थान का रास्ता आत्मसंयम और त्याग भावना की मांग करता है। गांधीजी ने पश्चिमी सभ्यता और आधुनिक सभ्यता को समवर्ती मानते हुए उसकी विस्तृत समीक्षा की है। 1927 में 'यंग इंडिया' के अंतर्गत उन्होंने लिखा था–"मैं यह नहीं मानता कि इच्छाओं को बढ़ाने या उनकी पूर्ति के साधन जुटाने से संसार अपने लक्ष्य की ओर एक कदम भी बढ़ा पाएगा। आज की दुनिया में दूरी और समय के अंतराल को कम करने, भौतिक इच्छाओं को बढ़ाने और उनकी तृप्ति के लिए धरती का कोना-कोना छान मारने की जो अंधी दौड़ चल रही है, वह मुझे बिल्कुल पसंद नहीं। यदि आधुनिक सभ्यता के यही सब लक्षण हैं–और मुझे इसके यही लक्षण समझ आते हैं–तो मैं इसे शैतानी सभ्यता कहता हूँ।"

9. विमर्शी लोकतंत्र (Deliberative or Discursive Democracy) वह सिद्धांत है जो उदारवादी लोकतंत्र के सदृश ढांचे को परिमार्जित करने पर ध्यान केंद्रित करता है। विमर्शी लोकतंत्र का मॉडल इस मत को सामने रखता है कि लोकतंत्र को विरोधी हितों के बीच संघर्ष की प्रक्रिया तक नहीं सीमित किया जा सकता। यह उदारवादी परम्परा का लोकतंत्र के साथ सामंजस्य कराने का प्रयास करता है। विमर्शी लोकतंत्र का एक प्रमुख उद्देश्य लोकतंत्र को समझने के लिए एक नया विकल्प प्रदान करना है।

'विमर्शी लोकतंत्र' शब्द का प्रथम प्रयोग 1981 में जोसेफ एम. बेसेट द्वारा अपनी पुस्तक 'Deliberative Democracy : The Majority Principles in Republican Government' में किया गया है। प्रजातंत्र की इस धारणा को आगे बढ़ाने वालों में हेबरमास, डेविड हेल्ड, बर्नार्ड कोहेन, थाम्पसन आदि का नाम लिया जाता है। विमर्शी प्रजातंत्र बहुलवादी सिद्धांत का विस्तार है, इसमें समाज के सभी समूहों को विचार-विमर्श के माध्यम से अपनी बातों को रखने का अवसर मिलता है। इसका प्रयोग राजनीतिक निर्णयों की किसी भी ऐसी व्यवस्था के लिए किया जाता है जो नीति-निर्माण के लिए नागरिकों के साथ विचार-विमर्श पर निर्भर करती है।

विमर्शी लोकतंत्र का उद्देश्य उदारवाद को छोड़ना नहीं है बल्कि इसके नैतिक आयाम को पुनर्जीवित करके प्रजातंत्र व उदारवादी मूल्यों के बीच रिश्ता जोड़ना है। यह प्रत्येक नागरिक को केवल वोट का अधिकार नहीं देता बल्कि प्रत्येक को अपना विचार व्यक्त करने का अधिकार भी देता है। यह सम्पूर्ण समुदाय को नीति-निर्माण प्रक्रिया में निहित करना चाहता है। यह नागरिकों के साथ वास्तविक नीति संबंधी समस्याएं रखता है और उन्हें साझा हल ढूंढने की चुनौती देता है।

10. व्यवहारवाद अल्पकालिक था क्योंकि वह सर्वसम्मति प्राप्त करने में अक्षम रहा। व्यवहारवाद राजनीति के अध्ययन का एक आधुनिक उपागम है। इस उपागम की शुरुआत से राजनीति विज्ञान के क्षेत्र में ऐसा युगांतकारी परिवर्तन आ गया कि इसे व्यवहारवादी क्रांति (Behavioural Revolution) की संज्ञा दी जाती है। व्यवहारवाद ने राजनीति के अध्ययन के परंपरागत उपागम को चुनौती देते हुए यह विचार रखा कि राजनीतिक यथार्थ को समझने के लिए राजनीति विज्ञान को प्रचलित संस्थाओं के कानूनी-औपचारिक

पक्षों (Legal-Formal Aspects) से ध्यान हटाकर उन व्यक्तियों या क्रियाकर्ताओं के व्यवहार पर ध्यान रखना चाहिए जो यथार्थ राजनीति के क्षेत्र में तरह-तरह की भूमिका निभाते हैं।

20वीं शताब्दी के सातवें दशक के अंत में डेविड ईस्टन ने व्यवहारवाद की तत्कालीन प्रवृतियों पर प्रबल प्रहार किया हालांकि व्यवहारवाद के विकास में स्वयं ईस्टन की महत्वपूर्ण भूमिका रही थी। सितम्बर, 1969 में न्यूयार्क में 'American Political Science Association' के 65वें अधिवेशन में अपने अध्यक्षीय भाषण के अंतर्गत ईस्टन ने तत्कालीन राजनीतिक अनुसंधान की स्थिति पर गहरा असंतोष व्यक्त किया जिसमें राजनीति के अध्ययन को कठोर वैज्ञानिक अनुशासन में ढालने की कोशिश की जा रही थी। उसे नई दिशा देने के लिए ईस्टन ने 'उत्तर-व्यवहारवादी क्रांति' (Post-behaviouralism) का शंखनाद किया।

11. वेबर के अनुसार, तुलनात्मक राजनीति को संस्कृति के बृहत्तर ढांचे में समझा जा सकता है, और उन्होंने यह कार्य मार्क्स के आर्थिक नियतिवाद के सिद्धांत की धज्जियां उड़ा कर किया क्योंकि इस अस्वीकृति के बिना उनका सिद्धांत पूर्णतः असंगत था। वेबर ने अनेक देशों की विधियों के तुलनात्मक अध्ययन के आधार पर यह निष्कर्ष निकाला कि समाज विशेष की राजनीतिक स्थिति, आचार-विचार, सभ्यता एवं धार्मिक सहनशीलता का वहाँ की विधि के विकास पर व्यापक एवं गहरा प्रभाव पड़ता है।

मैक्स वेबर ने मार्क्स के आर्थिक नियतिवाद (Economic Determinism) का खण्डन करते हुए राज्य-शक्ति की स्वायतता का सिद्धांत प्रस्तुत किया। वेबर ने 20वीं शताब्दी के आरंभ में यह तर्क दिया कि राज्य के पास अपने शक्तिशाली संसाधन होते हैं; उसे विधिसम्मत बलप्रयोग का ऐसा अनन्य अधिकार प्राप्त है जो निजी हितों की पहुँच के बाहर है। इसके पास अधिकारीतंत्र के रूप में ऐसा शक्तिशाली संगठन है जो राज्य की नीतियां बनाता है, उन्हें क्रियान्वित करता है, और उनके क्रियान्वयन का निरीक्षण करता है। अतः राज्य-शक्ति को केवल किसी वर्ग-विशेष के हितों की रक्षा का साधन नहीं माना जा सकता।

12. संस्थागत उपागम (Institutional Approach) से राजनीति के परिदृश्य का खाका तैयार करने में मदद मिल सकती है क्योंकि उस कार्यकलाप का उद्देश्य व्यक्तिगत स्वतंत्रता एवं सामूहिक समानता के प्रतिस्पर्धी मूल्यों में सामंजस्य स्थापित करना है। इस उपागम के समर्थक राज्य, सरकार, सरकार के विभिन्न अंगों, उसके संगठन के नियम, नागरिकों के अधिकार, कर्तव्य इत्यादि के अध्ययन पर बल देते हैं। उनका मानना है कि राजनीतिक संस्थाओं द्वारा ही हमारे राजनीतिक जीवन को आधार प्रदान किया जाता है। वास्तव में, संस्थागत दृष्टिकोण उपागम के समर्थक वैध एवं औपचारिक संस्थाओं जैसे संसद, प्रधानमंत्री, राष्ट्रपति, राज्यपाल आदि के पद एवं भूमिका के अध्ययन के महत्व पर जोर देते हैं। संस्थागत दृष्टिकोण से भारतीय राजनीति का अध्ययन करने वाले विद्वानों में ए.बी. लाल, मॉरिस जोन्स, आर.जे. वेंकटेश्वरन आदि प्रमुख हैं।

इनके द्वारा भारत की राजनीतिक संस्थाओं का अध्ययन संरचनात्मक दृष्टिकोण से किया गया है और प्रकार्यात्मक पहलू की उपेक्षा की गई है।

इससे यह स्पष्ट होता है कि औपचारिक संस्थाओं के अलावा अनेक अनौपचारिक तत्वों एवं संस्थाओं द्वारा भी राजनीति में महत्वपूर्ण भूमिका का निर्वाह किया जाता है। समकालीन विद्वानों का कहना है कि मात्र संस्थाओं एवं कानूनी शासकीय ढाँचे का ज्ञान या अध्ययन ही राजनीति के मौलिक स्वरूप को स्पष्ट नहीं करता।

13. डेविड ईस्टन के अनुसार, 19वीं सदी वैज्ञानिक विधि (Scientific Method) का युग है। वैज्ञानिक पद्धति से जो ज्ञान प्राप्त किया जाता है, वह संचित ज्ञान होता है। इसमें प्रत्येक नया सिद्धांत अपने पूर्ववर्ती सिद्धांत का उन्नत रूप होता है, अतः किसी भी घटना के संबंध में यहाँ नवीनतम सिद्धांत मान्य होता है जो पुराने सिद्धांत को अमान्य बना देता है। यदि किन्हीं नए तथ्यों का निरीक्षण करने पर प्रचलित सिद्धांत उनकी व्याख्या देने में असमर्थ सिद्ध होता है तो इस सिद्धांत का संशोधन जरूरी हो जाता है।

वैज्ञानिक पद्धति के अंतर्गत प्रत्यक्षवाद (Positivism) पर बल दिया जाता है जिसमें केवल 'अनुभवमूलक' और 'तार्किक' कथन को मान्यता दी जाती है, क्योंकि उसकी पुष्टि और सत्यापन में कोई बाधा नहीं आती। वैज्ञानिक पद्धति के अंतर्गत निरीक्षण, सामान्यीकरण, व्याख्या, भविष्यवाणी और निर्देश आदि प्रक्रियाओं का अनुसरण किया जाता है।

14. अरस्तू द्वारा संविधानों के वर्गीकरण का आधार यह था कि कौन शासन करता है और शासन से कौन लाभान्वित होता है। शासन-प्रणालियों के परंपरागत वर्गीकरण में अरस्तू का सिद्धांत सबसे प्रसिद्ध है और वह बाद के वर्गीकरण का आधार रहा है। इस तरह अरस्तू के वर्गीकरण का आधार यह था कि क्या किसी देश में सत्ता एक व्यक्ति के हाथ में रहती है, इने-गिने लोगों, या बहुत सारे लोगों के हाथों में? फिर उसने यह बताया कि प्रत्येक वर्ग में कौन-सी व्यवस्था सामान्य या उत्तम है, कौन-सी भ्रष्ट या अधम है? कोई शासन-प्रणाली सामान्य है या भ्रष्ट–इसका आधार यह था कि उसे किस भावना से लागू किया जाता है, अर्थात् जहाँ शासक सच्चरित्र हो और अपनी सत्ता का प्रयोग सबके हित को ध्यान में रखकर करे, वह शासन सामान्य या उत्तम है; जहाँ वह दुश्चरित्र हो और सत्ता को स्वार्थ का साधन बना ले, वह शासन भ्रष्ट है।

अरस्तू ने यह स्वीकार किया था कि ये शासन-प्रणालियाँ विशुद्ध रूप में नहीं पाई जातीं, बल्कि अक्सर कई प्रणालियों का मिश्रण देखने को मिलता है। अरस्तू का ध्येय इस वर्गीकरण के आधार पर 'आदर्श' शासन-प्रणाली की रूपरेखा प्रस्तुत करना था। उसने अपने समय के 158 संविधानों के अध्ययन के आधार पर यह निष्कर्ष निकाला कि किसी भी देश में कोई शासन-प्रणाली स्थिर नहीं रह पाती। यदि सर्वोत्तम शासन प्रणाली का पता लगा लिया जाए तो परिवर्तन के इस चक्र को तोड़ सकते हैं और स्थायी शासन-व्यवस्था स्थापित कर सकते हैं।

17. नौकरशाही सत्तावाद सत्तावादी शासन का एक प्रकार है जो सैन्य नेताओं, तकनीकी विशेषज्ञों (आर्थिक नीति विशेषज्ञ) और अग्रणी व्यापारिक क्षेत्रों के नागरिकों के गठबंधन द्वारा शासित होता है। इस प्रकार के शासन की कल्पना कुछ विशेष परिस्थितियों में तब की जाती है, जब कोई राष्ट्र औद्योगिकीकरण करने का प्रयास कर रहा हो और इस प्रयास को जो उस देश के अभिजात वर्गों द्वारा किया जा रहा हो, वहाँ के लोकप्रिय जनांदोलनों और अशांति द्वारा बाधित किया जाता हो। 1960 के दशक के लैटिन अमेरिकी देशों, 1970 और 80 के दशक के लैटिन अमेरिकी शासनों के साथ-साथ पूर्वी एशियाई देशों के नौकरशाही-सत्तावादी शासनों के मूल प्रतिमानों ने राजनीतिक विज्ञान के लिए उनके विकास के बारे में प्रस्तावित सिद्धांतों का परीक्षण करने का अवसर प्रदान किया है।

गिलर्मो ओ'डोनेल (Guillermo O'Donnell) ने अपनी पुस्तक 'Modernization and Bureaucratic Authoritarianism—1973' में 'नौकरशाही-सत्तावाद' शब्द का प्रयोग किया। 1960 और 1970 के दशकों में लैटिन अमेरिकी देशों में शासक वर्गों ने सारा ध्यान पूंजी के सर्वोत्तम उपयोग और औद्योगीकरण के विस्तार पर लगा दिया। यह कार्रवाई शहरी कामगार–वर्ग और निम्न मध्यवर्ग की आशाओं के प्रतिकूल थी। ये वर्ग राजनीतिक दृष्टि से अत्यंत सजग, सक्रिय और मुखर थे। वे चाहते थे कि सरकार को कल्याण-कार्यक्रमों पर अधिक धन खर्च करना चाहिए। शासक वर्गों ने इनकी मांग पूरी करने के बजाय इनके दमन की योजना बनाई। अतः इन देशों में सैनिक वर्ग, बड़े-बड़े पूंजीपतियों और बड़े-बड़े जमींदारों ने मिलकर अपनी मिली-जुली सरकारें बनाईं।

18. आधुनिकीकरण सिद्धांत (Modernization Theory) का मत है कि जैसे ही समाज का विकास होगा, वह पूंजीपति लोकतंत्र बन जाएगा जिसमें मूल्यों एवं अभिलक्षणों का एक सम्मिलित समुच्चय होगा। आधुनिकीकरण वह प्रक्रिया है जिसमें कोई समाज परंपरागत मूल्यों और संस्थाओं से आगे बढ़कर आधुनिक युग के अनुरूप जीवन-पद्धति अपना लेता है। यह एक सतत् प्रक्रिया है जिसके द्वारा आधुनिकता के असीमित स्तर प्राप्त हो सकते हैं। विश्लेषणात्मक रूप से देखें तो आधुनिकीकरण में निहित मुख्य प्रक्रिया संरचनात्मक

विभेदीकरण (Structural Differentiation) की है। संरचनात्मक विभेदीकरण से तात्पर्य एक ऐसे सामाजिक प्रबंध से है जिसमें समय और स्थान जैसे व्यावसायिक कार्य और गृह प्रबंध के आधार पर सामाजिक भेद किया जा सके।

आधुनिकता में अंतर्वैयक्तिक संबंध असहज, दूर एवं बेनामी होते हैं। लोग सामूहिक सामाजिक बंदोबस्त में कम बंधे हुए होते हैं और व्यक्तिनिष्ठ अधिक होते हैं। जहाँ सामूहिक सामाजिक बंदोबस्त होते हैं तो वे भी बहुत विशेषज्ञतापूर्ण होते हैं जैसे किसी विशेष उद्योग के यूनियन। सांस्कृतिक क्षेत्र में एक ओर मूल्य निर्धारण करने वाले क्षेत्र होते हैं जैसे विज्ञान, धर्म, कला व नैतिकता और दूसरी ओर संस्कृति आधारित सामाजिक दर्जे होते हैं जैसे उच्च संभ्रांत दर्जे की संस्कृति और सामान्य लोकप्रिय संस्कृति।

19. वैधता के वेबर उपागम के विकल्प के रूप में हेबरमास और ओफे द्वारा वैधीकरण संकट विकसित किया गया। युर्गेन हेबरमास एक नवमार्क्सवादी हैं जिन्होंने अपनी बहुचर्चित कृति 'Legitimation Crisis–1975' और अन्य कृतियों के अंतर्गत स्वतंत्रता की समस्या को पूंजीवाद की वैधता के संकट के रूप में देखा है। हेबरमास के अनुसार, समकालीन विश्व में विज्ञान, प्रौद्योगिकी और संगठन की विलक्षण प्रगति का परिणाम यह हुआ है कि मनुष्य की तर्कबुद्धि मनुष्य के उद्धार (Emancipation) के दायित्व से विमुख हो गई है, और तर्कसंगति की भूमिका तकनीकी कार्यकुशलता बढ़ाने तक सीमित रह गई है। दूसरे शब्दों में, मनुष्य की तर्कबुद्धि उसे अपने जीवन का साध्य (End) नहीं सुझाती, बल्कि केवल साधनों को संगठित करना सिखाती है। अतः वह मनुष्य की स्वतंत्रता का आधार नहीं रह गई है, बल्कि उस पर अपना प्रभुत्व स्थापित करके उसकी पराधीनता का कारण बन गई है।

20. इतिहासकार क्रेन ब्रिंटन ने कहा है कि क्रांति का अभिप्राय किसी एक भूभागीय राजनीतिक सत्ता को चलाने वाले किसी प्रभारी समूह का किसी अन्य समूह द्वारा सशक्त आकस्मिक प्रतिस्थापन है। क्रेन ब्रिंटन ने अपनी चर्चित कृति 'The Anatomy of Revolution—1938' के अंतर्गत इंग्लैण्ड, अमेरिका, फ्रांस और रूस इन चारों देशों की क्रांतियों का तुलनात्मक अध्ययन करके उनमें 5 सामान्य विशेषताओं का पता लगाया।

क्रांति का अर्थ है—सामाजिक जीवन में आकस्मिक, त्वरित और युगांतकारी परिवर्तन जो सारे सामाजिक संबंधों, संस्थाओं और विचार-प्रणाली को एकदम नए रूप में ढाल दे, और जिसका प्रभाव चिरस्थायी हो। इस परिवर्तन की शुरुआत राजनीतिक जीवन में भी हो सकती है, गैर-राजनीतिक जीवन में भी हो सकती है। उदाहरण के लिए, फ्रांसीसी क्रांति, रूसी क्रांति, चीनी क्रांति, इत्यादि राजनीतिक क्रांतियों के रूप में शुरू हुई, परंतु औद्योगिक क्रांति, वैज्ञानिक क्रांति और प्रबंधकीय क्रांति, इत्यादि गैर-राजनीतिक क्रांतियाँ थीं।

22. कैबिनेट मिशन ने सिक्ख समूह को मान्यता प्रदान नहीं की थी। फरवरी 1946 में ब्रिटिश प्रधानमंत्री एटली ने भारत में राजनीतिक गतिरोध दूर करने हेतु एक 3 सदस्यीय उच्चस्तरीय शिष्टमंडल भेजने की घोषणा की। इस शिष्टमंडल में ब्रिटिश कैबिनेट के 3 सदस्य थे—लॉर्ड पैथिक लॉरेंस, सर स्टैफोर्ड क्रिप्स तथा ए.वी. अलेक्जेंडर। इस मिशन को विशिष्ट अधिकार दिए गए थे तथा इसका कार्य भारत को शांतिपूर्ण सत्ता हस्तांतरण हेतु उपायों एवं सम्भावनाओं की तलाश करना था।

कैबिनेट मिशन के प्रस्ताव इस प्रकार थे–

(*i*) ब्रिटिश भारत और देशी रियासतों को मिलाकर एक भारतीय संघ का गठन किया जाएगा।

(*ii*) संघ की एक कार्यपालिका तथा विधायिका होगी जिसमें ब्रिटिश भारत तथा देशी रियासतों के प्रतिनिधि होंगे।

(*iii*) संघ से संबंधित विषयों के अतिरिक्त सभी विषय तथा सभी अवशिष्ट शक्तियाँ प्रांतों में निहित होंगे।

(*iv*) सभी दलों (सिक्ख को छोड़कर) की सहायता से जल्द ही एक अंतरिम सरकार की स्थापना की जाएगी।

कैबिनेट मिशन ने इस बात को स्पष्ट कर दिया कि इसका उद्देश्य किसी संविधान का विवरण निर्धारित करना

नहीं है बल्कि उस तंत्र को सक्रिय बनाना है, जिसके द्वारा भारतीयों के लिए संविधान तय किया जा सके।

23. भारतीय संविधान के अंतर्गत अनुच्छेद-21 एक मौलिक अधिकार है जिसमें वर्णित किया गया है कि "कानून द्वारा स्थापित प्रक्रिया को छोड़कर अन्य किसी तरीके से किसी व्यक्ति को उसके जीवन या व्यक्तिगत स्वतंत्रता से वंचित नहीं किया जाएगा।"

44वें संवैधानिक संशोधन अधिनियम-1978 द्वारा जीवन और व्यक्तिगत स्वतंत्रता के अधिकार को और अधिक महत्व प्रदान किया गया है। अब आपातकाल की स्थिति में भी जीवन और व्यक्तिगत स्वतंत्रता के अधिकार को समाप्त नहीं किया जा सकता।

सर्वोच्च न्यायालय ने समय-समय पर इस अधिकार की व्याख्या करके इसके विचार-क्षेत्र को विस्तृत कर दिया है। अब व्यक्तिगत स्वतंत्रता तथा जीवन की सुरक्षा के अंतर्गत निम्नलिखित अधिकारों को शामिल किया जा चुका है–

- आश्रय का अधिकार
- अच्छी सड़कों का अधिकार
- ख्याति का अधिकार
- शुद्ध पेयजल का अधिकार
- विदेश में जाने और भ्रमण करने की स्वतंत्रता
- त्वरित अन्वेषण तथा विचारण का अधिकार
- पुलिस की क्रूरता के विरुद्ध अधिकार
- लोक स्वास्थ्य को बनाए रखने का अधिकार
- अपील करने का कानूनी अधिकार
- जीविकोपार्जन का अधिकार, इत्यादि।

24. सर्वोच्च न्यायालय ने भारतीय संविधान के आधारभूत ढांचे के मूल तत्वों पर विभिन्न वादों में विचार किया, यथा–शंकरी प्रसाद बनाम भारत संघ–1951, सज्जन सिंह बनाम राजस्थान राज्य–1965, गोलकनाथ बनाम पंजाब राज्य–1967, इंदिरा नेहरू गांधी बनाम राज नारायण, केशवानन्द भारती बनाम केरल राज्य–1971, एस.पी. गुप्ता बनाम भारत संघ, मिनर्वा मिल्स बनाम भारत संघ–1980 इत्यादि।

सर्वोच्च न्यायालय ने उपरोक्त मामलों में यह अभिनिर्धारित किया कि संविधान के कुछ आधारिक लक्षण हैं, जिन्हें अनुच्छेद-368 के अधीन संशोधित नहीं किया जा सकता है। यदि संविधान संशोधन अधिनियम लाने का उद्देश्य संविधान की आधारिक संरचना में परिवर्तन लाना है, तो न्यायालय को उक्त अधिनियम को 'शक्ति बाह्य' के आधार पर शून्य घोषित करने की शक्ति होगी। संविधान के आधारिक लक्षण हैं–

- संविधान की सर्वोच्चता
- विधि का शासन
- शक्ति पृथक्करण का सिद्धांत
- संविधान की प्रस्तावना में घोषित उद्देश्य
- न्यायिक पुनर्विलोकन
- अनुच्छेद-32
- परिसंघवाद
- पंथनिरपेक्षता
- प्रभुत्वसम्पन्न लोकतांत्रिक गणराज्य की संकल्पना
- राष्ट्र की एकता एवं अखण्डता
- अनुच्छेद-368 के द्वारा संशोधनकारी शक्ति पर लगाए गए निर्बंधन, इत्यादि।

25. लोकसभा की नियम समिति ने 1989 में विषयगत विभाग से संबंधित स्थायी समितियों के गठन की सिफारिश की। 18 अगस्त, 1989 को पहली बार ऐसी तीन समितियों का गठन किया गया–कृषि समिति, पर्यावरण और वन समिति तथा विज्ञान और प्रौद्योगिकी समिति। 9वीं लोकसभा के कार्यकाल (1989-91) में नियम समिति ने सुझाव दिया कि सभी सरकारी विभागों में प्रशासनिक उत्तरदायित्व को प्रशस्त करने के लिए विभिन्न विषयगत समितियों का गठन किया जाए ताकि कोई भी क्षेत्र संसदीय जांच के दायरे से बाहर न रहे। उपरोक्त सिफारिश के आधार पर अप्रैल 1993 में विभागों से संबंधित 17 स्थायी समितियों का गठन किया गया। गौरतलब है कि जुलाई 2004 में नियमों में संशोधन किया गया ताकि ऐसी ही 7 और समितियों का गठन किया जा सके। इस प्रकार अब इन समितियों की

संख्या 24 हो गई है। इन समितियों के सदस्यों की संख्या 31 होती हैं जिनमें से 21 लोकसभा के और 10 राज्यसभा के सदस्य होते हैं।

27. चल कार्यक्रम (Rolling Plan) या अनवरत् योजना जनता पार्टी सरकार द्वारा शुरू की गई थी। इंदिरा गांधी सरकार ने 5वीं पंचवर्षीय योजना का कार्यकाल 1974-79 निर्धारित किया था जिसे मोरारजी देसाई के नेतृत्व वाली जनता पार्टी सरकार ने तय अवधि से एक साल पहले ही यानी 1978 में खत्म कर दिया। इसकी जगह 6 साल की अनवरत योजना (Rolling Plan) की शुरुआत की गई थी। लेकिन, 1980 में सत्ता में वापसी करने के बाद तत्कालीन प्रधानमंत्री इंदिरा गांधी ने इसे रद्द कर दिया और पंचवर्षीय योजना का टूटा सिलसिला फिर शुरू हो गया।

28. सरकारिया आयोग का गठन जून 1983 में केन्द्र-राज्य संबंधों की जांच के लिए किया गया था। इस आयोग का गठन रणजीत सिंह सरकारिया की अध्यक्षता में किया गया था जिसके दो अन्य सदस्य डॉ. एस.आर. सेन और बी. शिवरमन थे। न्यायमूर्ति सरकारिया ने केन्द्र-राज्य संबंधों और राज्यों में संवैधानिक मशीनरी ठप हो जाने की स्थितियों की व्यापक समीक्षा की और 1988 में सौंपी गई अपनी रिपोर्ट में उन्होंने इस संदर्भ में समग्र दिशा-निर्देश सामने रखा। उन्होंने कहा कि राज्यपालों की नियुक्ति में मुख्यमंत्रियों से सलाह ली जानी चाहिए। राज्यपालों के पक्षपातपूर्ण रवैये पर अंकुश लगाने के लिए कदम उठाए जाने चाहिए। यदि चुनाव में किसी दल या गठबंधन को स्पष्ट बहुमत नहीं मिलता है तो राज्यपाल को चुनाव पूर्व गठित सबसे बड़े गठबंधन को सरकार बनाने के लिए आमंत्रित करना चाहिए। राज्यपालों को राजभवन के लॉन में विधायकों की गिनती कर किसी दल या गठबंधन के बहुमत के बारे में निर्णय नहीं लेना चाहिए। बहुमत का परीक्षण राज्य विधानसभा में ही होना चाहिए।

29. भारतीय संविधान के अनुच्छेद 324-329 के अंतर्गत निर्वाचन तंत्र से संबंधित सम्पूर्ण व्यवस्था की गई है। निर्वाचन आयोग मुख्य निर्वाचन आयुक्त तथा अन्य निर्वाचन आयुक्तों, जिन्हें राष्ट्रपति समय-समय पर नियत करता है, से मिलकर बनता है। मुख्य निर्वाचन आयुक्त तथा अन्य निर्वाचन आयुक्तों की नियुक्ति संसद द्वारा बनाई गई विधि से राष्ट्रपति करता है। संविधान ने निर्वाचन आयोग के आयुक्तों की संख्या का कोई निश्चित निर्धारण नहीं किया है तथा इस कार्य को राष्ट्रपति पर छोड़ दिया गया है। 1989 में दो और आयुक्तों को नियुक्त किया गया जिससे आयोग बहुसदस्यीय हो गया। परंतु राष्ट्रीय मोर्चा सरकार ने 1990 में आयोग को पुनः एक सदस्यीय बना दिया था। 1993 में निर्वाचन आयोग को पुनः संसदीय अधिनियम द्वारा 3 सदस्यीय बना दिया गया।

31. व्यवस्था उपागम (System Approach) पारिस्थितिकी उपागम (Ecological Approach) का पूर्ववर्ती है। लोक प्रशासन में सर्वप्रथम चेस्टर बर्नार्ड ने व्यवस्था सिद्धांत को अपनाया और बाद में हरबर्ट साइमन ने इसका खूब विकास किया। यह लोक प्रशासन का आधुनिकतम दृष्टिकोण है। लोक प्रशासन में व्यवस्था या प्रणाली दृष्टिकोण अन्य दृष्टिकोणों का एकीकृत स्वरूप है। बर्नार्ड, साइमन के अलावा व्यवस्था उपागम में योगदान करने वाले प्रमुख विद्वान हैं–नारबर्ट वीनर, मेरी पार्कर फॉलेट, फिलिप सेल्जनिक और इंग्लैण्ड की एक संस्था ''टेवीस्टॉक इंस्टीट्यूट ऑफ ह्यूमन रिलेशंस''।

वीनर का साइबरनेटिक्स मॉडल, चेस्टर बर्नार्ड का सहकारी व्यवस्था मॉडल, साइमन का निर्णय निर्माण मॉडल, फॉलेट का सामाजिक व्यवस्था दृष्टिकोण, लेविन का आकस्मिक दृष्टिकोण व्यवस्था उपागम से ही संबंधित है।

33. हेनरी फेयोल ने प्रशासक/प्रबंधक की निम्नलिखित 6 विशेषताएं बताई हैं–

(*i*) शारीरिक

(*ii*) मानसिक

(*iii*) नैतिक

(*iv*) सामान्य शिक्षा

(*v*) विशिष्ट ज्ञान और

(*vi*) अनुभव।

फेयोल ने अपनी पुस्तक “General and Industrial Administration—1949” में प्रबंध के सामान्य

सिद्धांतों की विस्तृत रूप से व्याख्या की है। उनके अनुसार किसी भी औद्योगिक संस्थान का प्रबंध करने हेतु प्रबंधकों को कुछ सामान्य आधारभूत सिद्धांतों का ज्ञान होना आवश्यक है। ये सिद्धांत लचीले हैं जिनको किसी भी स्थिति में लागू किया जा सकता है। ये 14 सिद्धांत हेनरी फेयोल की प्रबंध जगत को एक महान देन है। ये सिद्धांत इस प्रकार हैं–(*i*) कार्य का विभाजन (*ii*) अधिकार एवं उत्तरदायित्व (*iii*) अनुशासन (*iv*) आदेश की एकता (*v*) निदेश की एकता (*vi*) सामूहिक हितों के लिए व्यक्तिगत हितों का समर्पण (*vii*) कर्मचारियों का प्रतिफल (*viii*) केन्द्रीकरण (*ix*) सोपान शृंखला (*x*) व्यवस्था (*xi*) समता (*xii*) कर्मचारियों की उपयुक्तता (*xiii*) प्रेरणा (*xiv*) सहयोग की भावना।

उपर्युक्त चर्चा से यह स्पष्ट है कि फेयोल के प्रबंध के 14 सिद्धांत प्रबंध की समस्याओं पर विस्तृत रूप से लागू होते हैं तथा आज इनका प्रबंध की सोच पर गहरा प्रभाव पड़ा है।

34. लोक निर्माण विभाग (Public Works Department) सहायक एजेंसी का एक उदारहण है। एजेंसियां तीन प्रकर की होती हैं–स्टॉफ, लाइन तथा सहायक एजेंसियां। सहायक एजेंसियां लोगों की सेवा न करके लाइन एजेंसियों की सेवा करती हैं। वे सभी विभागों के साझे कार्य करती हैं। सहायक एजेंसियों के कारण लाइन एजेंसियों के अधिकारियों को पूरी तरह अपने उन कार्यों को करने का समय मिल जाता है, जिनको करना उनकी प्राथमिक जिम्मेदारी होती है तथा उन्हें उन कार्यों से मुक्ति मिल जाती है जो उनके प्राथमिक दायित्व से संबंधित नहीं होते हैं। इस प्रणाली से कार्यों की निपुणता सुनिश्चित हो जाती है तथा यह वांछनीय है कि यदि कार्य कुशलतापूर्वक किया जाना है तो उन व्यक्तियों को सौंपा जाए जो उस क्षेत्र में निपुण हों। इससे प्रशासन में मितव्ययिता आती है क्योंकि कार्य का दोहराव दूर हो जाता है। एक सहायक एजेंसी सभी विभागों का कोई विशेष कार्य साझे रूप से कर देती है जिससे समय तथा धन की बचत होती है, जैसे छपाई तथा लेखन सामग्री विभाग सभी विभागों का छपाई कार्य करता है।

35. संरक्षण नौकरशाही (Patronage Bureaucracy) दलगत हितों के प्रति पूर्वाग्रह दर्शाता है। नौकरशाही के इस रूप को लूट-प्रणाली (Spoil System) भी कहा जाता है। इसके तहत सरकारी पद व्यक्तिगत कृपा या राजनीतिक पुरस्कार के रूप में प्रदान किए जाते हैं। 17वीं शताब्दी के मध्यकाल तक यह प्रणाली ग्रेट ब्रिटेन में प्रचलित थी और वहाँ इसे अमीरों को लाभ प्रदान करने के लिए प्रयुक्त किया जाता था। संयुक्त राज्य अमेरिका में यह प्रणाली राजनीतिक दल से प्रभावित थी। अमेरिका में लूट-प्रणाली की 1829 से 1883 तक प्रधानता रही, फिर भी किसी प्रकार के नैतिक अवरोध सामने नहीं आए।

नौकरशाही के अन्य प्रकार अभिभावक या संरक्षक नौकरशाही (Guardian Bureaucracy), जाति नौकरशाही (Caste Bureaucracy) और सत्ताधारी नौकरशाही (Ruling Bureaucracy) है।

36. केन्द्रीय अन्वेषण ब्यूरो (CBI), रिसर्च एण्ड एनालाइसिस विंग (RAW), केन्द्रीय रिजर्व पुलिस बल (CRPF) आदि को सूचना के अधिकार अधिनियम में शामिल नहीं किया गया है। इन संस्थाओं/संगठनों की कार्यवाहियों को राष्ट्र की सुरक्षा के दृष्टिकोण से गोपनीय रखा जाता है।

सूचना के अधिकार की मांग राजस्थान से प्रारम्भ हुई। राज्य में सूचना के अधिकार के लिए 1990 के दशक में जनांदोलन की शुरुआत हुई, जिसमें मजदूर किसान शक्ति संगठन (MKSS) द्वारा अरुणा राय की अगुवाई में भ्रष्टाचार उजागर करने के लिए जनसुनवाई कार्यक्रम आयोजित की गई।

1989 में कांग्रेस की सरकार के पतन के बाद वी.पी. सिंह की सरकार सत्ता में आई जिसने सूचना का अधिकार कानून बनाने का वायदा किया। 3 दिसम्बर 1989 को अपने पहले संदेश में तत्कालीन प्रधानमंत्री वी.पी. सिंह ने संविधान में संशोधन करके सूचना का अधिकार कानून बनाने तथा शासकीय गोपनीयता अधिनियम में संशोधन करने की घोषणा की। किन्तु सरकार की तमाम कोशिशों के बावजूद यह कानून नहीं बन सका। इसके बाद भी सूचना के अधिकार को कानून बनाने के कई प्रयास किए गए किन्तु सफलता नहीं मिली। अन्ततः संयुक्त प्रगतिशील गठबंधन (UPA) की सरकार ने

न्यूनतम साझा कार्यक्रम में किए गए अपने वायदों के तहत पारदर्शिता युक्त शासन व्यवस्था एवं भ्रष्टाचार मुक्त समाज बनाने के लिए 12 अक्टूबर, 2005 को यह कानून लागू किया, जो जम्मू-कश्मीर को छोड़कर पूरे देश में लागू हुआ।

37. उल्लेखनीय है कि भारत में वर्तमान में वित्तीय वर्ष 1 अप्रैल से लेकर 31 मार्च तक लागू होता है। सरकार इसे परिवर्तित करने पर इसलिए विचार कर रही है ताकि इसमें कृषि फसलों की उत्पादक समयावधि का बेहतर तरीके से समायोजन किया जा सके। इसके लिए सरकार ने पूर्व मुख्य आर्थिक सलाहकार शंकर आचार्या की अध्यक्षता में एक 4-सदस्यीय समिति का गठन किया है जो वित्तीय वर्ष के लिए नई समयावधि अपनाने पर कृषि, कर तथा अन्य क्षेत्रों पर पड़ने वाले तमाम प्रभावों का विस्तार से आकलन करेगी। इस समिति में शामिल अन्य तीन सदस्य हैं—के.एम. चन्द्रशेखर, पी.वी. राजारमण और राजीव कुमार। इस समिति को अपनी रिपोर्ट 31 दिसम्बर, 2016 तक देनी थी लेकिन अभी तक रिपोर्ट आई नहीं है।

उल्लेखनीय है कि 1984 में एल.के. झा समिति का गठन इसी मुद्दे पर किया गया था तथा उसने अपनी सिफारिशों में कहा था कि वित्तीय वर्ष को भी कैलेंडर वर्ष (यानी जनवरी से दिसम्बर) पर आधारित करना चाहिए क्योंकि इससे बजट को दक्षिण-पश्चिम मानसून के प्रभाव से अलग रखा जा सकेगा।

हालांकि तत्कालीन कांग्रेस सरकार ने तमाम दलीलें देते हुए झा समिति की सिफारिशों को खारिज कर दिया।

39. भारत का केन्द्रीय सतर्कता आयोग (Central Vigilance Commission (CVC)) भारत सरकार के विभिन्न विभागों के अधिकारियों/कर्मचारियों से संबंधित भ्रष्टाचार नियंत्रण की सर्वोच्च संस्था है। इसकी स्थापना सन् 1964 में की गयी थी। इस आयोग के गठन की सिफारिश संथानम समिति (1962-64) द्वारा की गयी थी जिसे भ्रष्टाचार रोकने से संबंधित सुझाव देने के लिए गठित किया गया था। केन्द्रीय सतर्कता आयोग सांविधिक दर्जा (Statutory Status) प्राप्त एक बहुसदस्यीय संस्था है।

केन्द्रीय सतर्कता आयोग किसी भी कार्यकारी प्राधिकारी के नियंत्रण से मुक्त है तथा केन्द्रीय सरकार के अन्तर्गत सभी सतर्कता गतिविधियों की निगरानी करता है। यह केन्द्रीय सरकारी संगठनों में विभिन्न प्राधिकारियों को उनके सतर्कता कार्यों की योजना बनाने, निष्पादन करने, समीक्षा करने तथा सुधार करने में सलाह देता है।

केन्द्रीय सतर्कता आयोग विधेयक संसद के दोनों सदनों द्वारा वर्ष 2003 में पारित किया गया जिसे राष्ट्रपति ने 11 सितम्बर 2003 को स्वीकृति दी। इसमें एक केन्द्रीय सतर्कता आयुक्त जो कि अध्यक्ष होता है तथा दो अन्य सतर्कता आयुक्त (सदस्य) होते हैं।

अप्रैल 2004 के जनहित प्रकटीकरण तथा मुखबिर की सुरक्षा पर भारत सरकार के संकल्प द्वारा भारत सरकार ने केन्द्रीय सतर्कता आयोग को भ्रष्टाचार के किसी भी आरोप को प्रकट करने अथवा कार्यालय का दुरुपयोग करने संबंधित लिखित शिकायतें प्राप्त करने तथा उचित कार्यवाही की सिफारिश करने वाली एक नामित एजेंसी के रूप में प्राधिकृत किया।

आयोग में एक अध्यक्ष व दो सतर्कता आयुक्त होते हैं जिनकी नियुक्ति राष्ट्रपति द्वारा एक तीन सदस्यीय समिति की सिफारिश पर होती है। इस समिति में प्रधानमंत्री, लोकसभा में विपक्ष के नेता व केन्द्रीय गृहमंत्री होते हैं। इनका कार्यकाल 4 वर्ष अथवा 65 वर्ष की आयु तक (जो भी पहले हो), तक होता है। अवकाश प्राप्ति के बाद आयोग के ये पदाधिकारी केन्द्र अथवा राज्य सरकार के किसी भी पद के योग्य नहीं होते हैं।

40. भारत की संचित निधि पर भारित व्यय संसद के मत के अध्यधीन नहीं है क्योंकि इसका स्वरूप बाध्यकर भुगतान का है। भारतीय संविधान में तीन निधियों का वर्णन है। अनुच्छेद-267 में 'भारत की आकस्मिक निधि' (Contingency Fund), अनुच्छेद-266(1) में 'संचित निधि' (Consolidated Fund) और अनुच्छेद-266(2) में 'लोक लेखा निधि' (Public Account) का वर्णन है।

संविधान के अनुच्छेद-266(1) के अनुसार सरकार को मिलने वाली सभी राजस्वों जैसे—सीमा शुल्क, उत्पाद शुल्क, आयकर, सम्पदा शुल्क, अन्य कर एवं शुल्क

और सरकार द्वारा दिए गए ऋणों की वसूली से जो धन प्राप्त होता है, वे सभी संचित निधि में जमा किए जाते हैं। संसद की स्वीकृति के पश्चात् सरकार अपने सभी खर्चों का वहन इसी निधि से करती है। भारत की संचित निधि पर भारित व्यय, जो संसद की स्वीकृति के अध्यधीन नहीं है, निम्नलिखित हैं–

- राष्ट्रपति के वेतन, भत्ते और कार्यालय से जुड़े व्यय।
- राज्यसभा और लोकसभा के सभापतियों एवं उपसभापतियों के वेतन और भत्ते।
- सर्वोच्च न्यायालय के न्यायाधीशों के वेतन और भत्ते।
- महालेखा परीक्षक के वेतन और भत्ते, इत्यादि।

41. खेल सिद्धांत (Game Theory) में निर्णय करने वालों के बीच रणनीतिक संवाद का विश्लेषण करने हेतु तर्क और युक्तिमूलकता (Logic and Rationality) समुच्चय का उपयोग किया जाता है। मार्टिन शुबिक, ऑस्कर मॉर्गेन्स्टर्न और कार्ल ड्वाइच ने सबसे पहले अंतर्राष्ट्रीय राजनीति में खेल सिद्धांत के महत्व को पहचाना। खेल सिद्धांत विशेष रूप से उन सामाजिक घटनाओं के अध्ययन में लागू होता है जिनमें कार्यकर्ता अपने ही लाभ के लिए प्रबल संघर्ष कर रहे हों पर उन कारकों पर उनका कोई वास्तविक नियंत्रण न हो जिनका खेल के परिणाम का फैसला कराने में मार्मिक महत्व हो। ऐसी घटनाओं का दायरा बहुत बड़ा है और उसके अंतर्गत सारे आर्थिक, राजनीतिक, सैनिक और सामाजिक पहलू आ जाते हैं। इन सब पहलुओं पर खेल सिद्धांत कम या अधिक मात्रा में लागू किया गया है। इस विषय में किए गए परीक्षणों से महत्वपूर्ण परिणाम निकले हैं जिनसे न केवल खेल सिद्धांत को लाभ हुआ है, बल्कि कुछ नए संप्रत्ययों का भी जन्म हुआ है।

खेल के सिद्धांत में 5 महत्वपूर्ण सम्प्रत्यय हैं। पहला है 'युक्ति' का सम्प्रत्यय, दूसरा है 'एक विरोधी की कल्पना', तीसरा संप्रत्यय 'भुगतान' का है, चौथा सम्प्रत्यय 'नियम' है और अंतिम और पाँचवां सम्प्रत्यय 'सूचना या जानकारी' का है। खेल सिद्धांत संघर्ष का विश्लेषण सारतः युक्तियों और चाल योजनाओं के रूप में करता है।

42. अप्रैल 1987 में स्थापित MTCR (Missile Technology Control Regime) का मकसद बैलिस्टिक मिसाइल और अन्य मानव रहित आपूर्ति प्रणालियों के विस्तार को सीमित करना है, जिनका रासायनिक, जैविक और परमाणु हमलों में उपयोग किया जा सकता है। यह कई देशों का एक अनौपचारिक संगठन है जिनके पास प्रक्षेपास्त्र व मानव रहित विमान (ड्रोन) से संबंधित प्रौद्योगिकी क्षमता है और जो इसे फैलने से रोकने के लिए नियम स्थापित किए हैं। जून 2016 में MTCR के सदस्य देशों की संख्या 35 हो गई। 27 जून, 2016 को भारत इसका 35वां सदस्य बना।

गैर-सदस्यों को प्रक्षेपास्त्र व ड्रोनों से संबंधित प्रौद्योगिकी खरीदने व बेचने दोनों में कठिनाईयाँ होती हैं। सदस्यों में यह आपसी समझौता है कि यदि एक सदस्य किसी देश को कोई तकनीक या उपकरण देने से मना कर दे तो हर अन्य सदस्य भी उस देश को मना कर देता है।

इस संगठन में सम्मिलित होने के लिए यह आवश्यक है कि कोई भी वर्तमान सदस्य प्रस्तावित देश के लिए आपत्ति न जतलाए। सन् 2015 में भारत की सदस्यता को इटली ने रोक लिया था, हालांकि 2016 में भारत के विरुद्ध कोई आपत्ति न आने से उसकी सदस्यता का मार्ग सरल हो गया। चीन ने सन् 2004 में सदस्यता के लिए अर्जी डाली थी लेकिन पाकिस्तान, सऊदी अरब और अन्य कुछ देशों के साथ उसकी ढीली निर्यात प्रक्रियाओं के संबंध में उठती रही आपत्तियों के कारण उसे रोका जाता रहा है।

43. युद्ध का अघोषित होना न्याय युद्ध का एक मापदण्ड नहीं है। युद्ध विवादास्पद नीतियों में उलझे दो मानव समूहों के बीच संगठित बल का प्रयोग है। यद्यपि दोनों राज्यों द्वारा जारी प्रादेशिक शक्ति के विस्तार की नीतियाँ एक-दूसरे के विरुद्ध होती हैं, फिर भी एक समूह अपनी नीति दूसरे समूह पर थोपने का प्रयास करता है। मध्ययुगीन विचारकों ने 'न्यायोचित युद्ध' (Just War) के विचार का प्रयास किया। यह वह युद्ध है, जो आत्मरक्षा अथवा न्याय प्राप्त करने के लिए लड़ा जाता है और इसका उद्देश्य विरोधी पक्ष को नुकसान पहुँचाना नहीं, अपितु शांति और मित्रता की परिस्थितियों को पुनर्स्थापित करना

होता है। तथापि, आधुनिक समय में, सिद्धांतों की प्रवृति में थॉमस हॉब्स के विचारों की ओर झुकाव है जो युद्ध की "मनुष्य की प्राकृतिक अवस्था" मानता है। यहाँ तक कि इमेनुएल कांट का भी मानना है कि प्राकृतिक रूप से मनुष्य "युद्ध की अवस्था" में जन्म लेता है, पर सभी सिद्धांतों का इस विचार में विश्वास नहीं है कि मनुष्य स्वभाव से ही युद्धप्रिय है।

44. अमेरिका में राष्ट्रपति जॉर्ज डब्ल्यू बुश जूनियर के कार्यकाल को "आतंकवाद के विरुद्ध लड़ाई" (War on Terrorism) के दौर के रूप में जाना जाता है। 11 सितम्बर, 2001 के आतंकवादी हमलों के बाद, बुश प्रशासन ने विश्वभर में 'आतंक के खिलाफ युद्ध' घोषित किया जिसमें खुला और गुप्त सैन्य अभियान, नए सुरक्षा कानून और आतंकवाद के वित्तपोषण को अवरुद्ध करने के प्रयास आदि शामिल थे। वाशिंगटन ने आतंकवाद के विरुद्ध युद्ध में राष्ट्रों को शामिल होने के लिए आमंत्रित करते हुए कहा कि यदि आप इस युद्ध में शामिल होते हैं, तो आतंकवाद के विरोधी हैं अन्यथा समर्थक हैं। बुश सिद्धांत के अनुसार, USA सार्वभौमिक रूप से अपने राष्ट्रीय हितों को सुरक्षित करने के लिए कार्य करेगा और वह किसी भी सुरक्षा खतरे के विरुद्ध सैनिक कार्यवाही भी कर सकता है जैसा कि उसने इराक में किया। इस प्रकार बुश प्रशासन ने आतंकवाद के खिलाफ युद्ध तक छेड़ दिया क्योंकि जहाँ आतंकवादियों से निपटने का मामला हो वहाँ भौगोलिक अवस्थिति भी कोई मायने नहीं रखती। अतः वैश्वीकरण के अन्य आयामों की भांति आतंकवाद के विरुद्ध कार्रवाई एक विश्वव्यापी युद्ध है जिसने राष्ट्रीय सीमाओं को निस्तेज कर दिया है।

45. एकध्रुवीय स्थिति जिसका उल्लेख जॉर्ज डब्ल्यू बुश जूनियर ने शक्ति के संतुलन के रूप में किया है, वह स्वतंत्रता का हिमायती है। शक्ति-संतुलन अंतर्राष्ट्रीय संबंधों की वह व्यवस्था है जिसमें राज्य आंतरिक रूप से शक्ति का निर्माण करके सुरक्षा बनाए रखने का प्रयास करते हैं अथवा वे अन्य राज्यों के साथ संबंध बनाने की कोशिश करते हैं ताकि कोई राज्य (अथवा राज्यों का समूह) अत्यधिक शक्ति का संचय न कर पाए। इसका अर्थ शक्ति की साम्यावस्था एवं तुल्यभारिता से भी है।

47. भारत संयुक्त राष्ट्र संघ (UNO) की सुरक्षा परिषद् का स्थायी सदस्य बनना चाहता है क्योंकि भारत विश्व में सबसे बड़ी आबादी वाला दूसरा देश है। भारत में विश्व की कुल जनसंख्या का 1/5वाँ हिस्सा निवास करता है। इसके अतिरिक्त, भारत विश्व का सबसे बड़ा लोकतंत्र है। भारत ने UNO की लगभग सभी पहलकदमियों में भाग लिया है। संयुक्त राष्ट्रसंघ के शांति बहाल प्रक्रिया में भारत लम्बे समय से ठोस भूमिका निभाता रहा है। सुरक्षा परिषद् में भारत की स्थायी सदस्यता की दावेदारी इसलिए भी उचित है क्योंकि वह तेजी से अंतर्राष्ट्रीय फलक पर आर्थिक-शक्ति बनकर उभर रहा है। भारत ने UNO के बजट में नियमित रूप से अपना योगदान दिया है और यह कभी भी अपने भुगतान से चूका नहीं है। भारत इस बात से आगाह है कि सुरक्षा परिषद् में स्थायी सदस्यता का एक प्रतीकात्मक महत्व भी है। इससे पता चलता है कि देश का अंतर्राष्ट्रीय मामलों में महत्व बढ़ रहा है। किसी देश को अपनी इस बढ़ी हुई हैसियत का फायदा उसकी विदेश नीति में मिलता है। केवल परमाणु शक्ति सम्पन्नता संयुक्त राष्ट्र संघ की सुरक्षा परिषद की सदस्यता का मापदण्ड नहीं है।

49. भारत ने 7वीं नैम शिखर बैठक (7th NAM Summit) की मेजबानी की जो नई दिल्ली में आयोजित हुई। 17वीं निर्गुट आंदोलन का आयोजन वेनेजुएला में सितंबर 2016 में किया गया। इसका मुख्यालय जकार्ता (इंडोनेशिया) में है। गुट निरपेक्ष आंदोलन वैसे राष्ट्रों का एक अंतर्राष्ट्रीय संगठन है जिन्होंने निश्चय किया कि वे विश्व के किसी भी शक्ति गुट का न तो समर्थन करेंगे और न ही विरोध। यह आंदोलन भारतीय प्रधानमंत्री नेहरू, मिस्र के राष्ट्रपति गमाल अब्दुल नासिर एवं युगोस्लाविया के राष्ट्रपति जोसिप ब्रॉज टीटो द्वारा आरंभ हुआ। इसकी स्थापना अप्रैल, 1961 में हुई थी।

गुट निरपेक्ष शब्दावली का प्रयोग भारत के प्रधानमंत्री जवाहर लाल नेहरू ने 1954 में कोलंबो भाषण के दौरान किया। इस भाषण के दौरान नेहरू ने भारत-चीन संबंधों के लिए 'पंचशील' नामक 5 आधारों का वर्णन किया जिन्हें मील का पत्थर माना गया। यही सिद्धांत बाद में NAM का आधार बना। ये 5 सिद्धांत हैं—प्रादेशिक अखण्डता का सम्मान, पारस्परिक

गैर-आक्रामकता, घरेलू मामलों में हस्तक्षेप न करना, समानता और परस्पर लाभ तथा शांतिपूर्ण सह-अस्तित्व।

युद्धोतर विश्व व्यवस्था दो सैनिक गुटों में बँट गई थी जिसका नेतृत्व अमेरिका और सोवियत संघ कर रहे थे। NAM का उद्भव इसी काल में हुआ। NAM के सदस्य राष्ट्र दो कारणों से शक्ति गुट में शामिल नहीं हुए। पहला, ये विकासशील देश दो शक्ति गुटों के बीच अंतर्राष्ट्रीय मामलों पर विचार व्यक्त करने के लिए एक मध्यवर्ती राज्य की भूमिका निभा सकते थे और दूसरा कारण था अपने घरेलू विकास पर ध्यान केंद्रित करना क्योंकि ये सभी देश शोषणकारी औपनिवेशिक अतीत का अनुभव कर चुके थे। विकासशील देशों के हितों का प्रतिनिधित्व करने वाले गुट निरपेक्ष आंदोलन ने बड़ी शक्तियों के दबावों से मुक्त रहकर अपनी साझी समस्याओं को बांटा, अपनी स्वतंत्रता को बनाए रखा तथा उपनिवेशवाद और नवउपनिवेशवाद का विरोध किया, खासकर पश्चिमी आधिपत्य का। अतः विकासशील देशों के लिए NAM विदेश नीति में अधिकतम राष्ट्रीय स्वायत्तता के सिद्धांत का समर्थक है।

50. संरक्षण का दायित्व (R2P) राज्यों की आबादी और नरसंहार तथा अन्य जन-उत्पीड़न अपराधों के प्रति राज्य के दायित्व को निरूपित करता है। R2P उत्तरदायित्व के तीन स्तम्भों को निरूपित करता है।

स्तम्भ एक, राज्य को यह जिम्मेदारी सौंपता है कि वह अपनी जनता की चार क्रूर अपराधों से रक्षा करे—नरसंहार, युद्ध अपराध, मानवता के खिलाफ अपराध और जातीय सफाया।

स्तम्भ दो, उस जिम्मेदारी को पूरा करने में व्यक्तिगत राज्यों को प्रोत्साहन और सहायता देने के लिए व्यापक तौर पर अंतर्राष्ट्रीय समुदाय का दायित्व।

स्तम्भ तीन, अगर कोई राज्य अपनी जनसंख्या की रक्षा करने में विफल हो रहा है, तो अंतर्राष्ट्रीय समुदाय का यह कर्तव्य है कि वह सही समय पर और निर्णायक रूप से संयुक्त राष्ट्र चार्टर के तत्वाधीन समुचित कार्रवाई करे।

इन सिद्धांतों का प्रतिपादन हस्तक्षेप और राज्य सम्प्रभुता पर अंतर्राष्ट्रीय आयोग की 2001 रिपोर्ट में हुआ और इसका समर्थन संयुक्त राष्ट्र महासभा सम्मेलन, 2005 के परिणाम दस्तावेज पैराग्राफ 138, 139 और 140 द्वारा किया गया।

प्रश्न-पत्र-III

नोट : *इस प्रश्न-पत्र में* ***पचहत्तर (75)*** *बहु-विकल्पीय प्रश्न हैं। प्रत्येक प्रश्न के* ***दो (2)*** *अंक हैं।* ***सभी*** *प्रश्न अनिवार्य हैं।*

1. राजनीतिक सिद्धांत की शास्त्रीय परंपरा को जांच की एक साझा विचारधारा माना जाता है, क्योंकि इसमें :

A. तर्क की शैली एवं तरीके में एकत्व है

B. इसके विषय एवं शैली में एकत्व है

C. समान लक्ष्य ढूँढने में एकत्व है

D. मनुष्यजाति के लिये साझी दूरदर्शिता प्राप्त करने में एकत्व है

2. किसने शास्त्रीय परंपरा का उल्लेख 'एपिक थ्योरी' के रूप में किया है?

A. इसाइआ बर्लिन B. कार्ल पॉपर

C. शेल्डन वोलिन D. माइकेल ओकशॉट

3. सूची-I को सूची-II से सुमेलित करें और दिए गए कूट से सही उत्तर का चयन करें :

सूची-I (अवधारणा)	**सूची-II (चिंतक)**
(*a*) मौन सहमति	1. रॉल्स
(*b*) स्वयं से संबंधित और दूसरे से संबंधित कार्य	2. बर्लिन
(*c*) नकारात्मक तथा सकारात्मक स्वतंत्रता	3. लॉक
(*d*) सुव्यवस्थित समाज	4. बेंथम

कूट :

	(*a*)	(*b*)	(*c*)	(*d*)
A.	2	1	4	3
B.	3	4	2	1
C.	1	2	3	4
D.	4	3	1	2

4. यह आशंका किसने व्यक्त की थी कि मार्क्स के सर्वहारा वर्ग की तानाशाही सर्वहारा वर्ग पर तानाशाही हो जाएगी?

A. लासाल B. प्रोदां

C. बाकुनिन D. लुक्जमबर्ग

12. नीचे दो कथन दिए गए हैं, जिसमें से एक को अभिकथन (A) और दूसरे को तर्क (R) कहा गया है। नीचे दिए गए कूट का प्रयोग करते हुए सही उत्तर चुनिए :

अभिकथन (A) : इस तथ्य के बावजूद कि रॉल्स के सिद्धांत की प्रबल प्रक्रियागत विशेषताएँ हैं, इसे सामाजिक न्याय में प्रमुख योगदान के रूप में भी देखा जा सकता है।

तर्क (R) : वह साफ-साफ बताते हैं कि समानता से सभी विचलनों के युक्तिसंगत औचित्य की आवश्यकता है।

कूट :

A. (A) और (R) दोनों सत्य हैं और (R), (A) का सही स्पष्टीकरण है।

B. (A) और (R) दोनों सत्य हैं, परन्तु (R), (A) का सही स्पष्टीकरण नहीं है।

C. (A) सत्य है, परंतु (R) असत्य है।

D. (A) असत्य है, परंतु (R) सत्य है।

6. अभिसरण सिद्धांत में किसके बीच अभिसरण का उल्लेख किया गया है?

A. उन्नत पूँजीवाद और विकसित समाजवाद

B. विनिर्माता राष्ट्र तथा कच्चे माल के आपूर्ति कर्ता देश

C. अन्तर्राष्ट्रीय संगठनों में राष्ट्र हित

D. जलवायु परिवर्तन से निपटने हेतु साझा नीति अपनाने की आवश्यकता

7. नीचे दो कथन दिए गए हैं, जिसमें से एक को अभिकथन (A) और दूसरे को तर्क (R) कहा गया है। नीचे दिए गए कूट का प्रयोग करते हुए सही उत्तर चुनिए :

अभिकथन (A) : लेनिन का शक्ति पर क्रांतिकारी कब्जा होना आकस्मिक शासन परिवर्तन के समान है तथा यह मार्क्सवाद को नकारता है।

तर्क (R) : मार्क्स का विचार था कि कम्यूनिस्ट पार्टी शांतिपूर्ण ढंग से शक्ति हथिया लेगी।

कूट :

A. (A) और (R) दोनों सत्य हैं और (R), (A) का सही स्पष्टीकरण है।

B. (A) और (R) दोनों सत्य हैं, परन्तु (R), (A) का सही स्पष्टीकरण नहीं है।

C. (A) सत्य है, परंतु (R) असत्य है।

D. (A) असत्य है, परंतु (R) सत्य है।

8. निम्न में से किसकी क्रांतिकारी भूमिका पर बल देना माओ का सर्वाधिक मौलिक योगदान था?

A. सर्वहारा वर्ग

B. बुद्धिजीवी वर्ग

C. सर्वहारा वर्ग तथा कृषकों का समुच्चय

D. कृषक वर्ग

9. किसने इस विचार पर संदेह प्रकट किया कि लॉक गौरवपूर्ण क्रांति के समर्थक थे?

A. टॉवनी   B. सैबाइन

C. मैकफर्सन   D. एशक्राफ्ट

10. कौन-सा राजनीतिक चिंतक अरस्तू के विचारों को पूरी तरह अस्वीकार करता है?

A. मैकियावेली   B. हॉब्स

C. लॉक   D. रूसो

11. किसने रूसो को अधिनायकवादी लोकतंत्री बताया है?

A. कार्ल पॉपर   B. कार्ल फ्रेडरिक

C. हन्ना आरेन   D. जैकब टालमोन

12. हॉब्स के लिये केन्द्र बिन्दु सत्ता है, न कि अधिकार। क्यों?

A. सत्ता अधिकार से अधिक महत्वपूर्ण है

B. अधिकारों में कर्त्तव्य भी शामिल होंगे

C. सत्ता और अधिकार में एक अन्तर्निहित टकराव है

D. व्यक्तियों के बीच सहमति जुटाना कठिन है

13. सूची-I को सूची-II से सुमेलित करें और दिए गए कूट से सही उत्तर का चयन करें :

सूची-I (मार्क्स की रचनाएं)	सूची-II (विषय)
(*a*) पेरिस मैन्यूस्क्रिप्ट्स	1. राज्य की आपेक्षिक स्वायत्तता
(*b*) दास कैपिटल	2. सर्वहारा वर्ग की तानाशाही
(*c*) एइटीन्थ ब्रुमेअर ऑफ लुई बोनापार्ट	3. अधिशेष मूल्य
(*d*) क्रिटिक ऑफ द गोथा प्रोग्राम	4. विसंबंधन

कूट :

	(*a*)	(*b*)	(*c*)	(*d*)
A.	1	2	3	4
B.	4	3	1	2
C.	3	4	2	1
D.	2	1	4	3

14. निम्नलिखित में से क्या मैकियावेली के राजनीतिक सिद्धांत के बारे में सही है?

(*a*) इसमें प्राचीन रोम को देवत्व प्रदान किया गया है।

(*b*) इसमें इतिहास का व्यापक रूप से उपयोग किया गया है, ताकि शासन-कला सीखी जा सके।

(*c*) राजा/शासक की सफलता हेतु निजी सेना की आवश्यकता बतायी गई है।

(*d*) इटली के नैतिक पतन हेतु धर्म को दोषी बताया गया है।

नीचे दिए गए कूट से सही उत्तर चुनिए :

A. (*a*) और (*b*)   B. (*b*) और (*d*)

C. (*c*) और (*d*)   D. (*a*) और (*c*)

15. गांधी ने स्वयं को किस रूप में बताया है?

A. दार्शनिक रूप से अराजकतावादी

B. उदारवादी लोकतंत्रवादी

C. सामाजिक लोकतंत्रवादी

D. कम्यूनिस्ट

16. निम्नलिखित में से कौन तुलनात्मक पद्धति में अरस्तू के योगदान के संबंध में सही है?

(*a*) तत्कालीन विद्यमान राजनीतिक प्रणालियों का अध्ययन

(*b*) राजनीति के एक आनुभविक विज्ञान का विकास करना

(*c*) आदर्श प्रकार पर पहुँचना

(*d*) अमूर्त विचारों को व्यवहार में लागू करना

कूट :

A. (*a*) और (*c*)   B. (*a*) और (*b*)

C. (*b*) और (*d*)   D. (*c*) और (*d*)

17. नवसंस्थावाद बल देता है :

A. संस्थाओं पर न कि व्यक्तियों पर

B. संस्थाओं तथा व्यक्तियों के बीच संतुलन पर

C. राजनीति में समूह सिद्धांत पर

D. राजनीति पर अर्थशास्त्र हावी रहता है

18. ईस्टन ने वर्ष 1969 में राजनीति विज्ञान में किस प्रकार अपने प्रचण्ड संशोधन का वर्णन किया है?

A. प्रति सुधार (काउंटर रिफार्मेशन)

B. वास्तविक क्रांति

C. पूर्व अध्ययन में संशोधन

D. अपने पूर्व शोध को त्याग देना

19. उदारवादी राजनीतिक अर्थव्यवस्था की आवश्यक रूपरेखा प्रदान की गयी थी :

A. लॉक द्वारा
B. ह्यूम द्वारा
C. मोन्टेस्क्यू द्वारा
D. स्मिथ द्वारा

20. ग्रेट ब्रिटेन के अलिखित संविधान के विकास के मुख्य क्या कारण हैं?

A. अविच्छिन्नता और परिवर्तन का शांतिपूर्ण ढंग से अनुसरण करने की ब्रिटिश प्रथा

B. परम्पराओं को कानून समान पवित्र मान लेने की ब्रिटिश मान्यता, परंतु न्यायालय में वादयोग्य नहीं

C. यह ब्रिटिश धारणा कि ''राजा कोई गलती नहीं कर सकता''

D. ब्रिटेन में सामान्य कानून परंपरा

21. किस देश में 'एक बार अध्यक्ष सदा के लिये अध्यक्ष' प्रथा का अनुसरण किया जाता है?

A. यू एस ए
B. यू के
C. भारत
D. स्विट्ज़रलैंड

22. उच्चतम न्यायालय द्वारा न्यायिक पुनरीक्षा के अधिकार को सर्वप्रथम कहाँ स्थापित किया गया था?

A. यू एस ए
B. भारत
C. फ्रांस
D. स्विट्ज़रलैंड

23. निम्नलिखित में से किस देश में न्यायपालिका के उल्लेखनीय हस्तक्षेप द्वारा व्यक्ति के नागरिक अधिकारों का विकास हुआ है?

A. स्विट्ज़रलैंड
B. यू के
C. यू एस ए
D. फ्रांस

24. सूची-I को सूची-II से सुमेलित करें और दिए गए कूट से सही उत्तर का चयन करें :

सूची-I (निर्वाचन प्रणाली)	**सूची-II (देश)**
(*a*) फर्स्ट-पास्ट-द-पोस्ट सिस्टम	1. फ्रांस
(*b*) द्वितीय मतदान प्रणाली (सेकंड बैलट सिस्टम)	2. जर्मनी
(*c*) वैकल्पिक मत प्रणाली	3. यू एस ए
(*d*) अतिरिक्त सदस्य प्रणाली	4. ऑस्ट्रेलिया

कूट :

	(*a*)	(*b*)	(*c*)	(*d*)
A.	4	3	2	1
B.	2	4	1	3
C.	1	2	3	4
D.	3	1	4	2

25. नीचे दो कथन दिए गए हैं, जिसमें से एक को अभिकथन (A) और दूसरे को तर्क (R) कहा गया है। नीचे दिए गए कूट का प्रयोग करते हुए सही उत्तर चुनिए :

अभिकथन (A) : 1950 के दशक में विकास के सिद्धांत यथा व्यवहारवाद, एक सार्वभौमिक रूप से स्वीकृत प्रतिमान के रूप में कभी विकसित नहीं हो पाया, क्योंकि वे स्थानीय रूप से सीमित रह गये।

तर्क (R) : उनका उद्‌भव शीत युद्ध के दौरान हुआ तथा परिणामस्वरूप पक्षपातपूर्ण था।

कूट :

A. (A) और (R) दोनों सत्य हैं और (R), (A) का सही स्पष्टीकरण है।

B. (A) और (R) दोनों सत्य हैं, परन्तु (R), (A) का सही स्पष्टीकरण नहीं है।

C. (A) सत्य है, परंतु (R) असत्य है।

D. (A) असत्य है, परंतु (R) सत्य है।

26. राजनीतिक समाजीकरण का संबंध है :

A. राजनीतिक विचारों की निर्माण प्रक्रिया से

B. कैरिअर की योजना बनाने तथा राजनीतिक समाजीकरण से

C. दुर्खीइम के सिद्धांतों का विस्तार करने से

D. वेबर के सिद्धांतों का विस्तार करने से

27. जन-भागीदारी संस्कृति संबंधित थी :
A. तत्कालीन साम्यवादी शासन से
B. फासीवादी शासन से
C. उत्तर उपनिवेशवादी समाज से
D. गैर सैद्धान्तिक तानाशाही से

28. यह किसका कथन है कि राजनीति विविधता तथा संघर्ष के बारे में है और अभाव इसके अस्तित्व का आवश्यक तत्व है?
A. लेफ्टविच B. लास्वेल
C. क्रिक D. मिलेट

29. हंटिंग्टन आधुनिकीकरण सिद्धांत का आलोचक है क्योंकि इस सिद्धांत में ध्यान नहीं रखा गया है :
A. पारंपरिक समाज में अनेक स्पर्धी मूल्य प्रणालियों तथा संस्कृतियों की उपस्थिति का
B. आधार तथा अधिरचना (सुपरस्ट्रक्चर) में अन्तर का
C. नेतृत्व के प्रश्न का
D. आधुनिकीकरण करनेवाले राष्ट्रों के अति विकसित रूपरूप का

30. निम्नलिखित में से किसने अभिजनवाद को एक आर्थिक उपागम प्रदान किया?
A. परेटो B. मोस्का
C. मिल्स D. बनहैम

31. किसके अनुसार भारतीय संविधान का लक्ष्य 'अखंड जाल' (Seamless Web) में अन्तर्गुम्फित (interwoven) तीन विशिष्ट तत्वों के रूप में राष्ट्रीय एकता, लोकतंत्र तथा सामाजिक क्रांति के लक्ष्यत्रयी को प्राप्त करना है?
A. डब्ल्यू.एच. मोरिस जोन्स
B. रजनी कोठारी
C. ग्रेनविल ऑस्टिन
D. सुनील खिलनानी

32. निम्नलिखित में से कौन-से आधार भारतीय संविधान के अनुच्छेद 19 के अंतर्गत स्वतंत्रता का उपयोग करने पर राज्य द्वारा युक्तियुक्त निर्बंधन की परिधि में आते हैं?
(*a*) राज्य की सुरक्षा
(*b*) लोक व्यवस्था
(*c*) शिष्टाचार या सदाचार
(*d*) न्यायालय की अवमानना

निम्नलिखित कूट में से सही उत्तर चुनिए :
A. केवल (*a*) और (*b*)
B. केवल (*a*) और (*d*)
C. केवल (*a*), (*b*) और (*c*)
D. (*a*), (*b*) (*c*) और (*d*)

33. एक बार संसद द्वारा वित्तीय आपात की स्वीकृति मिलने के बाद इसकी उद्घोषणा कितने समय तक जारी रह सकती है?
A. 2 माह तक
B. 3 वर्ष तक
C. संसद की कार्यावधि तक
D. अनिश्चित काल तक

34. भारत के उपराष्ट्रपति के संबंध में निम्नलिखित कथनों पर विचार कीजिये और नीचे दिये गये कूट से सही उत्तर चुनिये :
(*a*) इनका निर्वाचन लोक आनुपातिक प्रतिनिधित्व के अनुसार एकल संक्रमणीय मत द्वारा होता है।
(*b*) इनका निर्वाचन लोक सभा तथा राज्य सभा के सभी सदस्यों द्वारा होता है।
(*c*) इनके निर्वाचन में राज्य विधान सभाओं के सदस्यों को मतदान का अधिकार नहीं होता है।
(*d*) वे राज्य सभा का सभापति होते हैं।

कूट :
A. (*a*) और (*b*)
B. (*b*), (*c*) और (*d*)
C. (*a*), (*b*), (*c*) और (*d*)
D. (*a*), (*b*) और (*c*)

35. निम्नलिखित मामलों को उनके कालक्रमिक क्रम में व्यवस्थित कीजिए तथा नीचे दिए गए कूट से सही उत्तर का चयन कीजिए :
(*a*) बंधुआ मुक्ति मोर्चा बनाम भारत संघ
(*b*) एम.सी. मेहता बनाम भारत संघ
(*c*) ए डी एम जबलपुर बनाम शिव कान्त शुक्ल
(*d*) बालको कर्मचारी संघ बनाम भारत संघ

कूट :
A. (*c*), (*a*), (*b*), (*d*) B. (*a*), (*d*), (*c*), (*b*)
C. (*d*), (*b*), (*a*), (*c*) D. (*b*), (*a*), (*d*), (*c*)

36. निम्नलिखित में से किन सिद्धांतों की उत्पत्ति अनुच्छेद 356 के संबंध में बोम्मई मामले में दिये गये फैसले से हुई है?

नीचे दिए गए कूट से सही उत्तर चुनिये :

(*a*) अनुच्छेद 356 के अंतर्गत जारी की गई उद्घोषणा न्यायिक पुनरीक्षा के अध्यधीन है

(*b*) राज्य विधान सभा को उद्घोषणा जारी किये जाने के बाद तुरंत भंग नहीं किया जाना चाहिये

(*c*) उद्घोषणा को संसद की स्वीकृति मिलने के बाद ही राज्य विधान सभा को भंग किया जाना चाहिए

(*d*) न्यायालय द्वारा केंद्र सरकार से यह बताने के लिये कहा जा सकता है कि उसने किस आधार पर अनुच्छेद 356 लागू करने का निर्णय लिया है

कूट :

A. (*b*) और (*c*)

B. (*a*), (*c*) और (*d*)

C. (*a*), (*b*) और (*d*)

D. (*a*), (*b*), (*c*) और (*d*)

37. न्यायमूर्ति पुंछी आयोग किससे संबंधित है?

A. शहरी शासन B. केन्द्र-राज्य संबंध

C. जिला प्रशासन D. चुनाव सुधार

38. सूची-I को सूची-II से सुमेलित करें और दिए गए कूट से सही उत्तर का चयन करें :

सूची-I (वह राज्य जिसके साथ केंद्र का समझौता हुआ)	**सूची-II (वर्ष)**
(*a*) असम	1. 1988
(*b*) मिजोरम	2. 1985
(*c*) त्रिपुरा	3. 1985
(*d*) पंजाब	4. 1986

कूट :

	(*a*)	(*b*)	(*c*)	(*d*)
A.	4	2	3	1
B.	2	4	1	3
C.	3	1	4	2
D.	1	3	2	4

39. किस समिति का यह विचार था कि पंचायती राज संस्थाएँ सम्यक् ढंग से चलती रहतीं यदि ग्रामीण भारत में विकास के पुरोधा के रूप में उन्हें जिम्मेदारियां सौंप कर उन्हें समुचित ढंग से प्रोत्साहित किया जाता?

A. अशोक मेहता B. एल.एम. सिंघवी

C. जी वी के राव D. पी.के. थुंगन

40. किस मुख्य चुनाव आयुक्त ने भारत के राष्ट्रपति को पत्र लिखकर चुनाव आयुक्त को हटाने की सिफारिश की थी?

A. नवीन चावला B. एन. गोपालस्वामी

C. टी.एन. शेषन D. एम.एस. गिल

41. नीचे दो कथन दिए गए हैं, जिसमें से एक को अभिकथन (A) और दूसरे को तर्क (R) कहा गया है। नीचे दिए गए कूट का प्रयोग करते हुए सही उत्तर चुनिए :

अभिकथन (A) : कानून और व्यवस्था जिलाधीश की जिम्मेदारी है।

तर्क (R) : कानून और व्यवस्था भारत में अभी भी एक प्रमुख समस्या बनी हुई है।

कूट :

A. (A) और (R) दोनों सत्य हैं और (R), (A) का सही स्पष्टीकरण है।

B. (A) और (R) दोनों सत्य हैं, परन्तु (R), (A) का सही स्पष्टीकरण नहीं है।

C. (A) सत्य है, परंतु (R) असत्य है।

D. (A) असत्य है, परंतु (R) सत्य है।

42. सूची-I को सूची-II से सुमेलित करें और दिए गए कूट से सही उत्तर का चयन करें :

सूची-I (राज्य)	**सूची-II (राज्य स्तरीय दल)**
(*a*) बिहार	1. अपना दल
(*b*) पश्चिम बंगाल	2. भारतीय राष्ट्रीय लोक दल
(*c*) उत्तर प्रदेश	3. रिवोल्युशनरी सोशलिस्ट पार्टी
(*d*) हरियाणा	4. लोक जनशक्ति पार्टी

कूट :

	(*a*)	(*b*)	(*c*)	(*d*)
A.	3	2	1	4
B.	4	3	1	2
C.	2	1	3	4
D.	1	4	2	3

43. निम्नलिखित में से कौन *टुवर्ड्स इक्वालिटी* रिपोर्ट के सदस्य **नहीं** थे?

A. लोतिका सरकार B. नीरा डोगरा

C. वीणा मजुमदार D. सुशीला नायर

44. सूची-I को सूची-II से सुमेलित करें और दिए गए कूट से सही उत्तर का चयन करें :

सूची-I (दबाव समूहों का प्रकार)	**सूची-II (दबाव समूहों का नाम)**
(*a*) पारंपरिक सामाजिक संरचना पर आधारित	1. एसोसिएटेड चैम्बर्स ऑफ कामर्स एंड इंडस्ट्री इन इंडिया
(*b*) श्रमिक हित पर आधारित	2. नायर सर्विस सोसाइटी
(*c*) संस्थागत हित पर आधारित	3. दिल्ली विश्वविद्यालय शिक्षक संघ
(*d*) व्यवसायिक हित पर आधारित	4. हिंद मजदूर परिषद्

कूट :

	(*a*)	(*b*)	(*c*)	(*d*)
A.	1	3	4	2
B.	2	4	3	1
C.	3	2	1	4
D.	4	1	2	3

45. निम्नलिखित में भारत में राष्ट्र निर्माण की मुख्य समस्याएं कौन-सी हैं? नीचे दिए गए कूट में से सही उत्तर का चयन कीजिए :

(*a*) निर्धनता (*b*) निरक्षरता
(*c*) मजदूर संघ (*d*) भ्रष्टाचार
(*e*) क्षेत्रीय राजनीतिक दल (*f*) आतंकवाद

कूट :

A. (*a*), (*b*), (*e*), (*f*) B. (*a*), (*c*), (*d*), (*e*), (*f*)
C. (*a*), (*b*), (*d*), (*f*) D. (*b*), (*d*), (*e*), (*f*)

46. निम्नलिखित में से वे कौन-से सुधार प्रतिमान हैं, जिनकी पीटर्स ने परम्परागत लोक प्रशासन के विकल्पों के रूप में पहचान की थी?

(*a*) बाजार प्रतिमान
(*b*) भागीदारी आधारित राज्य प्रतिमान
(*c*) नम्य सरकार प्रतिमान
(*d*) विनियमित सरकार प्रतिमान

नीचे दिए गए कूट से सही उत्तर का चयन करें :

A. (*a*) और (*b*) B. (*a*) और (*c*)
C. (*a*), (*c*) और (*d*) D. (*a*), (*b*), (*c*) और (*d*)

47. निम्नलिखित प्रशासनिक चिंतकों को कालक्रम में व्यवस्थित कीजिए :

(*a*) विलॉबी (*b*) एम.पी. फॉलेट
(*c*) एफ.डब्ल्यू. रिग्स (*d*) रॉबर्ट डहल

नीचे दिए गए कूट से सही उत्तर का चयन करें :

A. (*b*), (*a*), (*d*) और (*c*)
B. (*a*), (*b*), (*c*) और (*d*)
C. (*b*), (*a*), (*c*) और (*d*)
D. (*a*), (*c*), (*b*) और (*d*)

48. निम्नलिखित में से किसने विभागीय संगठन के लिए 4 पी-फॉर्मूला दिया?

A. फैयोल B. उरविक
C. गुलिक D. मूने

49. नीचे दो कथन दिए गए हैं, जिसमें से एक को अभिकथन (A) और दूसरे को तर्क (R) कहा गया है। नीचे दिए गए कूट का प्रयोग करते हुए सही उत्तर चुनिए :

अभिकथन (A) : हरबर्ट साइमन ने संगठन के शास्त्रीय सिद्धांत की एक मशीन प्रतिमान सिद्धांत के रूप में खिल्ली उड़ाई है।

तर्क (R) : शास्त्रीयतावादी संगठन के औपचारिक संरचनात्मक भाग के प्रति अत्यंत तल्लीन रहते हैं और वे यह मानव कारकों की कीमत पर करते हैं।

कूट :

A. (A) और (R) दोनों सही हैं और (R), (A) का सही स्पष्टीकरण है।
B. (A) और (R) दोनों सही हैं, लेकिन (R), (A) का सही स्पष्टीकरण नहीं है।
C. (A) सही है, लेकिन (R) गलत है।
D. (A) गलत है, लेकिन (R) सही है।

50. सूचना का अधिकार अधिनियम के बारे में निम्नलिखित में से कौन-सा कथन सही **नहीं** है?

A. सूचना का अधिकार अधिनियम 12 अक्तूबर, 2005 को लागू हुआ
B. सूचना की स्वतंत्रता अधिनियम, 2002 निरस्त कर दिया गया है
C. शासकीय गोपनीयता अधिनियम, 1923 को भी निरस्त किया गया है

D. केन्द्रीय सूचना आयोग और राज्य सूचना आयोगों को गठित किया गया है

51. 73वें संविधान संशोधन में व्यवस्था की गई है :
(*a*) ग्रामीण एवं शहरी निकायों को संवैधानिक दर्जा
(*b*) पंचायती राज की सभी संस्थाओं के लिए त्रिस्तरीय व्यवस्था
(*c*) पंचायती राज के सभी स्तरों पर अध्यक्षों और सदस्यों का प्रत्यक्ष चुनाव
(*d*) कैग (नियंत्रक एवं महालेखा परीक्षक) द्वारा पंचायत की निधियों की लेखा परीक्षा

नीचे दिए गए कूट से सही उत्तर का चयन करें :
A. केवल (*b*)
B. केवल (*a*) और (*b*)
C. (*a*), (*b*) और (*c*)
D. (*a*), (*b*) और (*d*)

52. केन्द्रीय सूचना आयोग में मुख्य सूचना आयुक्त और सूचना आयुक्त होते हैं, जिनकी :
A. संख्या तीन से अधिक नहीं होती है
B. संख्या पाँच से अधिक नहीं होती है
C. संख्या सात से अधिक नहीं होती है
D. संख्या दस से अधिक नहीं होती है

53. निम्नलिखित में से किसने कहा—"विकास प्रशासन एक कार्य-उन्मुखी और उद्देश्य-उन्मुखी प्रशासनिक व्यवस्था है?"
A. एफ.डब्ल्यू. रिग्स B. एडवर्ड विडनर
C. फेरेल हेडी D. एच. वॉकर

54. 73वें संविधान संशोधन अधिनियम, 1992 में निम्नलिखित में से कौन-से स्वैच्छिक प्रावधान हैं?
(*a*) पिछड़े वर्गों को आरक्षण प्रदान करना
(*b*) राज्य वित्त आयोग की स्थापना करना
(*c*) पंचायतों को स्वायत्त निकाय बनाना
(*d*) करों, फीस आदि के संबंध में पंचायतों को वित्तीय अधिकार प्रदान करना

नीचे दिए गए कूट से सही उत्तर का चयन करें :
A. (*a*) और (*b*)
B. (*b*), (*c*) और (*d*)
C. (*a*), (*b*) और (*c*)
D. (*a*), (*c*) और (*d*)

55. सूची-I को सूची-II से सुमेलित करें और दिए गए कूट से सही उत्तर का चयन करें :

सूची-I	**सूची-II**
(*a*) होता समिति	1. केन्द्र-राज्य संबंध
(*b*) संथानम समिति	2. सिविल सेवा में सुधार
(*c*) सरकारिया आयोग	3. भ्रष्टाचार की रोकथाम
(*d*) यशपाल समिति	4. उच्च शिक्षा में सुधार

कूट :

	(*a*)	(*b*)	(*c*)	(*d*)
A.	1	2	3	4
B.	2	3	1	4
C.	2	1	3	4
D.	4	2	1	3

56. उच्च पद पर प्रोन्नति में सम्मिलित है :
(*a*) पद में परिवर्तन
(*b*) वेतन में परिवर्तन
(*c*) कर्तव्यों में परिवर्तन
(*d*) उत्तरदायित्व में परिवर्तन

नीचे दिए गए कूट से सही उत्तर का चयन करें :
A. केवल (*a*) और (*b*)
B. केवल (*b*) और (*c*)
C. (*a*), (*c*) और (*d*)
D. (*a*), (*b*), (*c*) और (*d*)

57. वह कौन-सी प्रक्रिया है जिसके द्वारा एक चयनित उम्मीदवार को नियुक्ति के लिए बुलावा भेजा जाता है :
A. चयन B. नियुक्ति
C. प्रमाणीकरण D. पद स्थापन

58. नीति का बचाव निम्नलिखित में से किसका कार्य है :
A. लाइन एजेंसी
B. स्टाफ एजेंसी
C. सहायक एजेंसी
D. स्टाफ एजेंसी और लाइन एजेन्सियां दोनों

59. निम्नलिखित में से कौन नौकरशाही सिद्धांत के आलोचक हैं?
(*a*) टालकॉट पार्सन्स (*b*) माइकल क्रोजियर
(*c*) रॉबर्ट प्रेस्थस (*d*) एफ.डब्ल्यू. रिग्स

नीचे दिए गए कूट से सही उत्तर का चयन करें :
A. केवल (*a*) और (*b*)
B. केवल (*b*) और (*d*)

C. (*b*), (*c*) और (*d*)
D. (*a*), (*b*), (*c*) और (*d*)

60. निम्नलिखित में से किसने राजनीति-प्रशासन द्वि भाजन को अस्वीकृत किया था?

A. वुडरो विल्सन B. फ्रेंक गुडनॉऊ
C. हर्बर्ट साइमन D. रॉबर्ट मर्टन

61. यह किसका विचार था कि 'उत्तरजीविता राज्य की भौतिक क्षमता तथा अन्य राज्यों से इसकी संधियों पर निर्भर करती है।'

A. जॉन मेर्समेअर B. केनेथ वाल्ट्ज
C. थ्यूसिडाइडस D. जे. स्नाइडर

62. निम्नलिखित कथनों पर विचार कीजिए :

(*a*) नव यथार्थवाद और नव उदारवाद तर्कबुद्धिवादी उपागम हैं।

(*b*) नव यथार्थवाद और नारीवाद अनुचिन्तनवादी उपागम हैं।

(*c*) उत्तर-संरचनावाद तथा नव उदारवाद तर्कबुद्धिजीवी उपागम हैं।

(*d*) नारीवाद और उत्तर-संरचनावाद अनुचिन्तनवादी उपागम हैं।

नीचे दिए गए कूट से सही उत्तर का चयन करें :

A. (*a*) और (*b*) B. (*a*), (*c*) और (*d*)
C. (*a*), (*b*) और (*d*) D. (*a*) और (*d*)

63. निम्नलिखित में से कौन-से कथन नम्र शक्ति के बारे में सही हैं?

(*a*) नम्र शक्ति का उपयोग राज्य कर्ताओं द्वारा किया जा सकता है।

(*b*) नम्र शक्ति का उपयोग गैर राज्य कर्ताओं द्वारा किया जा सकता है।

(*c*) नम्र शक्ति शक्ति का दूसरा फलक है।

(*d*) नम्र शक्ति आदर्शवाद का एक रूप है।

नीचे दिए गए कूट से सही उत्तर का चयन करें :

A. (*a*), (*b*) और (*d*) B. (*b*), (*c*) और (*d*)
C. (*a*), (*b*) और (*c*) D. (*c*), (*d*) और (*a*)

64. निम्नलिखित में से कौन कॉंट के सिद्धांतों का प्रभाव नहीं है जो युद्ध पर नियंत्रण के रूप में कार्य करता है?

A. लोकतंत्र अन्य लोकतंत्रों के विरुद्ध बल का प्रयोग करने से परहेज करेगा।

B. आर्थिक रूप से महत्वपूर्ण व्यापार शांतिपूर्ण संबंधों को बनाये रखने में प्रोत्साहन का निर्माण करता है।

C. वैश्विक नागरिक समाज स्वयं प्रयास करता है।

D. अन्तर्राष्ट्रीय संगठन शांति को बढ़ावा देकर निर्णय निर्माताओं को नियंत्रित कर सकते हैं

65. संघर्ष, हिंसा तथा शांति के बारे में जोहान गालतुंग के प्रतिमानों के बारे में गलत कथनों पर विचार कीजिये :

(*a*) उन्होंने सुझाव दिया कि संघर्ष को परस्पर विरोध, मनोवृत्ति तथा व्यवहार के त्रिकोण के रूप में देखा जा सकता है।

(*b*) उन्होंने संरचनात्मक, सांस्कृतिक, प्रत्यक्ष तथा अप्रत्यक्ष हिंसा की बात की।

(*c*) उन्होंने शांति निर्माण, शांति स्थापन एवं शांति रक्षा की चर्चा की।

(*d*) उन्होंने प्रत्यक्ष युद्ध, छद्‌म युद्ध और अन्तरा-राज्य युद्ध की व्याख्या की।

कूट :

A. (*a*) और (*d*) B. (*b*) और (*c*)
C. (*a*) और (*c*) D. (*a*), (*b*) और (*c*)

66. सूची-I को सूची-II से सुमेलित करें और दिए गए कूट से सही उत्तर का चयन करें :

सूची-I (लेखक)	**सूची-II (ग्रंथ)**
(*a*) स्टीफन क्रेसर	1. एम्पायर ऑफ सिविल सोसाइटी
(*b*) जे. रोजनबर्ग	2. फ्राम इन्टरनेशनल टू वर्ल्ड सोसाइटी
(*c*) ई.एम. वुड	3. इन्टरनैशनल रेजिम्स
(*d*) बेरी बुजान	4. एम्पायर ऑफ कैपिटल

कूट :

	(*a*)	(*b*)	(*c*)	(*d*)
A.	3	2	1	4
B.	3	1	4	2
C.	4	2	1	3
D.	2	1	4	3

67. निम्नलिखित में से कौन-सा युग्म सुमेलित नहीं है?

A. वर्ल्ड ऑर ग्लोबल सिक्यूरिटी	–	विश्व समुदाय अथवा मानव जाति
B. समाजीय सुरक्षा	–	समाजीय आवश्यकताएं
C. आर्थिक सुरक्षा	–	कल्याण
D. पर्यावरण सुरक्षा	–	संसाधन

68. निम्नलिखित में से किसका प्रभाव भारत की परमाणु शक्ति निवारक पर है?

A. अधिक संख्या तथा निवारक शक्ति

B. परमाणु समानता और प्रतिकार करने की क्षमता

C. कम संख्या तथा निवारण करने की क्षमता

D. निवारक बल तथा परमाणु समानता

69. भारत की राष्ट्रीय सुरक्षा परिषद् (एन एस सी आई) के बारे में निम्नलिखित कथनों पर विचार कीजिये :

(*a*) यह एक त्रि-स्तरीय संगठन है जिसमें सामरिक नीति समूह, संयुक्त खुफिया समिति तथा राष्ट्रीय सुरक्षा सलाहकार बोर्ड शामिल हैं।

(*b*) विदेश मंत्री, रक्षा मंत्री, गृह मंत्री, वित्त मंत्री तथा वाणिज्य मंत्री इसके सदस्य हैं।

(*c*) इसकी स्थापना वर्ष 1998 में की गई थीं

(*d*) पूर्व राष्ट्रीय सुरक्षा सलाहकार थे—ब्रजेश मिश्र, जे. एन. दीक्षित, के.पी. सिंह

नीचे दिए गए कूट से सही उत्तर का चयन करें :

A. (*d*), (*c*) और (*a*)

B. (*a*) और (*b*)

C. (*c*), (*d*) और (*b*)

D. (*a*) और (*d*)

70. निम्नलिखित में से कौन-सा कथन असत्य है/ हैं?

(*a*) 'नीमरणा वार्ता' भारत-चीन संबंधों के विषय में है।

(*b*) 'ओटावा वार्ता' भारत-पाकिस्तान संबंधों के विषय में है।

(*c*) संगरीला वार्ता भारत-सिंगापुर संबंधों के विषय में है।

(*d*) रायसीना वार्ता भू राजनीति तथा भू अर्थव्यवस्था के विषय में भारत का फ्लैगशिप सम्मेलन है।

कूट :

A. (*a*), (*b*) और (*c*) B. (*b*), (*c*) और (*d*)

C. (*a*) और (*c*) D. (*c*) और (*d*)

71. संयुक्त राष्ट्र संघ के संदर्भ में भारत की भूमिका के विषय में निम्नलिखित कथनों पर विचार करें। इनमें से कौन-से कथन सत्य हैं?

(*a*) भारत संयुक्त राष्ट्र लोकतंत्र निधि का प्रमुख अंशदाता है।

(*b*) वर्ष 1945 के सैन फ्रान्सिस्को सम्मेलन में भारतीय प्रतिनिधि मंडल का नेतृत्व विजयलक्ष्मी पंडित ने किया था।

(*c*) वर्ष 2001 में भारत ने अंतर्राष्ट्रीय आतंकवाद पर एक सम्मेलन के व्यापक-प्रारूप का मार्ग प्रशस्त किया।

(*d*) भारत ने अन्य देशों के साथ चरणबद्ध तरीके से परमाणु हथियारों को समाप्त करने की कार्य योजना—1996-2020 प्रस्तुत की।

नीचे दिए गए कूट से सही उत्तर का चयन करें :

A. (*a*), (*c*) और (*d*)

B. (*a*), (*b*) और (*c*)

C. (*a*) और (*d*)

D. (*c*) और (*d*)

72. नीचे दो कथन दिए गए हैं, जिसमें से एक को अभिकथन (A) और दूसरे को तर्क (R) कहा गया है। नीचे दिए गए कूट का प्रयोग करते हुए सही उत्तर चुनिए :

अभिकथन (A) : राज्य अभी भी सम्प्रभु राज्य के रूप में विद्यमान हैं।

तर्क (R) : वैश्वीकरण से वेस्टफेलियन राज्य प्रणाली कमजोर हुई है।

कूट :

A. (A) और (R) दोनों सत्य हैं और (R), (A) का सही स्पष्टीकरण है।

B. (A) और (R) दोनों सत्य हैं, लेकिन (R), (A) का सही स्पष्टीकरण नहीं है।

C. (A) सत्य है, लेकिन (R) असत्य है।

D. (A) असत्य है, लेकिन (R) सत्य है।

73. सूची-I को सूची-II से सुमेलित करें और दिए गए कूट से सही उत्तर का चयन करें :

सूची-I	**सूची-II**
(*a*) वास्सेनार समझौता	1. रासायनिक एवं जैविक हथियारों के प्रसार को रोकना
(*b*) ऑस्ट्रेलिया समूह	2. परमाणु हथियारों का अप्रसार
(*c*) न्यूक्लिअर सप्लायर्स ग्रुप	3. पारम्परिक हथियारों तथा प्रौद्योगिकी के दोहरे उपयोग का निर्यात एवं नियंत्रण
(*d*) प्रक्षेपास्त्र प्रौद्योगिकी नियंत्रण व्यवस्था	4. सामूहिक विनाश वाले हथियारों की सुपुर्दगी हेतु प्रणाली का अप्रसार

कूट :

	(*a*)	(*b*)	(*c*)	(*d*)
A.	3	1	2	4
B.	3	2	1	4
C.	4	2	3	1
D.	2	3	4	1

74. निम्नलिखित में से कौन-सा कथन असत्य है?

A. न्यू डेवलपमेंट बैंक ब्रिक्स राष्ट्रों द्वारा स्थापित एक बहु पक्षीय विकास बैंक है

B. एशियन इन्फ्रास्ट्रक्चर इन्वेस्टमेंट बैंक चीन के प्रयासों से स्थापित एक बैंक है

C. विश्व व्यापार संगठन (डब्ल्यू टी ओ) उन देशों को सर्वाधिक अल्प विकसित देशों की मान्यता प्रदान करता है जिन्हें संयुक्त राष्ट्र संघ ने ऐसा नामोद्दिष्ट किया है

D. अंतर्राष्ट्रीय वित्त निगम विकासशील देशों में राजनीतिक जोखिम बीमा प्रदान करता है तथा निजी क्षेत्र के विकास को प्रोत्साहन प्रदान करता है

75. सुरक्षा परिषद् के संबंध में निम्नलिखित कथनों पर विचार कीजिये :

(*a*) भारत सुरक्षा परिषद् का सदस्य सात बार बना।

(*b*) जापान सुरक्षा परिषद् का सदस्य ग्यारह बार बना।

(*c*) यह अस्थायी सदस्यों को नियुक्त करती है।

(*d*) यह महासचिव को नियुक्त करती है।

नीचे दिए गए कूट से सही उत्तर का चयन करें :

A. (*c*) और (*b*)

B. (*b*) और (*c*)

C. (*b*) और (*d*)

D. (*d*) और (*a*)

उत्तरमाला

1	2	3	4	5	6	7	8	9	10
A	C	B	C	A	A	C	D	D	B
11	**12**	**13**	**14**	**15**	**16**	**17**	**18**	**19**	**20**
D	D	B	A	A	B	A	B	D	D
21	**22**	**23**	**24**	**25**	**26**	**27**	**28**	**29**	**30**
B	A	C	D	A	A	A	B	A	D
31	**32**	**33**	**34**	**35**	**36**	**37**	**38**	**39**	**40**
C	D	D	C	A	D	B	B	A	B
41	**42**	**43**	**44**	**45**	**46**	**47**	**48**	**49**	**50**
A	B	D	B	C	D	A	C	A	C
51	**52**	**53**	**54**	**55**	**56**	**57**	**58**	**59**	**60**
A	D	B	D	B	D	C	A	D	C
61	**62**	**63**	**64**	**65**	**66**	**67**	**68**	**69**	**70**
B	D	C	C	B	B	B	C	B	C
71	**72**	**73**	**74**	**75**					
C	B	A	D	A					

व्याख्यात्मक उत्तर

1. राजनीतिक सिद्धांत की शास्त्रीय परम्परा को जाँच की एक साझा विचारधारा माना जाता है, क्योंकि इसमें तर्क की शैली एवं तरीके में एकत्व है। परम्परागत राजनीतिक सिद्धांत को 'शास्त्रीय राजनीतिक सिद्धांत' अथवा 'मानकीय राजनीतिक सिद्धांत' भी कहा जाता है। यह कल्पना पर आधारित है और इसकी जड़ें इतिहास तथा दर्शन में हैं। कतिपय लेखकों के अनुसार परम्परागत राजनीतिक सिद्धांतों में व्यवहारवादी क्रांति से पूर्व प्रचलित विचार सामग्री, राजनीतिक संस्थाओं के अध्ययन, विचारधाराओं तथा राजनीतिक विचारों के विश्लेषण को शामिल किया जाता है। परम्परागत स्वरूप में सिद्धांत, विचार, दृष्टिकोण, विचारधारा, परिप्रेक्ष्य, उपागम, आदि सभी पर्यायवाची बन जाते हैं। इनमें दार्शनिक, ऐतिहासिक, नैतिक, संस्थात्मक, तुलनात्मक पद्धतियों तथा अन्य विषयगत दृष्टिकोणों जैसे समाजशास्त्रीय, मनोविज्ञानात्मक, अर्थशास्त्रीय आदि को महत्वपूर्ण माना जाता है। राज्य, राज्य की प्रकृति तथा उसका आधार, सरकार, कानून, नैतिकता, प्राकृतिक विधि, राजनैतिक संस्थाएं आदि परम्परागत राजनीतिशास्त्र के प्रिय विषय रहे हैं।

3. जॉन लॉक मौन सहमति की अवधारणा का प्रतिपादन सरकार की स्थापना के लिए करता है। जनता की मौन सहमति के द्वारा ही संवैधानिक शासन का निर्माण होता है। संवैधानिक शासन इंग्लैण्ड की गौरवपूर्ण क्रांति (1688) का परिणाम था।

स्वयं से संबंधित और दूसरे से संबंधित कार्य से संबंधित विचार बेंथम के शिष्य मिल ने प्रतिपादित किया है। जे. एस. मिल ने आचरण की स्वतंत्रता पर विचार करते हुए आत्मपरक (Self-regarding) और अन्यपरक (Other-regarding) गतिविधियों में अंतर किया है। 'आत्मपरक' गतिविधियों का संबंध अपने-आप से होता है और उनसे दूसरों पर कोई प्रभाव नहीं पड़ता है। अतः राज्य को इनके मामले में कोई हस्तक्षेप नहीं करना चाहिए। परंतु 'अन्यपरक' गतिविधियों से दूसरों पर प्रभाव पड़ता है। राज्य को चाहिए कि समुदाय के कल्याण को ध्यान में रखते हुए ऐसी गतिविधियों का नियमन करे।

आइजिया बर्लिन ने अपनी चर्चित कृति 'Two Concepts of Liberty–1958' के अंतर्गत यह तर्क दिया है कि राज्य केवल व्यक्ति की नकारात्मक स्वतंत्रता की रक्षा कर सकता है; सकारात्मक स्वतंत्रता की रक्षा करना राज्य के कार्यक्षेत्र में नहीं आता। बर्लिन के अनुसार, नकारात्मक स्वतंत्रता का अर्थ यह है कि व्यक्ति को अपने विवेक के अनुसार अपने कार्यों का चयन करने से रोका न जाए। सकारात्मक स्वतंत्रता यह मांग करती है कि व्यक्ति को अपने ऊपर पूरा नियंत्रण होना चाहिए। कोई व्यक्ति कहाँ तक सकारात्मक स्वतंत्रता का प्रयोग कर सकता है–यह उसके अपने चरित्र, अपनी क्षमता या अपने साधनों पर निर्भर है। राज्य इसमें कुछ भी नहीं कर सकता।

जॉन राल्स ने अपनी विख्यात कृति 'A Theory of Justice—1971' के अंतर्गत यह तर्क दिया है कि सुव्यवस्थित समाज (उत्तम समाज) में अनेक सद्‌गुण अपेक्षित होते हैं; उनमें न्याय का स्थान सर्वप्रथम है। न्याय उत्तम समाज की आवश्यक शर्त है, परंतु यह उसके लिए पर्याप्त नहीं है। किसी समाज में न्याय के अलावा दूसरे नैतिक गुणों की प्रधानता हो सकती है, परंतु अन्यायपूर्ण समाज विशेष रूप से निंदनीय होगा। जो विचारक यह मांग करते हैं कि सामाजिक उन्नति के कार्यक्रम में न्याय के विचार को आड़े नहीं आने देना चाहिए, वे समाज को नैतिक पतन की ओर ले जाने का खतरा मोल ले रहे होते हैं।

4. मिखाइल बाकुनिन ने मार्क्सवादियों की इस मान्यता पर प्रहार किया है कि जब तक राज्य 'लुप्त' नहीं होता, उस पर विजय प्राप्त करके उसका प्रयोग करना चाहिए। मार्क्स और एंगेल्स ने 'राज्यहीन समाज' के उदय से पहले 'सर्वहारा के अधिनायकतंत्र' (Dictatorship of the Proletariat) की स्थापना पर बल दिया था। बाकुनिन ने तर्क दिया कि राज्य चाहे किसी भी तरह का क्यों न हो, वह सत्ता का मूर्त रूप होता है, अतः सामाजिक क्रांति के अंतर्गत स्वयं राज्य का अंत करना जरूरी है। तथाकथित 'सर्वहारा का अधिनायकतंत्र' आगे

चलकर 'सर्वहारा के ऊपर अधिनायकतंत्र' में बदल जाएगा। इसका परिणाम एक नए और अधिक शक्तिशाली वर्ग शासन के रूप में सामने आएगा। फिर, मार्क्स का विश्वास था कि सर्वहारा अपने-आपको एक पृथक राजनीतिक दल के रूप में संगठित करके ही वर्ग-शक्ति की भूमिका निभा सकता है। इसके विपरीत, बाकुनिन ने प्रूदों के इस विचार से सहमति व्यक्त की कि सारे राजनीतिक दल पूर्णसत्तावाद की अभिव्यक्ति होते हैं। बाकुनिन ने तर्क दिया कि सारे क्रांतिकारियों को संगठित अवश्य करना चाहिए; कभी-कभी उन्हें गुप्त रूप से संगठित करना भी जरूरी होता है। परंतु इसके लिए सारे उत्पीड़ित वर्गों को जागृत और प्रोत्साहित करना होगा—शहरी कामगारों के साथ-साथ किसानों और दूसरे निर्धन वर्गों को भी—ताकि वे वर्तमान व्यवस्था को धराशायी करके नए, स्वतंत्र समाज की नींव रख सकें जिसमें समानता का सिद्धांत सर्वोपरि होगा।

5. इस तथ्य के बावजूद कि रॉल्स के सिद्धांत की प्रबल प्रक्रियागत विशेषताएँ हैं, इसे सामाजिक न्याय में प्रमुख योगदान के रूप में देखा जा सकता है क्योंकि वे साफ-साफ बताते हैं कि समानता से सभी विचलनों के युक्तिसंगत औचित्य की आवश्यकता है। रॉल्स अपने न्याय सिद्धांत को 'शुद्ध प्रक्रियात्मक न्याय' (Pure Procedural Justice) की संज्ञा देते हैं। इसका अर्थ यह है कि जब न्याय के ये सिद्धांत सर्वसम्मति से स्वीकार कर लिए जाते हैं तब इनके प्रयोग के फलस्वरूप जो भी वितरण-व्यवस्था अस्तित्व में आएगी, वह अनिवार्यतः न्यायपूर्ण होगी।

रॉल्स के न्याय-सिद्धांत के अंतर्गत केवल ऐसी विषमताओं का समर्थन किया गया है जिनसे हीनतम व्यक्तियों या वर्गों को लाभ हो। वस्तुओं, अवसरों और लाभों के वितरण में निर्बल, निर्धन और असहाय वर्गों के हितों का ध्यान रखना सामाजिक न्याय का लक्षण है। रॉल्स के तर्क का सार यह है कि विशेष प्रतिभाशाली लोग विशेष पुरस्कार के अधिकारी तभी माने जाएंगे जब वे अपनी प्रतिभा का प्रयोग हीनतम स्थिति वाले लोगों के कल्याण के लिए करें।

7. लेनिन का शक्ति पर क्रांतिकारी कब्जा होना आकस्मिक शासन परिवर्तन के समान है तथा यह मार्क्सवाद को नकारता है, यह सत्य है परंतु मार्क्स का विचार था कि कम्युनिस्ट पार्टी शांतिपूर्ण ढंग से शक्ति हथिया लेगी, असत्य है। कार्ल मार्क्स और उसके अनुयायियों ने समाजवाद की स्थापना के लिए क्रांति के तरीके का समर्थन किया, अतः मार्क्सवादी समाजवाद को हम क्रांतिकारी समाजवाद के रूप में पहचानते हैं। मार्क्स को यह आशा नहीं थी कि पूंजीवाद ही कभी अपने उग्र रूप को त्यागकर कामगार-वर्ग की उन्नति के लिए अनुकूल परिस्थितियां पैदा कर सकेगा। अतः उसने यह स्पष्ट मत व्यक्त किया कि समाजवाद लाने के लिए सर्वहारा-वर्ग की क्रांति अनिवार्य है। उसने यह विचार प्रस्तुत किया था कि पूंजीवाद की उन्नत अवस्था में सम्पूर्ण सर्वहारा वर्ग के अंदर वर्ग-चेतना का संचार होगा, और वह अपना विशाल एवं सुदृढ़ संगठन बनाकर पूंजीपति वर्ग को धराशायी कर देगा।

8. माओ-त्से-तुंग या माओ जेदोंग आधुनिक चीन का साम्यवादी नेता और विचारक था जिसने अपनी प्रसिद्ध कृति 'On Contradictions—1937' में क्रांति के मार्क्सवादी सिद्धांत और व्यवहार को चीन की परिस्थितियों के अनुरूप ढालने का प्रयत्न किया। मार्क्स ने कहा था कि आधुनिक युग में सर्वहारा वर्ग का असंतोष क्रांति की ज्वाला प्रज्वलित करेगा, परंतु चीन में असंतोष का मुख्य वाहक कृषक वर्ग (Peasantry) था। माओ ने इसी कृषक वर्ग को क्रांति का माध्यम बनाया। वह एक लोकप्रिय नेता थे जिन्होंने अपने विचारों को जन-जन तक पहुँचाने का बीड़ा उठाया। यह बात महत्वपूर्ण है कि माओ ने चीन में साम्यवादी आंदोलन का नेतृत्व संभाल कर 1949 में समाजवादी राज्य की स्थापना की, और आजीवन उस देश का नेतृत्व संभाले रखा।

9. एशक्राफ्ट ने इस विचार पर संदेह प्रकट किया कि लॉक गौरवपूर्ण क्रांति (Glorious Revolution) के समर्थक थे। इंग्लैण्ड के इतिहास में 1688 की वह क्रांति जिसमें सम्राट जेम्स द्वितीय को राजसिंहासन से हटाकर उसकी जगह उसकी पुत्री मेरी तथा मेरी के पति विलियम ऑफ ऑरेंज का राज्याभिषेक किया गया था, इस क्रांति में किसी रक्तचाप के बिना इंग्लैण्ड में पूर्णसत्तावादी राजतंत्र की जगह सांविधानिक राजतंत्र स्थापित हो गया।

रिचर्ड एशक्राफ्ट अमेरिकी राजनीतिक सिद्धांतकार हैं और UCLA में राजनीति विज्ञान के प्रोफेसर थे। जॉन डन ने 1986 में दावा किया था कि एशक्राफ्ट ''लगभग दो दशकों तक लॉक के सामाजिक और राजनीतिक विचारों के सबसे प्रभावी और दिलचस्प विश्लेषकों में से एक रहे हैं।''

10. हॉब्स राज्य का अध्ययन मानव-स्वभाव के विश्लेषण से करता है। उसने मानव-स्वभाव की व्याख्या की है और अपने सभी सिद्धांत उस पर आधारित किए हैं। अरस्तू के विपरीत वह मानता है कि ''मनुष्य असामाजिक प्राणी है। मानव को वस्तुएं या तो आकर्षित करती हैं या विकर्षित। आकर्षण को इच्छा की भूख कहा जाता है और इसी प्रकार विकर्षण को घृणा।'' मनुष्य की प्रत्येक इच्छा में उसका स्वार्थ निहित होता है। ''जिन वस्तुओं से वह आकर्षित होता है, उन्हें वह अच्छी कहता है, जिन्हें वह नापसंद करता है, उन्हें बुरी कहता है। अच्छाई या बुराई वस्तुओं में नहीं बल्कि मानव-भावना में है।'' मनुष्य के समस्त क्रियाकलाप स्वार्थ-भावना से प्रेरित तथा संचालित होते हैं। सामान्यतः सामाजिक तथा लौकिक व्यवहार में मनुष्य सदैव यह प्रयत्न करता है कि उसकी सम्पत्ति आदि सुरक्षित रहें, उसका जीवन निर्बंध तथा निर्द्वन्द्व रहे और उसकी एषणाएँ-वासनाएँ एवं क्षुधा पूरी होती रहें। युगों से भूखा और अतृप्त मानव अपनी अभिलाषाओं की तुष्टि में ही सतत् संलग्न रहता है। अवसर पाते ही सर्वग्राही पिशाच की तरह वह टूट पड़ता है और स्वयं को जीवित रखने तथा स्वयं की इच्छा-पूर्ति के लिए दूसरे को ध्वस्त करने से नहीं हिचकता।

11. जैकब टालमोन ने रूसो को अधिनायकवादी लोकतंत्री बताया है। रूसो वास्तव में एक विवादास्पद चिंतक है। रूसो के मूल्यांकन के विषय में आलोचकों में घोर मतभेद है। जहाँ वेपर, लैंसन आदि ने रूसो की खुलकर प्रशंसा की है वहीं वाल्टेयर, मार्ले आदि ने रूसो की कटु आलोचना की। एक ओर रूसो को महान दार्शनिक पुकारा गया है और दूसरी ओर उसे मिथ्यावादी तथा सभ्यताहीन कहा गया है। जी.डी.एच. कोल ने रूसो को 'राजदर्शन का पिता' कहा है और उसके 'Social Contract' को 'राजदर्शन के ऊपर महानतम ग्रंथ' बताया तो कॉन्सटेंट ने रूसो को प्रत्येक प्रकार के अधिनायकवाद का सबसे भयानक मित्र कहा है। इसी तरह अन्य कतिपय विद्वानों ने रूसो को व्यक्ति के लिए अधिकतम स्वतंत्रता चाहने वाला व्यक्तिवादी माना है तो कुछ ने उसे सर्वाधिकारवाद का पोषक बतलाया है।

जे.जे. टालमोन ने अपनी पुस्तक 'The Origin of Totalitarian Democracy—1953' में रूसो को अधिनायकवादी लोकतंत्री बताया है।

12. हॉब्स के लिए केन्द्र बिन्दु सत्ता है, न कि अधिकार क्योंकि व्यक्तियों के बीच सहमति जुटाना कठिन है। हॉब्स का मत है कि मनुष्यों के प्राकृतिक अधिकार समान होने से सबको एक-दूसरे की हत्या और लूटमार का अधिकार मिल जाता है जिससे जीवन सर्वथा असुरक्षित हो जाता है। लेकिन सभी व्यक्ति जीवन को सुरक्षित बनाए रखना चाहते हैं, अतः वे प्राकृतिक दशा में भी अपनी सुरक्षा के लिए बुद्धि द्वारा कुछ नियम बना लेते हैं। इन नियमों का पालन करके मनुष्य अराजकता (प्राकृतिक अवस्था) में भी सुखपूर्वक रह सकते हैं। हॉब्स ने इन प्राकृतिक नियमों को 'शान्ति की धाराओं' का नाम दिया है। हॉब्स ने 'प्राकृतिक नियम' की परिभाषा देते हुए कहा है कि ''यह वह नियम है जो विवेक द्वारा खोजा गया है, जिसके द्वारा मनुष्य के लिए वे कार्य निषिद्ध हैं जो उसके जीवन के लिए विनाशप्रद हैं या जिनसे जीवन की रक्षा के साधनों का हरण होता है और जिनके द्वारा उसके लिए उन कार्यों का न करना निषिद्ध है जिनसे जीवन की रक्षा होती है।'' लेकिन इन प्राकृतिक नियमों को कानून नहीं कहा जा सकता है क्योंकि कानून तो सम्प्रभु की आज्ञा है। यही सम्प्रभु सत्ता का केन्द्र है। सम्प्रभु का उद्‌भव संविदा के द्वारा होता है।

14. मैकियावेली के राजनीतिक सिद्धांत में प्राचीन रोम को देवत्व (Idolized Ancient Rome) प्रदान किया गया है। मैकियावेली के चिन्तन और उसके दर्शन पर उसके युग की परिस्थितियों का बहुत अधिक प्रभाव था। इसीलिए डनिंग ने उसके विषय में लिखा है कि ''यह प्रतिभासम्पन्न फ्लोरेंस निवासी वास्तविक अर्थ में अपने काल का शिशु था।'' वैसे तो प्रत्येक विद्वान् एवं प्रतिभासम्पन्न व्यक्ति अपने युग का शिशु होता है, क्योंकि उसके विचार समकालीन परिस्थितियों से प्रभावित होते हैं किन्तु मैकियावेली पर अपने युग का रंग कुछ

विशेष चढ़ा हुआ था। उसे छोड़कर शायद ही कोई ऐसा दूसरा राजनीतिक विचारक हुआ हो जिसने अपना सम्पूर्ण लेखन-कार्य समकालीन परिस्थितियों के आधार पर किया हो। उसने उन परिस्थितियों के दोषों को स्पष्ट किया और उनके समाधान भी सुझाए। उसके प्रत्येक विचार अथवा सिद्धांत में हमें इटली की तत्कालीन परिस्थितियों की स्पष्ट झलक दिखाई देती है।

मैकियावेली का विश्वास था कि तत्कालीन परिस्थितियों में इटली में केवल निरंकुश राजतंत्र ही संभव था। यही कारण था कि वह रोम गणराज्य का उत्साही प्रशंसक होने के साथ ही निरंकुशता का भी समर्थक था।

मैकियावेली का मत था कि सभी देशों और कालों में मानव-स्वभाव एक जैसा रहता है, वह लगभग एक ही प्रकार के उद्देश्यों से संचालित होता है और एक जैसी ही समस्याओं का उसे समाधान करना पड़ता है। अतः यदि वर्तमान काल की समस्याओं का हमें समाधान करना है अथवा हमें भविष्य में क्या करना चाहिए? इस प्रश्न का उत्तर पाना है तो यह उचित है कि हम भूतकाल के इतिहास का गम्भीर अनुशीलन करें और यह जानने की चेष्टा करें कि समान परिस्थितियों में मनुष्य ने भूतकाल में क्या किया था और उसके क्या परिणाम निकले थे? मैकियावेली का विश्वास था कि भूत के गंभीर अनुशीलन से हम सफलताओं और विफलताओं के कारणों को सामान्यतः मालूम कर सकते हैं। किन्तु उल्लेखनीय है कि मैकियावेली ने "इतिहास का उपयोग अपने पूर्वकल्पित निष्कर्षों की पुष्टि में किया है, इनके प्रणयन में नहीं।"

15. गाँधी राज्य-विरोधी उस रूप में थे जहाँ उनका दृष्टिकोण उस भारत का है जो किसी सरकार के अधीन न हो। उनका विचार था कि एक देश में सच्चे स्वशासन (Self rule) का अर्थ है कि प्रत्येक व्यक्ति स्वयं पर शासन करता है तथा कोई ऐसा राज्य नहीं होता जो लोगों पर कानून लागू कर सके। इसी कारण गांधी ने कुछ मौकों पर स्वयं को दार्शनिक अराजकतावादी (Philosophical Anarchist) कहा है। उन्होंने सत्य और अहिंसा को सामाजिक जीवन के मार्गदर्शक सिद्धांत मानते हुए यह तर्क दिया कि राज्य संस्था 'बल-प्रयोग' पर आधारित है, अतः वह 'हिंसा' के साथ जुड़ी है। आदर्श समाज के अंतर्गत जब सभी व्यक्ति अहिंसा की भावना से प्रेरित होकर एक-दूसरे के साथ सहज-स्वाभाविक रूप से समायोजन कर सकेंगे, तब कोई किसी पर बल-प्रयोग नहीं करेगा; बलवान् निर्बल को नहीं सताएगा; धनवान् निर्धन का शोषण नहीं करेगा। ऐसी हालत में राज्य और राजनीतिक शक्ति का अस्तित्व निरर्थक और अनावश्यक हो जाएगा। इस तरह गांधीजी ने 'राज्यहीन समाज' की वकालत करके नैतिक आधार पर अराजकतावाद की पुष्टि की है। साथ ही ब्रिटिश ढंग के संसदीय तंत्र पर कोई विश्वास न होने के कारण वे भारत में आजादी के बाद कांग्रेस पार्टी को भंग कर प्रत्यक्ष लोकतंत्र प्रणाली को स्थापित करना चाहते थे।

18. डेविड ईस्टन ने वर्ष 1969 में राजनीति विज्ञान में अपने प्रचण्ड संशोधन का वर्णन वास्तविक क्रांति (Genuine Revolution) के रूप में किया है। ईस्टन ने 1969 में अमेरिकन पॉलिटिकल साइंस एसोसिएशन के अध्यक्षीय व्याख्यान के अंतर्गत राजनीति विज्ञान की व्यवहारवादी क्रांति को एक नया मोड़ देते हुए 'उत्तर-व्यवहारवादी क्रांति' (Post-behavioural Revolution) की घोषणा कर दी। वस्तुतः ईस्टन ने राजनीति विज्ञान को एक शुद्ध विज्ञान से ऊपर उठाकर अनुप्रयुक्त विज्ञान (Applied Science) का रूप देने की मांग की और वैज्ञानिक अनुसंधान को समकालीन समाज की विकट समस्याओं के समाधान में लगाने पर बल दिया। मतलब यह कि अब ईस्टन ने समकालीन समाज पर छाए हुए संकट को पहचाना और उसके निवारण के लिए राजनीति-सिद्धांत के पुनरुत्थान की आवश्यकता अनुभव की।

19. एडम स्मिथ 18वीं शताब्दी के सुप्रसिद्ध राजनीतिक अर्थशास्त्रवेत्ता थे जिन्हें 'अर्थशास्त्र का जनक' (Father of Economics) माना जाता है। राजनीतिक चिंतन के क्षेत्र में स्मिथ की ख्याति चिरसम्मत उदारवाद के उन्नायक के रूप में है।

उन्होंने अपनी प्रसिद्ध कृति 'Enquiry into the Nature and Causes of the Wealth of Nations–1776' के अंतर्गत जिन विचारों, समस्याओं और संकल्पनाओं पर प्रकाश डाला उससे राजनीतिक अर्थशास्त्र के स्वरूप में युगांतकारी परिवर्तन आया। स्मिथ ने अपने दृष्टिकोण

को स्पष्ट करने के लिए दो तरह की मान्यताओं पर प्रहार किया। ये मान्यताएं क्रमशः वाणिज्यवादियों और प्रकृतिवादी अर्थशास्त्रियों ने प्रस्तुत की थीं। वाणिज्यवादी यह मानते थे कि राज्य की शक्ति उसकी सम्पदा पर आश्रित होती है; राज्य के लिए सर्वोत्तम नीति यह होगी कि वह अपनी सीमाओं के भीतर यथासंभव अधिक-से-अधिक संपदा को संभाल कर रखे—उसे बाहर न जाने दे। इसके विपरीत स्मिथ ने यह तर्क दिया कि व्यापार और विनिमय में बहुत बड़े लाभ की संभावनाएं निहित हैं। अतः उसने मुक्त व्यापार और प्रतिस्पर्धात्मक बाजार की शानदार पैरवी की। दूसरी ओर, प्रकृतिवादी अर्थशास्त्री यह मानते थे कि कृषि यथार्थ संवृद्धि और उत्पादकता का एकमात्र साधन है। बीज से फसल उगाने पर जो पैदावार होती है, वह नई वस्तु का उत्पादन होता है जिसमें बीज का पुनरुत्पादन भी सम्मिलित है; परंतु माल-निर्माण की प्रक्रिया में कच्चे माल को केवल नए क्रम और आकार में प्रस्तुत किया जाता है—किसी नई वस्तु का सृजन नहीं किया जाता। स्मिथ ने इन सब तर्कों का खण्डन करते हुए उत्पादन की प्रक्रिया में माल-निर्माण के महत्व पर प्रकाश डाला।

20. ब्रिटिश संविधान अलिखित संविधान है। इसका अर्थ यह है कि यहाँ ऐसा कोई अकेला दस्तावेज तैयार नहीं किया गया है जिसे किसी संविधान सभा ने विधिवत् अधिनियमित किया हो, और जिसे ब्रिटिश संविधान की संज्ञा दी जा सके, अर्थात् जिसे किसी भी सार्वजनिक निर्णय, नियम या कानून की प्रामाणिकता का अंतिम स्रोत माना जा सके। ब्रिटिश अलिखित संविधान का विकास वहाँ के सामान्य कानूनी परम्पराओं के माध्यम से हुआ है। ब्रिटिश संविधान के निम्नलिखित स्रोत हैं—

- **संसदीय अधिनियम :** उदाहरण के लिए, 1911 के संसदीय अधिनियम के अंतर्गत यह व्यवस्था की गई है कि किसी भी संसद का कार्यकाल 5 वर्ष से अधिक नहीं होगा।
- न्यायालयों के निर्णय
- लोक-विधि (Common Law)
- संसद के नियम और रीति-रिवाज
- संविधान की परिपाटिगां और प्रथाएं।

22. उच्चतम न्यायालय द्वारा न्यायिक पुनरीक्षा के अधिकार को सर्वप्रथम अमेरिका में स्थापित किया गया था। संविधान के संरक्षक के रूप में सर्वोच्च न्यायालय की पहली महत्वपूर्ण शक्ति न्यायिक पुनरीक्षण या न्यायिक समीक्षा (Judicial Review) की है। इसका अर्थ है, यह निर्णय करने की शक्ति कि कोई विधायी अधिनियम या कार्रवाई संविधानसम्मत है या नहीं, और यदि वह संविधान के विरुद्ध हो तो उसे अमान्य घोषित कर दिया जाए।

अमेरिकी संविधान में न्यायिक पुनरीक्षण की शक्ति का कोई स्पष्ट उल्लेख तो नहीं है, परंतु संविधान के अनुच्छेद-6 के अंतर्गत जो कुछ लिखा गया है, उसमें यह शक्ति निहित मानी जाती है। इस अनुच्छेद के अनुसार, "संयुक्त राज्य अमेरिका का यह संविधान, इसके अनुरूप बनाए गए कानून, और संयुक्त राज्य अमेरिका के प्राधिकार से की गई संधियाँ देश का सर्वोच्च कानून होंगी, और प्रत्येक राज्य के न्यायाधीश उनसे बँधे होंगे, चाहे किसी राज्य के अपने संविधान या कानूनों में इसके विरुद्ध कोई भी व्यवस्था क्यों न की गई हो।"

सबसे पहले मार्बरी बनाम मैडीसन (1803) के मुकदमे का निर्णय सुनाते हुए सर्वोच्च न्यायालय ने 1789 के न्यायिक अधिनियम को संविधान के विरुद्ध घोषित कर दिया। इस निर्णय के अंतर्गत मुख्य न्यायाधीश मार्शल ने यह व्यवस्था दी कि अमेरिका के लिखित संविधान के अंतर्गत सरकार की शक्तियों को परिभाषित और परिसीमित किया गया है; संविधान ही देश का मूल कानून है जो कांग्रेस द्वारा पारित साधारण कानूनों से बढ़कर और ऊँचा है। यदि कांग्रेस का कोई कानून संविधान की किसी व्यवस्था के विरुद्ध होगा तो वह 'अकृत एवं शून्य' (Null and Void) होगा, अतः वह न्यायालयों के लिए बाध्यकर नहीं होगा। यदि कोई कानून संविधान की किसी व्यवस्था के विरुद्ध हो तो उसे अवैध और शून्य घोषित करना न्यायालयों का कर्तव्य है। इस तरह इस निर्णय के अंतर्गत किसी कानून की सांविधानिकता की जांच करने का अधिकार सर्वोच्च न्यायालय ने संभाल लिया।

26. राजनीतिक समाजीकरण वह प्रक्रिया है जिसके द्वारा व्यक्ति राजनीतिक विचारों की निर्माण प्रक्रिया से परिचित होता है तथा राजनीति का ज्ञान प्राप्त करता है। इस प्रक्रिया के माध्यम से व्यक्ति मानवता के आधार पर राजनीतिक संस्कृति को एक पीढ़ी से दूसरी पीढ़ी तक पहुँचाता है। राजनीतिक समाजीकरण की व्याख्या सबसे पहले हर्बर्ट साइमन ने अपनी पुस्तक 'Political Socialism' में की है। इस प्रक्रिया के अंतर्गत राजनीतिक समुदाय के सदस्य अपने शैशव काल से ही ऐसी अभिवृत्तियां, मान्यताएं और व्यवहार के प्रतिमान सीख लेते हैं जो उनके समुदाय की राजनीतिक संस्थाओं और प्रक्रियाओं को वैधता प्रदान करते हैं। अतः राजनीतिक समाजीकरण के परिणामस्वरूप व्यक्ति अपने समाज के राजनीतिक जीवन के प्रति अनुकूल दृष्टिकोण बनाता है; अपने समाज, राष्ट्र या राज्य के प्रति निष्ठा विकसित करता है, और सत्ता के प्रति सम्मान का भाव रखना सीखता है।

27. जन-भागीदारी संस्कृति तत्कालीन साम्यवादी शासन से संबंधित थी। जी.ए. ऑल्मण्ड और सिडनी वर्बा ने तीन प्रकार की राजनीतिक संस्कृति का विवरण दिया है–

- **संकीर्ण संस्कृति :** यह ऐसी संस्कृति है जिसके अंतर्गत नागरिकों को अपने समाज की राजनीतिक संस्थाओं, प्रक्रियाओं और घटनाओं में कोई अभिरुचि नहीं होती, या बहुत ही कम होती है।
- **अधीन संस्कृति :** यह ऐसी संस्कृति है जिसके अंतर्गत नागरिक सामान्य राजनीतिक प्रणाली और उसकी नीतियों, निर्णयों, नियमों और संस्थाओं के प्रति सजग होते हैं, परंतु यह नहीं जानते कि वे स्वयं उसे संचालित या प्रभावित करने में कोई सक्रिय भूमिका निभा सकते हैं। इसमें समाज के विभिन्न अंगों की राजनीतिक भूमिकाएं नियत होने लगती हैं; और
- **सहभागी संस्कृति :** यह ऐसी राजनीतिक संस्कृति है जिसके अंतर्गत नागरिक अपने समाज की राजनीतिक संस्थाओं, प्रक्रियाओं और घटनाओं के प्रति अत्यंत सजग होते हैं; और अपनी राजनीतिक भूमिका निभाते समय प्रखर चेतना और निर्णय-बुद्धि का परिचय देते हैं। इसमें समाज के विभिन्न अंगों की राजनीतिक भूमिकाएं नियत हो जाती हैं।

29. हंटिंग्टन आधुनिकीकरण सिद्धांत के आलोचक हैं क्योंकि इस सिद्धांत में पारंपरिक समाज में अनेक स्पर्धी मूल्य प्रणालियों तथा संस्कृतियों की उपस्थिति का ध्यान नहीं रखा गया है। उसने अपनी चर्चित कृति 'Political Order in Changing Societies—1968' के अंतर्गत यह तर्क दिया है कि राजनीतिक विकास और आधुनिकीकरण में सीधा संबंध नहीं है। सैमुअल पी. हंटिंग्टन के विचार से, राजनीति की मूल समस्या यह है कि किसी देश में जिस गति से सामाजिक और आर्थिक परिवर्तन होता है, उसकी तुलना में राजनीतिक संस्थाओं का विकास पीछे रह जाता है। आधुनिकता का अर्थ है–स्थिरता, परंतु विकासशील देशों में आधुनिकीकरण की प्रक्रिया अस्थिरता को जन्म देती है जिससे राजनीतिक अव्यवस्था और राजनीतिक ह्रास पैदा होता है। निर्धन देशों की राजनीतिक प्रणालियां इसलिए अस्थिर नहीं हैं कि ये देश निर्धन हैं, बल्कि वे इसलिए अस्थिर हैं कि ये देश धनवान बनने की होड़ में अपना संतुलन कायम नहीं रख पा रहे हैं।

31. ग्रेनविल ऑस्टिन के अनुसार भारतीय संविधान का लक्ष्य 'अखण्ड जाल' में अंतर्गुम्फित तीन विशिष्ट तत्वों के रूप में राष्ट्रीय एकता, लोकतंत्र तथा सामाजिक क्रांति के लक्ष्यत्रयी को प्राप्त करना है। ऑस्टिन के अनुसार, ''भारतीय संविधान इतना असाधारण है कि इसका संक्षेप में वर्णन करना कठिन है। 'अर्द्ध-संघीय' और 'स्थायी विकेन्द्रीकरण' जैसे शब्द दिलचस्प हैं, लेकिन उनसे कोई विशेष जानकारी नहीं मिलती है। असेंबली के सदस्यों ने खुद ही किसी संघीय विचार या सिद्धांत को मानने से इंकार कर दिया। उनका विचार था कि भारत की समस्याएं विशिष्ट थीं, ऐसी समस्याएं 'जिनका सामना इतिहास में दूसरे संघों को नहीं करना पड़ा था'। इनका हल सिद्धांत का सहारा लेकर नहीं किया जा सकता था, क्योंकि संघवाद 'कोई विशेष विचार' नहीं था, और इसका अर्थ स्पष्ट नहीं था। इसलिए असेंबली के सदस्यों ने संयुक्त राज्य अमेरिका, कनाडा, स्विट्जरलैंड और ऑस्ट्रेलिया के महत्वपूर्ण फेडरेशनों (संघों) के अनुभवों का अध्ययन किया। उन्होंने 'उनमें क्या काम का है और क्या नहीं, क्या राष्ट्र के चरित्र के हित के सबसे अनुकूल है, यह चुनने का रास्ता अख्तियार किया; इस

प्रक्रिया से एक नए प्रकार का संघवाद उभरा जो भारत की विशेष आवश्यकताओं के अनुकूल था।''

32. संविधान का अनुच्छेद-19 भारत के नागरिकों को विशिष्ट रूप से 6 बुनियादी स्वतंत्रताओं अर्थात् भाषण और अभिव्यक्ति, बिना हथियारों के शांतिपूर्वक सम्मेलन, संघ बनाने, भारत के राज्य-क्षेत्र में सर्वत्र आने-जाने, भारत के किसी भी भाग में बस जाने और कोई वृति, उपजीविका, व्यापार या कारोबार करने की स्वतंत्रता की गारंटी देता है। ये स्वतंत्रताएं नागरिक की हैसियत में अंतर्निहित नैसर्गिक अधिकार मानी गई हैं।

किंतु ये कोई आत्यंतिक या असीमित अधिकार नहीं हैं क्योंकि जैसा कि न्यायमूर्ति दास ने कहा है, ''बेहतर होगा कि व्यक्तिगत स्वतंत्रता का सामाजिक हित अन्य बृहत्तर सामाजिक हितों के अधीन हो।'' अतः अनुच्छेद-19 के खण्ड (2) से (6) तक राज्य को भारत की सम्प्रभुता तथा अखण्डता, राज्य की सुरक्षा, विदेशी राज्यों के साथ मैत्रीपूर्ण संबंधों, लोक व्यवस्था, शिष्टाचार या सदाचार के हितों में या न्यायालय की अवमानना, मानहानि या अपराध के लिए प्रोत्साहन के संबंध में उचित कानून बनाकर इस अधिकार के प्रयोग पर 'युक्तियुक्त' प्रतिबंध आरोपित करने का अधिकार देते हैं।

33. संविधान के अनुच्छेद-360 में राष्ट्रपति को अधिकार दिया गया है कि वह उद्घोषणा द्वारा वित्तीय आपात की घोषणा कर सकता है, यदि उसका समाधान हो जाए कि भारत या उसके राज्य क्षेत्र के किसी भाग का वित्तीय स्थायित्व या साख संकट में है। बाद की उद्घोषणा द्वारा इस उद्घोषणा को वापस लिया जा सकता है या उसमें परिवर्तन किया जा सकता है। इसे संसद के दोनों सदनों के समक्ष रखना होगा। वह दो मास की समाप्ति पर प्रवर्तन में नहीं रहेगी, यदि इस बीच दोनों सदनों के संकल्पों द्वारा उसका अनुमोदन न कर दिया जाए। एक बार यदि संसद उसका अनुमोदन कर दे तो अनुच्छेद-352 के अधीन की गई उद्घोषणाओं के विपरीत उसे अनिश्चित काल तक जारी रखा जा सकता है, जब तक कि उसे वापस न ले लिया जाए या उसमें परिवर्तन न कर दिया जाए।

34. उपराष्ट्रपति का निर्वाचन संसद के दोनों सदनों के सदस्यों से मिलकर बनने वाले निर्वाचक-गण के सदस्यों द्वारा आनुपातिक प्रतिनिधित्व पद्धति के अनुसार एकल संक्रमणीय मत द्वारा किया जाता है (अनुच्छेद-66)। इसका उद्देश्य यह सुनिश्चित करना होता है कि उसे संसद के दोनों सदनों का विश्वास प्राप्त हो।

संविधान के अनुच्छेद-63 में कहा गया है कि भारत का एक उपराष्ट्रपति होगा। उपराष्ट्रपति राज्य सभा का पदेन सभापति होता है (अनुच्छेद-64)। उपराष्ट्रपति की पदावधि 5 वर्षों की होती है और पद के लिए निर्वाचन को पदावधि की समाप्ति से पूर्व पूरा करना होता है। इस निर्वाचन से संबंधित सभी शंकाओं तथा विवादों की जांच तथा निपटारा उच्चतम न्यायालय करता है।

उपराष्ट्रपति के रूप में किसी व्यक्ति के निर्वाचन के लिए पात्रता की शर्तें वैसी ही हैं जैसी कि राष्ट्रपति के निर्वाचन के लिए हैं। अपवाद केवल यह है कि उपराष्ट्रपति के निर्वाचन के लिए अनिवार्य है कि उम्मीदवार राज्य सभा का सदस्य निर्वाचित होने के लिए अर्हता रखता हो (अनुच्छेद-66)।

36. अनुच्छेद-356 राष्ट्रपति को यह अधिकार देता है कि अगर वह इस बात से संतुष्ट हो कि ऐसी स्थिति उत्पन्न हो गई है जिसमें राज्य का शासन संविधान के अनुच्छेदों के अनुसार नहीं चल सकता तो वह राष्ट्रपति शासन की उद्घोषणा कर सकता है।

उच्चतम न्यायालय ने एस.आर. बोम्बई बनाम भारत संघ के निर्णय में 11 मार्च, 1994 को कहा कि राष्ट्रपति शासन केवल ऐसी स्थिति में लागू किया जाना चाहिए जब और कोई उपाय न बचे, हालत असाध्य हो जाए और राज्य का शासन संविधान के अनुसार चल सकना असंभव हो जाए। न्यायालय ने स्पष्टतया निर्णय दिया है कि राष्ट्रपति शासन लागू करने के राष्ट्रपतीय निर्णय की न्यायिक पुनरीक्षा की जा सकती है और यह देखा जा सकता है कि निर्णय सचमुच किसी सामग्री पर आधारित था, और क्या यह सामग्री मामले से सम्बद्ध थी। एक और महत्वपूर्ण बात यह कही गई कि राज्य की विधान सभा का विघटन तब तक नहीं किया जा सकता जब तक कि राष्ट्रपतीय उद्घोषणा का संसद के दोनों सदनों द्वारा अनुमोदन न कर दिया जाए। न्यायालय के अनुसार, यदि विधान सभा भंग कर दी गई हो और सरकार भी बर्खास्त कर दी गई हो और बाद में राष्ट्रपतीय

उद्‌घोषणा को अवैध घोषित किया जाए तो न्यायालय विधान सभा को पुनर्जीवित कर सकता है तथा बर्खास्त की हुई सरकार को बहाल कर सकता है। ऐसा करते समय न्यायालय कह सकता है कि उद्‌घोषणा के लागू रहते जो निर्णय लिए जा चुके हों या जो काम किए जा चुके हैं, वे सब वैध और प्रभावी रहेंगे। निर्णय में आगे कहा गया है कि मंत्रिपरिषद् को सदन के बहुमत का समर्थन प्राप्त है या नहीं, इसका निर्णय सदन में ही किया जा सकता है।

37. केन्द्र-राज्य संबंधों की फिर से व्याख्या करने के लिए अप्रैल 2007 में पुंछी आयोग का गठन किया गया। उच्चतम न्यायालय के पूर्व मुख्य न्यायाधीश न्यायमूर्ति मदन मोहन पुंछी को आयोग का अध्यक्ष बनाया गया जबकि धीरेन्द्र सिंह, वी.के. दुग्गल तथा एन.आर. माधव को इस आयोग का सदस्य मनोनीत किया गया। चार सदस्यीय इस आयोग का गठन सरकारिया आयोग के गठन (1983) के दो दशक से अधिक समय बाद किया गया। आयोग को यह जिम्मेदारी दी गई कि वह इस बात की संभावना तलाश करे कि किसी राज्य में स्वतः संज्ञान के आधार पर केन्द्र सरकार केंद्रीय बलों को तैनात कर सके और देश की सुरक्षा को प्रभावित करने वाले अपराधों की जांच करा सके। इसमें कर और नदी संयोजन के मुद्दे भी शामिल थे। आयोग को यह भी तय करना था कि साम्प्रदायिक हिंसा, जातीय हिंसा या अन्य तरह के सामाजिक संघर्ष भड़कने की स्थिति में केन्द्र की 'भूमिका, जिम्मेदारी और अधिकार क्षेत्र' क्या होगा?

39. अशोक मेहता समिति का यह विचार था कि पंचायती राज संस्थाएं सम्यक् ढंग से चलती रहतीं यदि ग्रामीण भारत में विकास के पुरोधा के रूप में उन्हें जिम्मेदारियां सौंप कर उन्हें समुचित ढंग से प्रोत्साहित किया जाता। पंचायती राज व्यवस्था को और अधिक प्रभावी बनाने के लिए जनता सरकार द्वारा 1977 में इस समिति का गठन किया गया। अशोक मेहता समिति ने 1978 में अपना प्रतिवेदन प्रस्तुत किया जिसमें निम्नलिखित सिफारिशें शामिल थीं–

- पंचायती राज संस्थाओं का संगठन त्रिस्तरीय की जगह द्विस्तरीय होना चाहिए, जिला स्तर पर जिला परिषद् तथा निम्न स्तर पर मण्डल पंचायत जो कई गांवों से मिलकर बनेगी। इस समिति ने मध्यवर्ती स्तर को समाप्त करने की सिफारिश की।
- पंचायती राज संस्थाओं को करारोपण की अनिवार्य शक्ति प्रदान करनी चाहिए जिससे वह राज्य सरकार के अनुदान पर निर्भर न रहें तथा स्वयं आय के स्रोत बना सकें।
- पंचायती राज संस्थाओं के चुनावों में राजनीतिक दलों को भाग लेना चाहिए।
- राज्य सरकारें राजनीतिक आधार पर पंचायती राज संस्थाओं का विघटन न करें और यदि ऐसा होता है तो उन संस्थाओं का चुनाव 6 माह के अंदर हो जाना चाहिए।

44. दबाव समूह ऐसा माध्यम है, जिनके द्वारा सामान्य हित वाले व्यक्ति सार्वजनिक मामलों को प्रभावित करने का प्रयत्न करते हैं। इस अर्थ में ऐसा कोई भी सामाजिक समूह जो प्रशासकीय और संसदीय दोनों ही प्रकार के पदाधिकारियों को सरकार पर नियंत्रण प्राप्त करने हेतु प्रयत्न किए बिना ही प्रभावित करना चाहते हैं, दबाव गुट कहलाते हैं। दबाव समूहों की तुलना 'अज्ञात साम्राज्य' से की जाती है। मायरन वीनर के अनुसार, "दबाव समूह से हमारा तात्पर्य शासकीय व्यवस्था के बाहर किसी भी ऐसे ऐच्छिक, किन्तु संगठित समूह से है जो शासकीय अधिकारियों की नामजदगी अथवा नियुक्ति, सार्वजनिक नीति के निर्धारण, उसके प्रशासन और समझौता-व्यवस्था को प्रभावित करने का प्रयास करता है।"

भारत में कई प्रकार के दबाव समूह हैं। ये समूह देश की सामाजिक संरचना का प्रतिनिधित्व करते हैं। उद्देश्य या हितों की दृष्टि से भारत में दबाव गुटों को निम्नलिखित वर्गों में विभाजित किया जा सकता है–

- श्रमिक हित पर आधारित–हिंद मजदूर संगठन, AITUC, INTUC
- व्यवसायिक हित पर आधारित–ASSOCHAM, FICCI
- संस्थागत हित पर आधारित–DUTA

- पारंपरिक सामाजिक संरचना पर आधारित–नायर सर्विस सोसायटी।

45. 'राष्ट्र निर्माण' शब्द एक व्यापक प्रक्रिया को व्यक्त करता है, जिसमें लोग अपने आपको एक राष्ट्र के रूप में संगठित एवं सुस्थिर करते हैं। इसमें उन संस्थाओं, संरचनाओं व प्रक्रियाओं का निर्माण शामिल है, जो एक राष्ट्र को एक प्रभुसत्तात्मक सत्ता का आकार एवं रूप प्रदान करते हैं। भारत जैसे धार्मिक, भाषाई, जातीय व क्षेत्रीय विविधता वाले देश में एक समर्थ राष्ट्रीय पहचान के निर्माण की जरूरत सबसे प्राथमिक बन जाती है। निर्धनता, निरक्षरता, साम्प्रदायिकता, जातिवाद, भ्रष्टाचार, आतंकवाद जैसे संकीर्ण विचार भारत में राष्ट्र निर्माण की प्रक्रिया के समक्ष निरंतर समस्याएं व चुनौतियां पैदा कर रहे हैं।

50. सरकार के कामकाज में पारदर्शिता और जवाबदेही बढ़ाने के उद्देश्य से जनता को सूचना हासिल करने का अधिकार देने के प्रावधान वाले ऐतिहासिक सूचना का अधिकार अधिनियम 12 अक्टूबर, 2005 से लागू हो गया। अधिनियम के प्रावधानों के अनुसार, केन्द्रीय सूचना आयोग और राज्य सूचना आयोगों को गठित किया गया है। सूचना का अधिकार अधिनियम-2005 लागू होने के पश्चात् सूचना की स्वतंत्रता अधिनियम-2002 को निरस्त कर दिया गया जबकि शासकीय गोपनीयता अधिनियम-1923 को कायम रखा गया है। इस अधिनियम की धारा-24 के तहत् खुफिया विभाग, वैज्ञानिक शोध विभाग, परमाणु एवं उपग्रह विभाग तथा राष्ट्रीय सुरक्षा व्यवस्था से जुड़े विभागों को इस अधिनियम के दायरे से बाहर रखा गया है।

सर्वोच्च न्यायालय ने अनुच्छेद-19 के अंतर्गत सूचना के अधिकार पर बल देते हुए इसे मौलिक अधिकारों के दायरे में शामिल किया है।

51. संविधान के 73वें संशोधन द्वारा पंचायती राज संस्थाओं को सांविधानिक मान्यता प्रदान की गई है। इस संविधान संशोधन द्वारा संविधान में एक नया अध्याय 9 (नौ) जोड़ा गया जिसमें 16 अनुच्छेद समाविष्ट हैं और एक अनुसूची–11वीं अनुसूची, जोड़ी गई है। अनुच्छेद-243 (ख) के द्वारा पंचायती राज व्यवस्था को त्रिस्तरीय बनाया गया है। प्रत्येक राज्य में ग्राम स्तर, मध्यवर्ती स्तर एवं जिला स्तर पर (क्रमशः ग्राम पंचायत, पंचायत समिति एवं जिला परिषद्) पंचायती राज संस्थाओं का गठन किया गया है; किंतु, 20 लाख से कम जनसंख्या वाले राज्यों में मध्यवर्ती स्तर पर पंचायतों का गठन करना आवश्यक नहीं है।

53. एडवर्ड विडनर का कहना है कि "विकास प्रशासन एक कार्य-उन्मुखी और उद्देश्य-उन्मुखी प्रशासनिक व्यवस्था है।"

एडवर्ड वाइडनर के विचारानुसार विकास प्रशासन प्रगतिशील राजनीतिक, आर्थिक और सामाजिक लक्ष्यों की उपलब्धि की ओर संगठन के मार्ग-दर्शन की प्रक्रिया का रूप लेता है। ये विभिन्न लक्ष्य अधिकृत रूप से निश्चित किए गए होते हैं। इसी प्रकार के विचार होसे अबवूवा, इनायतुल्ला, बी.एस. खन्ना और हान बीन ली ने भी व्यक्त किए हैं। विकास प्रशासन की इन अधिकांश परिभाषाओं का मुख्य बल एक 'कार्योन्मुख' (Action-oriented) एवं 'लक्ष्योन्मुख' (Goal-oriented) प्रशासनिक प्रणाली पर रहा है। विकास प्रशासन के विद्यार्थियों ने स्वीकार किया है कि विकास का प्रशासन और प्रशासन का विकास कार्यात्मक रूप से एक-दूसरे से सम्बद्ध हैं। रिग्स के अनुसार विकास प्रशासन के इन दोनों पक्षों की परस्पर सम्बद्धता में कारण-कार्य के समान भाव विद्यमान हैं। सामान्य रूप से प्रशासन में महत्त्वपूर्ण परिवर्तन पर्यावरण में परिवर्तन के बिना नहीं लाए जा सकते हैं और पर्यावरण स्वयं तब तक परिवर्तित नहीं हो सकता जब तक कि विकास कार्यक्रमों के प्रशासन को सुदृढ़ नहीं किया जाता। इस प्रकार विकास के अध्ययन में सरकार की क्षमता एक महत्त्वपूर्ण परिवर्तित (Variable) रूप है। सामान्य रूप से विकास प्रशासन पर किए जाने वाले अनुसन्धान में प्रशासनिक प्रणाली और उसमें होने वाले परिवर्तनों को स्वतन्त्र परिवृत्यों के रूप में विचारित किया जाता है जबकि विकास के लक्ष्यों को आश्रित परिवृत्यों के रूप में देखा जाता है। इस प्रकार के विचार प्रो. रिग्स, एडवर्ड वाइडनर, जोसेफ लापालोम्बारा और मार्टिन लैण्डाउ के हैं तथा ये तुलनात्मक राजनीति के उन कतिपय विचारकों की स्थापनाओं से समानता रखते हैं जिन्होंने राजनीतिक विकास के अध्ययन

में राजनीतिक प्रणालियों की स्वतन्त्र अथवा हस्तक्षेपकारी परिवृत्यों के रूप में व्याख्या की है। राजनीतिक विकास के इस प्रकार के सिद्धांतकारों में सेम्यूल हंटिंगटन, कार्ल डायश, सेम्यूअल आइसन-स्टाइड, राबर्ट होल्ट एवं जान टर्नर प्रमुख हैं।

56. उच्च पद पर प्रोन्नति में पद में परिवर्तन, वेतन में परिवर्तन, कर्तव्यों में परिवर्तन, उत्तरदायित्व में परिवर्तन, आदि सम्मिलित होता है।

एल.डी. व्हाइट (L.D. White) के शब्दों में पदोन्नति का अर्थ है, "एक पद से कर्मचारी की अधिक कठिन कार्य व गुरुतर दायित्व के पद पर नियुक्ति जहाँ उसका पद बदल जाए और प्रायः वेतन भी बढ़ जाए।" यह ध्यान रखा जाए कि केवल वेतन में वृद्धि पदोन्नति नहीं है। यद्यपि अधिकांश अवसरों पर पदोन्नति के साथ-साथ वेतन भी बढ़ जाता है तथापि पदोन्नति का मूल तत्व यह है कि इसमें कर्मचारी ऊँचे पद पर जाता है। वास्तविक पदोन्नति का अर्थ है ऊँचे ग्रेड वाले ऊँचे पद पर उन्नति करना। इससे कर्त्तव्यों और उत्तरदायित्वों में परिवर्तन आ जाता है। यदि किसी लेक्चरर को विभागाध्यक्ष नियुक्त कर दिया जाए तो यह उसकी पदोन्नति है क्योंकि इससे उसके कार्यों और उत्तरदायित्वों में परिवर्तन आ गया है। साधारणतया पदोन्नति के साथ-साथ वेतन में भी वृद्धि होती है तथापि कभी-कभी ऐसा नहीं होता, उदाहरणतया यदि 150-10-300 रुपये के ग्रेड में 280 रुपये पाने वाले व्यक्ति को 250-25-750 के ग्रेड में पदोन्नत किया जाए तो उसे कोई तुरन्त आर्थिक लाभ नहीं होगा।

58. नीति का बचाव लाइन एजेंसी का कार्य है। वे मुख्य एजेंसियाँ जो मुख्य आधारभूत उद्देश्य के आधार पर स्थापित की जाती हैं तथा जिनका संबंध लोगों के लिए सेवा की व्यवस्था करना है अथवा किसी विशेष क्षेत्र में उनके व्यवहार को विनियमित करना है, लाइन एजेंसियाँ कहलाती हैं। वे उन मुख्य उद्देश्यों से सम्बन्धित हैं जिनके लिए सरकार की स्थापना होती है। ऊपर से नीचे तक सत्ता की एक ही "लाइन" सचिव, उपसचिव, अवर सचिव, अधीक्षकों तथा लिपिकों तक चलती है। लाइन एजेंसियों के कार्य प्राथमिक प्रकार के हैं अर्थात् "जिस उद्देश्य के लिए वे स्थापित की गई हैं उनको पूरा करने के लिए वे उन कार्यों को निभाती हैं।" उदाहरणार्थ सचिव, गृहविभाग का प्राथमिक कार्य देश में शान्ति व्यवस्था बनाए रखना है। उनका कार्य बाहर जटिल समाज में प्रसरित होता है जिसमें एवं जिसके लिए उन्हें अपने कार्यों को निष्पादित करना है।

लाइन एजेंसियाँ तीन प्रकार की हैं, नामतः (*i*) विभाग, (*ii*) निगम, तथा (iii) स्वतन्त्र विनियामक आयोग। विभाग प्रशासकीय संगठन का सबसे बड़ा तथा लोकप्रिय रूप है। सार्वजनिक निगम एक नया संगठनात्मक रूप है जिसे निजी व्यापार प्रशासन से लोक प्रशासन में लिया गया है। स्वतन्त्र विनियामक आयोग विभागीय प्रणाली तथा निगम प्रणाली का संगम है। शीर्ष पर इसका निगमात्मक स्वरूप होता है किन्तु भीतर इसका स्वरूप विभागीय होता है।

68. कम संख्या तथा निवारण करने की क्षमता का प्रभाव भारत की परमाणु शक्ति निवारक पर है। भारत अंतर्राष्ट्रीय शांति और सुरक्षा का समर्थक रहा है और साथ ही शांति की स्थापना के लिए प्रयत्नशील है। परंतु राष्ट्रीय सुरक्षा उसका प्रमुख राष्ट्रीय हित है और इसको सुरक्षित रखने के लिए ही भारत ने 1998 में परमाणु विस्फोट किया। भारत का दृष्टिकोण है कि प्रत्येक राष्ट्र को अपनी सुरक्षा बनाए रखने का अधिकार है और प्रत्येक को उसकी सुरक्षा के लिए हर संभव प्रयत्न करने चाहिए। भारत ने इसी संदर्भ में अपनी परमाणु नीति घोषित की है। भारत का मानना है कि हथियारों के होड़ में शामिल हुए बिना प्रत्येक राष्ट्र को न्यूनतम निवारक क्षमता उपलब्ध होना चाहिए। परंतु साथ ही भारत चाहता है कि राष्ट्रीय सुरक्षा के नाम पर किसी अन्य राष्ट्र की संप्रभुता खतरे में न डाली जाए। भारत UNO को सभी अंतर्राष्ट्रीय विवादों को सुलझाने के लिए प्रगतिशील मंच प्रदान करने का माध्यम मानता है। भारत राष्ट्रीय सुरक्षा के लिए निशस्त्रीकरण के तमाम प्रयासों को सहायता तथा सहयोग प्रदान करता है।

71. भारत संयुक्त राष्ट्र लोकतंत्र निधि का प्रमुख अंशदाता है तथा इसने अन्य देशों के साथ चरणबद्ध तरीके से परमाणु हथियारों को समाप्त करने की कार्य योजना (1996-2020) प्रस्तुत की। वर्ष 1945 के सैन फ्रांसिस्को सम्मेलन में भारतीय प्रतिनिधि मंडल का नेतृत्व सर

आर्कोट रामास्वामी मुदलियार ने किया था। भारत, संयुक्त राष्ट्र के उन प्रारंभिक सदस्यों में शामिल था जिन्होंने 1 जनवरी, 1942 को वाशिंगटन में UN घोषणा पर हस्ताक्षर किए थे तथा 25 अप्रैल से 26 जून, 1945 तक सैन फ्रांसिस्को में ऐतिहासिक संयुक्त राष्ट्र अंतर्राष्ट्रीय संगठन सम्मेलन में भी भाग लिया था। संयुक्त राष्ट्र के संस्थापक सदस्य के रूप में भारत, UN के उद्देश्यों और सिद्धांतों का पुरजोर समर्थन करता है और चार्टर के उद्देश्यों को लागू करने तथा संयुक्त राष्ट्र के विशिष्ट कार्यक्रमों और एजेंसियों के विकास में महत्वपूर्ण योगदान दिया है।

72. वैश्वीकरण ने वेस्टफेलियन राज्य प्रणाली को कमजोर अवश्य किया है, फिर भी राज्यों की संप्रभुता अभी भी कायम है। मध्य युग तक राष्ट्र-राज्यों (Nation-State) का अस्तित्व नहीं था। अतः तकनीकी दृष्टि से, उस समय से पूर्व अंतर्राष्ट्रीय संबंध संभव नहीं थे। अंतर्राष्ट्रीय संबंधों में राष्ट्र-राज्य व्यवस्था की अवधारणा का उदय 1648 की वेस्टफेलिया की संधि से हुई। इस संधि के फलस्वरूप यूरोप में 30 वर्षीय युद्ध (1618-48) की समाप्ति हुई। यह संधि राज्य व राज्य-व्यवस्था की कानूनी मान्यता थी (वास्तव में इस संधि के फलस्वरूप दो राज्यों—स्विट्जरलैण्ड और नीदरलैण्ड का निर्माण हुआ)। इसके बाद, यूरोपीय शासकों ने रोमन कैथोलिक चर्च की सत्ता को अस्वीकार कर दिया।

समकालीन वर्षों में व्यापार, उत्पादन और वित्त का वैश्वीकरण, संचार एवं परिवहन के क्षेत्र में क्रांति, तकनीक एवं शस्त्रों के विस्तार तथा निरंतरशील पर्यावरणीय एवं सैनिक संकट ने ऐसी समस्याएं खड़ी की हैं जिनका समाधान राष्ट्र-राज्यों की संरचना के अंतर्गत नहीं किया जा सकता। यह अधिराष्ट्रीय स्तर पर राजनीतिक संस्थाओं की खोज एवं विस्तार को अनिवार्य बनाता है जो राष्ट्रीय प्रभुसत्ता के परंपरागत मूल्य को दुर्बल बना सकता है। त्वरित वैश्वीकरण के सांस्कृतिक प्रभाव अपने साथ उन विघटनकारी तत्वों को भी ला रहे हैं जिनकी प्रवृत्ति समाजों के निम्नीकरण की ओर है, जो पुरानी सामाजिक, राजनीतिक एवं सांस्कृतिक इकाइयों को विखंडित कर सकती है। यह प्रवृत्ति पश्चिम के आर्थिक रूप से उन्नतशील राष्ट्र-राज्यों में अधिक सुदृढ़ है तथा इसका झुकाव राष्ट्र-राज्यों की एक संस्था के रूप में उसकी सत्ता, महत्व एवं औचित्य को कम करना है।

74. अंतर्राष्ट्रीय वित्त निगम (International Finance Corporation) विकासशील देशों में निजी उद्योगों के लिए बिना सरकारी गारंटी के धन की व्यवस्था करता है तथा अतिरिक्त पूँजी विनियोग द्वारा उन्हें प्रोत्साहित करता है, अर्थात् इसका मुख्य कार्य विकासशील देशों के निजी क्षेत्र को समर्थन प्रदान करना है। विश्व बैंक ने अंतर्राष्ट्रीय वित्त निगम की स्थापना 1956 में की थी। IFC के सदस्य देशों की संख्या 184 है। इसके उद्देश्य निम्नलिखित हैं—

- निजी क्षेत्र को ऋण उपलब्ध कराना।
- पूँजी तथा प्रबन्ध में समन्वय स्थापित करना।
- पूँजी प्रधान देशों को अभाव वाले देशों में पूँजी लगाने को प्रोत्साहित करना।

75. भारत सुरक्षा परिषद् का सदस्य 7 बार बना है। भारत अंतिम बार 2011-12 में इसका सदस्य बना। जापान सुरक्षा परिषद् का सदस्य 11 बार बन चुका है। सुरक्षा परिषद् के अस्थायी सदस्यों की नियुक्ति महासभा द्वारा की जाती है, साथ ही महासचिव की नियुक्ति भी महासभा ही करती है। सुरक्षा परिषद UNO का हृदय है। इसको अंतर्राष्ट्रीय शांति एवं सुरक्षा का पहरेदार माना जाता है। हालांकि सुरक्षा परिषद् बहुत ही छोटा सदन है परंतु उसकी शक्तियाँ बहुत व्यापक हैं। यह विश्व की सर्वोच्च शक्ति का प्रतिनिधित्व करता है। सुरक्षा परिषद् के सदस्य देशों की संख्या 15 है जिसमें से 5 स्थायी और 10 अस्थायी सदस्य हैं। USA, UK, रूस, फ्रांस और चीन स्थायी सदस्य हैं जिन्हें वीटो शक्ति (Veto Power) प्राप्त है। वर्तमान समय में सुरक्षा परिषद् के विस्तार की मांग की जा रही है। भारत G-4 के अन्य सदस्यों के साथ मिलकर इस मुद्दे को प्रभावी तरीके से उठा रहा है।

पिछले प्रश्न-पत्र (हल सहित)

UGC-NET जूनियर रिसर्च फैलोशिप तथा सहायक प्राध्यापक परीक्षा

राजनीति शास्त्र, जनवरी-2017*

प्रश्न-पत्र-II

नोट : *इस प्रश्न-पत्र में* ***पचास (50)*** *बहु-विकल्पीय प्रश्न हैं। प्रत्येक प्रश्न के* ***दो (2)*** *अंक हैं।* ***सभी*** *प्रश्न अनिवार्य हैं।*

1. नीचे दो कथन दिए गए हैं, एक को अभिकथन (A) और दूसरे को तर्क (R) कहा गया है। नीचे दिए गए कूट का प्रयोग कर सही उत्तर चुनिए :

अभिकथन (A) : कौटिल्य मजबूत शासक की आवश्यकता पर बल देता है।

तर्क (R) : उसे समाज में अराजकता के खतरे तथा व्यवस्था स्थापित करने की अनिवार्यता का उत्कट बोध था।

कूट :

A. (A) और (R) दोनों सत्य हैं और (R), (A) का सही स्पष्टीकरण है।

B. (A) और (R) दोनों सत्य हैं, लेकिन (R), (A) का सही स्पष्टीकरण नहीं है।

C. (A) सत्य है, परंतु (R) असत्य है।

D. (A) असत्य है, परंतु (R) सत्य है।

2. निम्नलिखित में से कौन प्लेटो के विचारों के सिद्धांत का स्रोत नहीं है?

A. हेराक्लिटस – संभूति के क्षेत्र का विचार

B. ऐंटिस्थेनिस – निरपेक्ष वैराग्यवृत्ति तथा कठोर स्व-यातना का विचार

C. सुकरात – अवधारणाओं का सिद्धांत

D. एलियाटिक्स – निरपेक्ष संभूति के क्षेत्र का विचार

3. सूची-I को सूची-II से सुमेलित कीजिये तथा नीचे दिए गए कूट से सही उत्तर चुनिए :

सूची-I (अरस्तू के कार्यकारण भाव का सिद्धांत)	सूची-II (स्पष्टीकरण)
(*a*) निमित्त कारण	1. वस्तु का पदार्थ एवं सार
(*b*) अंतिम कारण	2. पदार्थ जिससे यह बना है
(*c*) भौतिक कारण	3. वह उद्देश्य जिसकी ओर गतिविधि लक्षित है
(*d*) औपचारिक कारण	4. गति का कारण

कूट :

	(*a*)	(*b*)	(*c*)	(*d*)
A.	1	2	3	4
B.	4	3	2	1
C.	3	4	1	2
D.	2	1	4	3

4. नीचे दो कथन दिए गए हैं, एक को अभिकथन (A) और दूसरे को तर्क (R) कहा गया है। नीचे दिए गए कूट का प्रयोग कर सही उत्तर चुनिए :

अभिकथन (A) : लॉक के लिये श्रम सम्पत्ति का स्रोत और औचित्य है।

तर्क (R) : इसका कार्य पृथ्वी को उपभोज्य सामान में बदल देना है।

कूट :

A. (A) और (R) दोनों सत्य हैं और (R), (A) का सही स्पष्टीकरण है।

B. (A) और (R) दोनों सत्य हैं और (R), (A) का सही स्पष्टीकरण नहीं है।

C. (A) सत्य है, परंतु (R) असत्य है।

D. (A) असत्य है, परंतु (R) सत्य है।

*परीक्षा 12 जनवरी 2017 को आयोजित हुई।

5. निम्नलिखित में से कौन रॉल्स के 'अज्ञानता के आवरण' की अवधारणा की एक विशेषता सही नहीं है?

A. समाज में अपना स्थान, अपनी वर्ग स्थिति अथवा सामाजिक हैसियत को कोई नहीं जानता।

B. प्राकृतिक सम्पदाओं के वितरण तथा क्षमता में अपने भाग्य को कोई नहीं जानता।

C. पक्षकार अपनी विशिष्ट मनोवैज्ञानिक प्रवृत्तियों को जानते हैं।

D. पक्षकार अच्छे की अपनी अवधारणा के बारे में (भी) नहीं जानते।

6. निम्नलिखित में से किसने कल्याणकारी राज्य को एक प्रकार की दासता के रूप में वर्णन किया है?

A. कार्ल पॉपर B. एफ.ए. हेयेक

C. आर. नॉजिक D. मिल्टन फ्रीडमैन

7. ई.एम.एस. नम्बूदिरीपाद की पुस्तक 'महात्मा एण्ड इज्म' निम्नलिखित में से किस विचारधारा के दृष्टिकोण से महात्मा गांधी का विश्लेषण है?

A. सिन्डीकेटवाद B. समाजवाद

C. उदारवाद D. मार्क्सवाद

8. एम.एन. राय के मामले में निम्नलिखित में से कौन-सा कथन सही नहीं है?

A. उन्होंने स्वतंत्र भारत के लिये एक मॉडल संविधान तैयार किया।

B. संप्रभु शक्ति जनता में निहित होनी चाहिए।

C. गाँवों, कस्बों तथा शहरों में जन समितियाँ गठित हों।

D. वे संघटक इकाइयों के अलग होने के अधिकारों पर सहमत नहीं थे।

9. निम्नलिखित में से कौन-सा कथन सही नहीं है?

A. पारम्परिक राजनीतिक सिद्धांत गुणात्मक है।

B. व्यवहारवादी राजनीतिक सिद्धांत मात्रात्मक है।

C. उत्तर व्यवहारवादी राजनीतिक सिद्धांत गुणात्मक तथा मात्रात्मक दोनों हैं।

D. उत्तर व्यवहारवादी राजनीतिक सिद्धांत नृजाति केंद्रित है, यह विशेषकर पाश्चात्य लोकतंत्र पर ध्यान केंद्रित करता है।

10. निम्नलिखित में से किसने तीन मानकों पर विशेष बल देते हुए 'लोकतंत्र के प्रक्रियामूलक सिद्धांत' पर बल दिया?

A. एस.एम. लिप्सेट B. आर.ए. डाहल

C. जोसेफ शूम्पीटर D. शेल्डन वोलिन

11. निम्नलिखित में से कौन मैक्स वेबर का निरूपण नहीं है?

A. तर्कशक्ति, कार्यमूलक विभेदन तथा विशिष्टीकरण जिनके फलस्वरूप व्यवस्था, सौहार्द तथा दक्षता का निर्माण होता है।

B. आदर्श प्रारूपों के संबंध में विश्वास तथा संकेतों पर आधारित प्रभावी प्राधिकार।

C. प्रभावी प्राधिकार पदसोपानिक होता है तथा यह राज्य एवं सत्ता वर्ग से संबंधित होता है।

D. औचित्य स्थापन तथा आदर्श प्रारूपविज्ञान विधि।

12. यह किसका कथन है कि संघवाद में ऐसे व्यक्तियों की आवश्यकता होती है "जिनकी इच्छा संघ की होती है, परंतु उन्हें एकता की इच्छा बिल्कुल नहीं होनी चाहिये"?

A. जेम्स ब्राइस B. ए.वी. डायसी

C. के.सी. ह्वीयर D. एच. फाइनर

13. यह किसका कथन है कि राजनीतिक संस्कृति तथा शासन के स्थायित्व के बीच कोई सीधा संबंध नहीं है?

A. लिजफर्ट B. वोलिन

C. कवानग D. ब्लोंडेल

14. संयुक्त राज्य अमेरिका के राष्ट्रपति को अपने मार्ग को अपनाने की क्षमता चार महत्त्वपूर्ण संबंधों पर निर्भर करता है।

(*a*) कांग्रेस (*b*) संघीय नौकरशाही

(*c*) उच्चतम न्यायालय (*d*) मास मीडिया

उपर्युक्त में से कौन निःसंदेह सर्वाधिक महत्वपूर्ण है?

A. कांग्रेस B. संघीय नौकरशाही

C. उच्चतम न्यायालय D. मास मीडिया

15. सी. राइट मिल्स की रचना 'द पावर एलिट' (1956) ने निम्नलिखित में से किसमें अभिजनों का सामान्य विश्लेषण प्रस्तुत किया?

A. संपूर्ण पूँजीवादी जगत में

B. उत्तरी अमेरिका तथा पश्चिमी यूरोप के विकसित पूँजीवादी जगत में

C. उत्तरी अमेरिका, पश्चिमी यूरोप तथा जापान के विकसित पूँजीवादी राष्ट्रों में

D. संयुक्त राज्य अमेरिका के विकसित पूँजीवाद में

16. यह किसका निरूपण है कि शक्ति पैसा की तरह है?

A. सी. राइट मिल्स B. पॉल स्वीजी

C. तालकॉट पार्सन्स D. रॉल्फ मिलिबैंड

17. कैच ऑल पार्टी निम्नलिखित में से किसमें उत्तर द्वितीय विश्व युद्ध की दलीय व्यवस्था का वर्णन करती है?

A. पश्चिमी यूरोप

B. पूर्वी यूरोप

C. संयुक्त राज्य अमेरिकी दलीय व्यवस्था

D. उपर्युक्त सभी

18. निम्नलिखित में से यह किसका विश्वास था कि कोई क्रांति तभी सफल होती है जब यह राजनीतिक रहती है तथा समाज तक विस्तारित नहीं होती है?

A. क्रेन ब्रिन्टॉन B. वी.आई. लेनिन

C. हन्ना अरेन्ट D. महात्मा गांधी

19. ''पूँजीवादी वैश्विक अर्थव्यवस्था उत्पादकों तथा उपभोक्ताओं, विक्रेताओं एवं क्रेताओं की ''वस्तु शृंखला'' से बनी है जो वैश्विक अर्थव्यवस्था के केन्द्र में देशों को जोड़ती हैं'', यह निम्नलिखित में से किसका आधार है?

A. भूमंडलीकरण तथा आधुनिकीकरण सिद्धांत

B. लेनिन के साम्राज्यवाद का सिद्धांत

C. फ्रिडमैन का सिद्धांत विश्व सपाट है

D. विश्व व्यवस्था सिद्धांत

20. नीचे दो कथन दिए गए हैं, एक को अभिकथन (A) और दूसरे को तर्क (R) कहा गया है। नीचे दिए गए कूट का प्रयोग कर सही उत्तर चुनिए :

अभिकथन (A) : सहवर्तन लोकतंत्र, लोकतंत्र का एक अपूर्ण सिद्धांत है।

तर्क (R) : क्योंकि यह वास्तविक विकल्प का मार्ग अवरुद्ध करता है।

दोनों कथनों के संदर्भ में निम्नलिखित में से कौन-सा सही है?

कूट :

A. (A) और (R) दोनों सत्य हैं और (R), (A) का सही स्पष्टीकरण है।

B. (A) और (R) दोनों सत्य हैं, लेकिन (R), (A) का सही स्पष्टीकरण नहीं है।

C. (A) सत्य है, परंतु (R) असत्य है।

D. (A) असत्य है, परंतु (R) सत्य है।

21. यह किसका कथन है, ''संविधान सभा अनिवार्यतः एक दलीय देश में एक दलीय निकाय थी। वह सभा कांग्रेस थी तथा कांग्रेस ही भारत था''?

A. मोरिस जोन्स B. पॉल आर. ब्रास

C. ग्रैनविल ऑस्टिन D. रिचर्ड सिशन

22. सूची-I को सूची-II से सुमेलित कीजिये तथा नीचे दिए गए कूट से सही उत्तर चुनिए :

सूची-I (ग्रंथ)	**सूची-II (लेखक)**
(*a*) द चाइल्ड एंड द स्टेट इन इंडिया	1. अतुल कोहली
(*b*) द हिंदू नेशनलिस्ट मूवमेंट एण्ड इंडियन पॉलिटिक्स	2. प्रणब बर्धन
(*c*) द पॉलिटिकल इकॉनॉमी ऑफ डेवलपमेंट इन इंडिया	3. क्रिस्टोफर जेफरेलॉट
(*d*) पॉवर्टी एमिड प्लेंटी इन द न्यू इंडिया	4. मायरन विनर

कूट :

	(*a*)	(*b*)	(*c*)	(*d*)
A.	3	4	1	2
B.	4	3	2	1
C.	2	1	3	4
D.	1	2	4	3

23. निम्नलिखित में से किन्हें भारत के राष्ट्रपति अथवा राज्यपाल द्वारा क्षमा प्रदान करने के अधिकार के प्रयोग में न्यायिक समीक्षा के लिये आधार के रूप में पहचान की गयी है?

(*a*) कि आदेश को मस्तिष्क का प्रयोग किये बिना पारित किया गया है।

(*b*) कि आदेश दुर्भावनापूर्ण है।

(*c*) कि आदेश को बाह्य अथवा पूर्णतः असंगत अनुचिंतन के आधार पर पारित किया गया है।

(*d*) कि आदेश यादृच्छिकता से ग्रसित है।

नीचे दिए गए कूटों से सही उत्तर को चुनिए :

कूट :

A. (*a*), (*c*) और (*d*)

B. (*b*), (*c*) और (*d*)

C. (*a*), (*b*) और (*d*)

D. (*a*), (*b*), (*c*) और (*d*)

24. सूची-I को सूची-II से सुमेलित कीजिए और नीचे दिए गए कूट से सही उत्तर चुनिए :

सूची-I (पंचायती राज समिति)	**सूची-II (वर्ष)**
(*a*) सी.एच. हनुमन्त राव	1. 1978
(*b*) जी.वी.के. राव	2. 1984
(*c*) अशोक मेहता	3. 1986
(*d*) एल.एम. सिंघवी	4. 1985

कूट :

	(*a*)	(*b*)	(*c*)	(*d*)
A.	4	2	1	3
B.	2	4	1	3
C.	1	3	2	4
D.	3	1	4	2

25. नीचे दो कथन दिए गए हैं, एक को अभिकथन (A) और दूसरे को तर्क (R) कहा गया है। नीचे दिए गए कूट का प्रयोग कर सही उत्तर चुनिए :

अभिकथन (A) : मूल कर्तव्य वादयोग्य नहीं हैं।

तर्क (R) : उनके द्वारा देशभक्त तथा संवेदनशील नागरिकता का भाव भरे जाने की अपेक्षा होती है।

कूट :

A. (A) और (R) दोनों सत्य हैं और (R), (A) का सही स्पष्टीकरण है।

B. (A) और (R) दोनों सत्य हैं, लेकिन (R), (A) का सही स्पष्टीकरण नहीं है।

C. (A) सत्य है, परंतु (R) असत्य है।

D. (A) असत्य है, परंतु (R) सत्य है।

26. निम्नलिखित में से कौन भारत में विधायिका के विशेषाधिकार हैं?

(*a*) वाद-विवाद तथा सभा की कार्यवाहियों को प्रकाशित करने का अधिकार तथा अन्य को इनके प्रकाशन से रोकने का अधिकार।

(*b*) सदन से अजनबियों को अपवर्जित करने का विशेषाधिकार।

(*c*) आंतरिक मामलों को विनियमित करने का अधिकार।

(*d*) विशेषाधिकार का उल्लंघन करने के लिये सांसदों तथा बाहरी व्यक्तियों को सजा देने का अधिकार।

नीचे दिए गए कूट से सही उत्तर चुनिए :

कूट :

A. (*a*), (*c*) और (*d*) B. (*b*), (*c*) और (*d*)

C. (*a*), (*b*) और (*d*) D. (*a*), (*b*), (*c*) और (*d*)

27. भारत में निम्नलिखित किसान आंदोलनों को उनके कालक्रमानुसार व्यवस्थित कीजिए तथा नीचे दिए गए कूट से सही उत्तर चुनिए :

(*a*) सिंगूर (*b*) बारडोली

(*c*) तेभागा (*d*) चम्पारण

कूट :

A. (*d*), (*c*), (*a*), (*b*) B. (*d*), (*b*), (*c*), (*a*)

C. (*b*), (*c*), (*d*), (*a*) D. (*a*), (*b*), (*c*), (*d*)

28. भारत में संघवाद संबंधी घटनाओं के विकास के सही कालक्रम के क्रम की पहचान कीजिए :

A. आनन्दपुर साहिब प्रस्ताव, राजमन्नार समिति, पुंछी आयोग, पश्चिम बंगाल ज्ञापन

B. पश्चिम बंगाल ज्ञापन, राजमन्नार समिति, आनन्दपुर साहिब प्रस्ताव, पुंछी आयोग

C. राजमन्नार समिति, पश्चिम बंगाल ज्ञापन, आनन्दपुर साहिब प्रस्ताव, पुंछी आयोग

D. राजमन्नार समिति, आनन्दपुर साहिब प्रस्ताव, पश्चिम बंगाल ज्ञापन, पुंछी आयोग

29. निम्नलिखित में से किसने भारतीय पूँजीवाद का वर्णन ''धर्मशाला पूँजीवाद'' के रूप में किया है?

A. वी.के.आर.वी. राव B. जे. भगवती

C. अमर्त्य सेन D. राज कृष्ण

30. निम्नलिखित में से कौन भारत में निर्वाचन सुधारों से संबद्ध नहीं है?

A. तारकुंडे समिति

B. दिनेश गोस्वामी समिति

C. एन.एन. वोहरा समिति

D. इन्द्रजीत गुप्त समिति

31. लोक प्रशासन के अध्ययन के निम्नलिखित उपागमों को आनुक्रमिक क्रम में व्यवस्थित कीजिए :

(*a*) व्यावहारिक उपागम

(*b*) व्यवस्था उपागम

(*c*) संस्थागत उपागम

(*d*) लोक नीति उपागम

नीचे दिए गए कूटों से सही उत्तर चुनिए :

कूट :

A. (*a*), (*b*) (*c*) और (*d*)

B. (*c*), (*b*) (*a*) और (*d*)

C. (*a*), (*c*) (*d*) और (*b*)

D. (*c*), (*a*), (*b*) और (*d*)

32. नीचे दो कथन दिए गए हैं, एक को अभिकथन (A) और दूसरे को तर्क (R) कहा गया है। नीचे दिए गए कूट का प्रयोग कर सही उत्तर चुनिए :

अभिकथन (A) : भारत में लोक सेवकों के कोई राजनीतिक अधिकार नहीं होते हैं।

तर्क (R) : तटस्थता भारत में लोक सेवाओं की विशेषता है।

कूट :

A. (A) और (R) दोनों सत्य हैं और (R), (A) का सही स्पष्टीकरण है।

B. (A) और (R) दोनों सत्य हैं, लेकिन (R), (A) का सही स्पष्टीकरण नहीं है।

C. (A) सत्य है, परंतु (R) असत्य है।

D. (A) असत्य है, परंतु (R) सत्य है।

33. निम्नलिखित में से किन्हें द्वितीय प्रशासनिक सुधार आयोग ने भारत में नागरिक-केंद्री प्रशासन में अवरोध के रूप में पहचान की है?

(*a*) लोक सेवकों के लचीला स्वस्थायीकरण तथा आभ्यंतरिक अवलोकन का दृष्टिकोण।

(*b*) लोक सेवकों के उत्तरदायित्व का अभाव।

(*c*) सुशिक्षित राजनीतिक नेतृत्व का अभाव।

(*d*) नागरिकों के अपने अधिकारों एवं कर्तव्यों की जानकारी का निम्न स्तर।

नीचे दिए गए कूटों से सही उत्तर चुनिए :

कूट :

A. (*a*), (*b*) और (*c*) B. (*a*), (*b*) और (*d*)

C. (*a*), (*c*) और (*d*) D. (*a*), (*b*), (*c*) और (*d*)

34. निम्नलिखित में से कौन भारत में बजट को लागू करने हेतु नोडल एजेंसी है?

A. संसद

B. लोक सेवा समिति

C. वित्त मंत्रालय

D. भारत का नियंत्रक एवं महालेखा परीक्षक

35. भारत में शब्द 'घाटा वित्तीयन' को सर्वप्रथम निम्नलिखित में से किसके द्वारा परिभाषित किया गया था?

A. प्रथम पंचवर्षीय योजना

B. वित्त आयोग

C. प्रशासनिक सुधार आयोग

D. ए.डी. गोरवाला रिपोर्ट

36. निम्नलिखित में से कौन-सी प्रकार की नौकरशाही स्वयं को लोक हित का संरक्षक मानती है, परंतु वह लोकमत से स्वतंत्र है तथा प्रत्युत्तरदायी नहीं है?

A. योग्यता आधारित नौकरशाही

B. जाति नौकरशाही

C. संरक्षण नौकरशाही

D. अभिभावक नौकरशाही

37. निम्नलिखित में से क्या 73वें संविधान संशोधन अधिनियम और 74वें संविधान संशोधन अधिनियम के बीच समान विशेषताएँ हैं?

(*a*) समय-समय पर निर्वाचन

(*b*) सामाजिक और आर्थिक कमजोर समूहों का सशक्तिकरण

(*c*) राज्य चुनाव आयोग का गठन

(*d*) वार्ड समितियों को गठन

नीचे दिए गए कूटों से सही उत्तर चुनिए :

कूट :

A. (*a*) और (*c*) B. (*a*), (*b*) और (*c*)

C. (*a*), (*c*) और (*d*) D. (*a*), (*b*), (*c*) और (*d*)

38. निम्नलिखित में से कौन सांविधिक निकाय है?

(*a*) विश्वविद्यालय अनुदान आयोग

(*b*) राजभाषा आयोग

(*c*) रेलवे बोर्ड

(*d*) परमाणु ऊर्जा आयोग

नीचे दिए गए कूटों से सही उत्तर चुनिए :

कूट :

A. (*a*) और (*b*) B. (*a*), (*c*) और (*d*)

C. (*a*), (*b*) और (*d*) D. (*b*) और (*d*)

39. निम्नलिखित में से कौन-सा मंत्रालय सेवार्थीवृन्द सिद्धांत के आधार पर गठित मंत्रालय का एक उदाहरण है?

A. रक्षा मंत्रालय

B. मानव संसाधन विकास मंत्रालय

C. कृषि मंत्रालय

D. विधि मंत्रालय

40. निम्नलिखित में से यह किसका विचार है कि आयोजना, संगठन निर्माण, समन्वय कार्य तथा बजट निर्माण कार्य की प्रबंधकीय तकनीकें तथा कौशल सार्वजनिक तथा निजी प्रशासन में एकसमान हैं?

(*a*) हेनरी फेयोल (*b*) एम.पी. फोलेट

(*c*) लुथर गुलिक (*d*) एल. उर्विक

नीचे दिए गए कूट से सही उत्तर का चयन कीजिए:

कूट :

A. (*a*) और (*c*) B. (*b*) और (*d*)

C. (*a*), (*b*) और (*c*) D. (*a*), (*b*), (*c*) और (*d*)

41. निम्नलिखित में से कौन यथार्थवाद की ब्रितानी विचारधारा (ब्रिटिश स्कूल ऑफ रीएलिज्म) से संबंधित है?

A. रेनेहोल्ड निबुहर B. एन.जे. स्पाइकमैन

C. क्विन्सी राइट D. हेडली बुल्ल

42. 'आतंक का संतुलन' का विचार निम्नलिखित में से किससे संबंधित है?

A. वैश्विक आतंकवाद

B. आतंकवाद विरोधी रणनीति

C. नशीले पदार्थों के तस्करों की आतंकवादी गतिविधियाँ

D. परमाणु हथियारों से निकलने वाली दुनिया को बार-बार तबाह करने वाली क्षमता

43. निम्नलिखित में से कौन शक्ति संतुलन की मुख्य धारणा नहीं है?

A. राज्य प्रमुख राष्ट्रीय हितों की सुरक्षा के लिए दृढ़ संकल्प हैं

B. प्रमुख राष्ट्रीय हितों को खतरा पैदा हो सकता है

C. राज्यों की सापेक्ष सत्ता स्थितियों का मापन किया जा सकता है

D. राज्य दूसरों के व्यवहार का मूल्यांकन करने हेतु नैतिक मानदंडों को लागू करते हैं

44. किस/किन देश/देशों ने क्योटो प्रोटोकॉल का अनुपालन करते हुए उत्सर्जन में कमी लाने को विधिक रूप से अनिवार्य किये जाने के प्रस्ताव को अस्वीकार कर दिया है?

A. भारत

B. चीन

C. भारत और चीन दोनों

D. स्वीडेन

45. यू.एस.एस.आर. के किस नेता ने 'शांतिपूर्ण सह-अस्तित्व' की नीति शुरू की थी?

A. मिखाइल गोर्बाचोव B. एन. ख़ुश्चेव

C. एल. ब्रेझनेव D. जॉसेफ स्टालिन

46. शीतकाल की समाप्ति पर फ्रांसिस फूकुयामा ने 'इतिहास का अंत' का विचार दिया जिसका अर्थ है

A. विश्व में अप्रकट घटनाएँ अब नहीं होंगी

B. वैश्विक स्तर पर तनाव तथा टकराव अब नहीं होगा

C. सैद्धांतिक संघर्ष अब समाप्त हो चुका

D. सैद्धांतिक संघर्ष नये उत्साह के साथ होगा

47. शांति कार्यक्रम के लिये नाटो की भागीदारी का उद्देश्य था

A. भूतपूर्व पूर्वी गुट के राज्यों को इस संगठन में शामिल करना

B. बोस्निया में सर्बों की समस्या सुलझाना

C. युगोस्लाविया के विरुद्ध सैन्य कार्रवाई कार्यान्वित करना

D. सीरिया में अल असद शासन के विरुद्ध कार्रवाई करना

48. निम्नलिखित में से किस घटना को शीत युद्ध की समाप्ति का संकेत माना जाता है?

A. वर्ष 1991 में सोवियत संघ का विघटन

B. वर्ष 1989 में बर्लिन की दीवार को गिराया जाना

C. वर्ष 1991 में कजाकिस्तान गणराज्य द्वारा स्वतंत्र होने की घोषणा

D. वर्ष 1989 में बाल्टिक राज्यों में स्वतंत्रता हेतु बड़े पैमाने पर विद्रोह

49. निम्नलिखित में से किस संधि पर हस्ताक्षर किये जाने के परिणामस्वरूप यूरोपीय समुदाय (ई सी) का नाम बदलकर उसे नया नाम यूरोपीय संघ दिया गया?

A. मास्ट्रिक्ट संधि B. रोम की संधि

C. लिस्बन की संधि D. नाइस की संधि

50. निम्नलिखित में से कौन संयुक्त राष्ट्र की विशिष्ट एजेंसी नहीं है?

A. डब्ल्यू.एच.ओ. B. आई.एम.एफ.

C. एफ.ए.ओ. D. ओपेक

उत्तरमाला

1	2	3	4	5	6	7	8	9	10
A	B	B	A	C	C	D	D	D	B
11	12	13	14	15	16	17	18	19	20
C	B	A	A	D	C	A	C	D	B
21	22	23	24	25	26	27	28	29	30
C	B	D	B	B	D	B	D	D	C
31	32	33	34	35	36	37	38	39	40
D	D	B	C	A	D	B	B	C	D
41	42	43	44	45	46	47	48	49	50
D	D	D	C	B	C	A	B	A	D

व्याख्यात्मक उत्तर

1. कौटिल्य मजबूत शासक की आवश्यकता पर बल देता है क्योंकि उसे समाज में अराजकता के खतरे तथा व्यवस्था स्थापित करने की अनिवार्यता का उत्कट बोध था। कौटिल्य ने अपनी कृति अर्थशास्त्र के अंतर्गत राजा की स्थिति और शक्तियों का जो विवरण दिया है उसे हम पाश्चात्य चिंतन के परिप्रेक्ष्य में उसका प्रभुसत्ता-सिद्धांत मान सकते हैं। कौटिल्य ने राजा या प्रभुसत्ताधारी की उत्पत्ति की जो व्याख्या दी है, वह 17वीं सदी के यूरोप में प्रचलित सामाजिक अनुबंध के सिद्धांत से मिलती-जुलती है। सामाजिक अनुबंध के सिद्धांत के अंतर्गत राज्य के निर्माण से पहले प्राकृतिक दशा की कल्पना की गई है जबकि कौटिल्य ने इसके समानांतर अराजकता की स्थिति की कल्पना की है।

कौटिल्य के अनुसार, राजसत्ता के उदय से पूर्व सर्वत्र अराजकता का बोलबाला था। यह 'मत्स्य न्याय' की स्थिति थी। ऐसी स्थिति में शांति, व्यवस्था एवं सुरक्षा की आशा करना व्यर्थ होगा। इस 'मत्स्य न्याय' के आतंक से पीड़ित प्रजा ने सूर्य के पुत्र वैवस्वत मनु को अपना राजा मनोनीत किया।

4. लॉक के मतानुसार ''जिस चीज को मनुष्य ने अपने शारीरिक श्रम द्वारा प्राप्त किया है, उस पर उसका प्राकृतिक अधिकार है।'' लॉक ने इस तरह वैयक्तिक स्वामित्व के सिद्धांत का प्रतिपादन किया। उसने बतलाया कि ईश्वर ने भूमि और उसकी सभी वस्तुएँ सभी व्यक्तियों को सामूहिक रूप से प्रदान की है। व्यक्ति का शरीर ही उसके पास ऐसी सम्पत्ति है जिस पर एकमात्र उसका अधिकार होता है। जब व्यक्ति अपने शारीरिक श्रम को ईश्वर प्रदत्त सामूहिक वस्तुओं के साथ मिश्रित करता है तो वह उन्हें अपनी व्यक्तिगत सम्पत्ति बना लेता है। लॉक के ही शब्दों में, ''उस ईश्वर ने, जिसने विश्व को मनुष्य की सामान्य सम्पत्ति बनाया है, मनुष्यों को बुद्धि भी दी है ताकि वे जीवन के अधिकाधिक लाभ एवं सुविधा के लिए उसका प्रयोग कर सकें।'' सामान्यतः वस्तुओं की उपयोगिता इस बात पर निर्भर है कि उनके संबंध में कितना परिश्रम किया गया है। लॉक के सिद्धांत ने परवर्ती शास्त्रीय और समाजवादी अर्थव्यवस्थाओं के श्रम संबंधी मूल्य सिद्धांतों का मार्ग प्रशस्त किया।

5. जॉन रॉल्स ने न्याय के नियमों का पता लगाने के लिए, अनुबंधमूलक समाज-दर्शन का सहारा लिया है। इसके तहत उसने यह कल्पना की है कि यदि व्यक्तियों को उनकी वर्तमान सामाजिक और आर्थिक परिस्थितियों से पृथक् कर दिया जाए और समाज में प्रचलित भेदभाव से भी अपरिचित रहने दिया जाए तो वे भावी समाज में अपने हितों की अधिकतम वृद्धि के लिए सामाजिक जीवन के नियमों, सिद्धांतों और संस्थाओं का पुनर्निर्माण किस प्रकार करेंगे? इस काल्पनिक स्थिति को रॉल्स ने

मूल स्थिति (Original Position) की संज्ञा दी है। ऐसी स्थिति में लोग परस्पर सहमति से जो नियम स्वीकार करेंगे, उन्हें विश्वव्यापी आधार पर न्याय के नियम मान सकते हैं।

मूल स्थिति का वर्णन करते हुए रॉल्स ने यह कल्पना की है कि मनुष्य अज्ञानता के आवरण (Veil of Ignorance) में अपनी-अपनी आवश्यकताओं, हितों, निपुणताओं, योग्यताओं, इत्यादि से बिल्कुल बेखबर होते हैं। वे यह भी नहीं जानते कि वास्तविक समाज में कौन-कौन-सी बातें संघर्ष पैदा करती हैं। अतः यदि उन्हें यह मालूम हो कि वे श्वेत या अश्वेत हैं, प्रोटेस्टेंट या कैथोलिक हैं, तो इससे कोई फर्क नहीं पड़ेगा क्योंकि उन्हें यह पता नहीं होगा कि समाज में किस-किस आधार पर भेदभाव बरता जाता है? परंतु उन्हें अर्थशास्त्र और मनोविज्ञान का आरंभिक ज्ञान होता है, और उनमें न्याय की चेतना भी रहती है।

6. रॉबर्ट नॉजिक ने कल्याणकारी राज्य का एक प्रकार की दासता के रूप में वर्णन किया है। नॉजिक ने 'व्यक्ति' को साध्य (End) मानते हुए व्यक्तियों की स्वतंत्र गतिविधियों में राज्य के हस्तक्षेप को अनुचित ठहराया है। अतः कोई भी राजनीतिक व्यवस्था अपने-आप में बुरी है क्योंकि वह व्यक्ति के स्वार्थ साधन के प्राकृतिक अधिकार में कुछ-न-कुछ हस्तक्षेप अवश्य करती है। इस दृष्टि से अराजकता (Anarchy) सबसे अच्छी स्थिति होगी क्योंकि उसमें राज्य के लिए कोई जगह नहीं होगी। परंतु, फिर यह समस्या पैदा होती है कि 'अराजकता' की स्थिति में व्यक्तियों के अधिकार कैसे सुरक्षित रह पाएंगे? इस स्थिति के प्रतिकार के लिए 'न्यूनतम राज्य' (Minimal State) की आवश्यकता सिद्ध होती है। अतः राज्य की शक्ति को केवल वहीं तक उचित ठहरा सकते हैं जहाँ तक वह व्यक्तियों के अधिकारों की रक्षा में सहायक हो—इससे अधिक नहीं। नॉजिक के अनुसार, कराधान को भी वहीं तक उचित ठहरा सकते हैं जहाँ तक वह 'न्यूनतम राज्य का खर्च उठाने के लिए' जरूरी है। इससे अधिक, अर्थात् पुनर्वितरणमूलक कराधान एक तरह की बेगार है। इस तर्क का आश्रय लेते हुए नॉजिक ने कल्याणकारी राज्य का तीव्र विरोध किया है।

8. एम.एन. राय (1886-1954) आधुनिक भारत के अत्यंत प्रतिभाशाली राजनीति-विचारक और क्रांतिकारी थे। उनका संबंध भारतीय साम्यवादियों की पहली पीढ़ी से था। रूस में बोल्शेविक क्रांति के बाद वे वहीं चले गए और लेनिन के निकट सहयोगी रहे। फिर, 1930 में भारत लौटकर उन्होंने यहाँ की स्थिति का विश्लेषण किया। राय ने अपनी आरंभिक कृति 'India in Transition—1922' के तहत मार्क्सवादी दृष्टिकोण से भारत की तत्कालीन स्थिति का विश्लेषण प्रस्तुत किया। उन्होंने स्वतंत्र भारत के लिए एक मॉडल संविधान तैयार किया। उनका मानना था कि संप्रभुता जनता में निहित होनी चाहिए, उन्होंने गाँवों, कस्बों तथा शहरों में जन समितियों के गठन की सिफारिशें की।

10. समकालीन राजनीति-सिद्धांत के अंतर्गत रॉबर्ट डाल ने अपनी चर्चित कृति 'A Preface to Democratic Theory–1956' के अंतर्गत लोकतंत्रीय प्रक्रिया का ऐसा प्रतिरूप विकसित किया है जिसे उसने बहुलतंत्र (Polyarchy) की संज्ञा दी है। इस संकल्पना के अनुसार, लोकतंत्रीय समाज में नीति-निर्माण की प्रक्रिया ऊपर से देखने में चाहे कितनी ही केंद्रीकृत क्यों न दिखाई दे, वास्तव में यह अत्यंत विकेंद्रीकृत प्रक्रिया है। इसके अंतर्गत अनेक स्वायत्त समूह आपस में समझौता या सौदेबाजी करते हैं। अतः सार्वजनिक नीति उन सब समूहों की परस्पर-क्रिया का परिणाम होती हैं जो उससे संबंधित विषय में दिलचस्पी का दावा करते हैं। इस सिद्धांत के अनुसार नीति-निर्माण में सरकार की भूमिका बहुत कम रह जाती है क्योंकि वह विभिन्न स्वायत्त समूहों को केवल सहमति की स्थिति तक पहुँचने में मदद करती है।

11. जर्मन समाजवैज्ञानिक मैक्स वेबर ने आधुनिक राज्य में सत्ता के 3 स्रोतों का संकेत दिया है, जिनके आधार पर सत्ता तीन प्रकार की मानी जाती है—परंपरागत सत्ता, करिश्माती सत्ता और कानूनी-तर्कसंगत सत्ता।

वेबर ने यह स्वीकार किया है कि इनमें से किसी प्रकार की सत्ता शुद्ध रूप में देखने को नहीं मिलती। कहीं एक प्रकार की सत्ता प्रधान हो सकती है, कहीं दूसरे प्रकार की। परंतु इसके साथ-साथ उसमें दूसरी प्रकार की सत्ता का अंश जुड़ा मिले तो इसमें कोई आश्चर्य नहीं होना

चाहिए। यह संभव है कि दो व्यक्तियों की आधिकारिक स्थिति एक-जैसी रही हो, परंतु उनमें से एक अपने विलक्षण व्यक्तित्व के बल पर विस्तृत शक्ति का प्रयोग करें, और दूसरा अपने साधारण व्यक्तित्व के कारण उतना प्रभावशाली सिद्ध न हो।

12. ए.बी. डायसी का कथन है कि संघवाद में ऐसे व्यक्तियों की आवश्यकता होती है ''जिनकी इच्छा संघ की होती है, परंतु उन्हें एकता की इच्छा बिल्कुल नहीं होनी चाहिए।'' संघात्मक या संघीय राज्य उसे कहते हैं जिसमें एक राष्ट्रीय या केंन्द्रीय सरकार के अलावा अनेक समकक्ष राज्य कुछ उद्देश्यों की पूर्ति के लिए एकता के सूत्र में बँधे रहते हैं। डायसी के ही शब्दों में, ''संघात्मक राज्य ऐसी राजनीतिक व्यवस्था है, जिसका उद्देश्य राष्ट्रीय एकता और शक्ति के साथ-साथ 'राज्य अधिकारों' की रक्षा करना है।'' संघात्मक राज्यों के प्रमुख उदाहरण अमेरिका, भारत, स्विट्ज़रलैंड, जर्मनी, ऑस्ट्रेलिया और कनाडा हैं।

14. संयुक्त राज्य अमेरिका के राष्ट्रपति को अपने मार्ग को अपनाने की क्षमता चार महत्वपूर्ण संबंधों पर निर्भर करता है—कांग्रेस, संघीय नौकरशाही, उच्चतम न्यायालय और मास मीडिया। यह सच है कि अमेरिकी शासन प्रणाली के अंतर्गत सारी कार्यकारी शक्तियाँ राष्ट्रपति के हाथों में केंद्रित रहती है। परंतु कहीं कोई राष्ट्रपति इतना शक्तिशाली न हो जाए कि वह मनमानी पर उतर आए और नागरिकों की स्वतंत्रताओं को कुचल डाले—यह सुनिश्चित करने के लिए अमेरिका में शक्ति-पार्थक्य (Separation of Powers) और अवरोध एवं संतुलन (Checks and Balances) की विस्तृत व्यवस्था की गई है।

इस तरह अमेरिका का राष्ट्रपति अत्यंत सम्मानित और शक्तिशाली व्यक्ति है। फिर भी उसे निरंकुश शक्तियाँ प्राप्त नहीं हैं, और वह नागरिकों की स्वतंत्रता का दमन या लोकमत की अवहेलना नहीं कर सकता।

18. हन्ना आरेंट ने अपनी महत्वपूर्ण कृति 'On Revolution—1963' के अंतर्गत एडमंड बर्क के रुढ़िवादी दृष्टिकोण को दोहराते हुए इंग्लैंड की गौरवमय क्रांति और अमेरिकी क्रांति की विशेष रूप से सराहना की। आरेंट ने तर्क दिया कि सच्ची क्रांति वह है जिसके परिणामस्वरूप किसी देश में उदार-लोकतंत्र स्थापित हो जाता है। उसके अनुसार, क्रांति ऐसी कार्रवाई है जिसमें परतंत्र लोग स्वतंत्रता की कामना करते हैं, और ऐसे संविधान की तलाश करते हैं जो उनकी स्वतंत्रता को साकार कर सके। इंग्लैंड और अमेरिका की क्रांतियाँ इसलिए भी सच्ची क्रांतियाँ थीं क्योंकि इन्होंने हिंसा और सामाजिक उथल-पुथल नहीं होने दी थी जबकि बाद की क्रांतियों में भारी हिंसा और उथल-पुथल हुई थी। इन्होंने केवल राजनीतिक स्तर पर परिवर्तन को बढ़ावा दिया, और सामाजिक जीवन में निरंतरता कायम रखी जो सामाजिक स्थिरता के लिए जरूरी था।

आरेंट के अनुसार, किसी भी देश में क्रांतिकारी परंपरा तभी सार्थक होती है जब लोग अपने सहचरों के साथ स्वतंत्र कार्रवाई में हिस्सा लेते हुए 'सार्वजनिक सुख' को बढ़ावा दे सकें। परंतु ऐसा बहुत कम देखने को मिलता है।

20. सहवर्तनमूलक लोकतंत्र (Consociational Democracy), लोकतंत्र का एक अपूर्ण सिद्धांत है। यह व्यवस्था ऐसे समाजों के शासन के लिए विशेष रूप से उपयुक्त समझी जाती है जो धार्मिक, विचारधारात्मक, भाषाई, क्षेत्रीय, सांस्कृतिक, जातीय या संजातीय आधार पर भिन्न-भिन्न संप्रदायों में बँटे हों। इसके चार मूल सिद्धांत स्वीकार किए जाते हैं जिनमें पहले दोनों मुख्य सिद्धांत हैं, और शेष दोनों गौण सिद्धात हैं :

(*i*) **कार्यकारी शक्ति का सम्मिलित प्रयोग**—इसके अंतर्गत सभी महत्वपूर्ण सम्प्रदायों के प्रतिनिधि मिली-जुली सरकार बनाते हैं या राष्ट्रपति का पद तथा अन्य उच्च पद भिन्न-भिन्न सम्प्रदायों के लिए सुरक्षित रखे जाते हैं।

(*ii*) विभिन्न सम्प्रदायों के लिए अधिक स्वायत्तता।

(*iii*) **आनुपातिकता**—इसके अंतर्गत राजनीतिक पदों, प्रशासनिक नियुक्तियों और सार्वजनिक निधि का आबंटन भिन्न-भिन्न संप्रदायों की जनसंख्या के अनुपात से किया जाता है; और

(*iv*) **अल्पमत का निषेधाधिकार**—यह अल्पसंख्यक संप्रदायों के लिए अपने हितों की रक्षा का अंतिम

अस्त्र है। हो सकता है, अल्पसंख्यक संप्रदाय मिली-जुली सरकार में हिस्सा लेते हुए भी किसी ऐसे मामले में बहुमत के हाथों परास्त हो जाएं जिससे उनके बुनियादी हितों पर आंच आती हो। ऐसी हालत में निषेधाधिकार ही उनके हितों की रक्षा का अंतिम उपाय रह जाता है।

विश्व के अनेक भागों में सहवर्तनमूलक लोकतंत्र के प्रयोग किए गए हैं। उदाहरण के लिए, ऑस्ट्रिया में 1945 से 1966 तक कैथोलिक और समाजवादी दलों ने मिली-जुली सरकारें बनाई, नीदरलैण्ड में 1917 से 1967 तक इस सिद्धांत का प्रयोग किया गया और लेबनान में 1943 से 1975 तक इसका चलन रहा।

21. ग्रैनविल ऑस्टिन का कथन है कि ''संविधान सभा अनिवार्यतः एक दलीय देश में एक दलीय निकाय थी। वह सभा कांग्रेस थी तथा कांग्रेस ही भारत था।'' तत्कालीन भारतीय राजनीति के सर्वाधिक प्रमुख दल कांग्रेस ने संविधान सभा को अधिकाधिक प्रतिनिधिक स्वरूप प्रदान करने का प्रत्येक संभव चेष्टा की थी। कांग्रेस के तो प्रायः सभी चोटी के नेता पं. जवाहरलाल नेहरू, पटेल, राजेन्द्र प्रसाद, मौलाना आजाद, चक्रवर्ती राजगोपालाचारी, पं. गोविन्द वल्लभपंत, के.एम. मुंशी और आचार्य जे.बी. कृपलानी इसके सदस्य थे। कांग्रेस के ही प्रयत्नों से वैधानिक और प्रशासनिक योग्यता की दृष्टि से ख्याति प्राप्त अनेक ऐसे व्यक्तियों का संविधान सभा में निर्वाचन हुआ था, जो कांग्रेस से संबद्ध नहीं थे। इनमें से कुछ थे–प्रारूप समिति के अध्यक्ष डॉ. अम्बेडकर, ए.के. अय्यर, एन.जी. आयंगर, संथानम्, एम.आर. जयकर, सच्चिदानंद सिन्हा, श्यामा प्रसाद मुखर्जी, डॉ. राधाकृष्णन, के.टी. शाह और हृदयनाथ कुंजरू आदि।

23. संविधान के अनुच्छेद-72 और 161 के तहत राष्ट्रपति और राज्यपालों को क्षमादान की शक्तियाँ प्राप्त हैं। केहर सिंह बनाम भारत संघ, 1989 विवाद के पश्चात् सर्वोच्च न्यायालय ने क्षमादान की शक्ति के संबंध में निम्नलिखित सिद्धांत प्रतिपादित किए–(*i*) जो व्यक्ति राष्ट्रपति को क्षमादान के लिए आवेदन करता है उसे राष्ट्रपति के समक्ष मौखिक सुनवाई का अधिकार नहीं है। (*ii*) इस शक्ति का प्रयोग राष्ट्रपति के विवेकाधीन है। (*iii*) इस शक्ति का प्रयोग केंद्रीय सरकार के सलाह पर किया जाएगा। (*iv*) राष्ट्रपति न्यायालय के निर्णय पर विचार करके उससे भिन्न मत अपना सकता है। (*v*) राष्ट्रपति के निर्णय का न्यायालय पुनर्विलोकन मारूराम के मामले में बताई गई सीमा में ही कर सकते हैं।

मारूराम के मामले में बताए गए निर्देश के अनुसार न्यायालय वहाँ हस्तक्षेप कर सकेगा, जहाँ राष्ट्रपति का निर्णय अनुच्छेद-72 के उद्देश्यों से पूर्णतया असंगत है या तर्कहीन, मनमाना, विभेदकारी या असद्भावी है।

25. मूल कर्तव्य वादयोग्य नहीं है अर्थात् इन्हें न्यायालयों द्वारा प्रवर्तित कराने का संविधान में कोई उपबंध नहीं है। उनका पालन कराने अथवा उल्लंघन किए जाने पर दण्ड देने का भी संविधान में कोई उपबंध नहीं है। किंतु यह प्रत्याशा की जा सकती है कि किसी विधि की संवैधानिकता अवधारित करते हुए, यदि कोई न्यायालय यह पाता है कि वह इन कर्तव्यों में से किसी को प्रभावी करने के लिए है तो वह ऐसी विधि को अनुच्छेद 14 या 19 के संबंध में युक्तियुक्त मानेगा।

सरदार स्वर्ण सिंह समिति की सिफारिश पर 1976 में 42वें संविधान संशोधन के द्वारा संविधान के भाग-4क और अनुच्छेद-51क के रूप में मूल कर्तव्य को जोड़ा गया।

28. स्वतंत्रता प्राप्ति से 1967 तक संघ-राज्य संबंधों में टकराव की स्थिति नहीं थी क्योंकि अमूमन केंद्र एवं राज्य स्तर पर कांग्रेस पार्टी की सरकार थी। 1967 के पश्चात् केन्द्र-राज्यों के मध्य शक्ति एवं स्वायतता की मांग उठने लगी, फलस्वरूप इस दिशा में सुधार अपरिहार्य हो गया। इसी परिप्रेक्ष्य में विभिन्न आयोगों एवं समितियों का गठन किया गया, जो इस प्रकार हैं–

राजमन्नार समिति–तमिलनाडु सरकार ने केन्द्र-राज्य संबंधों के मध्य तनाव को हल करने के उद्देश्य से डॉ. पी.वी. राजमन्नार की अध्यक्षता में इस समिति का गठन 1969 में किया।

आनंदपुर साहिब प्रस्ताव–पंजाब के अकाली दल ने आनंदपुर साहिब प्रस्ताव 1973 में पेश किया। जिसमें केंद्र के अधिकार क्षेत्र को वैदेशिक, प्रतिरक्षा, रेलवे, मुद्रा एवं संचार तक सीमित रखने की मांग की गई।

पश्चिम बंगाल ज्ञापन–1977 में पश्चिम बंगाल सरकार ने केंद्र को संविधान में संशोधनों की मांग के साथ राज्यों की स्वायत्तता में वृद्धि की भी मांग की।

पुंछी आयोग–केंद्र-राज्य संबंधों की फिर से व्याख्या करने के लिए अप्रैल 2007 में एक नए आयोग का गठन किया गया। उच्चतम न्यायालय के पूर्व प्रधान न्यायाधीश न्यायमूर्ति मदन मोहन पुंछी इस आयोग के अध्यक्ष थे।

30. एन.एन. वोहरा समिति का गठन भारत में चुनाव सुधारों के लिए नहीं किया गया था। इस समिति का उद्देश्य राजनीति के अपराधीकरण और राजनीतिज्ञ, अपराधी और नौकरशाहों के बीच जटिल गठजोड़ की समस्याओं का अध्ययन कर उसका समाधान प्रस्तुत करना था। इस समिति का गठन अक्टूबर 1993 में किया गया था।

तारकुंडे समिति, दिनेश गोस्वामी समिति और इन्द्रजीत गुप्त समिति भारत में निर्वाचन सुधारों से संबद्ध है। 1980 के दशक में महाराष्ट्र उच्च न्यायालय के भूतपूर्व न्यायाधीश एवं प्रसिद्ध तात्विक मानववादी वी.एम. तारकुंडे की अध्यक्षता में एक समिति का गठन किया गया। इस समिति का गठन Citizens for Democracy नामक संगठन की ओर से जयप्रकाश नारायण द्वारा किया गया था। इसने सिफारिश की कि मताधिकार की आयु सीमा 21 वर्ष से घटाकर 18 वर्ष की जाए।

वर्ष 1990 में गठित दिनेश गोस्वामी समिति ने सिफारिश की कि सीटों के आरक्षण हेतु चक्रानुक्रम पद्धति अपनाई जाए, मतदान इलेक्ट्रॉनिक मशीनों द्वारा कराया जाय तथा मतदाताओं को परिचय पत्र उपलब्ध कराया जाए।

22 मई, 1998 को सर्वदलीय सम्मेलन की सिफारिश पर कम्युनिष्ट पार्टी के वरिष्ठ सांसद श्री इन्द्रजीत गुप्त की अध्यक्षता में समिति गठित की गई जिसने कहा कि राजनीतिक दलों को चुनाव में व्यय करने के लिए राशि सरकार द्वारा उपलब्ध कराई जानी चाहिए; चुनाव खर्चों के लिए सार्वजनिक कोष की स्थापना होनी चाहिए जिसमें प्रति वर्ष केंद्र एवं राज्यों को ₹ 600-600 करोड़ का योगदान देना चाहिए।

32. राजनीतिक तटस्थता को हमारी नौकरशाही के सर्वाधिक श्रेष्ठ लक्षण के रूप में स्वीकार किया गया था। राजनीतिक तटस्थता के तहत प्रत्येक लोक सेवक की अपनी निजी राजनीतिक निष्ठाएं हो सकती हैं, किंतु दूसरों के साथ व्यवहार करते समय उसे उन निष्ठाओं से ऊपर उठकर कार्य करना पड़ता है। वह किसी विशेष राजनीतिक दल की बजाय संपूर्ण राजनीतिक व्यवस्था के लिए अपनी सेवाएं समर्पित करता है।

परन्तु 1960 के दशक में इंदिरा गांधी द्वारा समर्थित 'प्रतिबद्ध नौकरशाही की नीति' के परिणाम काफी हानिकारक सिद्ध हुए। सत्तासीन राजनीतिक दल के प्रति लोकसेवकों की प्रतिबद्धता के प्रचार ने राजनीतिज्ञों एवं लोकसेवकों के बीच गठजोड़ के लिए मार्ग तैयार किया जिसका परिणाम बढ़ते हुए राजनीतिक एवं प्रशासनिक भ्रष्टाचार के रूप में सामने आया।

33. जन-शिकायत एवं प्रशासनिक सुधार विभाग ने 2005 में दूसरे प्रशासनिक सुधार आयोग की स्थापना वीरप्पा मोइली की अध्यक्षता में की। आयोग का प्रमुख कार्य जन-प्रशासनिक व्यवस्था में सुधार हेतु एक विस्तृत ब्ल्यू प्रिंट बनाना था। इस आयोग ने भारत में नागरिक-केंद्री प्रशासन में अवरोध के रूप में निम्नलिखित बातों की पहचान की है–लोकसेवकों के लचीला स्वस्थायीकरण (self-perpetuating) तथा आभ्यंतरिक अवलोकन का दृष्टिकोण; लोकसेवकों के उत्तरदायित्व का अभाव; और नागरिकों के अपने अधिकारों एवं कर्तव्यों की जानकारी का निम्न स्तर।

आज का राज्य प्रशासनिक राज्य है। आज प्रशासन मानव जीवन के हरेक पहलू से संबंध रखता है। नागरिक प्रशासन को एक ऐसे नैतिक एजेंट के रूप में देखता है जो उसकी आवश्यकताओं की पूर्ति करने के लिए है एवं उसकी आकांक्षाओं और लक्ष्यों तक पहुँचने में उसकी सहायता करता है। किंतु लोगों की आवश्यकताएं तो निरंतर बदलती रहती हैं और प्रशासन अचल बना हुआ नहीं रह सकता है। इसे आवश्यक रूप से परिवेश के अनुसार बदलना ही है। प्रशासन में या तो स्वतः परिवर्तन हो सकता है या फिर कृत्रिम रूप से परिवर्तन लाया जा सकता है। कृत्रिम रूप से लाए गए परिवर्तनों को प्रायः 'प्रशासनिक सुधार' कहते हैं।

34. भारत में बजट को लागू करने हेतु नोडल एजेंसी वित्त मंत्रालय है। इस मंत्रालय में 5 विभाग हैं–(*i*) आर्थिक कार्य विभाग (*ii*) व्यय विभाग (*iii*) राजस्व विभाग (*iv*) निवेश और लोक परिसंपत्ति प्रबंधन विभाग, तथा (*v*) वित्तीय सेवाएं विभाग।

केंद्रीय बजट तैयार करने और उसे संसद के सामने प्रस्तुत करने तथा राष्ट्रपति शासन वाली राज्य सरकारों एवं केंद्रशासित क्षेत्रों के प्रशासन के लिए बजट तैयार करने का दायित्व आर्थिक मामलों के विभाग का है।

आर्थिक मामलों के विभाग में निम्नलिखित प्रभाग हैं– (*i*) एकीकृत वित्त प्रभाग (*ii*) राजकोषीय जिम्मेदारी एवं बजट प्रबंधन (FRBM) सहित बजट प्रभाग (*iii*) वित्तीय बाजार (*iv*) द्विपक्षीय सहयोग और प्रशासन (*v*) बहुपक्षीय संस्थाएं (*vi*) बहुपक्षीय संबंध (*vii*) सहायता, लेखा एवं लेखापरीक्षा के नियंत्रक (*viii*) आर्थिक प्रभाग (*ix*) निवेश एवं मुद्रा, तथा (*x*) अवसंरचना एवं ऊर्जा।

37. भारतीय संसद द्वारा पंचायतों तथा नगरपालिकाओं के लिए ऐतिहासिक कदम उठाते हुए भारतीय संविधान में 73वां तथा 74वां संशोधन 1992 में किया गया। 73वें तथा 74वें संविधान संशोधन ने पंचायती राज तथा नगरपालिकाओं को संवैधानिक दर्जा प्रदान किया। ये दोनों संशोधन क्रमशः पंचायती राज संस्थाओं और नगरपालिकाओं के लिए आवधिक चुनाव की व्यवस्था करते हैं; साथ ही सामाजिक और आर्थिक रूप से कमजोर समूहों का सशक्तिकरण करते हैं। उपरोक्त दोनों संशोधन पंचायती और नगरपालिकाओं के चुनाव के लिए राज्य चुनाव आयोग के गठन की व्यवस्था करते हैं।

38. विश्वविद्यालय अनुदान आयोग, रेलवे बोर्ड और परमाणु ऊर्जा आयोग सांविधिक निकाय (Statutory Bodies) हैं। विश्वविद्यालय अनुदान आयोग केंद्र सरकार का एक उपक्रम है जो सरकार द्वारा मान्यता प्राप्त विश्वविद्यालयों एवं महाविद्यालयों को अनुदान प्रदान करता है। यही आयोग विश्वविद्यालयों को मान्यता भी देता है। इसका मुख्यालय नई दिल्ली में है और 6 क्षेत्रीय कार्यालय पुणे, भोपाल, कोलकाता, हैदराबाद, गुवाहाटी एवं बंगलुरू में हैं। 28 दिसम्बर 1953 को तत्कालीन शिक्षा मंत्री मौलाना अबुल कलाम आजाद ने औपचारिक तौर पर विश्वविद्यालय अनुदान आयोग की नींव रखी थी। परंतु 1956 में UGC को संसद में पारित एक विशेष विधेयक के बाद सरकार के अधीन लाया गया।

रेलवे बोर्ड भारतीय रेल का सर्वोच्च निकाय है, जिसका गठन 16 अप्रैल, 1853 को किया गया था। इसका मुख्यालय नई दिल्ली में है।

भारत सरकार का परमाणु ऊर्जा आयोग परमाणु ऊर्जा विभाग के अंतर्गत एक महत्वपूर्ण शासी निकाय है। इसका प्रभार सीधे प्रधानमंत्री के पास होता है।

41. हेडली बुल यथार्थवाद की ब्रितानी विचारधारा (British School of Realism) से संबंधित है। बुल के अलावा मार्टिन वाईट भी इस विचारधारा के प्रमुख सिद्धांतकार हैं। इस विचारधारा ने व्यवहारवादी चुनौती को नकार दिया और मानव विवेक, निर्णय, मानकों एवं इतिहास पर आधारित परंपरागत दृष्टिकोण पर बल दिया। अंतर्राष्ट्रीय संबंधों के पूर्ण यथार्थवादी एवं पूर्ण उदारवादी के किसी भी दृढ़ अंतर को भी ब्रिटिश स्कूल ने नकार दिया। यह विश्व राजनीति का एक ऐतिहासिक एवं संस्थागत दृष्टिकोण है जो मनुष्य एवं उसके राजनीतिक मूल्यों पर ध्यान केंद्रित करता है। इसकी मान्यता है कि अंतर्राष्ट्रीय संबंध मानव संबंधों की एक शाखा है जिसके केंद्र में स्वतंत्रता, सुरक्षा, व्यवस्था एवं न्याय जैसे आधारभूत मूल्य हैं। यह दृष्टिकोण, विचारकों से अंतर्राष्ट्रीय संबंधों में शामिल जनता के विचारों एवं व्यवहार की व्याख्या करने का आग्रह करता है। इसके अंतर्गत अंतर्राष्ट्रीय अराजकता के अस्तित्व को स्वीकार किया गया है। ब्रिटिश स्कूल के विद्वानों का मत है कि विश्व राजनीति एक अराजक समाज है जिसमें विभिन्न कानून, नियम एवं संस्थाएं हैं जिन्हें राज्य अपनी विदेश नीति के संचालन में प्रयुक्त करता है। ब्रिटिश स्कूल के अनुसार, मानव संबंधों का क्षेत्र होने के नाते अंतर्राष्ट्रीय संबंध एक आदर्शपरक विषय है जिसे गैर-आदर्शपरक संदर्भ में पूर्णतया नहीं समझा जा सकता।

42. 'आतंक का संतुलन' (Balance of Terror) का विचार परमाणु हथियारों से निकलने वाली दुनिया को बार-बार तबाह करने वाली क्षमता से संबंधित है। परमाणु युग

के नए हथियार युद्ध का सहारा लेने की अनिच्छा पैदा कर देते हैं और निरस्त्रीकरण यह सम्भावना पैदा कर देता है कि राष्ट्र अपेक्षाकृत कम खर्च में विजय हासिल कर सकते हैं। इस लिहाज से देखें तो Balance of Terror का सिद्धांत इस सम्भावना को विचारकोटि से बाहर कर देता है कि निरस्त्रीकरण अंतर्राष्ट्रीय तनाव घटा सकता है या युद्ध को मिटा सकता है। इसके विपरीत स्वयं आतंक के संतुलन का जारी रहना उस उद्देश्य की सिद्धि के लिए आवश्यक समझा जाता है जिसे निरस्त्रीकरण हासिल करना चाहता है।

43. स्वाधीन राष्ट्रों के परम्परागत आपसी संबंधों की व्याख्या अक्सर शक्ति संतुलन (Balance of Power) के सिद्धांत के दृष्टिकोण से की जाती रही है। आज के लेखकों में से कुछ तो इस सिद्धांत को 'अंतर्राष्ट्रीय संबंधों का एक बुनियादी सिद्धांत' मानते हैं, कुछ इसे 'एक व्यापक सामाजिक तत्व की अभिव्यक्ति' समझते हैं और कुछ इसे 'राजनीति का एक बुनियादी नियम' कहकर पुकारते हैं। आदर्शवादियों ने हमेशा शक्ति संतुलन की निंदा की है, क्योंकि उनकी दृष्टि में यह सिद्धांत शक्ति राजनीति से जुड़ा हुआ है। दूसरी ओर यथार्थवादियों ने इस आधार पर इसका समर्थन किया है कि नैतिक नियम अंतर्राष्ट्रीय जीवन पर लागू नहीं किए जा सकते और शक्ति संतुलन के उपयोग से अधिकतम लोगों को अधिकतम लाभ पहुँचता है।

शक्ति संतुलन के सिद्धांत की मुख्य बातें निम्नलिखित हैं–जिस स्थिति में विविध शक्तियों वाले बहुत सारे राष्ट्र मौजूद हों और जिसमें हर राष्ट्र अपनी शक्ति अधिक-से-अधिक बढ़ाना चाहता हो उसमें सारे निकाय में एक संतुलन कायम हो जाया करता है। दूसरे शब्दों में, विभिन्न राष्ट्र इस प्रकार समूहों में बँध जाते हैं कि कोई एक राष्ट्र या राष्ट्र समूह इतना ताकतवर नहीं होता कि वह दूसरों पर हावी हो सके क्योंकि उसकी शक्ति दूसरे विरोधी समूह की शक्ति से संतुलित हो जाती है। यह माना जाता है कि जब तक इस तरह का संतुलन बना रहता है तब तक शांति बनी रहती है और छोटे राष्ट्रों की स्वाधीनता भी कायम रहती है। यह संतुलन दो प्रकार का होता है–सरल संतुलन और बहुमुखी संतुलन।

45. स्टालिन के उत्तराधिकारी निकिता ख्रुश्चेव ने पूंजीवाद के साथ-साथ शांतिपूर्ण सह-अस्तित्व (Peaceful-Co-existence) की नीति का प्रचार किया। 1963 में अमेरिका और सोवियत संघ की सैन्य क्षमता से बढ़ती प्रतिद्वंद्विता के संबंध में परमाणु युद्ध के बढ़ते आसार ने ऐसी स्थिति उत्पन्न कर दी कि सहअस्तित्व एकमात्र विकल्प रह गया। इसका परिणाम था 1968 की परमाणु परीक्षण निषेध संधि (PTBT)। अब महाशक्तियाँ यूरोपीय सीमाओं के स्थायीकरण, जिसमें वह सीमा भी शामिल है जो जर्मनी को विभाजित करती है, से सहमत थीं। इस प्रकार USA और USSR ने अपनी पूर्व विवादित रणनीतियों से स्वयं को अलग करना आरंभ कर दिया और तनाव शैथिल्य (Detente) का आधार रखा।

46. शीतयुद्ध की समाप्ति पर फ्रांसिस फुकुयामा ने 'इतिहास के अंत' का विचार दिया जिसका अर्थ है सैद्धांतिक संघर्ष अब समाप्त हो चुका। 1980 के दशक के अंत में जब पूर्वी यूरोप की समाजवादी व्यवस्थाएं एक-एक करके छिन्न-भिन्न होने लगीं, तब 'विचारधारा के अंत' की परिकल्पना को एक नया नाम दिया गया–'इतिहास का अंत'। फुकुयामा ने 'The National Interest' पत्रिका में प्रकाशित लेख 'The End of History—1989' के अंतर्गत यह तर्क दिया कि उदार लोकतंत्र में कोई दुनियादी अंतर्विरोध नहीं पाए जाते, और वह मानव-मन की सबसे गहरी आकांक्षाएं पूरी करने में समर्थ है। अतः इसकी विजय से इतिहास के उस लंबे संघर्ष का अंत हो गया है जो इस प्रणाली के विस्तार में बाधक था। बाद में फुकुयामा ने अपनी चर्चित कृति 'The End of History and the Last Man—1992' के अंतर्गत इस विचार की विस्तृत व्याख्या प्रस्तुत की।

'इतिहास के अंत' की इस परिकल्पना को पश्चिमी जगत में बहुत सराहा गया क्योंकि यह पश्चिमी जगत की मान्यताओं और हितों के अनुरूप थी।

'इतिहास के अंत' से फुकुयामा का अभिप्राय यह नहीं था कि इतिहास की धारा में राजनीति या युद्धों का दौर समाप्त हो चुका था। उसने यह दावा भी नहीं किया कि साम्यवाद के पतन के बाद विश्व के सारे देश उदार लोकतंत्र को अपना लेंगे। वस्तुतः वह राजनीतिक और

सामाजिक संगठन के मूल सिद्धांतों के इतिहास का मूल्यांकन प्रस्तुत करना चाहता था। वह इस निष्कर्ष पर पहुँचा कि 20वीं सदी के अंत तक आते-आते उदार लोकतंत्र और पूंजीवाद का संयोग किसी भी वैकल्पिक राजनीतिक एवं आर्थिक प्रणाली से वरेण्य सिद्ध हुआ था।

48. वर्ष 1989 में बर्लिन की दीवार को गिराया जाना शीतयुद्ध की समाप्ति का संकेत माना जाता है। सोवियत संघ का विघटन और पूर्वी यूरोप पर उसके प्रभाव में कमी नवम्बर 1989 में बर्लिन की दीवार के ध्वस्त होने से परिलक्षित होती है। अगस्त 1988 और दिसम्बर 1991 के बीच पूर्वी यूरोप में उल्लेखनीय घटनाएँ घटीं। जन विरोध और जन प्रदर्शन की उत्तेजित लहर ने साम्यवाद का सफाया कर दिया। यह प्रक्रिया पोलैण्ड में अगस्त 1988 से ही आरंभ हो गई थी। इसने अंततः सरकार को जून 1989 में मुक्त चुनाव कराने पर बाध्य कर दिया जिसमें साम्यवादियों की भारी पराजय हुई। अन्य सभी रूसी अधीनस्थ राज्यों में तेजी से क्रांतिकारी विद्रोह फैल गए। हंगरी अगला राज्य था जहाँ मुक्त चुनाव हुए जिसमें साम्यवादियों की पुनः हार हुई। पूर्व में जर्मनी के साम्यवादी नेता एरिक होनेकर बल प्रयोग द्वारा प्रदर्शनों को भंग करना चाहते थे। इससे उनके सहकर्मी ही उनके विरुद्ध हो गए। 1989 के अंत में, साम्यवादी सरकार ने इस्तीफा दे दिया। जल्द ही बर्लिन की दीवार को तोड़ दिया गया और 1989 के अंत तक चेकोस्लोवाकिया, बुल्गारिया और रोमानिया में साम्यवादी सरकारों को हटा दिया गया । दिसम्बर 1991 के अंत में, सोवियत संघ स्वयं पृथक् स्वायत गणराज्यों में विभाजित हो गया।

49. माश्ट्रिश्ट संधि (Maastricht Treaty) 7 फरवरी 1992 को यूरोपीय समुदाय के मध्य हुए समझौते को कहा जाता है। यह समझौता मास्ट्रिक्ट (हालैण्ड) में हुआ। 9-10 दिसम्बर 1991 को इसी नगर में यूरोपीय परिषद् की मेजबानी में बैठक हुई थी जिसमें समझौते का मसौदा तैयार हुआ था। इसके परिणामस्वरूप यूरोपीय संघ अस्तित्व में आया। इस समझौते के तहत सभी यूरोपीय नागरिकों को एक-देश से दूसरे (यूरोपीय संघ के देश) में जाने पर समान अधिकार प्राप्त होते हैं। यह समझौता 1 नवम्बर 1993 से लागू हुआ।

50. ओपेक (OPEC) संयुक्त राष्ट्र की विशिष्ट एजेंसी नहीं है। यह पेट्रोलियम उत्पादक 12 देशों का संगठन है। इसके सदस्य हैं—अल्जीरिया, अंगोला, ईक्वाडोर, ईरान, ईराक, कुवैत, सऊदी अरब, संयुक्त अरब अमीरात, कतर, नाइजीरिया, लीबिया तथा वेनेजुएला। OPEC का गठन 1960 ई. में हुआ और इसका मुख्यालय वियना (ऑस्ट्रिया) में है। वियना में ही सदस्य देशों के तेल मंत्रियों की समय-समय पर बैठक हुआ करती है। हाल में ही इण्डोनेशिया की सदस्यता स्वैच्छिक रूप से समाप्त हो गई क्योंकि अब यह तेल निर्यातक के बजाय आयातक हो चुका है।

प्रश्न-पत्र-III

नोट : *इस प्रश्न-पत्र में* ***पचहत्तर (75)*** *बहु-विकल्पीय प्रश्न हैं। प्रत्येक प्रश्न के* ***दो (2)*** *अंक हैं।* ***सभी*** *प्रश्न अनिवार्य हैं।*

1. निम्नलिखित में से यह किसने कहा है, ''राजनीतिक सिद्धांत का एक महत्वपूर्ण कार्य केवल राजनीतिक व्यवहार को दर्शाना नहीं, बल्कि यह भी दर्शाना होता है कि इसका क्या अर्थ है। यह दर्शाने के लिये कि किसी प्रथा का क्या अर्थ है, अथवा इसका क्या अर्थ होना चाहिए, राजनीतिक सिद्धांत उसको बदल सकता है जो वह है?''

A. जी.एच. सेबाइन B. लियो स्ट्रॉस
C. माइकेल ऑकशॉट D. इसांइह बर्लिन

2. निम्नलिखित में से किसने इस विचार का खंडन किया कि मानव व्यवहार का यथेष्ट रूप में वर्णन शामिल कर्ता के आशय, उद्देश्य और कारणों के संदर्भ के बिना भी किया जा सकता है?

A. पीटर विंच B. सी. हुल
C. डी. ह्यूम D. आर.ए. दहल

3. सूची-I को सूची-II से सुमेलित कीजिए तथा नीचे दिए गए कूट से सही उत्तर चुनिए :

सूची-I (लेखक)	**सूची-II (अवधारणा)**
(*a*) जॉन रॉल्स	1. इक्वालिटी ऑफ ह्वाट?
(*b*) जॉन सी. हरसाण्यी	2. प्राइमरी गुड्स रिकंसीडर्ड
(*c*) रिचर्ड जे. अर्नेसन	3. जस्टिस एज फेअरनेस
(*d*) अलेक्स कैलिनिकोस	4. द मैक्सिमिन प्रिंसिपल

कूट :

	(*a*)	(*b*)	(*c*)	(*d*)
A.	1	2	3	4
B.	3	2	1	4
C.	3	4	2	1
D.	4	3	1	2

4. नीचे दो कथन दिए गए हैं, एक को अभिकथन (A) और दूसरे को तर्क (R) कहा गया है। नीचे दिए गए कूट का प्रयोग कर सही उत्तर चुनिए :

अभिकथन (A) : लेनिन ने बुद्धिजीवियों के क्रांतिकारी कार्य का एक नया सिद्धांत प्रस्तुत किया।

तर्क (R) : क्रांति के प्रभावी कारण उत्पादन के विचार होते हैं, न कि उसकी भौतिक स्थितियाँ।

कूट :

A. (A) और (R) दोनों सत्य हैं और (R), (A) का सही स्पष्टीकरण है।
B. (A) और (R) दोनों सत्य हैं, लेकिन (R), (A) का सही स्पष्टीकरण नहीं है।
C. (A) सत्य है, परंतु (R) असत्य है।
D. (A) असत्य है, परंतु (R) सत्य है।

5. निम्नलिखित में से किसने यह घोषणा की थी : ''मेरे लिये आचार, नैतिकता तथा धर्म विनिमेय पद हैं। धर्म के संदर्भ में बिना एक नैतिक जीवन रेत पर निर्मित भवन के समान है।''?

A. अरविन्द B. सावरकर
C. महात्मा गांधी D. जयप्रकाश

6. सूची-I को सूची-II से सुमेलित कीजिए तथा नीचे दिए गए कूट से सही उत्तर चुनिए :

सूची-I (प्लेटो के संवाद)	**सूची-II (मुख्य विषय)**
(*a*) सिम्पोजियम	1. भौतिक अस्तित्व के सिद्धांत का क्षेत्र
(*b*) फिलेबस	2. राजनीति का क्षेत्र
(*c*) टाइमेयस	3. विचारों के सिद्धांत को नीति-शास्त्र के क्षेत्र पर लागू करना
(*d*) रिपब्लिक	4. प्रेम की तत्वमीमांसा

कूट :

	(*a*)	(*b*)	(*c*)	(*d*)
A.	4	3	1	2
B.	1	2	3	4
C.	3	4	2	1
D.	2	1	4	3

7. नीचे दो कथन दिए गए हैं, एक को अभिकथन (A) और दूसरे को तर्क (R) कहा गया है। नीचे दिए गए कूट का प्रयोग कर सही उत्तर चुनिए :

अभिकथन (A) : अरस्तू के किसी भी प्रामाणिक बोध के द्वारा इस विचार का समर्थन नहीं किया जा सकता कि उसकी दार्शनिक व्यवस्था प्लेटो के विपरीत थी।

तर्क (R) : अरस्तू की व्यवस्था प्लेटो की व्यवस्था की त्रुटियों से मुक्त आदर्शवाद को दार्शनिक रूप देने का एक प्रयास है।

कूट :

A. (A) और (R) दोनों सत्य हैं और (R), (A) का सही स्पष्टीकरण है।

B. (A) और (R) दोनों सत्य हैं, लेकिन (R), (A) का सही स्पष्टीकरण नहीं है।

C. (A) सत्य है, परंतु (R) असत्य है।

D. (A) असत्य है, परंतु (R) सत्य है।

8. नीचे दो कथन दिए गए हैं, एक को अभिकथन (A) और दूसरे को तर्क (R) कहा गया है। नीचे दिए गए कूट का प्रयोग कर सही उत्तर चुनिए :

अभिकथन (A) : मैक्यिावेलीवाद नैतिकता के दोहरे मानदंड का समर्थन करता है–जिसमें एक तो शासक के लिये है जबकि दूसरा निजी नागरिकों के लिये।

तर्क (R) : राज्य के निर्माता के रूप में शासक न सिर्फ कानून से परे है बल्कि नैतिकता से भी परे है।

कूट :

A. (A) और (R) दोनों सत्य हैं और (R), (A) का सही स्पष्टीकरण है।

B. (A) और (R) दोनों सत्य हैं, लेकिन (R), (A) का सही स्पष्टीकरण नहीं है।

C. (A) सत्य है, परंतु (R) असत्य है।

D. (A) असत्य है, परंतु (R) सत्य है।

9. निम्नलिखित में से किसके विचारों को उपयोगितावाद के दार्शनिक अतिवाद में शामिल किया गया है?

A. मैक्यिावेली B. थॉमस हॉब्स

C. जॉन लॉक D. रूसो

10. नीचे दो कथन दिए गए हैं, एक को अभिकथन (A) और दूसरे को तर्क (R) कहा गया है। नीचे दिए गए कूट का प्रयोग कर सही उत्तर चुनिए :

अभिकथन (A) : कुछ लोग कार्ल मार्क्स की व्याख्या आर्थिक नियतिवादक के रूप में करते हैं, जबकि अन्य इन्हें मानवोचित समाजवादी के रूप में व्याख्या करते हैं।

तर्क (R) : समस्या उनकी अपनी रचनाओं की व्यापकता तथा उसके जटिल स्वरूप सें पैदा होती है।

कूट :

A. (A) और (R) दोनों सत्य हैं और (R), (A) का सही स्पष्टीकरण है।

B. (A) और (R) दोनों सत्य हैं, लेकिन (R), (A) का सही स्पष्टीकरण नहीं है।

C. (A) सत्य है, परंतु (R) असत्य है।

D. (A) असत्य है, परंतु (R) सत्य है।

11. निम्नलिखित में से किसने नागरिक शक्ति की परिभाषा इस प्रकार की है, "... सम्पत्ति को विनियमित करने तथा उसके संरक्षण करने, तथा ऐसे कानून को लागू करने में समुदाय की शक्ति का उपयोग करने के लिये शक्ति के साथ विधि बनाने का अधिकार... ये सभी सार्वजनिक हित के लिये होता है।"?

A. मैक्यिावेली B. थॉमस हॉब्स

C. जॉन लॉक D. रूसो

12. निम्नलिखित में से यह किसका कथन है, "विचारधारा सम्पूर्ण सामाजिक विज्ञान में सर्वाधिक भ्रामक अवधारणा है।"?

A. मार्टिन सेलिगर B. डेविड मैक्लेलन

C. जे.बी. थॉम्पसन D. जॉन प्लामेनाज

13. श्री अरविंद की निम्नलिखित पुस्तकों को उनके सही कालक्रमानुसार व्यवस्थित कीजिये और दिये गये कूट से सही उत्तर चुनिये :

(*a*) लव एण्ड डेथ

(*b*) द लाइफ डिवाइन

(*c*) एसेज ऑन गीता

(*d*) सावित्री : ए लिजेन्ड एण्ड ए सिम्बल

कूट :

A. (*a*), (*b*), (*d*) और (*c*)

B. (*a*), (*b*), (*c*) और (*d*)

C. (*b*), (*d*), (*a*) और (*c*)

D. (*d*), (*a*), (*b*) और (*c*)

14. उदारवाद के विषय में निम्नलिखित में से कौन-सा कथन सही नहीं है?

A. उदारवादी विचार 'व्यक्तियों' के आवश्यकताओं एवं हितों पर ध्यान केंद्रित करते हैं न कि किसी समूह अथवा 'समष्टि' के।

B. उदारवादी ऐसे समाज का निर्माण करना चाहते हैं जिसमें प्रत्येक व्यक्ति अपनी क्षमता का पूर्ण रूपेण विकसित तथा समृद्ध करने में सक्षम हो।

C. उदारवादी सार्वभौमवाद में यह विश्वास नहीं करते कि प्रत्येक व्यक्ति की समान नैतिक योग्यता होती है।

D. उदारवादियों के लिये वैयक्तिक स्वतंत्रता सर्वाधिक राजनीतिक मूल्य है।

15. निम्नलिखित में से कौन इस बात से सहमत थे कि "किसी सभ्य समुदाय के किसी सदस्य के ऊपर अधिकृत रूप में शक्ति का उपयोग करने का एकमात्र उद्देश्य अन्य को नुकसान पहुँचने से रोकना है"?

A. जेम्स मिल B. जेरेमी बेंथम

C. जे.एस. मिल D. जे.बी. प्रीस्टले

16. वर्ष 1960 में आलमण्ड तथा पॉवेल द्वारा संरचनात्मक प्रकार्यात्मकवाद का अनुप्रयोग निम्नलिखित में से किसका अनुप्रयोग था?

A. ईस्टन की राजनीतिक व्यवस्था का ढाँचा

B. दहल का बहुतंत्र

C. लुसियन पाई का आधुनिकीकरण सिद्धांत

D. रोस्तो का विकास के चरण का सिद्धांत

17. अर्थशास्त्र मूल्य मुक्त है परंतु राजनीतिक अर्थव्यवस्था अठारहवीं सदी के वैचारिक पराजय के संदर्भ में शुरू होती है। यह निम्नलिखित में से किसकी टिप्पणी है :

A. मार्क्स B. केन्स

C. शूम्पीटर D. अमर्त्य सेन

18. निम्नलिखित में से कौन उदारवादी संविधानवाद का अभिन्न अंग नहीं है?

A. व्यक्तिगत स्वतंत्रता

B. सहिष्णुता तथा सम्मति

C. बहुमतवाद

D. अल्पसंख्यकों के अधिकार

19. संयुक्त राज्य अमेरिका में राष्ट्रपति प्रणाली सर्वाधिक सफलतापूर्वक कार्य करती है, जिसका कारण है :

A. मजबूत द्विदलीय प्रणाली

B. एक सुनिर्धारित संविधान

C. न्यायिक पुनरावलोकन

D. समाज में अल्प अन्तर्विरोध

20. ग्रेट ब्रिटेन में हाउस ऑफ लार्डस को मुख्यतः रखा गया है क्योंकि

A. यह हाउस ऑफ कॉमन्स के समान ही महत्वपूर्ण है।

B. यह नियंत्रण एवं संतुलन की महत्वपूर्ण भूमिका निभाता है।

C. यह न्यायालय के रूप में कार्य करता है।

D. यह एक संस्था के रूप में बनाये रखा गया है।

21. नीचे दो कथन दिए गए हैं, एक को अभिकथन (A) और दूसरे को तर्क (R) कहा गया है। नीचे दिए गए कूट का प्रयोग कर सही उत्तर चुनिए :

अभिकथन (A) : हंटिंग्टन का यह कहना सही है कि अमेरिकी राष्ट्रपति के राज्य तथा सरकार की भूमिका का सम्मिलन एक मध्ययुगीन प्रथा है।

तर्क (R) : यह ऐसा इसलिए है क्योंकि अन्य लोकतंत्र में ये दो भूमिकाएँ एक साथ जुड़ी नहीं हैं।

कूट :

A. (A) और (R) दोनों सत्य हैं और (R), (A) का सही स्पष्टीकरण है।

B. (A) और (R) दोनों सत्य हैं, लेकिन (R), (A) का सही स्पष्टीकरण नहीं है।

C. (A) सत्य है, परंतु (R) असत्य है।

D. (A) असत्य है, परंतु (R) सत्य है।

22. पिछले एक सौ वर्षों में उदारवादी लोकतंत्रों में न्यायिक शक्ति का विकास हुआ है क्योंकि

A. संविधानों के द्वारा न्यायपालिका को अधिक शक्तियाँ दी गई हैं।

B. शक्ति के पृथक्करण की स्वीकृति

C. संयुक्त राष्ट्र संघ के निर्देश

D. मानवाधिकारों की रक्षा

23. पर्यावरण संबंधी हरित दलों का उद्भव निम्नलिखित में से किससे हुआ?

A. मुख्यधारा के राजनीतिक दलों से पृथक् होकर

B. लोकमत का दबाव

C. भूमंडलीय चेतना का उभार

D. नवीन सामाजिक आंदोलन

24. दुवर्गर के सिद्धांत के अनुसार द्विदलीय प्रणाली निम्नलिखित में से किससे उभरकर आयी है?

A. प्रतिनिधिक संसदीय प्रणाली

B. एकरूप राजनीतिक व्यवस्था

C. कल्याणकारी राज्य

D. बहुसंख्यकवादी राजनीतिक प्रणाली

25. राजनीतिक संस्कृति की अवधारणा का सबसे पहले प्रयोग निम्नलिखित में से किसने किया था?

A. गैब्रियल आलमण्ड

B. जी. बिंघम पॉवेल, जूनियर

C. कार्ल ड्यूस

D. लुसियन पाई

26. निम्नलिखित में से कौन-सा स्थिति-निर्धारण राजनीतिक संस्कृति के मूल प्रकार का भाग नहीं है?

A. संज्ञानात्मक स्थिति-निर्धारण

B. प्रभावकारी स्थिति-निर्धारण

C. मूल्यांकन स्थिति-निर्धारण

D. वैयक्तिक स्थिति-निर्धारण

27. राजनीतिक विकास में प्रगतिवादी तुलनावादी निम्नलिखित में से किस पर बल नहीं देते हैं?

A. अल्प विकास B. निर्भरता

C. साम्राज्यवाद D. आधुनिकीकरण

28. आधुनिकीकरण और अपक्षय के सिद्धांत का निर्माता निम्नलिखित में से कौन है?

A. रोस्टो B. पाई

C. हंटिंग्टन D. लिप्सेट

29. निम्नलिखित में से कौन शूम्पीटर में लोकतंत्र के साथ अभिजातवर्गवाद को अनुकूल बनाने के लिये आवश्यक पूर्वापेक्षा नहीं है?

A. राजनीतिज्ञों का चरित्रबल ऊँचा होना ही चाहिए

B. अपेक्षाकृत सीमित क्षेत्र में प्रतियोगिता का होना

C. सुप्रशिक्षित स्वतंत्र नौकरशाही की उपस्थिति

D. एक सुव्यवस्थित दलीय प्रणाली

30. मान्यता और प्रतीक निम्नलिखित में से किसमें सत्ता के विचार की विशिष्ट विशेषताएँ हैं?

A. मार्क्स B. पार्सन्स

C. वर्बा D. वेबर

31. वर्ष 1946 की अंतरिम सरकार के संबंध में निम्नलिखित में से क्या सही नहीं है?

A. जवाहरलाल नेहरू प्रधानमंत्री/कार्यकारी परिषद् के अध्यक्ष थे।

B. जवाहरलाल नेहरू को वायसराय की कार्यकारी परिषद् के उपाध्यक्ष का पद दिया गया था।

C. वायसराय कार्यकारी परिषद् के अध्यक्ष बने रहे।

D. अंतरिम सरकार के सदस्य वायसराय की कार्यकारी परिषद् के सदस्य थे।

32. उत्प्रेषण-लेख के संबंध में निम्नलिखित में से कौन-सा कथन सही नहीं है?

A. कोई उच्च न्यायालय अपनी प्रशासनिक हैसियत से स्वयं के विरुद्ध याचिका जारी कर सकता है।

B. किसी उच्च न्यायालय की खंडपीठ उसी उच्च न्यायालय की अन्य खंडपीठ को याचिका जारी कर सकती है।

C. कोई उच्च न्यायालय किसी अन्य उच्च न्यायालय को याचिका जारी नहीं कर सकता है।

D. कोई उच्च न्यायालय अपने क्षेत्राधिकार में अवस्थित किसी न्यायाधिकरण को उत्प्रेषण-लेख जारी कर सकता है।

33. निम्नलिखित में से किस मामले में भारत के उच्चतम न्यायालय ने 'अविरत परमादेश' के सिद्धांत का उपयोग किया था?

A. एस.पी. गुप्ता बनाम भारत संघ

B. सुनील बत्रा-I बनाम दिल्ली प्रशासन

C. विनीत नारायण बनाम भारत संघ

D. सगीर अहमद बनाम उत्तर प्रदेश राज्य

34. 'पॉकेट वीटो' का उपयोग करने वाले भारत के प्रथम राष्ट्रपति थे :

A. जाकिर हुसैन　　B. संजीव रेड्डी
C. आर. वेंकटरमण　　D. ज्ञानी जैल सिंह

35. निम्नलिखित में से यह किसने कहा था कि भारतीय संघवाद "एक नये प्रकार का संघ है अपनी विशिष्ट आवश्यकताओं को पूरा करने वाला"?

A. ग्रेनविले ऑस्टिन　　B. आइवर जेनिंग्स
C. अलेक्जेन्ड्रोविज　　D. रोनाल्ड वाट्स

36. आदि अम्बेडकर समाज आन्दोलन किस राज्य से संबंधित है?

A. महाराष्ट्र　　B. पंजाब
C. राजस्थान　　D. उत्तर प्रदेश

37. निम्नलिखित में से कौन जम्मू-कश्मीर के लिये संभाषणकर्ता समूह के अध्यक्ष थे?

A. टी.एस.आर. सुब्रमण्यम
B. दिलीप पडगांवकर
C. राधा कुमार
D. डॉ. करण सिंह

38. निम्नलिखित में से कौन-सा कथन पी.के. थुंगन समिति के गठन के विषय में सही है?

A. जिला आयोजना में आवश्यक राजनीतिक तथा प्रशासकीय संरचना के प्रारूप पर विचार करना।
B. ग्रामीण विकास हेतु प्रशासकीय प्रबंध के बारे में विचार करना।
C. विकेंद्रीकृत आयोजना की आवश्यकता पर विचार करना।
D. प्रखंड स्तर पर आयोजना हेतु दिशानिर्देश तैयार करना।

39. किस वर्ष भारतीय कम्यूनिस्ट पार्टी (मार्क्सवादी) एक पृथक् राजनीतिक पार्टी के रूप में उभरकर आयी?

A. 1960　　B. 1964
C. 1968　　D. 1973

40. सूची-I को सूची-II से सुमेलित कीजिए तथा नीचे दिए गए कूट से सही उत्तर चुनिए :

सूची-I (मामला)	**सूची-II (विषय)**
(*a*) रूदल बनाम बिहार राज्य	1. तिरंगा फहराने का अधिकार
(*b*) ए.डी.एम. जबलपुर बनाम शिव कान्त शुक्ल	2. चुनाव हेतु उम्मीदवारों के पूर्ववृत्त जानने का अधिकार
(*c*) भारत संघ बनाम नवीन जिंदल	3. मौद्रिक मुआवजा दिया जाना
(*d*) भारत संघ बनाम एसोसिएशन फॉर डेमोक्रेटिक रिफार्मस	4. जीने का अधिकार

कूट :

	(*a*)	(*b*)	(*c*)	(*d*)
A.	3	4	1	2
B.	2	3	4	1
C.	1	2	3	4
D.	4	1	2	3

41. निम्नलिखित में से किसने भारत में राजनीति की महत्वपूर्ण तथा रचनात्मक भूमिका का वर्णन "विकास के भारतीय मॉडल" के रूप में किया है?

A. रजनी कोठारी　　B. अमर्त्य सेन
C. जगदीश भगवती　　D. जेम्स मेनर

42. सूची-I को सूची-II से सुमेलित कीजिए तथा नीचे दिए गए कूट से सही उत्तर चुनिए :

सूची-I (घटना)	**सूची-II (वर्ष)**
(*a*) सहस्राब्दि विकास लक्ष्य रिपोर्ट	1. 2010
(*b*) राष्ट्रीय महिला आयोग	2. 2006
(*c*) महिला और बाल विकास मंत्रालय	3. 1992
(*d*) राष्ट्रीय महिला सशक्तीकरण मिशन	4. 2011

कूट :

	(*a*)	(*b*)	(*c*)	(*d*)
A.	1	2	4	3
B.	4	3	2	1
C.	1	4	3	2
D.	3	1	2	4

43. निम्नलिखित में से किसने समकालीन भारत में सामाजिक प्रभुत्व तथा राज्य शक्ति के बीच पारस्परिक प्रभाव को सिद्धान्तबद्ध करने में महत्वपूर्ण योगदान दिया है?

A. फ्रैंसाइन आर. फ्रैंकेल तथा एम.एस.ए. राव
B. माइरन वेनर
C. लायड तथा सुसेन रूडोल्फ
D. पार्था चटर्जी

44. निम्नलिखित में से किसने भारत में चुनाव का खर्च राज्य द्वारा किये जाने का विरोध किया है?

A. न्यायमूर्ति बी.पी. जीवन रेड्डी

B. इन्द्रजीत गुप्त

C. तारकुण्डे

D. दिनेश गोस्वामी

45. निम्नलिखित में से किस समाचार-पत्र का प्रबंधन भारत में एक न्यास द्वारा किया जाता है?

A. टाइम्स ऑफ इंडिया B. इण्डियन एक्सप्रेस

C. हिन्दू D. ट्रिब्यून

46. निम्नलिखित में से यह किसका विचार है कि प्रशासन उन व्यक्तियों का कार्य होता है जो किसी संगठन में प्रबंधकीय प्रकार्यों को सम्पन्न करने में संलग्न रहते हैं?

(*a*) लुथर गुलिक

(*b*) हरबर्ट साइमन

(*c*) विक्टर थामसन

(*d*) हेनरी फेयोल

नीचे दिए गए कूट से सही उत्तर चुनिए :

कूट :

A. (*a*) और (*b*) B. (*b*) और (*c*)

C. (*b*), (*c*) और (*d*) D. (*a*), (*b*), (*c*) और (*d*)

47. लोक प्रशासन के विकास के निम्नलिखित में से किस चरण को राजनीति-शासन द्विभाजन का युग कहा जाता है?

A. प्रथम चरण को B. द्वितीय चरण को

C. तृतीय चरण को D. चतुर्थ चरण को

48. निम्नलिखित में से कौन-सी नवीन लोक प्रबंधन की मुख्य विशेषताएँ हैं?

(*a*) नागरिकों का सशक्तीकरण

(*b*) लोक नौकरशाही की वियुक्ति

(*c*) लागत में कटौती करना

(*d*) संगठनात्मक केंद्रीकरण

नीचे दिए गए कूट से सही उत्तर चुनिए :

कूट :

A. (*a*) और (*c*) B. (*a*), (*c*) और (*d*)

C. (*a*), (*b*) और (*c*) D. (*a*), (*b*), (*c*) और (*d*)

49. मानव संबंध सिद्धांत में 'स्क्वीलर' है :

A. वह व्यक्ति जो बहुत अधिक कार्य करता है

B. वह व्यक्ति जो बहुत कम कार्य करता है

C. वह व्यक्ति जो कार्य से अनुपस्थित रहता है

D. वह व्यक्ति जो दूसरे के बारे में हानिकारक जानकारी पर्यवेक्षक को देता है

50. सूची-I को सूची-II से सुमेलित कीजिए तथा नीचे दिए गए कूट से सही उत्तर चुनिए :

सूची-I	सूची-II
(*a*) प्रोवर्ब्स ऑफ एडमिनिस्ट्रेशन	1. हेनरी फेयोल
(*b*) प्रिंसिपल्स ऑफ मैनेजमेंट	2. हरबर्ट साइमन
(*c*) फंक्शनज ऑफ एक्जिक्यूटिव	3. मोरेस्टिन मार्क्स
(*d*) एलिमेंट्स ऑफ पब्लिक एडमिनिस्ट्रेशन	4. चेस्टर बर्नार्ड

कूट :

	(*a*)	(*b*)	(*c*)	(*d*)
A.	2	1	4	3
B.	1	2	3	4
C.	2	3	4	1
D.	3	4	1	2

51. निम्नलिखित में से किसने बजट को 'लक्ष्यों की एक शृंखला जिसमें कीमत पर्चियाँ संलग्न हैं' के रूप में परिभाषित किया है?

A. विल्डाव्स्की B. पॉल एपलबी

C. चेस्टर बर्नार्ड D. जॉन डी. मिलेट

52. निम्नलिखित में से कौन शून्य आधारित बजटन का सृजनकर्ता है?

A. हूवर कमीशन B. पीटर ए. फिर

C. हरबर्ट साइमन D. गग पीटर्स

53. निम्नलिखित में से कौन मोर्सटीन मार्क्स के नौकरशाही के वर्गीकरण का सही अनुक्रम है?

(*a*) योग्यता (*b*) संरक्षण

(*c*) जाति (*d*) अभिभावक

नीचे दिए गए कूट से सही उत्तर चुनिए :

कूट :

A. (*d*), (*c*), (*b*) और (*a*)

B. (*a*), (*b*), (*c*) और (*d*)

C. (*a*), (*d*), (*c*) और (*b*)

D. (*d*), (*a*), (*b*) और (*c*)

54. निम्नलिखित में से किस पूर्व प्रधान मंत्री का विचार था कि "केवल कार्यार्पित नौकरशाही ही सामाजिक परिवर्तन ला सकती है..."?

A. जवाहरलाल नेहरू   B. मोरारजी देसाई

C. इंदिरा गांधी   D. वी.पी. सिंह

55. स्थगन प्रस्ताव का उद्देश्य है :

A. किसी विधेयक को सदन में पुरस्थापित करने की अनुमति माँगना।

B. सरकार की निन्दा करना।

C. बजट में कमी लाने का प्रस्ताव करना।

D. अविलम्बनीय लोक महत्व के मामले की तरफ सदन का ध्यान आकृष्ट करना।

56. निम्नलिखित में से किसके द्वारा ग्रामीण स्थानीय शासन को सवैधानिक दर्जा देने का पहला प्रयास किया गया था?

A. 64वाँ सांविधानिक संशोधन विधेयक

B. 68वाँ सांविधानिक संशोधन विधेयक

C. 72वाँ सांविधानिक संशोधन विधेयक

D. 73वाँ सांविधानिक संशोधन विधेयक

57. सूची-I को सूची-II से सुमेलित कीजिए तथा नीचे दिए गए कूट से सही उत्तर चुनिए :

सूची-I	सूची-II
(*a*) वित्त आयोग	1. अशोक मेहता समिति
(*b*) नगर पंचायत	2. 73वाँ सांविधानिक संशोधन अधिनियम
(*c*) लोकतांत्रिक विकेंद्रीकरण	3. 74वाँ सांविधानिक संशोधन अधिनियम
(*d*) मंडल पंचायत	4. बलवंत राय मेहता समिति

कूट :

	(*a*)	(*b*)	(*c*)	(*d*)
A.	2	3	4	1
B.	1	2	3	4
C.	3	4	2	1
D.	2	3	1	4

58. नीचे दो कथन दिए गए हैं, एक को अभिकथन (A) और दूसरे को तर्क (R) कहा गया है। नीचे दिए गए कूट का प्रयोग कर सही उत्तर चुनिए :

अभिकथन (A) : किसी संगठन में आदेश की एकता का हमेशा सख्ती से पालन नहीं किया जा सकता।

तर्क (R) : कर्मचारी बहुधा दोहरे नियंत्रण–प्रशासनिक तथा तकनीकी के अध्यधीन होते हैं।

कूट :

A. (A) और (R) दोनों सत्य हैं और (R), (A) का सही स्पष्टीकरण है।

B. (A) और (R) दोनों सत्य हैं, लेकिन (R), (A) का सही स्पष्टीकरण नहीं है।

C. (A) सत्य है, परंतु (R) असत्य है।

D. (A) असत्य है, परंतु (R) सत्य है।

59. ई-शासन है :

(*a*) लागत दक्ष

(*b*) पारदर्शी

(*c*) इसमें समय की बचत होती है

(*d*) अनुक्रियात्मक

नीचे दिए गए कूट से सही उत्तर चुनिए :

कूट :

A. (*a*) और (*c*)   B. (*a*), (*b*) और (*c*)

C. (*a*), (*c*) और (*d*)   D. (*a*), (*b*), (*c*) और (*d*)

60. निम्नलिखित में से किस आयोग/समिति ने ह्विस्ल ब्लोअरों के संरक्षण की सिफारिश की है?

A. पहला प्रशासनिक सुधार आयोग

B. दूसरा प्रशासनिक सुधार आयोग

C. वोहरा समिति

D. चुनाव आयोग

61. निम्नलिखित में से किस व्यवस्था की कल्पना मोर्टन कप्लान ने नहीं की थी?

A. शक्ति संतुलन

B. मजबूत द्विध्रुवीय प्रणाली

C. ढ़ीली द्विध्रुवीय प्रणाली

D. एकध्रुवीय प्रणाली

62. निम्नलिखित में से कौन शक्ति संतुलन की तकनीक नहीं है?

A. हथियारों को जमा करना

B. राज्य-क्षेत्र का अभिग्रहण

C. अनुनय की विधियाँ

D. बफर राज्यों का निर्माण

63. वर्ष 1999 में नाटो ने सर्बिया पर कोसोवो में 'नृजातीय नरसंहार' का आरोप लगाया और उसके खिलाफ कार्रवाई की। इस पर रूस तथा चीन जैसी प्रमुख अन्य शक्तियों ने इस प्रकार प्रतिक्रिया व्यक्त की :

A. रूस ने संयुक्त राष्ट्र संघ के अनुमोदन के बिना कार्रवाई करने के लिये नाटो की आलोचना की।

B. चीन ने नाटो की कार्रवाई को गैर-कानूनी बताया।

C. रूस और चीन दोनों ने संयुक्त राष्ट्र संघ के अनुमोदन के बिना कार्रवाई करने के लिये नाटो की आलोचना की।

D. रूस और चीन दोनों इस मामले पर अवचनबद्ध रहे।

64. निम्नलिखित में से किसे संयुक्त राज्य अमेरिका ने मार्च 2003 में इराक पर आक्रमण करने का आधार नहीं बताया?

A. इराक के पास सामूहिक विनाश का हथियार था।

B. सद्दाम हुसैन का संबंध अल कायदा से था।

C. इराक में सत्ता परिवर्तन।

D. इराक ने कुवैत से पूर्णतः अपने सैनिकों को वापस नहीं बुलाया।

65. निम्नलिखित में से किसके द्वारा जलवायु उपशमन कार्यसूची के संबंध में 'साझा परंतु विभेदकारी' उत्तरदायित्व का सिद्धांत उभरकर आया?

A. क्योटो प्रोटोकोल

B. रियो पृथ्वी शिखर वार्ता

C. रियो + 20

D. पेरिस जलवायु सम्मेलन

66. वर्ष 2008 के जार्जिया युद्ध में रूस द्वारा निम्नलिखित में से किस/किन गणराज्य/गणराज्यों को मदद दी गई?

A. दक्षिण ओसेट्टिया

B. दक्षिण ओसेट्टिया और अबखाजिया दोनों को

C. अबखाजिया

D. नागोर्नो कराबाख

67. समुद्र के कानून संबंधी संयुक्त राष्ट्र सम्मेलन (यू.एन.सी.एल.ओ.एस.) के अनुसार राज्य समुद्री जल पर क्षेत्राधिकार की हकदारी इस प्रकार होगी :

A. समुद्र तट से तीन मील प्रादेशिक जल तक

B. पोतपरिवहन हेतु समुद्र तट से बारह मील

C. अनन्य आर्थिक क्षेत्र (ई.ई.जेड.) के रूप में दो सौ मील

D. उपर्युक्त तीनों क्षेत्राधिकार

68. भारत के अपारस्परिकता के सिद्धांत पर आधारित अच्छे पड़ोसी की नीति का श्रेय निम्नलिखित में से किये दिया जाता है?

A. पी.वी. नरसिम्हा राव

B. इन्दर कुमार गुजराल

C. ए.बी. वाजपेयी

D. राजीव गांधी

69. सर जॉन चिल्कॉट आयोग ने दोषी पाया :

A. अफगानिस्तान युद्ध में अमेरिका के नेतृत्व में नाटो के आक्रमण में यूनाइटेड किंगडम का आचरण।

B. वर्ष 2003 में इराक युद्ध पर यू.के. का आचरण।

C. वर्ष 2003 में इराक पर आक्रमण करने के लिये अमेरिका को।

D. सीरिया पर आक्रमण करने के लिये रूस को।

70. वाशिंगटन कन्सेन्सस निम्नलिखित में क्या नहीं है?

A. राजकोषीय अनुशासन

B. कर सुधार

C. वित्तीय तथा व्यापार उदारीकरण

D. राज्य द्वारा नियंत्रित बाजार व्यवस्था

71. बुश डॉक्ट्रिन के अंतर्गत संयुक्त राज्य अमेरिका ने राज्य-क्षेत्र के भीतर कार्यकलापों के लिये राज्यों को जिम्मेदार ठहराया और इस प्रकार निम्नलिखित में से क्या करने का अधिकार प्राप्त किया?

A. खल तथा विफल राज्यों के खिलाफ एकतरफा कार्रवाई करना।

B. उन राज्यों के खिलाफ कार्रवाई करना जो इसकी विचारधारा के खिलाफ हैं।

C. उन राज्यों के खिलाफ होना जिन्होंने नाटो के विस्तार के अभियान में शामिल होने से इन्कार कर दिया था।

D. नृजातीय नरसंहार की स्थितियों में हस्तक्षेप करना।

72. सूची-I को सूची-II से सुमेलित कीजिए तथा नीचे दिए गए कूट से सही उत्तर चुनिए :

सूची-I	सूची-II
(*a*) शांति प्रस्ताव के लिये एक होना	1. 1999
(*b*) स्वेज संकट	2. 2002
(*c*) इराकी हथियार संबंधी संयुक्त राष्ट्र संघ सुरक्षा परिषद् का प्रस्ताव	3. 1956
(*d*) कोसोवो में यू.एन. मिशन	4. 1950

कूट :

	(*a*)	(*b*)	(*c*)	(*d*)
A.	3	2	1	4
B.	2	1	3	4
C.	4	3	2	1
D.	1	2	4	3

73. सूची-I को सूची-II से सुमेलित कीजिए तथा नीचे दिए गए कूट से सही उत्तर चुनिए :

सूची-I	सूची-II
(*a*) पारम्परिक हथियार कटौती संधि	1. 1996
(*b*) सामरिक हथियार कटौती संधि-I	2. 1993
(*c*) सामरिक हथियार कटौती संधि-II	3. 1990
(*d*) व्यापक परीक्षण प्रतिबंध संधि	4. 1991

कूट :

	(*a*)	(*b*)	(*c*)	(*d*)
A.	3	4	2	1
B.	2	3	1	4
C.	4	2	3	1
D.	1	3	4	2

74. निम्नलिखित में से किस घटना के पश्चात् अमेरिका ने अफगानिस्तान में तालिबान शासन के साथ संबंध समाप्त कर दिये?

A. अमेरिका पर 9/11 का आक्रमण

B. केन्या तथा तन्जानिया में अमरीकी दूतावासों पर आक्रमण

C. रियाद में अमेरिकी सैन्य मिशन मुख्यालय पर आक्रमण

D. अफगानिस्तान से होकर गुजरने वाली गैस पाइपलाइन पर वार्ता का विफल होना

75. निम्नलिखित में से किस राजनीतिज्ञ ने यू.एस.एस.आर. को 'दुष्ट साम्राज्य' की संज्ञा दी?

A. जॉन एफ. केनेडी B. रोनाल्ड रीगन

C. रिचर्ड निक्सन D. हेनरी किसिंजर

उत्तरमाला

1	2	3	4	5	6	7	8	9	10
A	A	C	A	C	A	A	A	B	A
11	**12**	**13**	**14**	**15**	**16**	**17**	**18**	**19**	**20**
C	B	A	C	C	A	C	C	D	D
21	**22**	**23**	**24**	**25**	**26**	**27**	**28**	**29**	**30**
A	D	D	D	A	D	D	C	D	D
31	**32**	**33**	**34**	**35**	**36**	**37**	**38**	**39**	**40**
A	B	C	D	A	B	B	A	B	A
41	**42**	**43**	**44**	**45**	**46**	**47**	**48**	**49**	**50**
A	B	A	A	D	D	A	C	D	A
51	**52**	**53**	**54**	**55**	**56**	**57**	**58**	**59**	**60**
A	B	A	C	D	A	A	A	D	B
61	**62**	**63**	**64**	**65**	**66**	**67**	**68**	**69**	**70**
D	C	C	D	A	B	D	B	B	D
71	**72**	**73**	**74**	**75**					
A	C	A	B	B					

व्याख्यात्मक उत्तर

1. जी.एच. सेबाइन का कथन है कि "राजनीति सिद्धांत का एक महत्वपूर्ण कार्य केवल राजनीतिक व्यवहार को दर्शाना नहीं, बल्कि यह भी दर्शाना होता है कि इसका क्या अर्थ है। यह दर्शाने के लिए कि किसी प्रथा का क्या अर्थ है, अथवा इसका क्या अर्थ होना चाहिए, राजनीतिक सिद्धांत उसको बदल सकता है जो वह है।" राजनीतिक चर्चा और तर्क-वितर्क में जिस शब्दावली का प्रयोग होता है, उसका सही-सही अर्थ निर्धारित करना राजनीति सिद्धांत का एक महत्वपूर्ण कृत्य है। उदाहरण के लिए स्वतंत्रता, समानता, न्याय, लोकतंत्र, इत्यादि ढेर सारे ऐसे शब्द हैं जो सामान्य बोलचाल में बार-बार प्रयुक्त होते हैं। भिन्न-भिन्न विचारधाराओं के समर्थक इन शब्दों का प्रयोग भिन्न-भिन्न अर्थ में कर सकते हैं। राजनीति सिद्धांत के अंतर्गत इन शब्दों के ऐसे अर्थ स्थिर करने का प्रयास किया जाता है, जो भिन्न-भिन्न दृष्टिकोण रखने वाले लोगों को समान रूप से मान्य हों, और इनके आधार पर वे परस्पर संवाद स्थापित कर सकें।

जब तक इनके सर्वमान्य अर्थ स्थिर नहीं होते, तब तक कुछ लोग इनका प्रयोग इतनी चालाकी से कर सकते हैं जिससे वे अपने तर्क की कमजोर कड़ी को छिपा जाते हैं, या स्वार्थी और जनोत्प्रेरक नेता इन शब्दों के सहारे लोगों की भावनाओं सै खिलवाड़ करके उन्हें गुमराह कर देते हैं। कई स्वेच्छाचारी शासक इन शब्दों की मनमानी व्याख्या देकर अपने शासन को वैध ठहराने का जुगाड़ करते हैं जैसा कि इटली में मुसोलिनी ने किया था। राजनीति सिद्धांत इनके सही-सही अर्थ निर्धारित करके इनके दुरुपयोग को रोकता है।

4. मार्क्स का यह मानना था कि पूंजीवाद की उन्नत अवस्था में संपूर्ण सर्वहारा वर्ग के अंदर वर्ग चेतना का संचार होगा, और वह अपना विशाल एवं सुदृढ़ संगठन बनाकर पूंजीपति वर्ग को धराशायी कर देगा। लेनिन ने एक व्यावहारिक राजमर्मज्ञ के नाते यह अनुभव किया कि संपूर्ण सर्वहारा वर्ग को सचेत और संगठित होने में बहुत ज्यादा समय लगेगा, और उसमें बहुत सारी बाधाएँ आएंगी। पूंजीपति कभी मजदूर नेताओं को तरह-तरह के प्रलोभन देकर और कभी कामगार वर्ग को छोटी-छोटी रियायतें देकर क्रांति के मार्ग से विमुख करने को तत्पर होंगे। अतः क्रांति की शक्तियों को सक्रिय करने के लिए सर्वहारा वर्ग के अधिक सचेत, अधिक समर्थ और अधिक सूझबूझ वाले सदस्यों को आगे आना चाहिए, और क्रांति की बागडोर संभाल लेनी चाहिए। लेनिन ने रूस में स्वयं ऐसे संगठन की नींव रखी जिसे उसने साम्यवादी दल का नाम दिया। लेनिन ने साम्यवादी दल के लिए 'क्रांति की अग्रपंक्ति (Vanguard of Revolution) की भूमिका निर्धारित की।

5. महात्मा गांधी ने यह घोषणा की थी "मेरे लिए आचार, नैतिकता तथा धर्म विनिमेय पद हैं। धर्म के संदर्भ के बिना एक नैतिक जीवन रेत पर निर्मित भवन के समान है।" गांधीजी ने राजनीति को आध्यात्मिक आधार देकर उसे स्वच्छ रखने का समर्थन किया। इसकी प्रेरणा उन्हें प्रसिद्ध मनीषी गोपाल कृष्ण गोखले से मिली। आध्यात्मिक, धार्मिक और नैतिक—ये तीनों अभिव्यक्तियां गांधीजी के लिए एक ही अर्थ का संकेत देती थीं। धर्म को कभी भी उन्होंने संकुचित अर्थ में नहीं लिया। उनकी दृष्टि में विश्व के सभी धर्मों का सार-तत्व एवं ध्येय एक-जैसा था। वे धार्मिक सहिष्णुता एवं उदारता के समर्थक थे। राजनीति के धार्मिक आधार से उनका तात्पर्य यह था कि प्रत्येक राजनीतिक कृत्य या संस्था को नैतिक कसौटी पर कसना आवश्यक है। गांधीजी के अनुसार, यह भौतिक संसार एवं इसकी चमक-दमक नश्वर है; अतः सांसारिक जीवन की उन्नति के लिए आध्यात्मिक जीवन का तिरस्कार करना बुद्धिमत्ता नहीं है। जो राजनीति धर्म से विहीन है, वह मृत्युजाल के तुल्य है, और आत्मा को पतन के गर्त में धकेलती है। दूसरे शब्दों में वे नीतिशास्त्र को राजनीति तथा अर्थशास्त्र से भी ऊँचा स्थान देते थे। उनकी दृष्टि में राजनीति वहीं तक वरेण्य थी, जहाँ तक वह नैतिकता की कसौटी पर खरी उतरती हो, अन्यथा उससे किनारा कर लेना चाहिए।

7. राजनीतिक चिंतन की चर्चाओं में प्रायः प्लेटो और अरस्तू के मतभेदों पर विशेष बल दिया जाता है, परंतु यह नहीं भूलना चाहिए कि अपने शिक्षक (प्लेटो) का तीव्र आलोचक होते हुए भी अरस्तू कई बातों में प्लेटो का ऋणी था, और दोनों में अनेक समानताएँ भी हैं। दोनों ने यूनानी नगर-राज्यों की अस्थिरता को खतरे की सूचना के रूप में देखा, और इसके लिए नैतिक अराजकता को उत्तरदायी ठहराया। दोनों ने यह स्वीकार किया कि राज्य जीवन की आवश्यकताओं की पूर्ति के लिए अस्तित्व में आता है, और सद्जीवन की सिद्धि के लिए बना रहता है (The State comes into existence for the sake of life and continues for the sake of good life)। दोनों ने शासकों और नागरिकों के लिए समुचित शिक्षा की आवश्यकता को स्वीकार किया, और शारीरिक श्रम का भार दासों पर डालने का समर्थन किया परंतु इन सभी मान्यताओं को वैज्ञानिक आधार पर स्थापित करके अरस्तू ने प्लेटो की तुलना में नई अंतर्दृष्टि का परिचय दिया है।

8. मैक्यिावेलीवाद नैतिकता के दोहरे मानदंड का समर्थन करता है—जिसमें एक तो शासक के लिए है जबकि दूसरा निजी नागरिकों के लिए। भ्रष्ट लोगों को शासन के सूत्र में बांधने के लिए मेक्यिावेली ने प्रबुद्ध तानाशाही का समर्थन किया है। उसने लिखा है कि शासक को साधारण मनुष्य से भिन्न होना पड़ेगा। इसके लिए उसने यूनानी पौराणिक कथाओं के एक प्रसिद्ध चरित्र 'नराश्व' (Centaur) का उदाहरण प्रस्तुत किया है। उसका शरीर घोड़े का होता है परंतु उसकी गर्दन पर मनुष्य का सिर लगा होता है। नराश्व की तरह शासक के चरित्र में भी अनेक प्राणियों के गुणों का संयोग अपेक्षित है। शासक को शरीर से शेर की तरह ताकतवर होना चाहिए, परंतु दिमाग से लोमड़ी की तरह धूर्त होना चाहिए। इस तरह कुशल नृपति को अपने अंदर शेर और लोमड़ी दोनों के गुण पैदा करने चाहिए। शेर बहुत बहादुर होता है, परंतु वह फंदे में फँस जाने पर बाहर नहीं निकल पाता। लोमड़ी बहुत चालाक होती है, परंतु वह भेड़ियों से अपने-आपको नहीं बचा पाती। नृपति को फंदे से बाहर निकलने के लिए लोमड़ी—जैसा चतुर होना चाहिए, और भेड़ियों को भगाने के लिए शेर—जैसा बहादुर होना चाहिए। यदि सब मनुष्य चरित्रवान होते तो नृपति को कोई चाल चलने की जरूरत नहीं थी। पर चूंकि मनुष्य साधारणतः कृतघ्न, सनकी, धूर्त, डरपोक और लालची होते हैं, इसलिए उनके मन में भय पैदा करके उन्हें वश में करना चाहिए, प्रेम जगाकर नहीं। प्रेम क्षणिक होता है; भय चिरस्थायी है। फिर, जो लोग स्वभाव से लालची हैं, उनके लिए प्रेम वैसे भी निरर्थक है।

9. थॉमस हॉब्स के विचारों को उपयोगितावाद के दार्शनिक अतिवाद में शामिल किया गया है। हॉब्स की बहुत बड़ी देन उसके व्यक्तिवाद की है। उसने व्यक्ति के कल्याण और उसकी सुरक्षा को साध्य घोषित किया है। उसने राज्य को निरंकुश अधिकार इसीलिए दिया है कि वह राज्य में शांति स्थापित रखे, व्यक्तियों का जीवन और सम्पत्ति सुरक्षित रखे। सेबाइन ने इसीलिए कहा है कि, "हॉब्स के प्रभु की सर्वोच्च शक्ति उसके व्यक्तिवाद का आवश्यक पूरक है।" उसने बतलाया कि राज्य का एकमात्र औचित्य उसकी उपयोगिता है। स्मरणीय है कि "हॉब्स कोई जनतंत्रवादी नहीं था। उसके लिए जनता, सामान्य इच्छा अथवा सामान्य हित जैसी किसी चीज का अस्तित्व नहीं है। अस्तित्व केवल मात्र व्यक्तियों का है। उनकी रक्षा करना राज्य का कर्तव्य है। उनके निजी हितों का योग ही सामाजिक हित है।" हॉब्स ने विचारों से उपयोगितावादियों ने बहुत कुछ प्राप्त किया। "राज्य के व्यक्तियों के परस्पर विरोधी हितों का मध्यस्थ बनकर वह उपयोगितावादियों का पूर्व सूचक बन गया।" प्रो. वेपर के अनुसार, "यह कोई आकस्मिक घटना नहीं है कि बेन्थम वहाँ भी उसका उतना ही ऋणी है जितना सुख विषयक हॉब्स के विचारों का। आने वाली संतति का प्रायः उससे मतभेद रहा है किन्तु यह कहने में कोई अतिशयोक्ति न होगी कि उन्हें उसमें एक ऐसी खान मिली जिसका खोदना उनके लिए श्रेयष्कर है क्योंकि उसमें से एक मूल्यवान धातु निकलती है।"

10. कुछ लोग कार्ल मार्क्स की व्याख्या आर्थिक नियतिवादक के रूप में करते हैं, जबकि अन्य इन्हें मानवोचित समाजवादी के रूप में व्याख्या करते हैं। इस प्रकार का भ्रम मार्क्स की रचनाओं की व्यापकता तथा उसके जटिल स्वरूप से पैदा होती है। मार्क्स के ऐतिहासिक भौतिकवाद का मुख्य तत्व है "आर्थिक नियतिवाद"

(Economic Determinism) अर्थात् मनुष्य जो कुछ करता है उसका निर्माण आर्थिक या भौतिक कार्यों द्वारा होता है। मनुष्य पूर्ण रूप से आर्थिक शक्तियों का दास है।

मार्क्सवादी विचारधारा ने विश्व के करोड़ों शोषित, पद-दलित लोगों को अन्याय, अत्याचार और शोषण के विरुद्ध संघर्ष करने की प्रेरणा दी है। इस तरह मार्क्स ने वैज्ञानिक ढंग से अपने विचारों का प्रतिपादन करके आधुनिक विश्व को एक महान देन दी है।

11. जॉन लॉक ने नागरिक शक्ति की परिभाषा इस प्रकार की है, ''सम्पत्ति को विनियमित करने तथा उसके संरक्षण करने, तथा ऐसे कानून को लागू करने में समुदाय की शक्ति का उपयोग करने के लिए शक्ति के साथ विधि बनाने का अधिकार–ये सभी सार्वजनिक हित के लिए होता है।'' लॉक का कहना है कि एक राजनीतिक समाज (Civil Society) सरकार के बिना न तो जीवित ही रह सकता है और न कार्य ही कर सकता है, अतः ऐसे समाज का प्रथम कार्य सरकार की स्थापना करना होता है ताकि वह समाज में जीवन, सम्पत्ति आदि की रक्षा कर सके।

लॉक के शब्दों में, ''कोई भी राजनीतिक समाज अपने समस्त सदस्यों को दण्डित करने की शक्ति के अभाव में न तो स्थिर रह सकता है और न ही अपना अस्तित्व बनाए रख सकता है। अतः राजनीतिक समाज केवल वहीं हो सकता है जहाँ प्रत्येक सदस्य ने अपनी प्राकृतिक शक्ति का परित्याग करके उसे संपूर्ण समाज के हाथों में सौंप दिया हो। जो लोग एक समाज में संगठित होते हैं और एक सामान्य कानून तथा न्यायपालिका की स्थापना करते हैं, जिसे उनके झगड़ों का निर्णय करने तथा अपराधियों को दण्ड देने का अधिकार होता है, वे एक राजनीतिक समाज में एक-दूसरे के साथ समरूप हो जाते हैं।'' इस प्रकार लॉक के अनुसार पहले व्यक्तियों ने मिलकर नागरिक समाज बनाया, फिर समाज ने सरकार बनाई और उसे केवल वे ही अधिकार दिए जो व्यक्ति ने समाज को सौंपे थे। व्यक्ति, समाज, विधानसभा, कार्यकारिणी, न्यायपालिका इस क्रम से अनुबंध के परिणाम विकसित हुए।

13. श्री अरविंद या महर्षि अरविंद घोष आधुनिक भारत के ऐसे राजनीति-विचारक थे जिन्हें भारतीय राष्ट्रवाद का महान उन्नायक माना जाता है। वे भारतीय स्वाधीनता आंदोलन के साथ निकट से जुड़े थे और उन्होंने भारत की पूर्ण स्वाधीनता की मांग पर बल दिया। उनकी दृष्टि में राष्ट्रवाद केवल एक आंदोलन तक सीमित नहीं है, वह आस्था का विषय है; वह मनुष्य का धर्म है। 1908 में अपने भाषणों के अंतर्गत श्री अरविंद ने यह घोषणा की–''राष्ट्रवाद कोरा राजनीतिक कार्यक्रम नहीं है; राष्ट्रवाद ऐसा धर्म है जो ईश्वर की देन है। राष्ट्रवाद तुम्हारी आत्मा का संबल है। यदि तुम राष्ट्रवाद के समर्थक हो तो तुम्हें धार्मिक आस्था के साथ राष्ट्र की आराधना करनी होगी। तुम्हें यह याद रखना होगा कि तुम ईश्वर की योजना के निमित्त मात्र हो।'' अरविंद की पुस्तकों का कालक्रम निम्नलिखित है–

(*i*) लव एण्ड डेथ–1921

(*ii*) एसेज ऑन गीता–1922

(*iii*) द लाइफ डिवाइन–1939

(*iv*) सावित्री : ए लिजेण्ड एण्ड ए सिम्बल–1950

14. उदारवाद राजनीति का वह सिद्धांत है जिसके अंतर्गत मनुष्य को विवेकशील प्राणी मानते हुए सामाजिक संस्थाओं को मनुष्यों की सूझबूझ और सामूहिक प्रयास का परिणाम समझा जाता है। अंग्रेज दार्शनिक लॉक को उदारवाद का जनक माना जाता है। इसके आरंभिक उन्नायकों में एडम स्मिथ और जेरमी बेंथम के नाम विशेष रूप से उल्लेखनीय हैं।

इसके अंतर्गत व्यक्ति की स्वतंत्रता को सबसे ऊँचा स्थान दिया जाता है तथा उनकी आवश्यकताओं एवं हितों पर ध्यान केंद्रित करते हैं न कि किसी समूह अथवा 'समष्टि' पर। उदारवादी ऐसे समाज का निर्माण करना चाहते हैं जिसमें प्रत्येक व्यक्ति अपनी क्षमता को पूर्णरूपेण विकसित तथा समृद्ध करने में सक्षम हो। उदारवादी विचारधारा राजनीति को व्यक्तियों के परस्पर-विरोधी हितों में सामंजस्य स्थापित करने की प्रक्रिया के रूप में देखता है। नैतिक जीवन में यह सिद्धांत 'व्यक्तिवाद' का समर्थन करता है जिसमें व्यक्ति की गरिमा, उसके स्वाधीन अस्तित्व और निर्णय-क्षमता

को मान्यता देते हुए ऐसी सामाजिक और कानूनी व्यवस्था का समर्थन किया जाता है जो व्यक्तियों के स्वैच्छिक लेन-देन पर आधारित हो।

15. जे.एस. मिल ने इस बात से सहमति व्यक्त की थी कि "किसी सभ्य समुदाय के किसी सदस्य के ऊपर अधिकृत रूप में शक्ति का उपयोग करने का एकमात्र उद्देश्य अन्य को नुकसान पहुँचने से रोकना है।" मिल ने राजनीतिक क्षेत्र में सांविधानिक और प्रतिनिधि शासन का समर्थन किया, परंतु आर्थिक क्षेत्र में उसने कल्याणकारी राज्य के विचार को बढ़ावा दिया। व्यक्ति की आत्मपरक (Self-Regarding) और अन्यपरक (Other-Regarding) गतिविधियों में अंतर करते हुए मिल ने तर्क दिया कि व्यक्ति की जो गतिविधियां दूसरों की स्वतंत्रता के रास्ते में रुकावट डालती हैं, उनके मामले में राज्य की ओर से विनियमन जरूरी हो जाता है।

16. वर्ष 1960 में ऑलमण्ड तथा पॉवेल द्वारा संरचनात्मक-कृत्यात्मक (Structural-Functional) विश्लेषण का अनुप्रयोग ईस्टन की राजनीतिक व्यवस्था के ढाँचे का अनुप्रयोग था। अमेरिकी राजनीति-वैज्ञानिक गेब्रियल ऑलमण्ड ने ईस्टन के आगत-निर्गत विश्लेषण (Input-Output Analysis) को अधूरा मानते हुए 1960 में 'The Politics of Developing Areas' के अंतर्गत यह तर्क दिया कि ये आगत और निर्गत तत्व वस्तुतः राजनीतिक प्रणाली के कृत्य हैं। ऑलमण्ड ने 4 प्रकार के आगत कृत्यों और 3 प्रकार के निर्गत कृत्यों तथा इनके साथ जुड़ी हुई संरचनाओं का पता लगाया। वैसे किसी भी कृत्य के लिए अनेक संरचनाओं की जरूरत हो सकती है, और कोई भी संरचना अनेक कृत्यों को सम्पन्न करने में अपना योग दे सकती है।

राजनीतिक प्रणाली के इस प्रतिरूप का विस्तृत निरूपण आलमण्ड और पॉवेल की चर्चित कृति 'Comparative Politics—A Development Approach—1966' के अंतर्गत किया गया है।

18. व्यक्तिगत स्वतंत्रता, सहिष्णुता तथा सम्मति, अल्पसंख्यकों के अधिकार, आदि उदारवादी संविधानवाद के अभिन्न अंग हैं। उदारवादी संविधानवाद के अनुसार किसी देश का संविधान न केवल वहाँ का शासन चलाने के लिए उपयुक्त राजनीतिक संगठन की उद्‌भावना करता है, बल्कि शासन के विभिन्न अंगों की शक्तियां भी निर्धारित करता है और यह निर्देश देता है कि ये अंग किन सीमाओं के भीतर रहकर अपनी-अपनी शक्तियों का प्रयोग कर सकते हैं ताकि शासन या उसका कोई अंग मनमानी न कर पाए। इस दृष्टि से संविधान की सार्थकता तभी है जब वह शासन के विभिन्न अंगों पर प्रभावशाली अंकुश रख सके। संविधानवाद की संकल्पना संविधान की इसी सार्थकता पर आश्रित है।

19. संयुक्त राज्य अमेरिका में राष्ट्रपति प्रणाली सर्वाधिक सफलतापूर्वक कार्य करती है क्योंकि वहाँ सामाजिक अंतर्विरोध बहुत ही कम है। अमेरिका को उदार लोकतंत्र का गढ़ माना जाता है। उसे इस रूप में कायम रखने में वहाँ की सामाजिक-आर्थिक व्यवस्था का विशेष हाथ रहा है। फ्रांसीसी लेखक अलेक्सी द ताकवील ने अपनी प्रसिद्ध कृति 'Democracy in America—1835' के अंतर्गत अमेरिका की उन विशेषताओं का विवरण दिया था जो वहाँ लोकतंत्रीय गणराज्य को कायम रखने में सहायता देती है। वहाँ एक लोकतंत्रीय सांविधानिक ढांचा अपनाया गया है, सामाजिक और आर्थिक परिस्थितियों की समानता और अमेरिकी लोगों के रीति-रिवाज और मान्यताएं ये सभी वहाँ राष्ट्रपति प्रणाली के सुचारू रूप से संचालन में सहायक हैं।

20. ग्रेट ब्रिटेन में एकात्मक शासन प्रणाली प्रचलित है जिसमें साधारणतः दूसरे सदन की जरूरत नहीं होती, फिर भी ऐतिहासिक कारणों से वहाँ लॉर्ड सभा को एक संस्था के रूप में बनाए रखा गया है। सैद्धांतिक दृष्टि से ब्रिटिश संसद में राजमुकुट (The Crown), लॉर्ड सभा (House of Lords) और कॉमन्स सभा (House of Commons) तीनों आ जाते हैं। लॉर्ड सभा को उच्च सदन (दूसरा सदन) कहा जाता है जबकि कॉमन्स सभा को निम्न या अवर सदन कहा जाता है। परंतु वास्तव में कॉमन्स सभा की शक्तियाँ और कृत्य लॉर्ड सभा की तुलना में अधिक विस्तृत और महत्वपूर्ण हैं। व्यावहारिक और राजनीतिक कारणों से कॉमन्स सभा को ब्रिटिश संसद का पर्यायवाची समझा जाता है क्योंकि इसके सदस्यों का चुनाव जनसाधारण के द्वारा किया जाता है। इसी सदन को विधि-निर्माण की अंतिम शक्ति प्राप्त है;

और मंत्रिमण्डल अपने अस्तित्व के लिए इसी सदन के विश्वास पर आश्रित है। कॉमन्स सभा के सदस्यों की संख्या 650 है।

लॉर्ड सभा में जनसाधारण के निर्वाचित प्रतिनिधि नहीं होते, बल्कि देश के कुछ ऐसे गणमान्य लोग होते हैं जिन्हें या तो वंश परम्परा से लॉर्ड की पदवी मिली हुई है, या वे पुरोहितवर्ग के उच्चाधिकारियों के नाते लॉर्ड सभा के सदस्य माने जाते हैं, या फिर उन्हें विशेष योग्यताओं, देश-सेवा, इत्यादि के आधार पर जीवन भर के लिए लॉर्ड के रूप में मनोनीत कर दिया जाता है। अक्टूबर, 1999 के बाद वंशपरम्परागत लॉर्डों को लॉर्ड सभा में बैठने का अधिकार नहीं रहा है। लॉर्ड सभा के सदस्यों की संख्या नियत नहीं है। इनकी वर्तमान संख्या 800 है। लॉर्ड सभा किसी भी द्विसदनीय संसद का एकमात्र उच्च सदन है जिसके सदस्यों की संख्या उसके अवर सदन से ज्यादा है।

23. पर्यावरण संबंधी हरित दलों का उद्‌भव नवीन सामाजिक आंदोलनों के परिणाम हैं। नव-सामाजिक आंदोलन ऐसे सामाजिक आंदोलन हैं जो मानव-जीवन में फैले हुए अन्याय के प्रति नई चेतना से प्रेरित होकर समकालीन विश्व के कुछ हिस्सों में उभर कर सामने आए हैं। इनमें नारी-अधिकार आंदोलन, पर्यावरणवादी आंदोलन, उपभोक्ता-आंदोलन और शांति-आंदोलन, इत्यादि सम्मिलित हैं। इन सब आंदोलनों की विशेषता यह है कि ये राजनीतिक जीवन के साधारण लेन-देन से बाहर कार्य करते हैं। इनसे जुड़े हुए संघर्षों का सरोकार वितरण की समस्याओं से नहीं है बल्कि स्वयं मानव-जीवन की गुणवत्ता को उन्नत करने से है। इन आंदोलनों के संचालक राज्य-शक्ति पर अपना नियंत्रण स्थापित करने के लिए लालायित नहीं हैं बल्कि वे विश्व को विवेकसम्मत रूप में ढालना चाहते हैं।

नव-सामाजिक आंदोलनों की शुरुआत 1960 के दशक के अंतिम वर्षों से मानी जाती है जब अमेरिका में अश्वेत शक्ति आंदोलन और वियतनाम युद्ध-विरोधी अभियान शुरू हुए, और पश्चिमी यूरोप में छात्र-आंदोलनों ने जोर पकड़ा।

24. दूवर्जर के सिद्धांत के अनुसार द्विदलीय प्रणाली बहुसंख्यकवादी राजनीतिक प्रणाली से उभरकर आई है। मौरिस दूवर्जर ने अपनी पुस्तक 'Political Parties—1955' के अंतर्गत लिखा है कि राजनीतिक दलों की उत्पत्ति को समझना बहुत सरल है। शुरू-शुरू में संसद के भीतर कुछ मुद्दों के बारे में सहमति के आधार पर कुछ समूह उभरकर सामने आते हैं; फिर निर्वाचन-समितियाँ बनती हैं; अंततः इन दोनों तत्वों में स्थायी संबंध स्थापित हो जाता है जिससे राजनीतिक दल अस्तित्व में आते हैं। देखा जाए तो संसदीय समूह का उदय किसी राजनीतिक मतवाद के इर्द-गिर्द होता है। परंतु कभी-कभी भौगोलिक निकटता या व्यावसायिक हितों की समानता भी ऐसे समूहों को जन्म देती हैं। कभी-कभी व्यक्तिगत स्वार्थ, परस्पर लेन-देन का विचार भी कुछ लोगों को एक-दूसरे के निकट ला देता है। जैसे-जैसे मताधिकार का विस्तार होता है, दल के नेताओं के मन में नए मतदाताओं को अपने दल की ओर आकर्षित करने की इच्छा बढ़ जाती है। इससे दलीय राजनीति का विस्तार होता है। उदाहरण के लिए, यूरोप में 20वीं शताब्दी के पूर्वार्द्ध में समाजवादी दलों के विस्तार का मुख्य कारण यह था कि वहाँ के अधिकांश देशों ने सार्वजनीन मताधिकार (Universal Franchise) लागू कर दिया था।

25. राजनीतिक संस्कृति का अर्थ है, किसी समाज की संस्कृति के वे पक्ष जो उसकी राजनीति को प्रभावित करते हैं। इसके अंतर्गत मुख्यतः ऐसे मूल्य, मान्यताएं और मानक आ जाते हैं जो शासक-वर्ग, शासन-प्रणाली और शासन-प्रक्रिया को वैधता प्रदान करते हैं, और उनके संदर्भ में व्यक्ति की स्थिति को निर्धारित करते हैं।

गैब्रियल ऑलमण्ड ने संस्कृति की संकल्पना के अंतर्गत एक उपसंस्कृति की तलाश की जिसका सीधा संबंध राजनीतिक उपप्रणाली से था। ऑलमण्ड ने 1956 के 'Journal of Politics' में प्रकाशित अपने लेख 'Comparative Political Systems' के अंतर्गत राजनीतिक उपप्रणाली और उससे जुड़ी हुई उपसंस्कृति को स्वतंत्र अध्ययन का विषय बनाया और इन्हें क्रमशः 'राजनीतिक प्रणाली' तथा 'राजनीतिक संस्कृति' का नाम दिया। इस तरह राजनीतिक संस्कृति की संकल्पना अपेक्षाकृत नई है और इसके आविष्कार का श्रेय ऑलमण्ड को दिया जाता है।

संक्षेप में, राजनीतिक संस्कृति उन 'प्रतीकों की व्यवस्थित प्रणाली' के अध्ययन और विश्लेषण का साधन है जो मनुष्यों की क्रियाओं और परस्पर-क्रियाओं को सार्थक बनाने में महत्वपूर्ण भूमिका निभाते हैं। अतः किसी समुदाय की राजनीतिक संस्कृति उसके सदस्यों को अपनी राजनीतिक प्रणाली और प्रक्रियाओं की ओर मोड़ती हैं; उन्हें विशेष दिशा प्रदान करती है। दूसरे शब्दों में, इससे उन्हें यह ज्ञान होता है कि अपने सामाजिक परिवेश में उनकी स्थिति क्या है; उनके अधिकार और कर्तव्य क्या हैं? जिस राज्य में सार्वजनिक उद्देश्यों, आदर्शों और विभिन्न वर्गों की स्थितियों के बारे में सहमति पाई जाती है, वहाँ किसी संघर्ष, मतभेद और विवाद को सुलझाने में विशेष कठिनाई नहीं होती क्योंकि सभी वर्ग प्रस्तुत समस्या के समाधान के तरीके पर सहमत होते हैं। इसके विपरीत, यदि किसी समुदाय में ऐसी सहमति का नितांत अभाव हो तो उसकी राजनीतिक संस्कृति में अविश्वास और मतभेद का बोलबाला रहता है। चूंकि संस्कृति का सीधा संबंध मनुष्य के विचारों और भावनाओं से है, इसलिए उसकी संस्कृति किसी भी राज्य या राष्ट्र की राजनीति में महत्वपूर्ण भूमिका निभाती है।

26. राजनीतिक संस्कृति का सबसे सटीक विवरण गेब्रियल ऑलमण्ड और सिडनी वर्बा ने अपनी प्रसिद्ध कृति 'The Civic Culture : Political Attitudes and Democracy in Five Nations—1963' के अंतर्गत प्रस्तुत किया। इनके अनुसार राजनीतिक संस्कृति का अर्थ है–राजनीतिक विषयों के प्रति–जैसे कि राजनीतिक दलों, न्यायालयों, संविधान और राज्य के इतिहास के प्रति–'अभिविन्यासों का प्रतिमान' (Pattern of Orientations), अर्थात् समाज का कोई भी सदस्य इन संस्थाओं के संदर्भ में अपने-आपको कहाँ रखता है? दूसरे शब्दों में, व्यक्ति अपने देश की सरकार से क्या आशा रखता है, और उसके काम में अपनी क्या भूमिका समझता है? क्या वह सरकार के सामने अपने-आपको विवश अनुभव करता है, या अपनी आवाज वहाँ तक पहुँचाने और न्याय प्राप्त करने की आशा रखता है? क्या वह यह समझता है कि वह सरकार के निर्णयों को प्रभावित कर सकता है? व्यक्ति का अभिविन्यास राजनीतिक कार्रवाई के प्रति उसके झुकाव का संकेत देता है। यह अभिविन्यास 3 प्रकार का होता है–

(*i*) ज्ञानात्मक अभिविन्यास (Cognitive Orientation): राजनीतिक विषयों का ज्ञान और उनके अस्तित्व के प्रति सजगता;

(*ii*) भावात्मक अभिविन्यास (Affective Orientation), अर्थात् राजनीतिक विषयों के प्रति व्यक्ति के मन में पैदा होने वाले भावावेग और अनुभूतियां; और

(*iii*) मूल्यपरक अभिविन्यास (Evaluative Orientation), अर्थात् उन विषयों के बारे में व्यक्ति का मूल्य-निर्णय–उचित-अनुचित या शुभ-अशुभ का मूल्यांकन।

28. आधुनिकीकरण और अपक्षय (Decay) के सिद्धांत के निर्माता सैमुअल पी. हंटिंग्टन हैं। हंटिंग्टन ने अपनी चर्चित कृति 'Political Order in Changing Societies—1968' के अंतर्गत यह तर्क दिया है कि राजनीतिक विकास और आधुनिकीकरण में सीधा संबंध नहीं है। हंटिंग्टन के विचार से, राजनीतिक विकास का मुख्य लक्षण राजनीतिक व्यवस्था है, और इसमें मुख्य बाधा राजनीतिक अव्यवस्था से पैदा होती है जिसे उन्होंने 'राजनीतिक अपक्षय' (Political Decay) की संज्ञा दी है। इस दृष्टि से प्राचीन काल की अनेक राजनीतिक प्रणालियां आधुनिक पश्चिमी प्रणालियों से कहीं अधिक विकसित थीं। उदाहरण के लिए, प्राचीन भारत, चीन, यूनान, रोम और मिस्र की राजनीतिक प्रणालियां अत्यंत विकसित थीं। इस तरह हंटिंग्टन ने राजनीतिक विकास को केवल आज के विकासशील देशों की समस्या न मानते हुए एक चिरंतन समस्या का रूप दे दिया है। उसने चेतावनी दी है कि आज के विकासशील देशों में कभी-कभी आधुनिकीकरण की होड़ राजनीतिक अव्यवस्था पैदा कर देती है जिसका परिणाम राजनीतिक ह्रास या अपक्षय के रूप में सामने आता है।

29. जोसेफ शुम्पीटर के अनुसार लोकतंत्र के साथ अभिजातवर्गवाद को अनुकूल बनाने के लिए एक सुव्यवस्थित दलीय प्रणाली आवश्यक पूर्वापेक्षा नहीं है। लोकतंत्र के विशिष्टवर्गवादी सिद्धांत (Elitist Theory of Democracy) के अनुसार तो 'नागरिक सहभागिता' लोकतंत्र की आवश्यक शर्त नहीं है। उदाहरण के लिए शुम्पीटर के अनुसार, शासन चलाना और सार्वजनिक

नीतियां बनाना व्यवसायिक राजनीतिज्ञों का काम है; साधारण नागरिकों की भूमिका आवधिक चुनावों के समय अपनी पसंद के राजनीतिज्ञों, राजनीतिक दलों, और उनके कार्यक्रमों का चयन करने तक सीमित है। दूसरे शब्दों में, आधुनिक लोकतंत्र मूलतः राजनीतिज्ञों का शासन है जिसमें साधारण नागरिक बहुत सीमित स्तर पर, और रुक-रुक कर भूमिका निभाते हैं।

30. मैक्स वेबर के अनुसार मान्यता और प्रतीक (Beliefs and Symbols) सत्ता के विचार की विशिष्ट विशेषताएं हैं। सत्ता किसी व्यक्ति, संस्था, नियम या आदेश का ऐसा गुण या क्षमता है जिसके कारण उसे सही या प्रामाणिक मानकर स्वेच्छा से उसके निर्देशों का पालन किया जाता है। सत्ता के प्रयोग के कारण ही आधिकारिक नीतियां, नियम और निर्णय समाज में स्वीकार किए जाते हैं और प्रभावशाली ढंग से लागू किए जाते हैं। अतः सत्ता (Authority) के दो मुख्य घटक हैं–शक्ति (Power) और वैधता (Legitimacy)।

समाज में व्यवस्था कायम रखने के लिए वैधता और शक्ति एक-दूसरे की पूरक भूमिका निभाती हैं। यदि हम शक्ति की तुलना नंगी तलवार से करें तो सत्ता अपने म्यान में ढकी हुई तलवार है जो जरूरत पड़ने पर ही बाहर निकाली जाती है। शक्ति के साथ जब तक वैधता जुड़ी रहती है, तब तक उसे प्रदर्शित करने की जरूरत नहीं है। वह केवल प्रतीक रूप में सामने आती है। राजनीतिज्ञ अपने श्रोताओं के मन में देशभक्ति की भावना जगाकर ही अपनी शक्ति का परिचय दे देते हैं। ध्वज और सैनिक बैंड-बाजे राजनीतिक अभियान में जोश भर देते हैं। न्यायाधीश विशेष प्रकार के चोगे पहनकर और विग लगाकर अपनी शक्ति का संकेत देते हैं, और पुलिस अधिकारी अपनी विशेष वर्दियों से यही काम लेते हैं। जब तक इन अधिकारियों की वैधता में विश्वास किया जाता है, तब तक उनकी सत्ता बनी रहती है। ऐसा कहा जाता है कि सुन्दरता की तरह वैधता भी देखने वाले की नजर में रहती है।

31. 24 अगस्त 1946 को अंतरिम राष्ट्रीय सरकार के गठन की घोषणा की गई। जवाहरलाल नेहरू के नेतृत्व में उनके 11 सहयोगियों के साथ-साथ सितम्बर, 1946 को अंतरिम सरकार का गठन किया गया। नेहरू को वायसराय की कार्यकारी परिषद् के उपाध्यक्ष का पद दिया गया तथा वायसराय परिषद् के अध्यक्ष बने रहे। अंतरिम सरकार के सदस्य वायसराय की कार्यकारी परिषद् के सदस्य थे। अंतरिम सरकार में नेहरू, सरदार पटेल, डॉ. राजेन्द्र प्रसाद, आसफ अली, शरतचन्द्र बोस, डॉ. जॉन मथाई, सर शराफत अहमद खां, जगजीवन राम, सरदास बलदेव सिंह, सैयद अली जहीर, सी. राजगोपालाचारी और डॉ. सी.एच. भाभा शामिल किए गए। इसमें मुस्लिम लीग के सदस्य शामिल नहीं हुए, हालांकि उनके शामिल होने के लिए विकल्प खुला रखा गया था। अंततः 26 अक्टूबर, 1946 को जब सरकार का पुनर्गठन किया गया तब मुस्लिम लीग के 5 प्रतिनिधियों को शामिल करके आरंभ में लिए गए तीन सदस्यों–सैयद अली जहीर, शरतचंद्र बोस और सर शराफत अहमद खां को परिषद् से बाहर कर दिया गया।

32. उत्प्रेषण-लेख (Certiorari-Writ) का अर्थ है–"और अधिक सूचित कीजिए।" यह आज्ञा पत्र अधिकांशतः किसी विवाद को निम्न न्यायालय से उच्च न्यायालय में भेजने के लिए जारी किया जाता है जिससे वह अपनी शक्ति से अधिक अधिकारों का उपयोग न करे या अपनी शक्ति का दुरुपयोग करते हुए न्याय के प्राकृतिक सिद्धांतों को भंग न कर दे। इस आज्ञा पत्र के आधार पर उच्च न्यायालय अधीनस्थ न्यायालयों से किन्हीं विवादों के संबंध में सूचना प्राप्त कर सकते हैं।

33. भारत के उच्चतम न्यायालय ने 'अविरत परमादेश' (Continuing Mandamus) के सिद्धांत का उपयोग 'विनीत नारायण बनाम भारत संघ (1996)' और 'बंधुआ मुक्ति मोर्चा बनाम भारत संघ (1984)' के मामले में किया है। अविरत परमादेश सामान्य जनता के हित में एक उच्च प्राधिकरण द्वारा निम्न प्राधिकरण को जारी किया जाता है जिसमें अधिकारी या प्राधिकरण को न्याय का असदाचरण रोकने के लिए शीघ्रता से अपना कार्य निष्पादित करने के लिए शीघ्रता से काम करने को कहा जाता है।

जब भारतीय संविधान के अनुच्छेद-32 या अनुच्छेद-226 के तहत एक याचिका क्रमशः सुप्रीम कोर्ट या हाई कोर्ट में दायर की जाती है, तो अदालत सामान्य जन के कल्याण के हित में परमादेश की रिट जारी करता है।

34. अनुच्छेद-111 के अनुसार यदि राष्ट्रपति किसी विधेयक को वापस करना चाहता है तो वह विधेयक को प्रस्तुत किए जाने के पश्चात् यथाशीघ्र लौटा देगा। संविधान में इसके लिए कोई समय सीमा निश्चित नहीं की गई है। समय-सीमा के अभाव में, भारत का राष्ट्रपति पॉकेट वीटो का प्रयोग करता है। जब राष्ट्रपति अनुमति के लिए प्रस्तुत विधेयक पर न तो अनुमति देता है, न ही इंकार करता है अथवा न ही उसे पुनर्विचार के लिए वापस भेजता है विशेषकर तब जब वह पाता है कि मंत्रिमण्डल का शीघ्र पतन होने वाला है, तो यह कहा जा सकता है कि राष्ट्रपति ने जेबी वीटो का प्रयोग किया है। पॉकेट वीटो का उपयोग करने वाले भारत के प्रथम राष्ट्रपति ज्ञानी जैल सिंह थे। राष्ट्रपति जैल सिंह ने 1986 में संसद द्वारा पारित भारतीय डाकघर (संशोधन) विधेयक को न तो अनुमति दी, न ही इंकार किया और न ही इसे संसद में पुनर्विचार के लिए वापस भेजा।

35. ग्रेनविल ऑस्टिन ने कहा था कि भारतीय संघवाद "एक नए प्रकार का संघ है जो अपनी विशिष्ट आवश्यकताओं को पूरा करता है।" अन्य राजनीति शास्त्रियों का मत इस प्रकार है–पॉल एच एप्लेबी कहते हैं कि 'यह पूरी तरह संघीय है।' आइवर जेनिंग्स का विचार है कि 'यह मजबूत केंद्र वाला संघ है।' उन्होंने महसूस किया कि भारतीय संविधान मुख्यतः संघीय है, राष्ट्रीय एकता एवं तरक्की के लिए अनोखे कवच के साथ। बोम्मई मामले में सर्वोच्च न्यायालय ने व्यवस्था दी कि संविधान संघीय है और यह इसकी 'मूल विशेषता' है। यह महसूस किया गया कि 'संविधान की व्यवस्था के तहत केन्द्र में बड़ी शक्तियाँ निहित हैं।' इसका मतलब यह नहीं कि राज्य केन्द्र पर ही निर्भर है। राज्यों की अपनी स्वतंत्रताएँ हैं।

38. पी.के. थुंगन समिति का गठन जिला आयोजना में आवश्यक राजनीतिक तथा प्रशासनिक संरचना के प्रारूप पर विचार करने के लिए किया गया था। 1988 में पी. के. थुंगन के नेतृत्व में गठित समिति ने सुझाव दिया कि पंचायती राज संस्थाओं को संवैधानिक रूप से मान्यता दी जाए। संविधान में उनके नियमित चुनाव के लिए प्रावधान बनाए जाएं एवं उनकी कालावधि 5 वर्षों की हो। 1989 में संविधान में 64वें संशोधन संबंधी बिल संसद में पेश किया गया। दुर्भाग्य से राज्यसभा में बहुमत प्राप्त नहीं था। विरोधी पार्टियों को संदेह था कि यह कदम राज्यों के अधिकार छीनने का एक और तरीका है। इसलिए उन्होंने इसे पास नहीं होने दिया, और इस प्रकार एक अच्छा कानून नहीं बन पाया।

39. 1920 के दशक के शुरुआती वर्षों में भारत के विभिन्न हिस्सों में साम्यवादी-समूह उभरे। ये रूस की बोल्शेविक क्रांति से प्रेरित थे और देश की समस्याओं के समाधान के लिए साम्यवाद की राह अपनाने की तरफदारी कर रहे थे। 1935 से साम्यवादियों ने मुख्यतया भारतीय राष्ट्रीय कांग्रेस के दायरे में रहकर काम किया। कांग्रेस से साम्यवादी 1941 में अलग हुए।

भारतीय कम्युनिस्ट पार्टी के प्रमुख नेताओं में ए.के. गोपालन, एस.ए. डांगे, नम्बूदरीपाद, पी.सी. जोशी, अजल घोष, आदि थे। चीन और सोवियत संघ के बीच विचारधारात्मक अंतर आने के बाद भारतीय कम्युनिस्ट पार्टी 1964 में एक बड़ी टूट का शिकार हुई। सोवियत संघ की विचारधारा को ठीक मानने वाले भारतीय कम्युनिस्ट पार्टी में रहे जबकि इसके विरोध में राय रखने वालों ने भारतीय कम्युनिस्ट पार्टी (मार्क्सवादी) या CPI(M) नाम से अलग दल बनाया।

44. न्यायमूर्ति बी.पी. जीवन रेड्डी ने भारत में चुनाव का खर्च राज्य द्वारा किए जाने का विरोध किया। न्यायमूर्ति रेड्डी के नेतृत्व में गठित चुनाव सुधार आयोग ने चुनावी सुधार के बारे में निम्नलिखित सिफारिशें दी–

(*i*) आयोग ने लोकसभा या विधान सभा की अवधि के दौरान राजनीतिक दलों के विभाजन और विलय पर पूर्ण प्रतिबंध की वकालत की।

(*ii*) एक बार जब कोई सदस्य किसी विशेष पार्टी के टिकट पर चुना जाता है, तो उसे उस पार्टी में सदन के विघटन तक या अपनी सदस्यता समाप्त होने तक बने रहना चाहिए।

(*iii*) आयोग ने पर्याप्त प्रतिनिधित्व की सिफारिश की।

(*iv*) अगंभीर प्रकृति के व्यक्तियों को चुनाव लड़ने से हतोत्साहित करने के लिए आयोग ने स्वतंत्र और गैर-मान्यता प्राप्त पार्टी उम्मीदवारों की जमा राशि में 10 गुणा बढ़ोतरी की सिफारिश की।

(*v*) राजनीति के अपराधीकरण को रोकने के लिए आयोग ने सुझाव दिया कि अदालत द्वारा लोक प्रतिनिधित्व अधिनियम—1951 में वर्णित अपराधों के लिए जिन व्यक्तियों पर आरोप तय किए गए हैं उन्हें लोकसभा या विधानसभा के चुनाव लड़ने के लिए अयोग्य घोषित किया जाए।

47. लोक प्रशासन के विकास के प्रथम चरण को राजनीति-शासन द्विभाजन का युग कहा जाता है। इस काल की एक चरित्रगत विशेषता थी राजनीति-प्रशासन द्विभाजन जो किसी तरह मूल्य-तथ्य द्विभाजन से सम्बद्ध था। यह महसूस किया गया कि लोक-प्रशासन नीतियों के कार्यान्वयन से सम्बद्ध था और इसलिए उसका संबंध उन चीजों से था जो 'तथ्यपरक' और 'वैज्ञानिक' थी। दूसरी ओर, राजनीति शास्त्रियों से नीति-निर्माण एवं मूल्यपरक प्रश्नों से जुड़ी बातों से संबंध रखने की अपेक्षा की जाती थी। ये समस्त बातें वुडरो विल्सन के 1887 के निबंध से उत्पन्न हुई मानी जाती है, जो वस्तुतः इस विषय पर उभयभावी था। इसने वास्तव में जिस बात पर बल दिया वह यह थी कि 'लोक-प्रशासन' अध्ययन किए जाने लायक क्षेत्र है।' उन्होंने राजनीति-प्रशासन द्विभाजन पर बल नहीं दिया, क्योंकि उन्हें मालूम था कि लोक-प्रशासन की प्रकृति स्वाभाविक रूप से राजनीतिक है और वस्तुतः दोनों को कभी भी पृथक नहीं किया जा सकता है। उन्होंने तो वस्तुतः अपने निबंध में ही इसे स्पष्ट कर दिया था। चाहे जो भी हो, विल्सन के निबंध ने लोक-प्रशासन के अध्ययन में राजनीति-प्रशासन द्विभाजन का चरण पैदा किया।

49. मानव संबंध सिद्धांत में 'स्क्वीलर' का तात्पर्य है 'वह व्यक्ति जो दूसरों के बारे में हानिकारक जानकारी पर्यवेक्षक को देता है।' इस सिद्धांत के क्षेत्र में एल्टन मायो का योगदान सराहनीय है।

मायो का पहला शोध उद्योग में मानवीय संबंध पर हुआ जिसे उसने रॉकफेलर ग्रांट की सहायता से पेनसिल्वेनिया विश्वविद्यालय में काम करते हुए किया था।

मानवीय संबंधों को उद्योग में महत्वपूर्ण स्थान दिलाने का श्रेय मानवीय संबंध आंदोलन को है जो 19वीं शताब्दी के अंतिम वर्षों में प्रारम्भ हुआ। 1920 के बाद के वर्षों में मानव संबंधों के विकास की गति काफी तेज हुई और अब यह उद्योगों तथा अन्य व्यवसायों से आगे बढ़कर लोक-प्रशासन के क्षेत्र में भी छा गया है। किसी भी संगठन में मानव संबंध साधन होते हैं साध्य नहीं। कोई प्रशासनिक अधिकारी अपने क्षेत्राधिकार के अंतर्गत कार्य करने वाले कार्मिकों के साथ अपना संबंध केवल अपनी लोकप्रियता बढ़ाने के लिए स्थापित नहीं करता, वरन, इसलिए कि वह संगठन के कार्यों में अन्य का सहयोग प्राप्त करे। आज प्रशासकीय विभागों में आए दिन नई-नई समस्याएं उत्पन्न हो रही हैं। अतः ऐसी स्थिति में मानव संबंध का विकास करना नितान्त जरूरी है।

51. विल्डाव्स्की (Wildavsky) ने बजट को 'लक्ष्यों की एक श्रृंखला जिसमें कीमत पर्चियाँ संलग्न हैं' के रूप में परिभाषित किया है। बजट आधुनिक राज्यों में राष्ट्र की आर्थिक नीति को संचालित और नियंत्रित करने के विशिष्ट साधनों में प्रमुख स्थान रखता है। यदि यह कहा जाए कि वर्तमान राज्यों का संचालन बजट के माध्यम से होता है तो इसमें कोई अत्युक्ति न होगी। सरकार बजट की सहायता से अपना कार्य करती है तथा सार्वजनिक आय के विभिन्न स्रोतों का अधिकतम सदुपयोग करने की योजना बनाती है। जो सरकार इस कार्य को जितनी अधिक क्षमता से करती है, वह अपने नागरिकों की आर्थिक और भौतिक समृद्धि को उतनी ही तेजी से बढ़ाती है। ब्रिटिश प्रधानमंत्री ग्लैडस्टन ने एक बार कहा था, "बजट केवल गणित के आँकड़े मात्र नहीं हैं, किन्तु यह हजारों व्यक्तियों की समृद्धि, विभिन्न वर्गों के पारस्परिक संबंधों तथा राज्यों की शक्ति का मूल है।" एलन विलियम ने बजट के महत्व पर प्रकाश डालते हुए कहा है कि आजकल बजट सरकार की आर्थिक नीतियों को प्रस्तुत करने और क्रियान्वित करने का केन्द्रीय बिन्दु है।

52. पीटर ए. फिर (Peter A. Phyrr) शून्य-आधारित बजट के सृजनकर्ता हैं। टेक्सास इंस्ट्रूमेंट्स में लेखा प्रबंधक के रूप में कार्य करते हुए उसने शून्य-आधारित बजट का सृजन किया। फिर ने 'Zero Based Budgeting : A Practical Management Tool for Evaluating Expenses' की रचना की। शून्य-आधारित बजट, बजट की एक पद्धति है जिसमें प्रत्येक नए अवधि के लिए सभी

खर्चों को न्यायसंगत बनाया जाता है। शून्य-आधारित बजट 'शून्य आधार' से शुरू होता है और किसी संगठन के अंतर्गत प्रत्येक कार्य के लिए इसकी आवश्यकताओं और लागतों का विश्लेषण किया जाता है। इसके बाद बजट का निर्माण आगामी वर्ष की आवश्यकताओं को ध्यान में रखते हुए किया जाता है, चाहे यह बजट विगत वर्ष की तुलना में अधिक या कम हो।

ZBB बजट प्रक्रिया में उच्च स्तरीय रणनीतिक लक्ष्यों को लागू करने की अनुमति देता है ताकि संगठन के विशिष्ट कार्य क्षेत्रों की आवश्यकताएं पूरी हों। लागतों को पहले वर्गीकृत किया जाता है और फिर उसके बाद विगत परिणामों और वर्तमान अपेक्षाओं से तुलना किया जाता है।

53. मॉर्स्टिन मार्क्स के अनुसार नौकरशाही का सही अनुक्रम है–

(*i*) अभिभावक नौकरशाही (The Guardian Bureaucracy)

(*ii*) जाति नौकरशाही (The Caste Bureaucracy)

(*iii*) संरक्षण नौकरशाही (The Patronage Bureaucracy)

(*iv*) योग्यता नौकरशाही (The Merit Bureaucracy)

मार्क्स प्लेटो के अभिभावक वर्ग से प्रभावित थे। वह संरक्षक नौकरशाही को परिभाषित करते हुए कहता है कि यह सामान्य कल्याण के लिए समर्पित होता है तथा न्याय का समर्थक और समुदाय के कल्याण का संरक्षक होता है।

जाति नौकरशाही के उदाहरण ब्रिटिश सिविल सेवा के अधिकारी हैं जो ऑक्सफोर्ड और कैम्ब्रिज के स्नातक थे।

अगर सार्वजनिक नियुक्तियाँ व्यक्तिगत पक्ष या राजनीतिक पुरस्कार के रूप में गठित की जाती हैं तो उसे संरक्षक नौकरशाही कहा जाता है। अमेरिका में प्रचलित लूट व्यवस्था इस तरह की नौकरशाही का उदाहरण है।

यदि सिविल सेवा के अधिकारियों की नियुक्ति योग्यता के आधार पर प्रतियोगिता परीक्षा के माध्यम से होती है तो उसे योग्यता नौकरशाही कहा जाता है।

54. पूर्व प्रधानमंत्री इंदिरा गांधी का विचार था कि "केवल कार्यार्पित नौकरशाही (Committed Bureaucracy) ही सामाजिक परिवर्तन ला सकती है।" 1960 के दशक में इंदिरा गांधी द्वारा समर्थित 'प्रतिबद्ध नौकरशाही की नीति' के परिणाम काफी हानिकारक सिद्ध हुए। सत्तासीन राजनीतिक दल के प्रति लोकसेवकों की प्रतिबद्धता के प्रचार ने राजनीतिज्ञों एवं लोकसेवकों के बीच गठजोड़ के लिए मार्ग तैयार किया जिसका परिणाम बढ़ते हुए राजनीतिक एवं प्रशासनिक भ्रष्टाचार के रूप में सामने आया। राजनीतिक तटस्थता को हमारी नौकरशाही के सर्वाधिक श्रेष्ठ लक्षण के रूप में स्वीकार किया जाता है। राजनीतिक तटस्थता के तहत प्रत्येक लोक सेवक की अपनी निजी राजनीतिक निष्ठाएं हो सकती हैं, किन्तु दूसरों के साथ व्यवहार करते समय उसे उन निष्ठाओं से ऊपर उठकर कार्य करना पड़ता है। वह किसी विशेष राजनीतिक दल की बजाय संपूर्ण राजनीतिक व्यवस्था के लिए अपनी सेवाएं समर्पित करता है। प्रतिबद्ध नौकरशाही की नीति के अनुसरण ने लोक सेवकों को राजनीतिक तटस्थता के सिद्धांत की पृष्ठभूमि में धकेल दिया है।

55. स्थगन प्रस्ताव (Adjournment Motion) का उद्देश्य अविलम्बनीय लोक महत्व के मामले की तरफ सदन का ध्यान आकृष्ट करना है। यह प्रस्ताव सरकार के विरुद्ध निंदा प्रस्ताव होता है। यह प्रस्ताव किसी सदस्य द्वारा गंभीर सार्वजनिक महत्व के विषयों पर सदन का ध्यान आकर्षित करने के लिए किया जाता है, जिस विषय पर तत्काल विचार न किए जाने पर घातक परिणाम हो सकते हैं। इस प्रस्ताव पर विचार करने के लिए शाम के 4 बजे का समय निर्धारित किया गया है।

59. ई-शासन लागत दक्ष, पारदर्शी, अनुक्रियात्मक और समय की बचत करने वाला है। यह एक तकनीकी अवधारणा है, अतः इसे समझने के लिए विशेष ज्ञान एवं भाषा की आवश्यकता होती है। इसके माध्यम से योजनाओं एवं दस्तावेजों का सुव्यवस्थित रख-रखाव संभव हो जाता है। सूचना का अधिकार एवं ई-प्रशासन मिलकर देश के विकास में क्रांतिकारी परिवर्तन ला सकते हैं। विभिन्न योजनाओं/परियोजनाओं की जानकारी एक आम आदमी तक इंटरनेट के माध्यम से पहुँचायी जा सकती है ताकि

वे इसके बारे में जान सकें एवं लाभान्वित हो सकें। ज्ञान-आधारित भारत के निर्माण में ई-गवर्नेंस एक महत्वपूर्ण कारक है। सूचनाएं सीधे सम्बद्ध व्यक्ति तक पहुँच सकेंगी और बिचौलियों की भूमिका खत्म हो जाएगी जो शोषण का एक कारक है।

60. दूसरे प्रशासनिक सुधार आयोग ने ह्विस्ल ब्लोअरों (Whistle Blowers) के संरक्षण की सिफारिश की है। जन-शिकायत एवं प्रशासनिक सुधार विभाग ने 2005 में दूसरे प्रशासनिक सुधार आयोग की स्थापना वीरप्पा मोइली की अध्यक्षता में की। आयोग का प्रमुख कार्य जन-प्रशासनिक व्यवस्था में सुधार हेतु एक विस्तृत ब्ल्यू प्रिंट बनाना था। ह्विस्ल ब्लोअर एक ऐसा व्यक्ति होता है जो किसी भी तरह की जानकारी या गतिविधि का पर्दाफाश करता है, जो किसी निजी या सार्वजनिक संगठन के भीतर अवैध या अनैतिक होता है। कथित अपराधों की जानकारी को कई मायनों में वर्गीकृत किया जा सकता है, जैसे कंपनी के नीति/नियम, कानून, विनियम या सार्वजनिक हित। राष्ट्रीय सुरक्षा के खतरे, साथ ही साथ धोखाधड़ी और भ्रष्टाचार के मामले। वे लोग जो ह्विस्ल ब्लोअर बनते हैं वे सूचना या आरोपों को आंतरिक या बाह्य रूप से सतह पर लाते हैं।

61. निकाय या व्यवस्था सिद्धांत (System Theory) व्यवहारवादी क्रांति का परिणाम है। इस सिद्धांत को सामान्य निकाय सिद्धांत (General System Theory) भी कहा जाता है। मॉर्टन कैप्लन ने बड़े अंतर्राष्ट्रीय निकाय के 6 प्रतिमानों पर विचार किया है–

(*i*) शक्ति संतुलन निकाय (Balance of Power System)

(*ii*) शिथिल द्विध्रुवीय निकाय (Loose Bipolar System)

(*iii*) दृढ़ द्विध्रुवीय निकाय (Tight Bipolar System)

(*iv*) सार्वत्रिक कार्यकर्ता निकाय (Universal International System)

(*v*) सोपानीय अंतर्राष्ट्रीय निकाय (Hierarchical International System)

(*vi*) इकाई वीटो निकाय (Unit Veto System)

62. शक्ति संतुलन से तात्पर्य है कि विभिन्न राष्ट्र इस प्रकार समूहों में बंध जाते हैं कि कोई एक राष्ट्र या राष्ट्र समूह इतना ताकतवर नहीं होता कि वह दूसरों पर हावी हो सके क्योंकि उसकी शक्ति दूसरे विरोधी समूह की शक्ति से संतुलित हो जाती है।

क्विंसी राइट ने शक्ति संतुलन के 5 मुख्य तकनीक बताए हैं–पहला तकनीक यह है कि प्रत्येक राज्य अपने मार्मिक हितों की युद्धसहित सभी सम्भव साधनों से रक्षा करने के लिए प्रतिबद्ध रहता है। मार्मिक महत्व के हितों में स्वाधीनता, क्षेत्रीय अखण्डता, सुरक्षा आदि शामिल किए जाते हैं। दूसरा तकनीक यह है कि राज्यों के मार्मिक हितों के लिए कुछ-न-कुछ खतरा हमेशा रहता है। वास्तव में यह तकनीक पहले तकनीक की अर्थापति है, क्योंकि यदि मार्मिक हितों को खतरा न हो तो उनकी रक्षा करने के लिए राज्य को कोई भी कार्य करने की आवश्यकता नहीं। तीसरा तकनीक यह है कि शक्ति संतुलन या तो अन्य राज्यों को आक्रमण का भय दिखाकर मार्मिक हितों की रक्षा में सहायक होता है या आक्रमण होने पर आक्रांत पक्ष पर विजय प्राप्त करने में समर्थ बनाकर। चौथा तकनीक यह है कि विभिन्न राज्यों की शक्ति को आपेक्षिक स्थिति काफी हद तक ठीक-ठीक नापी जा सकती है और इस नाप का उपयोग विश्व के राजनीतिक तत्वों को अपने अनुकूल संतुलित करने में किया जा सकता है। पाँचवाँ तकनीक यह है कि राजनेता अपनी विदेशनीति का निर्णय शक्ति संबंधों की सूझ-बूझ के साथ और सोच-समझ कर करते हैं।

65. क्योटो प्रोटोकॉल द्वारा जलवायु उपशमन कार्यसूची (Climate Mitigation Agenda) के संबंध में 'साझा परंतु विभेदकारी' (Common but Differentiated) उत्तरदायित्व का सिद्धांत उभरकर आया। दिसम्बर 1997 में जापान के शहर क्योटो में 160 से भी अधिक राष्ट्र इकट्ठा हुए ताकि ग्रीनहाऊस गैसों के उत्सर्जन को नियंत्रित करने के लिए विकसित राष्ट्रों पर बाध्यकारी समझौते के लिए बातचीत की जा सके। यह 1992 में जलवायु परिवर्तन संबंधी संरचनात्मक समझौते (रियो सम्मेलन) का परिणाम था। इस सम्मेलन का परिणाम था वह दस्तावेज जिसे अब क्योटो प्रोटोकॉल कहा जाता है। यह दस्तावेज विकसित राष्ट्रों द्वारा ग्रीनहाऊस गैसों के

उत्सर्जन में एक निश्चित स्तर तक कमी लाने का आग्रह करता है। वास्तव में यह प्रावधान विकसित राष्ट्रों के मध्य विवाद का जड़ है। उनमें से कुछ का मत है कि ऐसा करने से उनका तकनीकी विकास रुक जाएगा। अमेरिका और ऑस्ट्रेलिया के विरोध के कारण क्योटो प्रोटोकॉल सफल नहीं हो पाया है। प्रारंभ में तो अमेरिका ने इस प्रोटोकॉल पर हस्ताक्षर किया था पर घरेलू दबावों के कारण उसने 2001 में अपना नाम वापस ले लिया।

67. संयुक्त राष्ट्र की समुद्री कानून संधि एक अंतर्राष्ट्रीय समझौता है जो विश्व के सागरों और महासागरों पर देशों के अधिकार और जिम्मेदारियाँ निर्धारित करता है और समुद्री साधनों के प्रयोगों के लिए नियम स्थापित करता है। यह संधि सन् 1982 में हुई लेकिन इसमें एक नियम था कि जब तक 60 देशों के प्रतिनिधि इस पर हस्ताक्षर नहीं कर देते तब तक यह संधि लागू नहीं होगी। 'United Nations Convention on the Law of the Sea (UNCLOS)' के अनुसार राज्य समुद्री जल पर क्षेत्राधिकार के नियम इस प्रकार हैं–

(*i*) **अंदरुनी जल**–इसमें सारे जलाशय और नदियां शामिल होती हैं जो किसी देश की जमीनी सीमा के भीतर हों। इस क्षेत्र में राष्ट्र अपनी मनमर्जी से नियम बना सकते हैं।

(*ii*) **क्षेत्रीय जल**–किसी राष्ट्र के तट से 12 समुद्री मील के भीतर का क्षेत्र उस राष्ट्र का क्षेत्र माना जाता है। इसमें वह राष्ट्र अपना कानून बना सकता है और संसाधनों का जैसे चाहे वैसे प्रयोग कर सकता है।

(*iii*) **निकटवर्ती क्षेत्र**–क्षेत्रीय जल से और 12 समुद्री मील आगे तक (यानी समुद्री तट से 24 मील तक) राष्ट्रों को अधिकार है कि वे 4 पहलुओं पर अपने कानून लागू कर सकें–प्रदूषण, कर (लगान), सीमाशुल्क और अप्रवासन।

(*iv*) **अनन्य आर्थिक क्षेत्र**–क्षेत्रीय जल के अंत से 200 समुद्री मील आगे के क्षेत्र तक राज्यों का अधिकार होता है। इस क्षेत्र के सारे समुद्री संसाधनों पर उन राज्यों का अनन्य अधिकार होता है।

68. भारत के अपारस्परिकता के सिद्धांत पर आधारित अच्छे पड़ोसी की नीति का श्रेय इन्द्र कुमार गुजराल को दिया जाता है। 90 के दशक में पहले विदेश मंत्री और फिर प्रधानमंत्री रहे गुजराल ने पड़ोसी देशों के साथ रिश्तों में जड़ता को तोड़ने की पहली सार्थक कोशिश की थी, जिसमें कुछ हद तक कामयाबी मिली। गुजराल सिद्धांत का मूल मंत्र यह था कि पहले पड़ोसी देशों में भारत पर विश्वास पैदा करने की कोशिश करनी होगी, उनके साथ विवादों को शांति से सुलझाना होगा और उन्हें दी गई किसी मदद के बदले में तुरंत कुछ हासिल करने की अपेक्षा नहीं करनी होगी। यह वही गुजराल थे जिन्होंने विदेश मंत्री रहते हुए 1996 में भारत को CTBT पर हस्ताक्षर नहीं करने दिया और आज भारत अपने को परमाणु ताकत घोषित करने में कामयाब हुआ है।

69. सर जॉन चिल्कॉट आयोग ने वर्ष 2003 में इराक युद्ध में इंग्लैण्ड के आचरण को दोषी पाया। इराक जाँच (जिसे चिल्कॉट जाँच के रूप में भी जाना जाता है) इराकी युद्ध में इंग्लैण्ड की भूमिका के बारे में एक सार्वजनिक जाँच थी। इस जाँच आयोग का गठन प्रधानमंत्री गॉर्डन ब्राउन द्वारा 2009 में किया गया था जिसने अपनी रिपोर्ट 2016 में प्रस्तुत की। इस रिपोर्ट में कहा गया था कि सद्दाम हुसैन ने ब्रिटिश हितों के विरुद्ध तत्काल खतरा उत्पन्न नहीं किया था।

71. बुश सिद्धांत के अनुसार, संयुक्त राज्य अमेरिका सार्वभौमिक रूप से अपने राष्ट्रीय हितों को सुरक्षित रखने के लिए कार्य करेगा और वह किसी भी सुरक्षा खतरे के विरुद्ध सैनिक कार्रवाई भी कर सकता है जैसा कि उसने इराक में किया। इस प्रकार बुश प्रशासन ने आतंकवाद के खिलाफ युद्ध तक छेड़ दिया क्योंकि जहाँ आतंकवादियों से निपटने का मामला हो वहाँ भौगोलिक अवस्थिति भी कोई मायने नहीं रखती।

70. आज 'वाशिंगटन सहमति' शब्द व्यापार और विकास संबंधी बहसों में अत्यन्त लोकप्रिय और प्रचलित हो गया है। इसे प्रायः 'नव-उदारवाद' और 'वैश्वीकरण' का पर्याय माना जाता है। 'वाशिंगटन सहमति' वाक्यांश के जनक के रूप में जॉन विलियमसन कहते हैं कि "दुनियाभर के दर्शकों को लगता है कि यह उन नव-उदार नीतियों

का एक सेट है जो वाशिंगटन स्थित अंतर्राष्ट्रीय वित्तीय संस्थानों द्वारा देशों पर अधिरोपित किए गए हैं जिसके कारण उन्हें संकट और दुःख का सामना करना पड़ा।"

विलियमसन ने मूल रूप से 1990 में इस शब्द का प्रयोग किया था। ये नीतियां निम्न थीं–

(*i*) राजकोषीय अनुशासन

(*ii*) क्षेत्रों के प्रति सार्वजनिक व्यय प्राथमिकताओं का पुनर्निर्देशन जो उच्च आर्थिक लाभों को प्रदान करता है और प्राथमिक वितरण, शिक्षा और बुनियादी ढांचों जैसी आय वितरण में सुधार की क्षमता प्रदान करता है।

(*iii*) कर सुधार

(*iv*) ब्याज दरों का उदारीकरण

(*v*) प्रतिस्पर्धी विनिमय दर

(*vi*) व्यापार उदारीकरण

(*vii*) विदेशी प्रत्यक्ष निवेश के प्रवाह का उदारीकरण

(*viii*) निजीकरण

(*ix*) अविनियमन (प्रवेश और निकास के लिए बाधाओं को कम करना)

(*x*) सुरक्षित संपत्ति अधिकार।

73. पारम्परिक हथियार कटौती संधि 1990 में हुई। सामरिक हथियार कटौती संधि-I अमेरिकी राष्ट्रपति जॉर्ज बुश (सीनियर) और सोवियत संघ के राष्ट्रपति गोर्बाचेव के बीच 31 जुलाई, 1991 को सामरिक रूप से घातक हथियारों के परिसीमन और उनकी संख्या में कमी लाने के लिए हुई। जबकि सामरिक हथियार कटौती संधि-II 3 जनवरी 1993 को रूसी राष्ट्रपति बोरिस येल्तसिन और अमेरिकी राष्ट्रपति जॉर्ज बुश (सीनियर) के बीच हुई। व्यापक परमाणु परीक्षण प्रतिबंध संधि (CTBT) एक ऐसा समझौता है जिसके जरिए परमाणु परीक्षणों को प्रतिबंधित किया गया है। यह संधि 24 सितंबर, 1996 को अस्तित्व में आई। उस समय इस पर 71 देशों ने हस्ताक्षर किया था। अब तक इस पर 178 देशों ने हस्ताक्षर कर दिया है। भारत और पाकिस्तान ने CTBT पर अब तक हस्ताक्षर नहीं किए हैं। इसके तहत परमाणु परीक्षणों को प्रतिबंधित करने के साथ यह प्रावधान भी किया गया है कि सदस्य देश अपने नियंत्रण में आने वाले क्षेत्रों में भी परमाणु परीक्षण को नियंत्रित करेंगे।

75. रोनाल्ड रीगन ने USSR को 'दुष्ट साम्राज्य' (Evil Empire) की संज्ञा दी थी। यह संज्ञा उसने 1983 में दी थी। इस विशेषता ने USSR की आलोचना की और सोवियत नेताओं को नाराज किया। जी. थॉमस गुडनाइट के अनुसार, 'शून्य विकल्प' और 'स्टार्स वार' के भाषणों के साथ 'दुष्ट साम्राज्य' संबोधन से अमेरिका द्वारा शीत युद्ध में वृद्धि की गई। पूर्व में, रीगन ने 'अच्छे और बुरे के बीच पुरानी संघर्ष' के विस्तार के रूप में परमाणु युद्ध को दर्शाया और यह तर्क दिया कि वैश्विक संघर्षों को रोकने के लिए परमाण्विक खोजों के साथ-साथ विज्ञान और तकनीक में प्रगति आवश्यक है। इन भाषणों के माध्यम से रीगन प्रशासन ने परमाणु युद्ध के प्रति जनता के ज्ञान और रुख को नई आकृति प्रदान करने का प्रयास किया।

पिछले प्रश्न-पत्र (हल सहित)

UGC-NET जूनियर रिसर्च फैलोशिप तथा सहायक प्राध्यापक परीक्षा

राजनीति शास्त्र, जुलाई-2016*

प्रश्न-पत्र-II

नोट : *इस प्रश्न-पत्र में* ***पचास (50)*** *बहु-विकल्पीय प्रश्न हैं। प्रत्येक प्रश्न के* ***दो (2)*** *अंक हैं।* ***सभी*** *प्रश्न अनिवार्य हैं।*

1. प्लेटो के अनुसार निम्नलिखित में से कौन-से कथन सही नहीं हैं?

(*a*) विचार तत्व होते हैं।

(*b*) विचार सभी चीजों के सार होते हैं।

(*c*) विचार चीजों के प्रतिबिम्ब होते हैं।

(*d*) विचार सार्वभौमिक होते हैं।

नीचे दिए गए कूट का प्रयोग करते हुए सही उत्तर चुनिए :

A. (*a*) और (*b*) B. (*b*) और (*d*)

C. केवल (*b*) D. केवल (*c*)

2. मैकियावली के प्रिन्स को निम्नलिखित में से किसने महान और एक वास्तविक राजनीतिक प्रतिभाशाली व्यक्ति की सच्ची धारणा की संज्ञा दी थी, जिसका सर्वोच्च एवं महान उद्देश्य होता है।

A. बेन्थम B. जे.एस. मिल

C. हेगल D. कार्ल मार्क्स

3. सूची-I को सूची-II के साथ सुमेलित करें और नीचे दिए गए कूट का प्रयोग करते हुए सही उत्तर चुनिए :

सूची-I (लेखक)	सूची-II (पुस्तकें)
(*a*) क्यिनटीन स्कीनर	1. फिलोसॉफी एंड ह्यूमन साइंसेज
(*b*) माइकल संदेल	2. द फाउंडेशन ऑफ मॉर्डन पोलिटीकल थॉट
(*c*) जिओवानी सार्तोरी	3. लिबरेलिज्म एंड लिमिट्स ऑफ जस्टिस
(*d*) चार्ल्स टेलर	4. डेमोक्रेटिक थ्योरी

कूट :

	(*a*)	(*b*)	(*c*)	(*d*)
A.	2	3	4	1
B.	1	2	3	4
C.	3	4	2	1
D.	4	1	3	2

4. निम्नलिखित में से कौन मार्क्सवाद को राजनीतिक सिद्धांत के बजाय एक विचारधारा मानता है?

A. जर्मिनो B. डेविड हेल्ड

C. आर.ए. डहल D. जी.एच. सैबाइन

5. इसायाह बर्लिन की निम्नलिखित कृतियों को उनके प्रकाशन के कालक्रमिक क्रम में व्यवस्थित करें। नीचे दिए गए कूट का प्रयोग करते हुए सही उत्तर चुनिए :

(*a*) कॉन्सेप्ट एंड कैटेगरीज : फिलोसॉफिकल एसेज

(*b*) फोर एसेज ऑन लिबर्टी

(*c*) वीको एंड हर्डर : टू स्टडीज इन द हिस्ट्री ऑफ आइडियाज

(*d*) कार्ल मार्क्स : हिज लाइफ एंड इनवायरनमेंट

कूट :

A. (*a*), (*b*), (*c*) और (*d*)

B. (*c*), (*b*), (*a*) और (*d*)

C. (*d*), (*b*), (*c*) और (*a*)

D. (*b*), (*d*), (*a*) और (*c*)

6. निम्नलिखित में से किसने समाज की पारस्परिक लाभ के लिए एक सहयोगात्मक चेष्टा (वेंचर) की संकल्पना की थी?

A. रॉल्स B. नोजिक

C. हयेक D. ग्राम्शी

*परीक्षा 10 जुलाई 2016 को आयोजित हुई थी।

7. नीचे दो कथन दिए गए हैं, जिसमें से एक को अभिकथन (A) और दूसरे को तर्क (R) कहा गया है। नीचे दिए गए कूट का प्रयोग करते हुए सही उत्तर चुनिए :

अभिकथन (A) : रूसो के अनुसार एक चिंतनशील व्यक्ति दुराचारी पशु है।

तर्क (R) : समान भावनाएँ जीवन को मूल्य देती हैं।

कूट :

A. (A) और (R) दोनों सही हैं तथा (R), (A) की सही व्याख्या है।

B. (A) और (R) दोनों सही हैं, लेकिन (R), (A) की सही व्याख्या नहीं है।

C. (A) सही है, लेकिन (R) गलत है।

D. (A) गलत है, लेकिन (R) सही है।

8. निम्नलिखित में से किसने इस विचार को अस्वीकार किया कि जाति की स्थिति दैवीय प्रतिफल या दंड का परिणाम था?

A. बिपिन चंद्र पाल B. एम.ए. जिन्ना

C. जवाहरलाल नेहरू D. एम.के. गाँधी

9. निम्नलिखित में से किसने कहा था : "सिद्धांत के बिना शोध का शिक्षण तुच्छ साबित हो सकता है और आंकड़ों के समर्थन के बिना सिद्धांत निरर्थक साबित हो सकता है।"

A. बी. क्रीक B. चार्ल्स मेरियम

C. डेविड ईस्टन D. आर.ए. डहल

10. नीचे दो कथन दिए गए हैं, जिसमें से एक को अभिकथन (A) और दूसरे को तर्क (R) कहा गया है। नीचे दिए गए कूट का प्रयोग करते हुए सही उत्तर चुनिए :

अभिकथन (A) : फुकुयामा के अनुसार उदार लोकतंत्र मानव जाति के वैचारिक विकास के अंतिम बिंदु की रचना कर सकता है।

तर्क (R) : सरकार के पूर्व रूप गंभीर त्रुटियों और अतार्किकताओं से चित्रित किए जाते थे, जिन्होंने उनके अंतिम रूप से पतन का मार्ग प्रशस्त किया।

कूट :

A. (A) और (R) दोनों सही हैं तथा (R), (A) की सही व्याख्या है।

B. (A) और (R) दोनों सही हैं, लेकिन (R), (A) की सही व्याख्या नहीं है।

C. (A) सही है, लेकिन (R) गलत है।

D. (A) गलत है, लेकिन (R) सही है।

11. राजनीतिक अभिजन वर्ग में निम्नलिखित में से कौन होते हैं?

A. अधीनस्थ समूह और वंचित नेता

B. शासक और जनता

C. नेता और अनुसरणकर्ता

D. अल्पतंत्र और कुलीनतंत्र (ऑलीगार्की एंड एरिस्ट्रोक्रेसी)

12. तुलनात्मक राजनीति के विकास के प्रारम्भिक चरणों में निम्नलिखित में से कौन संबद्ध है?

A. कार्ल पॉपर B. आर्थर बेन्टली

C. ई.एच. कार D. ग्राहम वालास

13. तुलनात्मक राजनीति की कौन-सी शाखा औपचारिक एवं अनौपचारिक तंत्रों (मैकेनिजम्स) की जांच का प्रयास करती है, जिसके द्वारा अभिवृत्तियों (एटीट्यूडस) को मन में बिठाया जाता है?

A. राजनीतिक सामाजीकरण

B. राजनीतिक सम्प्रेषण

C. राजनीतिक आधुनिकीकरण

D. राजनीतिक विकास

14. निम्नलिखित में से किसने तर्क दिया था कि राजनीतिक विकास प्रशासनिक और विधिक विकास है? नीचे दिए गए कूट में से सही उत्तर का चयन कीजिए :

(*a*) आर.आर. रोस्टोव

(*b*) टालकॉट पार्सन्स

(*c*) सोरोकिन

(*d*) मैक्स वेबर

कूट :

A. (*a*) और (*d*) B. (*b*) और (*d*)

C. (*a*) और (*c*) D. (*b*) और (*c*)

15. निम्नलिखित में से कौन संसदीय सरकार में प्रथम प्रधानमंत्री बना था?

A. विलियम पिट्ट, द एल्डर

B. हेनरी पेलहम

C. विलियम पुटेनी

D. रॉबर्ट वालपोल

16. निम्नलिखित में से कौन संस्थानिक उपागम (इंस्टीट्यूशनल अप्रोच) से संबद्ध है?

(*a*) कैरयू हंट

(*b*) हर्मन फाइनर

(*c*) रॉय सी. मेकरीडीस

(*d*) कार्ल फ्रेडरिक

नीचे दिए गए कूट का प्रयोग करते हुए सही उत्तर चुनिए :

कूट :

A. (*a*) और (*c*)

B. (*b*) और (*d*)

C. (*b*) और (*c*)

D. (*a*) और (*d*)

17. निम्नलिखित क्रांतियों को उनके घटित होने के क्रम में व्यवस्थित कीजिए :

(*a*) चीन की क्रांति

(*b*) क्यूबाई क्रांति

(*c*) बोल्शेविक क्रांति

(*d*) शुद्धाचारवादी क्रांति (प्यूरिटन क्रांति)

नीचे दिए गए कूट का प्रयोग करते हुए सही उत्तर चुनिए :

कूट :

A. (*a*), (*b*), (*d*), (*c*)

B. (*b*), (*a*), (*c*), (*d*)

C. (*d*), (*c*), (*a*), (*b*)

D. (*c*), (*d*), (*b*), (*a*)

18. निम्नलिखित निवेश कार्यों (इनपुट फंक्शंस) के सही क्रम को चिह्नित कीजिए :

(*i*) राजनीतिक सम्प्रेषण

(*ii*) राजनीतिक सामाजीकरण और भर्ती

(*iii*) हित समुच्चयन

(*iv*) हित अभिव्यक्तिकरण

नीचे दिए गए कूट का प्रयोग करते हुए सही उत्तर चुनिए :

कूट :

A. (*i*), (*ii*), (*iii*) और (*iv*)

B. (*iv*), (*i*), (*iii*) और (*ii*)

C. (*ii*), (*iv*), (*iii*) और (*i*)

D. (*ii*), (*iii*), (*iv*) और (*i*)

19. नीचे दो कथन दिए गए हैं, जिसमें से एक को अभिकथन (A) और दूसरे को तर्क (R) कहा गया है। नीचे दिए गए कूट का प्रयोग करते हुए सही उत्तर चुनिए :

अभिकथन (A) : कुलीनतंत्र की लौह विधि (कानून) ने स्थापित किया कि राजनीतिक दलों सहित सभी लोकतांत्रिक संगठनों में कुछ नेताओं या लघु विशिष्ट समूह द्वारा अंतिम रूप से नीति निर्धारण किया जाता है।

तर्क (R) : नीति निर्धारण एक अत्यंत जटिल प्रक्रिया है, जिसमें आवश्यक रूप से कुछ लोग सम्मिलित होते हैं, जो अनेक लोगों की ओर से कार्य करते हैं।

कूट :

A. (A) और (R) दोनों सही हैं तथा (R), (A) की सही व्याख्या है।

B. (A) और (R) दोनों सही हैं लेकिन (R), (A) की सही व्याख्या नहीं है।

C. (A) सही है, लेकिन (R) गलत है।

D. (A) गलत है, लेकिन (R) सही है।

20. नीचे दो कथन दिए गए हैं, जिसमें से एक को अभिकथन (A) और दूसरे को तर्क (R) कहा गया है। नीचे दिए गए कूट का प्रयोग करते हुए सही उत्तर चुनिए :

अभिकथन (A) : सेना का गैर-पश्चिमी लोकतांत्रिक देशों में दबदबा होता है।

तर्क (R) : सामाजिक विखंडन और विदरण (क्लीवेजेज) राजनीतिक अस्थायित्व में अत्यधिक रूप से योगदान करते हैं।

कूट :

A. (A) और (R) दोनों सही हैं तथा (R), (A) की सही व्याख्या है।

B. (A) और (R) दोनों सही हैं, लेकिन (R), (A) की सही व्याख्या नहीं है।

C. (A) सही है, लेकिन (R) गलत है।

D. (A) गलत है, लेकिन (R) सही है।

21. भारत में निम्नलिखित राजनीतिक दलों के निर्माण के सही कालक्रमिक क्रम की पहचान कीजिए :

A. जस्टिस पार्टी, हिन्दू महासभा, नेशनल कॉन्फ्रेंस, शिरोमणि अकाली दल

B. नेशनल कॉन्फ्रेंस, शिरोमणि अकाली दल, हिन्दू महासभा, जस्टिस पार्टी
C. हिन्दू महासभा, शिरोमणि अकाली दल, नेशनल कॉन्फ्रेंस, जस्टिस पार्टी
D. जस्टिस पार्टी, शिरोमणि अकाली दल, हिन्दू महासभा, नेशनल कॉन्फ्रेंस

22. निम्नलिखित युग्मों में से कौन-सा सही सुमेलित नहीं है?

A. राज्यपाल की पात्रता की शर्तें : अनुच्छेद 158
B. राष्ट्रपति द्वारा राज्यपाल की बर्खास्तगी : अनुच्छेद 156(2)
C. राज्यपाल द्वारा विधान परिषद के सदस्यों का मनोनयन : अनुच्छेद 171(5)
D. राज्यपाल का 'वित्त विधेयक' की अनुशंसा का अधिकार : अनुच्छेद 207

23. निम्नलिखित कथनों पर विचार करें और नीचे दिए गए कूट का प्रयोग करते हुए सही उत्तर चुनिए :

कथन I : संशोधन के किसी प्रस्ताव को प्रारंभ करने का एकमात्र तरीका संघीय संसद के किसी एक सदन में विधेयक को प्रस्तुत करना है।

कथन II : यदि किसी विधेयक को पारित करने के बारे में संसद के दोनों सदनों के बीच असहमति होती है तो दोनों सदनों के संयुक्त अधिवेशन से इस गतिरोध का समाधान निकाला जा सकता है।

कूट :
A. केवल कथन I सही है।
B. केवल कथन II सही है।
C. कथन I और कथन II दोनों सही हैं।
D. कथन I और कथन II दोनों गलत हैं।

24. सूची-I को सूची-II के साथ सुमेलित करें और नीचे दिए गए कूट का प्रयोग करते हुए सही उत्तर चुनिए :

सूची-I	सूची-II
(*a*) 36वां संवैधानिक संशोधन अधिनियम	1. न्यायिक नियुक्तियों में पारदर्शिता
(*b*) 61वां संवैधानिक संशोधन अधिनियम	2. सिक्किम की एक पूर्णरूपेण राज्य के रूप में घोषणा
(*c*) 97वां संवैधानिक संशोधन अधिनियम	3. मतदान की आयु 21 से घटाकर 18 वर्ष करना
(*d*) 99वां संवैधानिक संशोधन अधिनियम	4. कोऑपरेटिव सोसाइटीज का निर्माण एवं कार्यप्रणाली

कूट :

	(*a*)	(*b*)	(*c*)	(*d*)
A.	3	2	4	1
B.	2	4	1	3
C.	3	2	1	4
D.	2	3	4	1

25. सूची-I को सूची-II के साथ सुमेलित करें और नीचे दिए गए कूट का प्रयोग करते हुए सही उत्तर चुनिए :

सूची-I	सूची-II
(*a*) ग्रेनविल ऑस्टिन	1. 'अर्द्ध-संघीय'
(*b*) के.सी. व्हीयर	2. 'केन्द्रीकरण की मजबूत प्रवृत्ति के साथ संघ (फेडरेशन)'
(*c*) एपलबी	3. 'सहयोगात्मक संघवाद' (कोऑपरेटिव फेडरेलिज्म)
(*d*) आइवर जेनिंग्स	4. 'अत्यंत संघीय'

कूट :

	(*a*)	(*b*)	(*c*)	(*d*)
A.	2	1	3	4
B.	3	2	4	1
C.	3	1	2	4
D.	2	3	1	4

26. सूची-I को सूची-II के साथ सुमेलित करें और नीचे दिए गए कूट का प्रयोग करते हुए सही उत्तर चुनिए :

सूची-I (अधिनियम)	सूची-II (प्रावधान)
(*a*) भारत सरकार अधिनियम, 1858	1. पहली बार द्विसदनीय विधानमंडल को अपनाना
(*b*) भारतीय परिषद अधिनियम, 1861	2. भारत के राज्य सचिव का पूर्ण शाही नियंत्रण
(*c*) भारतीय परिषद अधिनियम, 1909	3. पहली बार गवर्नर जनरल की कार्यकारी परिषद में

	गैर-सरकारी सदस्यों को शामिल करना।
(*d*) भारत सरकार अधिनियम, 1919	4. मुस्लिम समुदाय का अलग प्रतिनिधित्व

कूट :

	(*a*)	(*b*)	(*c*)	(*d*)
A.	2	3	4	1
B.	3	2	1	4
C.	2	4	3	1
D.	3	4	1	2

27. बंदी प्रत्यक्षीकरण याचिका के बारे में निम्नलिखित में से कौन-सा कथन सही है?

A. यह किसी ऐसे व्यक्ति की रिहाई के लिए जारी की जा सकती है, जिसको किसी न्यायालय द्वारा आपराधिक आरोप में कैद में रखा गया है।

B. यह किसी अभिलेख न्यायालय या संसद की अवमानना की कार्यवाही में हस्तक्षेप के लिए जारी की जा सकती है।

C. यह न केवल निजी व्यक्तियों, बल्कि कार्यपालिका के स्वेच्छाचारी कार्यों के खिलाफ जनता की सुरक्षा के लिए एक शक्तिशाली उपाय है।

D. इस याचिका से न्यायालय किसी व्यक्ति को कैद में रखने के कारण की जानकारी प्राप्त कर सकता है, लेकिन यदि कारावास अवैध नहीं है तो उसे मुक्त नहीं कर सकता है।

28. अभिकथन (A) : प्रथम तीन आम चुनावों के परिणामों से 'एकदलीय वर्चस्व मॉडल' उत्पन्न हुआ जो एकदलीय प्रणाली से भिन्न है।

तर्क (R) : 1967 तक कांग्रेस का केन्द्र और भारत के अधिकतर राज्यों में सरकारी शक्ति पर एकनिष्ठ नियंत्रण (एक्सक्लुसिव कंट्रोल) रहा था।

कूट :

A. (A) और (R) दोनों सही हैं तथा (R), (A) की सही व्याख्या है।

B. (A) और (R) दोनों सही हैं, लेकिन (R), (A) की सही व्याख्या नहीं है।

C. (A) सही है, लेकिन (R) गलत है।

D. (A) गलत है, लेकिन (R) सही है।

29. भारत की लोक सभा के निम्नलिखित अध्यक्षों को उनके कालक्रमिक क्रम में व्यवस्थित करें और नीचे दिए गए कूट का प्रयोग करते हुए सही उत्तर चुनिए :

I. डॉ. बलराम जाखड़

II. डॉ. गुरदयाल सिंह ढिल्लों

III. नीलम संजीवा रेड्डी

IV. बलि राम भगत

कूट :

A. I, II, III, IV
B. II, III, I, IV
C. III, II, IV, I
D. III, IV, II, I

30. निम्नलिखित उच्च न्यायालयों में से किसकी पीठ/पीठें हैं?

A. इलाहाबाद, मुंबई, जबलपुर

B. जोधपुर, मुंबई, हैदराबाद

C. कोलकाता, गुवाहाटी, बंगलौर

D. जबलपुर, मद्रास, गुवाहाटी

31. पीटर सेल्फ के अनुसार लोक प्रशासन क्रे अध्ययन को निम्नलिखित में से किसकी शाखा के रूप में विकसित किया गया था?

A. राजनीति विज्ञान या लोकविधि

B. राजनीति या नीतिशास्त्र

C. लोक नीति या नीति निर्धारण

D. राजनीतिक प्रणाली या हित समुच्चयन

32. संगठन के पारम्परिक या मेकेनिस्टिक (यांत्रिक) सिद्धांत के मूलभूत विचारों का निम्नलिखित में से कौन-सा एक भाग नहीं है?

A. यह मानव संबंध के बारे में एक प्रशासनिक दृष्टिकोण अपनाता है।

B. यह आर्थिक प्रोत्साहकों (इन्सेन्टिव्स) को एकमात्र प्रेरक कारक मानता है।

C. यह संगठनात्मक व्यवहार की बारीकियों की उपेक्षा करता है।

D. यह अनौपचारिक संबंधों को अधिक महत्व देता है।

33. ओ.ई.सी.डी. ने आर्थिक सहायता की प्राप्ति के लिए शर्तों को निर्धारित करते हुए 'शासन' (गवर्नेन्स) के किन भागों की पहचान नहीं की थी?

A. भागीदारी-आधारित विकास

B. कड़ा अंकेक्षक

C. मानव अधिकार

D. लोकतंत्रीकरण

34. 'साइबरनेटिक्स' का तात्पर्य है :

A. सम्प्रेषण का विज्ञान
B. सम्प्रेषण पद्धतियाँ
C. कृत्रिम बुद्धिमत्ता (आर्टिफिशियल इंटेलीजेंस)
D. नियंत्रण और सम्प्रेषण का विज्ञान

35. निम्नलिखित में से किस विचारक ने संगठनात्मक लक्ष्यों की प्राप्ति के लिए 'एक मूलभूत पूर्व-आवश्यकता' के रूप में प्रभावोत्पादक सम्प्रेषण की हिमायत की थी।

A. हरबर्ट साइमन B. पीटर सेल्फ
C. चेस्टर बर्नार्ड D. वुडरो विल्सन

36. लोक और निजी प्रशासन के बीच भेद के बारे में एक अतिवादी दृष्टिकोण अपनाते हुए किसने कहा था कि 'सभी संगठन लोक और निजी विशेषताओं को साझा करते हैं।'

A. ड्वाइट वाल्डो B. ई.एस. सावास
C. बैरी बोजमैन D. जेम्स डब्ल्यू. फेसलर

37. नीचे दो कथन दिए गए हैं, जिनमें से एक को अभिकथन (A) और दूसरे को तर्क (R) कहा गया है। नीचे दिए गए कूट का प्रयोग करते हुए सही उत्तर चुनिए :

अभिकथन (A) : कुछ विभाग न केवल विशुद्ध प्रशासनिक कार्य से संबंधित होते हैं, बल्कि विधानमंडल द्वारा उन्हें नियम एवं विनियम बनाने के कुछ अधिकार भी प्रदत्त किए जाते हैं।

तर्क (R) : जॉन एम. पिफनर कुछ परिस्थितियों के अंतर्गत विभाग के एकल मुखिया को वरीयता देते हैं।

कूट :

A. (A) और (R) दोनों सही हैं तथा (R), (A) की सही व्याख्या है।
B. (A) और (R) दोनों सही हैं, लेकिन (R), (A) की सही व्याख्या नहीं है।
C. (A) सही है, लेकिन (R) गलत है।
D. (A) गलत है, लेकिन (R) सही है।

38. डंकन ब्लैक, एंथनी डोवास, जेम्स बुचनैन और केनेथ एरो के बीच क्या समान है?

A. ये सभी लोक प्रशासन में लोक चयन सिद्धांत के पैरोकार हैं।
B. ये सभी ब्रिटेन के भूतपूर्व कैबिनेट सचिव हैं।
C. ये सभी ब्रिटेन में व्हिटली काउंसिल्स के समर्थक हैं।
D. ये सभी प्रशासन के शास्त्रीय सिद्धांतों के प्रतिपादक हैं।

39. सूची-I को सूची-II के साथ सुमेलित करें और नीचे दिए गए कूट का प्रयोग करते हुए सही उत्तर चुनिए :

सूची-I (पुस्तकें)	सूची-II (लेखक)
(*a*) एन इंट्रोडक्शन टू एडमिनिस्ट्रेटिव लॉ	1. फ्रैंक जे. गुडनॉऊ
(*b*) जस्टिस एंड एडमिनिस्ट्रेटिव लॉ	2. ए.वी. डाइसी
(*c*) कम्पेरेटिव एडमिनिस्ट्रेटिव लॉ	3. जेम्स हार्ट
(*d*) इंट्रोडक्शन टू द स्टडी ऑफ द लॉ ऑफ द कॉन्स्टीट्यूशन	4. डब्ल्यू ए. रॉबसन

कूट :

	(*a*)	(*b*)	(*c*)	(*d*)
A.	4	1	3	2
B.	2	3	4	1
C.	3	4	1	2
D.	1	2	3	4

40. कमेटीज/कमीशन्स/रिपोर्ट्स का निम्नलिखित में से कौन-सा सही कालक्रमिक क्रम है?

A. मास्टरमैन कमेटी–ब्राउनलॉ कमेटी–ग्लेडस्टोन कमेटी–एचिसन कमीशन
B. एचिसन कमीशन–ग्लेडस्टोन कमेटी–ब्राउनलॉ कमेटी–मास्टरमैन कमेटी
C. एचिसन कमीशन–मास्टरमैन कमेटी–ब्राउनलॉ कमेटी–ग्लेडस्टोन कमेटी
D. ग्लेडस्टोन कमेटी–एचिसन कमीशन–मास्टरमैन कमेटी–ब्राउनलॉ कमेटी

41. निम्नलिखित में से किसने घोषणा की थी कि राज्य वैश्वीकरण की उच्च शक्ति के समक्ष पीछे हट रहा है?

A. मैकलीन एवं मैकमिलन
B. जॉर्ज श्वार्जेनबर्गर
C. केनेथ वाल्ट्ज
D. सुसन स्ट्रैन्ज

42. निम्नलिखित में से किसने तर्क दिया था कि 'यथार्थवाद के हमारी बौद्धिक उपकरण मंजूषा (टूल बॉक्स) में एकल सर्वाधिक उपयोगी उपकरण बने रहने की संभावना है?'

A. होलस्टी
B. ई.एच. कार
C. हंस मार्गेन्थाऊ
D. स्टीफन वॉल्ट

43. निम्नलिखित में से कौन-से शक्ति संतुलन प्रणाली के मूलभूत नियम नहीं हैं, जो उन स्टेट एक्टर्स में से प्रत्येक को स्पष्ट हैं, जो संतुलित करने की प्रक्रिया में संलिप्त हैं–

A. कोई भी एक्टर या गठबंधन, जो वर्चस्व ग्रहण करने का प्रयास करे, उसको बाधित किया जाना चाहिए।
B. राज्य क्षेत्र के अर्जन, अपनी जनसंख्या में वृद्धि और आर्थिक रूप से विकास कर अपनी क्षमताएँ बढ़ाना चाहते हैं।
C. लड़ाई की तुलना में वार्ता के जरिए समाधान ढूंढना बेहतर है।
D. अन्य राज्यों को संभाव्य शत्रुओं के रूप में देखा जाता है।

44. सूची-I को सूची-II के साथ सुमेलित करें और नीचे दिए गए कूट का प्रयोग करते हुए सही उत्तर चुनिए :

सूची-I (अध्येता)	**सूची-II (कथन)**
(*a*) मैकलीन एवं मैकमिलन	1. राज्य की पूर्ण शक्ति इतनी महत्वपूर्ण नहीं है, जितनी कि अन्य राज्यों की तुलना में उसकी शक्ति की स्थिति गिनी जाती है।
(*b*) मार्गेन्थाऊ	2. अनुपालन न होने के मामले में प्रभावोत्पादक प्रतिबंध पर निर्भर रह कर अन्य देशों पर अपनी इच्छा थोपने की क्षमता को शक्ति के रूप में परिभाषित किया।
(*c*) जॉर्ज श्वार्जेनबर्गर	3. अन्य व्यक्तियों के मस्तिष्कों और कार्यों पर व्यक्ति के नियंत्रण को शक्ति के रूप में परिभाषित किया।
(*d*) वॉन डाइक	4. शक्ति वह सक्षमता है, जो व्यक्तियों से वह कार्य करवाती है, जिसको अन्यथा उन्होंने नहीं किया होता।

कूट :

	(*a*)	(*b*)	(*c*)	(*d*)
A.	4	3	2	1
B.	4	3	1	2
C.	4	1	2	3
D.	1	2	3	4

45. संयुक्त राष्ट्र के चार्टर के अनुच्छेद-25 के अनुसार :

A. स्व-रक्षा के लिए बल प्रयोग की अनुमति दी गई है।
B. केवल शांति प्रेमी राज्य (राष्ट्र) संयुक्त राष्ट्र के सदस्य बन सकते हैं।
C. संयुक्त राष्ट्र के सभी सदस्य सुरक्षा परिषद के निर्णयों को अंगीकार करने और उन्हें लागू करने पर सहमत होते हैं।
D. चार्टर के अंतर्गत सुरक्षा परिषद का अंतर्राष्ट्रीय शांति एवं सुरक्षा बनाए रखने का प्राथमिक उत्तरदायित्व है।

46. भारतीय कानून में पूर्णरूपेण या आंशिक रूप से निम्नलिखित में किसको शामिल नहीं किया गया है?

A. द टोकियो कन्वेन्शन एक्ट, 1975
B. द रोम स्टेच्यूट ऑफ द इंटरनेशनल क्रिमिनल कोर्ट
C. द एंटी अपरथाइड (यूनाइटेड नेशंस कन्वेन्शन) एक्ट, 1981
D. द जेनेवा कन्वेन्शन एक्ट, 1960

47. अंतर्राष्ट्रीय आपराधिक न्यायालय (आई.सी.सी.) के बारे में निम्नलिखित में से कौन-सा कथन सही नहीं है?

A. संयुक्त राष्ट्र के सम्मेलन ने 18 जुलाई, 1998 को अंतर्राष्ट्रीय आपराधिक न्यायालय की संविधि को अंगीकार किया था।
B. अंतर्राष्ट्रीय आपराधिक न्यायालय संयुक्त राष्ट्र का एक अंग नहीं है, लेकिन यह एक स्वतंत्र संगठन है।
C. इसकी संविधि 1 जुलाई, 2002 को लागू हुई।
D. अंतर्राष्ट्रीय आपराधिक न्यायालय के चार अंग हैं : प्रेसीडेन्सी, जुडिशिएल डिवीजन, ऑफिस ऑफ द प्रोसीक्यूटर और रजिस्ट्री।

48. संयुक्त राष्ट्र की महासभा ने निम्नलिखित में से किस वर्ष में विकलांग व्यक्तियों के अधिकारों पर कन्वेन्शन अंगीकृत किया था?

A. 2006
B. 2007
C. 2008
D. 2009

49. सूची-I को सूची-II के साथ सुमेलित करें और नीचे दिए गए कूट का प्रयोग करते हुए सही उत्तर चुनिए :

सूची-I (संयुक्त राष्ट्र की आम सभा की समिति)	सूची-II (समिति से संबंधित मसले)
(*a*) प्रथम समिति	1. आर्थिक एवं वित्तीय
(*b*) द्वितीय समिति	2. निरस्त्रीकरण और अंतर्राष्ट्रीय सुरक्षा
(*c*) तृतीय समिति	3. विशिष्ट राजनीतिक एवं विऔपनिवेशीकरण
(*d*) चतुर्थ समिति	4. सामाजिक, मानवीय और सांस्कृतिक

कूट :

	(*a*)	(*b*)	(*c*)	(*d*)
A.	2	1	4	3
B.	1	2	3	4
C.	1	3	4	2
D.	4	3	2	1

50. नीचे दो कथन दिए गए हैं, जिसमें से एक को अभिकथन (A) और दूसरे को तर्क (R) कहा गया है। नीचे दिए गए कूट का प्रयोग करते हुए सही उत्तर चुनिए :

अभिकथन (A) : शीत युद्ध की समाप्ति अंतर्राष्ट्रीय संबंधों में वैचारिक राजनीति में परिवर्तन का सूचक था।

तर्क (R) : धार्मिक कट्टरतावाद सुरक्षा के प्रति एक खतरा पैदा कर रहा है।

कूट :

A. (A) और (R) दोनों सही हैं तथा (R), (A) की सही व्याख्या है।
B. (A) और (R) दोनों सही हैं, लेकिन (R), (A) की सही व्याख्या नहीं है।
C. (A) सही है, लेकिन (R) गलत है।
D. (A) गलत है, लेकिन (R) सही है।

उत्तरमाला

1	2	3	4	5	6	7	8	9	10
D	C	A	A	C	A	A	D	C	A
11	**12**	**13**	**14**	**15**	**16**	**17**	**18**	**19**	**20**
D	B	A	A	D	B	C	C	A	B
21	**22**	**23**	**24**	**25**	**26**	**27**	**28**	**29**	**30**
D	B	C	D	C	A	C	A	C	A
31	**32**	**33**	**34**	**35**	**36**	**37**	**38**	**39**	**40**
A	D	B	D	C	C	B	A	C	B
41	**42**	**43**	**44**	**45**	**46**	**47**	**48**	**49**	**50**
D	D	D	A	C	B	A	A	A	B

व्याख्यात्मक उत्तर

1. ग्रीक राजनीतिक चिंतन के इतिहास में प्लेटो एक उच्चकोटि का आदर्शवादी राजनीतिक विचारक तथा नैतिकता का एक महान पुजारी था। उसने प्रत्ययों (Ideas) के सिद्धांत, न्याय सिद्धांत और आदर्श राज्य की अवधारणा का निरूपण किया। प्लेटो प्रत्ययों की वास्तविक सत्ता का विधान करता है और जगत की वस्तुओं को प्रत्ययों का

प्रतिबिम्ब मानता है। उसका कहना है कि प्रत्यय (विचार) तत्व होते हैं और ये सभी चीजों के सार (Essence) हैं। प्लेटो प्रत्ययों की सार्वभौमिक सत्ता को स्वीकार करता है।

प्लेटो की न्याय धारणा, एथेंस की तत्कालीन सामाजिक एवं राजनीतिक बुराइयों, जिनमें लोकतंत्र के नाम पर धनिकतंत्र का प्रभाव एवं शक्ति राजनीति की उथल-पुथल की गम्भीर समस्याओं का आदर्शवादी समाधान है। चूँकि सुकरात (प्लेटो के गुरु) की मृत्यु से प्लेटो का हृदय लोकतंत्र से भर गया था। अतः अपनी न्याय धारणा के आधार पर प्लेटो एक ऐसे शासनतंत्र की कल्पना करने लगा, जिसका संचालन श्रेष्ठ व्यक्तियों द्वारा होता है।

2. हीगल ने मैक्यावली के प्रिंस को महान और एक वास्तविक राजनीतिक प्रतिभाशाली व्यक्ति की सच्ची धारणा की संज्ञा दी थी, जिसका सर्वोच्च एवं महान उद्देश्य होता है। मैक्यावली ने अपनी प्रसिद्ध कृति 'प्रिंस' में मानव स्वभाव का वर्णन किया है। उसके अनुसार मनुष्य महत्वाकांक्षी होता है। उसकी एक आकांक्षा का प्रभाव दूसरी आकांक्षा पर भी पड़ता है और वह अपने को सुरक्षित करने का प्रयत्न करता है। अपने को सुरक्षित करने के उपरांत वह दूसरों पर आक्रमण करता है, यही उसका स्वभाव है।

राजा के लिए मैक्यावली ने सलाह दी है कि उसे हमेशा यह मानकर राज्य की व्यवस्था करनी चाहिए कि सामान्यतया सभी व्यक्ति बुरे होते हैं और एक-दूसरे की सम्पत्ति और जीवन को नुकसान पहुँचाने के अवसर ढूँढ़ते रहते हैं। सम्पत्ति अर्जन में मानव की रुचि सबसे अधिक होती है। मैक्यावली का कहना था कि "व्यक्ति अपने बाप की हत्या के अपराधी को भी एक बार क्षमा कर सकता है पर अपनी सम्पत्ति के अपहरणकर्ता को वह कभी भी क्षमा नहीं कर सकता है।" लोग न केवल डरपोक एवं अज्ञानी होते हैं, बल्कि स्वभाव से ही दुराचारी होते हैं। वे केवल आवश्यकता पड़ने पर ही अच्छे दिखाई पड़ते हैं। लोग अपनी वासनाओं के दास एवं अव्वल दर्जे के स्वार्थी होते हैं।

4. दांते जर्मीनो मार्क्सवाद को राजनीतिक सिद्धांत के बजाय एक विचारधारा मानता है। मार्क्सवाद का उदय 19वीं शताब्दी के मध्य हुआ जब परम्परागत उदारवाद पूरी तरह से स्थापित हो चुका था। अतः ऐसे में मानव कल्याण और मानव स्वतंत्रता की मांग की पूर्ति न होने के कारण उदारवाद के विरोध स्वरूप मार्क्सवाद अस्तित्व में आया।

इस विचारधारा ने मानव समाज की समस्याओं को इतिहास के माध्यम से जानने का प्रयास किया और बताया कि इतिहास वास्तव में दो वर्गों के बीच संघर्ष की कहानी है। जिसमें एक वर्ग जिसके पास सभी साधन होते हैं शासक तथा दूसरा वर्ग जिसके पास कुछ भी नहीं होता शासित होते हैं। इन दो वर्गों में सामंजस्य स्थापित नहीं किया जा सकता और यह संघर्ष उत्पादन प्रणाली के पूर्ण विकसित अवस्था तक चलता रहेगा।

5. इसायाह बर्लिन नव उदारवाद के समर्थक हैं। इनका मत है कि राज्य केवल व्यक्ति की नकारात्मक स्वतंत्रता की रक्षा कर सकता है, सकारात्मक स्वतंत्रता की रक्षा करना राज्य के कार्यक्षेत्र में नहीं आता। नकारात्मक स्वतंत्रता यह मांग करती है कि व्यक्ति को अपने विवेक के अनुसार अपने मनपसंद रास्ते पर चलने से रोका न जाए। सकारात्मक स्वतंत्रता यह अपेक्षा करती है कि व्यक्ति को अपने ऊपर पूरा नियंत्रण होना चाहिए। कोई व्यक्ति अपनी सकारात्मक स्वतंत्रता का प्रयोग कहाँ तक कर सकता है—यह उसके अपने चरित्र, अपनी क्षमता या अपने साधनों पर निर्भर हैं; राज्य इसमें कुछ नहीं कर सकता। राज्य केवल यह कर सकता है कि वह व्यक्ति की स्वयं निर्धारित गतिविधियों पर कोई प्रतिबंध न लगाए।

अतः प्रस्तुत अर्थ में राजनीतिक स्वतंत्रता केवल नकारात्मक स्वतंत्रता है। यह ऐसी व्यवस्था की मांग करती है जिसमें किसी व्यक्ति को अपनी क्षमता के अनुसार अपने ध्येय की पूर्ति के दौरान अन्य व्यक्तियों की ओर से किसी बाधा का सामना न करना पड़े। इसायाह बर्लिन द्वारा रचित पुस्तकों का क्रम निम्नलिखित है—

कार्ल मार्क्स : हिज लाइफ एंड इनवायरनमेंट—1939

फोर एसेज ऑन लिबर्टी—1969

वीको एंड हर्डर : टू स्टडीज इन द हिस्ट्री ऑफ आइडियाज—1976

कॉन्सेप्ट एंड कैटेगरीज : फिलोसॉफिकल एसेज—1978

6. जॉन रॉल्स ने समाज के पारस्परिक लाभ के लिए एक सहयोगात्मक चेष्टा (वेंचर) की संकल्पना की थी। जॉन रॉल्स की प्रसिद्ध कृति 'A theory of Justice–1971' अमेरिका में प्रकाशित हुई। रॉल्स ने न्याय के नियमों का पता लगाने के लिए, अनुबंधमूलक समाज-दर्शन का सहारा लिया है। इसके अंतर्गत उसने यह कल्पना की है कि यदि व्यक्तियों को उनकी वर्तमान सामाजिक और आर्थिक परिस्थितियों से पृथक कर दिया जाए और समाज में प्रचलित भेदभाव से भी अपरिचित रहने दिया जाए तो वे भावी समाज में अपने हितों की अधिकतम वृद्धि के लिए सामाजिक जीवन के नियमों, सिद्धांतों और संस्थाओं का पुनर्निर्माण किस प्रकार करेंगे? इस काल्पनिक स्थिति को रॉल्स ने 'मूल स्थिति' की संज्ञा दी है। ऐसी स्थिति में लोग परस्पर सहमति से जो नियम स्वीकार करेंगे, उन्हें विश्वव्यापी आधार पर न्याय के नियम मान सकते हैं।

8. महात्मा गाँधी ने इस विचार को अस्वीकार किया कि जाति की स्थिति दैवीय प्रतिफल या दण्ड का परिणाम था। गाँधीजी ऐसे समाज की कल्पना करते थे जिसमें सभी मनुष्य अपने-अपने स्वभाव, योग्यता और धर्म के अनुसार अपना-अपना कार्य पूरी तत्परता से करेंगे, और वहाँ किसी भी कार्य को—विशेषतः सेवा के कार्य को नीची निगाह से नहीं देखा जाएगा। श्रम की गरिमा स्थापित हो जाने पर समाज में ऊँच-नीच का भेद मिट जाएगा। गाँधीजी वर्ण-व्यवस्था का समर्थन करते थे और समान वर्ण में ही विवाह के भी समर्थक थे लेकिन उनका वर्ण-व्यवस्था का समर्थन भेदभाव रहित था। यह उनके अनुसार समाज के लिए लाभदायक था क्योंकि वर्ण-व्यवस्था के अनुसार सभी लोग अपने स्वभाव और योग्यता के अनुसार कर्म करेंगे। इससे दूसरे के कार्यों में हस्तक्षेप नहीं होगा। लेकिन गाँधीजी इन सबके बावजूद किसी भी रूप में जातिगत आधार पर ऊँच-नीच का समर्थन नहीं करते थे। वे जीवन पर्यंत दलितों के उत्थान के लिए कार्य करते रहे और उनके लिए हरिजन शब्द का प्रयोग किए।

9. डेविड ईस्टन ने कहा था कि ''सिद्धांत के बिना शोध का शिक्षण तुच्छ साबित हो सकता है और आँकड़ों के समर्थन के बिना सिद्धांत निरर्थक साबित हो सकता है।'' ईस्टन के अनुसार राजनीतिक व्यवहार में ऐसी नियमितताएँ पाई जाती हैं जिनका पता लगाया जा सकता है और जिन्हें सामान्य सिद्धांतों के रूप में व्यक्त किया जा सकता है। ये सामान्य सिद्धांत ऐसे होने चाहिए कि व्यवहार के संदर्भ में उनकी जाँच की जा सके। आधार-सामग्री के संकलन और उनकी व्याख्या के साधन आँख मींचकर नहीं अपनाए जा सकते। यह एक कठिन समस्या है। कौन-सा साधन कितना उपयुक्त है—इसकी सावधानीपूर्वक जाँच कर लेनी चाहिए। परिमापन और परिमाणन (Measurement and Quantification) आवश्यक तो है परंतु यह तरीका वहीं अपनाना चाहिए जहाँ एक मतलब से ली गई माप हर मतलब से कारगर हो। नैतिक मूल्यांकन और अनुभवमूलक व्याख्या को आपस में नहीं मिलाना चाहिए—इन्हें पृथक्-पृथक् रखना चाहिए। अनुसंधान व्यवस्थित होना चाहिए। यदि अनुसंधान सिद्धांत से कटा होगा तो वह व्यर्थ होगा; यदि सिद्धांत की पुष्टि आँकड़ों से नहीं होगी तो वह निरर्थक सिद्ध होगा। इस ज्ञान का प्रयोग करने से पहले राजनीतिक व्यवहार को समझना- समझाना जरूरी है। अंततः विविध सामाजिक विज्ञानों से प्राप्त सामग्री को समन्वित करके ही कोई निष्कर्ष निकालना उपयुक्त होगा।

10. फ्रांसिस फुकुयामा ने 'The National Interest' पत्रिका में प्रकाशित लेख 'The end of history–1989' के अंतर्गत यह तर्क दिया कि ''उदार लोकतंत्र में कोई बुनियादी अंतर्विरोध नहीं पाए जाते, और वह मानव-मन की सबसे गहरी आकांक्षाएँ पूरी करने में समर्थ है। अतः इसकी विजय से इतिहास के उस लंबे संघर्ष का अंत हो गया है जो इस प्रणाली के विस्तार में बाधक था। बाद में फुकुयामा ने अपनी चर्चित कृति 'The end of history and the last man–1992' के अंतर्गत इस विचार की विस्तृत व्याख्या प्रस्तुत की।

'इतिहास के अंत' की इस परिकल्पना को पश्चिमी समाचार-जगत में बहुत सराहा गया और इसका विस्तृत प्रचार किया गया क्योंकि यह पश्चिमी जगत् की मान्यताओं और हितों के अनुरूप थी।

'इतिहास के अंत' से फुकुयामा का अभिप्राय यह नहीं था कि इतिहास की धारा में राजनीति या युद्धों का दौर

समाप्त हो चुका था। उसने यह दावा भी नहीं किया कि साम्यवाद के पतन के बाद विश्व के सारे देश उदार लोकतंत्र को अपना लेंगे। वस्तुतः वह राजनीतिक और सामाजिक संगठन के मूल सिद्धांतों के इतिहास का मूल्यांकन प्रस्तुत करना चाहता था। वह इस निष्कर्ष पर पहुँचा कि 20वीं शताब्दी के अंत तक आते-आते उदार लोकतंत्र और पूँजीवाद का संयोग किसी भी वैकल्पिक राजनीतिक एवं आर्थिक प्रणाली से वरेण्य सिद्ध हुआ था।

11. राजनीतिक अभिजन वर्ग में अल्पतंत्र (Oligarchy) और कुलीनतंत्र (Aristocracy) को शामिल किया जाता है। विशिष्ट वर्गवाद (Elitism) के अनुसार कोई भी समाज या सामाजिक संगठन स्वभावतः दो वर्गों में बँटा रहता है; विशिष्ट वर्ग (Elite) और जनपुंज (Masses)।

विशिष्ट वर्ग में वे इने-गिने लोग आते हैं जो अत्यंत व्यवहार-कुशल, प्रतिभाशाली और वैभवशाली होते हैं, जबकि जनपुंज में बाकी सब लोग आते हैं जो विशेष योग्यता नहीं रखते हैं बल्कि विशिष्ट वर्ग के आदेशों का पालन करने में ही सुरक्षित अनुभव करते हैं। मूलतः विशिष्ट वर्गवाद ने लोकतंत्र की संभावनाओं पर ही प्रश्नचिह्न लगा दिया था।

लोकतंत्र के विशिष्ट वर्गवादी सिद्धांत ने लोकतंत्र की नई परिभाषा देने का प्रयत्न किया है। यह सिद्धांत विशिष्ट वर्गवाद की लोकतंत्र के व्यवहार में बाधक नहीं मानता है। इसके अनुसार, लोकतंत्रीय प्रक्रिया में जनसाधारण को निश्चित अंतराल के बाद यह जाँच करने का मौका मिलता है कि कौन-सा विशिष्ट वर्ग उनका हित-साधन करने में कितना सक्षम है? अतः वे अपनी पसंद के विशिष्ट वर्ग का चुनाव करके अपनी अभिलाषाएँ पूरी करने का अवसर जुटा लेते हैं।

12. तुलनात्मक राजनीति के आधुनिक उपागमों का विकास दूसरे विश्वयुद्ध के बाद हुआ है। परंतु इनके कुछ संकेत 20वीं शताब्दी के आरंभ से ही मिलने लगे थे। 1908 में इंग्लैंड में दो प्रसिद्ध कृतियाँ प्रकाशित हुईं जिन्हें आधुनिक उपागमों का अग्रदूत माना जाता है। इनमें एक कृति ग्राहम वैलेस की 'Human nature in politics' और दूसरी आर्थर बेन्टली की 'The process of government' थी।

आर्थर बेंटली अमेरिकी राजनीति-वैज्ञानिक था। वह राजनीति-विश्लेषण के लिए अन्वेषण के नए उपकरणों की तलाश करना चाहता था। उसे लगा कि यदि राजनीति में विभिन्न समूहों की भूमिका को पहचान लें तो यह विश्लेषण सर्वथा सार्थक हो जाएगा। उसने समाजविज्ञान की सहायता से उन समूहों के अनौपचारिक व्यवहार का विश्लेषण किया जो राजनीतिक गतिविधि के साथ जुड़े थे। अतः उसने राजनीतिक प्रक्रिया में दबाव-समूहों, राजनीतिक दलों, चुनावों और लोक-मत की भूमिका पर विशेष बल दिया। बेंटली का मुख्य संदेश यह था कि राजनीति के सम्यक् अध्ययन के लिए इसके साथ जुड़े हुए अनौपचारिक समूहों के व्यवहार पर ध्यान केंद्रित करना चाहिए।

13. राजनीतिक समाजीकरण (Political Socialization) तुलनात्मक राजनीति की एक शाखा है जो औपचारिक एवं अनौपचारिक तंत्रों की जाँच का प्रयास करती है, जिसके द्वारा अभिवृत्तियों (Attitudes) को मन में बिठाया जाता है। यह वह प्रक्रिया है जिसके माध्यम से राजनीतिक समुदाय के सदस्य अपने समाज की राजनीतिक संस्कृति को आत्मसात करते हैं। इसके अंतर्गत वे अपने शैशव काल से ही ऐसी अभिवृत्तियाँ, मान्यताएँ और व्यवहार के प्रतिमान सीख लेते हैं जो उनके समुदाय की राजनीतिक संस्थाओं और प्रक्रियाओं को वैधता प्रदान करते हैं। अतः राजनीतिक समाजीकरण के परिणामस्वरूप व्यक्ति अपने समाज के राजनीतिक जीवन के प्रति अनुकूल दृष्टिकोण बनाता है; अपने समाज, राष्ट्र या राज्य के प्रति निष्ठा विकसित करता है, और सत्ता के प्रति सम्मान का भाव रखना सीखता है।

14. आर.आर. रोस्टोव और मैक्स वेबर ने तर्क दिया था कि राजनीतिक विकास प्रशासनिक और विधिक विकास है। राजनीतिक विकास वह प्रक्रिया है जिसके माध्यम से किसी विकासशील देश की राजनीतिक व्यवस्था (Polity) विकसित समाज की विशेषताएँ अर्जित कर लेती है। राजनीतिक विकास की संकल्पना मुख्यतः उदारवादी परंपरा की देन है। इस परंपरा के अंतर्गत पश्चिमी जगत् के उदार लोकतंत्र को विकसित समाज का प्रतिरूप माना जाता है।

राजनीतिक विकास की संकल्पना शुरू-शुरू में अमेरिकी राजनीतिक विज्ञान के अंतर्गत 1960 के दशक में रखी गई। इसका उद्देश्य नवोदित एवं विकासशील देशों की राजनीतिक प्रक्रिया का विश्लेषण करना था ताकि तुलनात्मक राजनीति के अध्ययन को विश्वजनीन आधार प्रदान किया जा सके।

15. संसदीय सरकार में प्रथम प्रधानमंत्री रॉबर्ट वालपोल बना था। ग्रेट ब्रिटेन संसदीय प्रणाली का मूल स्रोत है। अतः ब्रिटिश संसद को संसद-जननी के रूप में सराहा जाता है। संसदीय प्रणाली (Parliamentary System) वह शासन-प्रणाली है जिसमें शासन की यथार्थ शक्तियाँ संसद में निहित होती हैं। संसद का गठन जनसाधारण के प्रतिनिधियों से होता है; उसका कार्यकाल निश्चित होता है जिसके बाद नए चुनाव कराए जाते हैं। संसद को मुख्यतः विधानमंडल के रूप में पहचाना जाता है, परंतु कार्यपालिका अर्थात् मंत्रिमंडल का गठन भी संसद के सदस्यों में से ही किया जाता है। मंत्रिमंडल अपने कार्यों के लिए संसद के प्रति उत्तरदायी होता है, और वह तभी तक सत्ता में रहता है जब तक उसे संसद में बहुमत का समर्थन प्राप्त हो। संसदीय प्रणाली की जन्मभूमि वेस्टमिंस्टर (इंग्लैंड) के नाम पर इसे 'वेस्टमिंस्टर प्रणाली' (Westminster Model) भी कहा जाता है। रॉबर्ट वालपोल का कार्यकाल 1721 ई. से 1742 ई. तक था।

16. संस्थात्मक उपागम (Institutional Approach) के प्रवर्तकों में हर्मन फाइनर, आइवर जेनिंग्स, कार्ल फ्रैड्रिक, कार्ल लोएंस्टाइन, आदि के नाम विशेष रूप से उल्लेखनीय हैं। तुलनात्मक राजनीति का संस्थात्मक उपागम इसके कानूनी औपचारिक उपागम के साथ निकट से जुड़ा है। फिर भी यह उससे भिन्न है। परंपरागत उपागमों में केवल संस्थात्मक उपागम ऐसा उपागम है जो राजनीति की दर्शनशास्त्र, इतिहास या कानून का उपाश्रित न मानते हुए इसके स्वाधीन अस्तित्व को मान्यता देता है। परंपरागत राजनीतिशास्त्र के अंतर्गत राज्य और शासन को अध्ययन का मुख्य विषय माना जाता है। शासन या सरकार स्वयं एक संस्था है और इसके विभिन्न अंग—जैसे कि संसद (विधायिका), मंत्रिमंडल (कार्यपालिका) और सर्वोच्च न्यायालय (न्यायपालिका) इत्यादि भी अपनी-अपनी तरह की संस्थाएँ हैं। राजनीतिक दल वैसे तो गैर-सरकारी संगठन हैं, परंतु वे राजनीति में महत्वपूर्ण भूमिका निभाते हैं। दूसरी ओर, अधिकारीतंत्र गैर-राजनीतिक संगठन है, परंतु वह सरकार में महत्वपूर्ण भूमिका निभाता है। संस्थात्मक उपागम के अंतर्गत इस तरह की भिन्न-भिन्न संस्थाओं के संगठन और भूमिका का विस्तृत अध्ययन किया जाता है।

18. तुलनात्मक राजनीति के आधुनिक उपागम में प्रणाली-विश्लेषण (System Analysis) का विशेष स्थान है। अमेरिकी राजनीति-वैज्ञानिक डेविड ईस्टन ने 1953 में अपनी प्रसिद्ध कृति 'Political System An Enquiry into the State of Political Science' प्रकाशित की। उसने ऐसे सिद्धांत का निर्माण करना चाहा जिसमें सारे सामाजिक विज्ञान समा जाएँ। उसने यह तर्क दिया कि संपूर्ण राजनीतिक प्रक्रिया को सिद्धांत का विषय बनाना चाहिए, उसके कुछेक पक्षों की नहीं।

प्रणाली उन तत्वों के समूह को कहते हैं जो (क) एक-दूसरे से संबद्ध हों, (ख) एक-दूसरे पर आश्रित हों, और (ग) एक-दूसरे पर क्रिया करते हों—इस क्रिया को परस्पर-क्रिया या अंतःक्रिया कहा जाता है। ईस्टन के अनुसार, राजनीतिक प्रणाली किसी समाज के अंदर उन अंतःक्रियाओं की प्रणाली को कहते हैं जिसके माध्यम से अनिवार्य या आधिकारिक आबंटन किए जाते हैं।

राजनीतिक प्रणाली को अपने पर्यावरण से जो तत्व प्राप्त होते हैं, उन्हें आगत (Inputs) कहा जाता है और यह प्रणाली जिन वस्तुओं का उत्पादन या निर्माण करती है उन्हें निर्गत (Outputs) कहा जाता है। आगत या निवेश कार्यों का क्रम इस प्रकार है—राजनीतिक समाजीकरण एवं भर्ती; हित स्पष्टीकरण; हित समुच्चयन और राजनीतिक संप्रेषण।

19. लोकतंत्र के विशिष्ट वर्गवादी सिद्धांत (Elitist Theory) के अनुसार तो 'नागरिक सहभागिता' लोकतंत्र की आवश्यक शर्त नहीं है। उदाहरण के लिए जोसेफ शुम्पीटर के अनुसार, शासन चलाना और सार्वजनिक नीतियाँ बनाना व्यावसायिक राजनीतिज्ञों का काम है; साधारण नागरिकों की भूमिका आवधिक चुनावों के समय अपनी पसंद के राजनीतिज्ञों, राजनीतिक दलों और उनके कार्यक्रमों

का चयन करने तक सीमित है। दूसरे शब्दों में, आधुनिक लोकतंत्र मूलतः राजनीतिज्ञों का शासन है जिसमें साधारण नागरिक बहुत सीमित स्तर पर और रूक-रूक कर भूमिका निभाते हैं।

उधर जर्मन समाजवैज्ञानिक रॉबर्ट मिशेल्स ने 'गुटतंत्र के लौह नियम' (Iron Law of Oligarchy) की चर्चा करते हुए यह तर्क दिया है कि अधिकांश मनुष्य स्वभाव से जड़, आलसी और दब्बू होते हैं जो अपना शासन स्वयं चलाने में समर्थ नहीं होते। परंतु उनके नेता बड़े चतुर, दबंग और अपनी बात मनवाने की कला में पारंगत होते हैं। वे अपनी वाक्पटुता एवं वक्तृत्व के बल पर, और लोगों की भावनाओं से खिलवाड़ करके सत्ता पर अधिकार जमा लेते हैं। समाज में चाहे कोई भी शासन-प्रणाली क्यों न अपनाई जाए, वह अवश्य ही 'गुटतंत्र' का रूप धारण कर लेती है।

20. अनुच्छेद 156(2) राष्ट्रपति द्वारा राज्यपाल की बर्खास्तगी से सम्बन्धित नहीं है बल्कि राज्यपाल द्वारा राष्ट्रपति को सम्बोधित करते हुए पद त्याग से सम्बन्धित है। अनुच्छेद 158 राज्यपाल के पद की पात्रता की शर्तें वर्णित करता है। अनुच्छेद 171(5) के अनुसार राज्यपाल राज्य विधानमंडल के कुल सदस्यों के 1/6 भाग का मनोनयन कर सकता है। यह ऐसे लोगों में से जिन्हें साहित्य, विज्ञान, कला, सहकारिता आंदोलन और समाज सेवा का ज्ञान हो या इसका व्यावहारिक अनुभव हो मनोनयन करता है। अनुच्छेद 207 के तहत राज्यपाल वित्त विधेयकों (Financial Bills) को अनुशंसा प्रदान करता है। अर्थात् वित्त विधेयक को राज्य विधानसभा में उसकी पूर्व सहमति के बाद ही प्रस्तुत किया जा सकता है।

23. संशोधन के किसी प्रस्ताव को प्रारंभ करने का एकमात्र तरीका संघीय संसद के किसी एक सदन में विधेयक को प्रस्तुत करना है। अनुच्छेद 108 यह व्यवस्था करता है कि यदि किसी विधेयक के एक सदन द्वारा पारित किए जाने और दूसरे सदन को पारेषित किए जाने के पश्चात–(क) दूसरे सदन द्वारा विधेयक अस्वीकार कर दिया गया है, या (ख) विधेयक में किए जाने वाले संशोधनों के बारे में दोनों सदन अंतिम रूप से असहमत हो गए हैं, या (ग) दूसरे सदन को विधेयक प्राप्त होने की तारीख से उसके द्वारा विधेयक पारित किए बिना 6 माह से अधिक बीत गए हैं, तो उस दशा के सिवाय जिसमें लोकसभा का विघटन होने के कारण विधेयक व्यपगत हो गया है, राष्ट्रपति विधेयक पर विचार-विमर्श करने और मत देने के प्रयोजन के लिए सदनों को संयुक्त बैठक में अधिवेशित होने के लिए आहूत करने के अपने आशय की सूचना, यदि वे बैठक में हैं तो संदेश द्वारा या यदि वे बैठक में नहीं हैं तो लोक अधिसूचना द्वारा देगा परन्तु इस खण्ड की कोई बात धन विधेयक पर लागू नहीं होंगी।

25. भारतीय संघ के स्वरूप के बारे में विभिन्न विचारकों ने विभिन्न मत व्यक्त किए हैं। ग्रेनविल ऑस्टिन ने अपनी पुस्तक 'The Indian Constitution a corner-stone of a Nation' के अंतर्गत भारतीय संघ को 'सहयोगात्मक संघवाद' की संज्ञा दी है। उनका कहना है कि "यह सहकारी संघ व्यवस्था है। यद्यपि भारत के संविधान ने मजबूत केन्द्र सरकार का निर्माण किया है, इसके राज्यों को भी कमजोर नहीं किया गया है। यह एक नए प्रकार का संघ है जो इसकी खास विशेषताओं को पूरा करता है।"

के.सी. ह्वीयर ने 'Federal Government' के तहत भारतीय संविधान को 'अर्द्ध-संघीय' करार दिया है।

पाल एच. एपलबी का कहना है कि "यह पूरी तरह संघीय है।" वहीं आवइर जेनिंग्स भारतीय संघ को "मजबूत केन्द्र वाला संघ" कहते हैं। मॉरिस जोन्स इसे "सहमति वाला संघ" कहते हैं।

26. भारत सरकार अधिनियम, 1858 के द्वारा एक नए पद राज्य सचिव का सृजन किया गया, जिसमें भारतीय प्रशासन पर संपूर्ण नियंत्रण की शक्ति निहित थी। यह सचिव ब्रिटिश कैबिनेट का सदस्य था और अंततः ब्रिटिश संसद के प्रति उत्तरदायी था।

भारतीय परिषद अधिनियम, 1861 के तहत पहली बार कानून बनाने की प्रक्रिया में भारतीय प्रतिनिधियों को शामिल करने की शुरूआत हुई। इस प्रकार वायसराय कुछ भारतीयों को विस्तारित परिषद में गैर-सरकारी सदस्यों के रूप में नामांकित कर सकता था। 1861 में लॉर्ड कैनिंग ने तीन भारतीयों बनारस के राजा, महाराजा

पटियाला और सर दिनकर राव को विधान परिषद में मनोनीत किया।

भारतीय परिषद अधिनियम, 1909 को मार्ले-मिंटो सुधार भी कहा जाता है क्योंकि जब यह बनाया गया, उस समय लॉर्ड मार्ले भारत की राज्य सचिव और लॉर्ड मिंटो वायसराय थे। इस अधिनियम ने पृथक निर्वाचन के आधार पर मुस्लिमों के लिए सांप्रदायिक प्रतिनिधित्व का प्रावधान किया।

भारत सरकार अधिनियम, 1919 को मांटेग्यू चेम्सफोर्ड सुधार कहा जाता है। मांटेग्यू भारत के राज्य सचिव और चेम्सफोर्ड वायसराय थे। इस अधिनियम ने पहली बार देश में द्विसदनीय व्यवस्था और प्रत्यक्ष निर्वाचन की व्यवस्था प्रारंभ की। इस प्रकार भारतीय विधान परिषद के स्थान पर द्विसदनीय व्यवस्था यानी राज्यसभा और लोकसभा का गठन किया गया। दोनों सदनों के बहुसंख्यक सदस्यों को प्रत्यक्ष निर्वाचन के माध्यम से निर्वाचित किया जाता था।

27. बंदी प्रत्यक्षीकरण (Habeas corpus) लैटिन भाषा से लिया गया है, जिसका शाब्दिक अर्थ होता है 'इकाई का होना'। यह उस व्यक्ति के सम्बन्ध में न्यायालय द्वारा जारी आदेश है जिसे दूसरे द्वारा हिरासत में रखा गया है, उसे इसके सामने प्रस्तुत किया जाए। तब न्यायालय मामले की जाँच करता है, यदि हिरासत में लिए गए व्यक्ति का मामला अवैध है तो उसे स्वतंत्र किया जा सकता है। इस तरह यह किसी व्यक्ति को जबरन हिरासत में रखने के खिलाफ है। बंदी प्रत्यक्षीकरण का न्यायादेश दोनों के खिलाफ जारी किया जा सकता है चाहे वह सार्वजनिक प्राधिकरण हो या व्यक्तिगत। यह न्यायादेश तब जारी नहीं किया जा सकता है जब यदि (*i*) हिरासत कानून सम्मत है, (*ii*) कार्यवाही किसी विधानमंडल या न्यायालय की अवमानना के तहत हुई हो। (*iii*) न्यायालय के द्वारा हिरासत एवं (*iv*) हिरासत न्यायालय के न्यायक्षेत्र से बाहर हुई हो।

28. अनेक दल व्यवस्था की बजाय भारत में एक लंबे समय तक कांग्रेस का शासन रहा। अतः श्रेष्ठ राजनीतिक विश्लेषक रजनी कोठारी ने भारत में एकदलीय व्यवस्था को 'एक दलीय शासन व्यवस्था', या 'एक दलीय वर्चस्व मॉडल' या 'कांग्रेस व्यवस्था' कहा है। 1967 तक कांग्रेस का केन्द्र और भारत के अधिकतर राज्यों में सरकारी शक्ति पर एकछत्र अधिकार रहा था। 1967 से क्षेत्रीय दलों तथा अन्य राष्ट्रीय दलों जैसे–जनता पार्टी, जनता दल तथा भाजपा जैसी प्रतिद्वंद्विता पूर्ण पार्टियों के उदय और विकास के कारण कांग्रेस के प्रभाव में कमी आनी शुरू हो गई। वर्तमान समय में तो यह अपने प्रभाव के निम्न स्तर पर है। 16वीं लोकसभा के चुनाव में कांग्रेस विपक्षी पार्टी की हैसियत प्राप्त करने में भी असफल रहा।

29. भारतीय संविधान के अनुच्छेद 93 के अनुसार लोकसभा यथाशीघ्र अपने दो सदस्यों को अपना अध्यक्ष और उपाध्यक्ष चुनेगी और जब-जब अध्यक्ष या उपाध्यक्ष का पद रिक्त होगा तब-तब लोकसभा किसी अन्य सदस्य को, यथास्थिति, अध्यक्ष या उपाध्यक्ष चुनेगी। अध्यक्ष, लोकसभा व उसके प्रतिनिधियों का मुख्य होता है। वह सदस्यों की शक्तियों व विशेषाधिकार का अभिभावक होता है। वह सदन का प्रधानाचार्य व प्रवक्ता होता है और सभी संसदीय मसलों में उसका निर्णय अंतिम होता है। अतः वह लोकसभा का पीठासीन अधिकारी ही नहीं बल्कि इससे अधिक है। इस पद पर अध्यक्ष के पास असीम व महत्वपूर्ण जिम्मेदारियां होती हैं तथा वह सदन के अंदर सम्मान, उच्च प्रतिष्ठा व सर्वोच्च अधिकार का उपभोग करता है। लोकसभा के अध्यक्षों का कार्यकाल निम्नलिखित हैं–

नीलम संजीव रेड्डी–(1967-69 और मार्च 1977-जुलाई 77)

डॉ. गुरदयाल सिंह ढिल्लो–(1969-75)

बलिराम भगत–(1976-77)

डॉ. बलराम जाखड़–(1980-89)

30. भारत के संविधान के अनुच्छेद 214 में राज्यों के लिए उच्च न्यायालय की व्यवस्था की गई है। अनुच्छेद 231 में दो या अधिक राज्यों के लिए एक ही उच्च न्यायालय की व्यवस्था की गई है। भारत की एकल न्यायिक व्यवस्था में उच्च न्यायालय सर्वोच्च न्यायालय के अधीन लेकिन अन्य अधीनस्थ न्यायालयों के ऊपर होता है। एक राज्य की न्याय व्यवस्था अधीनस्थ न्यायालयों के

साथ उच्च न्यायालय पर निर्भर करती है। राज्य के न्यायिक प्रशासन में उच्च न्यायालय की स्थिति सबसे ऊपर होती है।

भारत में सर्वप्रथम उच्च न्यायालय का गठन 1862 में तब हुआ जब कलकत्ता, बंबई और मद्रास उच्च न्यायालयों की स्थापना हुई। वर्तमान समय में देश में 24 उच्च न्यायालय हैं। इलाहाबाद, मुंबई और जबलपुर उच्च न्यायालयों की पीठें हैं। इलाहाबाद उच्च न्यायालय की लखनऊ में पीठ है, मुंबई उच्च न्यायालय की नागपुर, पणजी और औरंगाबाद में पीठें हैं जबकि जबलपुर उच्च न्यायालय की इंदौर और ग्वालियर में पीठें हैं।

32. संगठन की शास्त्रीय विचारधारा (Classical Theory of Organisation) को 'परम्परावादी विचारधारा', 'यांत्रिक विचारधारा', 'औपचारिक विचारधारा' या 'संरचनात्मक सिद्धांत' के नाम से भी पुकारते हैं। इस विचारधारा के प्रमुख समर्थकों में हेनरी फेयोल, लुथर गुलिक, जे.डी. मूने, एल. उर्विक, मेरी फॉलेट आदि प्रमुख हैं। इन विचारकों के अनुसार संगठन मूलतः एक औपचारिक संरचना अथवा योजना है तथा कुछ सुनिश्चित सिद्धांतों की सहायता से विशेषज्ञ इस योजना का निर्माण ठीक उसी प्रकार कर सकते हैं जिस प्रकार कोई वास्तुकार, वास्तु कला के सिद्धांतों की सहायता से किसी भवन की योजना बनाता है। इस सिद्धांत के मूलभूत विचार निम्नलिखित हैं—

संगठन का पारम्परिक सिद्धांत मानव संबंध के बारे में एक प्रशासनिक दृष्टिकोण अपनाता है। यह आर्थिक प्रोत्साहकों (Incentives) को एकमात्र प्रेरक कारक मानता है तथा संगठनात्मक व्यवहार की बारीकियों की उपेक्षा करता है परन्तु यह अनौपचारिक सम्बन्धों को अधिक महत्व नहीं देता है।

34. 'साइबरनेटिक्स' का तात्पर्य नियंत्रण और सम्प्रेषण का विज्ञान है। नियंत्रण (Controlling) एक मूलभूत प्रबंधकीय कार्य है। संगठनों के उद्देश्यपूर्ण तथा लक्ष्य अभिमुखी होने के कारण नियंत्रण की आवश्यकता पड़ती है। सभी प्रकार के संगठनों के प्रबंध के द्वारा लक्ष्यों का निर्धारण किया जाता है और उनकी प्राप्ति के लिए योजना बनाई जाती है। योजनाओं के क्रियान्वयन के लिए अनेकानेक कार्यों व क्रियाओं को निष्पादित करना पड़ता है। परिणामतः यह सुनिश्चित करने के लिए नियंत्रण अपरिहार्य हो जाता है कि संसाधनों का सर्वाधिक कुशल तरीके से प्रयोग किया जा रहा है, क्रियाओं के द्वारा लक्ष्यों की प्राप्ति में अधिकतम योगदान मिल रहा है और लक्ष्यों की प्राप्ति हो रही है।

संचार (Communication) भी प्रबंध का महत्वपूर्ण अंग है। प्रबंधकों के लिए निर्णयन की तरह संचार भी 'संयोजक कड़ी' का काम करता है। नियोजन से लेकर नियंत्रण तक सभी प्रबंधकीय कार्यों का निष्पादन संचार कार्य पर निर्भर करता है। इसके बिना प्रबंध निष्क्रिय होता है।

35. चेस्टर बर्नार्ड ने संगठनात्मक लक्ष्यों की प्राप्ति के लिए 'एक मूलभूत पूर्व-आवश्यकता' के रूप में प्रभावोत्पादक सम्प्रेषण की हिमायत की थी। प्रत्येक संगठन का अपना कुछ निश्चित उद्देश्य होता है। बर्नार्ड ने भी यह बताया है कि संगठन के मुख्य तीन उद्देश्य होते हैं। विकास, स्थायित्व और पारस्परिक क्रियाएँ। प्रत्येक संगठन का यह उद्देश्य होता है कि वह अपना विकास करे। विकास के लिए प्रत्येक संगठन कठिन प्रयास करता है। इसके लिए संगठन में कार्यरत सारे कार्मिक मिल जुलकर कार्य करते हैं। संगठन का तीसरा उद्देश्य जो स्थायित्व है, इसका भी बड़ा महत्व है। स्थायित्व का तात्पर्य संगठन की संरचना में स्थायित्व, उसमें कार्यरत कार्मिकों में स्थायित्व तथा उनके अन्य आंतरिक एवं बाह्य सारी स्थितियों में स्थायित्व से है।

36. बैरी बोजमैन ने लोक और निजी प्रशासन के बीच भेद के बारे में एक अतिवादी दृष्टिकोण अपनाते हुए कहा था कि "सभी संगठन लोक और निजी विशेषताओं को साझा करते हैं।" लोक और निजी प्रशासन व्यवहार में अनेक समानताएँ दर्शाते हैं। हम प्रायः कहते हैं कि वे सभी कार्य जो सरकारी या लोक एजेंसियों द्वारा निष्पादित होते हैं लोक-प्रशासन के दायरे में आते हैं जबकि निजी एजेंसियों द्वारा निष्पादित कार्य निजी प्रशासन के दायरे में आते हैं। तथापि, ऐसे भी कार्य होते हैं जो निजी और लोक दोनों प्रकार की एजेंसियों द्वारा निष्पादित होते हैं। उदाहरण के लिए, व्यापारिक कार्य मुख्यतः निजी संगठनों द्वारा निष्पादित होते थे। किन्तु सरकार ने कई ऐसे आर्थिक और व्यापारिक कार्य अपने हाथ में लिए हैं, जो

अब तक निजी प्रशासन के दायरे में आते थे। इसने 'लोक नियम' नामक एक नए प्रकार के संगठन को जन्म दिया है जो सरकार में प्रचलित साधारण विभागीय प्रकार के संगठन से काफी भिन्न है। इस प्रकार का संगठन लोक-प्रशासन को पर्याप्त लचीलापन प्रदान करने के लिए आवश्यक है; यह लचीलापन व्यापारिक उपक्रमों को चलाने के लिए आवश्यक है।

45. संयुक्त राष्ट्र (UNO) के चार्टर के अनुच्छेद-25 के अनुसार UNO के सभी सदस्य सुरक्षा परिषद के निर्णयों को अंगीकार करने और उन्हें लागू करने पर सहमत होते हैं। 'लीग ऑफ नेशंस' (League of Nations) के उत्तराधिकारी के रूप में संयुक्त राष्ट्रसंघ की स्थापना हुई। दूसरे विश्वयुद्ध की समाप्ति के तुरंत बाद सन् 1945 में इसे स्थापित किया गया। 51 देशों द्वारा UNO के घोषणापत्र पर दस्तखत करने के साथ इस संगठन की स्थापना हो गई। दो विश्वयुद्धों के बीच 'लीग ऑफ नेशंस' जो नहीं कर पाया था उसे कर दिखाने की कोशिश UNO ने की। UNO का उद्देश्य है अंतर्राष्ट्रीय झगड़ों को रोकना और राष्ट्रों के बीच सहयोग की राह दिखाना। इसकी स्थापना के पीछे यह आशा काम कर रही थी कि यह संगठन विभिन्न देशों के बीच जारी ऐसे झगड़ों को रोकने का काम करेगा जो आगे चलकर युद्ध का रूप ले सकते हैं और अगर युद्ध छिड़ हो जाए तो शत्रुता के दायरे को सीमित करने का काम करेगा।

42. स्टीफन वॉल्ट ने तर्क दिया था कि 'यथार्थवाद के हमारी बौद्धिक उपकरण मंजूषा में एकल सर्वाधिक उपयोगी उपकरण बने रहने की संभावना है।' (Realism is likely to remain the single most useful instrument in out intellectual toolbox)। अंतर्राष्ट्रीय राजनीति के अध्ययन का यथार्थवादी दृष्टिकोण मार्गेन्थाऊ, निकोलस स्पाइकमैन, फ्रैड्रिक शूमैन, रेनॉल्ड नेबूर, आर्नोल्ड वुल्फर्स, केनेथ थॉम्पसन, जॉर्ज एफ. कैनन, आदि के नामों के साथ जुड़ा हुआ है। यह दृष्टिकोण राजनीति को शक्ति के लिए संघर्ष मानता है और शक्ति, सुरक्षा तथा राष्ट्रीय हित के तत्वों की सहायता से इसका वर्णन करता है। यथार्थवाद विवेक को राजनीति का मार्गदर्शक मानता है। यथार्थवाद यह मानता है कि तर्कसंगत कार्य वह है जो अपने हित में किया जाता है, जिसका उद्देश्य शक्ति प्राप्त करना है। शक्ति का अर्थ है दूसरों को नियंत्रित करने की योग्यता एवं इच्छा।

43. शक्ति-संतुलन अंतर्राष्ट्रीय संबंधों की वह व्यवस्था है जिसमें राज्य आंतरिक रूप से शक्ति का निर्माण करके सुरक्षा बनाए रखने का प्रयास करते हैं अथवा वे अन्य राज्यों के साथ सम्बन्ध बनाने की कोशिश करते हैं ताकि कोई राज्य (अथवा राज्यों का समूह) अत्यधिक शक्ति का संचय न कर पाए। इसका अर्थ शक्ति की साम्यावस्था एवं तुल्यभारिता से भी है। शक्ति संतुलन प्रणाली के मूलभूत नियम ये हैं—कोई भी एक्टर या गठबंधन, जो वर्चस्व ग्रहण करने का प्रयास करे, उसको बाधित किया जाना चाहिए। राज्य क्षेत्र के अर्जन, अपनी जनसंख्या में वृद्धि और आर्थिक रूप से विकास कर अपनी क्षमताएँ बढ़ाना चाहते हैं। लड़ाई की तुलना में राज्य वार्ता के जरिए समाधान ढूंढना चाहते हैं।

48. संयुक्त राष्ट्र की महासभा ने 13 दिसम्बर, 2006 को विकलांग व्यक्तियों के अधिकारों पर कन्वेंशन अंगीकृत किया था। सर्वप्रथम 9 सितम्बर, 1973 को अशक्त लोगों के अधिकारों से संबंधित संयुक्त राष्ट्र उद्घोषणा द्वारा विश्व स्तर पर इन लोगों से संबंधित मामलों को अभिव्यक्ति मिली। इस घोषणा में विकलांग लोगों के अधिकारों पर विशेष ध्यान देने के साथ-साथ मानवीय प्रतिष्ठा के प्रति सम्मान, अन्य व्यक्तियों के समान अशक्त लोगों के अधिकार, शोषण और भेदभाव के विरुद्ध संरक्षण जैसे आदर्शों पर भी महत्व दिया गया। संयुक्त राष्ट्र उद्घोषणा में निर्धारित उद्देश्यों की प्राप्ति के लिए आर्थिक और सामाजिक परिषद ने अशक्त लोगों के संरक्षण और सुधार के लिए 6 मई, 1975 को एक प्रस्ताव पारित किया। अंतर्राष्ट्रीय स्तर पर इन संगठित प्रयासों के परिणामस्वरूप 1981 को 'विकलांग लोगों के अंतर्राष्ट्रीय वर्ष' के रूप में घोषित किया गया। अंतर्राष्ट्रीय श्रम संगठन (ILO) द्वारा इस अशक्त वर्ग के व्यवस्थापन के लिए प्रशंसनीय प्रयास किए गए हैं जो इन लोगों के व्यावसायिक पुनर्वास के लिए विश्वव्यापी मानकों के निर्माण का प्रयत्न कर रहा है।

प्रश्न-पत्र-III

नोट : *इस प्रश्न-पत्र में* ***पचहत्तर (75)*** *बहु-विकल्पीय प्रश्न हैं। प्रत्येक प्रश्न के* ***दो (2)*** *अंक हैं।* ***सभी*** *प्रश्न अनिवार्य हैं।*

1. निम्नलिखित में से किसने कहा था कि राजनीतिक सिद्धांत राजनीतिक व्यवस्था के एक अमूर्त मॉडल का सूचक है?

A. टी.पी. जेनकिन B. आर.ए. डहल
C. डब्ल्यू.टी. ब्लूहम D. विन्स्टीन

2. निम्नलिखित में से कौन-सा कथन सही नहीं है?

A. शास्त्रीय राजनीतिक सिद्धांत गुणवत्तापरक होता है।
B. व्यवहारवादी राजनीतिक सिद्धांत मात्रात्मक होता है।
C. उत्तर-व्यवहारवादी राजनीतिक सिद्धांत गुणवत्तापरक और मात्रात्मक दोनों होता है।
D. व्यवहारवादी सिद्धांत आंग्ल-अमेरिकी मॉडल के साथ विशेष रूप से संबंधित नहीं है।

3. निम्नलिखित में से कौन-सा कथन सही नहीं है?

A. नव-उदारवाद का तात्पर्य शास्त्रीय उदारवाद में रुचि के महत्वपूर्ण पुनरुज्जीवन से है।
B. ब्रिटेन में नव-दक्षिणपंथी राजनीतिक दलों ने नव-उदारवादी विचार ग्रहण किए थे।
C. शास्त्रीय उदारवाद का पुनरुज्जीवन 1970 के दशक में विश्वमंदी के प्रारम्भ में एक प्रतिक्रिया के रूप में हुआ था।
D. टी.एच. ग्रीन ने स्वतंत्रता के बारे में केवल शास्त्रीय उदारवादी धारणा को स्वीकार किया।

4. जॉन रॉल्स की सामाजिक न्याय की अवधारणा को निम्नलिखित में से किसने एक 'मरीचिका' के रूप में खारिज किया था?

A. मैकफर्सन B. फ्रेडरिक हयेक
C. इसायाह बर्लिन D. रॉबर्ट नोजिक

5. निम्नलिखित में से किसने कहा था कि विचारधारा को न तो विमोचक या उत्पीड़क या फिर सही या गलत के रूप में समझा जाना चाहिए। यह इनमें से कोई भी हो सकती है?

A. एन्ड्रयू हेवुड B. जॉन रॉल्स
C. एन्ड्रयू गेम्बल D. बिल कोक्साल

6. सूची-I को सूची-II के साथ सुमेलित करें और नीचे दिए गए कूट का प्रयोग करते हुए सही उत्तर चुनिए :

सूची-I (वर्ष)	सूची-II (घटना)
(*a*) 1917	1. माओ ने अपना ऐतिहासिक 'लंबा मार्च' प्रारंभ किया था।
(*b*) 1918	2. माओ ने सी.सी.पी. की पहली कांग्रेस में भाग लिया था।
(*c*) 1921	3. माओ पीकिंग विश्वविद्यालय में पुस्तकालय सहायक बने थे।
(*d*) 1934	4. माओ ने लियु शाओ ची से मुलाकात की थी।

कूट :

	(*a*)	(*b*)	(*c*)	(*d*)
A.	2	1	3	4
B.	4	3	2	1
C.	1	2	3	4
D.	3	4	1	2

7. सूची-I को सूची-II के साथ सुमेलित करें और नीचे दिए गए कूट का प्रयोग करते हुए सही उत्तर चुनिए :

सूची-I (दार्शनिक)	सूची-II (विचार)
(*a*) मैकियावेली	1. तर्क के प्रति विद्रोह
(*b*) हॉब्स	2. नैतिक उदासीनता
(*c*) लॉक	3. आत्म-परिरक्षण की वृत्ति
(*d*) रूसो	4. सम्पत्ति का नैसर्गिक अधिकार

कूट :

	(*a*)	(*b*)	(*c*)	(*d*)
A.	2	3	4	1
B.	1	2	3	4
C.	3	1	4	2
D.	4	3	2	1

8. निम्नलिखित में से किसने कहा था : "मैं जिन भी धार्मिक व्यक्तियों से मिला, उनमें से अधिकतर छद्मवेष में राजनीतिज्ञ थे। लेकिन, मैं राजनीतिज्ञ का वेष धारण करता हूँ, जो छद्मवेष में हृदय से एक धार्मिक व्यक्ति है।"

A. बिपिन चन्द्र पाल B. सी.आर. दास
C. एम.के. गांधी D. एम.ए. जिन्ना

9. नीचे दो कथन दिए गए हैं, जिसमें से एक को अभिकथन (A) और दूसरे को तर्क (R) कहा गया है। नीचे दिए गए कूट का प्रयोग करते हुए सही उत्तर चुनिए :

अभिकथन (A) : विचारों के बारे में प्लेटो का सिद्धांत ज्ञान के सिद्धांत पर आधारित है।

तर्क (R) : उनके अनुसार ज्ञान धारणा होती है।

कूट :

A. (A) और (R) दोनों सही हैं तथा (R), (A) की सही व्याख्या है।
B. (A) और (R) दोनों सही हैं, लेकिन (R), (A) की सही व्याख्या नहीं है।
C. (A) सही है, लेकिन (R) गलत है।
D. (A) गलत है, लेकिन (R) सही है।

10. निम्नलिखित में से किसने कहा था : "अरस्तू का नया सामान्य राजनीतिक विज्ञान न केवल अनुभवजन्य और वर्णनात्मक है, बल्कि कुछ मामलों में यह किसी भी नैतिक उद्देश्य से स्वतंत्र भी है क्योंकि राजनेता को बुरे राज्य के शासन में विशेषज्ञ बनने की आवश्यकता पड़ सकती है?"

A. ई. बार्कर B. जी.एच. सैबाइन
C. ई.बी. इंग्लैंड D. जी.सी. फील्ड

11. लॉक के अनुसार निम्नलिखित में से कौन-सा कथन सही नहीं है?

(*a*) राज्य को संवैधानिक राज्य होना चाहिए।
(*b*) सरकार के पास स्वविवेकीय अधिकार होना चाहिए।
(*c*) यह एक सहनशील राज्य है।
(*d*) संपत्ति का अधिकार नैसर्गिक अधिकार नहीं है।

नीचे दिए गए कूट का प्रयोग करते हुए सही उत्तर चुनिए :

A. (*a*) और (*c*) B. (*a*) और (*b*)
C. केवल (*b*) D. केवल (*d*)

12. रूसो के अनुसार निम्नलिखित में से कौन-सा कथन सही नहीं है?

(*a*) दो मूल वृत्तियाँ—स्व-प्रेम और सहानुभूति मानव की प्रकृति का निर्माण करती है।
(*b*) एक विचारशील मानव दुराचारी पशु होता है।
(*c*) परिवार केवल प्राकृतिक समाज होता है।
(*d*) सामान्य इच्छा एक समूह की सोच (ग्रुप माइंड) नहीं होती है।

नीचे दिए गए कूट का प्रयोग करते हुए सही उत्तर चुनिए :

A. (*a*) और (*b*) B. (*b*) और (*c*)
C. केवल (*c*) D. केवल (*d*)

13. जे.एस. मिल के अनुसार निम्नलिखित में से कौन-सा कथन सही नहीं है?

(*a*) आनंद गुणवत्ता और मात्रा में भिन्न होता है।
(*b*) मिल गैर-उपयोगितावादी तर्कों का उपयोग करते हैं।
(*c*) सुखावह कलन (फेलिसिफिक केल्कुलस) असंगत है।
(*d*) आनंद को वस्तुनिष्ठ तरीके से मापा जा सकता है।

नीचे दिए गए कूट का प्रयोग करते हुए सही उत्तर चुनिए :

A. (*b*) और (*c*) B. (*a*) और (*b*)
C. (*a*), (*b*) और (*c*) D. केवल (*d*)

14. अमर्त्य सेन की निम्नलिखित कृतियों को उनके प्रकाशन के कालक्रमिक क्रम में व्यवस्थित करें। नीचे दिए गए कूट का प्रयोग कर सही उत्तर चुनिए :

(*a*) आइडिया ऑफ जस्टिस
(*b*) इनइक्वेलिटी रिएक्जामिन्ड
(*c*) डेवलपमेंट एज फ्रीडम
(*d*) चॉइस, वेलफेयर एंड मेजरमेंट

कूट :

A. (*d*), (*b*), (*c*), (*a*) B. (*a*), (*b*), (*c*), (*d*)
C. (*c*), (*d*), (*a*), (*b*) D. (*b*), (*a*), (*d*), (*c*)

15. नीचे दो कथन दिए गए हैं, जिसमें से एक को अभिकथन (A) और दूसरे को तर्क (R) कहा गया है। नीचे दिए गए कूट का प्रयोग करते हुए सही उत्तर चुनिए :

अभिकथन (A) : मैजिनी और अरबिन्दो के विचारों में अत्यधिक समानता थी।

तर्क (R) : दोनों का मानना था कि ईश्वर में आस्था नैतिकता का आधार था और राजनीति को नैतिकता से अलग नहीं किया जा सकता है।

कूट :

A. (A) और (R) दोनों सही हैं तथा (R), (A) की सही व्याख्या है।

B. (A) और (R) दोनों सही हैं, लेकिन (R), (A) की सही व्याख्या नहीं है।

C. (A) सही है, लेकिन (R) गलत है।

D. (A) गलत है, लेकिन (R) सही है।

16. सामाजिक विज्ञान में अपनाए गए सामान्य व्यवस्था सिद्धांत के सही क्रम की पहचान कीजिए :

(*i*) मनोविज्ञान

(*ii*) समाजशास्त्र

(*iii*) नृविज्ञान

(*iv*) राजनीति विज्ञान

नीचे दिए गए कूट का प्रयोग करते हुए सही उत्तर चुनिए :

कूट :

A. (*i*), (*ii*), (*iii*) और (*iv*)

B. (*iii*), (*ii*), (*i*) और (*iv*)

C. (*ii*), (*iii*), (*iv*) और (*i*)

D. (*iii*), (*i*), (*ii*) और (*iv*)

17. लोक संस्थाओं में विश्वास के क्षय के अर्थों में 'वैधीकरण संकट'' शब्दावली किसने विकसित की, जिसका परिणाम राज्य के अवपीड़क उपकरण बनने के रूप में सामने आता है, निम्नलिखित में से किसने विकसित की?

A. डेविड आप्टर

B. एस.पी. हंटिंगटन

C. एडवर्ड शील्स

D. हैबरमास

18. संविधान के बारे में निम्नलिखित में से कौन-सा कथन सही नहीं है?

A. यह राजनीतिक संस्थाओं की रक्षा करता है।

B. यह सरकार के अंगों के सभी प्राधिकारों का स्रोत है।

C. यह पारदेशी सुरक्षा को प्रोत्साहित करता है।

D. यह मूलभूत विधियों को सम्मिलित करता है।

19. निम्नलिखित में से कौन-से यूरोपीय विचारक राजनीतिक अभिजन के सिद्धांत से संबद्ध हैं?

(*a*) परेटो (*b*) मोस्का

(*c*) शुम्पीटर (*d*) लॉसवेल

नीचे दिए गए कूट का प्रयोग करते हुए सही उत्तर चुनिए :

कूट :

A. (*a*) और (*b*) B. (*a*), (*b*) और (*c*)

C. (*a*), (*b*) और (*d*) D. (*a*), (*b*), (*c*) और (*d*)

20. निम्नलिखित में से कौन हित समूहों और दबाव समूहों के बीच कोई भेद नहीं करते हैं?

(*a*) जीन ब्लोंडेल (*b*) माइरन वीनर

(*c*) रॉबर्ट सी. बोन (*d*) जेम्स कोलमैन

नीचे दिए गए कूट का प्रयोग करते हुए सही उत्तर चुनिए :

A. (*a*) और (*b*) B. (*b*) और (*c*)

C. (*a*) और (*d*) D. केवल (*d*)

21. पराश्रितता सिद्धांत के मूल तर्कों की पहचान करें। नीचे दिए गए कूट का प्रयोग करते हुए सही उत्तर चुनिए :

(*a*) उपनिवेशों के विकास को श्वेत व्यक्ति के बोझ के रूप में देखा जाता है।

(*b*) तीसरी दुनिया के देश प्राकृतिक संसाधन और सस्ते श्रमिक प्रदान करते हैं।

(*c*) औद्योगीकरण और बाजार अर्थव्यवस्था विकास में सहायक होते हैं।

(*d*) विकसित पश्चिमी देश विभिन्न साधनों से पराश्रितता की स्थिति बनाए रखते हैं।

कूट :

A. (*b*) और (*c*) B. (*b*) और (*d*)

C. (*a*) और (*c*) D. (*a*) और (*d*)

22. भारतीय राजनीतिक प्रणाली और अमेरिकी राजनीतिक प्रणाली के बीच निम्नलिखित में से कौन-सी समान विशेषताएं हैं?

(*a*) अवशिष्ट शक्तियां केन्द्र के पास होती हैं।

(*b*) अवशिष्ट शक्तियां राज्यों के पास होती हैं।

(*c*) राष्ट्रपति के पास 'पॉकेट वीटो' होता है।

(*d*) उच्च सदन में कुछ मनोनीत सदस्य होते हैं।

नीचे दिए गए कूट का प्रयोग करते हुए सही उत्तर चुनिए :

A. (*a*), (*c*) और (*d*) B. (*b*), (*c*) और (*d*)
C. (*c*) और (*d*) D. केवल (*c*)

23. निम्नलिखित में से किस प्रकार की नौकरशाही दलीय हितों के प्रति पक्षपात दिखाती है?

A. संरक्षक नौकरशाही B. जातिगत नौकरशाही
C. प्रश्रयदाता नौकरशाही D. योग्यतापरक नौकरशाही

24. एकल हस्तांतरणीय मत प्रणाली में प्रत्येक मतदाता के लिए क्या आवश्यक है?

A. भरी जाने वाली सीटों की तुलना में एक और वरीयता को इंगित करना।
B. भरी जाने वाली कुल सीटों की तुलना में एक कम वरीयता को इंगित करना।
C. निर्वाचित होने वाले प्रत्याशियों जितनी वरीयताओं को इंगित करना।
D. केवल एक एकल वरीयता इंगित करना।

25. सरकार की अध्यक्षात्मक प्रणाली के बारे में निम्नलिखित में से कौन-सा कथन सही है?

(*a*) राष्ट्रपति राज्य और सरकार दोनों का अध्यक्ष होता है।
(*b*) यह शक्तियों के पृथक्करण पर आधारित है।
(*c*) राष्ट्रपति के पद का कार्यकाल निश्चित होता है।
(*d*) सचिव (मंत्री) राष्ट्रपति और सीनेट के प्रति उत्तरदायी होते हैं।

नीचे दिए गए कूट का प्रयोग करते हुए सही उत्तर चुनिए :

कूट :

A. (*a*), (*b*) और (*c*)
B. (*a*), (*b*), (*c*) और (*d*)
C. (*a*), (*b*) और (*d*)
D. (*a*), (*c*) और (*d*)

26. निम्नलिखित में से किस सदन में सदस्यों द्वारा सर्वाधिक लंबे भाषण दिए गए हैं?

A. हाउस ऑफ लार्ड्स
B. लोक सभा
C. अमेरिकी सीनेट
D. स्विस काउंसिल ऑफ स्टेट्स

27. भारत और अमेरिका के उपराष्ट्रपति के बारे में निम्नलिखित में से कौन-सा कथन सही है?

(*a*) दोनों देशों के उपराष्ट्रपति का एक निर्धारित कार्यकाल होता है।
(*b*) ये उच्च सदन के सभापति होते हैं।
(*c*) ये सदन की समितियों को नियुक्त करते हैं।
(*d*) उन्हें बराबर मतों की स्थिति में निर्णायक मत देने का अधिकार होता है।

नीचे दिए गए कूट का प्रयोग करते हुए सही उत्तर चुनिए :

कूट :

A. (*a*), (*b*) और (*d*) B. (*b*) और (*c*)
C. (*a*), (*b*) और (*c*) D. (*a*), (*b*), (*c*) और (*d*)

28. अनियमित हित समूहों के बारे में निम्नलिखित में से कौन-सा कथन सही नहीं है?

A. ये स्वतः प्रवर्तित समूह होते हैं, जो अचानक गठित किए जाते हैं।
B. ये पूर्व-संगठन और नियोजन के आधार पर गठित होते हैं।
C. असंतोष की अभिव्यक्ति के लिए कुछ बार हिंसक व्यवहार का पैदा होना।
D. ये अल्पकालिक और अस्थायी होते हैं क्योंकि जब उद्देश्य प्राप्त हो जाता है तो कार्य करना बंद कर देते हैं।

29. नीचे दो कथन दिए गए हैं, जिसमें से एक को अभिकथन (A) और दूसरे को तर्क (R) कहा गया है। नीचे दिए गए कूट का प्रयोग करते हुए सही उत्तर चुनिए :

अभिकथन (A) : पश्चिमी देशों के विकसित लोकतंत्र में सेना नागरिक सत्ता के अधीन होती है।

तर्क (R) : सेना उन देशों में एक महत्वपूर्ण भूमिका अदा करती है, जहाँ लोकतंत्र ने संस्थागत रूप नहीं लिया है।

कूट :

A. (A) और (R) दोनों सही हैं तथा (R), (A) की सही व्याख्या है।
B. (A) और (R) दोनों सही हैं, लेकिन (R), (A) की सही व्याख्या नहीं है।
C. (A) सही है, लेकिन (R) गलत है।
D. (A) गलत है, लेकिन (R) सही है।

30. सूची-I को सूची-II के साथ सुमेलित करें और नीचे दिए गए कूट का प्रयोग करते हुए सही उत्तर चुनिए :

सूची-I (लेखक)	**सूची-II (अवधारणा/मॉडल)**
(*a*) रॉबर्ट मिशेल्स	1. सम्प्रेषण मॉडल
(*b*) जेम्स बर्नहम	2. शक्ति अभिजन
(*c*) सी. राइट मिल्स	3. प्रबंधकीय क्रांति
(*d*) हैरल्ड लॉसवेल	4. अल्पतंत्र (ओलीगार्की) की लौह विधि

कूट :

	(*a*)	(*b*)	(*c*)	(*d*)
A.	2	4	1	3
B.	1	2	3	4
C.	4	3	2	1
D.	3	2	1	4

31. नकारात्मक मत के अधिकार के संबंध में निम्नलिखित में से कौन-सा कथन/कौन-से कथन सही है/हैं? नीचे दिए गए कूट की सहायता से सही उत्तर चुनिए :

I. भारत का चुनाव आयोग चाहता था कि मतदाताओं को इलेक्ट्रॉनिक वोटिंग मशीन में 'उपरोक्त में कोई नहीं' (नोटा) का बटन दिया जाए।

II. नोटा विकल्प के लिए उच्चतम न्यायालय में एसोसिएशन फॉर डेमोक्रेटिक रिफॉर्म द्वारा लोकहित याचिका दायर की गई।

III. किसी निर्वाचन क्षेत्र में यदि 'नोटा' को सबसे अधिक मत मिलेंगे तो वहाँ दुबारा मतदान कराया जाएगा।

IV. यदि किसी उम्मीदवार को 'नोटा' मतों से कम मत भी प्राप्त होते हैं तो भी सर्वाधिक मत प्राप्त करने वाले उम्मीदवार को निर्वाचित घोषित किया जाएगा।

कूट :

A. केवल I और II सही हैं।

B. केवल II और III सही हैं।

C. केवल III और IV सही हैं।

D. केवल I और IV सही हैं।

32. नीचे दो कथन दिए गए हैं, जिनमें से एक को अभिकथन (A) और दूसरे को तर्क (R) कहा गया है। नीचे दिए गए कूट का प्रयोग करते हुए सही उत्तर चुनिए :

अभिकथन (A) : भारत में संघवाद का अवसान नहीं हुआ है।

तर्क (R) : नये क्षेत्र लगातार राज्य का दर्जा मांग रहे हैं।

कूट :

A. (A) और (R) दोनों सही हैं तथा (R), (A) की सही व्याख्या है।

B. (A) और (R) दोनों सही हैं, लेकिन (R), (A) की सही व्याख्या नहीं है।

C. (A) सही है, लेकिन (R) गलत है।

D. (A) गलत है, लेकिन (R) सही है।

33. निम्नलिखित में से कौन सुमेलित नहीं है?

A. लक्ष्मीकांत पांडेय बनाम भारत का संघ : भारतीय बच्चों का अन्तर-देशीय गोद लिया जाना।

B. एस.पी. गुप्ता बनाम भारत के राष्ट्रपति तथा अन्य : सामाजिक उद्देश्य के लिए लोक हित याचिका दायर करने हेतु नागरिकों को समर्थ बनाना

C. मोहिनी जैन बनाम कर्नाटक राज्य : प्रदूषणमुक्त जल एवं वायु का सेवन

D. ओल्गा टेलिस बनाम बम्बई नगर निगम : आजीविका का अधिकार

34. सूची-I को सूची-II के साथ सुमेलित करें और नीचे दिए गए कूट का प्रयोग करते हुए सही उत्तर चुनिए :

सूची-I (भारत के राष्ट्रपति)	**सूची-II (कार्यकाल)**
(*a*) वराहगिरि वेंकटगिरि	1. जुलाई 1987 – जुलाई 1992
(*b*) डॉ. जाकिर हुसैन	2. जुलाई 1977 – जुलाई 1982
(*c*) आर. वेंकटरमन	3. अगस्त 1969 – अगस्त 1974
(*d*) नीलम संजीव रेड्डी	4. मई 1967 – मई 1969

कूट :

	(*a*)	(*b*)	(*c*)	(*d*)
A.	3	1	4	2
B.	3	4	1	2
C.	2	3	4	1
D.	1	2	3	4

35. निम्नलिखित में से कौन-सा लोक सभा चुनाव क्षेत्रों की संरचना का सही ब्यौरा है?

	कुल चुनाव क्षेत्र	सामान्य चुनाव क्षेत्र	अनुसूचित जाति चुनाव क्षेत्र	अनुसूचित जनजाति चुनाव क्षेत्र
A.	545	423	80	42
B.	543	423	79	41
C.	543	425	78	40
D.	545	427	79	39

36. भारत के उच्चतम न्यायालय के अनुसार, अनुच्छेद 51 क के खंड (च) में यथा वर्णित 'मिश्रित संस्कृति' की नींव है :

A. भारत की विविध संस्कृति
B. संस्कृत भाषा और साहित्य
C. भारत का पंथ निरपेक्ष ताना-बाना
D. स्वतंत्रता आंदोलन के दौरान विकसित मूल्य

37. भारत के नागरिकों को निम्नलिखित में से कौन-से मौलिक अधिकार प्रदान किए गए हैं? नीचे दिए गए कूट से सही उत्तर चुनिए।

I. संस्कृति और शिक्षा का अधिकार
II. विधि के समक्ष समानता
III. शोषण के विरुद्ध अधिकार
IV. धर्म, नस्ल, जाति, लिंग अथवा जन्म स्थान के आधार पर भेदभाव के विरुद्ध सुरक्षा

कूट :

A. केवल I और II B. केवल II और IV
C. केवल III और IV D. केवल I और IV

38. निम्नलिखित में से कौन-सा कथन/कौन-से कथन भारत शासन अधिनियम, 1935 के बारे में सही नहीं है/हैं? नीचे दिए गए कूट की सहायता से सही उत्तर चुनिए :

I. छह प्रान्तों में व्यवस्थापिका द्विसदनीय थी।
II. गवर्नर जनरल को स्थायी अधिनियम बनाने का अधिकार था न कि अध्यादेश बनाने का।
III. विधायन की अवशिष्ट शक्तियां केंद्रीय व्यवस्थापिका के पास थीं।
IV. विषय के रूप में शिक्षा केंद्रीय व्यवस्थापिका के पास थी।
V. केवल मुस्लिम समुदाय को पृथक प्रतिनिधित्व प्राप्त था।

कूट :

A. I, II, III और V B. II, IV और V
C. II, III, IV और V D. I, III, IV और V

39. सूची-I को सूची-II के साथ सुमेलित करें और नीचे दिए गए कूट का प्रयोग करते हुए सही उत्तर चुनिए :

सूची-I (किसान संगठन)	**सूची-II (राज्य)**
(*a*) शेतकारी संगठन	1. गुजरात
(*b*) भारतीय किसान संघ	2. महाराष्ट्र
(*c*) समता संगठन	3. राजस्थान
(*d*) किसान मजदूर संगठन	4. ओडिशा
	5. पश्चिम बंगाल

कूट :

	(*a*)	(*b*)	(*c*)	(*d*)
A.	1	2	3	5
B.	3	2	1	4
C.	2	1	4	3
D.	2	1	4	5

40. निम्नलिखित कथनों पर विचार करें और नीचे दिए गए कूट का प्रयोग करते हुए सही उत्तर चुनिए :

I. संसद में विधायन के अध्यधीन किसी भी क्षेत्र को 'अनुसूचित क्षेत्र' के रूप में घोषणा करने का अधिकार राष्ट्रपति को दिया गया है।
II. संविधान की 5वीं अनुसूची का संबंध असम, मेघालय और त्रिपुरा में 'अनुसूचित क्षेत्रों' के प्रशासन से है।
III. 'अनुसूचित क्षेत्रों' वाले राज्यों की सरकार को ऐसे 'क्षेत्रों' के प्रशासन के बारे में राष्ट्रपति को रिपोर्ट जमा करनी पड़ती हैं।
IV. संघ की कार्यपालक शक्ति 'अनुसूचित क्षेत्रों' के प्रशासन के बारे में संबंधित राज्यों को निर्देश देने तक विस्तारित होगी।

उपरोक्त में से कौन-सा कथन सही है?

कूट :

A. केवल I और III
B. केवल I और IV
C. केवल I और II
D. केवल II और III

41. XVI लोकसभा चुनाव के परिणामों के बारे में निम्नलिखित में से कौन सही तरीके से सुमेलित होता है?

A. राष्ट्रीय लोकतांत्रिक गठबंधन : 336 सीटें और मतों का 35 प्रतिशत हिस्सा

B. संयुक्त प्रगतिशील गठबंधन : 54 सीटें और मतों का 23 प्रतिशत हिस्सा

C. वाम मोर्चा : 10 सीटें और मतों का 4.8 प्रतिशत हिस्सा

D. कांग्रेस : 44 सीटें और मतों का 17 प्रतिशत हिस्सा

42. सूची-I को सूची-II के साथ सुमेलित करें और नीचे दिए गए कूट का प्रयोग करते हुए सही उत्तर चुनिए :

सूची-I (लेखक)	**सूची-II (पुस्तकें)**
(*a*) आर.एम. जेनकिन्स	1. स्टेट पोलिटिक्स इन इंडिया
(*b*) मायरन वीनर	2. लैंग्वेज, रिलीजन एंड पोलिटिक्स इन नोर्थ इंडिया
(*c*) क्रिस्टोफे जैफरलोट	3. रीजनल रिफलेक्शंस : कम्पेरिंग पोलिटिक्स अक्रोस इंडियाज स्टेट्स
(*d*) पॉल आर. ब्रास	4. इंडियाज साइलेन्ट रिवोलुशन : द राइज ऑफ द लो कास्ट्स इन नोर्थ इंडियन पोलिटिक्स

कूट :

	(*a*)	(*b*)	(*c*)	(*d*)
A.	3	1	4	2
B.	1	3	4	2
C.	2	1	4	3
D.	4	1	3	2

43. निम्नलिखित में से कौन-सा युग्म सही तरीके से सुमेलित नहीं होता है?

A. रजनी कोठारी – कांग्रेस सिस्टम

B. योगेन्द्र यादव – थर्ड इलेक्टोरल सिस्टम

C. पॉल ब्रास – डिसइंटीग्रेशन ऑफ कांग्रेस ओर्गेनाइजेशन

D. जेम्स मेनर – पोस्ट कांग्रेस पोलिटी

44. निम्नलिखित में से किसने कहा था : "वर्तमान समाज के संदर्भ में जाति प्रणाली एवं इसके साथ जो कुछ भी है, वे असंगत, प्रतिक्रियावादी, प्रतिबंधात्मक और प्रगति में बाधाएँ हैं।"

A. बी.आर. अम्बेडकर B. जवाहरलाल नेहरू

C. एम.के. गांधी D. आर.एम. लोहिया

45. अधीनस्थ न्यायालयों के बारे में निम्नलिखित कथनों पर विचार कीजिए और नीचे दिए गए कूट में से गलत कथनों को चिह्नित कीजिए :

(*a*) पंचायत न्यायालय का केवल दीवानी क्षेत्राधिकार है।

(*b*) पदसोपान में मुंसिफ न्यायालय अधीनस्थ न्यायाधीश के न्यायालय से नीचे होता है।

(*c*) जिला न्यायाधीश के न्यायालय में सेशन के अधिक गंभीर दीवानी वाद होते हैं।

कूट :

A. केवल (*a*)

B. (*a*) और (*b*)

C. (*a*) और (*c*)

D. (*a*), (*b*) और (*c*)

46. सूची-I को सूची-II के साथ सुमेलित करें और नीचे दिए गए कूट का प्रयोग करते हुए सही उत्तर चुनिए :

सूची-I (पुस्तकें)	**सूची-II (लेखक)**
(*a*) द आर्ट ऑफ जजमेन्ट : ए स्टडी ऑफ पोलिसी मेकिंग	1. थॉमस आर. डाई
(*b*) अंडरस्टेन्डिंग पब्लिक पोलिसी	2. हरबर्ट साइमन
(*c*) द न्यू साइंस ऑफ मैनेजमेंट डिसिजन	3. सर जिओफ्री वीकर्स
(*d*) पर्सनेलिटी एंड ऑर्गेनाइजेशन	4. क्रिस अर्गिरिस

कूट :

	(*a*)	(*b*)	(*c*)	(*d*)
A.	2	4	3	1
B.	3	1	2	4
C.	1	3	2	4
D.	4	2	3	1

47. वर्तमान में लोक लेखा समिति में 22 सदस्य होते हैं, जिनमें से :

A. 15 लोक सभा से और 7 राज्य सभा से हैं।
B. 14 लोक सभा से और 8 राज्य सभा से हैं।
C. 12 लोक सभा से और 10 राज्य सभा से हैं।
D. 11 लोक सभा से और 11 राज्य सभा से हैं।

48. किसी संगठन में प्राप्त किए गए विशिष्ट गतिविधियों का क्षैतिज समूहीकरण होता है :

A. केन्द्रीकृत B. एकीकृत
C. विकेन्द्रित D. विघटित

49. सूचना के अधिकार अधिनियम, 2005 के बारे में निम्नलिखित कथनों में से कौन-सा/से सही है/हैं?

(*a*) यह अधिनियम अक्टूबर, 2005 में लागू हुआ।
(*b*) इसने सरकारी गोपनीय अधिनियम, 1923 को समाप्त किया।
(*c*) इसने सूचना के स्वतंत्रता अधिनियम, 2002 को समाप्त नहीं किया।
(*d*) यह केवल भारतीय नागरिकों को उपलब्ध है।

नीचे दिए गए कूट का प्रयोग करते हुए सही उत्तर चुनिए :

कूट :

A. (*a*) और (*c*) B. (*b*) और (*d*)
C. (*c*) और (*d*) D. (*a*) और (*d*)

50. एल.डी. व्हाइट के अनुसार, लोक सेवक के विरुद्ध अनुशासनात्मक कार्रवाई के कारणों में निम्नलिखित में कौन-सा शामिल नहीं है?

A. अकुशलता
B. ड्यूटी में लंबी अनुपस्थिति
C. अनैतिकता
D. नशा

51. संगठन के व्यवहारवादी सिद्धांत के साथ कौन-से नाम संबद्ध हैं?

(*a*) चेस्टर बर्नार्ड
(*b*) जे.एल. मोरेनो
(*c*) थॉमस कार्लाइल
(*d*) ए.एच. मास्लो

नीचे दिए गए कूट का प्रयोग करते हुए सही उत्तर चुनिए :

कूट :

A. (*a*), (*c*) और (*d*) B. (*a*), (*b*), (*c*) और (*d*)
C. (*b*) और (*d*) D. (*a*), (*b*) और (*d*)

52. नीचे दो कथन दिए गए हैं, जिसमें से एक को अभिकथन (A) और दूसरे को तर्क (R) कहा गया है। नीचे दिए गए कूट का प्रयोग करते हुए सही उत्तर चुनिए :

अभिकथन (A) : नीति-निर्धारण चयन की एक प्रक्रिया है और इसका उद्देश्य श्रेष्ठ विकल्प का चयन है।

तर्क (R) : नीति-निर्धारण में तर्कसंगतता सम्मिलित है।

कूट :

A. (A) और (R) दोनों सही हैं तथा (R), (A) की सही व्याख्या है।
B. (A) और (R) दोनों सही हैं, लेकिन (R), (A) की सही व्याख्या नहीं है।
C. (A) सही है, लेकिन (R) गलत है।
D. (A) गलत है, लेकिन (R) सही है।

53. रिग्सवादी एग्रेरिया मॉडल निम्नलिखित में से किसका सूचक है?

(*a*) कुल-आधारित संगठन
(*b*) सामुदायिक मूल्य
(*c*) निर्वैयक्तिक मानव संबंध
(*d*) दैवीय सत्ता स्रोत

नीचे दिए गए कूट का प्रयोग करते हुए सही उत्तर चुनिए :

कूट :

A. (*a*), (*b*) और (*c*) B. (*b*), (*c*) और (*d*)
C. (*a*), (*b*) और (*d*) D. (*a*), (*b*), (*c*) और (*d*)

54. नीचे दो कथन दिए गए हैं, जिनमें से एक को अभिकथन (A) और दूसरे को तर्क (R) कहा गया है। नीचे दिए गए कूट का प्रयोग करते हुए सही उत्तर चुनिए :

अभिकथन (A) : ''विकेन्द्रीकरण का मसला सामान्य स्वीकृति की तुलना में अवधारणा और व्यवहार में अधिक जटिल है।''

तर्क (R) : "विकेन्द्रीकरण के बारे में दोहरी भूमिका का उपागम एक नए परिवेश में क्षेत्र-कार्य के विरोधाभास के पूर्वाभ्यास का एक प्रकार है।"

कूट :

A. (A) और (R) दोनों सही हैं तथा (R), (A) की सही व्याख्या है।

B. (A) और (R) दोनों सही हैं, लेकिन (R), (A) की सही व्याख्या नहीं है।

C. (A) सही है, लेकिन (R) गलत है।

D. (A) गलत है, लेकिन (R) सही है।

55. टेलर ने अपने वैज्ञानिक प्रबंधन सिद्धांत में निम्नलिखित में से किसका समर्थन नहीं किया था?

A. कुशलता मूल्यांकन विशेषज्ञ

B. 'आर्थिक मानव' की अवधारणा

C. कार्यात्मक फोरमैनशिप

D. औजारों का मानकीकरण

56. चेस्टर बरनार्ड ने एक अधीनस्थ की अपने प्रबंधक की सत्ता की स्वीकृति के बारे में एक अवधारणा विकसित की थी। इसकी पहचान कीजिए :

A. प्रेरणा मैट्रिक्स

B. नीति निर्धारण सत्ता

C. उदासीनता का क्षेत्र

D. अवपीड़क सत्ता का क्षेत्र (जोन ऑफ कॉअरसिव अथॉरिटी)

57. डब्ल्यू.ए. रॉबसन ने नौकरशाही की त्रुटियों का सार प्रस्तुत करते हुए किसको शामिल नहीं किया था?

A. स्व-महत्व की अत्यधिक भावना

B. सामान्यवादी ने प्रशासनिक प्रणाली पर प्रभुत्व रखा।

C. वैयक्तिक नागरिकों की भावनाओं के प्रति उदासीनता।

D. शासक और शासित के बीच संबंधों को मानने में विफलता।

58. मैक्स वेबर और फ्रेड डब्ल्यू रिग्स के बीच किसके संदर्भ में समानता है?

A. उन्होंने आदर्श किस्म के मॉडल्स की रचना की थी।

B. उन्होंने अपने पर्यावरणीय परिवेशों में प्रशासनिक प्रणालियों का अध्ययन किया था।

C. उन्होंने परिवर्तन की समस्याओं पर ध्यान केन्द्रित किया था।

D. उन्होंने निगमिक उपागम का उपयोग किया था।

59. ऊर्ध्वगामी सम्प्रेषण मूल रूप से अपरम्परागत होता है, लेकिन किसके द्वारा सुधारा जा सकता है :

(*a*) प्रबंधन द्वारा साक्ष्य देना कि उसकी कर्मचारियों के विचारों के बारे में वास्तव में रुचि है।

(*b*) वरिष्ठ द्वारा अधीनस्थों के विचार सुनने से पहले स्वयं अपना विचार बतलाना चाहिए।

(*c*) मुखिया को बतलाए गए विचारों और समस्याओं पर कदम उठाना चाहिए।

(*d*) वरिष्ठ को स्वयं अपने विचारों के बारे में अधीनस्थों की प्रतिक्रियाएँ पूछनी चाहिए।

नीचे दिए गए कूट का प्रयोग करते हुए सही उत्तर चुनिए :

कूट :

A. (*a*), (*c*) और (*d*) B. (*a*) और (*c*)

C. (*b*), (*c*) और (*d*) D. (*a*), (*b*) और (*d*)

60. कौटिल्य ने अर्थशास्त्र में सरकारी धन के गबन के कितने तरीकों का उल्लेख किया है?

A. 75 B. 40

C. 50 D. 30

61. सूची-I को सूची-II के साथ सुमेलित करें और नीचे दिए गए कूट का प्रयोग करते हुए सही उत्तर चुनिए :

सूची-I (संयुक्त राष्ट्र का सेक्रेटरी जनरल)	**सूची-II (कार्यकाल)**
(*a*) कोफी अन्नान	1. जनवरी 1972 से दिसंबर 1981 तक
(*b*) बुतरस बुतरस घाली	2. जनवरी 1982 से दिसंबर 1991 तक
(*c*) जेवियर पेरेज द कुईयार	3. जनवरी 1997 से दिसंबर 2006 तक
(*d*) कुर्त वाल्दहीम	4. जनवरी 1992 से दिसंबर 1996 तक

कूट :

	(*a*)	(*b*)	(*c*)	(*d*)
A.	3	4	2	1
B.	3	4	1	2
C.	1	2	4	3
D.	4	3	2	1

62. मानव अधिकारों की दूसरी पीढ़ी में निम्नलिखित में से किस अधिकार को शामिल नहीं किया गया है?

A. शिक्षा का अधिकार
B. स्वास्थ्य का अधिकार
C. उत्पीड़न और दासता से मुक्ति का अधिकार
D. आवास का अधिकार

63. संयुक्त राष्ट्र के शांति स्थापना अभियानों में निम्नलिखित में से कौन-सा प्रथम पीढ़ी का शांति स्थापना अभियान नहीं है :

A. कम्बोडिया में संयुक्त राष्ट्र की संक्रमणकालीन सत्ता
B. संयुक्त राष्ट्र युद्धविराम परिवीक्षण संगठन
C. संयुक्त राष्ट्र आपातकालीन बल
D. संयुक्त राष्ट्र डिसअंगेजमेंट पर्यवेक्षक बल

64. सूची-I को सूची-II के साथ सुमेलित करें और नीचे दिए गए कूट का प्रयोग करते हुए सही उत्तर चुनिए :

सूची-I (लेखक)	**सूची-II (विचार)**
(*a*) इमानुअल वालरस्टीन	1. खेल सिद्धांत
(*b*) वॉन न्यूमैन	2. इतिहास का अंत
(*c*) मोर्गेन्थो	3. यथार्थवाद
(*d*) फ्रांसिस फुकुयामा	4. पराश्रितता सिद्धांत

कूट :

	(*a*)	(*b*)	(*c*)	(*d*)
A.	2	3	1	4
B.	3	2	4	1
C.	4	1	3	2
D.	1	4	2	3

65. नीचे दो कथन दिए गए हैं, जिनमें से एक को अभिकथन (A) और दूसरे को तर्क (R) कहा गया है। नीचे दिए गए कूट का प्रयोग करते हुए सही उत्तर चुनिए :

अभिकथन (A) : गुट निरपेक्ष नीति शीत युद्ध के काल में अधिक प्रासंगिक थी।

तर्क (R) : गुट निरपेक्ष देश नृवंशीय और धार्मिक भेदों के आधार पर विभाजित हैं।

कूट :

A. (A) और (R) दोनों सही हैं तथा (R), (A) की सही व्याख्या है।
B. (A) और (R) दोनों सही हैं, लेकिन (R), (A) की सही व्याख्या नहीं है।
C. (A) सही है, लेकिन (R) गलत है।
D. (A) गलत है, लेकिन (R) सही है।

66. नीचे दो कथन दिए गए हैं, जिनमें से एक को अभिकथन (A) और दूसरे को तर्क (R) कहा गया है। नीचे दिए गए कूट का प्रयोग करते हुए सही उत्तर चुनिए :

अभिकथन (A) : अमेरिकी विदेश नीति ने लोकतांत्रिक सरकारों को समर्थन दिया।

तर्क (R) : समय-समय पर सैनिक व्यवस्थाओं को भी अमेरिका द्वारा समर्थन दिया गया।

कूट :

A. (A) और (R) दोनों सही हैं तथा (R), (A) की सही व्याख्या है।
B. (A) और (R) दोनों सही हैं, लेकिन (R), (A) की सही व्याख्या नहीं है।
C. (A) सही है, लेकिन (R) गलत है।
D. (A) गलत है, लेकिन (R) सही है।

67. पराश्रितता सिद्धांत के बारे में निम्नलिखित में से कौन-सा कथन सही नहीं है?

(*a*) मूल और परिधि के बीच असमान संबंध
(*b*) तीसरी दुनिया के देशों में विकासात्मक प्रक्रिया अल्प-विकास पर पुनर्बल देती है।
(*c*) औद्योगीकरण लोकतंत्रीकरण के नए रूपों और वैश्विक व्यवस्था में न्याय संगतता (इक्विटी) का मार्ग प्रशस्त करता हैं।
(*d*) नव-उपनिवेशवाद को मजबूत बनाना।

नीचे दिए गए कूट का प्रयोग करते हुए सही उत्तर चुनिए :

कूट :

A. (*a*) और (*d*)
B. (*b*) और (*c*)
C. (*a*), (*b*), (*c*) और (*d*)
D. केवल (*c*)

68. "शांति के लिए एकजुटता प्रस्ताव" को किस अन्य नाम से जाना जाता है?

A. ट्रूमैन प्लान B. अमेरिकन प्लान

C. एचिसन प्लान D. आइजनहावर प्लान

69. शक्ति संतुलन किसका एक महत्वपूर्ण सिद्धांत है?

A. अंतर्राष्ट्रीय राजनीति में उदारवादी विचारधारा का

B. अंतर्राष्ट्रीय राजनीति में मार्क्सवादी विचारधारा का

C. अंतर्राष्ट्रीय राजनीति में पारम्परिक विचारधारा का

D. अंतर्राष्ट्रीय राजनीति में यथार्थवादी विचारधारा का

70. इरिस एल क्लॉड जु. के अनुसार निम्नलिखित में से कौन-सा शक्ति के प्रबंधन का साधन (डिवाइस) नहीं है?

A. शस्त्र नियंत्रण B. सामूहिक सुरक्षा

C. शक्ति संतुलन D. विश्व सरकार

71. कितने एशियाई देश G-20 के सदस्य हैं?

A. 5 B. 6

C. 7 D. 8

72. यूरोप में अपनी प्रादेशिक संप्रभुता के साथ आधुनिक राज्य प्रणाली किस घटना के परिप्रेक्ष्य में पहली बार अस्तित्व में आई?

A. वर्साय की संधि

B. वियना कांग्रेस

C. वेस्टफेलिया संधि

D. बर्लिन कांग्रेस

73. संयुक्त राष्ट्र आर्थिक एवं सामाजिक परिषद के बारे में निम्नलिखित में से कौन-सा कथन सही है? नीचे दिए गए कूट का प्रयोग करते हुए सही उत्तर चुनिए :

(*i*) इस परिषद में 54 सदस्य हैं।

(*ii*) यह परिषद वर्ष भर में आमतौर पर नागरिक समाज के सदस्यों के साथ अनेक लघु सत्र एवं अनेक तैयारी बैठकें और पैनल चर्चा आयोजित करती है।

(*iii*) यह जुलाई में तीन सप्ताह का सारवान सत्र भी आयोजित करती है।

(*iv*) इस परिषद में मतदान साधारण बहुमत से होता है और प्रत्येक सदस्य का एक मत होता है।

कूट :

A. (*i*), (*ii*), (*iii*) B. (*ii*), (*iii*), (*iv*)

C. (*i*), (*ii*), (*iv*) D. (*i*), (*ii*), (*iii*), (*iv*)

74. कैरन ए. मिंग्स्ट के अनुसार प्रथम पीढ़ी के शांति स्थापना अभियानों को सर्वाधिक प्रभावी बनाने के लिए निम्नलिखित में से कौन-सी शर्त आवश्यक नहीं है?

A. एक स्पष्ट एवं व्यावहारिक अधिदेश या अभियान का उद्देश्य

B. अमेरिकी बलों को भी शांति स्थापना अभियानों में रखा जाना चाहिए।

C. अधिदेश और बल की संरचना में शामिल पक्षों की सहमति।

D. संयुक्त राष्ट्र सुरक्षा परिषद के सदस्यों का मजबूत वित्तीय एवं संभार तंत्रीय (लॉजिस्टिक) समर्थन।

75. सूची-I को सूची-II के साथ सुमेलित करें और नीचे दिए गए कूट का प्रयोग करते हुए सही उत्तर चुनिए :

सूची-I (शब्दावली)	**सूची-II (विषयवस्तु)**
(*a*) निवारक राजनय	1. यह शास्त्रीय शांति स्थापना जैसा है। इसका तात्पर्य सभी पक्षों की सहमति के साथ संयुक्त राष्ट्र के बल की तैनाती से है।
(*b*) शांति निर्माण	2. इसमें हिंसा को आगे भड़कने से रोकने और शांति को मजबूत बनाने के लिए सामाजिक, राजनीतिक और आर्थिक इन्फ्रास्ट्रक्चर (ढांचागत सुविधाएँ) का विकास शामिल है।
(*c*) शांति स्थापना	3. इसमें विश्वास निर्माण उपाय, तथ्यों का पता लगाना और संयुक्त राष्ट्र-अधिकृत बलों की निवारक तैनाती शामिल है।
(*d*) उत्तर-संघर्ष शांति निर्माण	4. यह अंततः शांतिपूर्ण साधनों के माध्यम से शत्रु पक्षों को सहमत कराने के लिए किया जाता है।

कूट :

	(*a*)	(*b*)	(*c*)	(*d*)
A.	3	4	1	2
B.	3	4	2	1
C.	1	2	3	4
D.	4	3	2	1

उत्तरमाला

1	2	3	4	5	6	7	8	9	10
C	D	D	B	A	B	A	C	C	B
11	**12**	**13**	**14**	**15**	**16**	**17**	**18**	**19**	**20**
D	D	D	A	A	B	D	C	A	D
21	**22**	**23**	**24**	**25**	**26**	**27**	**28**	**29**	**30**
B	D	C	C	A	C	A	B	B	C
31	**32**	**33**	**34**	**35**	**36**	**37**	**38**	**39**	**40**
D	B	C	B	B	B	D	C	D	B
41	**42**	**43**	**44**	**45**	**46**	**47**	**48**	**49**	**50**
B	A	D	B	C	B	A	C	D	B
51	**52**	**53**	**54**	**55**	**56**	**57**	**58**	**59**	**60**
D	A	C	B	A	C	B	B	B	B
61	**62**	**63**	**64**	**65**	**66**	**67**	**68**	**69**	**70**
A	C	A	C	B	B	D	C	D	A
71	**72**	**73**	**74**	**75**					
C	C	C	B	A					

व्याख्यात्मक उत्तर

1. डब्ल्यू.टी.ब्लूहम (W.T. Bluhm) का मानना था कि राजनीतिक सिद्धांत राजनीतिक व्यवस्था के एक अमूर्त मॉडल का सूचक है। राजनीतिक सिद्धांत के अंतर्गत राजनीति के भिन्न-भिन्न पक्षों का अध्ययन किया जाता है। राजनीति का संबंध मनुष्यों के सार्वजनिक जीवन से है। समाज की सारी संस्थाओं में केवल राजनीतिक प्रबंध ऐसा विषय है जिसका सरोकार सम्पूर्ण समुदाय से है, किन्हीं गिने-चुने व्यक्तियों या समूहों से नहीं। मतलब यह कि राजनीतिक प्रबंध के अंतर्गत समाज़ के सारे सदस्यों के ऊपर सत्ता का प्रयोग किया जाता है; सबके लिए नियम बनाए जाते हैं और निर्णय किए जाते हैं और सार्वजनिक जीवन को उन्नत करने के उपाय किए जाते हैं। ये नियम और निर्णय हम सबके जीवन को दूर-दूर तक प्रभावित करते हैं। ऐसे निर्णय किस प्रक्रिया का परिणाम होते हैं, और इस प्रक्रिया में किन तात्विक नियमों का पालन होना चाहिए—यह राजनीति सिद्धांत की मुख्य समस्या है।

2. शास्त्रीय या परम्परागत राजनीतिक सिद्धांत गुणवत्तापरक होता है। व्यवहारवादी राजनीतिक सिद्धांत मात्रात्मक होता है जबकि उत्तर-व्यवहारवादी राजनीतिक सिद्धांत गुणवत्तापरक और मात्रात्मक दोनों होता है। व्यवहारवादी सिद्धांत आंग्ल-अमेरिकी मॉडल के साथ विशेष रूप से सम्बन्धित है। व्यवहारवाद ने राजनीति विज्ञान की पुरानी दार्शनिक, ऐतिहासिक और संस्थात्मक अध्ययन-विधियों के प्रति विद्रोह का शंखनाद किया। व्यवहारवादी उपागम के मुख्य उन्नायक अमेरिकी राजनीतिक-वैज्ञानिक रॉबर्ट ए. डहल, डेविड ईस्टन और हाइंज युलो हैं। उनके विचार से इस नए उपागम के विकास की एक दिशा यह है कि इसने संस्थाओं की नई परिभाषा प्रस्तुत की है जिसके अनुसार संस्थाएँ या तो वैयक्तिक व्यवहार से सम्बद्ध प्रणालियाँ हैं, या फिर सामाजिक क्रिया की प्रणालियाँ हैं। उदाहरण के लिए व्यवहारवादी संप्रदाय के सदस्य USA के सर्वोच्च न्यायालय या कांग्रेस का अध्ययन इन संस्थाओं के रूप में नहीं करते, बल्कि वे सर्वोच्च न्यायालय

के न्यायाधीशों, सीनेट और प्रतिनिधि सभा के सदस्यों के व्यवहार-प्रतिमानों का अध्ययन करने लगे हैं।

3. टी.एच. ग्रीन ने स्वतंत्रता के बारे में केवल शास्त्रीय उदारवादी धारणा को स्वीकार नहीं किया बल्कि रूसो, काण्ट और हीगल जैसे आदर्शवादी विचारकों की शिक्षाओं का अनुसरण करते हुए उदारवाद की परंपरा को 'लोक कल्याणकारी राज्य' की दिशा में आगे बढ़ाया।

ग्रीन ने 'नैतिक स्वतंत्रता' को मनुष्य का उपयुक्त गुण स्वीकार किया है। उसने तर्क दिया कि सच्ची स्वतंत्रता अधिकारों की मांग करती है। अधिकार मनुष्यों के नैतिक-चरित्र से जन्म लेते हैं, किसी अनुभवातीत कानून से नहीं। अधिकारों की व्यवस्था के अंतर्गत प्रत्येक मनुष्य यह स्वीकार करता है कि उसे और उसके सहचरों को आदर्श उद्देश्यों की साधना का समान अधिकार है। चूँकि मनुष्य नैतिक प्राणी है, इसलिए सब मनुष्यों के आदर्श उद्देश्य एक-जैसे होते हैं। अतः भिन्न-भिन्न मनुष्यों के अधिकारों में कोई द्वंद्व पैदा नहीं होता।

4. एफ.ए. हेयक ने अपनी चर्चित कृति 'कानून, विधि-निर्माण और स्वतंत्रता : सामाजिक न्याय की मृगतृष्णा–1976' के अंतर्गत यह तर्क दिया है कि 'सामाजिक न्याय' का विचार ही निरर्थक है। इसी आधार पर हेयक ने जॉन रॉल्स की सामाजिक न्याय की अवधारणा को एक 'मरीचिका' के रूप में खारिज किया था। हेयक का मानना है कि न्याय वस्तुतः मनुष्य के आचरण की विशेषता है; कोई समाज न्यायपूर्ण या अन्यायपूर्ण नहीं हो सकता। यदि समानता के हित में स्वतंत्रता में कटौती की जाती है तो जीवन-सामग्री के अन्यायपूर्ण वितरण के प्रश्न पर तनाव, कलह और विवाद अवश्य पैदा होंगे। न्याय की तलाश केवल प्रक्रिया का विषय है जिसका ध्येय स्वतंत्रता को बढ़ावा देना है।

6. माओ-त्से-तुंग या माओ जेदोंग (1893–1976) आधुनिक चीन का साम्यवादी नेता और विचारक था जिसने क्रांति के मार्क्सवादी सिद्धांत और व्यवहार की चीन की परिस्थितियों के अनुरूप ढालने का प्रयत्न किया। मार्क्स ने कहा था कि आधुनिक युग में सर्वहारा वर्ग का असंतोष क्रांति की ज्वाला प्रज्वलित करेगा, परंतु चीन में असंतोष का मुख्य वाहक कृषक वर्ग था। माओ ने इसी कृषक वर्ग को क्रांति का माध्यम बनाया। वह एक लोकप्रिय नेता था जिसने अपने विचारों को जन-जन तक पहुँचाने का बीड़ा उठाया। यह बात महत्वपूर्ण है कि माओ ने चीन में साम्यवादी आंदोलन का नेतृत्व संभाल कर 1949 में समाजवादी राज्य की स्थापना की और आजीवन उस देश का नेतृत्व संभाले रखा। माओ ने 1917 में लियु शाओ ची से मुलाकात की थी, 1918 में उसने पीकिंग विश्वविद्यालय में पुस्तकालय सहायक की नौकरी की। 1921 में माओ ने सी.सी.पी. की पहली कांग्रेस में भाग लिया था और अपने ऐतिहासिक 'लंबा मार्च' का प्रारंभ 1934 में किया था।

7. मैकियावेली के अनुसार, राजनीति का उद्देश्य एक सुदृढ़ शासन-व्यवस्था स्थापित करना है। यदि शासन चलाने के लिए नैतिक तौर-तरीकों से काम चल सकता हो तो उन्हें अवश्य अपनाना चाहिए परंतु जहाँ राष्ट्र की एकता और अखण्डता खतरे में हो, वहाँ शासक को सारे नैतिक आदर्शों को परे रखकर राष्ट्र के हित की रक्षा करना चाहिए।

टॉमस हॉब्स 17वीं शताब्दी का प्रसिद्ध अंग्रेज दार्शनिक था। हॉब्स आत्म-परिरक्षण की वृति के उद्देश्य से सामाजिक अनुबंध सिद्धांत की संकल्पना प्रस्तुत की।

जॉन लॉक भी 17वीं शताब्दी का प्रसिद्ध अंग्रेज विचारक था। लॉक को उदारवाद का जनक माना जाता है। इसने संपत्ति के नैसर्गिक अधिकार का समर्थन किया है। लॉक का कहना है कि 'जीवन, स्वतंत्रता और संपत्ति के अधिकार' प्राकृतिक अधिकार हैं। मनुष्य इन्हीं अधिकारों की रक्षा के लिए नागरिक समाज या राज्य का निर्माण करते हैं।

फ्रांसीसी दार्शनिक रूसों तर्क के प्रति विद्रोह का शंखनाद करता है। उसकी मान्यता है कि वैज्ञानिक और साहित्यिक गतिविधियों के परिणामस्वरूप साधारणतः सारा समाज नैतिक दृष्टि से भ्रष्ट हो गया है।

8. महात्मा गाँधी ने कहा था कि "मैं जिन भी धार्मिक व्यक्तियों से मिला, उनमें से अधिकतर छद्मवेष में राजनीतिज्ञ थे। लेकिन, मैं राजनीतिज्ञ का वेष धारण करता हूँ, जो छद्मवेष में हृदय से एक धार्मिक व्यक्ति है।" गाँधीजी ने राजनीति को आध्यात्मिक आधार देकर

उसे स्वच्छ रखने का समर्थन किया। इसकी प्रेरणा उन्हें प्रसिद्ध मनीषी गोपाल कृष्ण गोखले से मिली। आध्यात्मिक, धार्मिक और नैतिक– ये तीनों अभिव्यक्तियां गाँधीजी के लिए एक ही अर्थ का संकेत देती थीं। धर्म को उन्होंने कभी संकुचित अर्थ में नहीं लिया। उनकी दृष्टि में विश्व के सब धर्मों का सार-तत्व एवं ध्येय एक-जैसा था। वे धार्मिक सहिष्णुता एवं उदारता के समर्थक थे। राजनीति के धार्मिक आधार से उनका तात्पर्य यह था कि प्रत्येक राजनीतिक कृत्य या संस्था को नैतिक कसौटी पर कसना आवश्यक है। मार्क्स के भौतिकवादी दर्शन के विपरीत महात्मा गाँधी अध्यात्म-तत्व की प्रधानता में विश्वास रखते थे। गाँधीजी के अनुसार, यह भौतिक संसार एवं इसकी चमक-दमक नश्वर है; अतः सांसारिक जीवन की उन्नति के लिए आध्यात्मिक जीवन का तिरस्कार करना बुद्धिमता नहीं है। जो राजनीति धर्म से विहीन है, वह मृत्युजाल के तुल्य है, और आत्मा को पतन के गर्त में धकेलती है।

9. विचारों के बारे में प्लेटो का सिद्धांत ज्ञान के सिद्धांत पर आधारित है परन्तु प्लेटो के अनुसार ज्ञान धारणा न होकर सद्गुण है। उसने विचारों या प्रत्ययों के यथार्थ जगत् के सिद्धांत का प्रतिपादन किया है और लौकिक जगत् की वस्तुओं को प्रत्ययों का प्रतिबिम्ब माना है।

प्लेटो प्राचीन यूनान का अत्यंत प्रतिभाशाली दार्शनिक था। पश्चिमी परंपरा में उसे सबसे पहला व्यवस्थित राजनीति-सिद्धांतकार माना जाता है। उसने राजनीति की ऐसी समस्याओं पर विचार किया जो आज के युग में भी बहुत महत्वपूर्ण समझी जाती हैं। उसने इनका ऐसा विश्लेषण प्रस्तुत किया जो आज भी चर्चा-परिचर्चा और वाद-विवाद का विषय बना हुआ है, और संभवतः युग-युगांतर तक बना रहेगा।

10. जी.एच.सेबाइन ने कहा था कि ''अरस्तू का नया सामान्य राजनीतिक विज्ञान न केवल अनुभवजन्य और वर्णनात्मक है, बल्कि कुछ मामलों में यह किसी भी नैतिक उद्देश्य से स्वतंत्र भी है क्योंकि राजनेता को बुरे राज्य के शासन में विशेषज्ञ बनने की आवश्यकता पड़ सकती है।'' सेबाइन का विचार है कि 'पालिटिक्स' हमें अरस्तू की राजनीतिक विचारधारा के दो चरणों को प्रकट करती है जो एक-दूसरे से काफी दूर हैं। इनसे यह भी पता चलता है कि अरस्तू ने प्लेटो के प्रभाव से मुक्त होने का प्रयास किया है या इसी बात को अधिक अच्छी तरह से यों कहा जाए कि ''अरस्तू ने अपनी स्वतंत्रता विचारधारा के निर्माण का प्रयास किया है।'' प्रथम यह है कि अरस्तू 'स्टेट्समैन' और 'लॉज' के अनुकरण पर एक आदर्श राज्य का निर्माण करना चाहता है और इसे ही राजनीतिक दर्शन का मुख्य ध्येय समझता है।

वास्तव में अपने ग्रंथ 'पालिटिक्स' में आदर्श राज्य की स्थापना तथा यथार्थ का विश्लेषण एक ही साथ कर अरस्तू ने एक नवीन राजनीति विज्ञान को जन्म दिया है। अरस्तू के राजनीति के इस नवीन और व्यापक विज्ञान में न केवल राज्य का नैतिक उद्देश्य शामिल है, वरन् उसमें उसके सामाजिक तथा राजनीतिक तत्वों, वास्तविक संविधानों, उनके सम्मिश्रण और तद्जनित परिणामों का एक अनुभवगम्य अध्ययन भी शामिल है। राजनीति विज्ञान की परिभाषा और क्षेत्र को इतना विस्तृत करना इस विषय में अरस्तू की सबसे बड़ी देन है।

11. लॉक के अनुसार संपत्ति का अधिकार नैसर्गिक या प्राकृतिक अधिकार है। उसने अपने ग्रंथ 'ट्रीटाइज' में इस बात पर सर्वाधिक बल दिया कि राज्य के निर्माण का मुख्य उद्देश्य ही नागरिकों के जीवन, उनकी स्वतंत्रता और सम्पत्ति के उन प्राकृतिक अधिकारों को सुरक्षित करना है जिनका उपभोग वे प्राकृतिक अवस्था में करते थे। लॉक द्वारा प्रतिपादित सम्पत्ति का प्राकृतिक अधिकार ही सर्वाधिक महत्वपूर्ण अधिकार है।

लॉक का विचार था कि प्राकृतिक अवस्था में सम्पत्ति का अधिकार सुरक्षित था। उस युग में सम्पत्ति इस अर्थ में समझी जाती थी कि प्रत्येक व्यक्ति प्रकृति से अपने जीवन-निर्वाह की सामग्री प्राप्त करता था। लॉक के अनुसार ''जिस चीज को मनुष्य ने अपने शारीरिक श्रम द्वारा प्राप्त किया है, उस पर उसका प्राकृतिक अधिकार हो।'' लॉक ने इस तरह वैयक्तिक स्वामित्व के सिद्धांत का प्रतिपादन किया।

12. रूसो के अनुसार सामान्य इच्छा एक समूह की सोच (Group mind) होती है। 'सामान्य इच्छा' की संकल्पना

को स्पष्ट करने के लिए सबसे पहले तात्कालिक इच्छा (Actual will) और तात्विक इच्छा (Real will) में अंतर करना आवश्यक है। रूसो के चिंतन के संदर्भ में, तात्कालिक इच्छा वह है जिसे व्यक्ति क्षणिक आवेश में अनुभव करता है; यह परिवर्तनशील एवं तुच्छ कोटि की इच्छा है। यह आकस्मिक और तर्कशून्य इच्छा है। तात्कालिक इच्छा यह देखती है कि किसी विशेष क्षण में हमारा स्वार्थ क्या है; इसमें हमारे दीर्घकालिक हित या सम्पूर्ण समुदाय के हित पर विचार नहीं किया जाता। अतः तात्कालिक इच्छा की पूर्ति से किसी व्यक्ति को क्षणिक संतोष तो मिल सकता है; इससे उसका अपना या संपूर्ण समाज का कल्याण नहीं हो सकता। इसके विपरीत, तात्विक इच्छा नित्य और निर्विकार है; यह परम कल्याण का आधार है; यही सच्ची स्वतंत्रता की अभिव्यक्ति है। तात्विक इच्छा मनुष्य की तर्कबुद्धि से प्रेरित होती है, क्षणिक आवेश से नहीं। इसमें हमारे सच्चे हित या सामान्य हित के सामने तात्कालिक स्वार्थ की अनदेखी कर दी जाती है। तात्विक इच्छा की कसौटी सामान्य हित की चेतना है; वैयक्तिक हित इसका स्वाभाविक अंश है। अतः सामान्य इच्छा समुदाय के सब सदस्यों की तात्विक इच्छा का सामान्य आधार प्रस्तुत करती है। यह सामान्य हित की सर्वनिष्ठ चेतना है।

13. बेंथम ने सुखों और दुःखों के मात्रात्मक अंतर पर बल देते हुए गुणात्मक अंतर का खण्डन किया है। बेंथम का विचार था कि यदि कंचे खेलने और कविता पढ़ने में एक जितना आनंद आता हो तो इन दोनों में कोई अंतर नहीं है। परंतु जे.एस. मिल ने तर्क दिया कि भिन्न-भिन्न प्रकार के सुखों में गुणात्मक अंतर अवश्य होता है, और किसी सुख की गुणवत्ता (Quality) उसके परिणाम (Quantity) से कम महत्वपूर्ण नहीं होती। सुख या आनंद को वस्तुनिष्ठ तरीके से नहीं मापा जा सकता है। मनुष्य केवल भौतिक सुखों के पीछे नहीं दौड़ता बल्कि उसकी नैतिक, बौद्धिक और कलात्मक अभिरूचियों का विकास भी जरूरी है। जो सुख मनुष्य की उच्चतर क्षमताओं से प्राप्त किया जाता है, वह अन्य सुखों की तुलना में उत्तम है। उच्च कोटि का सुख कम संतुष्टिदायक होने पर भी ग्राह्य है; निम्न कोटि का सुख अत्यधिक संतुष्टिदाय होने पर भी त्याज्य है। मिल के शब्दों में, "एक संतुष्ट मूर्ख की तुलना में असंतुष्ट सुकरात होना कहीं अच्छा है।"

15. जोसेफ मैजिनी और अरबिन्दों दोनों का मानना था कि ईश्वर में आस्था नैतिकता का आधार था और राजनीति को नैतिकता से अलग नहीं किया जा सकता है। इस तरह दोनों के विचारों में अत्यधिक समानता थी। मैजिनी को इटली के एकीकरण का जनक माना जाता है। उसका कथन है कि "यदि समाज में क्रांति लानी हो तो क्रांति का नेतृत्व नवयुवकों के हाथ में दे देना चाहिए।"

श्री अरविंद या महर्षि अरविंद (अरविंद घोष) आधुनिक भारत के ऐसे राजनीति-विचारक थे जिन्हें भारतीय राष्ट्रवाद का महान उन्नायक माना जाता है। वे भारतीय स्वाधीनता आंदोलन के साथ निकट से जुड़े थे और उन्होंने भारत की पूर्ण स्वाधीनता की मांग पर बल दिया। वे राजनीति और नैतिकता के पृथक्करण का विरोधी थे।

16. तुलनात्मक राजनीति के आधुनिक उपागम में प्रणाली या व्यवस्था सिद्धांत का विशेष स्थान है। अमेरिकी राजनीति-वैज्ञानिक डेविड ईस्टन ने 1953 में अपनी प्रसिद्ध कृति 'राजनीतिक प्रणाली-राजनीति विज्ञान की दशा का अन्वेषण' प्रकाशित की। उसने ऐसे सिद्धांत का निर्माण करना चाहा जिसमें सारे सामाजिक विज्ञान समा जाएं।

संरचनात्मक-कृत्यात्मक विश्लेषण वस्तुतः प्रणाली-विश्लेषण का ही विकसित रूप है। तुलनात्मक राजनीति में इस उपागम के प्रयोग की प्रेरणा रेडक्लिफ-ब्राउन और बी. मैलीनोस्की सरीखे मानव-वैज्ञानिकों (Anthropologists) की कृतियों से आई है। इन्होंने अनेक जनजातीय समुदायों के अध्ययन में इस उपागम का प्रयोग किया। परंतु सभ्य समाज के अध्ययन के लिए ऐसा सैद्धांतिक ढांचा तैयार करने का श्रेय प्रसिद्ध समाज-वैज्ञानिक टैल्कट पार्संस को है। इसके बाद मनोविज्ञान के क्षेत्र में भी इस उपागम से सहायता ली गई और अंत में गेब्रियल ऑलमंड ने राजनीति विश्लेषण के लिए इस उपागम का उपयुक्त सैद्धांतिक ढांचा विकसित किया।

17. जर्मन दार्शनिक एवं समाज-वैज्ञानिक युर्गेन हेबरमास ने अपनी बहुचर्चित कृति 'Legitimation crisis–1975' के अंतर्गत लिखा है कि पूंजीवाद वैधता के घोर संकट

से गुजर रहा है और शायद इसके निवारण का कोई उपाय भी नहीं है। हेबरमास के अनुसार, परंपरागत समाज सृष्टि की पौराणिक, धार्मिक या दार्शनिक व्याख्याओं से जुड़ी संस्थाओं की वैधता को स्वीकार करते थे। परंतु पूंजीवाद ने वैज्ञानिक जानकारी और स्वचालित मशीनों को सबसे ऊँची मान्यता देकर सता की वैधता के परंपरागत आधार को नष्ट कर दिया है।

हेबरमास का विश्वास है कि जिन-जिन क्षेत्रों में समकालीन पूंजीवाद का विस्तार हुआ है, उन सबमें परस्पर जुड़े हुए संकटों की श्रृंखला दिखाई देने लगी है। पूंजीवादी अर्थ व्यवस्था राजनीतिक प्रणाली पर जो दायित्व डाल रही है, उन्हें संभालने में वह समर्थ नहीं रह गई है। जब भिन्न-भिन्न हितों से जुड़े हुए समूह राज्य के बाहर अपने मतभेदों को नहीं सुलझा पाते तो उनकी परस्पर विरोधी मांगों के कारण बहुलवाद भंग हो जाता है, और राज्य गतिहीन हो जाता है। और फिर, पुराने जमाने में जो प्रतीक समाज के प्रति व्यक्तियों की निष्ठा स्थापित करते थे, वे उतने प्रभावशाली नहीं रह गए हैं जिससे व्याख्या का संकट पैदा हो जाता है। इसका परिणाम होता है, परवर्ती पूंजीवाद में वैधता की गंभीर समस्याएं, जो संचय (Accumulation) की समस्याओं से किसी तरह गंभीर नहीं है।

18. किसी भी देश का संविधान (Constitution) वहाँ की राजनीतिक प्रक्रिया के लिए वैध ढांचा प्रस्तुत करता है। यह राजनीतिक संस्थाओं जैसे–विधायिका, कार्यपालिका और न्यायपालिका की रक्षा करता है ओर सरकार के सभी अंगों के सभी प्राधिकारों का स्रोत है। संविधान में सरकार के सुचारू रूप से कार्य संचालन के लिए मूलभूत विधियों का समावेश होता है परंतु यह पारदेशी सुरक्षा को प्रोत्साहित नहीं करता है। अतः संविधानों का अध्ययन चिरकाल से राजनीति के अध्ययन का आवश्यक अंग रहा है। प्राचीनकाल में अरस्तू ने अपने समय के 158 संविधानों के इतिवृत (Case histories) तैयार कराए थे जिनके आधार पर उसने राजनीति को संचालित करने के नियम निर्दिष्ट किए थे। आधुनिक युग के अनेक विद्वानों ने संविधान के अध्ययन को विशेष महत्व देते हुए विस्तृत दिशा-निर्देश दिए हैं। सांविधानिक अध्ययन के श्रेण्य सिद्धांतकारों में जेम्स ब्राइस और के. सी. ह्वीयर के नाम विशेष रूप से उल्लेखनीय हैं। ब्राइस और ह्वीयर दोनों ने राजनीतिक प्रणालियों के संस्थात्मक संगठन पर विशेष बल दिया है जबकि सी.एफ. स्ट्रांग और अन्य सिद्धांतकारों ने संविधान के इस लक्ष्य को स्वीकार करते हुए इसके एक अन्य महत्वपूर्ण लक्षण का संकेत दिया है, अर्थात् यह सत्ताधारियों की शक्ति पर अंकुश रखने का साधन भी है।

19. इटली के दो प्रसिद्ध समाजवैज्ञानिक–विल्फ्रेड पैरेटो और गीतानो मोस्का राजनीतिक अभिजन सिद्धांत (Theory of Political elites) से संबद्ध हैं। मूलतः राजनीतिक अभिजन सिद्धांत समाजशास्त्र (Sociology) के क्षेत्र में यह व्याख्या देने के लिए विकसित किया गया कि सामाजिक संगठन के भीतर मनुष्य किस तरह व्यवहार करते हैं? 20वीं शताब्दी के आरंभिक दौर में पैरेटो और मोस्का ने यह सिद्धांत प्रस्तुत किया कि किसी भी समाज या संगठन के अंतर्गत महत्वपूर्ण निर्णय केवल गिने-चुने लोग ही करते हैं, चाहे उस संगठन का बाहरी रूप कैसा भी क्यों न हो!

20. जेम्स कोलमैन हित समूहों और दबाव समूहों के बीच कोई भेद नहीं करते हैं। विभिन्न समूह अपनी-अपनी अभिरूचि के विषय से जुड़ी गतिविधियों में भाग लेने के लिए जो संगठन बनाते हैं, उन्हें हम साधारणतः साहचर्य की संज्ञा देते हैं। फिर, जब कोई साहचर्य अपने उद्देश्य की पूर्ति के लिए राजनीतिक प्रक्रिया को प्रभावित करने का प्रयत्न करते हैं तो उन्हें हम हित समूह कहते हैं। जब कोई हित समूह अत्यधिक सक्रिय हो जाता है, और अन्य समूहों के हितों को पीछे धकेल कर अपने हितों की सिद्धि के लिए सरकार पर अपना दबाव बढ़ा देता है तो उसे दबाव समूह की संज्ञा दी जाती है। अत्यधिक प्रभावशाली दबाव समूह की अब 'लाबी' (Lobby) कहा जाता है। हालाँकि हित समूह और दबाव समूह की प्रकृति में कोई बुनियादी अंतर नहीं है।

21. पराश्रितता सिद्धांत (Dependency Theory) की शुरूआत प्रेबिस-सिंगर शोध पत्र (Hans Singer–Raul Prebisch thesis) के प्रकाशन के साथ हुआ। यह शोध पत्र 1949 में प्रकाशित हुआ। इस सिद्धांत के अनुसार तीसरी दुनिया (विकासशील और अल्प विकसित)

के देश प्राकृतिक संसाधन और सस्ते श्रमिक प्रदान करते हैं तथा विकसित पश्चिमी देश विभिन्न साधनों से पराश्रितता की स्थिति बनाए रखते हैं।

मार्क्सवादी और नवमार्क्सवादी चिंतन के अंतर्गत यह माना जाता है कि अल्पविकसित देशों की वर्तमान दशा पूंजीवादी देशों की गतिविधियों का परिणाम है। पॉल बरन ने अपनी पुस्तक 'The Political Economy of growth–1957' के अंतर्गत 'पिछड़ेपन' की व्याख्या देते हुए लिखा था कि "आज के औपनिवेशिक और पराश्रित देश प्राथमिक पूंजी संचय के ऐसे स्रोतों का सहारा नहीं ले सकते जैसे आज के उन्नत पूंजीवादी देशों को उपलब्ध थे," और "एकाधिकार-पूंजीवाद (Monopoly Capitalism) तथा साम्राज्यवाद के युग में विकास की प्रक्रिया को ऐसी बाधाओं का सामना करना पड़ रहा है जैसी दो या तीन सौ वर्ष पहले किसी के सामने नहीं आई थी।" बरन ने दावा किया कि वर्तमान परिस्थितियों में विकासशील और विकसित देशों के पूंजीपतियों के हितों में इतना विरोध पैदा हो गया है कि विकासशील देशों के पूंजीपति उत्पादन की शक्तियों को विकसित करने में असमर्थ हो गए हैं। अतः इन देशों में पूंजीवाद को अपनाने से प्रगति को बढ़ावा नहीं मिलेगा बल्कि उसमें रूकावट आएगी। पराश्रितता सिद्धांत के अन्य समर्थकों में आंद्रे जी. फ्रैंक, वाल्टर रॉडनी, बी. कमिंग्स और समीर अमीन आदि हैं।

22. भारतीय राजनीतिक प्रणाली और अमेरिकी राजनीतिक प्रणाली दोनों में राष्ट्रपति के पास 'पॉकेट वीटो' (Pocket Veto-अवरोधन निषेधाधिकार) होता है। अवशिष्ट शक्तियाँ (Residual powers) अमेरिका में राज्यों के पास जबकि भारत में केन्द्र के पास होती हैं। अमेरिकी उच्च सदन, सीनेट, में कुल 100 सदस्य होते हैं। ये 100 सदस्य प्रत्येक राज्य (कुल राज्य 50) से दो-दो के अनुपात में चुने जाते हैं और इनमें से कोई भी सदस्य मनोनीत नहीं होता है। भारत के उच्च सदन, राज्य सभा, में कुल सदस्यों की संख्या 245 है जिनमें से 12 सदस्य कला, साहित्य, विज्ञान आदि क्षेत्रों से राष्ट्रपति द्वारा मनोनीत किए जाते हैं। पॉकेट वीटो के माध्यम से दोनों देशों के राष्ट्रपति किसी विधेयक को कानून बनाने से रोकते हैं।

24. आनुपातिक प्रतिनिधित्व (Proportional Representation) प्रणाली का प्रयोग बहुसदस्यीय निर्वाचनक्षेत्रों में होता है। इसका ध्येय मतदाताओं को अपने-अपने वोटों की संख्या के अनुपात से प्रतिनिधित्व प्रदान करना है ताकि बहुमत के साथ-साथ अल्पमत को उपयुक्त प्रतिनिधित्व प्रदान किया जा सके। यह एक जटिल प्रणाली है जिसे कार्य रूप देने के लिए अनेक तरीके अपनाए जाते हैं। इनमें दो तरीके सबसे अधिक प्रचलित हैं– (*i*) सूची प्रणाली (List system) (*ii*) एकल हस्तांतरणीय मत प्रणाली (Single transferable vote system)।

एकल हस्तांतरणीय मत प्रणाली में प्रत्येक मतदाता मतपत्र पर भिन्न-भिन्न उम्मीदवारों को 1, 2, 3 इत्यादि वरीयता-क्रम से रखते हैं। चुनाव जीतने के लिए किसी उम्मीदवार को चुनाव-कोटा (Electoral Quota) के बराबर वोट प्राप्त होना जरूरी है। चुनाव-कोटा निर्धारित करने के लिए रिक्त स्थानों की संख्या में 1 जोड़ कर उससे पूरे निर्वाचनक्षेत्र में डाले गए कुल मान्य वोटों की संख्या को भाग देते हैं, और भागफल में 1 जोड़ देते हैं, अर्थात्

$$\text{चुनाव-कोटा} = \frac{\text{निर्वाचनक्षेत्र में डाले गए वोटों की संख्या} + 1}{\text{रिक्त स्थानों की संख्या} + 1}$$

25. अध्यक्षात्मक शासन-प्रणाली के अंतर्गत कार्यपालिका विधानमंडल के प्रति उत्तरदायी नहीं होती, न उसे विधान-मंडल अपने पद से हटा सकता है, परंतु उसके अध्यक्ष (President) को निश्चित अंतराल के बाद समूचे निर्वाचक मंडल का विश्वास प्राप्त करना पड़ता है।

अध्यक्षात्मक शासन-प्रणाली की विशेषताएँ निम्नलिखित हैं–

(*i*) इस प्रणाली में राष्ट्रपति या अध्यक्ष प्रतीकात्मक राज्याध्यक्ष भी होता है, और यथार्थ राज्याध्यक्ष भी वही होता है।

(*ii*) इसमें राष्ट्रपति का चुनाव विधानमंडल नहीं करता, बल्कि पूरा निर्वाचकमंडल स्वयं करता है।

(*iii*) इसमें राष्ट्रपति विधानमंडल का अंग नहीं होता, अतः विधानमंडल उसके कार्यकाल में उसे पद से हटा भी नहीं सकता; यदि उस पर महाभियोग चलाया जाए तो दूसरी बात है, परंतु ऐसे अवसर बहुत ही कम आते हैं।

(*iv*) इसमें राष्ट्रपति को यह अधिकार नहीं होता कि वह विधानमंडल को समय से पहले भंग करके आम चुनाव की घोषणा कर दे। तथा

(*v*) इसमें राष्ट्रपति अपने मंत्रिमंडल के सदस्य अपनी पसंद से रख सकता है, या उन्हें हटा सकता है; उनसे सलाह ले सकता है, या उनकी उपेक्षा कर सकता है।

27. भारत का उपराष्ट्रपति जनता द्वारा परोक्ष रूप से चुना जाता है। वह संसद के दोनों सदनों के सदस्यों के निर्वाचक मंडल द्वारा चुना जाता है। उपराष्ट्रपति संसद के उच्च सदन, राज्य सभा, का सभापति होता है और राज्य सभा में मतों के बराबर होने की स्थिति में निर्णायक मत देता है। उपराष्ट्रपति का कार्यकाल उसके पद ग्रहण करने से लेकर 5 वर्ष तक होता है। हालाँकि वह अपने कार्यकाल की अवधि में किसी भी समय अपना त्यागपत्र राष्ट्रपति को दे सकता है। उसे अपने पद से कार्यकाल पूर्ण होने से पूर्व भी हटाया जा सकता है। उसे हटाने के लिए औपचारिक महाभियोग की आवश्यकता नहीं है। उसे राज्यसभा द्वारा प्रस्ताव पारित कर पूर्ण बहुमत द्वारा हटाया जा सकता है और इसे लोकसभा की सहमति आवश्यक है। परंतु ऐसा कोई प्रस्ताव पेश नहीं किया जा सकता जब तक 14 दिन का अग्रिम नोटिस न दिया गया हो।

अमेरिका का उपराष्ट्रपति सीनेट का सभापति होता है। अमेरिका के राष्ट्रपति की तरह उपराष्ट्रपति का चुनाव भी जनसाधारण के द्वारा निर्वाचक-गण के माध्यम से, 4 वर्ष की नियत अवधि के लिए होता है। सीनेट में उपराष्ट्रपति निष्पक्ष रूप से कार्य करता है। वह मतदान में केवल तभी हिस्सा लेता है जब किसी मामले के पक्ष और विपक्ष में बराबर मत हो जाने के कारण फैसला न हो पा रहा हो। ऐसी हालत में वह अपने निर्णायक मत (Casting Vote) का प्रयोग करता है।

28. हित समूह मनुष्यों के ऐसे संगठित समूह हैं जिनका ध्येय शासन के निर्णयों को प्रभावित करना है, परंतु वे स्वयं अपने सदस्यों को शासन के पदों पर स्थापित करने का प्रयत्न नहीं करते। इनकी गतिविधियां राजनीतिक प्रक्रिया का अभिन्न अंग तो हैं और उनमें शासन की नीतियों और निर्णयों को प्रभावित करने का प्रयत्न भी किया जाता है, परंतु स्वयं ये समूह शासन की बागडोर संभालने को तत्पर नहीं होते। हित समूहों के लक्षण या आकार की कोई सीमा नहीं बताई जा सकती। इनमें मालिकों और मजदूरों के ऐसे शक्तिशाली संगठन भी आ सकते हैं जो राष्ट्रीय स्तर पर सक्रिय हों, और ऐसी मोहल्ला समितियां भी आ सकती हैं जिनका उद्देश्य केवल अपने मोहल्ले में नागरिक सुविधाओं में सुधार लाना हो। फिर कुछ समूह अपने विशिष्ट हितों की देखरेख करते हैं– जैसे कि ये समूह आर्थिक, व्यावसायिक, धार्मिक या जातीय आधार पर संगठित हो सकते हैं, जो कि प्रायः स्वार्थमूलक होते हैं। परंतु कुछ समूह परमार्थ या सर्वहित की भावना से प्रेरित होते हैं, जैसे– गोहत्या-विरोधी संगठन, पशुओं के प्रति क्रूरता विरोधी संगठन।

अनियमित हित समूह पूर्व-संगठन और नियोजन के आधार पर पर गठित नहीं होते बल्कि ये स्वतः प्रवर्तित समूह होते हैं, जो अचानक गठित किए जाते हैं और उद्देश्य की प्राप्ति के बाद कार्य करना बंद कर देते हैं।

29. पश्चिमी देशों के विकसित लोकतंत्र (जैसे– इंग्लैण्ड, अमेरिका, फ्रांस, जर्मनी आदि) में सेना नागरिक सत्ता के अधीन होती है क्योंकि वहाँ संवैधानिक शासन का सार-तत्व यह है कि शासन की शक्तियों का प्रयोग शासन के वही अंग करें जिनका विधिवत् गठन किया गया हो, और वे इन शक्तियों का प्रयोग उन्हें सीमाओं और मर्यादाओं के भीतर रहकर करें जो संविधान के द्वारा निर्धारित की गई हों।

सांविधानिक शासन में दो प्रकार के तनाव पैदा हो सकते हैं– प्रकट तनाव (Apparent Strains) और प्रच्छन्न तनाव (Latent Strains)। प्रकट तनाव मुख्यतः तीसरी दुनिया के उन देशों में देखे जाते हैं जहाँ सांविधानिक शासन को धराशायी करके सैनिक शासन स्थापित कर दिया जाता है। ऐसा इसलिए हो पाता है क्योंकि तीसरी

दुनिया के देशों में लोकतंत्र संस्थागत रूप नहीं ले पाए हैं। कुछ दशक पहले तक लैटिन अमेरिकी देशों में ऐसे तनाव बहुत बढ़ गए थे। हालाँकि एशिया और अफ्रीका के विकासशील देशों में भी इनके पर्याप्त उदाहरण मिल जाएंगे।

30. जर्मन समाजवैज्ञानिक रॉबर्ट मिशेल्स ने 'गुटतंत्र के लौह नियम' (Iron law of Oligarchy) की चर्चा करते हुए यह तर्क दिया कि अधिकांश मनुष्य स्वभाव से जड़, आलसी और दब्बू होते हैं जो अपना शासन स्वयं चलाने में असमर्थ होते हैं। परंतु उनके नेता बड़े चतुर, दबंग और अपनी बात मनवाने की कला में पारंगत होते हैं। वे अपनी वाक्पटुता एवं वक्तृत्व के बल पर, और लोगों की भावनाओं से खिलवाड़ करके सत्ता पर अधिकार जमा लेते हैं। समाज में चाहे कोई भी शासन-प्रणाली क्यों न अपनाई जाए वह अवश्य ही 'गुटतंत्र' या इने-गिने लोगों के शासन का रूप धारण कर लेती हैं।

जेम्स बर्नहम ने प्रबंधकीय क्रांति (Managerial Revolution) की अवधारणा प्रतिपादित की है। प्रबंधकीय क्रांति दो विश्व युद्धों के मध्य वैश्विक पूंजीवाद के विकास के निरीक्षण के आधार पर पूंजीवाद के भविष्य का सैद्धांतिकरण करने का प्रयास है।

सी. राइट मिल्स ने अपनी चर्चित कृति 'The Power Elite–1956' के अंतर्गत विशिष्टवर्गवादी सिद्धांत का एक नया संस्करण प्रस्तुत करने का प्रयत्न किया है जिसे उसने शक्ति-विशिष्टवर्ग (Power Elite) की संज्ञा दी है। हैरल्ड लॉसवेल सम्प्रेषण मॉडल के प्रतिपादक हैं।

32. भारत में संघवाद का अवसान नहीं हुआ है बल्कि यह समय के साथ मजबूत होता जा रहा है। योजना आयोग के स्थान पर जनवरी 2015 में नीति आयोग का गठन और केन्द्रीय वित्त आयोग द्वारा करों में राज्यों की 42% हिस्सा देने की सिफारिश आदि प्रावधानों ने सहकारी संघवाद को सुदृढ़ बनाया है। संघात्मक या संघीय राज्य उसे कहते हैं जिसमें एक केन्द्रीय सरकार के अलावा अनेक समकक्ष राज्य कुछ उद्देश्यों की पूर्ति के लिए एकता के सूत्र में बँधे रहते हैं। ए.वी. डाइसी के शब्दों में, ''संघात्मक राज्य ऐसी राजनीतिक व्यवस्था है, जिसका उद्देश्य राष्ट्रीय एकता और शक्ति के साथ-साथ 'राज्य अधिकारों'' की रक्षा करना है।'' संघात्मक राज्यों के प्रमुख उदाहरण USA, भारत, स्विट्ज़रलैण्ड, जर्मनी, ऑस्ट्रेलिया और कनाडा हैं।

भारत में क्षेत्रीय असमानता, नृजातीयता, भाषा और संस्कृति के आधार पर नए-नए क्षेत्रों में राज्य के दर्जे की मांगें भी उठ रही हैं। कुछ क्षेत्रों की मांगों के आधार पर छत्तीसगढ़, उत्तराखण्ड, झारखण्ड, तेलंगाना आदि राज्यों का निर्माण हुआ है। तथापि सौराष्ट्र, विदर्भ, पूर्वांचल, गोरखालैण्ड आदि क्षेत्रों में राज्य की मांग जारी है।

37. भारत के नागरिकों को संस्कृति और शिक्षा का अधिकार तथा धर्म, नस्ल, जाति, लिंग अथवा जन्म स्थान के आधार पर भेदभाव के विरूद्ध सुरक्षा प्रदान किया गया है, जबकि ये अधिकार विदेशियों को उपलब्ध नहीं हैं। विधि के समक्ष समानता और शोषण के विरूद्ध अधिकार भारतीय नागरिकों के साथ-साथ विदेशियों को भी उपलब्ध है। भारतीय संविधान के भाग-3 में अनुच्छेद 12 से 35 तक मूल अधिकारों का विवरण है। मूल अधिकारों का तात्पर्य लोकतांत्रिक राजनीति में आदर्श उन्नति से है। ये अधिकार देश में व्यवस्था बनाए रखने एवं राज्य के कठोर नियमों के खिलाफ नागरिकों की आजादी की सुरक्षा करते हैं। ये विधानमंडल के कानून के क्रियान्वयन पर तानाशाही को मर्यादित करते हैं। संक्षेप में इनके प्रावधानों का उद्देश्य कानून की सरकार बनाना है न कि व्यक्तियों की।

38. भारत शासन अधिनियम, 1935 भारत में पूर्ण उत्तरदायी सरकार के गठन में एक महत्वपूर्ण मील का पत्थर साबित हुआ। यह एक लंबा और विस्तृत दस्तावेज था, जिसमें 321 धाराएँ और 10 अनुसूचियाँ थीं। इस अधिनियम के तहत 11 प्रान्तों में से 6 में द्विसदनीय व्यवस्था अपनाई गई। इस प्रकार बंगाल, बंबई, मद्रास, बिहार, संयुक्त प्रांत और असम में द्विसदनीय विधान प्रणालियाँ बन गईं। हालाँकि इन पर बहुत से प्रतिबंध थे। गवर्नर जनरल को स्थायी अधिनियम बनाने के साथ-साथ अध्यादेश जारी करने की शक्ति भी प्राप्त थी। विधायन की अवशिष्ट शक्तियाँ केन्द्रीय व्यवस्थापिका के पास न होकर गवर्नर जनरल के पास थी। इस

अधिनियम द्वारा पहले से जारी मुस्लिम समुदाय के पृथक प्रतिनिधित्व को अन्य समुदायों के लिए विस्तारित किया गया। अब दलित जातियों, महिलाओं और मजदूर वर्ग के लिए भी अलग से निर्वाचन की व्यवस्था कर दी गई।

40. संविधान के भाग-10 के अनुच्छेद-244 में कुछ ऐसे क्षेत्र हैं जिन्हें 'अनुसूचित क्षेत्र' और 'जनजातीय क्षेत्र' नामित किया गया है, प्रशासन की विशेष व्यवस्था की परिकल्पना की गई है। राष्ट्रपति को किसी भी क्षेत्र को अनुसूचित क्षेत्र घोषित करने का अधिकार है और साथ ही उसे किसी अनुसूचित क्षेत्र के क्षेत्रफल को बढ़ाने या घटाने, सीमाओं को बदलने और इस तरह के नामों को रद्द करने का भी अधिकार है। चूंकि संघ की कार्यपालिका शक्ति राष्ट्रपति में निहित होती है, अतः इस शक्ति का प्रयोग 'अनुसूचित क्षेत्रों' के प्रशासन के बारे में संबंधित राज्यों को निर्देश देने तक किया जा सकता है। संविधान की 5वीं अनुसूची का संबंध असम, मेघालय, त्रिपुरा व मिजोरम राज्यों को छोड़कर अन्य राज्यों के अनुसूचित क्षेत्र व अनुसूचित जनजातियों के प्रशासन व नियंत्रण से है। जबकि संविधान की छठीं अनुसूची में चार उत्तर-पूर्वी राज्यों असम, मेघालय, त्रिपुरा व मिजोरम के प्रशासन के संबंध में उपबंध है।

44. जवाहरलाल नेहरू का कहना था कि "वर्तमान समाज के संदर्भ में जाति प्रणाली एवं इसके साथ जो कुछ भी है, वे असंगत, प्रतिक्रियावादी, प्रतिबंधात्मक और प्रगति में बाधाएँ हैं।" नेहरू आधुनिक भारत के एक सुलझे हुए राजमर्मज्ञ थे। एक लेखक के नाते उन्होंने इतिहासकार तथा राजनीति-समीक्षक के रूप में अपनी पहचान बनाई। उन्होंने जातीयता और साम्प्रदायिकता को भारत की प्रगति में बाधा के रूप में माना तथा समस्त नागरिकों के लिए समान स्वतंत्रता एवं समानता का समर्थन किया। नेहरू का राजनीति-दर्शन उन जीवंत विचारों में निहित है जो उन्होंने मुख्यतः इतिहास के विवेचन, भारतीय राजनीति के निर्देशन और विश्व राजनीति की समीक्षा के दौरान अपनाए, व्यक्त किए या स्थापित किए। वे मार्क्सवादी इतिहास-दर्शन के वैज्ञानिक दृष्टिकोण से विशेष रूप से प्रभावित रहे हैं। जिसमें धर्मशास्त्र की मान्यताओं और अंधविश्वासों को कोई स्थान नहीं किया गया है।

47. लोक लेखा समिति को सबसे पहले 1921 में भारत सरकार अधिनियम, 1919 के तहत स्थापित किया गया और तब से यह जारी है। इस समय इसमें 22 सदस्य (15 लोकसभा से एवं 7 राज्यसभा से) हैं। संसद प्रत्येक वर्ष इसके सदस्य अपने सदस्यों के बीच से चुनती है। इस तरह इसमें सभी पार्टियों का प्रतिनिधित्व रहता है। किसी मंत्री को इसका सदस्य नहीं चुना जा सकता है। समिति के अध्यक्ष का चुनाव लोकसभा अध्यक्ष करता है। 1666-67 तक समिति का अध्यक्ष सत्तारूढ़ दल से होता था परंतु 1967 से विपक्षी दल से इसका अध्यक्ष चुना जाता है। समिति का कार्य नियंत्रक एवं महालेखा परीक्षक (CAG) की वार्षिक रिपोर्ट की जांच करना है।

51. संगठन के व्यवहारवादी सिद्धांत के समर्थकों में चेस्टर बर्नार्ड, हर्बर्ट साइमन, स्मिथबर्ग, जे.एल. मोरेनो, मास्लो आदि के नाम प्रमुख हैं। साइमन के अनुसार, संगठन का केवल औपचारिक ज्ञान की पर्याप्त नहीं है, वरन् उसके वास्तविक व्यवहार का ज्ञान भी अपेक्षित है। एक संगठन लोगों के समूह के व्यवहार को कहा जाता है। ये लोग यंत्र या उसके पुर्जे नहीं हैं अपितु ये लोग महसूस करते हैं, भयभीत होते हैं तथा आशाएँ रखते हैं। संगठन में उनका व्यवहार अनेक तत्वों के प्रभाव का परिणाम होता है। इसके साथ ही प्रधानध्येय की प्राप्ति के लिए संगठन के सदस्यों के व्यवहारों में सामंजस्य उत्पन्न करना आवश्यक है।

अन्ततः व्यवहार सिद्धांत के प्रतिपादक यह मानकर चलते हैं कि व्यक्तिगत समीकरण, मानवीय प्रकृति के अविवेक प्रधान तत्व, समूह तथा निहित हितों वाली शक्तियाँ आदि अनेक तत्व मिलकर संगठन को उसकी निर्धारित कार्यविधि से अलग कर देते हैं।

52. नीति निर्धारण (Decision making) चयन की एक प्रक्रिया है और इसका उद्देश्य श्रेष्ठ विकल्प का चयन है क्योंकि नीति निर्धारण में तर्कसंगतता सम्मिलित होता है। हर्बर्ट साइमन का मत है कि प्रशासन के सामान्य सिद्धांत में संगठन के वे सभी सिद्धांत सम्मिलित किए जाने चाहिए जो कि ठीक निर्णय लेना सम्भव बनाते हैं। संगठन का निर्णय लेने की प्रक्रिया पर जिन तत्वों का प्रभाव पड़ता है उनका भी अध्ययन किया जाना चाहिए।

वस्तुतः संगठन के विश्लेषण का श्रेष्ठ तरीका यही है कि निर्णय कहाँ और किसके द्वारा लिए जाते हैं इत्यादि प्रश्नों का हल ढूँढ़ा जाए। मिस फोलेट ने कहा है कि कोई भी निर्णय 'प्रक्रिया का एक विशेष क्षण' मात्र होता है। वह आकस्मिक अथवा एकांत घटना नहीं होता है। इसका अर्थ यह है कि प्रत्येक निर्णय के पीछे समूचे संगठन की शक्ति होती है और उसके लिए एक प्रकार से समूचा संगठन उत्तरदायी भी होता है। यह सर्वविहित है कि औपचारिक रूप से निर्णय लेने की शक्ति जिसके हाथों में होती है उस पर प्रत्यक्ष एवं अप्रत्यक्ष दबाव एवं प्रभाव पड़ते हैं और कभी-कभी ऐसे निर्णय लेने पड़ते हैं, जिन्हें वह स्वयं पसंद नहीं करता। निर्णय सिद्धांत के प्रतिपादक संगठन में कार्य करने की अपेक्षा निर्णय लेने की समस्त प्रक्रिया के महत्व को प्रतिपादित करते हैं। इस प्रकार यह संगठन के परम्परावादी दृष्टिकोणों पर एक प्रहार है।

53. रिग्सवादी एग्रेरिया मॉडल (Riggsian Agraria Model) कुल-आधारित संगठन (Clan-based organization), सामुदायिक मूल्य, दैवीय सत्ता आदि का सूचक है। प्रो. रिग्स ने प्रशासनिक अध्ययन की दृष्टि से विभिन्न समाजों को मोटे रूप से दो भागों में विभाजित किया है– कृषका (Agraria) और औद्योगिका (Industria)। कुछ समाज ऐसे होते हैं जो मुख्य रूप से औद्योगिक होते हैं जबकि अन्य समाजों में कृषि संस्थाएं प्रमुख होती हैं। प्रथम का उदाहरण संयुक्त राज्य अमेरिका तथा दूसरे का उदाहरण भारत या चीन हैं। दोनों प्रकार के समाजों की अपनी विशेषताएं तथा लक्षण होते हैं। इस सम्बन्ध में कतिपय विचारकों का कहना है कि ये दोनों प्रकार अथवा विधाएं संक्रमणकालीन समाजों का अध्ययन करने में अनुपयोगी हैं। इस हेतु एक मध्यवर्ती श्रेणी बनाना जरूरी है। आलोचकों का तर्क है कि विशुद्ध औद्योगिक समाज कहीं उपलब्ध नहीं है, इसमें हमेशा कृषि समाज भी अन्तर्निहित रहता है। इसके अतिरिक्त यह तथ्य भी महत्वपूर्ण है कि कृषि समाज निरन्तर औद्योगिक समाजों की ओर बढ़ रहे हैं। वास्तव में रिग्स का यह मॉडल अधिक उपयोगी प्रतीत नहीं हुआ। विचारकों ने माना है कि इस प्रकार के मॉडल अमूर्त और काल्पनिक हैं तथा प्रशासनिक विश्लेषण की दृष्टि से इनका कोई महत्व नहीं है। बाद में स्वयं रिग्स ने भी इस मॉडल को अस्वीकार करके नए मॉडल की रचना की। फिर भी कृषका और औद्योगिका मॉडल का इस रूप में महत्व है कि इसने चिन्तन को आगे बढ़ाया।

55. फ्रेडरिक विन्सलो टेलर ने अपने वैज्ञानिक प्रबंधन सिद्धांत में कुशलता मूल्यांकन विशेषज्ञ का समर्थन नहीं किया था। टेलर को वैज्ञानिक प्रबंध का जन्मदाता कहा जाता है। इन्होंने प्रबंध विज्ञान के क्षेत्र में वैज्ञानिक दृष्टिकोण का प्रयोग करके उसे एक नई दिशा प्रदान की। टेलर के अनुसार प्रबंध का मुख्य उद्देश्य प्रत्येक कर्मचारी की अधिकतम समृद्धि सुनिश्चित करते हुए नियोक्ता को अधिकतम उत्पादन प्राप्त कराना होता है। इसके लिए प्रबंध में नियोक्ताओं, मजदूरों तथा ग्राहकों के बीच किसी भी प्रकार का विवाद नहीं होना चाहिए। टेलर के अनुसार किसी भी प्रबंधन के उच्चतर उत्पादन से नियोक्ताओं, कर्मचारियों तथा ग्राहकों सभी को लाभ प्राप्त होना चाहिए। कर्मचारियों को अधिक पारिश्रमिक, प्रबंधकों को अत्यधिक लाभ तथा ग्राहकों को कम मूल्यों पर अधिक वस्तु प्राप्त होनी चाहिए।

56. चेस्टर बर्नार्ड ने एक अधीनस्थ की अपने प्रबंधक की सत्ता की स्वीकृति के बारे में 'उदासीनता के क्षेत्र' (Zone of indifference) नामक अवधारणा विकसित की थी। बर्नार्ड महोदय सत्ता की परंपरागत अवधारणा से सहमत नहीं है। वह सत्ता को अपने सिद्धांत के आधार के रूप में स्वीकृति को स्थापित कर देते हैं। इन्होंने सत्ता की परिभाषा देते हुए कहा है कि "एक औपचारिक संगठन में संचार के गुणों द्वारा संगठन के सदस्य, या संगठन में योगदान करने वाले, संगठन से संबंधित शासन, निर्धारण जैसा कार्य करता या नहीं करता है।" यह परिभाषा वस्तुनिष्ठ तथा व्यक्तिनिष्ठ दोनों पहलू से सम्बन्धित है। पहले का संबंध संचार की स्वीकृति के रूप में सत्ता से है और दूसरे का संबंध संचार के गुण अथवा विशेषता से है जिसके कारण स्वीकृति दी जाती है। संगठन में व्यक्ति सत्ता को तभी स्वीकृत करता है जब निम्नलिखित चार शर्तें एक साथ प्राप्त होती हैं–

(*i*) जब संचार को समझ लिया जाता है।

(*ii*) जब संगठन उद्देश्य के अनुरूप होता है।

(*iii*) जब यह व्यक्तिगत पूर्णता के अनुकूल होता है।

(*iv*) उसके अनुकूल प्रतिक्रिया के लिए जब मानसिक और शारीरिक प्रतिक्रिया होती है।

58. मैक्स वेबर और फ्रेड रिग्स के बीच इस संदर्भ में समानता है कि दोनों ने अपने पर्यावरणीय परिवेशों में प्रशासनिक प्रणालियों का अध्ययन किया था। रिग्स ने प्रशासनिक व्यवहार का अध्ययन करने के लिए इकोलॉजिकल दृष्टिकोण तथा अनुभव पर आधारित विश्लेषण किया है। अपनी रचना 'The ecology of public administration' में उन्होंने विकासशील देशों में प्रशासन के अध्ययन के प्रति एक नया दृष्टिकोण अपनाया है। उनका मत है कि लोक प्रशासन को उसके वातावरण से सम्बन्धित करने का प्रयास होना चाहिए। रिग्स और वेबर का कहना है कि किसी देश की नौकरशाही एवं अन्य राजनीतिक तथा प्रशासनिक संस्थाओं को तभी भलीभाँति समझा जा सकेगा जबकि चारों ओर की उन परिस्थितियों, प्रभावों एवं शक्तियों को समझ लिया जाए जो उनको रूप देने और बदलने में मदद करती हैं। इन प्रभावक तत्वों में मुख्य हैं–सामाजिक व्यवस्था, अर्थव्यवस्था, राजनीतिक व्यवस्था एवं प्रशासनिक उपव्यवस्था।

59. उर्ध्वगामी या उपरिगामी सम्प्रेषण या संचार (Upward Communication) में संवादों का प्रवाह अधीनस्थों से उच्चाधिकारियों की तरफ होता है। ऊपर की ओर संचार से शीर्ष प्रबंध को यह जानकारी मिलती है कि संगठन के निचले स्तरों पर क्या हो रहा है? इसके माध्यम से उच्चाधिकारियों को विशेषकर कार्यनिष्पादन, वित्तीय आँकड़ों और कर्मचारियों के विचारों आदि के बारे में जानकारी प्राप्त होती है। उपरिगामी संचार भी अधिकारसत्ता के पथों का अनुसरण करता है। प्रभावी संगठनात्मक निष्पादन के लिए अधोगामी संचार के साथ-साथ उपरिगामी संचार भी आवश्यक है। उपरिगामी संचार अधोगामी संचार की प्रतिपुष्टि करता है। इससे प्रबंध को कर्मचारियों की मनोवृत्तियों, प्रतिक्रियाओं, विचारों, भावनाओं तथा मनोबल की दशाओं के बारे में जानकारी मिलती है। इसे नियंत्रण के साधन के रूप में भी देखा जा सकता है। इससे प्रबंध को निचले स्तरों पर निष्पादन के बारे में सूचना मिलती है जिससे कि विचलनों को ज्ञात कर सुधारात्मक कार्यवाही की जा सकती है। उपरिगामी संचार प्रबंध को निर्णय लेने हेतु सूचना और आँकड़े भी प्रदान करता है।

60. कौटिल्य ने अर्थशास्त्र में सरकारी धन के गबन के 40 तरीकों का उल्लेख किया है और चेतावनी दी है कि सरकारी कर्मचारियों के आचरण के मामले में विशेष सतर्कता बरतनी चाहिए। प्रशासनिक भ्रष्टाचार की संभावना को व्यक्त करने के लिए उन्होंने जो दृष्टांत दिए हैं, उनमें इनकी अनोखी सूझ-बूझ झलकती है। उन्होंने लिखा है कि कोई व्यक्ति अपनी जिह्वा पर रखे हुए मधु या विष के स्वाद के प्रति उदासीन रहे--ऐसा संभव नहीं है। मतलब यह कि राज-पुरुष, अर्थात् सरकारी अधिकारी निर्लिप्त भाव से न तो अपनी शक्ति का प्रयोग कर सकते हैं, न अपने दायित्वों का निर्वाह कर सकते हैं। फिर, उन्होंने यह लिखा है कि पानी में चलने-फिरने वाली मछली कब, कैसे और कितना पानी पी जाती है, यह पता लगाना बहुत मुश्किल है। मतलब यह कि प्रशासनिक अधिकारी अपनी शक्ति का प्रयोग करते समय कितना स्वार्थसाधन कर लेंगे--यह मालूम करना अत्यंत कठिन है। अतः राजा को इनकी गति-विधियों पर लगातार निगरानी रखनी चाहिए।

61. कुर्त वाल्डहीम ऑस्ट्रिया के कूटनीतिज्ञ और विदेश-मंत्री थे जो 1972-1981 के काल में UNO के महासचिव रहे। इन्होंने नामीबिया और लेबनान की समस्याओं के समाधान का प्रयास किया। बांग्लादेश में राहत-अभियान की देखरेख की।

जेवियर पेरेज द कुईयार पेरू के वकील और राजनयिक थे। ये 1982 से 1991 तक संयुक्त राष्ट्रसंघ के महासचिव रहे। जेवियर पेरेज ने साइप्रस, अफगानिस्तान और अल सल्वाडोर में शांति-स्थापना के लिए प्रयास किए। नामीबिया की आजादी के लिए मध्यस्थता तथा फॉकलैण्ड युद्ध के बाद ब्रिटेन और अर्जेंटीना के बीच मध्यस्थता इनके द्वारा की गई।

बुतरस बुतरस घाली मिस्र (Egypt) के राजनयिक, विधिवेता और विदेशमंत्री थे। UN महासचिव के रूप में इनका कार्यकाल 1992-1996 रहा। इन्होंने "An Agenda for Peace" रिपोर्ट जारी किए। मोजांबिक में UN का सफल अभियान चलाया। परंतु बोस्निया,

सोमालिया और रवांडा में UN की असफलताओं के लिए आरोप लगा जिसके कारण अमेरिका ने दुबारा महासचिव बनने का विरोध किया।

घाना निवासी कोफी अन्नान 1997 से 2006 तक UN महासचिव रहे। इन्होंने AIDS, TB और मलेरिया से लड़ने के लिए एक वैश्विक कोष बनाया। अमेरिकी नेतृत्व में इराक पर हुए हमले को अवैध करार दिया। 2005 में मानवाधिकार परिषद् तथा शांति संस्थापक आयोग की स्थापना की। इन्हें 2001 का शांति के लिए नोबेल पुरस्कार मिला।

65. गुटनिरपेक्ष नीति शीतयुद्ध के काल (1945-90) में अधिक प्रासंगिक थी तथा गुटनिरपेक्ष देश नृवंशीय (Ethnic) और धार्मिक भेदों के आधार पर विभाजित हैं, अभिकथन और तर्क दोनों सत्य हैं। द्वितीय विश्व युद्ध के बाद जब विश्व दो गुटों (पूंजीवादी और साम्यवादी) में विभाजित हो गया और उन दोनों गुटों के मध्य शीत युद्ध की शुरुआत हुई तब उसी दौर में 1961 में गुटनिरपेक्ष आंदोलन का प्रादुर्भाव हुआ। गुटनिरपेक्षता ने एशिया, अफ्रीका और लैटिन अमेरिका के नव-स्वतंत्र देशों को एक तीसरा विकल्प दिया। यह विकल्प था दोनों गुटों से अलग रहने का।

गुटनिपेक्षता का अर्थ तटस्थता का धर्म निभाना अथवा पृथकतावाद नहीं है। तटस्थता का अर्थ होता है मुख्यतः युद्ध में शामिल न होने की नीति का पालन करना। तटस्थता की नीति का पालन करने वाले देश के लिए यह जरूरी नहीं कि वह युद्ध को समाप्त करने में मदद करे। ऐसे देश युद्ध में संलग्न नहीं होते और न ही युद्ध के सही-गलत होने के बारे में उनका कोई पक्ष होता है। लेकिन कई कारणों से गुटनिरपेक्ष देश, जिसमें भारत भी शामिल है, युद्ध में शामिल हुए हैं। इन देशों ने दूसरे देशों के मध्य युद्ध को होने से टालने के लिए काम किया है और हो रहे युद्ध के अंत के लिए प्रयास किए हैं।

67. पराश्रितता-सिद्धांत (Dependency Theory) नव-मार्क्सवादी चिंतन के अंतर्गत एक विचार-प्रणाली है। पराश्रितता सिद्धांत के अनुसार अल्पविकसित देशों की वर्तमान दशा पूंजीवादी देशों की गतिविधियों का परिणाम है। पराश्रितता सिद्धांतकारों में पॉल बरन (The Political Economy of Growth-1957), आंद्रे जी. फ्रैंक (Capitalism and Underdevelopment in Latin America-1967), वाल्टर रॉडनी (How Europe Underdeveloped Africa-1974), समीर अमीन (Accumulation on a World Scale-1974) आदि के नाम उल्लेखनीय हैं। इन सिद्धांतकारों ने केन्द्र-परिधि मॉडल का निरूपण करते हुए यह तर्क दिया है कि अल्पविकसित देशों का सामाजिक और आर्थिक विकास बाह्य शक्तियों से नियंत्रित हो रहा है। उन्होंने संकेत किया कि अंतर्राष्ट्रीय अर्थव्यवस्था तीसरी दुनिया के देशों को भारी नुकसान पहुँचा रही है। अंतर्राष्ट्रीय व्यापार में विनिमय के स्तर पर शक्तिशाली राष्ट्रों का प्रभुत्व रहता है, और यह तीसरी दुनिया के देशों में अल्पविकास का मूल कारण है।

पराश्रितता-सिद्धांतकारों ने तर्क दिया कि औपचारिक उपनिवेशवाद तो आज के युग में प्रचलित नहीं रहा, परंतु आर्थिक या नव-उपनिवेशवाद आज भी बना हुआ है। इसके अंतर्गत उन्नत देश विकासशील देशों में पूंजी निवेश करके उन्हें कच्चे माल के पूर्तिकर्ता और तैयार माल के बाजार के रूप में इस्तेमाल करते हैं। इस तरह पुरानी उपनिवेशवादी शक्तियों को उपनिवेशवाद का आर्थिक लाभ तो पहले की तरह प्राप्त हो जाता है, जबकि उन्हें इसका राजनीतिक खर्च भी नहीं उठाना पड़ता।

69. शक्ति संतुलन अंतर्राष्ट्रीय राजनीति में यथार्थवादी विचारधारा का एक महत्वपूर्ण सिद्धांत है। शक्ति संतुलन अंतर्राष्ट्रीय सम्बन्धों की वह व्यवस्था है जिसमें राज्य आंतरिक रूप से शक्ति का निर्माण करके सुरक्षा बनाए रखने का प्रयास करते हैं अथवा वे अन्य राज्यों के साथ संबंध बनाने की कोशिश करते हैं ताकि कोई राज्य (अथवा राज्यों का समूह) अत्यधिक शक्ति का संचय न कर पाए। इसका अर्थ शक्ति की साम्यावस्था एवं तुल्यभारिता से भी है।

71. G-20 की स्थापना वर्ष 1997-98 के एशियाई संकट के बाद हुई थी। इस समूह में G-8 के देशों–अमेरिका, रूस, फ्रांस, जर्मनी, कनाडा, ब्रिटेन, इटली व जापान के अतिरिक्त अर्जेंटीना, ऑस्ट्रेलिया, ब्राजील, चीन, भारत, इण्डोनेशिया, मैक्सिको, सऊदी अरब, दक्षिणी अफ्रीका,

दक्षिण कोरिया, तुर्की व यूरोपीय संघ शामिल हैं। विश्व की दो-तिहाई जनसंख्या को आश्रय देने वाले इन देशों की वैश्विक कारोबार में हिस्सेदारी जहाँ 80% है, वहीं वैश्विक सकल घरेलू उत्पाद में उनकी हिस्सेदारी 90% है।

विश्व की इन प्रमुख विकसित एवं उभरती हुई अर्थव्यवस्थाओं के मंच का 10वाँ शिखर सम्मेलन तुर्की के शहर अंताल्या में 15-16 नवम्बर, 2015 को हुआ और 11वाँ शिखर सम्मेलन नवम्बर 2016 में ह्वांगझू (चीन) में प्रस्तावित है। अंताल्या शिखर सम्मेलन में वैश्विक अर्थव्यवस्था के मौजूदा हालात तथा इसमें बेहतर वृद्धि प्राप्त करने के अतिरिक्त जलवायु परिवर्तन, निवेश, व्यापार, ऊर्जा तथा शरणार्थियों की समस्या जैसे मुद्दे शामिल थे।

72. यूरोप में अपनी प्रादेशिक संप्रभुता के साथ आधुनिक राज्य प्रणाली वेस्टफेलिया संधि के परिप्रेक्ष्य में पहली बार अस्तित्व में आई। मध्य युग तक राष्ट्र-राज्यों का अस्तित्व नहीं था। अतः तकनीकी दृष्टि से, उस समय से पूर्व अंतर्राष्ट्रीय सम्बन्ध संभव नहीं थे। वैसे इस बात के स्पष्टीकरण की कोई आवश्यकता नहीं है कि प्राचीन समय में अंतर्राष्ट्रीय मामलों को शामिल करने वाली राजनीतिक गतिविधि प्रत्यक्ष थी। हालांकि, अंतर्राष्ट्रीय सम्बन्धों में राष्ट्र-राज्य व्यवस्था की अवधारणा के उदय के संकेत 1648 की वेस्टफेलिया की संधि से मिलते हैं जिसने यूरोप में तीस वर्षों (1618-1648) के युद्ध को समाप्त कर दिया। यह संधि राज्य व राज्य-व्यवस्था की कानूनी मान्यता थी। वास्तव में इसके द्वारा दो राज्यों-स्विट्ज़रलैण्ड और नीदरलैण्ड का निर्माण हुआ। इसके बाद, यूरोपीय शासकों ने रोमन कैथोलिक चर्च की सत्ता (प्रभुत्वसंपन्न राज्यों के ऊपर किसी प्राधिकरण अथवा संगठन का विचार) को अस्वीकार कर दिया।

73. संयुक्त राष्ट्र आर्थिक एवं सामाजिक परिषद् इस धारणा पर आधारित है कि अंतर्राष्ट्रीय शांति और सुरक्षा केवल राजनीतिक और सैनिक स्थिरता पर ही निर्भर नहीं करती है बल्कि इसके लिए उच्च जीवन स्तर, पूर्ण रोजगार तथा सामाजिक व आर्थिक प्रगति और विकास की परिस्थितियों की भी आवश्यकता है। इसके सदस्यों का चुनाव महासभा करती है। इसके $\frac{1}{3}$ सदस्य प्रतिवर्ष पदमुक्त होते रहते हैं। इस प्रकार प्रत्येक सदस्य की अवधि 3 वर्ष होती है। इसकी वर्तमान सदस्य संख्या 54 है। यह परिषद् वर्ष भर में आमतौर पर नागरिक समाज के सदस्यों के साथ अनेक लघुसत्र एवं अनेक तैयारी बैठकें और पैनल चर्चा आयोजित करती है। आर्थिक व सामाजिक परिषद् राष्ट्रों के मध्य शांतिपूर्ण और मैत्रीपूर्ण संबंधों के लिए अंतर्राष्ट्रीय आर्थिक, सामाजिक, सांस्कृतिक, शैक्षणिक, स्वास्थ्य और अन्य मानवतावादी मामलों पर अध्ययन कर सकती है। यह सबके मानवीय अधिकारों तथा मौलिक स्वतंत्रताओं के सम्मान, संरक्षण व संवेदना के प्रति वचनबद्ध है। महासभा के अंतर्गत और उसके प्रति उत्तरदायी रूप में आर्थिक व सामाजिक परिषद् का मौलिक कर्तव्य है–विश्व में हर भाग के लोगों के सामाजिक-आर्थिक स्तर को उन्नत करने के लिए विशिष्ट एजेंसियों के कार्यों में समन्वय स्थापित करना। इस परिषद् में मतदान साधारण बहुमत से होता है और प्रत्येक सदस्य का एक मत होता है।

YOUR SPACE

YOUR SPACE

पिछले प्रश्न-पत्र (हल सहित)

UGC-NET राजनीति शास्त्र

जूनियर रिसर्च फैलोशिप तथा असिस्टेंट प्रोफेसर परीक्षा, दिसम्बर-2015

प्रश्न-पत्र-II

नोटः *इस प्रश्न-पत्र में* ***पचास (50)*** *बहु-विकल्पीय प्रश्न हैं। प्रत्येक प्रश्न के* ***दो (2)*** *अंक हैं।* ***सभी*** *प्रश्न अनिवार्य हैं।*

1. निम्नलिखित में से कौन कौटिल्य के राज्य का अंग **नहीं** है?

A. स्वामी B. अमात्य

C. वर्ण-व्यवस्था D. दंड

2. प्लेटो के परिवार तथा सम्पत्ति के साम्यवाद के सिद्धान्त की व्युत्पत्ति मुख्यतः किसके अनुभव से हुई है?

1. स्टेगीरा 2. स्पार्टा

3. एथेन्स 4. वेनिस

सही उत्तर का चयन कीजिए :

A. 1 और 2 B. 1 और 3

C. केवल 3 D. केवल 2

3. मध्यकाल के स्कोलास्टिसिज्म का उद्देश्य था :

1. आध्यात्मिक क्षेत्र पर राजनीतिक क्षेत्र की सर्वोच्चता स्थापित करना
2. राजनीतिक शासन व्यवस्था पर बौद्धिक स्वतंत्रता की स्वायत्तता स्थापित करना
3. दर्शन के ऊपर धर्म का प्रभुत्व
4. चर्च के धार्मिक तत्वों के अधीन बुद्धिसंगत तत्वों को लाना

नीचे दिए गए कूट से सही उत्तर का चयन कीजिए :

A. 3 और 4 B. 1 और 4

C. 1 और 3 D. 2 और 4

4. निम्नलिखित को सुमेलित कीजिए :

सूची-I	**सूची-II**
(*a*) आधुनिक राजनीतिक विचारक	1. प्लेटो
(*b*) निश्चयात्मक विचारधारा	2. मैकियावेली
(*c*) निगमनात्मक राजनीतिक सिद्धांत	3. ऑगस्ट कॉम्टे
(*d*) वैज्ञानिक/आगमनात्मक विधि	4. अरस्तू

कूटः

	(*a*)	(*b*)	(*c*)	(*d*)
A.	2	3	1	4
B.	2	4	1	3
C.	1	2	4	3
D.	4	1	3	2

5. नीचे दो कथन दिए गए हैं, एक को अभिकथन (A) और दूसरे को तर्क (R) का नाम दिया गया है।

अभिकथन (A) : शक्ति भ्रष्ट बनाती है तथा पूर्ण शक्ति पूर्णरूपेण भ्रष्ट बनाती है।

तर्क (R) : लोकतंत्र में शक्ति के दुरुपयोग के विरुद्ध सर्वोत्तम नियंत्रण होता है क्योंकि शक्ति विभिन्न समूहों में विभाजित हो जाती है।

उपर्युक्त कथनों के संदर्भ में निम्नलिखित में से कौन **सही** है?

A. (A) और (R) दोनों सत्य हैं तथा (R), (A) का सही स्पष्टीकरण है।

B. (A) और (R) दोनों सत्य हैं लेकिन (R), (A) का सही स्पष्टीकरण नहीं है।

C. (A) सत्य है, परन्तु (R) असत्य है।

D. (A) असत्य है, परन्तु (R) सत्य है।

6. निम्नलिखित को सुमेलित कीजिए :

सूची-I (विचारक)	**सूची-II (विचार)**
(*a*) जॉन लॉक	1. दल विहीन लोकतंत्र
(*b*) हॉब्स	2. सम्मति का सिद्धान्त
(*c*) जय प्रकाश नारायण	3. नव उदार-वाद
(*d*) राबर्ट नॉजिक	4. पूर्ण संप्रभुता

कूटः

	(*a*)	(*b*)	(*c*)	(*d*)
A.	2	4	1	3
B.	1	3	4	2
C.	2	1	3	4
D.	4	2	1	3

7. **सूची-I** को **सूची-II** से सुमेलित कीजिए और दिए गए कूट से **सही** उत्तर चुनिए :

सूची-I (विचारक)	**सूची-II (सिद्धान्त)**
(*a*) माओ त्से तुंग	1. सर्वहारा अधिनायकवाद
(*b*) लेनिन	2. सांस्कृतिक क्रांति
(*c*) मार्क्स	3. एक राष्ट्र समाजवाद
(*d*) स्टॉलिन	4. सर्वहारा वर्ग के अग्रणी के रूप में कम्यूनिस्ट पार्टी

कूटः

	(*a*)	(*b*)	(*c*)	(*d*)
A.	2	4	1	3
B.	3	1	4	2
C.	4	2	1	3
D.	2	4	3	1

8. कार्ल मार्क्स की निम्नलिखित रचनाओं को उनके प्रकाशित होने के वर्ष के अनुसार सही कालक्रम में व्यवस्थित कीजिए :

1. क्रिटिक ऑफ पॉलिटिकल इकॉनॉमी
2. पॉवर्टी ऑफ फिलॉसफी
3. कम्यूनिस्ट मैनिफेस्टो
4. द होली फैमिली

कूटः

A. 4, 2, 3 और 1
B. 1, 3, 4 और 2
C. 2, 1, 4 और 3
D. 4, 3, 2 और 1

9. समुदायवादी सिद्धान्त बल देता है :

A. अपरिहार्य आदर्श के रूप में समुदाय पर
B. व्यक्ति की असीमित स्वतंत्रता पर
C. राज्य की सीमित भूमिका पर
D. बाजार अर्थव्यवस्था का आंशिक विनियमन पर

10. नीचे दो कथन दिए गए हैं, एक को अभिकथन (A) और दूसरे को तर्क (R) कहा गया है। नीचे दिए गए कूट से सही उत्तर चुनिए।

अभिकथन (A) : व्यवहारवादी राजनीतिक सिद्धान्त का उद्देश्य मूल्यों की भूमिका समाप्त कर राजनीति विज्ञान को विशुद्ध विज्ञान तथा इसे मात्रात्मक बनाना था।

तर्क (R) : एक सामाजिक विज्ञान होने के कारण राजनीति विज्ञान को कभी भी मूल्य विहीन नहीं बनाया जा सकता क्योंकि इसका संबंध मानव से है जो मूल्यों से बंधे होते हैं।

A. (A) और (R) दोनों सत्य हैं और (R), (A) का सही स्पष्टीकरण है।
B. (A) और (R) दोनों सत्य हैं और (R), (A) का सही स्पष्टीकरण नहीं है।
C. (A) सत्य है, परन्तु (R) असत्य है।
D. (A) असत्य है, परन्तु (R) सत्य है।

11. किसके वर्णन में मौलाना आजाद, जवाहरलाल नेहरू, वल्लभभाई पटेल तथा राजेन्द्र प्रसाद '(संविधान सभा) में अल्पतंत्र' के रूप में थे?

A. ग्रेनविल ऑस्टिन
B. मोरिस जोन्स
C. वी.पी. मेनन
D. रिचर्ड सिसन

12. निम्नलिखित में से किस अधिनियम को भारतीय संविधान के अनुच्छेद 34 के अन्तर्गत पारित नहीं किया गया है?

A. सीमा सुरक्षा बल अधिनियम
B. पुलिस बल (अधिकारों का निर्बंधन) अधिनियम
C. सशस्त्र बल विशेष अधिकार अधिनियम
D. सैन्य अधिनियम

13. "भारत का उच्चतम न्यायालय अन्ततः, गणराज्य के बत्तीस वर्ष बाद, भारतीयों के लिए उच्चतम न्यायालय बन गया है।" यह किसका कथन है?

A. न्यायमूर्ति वी.आर. कृष्ण अय्यर का
B. न्यायमूर्ति पी.एन. भगवती का
C. उपेन्द्र बक्शी का
D. नानी पालकीवाला का

14. "भारत का लोकतंत्र के विचार-बहस में पवित्र स्थान है... परंतु यह कम सहिष्णु, कम पंथ निरपेक्ष, कम विधि अनुसरणकर्ता, कम उदार हो गया है। और ये दोनों प्रवृत्तियां—लोकतंत्रीकरण तथा अनुदारवाद एक-दूसरे से जुड़ी हैं।" यह कथन किसका है?

A. अतुल कोहली
B. सुनील खिलनानी
C. फरीद ज़कारिया
D. पॉल आर. ब्रास

15. निम्नलिखित में से किस मामले में भारत के उच्चतम न्यायालय ने कार्य स्थलों में कामकाजी महिलाओं के यौन उत्पीड़न की रोकथाम हेतु व्यापक दिशानिर्देश जारी किए हैं?

A. हुसैनआरा खातून बनाम बिहार राज्य
B. दिल्ली की घरेलू कामकाजी महिला मंच बनाम भारत संघ
C. ओल्गा टेलिज बनाम बम्बई नगर निगम
D. विशाखा बनाम राजस्थान राज्य व अन्य

16. सूची-I को सूची-II से सुमेलित कीजिए तथा नीचे दिए गए कूट से **सही** उत्तर का चयन कीजिए:

सूची-I (नेता)	**सूची-II (राजनीतिक दल)**
(*a*) रामविलास पासवान	1. समाजवादी पार्टी
(*b*) एच.डी. कुमारस्वामी	2. राष्ट्रवादी कांग्रेस पार्टी
(*c*) प्रफुल्ल पटेल	3. जनता दल (सेक्यूलर)
(*d*) अखिलेश यादव	4. लोक जनशक्ति पार्टी

कूटः

	(*a*)	(*b*)	(*c*)	(*d*)
A.	3	2	4	1
B.	4	3	2	1
C.	2	1	4	3
D.	1	2	3	4

17. संविधान की बारहवीं अनुसूची द्वारा नगरपालिकाओं के क्षेत्र के अन्दर कितनी कार्यात्मक मदें रखी गई हैं?

A. 18 B. 30
C. 35 D. 40

18. निम्नलिखित को सही कालक्रम में व्यवस्थित कीजिए :

1. पुंछी आयोग
2. आनन्दपुर साहिब का प्रस्ताव
3. प्रशासनिक सुधार आयोग
4. राजमन्नार समिति

सही कूट का चयन कीजिए :

A. 4, 1, 2 और 3 B. 2, 4, 1 और 3
C. 1, 2, 4 और 3 D. 3, 4, 2 और 1

19. निम्नलिखित में से कौन लोक सभा के अध्यक्ष नहीं थे?

A. रबि राय
B. हुकुम सिंह
C. बलिराम भगत
D. गोपालस्वरूप पाठक

20. निम्नलिखित को सुमेलित कर सही युग्म का चयन कीजिए :

सूची-I (लेखक)	**सूची-II (पुस्तकें)**
(*a*) नार्मन डी. पामर	1. द सक्सेस ऑफ इंडियाज डेमोक्रेसी
(*b*) ग्रेनविल आस्टिन	2. एलेक्शन एण्ड पॉलिटिकल डेवलपमेंट : साउथ एशियन एक्सपेरियंस
(*c*) मायरोन वेनर	3. इंडियन कंस्ट्यिुशन : द कार्नरस्टोन ऑफ ए नेशन
(*d*) अतुल कोहली	4. पॉलिटिक्स ऑफ स्कार्सिटी

कूटः

	(*a*)	(*b*)	(*c*)	(*d*)
A.	2	3	4	1
B.	3	2	1	4
C.	1	2	3	4
D.	4	1	2	3

21. डेविड ईस्टन ने निम्नलिखित में से किन्हें प्रणाली विश्लेषण (सिस्टम एनालाइसिस) को बौद्धिक आधारशिला के रूप में वर्णित किया है? नीचे दिए गए कूट से सही उत्तर चुनिए :

1. नियमितताएं
2. सत्यापन
3. तकनीकें
4. परिमाणन

कूट :

A. 1 B. 1, 2
C. 1, 2, 3 D. 1, 2, 3, 4

22. .... किसके पश्चात् तुलनात्मक राजनीति का अध्ययन महत्वपूर्ण हो गया।

1. प्रथम विश्व युद्ध
2. द्वितीय विश्व युद्ध
3. नये राष्ट्रों के उदय
4. मध्य पूर्व के राष्ट्रों का उदय

सही उत्तर का चयन करें:

A. 1 और 2 B. 2 और 3
C. 1 और 4 D. 2 और 4

23. निम्नलिखित में से किसे तुलनात्मक राजनीति शास्त्र का जनक माना जाता है?

A. प्लेटो B. अरस्तू
C. लूसियन पाई D. जी.ए. अल्मांड

24. सूची-I को सूची-II से सुमेलित कीजिए और नीचे दिए गए कूटों से **सही** उत्तर का चयन कीजिए :

सूची-I (लेखक)	**सूची-II (शीर्षक)**
(*a*) सी.डब्ल्यू. मिल्स	1. सत्ता वर्ग
(*b*) विल्फ्रेड परेटो	2. अल्पतंत्र का लौह नियम
(*c*) गितानो मोस्का	3. शक्ति अभिजन
(*d*) रॉबर्ट मिशेल्स	4. अभिजनों का परिचलन

कूटः

	(*a*)	(*b*)	(*c*)	(*d*)
A.	4	3	2	1
B.	1	3	4	2
C.	2	3	4	1
D.	3	4	1	2

25. निम्नलिखित में से कौन दबाव समूहों के बारे में सही **नहीं** है?

1. हित अभिव्यक्त करना
2. राजनीतिक दलों का वित्त पोषण
3. सरकार की नीतियों को प्रभावित करना
4. नीतियां लागू करना

नीचे दिए गए कूट से **सही** उत्तर चुनिये :

A. 1 और 2
B. 2 और 3
C. केवल 4
D. केवल 3

26. सूची-I को सूची-II से सुमेलित कीजिए तथा नीचे दिए गए कूट से सही उत्तर चुनिए :

सूची-I	**सूची-II**
(*a*) भारत	1. कानून का शासन
(*b*) यू.एस.ए.	2. न्यायिक पुनरीक्षा
(*c*) यू.के.	3. न्यायालयों के दो सेट
(*d*) फ्रांस	4. कानून की उचित प्रक्रिया

कूटः

	(*a*)	(*b*)	(*c*)	(*d*)
A.	1	2	3	4
B.	2	4	1	3
C.	2	1	4	3
D.	4	2	1	3

27. अरस्तू द्वारा किए गए सरकारों के वर्गीकरण के संबंध में निम्नलिखित में से कौन-सा कथन सही **नहीं** है?

A. सरकारों का वर्गीकरण शासन कार्य में शामिल लोगों की संख्या पर आधारित था।
B. इस आधार पर कि क्या शासक आम हित (यथार्थ रूप) में अथवा अपने हित (विकृत रूप) में शासन करते हैं।
C. वह सरकार अधिक प्रभावी तथा स्थायी होती है जो दीर्घकालिक हित में शासन करती है।
D. सरकार साझे हितों के वशीभूत होती है तथा संपूर्ण समुदाय के साझे हितों के प्रति असंवेदनशील होती है।

28. लियोनार्ड बिन्डर आदि विचारकों द्वारा अपनी पुस्तक ''क्राइसिस एण्ड सेक्वेंसेज इन पॉलिटिकल डेवलपमेन्ट'' में उल्लेख किए गए संकट हैं :

1. पहचान का संकट
2. समेकन का संकट
3. वैधता का संकट
4. संसाधन जुटाने का संकट

कूट :

A. 1 B. 1, 2
C. 1, 2, 3 D. 1, 2, 3, 4

29. निम्नलिखित में से कौन-से कारक संचार सिद्धान्त में लोड कैपेसिटी से संबंधित हैं?

1. अनुक्रियाशीलता

2. विश्वस्तता
3. पृष्ठभूमि संगीत
4. तोड़-मरोड़

नीचे दिए कूट से **सही** उत्तर चुनिए :

A. 1 और 2 B. 2 और 3
C. 1, 2 और 3 D. 1, 2, 3 और 4

30. निम्नलिखित में से यह किसका कथन है, "शक्ति वह है जिससे लोगों से काम कराया जा सकता है तथा जिसके अभाव में वे काम नहीं करते?"

A. हन्नाह आरेंट B. रॉबर्ट डहल
C. मैक्स वेबर D. हैंस मोर्गेन्थाऊ

31. संगठन के सिद्धांतों के विकास से निम्नांकित में कौन संबंधित नहीं है?

A. हेनरी फेयोल B. एल.डी. व्हाइट
C. एल.एफ. उर्विक D. लुथर गुलिक

32. निम्नांकित में से कौन दस वर्षों तक अमेरिकी कम्पेरेटिव एडमिनिस्ट्रेटिव ग्रुप का अध्यक्ष रहा?

A. वुडरो विल्सन B. डी. वाल्डो
C. फ्रेड रिग्स D. हर्बर्ट साइमन

33. वैज्ञानिक प्रबंधन में 'वन बेस्ट वे' का अर्थ है :

A. कार्य का समान बँटवारा
B. कार्य प्रक्रियाओं का गहन विश्लेषण
C. कामगारों और प्रबंधन की मानसिक क्रांति
D. कार्य विधियों का मानकीकरण

34. निम्नांकित में से कौन यू.एस.ए. में एक स्टाफ एजेंसी नहीं है?

A. स्टेट डिपार्टमेंट
B. ऑफिस ऑफ बजट एंड मैनेजमेंट
C. नेशनल सिक्योरिटी काउंसिल
D. द व्हाइट हाउस

35. एफ.एम. मार्क्स द्वारा नौकरशाही के वर्गीकरण का **सही** क्रम क्या है?

1. प्रतिभा
2. अभिभावक
3. संरक्षण
4. जाति

निम्नांकित दिए गए कूटों में से **सही** उत्तर का चयन करें :

A. 1, 2, 3 तथा 4
B. 2, 3, 4 तथा 1
C. 2, 4, 3 तथा 1
4. 3, 4, 1 तथा 2

36. भारत में निष्पादन बजट निम्नलिखित में से किसकी सिफारिश पर शुरू किया गया था?

A. पॉल एपलबि रिपोर्ट
B. गोरवाला रिपोर्ट
C. प्रथम प्रशासनिक सुधार आयोग रिपोर्ट
D. संथानम समिति रिपोर्ट

37. सरकारी नियुक्तियों में मूल अधिवास योग्यता का सर्वप्रथम उपयोग किया गया था :

A. यू.के. में B. यू.एस.ए. में
C. भारत में D. ऑस्ट्रेलिया में

38. भारत में मुख्य सूचना आयुक्त तथा सूचना आयुक्तों की नियुक्ति की जाती है :

A. 3 वर्ष के लिए B. 4 वर्ष के लिए
C. 5 वर्ष के लिए D. 6 वर्ष के लिए

39. नीचे दो कथन दिए गए हैं, एक को अभिकथन (A) और दूसरे को तर्क (R) कहा गया है। नीचे दिये गये कूट का प्रयोग कर सही उत्तर चुनियेः

अभिकथन (A) : कमान की एकता के सिद्धान्त का व्यावहारिक उपयोग हमेशा व्यवहार्य नहीं होता।

तर्क (R) : सामान्यतः प्रशासनिक तथा तकनीकी कार्यों में विभिन्न प्रकार के पर्यवेक्षण की आवश्यकता होती है।

कूटः

A. (A) और (R) दोनों सत्य हैं और (R), (A) का सही स्पष्टीकरण है।
B. (A) और (R) दोनों सत्य हैं, लेकिन (R), (A) का सही स्पष्टीकरण नहीं है।
C. (A) सत्य है, परन्तु (R) असत्य है।
D. (A) असत्य है, परन्तु (R) सत्य है।

40. ई-शासन का लक्ष्य सरकार तथा नागरिकों के बीच पारस्परिक अन्तःक्रिया को बनाना है :

1. अधिक दोस्ताना
2. सुविधाजनक
3. पारदर्शी
4. किफायती

नीचे दिये गये कूट से **सही** उत्तर चुनियेः

A. 1 और 3
B. 1, 2 और 3
C. 2, 3 और 4
D. 1, 2, 3 और 4

41. आर्थिक कूटनीति को इस रूप में भी जाना जाता है :

A. सांस्कृतिक कूटनीति
B. तेल कूटनीति
C. संकट कूटनीति
D. विकास कूटनीति

42. निम्नलिखित में से क्या गुटनिरपेक्षता की विशेषता **नहीं** है?

A. गुटनिरपेक्षता राष्ट्रों के समुदायों में बहुलवाद और लोकतांत्रिक समानता का पक्षधर है।
B. यह नस्लवाद और भेदभाव की सभी ताकतों का विरोध करता है और मौलिक स्वतंत्रता का समर्थक है। आर्थिक और सामाजिक न्याय गुटनिरपेक्षता का उद्देश्य है।
C. गुटनिरपेक्षता इस धारणा पर आधारित है कि राष्ट्रीय सुरक्षा राष्ट्रों की राष्ट्रीय शक्ति से जुड़ी हुई है।
D. गुटनिरपेक्षता इस बात पर विश्वास करता है कि अन्तर्राष्ट्रीय शान्ति राष्ट्रीय आकांक्षाओं को प्राप्त करने और सार्वभौम स्वतंत्रता के उपयोग के लिए एक असंबद्ध पूर्वपेक्षा है।

43. निम्नलिखित में से क्या राष्ट्रीय शक्ति के उपयोग की तकनीक **नहीं** है?

A. कूटनीति
B. आर्थिक शासनकला
C. सैन्य शक्ति का उपयोग
D. विश्व संगठन में शामिल होना

44. **सूची-I** को **सूची-II** से सुमेलित कीजिए और नीचे दिए गए कूटों से सही उत्तर का चयन कीजिए :

सूची-I (पुस्तकें)	**सूची-II (लेखक)**
(*a*) इंटरनेशनल रिलेसन्स थ्योरी : द थ्री ट्रेडीसन्स	1. गेरहार्ड वेलर्स
(*b*) द नार्थ साउथ डिवाइड एन्ड द इंटरनेशनल सिस्टम	2. टैडबक्श शकबेनॉन और अनुराधा चेनॉय
(*c*) ह्यूमेन सिक्योरिटी	3. एन.बी. एडम्स
(*d*) इंडिया एन्ड द यूरोपियन यूनियन	4. मार्टिन वाइट

कूटः

	(*a*)	(*b*)	(*c*)	(*d*)
A.	4	3	2	1
B.	2	4	1	3
C.	3	1	4	2
D.	1	3	2	4

45. निम्नलिखित में से किसे शक्ति का प्रतीक (करेंसी ऑफ पावर) माना जा सकता है?

A. भोजन
B. परमाणु हथियार
C. औद्योगिक क्षमता
D. सैन्य तैयारी

46. निम्नलिखित में से कौन-से कथन सही हैं?

1. चार्टर के अनुच्छेद 3 के अनुसार जिन देशों ने सेनफ्रांसिस्को सम्मेलन में जून 1945 में भाग लिया और जिन्होंने 1 जनवरी 1942 को संयुक्त राष्ट्र घोषणा-पत्र पर हस्ताक्षर किए थे वे संयुक्त राष्ट्र के मूल सदस्य बने।
2. स्विट्जरलैंड 2003 में संयुक्त राष्ट्र संघ का सदस्य बना।
3. आम सभा का सामान्य सत्र सितम्बर में आरम्भ होता है और आमतौर पर वर्ष के अन्त तक जारी रहता है।
4. आर्थिक और सामाजिक परिषद के सेवानिवृत्त हो रहे सदस्य तत्काल पुनः निर्वाचित होने के पात्र भी होते हैं।

नीचे दिए गए कूटों से **सही** उत्तर का चयन करें :

A. 1, 2 और 3 B. 2, 3 और 4

C. 1, 2 और 4 D. 1, 3 और 4

47. किसने कहा था "शीत युद्ध का अन्त आदर्श राज्य और उदारवादी पूंजीवाद के विजय का प्रतिनिधित्व करता है।"

A. माइकल डोयल

B. थॉमस डन

C. फ्रांसिस फुकुयामा

D. सैमुअल हंटिंगटन

48. **सूची-I** को **सूची-II** से सुमेलित करें और नीचे दिए गए कूटों से **सही** उत्तर का चयन करें :

सूची-I	**सूची-II**
(*a*) सोवियत संघ-जर्मन अनाक्रमण संधि	1. सितम्बर, 1939
(*b*) जर्मनी का सोवियत संघ पर आक्रमण	2. मार्च, 1939
(*c*) जर्मनी का चेकोस्लोवाकिया पर कब्जा	3. जून, 1941
(*d*) पोलैण्ड पर जर्मनी का आक्रमण	4. अप्रैल, 1941

कूटः

	(*a*)	(*b*)	(*c*)	(*d*)
A.	4	3	2	1
B.	2	4	1	3
C.	3	1	4	2
D.	1	3	2	4

49. निम्नलिखित में से कौन-से कथन सही हैं?

1. बांडूंग सम्मेलन, 1955 के आयोजन का सुझाव श्रीलंका ने दिया था।
2. इस सम्मेलन को आयोजित करने का तात्कालिक उकसावा ताईवान और संयुक्त राज्य अमेरिका के बीच एक संधि और सीटों (एस.ई.ए.टी.ओ.) की स्थापना और बगदाद पैक्ट था।
3. इस सम्मेलन के आयोजन के विचार का सोवियत रूस और चीन ने स्वागत किया था।
4. बांडूंग इंडोनेशिया में एक शहर है।

नीचे दिए गए कूटों से **सही** उत्तर का चयन करें :

A. 1, 2 और 3

B. 2, 3 और 4

C. 1, 2 और 4

D. 1, 3 और 4

50. संयुक्त राष्ट्र संघ के चार्टर का कौन-सा अनुच्छेद यह उपबन्धित करता है कि "संयुक्त राष्ट्र संघ के सभी सदस्य यह वचन देते हैं कि वे सुरक्षा परिषद को इसकी मांग पर और विशेष समझौतों के अनुसार अन्तर्राष्ट्रीय शान्ति और सुरक्षा बनाए रखने के उद्देश्य के लिए आवश्यक सशस्त्र बल और आवागमन के अधिकार सहित सहायता और सुविधाएँ उपलब्ध कराएंगे?"

A. अनुच्छेद 41

B. अनुच्छेद 42

C. अनुच्छेद 43

D. अनुच्छेद 44

उत्तरमाला

1	2	3	4	5	6	7	8	9	10
C	D	A	A	A	A	A	A	A	B
11	**12**	**13**	**14**	**15**	**16**	**17**	**18**	**19**	**20**
A	C	C	C	D	B	A	D	D	A
21	**22**	**23**	**24**	**25**	**26**	**27**	**28**	**29**	**30**
D	B	B	D	C	B	D	D	D	B
31	**32**	**33**	**34**	**35**	**36**	**37**	**38**	**39**	**40**
B	C	D	A	C	C	B	C	A	D
41	**42**	**43**	**44**	**45**	**46**	**47**	**48**	**49**	**50**
D	D	D	A	B	D	C	A	*	C

कुछ चुने हुए प्रश्नों के व्याख्यात्मक उत्तर

1. कौटिल्य के राज्य के 'सप्तांग सिद्धांत' के अनुसार राज्य 7 तत्वों से निर्मित होता है। चूंकि ये तत्व एक-दूसरे के साथ इतने निकट से जुड़े हैं जैसे ये एक ही शरीर के भिन्न-2 अंग हों, इसलिए इन्हें राज्य का 'अंग' कहा गया है। जैसे शरीर के किसी अंग–आंख, कान, हाथ, पैर इत्यादि का पृथक् अस्तित्व संभव नहीं है और इन अंगों को काट देने से शरीर विकलांग या मृत हो जाता है, वैसे ही राज्य के ये अंग राज्य से पृथक् नहीं रह सकते; यदि इनमें से किसी अंग को हटा दें तो राज्य भी विकलांग और निरर्थक हो जाता है।

राज्य के ये सात अंग निम्नलिखित हैं–

(*i*) स्वामी (राजा) राज्य के सिर के तुल्य है,

(*ii*) अमात्य (मंत्री) राज्य की आंखें हैं,

(*iii*) सुहृद् राज्य के कान हैं,

(*iv*) कोष राज्य का मुख है,

(*v*) सेना राज्य का मस्तिष्क है,

(*vi*) दुर्ग राज्य की बाहें हैं,

(*vii*) पुर या जनपद राज्य की जंघाएं हैं।

कौटिल्य ने कूटनीति के 4 साधनों या उपायों का उल्लेख किया है, जो ये हैं–साम, दाम, दंड और भेद। इस तरह वर्ण-व्यवस्था कौटिल्य के राज्य का अंग नहीं है।

2. प्लेटो अपने समय के यूनानी नगर राज्यों में सबसे उत्तम राजनीतिक व्यवस्था स्पार्टा में अनुभव किया था तथा उसी से प्रभावित होकर वह अपने नगर-राज्य एथेंस में वैसी ही शासन व्यवस्था स्थापित करना चाहता था। प्लेटो ने आदर्श राज्य कायम करने के उद्देश्य से ही परिवार तथा सम्पत्ति के साम्यवाद के सिद्धांत को प्रतिपादित किया। उसने समाज को 3 वर्गों में विभाजित किया है–दार्शनिक, सैनिक और उत्पादक। दार्शनिक और सैनिक वर्ग को संयुक्त रूप से संरक्षक वर्ग कहता है। प्लेटो ने संरक्षक वर्ग को भ्रष्टाचार से मुक्त रखने के उद्देश्य से ही उपरोक्त सिद्धांत को प्रतिपादित किया है। यह सिद्धांत एक विशेष प्रकार की जीवन-पद्धति की व्यवस्था करता है। इसका मतलब यह है कि संरक्षक वर्ग अपने दैनिक प्रयोग की न्यूनतम वस्तुएं ही अपने पास रखेगा; इस वर्ग की सदस्यों के निजी परिवार नहीं होंगे और उनके पास निजी संपत्ति भी नहीं रहेगी, अर्थात् इनका परिवार और संपत्ति सबकुछ साझा होगा। वे मिल-जुलकर भोजन करेंगे, और साथ-साथ रहेंगे। इन्हें सांसारिक वस्तुओं–सोने, चांदी या वैभव और संपदा की लालसा से ऊपर उठकर सर्वथा निर्लिप्त जीवन बिताना होगा। संरक्षक वर्ग के समस्त स्त्री-पुरुष समस्त बालक-बालिकाओं के माता-पिता होंगे और ये सब एक ही घर के सदस्य माने जाएंगे। जब माता-पिता अपनी वास्तविक संतान को नहीं पहचानेंगे तो उनके मन में किसी बालक-बालिका के प्रति मोह पैदा नहीं होगा। इस तरह संरक्षक वर्ग के सभी सदस्य निर्लिप्त भाव से राज्य की सेवा करने को तत्पर होंगे।

3. यूरोप के इतिहास में रोमन साम्राज्य के पतन (476 ई.) से 15वीं शताब्दी के उत्तरार्ध तक के दौर को मध्यकाल कहा जाता है। इस युग का चिंतन न तो इतिहास पर आधारित था, न विज्ञान पर। उसमें आलोचनात्मक दृष्टिकोण का भी नितांत अभाव था। इसके अंतर्गत आस्था और विश्वास से जुड़ी हुई मान्यताओं के आधार पर निष्कर्ष निकाले जाते थे–निरीक्षण, अन्वेषण और प्रयोग-विधि के आधार पर नहीं। सारी शिक्षा पर पुरोहित-वर्ग (Clergy) का नियंत्रण था, और सारे चिंतन का केन्द्र-बिन्दु धर्म-मीमांसा से संबंधित प्रश्न थे। संगठित चर्च धर्म के विषय में जो भी मान्यताएं निर्धारित करता था, वही सम्पूर्ण ज्ञान का आधार मानी जाती थीं। इस पर तर्क करने की आज्ञा किसी को नहीं थी। सारा चिंतन कठोर रूढ़ियों (Dogmas) से जकड़ा था। इस तरह पूरे मध्यकाल के दौरान स्कॉलास्टिसिज्म का उद्देश्य दर्शन के ऊपर धर्म का प्रभुत्व स्थापित करना और चर्च के धार्मिक तत्वों के अधीन बुद्धिसंगत तत्वों को लाना था।

5. लॉर्ड एक्टन का कथन है कि ''शक्ति भ्रष्ट बनाती है तथा पूर्ण शक्ति पूर्णरूपेण भ्रष्ट बनाती है।'' (Power corrupts and absolute power corrupts absolutely)। परन्तु लोकतांत्रिक शासन प्रणालियों में शक्ति के दुरुपयोग की संभावना कम होती है क्योंकि शक्ति विभिन्न समूहों में विभाजित हो जाती है। चूंकि लोकतंत्र जनता की सहमति पर आधारित होता है और

इसमें शक्तियों का पृथक्करण विधायिका, कार्यपालिका और न्यायपालिका के बीच होता है, अतः शासक स्वेच्छाचारी नहीं बन पाता। सरकार के उपरोक्त अंगों के बीच शक्तियों के वितरण के कारण वे एक-दूसरे की शक्तियों को नियंत्रित करती रहती हैं और इस तरह शासन भ्रष्ट नहीं बन पाता। सर्वाधिकारवादी शासन प्रणालियों (फासीवाद, नाजीवाद) में ऐसी व्यवस्था नहीं होती है।

9. समुदायवाद (Communitarianism) एक आधुनिक विचारधारा है जिसके मुखर प्रवर्तकों में एलेस्डेयर मैकिंटाइर, माइकल सैंडेल, माइकल वाल्जर, चार्ल्स टेलर, आदि के नाम प्रमुख हैं। समुदायवाद की संकल्पना व्यक्ति की स्थिति और उद्देश्यों के बारे में व्यक्तिवाद या उदारवाद की मान्यताओं से भिन्न दृष्टिकोण प्रस्तुत करती है। समुदायवाद के अनुसार, व्यक्ति का अपना अस्तित्व ऐसी सामाजिक स्थिति, भूमिकाओं और प्रथाओं पर आधारित है जो समाज की देन हैं; इन सबके प्रति उसकी प्रतिबद्धता उसके व्यक्तित्व का आवश्यक अंग है। जहाँ उदारवाद व्यक्ति की स्वतंत्रता, हितों और अधिकारों पर बल देता है, वहाँ समुदायवाद उसके दायित्वों और कर्तव्यों तथा समाज के सामान्य हित पर अपना ध्यान केन्द्रित करता है; वह हम सबकी सामान्य पहचान और उन मूल्यों एवं मान्यताओं को विशेष महत्व देता है जिनके प्रति हम सब आस्था रखते हैं।

17. संविधान के 74वें संशोधन अधिनियम–1992 द्वारा भारत के संविधान में एक नया भाग IX-A और एक नई 12वीं अनुसूची को जोड़ा गया। इस नए भाग को 'नगर- पालिकाएँ' नाम दिया गया है जिसमें अनुच्छेद 243-P से 243-ZG के प्रावधान शामिल हैं तथा 12वीं अनुसूची में 18 कार्यात्मक मदें रखी गई हैं। इस अधिनियम ने नगरपालिकाओं को संवैधानिक रूप प्रदान किया। दूसरे शब्दों में, राज्य सरकारें अधिनियम के प्रावधानानुसार नई नगरपालिका पद्धति को अपनाने के लिए बाध्य हैं।

इस अधिनियम का उद्देश्य शहरी शासन को पुनर्जीवित करना एवं शक्तिशाली बनाना है जिससे कि वे स्थानीय शासन की इकाई के रूप में प्रभावशाली ढंग से कार्य करें।

18. प्रशासनिक सुधार आयोग, राजमन्नार समिति, आनन्दपुर साहिब प्रस्ताव और पुंछी आयोग का गठन केन्द्र-राज्य सम्बन्धों पर विचार करने के लिए किया गया था। केन्द्र सरकार ने मोरारजी देसाई (बाद में के हनुमंतैया) की अध्यक्षता में 1966 में प्रशासनिक सुधार आयोग (ARC) का गठन किया। इसने केन्द्र-राज्य संबंधों को सुधारने के लिए 22 सिफारिशें प्रस्तुत कीं।

1969 में तमिलनाडु सरकार (DMK) द्वारा डॉ. वी.पी. राजमन्नार की अध्यक्षता में केन्द्र-राज्य सम्बन्धों की समीक्षा करने एवं राज्यों को स्वायत्तता दिलाने के लिए संविधान में संशोधन के सुझाव देने हेतु तीन सदस्यीय समिति का गठन किया गया। इस समिति ने 1971 में सरकार को अपना प्रतिवेदन सौंपा।

1973 में, पंजाब के आनंदपुर साहिब में हुई एक बैठक में राज्यों की धार्मिक एवं राजनैतिक मांगों के संबंध में एक प्रस्ताव को स्वीकृति दी गई। इस प्रस्ताव में कहा गया कि केन्द्र को मात्र रक्षा, विदेशी संबंध, संचार एवं मुद्रा के अतिरिक्त अन्य सभी विषय राज्यों को सौंप देने चाहिए।

केन्द्र सरकार द्वारा अप्रैल 2007 में भारत के भूतपूर्व मुख्य न्यायाधीश मदन मोहन पुंछी के नेतृत्व में केन्द्र-राज्यों सम्बन्धों पर विचार करने के लिए आयोग का गठन किया गया। सरकारीया आयोग के बाद गठित यह दूसरा आयोग था।

19. गोपालस्वरूप पाठक लोकसभा के अध्यक्ष नहीं अपितु भारत के चौथे उपराष्ट्रपति थे। जबकि रबि राय, हुकुम सिंह और बलिराम भगत विभिन्न कालों में लोकसभा के अध्यक्ष रह चुके हैं और वर्तमान में लोकसभा की अध्यक्षा सुमित्रा महाजन हैं।

भारतीय संविधान के अनुच्छेद-93 के तहत लोकसभा में अध्यक्ष और उपाध्यक्ष के पद की व्यवस्था की गई है। अध्यक्ष लोकसभा की बैठकों में पीठासीन होता है और उसके कार्यों को नियंत्रित करता है। वह सदन की गरिमा और विशेषाधिकार बनाए रखने के लिए उत्तरदायी होता है। जब कोई व्यवस्था का प्रश्न उठाया जाता है या लोकसभा के नियमों और पूर्व दृष्टांतों (Precedents) के निर्वचन (Interpretation) से संबंधित प्रश्न उठाया जाता है तो अध्यक्ष नियम का निर्वचन करता है और

व्यवस्था देता है। पूर्ववर्ती अध्यक्ष द्वारा दी गई व्यवस्थाएं पूर्व दृष्टांत माने जाते हैं और उनका अनुसरण किया जाता है।

21. तुलनात्मक राजनीति के आधुनिक उपागम में प्रणाली विश्लेषण का विशेष स्थान है। अमेरिकी राजनीति वैज्ञानिक डेविड ईस्टन ने 1953 में अपनी प्रसिद्धि कृति 'Political System—An Enquiry into the State of Political Science' प्रकाशित की। उसने ऐसे सिद्धांत का निर्माण करना चाहा जिसमें सारे सामाजिक विज्ञान समा जाएं। उसने यह तर्क दिया कि संपूर्ण राजनीतिक प्रक्रिया को सिद्धांत का विषय बनाना चाहिए, उसके कुछेक पक्षों को नहीं। प्रणाली उन तत्वों के समूह को कहते हैं जो *(i)* एक-दूसरे से सम्बद्ध हों, *(ii)* एक-दूसरे पर आश्रित हों और *(iii)* एक-दूसरे पर क्रिया करते हों–इस क्रिया को परस्पर-क्रिया या अंतःक्रिया कहा जाता है। ईस्टन के अनुसार, राजनीतिक प्रणाली किसी समाज के अंदर उन अंतःक्रियाओं की प्रणाली को कहते हैं जिसके माध्यम से अनिवार्य या आधिकारिक आवंटन किए जाते हैं। उसके अनुसार नियमितताएँ, सत्यापन, तकनीकें तथा परिमाणन प्रणाली विश्लेषण की बौद्धिक आधारशिलाएं हैं।

22. द्वितीय विश्व युद्ध और नए राष्ट्रों के उदय के पश्चात् तुलनात्मक राजनीति का अध्ययन महत्वपूर्ण हो गया। दूसरे विश्व युद्ध के बाद ऐसे तीन मुख्य परिवर्तन सामने आए जिनके कारण तुलनात्मक राजनीति के अध्ययन-क्षेत्र का विस्तार करना आवश्यक हो गया। पहला परिवर्तन था, राष्ट्रों की संख्या में भारी वृद्धि अर्थात् उस समय मध्य-पूर्व, एशिया और अफ्रीका में अचानक बहुत सारे नए राज्यों का उदय हुआ जिनमें संस्कृतियों, सामाजिक, संस्थाओं और राजनीतिक लक्षणों की भारी विविधता देखने को मिली। दूसरा परिवर्तन था, शक्ति का फैलाव अर्थात् अंतर्राष्ट्रीय क्षेत्र में एटलांटिक समुदाय के प्रभुत्व की जगह अब शक्ति और प्रभाव भूतपूर्व औपनिवेशिक और अर्ध-औपनिवेशिक इलाकों तक फैल गया। तीसरा परिवर्तन था साम्यवाद का उदय, जिसने राष्ट्रीय राजनीति और अंतर्राष्ट्रीय राजनीतिक प्रणाली का रूप निर्धारित करने के संघर्ष में शक्तिशाली प्रतिद्वंद्वी की भूमिका संभाल ली और लोकतंत्र के भविष्य को चुनौती दी।

23. तुलनात्मक राजनीति ऐसा विषय है जिसके अंतर्गत भिन्न-भिन्न प्रकार की राजनीतिक प्रणालियों की संरचनाओं, कार्य-विधि, लक्षणों और क्षमताओं, इत्यादि का विश्लेषण किया जाता है ताकि राजनीतिक के सामान्य नियमों का पता लगाया जा सके। प्राचीन काल में प्रसिद्ध यूनानी दार्शनिक अरस्तू ने अपने शिष्यों को भिन्न-भिन्न नगर-राज्यों में भेजकर 158 शासन-प्रणालियों के बारे में विवरण तैयार कराए थे, और उसके आधार पर कुछ सामान्य निष्कर्ष निकाले थे। अतः अरस्तू को तुलनात्मक राजनीति का जनक माना जाता है।

24. सी.डब्ल्यू. मिल्स, विल्फ्रेड पेरेटो, गितानो मोस्का और रॉबर्ट मिशेल्स लोकतंत्र के विशिष्ट वर्गवादी सिद्धांत से जुड़े हैं। मूलतः विशिष्ट वर्गवादी सिद्धांत समाजविज्ञान के क्षेत्र में यह व्याख्या देने के लिए विकसित किया गया कि सामाजिक संगठन के भीतर मनुष्य किस तरह व्यवहार करते हैं? 20वीं सदी के आरंभिक दौर में इटली के दो प्रसिद्ध समाज वैज्ञानिकों–पैरेटो और मोस्का ने यह सिद्धांत प्रस्तुत किया कि किसी भी समाज या संगठन के अंतर्गत महत्वपूर्ण निर्णय केवल गिने-चुने लोग ही करते हैं, चाहे उस संगठन का बाहरी रूप कैसा भी क्यों न हो! उधर जर्मन समाजवैज्ञानिक मिशेल्स ने 'गुटतंत्र के लौह नियम' (Iron Law of Oligarchy) की चर्चा करते हुए यह तर्क दिया कि अधिकांश मनुष्य स्वभाव से जड़, आलसी और दब्बू होते हैं, जो अपना शासन स्वयं चलाने में समर्थ नहीं होते हैं। परंतु उनके नेता बड़े चतुर, दबंग और अपनी बात मनवाने की कला में पारंगत होते हैं। वे अपनी वाक्पटुता एवं वक्तृत्व के बल पर, और लोगों की भावनाओं से खिलवाड़ करके सत्ता पर अधिकार जमा लेते हैं। समाज में चाहे कोई भी शासन-प्रणाली क्यों न अपनाई जाए, वह अवश्य ही 'गुटतंत्र' या इने-गिने लोगों के शासन का रूप धारण कर लेती है।

25. दबाव समूह का कार्य नीतियां लागू करना नहीं है बल्कि वे नीतियों को प्रभावित करते हैं। दबाव समूह सार्वजनिक नीति को प्रभावित करने के लिए कई तरीकें इस्तेमाल करते हैं और कई हथकंडे अपनाते हैं, जैसे कि–

(1) व्यावसायिक हित समूह अपने व्यवसाय के सम्बन्ध में सरकार, विधायी समितियों और नीति-निर्माताओं

के पास आधार-सामग्री और सुझाव भेजते हैं जिनमें उनकी मांगें छिपी होती हैं;

(2) वे पत्र-पत्रिकाओं, रेडियो और टेलीविजन पर विज्ञापन देकर जनमत को अपने अनुकूल बनाने की कोशिश करते हैं;

(3) अपनी दिलचस्पी के विषयों पर वे समाचार-पत्र सम्मेलन, वाद-विवाद, विचार-गोष्ठियां और वार्ताएं आयोजित करके उनके प्रति जनसाधारण के मन में दिलचस्पी जगाने का प्रयत्न करते हैं;

(4) कभी-कभी वे दीवारों पर पोस्टर लगवाकर तथा जुलूस, रैलियाँ, प्रदर्शन, हड़ताल इत्यादि आयोजित करके जनता और अधिकारियों का ध्यान अपनी ओर आकर्षित करने का प्रयत्न करते हैं;

(5) कई दबाव समूह अपने कार्यकर्ताओं और अधिवक्ताओं के माध्यम से विधानमंडल के समकक्षों और दीर्घाओं की ओर से सदस्यों को प्रभावित करने की कोशिश करते हैं–इस गतिविधि को लॉबी-प्रचार (Lobbying) की संज्ञा दी जाती है;

(6) वे ऐसे उम्मीदवारों को चुनाव में वितीय सहायता दे सकते हैं जो उनके उद्देश्य के साथ सहानुभूति रखते हों और आगे चलकर उसकी पूर्ति में सहायक हो सकते हों; और

(7) कभी-कभी कुछ दबाव समूह अपने स्वार्थों की सिद्धि के लिए संबद्ध अधिकारियों को रिश्वत देकर, उन्हें बड़ी-बड़ी दावतों में बुलाकर मदिरापान कराके तथा अन्य अनैतिक तरीकों से उनकी कृपा-दृष्टि प्राप्त करने की युक्ति निकालते हैं।

27. अरस्तू तत्कालीन शासन-प्रणालियों की अस्थिरता की समस्या से अत्यंत चिंतित था, अतः उसने ऐसी शासन-प्रणाली की रूपरेखा तैयार की जिसके स्थिर रहने की पूर्ण संभावना है। अरस्तू के वर्गीकरण के दो मुख्य आधार थे–

1. क्या शासन को एक व्यक्ति चलाता है, गिने-चुने व्यक्ति चलाते हैं या बहुत सारे व्यक्ति चलाते हैं?
2. दूसरे, क्या वहाँ का शासन सामान्य कोटि का है या भ्रष्ट कोटि का है, अर्थात् क्या शासक राज्य के हित को ध्यान में रखकर शासन चलाते हैं या केवल स्वार्थ-सिद्धि के लिए सत्ता का प्रयोग करते हैं?

अरस्तू ने अपने वर्गीकरण के अंतर्गत एक व्यक्ति के सामान्य कोटि के शासन को राजतंत्र (Monarchy) की संज्ञा दी है जबकि नृशंसतंत्र या निरंकुशतंत्र (Tyranny or Despotism) एक व्यक्ति का भ्रष्ट शासन है। अभिजाततंत्र या कुलीनतंत्र (Aristocracy) इने-गिने लोगों का सामान्य कोटि का शासन है जबकि गुटतंत्र (Oligarchy) अभिजाततंत्र का भ्रष्ट रूप है। जनसाधारण विद्रोह करके गुटतंत्र को नष्ट कर देते हैं और बहुतंत्र (Polity) स्थापित हो जाता है। बहुतंत्र बहुत सारे लोगों का सामान्य कोटि का शासन है जबकि लोकतंत्र (Democracy) बहुतंत्र का भ्रष्ट रूप है। लोकतंत्र की यह परिभाषा लोकतंत्र की आधुनिक धारणा से भिन्न है। कुछ भी हो, अरस्तू के अनुसार ऐसा भ्रष्ट शासन भी ज्यादा दिन नहीं चल पाता, और कोई सुलझा हुआ व्यक्ति उसे हटाकर राजतंत्र स्थापित कर देता है। परंतु परिवर्तन का सिलसिला फिर से शुरू हो जाता है, और इस तरह कोई भी प्रणाली स्थिर नहीं रह पाती है। सारे विश्लेषण के बाद अरस्तू इस निष्कर्ष पर पहुँचा कि स्थिर शासन-प्रणाली विकसित करने के लिए बहुतंत्र और अभिजाततंत्र का समन्वय उपयुक्त होगा, जिसे उसने 'मिश्रित संविधान' (Mixed Constitution) की संज्ञा दी है। इसके अंतर्गत सत्ता का प्रयोग गिने-चुने लोग या विशेषज्ञ ही करेंगे, परंतु वे जनसाधारण की सहमति से शासन चलाएंगे।

29. अनुक्रियाशीलता, विश्वस्तता, पृष्ठभूमि संगीत (Background noise) और तोड़-मरोड़ (Distortion) ये सभी कारक संचार सिद्धांत में लोड कैपेसिटी से संबंधित हैं। संचार सिद्धांत का प्रतिपादन कार्ल ड्यूश ने किया है। उसकी प्रसिद्ध कृति 'The Nerves of Government—Models of Political Communication and Control–1963' इस दिशा में एक सराहनीय प्रयास है। स्वयं ड्यूश के शब्दों में, ''इस कृति में राज्य रूपी काया की अस्थियों और मांसपेशियों पर उतना ध्यान नहीं दिया गया है जितना उसकी तंत्रिकाओं पर दिया गया है। ये तंत्रिकाएं यहां संप्रेषण और निर्णय की वाहिकाओं का काम करती हैं।'' इसमें यह संकेत निहित है कि शासन को 'शक्ति की समस्या' के रूप में देखने से उतना लाभ नहीं होगा जितना उसे 'संचालन की

समस्या' के रूप में देखने से होगा। इसमें यह दिखाया गया है कि संचालन की समस्या निश्चय ही संचार की समस्या है। इसका मुख्य ध्येय यह है कि संचार की व्यवस्था किसी भी संगठन की सीमाएँ निर्धारित कर देती है और यह बात राजनीतिक संगठन पर भी लागू होती है।

30. रॉबर्ट डाल ने लिखा है कि राजनीति में शक्ति, शासन (Rule) या सत्ता (Authority) का विस्तृत प्रयोग किया जाता है। वह आगे कहता है कि "शक्ति वह है जिससे लोगों से काम कराया जा सकता है तथा जिसके अभाव में वे काम नहीं करते।" राजनीति-सिद्धांत की अन्य बहुत-सी संकल्पनाओं की तरह 'शक्ति' की भी कोई सर्वसम्मत परिभाषा नहीं मिलती, फिर भी 'शक्ति' शब्द का प्रयोग जिन-जिन संदर्भों में होता है, उनके आधार पर इसके लक्षणों का विवरण दिया जा सकता है। साधारणतः, लोग जो कुछ नहीं करना चाहते, उनसे वैसा कराने की क्षमता को 'शक्ति' की संज्ञा दी जाती है। दूसरे शब्दों में, जब एक व्यक्ति दूसरे की इच्छा के विरुद्ध उससे किसी निर्णय का पालन कराता है, तब पहला व्यक्ति दूसरे के ऊपर 'शक्ति' का प्रयोग करता है।

इस तरह शक्ति की चिर-प्रचलित अवधारणा मुख्यतः 'दूसरों के ऊपर प्रयुक्त शक्ति' (Power over) का संकेत देती है। परंतु समकालीन सामाजिक चिंतन के अंतर्गत शक्ति के दूसरे अर्थ–अर्थात् 'कुछ करने की शक्ति' (Power to) को भी मान्यता दी जाती है। इस अर्थ में शक्ति से अभिप्राय है–अपनी इच्छा और उद्देश्यों की पूर्ति के लिए अपेक्षित साधनों तक पहुँच। इस तरह जब हम 'स्त्रियों के सशक्तीकरण' या 'निर्धन वर्गों के सशक्तीकरण' का मुद्दा उठाते हैं तब हमारा संकेत शक्ति के इस दूसरे अर्थ की ओर होता है।

31. संगठन के सिद्धांतों के विकास से हेनरी फेयोल, उर्विक तथा लुथर गुलिक जैसे विद्वान सम्बंधित हैं जबकि एल. डी. व्हाइट इससे सम्बद्ध नहीं हैं। विभिन्न विद्वानों ने 'संगठन' की परिभाषा भिन्न-भिन्न अर्थों में प्रस्तुत की है। समाजशास्त्री, मनोवैज्ञानिक और प्रबंध विचारक अपने-अपने दृष्टिकोणों से संगठन के अर्थ को स्पष्ट करते हैं। किसी ने संगठन को 'सम्प्रेषण व्यवस्था' और कुछ ने इसे 'समस्या निवारण का साधन' माना है। कास्ट एवं रोजेन्ज्वीग ने संगठन सिद्धांत के विकास को तीन कालों या युगों में विभाजित किया है–

1. परम्परावादी या शास्त्रीय युग;
2. मानव सम्बन्ध आंदोलन एवं व्यवहारवादी युग; तथा
3. आधुनिक अथवा व्यवस्थावादी युग।

32. तुलनात्मक लोक प्रशासन के विकास में इण्डियाना यूनिवर्सिटी (USA) के प्रो. रिग्स का उल्लेखनीय योगदान माना जाता है। रिग्स 10 वर्षों तक अमेरिकी कम्पेरेटिव एडमिनिस्ट्रेटिव ग्रुप के अध्यक्ष रहे थे। इन्होंने प्रशासनिक व्यवस्थाओं और उनके वातावरण के बीच की क्रिया-प्रतिक्रिया के सम्बन्ध में अवधारणाओं एवं सिद्धांतों की खोज की है। इनके अध्ययन का क्षेत्र मुख्यतः विकासशील अथवा संक्रमणशील समाज रहे हैं। तुलनात्मक लोक प्रशासन पर इन्होंने काफी कुछ लिखा है। विषय के सैद्धांतिक और व्यावहारिक विवेचन के लिए इन्होंने नए मॉडल प्रस्तुत किए हैं, जो 'समपार्श्वीय' तथा 'साला' मॉडल के नाम से जाने जाते हैं।

33. वैज्ञानिक प्रबंधन में 'वन बेस्ट वे' (one best way) का अर्थ कार्य विधियों का मानकीकरण है। वैज्ञानिक प्रबंध के अंतर्गत वैज्ञानिक कार्य अध्ययन के आधार पर प्रमाणित कार्य निर्धारित किया जाता है और यह देखा जाता है कि दिया हुआ कार्य सभी व्यक्तियों द्वारा पूरा किया जाता है अथवा नहीं। श्रमिक उसी दशा में कार्य पूरा कर सकेंगे जब इस दिशा में प्रबंध द्वारा महत्वपूर्ण कदम उठाए जाते हैं। वैज्ञानिक प्रबंध के सिद्धांत इस बात पर जोर देते हैं कि उत्पादन में काम आने वाली मशीनें, औजार, उपकरण तथा अन्य साधन प्रमाणित होने चाहिए। कार्य की दशाएं, समय तथा वस्तु की किस्म भी प्रमाणित होनी चाहिए। प्रमाणीकरण से उत्पादन लागत कम होती है, उत्पादन की विधियों एवं किस्म में सुधार होता है और श्रमिकों की कार्यकुशलता में वृद्धि होती है। ये विभिन्न प्रमाण वैज्ञानिक प्रबंध के अंतर्गत सामयिक प्रयोगों द्वारा निर्धारित किए जाते हैं।

34. USA में स्टेट डिपार्टमेंट एक स्टाफ एजेंसी न होकर एक विभागीय संगठन है। विभाग की अध्यक्षता एक व्यक्ति द्वारा की जाती है। अमेरिका में राष्ट्रीय स्तर पर

जो विभाग हैं, उनमें से मुख्य ये हैं–राज्य विभाग, युद्ध विभाग, नौसेना विभाग, ट्रेजरी विभाग, डाकघर विभाग, न्याय विभाग, कृषि विभाग, व्यापार विभाग तथा श्रम विभाग, आदि।

ऑफिस ऑफ बजट एण्ड मैनेजमेंट, नेशनल सिक्योरिटी काउंसिल और द ह्वाइट हाउस USA में स्टाफ एजेंसियां हैं। स्टाफ एजेंसी के मुख्य कार्य कार्यकारी अधिकारी को मामले से संबंधित सभी संबद्ध सूचना देना, उचित समय पर मामले को प्रस्तुत करना तथा उसके बारे में अपना परामर्श देना है। किन्तु इसके आगे इसे नहीं जाना चाहिए। कई बार स्टॉफ में कार्यकारी शक्ति अपने हाथ में लेने की प्रवृत्ति आ जाती है अथवा कार्यकारी इसे प्राथमिक कार्य सौंप देता है, यह प्रवृत्ति वांछनीय नहीं है। स्टॉफ एजेंसी प्रशासनिक पदक्रम से बाहर है। इसका कार्य आदेश देना नहीं बल्कि परामर्श देना है। यह मुख्य कार्यकारिणी का भाग नहीं है, केवल उसका सहायक है।

35. प्रत्येक प्रशासन के लिए प्रशासनिक सेवाएं आवश्यक होती हैं क्योंकि यह प्रशासन में परिपक्वता, स्थायित्व, निर्भीकता और निश्चितता लाती है। आधुनिक प्रशासनिक सेवा विकसित और विकासशील राज्यों के संदर्भ में तकनीकी रूप में प्रशिक्षित स्थायी अधिकारियों द्वारा निर्मित है जो प्रशासन में अपना पूरा समय व जीवन लगा देते हैं; जिसके कारण प्रशासनिक सेवाओं को राजनीति के प्रति उदासीन, निष्पक्ष, क्रियाशील, लोककल्याण के प्रति जागरूक और उत्तरदायित्वपूर्ण माना जाता है। उसका चयन योग्यता और तकनीकी ज्ञान के आधार पर होता है। एक उच्च तकनीकी विशिष्टता होने के कारण इसका प्रभाव कार्यपालिका, विधिनिर्माण, सामाजिक, आर्थिक व राजनीतिक प्रबंध पर पर्याप्त रूप से पड़ता है। इन्हीं प्रशासनिक सेवाओं को नौकरशाही (Bureaucracy) नाम दिया जाता है।

मैक्स वेबर, एफ.एम. मार्क्स, आदि विद्वान नौकरशाही की धारणा से जुड़े हुए हैं। मार्क्स के नौकरशाही के वर्गीकरण का क्रम इस प्रकार है–अभिभावक नौकरशाही, जातिगत नौकरशाही, संरक्षक नौकरशाही और योग्य (प्रतिभा) नौकरशाही।

36. जब हम वित्त-प्रशासन में सुधार की बात करते हैं तो निष्पादक बजट (Performance Budgeting) का नाम स्वतः ही आ जाता है। यह बजट परम्परागत बजट (Line-Item Budgeting) से बहुत भिन्न है। निष्पादक बजट विशिष्ट उद्देश्यों व कार्यों पर केन्द्रित होता है। यह बताता है कि कितने कार्य सम्पादित करने का विचार है।

भारत में 1955 के आसपास से निष्पादक बजट के पक्ष में वातावरण बनने लगा था। दूसरी लोकसभा की अनुमान समिति ने अपनी 20वीं रिपोर्ट में यह सिफारिश की थी कि विकास की बढ़ती हुई क्रियाओं के संदर्भ में भारत में निष्पादक बजट श्रेष्ठतर रहेगा। इस बजट के पक्ष में इस समिति ने 1960 में पुनः सिफारिश की थी। 1964 में भारत ने एक अमेरिकी विशेषज्ञ फ्रैंक क्राज को इस आकलन के लिए आमंत्रित किया कि निष्पादक बजट भारत में अपनाया जा सकता है अथवा नहीं। फिर प्रथम प्रशासनिक सुधार आयोग ने वर्ष 1968 में वित-प्रशासन पर अपनी जो रिपोर्ट प्रस्तुत की उसमें निष्पादक बजट अपनाने का सुझाव दिया। आयोग ने कहा कि इससे कार्यक्रमों की प्रगति जाँचने में बड़ा सहयोग मिलेगा तथा गलतियाँ होने पर सुधारात्मक उपाय शीघ्रता से अपनाए जा सकेंगे। आयोग ने यह भी कहा कि वित्त मंत्रालय को निष्पादक बजट अपनाने में पहल करनी चाहिए तथा राज्यों को भी निष्पादक बजट स्वीकार करने के लिए प्रेरित करना चाहिए। भारत सरकार ने यह सिफारिश स्वीकार कर ली तथा 1968 में पहली बार केन्द्र के 4 मंत्रालयों में निष्पादक बजट प्रस्तुत किए गए।

38. सरकार के कामकाज में पारदर्शिता और जवाबदेही बढ़ाने के उद्देश्य से जनता को सूचना हासिल करने का अधिकार देने के प्रावधान वाले ऐतिहासिक सूचना का अधिकार अधिनियम 12 अक्टूबर, 2005 से लागू हो गया। उल्लेखनीय है कि इस सम्बन्ध में विधेयक लोकसभा द्वारा 11 मई, 2005 को पारित किया गया था। अधिनियम के प्रावधानों के अनुसार, केन्द्र सरकार ने 10 सदस्यों से अनधिक एक केन्द्रीय सूचना आयोग (Central Information Commission—CIC) का गठन किया है। सर्वोच्च न्यायालय ने भी अनुच्छेद-19 के अंतर्गत

सूचना के अधिकार पर बल देते हुए इसे मौलिक अधिकारों के दायरे में शामिल किया है जिससे कोई भी नागरिक लिखित आवेदन कर सूचना मांग सकेगा। भारत में मुख्य सूचना आयुक्त तथा अन्य सूचना आयुक्तों की नियुक्ति 5 वर्षों के लिए होती है।

40. भारत में सुशासन के प्रयास में सूचना क्रांति ने एक शक्तिशाली उपकरण का कार्य किया है। ज्ञातव्य है कि भारत सूचना प्रौद्योगिकी क्षमता में एक महत्वपूर्ण स्थान रखता है। ई-प्रशासन, ई-शिक्षा, ई-व्यापार, ई-मेडिसिन, आदि अन्य ऐसे कई क्षेत्र हैं जहाँ सूचना प्रौद्योगिकी की प्रभावशाली भूमिका में महत्वपूर्ण प्रगति देखी जा सकती है।

ई-गवर्नेंस के अंतर्गत सरकारी सेवाएं एवं सूचनाएं पहुंचाने में विभिन्न इलेक्ट्रॉनिक विधियों एवं उपकरणों का प्रयोग किया जाता है। ई-प्रशासन के माध्यम से शासन को सरल, नागरिकोन्मुख, पारदर्शी, जवाबदेह एवं त्वरित बनाया जा सकता है।

42. शीतयुद्ध के दौर में जब विश्व दो प्रतिद्वंदी गुटों में बँट रहा था उसी समय गुटनिरपेक्षता ने एशिया, अफ्रीका और लैटिन अमेरिका के नव-स्वतंत्र देशों को एक तीसरा विकल्प दिया। यह विकल्प था दोनों महाशक्तियों के गुटों से अलग रहने का। गुटनिरपेक्ष आंदोलन की जड़ में युगोस्लाविया के जोसेफ टीटो, भारत के जवाहरलाल नेहरू और मिस्र के अब्दुल नासिर की दोस्ती थी। इन तीनों ने सन् 1956 में एक सफल बैठक की। इंडोनेशिया के सुकर्णो और घाना के वामे एनक्रूमा ने इनका जोरदार समर्थन किया। ये 5 नेता गुटनिरपेक्ष आंदोलन के संस्थापक कहलाए।

महाशक्तियों के गुटों से अलग रहने की इस नीति का मतलब यह नहीं है कि इस आंदोलन से जुड़े देश अपने को अंतर्राष्ट्रीय मामलों से अलग-थलग रखते हैं या तटस्थता का पालन करते हैं। गुटनिरपेक्षता का मतलब पृथकतावाद नहीं। पृथकतावाद का अर्थ होता है अपने को अंतर्राष्ट्रीय मामलों से काटकर रखना। इसके विपरीत गुटनिरपेक्ष देशों ने शांति और स्थिरता बनाए रखने के लिए प्रतिद्वंद्वी गुटों के बीच मध्यस्थता में सक्रिय भूमिका निभाई।

गुटनिरपेक्षता का अर्थ तटस्थता का धर्म निभाना भी नहीं है। तटस्थता का अर्थ होता है मुख्यतः युद्ध में शामिल न होने की नीति का पालन करना। तटस्थता की नीति का पालन करने वाले देश के लिए यह जरूरी नहीं कि वह युद्ध को समाप्त करने में मदद करे। ऐसे देश युद्ध में संलग्न नहीं होते और न ही युद्ध के सही-गलत होने के बारे में उनका कोई पक्ष होता है। दरअसल कई कारणों से गुटनिरपेक्ष देश युद्ध में शामिल हुए हैं। इन देशों ने दूसरे देशों के बीच युद्ध को होने से टालने के लिए काम किया है और हो रहे युद्ध के अंत के लिए प्रयास किए हैं।

इसकी (NAM) विशेषताएं ये हैं–

गुटनिरपेक्षता राष्ट्रों के समुदायों में बहुलवाद और लोकतांत्रिक समानता का पक्षधर है। यह नस्लवाद और भेदभाव की सभी ताकतों का विरोध करता है और मौलिक स्वतंत्रता का समर्थक है। आर्थिक और सामाजिक न्याय गुटनिरपेक्षता का उद्देश्य है तथा गुटनिरपेक्षता इस धारणा पर आधारित है कि राष्ट्रीय सुरक्षा राष्ट्रों की शक्ति से जुड़ी हुई है।

43. अंतर्राष्ट्रीय राजनीति में दूसरों को नियंत्रित करने और उनसे अपना मनचाहा व्यवहार कराने और उन्हें अनचाहा व्यवहार करने से रोकने की सामर्थ्य या योग्यता को शक्ति कहते हैं। जिस सामर्थ्य से राज्य दूसरों से अपनी इच्छा मनवाता है और दूसरे राज्यों को अपना आदर और अपने आदेशों का पालन करने के लिए मजबूर करता है उस सामर्थ्य को शक्ति कहा जाता है। इस प्रकार यह भी कह सकते हैं कि अन्य राज्यों का व्यवहार अपनी इच्छा के अनुसार बना सकने की सामर्थ्य का नाम शक्ति है। अंतर्राष्ट्रीय राजनीति में शक्ति की वही भूमिका होती है जो बाजार अर्थव्यवस्था (Market Economy) में धन या रुपए की होती है। राष्ट्रीय शक्ति के उपयोग की विभिन्न तकनीकें हैं, जो ये हैं– कूटनीति, आर्थिक शासनकला तथा सैन्य शक्ति का उपयोग, आदि। विश्व संगठन में शामिल होना किसी राष्ट्र के राष्ट्रीय शक्ति के उपयोग की तकनीक नहीं है बल्कि उस राष्ट्र की अंतर्राष्ट्रीय भूमिका में वृद्धि का संकेत है।

45. द्वितीय विश्व युद्ध के दौरान परमाणु हथियारों की खोज के कारण परम्परागत हथियारों की जगह यह हथियार शक्ति के प्रतीक (Currency of Power) के रूप में उभरा है। परमाणु हथियारों के विस्तार को सामान्यतया विश्व की सुरक्षा के लिए बहुत बड़ा खतरा माना जाता है। परमाणु प्रौद्योगिकी के उपयोग पर इतनी अधिक चर्चा नहीं होती है क्योंकि किसी भी राष्ट्र के विकास की प्रक्रिया में परमाणु प्रौद्योगिकी के उपयोग को स्वीकार किया गया है। इस प्रौद्योगिकी के शांतिपूर्ण बनाम सैन्य उपयोगों पर वाद-विवाद है क्योंकि इस प्रौद्योगिकी के 'दोहरे प्रयोग' की प्रौद्योगिकी को जिस उपयोग के लिए बढ़ाया जा रहा है, उसका अंतिम उपयोग किस प्रकार होगा, इसमें अंतर करना बहुत कठिन हो सकता है। फिर भी अंतर्राष्ट्रीय सुरक्षा के विषय में जितना लिखा जा रहा है, उसमें इसी विषय की प्रमुखता है। मुख्य चिंता इनकी बढ़ती हुई संख्या है न कि विस्तार।

46. दूसरे विश्व युद्ध (1939-45) की समाप्ति के तुरंत बाद सन् 1945 में संयुक्त राष्ट्र संघ की स्थापना हुई। अगस्त 1941 में अमेरिकी राष्ट्रपति रूजवेल्ट और ब्रिटिश प्रधानमंत्री चर्चिल द्वारा अटलांटिक चार्टर पर हस्ताक्षर किए गए। जनवरी 1942 में धुरी शक्तियों (इटली, जर्मनी और जापान) के खिलाफ लड़ रहे 26 मित्र-राष्ट्रों के प्रतिनिधि अटलांटिक चार्टर के समर्थन में वाशिंगटन में मिले और दिसम्बर 1943 में संयुक्त राष्ट्रसंघ की घोषणा पर हस्ताक्षर किए। फरवरी 1945 में तीन बड़े नेताओं (रूजवेल्ट, चर्चिल और स्टालिन) ने याल्टा सम्मेलन में प्रस्तावित अंतर्राष्ट्रीय संगठन के बारे में संयुक्त राष्ट्रसंघ का एक सम्मेलन करने का निर्णय किया और अन्ततः जून 1945 में सेनफ्रांसिस्को में संयुक्त राष्ट्रसंघ के निर्माण के मसले पर केंद्रित दो महीने लंबा सम्मेलन सम्पन्न हुआ। स्विट्जरलैण्ड सितम्बर 2002 में UNO का पूर्ण सदस्य बना। UNO के आम सभा (General Assembly) का सामान्य सत्र सितम्बर में आरम्भ होता है और आमतौर पर वर्ष के अंत तक जारी रहता है तथा आर्थिक और सामाजिक परिषद् के सेवानिवृत हो रहे सदस्य तत्काल पुनः निर्वाचित होने के पात्र भी होते हैं। आर्थिक और सामाजिक परिषद् के सदस्यों का चुनाव आम सभा द्वारा 3 वर्षों के लिए होता है।

47. फ्रांसिस फुकुयामा ने कहा था कि ''शीत युद्ध का अंत आदर्श राज्य और उदारवादी पूंजीवाद के विजय का प्रतिनिधित्व करता है।'' 1980 के दशक के अंत में जब पूर्वी यूरोप की समाजवादी व्यवस्थाएँ एक-एक करके छिन्न-भिन्न होने लगीं, तब 'विचारधारा के अंत' की परिकल्पना को एक नया नाम दिया गया–'इतिहास का अंत' (End of History)। यह शब्दावली प्रसिद्ध अमेरिकी राजनीति-विश्लेषक फ्रांसिस फुकुयामा की देन है। फुकुयामा ने 'The National Interest' पत्रिका में प्रकाशित लेख 'The End of History' (1989) के अंतर्गत यह तर्क दिया कि उदार लोकतंत्र में कोई बुनियादी अंतर्विरोध नहीं पाए जाते और वह मानव-मन की सबसे गहरी आकांक्षाएं पूरी करने में समर्थ है। अतः इसकी विजय से इतिहास के उस लंबे संघर्ष का अंत हो गया है जो इस प्रणाली के विस्तार में बाधक था। बाद में फुकुयामा ने अपनी चर्चित कृति 'The End of History and the Last Man—1992' के अंतर्गत इस विचार की विस्तृत व्याख्या प्रस्तुत की।

50. द्वितीय विश्व युद्ध की समाप्ति के बाद जंग की तबाही से परेशान देशों ने एक बार फिर सामूहिक सुरक्षा की बात सोचनी शुरू की। UNO के घोषणा-पत्र (7वें अध्याय की धारा 39 से 51 तक) में विस्तार से सामूहिक सुरक्षा विषयक विचार प्रकट किए गए हैं। इसके चार्टर का अनुच्छेद-43 यह उपबंधित करता है कि ''संयुक्त राष्ट्र संघ के सभी सदस्य यह वचन देते हैं कि वे सुरक्षा परिषद को इसकी मांग पर और विशेष समझौतों के अनुसार अंतर्राष्ट्रीय शांति और सुरक्षा बनाए रखने के उद्देश्य के लिए आवश्यक सशस्त्र बल और आवागमन के अधिकार सहित सहायता और सुविधाएँ उपलब्ध कराएंगे।''

प्रश्न-पत्र-III

नोटः *इस प्रश्नपत्र में* ***पचहत्तर (75)*** *बहु-विकल्पीय प्रश्न हैं। प्रत्येक प्रश्न के* ***दो (2)*** *अंक हैं।* ***सभी*** *प्रश्न अनिवार्य हैं।*

1. निम्नलिखित में से कौन राजनीतिक सिद्धांत के 'पतन' को विनिर्दिष्ट करता है?

1. डेविड ईस्टन और अल्फ्रेड कॉबन
2. लेसलेट और रॉबर्ट डाल
3. विल डुरांट
4. नेथेनियल हाउथोर्न

A. 2 और 3　　B. 3 और 4
C. 1 और 3　　D. 1 और 2

2. राजनीतिक सिद्धांत के बारे में निम्नलिखित में से कौन-सा कथन सही है?

1. यह वैज्ञानिकवाद को स्वीकार करता है और मानकवाद का खण्डन करता है।
2. यह राजनीतिक दर्शन और राजनीतिक परिघटना की वैज्ञानिक जांच को संयोजित करता है।
3. यह संरचनात्मक और संस्थात्मक होता है और राजनीतिक संस्थानों और संगठनों के तर्क और आधार का परीक्षण करता है।
4. राजनीतिक सिद्धांत दार्शनिक तथा वैज्ञानिक, नियामक तथा अनुभूतिमूलक, मूल्यांकनपरक तथा व्याख्यात्मक, ऐतिहासिक तथा विश्लेषणात्मक है।

नीचे दिए गए उत्तरों से सही उत्तर चयन करें।

A. 1 और 4　　B. 2 और 3
C. केवल 4　　D. 3 और 4

3. आधुनिक उदारवाद के बारे में निम्नलिखित में से क्या सही है?

1. राज्य के प्राधिकार के विरुद्ध व्यक्ति की स्वतंत्रता।
2. समूह के महत्व को मान्यता प्रदान करता है।
3. राज्य की सीमित भूमिका का समर्थन करता है।
4. कमजोरों की रक्षा के लिए राज्य विनियमन का समर्थन करता है।

सही उत्तर का चयन करें।

A. 1 और 3　　B. 2 और 4
C. 1 और 4　　D. 3 और 4

4. माओ के विसंगति सिद्धांत के संबंध में निम्नलिखित में से कौन-सा कथन सही है?

1. सभी काल और समाजों में विसंगतियाँ सार्वभौमिक होती हैं।
2. प्रतिरोधात्मक विसंगतियां विद्वेषी वर्गों के बीच उत्पादक शक्तियों के स्वामित्व के रूप में मौजूद होती हैं।
3. गैर-प्रतिरोधात्मक विसंगतियाँ लोगों के बीच हो सकती हैं, जिनका समाधान हिंसा का सहारा लिए बिना किया जा सकता है।
4. समाजवादी व्यवस्था में विसंगतियों का कोई स्थान नहीं है।

नीचे दिए गए उत्तरों से सही उत्तर का चयन करें।

A. 4 और 1　　B. 2 और 4
C. 1, 2 और 3　　D. 1, 2, 3 और 4

5. नीचे दो कथन दिए गए हैं, एक को अभिकथन (A) और दूसरे को तर्क (R) कहा गया है।

अभिकथन (A): जॉन लॉक के लिए प्राकृतिक अधिकार प्रकृति के परिणाम हैं।

तर्क (R) : राज्य को इन अधिकारों की सुरक्षा और संरक्षा करनी पड़ती है।

कूटः

A. (A) और (R) दोनों सही हैं और (R), (A) की सही व्याख्या करता है।
B. (A) और (R) दोनों सही हैं, लेकिन (R), (A) की सही व्याख्या नहीं है।
C. (A) सही है, लेकिन (R) गलत है।
D. (A) गलत है, लेकिन (R) सही है।

6. निम्नलिखित में से क्या अरस्तू के राज्य सिद्धांत के बारे में सही नहीं है?

1. राज्य की जैव अवधारणा
2. राज्य आवर्धित व्यक्ति के रूप में।
3. केवल राज्य के सदस्य के रूप में ही व्यक्ति के अधिकारों का अस्तित्व है।
4. व्यक्ति के लक्ष्य और राज्य के लक्ष्यों के बीच कोई विरोध नहीं है।

सही उत्तर का चयन करें।

A. 1 और 2 B. 4 और 3
C. केवल 3 D. केवल 4

7. मैकियावेली को प्रथम आधुनिक राजनीतिक विचारक क्यों माना जाता है?

A. राजनीति से नीतिशास्त्र और धर्म को अलग रखने के कारण।
B. राष्ट्र-राज्य के अग्रदूत के रूप में।
C. पुनर्जागरण की भावना का प्रतिनिधित्व किया।
D. चर्च को राज्य के अधीन लाने के कारण।

8. हॉब्स का निम्नलिखित में से कौन-सा कथन **गलत** था?

A. प्राकृतिक अवस्था राजनीति-पूर्व और समाज-पूर्व की अवस्था थी।
B. सार्वभौम संविदा का एक पक्षकार था।
C. मानव स्वभाव में अर्जनशील प्रवृत्ति, स्वत्वबोधक प्रवृत्ति और ख्याति के लिए प्यार मुख्य रूप से पाए जाते थे।
D. प्राकृतिक अवस्था में मनुष्य एकाकी, बुरा निर्दयी और अल्पायु था।

9. जॉन लॉक का योगदान मुख्यतः किस रूप में है?

1. सहमति सिद्धांत
2. सीमित सरकार
3. निगम निकाय के रूप में राज्य का सिद्धांत
4. राज्य की जैव अवधारणा।

नीचे दिए गए कूटों से **सही** उत्तर का चयन करें।

A. 1 और 4
B. 1 और 3
C. 2 और 3
D. 1 और 2

10. सूची-I को सूची-II से सुमेलित कीजिए और नीचे दिए गए कूटों से सही उत्तर का चयन कीजिए:

सूची-I (अवधारणा)	सूची-II (विचारक)
(*a*) विल ऑफ इगनोरेंस	1. कार्ल पोपर
(*b*) एलिनिएशन	2. राबर्ट नोजिक
(*c*) पीसमील सोशल इंजीनियरिंग	3. जॉन राउल
(*d*) नाइट वाचमैन स्टेट	4. कार्ल मार्क्स

कूटः

	(*a*)	(*b*)	(*c*)	(*d*)
A.	1	4	2	3
B.	2	1	3	4
C.	3	4	1	2
D.	4	3	2	1

11. किसने कहा है "मनुष्य को सोचने के पूर्व खाना चाहिए। खाने के लिए उसे उत्पादन करना होगा। उत्पादन एक मूल कार्यकलाप है।"

A. माओ
B. रोजा लेक्जमबर्ग
C. लुइस अल्थूसर
D. कार्ल मार्क्स

12. निम्नलिखित में से किस विचारक का कहना था कि, "आज्ञापालन का सम्भावित शरारत, विरोध के सम्भावित शरारतों से कम हैं।"?

A. जे.एस. मिल B. जेम्स मिल
C. बेंथम D. ब्लैक स्टोन

13. कार्ल मार्क्स का द्वन्द्वात्मक भौतिकवाद प्रतिपादित करता है कि:

1. पदार्थ गति की अवस्था में हैं।
2. पदार्थ में पर्यावरण के दबाव में कारण गति होती है।
3. रूपान्तर का नियम परिणामात्मक और गुणात्मक दोनों होता है।
4. पदार्थ में विरोध निरन्तर और अनन्त हैं।

सही उत्तर का चयन करें।

A. 1, 2 और 4 B. 1 और 3
C. 2 और 4 D. 3 और 4

14. जे.एस. मिल के संबंध में निम्नलिखित में से कौन-सा कथन सही है?

1. राज्य का सीमित कार्यों में अपने को संलग्न करना उचित है।
2. कल्याण संबंधी नीतियां ज्यादा महत्वपूर्ण हैं।
3. स्व-संबंधित कार्यों में राज्य हस्तक्षेप।
4. दूसरों से संबंधित कार्यों में राज्य हस्तक्षेप उचित है।

सही उत्तर का चयन करें।

A. 2 और 3 B. 1 और 2
C. केवल 1 D. केवल 4

15. गांधी की सर्वोदय अवधारणा के संबंध में निम्नलिखित में से क्या सही है?

1. ज्यादा से ज्यादा लोगों का कल्याण
2. बहुमत दल की सरकार
3. अल्पसंख्यकों की सुरक्षा
4. समाज के सभी वर्गों का कल्याण

नीचे दिए गए उत्तरों से सही उत्तर का चयन करें।

A. 1 और 3 B. 1 और 2
C. केवल 4 D. केवल 2

16. सूची-I को सूची-II से सुमेलित करें और निम्नांकित दिए गए कूटों में से सही उत्तर चुनें :

सूची-I	सूची-II
(*a*) 1813 का चार्टर एक्ट	1. पृथक निर्वाचक मंडल
(*b*) 1833 का चार्टर एक्ट	2. ईस्ट इंडिया कंपनी के व्यापार एकाधिकार की समाप्ति
(*c*) द गवर्नमेंट ऑफ इंडिया एक्ट, 1858	3. ईस्ट इंडिया कंपनी के व्यापार एकाधिकार की पूर्ण समाप्ति
(*d*) गवर्नमेंट ऑफ इंडिया एक्ट, 1909	4. सेक्रेटरी ऑफ स्टेट फॉर इंडिया

कूटः

	(*a*)	(*b*)	(*c*)	(*d*)
A.	2	1	3	4
B.	2	3	4	1
C.	1	4	3	2
D.	4	2	3	1

17. ऑल पार्टी कॉन्फ्रेंस (1928) की अध्यक्षता किसने की?

A. पंडित मोतीलाल नेहरू
B. डॉ. एम.ए. अंसारी
C. मदन मोहन मालवीय
D. सी. आर. दास

18. निम्नलिखित में से कौन-से कथन सही हैं? नीचे दिए गए कूट में से सही उत्तर चुनिये :

1. कानून का अनुपालन सुनिश्चित करने हेतु भारत संघ को किसी राज्य को निर्देश जारी करने की शक्ति है।
2. विफलता की स्थिति में, राष्ट्रपति उस राज्य सरकार के सारे कार्यों को अपने हाथ में ले सकते हैं।
3. किसी राज्य के राज्यपाल की नियुक्ति राष्ट्रपति द्वारा की जाती है तथा उसकी पदावधि राष्ट्रपति के प्रसादपर्यन्त होती है।
4. राज्यपाल के प्रति उत्तरदायी नहीं है।

कूटः

A. 1, 3 और 4 B. 2, 3 और 4
C. 1, 2 और 3 D. 1, 2, 3 और 4

19. निम्नलिखित में से किसे भारतीय संघ में तनाव वाले क्षेत्र के रूप में पहचान नहीं की गयी है?

1. अन्तरराज्य परिषद्
2. अनुच्छेद 356
3. राज्यपाल की भूमिका
4. केंद्र-राज्य वित्तीय संबंध

सही उत्तर का चयन करें।

A. 1 और 4 B. केवल 4
C. केवल 1 D. 3 और 4

20. 74वां संविधान संशोधन 1992, किन राज्यों के अनुसूचित क्षेत्र में लागू नहीं होती?

1. राजस्थान 2. हरियाणा
3. उत्तर प्रदेश 4. ओडिशा

नीचे दिए गए कूट से सही उत्तर चुनिये :

A. 2 और 3 B. 3 और 4
C. 1, 3 और 4 D. 1, 2, 3 और 4

21. सूची-I को सूची-II से सुमेलित कीजिए तथा नीचे दिए गए कूट में से सही उत्तर चुनिये :

सूची-I (आन्दोलन)	सूची-II (व्यक्ति)
(*a*) चिपको आन्दोलन	1. मेधा पाटकर
(*b*) नर्मदा बचाओ आन्दोलन	2. के. चन्द्रशेखर राव
(*c*) सूचना का अधिकार आन्दोलन	3. सुन्दरलाल बहुगुणा
(*d*) तेलंगाना आन्दोलन	4. अरुणा रॉय

कूटः

	(*a*)	(*b*)	(*c*)	(*d*)
A.	4	1	2	3
B.	3	1	4	2
C.	2	3	1	4
D.	1	2	4	3

22. भारत के निम्नलिखित उपराष्ट्रपतियों को उनके सही कालानुक्रम में व्यवस्थित कीजिये तथा नीचे दिए गए कूट में से सही उत्तर चुनिये :

1. के. आर. नारायणन
2. गोपालस्वरूप पाठक
3. कृष्णकांत
4. न्यायमूर्ति मोहम्मद हिदायतुल्ला

कूटः

A. 4, 2, 1, 3 B. 2, 4, 3, 1
C. 4, 2, 3, 1 D. 2, 4, 1, 3

23. राज्य तथा प्रभावी जाति दर्शाने वाला निम्नलिखित में से कौन-सा युग्म सही नहीं है?

A. पंजाब–जाट सिख B. राजस्थान–राजपूत
C. केरल–वेलमा D. कर्नाटक–लिंगायत

24. निम्नलिखित में से कौन भारत में क्षेत्रीय आंदोलन को 'नृजातीय' तथा 'स्वसंस्कृति' आंदोलन के पदों में वर्गीकृत करता है?

A. सजल बसु B. मायरन वीनर
C. जेम्स मैनर D. रॉब जेनकिंन्स

25. भारत में भारतीय संविधान के अनुच्छेद 263 के अन्तर्गत अन्तर-राज्य परिषद् का गठन कब किया गया?

A. 1961 B. 1972
C. 1990 D. 1998

26. सूची-I को सूची-II से सुमेलित कीजिए और नीचे दिए गए कूटों से सही उत्तर का चयन कीजिए:

सूची-I (छात्र संगठन)	सूची-II (संबद्ध पार्टी)
(*a*) अखिल भारतीय विद्यार्थी परिषद	1. सी.पी.आई.
(*b*) ऑल इंडियन स्टुडेंटस् फेडरेशन	2. सी.पी.आई.एम.
(*c*) नेशनल स्टूडेंट्स यूनियन ऑफ इंडिया	3. बी.जे.पी.
(*d*) स्टूडेंटस फेडरेशन ऑफ इंडिया	4. कांग्रेस(आई)

कूटः

	(*a*)	(*b*)	(*c*)	(*d*)
A.	1	3	4	2
B.	4	3	2	1
C.	3	1	4	2
D.	2	4	1	3

27. कब से भारत में इस बात पर सर्वसम्मति बनी कि उपाध्यक्ष का पद प्रतिपक्ष दल को दिया जाना चाहिये?

A. 1984 B. 1989
C. 1996 D. 2001

28. सूची-I को सूची-II से सुमेलित कीजिए तथा नीचे दिए गए कूट में से सही उत्तर चुनिये :

सूची-I (लेखक)	सूची-II (पुस्तकें)
(*a*) सेलिग जी. हैरिसन	1. ग्रीन रिवोल्यूशन इन इंडिया
(*b*) रूडोल्फ तथा रूडोल्फ	2. इंडियन पैराडॉक्स
(*c*) फ्रैंकलिन फ्रैंकेल	3. इन परस्यूट ऑफ लक्ष्मी : द पॉलिटिकल इकानॉमी ऑफ द इंडियन स्टेट
(*d*) मायरन वेनर	4. इंडिया : द मोस्ट डेन्जरस डिकेड्स

कूटः

	(*a*)	(*b*)	(*c*)	(*d*)
A.	2	1	3	4
B.	1	2	4	3
C.	4	3	1	2
D.	3	4	2	1

29. सूची-I को सूची-II से सुमेलित कीजिए और नीचे दिए गए कूट की सहायता से सही उत्तर चुनिये :

सूची-I	सूची-II
(*a*) एस.पी. गुप्ता बनाम यूनियन ऑफ इंडिया	1. ताज प्रदूषण
(*b*) एम.सी. मेहता बनाम यूनियन ऑफ इंडिया	2. मूलभूत ढाँचा
(*c*) केशवानंद भारती बनाम केरल राज्य	3. न्यायाधीशों का अन्तरण
(*d*) कॉमन कॉज बनाम यूनियन ऑफ इंडिया	4. पेट्रोल पंप का आवंटन

कूट :

	(*a*)	(*b*)	(*c*)	(*d*)
A.	3	1	2	4
B.	4	2	1	3
C.	2	4	3	1
D.	1	3	4	2

30. निम्नलिखित में से कौन एक अधिनियम भारतीय संविधान की धारा 34 के अन्तर्गत बनाया गया है?

A. दी आर्मी एक्ट

B. दी आर्मड् फोर्सेस स्पेशल पावर एक्ट (ए.एफ.एस. पी.ए.)

C. दी बॉर्डर सिक्यूरिटी फोर्सेस एक्ट

D. दी नेवी एक्ट

31. निम्नलिखित में से कौन-सा कथन सही नहीं है?

A. अमेरिका की प्रतिनिधि सभा ब्रिटेन के हाउस ऑफ कॉमन्स की तुलना में कमजोर है।

B. प्रतिनिधि सभा सीनेट की तुलना में कमजोर है।

C. अमेरिका की कार्यपालिका अमेरिकी विधान मंडल (लेजिस्लेचर) के प्रति जिम्मेदार नहीं है।

D. प्रतिनिधि सभा का अमेरिकी सीनेट से अधिक महत्व है।

32. निम्नलिखित में से कौन-सा कथन सही नहीं है?

A. स्विट्जरलैंड का फेडरल लेजिस्लेचर द्विसदनात्मक है।

B. इसमें निम्न सदन को नेशनल काउंसिल कहा जाता है।

C. इसमें उच्च सदन को काउंसिल ऑफ स्टेट्स कहा जाता है।

D. मतदाताओं तथा उम्मीदवार की योग्यता का निर्णय नेशनल काउंसिल करती है।

33. निम्नलिखित में से कौन यूनाइटेड किंगडम की न्यायपालिका की विशेषता नहीं है?

A. यह सामान्य कानून परम्परा पर आधारित है।

B. स्कॉटलैंड के न्यागमन से पारम्परिक रूप से नियंत्रित न्यायपालिका की संभावना बढ़ गयी है।

C. वेल्स के न्यागमन से पारम्परिक रूप से नियंत्रित-न्यायपालिका की संभावना बढ़ गयी है।

D. उच्चतर न्यायालयों के न्यायाधीशों की नियुक्ति हाउस ऑफ कॉमन्स की सिफारिशों के आधार पर सम्राट द्वारा की जाती है।

34. मैग्ना कार्टा, गौरवपूर्ण क्रांति तथा जॉन लॉक की रचनाएँ आदि सबने ग्रेट ब्रिटेन के .... को मजबूत बनाने में योगदान दिया है।

A. निरपेक्ष राजतंत्र B. नृजातीय प्रतिद्वंद्विता

C. संसदीय लोकतंत्र D. साम्राज्यवादी नीतियाँ

35. निम्नलिखित में से कौन सही है?

A. के.सी. ह्वेयर : इंग्लैंड का संविधान

B. राबर्ट मिशेल : अल्पतंत्र का कठोर कानून

C. जी. सार्टोरी : उदार तथा उग्र बहुदलीय प्रणाली

D. बेजहॉट : दलीय राजनीति

36. सूची-I को सूची-II से सुमेलित कीजिए तथा नीचे दिए गए कूट से सही उत्तर चुनिये :

सूची-I	**सूची-II**
(*a*) परेटो	1. अभिजनों का परिचालन
(*b*) मोस्का	2. इतिहास अभिजनों का कब्रिस्तान है।
(*c*) मिशेल्स	3. आम जनता का सिद्धांत
(*d*) गेसेट	4. अल्पतंत्र का कठोर कानून

कूटः

	(*a*)	(*b*)	(*c*)	(*d*)
A.	1	2	3	4
B.	2	1	4	3
C.	1	2	4	3
D.	1	3	4	2

37. राजनीतिक संस्थायन में शामिल हैं :

1. राजनीतिक लामबन्दी
2. राजनीतिक समेकन
3. राजनीतिक प्रतिनिधित्व
4. राजनीतिक अपखंडन

नीचे दिए गए कूट में से सही उत्तर चुनिये :

A. 1, 2, 3 B. 1, 2, 3, 4

C. 1, 4 D. 3, 4

38. अल्मोंड तथा वरबा की 'नागरिक संस्कृति' के अध्ययन में किन-किन देशों को आधार बनाया गया था?

A. चिली, यू एस, यू के, फ्रांस, स्पेन

B. यू एस, फ्रांस, मैक्सिको, इटली, जर्मनी

C. मैक्सिको, जर्मनी, इटली, यू एस, यू के

D. यू एस, यू के, चिली, मैक्सिको, स्पेन

39. डब्ल्यू.डब्ल्यू रोस्टो द्वारा प्रस्तावित आर्थिक विकास के पाँच चरण हैं :

A. पारस्परिक समाज, वाणिज्यिक पूँजीवाद, औद्योगिक पूँजीवाद, वित्तीय पूँजीवाद, भूमंडलीकरण।

B. उत्कृष अवस्था की पूर्व शर्तें, उत्कृष अवस्था, उद्योग का परिपक्वन, औद्योगिक पूँजीवाद, पूर्ण रोजगार।

C. पारम्परिक समाज, उत्कृष अवस्था की पूर्व शर्तें, उत्कृष अवस्था, परिपक्वता की ओर प्रवृत्ति, उच्च सामूहिक खपत का युग।

D. उत्कृष अवस्था की पूर्व शर्तें, यन्त्रीकरण, उद्योगीकरण, उत्कृष अवस्था, वित्तीय पूँजीवाद।

40. किस वैश्विक नेता ने द्वितीय महायुद्ध के पश्चात 'विकास' की विशेष अवधारणा प्रस्तुत की?

A. फ्रैंकलिन डिलेनो रूज्वेल्ट

B. हैरी ट्रूमैन

C. जवाहर लाल नेहरू

D. विंस्टन चर्चिल

41. आल्मंड तथा वर्बा के अध्ययन 'नागरिक संस्कृति' के अनुसार तीन प्रकार के राजनीतिक सिद्धांत क्या हैं?

A. सीमित, प्रजा, भागीदार

B. नागरिक, साम्प्रदायिक, लोकतांत्रिक

C. अभिजात्य, अधिनिर्णयात्मक, सीमित

D. सामंती, अर्द्ध सामंती, लोकतांत्रिक

42. नीचे दिए गए कूट में से सही उत्तर चुनियेः

आनुपातिक प्रतिनिधित्व की सामान्य प्रणाली के कार्य में शामिल चरणों को सही क्रम में व्यवस्थित कीजियेः

1. उम्मीदवारों को उन्हें प्राप्त मतों के क्रम में व्यवस्थित किया जाता है।
2. प्रत्येक दल उतनी ही संख्यावाली सूची प्रस्तुत करती है जितनी सीटों पर चुनाव लड़ा जा रहा है।
3. अवशेष अथवा बाकी मतों को उम्मीदवारों में बांट दिया जाता है।
4. सूचियाँ अनावृत अथवा संवृत हो सकती हैं, अनावृत सूचियों में व्यक्तिगत उम्मीदवारों के अधिमानों के मतों को इंगित करने तथा व्यक्तिगत उम्मीदवारों को मतदान की अनुमति दी जाती है।

A. 1, 2, 3, 4　　B. 3, 2, 4, 1

C. 2, 4, 1, 3　　D. 4, 2, 3, 1

43. नीचे दो कथन दिए गए हैं, एक को अभिकथन (A) और दूसरे को तर्क (R) कहा गया है।

नीचे दिए गए कूट से सही उत्तर चुनिए :

अभिकथन (A) : जब शक्ति का सत्ता से सम्मिलन हो, तभी इसकी वैधता है।

तर्क (R) : शक्ति दूसरों के ऊपर बल का प्रयोग है।

कूटः

A. (A) और (R) दोनों सत्य हैं और (R), (A) का सही स्पष्टीकरण है।

B. (A) और (R) दोनों सत्य हैं, परन्तु (R), (A) का सही स्पष्टीकरण नहीं है।

C. (A) सत्य है, परन्तु (R) असत्य है।

D. (A) असत्य है, परन्तु (R) सत्य है।

44. सूची-I को सूची-II से सुमेलित कीजिए और नीचे दिए गए कूट में से सही उत्तर चुनियेः

सूची-I (लेखक)	**सूची-II (पुस्तक का नाम)**
(*a*) गेन बेन्टन	1. यूरोप इन रिवोल्यूशन्स
(*b*) टेड गर्र	2. अनाटोमी ऑफ ए रिवोल्यूशन
(*c*) चार्ल्स टिल्ली	3. स्टेट्स एण्ड रिवोल्यूशन्स
(*d*) थेडा स्कॉकपॉल	4. व्हाई मेन रिबेल

कूटः

	(*a*)	(*b*)	(*c*)	(*d*)
A.	1	2	3	4
B.	2	4	1	3
C.	4	2	1	3
D.	3	2	4	1

45. नीचे दिए गए कूट में से **सही** विकल्प चुनियेः

आधुनिकीकरण के सिद्धांत की आलोचना .... द्वारा की गयी थी।

1. निर्भरता का सिद्धांत
2. उदारवादी सिद्धांत
3. अविकासवाद का सिद्धांत
4. विश्व-व्यवस्था सिद्धांत

कूट :

A. 1, 2, 3, 4　　B. 1, 2, 3

C. 1, 3, 4　　D. 2, 4

46. निम्नलिखित में से कौन लोक प्रशासन तथा निजी प्रशासन में भेद नहीं करता?

1. हेनरी फेयोल
2. एम.पी. फोल्लेट
3. लूथर गुलिक
4. एल. उर्विक

नीचे दिए गए कूट से सही उत्तर चुनियेः

A. 1 और 3 B. 2, 3 और 4

C. 1, 2 और 3 D. 1, 2, 3 और 4

47. निम्नलिखित में से किसने 'संगठन के सात सिद्धांत' निर्धारित किये?

A. गुलिक तथा उरविक B. मेरी पी. फोल्लेट

C. हेनरी फेयोल D. एफ.डब्ल्यू. टेलर

48. निम्नलिखित में से कौन संगठन का सिद्धांत नहीं है?

A. पदसोपान

B. नियंत्रण का क्षेत्र-विस्तार

C. आदेश की एकता

D. कर्मचारी चयन

49. नवीन लोक प्रशासन संबंधी साहित्य .... पर बल देता है।

1. संबद्धता 2. मूल्य

3. निष्पक्षता 4. परिवर्तन

नीचे दिए गए कूट से सही उत्तर चुनिये :

A. 1 और 2 B. 2, 3 और 4

C. 1, 2 और 4 D. 1, 2, 3 और 4

50. अनौपचारिक संगठन में, सत्ता हमेशा .... की ओर प्रवाहित होती है।

A. ऊर्ध्वमुखी दिशा

B. अधोमुखी दिशा

C. ऊर्ध्वमुखी तथा तिरछी दिशाओं

D. तिरछी तथा अधोमुखी दिशाओं

51. .... ने 'कचरा टोकरी मॉडल' का विकास किया था।

1. माइकेल डी. कोहेन
2. जेम्स जी. मार्च
3. पीटर ड्रकर
4. जोहान पी. ओल्सेन

नीचे दिए गए कूट से सही उत्तर चुनिये :

A. 1 और 4 B. 1, 2 और 4

C. 1, 2 और 3 D. 2, 3 और 4

52. संरक्षक नौकरशाही का पारम्परिक देश है :

A. यू.के. B. यू.एस.ए.

C. चीन D. फ्रांस

53. निम्नलिखित में से किसने 'प्रतिनिधिक नौकरशाही' शब्द को गढ़ा है?

A. डोनाल्ड किंग्सले

B. पीटर ब्लॉ

C. मैक्स वेबर

D. मार्टिन अल्ब्रो

54. निम्नलिखित में से किस देश ने बहुत पहले 1766 में ही—समाचार-पत्रों की स्वतंत्रता अधिनियम—कानून को सबसे पहले अधिनियमित किया था?

A. यू.के. B. यू.एस.ए.

C. स्वीडेन D. डेनमार्क

55. लिंग बजट के बारे में निम्नलिखित में से कौन-से कथन सही हैं?

1. यह एक पृथक बजट है।
2. यह आम बजट के साथ पारित होता है।
3. इसका उद्देश्य लिंग वचनबद्धता को बजट वचनबद्धता में परिणत करना होता है।
4. इसमें शिक्षा, रोजगार आदि के क्षेत्र में महिलाओं की आवश्यकताओं पर ध्यान दिया जाता है।

नीचे दिए गए कूट से सही उत्तर चुनिये :

A. 1 और 3 B. 2 और 4

C. 1 और 4 D. 3 और 4

56. निम्नलिखित में से कौन-से 73वें संविधान अधिनियम (1992) के अनिवार्य प्रावधान हैं?

1. मध्यवर्ती स्तर पर पंचायतों के अध्यक्ष के पद का अप्रत्यक्ष चुनाव
2. महिलाओं के लिये एक-तिहाई स्थानों का आरक्षण
3. पिछड़े वर्गों के लिये सीटों का आरक्षण
4. राज्य वित्त आयोग का गठन

नीचे दिए गए कूट से सही उत्तर चुनिये :

A. 1 और 3

B. 1, 2 और 3

C. 1, 2 और 4

D. 1, 2, 3 और 4

57. निम्नलिखित में से कौन-सा कथन सही नहीं है?

A. भारत ने भ्रष्टाचार के खिलाफ संयुक्त राष्ट्र संघ के सम्मेलन में हस्ताक्षर किये हैं।

B. पारदर्शिता अंतर्राष्ट्रीय सूचकांक के अनुसार 178 देशों में भारत का स्थान 95वाँ है।

C. लोकपाल तथा लोकायुक्त विधेयक को संसद में पहली बार 1986 में प्रस्तुत किया गया था।

D. केंद्रीय सतर्कता आयोग की स्थापना संथानम समिति की सिफारिश पर की गई थी।

58. नीचे दो कथन दिए गए हैं, एक को अभिकथन (A) और दूसरे को तर्क (R) कहा गया है।
नीचे दिए गए कूट में से सही उत्तर चुनिए :

अभिकथन (A) : सूचना का अधिकार अधिनियम (आर.टी.आई.) के क्षेत्र का विस्तार किये जाने की आवश्यकता है।

तर्क (R) : वर्तमान में निजीकरण तथा अनेक पूर्वकाल में सरकारी कार्यक्रमों का आउटसोर्स द्वारा कार्य किये जाने की प्रवृत्ति है।

कूटः

A. (A) और (R) दोनों सत्य हैं, और (R), (A) का सही स्पष्टीकरण है।

B. (A) और (R) दोनों सत्य हैं, परन्तु (R), (A) का सही स्पष्टीकरण नहीं है।

C. (A) सत्य है, परन्तु (R) असत्य है।

D. (A) असत्य है, परन्तु (R) सत्य है।

59. नीचे दो कथन दिए गए हैं, एक को अभिकथन (A) और दूसरे को तर्क (R) कहा गया है।
नीचे दिए गए कूट में से सही उत्तर चुनिए :

अभिकथन (A) : सत्ता और जवाबदेही एक ही सिक्के के दो पहलू हैं।

तर्क (R) : सत्ता विभाज्य है, परंतु जवाबदेही विभाज्य नहीं है।

कूटः

A. (A) और (R) दोनों सत्य हैं, और (R), (A) का सही स्पष्टीकरण है।

B. (A) और (R) दोनों सत्य हैं, परन्तु (R), (A) का सही स्पष्टीकरण नहीं है।

C. (A) सत्य है, परन्तु (R) असत्य है।

D. (A) असत्य है, परन्तु (R) सत्य है।

60. नीचे दो कथन दिए गए हैं, एक को अभिकथन (A) और दूसरे को तर्क (R) कहा गया है।
नीचे दिए गए कूट में से सही उत्तर चुनिए :

अभिकथन (A) : विकास प्रशासन की अवधारणा का उद्भव हाल ही में हुआ है।

तर्क (R) : द्वितीय विश्व युद्ध के पश्चात् अनेक देश आजाद हो गये।

कूटः

A. (A) और (R) दोनों सत्य हैं, और (R), (A) का सही स्पष्टीकरण है।

B. (A) और (R) दोनों सत्य हैं, परन्तु (R), (A) का सही स्पष्टीकरण नहीं है।

C. (A) सत्य है, परन्तु (R) असत्य है।

D. (A) असत्य है, परन्तु (R) सत्य है।

61. निकॉलस ऑनफ ने अपनी पुस्तक—वर्ल्ड ऑफ आवर मेकिंग में अन्तर्राष्ट्रीय संबंध के बारे में निम्नलिखित में से कौन-सा शब्द गढ़ा है?

A. यथार्थवाद
B. नव-यथार्थवाद
C. नव-उदारवाद
D. रचनावाद

62. सूची-I को सूची-II से सुमेलित कीजिए तथा नीचे दिए गए कूट में से सही उत्तर चुनिये :

सूची-I (लेखक)	**सूची-II (पुस्तकें)**
(*a*) बी. बुजान	1. मैन, द स्टेट एण्ड वार
(*b*) आई. हैन्सेन	2. सोशल थ्योरी ऑफ इन्टरनेशनल पॉलिटिक्स
(*c*) के.एन. वाल्ट्ज	3. द इवॉल्यूशन ऑफ इन्टरनेशनल सिक्यूरिटी स्टडीज
(*d*) ए. वेन्ड्ज	4. पीपल, स्टेट एण्ड फीयर

कूटः

	(*a*)	(*b*)	(*c*)	(*d*)
A.	4	3	1	2
B.	4	3	2	1
C.	1	2	3	4
D.	4	1	2	3

63. निम्नलिखित में से कौन विश्व व्यापार संगठन के संबंध में सही नहीं है?

A. यह विश्व व्यापार संगठन (डब्ल्यू.टी.ओ.) के व्यापार समझौतों का संचालन करता है।

B. यह व्यापार वार्ताओं के लिये एक मंच का कार्य करता है।

C. यह राष्ट्रीय व्यापार नीतियों की निगरानी करता है।

D. यह विकासशील तथा विकसित देशों के लिये तकनीकी सहायता एवं प्रशिक्षण की पूर्ति करता है।

64. निम्नलिखित में से कौन-सा देश अव्यक्त परमाणु क्षमता का उदाहरण है?

A. भारत B. जापान

C. चीन D. उत्तर कोरिया

65. सूची-I को सूची-II से सुमेलित कीजिए और नीचे दिए गए कूट से सही उत्तर का चयन कीजिए:

सूची-I	सूची-II
(*a*) प्रति बल रणनीति (काउंटर फोर्स स्ट्रैटिजी)	1. परमाणु रणनीति का वह प्रकार जो औद्योगिक आस्तियों तथा आबादी वाले शहरों की शत्रु की उन आस्तियों के लिये खतरा उत्पन्न करता है जो उसके लिये बहुमूल्य है।
(*b*) प्रति प्रसार (काउंटर प्रोलिफरेशन)	2. अन्तर्राष्ट्रीय वकील जिनका तर्क है कि संयुक्त राष्ट्र चार्टर कानून तथा प्रचलित अन्तर्राष्ट्रीय कानून दोनों में मानवीय हस्तक्षेप का विधिक अधिकार है।
(*c*) प्रति प्रतिबंधवाद (काउंटर रिस्ट्रिक्शनिस्ट)	3. परमाणु अस्त्र कार्यक्रम तथा परमाणु प्रसार को अवरुद्ध करने, धीरे करने अथवा वापस लेने के लिये किये जाने वाले अनेक प्रकार के प्रयासों को वर्णन करने हेतु प्रयुक्त शब्द
(*d*) प्रति मूल्य रणनीति (काउंटर वैल्यू स्ट्रैटिजी)	4. परमाणु रणनीति का वह प्रकार जिसमें शत्रु की सैन्य एवं परमाणु क्षमता को लक्ष्य बनाया जाता है।

कूटः

	(*a*)	(*b*)	(*c*)	(*d*)
A.	4	3	2	1
B.	4	3	1	2
C.	2	1	3	4
D.	3	4	1	2

66. नरम शक्ति (साफ्ट पावर) शब्द को गढ़ने के लिये किसे श्रेय दिया जाता है?

A. जोसेफ नाइ B. एन. अलार्कन

C. ए.जे. बेलामि D. एस. चेस्टरमैन

67. मार्शल प्लान, 1947 को औपचारिक रूप से .... के रूप में भी जाना जाता है :

A. यूरोपीय पुनर्निर्माण कार्यक्रम (यूरोपियन रिकंस्ट्रक्शन प्रोग्राम)

B. यूरोपीय पुनरुत्थान योजना (यूरोपियन रिवाइवल प्लान)

C. यूरोपीय समुत्थान कार्यक्रम (यूरोपियन रिकवरी प्रोग्राम)

D. यूरोपीय पुनर्सुदृढ़ीकरण योजना (यूरोपियन रिस्ट्रेन्थेनिंग प्लान)

68. के.जे. होलस्टी के अनुसार, निम्नलिखित में से कौन समकालीन राज्य प्रणाली की विशेषता नहीं है?

A. राज्यों की संख्या तथा प्रकार में वृद्धि

B. उन राज्यों के द्वारा विध्वंस की बड़ी क्षमता जिनके पास परमाणु हथियार तथा आधुनिक वितरण प्रणाली है।

C. प्रभाव की आधिपत्य स्थिति जिसे तीन अनिर्वायतः गैर-यूरोपीय देशों : रूस, चीन और संयुक्त राज्य अमेरिका ने हासिल की है।

D. ऐसे अनेक राज्य जो राजनीतिक तथा आर्थिक संधियों में शामिल होने के लिये उत्सुक हैं।

69. संयुक्त राष्ट्र संघ के परिप्रेक्ष्य में भारत की विदेश नीति का मुख्य उद्देश्य तीन घनिष्ठ रूप से जुड़े लक्ष्य हैं। निम्नलिखित में से कौन इनमें शामिल नहीं है?

A. 21वीं सदी में अंतर्राष्ट्रीय संबंध को आकार प्रदान करने में महत्वपूर्ण भूमिका।

B. अहिंसक तथा मानवोचित अन्तर्राष्ट्रीय प्रणाली की दिशा में आंदोलन।

C. अंतर्राष्ट्रीय विकास के सतत् तथा अपेक्षाकृत न्यायसंगत पैटर्न के लिये स्थितियों को बढ़ावा देना।

D. संयुक्त राष्ट्र संघ को अपने वित्तीय संसाधन स्वयं विकसित करने के लिये उसकी सहायता करना।

70. निम्नलिखित में से कौन पंचशील का सिद्धांत, 1954 में शामिल नहीं है?

A. एक-दूसरे की क्षेत्रीय अखंडता तथा सम्प्रभुता के लिये पारस्परिक सम्मान
B. परमाणु हथियारों का विकास नहीं करना
C. समानता तथा पारस्परिक लाभ
D. शांतिपूर्ण सह-अस्तित्व

71. सूची-I को सूची-II से सुमेलित कीजिए तथा नीचे दिए गए कूट में से सही उत्तर चुनिये :

सूची-I (क्षेत्रीय संगठन)	सूची-II (क्षेत्र)
(*a*) ओ.एस.सी.ई.	1. यूरोप
(*b*) वी4	2. यूरेशिया
(*c*) बी.एस.ई.सी.	3. यूरो-अटलांटिक
(*d*) नाफ्टा (एन.ए.एफ.टी.ए.)	4. उत्तरी अमेरिका

कूटः

	(*a*)	(*b*)	(*c*)	(*d*)
A.	3	1	2	4
B.	4	3	2	1
C.	1	2	3	4
D.	2	1	4	3

72. भूमंडलीकरण की नवोदित शक्तियों की जड़ों का वर्ष 1980 के दशक के उत्तरार्द्ध तथा 1990 के दशक के पूर्वार्द्ध में विशिष्ट आर्थिक तथा राजनीतिक विकास में पता लगाया गया है। इस श्रेणी में निम्नलिखित में से कौन शामिल नहीं है?

A. शीत युद्ध की समाप्ति।
B. वर्ष 1998 में भारत तथा पाकिस्तान द्वारा परमाणु अस्त्रों का परीक्षण।
C. यू.एस.एस.आर. में राज्य समाजवाद का विघटन।
D. बर्लिन की दीवार का गिरना।

73. निम्नलिखित में से कौन लोकतांत्रिक शांति सिद्धांत से संबद्ध है?

A. केनेथ वाल्ट्ज
B. माइकल डायल
C. जैकसन और सोरेन्सन
D. जॉन मियरशिमेर

74. मार्च 2015 सऊदी अरब ने किस देश में सैन्य हस्तक्षेप किया?

A. संयुक्त अरब अमीरात
B. यमन
C. मिस्र
D. कुवैत

75. निम्नलिखित में से कौन अमेरिकी राज्यों के संगठन के अंग हैं?

(*a*) सचिवालय
(*b*) अन्तर-अमरीकी सम्मेलन
(*c*) विदेश मंत्रियों की विचार-विमर्श संधि
(*d*) परिषद्

नीचे दिए गए कूट में से सही उत्तर चुनिये :

A. (*a*), (*b*) और (*c*) B. (*b*), (*c*) और (*d*)
C. (*a*), (*b*) और (*d*) D. (*a*), (*c*) और (*d*)

उत्तरमाला

1	2	3	4	5	6	7	8	9	10
D	C	B	C	A	C	A	B	D	C
11	**12**	**13**	**14**	**15**	**16**	**17**	**18**	**19**	**20**
D	C	A	D	C	B	B	D	C	A
21	**22**	**23**	**24**	**25**	**26**	**27**	**28**	**29**	**30**
B	D	C	B	C	C	C	C	A	B
31	**32**	**33**	**34**	**35**	**36**	**37**	**38**	**39**	**40**
D	D	D	C	B	B	A	C	C	B

41	42	43	44	45	46	47	48	49	50
A	C	B	B	C	D	A	D	D	D
51	52	53	54	55	56	57	58	59	60
B	B	A	C	D	C	C	A	B	A
61	62	63	64	65	66	67	68	69	70
D	A	D	B	A	A	C	D	D	B
71	72	73	74	75					
A	B	B	B	B					

कुछ चुने हुए प्रश्नों के व्याख्यात्मक उत्तर

1. राजनीति सिद्धांत के पतन (Decline) से संबंधित विद्वान डेविड ईस्टन, अल्फ्रेड कॉबन, पीटर लासलेट और रॉबर्ट डाल हैं। 1950 के दशक में राजनीति वैज्ञानिकों में यह विवाद चल पड़ा कि क्या वर्तमान युग में राजनीति-सिद्धांत का कोई भविष्य है या नहीं?

1953 में डेविड ईस्टन ने अपनी कृति 'The Political System: An Enquiry into the State of Political Science' के अंतर्गत यह दावा किया कि परंपरागत राजनीति-सिद्धांत कोरे चिंतन-मनन पर आधारित है; उसमें राजनीतिक यथार्थ के गहन निरीक्षण का नितांत अभाव है; अतः राजनीति-सिद्धांत को वैज्ञानिक आधार पर स्थापित करने के लिए इसे चिरसम्मत ग्रंथों और राजनीतिक विचारों के इतिहास की परंपरा से मुक्त कराना जरूरी है। इस प्रकार ईस्टन ने राजनीति वैज्ञानिकों को यह सलाह दी कि उन्हें अन्य सामाजिक वैज्ञानिकों के साथ मिलकर एक व्यवहारवादी राजनीति विज्ञान (Behavioural Political Science) का निर्माण करना चाहिए।

कुछ भी हो, ईस्टन ने डेढ़ दशक बाद अपना दृष्टिकोण बदल दिया। 1969 में 'American Political Science Association' के अध्यक्षीय व्याख्यान के अंतर्गत ईस्टन ने राजनीति विज्ञान की व्यवहारवादी क्रांति को एक नया मोड़ देते हुए 'उत्तर-व्यवहारवादी क्रांति' (Post-behavioural Revolution) की घोषणा कर दी। वस्तुतः ईस्टन ने राजनीति विज्ञान को एक शुद्ध विज्ञान से ऊपर उठाकर अनुप्रयुक्त विज्ञान (Applied Science) का रूप देने की मांग की और वैज्ञानिक अनुसंधान को समकालीन समाज की विकट समस्याओं के समाधान में लगाने पर बल दिया।

अल्फ्रेड कॉबन ने भी 1953 में 'Political Science Quarterly' में प्रकाशित अपने लेख के अंतर्गत यह तर्क दिया कि समकालीन समाज में न तो पूंजीवादी प्रणालियों में राजनीति-सिद्धांत की कोई प्रासंगिकता रह गई है और न ही साम्यवादी प्रणालियों में।

2. राजनीति सिद्धांत दार्शनिक तथा वैज्ञानिक, नियामक तथा अनुभूतिमूलक, मूल्यांकनपरक तथा व्याख्यात्मक और ऐतिहासिक तथा विश्लेषणात्मक है। इसके अंतर्गत राजनीति के भिन्न-भिन्न पक्षों का अध्ययन किया जाता है। राजनीति का संबंध मनुष्य के सार्वजनिक जीवन से है। राजनीति सिद्धांत के 3 प्रमुख कृत्य स्वीकार किए जाते हैं–

(*i*) वर्णन;
(*ii*) समालोचना और
(*iii*) पुनर्निर्माण।

इनमें से वर्णन का कृत्य राजनीति विज्ञान के क्षेत्र में आता है; समालोचना और पुनर्निर्माण के कृत्य राजनीति-दर्शन के क्षेत्र में आते हैं। अतः राजनीति सिद्धांत के दो मुख्य अंग हैं–राजनीति विज्ञान और राजनीति-दर्शन। राजनीति सिद्धांत के स्वरूप को समझने के लिए इन दोनों अंगों के स्वरूप की जानकारी जरूरी है। कुछ विचारक इन दोनों में से किसी एक पक्ष को राजनीति सिद्धांत का सारतत्व मानते हैं, कुछ दूसरे को। परंतु गहराई में जाकर देखने से पता चलता है कि राजनीति का संपूर्ण ज्ञान विकसित करने में ये दोनों तत्व परस्पर पूरक भूमिका निभाते हैं।

3. आधुनिक उदारवाद समूह के महत्व को मान्यता देता है तथा दुर्बलों की रक्षा के लिए राज्य विनियमन (State regulation) का समर्थन करता है। आधुनिक उदारवाद की संकल्पना व्यक्ति की स्थिति और उद्देश्यों के बारे में व्यक्तिवाद (Individualism) या उदारवाद (Liberalism) की मान्यताओं से भिन्न दृष्टिकोण प्रस्तुत करती है। उदारवाद के अनुसार तो व्यक्ति अपने अस्तित्व या अपनी क्षमताओं के लिए समाज का ऋणी बिल्कुल नहीं है, और स्वयंनिर्धारित लक्ष्यों की पूर्ति के लिए सर्वथा स्वाधीन है। उसका दायित्व केवल यह देखने तक सीमित है कि उसकी स्वतंत्रता अन्य व्यक्तियों की वैसी ही स्वतंत्रता में कोई बाधा उपस्थित न करे। अपने उद्देश्य या अपनी भूमिकाएं निर्धारित करते समय वह अन्य व्यक्तियों या समाज के प्रति उत्तरदायी नहीं है, और इस मामले में वह किन्हीं सामाजिक परम्पराओं या दायित्वों से नहीं बँधा है। इसके विपरीत, आधुनिक उदारवाद के अनुसार, व्यक्ति का अपना अस्तित्व ऐसी सामाजिक स्थिति, भूमिकाओं और प्रथाओं पर आश्रित है जो समाज की देन हैं; इन सबके प्रति उसकी प्रतिबद्धता उसके व्यक्तित्व का आवश्यक अंग है। आधुनिक उदारवाद ने 1980 के दशक से एक पूर्ण-विकसित सिद्धांत का रूप धारण किया है। इसके मुखर प्रवर्तकों में एलेस्डेयर मैकिंटायर, माइकल सैंडेल, वाल्जर और चार्ल्स टेलर के नाम प्रमुख हैं।

4. माओ ने 'विसंगति के सिद्धांत' या 'अंतर्विरोध के नियम' (Law of Contradiction) के रूप में द्वंद्वात्मक पद्धति की नई व्याख्या देने का प्रयत्न किया है। इसके अनुसार सही नीति का निर्माण गलत नीति के साथ संघर्ष करके होता है। अतः विरोध और संघर्ष समस्त ऐतिहासिक परिवर्तन के लिए अनिवार्य हैं। यह नियम सभी सामाजिक विन्यासों (Social Formations), वर्गों और व्यक्तियों पर लागू होता है, यहाँ तक कि यह स्वयं साम्यवादी दल पर भी लागू होता है। माओ ने अपनी प्रसिद्ध कृति 'On Contradictions–1937' के अंतर्गत यह दर्शाया है कि समाजवाद या साम्यवाद की स्थापना हो जाने के बाद भी यह नियम समाप्त नहीं हो जाता। क्रांति कोई अंतिम समाधान नहीं है, बल्कि वह केवल अभीष्ट दिशा में प्रगति का एक चरण है। अंतर्विरोध निरंतर बने रहते हैं। एक अंतर्विरोध दूसरे को जन्म देता है; जब पुराने अंतर्विरोध सुलझ जाते हैं, तब नए पैदा हो जाते हैं। अतः इन अंतर्विरोधों के प्रतिकार के लिए सर्वहारा की अग्रपंक्ति (Vanguard of the Proletariat) के रूप में साम्यवादी दल को अनिश्चित काल तक बने रहना होगा।

5. लॉक ने 'जीवन, स्वतंत्रता और संपत्ति के अधिकार' (Right to Life, Liberty and Property) को प्राकृतिक अधिकार माना है जो प्रकृति के परिणाम हैं। उसका कहना है कि मनुष्य इन्हीं अधिकारों की रक्षा के लिए नागरिक समाज या राज्य का निर्माण करते हैं। लॉक के अनुसार, मनुष्य प्राकृतिक दशा (State of Nature) में भी स्वभाव से प्राकृतिक कानून का पालन करते हैं। तब यह प्रश्न उठता है कि वे राज्य का निर्माण ही क्यों करते हैं? लॉक के अनुसार, यदि प्राकृतिक कानून को सकारात्मक कानून (Positive Law) का रूप नहीं दिया जाता तो कानून के प्रवर्तन (Enforcement) और कानून की व्याख्या के बारे में गंभीर समस्याएं पैदा हो जाएंगी। अतः प्राकृतिक दशा में 'शांति, सद्भावना, परस्पर सहायता और रक्षा' की जो स्थिति विद्यमान थी, वह बिगड़कर 'शत्रुता, वैमनस्य, हिंसा और परस्पर विनाश' की स्थिति में बदल जाएगी। अतः कानून की व्याख्या और प्रवर्तन के लिए राज्य का निर्माण आवश्यक है।

7. मैकियावेली ने अपने युग में अपने देश की दुर्दशा का विश्लेषण करते हुए यह अनुभव किया कि सिद्धांततः गणतंत्रीय शासन-प्रणाली सर्वोत्तम और वरेण्य है, परंतु उसकी सफलता के लिए सच्चे, सच्चरित्र और देशभक्त नागरिकों की आवश्यकता है। इधर यथार्थ मनुष्य भ्रष्ट, अर्थलोलुप और स्वार्थांध थे जिन्हें वश में करने के लिए निरंकुश और स्वेच्छाचारी शासक ही उपयुक्त होगा। अतः व्यवहार के स्तर पर पूर्ण सत्तावाद ही सर्वोत्तम था। इसी तरह सिद्धांततः शासक को निष्कपट, सच्चरित्र और बात का धनी होना चाहिए, परंतु व्यवहारतः न तो कोई मनुष्य इन गुणों से सम्पन्न हो सकता है और न इनके सहारे स्वार्थी और कृतघ्न लोगों पर शासन ही कर

सकता है। अतः शासक को साधारण नैतिकता के बंधनों से मुक्त रहकर 'राज्य के परिरक्षण' पर ही ध्यान केंद्रित करना चाहिए। यदि उसका साध्य (End) उत्तम होगा तो वह जिस भी तरह के साधनों का प्रयोग करेगा, लोग उनका अनुमोदन कर देंगे। अतः मैकियावेली ने राजनीति को नीतिशास्त्र (Ethics) से पृथक करके अपने विचारों को यथार्थवाद की आधारशिला पर खड़ा किया। उसने आधुनिक युग के आरंभ में ही राजनीति को नीतिशास्त्र और धर्म से अलग करके एक स्वाधीन विषय के रूप में स्थापित कर दिया। इस तरह पुनर्जागरण (Renaissance) के मुख्य प्रतिनिधि और राष्ट्र-राज्य के सिद्धांत के प्रवर्तक के नाते निकोलो मैकियावेली (1469-1527) को पहला आधुनिक राजनीतिक विचारक माना जाता है।

8. सामाजिक अनुबंध के सिद्धांतकारों में टॉमस हॉब्स, जॉन लॉक तथा रूसो के नाम विशेष रूप से प्रसिद्ध हैं। सामाजिक अनुबंध के बारे में हॉब्स के विचार उसकी प्रसिद्ध कृति 'लेवियाथन' के अंतर्गत मिलते हैं। इस अनुबंध के तहत प्राकृतिक दशा में प्रत्येक मनुष्य दूसरे को यह वचन देता है कि "मैं स्वयं अपना शासक होने के अधिकार को छोड़कर इस मनुष्य या इस सभा को शासन का अधिकार सौंपता हूँ, शर्त यह है कि तुम भी अपना यह अधिकार छोड़ दो और इसके कार्यों को वैसी ही मान्यता प्रदान करो।" प्रभुसत्ताधारी इस समझौते का भागीदार नहीं होता क्योंकि वह पहले से मौजूद नहीं था, बल्कि समझौते के फलस्वरूप अस्तित्व में आता है। हॉब्स के अनुसार, प्रभुसत्ता सर्वोच्च और पूर्ण होती है। मतलब यह कि राज्य की स्थापना तो मनुष्यों की इच्छा से होती है, परंतु इसकी स्थापना हो जाने के बाद मनुष्य उसका विरोध करने को स्वतंत्र नहीं रह जाते। प्रभुसत्ताधारी की समस्त अधिकार हमेशा के लिए सौंप दिए जाते हैं जिन्हें वापस नहीं मांगा जा सकता। इन्हें वापस मांगने का अर्थ होगा—सभ्य समाज को भंग करके प्राकृतिक दशा में लौट जाना जहाँ शांति या सुरक्षा की कोई गुंजाइश नहीं होगी। इस आधार पर हॉब्स ने विरोध के अधिकार का खण्डन किया और इंग्लैंड के गृहयुद्ध (1642-49) को अनुचित ठहराया।

9. जॉन लॉक का योगदान सहमति सिद्धांत और सीमित सरकार के प्रतिपादक के रूप में है। लॉक के अनुसार सरकार की स्थापना मिल-जुलकर, सोच-विचार करके, निश्चित उद्देश्यों की पूर्ति के लिए की जाती है। सरकार की स्थापना एक न्यास या ट्रस्ट के रूप में की जाती है। इस प्रक्रिया के अंतर्गत प्रभुसत्ताधारी को न्याय करने का अधिकार इस शर्त पर सौंपा जाता है कि वह मनुष्य के मूल प्राकृतिक अधिकार अर्थात् जीवन, स्वतंत्रता और संपत्ति के अधिकार की रक्षा करेगा, क्योंकि इसी अधिकार की रक्षा के लिए समाज में सरकार की स्थापना की जाती है। यदि वह अपना यह दायित्व पूरा करने में विफल होता है तो समाज उसे हटाकर नई सरकार स्थापित कर सकता है। इस तरह लॉक ने क्रांति के अधिकार को मान्यता दी और 1688 की गौरवमय क्रांति (Glorious Revolution) को उचित ठहराया।

लॉक के अनुसार, केवल सरकार की स्थापना के लिए ही सहमति (Consent) की जरूरत होती है। इस तरह, लॉक ने 'सांविधानिक शासन' (Constitutional Government) या 'सीमित सरकार' (Limited Government) के विचार को बढ़ावा दिया।

11. कार्ल मार्क्स का कहना है कि "मनुष्य को सोचने के पूर्व खाना चाहिए। खाने के लिए उसे उत्पादन करना होगा। उत्पादन एक मूल कार्यकलाप है।" मार्क्स ने उपरोक्त विचार इतिहास की भौतिकवादी व्याख्या के संदर्भ में व्यक्त किया है। इतिहास की द्वन्द्वात्मक भौतिकवादी व्याख्या को उसने ऐतिहासिक भौतिकवाद की संज्ञा दी। मार्क्स अपने ऐतिहासिक भौतिकवाद का आरंभ इस सामान्य तथ्य से करता है कि 'मनुष्य को जीवित रहने के लिए भोजन की आवश्यकता है।' वह यह मानकर चलता है कि व्यक्ति को जीवित रहने के लिए भोजन प्राप्त करना चाहिए और इसीलिए मनुष्य का जीवन बहुत कुछ इस तथ्य पर निर्भर है कि वह किस प्रकार उन वस्तुओं का उत्पादन करे जिन्हें वह प्रकृति से चाहता है। इस तरह समस्त मानव क्रिया-कलापों की आधारशिला उत्पादन प्रणाली है। मनुष्य का अस्तित्व इस बात पर निर्भर करता है कि वह प्रकृति से अपने लिए आवश्यक वस्तुओं का उत्पादन करने में कहाँ तक सफल होता है?

12. बेंथम का कहना है कि "आज्ञापालन का सम्भावित शरारत, विरोध के सम्भावित शरारतों से कम हैं।" बेंथम ने राजसत्ता द्वारा निर्मित प्रत्येक विधि को उसकी उपयोगिता की कसौटी माना है। विधियों की उपयोगिता तीन प्रकार से सिद्ध होती है–(*i*) वह राज्य के प्रत्येक नागरिक को सुरक्षा प्रदान करती है या नहीं, (*ii*) उससे लोगों की आवश्यकता की वस्तुएं यथेष्ट मात्रा में उपलब्ध होने लगती हैं या नहीं एवं (*iii*) प्रत्येक नागरिक एक-दूसरे के साथ समानता का अनुभव करता है या नहीं। यदि विधियाँ इन कसौटियों पर सिद्ध होती हैं, तो विधि का लक्ष्य पूरा हो जाता है। विधियाँ अपने स्थायित्व और अपनी समाजव्यापी मान्यता से नागरिकों को सुख देती हैं। किसी विधि की उपयोगिता की जाँच करने के लिए यह भी ध्यान में रखना चाहिए कि जिस बुराई को दूर करने के लिए विधि-निर्माण होता है वह वास्तव में बुराई है, और यदि एक बुराई को रोकने के लिए दूसरा साधन अपनाना ही पड़े, तो साधन की बुराई अपेक्षाकृत कम होनी चाहिए। बेंथम का विचार था कि प्रत्येक विधि व्यक्तियों को, जिन्हें वह प्रभावित करती है, कुछ न कुछ असुविधा तो पहुँचाती ही है–उनकी स्वच्छन्दता में कमी होती है जिससे उन्हें दुःख होना स्वाभाविक है। इस दृष्टि से प्रत्येक विधि एक बुराई है। लेकिन चूँकि इस असुविधा में भी लोगों की भलाई निहित है और एक बड़ी बुराई इससे दूर होती है, अतः विधि निर्माण उपयोगी निर्माण है।

13. द्वंद्वात्मक भौतिकवाद (Dialectical Materialism) का सिद्धांत मार्क्सवाद का दार्शनिक आधार प्रस्तुत करता है। यह सिद्धांत भौतिकवाद की मान्यताओं को द्वंद्वात्मक पद्धति के साथ मिलाकर सामाजिक परिवर्तन की व्याख्या देने का प्रयत्न करता है। भौतिकवाद या जड़वाद के अनुसार, सृष्टि का सार-तत्व जड़ पदार्थ (Matter) है; सामाजिक जीवन की कोई भी अवस्था जड़-तत्व की किसी विशेष व्यवस्था को व्यक्त करती है। द्वंद्वात्मक भौतिकवाद जड़-तत्व को ऐसी स्थिर वस्तु के रूप में नहीं देखता जिसमें कोई परिवर्तन लाने के लिए बाहर से शक्ति लगानी पड़ती है। इस संकल्पना के अनुसार, जड़-तत्व की प्रकृति में ही ऐसे तनाव (Tensions) और अंतर्विरोध (Contradictions) निहित हैं जो परिवर्तन की प्रेरक-शक्ति का स्रोत हैं। मार्क्स ने हीगल की द्वंद्वात्मक पद्धति को भौतिकवाद के साथ मिलाकर यह मान्यता रखी कि स्वयं भौतिक तत्व या जड़-तत्व के भीतर विकास की क्षमता पाई जाती है। यह विकास या गति पर्यावरण के दबाव के कारण होती है, जो निरन्तर और अनन्त हैं। इसी गति के फलस्वरूप जड़-तत्व नए-नए रूपों में ढलते चले जाते हैं। भिन्न-भिन्न सामाजिक संस्थाएं जड़-तत्व के बदलते हुए रूप को व्यक्त करती हैं।

14. जे.एस. मिल को व्यक्तिवाद (Individualism) और स्वतंत्रता (Liberty) का महान उन्नायक माना जाता है। मिल ने स्वतंत्रता के बारे में अपनी संकल्पना अपने प्रसिद्ध निबंध 'On Liberty–1859' के अंतर्गत प्रस्तुत की है। मिल के विचार से, व्यक्ति के कार्य दो प्रकार के होते हैं–(*i*) आत्मपरक कार्य (Self-regarding Actions), जिनका सरोकार स्वयं कार्य करने वाले से होता है, दूसरों पर उनका कोई प्रभाव नहीं पड़ता; और (*ii*) अन्यपरक कार्य (Other-regarding Actions), जिनका समाज पर सीधा प्रभाव पड़ता है। उसने तर्क दिया कि व्यक्ति के आत्मपरक कार्यों में राज्य की ओर से कोई हस्तक्षेप नहीं होना चाहिए; और उसके अन्यपरक कार्यों में केवल उन्हीं कार्यों पर रोक लगाई जानी चाहिए जो दूसरों को हानि पहुँचाते हों, और यह बात प्रमाणित की जा सकती हो। परंतु कभी-कभी ऐसी परिस्थितियाँ भी पैदा हो सकती हैं जब व्यक्ति के आत्मपरक कार्यों में हस्तक्षेप जरूरी हो जाए। उदाहरण के लिए, यदि कोई व्यक्ति ऐसा पुल पार कर रहा हो जो हमारी जानकारी के अनुसार असुरक्षित हो, परंतु उस व्यक्ति को यह बात मालूम न हो तो हम उसे आगे बढ़ने से रोक दें–यही उचित होगा।

15. गांधी की सर्वोदय की अवधारणा समाज के सभी वर्गों के कल्याण से संबंधित है। उनका सर्वोदय (Uplift of all) का सिद्धांत सामान्य हित के विचार की निकटतम अभिव्यक्ति है। यह सिद्धांत ऐसी नीति का समर्थन करता है जिसके अंतर्गत जात-पांत, धर्म-संप्रदाय, स्त्री-पुरुष, ऊँच-नीच इत्यादि के भेदभाव को मिटाकर समाज के सभी स्तरों के कल्याण के लिए विस्तृत प्रयास किया जाता है। इसका ध्येय सभी स्तरों के लोगों में परस्पर सहयोग और सद्भावना को बढ़ावा देना है।

17. ऑल पार्टी कांफ्रेंस (1928) की अध्यक्षता डॉ. एम.ए. अंसारी ने की। सभी महत्वपूर्ण भारतीय नेताओं और दलों ने परस्पर एकजुट होकर तथा सांविधानिक सुधारों की एक वैकल्पिक योजना बनाकर साइमन कमीशन की चुनौती का जवाब देने का प्रयास किया। प्रमुख राजनीतिक कार्यकर्ताओं के दर्जनों सम्मेलन और सांझी बैठकें आयोजित की गईं। इसका परिणाम नेहरू रिपोर्ट के रूप में सामने आया, जिसके प्रमुख निर्माता मोतीलाल नेहरू थे। इसे अगस्त 1928 में अंतिम रूप दिया गया। दुर्भाग्य से कलकत्ता में दिसम्बर 1928 में आयोजित सर्वदलीय सम्मेलन (All Party Conference) रिपोर्ट को स्वीकार न कर सका। मुस्लिम लीग, हिन्दू महासभा और सिख लीग के कुछ साम्प्रदायिक रुझान वाले नेताओं ने इसे लेकर आपत्तियां कीं। इस तरह सांप्रदायिक दलों ने राष्ट्रीय एकता का दरवाजा बंद कर दिया। इसके बाद निरंतर सांप्रदायिकता का विकास हुआ।

19. अंतर्राज्य परिषद् (Inter-State Council) भारतीय संघ में तनाव का क्षेत्र न होकर समन्वय का क्षेत्र है। अनुच्छेद-263 राज्यों के मध्य तथा केन्द्र तथा राज्यों के मध्य समन्वय के लिए अंतर्राज्य परिषद् के गठन की व्यवस्था करता है। इस प्रकार, राष्ट्रपति यदि किसी समय यह महसूस करे कि ऐसी परिषद् का गठन सार्वजनिक हित में आवश्यक है तो वह इसका गठन कर सकता है। वह ऐसी परिषद् के कर्त्तव्यों, इसके संगठन और प्रक्रिया को परिभाषित कर सकता है।

यद्यपि राष्ट्रपति को अंतर्राज्य परिषद् के कर्त्तव्यों के निर्धारण की शक्ति प्राप्त है तथापि अनुच्छेद-263 निम्नानुसार इसके कर्त्तव्यों का उल्लेख करता है–

(*i*) राज्यों के मध्य उत्पन्न हो सकने वाले विवादों की जानकारी प्राप्त करना तथा ऐसे विवादों पर सलाह देना।

(*ii*) उन विषयों पर, जिनमें राज्यों अथवा केन्द्र तथा राज्यों का समान हित हो, अन्वेषण तथा विचार-विमर्श करना।

(*iii*) ऐसे विषयों तथा विशेष तौर पर नीति तथा उसके क्रियान्वयन में बेहतर समन्वय के लिए संस्तुति करना।

20. 74वाँ संविधान संशोधन अधिनियम-1992, जो शहरी निकायों से संबंधित है; हरियाणा और उत्तर प्रदेश के अनुसूचित क्षेत्र में लागू नहीं होती। दूसरे राज्यों की तुलना में अनुसूचित क्षेत्रों के साथ भिन्न रूप में व्यवहार किया जाता है क्योंकि वे आदिम निवासी होते हैं। वे सामाजिक व आर्थिक रूप से पिछड़े होते हैं और उनके उत्थान के लिए विशेष प्रयास की आवश्यकता होती है। अतः राज्यों में चलने वाली सामान्य प्रशासनिक व्यवस्था अनुसूचित क्षेत्रों में लागू नहीं होती और केन्द्र सरकार की इन क्षेत्रों के प्रति अधिक जिम्मेदारी होती है।

24. मायरन वीनर ने भारत में क्षेत्रीय आंदोलन को 'नृजातीय' (Ethnic) तथा 'स्वसंस्कृति' (Nativist) आंदोलन के पदों में वर्गीकृत किया है। क्षेत्रीय आंदोलन वे हैं, जो प्रजातीय, सांस्कृतिक एवं भाषायी आधार पर परिभाषित क्षेत्रों (आंध्र प्रदेश, तमिलनाडु, असोम, पंजाब, झारखंड, पूर्वोत्तर आदि) में व्यापक रूप से होते हैं। भारत में क्षेत्रीयता की उभरती नवीन प्रवृत्ति, विशेष रूप से 8वें दशक के उत्तरार्द्ध एवं 9वें दशक की आर्थिक व राजनीतिक संकीर्णता की उपज है। इस दृष्टिकोण की पुष्टि इस तथ्य से होती है कि भारत में अपनी पहचान के लिए सर्वाधिक बड़ा संकट असोम के सामने रहा है। विदित है कि लम्बे समय तक यहाँ बांग्लाभाषी लोगों का प्रभाव रहा एवं 90 के दशक में यहाँ सर्वाधिक बांग्लादेशियों की घुसपैठ हुई। असमी भाषियों की चिंता निर्मूल नहीं थी कि कुछ समय बाद वे अपने ही राज्य में अल्पसंख्यक हो जाएंगे। त्रिपुरा में भी बांग्लाभाषियों की बहुलता हो गई है। महाराष्ट्र में भी दक्षिण भारतीयों के विरुद्ध आंदोलन संगठित हुआ एवं अब उत्तर भारतीयों के खिलाफ मोर्चा बन रहा है। हिमाचल प्रदेश, गोवा, नगालैण्ड एवं पूर्वोत्तर क्षेत्र की जनजातियों के हितों के लिए इन क्षेत्रों में बसने व संपत्ति खरीदने पर कुछ प्रतिबंध आरोपित किए गए हैं।

27. 11वीं लोकसभा (1996) से भारत में इस बात पर सर्वसम्मति बनी कि उपाध्यक्ष (Deputy Speaker) का पद विपक्षी दल को दिया जाना चाहिए और अध्यक्ष (Speaker) का पद सत्ताधारी दल (घटक) को। उल्लेखनीय है कि उपाध्यक्ष अध्यक्ष के अधीन नहीं होता है। वह प्रत्यक्ष रूप से संसद के प्रति उत्तरदायी होता है।

उपाध्यक्ष के पास एक विशेषाधिकार होता है। उसे जब कभी भी किसी संसदीय समिति का सदस्य बनाया जाता है तो वह स्वाभाविक रूप से उसका चेयरमैन बन जाता है। जब अध्यक्ष सदन में पीठासीन होता है तो उपाध्यक्ष सदन के अन्य दूसरे सदस्यों की तरह होता है। उसे सदन में बोलने, कार्यवाही में भाग लेने और किसी प्रश्न पर मत देने का अधिकार है। वह संसद द्वारा निर्धारित किए गए वेतन व भत्ते का हकदार है जो भारत की संचित निधि द्वारा देय होता है।

31. प्रतिनिधि सभा का अमेरिकी सीनेट से अधिक महत्व है, यह गलत कथन है क्योंकि अमेरिकी सीनेट विश्व का सबसे सशक्त द्वितीय सदन है। अमेरिका में विधानमंडल को 'कांग्रेस' कहा जाता है। कांग्रेस के अंतर्गत सीनेट (ऊपरी सदन) और हाउस ऑफ रिप्रेजेंटेटिव (निचला सदन) होते हैं। राष्ट्रपति की शक्तियों को कांग्रेस के अंकुश में रखने के लिए एक व्यवस्था यह की गई है कि राष्ट्रपति उच्चाधिकारियों की जो नियुक्तियां करेगा, या विदेशों के साथ जो संधियां करेगा, वे तभी मान्य होंगी जब सीनेट उनका अनुसमर्थन कर देगी। नियुक्तियों के अनुसमर्थन के लिए सीनेट का साधारण बहुमत पर्याप्त होता है। इस तरह अमेरिकी सीनेट प्रतिनिधि सभा से ज्यादा शक्तिशाली है।

32. स्विस संविधान के अंतर्गत, संघ के स्तर पर 'संघीय सभा' (Federal Assembly) की व्यवस्था की गई है जिसमें दो सदन हैं। निम्न सदन को राष्ट्रीय परिषद् (National Council) और ऊपरी सदन को राज्य-परिषद् या राज्य सभा (Council of States) कहा जाता है। राष्ट्रीय परिषद में 200 सदस्य होते हैं जो सार्वजनीन व्यस्क मताधिकार के आधार पर आनुपातिक प्रतिनिधित्व के सिद्धांत के अनुसार दलीय सूची प्रणाली से 4 वर्ष के लिए चुने जाते हैं। राज्य-परिषद में 46 सदस्य होते हैं। इनमें प्रत्येक कैंटन के दो-दो प्रतिनिधि और प्रत्येक अर्ध-कैंटन का एक-एक प्रतिनिधि होता है। राज्य-परिषद के सदस्य तीन या चार वर्ष के लिए चुने जाते हैं। उनका कार्यकाल संबद्ध कैंटन के अपने संविधान से निर्धारित होता है। स्विट्जरलैंड की राजनीतिक प्रणाली में मतदाताओं तथा उम्मीदवार की योग्यता का निर्णय नेशनल काउंसिल द्वारा नहीं किया जाता है।

34. मैग्ना कार्टा (1215), गौरवपूर्ण क्रांति (1688) तथा जॉन लॉक की रचनाएं आदि सबने ग्रेट ब्रिटेन के संसदीय लोकतंत्र को मजबूत बनाने में योगदान दिया है। ब्रिटेन में 1688 की गौरवपूर्ण क्रांति के बाद ही संविधान की मुख्य रूपरेखा और संसदीय प्रभुसत्ता का सिद्धांत स्थिर हो गया था। इसके अंतर्गत सम्राट तथा जमींदार-कुलीनवर्ग की शक्तियों को सीमित करके संसद की सर्वोच्चता स्थापित कर दी गई थी। इसके अतिरिक्त ब्रिटिश राजनीति के सबसे मनपसंद दस्तावेज–मैग्नाकार्टा, ऐक्ट ऑफ सुप्रिमैसी (1559), बिल ऑफ राइट्स (1689), इत्यादि ठोस अधिकारों के अभिलेख ने भी ब्रिटिश संसदीय लोकतंत्र को स्थायित्व प्रदान किया है।

38. राजनीतिक संस्कृति का सबसे सटीक विवरण गेब्रियल ऑल्मंड और सिडनी वर्बा ने अपनी प्रसिद्ध कृति 'The Civic Culture : Political Attitudes and Democracy in Five States–1963' के अंतर्गत प्रस्तुत किया। इसमें 5 देशों–ब्रिटेन, जर्मनी, इटली, अमेरिका और मैक्सिको के अंतर्गत लोकतंत्र की स्थिरता या अस्थिरता पर राजनीतिक संस्कृति के प्रभाव की समीक्षा की गई थी–विशेष रूप से इसमें एक ओर ब्रिटेन तथा अमेरिका की राजनीतिक संस्कृति और दूसरी ओर जर्मनी तथा इटली की राजनीतिक संस्कृति में अंतर दर्शाया गया था।

ऑल्मंड और वर्बा के अनुसार, राजनीतिक संस्कृति का अर्थ है–राजनीतिक विषयों के प्रति–जैसे कि राजनीतिक दलों, न्यायालयों, संविधान और राज्य के इतिहास के प्रति–'अभिविन्यासों का प्रतिमान' (Pattern of Orientations), अर्थात् समाज का कोई भी सदस्य इन संस्थाओं के संदर्भ में, या अपने राजनीतिक पर्यावरण के संदर्भ में अपने-आपको कहाँ रखता है? दूसरे शब्दों में, व्यक्ति अपने देश की सरकार से क्या आशा रखता है, और उसके काम में अपनी क्या भूमिका समझता है? क्या वह सरकार के सामने अपने-आपको विवश अनुभव करता है, या अपनीआवाज वहाँ तक पहुँचाने और न्याय प्राप्त करने की आशा रखता है? क्या वह यह समझता है कि वह सरकार के निर्णयों को प्रभावित कर सकता है? व्यक्ति का अभिविन्यास राजनीतिक कार्रवाई के प्रति

उसके झुकाव का संकेत देता है। यह अभिविन्यास 3 प्रकार का होता है—ज्ञानात्मक अभिविन्यास, भावात्मक अभिविन्यास और मूल्यपरक अभिविन्यास।

41. जी.ए. ऑल्मंड और सिडनी वर्बा ने 3 प्रकार की राजनीतिक संस्कृति का विवरण दिया है—

(*i*) **संकीर्ण या सीमित संस्कृति (Parochial Culture):** यह ऐसी राजनीतिक संस्कृति है जिसके अंतर्गत नागरिकों को अपने समाज की राजनीतिक संस्थाओं, प्रक्रियाओं और घटनाओं में कोई अभिरुचि नहीं होती, या बहुत ही कम होती है। समाज के किन्हीं विशेष अंगों के लिए कोई विशेष राजनीतिक भूमिकाएं नियत नहीं होतीं। राजनीतिक प्रणाली में परिवर्तन की कोई आशा नहीं की जाती। अतः व्यक्ति अपने समाज के भीतर अपनी किसी राजनीतिक भूमिका की कल्पना नहीं करता;

(*ii*) **अधीन या प्रजा संस्कृति (Subject Culture):** यह ऐसी राजनीतिक संस्कृति है जिसके अंतर्गत नागरिक सामान्य राजनीतिक प्रणाली और उसकी नीतियों, निर्णयों, नियमों और संस्थाओं के प्रति सजग होते हैं; परंतु यह नहीं जानते कि वे स्वयं उसे संचालित या प्रभावित करने में कोई सक्रिय भूमिका निभा सकते हैं। इसमें समाज के विभिन्न अंगों की राजनीतिक भूमिकाएं नियत होने लगती हैं; और

(*iii*) **सहभागी संस्कृति (Participant Culture):** यह ऐसी राजनीतिक संस्कृति है जिसके अंतर्गत नागरिक अपने समाज की राजनीतिक संस्थाओं, प्रक्रियाओं और घटनाओं के प्रति अत्यंत सजग होते हैं; उनमें गहरी अभिरुचि रखते हुए सक्रिय भाग लेते हैं; और अपनी राजनीतिक भूमिका निभाते समय प्रखर चेतना और निर्णय-बुद्धि का परिचय देते हैं। इसमें समाज के विभिन्न अंगों की राजनीतिक भूमिकाएं नियत हो जाती हैं।

42. आनुपातिक प्रतिनिधित्व (Proportional Representation) प्रणाली का प्रयोग बहुसदस्यीय निर्वाचन क्षेत्रों में होता है। इसका ध्येय मतदाताओं को अपने-अपने वोटों की संख्या के अनुपात से प्रतिनिधित्व प्रदान करना है ताकि बहुमत के साथ-साथ अल्पमत को उपयुक्त प्रतिनिधित्व प्रदान किया जा सके। आनुपातिक प्रतिनिधित्व की सामान्य प्रणाली के कार्य में शामिल चरणों का क्रम निम्न है—

(*i*) सर्वप्रथम, प्रत्येक दल उतनी ही संख्यावाली सूची प्रस्तुत करती है जितनी सीटों पर चुनाव लड़ा जा रहा है।

(*ii*) सूचियाँ अनावृत अथवा संवृत (Open or Closed) हो सकती हैं, अनावृत सूचियों में व्यक्तिगत उम्मीदवारों के अधिमानों (Preferences) के मतों को इंगित करने तथा व्यक्तिगत उम्मीदवारों को मतदान की अनुमति दी जाती है।

(*iii*) उम्मीदवारों को उन्हें प्राप्त मतों के क्रम में व्यवस्थित किया जाता है, और अन्ततः

(*iv*) अवशेष अथवा बाकी मतों को उम्मीदवारों में बाँट दिया जाता है।

43. राजनीति के अंतर्गत किसी भी निर्णय को लागू करने के लिए शक्ति का प्रयोग आवश्यक है। परंतु शक्ति की भूमिका सबसे प्रभावशाली वहाँ सिद्ध होती है जहाँ शक्ति केवल बल-प्रयोग का साधन नहीं रह जाती, बल्कि वैधता के साथ जुड़कर सत्ता या आधिकारिक सत्ता का रूप धारण कर लेती है। सत्ता किसी व्यक्ति, संस्था, नियम या आदेश का ऐसा गुण या क्षमता है जिसके कारण उसे सही या प्रामाणिक मानकर स्वेच्छा से उसके निर्देशों का पालन किया जाता है। सत्ता के दो मुख्य घटक हैं—शक्ति (Power) और वैधता (Legitimacy)। किसी नियम या निर्णय की वैधता से यह संकेत मिलता है कि लोग उस नियम या निर्णय को अपने लिए और सारे समाज के लिए उपयुक्त और कल्याणकारी समझते हैं; इसलिए वे उसे मन से स्वीकार करते हुए उसका पालन करने को तैयार रहते हैं।

समाज में व्यवस्था कायम रखने के लिए वैधता और शक्ति एक-दूसरे की पूरक भूमिका निभाती हैं। ऐसा कहा जाता है कि सुंदरता की तरह वैधता भी देखने वाले की नजर में रहती है।

46. 'लोक प्रशासन' पद यह इंगित करता हुआ प्रतीत होता है कि 'गैर-लोक' अथवा 'निजी प्रशासन' भी अवश्य होता होगा। कुछ चिंतकों का मानना है कि समस्त प्रशासन एक ही है और लोक एवं निजी प्रशासन में कोई अंतर नहीं है। हेनरी फेयोल, मेरी पार्कर फॉलेट, लूथर गुलिक और एल. उर्विक इसी विचार के समर्थक हैं। उदाहरण के लिए, हेनरी फेयोल का कहना है कि "प्रशासन शब्द का जो अर्थ मैंने दिया है तथा जिसे सामान्यतः स्वीकार भी कर लिया गया है, वह प्रशासनिक विज्ञान के क्षेत्र को काफी व्यापक बना देता है। यह न केवल लोक सेवा को अपितु सभी आकार-प्रकार, रूपों और उद्देश्यों वाले उद्यमों को समाहित करता है। सभी उद्यमों में नियोजन, संगठन, समादेश, समन्वय और नियंत्रण की आवश्यकता होती है और ठीक तरह से कार्य करने के लिए सभी को एक ही सामान्य सिद्धांत का अनुपालन करना पड़ता है। अब हम कई प्रशासनिक विज्ञानों का सामना नहीं कर रहे हैं अपितु केवल, उसका जो लोक और निजी मामलों में समान रूप से लागू हो सकता है।"

49. नवीन लोक प्रशासन संबंधी साहित्य 4 लक्ष्यों पर बल देता है–प्रासंगिकता (Relevance), मूल्य (Values), संतुलन या निष्पक्षता (Equity) और परिवर्तन (Change)। प्रासंगिकता–नवीन लोक प्रशासन के अंतर्गत समकालीन लोक प्रशासन की आलोचना की गई है क्योंकि इसने समाज के समक्ष खड़ी समस्याओं और मुद्दों को हल करने के लिए कुछ भी नहीं किया था। इस प्रकार नवीन लोक प्रशासन की वर्तमान संकल्पना सुझाती है कि प्रशासकों को सभी प्रशासनिक कार्यों के राजनीतिक और नियामक प्रभावों का ध्यान रखना चाहिए। इस संबंध में केवल प्रशासन के संदर्भ में ही नहीं बल्कि जनता के संदर्भ में भी प्रशासनिक क्रियाओं की प्रासंगिकता पर विचार करना चाहिए।

मूल्य–नवीन लोक प्रशासन प्रक्रियात्मक तटस्थता को अस्वीकार करता है और जोर देता है कि लोक अधिकारियों को दलित लोगों के हितों की वकालत करनी चाहिए।

संतुलन–परम्परागत लोक प्रशासन तंत्र सामाजिक न्याय को प्राप्त करने में असफल रहा है। अतः प्रशासन का लक्ष्य सामाजिक संतुलन और उसके जरिए समाज में सद्भाव और एकता लाने का होना चाहिए।

परिवर्तन–शक्तिशाली हित समूहों के प्रभुत्व में आने से लोक प्रशासन को बचाने के लिए परिवर्तन आवश्यक है।

50. अनौपचारिक संगठन (Informal Organisation) में, सत्ता हमेशा तिरछी तथा अधोमुखी दिशाओं (Across and Downwards) की ओर प्रवाहित होती है। संगठन की अनौपचारिक धारणा के प्रमुख प्रवर्तक एल्टन मेयो तथा उनके साथी हैं। इन लोगों ने वेस्टर्न इलेक्ट्रिक कम्पनी के हाथोर्न संयंत्र के संबंध में अग्रगामी प्रयोग किए। उन्होंने पाया कि जब कुछ व्यक्ति दीर्घकाल तक मिलकर काम करते हैं, तो उनमें भावनात्मक तथा वैयक्तिक संबंध विकसित हो जाते हैं, जो औपचारिक संबंधों से भिन्न होते हैं। इन संबंधों को ही अनौपचारिक संगठन कहा जाता है।

52. संरक्षक नौकरशाही का पारम्परिक देश USA है। सर्वप्रथम 18वीं सदी में 'डी. गार्नो' नामक एक फ्रांसीसी विचारक ने नौकरशाही शब्द का प्रयोग किया। इसका संबंध एक विभाग से है। 19वीं शताब्दी में जहाँ-जहाँ सरकार में संकुचित दृष्टिकोण, निरंकुशता, सरकारी अधिकारियों की मनमानी देखने को मिली वहाँ इसका (नौकरशाही) व्यंग्यात्मक प्रयोग किया जाने लगा। अमेरिका में संरक्षक नौकरशाही (Patronage Bureaucracy) लूट प्रथा प्रणाली (Spoil System) से संबंधित है।

55. लिंग बजट (Gender Budgeting) का उद्देश्य लिंग वचनबद्धता को बजट वचनबद्धता में परिणत करना है तथा इसके माध्यम से शिक्षा, स्वास्थ्य, रोजगार आदि के क्षेत्र में महिलाओं की आवश्यकताओं पर ध्यान देना है। देश में महिला अधिकारिता और महिला सशक्तिकरण की दिशा में बजट के योगदान को स्वीकार करते हुए केंद्र सरकार द्वारा जेण्डर बजटिंग की शुरुआत की गई है। जेण्डर बजटिंग के माध्यम से सरकार द्वारा महिलाओं के विकास, कल्याण और सशक्तिकरण से संबंधित योजनाओं और कार्यक्रमों के लिए प्रतिवर्ष बजट में एक निर्धारित राशि की व्यवस्था सुनिश्चित करने के प्रावधान किए जाते हैं। जेण्डर बजटिंग के मायने विभिन्न सरकारी

योजनाओं के अंतर्गत महिलाओं के लिए अधिक धन आवंटित करना ही नहीं है। इसका अर्थ है कि सरकारी आय और व्यय की प्राथमिकताओं को इस तरह पुनर्निर्धारित किया जाए कि जिससे लैंगिक सरोकार स्पष्ट रूप से परिलक्षित हों।

56. 73वें संविधान संशोधन अधिनियम-1992 के अनिवार्य प्रावधान निम्नलिखित हैं—गाँव, खण्ड तथा जिला स्तर पर पंचायतों के सभी सदस्य लोगों द्वारा प्रत्यक्ष रूप से चुने जाएंगे। आगे, माध्यमिक एवं जिला स्तर पर पंचायत के अध्यक्ष का चुनाव अप्रत्यक्ष रूप से मनोनीत सदस्यों द्वारा उन्हीं में से होगा। जबकि ग्राम स्तर पर पंचायत के अध्यक्ष का चुनाव राज्य के कानून द्वारा सुझाए तरीके से किया जाएगा। इस अधिनियम में यह व्यवस्था की गई है कि आरक्षण के मसले पर महिलाओं के लिए उपलब्ध कुल सीटों की संख्या 1/3 से कम न हो। यह अधिनियम विधानमंडल को इसके लिए भी अधिकृत करता है कि वह पंचायत अध्यक्ष के कार्यालय में पिछड़े वर्गों के लिए किसी भी स्तर पर आरक्षण की व्यवस्था करे। इस अधिनियम में यह भी प्रावधान है कि राज्य का राज्यपाल प्रत्येक 5 वर्ष में पंचायतों की वित्तीय स्थिति के अवलोकन के लिए वित्त आयोग का गठन करेगा।

57. लोकपाल तथा लोकायुक्त विधेयक को संसद में पहली बार 1968 में, इंदिरा गांधी के नेतृत्व में कांग्रेस सरकार द्वारा प्रस्तुत किया गया था। भारतीय प्रशासनिक सुधार आयोग के सुझाव पर नागरिकों की समस्या के समाधान हेतु दो विशेष संस्थाओं लोकपाल व लोकायुक्त की नियुक्ति की गई। इनकी स्थापना स्कैण्डिनेवियन देशों के 'इंस्टीट्यूट ऑफ ऑम्बड्समैन' और 'न्यूजीलैंट के पार्लियामेंट्री कमीशन ऑफ इंवेस्टिगेशन' की तर्ज पर की गई। लोकपाल मंत्रियों, केन्द्र तथा राज्य स्तर के सचिवों से संबंधित शिकायतों को देखता है और लोकायुक्त विशेष उच्च अधिकारियों के विरुद्ध शिकायतों को देखता है। प्रशासनिक सुधार आयोग ने न्यूजीलैण्ड की तरह न्यायालयों को लोकायुक्त व लोकपाल के दायरे से बाहर रखा है। लेकिन स्वीडन में न्यायालय भी ऑम्बड्समैन के अंतर्गत आता है।

60. द्वितीय विश्व युद्ध के बाद अनेक अफ्रीकी और एशियाई देश स्वतंत्र हो गए तथा वे अपने सामाजिक, आर्थिक, राजनीतिक एवं प्रशासनिक विकास के आरंभिक चरण में थे। चूंकि इन देशों का प्रशासन अनिवार्यतः विकासोन्मुखी था, अतः विद्वानों में इन देशों के प्रशासन के अध्ययन की उत्सुकता पनपी। उनका अध्ययन वस्तुतः विकास प्रशासन का अध्ययन बन गया।

नवोदित देशों में समय और प्राकृतिक संसाधनों की काफी कमी थी जबकि उनकी आवश्यकता शीघ्र व तीव्र आर्थिक-सामाजिक विकास की थी। ये लक्ष्य निष्क्रिय प्रशासन की सहायता से नहीं प्राप्त किए जा सकते थे, जो बन्द और यथास्थितिवादी था। अतः एक ऐसे प्रशासन तंत्र की आवश्यकता महसूस की गई जो विकसित देशों के प्रशासनिक ढांचे से भिन्न हो और इस प्रकार विकास प्रशासन की संकल्पना का आविर्भाव हुआ।

63. 1947 ई. में GATT की स्थापना के बाद से बहुराष्ट्रीय व्यापार प्रणाली के विकास के फलस्वरूप 1 जनवरी, 1995 को विश्व व्यापार संगठन (WTO) की स्थापना हुई। 15 अप्रैल, 1994 की 123 देशों के वाणिज्य मंत्रियों ने मराकेश में उरुग्वे दौर के फाइनल एक्ट पर अपने हस्ताक्षर किए थे। 1986-94 तक उरुग्वे दौर की बातचीत का लम्बा सिलसिला चला, जिसकी परिणति विश्व व्यापार संगठन की स्थापना के रूप में हुई। इस वार्ता में वस्तुओं के व्यापार से सम्बद्ध बहुपक्षीय नियमों एवं अनुशासन की पहुँच का काफी विस्तार हुआ और सेवा एवं बौद्धिक व्यापार (बौद्धिक सम्पत्ति अधिकार) के क्षेत्र में बहुपक्षीय नियमों की शुरुआत हुई। WTO के कुछ महत्वपूर्ण कार्य निम्नलिखित हैं—

(*i*) विश्व व्यापार समझौता एवं बहुपक्षीय तथा बहुवचनीय समझौतों के कार्यान्वयन, प्रशासन एवं परिचालन हेतु सुविधाएं प्रदान करना।

(*ii*) व्यापार एवं प्रशुल्क से संबंधित किसी भी भावी मसले पर सदस्यों के बीच विचार-विमर्श हेतु एक मंच के रूप में कार्य करना।

(*iii*) विवादों के निपटारे से संबंधित नियमों एवं प्रक्रियाओं को प्रशासित करना।

(*iv*) व्यापार नीति समीक्षा प्रक्रिया से संबंधित नियमों एवं प्रावधानों को लागू करना।

(*v*) वैश्विक आर्थिक नीति निर्माण में अधिक सामंजस्य भाव लाने के लिए अंतर्राष्ट्रीय मुद्रा कोष एवं विश्व बैंक से सहयोग करना।

(*vi*) विश्व संसाधनों का अनुकूलतम प्रयोग करना।

66. नरम शक्ति (Soft Power) शब्द को गढ़ने का श्रेय अमेरिका के हार्वर्ड विश्वविद्यालय के प्रोफेसर जोसेफ नाई को दिया जाता है, जिन्होंने अपनी पुस्तक 'Bound to Lead : The Changing Nature of American Power–1990' में इस शब्द का सबसे पहले प्रयोग किया था। नरम शक्ति की अवधारणा बल प्रयोग की बजाय अनुनय द्वारा सहयोग और आकर्षित करने की योग्यता है। यह अपील और प्रलोभन द्वारा दूसरों की अधिमान्यताओं को स्वरूप प्रदान करता है। नरम शक्ति का गुण सहयोग है तथा इसकी मुद्रा संस्कृति, राजनीतिक मूल्य और विदेश नीति है।

67. मार्च 1947 में अमेरिकी राष्ट्रपति ट्रूमेन की एक नई अमेरिकी नीति (ट्रूमेन सिद्धांत) की घोषणा के कुछ ही दिन बाद, अमेरिकी विदेश सचिव मार्शल ने यूरोप के आर्थिक पुनर्निर्माण की उस महत्वाकांक्षी आर्थिक परियोजना की घोषणा की जो आगे चलकर मार्शल प्लान के नाम से प्रख्यात हुई। जाहिर है कि कुल 4 वर्षों में पश्चिमी यूरोपीय देशों को 12 अरब डॉलर की मदद देने का वचन देकर अमेरिका ने सोवियत संघ को और भी खिन्न किया तथा उसके नेताओं के असंतोष और आक्रोश को और भी गहरा किया। महायुद्ध में बुरी तरह क्षतिग्रस्त सोवियत संघ को स्वयं अपने पुनर्निर्माण के लिए बड़े पैमाने पर आर्थिक सहायता की दरकार थी। मार्शल योजना के क्रियान्वयन से अमेरिका एक तीर से दो शिकार कर रहा था।

पहली बात तो यह थी कि पश्चिमी यूरोप की सहायता पाने वाले देश लम्बे समय तक उस पर निर्भर हो जा रहे थे। उनके आर्थिक विकास की दशा और गति, अमेरिकी फैसलों द्वारा ही तय होनी थी। यह छुपा न था कि ये देश प्रतिरक्षा खर्च की भरपाई के लिए भी अमेरिकी आर्थिक और तकनीकी सहायता पर निर्भर होते जाएंगे। विस्तारवादी सोवियत संघ का हौव्वा खड़ा करने के साथ-साथ अमेरिका ने ब्रिटेन, फ्रांस और जर्मनी को यह आश्वासन भी दिया था कि सोवियत आक्रमण से बचाव के लिए सबसे असरदार रक्षा कवच अमेरिका के साथ मैत्री ही प्रदान कर सकता है।

69. भारतीय विदेश नीति के बुनियादी सिद्धांत उसकी सांस्कृतिक विरासत एवं ऐतिहासिक अनुभव पर आधारित हैं। विशेषकर गांधी के नेतृत्व में आजादी के लिए लड़ी गई अहिंसक लड़ाई ने इन्हें प्रभावित किया। ये सुपरिचित सिद्धांत निम्नलिखित हैं—शांति, निःशस्त्रीकरण, गुटनिरपेक्षता, साम्राज्यवाद तथा उपनिवेशवाद का विरोध और अफ्रीकी-एशियाई एकता।

भारत ने UNO के ढाँचे में बदलाव के मसलों को कई आधारों पर समर्थन किया है। भारत का मानना है कि बदले हुए विश्व (21वीं सदी) में UNO की मजबूती और दृढ़ता जरूरी है। भारत इस बात का भी समर्थन करता है कि संयुक्त राष्ट्र संघ विभिन्न देशों के बीच सहयोग बढ़ाने और विकास को बढ़ावा देने में ज्यादा बड़ी भूमिका निभाए। भारत का विश्वास है कि UNO के एजेंडे में विकास का मामला प्रमुख होना चाहिए क्योंकि अंतर्राष्ट्रीय शांति और सुरक्षा को बनाए रखने के लिए यह जरूरी पूर्व शर्त है।

70. पंचशील सिद्धांत, भारत और चीन के बीच 1954 में हुए पंचशील समझौते का परिणाम है। पंचशील नाम से जिन 5 सिद्धांतों का प्रतिपादन किया गया था और जिनके प्रति दोनों पक्षों ने अपनी निष्ठा प्रकट की थी, वे इस प्रकार हैं—

(*i*) एक-दूसरे की क्षेत्रीय अखण्डता और संप्रभुता के प्रति आदर।

(*ii*) एक-दूसरे पर आक्रमण न करने का वादा।

(*iii*) एक-दूसरे के आंतरिक मामलों में हस्तक्षेप न करने की प्रतिज्ञा।

(*iv*) समानता और परस्पर लाभ के लिए क्रियाशील रहने का संकल्प।

(*v*) अंतर्राष्ट्रीय सम्बन्धों में शांतिपूर्ण सहअस्तित्व को स्वीकार करना।

स्पष्ट है कि इन सिद्धांतों में 'नया' या नाटकीय रूप से अप्रत्याशित कुछ भी नहीं था। एक तरह से संयुक्त राष्ट्र संघ के चार्टर की स्थापनाओं को ही इसमें दोहराया गया था।

72. भूमंडलीकरण की नवोदित शक्तियों की जड़ों का वर्ष 1980 के दशक के उत्तरार्द्ध तथा 1990 के दशक के पूर्वार्द्ध में विशिष्ट आर्थिक तथा राजनीतिक विकास में पता लगाया गया है, जो निम्नलिखित हैं—शीत युद्ध की समाप्ति, USSR में राज्य समाजवाद का विघटन तथा बर्लिन की दीवार का गिरना।

भूमंडलीकरण ऐसी बहुमुखी घटना है जिसका प्रभाव मानव के सामाजिक, आर्थिक तथा राजनीतिक सभी क्षेत्रों में पड़ रहा है। अन्य विद्वानों का विचार है कि यह अनेक घटनाओं का एक समूह है जोकि एक-दूसरे का साथ देते हैं, और जिसमें कोई भी एक पक्ष अन्य पक्षों से अधिक महत्वपूर्ण नहीं होता। उनके अनुसार, अनेक तत्व हैं जो कि आज वैश्वीकरण की प्रक्रिया को 'विशेष' बनाते हैं। ये अंतर या विशेषताएँ हैं—तीव्र गति की संचार व्यवस्था, बाजार का उदारीकरण तथा सेवाओं और उत्पादों का विश्वव्यापी एकीकरण।

75. अमेरिकी राज्यों के संगठन के अंग हैं—अंतर-अमेरिकी सम्मेलन, विदेश मंत्रियों की विचार-विमर्श संधि तथा परिषद्। अमेरिकी राज्यों का संगठन (OAS) समूचे अमेरिकी क्षेत्र को स्वतंत्र व्यापार क्षेत्र बनाने का एक प्रयास है, जिसके लिए समझौता दिसम्बर 1994 में मियामी में सम्पन्न हुआ। उत्तरी, दक्षिणी व मध्य अमेरिका के 35 राष्ट्रों के दिसम्बर 1994 में सम्पन्न हुए शिखर सम्मेलन में इस पश्चिमी गोलार्द्ध को सन् 2005 तक स्वतंत्र व्यापार क्षेत्र बनाने का निर्णय लिया गया था। तत्कालीन अमेरिकी राष्ट्रपति बिल क्लिंटन ने इसे एक ऐतिहासिक समझौता बताया था। लगभग 80 करोड़ की जनसंख्या वाले इस क्षेत्र में स्थापित होने वाला FTAA विश्व का सर्वाधिक शक्तिशाली गुट है।

पिछले प्रश्न-पत्र (हल सहित)

UGC-NET परीक्षा, राजनीति शास्त्र, जून-2015

प्रश्न-पत्र-II

नोटः इस प्रश्न-पत्र में **पचास (50)** बहु-विकल्पीय प्रश्न हैं। प्रत्येक प्रश्न के **दो (2)** अंक हैं। **सभी** प्रश्न अनिवार्य हैं।

1. अर्थशास्त्र में, सरकार के कितने विभागों का उल्लेख किया गया है?

A. 32 B. 33
C. 34 D. 35

2. निम्नलिखित में से कौन इसलिए एथेंस से कालचिस भाग गया था कि 'एथेंसवासी दर्शनशास्त्र के विरुद्ध दूसरा अपराध न कर दें'?

A. सुकरात B. प्लेटो
C. अरस्तू D. यूक्लीड

3. निम्नलिखित में से किसने रूसो के बारे में कहा है, 'तर्क का उत्साही धर्मदूत, उन्होंने अविवेक के काल के लिए राह प्रशस्त करने हेतु, अधिकांश से अधिक किया है'?

A. मैक्से B. सेबाइन
C. वेपर D. कार्ल पॉपर

4. सूची-I का सूची-II से मिलान करें और नीचे दिए गए कूटों से सही उत्तर का चयन करें :

सूची-I	सूची-II
(a) हॉब्स	*(i)* संप्रभुता की सुरक्षा और धर्म पर राजनीतिक सत्ता के दृढ़कथन का दावा
(b) लॉक	*(ii)* व्यक्ति के विचार तथा अभिव्यक्ति की स्वतंत्रता की रक्षा करना
(c) रूसो	*(iii)* संवैधानिक सरकार का सीमित रूप
(d) जे.एस. मिल	*(iv)* दावा कि संप्रभुता का मूल लोगों में समाहित है और लोगों के पास रहेगा

कूट :

	(a)	*(b)*	*(c)*	*(d)*
A.	*(i)*	*(iii)*	*(ii)*	*(iv)*
B.	*(ii)*	*(iv)*	*(iii)*	*(i)*
C.	*(ii)*	*(iii)*	*(i)*	*(iv)*
D.	*(i)*	*(iii)*	*(iv)*	*(ii)*

5. निम्नलिखित में से कौन नागरिक समाज के संगठनों की तुलना राज्य के पीछे खड़ी 'किलों और मिट्टी के बाँधों' की शक्तिशाली प्रणाली से करता है?

A. मैक्लेलन B. बर्नस्टीन
C. लेनिन D. ग्राम्सी

6. जॉन रॉल्स ने अपनी पुस्तक *'ए थ्योरी ऑफ जस्टिस'* में, निम्नलिखित में से, किसकी समाजिक अनुबंध परंपराओं का पुनरुद्धार नहीं किया है?

A. हॉब्स B. जॉन लॉक
C. जे.जे. रूसो D. इमेन्यूअल कॉन्ट

7. निम्नलिखित में से किसने कहा है कि धर्म में भक्ति आत्मा की मुक्ति का मार्ग हो सकता है। परन्तु राजनीति में, भक्ति या वीर-पूजा अपकर्ष और संभावित तानाशाही के लिए सुनिश्चित मार्ग है?

A. जयप्रकाश नारायण
B. एम.एन. रॉय
C. बी.आर. अम्बेडकर
D. सावरकर

8. किसने कहा है, 'इसलिए ब्रुट्स की तलवार पवित्र है। इसलिए शिवाजी का बाघनख न्याय संगत है। इसलिए, चार्ल्स-I का सिर कटवा देना न्यायोचित कर्म है। इसलिए, विलियम टैल का तीर दिव्य है'?

A. एम.एन. रॉय B. सुभाष चन्द्र बोस
C. अरबिन्दो घोष D. वी.डी. सावरकर

9. निम्नलिखित में से कौन-सा ईस्टन के व्यवहारवाद की बौद्धिक आधारशिलाओं का लक्षण नहीं है?

A. नियमितताएँ B. मान्यताएँ

C. विशुद्ध विज्ञान D. स्तरीकरण

10. निम्नलिखित में से कौन-सा फुकुयामा के लिए, उदारवादी लोकतंत्र के विजयोल्लास का प्रमुख कारक नहीं है?

A. 'मान्यता' के लिए संघर्ष

B. प्रकृति पर विज्ञान के अधिकार का तर्क

C. उदारवादी लोकतंत्र में प्रमुख विरोधाभासों का अभाव

D. उदारवाद का विजयोल्लास विचारधाराओं की अपेक्षा अर्थव्यवस्था के रूप में अधिक है

11. 1950 के दशक के मध्य से तुलनात्मक राजनीति की प्रमुख प्रवृतियाँ निम्नलिखित क्षेत्रों में रही हैं :

(*a*) व्यवस्था सिद्धांत

(*b*) संस्कृति सिद्धांत

(*c*) विकास सिद्धांत

(*d*) वर्ग सिद्धांत

नीचे दिए गए कूटों की सहायता से सही उत्तर का चयन कीजिए।

कूट :

A. (*a*) और (*c*) B. (*a*), (*b*) और (*c*)

C. (*a*), (*c*) और (*d*) D. (*a*), (*b*), (*c*) और (*d*)

12. सूची-I को सूची-II से सुमेलित कीजिए और नीचे दिए गए कूटों की सहायता से सही उत्तर का चयन कीजिए :

सूची-I (चिंतक)	**सूची-II (संकल्पनाएँ)**
(*a*) कार्ल डायच	(*i*) आधुनिकीकरण—बहुपक्षीय प्रक्रिया
(*b*) हंटिंग्टन	(*ii*) अभिजन्य का संचरण
(*c*) पैरिटो	(*iii*) दि गेट-कीपर्स
(*d*) डेविड ईस्टन	(*iv*) अभिग्राहक

कूट :

	(*a*)	(*b*)	(*c*)	(*d*)
A.	(*iii*)	(*i*)	(*ii*)	(*iv*)
B.	(*i*)	(*iii*)	(*iv*)	(*ii*)
C.	(*iv*)	(*i*)	(*ii*)	(*iii*)
D.	(*ii*)	(*iv*)	(*iii*)	(*i*)

13. निम्नलिखित में से कौन व्यवस्था अनुरक्षण और व्यवस्था अवस्थिति में विभेद करते हैं?

A. गैब्रिएल आमण्ड B. डेविड ईस्टन

C. ल्यूसियन पाई D. एफ.डब्ल्यू. रिग्स

14. निम्नलिखित पुस्तकों को उनके प्रकाशित होने के क्रम में व्यवस्थित कीजिए। नीचे दिए गए कूटों का उपयोग कीजिए :

(*a*) कम्पैरिटिव फैडरलिज्म

(*b*) डेमोक्रेटाइजेशन : थ्योरी एंड प्रैक्टिस

(*c*) दि इंड ऑफ हिस्ट्री एंड दि लास्ट मैन

(*d*) दि सिविक कल्चर : पॉलिटिकल एटीट्यूड एंड डेमोक्रेसी इन फाइव नेशन्स

कूट :

A. (*c*), (*d*), (*b*), (*a*)

B. (*b*), (*a*), (*c*), (*d*)

C. (*a*), (*c*), (*d*), (*b*)

D. (*d*), (*c*), (*b*), (*a*)

15. निम्नलिखित संकल्पनाओं को उनके आने के क्रम में व्यवस्थित कीजिए। नीचे दिए गए कूटों का उपयोग कीजिए :

(*a*) लोकतांत्रित केंद्रीयकरण

(*b*) प्रतिपुष्टि व्यवस्था

(*c*) नवीन लोकतंत्र

(*d*) विधि की उचित प्रक्रिया

कूट :

A. (*d*), (*b*), (*a*), (*c*)

B. (*b*), (*d*), (*c*), (*a*)

C. (*d*), (*a*), (*c*), (*b*)

D. (*a*), (*c*), (*d*), (*b*)

16. "हम संविधान के अंतर्गत हैं, लेकिन संविधान वही है जो न्यायाधीश कहते हैं।" संयुक्त राज्य अमेरिका के अतिरिक्त निम्नलिखित में से किस देश के लिए यह लागू हो सकता है?

A. स्विट्जरलैण्ड B. भारत

C. यू.के. D. रूस

17. निम्नलिखित में से किसने "दि फेडरल पेपर्स" लिखा है?

A. बी. एण्डर्सन B. सी. रिनोल्डस

C. जेम्स मेडिसन D. थियोडोर एडोर्नो

18. निम्नलिखित में से किसने यह तर्क दिया कि "सत्ता के सिद्धांत में विश्वास, व्यवस्था को सुरक्षित रखने का एकमात्र विश्वसनीय माध्यम है।"

A. जोसेफ डी मैस्ट्रे B. मैक्स वेबर
C. फ्रेडरिक नित्से D. जियोवनी जेनटाइल

19. निम्नलिखित में से किसने यह तर्क दिया कि निर्वाचन प्रणाली दलीय व्यवस्था की प्रकृति को निर्धारित करती है?

A. डुवर्गर B. मिशेल्स
C. शूमपीटर D. वेबर

20. नीचे दो कथन दिए गए हैं, एक को अभिकथन (A) और दूसरे को तर्क (R) कहा गया है। नीचे प्रदत्त कूट से सही उत्तर का चयन करें :

अभिकथन (A) : 1960 के दशक के मध्य में राजनीतिक विकास उपागम की आलोचना की गई।

तर्क (R) : संयुक्त राष्ट्र और पश्चिमी यूरोप के अनुभवों पर आधारित इस उपागम की तीसरी दुनिया में सीमित प्रासंगिकता थी।

कूटः

A. (A) और (R) दोनों सत्य हैं और (R), (A) का सही स्पष्टीकरण है।
B. (A) और (R) दोनों सत्य हैं, परन्तु (R), (A) का सही स्पष्टीकरण नहीं है।
C. (A) सत्य है, परन्तु (R) असत्य है।
D. (A) असत्य है, परन्तु (R) सत्य है।

21. भारत के संविधान की प्रस्तावना में प्रतिष्ठापित निम्नलिखित शब्दों का सही क्रम क्या है?

(*a*) समानता (*b*) स्वतंत्रता
(*c*) न्याय (*d*) भ्रातृत्व

नीचे दिए गए कूटों से सही उत्तर चुनें।

कूटः

A. (*a*), (*b*), (*c*) और (*d*)
B. (*c*), (*b*), (*a*) और (*d*)
C. (*b*), (*a*), (*c*) और (*d*)
D. (*c*), (*a*), (*b*) और (*d*)

22. भारत में रहने वाले विदेशियों के लिए निम्नलिखित में से कौन-से अधिकार उपलब्ध हैं?

(*a*) कानून के समक्ष समानता
(*b*) शिक्षा का अधिकार
(*c*) भाषण की स्वातंत्र्य
(*d*) आवागमन की स्वतंत्रता

नीचे दिए गए कूटों से सही उत्तर चुनें।

कूटः

A. केवल (*b*) B. (*a*) और (*b*)
C. (*b*) और (*d*) D. (*a*), (*b*) और (*c*)

23. निम्नलिखित में से कौन भारत सरकार का प्रथम विधि अधिकारी होता है?

A. भारत के मुख्य न्यायाधीश
B. विधि सचिव
C. भारत के सॉलिसिटर जनरल
D. भारत के महान्यायवादी

24. निम्नलिखित में से किसे भंग नहीं किया जा सकता परंतु समाप्त किया जा सकता है?

A. लोक सभा B. राज्य सभा
C. राज्य विधान परिषद D. राज्य विधान मंडल

25. राज्यपाल द्वारा नियुक्त किए गए निम्नलिखित में से किसे राज्यपाल द्वारा ही हटाया जा सकता है?

(*a*) महा-अधिवक्ता
(*b*) राज्य वित्त आयोग के सदस्य
(*c*) राज्य लोक सेवा आयोग के सदस्य
(*d*) राज्य विश्वविद्यालय के कुलपति

नीचे दिए गए कूटों से सही उत्तर चुनेंः

कूटः

A. (*a*), (*b*) और (*c*)
B. (*a*), (*b*) और (*d*)
C. (*b*), (*c*) और (*d*)
D. (*a*), (*b*), (*c*) और (*d*)

26. अनुच्छेद 356 के अन्तर्गत किसी राज्य में राष्ट्रपति शासन की अधिकतम अवधि क्या हो सकती है?

A. एक वर्ष B. दो वर्ष
C. तीन वर्ष D. चार वर्ष

27. भारत में संविधान संशोधन की प्रक्रिया के संबंध में निम्नलिखित में से कौन-सा कथन सत्य नहीं है?

(*a*) संसद एक विशेष बहुमत से संविधान में संशोधन कर सकती है।

(*b*) राज्य विधान सभाएँ संविधान में संशोधन का प्रस्ताव कर सकती हैं।

(*c*) संविधान संशोधन का विधेयक केवल संसद के निचले सदन में ही पुरःस्थापित किया जा सकता है।

(*d*) संविधान संशोधन संबंधी विधेयक पर संसदों के दोनों सदनों के बीच गतिरोध को संसद के संयुक्त सत्र द्वारा समाप्त किया जा सकता है।

(*e*) संसद द्वारा पारित संविधान संशोधन विधेयक का निषेधाधिकार भारत के राष्ट्रपति के पास है।

नीचे दिए गए कूटों से सही उत्तर चुनें।

कूटः

A. (*a*), (*c*) और (*d*)

B. (*b*), (*c*), (*d*) और (*e*)

C. (*a*), (*d*) और (*e*)

D. (*a*), (*b*), (*c*) और (*d*)

28. निम्नलिखित में से कौन-सी स्थिति में संसद राज्य सूची में उल्लिखित विषयों पर विधान नहीं बना सकती है?

A. यदि लोक सभा यह निर्णय कर ले कि राज्य सूची में उल्लिखित विषय राष्ट्रीय महत्व का है।

B. यदि दो या दो से अधिक राज्य विधानमंडल इस आशय से कोई संकल्प पारित करें।

C. यदि आपातकाल की स्थिति घोषित कर दी जाए।

D. यदि किसी अन्य देश के साथ की गई संधि को लागू किया जाना हो।

29. उच्चतम न्यायालय के न्यायाधीश को हटाने के लिए संसद द्वारा पारित किसी संकल्प की जिस समिति द्वारा जाँच की जाती है उसमें शामिल होते हैं :

A. उच्चतम न्यायालय के दो न्यायाधीश

B. उच्चतम न्यायालय के दो न्यायाधीश तथा भारत के महान्यायवादी

C. उच्चतम न्यायालय के दो न्यायाधीश तथा एक विधि विशेषज्ञ

D. उच्चतम न्यायालय के मुख्य न्यायाधीश तथा उच्चतम न्यायालय के दो न्यायाधीश

30. सूची-I को सूची-II से सुमेलित कीजिए और नीचे दिए गए कूटों से सही उत्तर को चुनें :

सूची-I (आंदोलन)	**सूची-II (नेता)**
(*a*) इंडिया अगेंस्ट करप्शन	(*i*) अरुणा राय
(*b*) नर्मदा बचाओ आंदोलन	(*ii*) महेन्द्र सिंह टिकैत
(*c*) राईट टू इन्फोरमेशन मूवमेंट	(*iii*) अन्ना हजारे
(*d*) भारतीय किसान यूनियन	(*iv*) मेधा पाटकर

कूट :

	(*a*)	(*b*)	(*c*)	(*d*)
A.	(*iii*)	(*i*)	(*iv*)	(*ii*)
B.	(*iii*)	(*iv*)	(*i*)	(*ii*)
C.	(*iii*)	(*iv*)	(*ii*)	(*i*)
D.	(*iii*)	(*ii*)	(*i*)	(*iv*)

31. सूची-I को सूची-II के साथ सुमेलित करें और नीचे दिए गए कूटों का प्रयोग करते हुए उत्तर दीजिए :

सूची-I (प्रशासनिक चिंतक)	**सूची-II (प्रशासनिक उपागम)**
(*a*) एम.पी. फॉलेट	(*i*) गारबैज कैन मॉडल
(*b*) हरबर्ट साइमन	(*ii*) मिक्स्ड स्कैनिंग
(*c*) माइकल डी. कोहन	(*iii*) मनोवैज्ञानिक् उपागम
(*d*) एमिताई एट्झिओनी	(*iv*) तर्कसंगत उपागम

कूट :

	(*a*)	(*b*)	(*c*)	(*d*)
A.	(*iii*)	(*ii*)	(*i*)	(*iv*)
B.	(*ii*)	(*iv*)	(*iii*)	(*i*)
C.	(*iii*)	(*iv*)	(*i*)	(*ii*)
D.	(*iii*)	(*ii*)	(*iv*)	(*i*)

32. उस खंड का नाम क्या था, जिसने अमेरिकन सोसायटी ऑफ पब्लिक एडमिनिस्ट्रेशन के कम्पेरेटिव एडमिस्ट्रेटिव ग्रुप को प्रतिस्थापित किया?

A. सेक्शन ऑफ अमेरिकन पब्लिक एडमिनिस्ट्रेशन (एस.ए.पी.)

B. सेक्शन ऑन कम्पेरेटिव एडमिनिस्ट्रेशन (एस.सी.ए.)

C. सेक्शन ऑन इंटरनेशनल पब्लिक एडमिनिस्ट्रेशन (एस.आई.पी.ए.)

D. सेक्शन ऑन इंटरनेशनल एंड कम्पेरेटिव पब्लिक एडमिनिस्ट्रेशन (एस.आई.सी.ए)

33. मास्लो की अभिविचारित मानवीय आवश्यकताओं को सही काल क्रम में व्यवस्थित कीजिए :

A. आत्मसम्मान – शारीरिक – सुरक्षा – स्ववास्तविकीकरण – तदीयत्वता

B. स्ववास्तविकीकरण – सुरक्षा – तदीयत्वता – शारीरिक – आत्मसम्मान

C. सुरक्षा – स्ववास्तविकीकरण – तदीयत्वता – शारीरिक – आत्मसम्मान

D. शारीरिक – सुरक्षा – तदीयत्वता – आत्मसम्मान – स्ववास्तविकीकरण

34. नीचे दो कथन दिए गए हैं, एक को अभिकथन (A) और दूसरे को तर्क (R) कहा गया है। नीचे दिए गए कूटों का प्रयोग करते हुए सही उत्तर चुनिए :

अभिकथन (A) : "स्टाफ और सहायक अभिकरण दोनों, लाइन अभिकरणों की सहायता करते हैं, परन्तु ये एक-दूसरे से भिन्न होते हैं।

तर्क (R) : "सहायक अभिकरणों की कोई प्रचालनीय जिम्मेदारियाँ नहीं होती हैं।"

कूटः

A. (A) और (R) दोनों सत्य हैं और (R), (A) का सही स्पष्टीकरण है।

B. (A) और (R) दोनों सत्य हैं, परन्तु (R), (A) का सही स्पष्टीकरण नहीं है।

C. (A) सत्य है, परन्तु (R) असत्य है।

D. (A) असत्य है, परन्तु (R) सत्य है।

35. मूने एंड रीले के नेताओं के वर्गीकरण में निम्नलिखित में से किस एक प्रकार के नेताओं को शामिल नहीं किया गया है?

A. औपचारिक नेता

B. उपाधिधारी नेता

C. नियंत्रक

D. अच्छे आयोजक

36. आस्टिन रैमे की सार्वजनिक नीति के तत्वों में निम्नलिखित में से कौन एक सम्मिलित नहीं है?

A. उद्देश्यों का एक समुच्चय

B. कार्यवाही की एक चयनित रूपरेखा

C. आशय सहित कार्यान्वयन

D. उद्देश्यों पर पुनर्विचार

37. आशेटन समिति (1944) ने सिविल सेवकों के प्रशिक्षण के उद्देश्यों में निम्नलिखित में से किस एक को सम्मिलित नहीं किया :

A. विश्वसनीय कार्य कौशल प्रदर्शित करना

B. लचीलापन

C. प्रशिक्षु की सोच को व्यापक बनाना

D. नेतृत्व गुणों का विकास करना

38. अमेरिका में नियुक्त किए गए आयोगों/समितियों का निम्नलिखित में से कौन-सा आरोही क्रम सही है?

A. हूवर कमीशन, टैफ्ट कमीशन, द ग्रेस कमीशन, ब्राउनलो कमेटी

B. द ग्रेस कमीशन, हूवर कमीशन, टैफ्ट कमीशन, ब्राउनलो कमेटी

C. टैफ्ट कमीशन, ब्राउनलो कमेटी, हूवर कमीशन, द ग्रेस कमीशन

D. ब्राउनलो कमेटी, टैफ्ट कमीशन, द ग्रेस कमीशन, हूवर कमीशन

39. किसने नौकरशाह को 'सत्ताधारी सेवक' कहा था?

A. एफ.एम. मार्क्स

B. मार्टिन क्रिगीयर

C. रॉबर्ट के. मर्टन

D. जोसेफ ला पालोम्बारा

40. किस सवैधानिक संशोधन के अंतर्गत भारत में प्रशासनिक न्यायाधिकरण का प्रावधान किया गया?

A. 24वां संशोधन

B. 59वां संशोधन

C. 42वां संशोधन

D. 44वां संशोधन

41. निम्नलिखित में से कौन अंतर्राष्ट्रीय राजनीति को स्वायत्त अनुशासन मानते हैं?

(*a*) सी.ए.डब्ल्यू. मैनिंग

(*b*) कार्लिन एम. कूपर

(*c*) मार्टिन राईट

(*d*) हॉफसन

नीचे दिए गए कूटों में से सही उत्तर का चयन करें:

कूटः

A. (*a*), (*b*) और (*c*)

B. (*b*), (*c*) और (*d*)

C. (*c*), (*d*) और (*a*)

D. (*a*), (*b*) और (*d*)

42. निम्नलिखित में से कौन-से युग्म सुमेलित हैं? नीचे दिए गए कूटों से सही उत्तर का चयन करें :

(*a*) द कन्ट्रोल ऑफ द आर्म्स रेस – हेडले बुल

(*b*) सम इकोनॉमिक आस्पेक्ट्स ऑफ डिसआर्ममेन्ट – एल. ग्रोमो एंड वी. स्ट्रिगचो

(*c*) द चैलेंज ऑफ द नाईन्टीन सिक्सटीज – जेम्स पी. वारबर्ग

(*d*) विनिंग विदआउट वार – इमाईल बेनोइट

कूटः

A. (*a*), (*b*) और (*c*)

B. (*b*), (*c*) और (*d*)

C. (*d*), (*c*) और (*a*)

D. (*b*), (*d*) और (*a*)

43. निम्नलिखित में से कौन-सा सौदेबाजी सिद्धांत से संबंधित नहीं है?

A. केनेथ वाल्ट्ज

B. जे.एफ. नैश

C. थॉमस शैलिंग

D. रोजर फिशर

44. निम्नलिखित में से कौन-सी पुरानी कूटनीति की मुख्य विशेषता नहीं थी?

A. सीमित

B. अभिजातवर्गीय

C. पारदर्शिता

D. राजदूतों के लिए कार्य की स्वतंत्रता

45. ब्रेझनेव ने एशियन सामूहिक सुरक्षा व्यवस्था की अवधारणा का प्रतिपादन किस वर्ष किया था?

A. 1967 B. 1968

C. 1969 D. 1970

46. निम्नलिखित में से संयुक्त राष्ट्र संगठन के चार्टर का कौन-सा अनुच्छेद क्षेत्रीय संगठनों से संबंधित है?

(*a*) अनुच्छेद 51

(*b*) अनुच्छेद 52

(*c*) अनुच्छेद 53

(*d*) अनुच्छेद 54

नीचे दिए गए कूटों से सही उत्तर का चयन करें :

कूटः

A. (*b*), (*c*) और (*d*)

B. (*a*), (*c*) और (*d*)

C. (*a*), (*b*) और (*d*)

D. (*a*), (*b*) और (*c*)

47. निम्नलिखित देशों में से कौन-सा देश आसियान (ASEAN) का सदस्य नहीं है?

A. लाओस

B. कंबोडिया

C. वियतनाम

D. उत्तरी कोरिया

48. मूलतः संयुक्त राष्ट्र संघ की सुरक्षा परिषद् की कुल सदस्य संख्या कितनी थी?

A. 9 B. 10

C. 11 D. 15

49. हाल ही में फ्रांस, भारत में किस स्थान पर परमाणु ऊर्जा संयंत्र स्थापित करने के लिए सहमत हुआ है?

A. कुडनकुलम B. तारापुर

C. काकरापार D. जैतापुर

50. सूची-I को सूची-II से सुमेलित करें और नीचे दिए गए कूट से सही उत्तर को चुनें।

सूची-I	सूची-II
(*a*) दूसरा गुट निरपेक्ष शिखर सम्मेलन	(*i*) कोलंबो
(*b*) तीसरा गुट निरपेक्ष शिखर सम्मेलन	(*ii*) अल्जियर्स
(*c*) चौथा गुट निरपेक्ष शिखर सम्मेलन	(*iii*) लुसाका
(*d*) पाँचवाँ गुट निरपेक्ष शिखर सम्मेलन	(*i*) काहिरा

कूट :

	(*a*)	(*b*)	(*c*)	(*d*)
A.	(*i*)	(*ii*)	(*iii*)	(*iv*)
B.	(*iv*)	(*iii*)	(*ii*)	(*i*)
C.	(*ii*)	(*i*)	(*iii*)	(*iv*)
D.	(*iv*)	(*i*)	(*iii*)	(*ii*)

उत्तरमाला

1	2	3	4	5	6	7	8	9	10
C	C	C	D	D	A	C	D	D	D
11	**12**	**13**	**14**	**15**	**16**	**17**	**18**	**19**	**20**
D	C	B	D	C	B	C	A	C	A
21	**22**	**23**	**24**	**25**	**26**	**27**	**28**	**29**	**30**
B	B	D	C	B	C	B	A	C	B
31	**32**	**33**	**34**	**35**	**36**	**37**	**38**	**39**	**40**
C	D	D	C	A	D	D	C	C	C
41	**42**	**43**	**44**	**45**	**46**	**47**	**48**	**49**	**50**
D	A	A	C	C	A	D	C	D	B

कुछ चुने हुए प्रश्नों के व्याख्यात्मक उत्तर

1. अर्थशास्त्र, सम्राट् चन्द्रगुप्त मौर्य के प्रधानमंत्री एवं विख्यात राजनीतिज्ञ आचार्य चाणक्य की महान कृति है। यह राजनीति पर लिखा गया एक महान ग्रंथ है, जिसमें सरकार के 34 विभागों का उल्लेख है। अर्थशास्त्र को 15 अधिकरणों और 150 अध्यायों में विभक्त किया गया है जिनमें 180 विषयों पर लगभग 6000 श्लोक हैं। इस प्रकार यह कोई विशाल ग्रंथ नहीं है, बल्कि इसमें राजनीति और कूटनीति, कानून और प्रशासन, इत्यादि के बुनियादी सिद्धांतों को संक्षेप में व्यक्त करके कौटिल्य ने गागर में सागर भर दिया है।

कौटिल्य के अर्थशास्त्र के अंतर्गत राजा की स्थिति और शक्तियों का जो विवरण दिया गया है उसे हम पाश्चात्य चिंतन के परिप्रेक्ष्य में उसका प्रभुसत्ता-सिद्धांत मान सकते हैं।

2. अरस्तू (384-322 ई.पू.) प्राचीन यूनानी दार्शनिक था जिसे राजनीतिशास्त्र का जनक माना जाता है। वह महान् यूनानी दार्शनिक प्लेटो का शिष्य और विश्व प्रसिद्ध योद्धा एवं सम्राट् सिकंदर महान का गुरू था।

अरस्तू का जन्म 384 ई.पू. में मैसीडोनिया के एक नगर स्टेगिरा में हुआ था। 30 वर्ष की आयु में उसने एथेंस जाकर प्लेटो की अकादमी में दर्शनशास्त्र का अध्ययन किया और उसके बाद मैसीडोन जाकर सिकंदर की शिक्षा का कार्यभार संभाला। सिकंदर की विश्वविजय की महत्वाकांक्षा दर्शनशास्त्र की औषधि से ठंडी नहीं हो पाई, अतः वह फिर से एथेंस लौट आया। एथेंस में उसने सिकंदर के साम्राज्यवाद के प्रति अपने अनुमोदन का भाव नहीं छिपाया जिससे एथेंस के स्वाधीनता-प्रिय नागरिकों की सभा उसके विरुद्ध हो गई। वह नगर-केंद्रित देशभक्ति के स्थान पर यूनान को एकता के सूत्र में पिरोने की वकालत कर रहा था। अरस्तू पर धार्मिक प्रार्थनाओं और बलिदानों के तिरस्कार का आरोप लगाया गया और उसके साथ सुकरात की कहानी दोहराए जाने का समय निकट था, इसलिए वह एथेंस से कालचिस भाग गया ताकि 'एथेंसवासी दर्शनशास्त्र के विरुद्ध दूसरा अपराध न कर दें'।

3. रूसो का कहना है कि हमारे दिमाग उसी अनुपात में भ्रष्ट हुए हैं जिस अनुपात में कला और विज्ञान ने उन्नति की है। बहुत प्रशंसित शिष्टता, सभ्य शिष्टाचार की महिमा, रूसो के लिए केवल एक समान और धोखा देने वाला आवरण था जिसके अंदर उसे जलन, संदेह, डर, असभ्यता, खिलाफल, घृणा और धोखा नजर आता था।

- प्रबोधन के समर्थक बुद्धिमानी, ज्ञान के विकास और विज्ञान की प्रगति को सभ्यता की एकमात्र आशा मानते थे। किंतु इसके विरुद्ध रूसो ने सुशील और परोपकारी मनोभावों, सद्भाव और सम्मान को प्रस्तुत किया। उसने मनोभावों और विवेक को तर्क से अधिक महत्व दिया

और कहा कि उसने मनोभावों के आधार पर ही सारे नैतिक मूल्यांकन किए हैं। बुद्धिमानी भयानक थी क्योंकि यह सम्मान को नष्ट करती थी, विज्ञान विनाशक है क्योंकि यह आस्था को समाप्त कर देता है, तर्क में बुराई है क्योंकि यह बुद्धि को नैतिक अंतःप्रेरणा के विरुद्ध रख देती है। बिना सम्मान, आस्था और नैतिक अंतःप्रेरणा के न चरित्र होगा औ.र न ही समाज। उपरोक्त बातों के संदर्भ में ही वेपर ने रूसो के बारे में कहा है, 'तर्क का उत्साही धर्मदूत, उन्होंने अविवेक के काल के लिए राह प्रशस्त करने हेतु, अधिकांश से अधिक किया है।'

5. एंटोनियो ग्राम्शी ने 'प्राधान्य' (Hegemony) का सिद्धांत प्रस्तुत किया है। इस सिद्धांत के अनुसार आधुनिक बुर्जुवा समाज की दृढ़ता का मुख्य स्रोत शासक वर्गों का प्राधान्य है जो उनकी आध्यात्मिक और सांस्कृतिक सर्वोच्चता में व्यक्त होता है। ये वर्ग नागरिक समाज (Civil Society) की संस्थाओं के माध्यम से सारी जनसंख्या को अपनी मूल्य प्रणाली हृदयंगम करा देता है। नागरिक समाज अपना प्रभुत्व स्थापित करने के लिए नागरिकों की सहमति का सहारा लेता है।

ग्राम्शी के अनुसार, नागरिक समाज की संस्थाएँ–परिवार, पाठशाला और धार्मिक संस्थाएँ, इत्यादि नागरिकों को समाज में व्यवहार के नियमों से परिचित कराती हैं और उन्हें यह शिक्षा देती हैं कि उन्हें शासक वर्गों के प्रति स्वाभाविक सम्मान का भाव रखना चाहिए। ये संरचनाएं बुर्जुवा समाज के नियमों को वैधता प्रदान करती हैं ताकि उसमें निहित अन्याय भी न्याय प्रतीत हो। अतः उन्हें 'वैधतास्थापक संरचनाएं' कह सकते हैं। इसी कारण ग्राम्शी नागरिक समाज के संगठनों की तुलना राज्य के पीछे खड़ी 'किलों और मिट्टी के बाँधों' की शक्तिशाली प्रणाली से करता है।

7. बी.आर. अम्बेडकर का कहना था कि धर्म में भक्ति आत्मा की मुक्ति का मार्ग हो सकता है परन्तु राजनीति में, भक्ति या वीर-पूजा अपकर्ष और संभावित तानाशाही के लिए सुनिश्चित मार्ग है। अम्बेडकर ने कहा कि हमें अपनी स्वतंत्रता को महापुरुषों के चरणों में अर्पित नहीं कर देना चाहिए। कोई मनुष्य किसी के प्रति कृतज्ञता प्रकट करने के लिए आत्मसम्मान को दाँव पर नहीं लगा सकता, कोई स्त्री किसी के प्रति कृतज्ञता व्यक्त करने के लिए अपने सतीत्व को दाँव पर नहीं लगा सकती; और कोई राष्ट्र किसी के प्रति कृतज्ञता ज्ञापित करने के लिए अपनी स्वाधीनता को दाँव पर नहीं लगा सकता। अंबेडकर के अनुसार, भारत में लोकतंत्र की दुर्दशा का कारण यह नहीं था कि यहाँ के अधिकांश मतदाता निरक्षर थे। इसका मुख्य कारण यह था कि यहाँ का नेतृत्व मतदाताओं को पालक पशुओं की तरह हांकने में विश्वास करता था। उसे विधि के शासन और लोकतंत्रीय प्रक्रिया में कोई अभिरुचि नहीं थी।

8. वी.डी. सावरकर का कथन है कि 'इसलिए ब्रुट्स की तलवार पवित्र है। इसलिए शिवाजी का बाघनख न्यायसंगत है। इसलिए, चार्ल्स-I का सिर कटवा देना न्यायोचित कर्म है। इसलिए, विलियम टैल का तीर दिव्य है।' विनायक दामोदर सावरकर उत्कृष्ट राष्ट्रवादी, क्रांतिकारी और भारत के स्वतंत्रता-संग्राम के यशस्वी सेनानी थे।

सावरकर ने अपनी चर्चित कृति 'हिंदुत्व-1923' के अंतर्गत यह दावा किया कि हिन्दू चिंतन में मानवीय चिंतन की सर्वोत्तम उपलब्धियों के दर्शन होते हैं। उन्होंने हिंदुओं को यह प्रेरणा दी कि उन्हें नेतृत्व के संघर्ष में अपने प्रतिद्वंद्वियों को मात देने के लिए शिवाजी के आदर्श का अनुकरण करना चाहिए जिन्होंने अपने संगठन के बल पर मुगलों की ताकत को आगे बढ़ने से रोक दिया था।

9. राजनीति विज्ञान के अध्ययन की वह नई प्रवृत्ति जो 1950 के दशक में शुरू हुई, व्यवहारवादी क्रांति (Behavioural revolution) कहलाती है। इसका मुख्य संदेश यह था कि राजनीति विज्ञान को प्रचलित संस्थाओं के कानूनी-औपचारिक ढांचे (Legal-Formal Framework) से ध्यान हटाकर उन व्यक्तियों और क्रियाकर्ताओं के व्यवहार पर ध्यान केंद्रित करना चाहिए जो राजनीति के क्षेत्र में तरह-तरह की भूमिकाएं निभाते हैं। उदाहरण के लिए, इसमें विधायकों, मंत्रियों, अधिकारीतंत्र, न्यायाधीशों, मतदाताओं, हित समूहों, विशिष्टवर्गों, राजनीतिक दलों, सामाजिक आंदोलन के कार्यकर्ताओं और नेताओं इत्यादि के व्यवहार पर विशेष ध्यान देना चाहिए, और इनके व्यवहार को प्रभावित करने वाले तत्वों का पता लगाना चाहिए।

डेविड ईस्टन व्यवहारवादी क्रांति के प्रणेता हैं। ईस्टन व्यवहारवाद की बौद्धिक आधारशिलाओं के 8 लक्षणों

की पहचान करते हैं, जो निम्न हैं—नियमितताएँ, मान्यताएँ, विशुद्ध विज्ञान, सत्यापन के लिए प्रतिबद्धता, तकनीक, मूल्य, मात्रा का ठहराव, एकीकरण।

10. फ्रांसिस फुकुयामा के लिए, उदारवादी लोकतंत्र के विजयोल्लास के प्रमुख कारक 'मान्यता' के लिए संघर्ष, प्रकृति पर विज्ञान के अधिकार का तर्क और उदारवादी लोकतंत्र में प्रमुख विरोधाभासों का अभाव है। फुकुयामा ने उपरोक्त विचार अपनी पुस्तक 'The end of History and the Last Man—1992' में व्यक्त किये हैं।

उदार लोकतंत्र के समर्थक लोकतंत्र की संस्थाओं और प्रक्रियाओं पर विशेष बल देते हैं। किसी देश में लोकतंत्र है या नहीं, यह जाँच करने के लिए वे यह पता लगाते हैं कि वहाँ पर सरकार इन संस्थाओं और प्रक्रियाओं के माध्यम से चलाई जाती है या नहीं? उनका विश्वास है कि जनसाधारण की इच्छा को शासन का आधार बनाने के लिए ये संस्थाएँ और प्रक्रियाएँ अनिवार्य हैं। अन्य कोई ढाँचा चाहे कितना ही उन्नत क्यों न हो, लोकतंत्र की भावना को कार्यरूप नहीं दे सकता।

11. 1950 के दशक के मध्य से तुलनात्मक राजनीति की प्रमुख प्रवृतियाँ व्यवस्था सिद्धांत, संस्कृति सिद्धांत, विकास सिद्धांत, वर्ग सिद्धांत, आदि क्षेत्रों में रही हैं। तुलनात्मक राजनीति के आधुनिक उपागम राजनीति के अध्ययन कोई बँधा-बँधाया तरीका नहीं सुझाते। इनमें अनेक विधियों और प्रतिरूपों का प्रयोग किया जाता है, जो इस प्रकार है—

(*a*) इनमें राजनीति के सामाजिक संदर्भ पर विशेष ध्यान दिया जाता है। इनमें यह मानकर चलते हैं कि राजनीतिक संस्थाएं और प्रक्रियाएं सामाजिक संस्थाओं और प्रक्रियाओं से प्रभावित होती हैं और उन्हें प्रभावित करती हैं।

(*b*) इनमें वैज्ञानिक पद्धति को प्रमुखता दी जाती है। राजनीतिक व्यवहार के नियमों का पता लगाने के लिए इसमें कार्य-कारण (Cause and effect) और क्रिया-प्रतिक्रिया (Action and Reaction) के परस्पर संबंध की तलाश की जाती है जिससे राजनीतिक प्रक्रियाओं को समझने में सहायता मिलती है।

(*c*) इनमें विश्लेषण और व्याख्या का प्रयत्न किया जाता है।

(*d*) इनमें संविधान के ढांचे की जगह संपूर्ण राजनीतिक प्रणाली पर विचार किया जाता है; और अंततः

(*e*) इनमें अंतर्विषयक उपागम का सहारा लिया जाता है।

13. अमेरिकी राजनीति-वैज्ञानिक डेविड ईस्टन व्यवस्था अनुरक्षण और व्यवस्था अवस्थिति में विभेद करते हैं। ईस्टन ने अपनी प्रसिद्ध कृति 'Political System—An Enquiry into the State of Political Science—1953' के माध्यम से ऐसे सिद्धांत का निर्माण करना चाहा जिसमें सारे सामाजिक विज्ञान समा जाएं। उसने यह तर्क दिया कि संपूर्ण राजनीतिक प्रक्रिया को सिद्धांत का विषय बनाना चाहिए, उसके कुछेक पक्षों को नहीं।

प्रणाली उन तत्वों के समूह को कहते हैं जो एक-दूसरे से सम्बद्ध हों, एक-दूसरे पर आश्रित हों और एक-दूसरे पर क्रिया करते हों। ईस्टन के अनुसार, राजनीतिक प्रणाली किसी समाज के अंदर उन अंतःक्रियाओं की प्रणाली को कहते हैं जिसके माध्यम से अनिवार्य या आधिकारिक आवंटन किए जाते हैं।

14. 'कम्पैरिटिव फेडरलिज्म' माइकल बर्गिस की पुस्तक है जो जनवरी 2006 में प्रकाशित हुई थी। 'डेमोक्रेटाइजेशन : थ्योरी एण्ड प्रैक्टिस' डॉ. मैलोन की कृति है जो 2011 में प्रकाशित हुई। फ्रांसिस फुकुयामा ने 'दि इण्ड ऑफ हिस्ट्री एण्ड दि लास्ट मैन' पुस्तक लिखी है जो 1992 में प्रकाशित हुई और 'दि सिविक कल्चर : पॉलिटिकल एटीट्यूड एण्ड डेमोक्रेसी इन फाइव नेशन्स' गैब्रियल आल्मंड और सिडनी वर्बा की कृति है जो 1963 में प्रकाशित हुई थी।

15. 1905 में वी.आई लेनिन ने दलीय संगठन के सिद्धांत का निरूपण करते हुए 'लोकतंत्रीय केंद्रवाद' (Democratic Centalism) शब्द का प्रयोग किया। इसका तात्पर्य यह था कि दल का नेतृत्व कौन करेगा—इसका निर्णय चुनाव के द्वारा किया जाएगा; फिर यह नेतृत्व कामगार-वर्ग के प्रति उत्तरदायी होगा; और उपयुक्त सिद्ध न होने पर उसे पद से हटाया जा सकेगा।

नवीन लोकतंत्र का विचार माओ जेदांग ने क्रांति (1949) पश्चात् चीन में व्यक्त किया। माओ के अनुसार चीनी

लोकतंत्र उदार-पूंजीवादी और पश्चिमी ढंग के संसदीय लोकतांत्रिक पद्धति के साथ ही पूर्वी यूरोप के साम्यवादी पद्धति से भिन्न होगा।

अमेरिकी राजनीति वैज्ञानिक डेविड ईस्टन ने 1953 में अपनी प्रसिद्ध कृति 'Political System—An Enquiry into the State of Political Science' के अंतर्गत प्रतिपुष्टि व्यवस्था (Feed-Back System) का विचार व्यक्त किया।

विधि की उचित प्रक्रिया (Due Process of Law) अमेरिकी संविधान (1791) में प्रयुक्त अभिव्यक्ति है। इसका तात्पर्य यह है कि यदि कोई विधि न्यायसम्मत, ऋजु या युक्तियुक्त नहीं है तो विधि की उचित प्रक्रिया की अपेक्षाएं पूरी नहीं होतीं। सम्यक प्रक्रिया केवल कार्यवाहियों तक ही सीमित नहीं है। विधि की विषयवस्तु को भी लागू होती है। अमेरिका में इस उपबंध के द्वारा व्यक्ति को विधानमंडल और कार्यपालिका दोनों से संरक्षण प्राप्त होता है।

16. ''हम संविधान के अंतर्गत हैं, लेकिन संविधान वही है जो न्यायाधीश कहते हैं।'' यह व्यवस्था संयुक्त राज्य अमेरिका के साथ-साथ भारत में भी उपलब्ध है। संविधान के संरक्षक के रूप में सर्वोच्च न्यायालय की पहली महत्वपूर्ण शक्ति न्यायिक पुनरीक्षण या न्यायिक समीक्षा की है। इसका अर्थ है, यह निर्णय करने की शक्ति कि कोई विधायी अधिनियम या कार्रवाई संविधानसम्मत है या नहीं, और यदि यह संविधान के विरुद्ध हो तो उसे अमान्य घोषित कर दिया जाए। इसके अलावा न्यायिक पुनरीक्षण का तात्पर्य यह भी है कि ऊँचा न्यायालय निचले न्यायालयों के निर्णयों पर पुनर्विचार करके उनके विरुद्ध व्यवस्था दे सकता है। किसी भी हालत में, सर्वोच्च न्यायालय संविधान की मूल चेतना (Spirit of the Constitution) के अनुसार अंतिम निर्णय देता है, और उसका निर्णय सर्वोपरि होता है।

अमेरिकी संविधान में न्यायिक पुनरीक्षण की शक्ति का कोई स्पष्ट उल्लेख तो नहीं है, परंतु संविधान के अनुच्छेद-6 के अंतर्गत जो कुछ लिखा गया है, उसमें यह शक्ति निहित मानी जाती है।

इसी तरह की व्यवस्था भारतीय संविधान के अनुच्छेद-13(2) में भी की गई है।

18. जोसेफ डी. मैस्ट्रे ने यह तर्क दिया कि ''सत्ता के सिद्धांत में विश्वास, व्यवस्था को सुरक्षित रखने का एकमात्र विश्वसनीय माध्यम है।'' मैस्ट्रे फ्रांस का अभिजात और राजनीतिक सिद्धांतकार था जिसने फ्रांस की क्रांति (1789) की कटु आलोचना की और वंशानुगत राजतंत्र का समर्थन किया। उसका राजनीतिक दर्शन शासक की इच्छा और सम्पूर्ण सत्ता का समर्थन करता है। मैस्ट्रे का विश्वास था कि चूकि समाज आंगिक होता है, अतः अगर इसे 'सिंहासन और वेदी' (Throne and Altar) के जुड़वे सिद्धांत के द्वारा एक साथ बांधकर नहीं रखा जाएगा तो यह बिखर जाएगा। उसने अपनी रचनाओं 'Consideration Sur la France—1796' और 'Du Pape—1817' में यह विचार व्यक्त किया है कि लौकिक सत्ता आध्यात्मिक सत्ता (पोप) के अधीन है।

19. लोकतंत्र के विशिष्टवर्गवादी सिद्धांतकार जोसेफ शुंपीटर के अनुसार निर्वाचन प्रणाली दलीय व्यवस्था की प्रकृति को निर्धारित करती है। शुंपीटर के अनुसार शासन चलाना और सार्वजनिक नीतियां बनाना व्यावसायिक राजनीतिज्ञों का काम है; आम नागरिकों की भूमिका आवधिक चुनावों के समय अपनी पसंद के राजनीतिज्ञों, राजनीतिक दलों और उनके कार्यक्रमों का चयन करने तक सीमित है। दूसरे शब्दों में, आधुनिक लोकतंत्र मूलतः राजनीतिज्ञों का शासन है जिसमें साधारण नागरिक बहुत सीमित स्तर पर, और रुक-रुक कर भूमिका निभाते हैं।

20. गैब्रियल ए. आल्मण्ड और जेम्स एस. कोलमैन ने अपनी पुस्तक 'The Politics of the Developing Areas—1960' के अंतर्गत आधुनिकीकरण (Modernization) और राजनीतिक विकास (Political Development) को समवर्ती मानते हुए आधुनिक समाज के इन लक्षणों पर विशेष बल दिया है—शहरीकरण का उन्नत स्तर, साक्षरता का विस्तार, प्रति व्यक्ति आय का उच्च स्तर, भौगोलिक और सामाजिक गतिशीलता, अर्थव्यवस्था में वाणिज्य-व्यापार और औद्योगीकरण का ऊँचा स्तर, जनसंपर्क के साधनों का विस्तृत और सर्वव्यापक जाल तथा आधुनिक समाजिक एवं आर्थिक प्रक्रियाओं में समाज के सदस्यों की विस्तृत सहभागिता। यह दृष्टिकोण विकास की उदारवादी धारणा के साथ जुड़ा है। अतः इस दृष्टिकोण के अनुसार, राजनीतिक विकास और आधुनिकीकरण वस्तुतः नवोदित

देशों (तीसरी दुनिया) के पश्चिमीकरण के पर्याय हैं। इस तरह अमेरिका और अन्य पश्चिमी देशों के सिद्धांतकारों ने पश्चिम के उदार लोकतंत्र को विकसित राजनीतिक प्रणाली का प्रतिरूप (Model) मानते हुए एक मानदंड के रूप में अपनाया ताकि नवोदित देशों की राजनीतिक संरचनाओं को उसके साथ मिलाकर इनके विकास के स्तर को मापा जा सके।

पराश्रितता-सिद्धांत (Dependency Theory) के सिद्धांतकारों—आंद्रे जी. फ्रैंक, समीर अमीन, आदि ने तीसरी दुनिया के परिप्रेक्ष्य में राजनीतिक विकास उपागम की सीमित प्रासंगिकता के आधार पर आलोचना की है।

21. भारत के संविधान की प्रस्तावना इस प्रकार है—

हम, भारत के लोग, भारत को एक सम्पूर्ण प्रभुत्व-सम्पन्न समाजवादी पंथनिरपेक्ष लोकतंत्रात्मक गणराज्य बनाने के लिए, तथा उसके समस्त नागरिकों को : सामाजिक, आर्थिक और राजनीतिक न्याय, विचार, अभिव्यक्ति, विश्वास, धर्म और उपासना की स्वतंत्रता, प्रतिष्ठा और अवसर की समता प्राप्त कराने के लिए, तथा उन सब में व्यक्ति की गरिमा और राष्ट्र की एकता और अखण्डता सुनिश्चित करने वाली बंधुता बढ़ाने के लिए दृढ़संकल्प होकर अपनी इस संविधान सभा में आज तारीख 26 नवम्बर, 1949 ई. (मिति मार्गशीर्ष शुक्ल सप्तमी, संवत् दो हजार छह विक्रमी) को एतद्द्वारा इस संविधान को अंगीकृत, अधिनियमित और आत्मार्पित करते हैं।

22. मूल अधिकारों का वर्गीकरण इस आधार पर किया जा सकता है कि वे कौन-से व्यक्ति हैं जिन्हें अधिकारों का लाभ मिलता है। कुछ अधिकार केवल नागरिकों को उपलब्ध हैं जबकि कुछ अधिकार भारत में नागरिक और विदेशी, दोनों को, समान रूप से उपलब्ध हैं। ऐसे अधिकार हैं—

(*a*) विधि के समक्ष समता (अनुच्छेद-14)।
(*b*) अपराधों के लिए दोषसिद्धि के संबंध में संरक्षण (अनुच्छेद-20)।
(*c*) प्राण और दैहिक स्वतंत्रता का संरक्षण (अनुच्छेद-21)।
(*d*) शिक्षा का अधिकार (अनुच्छेद-21क)।
(*e*) कुछ दशाओं में गिरफ्तारी और निरोध से संरक्षण (अनुच्छेद-22)।
(*f*) मानव के दुर्व्यापार और बलात्श्रम का प्रतिषेध (अनुच्छेद-23)।
(*g*) कारखानों आदि में बालकों के नियोजन का निषेध (अनुच्छेद-24)।
(*h*) अंतःकरण और धर्म के अबाध रूप से मानने, आचरण और प्रचार करने की स्वतंत्रता (अनुच्छेद-25)।
(*i*) धार्मिक कार्यों के प्रबंध की स्वतंत्रता (अनुच्छेद-26)।
(*j*) किसी विशिष्ट धर्म की अभिवृद्धि के लिए करों के संदाय के बारे में स्वतंत्रता (अनुच्छेद-27)।
(*k*) कुछ शिक्षा संस्थानों में धार्मिक शिक्षा या धार्मिक उपासना में उपस्थित होने के बारे में स्वतंत्रता (अनुच्छेद-28)।

23. महान्यायवादी (Attorney -General) भारत सरकार का प्रथम विधि अधिकारी होता है। यह पद इस दृष्टि से विलक्षण है कि इसका सृजन संविधान द्वारा हुआ है। जो व्यक्ति महान्यायवादी नियुक्त किया जाता है वह उच्चतम न्यायालय का न्यायाधीश नियुक्त किए जाने के लिए अर्हित होना चाहिए। भारतीय संविधान के अनुच्छेद-76 में महान्यायवादी के बारे में व्यवस्था की गई है।

अनुच्छेद-88 के तहत् महान्यायवादी को यह अधिकार है कि वह संसद के किसी सदन में सदनों की संयुक्त बैठक में और संसद की किसी समिति में जिसका वह सदस्य है, बोले और उसकी कार्यवाहियों में अन्यथा भाग ले। परन्तु महान्यायवादी को सदन में मत देने का अधिकार नहीं है। वह एकमात्र अधिकारी है जिसे संसद की बैठकों में भाग लेने की अनुमति है।

24. अनुच्छेद-172 के अनुसार राज्य विधान परिषद् (Legislative Councils of State) एक स्थायी सदन है जिसे भंग नहीं किया जा सकता परन्तु अनुच्छेद-169 के तहत् उसे समाप्त किया जा सकता है। इस अनुच्छेद के तहत् संसद विधि द्वारा किसी राज्य में विधान परिषद् के उत्सादन (Abolition) का उपबंध कर सकती है। संसद को यह शक्ति है कि वह किसी राज्य में जिसमें विधान परिषद् नहीं है परिषद् का सृजन करे। संसद परिषद् के उत्सादन या सृजन के लिए विधि तभी बना सकती है जब राज्य की विधान सभा एक विनिर्दिष्ट संकल्प पारित करे। राज्य विधान सभा को परिषद् के

सृजन या उत्सादन के लिए संकल्प दोहरे बहुमत से पारित करना होता है।

25. महा-अधिवक्ता, राज्य वित्त आयोग के सदस्य, राज्य लोक सेवा आयोग के सदस्य और राज्य विश्वविद्यालय के कुलपति, ये सभी राज्यपाल द्वारा नियुक्त किए जाते हैं परन्तु राज्य लोक सेवा आयोग के सदस्यों को छोड़कर बाकी सभी राज्यपाल द्वारा हटाए भी जाते हैं।

भारतीय संविधान के अनुच्छेद-317 के उपबंधों के अधीन रहते हुए, लोक सेवा आयोग के अध्यक्ष या किसी अन्य सदस्य को केवल कदाचार के आधार पर किए गए राष्ट्रपति के ऐसे आदेश से उसके पद से हटाया जाएगा जो उच्चतम न्यायालय को राष्ट्रपति द्वारा निर्देश किए जाने पर उस न्यायालय द्वारा अनुच्छेद-145 के अधीन की गई जाँच पर, यह प्रतिवेदन किए जाने के पश्चात् किया गया है कि, यथास्थिति, अध्यक्ष या ऐसे किसी सदस्य को ऐसे किसी आधार पर हटा दिया जाए।

26. अनुच्छेद-356 के अधीन किसी राज्य में राष्ट्रपति शासन की उद्घोषणा तब की जाती है जब उस राज्य का शासन संविधान के उपबंधों के अनुसार नहीं चलाया जा सकता हो। इस आपात की दशा में राज्य के मंत्रिमंडल को पदच्युत किया जा सकता है। विधानमंडल को निलंबित या विघटित किया जा सकता है। केंद्र, कार्यपालिका और विधायी शक्तियां अपने हाथ में ले लेता है। अनुच्छेद-356 के अधीन उद्घोषणा 3 वर्ष से अधिक नहीं चल सकती। यह अधिकतम अवधि संविधान द्वारा नियत की गई है।

27. भारत में संसद एक विशेष बहुमत से संविधान में संशोधन कर सकती है। संविधान के अनुच्छेद-368 में संशोधन की प्रक्रिया वर्णित है, जो इस प्रकार है–

(*a*) संशोधन का प्रारंभ उस प्रयोजन के लिए विधेयक पुरःस्थापित (Introduce) करके किया जाता है।

(*b*) विधेयक संसद के किसी भी सदन में पुरःस्थापित किया जा सकता है। (धन विधेयक या वित्त विधेयक केवल लोक सभा में ही पेश किया जा सकता है)।

(*c*) विधेयक को प्रत्येक सदन द्वारा विशेष बहुमत से पारित किया जाना चाहिए। (उपस्थित और मतदान करने वाले सदस्यों का 2/3 और कुल सदस्य संख्या का 50% से अधिक)।

(*d*) विशेष सुरक्षित उपबंधों की दशा में विधेयक का कम-से-कम आधे राज्य विधान मंडलों द्वारा अनुसमर्थन किया जाना चाहिए।

(*e*) इस प्रकार सम्यक् रूप से जब विधेयक पारित कर दिया जाता है और जहाँ अपेक्षा है वहाँ अनुसमर्थित कर दिया जाता है तब उसे राष्ट्रपति को प्रस्तुत किया जाता है।

(*f*) राष्ट्रपति अनुमति देने के लिए बाध्य है। सामान्य विधेयक की दशा में राष्ट्रपति पुनर्विचार के लिए लौटा सकता है या अनुमति विधारित कर सकता है।

(*g*) यदि दोनों सदनों के बीच असहमति होती है तो संयुक्त बैठक के लिए कोई उपबंध नहीं है। विधेयक प्रत्येक सदन द्वारा पृथक् रूप से पारित किया जाना चाहिए।

(*h*) संविधान संशोधन विधेयक के लिए पुरःस्थापन (Introduce) के पूर्व राष्ट्रपति की पूर्व मंजूरी की अपेक्षा नहीं होती।

28. संसद निम्नलिखित परिस्थितियों में राज्य सूची में उल्लिखित विषयों पर विधान बना सकती है–

अनुच्छेद-252 के अधीन दो या अधिक राज्य संकल्प पारित करके संसद से राज्य सूची के विषय पर विधि बनाने का अनुरोध कर सकते हैं।

अनुच्छेद-249 के तहत् जब राज्यसभा 2/3 बहुमत से यह संकल्प पारित करती है कि ऐसा विधान राष्ट्रीय हित में आवश्यक या समीचीन है तो संसद राज्य सूची के विषय पर कानून बना सकती है।

अनुच्छेद-253 के अधीन संसद को किसी अन्य देश या देशों के साथ की गई किसी संधि, करार या अभिसमय के कार्यान्वयन के लिए राज्य सूची के विषयों पर कानून बनाने का अधिकार है।

अनुच्छेद-352 के तहत् अपातकाल के प्रवृत्त रहने पर संसद को राज्य सूची के विषयों पर विधि बनाने की शक्ति प्राप्त हो जाती है। इसी प्रकार राष्ट्रपति शासन (अनुच्छेद-356) के दौरान भी संसद राज्य सूची के विषयों पर कानून बनाने के लिए अधिकृत हो जाता है।

29. उच्चतम या उच्च न्यायालय के न्यायाधीशों को उसके पद से कदाचार या असमर्थता के आधार पर संविधान में विहित प्रक्रिया के अनुसार हटाया जा सकता है।

(अनुच्छेद-124(4)। संसद ने संविधान के उपबंधों की अनुपूर्ति के लिए अपनी शक्ति का प्रयोग करते हुए न्यायाधीश (जांच) अधिनियम-1968 अधिनियमित किया है। महाभियोग की प्रक्रिया की रूपरेखा इस प्रकार है–

(*a*) इसके लिए राष्ट्रपति को एक समावेदन देकर यह प्रार्थना करनी होगी कि न्यायाधीश को हटाया जाए। यदि प्रस्ताव लोकसभा में लाया जाना है तो उस पर लोकसभा के कम-से-कम 100 सदस्यों के और यदि राज्य सभा में लाया जाता है तो राज्य सभा के कम-से-कम 50 सदस्यों के हस्ताक्षर होने चाहिए।

(*b*) सभापति या अध्यक्ष (यथास्थिति) ऐसे व्यक्तियों से परामर्श ले सकता है जो वह ठीक समझे और ऐसी सामग्री पर विचार कर सकता है जो उपलब्ध हो और प्रस्ताव को ग्रहण कर सकता है या ग्रहण करने से इंकार कर सकता है।

(*c*) यदि प्रस्ताव ग्रहण कर लिया जाता है तो 3 व्यक्तियों की एक समिति गठित की जाएगी जिसमें से–एक व्यक्ति उच्चतम न्यायालय का मुख्य न्यायमूर्ति या अन्य न्यायाधीश होगा, दूसरा व्यक्ति उच्च न्यायालयों के मुख्य न्यायमूर्तियों में से होगा और तीसरा व्यक्ति पारंगत विधिवेत्ता होगा।

(*d*) यदि समिति इस निष्कर्ष पर पहुँचती है कि न्यायाधीश कदाचार का दोषी है या असमर्थता से ग्रस्त है तो न्यायाधीश के हटाए जाने के प्रस्ताव और साथ ही समिति के प्रतिवेदन पर उस सदन में विचार किया जाएगा जिसमें वह लंबित है।

(*e*) प्रस्ताव प्रत्येक सदन द्वारा अपनी कुल सदस्य संख्या के बहुमत द्वारा तथा उपस्थित और मत देने वाले सदस्यों के कम-से-कम 2/3 बहुमत द्वारा पारित किया जाना चाहिए। इस प्रकार पारित समावेदन राष्ट्रपति को प्रस्तुत किया जाता है, तब राष्ट्रपति न्यायाधीश को हटाने का आदेश देता है।

32. यद्यपि तुलनात्मक और विकास प्रशासन का आरंभ 1940 और 1950 के दशकों में ही हो गया था किन्तु वस्तुतः यह 1960 के दशक में ही जाकर मजबूत हुआ। सन् 1962 ई. में लोक प्रशासन की अमेरिकी सोसायटी के तुलनात्मक प्रशासन समूह को खाद्य फाउंडेशन से वित्तीय सहायता प्राप्त हुई। तुलनात्मक प्रशासन के उत्कर्ष के दिनों में एफ.डब्ल्यू. रिग्स के नेतृत्व में तुलनात्मक प्रशासन की सदस्यता 500 से अधिक हो गई।

सन् 1973 ई. में तुलनात्मक प्रशासन समूह भंग कर दिया गया और 'लोक प्रशासन के लिए अमेरिकी सोसायटी की अंतर्राष्ट्रीय समिति' के साथ मिला दिया गया। 'द जर्नल ऑफ कंपरेटिव एडमिनिस्ट्रेशन' भी 1974 ई. में बंद हो गया। यह संभवतः अपरिहार्य था क्योंकि तुलनात्मक उपक्षेत्र ने लोक प्रशासन का एक व्यापक सिद्धांत विकसित करने का बहुत कठिन लक्ष्य निर्धारित किया। तुलनात्मक प्रशासन का एक उपक्षेत्र भी विकसित हुआ जिसे विकास प्रशासन के नाम से जानते हैं।

33. अब्राहम एच. मास्लो एक मनोवैज्ञानिक एवं व्यावहारिक विचारक है जिसने संगठनों तथा व्यक्तियों के बीच संबंधों का मानवीय आवश्यकताओं की दृष्टि से विश्लेषण किया है। मास्लो ने अपनी लोकप्रिय पुस्तक 'Motiva-tion and Personality—1954' के अंतर्गत संगठन में एक व्यक्ति की अभिप्रेरणात्मक आवश्यकताओं को स्पष्ट करते हुए उन्हें सोपानात्मक रूप से व्यवस्थित किया है।

मनुष्य अपनी आवश्यकताओं की पूर्ति करने के लिए कार्य करने की ओर प्रवृत होता है तथा संगठनों का सदस्य बनता है। मास्लो के अनुसार व्यक्ति की मुख्य आधारभूत आवश्यकताएँ हैं–शारीरिक आवश्यकताएँ, सुरक्षा संबंधी आवश्यकताएँ, सामाजिक आवश्यकताएँ, प्रतिष्ठा या आत्मसम्मान संबंधी आवश्यकताएँ तथा आत्मसिद्धि की आवश्यकताएँ। शारीरिक तथा सुरक्षा की आवश्यकताएँ सोपानक्रम में निचले स्तर की आवश्यकताएँ हैं तथा आत्मसिद्धि की आवश्यकताएँ सोपानक्रम में सर्वोच्च हैं। सामाजिक तथा आत्मसम्मान संबंधी आवश्यकताएँ इनके बीच में या सोपानक्रम के मध्य स्तर पर आती हैं। एक बार जब शारीरिक आवश्यकताओं की पूर्ति हो जाती है तब अन्य आवश्यकताओं के लिए आवश्यकताएँ क्रमबद्ध प्रक्रिया में जागृत होती हैं। प्रत्येक निम्न श्रेणी की आवश्यकता एक बार संतुष्ट होने पर उच्च श्रेणी की असंतुष्ट आवश्यकता के लिए स्थान बनाती हैं अर्थात् संतुष्ट की गई आवश्यकता व्यक्ति को पुनः प्रेरित नहीं करती है।

34. लाइन एजेंसियाँ (Line Agencies) वे मुख्य एजेंसियाँ हैं जो आधारभूत उद्देश्यों के लिए स्थापित की जाती हैं तथा जिनका संबंध लोगों की सेवा की व्यवस्था करना अथवा किसी विशेष क्षेत्र में उनके व्यवहार को विनियमित करना है। वे उन मुख्य उद्देश्यों से सम्बन्धित हैं जिनके लिए सरकार की स्थापना होती है। ऊपर से नीचे तक सत्ता की एक ही 'लाइन' सचिव, उपसचिव, अवर सचिव, अधीक्षकों तथा लिपिकों तक चलती है।

लाइन एजेंसियाँ अपने निर्धारित उद्देश्य को पूरा करती हैं तथा अपने आप में साध्य (End) हैं जबकि स्टाफ और सहायक एजेंसियाँ लाइन एजेंसियों की सहायता के लिए होती हैं, अतः साध्य न होकर साधन (Means) मात्र हैं। सहायक एजेंसियाँ वे हैं जो ऑपरेटिंग कार्य करती हैं, जैसे सामग्री खरीदना, कर्मचारी भर्ती करना, लेखा रखना, भण्डार रखना तथा सप्लाई आदि करना। किन्तु स्टाफ एजेंसियाँ केवल विचार करने, निरीक्षण करने, योग्यता बनाने तथा परामर्श देने का कार्य करती हैं। वे ऑपरेटिंग कार्य नहीं करतीं बल्कि कार्यकारी अधिकारी द्वारा माँगे जाने पर उसे परामर्श देती हैं।

35. 'नेतृत्व' से तात्पर्य किसी व्यक्ति विशेष के उस गुण से है जिसके द्वारा वह अन्य व्यक्तियों का मार्गदर्शन करता है तथा नेता के रूप में उनकी क्रियाओं का संचालन करता है। स्वभावतः एक नेता के नियंत्रण में अनेक अनुसरणकर्ता होते हैं जो उसी के निर्देशानुसार कार्य करते हैं। नेतृत्व वह क्षमता है जिसके द्वारा अनुयायियों के एक समूह से वांछित कार्य स्वेच्छापूर्वक एवं बिना दबाव के कराए जा सकते हैं।

मूने तथा रैले के अनुसार प्रक्रिया के समय अधिकारी वर्ग जो स्वरूप ग्रहण करता है, उसी का नाम नेतृत्व है। मूने तथा रैले ने अपने नेताओं के वर्गीकरण में औपचारिक नेता (Formal Leaders) को शामिल नहीं किया है।

37. प्रशिक्षण का सामान्य अर्थ है लोक सेवकों को अपने कार्य के लिए तैयार करना। जब एक अधिकारी की कुशलता, शक्ति, बुद्धि एवं दृष्टिकोण को एक निश्चित दिशा में सशक्त करने का प्रयास किया जाता है तो वह प्रशिक्षण कहलाता है।

सन् 1944 ई. में इंग्लैंड में आशेटन समिति (Assheton Committee) ने प्रशिक्षण के 5 उद्देश्य बताए थे–

(*i*) कर्मचारियों में विश्वसनीय कार्य कौशल उत्पन्न करना।

(*ii*) कर्मचारियों के दृष्टिकोण को व्यापक बनाना और उसे यह समझाना कि वह सेवक है, स्वामी नहीं।

(*iii*) कर्मचारियों में सामुदायिक चेतना उत्पन्न करना और उसे यंत्रीकरण से बचाना।

(*iv*) लोक कर्मचारियों को इस योग्य बनाना कि वे बदली हुई परिस्थितियों अनुसार अपने आप को ढाल सकें।

(*v*) लोक कर्मचारियों में अपने उच्चतर कर्तव्यों एवं दायित्वों के लिए क्षमता उत्पन्न करना।

40. 42वें संविधान संशोधन अधिनियम-1977 के द्वारा संविधान में भाग-145 जोड़ा गया। इस भाग में अनुच्छेद-323क और अनुच्छेद-323ख को समाविष्ट किया गया है। अनुच्छेद-323क प्रशासनिक न्यायाधिकरण की व्यवस्था करता है। इस अनुच्छेद में कहा गया है कि संसद विधि द्वारा, संघ या किसी राज्य के अथवा भारत के राज्यक्षेत्र के भीतर या भारत सरकार के नियंत्रण के अधीन किसी स्थानीय या अन्य प्राधिकारी के अथवा सरकार के स्वामित्व या नियंत्रण के अधीन किसी निगम के कार्यकलाप से संबंधित लोक सेवाओं और पदों के लिए भर्ती तथा नियुक्त व्यक्तियों की सेवा की शर्तों के संबंध में विवादों और परिवादों के प्रशासनिक अधिकरणों द्वारा न्यायनिर्णयन या विचारण के लिए उपबन्ध कर सकेगी।

41. सी.ए. डब्ल्यू. मैनिंग, कार्लिन एम. कूपर, हॉफसन, आदि विद्वानों ने अंतर्राष्ट्रीय राजनीति को स्वायत्त अनुशासन (Autonomous Discipline) के रूप में माना है। 1954 ई. में UNESCO ने मैनिंग की पुस्तक 'The University Teaching of Social Science—International Relations' प्रकाशित की। इस पुस्तक में अंतर्राष्ट्रीय संबंधों को एक 'स्वतंत्र विषय' स्वीकार किया गया है।

मैनिंग के अनुसार अंतर्राष्ट्रीय संबंधों को स्वतंत्र विषय मानने का पक्ष मुख्यतः 3 युक्तियों पर आधारित है।

प्रथम तो यह कि एक अंतर्राष्ट्रीय सम्बन्धात्मक संसृष्टि, या सामाजिक जगत एक ऐसा क्षेत्र है जो जाँच के लिए खुला पड़ा है। इस संसृष्टि से वे घटनाएँ जन्म लेती हैं जो वर्तमान घटनाएँ कहलाती हैं। अंतर्राष्ट्रीय सम्बन्धात्मक संसृष्टि ऐसी विषयवस्तु है जो अध्ययन का अवसर प्रदान क्रती है। दूसरे, अंतर्राष्ट्रीय सम्बन्धात्मक संसृष्टि की जाँच भी अध्ययन के लिए एक 'विश्वजनीन दृष्टिकोण' है और यह दृष्टिकोण केवल ऐसे अनुशासन से प्राप्त हो सकता है जिसकी अपनी स्वतंत्र सत्ता हो। तीसरे, इस विश्वजनीन दृष्टिकोण से दृष्टि का वह दायरा हासिल हो सकता है जिसके होने पर ही हम इस एक-विश्व के युग में अपने को सही दिशा में मोड़ सकते हैं और शायद अपने युग की कुछ समस्याओं के समाधान भी तलाश कर सकते हैं।

43. केनेथ वाल्ट्ज सौदेबाजी सिद्धांत से सम्बन्धित न होकर नव-यथार्थवाद से सम्बन्धित हैं जबकि जे.एफ. नैश, थॉमस शैलिंग और रोजर फिशर आदि सौदेबाजी सिद्धांतकार हैं।

थॉमस शैलिंग ने अपनी पुस्तक 'Bargaining Theory' में विस्तार से यह बात समझाई है कि कैसे अंतर्राष्ट्रीय परामर्श के प्रयोग द्वारा अंतर्राष्ट्रीय संघर्ष का शांतिपूर्ण समाधान ढूंढने में खेल सिद्धांत के अनुसार तर्कसंगत आचरण सकारात्मक भूमिका निभा सकता है। शैलिंग के अनुसार यदि अंतर्राष्ट्रीय राजनीति का यथार्थ संघर्ष है, तो एक शाश्वत सत्य यह भी है कि संघर्षरत प्रतियोगी परस्पर निर्भर होते हैं, सहकार और समझौतों के बिना विजय निश्चित करना किसी के लिए भी सम्भव नहीं होता।

46. दूसरे विश्व युद्ध की समाप्ति के तुरंत बाद सन् 1945 में संयुक्त राष्ट्र संघ (UNO) की स्थापना हुई। 51 देशों द्वारा संयुक्त राष्ट्र संघ के घोषणापत्र पर हस्ताक्षर करने के साथ ही यह संगठन अस्तित्व में आया। दो विश्व युद्धों के बीच 'लीग ऑफ नेशंस' जो नहीं कर पाया उसे कर दिखाने की कोशिश संयुक्त राष्ट्र संघ ने की। संयुक्त राष्ट्र संघ का उद्देश्य है अंतर्राष्ट्रीय झगड़ों को रोकना और राष्ट्रों के बीच सहयोग की राह दिखाना। इसकी स्थापना के पीछे यह आशा काम कर रही थी कि यह संगठन विभिन्न देशों के बीच जारी ऐसे झगड़ों को रोकने का काम करेगा जो आगे चलकर युद्ध का रूप ले सकते हैं और अगर युद्ध छिड़ ही जाए तो शत्रुता के दायरे को सीमित करने का काम करेगा। इसके अलावा, चूँकि झगड़े अक्सर सामाजिक-आर्थिक विकास के अभाव में खड़े होते हैं इसलिए संयुक्त राष्ट्र संघ की एक मंशा पूरे विश्व में सामाजिक-आर्थिक विकास की संभावनाओं को बढ़ाने के लिए विभिन्न देशों को एक साथ लाने की है। इसी मंशा को साकार करने के लिए UNO के चार्टर के अनुच्छेद-52, 53 और 54 में क्षेत्रीय संगठनों की व्यवस्था की गई है।

47. सन् 1967 में दक्षिण-पूर्व एशिया के 5 देशों ने बैंकॉक घोषणा पर हस्ताक्षर करके 'आसियान (ASEAN)' की स्थापना की। ये देश थे इंडोनेशिया, मलेशिया, फिलिपींस, सिंगापुर और थाइलैण्ड। आसियान का उद्देश्य मुख्य रूप से आर्थिक विकास को तेज करना और उसके माध्यम से सामाजिक और सांस्कृतिक विकास हासिल करना था। कानून के शासन और संयुक्त राष्ट्र के नियमों पर आधारित क्षेत्रीय शांति और स्थायित्व को बढ़ावा देना भी इसका उद्देश्य था। बाद के वर्षों में ब्रुनेई, वियतनाम, लाओस, म्यांमार और कंबोडिया भी आसियान में शामिल हो गए तथा इसकी सदस्य संख्या 10 हो गई।

48. संयुक्त राष्ट्र संघ की सुरक्षा परिषद की प्रारम्भिक सदस्यता 11 थी जिसे 1965 ई. में बढ़ाकर 15 कर दी गई। वर्तमान समय में सुरक्षा परिषद में 5 स्थायी और 10 अस्थायी सदस्य हैं। दूसरे विश्व युद्ध में व्यापक विनाश के बाद 1945 ई. में UNO का गठन किया गया। UNO के घोषणापत्र में 5 स्थायी सदस्यों को विशेष हैसियत दी गई। 5 स्थायी सदस्यों को मुख्य फायदा था कि सुरक्षा परिषद में उनकी सदस्यता स्थायी होगी और उन्हें 'वीटो' (Veto) का अधिकार होगा। अस्थायी सदस्य 2 वर्षों के लिए चुने जाते हैं और इस अवधि के बाद उनकी जगह नए सदस्यों का चयन होता है। 2 साल की अवधि तक अस्थायी सदस्य रहने के तत्काल बाद किसी देश को फिर से इस पद के लिए नहीं चुना जा सकता। अस्थायी सदस्यों का निर्वाचन इस तरह से होता है कि विश्व के सभी महादेशों का प्रतिनिधित्व हो सके।

सबसे महत्वपूर्ण बात यह है कि अस्थायी सदस्यों को वीटो का अधिकार नहीं है। इस परिषद में मतदान के

जरिए फैसला होता है। हर सदस्य को एक वोट का अधिकार है। बहरहाल, स्थायी सदस्यों में से कोई एक अपने निषेधाधिकार (Veto) का प्रयोग कर सकता है और इस तरह वह किसी फैसले को रोक सकता है, भले ही अन्य स्थायी सदस्यों और सभी अस्थायी सदस्यों ने उस फैसले के पक्ष में मतदान किया हो।

50. जब विश्व शीतयुद्ध की वजह से दो प्रतिद्वंद्वी गुटों में बँट रहा था तब गुटनिरपेक्षता ने एशिया, अफ्रीका और लैटिन अमेरिका के नव-स्वतंत्र देशों को एक तीसरा विकल्प दिया। यह विकल्प था दोनों महाशक्तियों के गुटों से अलग रहने का।

गुटनिरपेक्ष आंदोलन की जड़ में यूगोस्लाविया के जोसेफ ब्रॉज टीटो, भारत के जवाहरलाल नेहरू और मिस्र के गमाल अब्दुल नासिर की दोस्ती थी। इन तीनों ने सन् 1956 में एक सफल बैठक की। इंडोनेशिया के सुकर्णो और घाना के वामे एनक्रूमा ने इनका जोरदार समर्थन किया। ये पाँच नेता गुटनिरपेक्ष आंदोलन के संस्थापक कहलाए।

पहला गुटनिरपेक्ष शिखर सम्मेलन 1961 में बेलग्रेड में हुआ। दूसरा NAM सम्मेलन 1964 में काहिरा में सम्पन्न हुआ। तीसरा 1970 में लुसाका में, चौथा 1973 में अल्जियर्स और पाँचवाँ 1976 में कोलम्बो में हुआ।

प्रश्न–पत्र-III

नोटः *इस प्रश्नपत्र में **पचहत्तर** (75) बहु-विकल्पीय प्रश्न हैं। प्रत्येक प्रश्न के **दो** (2) अंक हैं। **सभी** प्रश्न अनिवार्य हैं।*

1. निम्नलिखित में से किसका कथन है कि "उत्तर व्यवहारवाद सही अर्थों में क्रांति है न कि प्रतिक्रिया; संभवन है न कि संरक्षण; सुधार है न कि प्रति सुधार"?

A. जेम्स ब्राइस	B. चार्ल्स ई. मेरिकन
C. डेविड ईस्टन	D. जी.ए. एलमंड

2. निम्नलिखित में से किसने कहा कि "हम अपने मूल्यों को उस प्रकार नहीं छोड़ सकते जैसे हम अपना कोट उतारते हैं"?

A. लियो स्ट्रॉस	B. अल्फ्रेड गॉबन
C. जीन ब्लोंडेल	D. डेविड ईस्टन

3. निम्नलिखित में से किसने आरंभिक उदारवाद को "स्वत्वबोधक व्यक्तिवाद" के रूप में निरूपित किया?

A. एफ.ए. हायेक	B. राबर्ट नॉजिक
C. सी.बी. मेक्फर्सन	D. रॉल्स

4. नीचे दो कथन दिए गए हैं, एक को अभिकथन (A) और दूसरे को तर्क (R) कहा गया है। नीचे दिए गए कूटों का प्रयोग करते हुए सही उत्तर चुनिए :

अभिकथन (A) : एफ.ए. हायेक के अनुसार राज्य का हस्तक्षेप और समूहवाद, अपने संयत स्वरूप में थी, निस्सन्देह स्वतंत्रता का अपरदन करते हैं।

तर्क (R) : वे निर्बाध व्यापार के समर्थक हैं और कीन्स के अर्थशास्त्र तथा कल्याणकारी राज्य के विरोधी हैं।

कूटः

A. (A) और (R) दोनों सत्य हैं और (R), (A) का सही स्पष्टीकरण है।
B. (A) और (R) दोनों सत्य हैं, परन्तु (R), (A) का सही स्पष्टीकरण नहीं है।
C. (A) सत्य है, परन्तु (R) असत्य है।
D. (A) असत्य है, परन्तु (R) सत्य है।

5. निम्नलिखित में से कौन-सा कथन सत्य नहीं है?

A. मार्क्स ने विचारधारा और विज्ञान में अंतर किया
B. नैपोलियन ने विचारधारा को ऐसी तत्वमीमांसा मानकर समाप्त कर दिया जिसमें इतिहास और यथार्थ की उपेक्षा की जाती है
C. डि ट्रैसी ने आईडोलॉजी शब्द गढ़ा
D. डैनियल बेल ने 'उद्देश्यहीन विचारधारा' के बारे में चर्चा की

6. किसके लिए "विचार" न कि "उत्पादन की भौतिक स्थिति" क्रांति के प्रभावी कारण हैं?

A. कार्ल मार्क्स B. लेनिन
C. एंजिल्स D. स्टालिन

7. प्लेटो की विचारधारा के संदर्भ में निम्नलिखित में से कौन-सा कथन असत्य है?
A. कार्यों का विभाजन, अभिवृत्ति के अंतर पर निर्भर नहीं होता
B. राज्य को व्यक्तियों का वृद्ध रूप मात्र माना जाता है
C. एथेंस की महिलाओं को राजनीति में भाग लेने की अनुमति नहीं थी
D. राजनीतिज्ञों को अनभिज्ञता और अक्षमता लोकतंत्र का कारण है

8. निम्नलिखित में से कौन-सी अरस्तू के संवैधानिक नियम की अभिव्यक्ति नहीं है?
A. सार्वजनिक हित में शासन
B. विधिसम्मत शासन
C. इच्छुक प्रजा की सरकार
D. प्रजा की गरिमा से असंगत

9. निम्नलिखित में से किसका कथन है कि "समय-समय पर व्यक्ति द्वारा इच्छा की जाने वाली वस्तुओं को प्राप्त करने में सतत सफलता" आनंद है?
A. बेंथम B. जे.एस. मिल
C. हॉब्स D. रूसो

10. निम्नलिखित में से कौन राज्य की विधायी, कार्यकारी और संघीय शक्तियों के अस्तित्व की बात करता है?
A. हॉब्स B. लॉक
C. रूसो D. जे. बेंथम

11. निम्नलिखित में से कौन-सा रूसो का विचार नहीं है?
A. कोई विचारशील व्यक्ति चरित्र भ्रष्ट प्राणी होता है
B. विज्ञान, निष्क्रिय उत्सुकता का परिणाम है
C. दर्शनशास्त्र केवल बौद्धिक आडंबर है
D. सामान्य इच्छा, इच्छाओं का योग है

12. जे.एस. मिल के लिए निम्नलिखित में से कौन-सा कथन सत्य नहीं है?
A. आनंद, गुणवत्ता की दृष्टि से भिन्न-भिन्न होता है
B. सुखद कैलकुलस व्यर्थ की बात है
C. उपयोग का सिद्धांत जीवन का अंत है
D. स्वतंत्रता में वे कार्य शामिल होते हैं जिनकी इच्छा की जाती है

13. कार्ल मार्क्स के लिए निम्नलिखित में से कौन आदर्शवादी समाजवादी नहीं है?
A. सेंट साइमन B. प्रूधों
C. फ्यूरियर D. एंजिल्स

14. नीचे दो कथन दिए गए हैं, एक को अभिकथन (A) और दूसरे को तर्क (R) कहा गया है। नीचे दिए गए कूटों में से सही उत्तर का चयन कीजिए।
अभिकथन (A) : गांधीजी के लिए सत्याग्रह निष्क्रिय विरोध के समान नहीं है।
तर्क (R) : सत्याग्रह से तात्पर्य क्रूर राज्य सत्ता के विरुद्ध लोगों द्वारा विधिसम्मत, नैतिक और सच्चाईयुक्त राजनीतिक कार्रवाई है।

कूटः
A. (A) और (R) दोनों सत्य हैं और (R), (A) का सही स्पष्टीकरण है।
B. (A) और (R) दोनों सत्य हैं, परन्तु (R), (A) का सही स्पष्टीकरण नहीं है।
C. (A) सत्य है, परन्तु (R) असत्य है।
D. (A) असत्य है, परन्तु (R) सत्य है।

15. किसने नारा दिया "नियंत्रण नहीं तो सहयोग नहीं"?
A. महात्मा गांधी B. जे. नेहरू
C. अरविन्द D. सुभाष बोस

16. राजनीतिक विकास की निम्नलिखित विशेषताओं का सही क्रम क्या है?
(*a*) क्षमता
(*b*) समानता
(*c*) विभेदीकरण

नीचे दिए गए कूटों में से सही उत्तर को चुनिए :
A. (*a*), (*b*) और (*c*)
B. (*b*), (*a*) और (*c*)
C. (*c*), (*a*) और (*b*)
D. (*c*), (*b*) और (*a*)

17. डेविड ईस्टन के अनुसार निम्नलिखित विनियामक तंत्रों का सही क्रम क्या है?

(*a*) सामाजिक-सांस्कृतिक नियम

(*b*) संचार चैनल

(*c*) गेट कीपिंग एट द बाउन्ड्री

(*d*) घटाव प्रक्रिया

नीचे दिए गए कूटों में से सही उत्तर को चुनिए :

A. (*a*), (*c*), (*b*) और (*d*)

B. (*c*), (*a*), (*b*) और (*d*)

C. (*a*), (*b*), (*c*) और (*d*)

D. (*d*), (*b*), (*a*) और (*c*)

18. निम्नलिखित का मिलान करें और सही जोड़ों का चयन करें :

सूची-I (लेखक)	सूची-II (पुस्तकें)
(*a*) एरेंड लिजफार्ट	(*i*) कम्पेरेटिव फेडरलिज्म
(*b*) थॉमस ह्यूगलिन	(*ii*) कम्पेरिंग फेडरल सिस्टम
(*c*) जियोवाननी सततोरी	(*iii*) पैटनर्स ऑफ डेमोक्रेसी : गर्वमेंट फार्मस् एंड परफॉरमेंस इन थर्टी सिक्स कंट्रीज
(*d*) रोनाल्ड एल. वॉट्स	(*iv*) कम्परेटिव कॉन्सटिट्यूशनल इंजीनियरिंग : एन इंकवायरी इनटू स्ट्रक्चर्स, इनसेंटिव्स एंड आउटकम्स

कूट:

	(*a*)	(*b*)	(*c*)	(*d*)
A.	(*ii*)	(*iv*)	(*i*)	(*iii*)
B.	(*iv*)	(*ii*)	(*iii*)	(*i*)
C.	(*iii*)	(*i*)	(*iv*)	(*ii*)
D.	(*i*)	(*iii*)	(*ii*)	(*iv*)

19. निम्नलिखित कथनों में से कौन-सा सही नहीं है?

A. राजनीतिक संस्कृति मूल राजनीतिक प्रवृत्तियों का एक समूह है?

B. राजनीतिक संस्कृति का आनुभाविक रूप से अध्ययन नहीं किया जा सकता।

C. राजनीतिक संस्कृति का अध्ययन लोगों की प्रवृत्ति और राजनीति पर उनके संभावित प्रभावों पर ध्यान केंद्रित करता है

D. राजनीतिक संस्कृति में एक सहभागी दृष्टिकोण है जैसे राजनीतिक समाजीकरण

20. निम्नलिखित में किन देशों में अवशिष्ट शक्तिय राज्यों/इकाइयों पर निर्भर करती हैं?

(*a*) संयुक्त राज्य अमेरिका

(*b*) भारत

(*c*) स्विटजरलैंड

(*d*) ऑस्ट्रेलिया

नीचे दिए गए कूटों से सही उत्तर का चयन कीजिए

कूट :

A. (*a*) और (*c*) B. (*c*) और (*d*)

C. (*a*) और (*d*) D. (*a*), (*c*) और (*d*)

21. निम्नलिखित में से कौन-से कथन सही हैं?

(*a*) संयुक्त राज्य अमेरिका में कैबिनेट संविधानेत संस्था है।

(*b*) यह साधारणतः एक सलाहकारी निकाय है।

(*c*) यह कांग्रेस के प्रति सामूहिक रूप से जिम्मेदार है

(*d*) कैबिनेट के सदस्य सरकार की नीति का बचा करने के लिए कांग्रेस बहसों में प्रायः भाग लेते हैं।

नीचे दिए गए कूटों से सही उत्तर का चयन कीजिए:

कूट :

A. (*a*) और (*c*) B. (*a*) और (*b*)

C. (*b*) और (*d*) D. (*a*), (*b*) और (*d*)

22. आधुनिक काल में प्रत्यक्ष लोकतंत्र संभव नहीं है क्योंकि

A. लोग राज्य के कार्यो के प्रति उदासीन हैं।

B. राजनीतिक दल इसका विरोध करते हैं।

C. संपत्तिशाली वर्ग इसका विरोध करते हैं।

D. आधुनिक राज्य के आकार और जनसंख्या द्वार व्यावहारिक कठिनाइयों के कारण।

23. निम्नलिखित में से किसने लोकतांत्रिक संस्कृति 'स्लीपिं डॉग्स' सिद्धांत दिया है?

A. लुसियन पाइ और रॉबर्ट ई. वर्ड

B. जेम्स एस. कोलमैन और माइरोन वेनर

C. जेम्स सी. चार्ल्सवर्थ और एफ.डब्ल्यू. रिग्स

D. ऑलमंड और वेरबा

24. निम्नलिखित में से किसने विचार-विमर्श को **प्रभावित** करने के लिए 'दि स्टिक', 'दि डील', 'दि किस' शब्दावली गढ़ी है?

A. ई.ई. शेटस्नाइडर B. केइथ बौल्डिंग

C. रॉबर्ट डहल D. केट मिलेट

25. निम्नलिखित में से कौन-सा "सहकारी संघवाद" का लक्षण है?

A. केन्द्र और राज्य के बीच प्रतिस्पर्धा और प्रतिद्वंद्विता की भावना

B. मजबूत केंद्र के आधार पर सहयोग प्राप्त किया जाता है

C. विकेंद्रीकरण और राज्य की अधिक जिम्मेदारी

D. राज्यों के बीच सहयोग की भावना

26. किसी विधायन विशेष में विलंब करने के लिए अमेरिकी विधायी प्रक्रिया में निम्नलिखित में से कौन-सी पद्धति अपनाई जाती है?

A. गेरीमैंडरिंग B. फिलिबस्टरिंग

C. लॉग रोलिंग D. स्पाइल सिस्टम

27. अमेरिका के उच्चतम न्यायालय को विधायिका का तीसरा चेम्बर बनाने वाली शक्ति है :

A. मूल B. अपीलीय

C. परामर्शदात्री D. न्यायिक पुनरावलोकन

28. निम्नलिखित में से किसने "राजनीतिक शक्ति" को ऐसे संबंध के रूप में परिभाषित किया है जिसमें एक व्यक्ति या समूह पूर्ववर्ती के निदेशों के अनुसार दूसरे की कार्रवाई का निर्धारण करने में समर्थ होता है?

A. बर्ट्रेंड रसेल B. हेबरमास

C. मोर्गेन्थाऊ D. डेविड ईस्टन

29. नीचे दो कथन दिए गए हैं, एक को अभिकथन (A) और दूसरे को तर्क (R) कहा गया है। नीचे दिए गए कूटों में से सही उत्तर का चयन कीजिए।

अभिकथन (A) : नौकरशाही, सभी लोकतांत्रिक सरकारों की महत्वपूर्ण विशेषता है।

तर्क **(R)** : नौकरशाही एक प्राचीन संस्था है।

कूटः

A. (A) और (R) दोनों सत्य हैं और (R), (A) का सही स्पष्टीकरण है।

B. (A) और (R) दोनों सत्य हैं, परन्तु (R), (A) का सही स्पष्टीकरण नहीं है।

C. (A) सत्य है, परन्तु (R) असत्य है।

D. (A) असत्य है, परन्तु (R) सत्य है।

30. नीचे दो कथन दिए गए हैं, एक को अभिकथन (A) और दूसरे को तर्क (R) कहा गया है। नीचे दिए गए कूटों में से सही उत्तर का चयन कीजिए।

अभिकथन (A) : तुलनात्मक राजनीति, राजनीति का विज्ञान है।

तर्क (R) : तुलनात्मक राजनीति, अध्ययन की आनुभाविक पद्धति पर निर्भर करती है।

कूटः

A. (A) और (R) दोनों सत्य हैं और (R), (A) का सही स्पष्टीकरण है।

B. (A) और (R) दोनों सत्य हैं, परन्तु (R), (A) का सही स्पष्टीकरण नहीं है।

C. (A) सत्य है, परन्तु (R) असत्य है।

D. (A) असत्य है, परन्तु (R) सत्य है।

31. सूची-I को सूची-II से सुमेलित कीजिए और नीचे दिए गए कूटों से सही उत्तर को चुनें :

सूची-I (भारतीय राजनीति का अध्ययन करने के उपागम)	**सूची-II (पुस्तक और लेखक के नाम)**
(a) ऐतिहासिक उपागम	*(i)* पार्लियामेंट ऑफ इंडिया, मॉरिस जोन्स
(b) संस्थागत उपागम	*(ii)* दि इंटीग्रेशन ऑफ इंडियन स्टेट्स, वी.पी. मेनन
(c) विधिक उपागम	*(iii)* दि मॉर्डर्निटी ऑफ ट्रैडीशन, रूडोल्फ एंड रूडोल्फ
(d) राजनीतिक-सामाजिक उपागम	*(iv)* दि रिपब्लिक ऑफ इंडिया, एलेन ग्लेडहिल

कूटः

	(a)	*(b)*	*(c)*	*(d)*
A.	*(i)*	*(iii)*	*(ii)*	*(iv)*
B.	*(ii)*	*(i)*	*(iv)*	*(iii)*
C.	*(i)*	*(ii)*	*(iv)*	*(iii)*
D.	*(iii)*	*(ii)*	*(i)*	*(iv)*

32. भारत की संविधान सभा निम्नलिखित को शामिल कर बनी :

A. ब्रिटिश प्रांतों से 292, चीफ कमीश्नर के क्षेत्रों से 4 और देशी रियासतों से 93 सदस्य
B. ब्रिटिश प्रांतों से 294, चीफ कमीश्नर के क्षेत्रों से 4 और देशी रियासतों से 91 सदस्य
C. ब्रिटिश प्रांतों से 291, चीफ कमीश्नर के क्षेत्रों से 3 और देशी रियासतों से 95 सदस्य
D. ब्रिटिश प्रांतों से 292, चीफ कमीश्नर के क्षेत्रों से 5 और देशी रियासतों से 92 सदस्य

33. सूची-I को सूची-II से सुमेलित कीजिए और नीचे दिए गए कूटों से सही उत्तर का चयन कीजिए :

सूची-I (दर्शन का नाम)	सूची-II (निर्देशक सिद्धांत)
(*a*) कल्याणवाद	(*i*) कुटीर उद्योग का संवर्धन
(*b*) समाजवाद	(*ii*) बेहतर स्वास्थ्य और जीवन-स्तर
(*c*) गांधीवादी दर्शन	(*iii*) अंतर्राष्ट्रीय शांति और सुरक्षा को बढ़ावा
(*d*) अंतर्राष्ट्रीयतावाद	(*iv*) समान कार्य हेतु समान वेतन

कूटः

	(*a*)	(*b*)	(*c*)	(*d*)
A.	(*i*)	(*iii*)	(*ii*)	(*iv*)
B.	(*ii*)	(*iii*)	(*i*)	(*iv*)
C.	(*i*)	(*ii*)	(*iv*)	(*iii*)
D.	(*ii*)	(*iv*)	(*i*)	(*iii*)

34. भारत के संविधान के किस भाग और अनुच्छेद में मौलिक कर्तव्यों का उल्लेख किया गया है?

A. भाग IV, अनुच्छेद 51
B. भाग III, अनुच्छेद 51
C. भाग IV (क), अनुच्छेद 51 (क)
D. भाग III (क), अनुच्छेद 51 (क)

35. नीचे दो कथन दिए गए हैं, एक को अभिकथन (A) और दूसरे को तर्क (R) कहा गया है। नीचे दिए गए कूटों में से सही उत्तर का चयन कीजिए।

अभिकथन (A) : अध्यादेश अल्पमत की सरकारों को उपयोगी साधन प्रदान करते हैं, परन्तु संसद सत्र के शुरू होने पर इसे विधान के रूप में अब परिवर्तित करना उत्तरोत्तर रूप से मुश्किल है।

तर्क (R) : हाल की गठबंधन सरकारों ने अपने सहयोगियों के साथ-साथ विपक्ष के साथ भी विधान पर वाद-विवाद से बचने के लिए अध्यादेशों का उपयोग किया है।

कूटः

A. (A) और (R) दोनों सत्य हैं और (R), (A) का सही स्पष्टीकरण है।
B. (A) और (R) दोनों सत्य हैं, परन्तु (R), (A) का सही स्पष्टीकरण नहीं है।
C. (A) सत्य है, परन्तु (R) असत्य है।
D. (A) असत्य है, परन्तु (R) सत्य है।

36. निम्नलिखित कौन-से अनुच्छेद/अनुच्छेदों के अंतर्गत उच्च न्यायालय और उच्चतम न्यायालय याचिका जारी कर सकते हैं?

A. अनुच्छेद 44 और 45
B. अनुच्छेद 123 और 213
C. अनुच्छेद 32 और 226
D. अनुच्छेद 53 और 153

37. गलत युग्म की पहचान कीजिए।

(राज्य का नाम)		(नए राज्य की मांग)
A. गुजरात	:	सौराष्ट्र
B. उत्तर प्रदेश	:	गोरखालैण्ड
C. राजस्थान	:	मरूप्रदेश
D. महाराष्ट्र	:	विदर्भ

38. निम्नलिखित में से किस समिति ने 'राजनीति के अपराधीकरण और अपराधियों के राजनीतिकरण' के बारे में चिंता व्यक्त की?

A. तारकुण्डे समिति
B. सच्चर समिति
C. वोहरा समिति
D. इंद्रजीत गुप्त समिति

39. स्वायत्त शाखा के रूप में राज्य की राजनीति का अध्ययन प्रमुख रूप से निम्नलिखित का परिणाम रहा है :

A. क्षेत्रीय दलों का उदय
B. मतदान में वृद्धि
C. नई स्थानीय शासन व्यवस्था
D. गैर-दलीय राजनीतिक आंदोलन

40. सूची-I को सूची-II से सुमेलित कीजिए और नीचे दिए गए कूटों से सही उत्तर को चुनें :

सूची-I (संकल्पना)	सूची-II (चिंतक)
(*a*) बहु-संस्कृतिवाद	(*i*) फ्रेडरिक ए. हायक
(*b*) उत्तर-आधुनिकतावाद	(*ii*) भीखू पारेख
(*c*) स्वेच्छातंत्रवाद	(*iii*) एमीटाई इस्जियोनी
(*d*) समुदायवाद	(*iv*) माइकेल फुकाट

कूट :

	(*a*)	(*b*)	(*c*)	(*d*)
A.	(*i*)	(*ii*)	(*iv*)	(*iii*)
B.	(*ii*)	(*iv*)	(*i*)	(*iii*)
C.	(*iii*)	(*i*)	(*ii*)	(*iv*)
D.	(*iv*)	(*iii*)	(*i*)	(*ii*)

41. निम्नलिखित में से कौन-सा युग्म सुमेलित नहीं है?

(लेखक)		(पुस्तक)
A. एस.एम. लिप्सेट	:	पॉलिटिकल मैन : दि सोशल बेसेज ऑफ पॉलिटिक्स
B. लेनिन	:	नियो-कोलोनियालिज्म : दी हाइएस्ट स्टेज ऑफ इम्पेरियलिज्म
C. एल. एंडरसन	:	ट्रान्जिशन्स टू डेमोक्रेसी
D. चार्ल्स टिली	:	फ्राम मोबिलाइजेशन टू रिवोल्यूशन

42. निम्नलिखित में से कौन संविधान सभा के उद्घाटन सत्र के अध्यक्ष थे?

A. डॉ. बी.आर. अम्बेडकर

B. डॉ. राजेन्द्र प्रसाद

C. डॉ. सच्चिदानन्द

D. सरदार पटेल

43. निम्नलिखित में से कौन-से सांविधिक निकाय हैं?

(*a*) विश्व विद्यालय अनुदान आयोग

(*b*) संघ लोक सेवा आयोग

(*c*) राष्ट्रीय मानवाधिकार आयोग

(*d*) राष्ट्रीय अल्पसंख्यक आयोग

नीचे दिए गए कूटों से सही उत्तर चुनें :

A. (*a*) और (*b*)

B. (*b*) और (*c*)

C. (*c*) और (*d*)

D. (*a*), (*c*) और (*d*)

44. कम्युनिस्ट पार्टी ऑफ इण्डिया भारत में पहली बार किस राज्य में सत्ता में आयी?

A. पश्चिम बंगाल B. त्रिपुरा

C. केरल D. गोवा

45. उच्चतम न्यायालय द्वारा सेल्वी मामले में दिए गए निर्णय (2010) में निम्नलिखित में से किस अधिकार को मान्यता प्रदान की गई?

A. मानसिक निजता का अधिकार

B. जम्मू और कश्मीर में संपत्ति खरीदने का अधिकार

C. दबाव समूह बनाने का अधिकार

D. नोटा (उपरोक्त में से कोई नहीं)

46. नीचे दिए गए कूट का उपयोग करते हुए, शाखा के रूप में लोक प्रशासन के विकास में निम्नलिखित चरणों को सही कालक्रम में सजाइये :

(*a*) पारिस्थितिकीय उपागम

(*b*) सिद्धांत उपागम

(*c*) राजनीति प्रशासन द्विभाजन

(*d*) लोक नीति उपागम

कूट :

A. (*c*), (*a*), (*d*), (*b*) B. (*c*), (*b*), (*d*), (*a*)

C. (*b*), (*c*), (*a*), (*d*) D. (*c*), (*b*), (*a*), (*d*)

47. सूची-I को सूची-II से सुमेलित कीजिए और नीचे दिए गए कूटों से सही उत्तर का चयन कीजिए :

सूची-I (पुस्तक)	सूची-II (लेखक)
(*a*) फ्रंटियर्स ऑफ डेवलपमेंट एडमिनिस्ट्रेशन	(*i*) ब्रैबण्टी
(*b*) पॉलिटिकल एण्ड एडमिनिस्ट्रेटिव डेवलपमेन्ट	(*ii*) फेरेल हेडी
(*c*) ब्यूरोक्रेसी एण्ड पॉलिटिकल डेवलपमेण्ट	(*iii*) फ्रेड डब्ल्यू. रिग्स
(*d*) पब्लिक एडमिनिस्ट्रेशन : ए कम्परेटिव पर्सपेक्टिव	(*iv*) जे. ला पालोम्बरा

कूट :

	(*a*)	(*b*)	(*c*)	(*d*)
A.	(*ii*)	(*iv*)	(*i*)	(*iii*)
B.	(*iii*)	(*i*)	(*iv*)	(*ii*)
C.	(*i*)	(*iii*)	(*ii*)	(*iv*)
D.	(*iv*)	(*ii*)	(*iii*)	(*i*)

48. संगठन के लिए व्यवस्था उपागम के बारे में निम्नलिखित में से कौन-सा एक कथन सत्य नहीं है?

A. कोई सामान्य व्यवस्था सिद्धांत से लिया जाता है।

B. यह संगठन के कतिपय मौलिक सिद्धांतों की ओर ले जाता है।

C. यह समग्र रूप से संगठन का इसके परिवेश के संबंध में अध्ययन करता है।

D. यह संगठन और उसके माहौल को सूचनाओं और संसाधनों के लिए परस्पर आश्रित के रूप में देखता है।

49. पिफनर ने अपने 'प्रिंसिपल्स ऑफ एडमिनिस्ट्रेशन' में निम्नलिखित में से किसको शामिल नहीं किया?

A. सामग्री और आपूर्ति

B. स्थानीय प्राधिकारियों के कार्य और शक्तियाँ

C. पद्धतियाँ और प्रक्रिया

D. प्रशासनिक जवाबदेही

50. लोक प्रशासन के 'पब्लिक च्यॉयस एप्रोच' किस दशक में अस्तित्व में आया?

A. 1890 का दशक B. 1920 का दशक
C. 1940 का दशक D. 1960 का दशक

51. किसने नेतृत्व का विश्लेषण 'सर्कुलर रेस्पांस' के रूप में किया है?

A. एल. यूरविक B. एच. साइमन
C. सी.आई. बर्नार्ड D. एम.पी. फोलेट

52. निम्नलिखित में से कौन-सी औपचारिक संगठन के बारे में बर्नार्ड के सिद्धांत की विशेषता नहीं है?

A. सामान्य उत्प्रेरक B. सामान्य प्रयोजन
C. संचार D. सहयोग करने की इच्छा

53. निम्नलिखित में से कौन-सी समिति ब्रिटेन के नौकरशाहों की राजनीतिक गतिविधियों से संबंधित थी?

A. मास्टरमैन समिति

B. प्लाउडेन समिति

C. एशेटन समिति

D. नॉर्थकाटे-ट्रेवेलयान समिति

54. निम्नलिखित कथनों पर विचार कीजिए तथा नीचे दिए गए कूटों का प्रयोग कर सही उत्तर का चयन कीजिए :

संयुक्त राज्य अमेरिका के नागरिक सेवा सुधार अधिनियम 1978 ने जारी किया :

(*a*) निष्पादन बजट प्रणाली

(*b*) मध्यम प्रबंधकीय कार्मिकों के लिए योग्यता वेतन का प्रावधान

(*c*) निष्पादन मूल्यांकन प्रणाली

(*d*) कार्मिक प्रबंधन का कार्यालय

कूट :

A. (*a*), (*c*) और (*d*)

B. (*b*) और (*d*)

C. (*b*), (*c*) और (*d*)

D. (*a*) और (*d*)

55. नीचे दो कथन दिए गए हैं, एक को अभिकथन (A) और दूसरे को तर्क (R) कहा गया है। नीचे दिए गए कूटों में से सही उत्तर का चयन कीजिए।

अभिकथन (A) : "हेनरी फॉयल ने प्रबंधन गतिविधि के प्रमुख कार्य के रूप में पाँच तत्वों की पहचान की।

तर्क (R) : हेनरी फॉयल के अनुसार, "किसी संगठन के उच्चस्तर पर तकनीकी ज्ञान की अपेक्षा प्रशासनिक ज्ञान की आवश्यकता होती है।"

कूटः

A. (A) और (R) दोनों सत्य हैं और (R), (A) का सही स्पष्टीकरण है।

B. (A) और (R) दोनों सत्य हैं, परन्तु (R), (A) का सही स्पष्टीकरण नहीं है।

C. (A) सत्य है, परन्तु (R) असत्य है।

D. (A) असत्य है, परन्तु (R) सत्य है।

56. भारतीय प्रशासनिक सेवा में कार्यात्मक विशेषज्ञता की सिफारिश निम्नलिखित में से किसके द्वारा की गई थी?

A. प्रथम प्रशासनिक सुधार आयोग

B. सतीश चंद्र समिति

C. एपलेबी रिपोर्ट

D. सरकारिया आयोग

57. 'प्रदत्त विधायन' नहीं है :

A. अधीनस्थ विधायन

B. कार्यकारी विधायन

C. अध्यादेश बनाने की शक्ति

D. नियम बनाने की शक्ति

58. सूची-I को सूची-II से सुमेलित कीजिए और नीचे दिए गए कूटों से सही उत्तर का चयन कीजिए :

सूची-I (नागरिक शिकायत निवारण)	**सूची-II (देश)**
(*a*) प्रोक्यूरेटर प्रणाली	(*i*) फ्रांस
(*b*) प्रशासनिक न्यायालय	(*ii*) रूस
(*c*) ओम्बुड्समैन	(*iii*) ब्रिटेन
(*d*) संसदीय आयुक्त	(*iv*) स्वीडन

कूटः

	(*a*)	(*b*)	(*c*)	(*d*)
A.	(*iii*)	(*ii*)	(*iv*)	(*i*)
B.	(*ii*)	(*i*)	(*iv*)	(*iii*)
C.	(*i*)	(*iii*)	(*iv*)	(*ii*)
D.	(*i*)	(*ii*)	(*iv*)	(*iii*)

59. पदोन्नति के लिए लोक अधिकारियों के कार्य-निष्पादन का वैज्ञानिक रूप से मूल्यांकन करने के लिए दक्षता स्तर निर्धारण की प्रणाली का उद्भव हुआ :

A. चीन में
B. जापान में
C. यू.एस.ए. में
D. यू.के. में

60. 1977 में अशोक मेहता समिति ने निम्नलिखित में से किसकी स्थापना की सिफारिश की थी?

A. नगर पंचायत
B. पंचायत समिति
C. महा पंचायत
D. मंडल पंचायत

61. निम्नलिखित में से कौन यथार्थवादी उदारतावाद की संकल्पना से सम्बद्ध है?

A. ई.एच. कार
B. रॉबर्ट बायर्ड
C. जॉर्ज केन्नन
D. जॉन हर्ट्झ

62. बेकरेक्ट और बैरेट्झ ने राज्यों के आचरण पर नियंत्रण के लिए अंतर्राष्ट्रीय संबंधों के तीन वर्गों का उल्लेख किया है। निम्नलिखित में से कौन-से तीन वर्ग हैं?

(*a*) प्रभाव संबंध
(*b*) बल संबंध
(*c*) वैध संबंध
(*d*) शक्ति संबंध

नीचे दिए गए कूटों में से सही उत्तर का चयन कीजिए :

A. (*b*), (*c*) और (*d*)
B. (*a*), (*c*) और (*d*)
C. (*d*), (*c*) और (*b*)
D. (*b*), (*c*) और (*a*)

63. ई.एच. कार ने निम्नलिखित में से कौन-सी पुस्तक लिखी है?

A. द ओपन सोसायटी एंड इट्स एनिमीज
B. ट्वन्टी ईयर्स क्राइसिस
C. पोलिटीकल रिएलिज्म एंड पोलिटीकल आइडिएलिज्म
D. द रिएलिटीज ऑफ अमेरिकन फोरेन पॉलिसी

64. फ्रैन्ट्स फैरन ने पहली बार "थर्ड वर्ल्ड" यानी "तीसरी दुनियाँ" शब्दावली का प्रयोग किया था। वह किस देश के थे?

A. फ्रांस
B. इंग्लैंड
C. अल्जीरिया
D. मिस्र

65. निम्नलिखित में से कौन-सा युग्म सही ढंग से सुमेलित नहीं है?

	लेखक		**पुस्तक**
A.	विलियम सी. ओल्सन	:	द ग्रोथ ऑफ ए डिसिप्लिन
B.	जी.एफ. केन्नन	:	अमेरिकन डिप्लोमेसी
C.	रसेल एच. फिफील्ड	:	द इन्ट्रोडक्टरी कोर्स इन इंटरनेशनल रिलेशंस
D.	रॉबर्ट स्ट्रास्झ–हुप तथा स्टेफन पॉसोनी	:	इंटरनेशनल रिलेशंस : ए जनरल थ्योरी

66. किसने गुट निरपेक्षता की एक स्वार्थी नीति के रूप में आलोचना की थी?

A. मोरगेन्थॉऊ
B. विलियम जॉन स्टोन
C. श्वार्जेनबर्जर
D. एडवर्ड क्रैंकशॉ

67. निम्नलिखित में से कौन अंतर्राष्ट्रीय राजनीति में यथार्थवादी उपागम के समर्थक हैं?

(*a*) कौलोम्बिज और वॉल्फे
(*b*) फ्रेडरिक शुमैन
(*c*) निकोलस स्पाईकमैन
(*d*) ई.एच. कार

नीचे दिए गए कूटों में से सही उत्तर का चयन कीजिए :

A. (*b*), (*c*) और (*d*)
B. (*a*), (*c*) और (*d*)
C. (*a*), (*b*) और (*d*)
D. (*a*), (*b*) और (*c*)

68. निम्नलिखित में से किसने घोषणा की थी कि शस्त्रास्त्रों की होड़ अपने आप में आतंक का अनुभव होता है?

A. हैडली बुल B. एरनोल्ड टॉयनबी
C. केनेथ बॉल्डिंग D. लिन्न मिलर

69. निम्नलिखित में से कौन-सा देश हाल में किए गए P5+1 नाभिकीय समझौते का एक अंग था?

A. जापान B. आस्ट्रेलिया
C. भारत D. जर्मनी

70. निम्नलिखित में से कौन-सा राष्ट्रीय शक्ति का एक रूप नहीं है?

A. सामाजिक शक्ति B. सैनिक शक्ति
C. मनोवैज्ञानिक शक्ति D. आर्थिक शक्ति

71. निम्नलिखित में से कौन-सा देश 'सार्क' का सदस्य नहीं है?

A. मालदीव B. म्यांमार
C. नेपाल D. अफगानिस्तान

72. अंतर्राष्ट्रीय राजनीति के निम्नलिखित किस विद्वान ने इस विचार को सहमति नहीं दी कि आदर्शवादी पहलुओं के बिना कोई भी समाज विज्ञान अस्तित्व में बना नहीं रह सकता।

A. हर्बट बटरफील्ड B. ई.एच. कार
C. रिनहोल्ड निबुहर D. एरनोल्ड वॉल्टर्स

73. निम्नलिखित में से किसे पूर्ण निरस्त्रीकरण भी कहा जाता है?

A. गुणात्मक निरस्त्रीकरण
B. मात्रात्मक निरस्त्रीकरण
C. सामान्य निरस्त्रीकरण
D. व्यापक निरस्त्रीकरण

74. निम्नलिखित में से किसका कथन है "अंतर्राष्ट्रीय राजनीति में राष्ट्रों के बीच शांति की समस्याओं और राजनीतिक संबंधों का विश्लेषण किया जाता है"?

A. चार्ल्स श्लीचर B. नार्मन पेडेलफोर्ड
C. हेरल्ड स्प्राउट D. एच.जे. मारगेंथॉऊ

75. 'एशियान' के किस सदस्य राष्ट्र ने वर्ष 1999 में इस क्षेत्रीय संगठन की सदस्यता ग्रहण की?

A. लाओस B. म्यांमार
C. कम्बोडिया D. वियतनाम

उत्तरमाला

1	2	3	4	5	6	7	8	9	10
C	D	C	A	D	B	A	D	C	B
11	**12**	**13**	**14**	**15**	**16**	**17**	**18**	**19**	**20**
D	C	D	A	C	B	B	C	B	D
21	**22**	**23**	**24**	**25**	**26**	**27**	**28**	**29**	**30**
B	D	D	B	C	B	D	D	B	A
31	**32**	**33**	**34**	**35**	**36**	**37**	**38**	**39**	**40**
B	A	D	C	B	C	B	C	A	B
41	**42**	**43**	**44**	**45**	**46**	**47**	**48**	**49**	**50**
B	C	D	C	B	D	B	B	B	D
51	**52**	**53**	**54**	**55**	**56**	**57**	**58**	**59**	**60**
D	A	A	B	B	A	C	B	C	D
61	**62**	**63**	**64**	**65**	**66**	**67**	**68**	**69**	**70**
D	B	B	C	D	C	A	A	D	A
71	**72**	**73**	**74**	**75**					
B	D	D	D	C					

कुछ चुने हुए प्रश्नों के व्याख्यात्मक उत्तर

1. डेविड ईस्टन ने कहा है कि ''उत्तर व्यवहारवाद सही अर्थों में क्रांति है न कि प्रतिक्रिया; संभवन है न कि संरक्षण; सुधार है न कि प्रति सुधार''। डेविड ईस्टन के नेतृत्व में उत्तर व्यवहारवादी आंदोलन की शुरुआत 1969 ई. से हुई। इसमें राजनीतिक व्यवहार के अध्ययन के लिए वैज्ञानिक पद्धति (Scientific Method) के प्रयोग में कोई ढील नहीं दी जाती, परंतु 'मूल्यों' के साथ फिर से सरोकार स्थापित करने का समर्थन किया जाता है।

2. ''हम अपने मूल्यों को उस प्रकार नहीं छोड़ सकते जैसे हम अपना कोट उतारते हैं'', यह विचार डेविड ईस्टन ने व्यक्त किया है। ईस्टन ने तर्क दिया कि परंपरागत राजनीति-सिद्धांत के अंतर्गत मूल्यों (Values) के निर्माण पर विशेष ध्यान दिया गया है, परंतु आधुनिक राजनीति विज्ञान में मूल्यों के विश्लेषण की कोई जरूरत नहीं है। मूल्य तो व्यक्तिगत या समूहगत अधिमान्यताओं (Individual or Group Preferences) का संकेत देते हैं जो किन्हीं विशेष सामाजिक परिस्थितियों में जन्म लेती हैं, और उन्हीं परिस्थितियों के साथ जुड़ी होती हैं। समकालीन समाज अपने लिए उपयुक्त मान्यताएं स्वयं विकसित कर लेगा; राजनीति-वैज्ञानिकों को केवल राजनीतिक व्यवहार (Political Behaviour) के क्षेत्र में कार्य-कारण सिद्धांत (Causal Theory) के निर्माण में अपना योगदान देना चाहिए।

कुछ भी हो, ईस्टन ने डेढ़ दशक बाद अपना दृष्टिकोण बदल दिया। 1969 में 'अमेरिकन पॉलिटिकल साइंस एसोसिएशन' के अध्यक्षीय व्याख्यान के अंतर्गत ईस्टन ने राजनीति विज्ञान की व्यवहारवादी क्रांति को एक नया मोड़ देते हुए 'उत्तर-व्यवहारवादी क्रांति' (Post-behavioural Revolution) की घोषणा कर दी। वस्तुतः ईस्टन ने राजनीति विज्ञान को एक शुद्ध विज्ञान (Pure Science) से ऊपर उठाकर अनुप्रयुक्त विज्ञान (Applied Science) का रूप देने की मांग की और वैज्ञानिक अनुसंधान को समकालीन समाज की विकट समस्याओं के समाधान में लगाने पर बल दिया। मतलब यह कि उसने 'मूल्यों' से फिर से अपना सरोकार स्थापित कर लिया।

3. सी.बी. मैक्फर्सन के अनुसार 'स्वत्वमूलक व्यक्तिवाद' (Possessive Individualism) का तात्पर्य यह है कि व्यक्ति वस्तुतः अपने शरीर और अपनी क्षमताओं का स्वामी है, और इनके लिए वह समाज के प्रति किसी भी तरह से ऋणी नहीं है। यह विचार 17वीं शताब्दी से 20वीं शताब्दी तक उदारवाद की मान्यताओं के साथ लगातार जुड़ा रहा है। मनुष्य को अपने जीवन की रक्षा का अधिकार है, और मनुष्य का श्रम उसकी अपनी चीज है—इन दोनों मान्यताओं के आधार पर लॉक ने यह तर्क दिया है कि व्यक्ति धरती के किसी भी उत्पादन पर अपना स्वामित्व स्थापित कर सकता है। इसके साथ कुछ शर्तें अवश्य जुड़ी हैं, परंतु लॉक ने उन शर्तों से बचने का रास्ता भी निकाल लिया है।

पहली शर्त यह है कि मनुष्य धरती से उतना ही ग्रहण करे जिससे दूसरों के लिए भी पर्याप्त हिस्सा बचा रहे। दूसरी यह है कि मनुष्य उतना ग्रहण करे कि उसके नष्ट होने से पहले उसे जीवन के लिए उपयोगी बना सके।

4. एफ.ए. हेयक ने अपनी कृति 'Law, Legislation & Liberty' के अंतर्गत चिरसम्मत उदारवाद को विकासवादी विषयों (Evolutionary Themes) के साथ मिलाकर कानूनी प्रत्यक्षवाद (Legal Positivism) पर प्रहार किया है। उसने लिखा है कि 'सामाजिक न्याय' (Social Justice) के आदर्श को बाजार-अर्थव्यवस्था के अन्तर्गत साकार नहीं किया जा सकता। यदि ऐसा कोई प्रयत्न किया जाता है तो उसके परिणाम बुरे होते हैं। यहीं पर हेयक ने हित-समूहों की बहुलवादी राजनीति (Pluralist Politics) की आलोचना की है। बाजार-प्रणाली की स्थिरता की समस्या पर विचार करते हुए हेयक ने उदारवादी संविधान के लिए आमूल-परिवर्तनवादी प्रस्ताव

(Radical Proposals) रखे हैं जिसमें नए शक्ति-विभाजन (Division of Powers) की जरूरत होगी। यदि नागरिक इसे अपना लें तो उन्हें ऐसे उपाय करने की जरूरत नहीं रहेगी जो अंततोगत्वा स्वतंत्रता और मानव-कल्याण के लिए घातक सिद्ध हो सकते हैं।

हेयक ने अपने लेखों में 'मुद्रा के अराष्ट्रीयकरण' (Denationalization of Money) का प्रस्ताव रखा है, और केन्सीय आर्थिक नीतियों (Keynesian Economic Policies) तथा कल्याणकारी राज्य का विरोध किया है। हेयक की कृतियों को राजनीतिक अर्थशास्त्र के क्षेत्र में महत्वपूर्ण योगदान मान सकते हैं। इनके अंतर्गत वैयक्तिक स्वतंत्रता और बाजार-प्रणाली की जरूरी शर्तों पर विचार किया गया है।

5. विचारधारा के सम्बन्ध में 1960 के दशक से जो विवाद शुरू हुआ, उसका विषय था–विचारधारा का अंत। इसका अर्थ यह था कि औद्योगिक विकास की उन्नत अवस्था में किसी देश के सामाजिक-आर्थिक संगठन का स्वरूप वहाँ प्रचलित विचारधारा से निर्धारित नहीं होता, बल्कि औद्योगिक विकास के स्तर से निर्धारित होता है।

अमेरिकी समाज-वैज्ञानिक डैनियल बेल ने अपनी प्रसिद्ध कृति 'The End of Indeology—1960' के अंतर्गत यह तर्क दिया कि सारे उत्तर-औद्योगिक समाज (Post-Industrial Societies) एक-जैसे विकास की ओर अग्रसर होते हैं, चाहें वे किसी भी विचारधारा का अनुसरण करते हों! मतलब यह कि वहाँ एक-जैसी संस्थाएं और प्रवृतियाँ विकसित हो जाती हैं, चाहे वे पूंजीवादी विचारधारा के समर्थक हों, या समाजवादी विचारधारा के। इनकी विशेषता यह होती है कि वहाँ उद्योगों की तुलना में सेवाओं (Services) के क्षेत्र में कामगारों का अनुपात बढ़ जाता है, और सम्पूर्ण प्रशासन में तकनीकी विशिष्टवर्ग (Technical Elites) का प्रभुत्व स्थापित हो जाता है।

6. लेनिन का कहना है कि 'विचार' न कि 'उत्पादन की भौतिक स्थिति' क्रांति के प्रभावी कारण हैं। मार्क्सवाद के प्रवर्तक मार्क्स और एंगेल्स के अनुसार, विचारधारा प्रभुत्वशाली वर्ग के निहित स्वार्थों की रक्षा का साधन है। इसलिए बुर्जुवा वर्ग को ही विचारधारा की जरूरत है। इसके विपरीत, जब सर्वहारा वर्ग (Proletariat) सत्तारूढ़ होता है, तब उसके कोई निहित स्वार्थ नहीं होते; अतः उसे विचारधारा की कोई आवश्यकता नहीं होती। परंतु रूसी क्रांति के नायक ब्लादिमीर लेनिन ने विचारधारा की भूमिका की नई व्याख्या प्रस्तुत की। अपनी महत्वपूर्ण कृति 'What is to be done–1902' के अंतर्गत लेनिन ने लिखा है कि विचारधारा निस्संदेह वर्ग-हित की अभिव्यक्ति है। चूँकि समाजवादी दौर में भी वर्ग संघर्ष लम्बे समय तक चलता रहेगा, इसलिए सर्वहारा वर्ग के नेतृत्व को भी एक विचारधारा–वैज्ञानिक समाजवाद (Scientific Socialism) की जरूरत रहेगी, अन्यथा यह डर बना रहेगा की इस वर्ग के मन पर बुर्जुवा विचारधारा हावी हो सकती है।

7. प्लेटो की विचारधारा के संदर्भ में कार्यों का विभाजन, अभिवृत्ति के अंतर पर निर्भर होता है। प्लेटो की विचारधारा का मुख्य उद्देश्य एक न्यायपूर्ण आदर्श समाज की रचना करना है। उसके अनुसार, न्याय और कुछ नहीं बस यह सिद्धांत है कि व्यक्ति को बस वही कार्य करना चाहिए जिसके लिए वह प्रकृति द्वारा उपयुक्त बनाया गया है। प्रत्येक व्यक्ति को अपने एवं समाज के सामान्य हित के लिए वही कार्य करना चाहिए। प्लेटो के लिए न्याय का अर्थ है–विशेषज्ञता और उत्कृष्टता। प्लेटो का न्याय सिद्धांत श्रम विभाजन, विशेषज्ञता और कार्य-कुशलता की ओर ले जाता है।

8. अरस्तू के संवैधानिक नियम के अंतर्गत प्रजा की गरिमा को महत्वपूर्ण स्थान दिया है। अरस्तू का मुख्य ध्येय ऐसे संविधान का पता लगाना था जो स्थिर रह सके, जिसमें क्रांति का कोई खतरा न हो, और जो अपने नागरिकों को सद्जीवन के लिए उपयुक्त परिस्थितियाँ प्रदान कर सके। अरस्तू ने इस समस्या का समाधान 'मिश्रित संविधान' (Polity) के रूप में प्रस्तुत किया।

अरस्तू के अनुसार सर्वोत्तम शासन प्रणाली वह है जिसमें अभिजाततंत्र (Aristocracy) और लोकतंत्र

(Democracy) का मिश्रण हो, अर्थात् जिसमें मतदान का अधिकार तो सर्वव्यापक हो, परंतु शासन का अधिकार बुद्धिमान नागरिकों तक सीमित हो कि ताकि इने-गिने सर्वोत्तम व्यक्ति ही शासन के संचालन के लिए चुने जाएं। यही अरस्तू का मिश्रित संविधान का सिद्धांत है। इस तरह अरस्तू के आदर्श राज्य में सार्वजनिक नीति का निर्णय करने का अधिकार तो समुदाय (Community) को होगा, परंतु उसे कार्यान्वित करने का अधिकार विशेषज्ञों (Experts) को ही होगा।

9. थॉमस हॉब्स का कथन है कि "समय-समय पर व्यक्ति द्वारा इच्छा की जाने वाली वस्तुओं को प्राप्त करने में सतत सफलता" आनंद है। हॉब्स के अनुसार प्राणियों में 2 प्रकार की गतियाँ होती हैं। उनमें से एक तो जैव गति है और दूसरी स्वैच्छिक गति। जैव गति शरीर की स्वचालित गति है जो हमारे द्वारा अनुभव किए बिना हमारे शरीर में जन्म में मृत्युपर्यंत चलती रहती है। शरीर में रक्त का संचरण, पाचन क्रिया आदि इस प्रकार की गति के उदाहरण हैं।

स्वैच्छिक गति की सबसे पहले कल्पना हमारे मन में होती है। इसका कारण बाहरी उद्दीपक (पदार्थ) का हमारी इंद्रियों पर प्रभाव होता है। ये इंद्रियाँ मस्तिष्क में बिम्ब बनाती हैं और आंतरिक गति को आरंभ करती हैं। यह गति तंत्रिकाओं के द्वारा उसे हृदय तक पहुँचाती है। यह आंतरिक गति एक संवेदना के रूप में प्रकट होती है जो या तो जैव गति में सहायक होती है या उसे बाधित करती है। इस प्रकार शारीरिक तंत्र की यह जीवनीशक्ति अस्तित्व की निरंतरता को बनाए रखने में मदद करती है या रुकावट डालती है। यदि यह संप्रेषित गति जैव गति को बढ़ाती या उसकी मदद करती है तो हम बाहरी संसार की उस वस्तु या मूल कारण की ओर आकृष्ट होते हैं, उसे पाने का प्रयास करते हैं। यदि यह संप्रेषित गति रुकावट पैदा करती है तो हम इसके प्रति विकर्षित होते हैं या इससे परे भागते हैं। इस प्रकार दो मूलभूत गतियाँ या मनोवेग पैदा होते हैं जिसे हम इच्छा और विद्वेष या अनिच्छा कह सकते हैं। इन आधारभूत गतियों या प्रयत्नों से इच्छा, संकोच, गौरव, साहस, क्रोध, परोपकार जैसे अन्य मनोवेग उत्पन्न होते हैं। सुख और दुख का संबंध राग और द्वेष से है जो उनके अनिवार्य पूरक हैं। कल्पना और स्मृति दोनों संवेदनाएँ हैं। कल्पना को हम क्षीण होने वाली संवेदना कह सकते हैं और स्मृति को किसी अतीत की संवेदना का प्रत्यास्मरण। पर्यालोचन (Deliberation) को हम मन में राग और द्वेष का सिलसिला कह सकते हैं और इच्छा पर्यालोचना की अंतिम अवस्था है जो कार्य में परिणत होती है। स्वतंत्र इच्छा नाम की कोई चीज नहीं है और स्वतंत्रता तथा आवश्यकता के बीच कोई विरोध नहीं है। जिस चीज को पाने की इच्छा होती है वह अच्छी है और जिसे हम नहीं चाहते वह बुरी है।

10. जॉन लॉक राज्य की विधायी, कार्यकारी और संघीय शक्तियों का उल्लेख करता है। सरकार की संघीय शक्ति का संबंध आज के विदेश विभाग से है। इसे बाद में मॉन्टेस्क्यू ने 'न्यायिक शक्ति' कहा जो कार्यकारी शक्ति का ही अंग है। कार्यकारी शक्ति विधानमंडल के अधीन है और इसके प्रति उत्तरदायी है।

यद्यपि विधायिका की सर्वोच्च सत्ता है लेकिन यह निरंकुश नहीं है। सब सबके हित के लिए है यानी इसका उपयोग स्वतंत्रता के संरक्षण और संपत्ति की रखा के लिए होना चाहिए। "प्रकृति के कानून का अस्तित्व मानव मात्र के लिए शाश्वत कानून के रूप में है जिसमें विधायक और अन्य सब शामिल हैं। वे अन्य मनुष्यों के कार्यों के लिए जो कानून बनाते हैं वे प्रकृति के कानून के अनुसार सुविधाजनक यानी ईश्वर की इच्छा के अनुरूप होने चाहिए। इनमें यह घोषणा की गई है कि प्रकृति का आधारभूत कानून मानवमात्र के संरक्षण के लिए है, इसके विरुद्ध मानवीय शास्ति या दंड उचित या वैध नहीं हो सकता।" दूसरी विधायी या सर्वोच्च सत्ता केवल विधि-सम्मत तरीके से घोषित और स्थापित कानूनों के सिवाय तात्कालिक, मनमाने आदेशों से शासन नहीं कर सकती। तीसरी 'सर्वोच्च सत्ता किसी भी व्यक्ति से उसकी इच्छा के विरुद्ध संपत्ति का कोई हिस्सा नहीं ले

सकती।' और अंत में, ''विधायिका अपनी कानून बनाने की शक्ति किसी और को नहीं सौंप सकती क्योंकि यह जनता के द्वारा प्रदत्त शक्ति है, जिनके पास यह शक्ति है वे इसे दूसरों को अंतरित नहीं कर सकते।''

11. जे.जे. रूसो ने अपनी प्रसिद्ध कृति 'Discourse on the Political Economy' में, जहाँ उसने सबसे पहले सामान्य इच्छा (General will) की संकल्पना प्रस्तुत की है, रूसो कहता है कि ''सामान्य इच्छा सदैव सम्पूर्ण और उसके प्रत्येक भाग का कल्याण और संरक्षण करती है। यह कानून का स्रोत है। राज्य के सभी सदस्यों के लिए, आपस में एक-दूसरे के साथ संबंध और राज्य के साथ संबंध के लिए यह नियम निर्धारित करती है कि क्या ठीक है और क्या गलत है।'' इसका लक्ष्य सदैव लोगों की भलाई करना होता है और यह सबकी इच्छा से भिन्न है क्योंकि जहाँ पहला सामान्य हित के लिए प्रयास करता है वहीं दूसरा केवल निजी हित के लिए काम करता है जो सदैव विशेष इच्छाओं का योग होता है।

इच्छा की सामान्यता में संख्या उतनी महत्वपूर्ण नहीं है जितनी कि उसकी अंतर्निहित विशेषता और अच्छाई। यह उतना एक ऐतिहासिक तथ्य नहीं है जितना कि नैतिक तथ्य। यह नागरिकों के हृदय से निकली नैतिक अभिवृत्ति का परिणाम है जो न्यायोचित रूप से काम करने के लिए कहती है। जब भी समूह के सभी लोग मिलकर, अपने निजी स्वार्थों को छोड़कर, पूरे समाज के लिए अच्छे समझे जाने वाले लक्ष्य के लिए एक होकर काम करते हैं तो यह उत्पन्न हो जाती है। सामान्य इच्छा सभी से प्राप्त होती है और सभी पर लागू होती है और इसमें सभी की न्यायसंगत इच्छा सम्मिलित होती है।

12. जे.एस. मिल ने 'Utilitarianism—1862' नामक अपनी छोसी-सी पुस्तिका में नैतिकता के आधार के रूप में उपयोगिता की कसौटी को या सर्वाधिक प्रसन्नता के सिद्धांत को प्रस्तुत किया। वह कार्य नैतिक है जो प्रसन्नता को बढ़ाने या पीड़ा को दूर करने वाला हो। यहाँ उपयोगितावाद के पक्ष का समर्थन करते हुए मिल ने बेंथम की स्थिति से महत्वपूर्ण परिवर्तन किया। प्रसन्नता की गणना न केवल उसकी मात्रा के आधार पर की जानी चाहिए बल्कि उसकी गुणवत्ता के आधार पर भी की जानी चाहिए। गुणवत्ता की दृष्टि से उच्च स्तर की प्रसन्नता की तुलना निम्न स्तर की प्रसन्नता से की जा सकती है। ''यह बात उपयोगिता के सिद्धांत के बिल्कुल अनुरूप है। इसके द्वारा यह पहचान की जा सकती है कि कुछ विशिष्ट प्रकार की प्रसन्नताएँ दूसरी प्रकार की प्रसन्नताओं की अपेक्षा अधिक वांछनीय और अधिक मूल्यवान है, जैसे सुकरात का असंतुष्ट होना किसी सुअर के संतुष्ट होने से अच्छा है।''

13. कार्ल मार्क्स ने सेंट साइमन, प्रूधों, फ्यूरियर आदि को आदर्शवादी समाजवादी (Utopian Socialist) कहा है जबकि एंजिल्स वैज्ञानिक समाजवाद (Scientific Socialism) के विकास में कार्ल मार्क्स का सहयोगी रहा है। कार्ल मार्क्स ने अपने पूर्ववर्ती समाजवाद को आदर्शवादी (स्वप्नदर्शी) समाजवाद कहा है क्योंकि वह यथार्थ से एकदम कटा हुआ था। मार्क्स के पूर्ववर्ती सिद्धांतकारों ने समाज की तत्कालीन दशा से ऊबकर अपने मन के असंतोष को स्वप्नलोक की मधुर कल्पनाओं से बहलाने की कोशिश की थी। उन्होंने यह कल्पना की थी कि इस स्वप्नलोक में धनवान और निर्धन (Haves and Have-nots) का भेद मिट जाएगा, संपत्ति सबकी साझी होगी, और अन्याय का कहीं नामोनिशान नहीं रहेगा।

मार्क्स से पहले के तथाकथित समाजवादी लेखकों ने यह भी नहीं सोचा कि उनके आदर्श समाज को यथार्थ के धरातल पर कैसे उतारा जाएगा या, यदि यह संभव भी हुआ, तो उसे कायम कैसे रखा जाएगा? उस दिशा में यदि किसी ने गंभीरतापूर्वक ध्यान दिया तो केवल रॉबर्ट ओवेन ने। लगता है, रॉबर्ट ओवेन और चार्ल्स फ्यूरियर की तरह अधिकांश लेखकों ने दिव्य प्रेरणा से प्रेरित सामाजिक सिद्धांतकार की तरह यह सोचा कि उन्हें मानव जाति का ध्यान केवल इस ओर खींचना है कि उनकी योजनाएं कितनी भव्य और सर्वगुणसम्पन्न हैं।

तब मानव जाति उन्हें व्यावहारिक रूप देने के लिए अपने-आप तड़प उठेगी। परंतु यथार्थ के थपेड़ों से इन स्वप्नदर्शियों के स्वप्न चूर-चूर हो गए।

14. गांधीजी का सत्याग्रह का सिद्धांत निष्क्रिय विरोध (Passive Resistance) से भिन्न है। सत्याग्रह तथा निष्क्रिय विरोध दोनों ही यद्यपि अन्याय तथा अत्याचार के विरोध की दो पद्धतियाँ हैं परंतु उद्देश्य एवं साधनों की दृष्टि से दोनों में अंतर पाया जाता है—सत्याग्रह अन्याय का विरोध करने का नैतिक अस्त्र है। यह भौतिक शक्ति के ऊपर आत्मिक शक्ति की श्रेष्ठता पर आधारित है। निष्क्रिय प्रतिरोध इष्ट सिद्धि का राजनीतिक अस्त्र है।

सत्याग्रह का उद्देश्य विरोधी को सेवा, प्रेम, धैर्य एवं आत्मपीड़न के द्वारा जीतना है। सत्याग्रही अपने विरोधी से घृणा नहीं करता, वह बुराई से घृणा करता है। निष्क्रिय विरोध का प्रयोग करने वाला विरोधी से घृणा करता है तथा अपने विरोधी को कष्ट देकर उसे समर्पण के लिए विवश करता है।

सत्याग्रह शक्तिशालियों का अस्त्र है, इसका प्रयोग केवल वीर व्यक्ति ही कर सकता है। सत्याग्रह में असीम शौर्य, साहस तथा क्रोध पर नियंत्रण की आवश्यकता है। सत्याग्रही विरोधी को हानि पहुँचाए बिना आत्मबलिदान के लिए तत्पर रहता है। इसके विपरीत निष्क्रिय प्रतिरोध निर्बलों का अस्त्र है। इसका प्रयोग करने वालों में धैर्य तथा आत्मसंयम की कमी होती है।

15. श्री अरविंद या महर्षि अरविंद (अरविंद घोष) ने "नियंत्रण नहीं तो सहयोग नहीं" का नारा दिया था। वे आधुनिक भारत के ऐसे राजनीतिक विचारक थे जिन्हें भारतीय राष्ट्रवाद का महान उन्नायक माना जाता है। अरविंद भारतीय स्वाधीनता आंदोलन के साथ निकट से जुड़े थे और उन्होंने भारत की पूर्ण स्वाधीनता की मांग पर बल दिया।

अरविंद ने कांग्रेस की याचिका नीति का खण्डन करते हुए बिपिन चन्द्र पाल की तरह निष्क्रिय या शांतिपूर्ण प्रतिरोध (Passive Resistance) के रूप में राजनीतिक कार्रवाई की योजना बनाई। उनके अनुसार 'निष्क्रिय प्रतिरोध' का अर्थ यह था कि जो कार्य भारत में ब्रिटिश वाणिज्य-व्यापार या ब्रिटिश प्रशासन में सहायक हों, उन्हें करने से इंकार। यह कार्रवाई, 'स्वदेशी आंदोलन' के साथ निकट से जुड़ी थी। स्वदेशी आंदोलन का मूल उद्देश्य विदेशी माल का बहिष्कार या बॉयकॉट (Boycott) था ताकि अंग्रेजो की आर्थिक शक्ति को धक्का पहुँचाया जा सके। बाद में इसे शैक्षिक बहिष्कार, न्यायिक बहिष्कार, प्रशासनिक बहिष्कार और सामाजिक बहिष्कार के साथ जोड़कर विस्तृत कार्यक्रम का रूप दे दिया गया। अंततः इस कार्यक्रम में क्रांति के तरीके को भी सम्मिलित कर लिया गया। इस तरह श्री अरविंद ने 'स्वराज' की प्राप्ति के लिए हिंसा और अहिंसा, क्रांतिकारी और सांविधानिक दोनों तरह के तरीके अपनाने का समर्थन किया, अर्थात् जब लक्ष्य-सिद्धि का शांतिपूर्ण तरीका विफल हो जाए तब प्रार्थना (Prayer) को मांग (Demand) का रूप देकर बल प्रयोग का सहारा लेने के लिए तैयार रहना चाहिए।

16. राजनीतिक विकास (Political Development) वह प्रक्रिया है जिसके माध्यम से किसी विकासशील देश की राज्य-व्यवस्था विकसित समाज की विशेषताएं अर्जित कर लेती है। राजनीतिक विकास की संकल्पना मुख्यतः उदारवादी परंपरा की देन है। इस परंपरा के अंतर्गत पश्चिमी जगत् के उदार लोकतंत्र को विकसित समाज का प्रतिरूप (Model) माना जाता है। राजनीतिक आधुनिकीकरण (Political Modernization) का विचार राजनीतिक विकास की संकल्पना के साथ निकट से जुड़ा है। आधुनिकीकरण वह प्रक्रिया है जिसमें कोई समाज परंपरागत मूल्यों और संस्थाओं से आगे बढ़कर आधुनिक युग के अनुरूप जीवन-पद्धति अपना लेता है।

भिन्न-भिन्न विचारकों ने राजनीतिक विकास के भिन्न-भिन्न प्रतिरूप प्रस्तुत किए हैं। जेम्स एस. कोलमैन और लुसियन पाई ने अपनी पुस्तक 'Political Culture and Political Development—1965' के अंतर्गत यह विचार व्यक्त किया है कि आधुनिक व्यवस्था राज्य और

समाज की समस्याओं को सुलझाने में अधिक कार्यकुशल सिद्ध होती है।

आधुनिक व्यवस्था के अंतर्गत जनसाधारण राजनीति के साथ निकट से जुड़े रहते हैं; वे अपनी मांगें और विचार सरकार तक पहुँचाते हैं; सरकार की नीतियों के प्रति अपना समर्थन या विरोध व्यक्त करते हैं और सरकार अपने नागरिकों का समर्थन एवं सहयोग प्राप्त करने के लिए मुख्यतः वैधता का सहारा लेती है। इस प्रतिरूप के अंतर्गत राजनीतिक आधुनिकीकरण या राजनीतिक विकास के 3 मुख्य लक्षण स्वीकार किए गए हैं–समानता (Equality), क्षमता (Capacity) और विभेदीकरण (Differentiation)।

19. राजनीतिक संस्कृति (Political Culture) का अर्थ है, किसी समाज की संस्कृति के वे पक्ष जो उसकी राजनीति को प्रभावित करते हैं। वैसे संस्कृति की संकल्पना बहुत व्यापक है। इसके अंतर्गत किसी समुदाय में प्रचलित मूल्यों और मान्यताओं के अलावा कला-विधाएं (Art Forms), प्रतीक-चिह्न, उत्सव-पर्व, पूजा-पाठ और रहन-सहन का ढंग भी आ जाता है, परंतु राजनीतिक संस्कृति का अध्ययन करते समय इन्हें हम किन्हीं मूल्यों और मान्यताओं की अभिव्यक्ति मानकर उन्हीं पर अपना ध्यान केंद्रित करते हैं। राजनीतिक संस्कृति में मुख्यतः ऐसे मूल्य, मान्यताएं और मानक आ जाते हैं जो शासक-वर्ग, शासन-प्रणाली और शासन-प्रक्रिया को वैधता प्रदान करते हैं, और उनके संदर्भ में व्यक्ति की स्थिति को निर्धारित करते हैं।

राजनीतिक समाजीकरण (Political Socialization) वह प्रक्रिया है जिसके माध्यम से राजनीतिक समुदाय के सदस्य अपने समाज की राजनीतिक संस्कृति को आत्मसात् करते हैं। इसके अंतर्गत वे अपने शैशव काल से ही ऐसी अभिवृत्तियाँ (Attitudes), मान्यताएं और व्यवहार के प्रतिमान सीख लेते हैं जो उनके समुदाय की राजनीतिक संस्थाओं और प्रक्रियाओं को वैधता प्रदान करते हैं। अतः राजनीतिक समाजीकरण के परिणामस्वरूप व्यक्ति अपने समाज के राजनीतिक जीवन के प्रति अनुकूल दृष्टिकोण बनाता है; अपने समाज, राष्ट्र या राज्य के प्रति निष्ठा विकसित करता है, और सत्ता के प्रति सम्मान का भाव रखना सीखता है।

20. मनुष्य की अभिव्यक्ति दोषरहित नहीं हो सकती और सभी विधायी प्रारूपकार भूल कर सकते हैं। सूचियों को निःशेषकारी या ऐसी बनाने का चाहे जितना प्रयास किया जाए कि उसके भीतर सभी विषय आ जाएं तो भी कुछ विषय छूट जाने स्वाभाविक हैं। ऐसा भी हो सकता है कि कुछ विषय भविष्य में उत्पन्न हों जिनके बारे में पहले से अनुमान नहीं किया जा सकता था। ऐसी परिस्थितियों से निपटने के लिए विधान बनाने की अवशिष्ट शक्ति (Residuary Power) संघ या राज्यों को दी जा सकती है। अर्थात् ऐसे किसी विषय पर विधान बनाने की शक्ति जो किसी सूची में नहीं आया है। अमेरिका, ऑस्ट्रेलिया और स्विट्जरलैण्ड में अवशिष्ट शक्तियाँ राज्यों/इकाइयों को दी गई हैं। कनाडा में यह शक्ति संघ में है। भारत शासन अधिनियम, 1935 में अवशिष्ट शक्तियाँ न तो परिसंघ को दी गईं और न राज्य को। यह शक्ति गवर्नर जनरल में निहित की गई। हमारे संविधान में संघ को उन सभी विषयों पर विधान बनाने की अनन्य शक्ति दी गई है जो किसी सूची में प्रगणित नहीं हैं।

21. संयुक्त राज्य अमेरिका में राष्ट्रपति का मंत्रिमंडल (Cabinet) उसकी पसंद के अधिकारियों का समूह है जिन्हें वह योग्यता, अनुभव, कार्यकुशलता और व्यक्तिगत निष्ठा के आधार पर चुनता है। उन्हें वह जब चाहे रख सकता है, जब चाहे हटा सकता है। कैबिनेट के सदस्य राष्ट्रपति सहायक होते हैं, सहयोगी नहीं। वे उसकी शक्ति या उत्तरदायित्व के हिस्सेदार भी नहीं होते। प्रशासन के संबंध में सारे महत्वपूर्ण और अंतिम निर्णय राष्ट्रपति अपने विवेक से करता है, किसी की सलाह से नहीं, यहाँ तक कि वह सम्बद्ध विभाग के मंत्री या मंत्रियों से सलाह लेने को भी बाध्य नहीं है।

22. प्राचीन यूनानी नगर-राज्यों में जो लोकतंत्र प्रचलित था, उसे प्रत्यक्ष लोकतंत्र (Direct Democracy) कहा जाता

है। 18वीं सदी में रूसो ने ऐसी शासन-पद्धति की बहुत सराहना की और अप्रत्यक्ष या प्रतिनिधि लोकतंत्र की निंदा की। परंतु आधुनिक युग की परिस्थितियों में इस पद्धति को अपनाना कितना कठिन है—यह बात स्वयं रूसो ने भी अनुभव की थी। उसके अनुसार, शुद्ध लोकतंत्र के लिए अनेक शर्तें पूरी होनी चाहिए। ऐसा संयोग मुश्किल से ही होता है—

(*a*) राज्य छोटा हो जिसके लोग आसानी से एकत्र हो सकें, और उसमें हर नागरिक बाकी सबको जानता हो;

(*b*) उसमें लोगों के तौर-तरीके सीधे-सादे हों;

(*c*) लोगों की प्रतिष्ठा और संपत्ति बहुत हद तक बराबर हों; और

(*d*) विलासिता कहीं न हो या बहुत कम हो।

आज के जटिल समाज में ये आदर्श सर्वथा अप्राप्य हैं। आज के युग में किसी भी देश की जनसंख्या इतनी विशाल होती है, और इतनी दूर-दूर तक फैली होती है कि सब लोग कहीं एकत्र होकर अपना शासन स्वयं नहीं चला सकते।

24. विचार-विमर्श को प्रभावित करने वाली शब्दावली 'दि स्टिक', 'दि डील', और 'दि किस' केइथ बौल्डिंग द्वारा गढ़ी गई थी। उदार एवं बहुलवादी धारणाओं के साथ जुड़े निर्णय लेने में, वास्तव में कौन निर्णय ले रहा है, इस पर ध्यान केन्द्रित होता है। बौल्डिंग का तर्क है कि निर्णय लेना तीन प्रकार से प्रभावित होता है—'दि स्टिक' (दबाव डालना), 'दि डील' (लेन-देन द्वारा परस्पर लाभ उठाना) और 'दि किस' (किसी के लिए निष्ठा और प्रतिबद्धता की भावना क्योंकि उसके पास शक्ति है)।

25. संघात्मक या संघीय राज्य उसे कहते हैं जिसमें एक राष्ट्रीय या केंद्रीय सरकार के अलावा अनेक समकक्ष राज्य कुछ उद्देश्यों की पूर्ति के लिए एकता के सूत्र में बँधे रहते हैं। ए.वी. डाइसी के अनुसार, "संघात्मक राज्य ऐसी राजनीतिक व्यवस्था है, जिसका उद्देश्य राष्ट्रीय एकता और शक्ति के साथ-साथ 'राज्य-अधिकारों' (State Rights) की रक्षा करना है।"

'सहकारी संघवाद' (Co-opeartive Federalism) एक विशेष प्रकार का संघ है जिसके तहत् विकेन्द्रीकरण की नीति अपनाई जाती है और राज्यों को अधिक जिम्मेदारी सौंपी जाती है। ग्रेनविल ऑस्टिन ने भारतीय संघ को सहकारी संघ कहा है। उसने भारतीय संघ का वर्णन करते हुए उसे एक नए प्रकार का संघ बताया है जो भारत की अनोखी आवश्यकताओं की पूर्ति के लिए अपनाया गया है।

26. 'फिलिबस्टरिंग' किसी विधायन-विशेष में विलम्ब करने के लिए सदस्यों द्वारा अपनाई जाने वाली पद्धति है जो अमेरिकी विधायी प्रक्रिया में अपनाई जाती है। सीनेट को कानून के मामले में प्रतिनिध सभा के समान अधिकार प्राप्त हैं। सीनेट विस्तृत अनुसंधानात्मक कार्य कर सकता है और विश्व का द्वितीय सर्वाधिक शक्तिशाली सदन है।

27. अमेरिका के उच्चतम न्यायालय (Supreme Court) को विधायिका का तीसरा चैम्बर बनाने वाली शक्ति उसकी न्यायिक पुनरावलोकन (Judicial review) की शक्ति है। संविधान के संरक्षक के रूप में सर्वोच्च न्यायालय की पहली महत्वपूर्ण शक्ति न्यायिक पुनरावलोकन की है। इसका अर्थ है, यह निर्णय करने की शक्ति कि कोई विधायी अधिनियम या कार्रवाई संविधानसम्मत है या नहीं, और यदि वह संविधान के विरुद्ध हो तो उसे अमान्य घोषित कर दिया जाए। इसके अलावा न्यायिक पुनरावलोकन का तात्पर्य यह भी है कि ऊँचा न्यायालय निचले न्यायालयों के निर्णयों पर पुनर्विचार करके उनके विरुद्ध व्यवस्था दे सकता है। किसी भी हालत में, सर्वोच्च न्यायालय संविधान की मूल चेतना (Spirit of the Constitution) के अनुसार अंतिम निर्णय देता है और उसका निर्णय सर्वोपरि होता है।

28. डेविड ईस्टन ने अपनी प्रसिद्ध कृति 'A System Analysis of Political Life—1965' के अंतर्गत 'राजनीतिक शक्ति' को ऐसे संबंध के रूप में परिभाषित किया है जिसमें एक व्यक्ति या समूह पूर्ववर्ती के निदेशों के अनुसार दूसरे की कार्रवाई का निर्धारण करने में समर्थ होता है। शक्ति की परंपरागत संकल्पना ऐसी

क्षमता के रूप में की जाती है जिससे एक पक्ष दूसरे पक्ष पर अपना नियंत्रण या प्रभुत्व स्थापित करके उसे अपनी इच्छा की पूर्ति का साधन बनाता है। इसका मुख्य लक्षण है बल-प्रयोग, दूसरों को विवश करके, उनकी इच्छा के विरुद्ध अपनी आज्ञा का पालन कराना; उन्हें बलपूर्वक अपनी स्वार्थ-पूर्ति का साधन बनाना; उनकी स्वतंत्रा छीनकर उन्हें अपना सेवक बना देना।

29. नौकरशाही या अधिकारी तंत्र (Bureaucracy), सभी लोकतांत्रिक सरकारों की महत्वपूर्ण विशेषता है क्योंकि ये अधिकारी प्रशासन के विविध कार्यों के विशेषज्ञ होते हैं। ये जिस 'सेवा' के अंतर्गत संगठित होते हैं, उसे 'प्रशासनिक सेवा' या 'सिविल सर्विस' कहा जाता है। इसके सार्वजनिक स्वरूप को देखते हुए इसे 'सार्वजनिक सेवा' (Public Service) भी कहा जाता है।

हर्मन फाइनर के शब्दों में, "प्रशासनिक सेवा ऐसे अधिकारियों का समुच्चय है जो स्थायी (permanent), वैतनिक (Paid) और प्रशिक्षित होते हैं।" उनके ये लक्षण आधुनिक युग की विशेषता हैं क्योंकि प्रशासन का कार्य चिरकाल से गैर-व्यवसायी (Amateur) लोगों के हाथ में रहा है। उदाहरण के लिए, इंग्लैंड में 18वीं शताब्दी के अंत तक यही स्थिति रही। 19वीं शताब्दी के मध्य में वहाँ 'सार्वजनिक सेवा' की बाकायदा स्थापना की गई। आज ब्रिटिश सिविल सर्विस विश्व की सर्वोत्तम प्रशासनिक सेवा मानी जाती है।

30. तुलनात्मक राजनीति (Comparative politics), राजनीति का विज्ञान है क्योंकि यह अध्ययन की आनुभविक पद्धति पर निर्भर करती है। आनुभविक या अनुभवमूलक पद्धति (Empirical Method) ज्ञान प्राप्त करने का वह तरीका है जिसमें ज्ञानेंद्रियों (Sense Organs) के अनुभव के आधार पर कोई निष्कर्ष निकाला जाता है। चूंकि सामान्य अवस्था में सब मनुष्यों की ज्ञानेंद्रियों का अनुभव एक-जैसा होता है, इसलिए अनुभवमूलक ज्ञान का सत्यापन किया जा सकता है। वस्तुतः अनुभवमूलक ज्ञान ही संपूर्ण विज्ञान का आधार है।

32. संविधान सभा का निर्वाचन प्रांतीय विधान सभा के सदस्यों द्वारा अप्रत्यक्ष निर्वाचन प्रणाली से हुआ था। यह कैबिनेट योजना द्वारा बनाई गई स्कीम के अधीन था। इस स्कीम के मुख्य लक्षण इस प्रकार थे–

(*a*) प्रत्येक प्रांत और देशी रियासत को अपनी जनसंख्या के अनुपात में स्थानों का आबंटन किया गया। मोटे तौर पर 10 लाख की जनसंख्या पर 1 स्थान आवंटित हुआ। परिणामस्वरूप प्रांतों को 292 सदस्य, देशी रियासतों को 93 सदस्य और चीफ कमिशनर के क्षेत्रों को 4 सदस्य संविधान सभा में भेजने थे।

(*b*) प्रत्येक प्रांत में स्थानों का वितरण तीन समुदायों के बीच उनकी जनसंख्या के अनुपात में किया गया। ये तीन समुदाय थे–मुस्लिम, सिक्ख और साधारण।

(*c*) प्रांतीय विधान सभाओं में प्रत्येक समुदाय के प्रतिनिधियों ने आनुपातिक प्रतिनिधित्व प्रणाली के अनुसार एकल अंतरणीय मत से सदस्यों का निर्वाचन किया।

(*d*) देशी रियासतों में चयन किस प्रकार हो यह परामर्श से तय होना था। वास्तव में अधिकांश रियासतों में शासक द्वारा सदस्य नामनिर्दिष्ट किए गए।

33. भारतीय संविधान के भाग-4 में राज्य की नीति के निर्देशक सिद्धांतों का वर्णन है। इस भाग में अनुच्छेद-36 से अनुच्छेद-51 तक सामाजिक-आर्थिक अधिकारों की व्यवस्था की गई है जो विभिन्न दर्शनों पर आधारित हैं। अनुच्छेद-47 लोक कल्याणवाद पर आधारित है, जिसमें वर्णित है कि राज्य, अपने लोगों के पोषाहार स्तर और जीवन स्तर को ऊँचा करने और लोक स्वास्थ्य के सुधार को अपने प्राथमिक कर्तव्यों में मानेगा।

अनुच्छेद-39 समाजवादी दर्शन पर आधारित है, जिसमें पुरुषों और स्त्रियों दोनों को समान कार्य के लिए समान वेतन की व्यवस्था की गई है।

गांधीवादी दर्शन पर आधारित अनुच्छेद-43 है, जिसमें कुटीर उद्योगों के संवर्धन की व्यवस्था की गई है।

अनुच्छेद-51 अंतर्राष्ट्रीयतावाद की व्यवस्था करता है, जिसमें राज्य से अपेक्षा की गई है कि वह, अंतर्राष्ट्रीय शांति और सुरक्षा की अभिवृद्धि का, राष्ट्रों के बीच न्यायसंगत अैर सम्मानपूर्ण सम्बन्धों को बनाए रखने का, संगठित लोगों के एक-दूसरे से व्यवहारों में अंतर्राष्ट्रीय विधि और संधि-बाध्यताओं के प्रति आदर बढ़ाने का, और अंतर्राष्ट्रीय विवादों के मध्यस्थों द्वारा निपटारे के लिए प्रोत्साहन देने का, प्रयास करेगा।

34. भारत के संविधान के भाग-IV (क) और अनुच्छेद-51 (क) में मौलिक कर्तव्यों का उल्लेख किया गया है। मूल कर्तव्य मूलतः अंगीकृत संविधान के भाग नहीं थे। इन्हें 'स्वर्ण सिंह समिति' की सिफारिश पर 42वें संविधान संशोधन द्वारा 1976 में सम्मिलित किया गया। ये कर्तव्य नागरिकों को संबोधित हैं। देश नागरिकों से यह अपेक्षा करता है कि वे कुछ कर्तव्यों का पालन करें। वे राष्ट्र के लक्ष्यों की प्राप्ति के लिए सक्रिय सहभागी हैं मात्र दर्शक नहीं।

42वें संशोधन द्वारा 10 मूल कर्तव्यों की व्यवस्था की गई थी लेकिन वर्तमान में मूल कर्तव्यों की संख्या 11 है। 11वाँ कर्तव्य 86वें संविधान संशोधन-2002 द्वारा समाविष्ट किया गया।

मूल कर्तव्य न्यायालय के माध्यम से प्रवृत्त नहीं कराए जा सकते। किंतु वे बहुत मूल्यवान दिशादर्शन करते हैं और संविधान के निर्वचन में सहायक हो सकते हैं।

36. अनुच्छेद-32 द्वारा उच्चतम न्यायालय को मूल अधिकारों के प्रवर्तन के लिए रिट (याचिका) जारी करने की शक्ति दी गई है। ये रिट निम्नलिखित हैं—बंदी प्रत्यक्षीकरण, परमादेश, प्रतिषेध, अधिकार-पृच्छा और उत्प्रेरण। अनुच्छेद-226 के अधीन उच्च न्यायालय को मूल अधिकारों के प्रवर्तन के अतिरिक्त किसी अन्य प्रयोजन के लिए भी रिट जारी करने की शक्ति है।

इस प्रकार उच्च न्यायालय की शक्ति का विस्तार अपेक्षाकृत अधिक है। उच्च न्यायालय की शक्ति किसी अन्य प्रयोजन के लिए भी काम आ सकती है। जबकि अनुच्छेद-32 के अधीन उच्चतम न्यायालय केवल मूल अधिकार को प्रवृत्त कराने के प्रयोजन के लिए रिट निकाल सकता है।

अनुच्छेद-32 संविधान का आधारिक लक्षण है। संविधान का संशोधन करके इसका लोप नहीं किया जा सकता। इसलिए व्यथित व्यक्ति सीधे उच्चतम न्यायालय पहुँच सकता है। यह आवश्यक नहीं है कि वह पहले उच्च न्यायालय का द्वारा खटखटाए।

38. 'वोहरा समिति' ने 'राजनीति के अपराधीकरण और अपराधियों के राजनीतिकरण' के विषय में चिंता जताई थी। वोहरा समिति की रिपोर्ट अक्टूबर 1993 में भूतपूर्व भारतीय केन्द्रीय सचिव एन.एन. वोहरा द्वारा प्रस्तुत की गई थी। उन्होंने राजनीति के अपराधीकरण और अपराधियों, राजनीतिज्ञों और नौकरशाहों के बीच साँठ गाँठ की समस्या पर अध्ययन किया था।

रिपोर्ट में सरकारी विभागों द्वारा दी गई अनेक टिप्पणियाँ निहित थीं जिनके अनुसार आपराधिक नेटवर्क द्वारा प्रायः एक समानांतर सरकार चलाई जा रही थी। इसमें इस बात का भी जिक्र है कि कई आपराधिक तत्वों को सभी दलों के राजनीतिज्ञों और सरकारी पदाधिकारियों का संरक्षण प्राप्त है। इसमें खुलासा किया गया है कि राजनैतिक नेतागण आपराधिक गिरोहों के नेता बन गए हैं। इनमें से कई गत वर्षों में सेना से जुड़े थे, स्थानीय निकायों, राज्यों की विधायिकाओं और संसद में भी चुने गए हैं। वोहरा समिति के अप्रकाशित परिशिष्टों में काफी विस्फोटक सामग्री होने की बात मानी जाती है।

39. स्वायत्त शाखा के रूप में राज्य की राजनीति का अध्ययन क्षेत्रीय दलों के उदय का परिणाम रहा है। 1967 तक भारत में केंद्र स्तर पर और अधिकांश राज्यों में 'इंडियन नेशनल कांग्रेस' का आधिपत्य था। यह पार्टी भारत के राष्ट्रीय आंदोलन की धुरी रही थी। 1977 तक केन्द्र में इसका बहुमत रहा। जैसे-जैसे इसके पुराने कर्णधार हटते गए, और नए नेता इसमें एकता कायम नहीं रख पाए, इसमें विभाजन पैदा हो गया, और नए क्षेत्रीय दलों को उभरने का रास्ता मिल गया।

कभी-कभी किसी राज्य में क्षेत्रीय भावना इतनी प्रबल हो जाती है कि वहाँ की जनता आम चुनाव में राष्ट्रीय दल को हराकर, क्षेत्रीय दल को सत्तारूढ़ कर देती है। उदाहरण के लिए, आंध्र प्रदेश की जनता ने कांग्रेस को हराकर वहाँ तेलगु देशम पार्टी को स्थापित कर दिया। तमिलनाडु में कांग्रेस की जगह DMK और AIADMK सत्ता की दावेदार बन गई है। उत्तर प्रदेश जैसे बड़े राज्य में समाजवादी पार्टी और BSP ने अपना गढ़ बना लिया है। RJD और JD(U) ने बिहार में अपने पाँव जमा लिए हैं। TMC बंगाल में भारतीय कम्युनिस्ट पार्टी (मार्क्सवादी) को चुनौती दे रही है। असम में असम गणपरिषद् और महाराष्ट्र में शिव सेना की स्थिति पर्याप्त सुदृढ़ है। पंजाब में समय-समय पर अकाली दल या उसका गठबंधन सत्तारूढ़ रहा है।

42. संविधान सभा के सदस्य कैबिनेट मिशन की योजना के अनुसार ब्रिटिश भारत में स्थित विधान सभाओं द्वारा निर्वाचित किए गए थे। रियासतों में शासकों ने अपने प्रतिनिधि नामनिर्दिष्ट किए जो सभा के सदस्य बने। संविधान सभा का एक भाग निर्वाचित था किंतु निर्वाचन अप्रत्यक्ष था और वयस्क मताधिकार के आधार पर नहीं हुआ था। संविधान सभा की पहली बैठक (उद्घाटन सत्र) 9 दिसम्बर 1946 को हुई, जिसकी अध्यक्षता डॉ. सच्चिदानन्द सिन्हा ने की थी। 11 दिसम्बर 1946 को सभा के स्थायी अध्यक्ष के रूप में डॉ. राजेन्द्र प्रसाद को चुना गया। मुस्लिम लीग ने सभा में सम्मिलित होने से इंकार कर दिया। मुस्लिम लीग ने यह मांग की कि सभा को विघटित किया जाना चाहिए क्योंकि वह भारत के लोगों के सभी अनुभागों का प्रतिनिधित्व नहीं करती।

43. विश्व विद्यालय अनुदान आयोग, राष्ट्रीय मानवाधिकार आयोग और राष्ट्रीय अल्पसंख्यक आयोग सांविधिक निकाय (Statutory bodies) हैं जिनका संविधान में वर्णन नहीं है। इनका गठन मंत्रिमंडलीय प्रस्तावों के द्वारा हुआ है जबकि संघ लोक सेवा आयोग एक संवैधानिक संस्था (Constitutional body) है जिसका संविधान में विधिवत वर्णन है। संविधान में संघ के लिए एक लोक सेवा आयोग और प्रत्येक राज्य के लिए एक-एक लोक सेवा आयोग गठित करने का विचार है। अनुच्छेद-315 से लेकर अनुच्छेद-323 तक लोक सेवा आयोग के बारे में विस्तार से वर्णन है। अनुच्छेद-315 में कहा गया है कि यदि दो या अधिक राज्य इस बात पर सहमत हो जाएं कि उनके लिए एक संयुक्त लोक सेवा आयोग हो और उनके विधान मंडल इस प्रभाव के संकल्प पारित कर दें तो संसद विधि बनाकर उनकी आवश्यकताओं के लिए संयुक्त लोक सेवा आयोग नियुक्त कर सकती है।

44. कम्युनिस्ट पार्टी ऑफ इंडिया भारत में पहली बार केरल राज्य में सत्ता में आई। 1957 ई. में ई.एम.एस. नम्बूदरीपाद के नेतृत्व में केरल में कम्युनिस्ट सरकार का गठन हुआ। दुनिया में यह पहला अवसर था जब एक कम्युनिस्ट पार्टी की सरकार लोकतांत्रिक चुनावों के जरिए बनी।

केरल में सत्ता से बेदखल होने पर कांग्रेस पार्टी ने निर्वाचित सरकार के खिलाफ 'मुक्ति संघर्ष' छेड़ दिया। भारतीय कम्युनिस्ट पार्टी सत्ता में इस वायदे के साथ आई थी कि वह कुछ क्रांतिकारी तथा प्रगतिशील नीतिगत पहल करेगी। कम्युनिस्टों का कहना था कि इस संघर्ष की अगुवाई निहित स्वार्थ और धार्मिक संगठन कर रहे हैं। 1959 में केंद्र की कांग्रेस सरकार ने अनुच्छेद-356 के अंतर्गत केरल की कम्युनिस्ट सरकार को बर्खास्त कर दिया। यह फैसला बड़ा विवादास्पद साबित हुआ। संविधान-प्रदत्त आपातकालीन शक्तियों के दुरुपयोग के पहले उदाहरण के रूप में इस फैसले का बार-बार उपयोग किया गया।

46. एक अकादमिक अनुशासन के रूप में लोक प्रशासन का मूल अमेरिका के डॉ. वुडरो विल्सन के कार्य में है जिन्होंने 'दि स्टडी ऑफ एडमिनिस्ट्रेशन–1887' नाम का लेख प्रकाशित किया था। हालाँकि जल्दी ही इसके अनुशासनात्मक चरित्र पर एक कपटपूर्ण और अंतहीन बहस शुरू हो गई थी। इसने एल्टन मेयो के मानव सम्बन्ध दृष्टिकोण, हर्बर्ट साइमन के निर्णयात्मक दृष्टिकोण और संरचनात्मक और कार्यात्मक दृष्टिकोणों के साथ

वैज्ञानिक प्रबंधन आंदोलन के रूप में उल्लेखनीय प्रगति की है।

इसके विकास के छः चरण होते हैं—राजनीति प्रशासन विरोधाभास, सैद्धांतिक दृष्टिकोण, पारिस्थितिक दृष्टिकोण, लोकनीति दृष्टिकोण, वैज्ञानिक अथवा तार्किक प्रत्यक्षवादी दृष्टिकोण और नया लोक-प्रबंधन।

48. आधुनिक युग में संगठन सिद्धांत में सामान्य व्यवस्था सिद्धांत की मान्यताओं को अपनाकर उसमें संगठन की संरचनाओं, कार्यरत मनुष्यों तथा इसके अंतःसम्बन्धों एवं अन्य व्यवस्थाओं से निर्मित पर्यावरण को शामिल किया गया है। समाज में अन्य व्यवस्थाओं की तरह प्रशासनिक व्यवस्था भी होती है। स्कॉट के अनुसार, व्यवस्था की धारणा आधुनिक संगठन सिद्धांत की सीमा का प्रतिनिधित्व करती है जिसका प्रबंध के लिए बड़ा महत्व है। वस्तुतः आधुनिक युग का संगठन सिद्धांत तीन परिप्रेक्ष्यों को लेकर चल रहा है—व्यवस्था सिद्धांत, संरचनात्मक-प्रकार्यात्मक सिद्धांत तथा पारिस्थितिकीय उपागम। स्कॉट ने व्यवस्था सिद्धांत में अंगभूत घटकों, प्रक्रियाओं एवं मूल्यों को स्थान दिया है। कॉस्ट एवं रोजेन्जवीग ने संगठन को पर्यावरण के साथ अंतःक्रिया करने वाली खुली व्यवस्था के रूप में देखा है जो पाँच मुख्य उपव्यवस्थाओं—लक्ष्य एवं मूल्य, तकनीकी, संरचनात्मक, मनोसामाजिक तथा प्रबंधकीय से निर्मित होती है। संरचनात्मक-प्रकार्यवाद का आमण्ड, कोलमैन, रिग्स आदि ने अपनाया है। पारिस्थितिकीय उपागम का प्रमुख प्रतिपादक रिग्स है।

50. 'पब्लिक च्वायस एप्रोच' विद्वानों द्वारा 1960 के दशक के आर्थिक अनुशासन में प्रतिपादित की गई थी।

यह सख्ती से प्रशासन के नौकरशाही मॉडल का विरोध करती है। बिन्सेर ओस्त्रोम इसके समर्थक एवं नायक हैं।

55. हेनरी फॉयल ने प्रबंधन गतिविधि के प्रमुख कार्य के रूप में 5 तत्वों की पहचान की है। उसका कहना है कि "किसी संगठन के उच्चस्तर पर तकनीकी ज्ञान की अपेक्षा प्रशासनिक ज्ञान की आवश्यकता होती है।" फॉयल ने प्रशासन की परिभाषा देते हुए कहा है कि प्रशासन एक प्रकार की प्रक्रिया होती है जिसके द्वारा एक निश्चित लक्ष्य की प्राप्ति की जाती है। उन्होंने प्रशासन की इस परिभाषा को सर्वव्यापी बतलाया है। फॉयल ने अपनी इसी परिभाषा के आधार पर लोक प्रशासन के क्षेत्र के अंतर्गत आने वाली क्रियाओं को निम्नलिखित वर्गों में विभाजित किया है—तकनीकी क्रियाएँ, व्यापारिक क्रियाएँ, वित्तीय क्रियाएँ, सुरक्षा क्रियाएँ, लेखाक्रम क्रियाएँ और प्रबंधकीय क्रियाएँ।

फॉयल ने उपरोक्त क्रियाओं में से प्रबंधकीय क्रियाओं को लोक प्रशासन में अधिक महत्वपूर्ण स्थान दिया है। उनके अनुसार यदि सारी क्रियाएँ ठीक रूप से संचालित न हों तो लोक प्रशासन अपने उद्देश्य को ठीक ढंग से प्राप्त नहीं कर सकता है। फॉयल ने प्रबंधकीय क्रियाओं के अंतर्गत निम्नलिखित 5 मुख्य कार्यों को शामिल किया है। इन्हें प्रशासन या प्रबंध का तत्व भी कहा जाता है। ये 5 तत्व निम्न हैं—योजना बनाना, संगठित करना, आदेश देना, समन्वय करना और नियंत्रण।

56. भारतीय प्रशासनिक सेवा में कार्यात्मक विशेषज्ञता की सिफारिश प्रथम प्रशासनिक सुधार आयोग द्वारा की गई थी। इस आयोग का गठन 5 जनवरी 1966 को किया गया था। आरम्भ में इसके अध्यक्ष मोरारजी देसाई थे किंतु उनके उपप्रधानमंत्री बनने पर के. हनुमंथैया इसके अध्यक्ष बने। आयोग ने 1970 के मध्य में समापन से पहले 20 रिपोर्ट प्रस्तु कीं।

57. अध्यादेश बनाने की शक्ति 'प्रदत्त विधायन' (Delegated Legislation) नहीं होता है। अनुच्छेद-123 के अंतर्गत संसद के विश्रांतिकाल में राष्ट्रपति को अध्यादेश जारी करने की शक्ति प्रदान की गई है। ठीक इसी तरह राज्यपाल को अनुच्छेद-213 के तहत् विधानमण्डल के विश्रांतिकाल में अध्यादेश जारी करने की शक्ति प्राप्त है।.

प्रत्यायोजित विधान का अर्थ है विधानमंडल द्वारा कार्यपालिका को प्रत्यायोजित नियम बनाने की शक्ति का

प्रयोग। आधुनिक राज्य का कार्य केवल विधि व्यवस्था बनाए रखना नहीं है। उसका काम पुलिस वाले का काम मात्र नहीं है। आधुनिक राज्य को समाज के सामाजिक जीवन और आर्थिक जीवन को नियंत्रित करने में प्रमुख भूमिका निभानी पड़ती है। राज्य के कृत्यों की सभी दिशाओं में वृद्धि हुई है। मानव जीवन के सभी पहलू इसमें आते हैं। इससे विधान मंडलों का कार्य बहुत बढ़ गया है और यह आवश्यक हो गया है कि वे अपने कर्तव्यों का कुछ भाग प्रशासन में विशेषज्ञों को सौंप दे। यह सार्वभौम रूप से स्वीकार किया जाता है कि प्रदत्त विधायन वैध भी है और वांछनीय भी।

60. पंचायती राज व्यवस्था को और अधिक प्रभावी बनाने के लिए जनता सरकार ने 1977 में अशोक मेहता समिति का गठन किया। इस समिति ने 1978 में अपना प्रतिवेदन प्रस्तुत किया जिसमें निम्नलिखित सुझाव था–

(*a*) पंचायती राज संस्थाओं में त्रिस्तरीय संगठन के स्थान पर द्विस्तरीय संगठन होना चाहिए, जिला स्तर पर जिला परिषद तथा निम्न स्तर पर मंडल पंचायत जो कई गांवों से मिलकर बनेगी। इसने ग्राम पंचायत को समाप्त करने का सुझाव दिया।

(*b*) पंचायती राज संस्थाओं को करारोपण की अनिवार्य शक्ति प्रदान करनी चाहिए जिससे कि वे राज्य सरकार के अनुदान पर निर्भर न रहें तथा स्वयं आय के स्रोत का सृजन कर सकें।

(*c*) पंचायती राज संस्थाओं के चुनावों में राजनीतिक दलों को भाग लेना चाहिए।

(*d*) राज्य सरकारें राजनीतिक आधार पर पंचायती राज संस्थाओं का विघटन न करें, यदि ऐसा होता है तो संस्थाओं का चुनाव 6 माह के अंदर हो जाना चाहिए।

61. जॉन हर्ज यथार्थवाजी उदारवाद (Realistic Liberalism) की संकल्पना से सम्बद्ध है। उसने अपनी पुस्तक 'Political Realism and Political Idealism' के अंतर्गत यह विचार व्यक्त किया है कि हम आदर्शवाद और यथार्थवाद की त्रुटियों से कैसे बच सकते हैं। अंतर्राष्ट्रीय राजनीति के अध्ययन में आदर्शवादी दृष्टिकोण भी उतना ही आवश्यक है जितना यथार्थवादी दृष्टिकोण, बशर्ते कि दोनों की अति से बचकर रहा जाए।

चरम यथार्थवाद और चरम आदर्शवाद के बीच का दृष्टिकोण संकलनवाद (Eclecticism) कहलाता है। संकलनवाद न तो यथार्थवादी दृष्टिकोण को पूर्णतया संतोषजनक समझता है और न आदर्शवादी दृष्टिकोण को। वह आदर्शवादियों के आशावाद और यथार्थवादियों के निराशावाद के बीच एक प्रकार का समन्वय करता है। संकलनवादी दृष्टि के अनुसार अंतर्राष्ट्रीय सम्बन्धों के विद्यार्थी अथवा अध्ययनकर्ता को किसी भी पूर्वमान्यता के बिना अपना अध्ययन आरम्भ करना चाहिए। संकलनवाद अंतर्राष्ट्रीय राजनीति को समाजशास्त्रीय दृष्टिकोण से देखता है। अंतर्राष्ट्रीय राजनीति का आनुभाविक अध्ययन करने में समाज विज्ञान से सहायता मिल सकती है जो तथ्यों और मूल्यों को अलग-अलग करके देखता है और पूर्वकल्पित धारणाओं से बचकर चलता है। समाजशास्त्र से हमारे दृष्टिकोण में कुछ व्यापकता और उदारता भी आ जाती है। समाज विज्ञान हमारे सामने एक ऐसी कसौटी भी पेश कर देता है जिससे अंतराष्ट्रीय राजनीति के विषयों को राष्ट्रीय किस्म के विषयों से अलग किया जा सकता है।

63. 'The Twenty Years Crisis (1919-1939)' नामक अपनी पुस्तक में ई.एच. कार (E.H. Carr) ने दोनों युद्धों के बीच के काल में आदर्शवाद के खोखलेपन का पर्दाफाश किया है। पर उसने यह कार्य उस काल के संकटजनक आचरणों के प्रसंग में ही किया है। अन्यथा उसने यह भी बलपूर्वक कहा है कि किसी भी परिपक्व दृष्टिकोण में आदर्शवाद और यथार्थवाद दोनों के अवयव होने चाहिए। यह कार्यसाधकता यानी तात्कालिक लाभ और नैतिकता की एक तरह की द्वन्द्वात्मक गति के जिसका अंतर्राष्ट्रीय राजनीति पर प्रभाव पड़ा है। राजनीतिक कार्यसाधकता के कार्यों से, चाहे वे कितने ही सीमित हों, न्याय और सर्वहित के ध्येय अग्रसर होते हुए दिखाई देने चाहिए। राष्ट्रीय हितों के अनुरूप सफलतापूर्वक कार्य

करना राजनीतिक समझदारी है। पर यदि कोई राष्ट्र यथासम्भव अधिक से अधिक ऐसी नैतिक कार्यप्रणाली अपनाता है जिससे आदर्शवाद और यथार्थवाद दोनों सिद्ध हो जाएं तो वह उसकी नैतिक समझदारी भी है और राजनीतिक समझदारी भी।

64. ''तीसरी दुनिया'' (Third World) शब्दावली के आविष्कार का श्रेय एक फ्रांसीसी अर्थशास्त्रवेत्ता और जनसांख्यिकीकार आल्फ्रेड सॉवी को है। सॉवी ने 1952 में प्रकाशित अपने लेख के अंतर्गत पहली बार इस शब्द का प्रयोग किया था। यह शब्दावली क्रांति-पूर्व फ्रांस में प्रचलित 'तीसरी सत्ता' (Third Estate) की तर्ज पर गढ़ी गई थी। वहाँ पुरोहित-वर्ग (Clergy) को 'पहली सत्ता' (First Estate) कहा जाता था; कुलीन वर्ग (Nobility) को 'दूसरी सत्ता' (Second Estate) में गिना जाता था; और जनसाधारण को 'तीसरी सत्ता' में रखा जाता था। अतः 'तीसरी सत्ता' की तरह 'तीसरी दुनिया' से भी विश्व के बहुत बड़े किंतु 'शक्तिहीन' हिस्से का संकेत मिलता था। 1950 के दशक में नवोदित देशों का संकेत देने के लिए इस शब्द का विस्तृत प्रयोग होने लगा। आज के दौर में ऐसे देशों की संख्या 125 के ऊपर हो गई है जो विश्व के देशों की कुल संख्या के 2/3 से कम नहीं है।

66. जॉर्ज श्वार्जनबर्गर उन 6 धारणाओं को लेकर चलता है, जिन्हें अक्सर गुटनिरपेक्षता की धारणा के पर्याय के रूप में देखा जाता है। वे 6 धारणाएँ हैं—अलगाववाद (Isolationism), अप्रतिबद्धता (Non Commitment), तटस्थता (Neutrality), तटस्थीकरण (Neutralisation), एक पक्षवाद (Unilateralism) और असंलग्नता (Non-Involvement)। श्वार्जनबर्गर का मत है कि गुटनिरपेक्षता उपर्युक्त छहों धारणाओं से भिन्न है। उसके अनुसार गुटनिरपेक्षता मित्र-सन्धियों अथवा गुटों से बाहर रहने की नीति है। वह यह मानता है कि प्रथम विश्व युद्ध से पूर्व अमेरिका ने जिस नीति का अनुसरण किया वह गुटनिरपेक्षता की नीति थी।

जवाहरलाल नेहरू को गुटनिरपेक्षता का जन्मदाता केवल इसलिए नहीं कहा जाता कि उन्होंने गुटनिरपेक्षता के सिद्धांत का श्रीगणेश किया बल्कि इसलिए भी कि उन्होंने गुटनिरपेक्षता की उन छिपी हुई क्षमताओं को उजागर किया जिनसे अंतर्राष्ट्रीय विवादों को शांतिपूर्ण ढंग से सुलझाया जा सके। गुटनिरपेक्षता की इन क्षमताओं को ठीक से न पहचान सकने के कारण ही जार्ज श्वार्जनबर्गर ने गुटनिरपेक्षता का स्वार्थपूर्ण नीति कहकर उसकी भर्त्सना की है और हेन्स मॉर्गेंथाऊ और रेनॉल्ड नेबूर ने गुटनिरपेक्षता को एक थोथी विचारधारा माना है।

68. हैडले बुल ने अपनी पुस्तक 'The Control of the Arms Race—1961' में यह मानते हैं कि हथियारों की होड़ स्वयं ही तनाव की अभिव्यक्ति है और इसलिए निरस्त्रीकरण राजनीतिक समझौते के बाद ही लाया जा सकता है। निस्त्रीकरण के भूतकाल के प्रयत्नों के इतिहास पर दृष्टि डालने से यह पता चलता है कि राज्य एक-दूसरे के खिलाफ सैनिक सावधानियाँ घटाने या त्यागने को तभी तैयार होते हैं जब राजनीतिक प्रतिद्वंद्विता किसी मैत्रीसन्धि में विलीन हो जाए या उनके हितों में सीधा टकराव न हो। निरस्त्रीकरण का विचार रोग जीवाणुओं और रोग लक्षणों में, कारणों और कार्यों में और साधनों तथा साध्यों में अंतर नहीं कर पाता। हथियारों की होड़ राजनीतिक संघर्षों के परिणामस्वरूप पैदा होती है।

69. जर्मनी P5+1 नाभिकीय समझौते का अंग है। ईरान के परमाणु मुद्दे पर विश्व की 6 महाशक्तियों (P5+1), यूरोपीय संघ और ईरान के बीच चली वार्ता में प्रस्तावित परमाणु संधि पर आम सहमति की घोषणा की गई है। स्विट्जरलैण्ड के लुसाने में 26 मार्च, 2015 से 2 अप्रैल, 2015 तक ईरानी परमाणु कार्यक्रम पर वार्ताएं आयोजित हुईं थीं। ईरान के परमाणु कार्यक्रम के मुद्दे पर ईरान और P5+1 (अमेरिका, रूस, चीन, फ्रांस, ब्रिटेन एवं जर्मनी) के मध्य 13 वर्ष लंबी बातचीत का दौर 14 जुलाई, 2015 को सफलतापूर्वक सम्पन्न हो गया और इस मुद्दे को हल करने के लिए दोनों पक्षों में एक संधि हो गई। यह संधि वियना (आस्ट्रिया) में सम्पन्न हुई।

संधि के तहत ईरान ने अपने परमाणु तथा सैन्य स्थलों का संयुक्त राष्ट्र की टीमों द्वारा निरीक्षण किए जाने की अहम शर्त स्वीकार कर ली है। हालाँकि ईरान को इस संबंध में संयुक्त राष्ट्र के फैसले को चुनौती देने की छूट दी गई है जिस पर अंतिम निर्णय इन्हीं 6 महाशक्तियों की एक संयुक्त परिषद में लिया जाएगा।

70. किसी राष्ट्र की राष्ट्रीय शक्ति (National Power) राष्ट्रीय हितों को प्राप्त करने की सामर्थ्य तथा उपयोगिता है। इसमें दूसरों के ऊपर शक्ति प्रयोग, शक्ति प्रयोग की धमकी तथा दूसरों के ऊपर प्रभाव डालना शामिल है। मार्गेन्थाऊ के अनुसार, "राष्ट्रीय शक्ति राष्ट्र की वह शक्ति है जिसके आधार पर कोई व्यक्ति या राष्ट्र किसी दूसरे राष्ट्र के कार्यों, व्यवहार और नीतियों पर प्रभाव तथा नियंत्रण रखने की चेष्टा करता है।" पेडलफोर्ड तथा लिंकन के अनुसार, "राष्ट्रीय शक्ति राज्य की क्षमता तथा शक्ति का वह सम्मिश्रण है जो राज्य अपने राष्ट्रीय हितों तथा उद्देश्यों को प्राप्त करने के लिए प्रयोग करता है।" राष्ट्रीय शक्ति के 3 रूप माने गए हैं–(*i*) सैनिक शक्ति (*ii*) मनोवैज्ञानिक शक्ति, और (*iii*) आर्थिक शक्ति।

71. दक्षिण एशियाई क्षेत्रीय सहयोग संगठन (SAARC) के भारत, मालदीव, पाकिस्तान, बांग्लादेश, श्रीलंका, भूटान, नेपाल एवं अफगानिस्तान सहित 8 सदस्य देश हैं। दिसम्बर, 1985 के ढाका शिखर सम्मेलन के निर्णयानुसार सार्क की स्थापना हुई। इसका मुख्यालय काठमाण्डू (नेपाल) में है। प्रतिवर्ष शासनाध्यक्षों का सम्मेलन किए जाने का प्रावधान है, किन्तु किसी-न-किसी कारण से इसके शिखर सम्मेलन विलम्बित होते रहे हैं। सार्क के मुख्य उद्देश्य निम्नलिखित हैं–

(*a*) संगठन द्वारा दक्षिण एशियाई देशों के लोगों के कल्याण एवं उनके जीवन-स्तर में सुधार करना।

(*b*) सामान्य लक्ष्य के उद्देश्यों के मामलों पर अंतर्राष्ट्रीय मंचों पर आपसी सहयोग मजबूत करना एवं क्षेत्र में आर्थिक, सामाजिक और सांस्कृतिक विकास में तेजी लाना तथा अन्य विकासशील देशों के साथ सहयोग में वृद्धि करना।

(*c*) आपसी विश्वास एवं समझदारी में सहयोग प्रदान करना तथा एक-दूसरे की समस्याओं का समाधान करने का प्रयास करना भी संगठन के उद्देश्यों में शामिल है।

(*d*) आर्थिक, सामाजिक, सांस्कृतिक, तकनीकी एवं वैज्ञानिक क्षेत्र में सक्रिय सहयोग एवं पारस्परिक सहायता में वृद्धि करना।

73. निरस्त्रीकरण (Disarmament) शब्द का प्रयोग बड़े व्यापक अर्थ में किया जाता है और इस लिहाज से देखें तो इससे आयुद्धों या आर्मामेण्ट्स की सीमा निश्चित करने, या उन पर नियंत्रण करने, या उन्हें घटाने का विचार ध्वनित होता है। इस शब्द के अन्दर भी एक गुणात्मक निरस्त्रीकरण (Qualitative Disarmament) है जो केवल कुछ खास किस्मों के हथियारों पर सीमा या रोक का निर्देश करता है और दूसरा मात्रात्मक निरस्त्रीकरण (Quantitative Disarmament) है जो सब वर्गों के हथियारों के नियंत्रण का निर्देश करता है। एक और विभेद भी है, यानी सामान्य निरस्त्रीकरण (General Disarmament) और व्यापक निरस्त्रीकरण (Comprehensive Disarmament)। सामान्य निरस्त्रीकरण वह है जिसमें सब या अधिकतर महाशक्तियाँ हिस्सा लेती हैं। पर यह आवश्यक नहीं कि वे सब प्रकार के हथियारों के त्याग के लिए वचनबद्ध हों। जबकि व्यापक निरस्त्रीकरण के अंतर्गत सब वर्गों के सब आयुद्धों का नियंत्रण या निषेध होता है। व्यापक निरस्त्रीकरण को पूर्ण या सम्पूर्ण निरस्त्रीकरण (Total Disarmament) भी कहते हैं। पूर्ण या व्यापक निरस्त्रीकरण का अर्थ है अन्ततः ऐसी विश्व व्यवस्था ले आना जिसमें युद्ध करने के सारे मानवीय और भौतिक साधन समाप्त कर दिए गए हों। इस प्रकार की विश्व व्यवस्था में किसी भी प्रकार का कोई हथियार नहीं होगा और सेनाएँ पूरी तरह भंग कर दी जाएंगी।

74. एच.जे. मॉरगेंथॉऊ ने कहा था, "अंतर्राष्ट्रीय राजनीति में राष्ट्रों के बीच शांति की समस्याओं और राजनीतिक संबंधों का विश्लेषण किया जाता है।" मॉरगेंथॉऊ एक यथार्थवादी विचारक हैं। यथार्थवाद सर्वाधिक बल राज्य

की सुरक्षा और शक्ति पर देता है। प्रारंभिक यथार्थवादी जैसे—ई.एच. कार और मॉरगेंथॉऊ ने यह तर्क दिया कि राज्य निजी हित में शक्तिग्राही विवेकपूर्ण कर्ता हैं जो अपनी सुरक्षा और उत्तरजीविता की संभावना को अधिकतम बनाना चाहते हैं। राज्यों के मध्य सहयोग प्रत्येक राज्य की सुरक्षा को अधिकतम बनाने का तरीका है। इसी प्रकार, युद्ध संबंधी कोई भी कृत्य निजी हित के आधार पर किया जाना चाहिए ना कि आदर्शवाद के आधार पर।

75. आसियान (ASEAN) दक्षिण-पूर्वी एशियाई राष्ट्रों का संघ है। इण्डोनेशिया, फिलीपीन्स, मलेशिया, सिंगापुर तथा थाइलैण्ड ने एक प्रादेशिक संगठन के रूप में 8 अगस्त, 1967 को इसका औपचारिक गठन बैंकॉक घोषणा के द्वारा किया। 1984 में ब्रुनेई, 1995 में वियतनाम तथा लाओस एवं म्यांमार को 1997 में इसका सदस्य बना लिया गया। कम्बोडिया 1999 में ASEAN का सदस्य बना। इसके साथ ही ASEAN की सदस्य संख्या बढ़कर 10 हो गई है। इसका उद्देश्य दक्षिण-पूर्व एशिया में आर्थिक सहयोग द्वारा प्रगति करना तथा आर्थिक स्थायित्व को बनाए रखना है। प्रत्येक सदस्य देश की राजधानी में इसका एक सचिव रहता है। इसका केन्द्रीय सचिवालय जकार्ता में है। महासचिव का पद प्रति 2 वर्ष के लिए प्रत्येक सदस्य देश को आकारादि क्रम में चुनाव के आधार पर दिया जाता है। आसियान की अध्यक्षता सदस्य देशों को बारी-बारी से वर्णमाला के क्रमानुसार सौंपी जाती है।

पिछले प्रश्न-पत्र (हल सहित)

UGC-NET परीक्षा, राजनीति शास्त्र, दिसम्बर-2014

प्रश्न-पत्र-II

नोटः *इस प्रश्न-पत्र में* ***पचास (50)*** *बहु-विकल्पीय प्रश्न हैं। प्रत्येक प्रश्न के* ***दो (2)*** *अंक हैं।* ***सभी*** *प्रश्न अनिवार्य हैं।*

1. निम्नलिखित में से किसने परिभाषित किया है कि नागरिक शक्ति "दण्ड के साथ कानून बनाने का अधिकार ....संपत्ति का नियमन और संरक्षण और समुदाय की ताकत को ऐसे नियमों के कार्यान्वियन में लगाना......... उपर्युक्त सभी केवल आम जनता के भले के लिए है?"

A. रूसो B. कार्ल मार्क्स

C. जॉन लॉक D. जे.एस. मिल

2. निम्नलिखित में से यह किसने कहा है कि "कामगारों की मुक्ति का आधार स्वयं उनका कार्य है।"?

A. माओ-त्से-तुंग B. वी.आई. लेनिन

C. एंगेल्स D. कार्ल मार्क्स

3. निम्नांकित में से यह नारा किसने दिया कि "साम्राज्यवादी युद्ध को नागरिक युद्ध में बदलना अपनी समग्रता में सर्वहारा क्रांति है।"?

A. कॉट्स्की B. ट्रॉट्स्की

C. एंगेल्स D. लेनिन

4. निम्नलिखित में से कौन-सा 'उदारवादी सामुदायिक बहस' का लक्षण नहीं है?

A. आत्म सम्प्रत्यय : 'भारग्रस्त' बनाम 'अभारग्रस्त'

B. सार्वभौमवाद बनाम विशिष्टतावाद

C. राज्य की तटस्थता बनाम राज्य की अतटस्थता

D. एक दलीय शासन पद्धति : कार्यविधिक बनाम समुदायवाद

5. नीचे दो कथन दिए गए हैं, एक को अभिकथन (A) और दूसरे को कारण (R) का नाम दिया गया है।

अभिकथन (A) : प्लेटो के अनुसार अत्यधिक धन का वैभिन्य अच्छे शासन के लिए असंगत है।

कारण (R) : जहाँ तक सैनिकों और शासक का सम्बन्ध है, स्वयं धन को समाप्त करने की अपेक्षा बुराई को समाप्त करने का और कोई उपाय उसे नहीं दिखा।

कूटः

A. (A) और (R) दोनों सत्य हैं तथा (R), (A) की सही व्याख्या है।

B. (A) और (R) दोनों सत्य हैं लेकिन (R), (A) की सही व्याख्या नहीं है।

C. (A) सत्य है, किन्तु (R) असत्य है।

D. (A) असत्य है, किन्तु (R) सत्य है।

6. महात्मा गांधी पर लिखी निम्नलिखित पुस्तकों को अवरोही क्रम में सजाइएः

(*i*) रिचर्ड एटनबरा – *इन सर्च ऑफ गाँधी*

(*ii*) सी.एफ. एण्ड्रयूज – *महात्मा गांधीज आइडियाज*

(*iii*) बी. भट्टाचार्या – *इवोल्यूशन ऑफ द पोलिटिकल फिलॉसफी ऑफ महात्मा गांधी*

(*iv*) जे.बी. कृपलानी – *गांधीयन थॉट*

नीचे दिए गए उत्तर में से सही क्रम चुनिएः

A. (*ii*), (*iv*), (*iii*), (*i*) B. (*i*), (*ii*), (*iii*), (*iv*)

C. (*iii*), (*i*), (*iv*), (*ii*) D. (*iv*), (*iii*), (*i*), (*ii*)

7. सेन्ट ऑगस्टीन की पुस्तक 'डी सिविटेट डी' कितने भागों में विभाजित है?

A. 19 भागों में B. 20 भागों में

C. 21 भागों में D. 22 भागों में

8. निम्नलिखित में से कौन-सा तथ्य डेविड ईस्टन के राजनीतिक सिद्धांत के पतन का कारण नहीं है?

A. इतिहासवाद B. सामान्य सापेक्षवाद

C. वैचारिक ह्रासवाद D. अति तथ्यवाद

9. निम्नलिखित में से कौन-सा तथ्य जयप्रकाश नारायण के दलविहीन-लोकतंत्र का लक्षण नहीं है?

A. राजनीतिक शक्ति का वितरण

B. चयनित निकायों द्वारा प्रतिनिधियों की सतत निगरानी

C. अधिकतम दुष्प्रचार

D. सापेक्षिक रूप से कम खर्चीला चुनाव

10. निम्नलिखित में से 'लोकतंत्र के आर्थिक सिद्धांत' का प्रतिपादन किसने किया?

A. जे. लिवेली B. सी.बी. मैकफर्सन

C. एन्थनी डॉन्स D. डी. हेल्ड

11. तुलनात्मक राजनीति एक स्वतंत्र विषय के रूप में कब विकसित हुआ?

A. 1970 के दशक में B. 1960 के दशक में

C. 1950 के दशक में D. 1930 के दशक में

12. आमंड के अनुसार किसी व्यवस्था की निम्नलिखित में से कौन-कौन सी विशेषताएँ होती हैं?

1. व्यापकता
2. परस्पर निर्भरता
3. सीमाओं का अस्तित्व
4. संसाधनों की उपलब्धता

नीचे दिए गए कूटों से सही उत्तर का चयन कीजिए:

कूटः

A. 2, 3 और 4 B. 1, 3 और 4

C. 1, 2 और 4 D. 1, 2 और 3

13. निम्नलिखित में से किसने लक्ष्य परिवर्तन, प्रतिपुष्टि और अधिगम की संकल्पनाओं का उपयोग किया है?

A. डेविड ईस्टन B. कार्ल ड्यूश

C. गेब्रिल आमंड D. लुसियन पाई

14. सूची-I को सूची-II से सुमेलित कीजिए और नीचे दिए गए कूटों से सही उत्तर का चयन कीजिए:

सूची-I	सूची-II
(*a*) सकारात्मक प्रतिपुष्टि	1. एडवर्ड शिल्स
(*b*) अविकसित का विकास	2. कार्ल ड्यूश
(*c*) कुलीन-तंत्र का आधुनिकीकरण	3. ओटेगा गेसेट
(*d*) राष्ट्र—एक संगठित मानव समूह	4. आन्द्रे गुन्डर फ्रैंक

कूटः

	(*a*)	(*b*)	(*c*)	(*d*)
A.	2	4	1	3
B.	1	4	3	2
C.	1	2	3	4
D.	2	4	3	1

15. तुलनात्मक राजनीति में संस्कृति पर बल देना निम्नलिखित में से किस वर्ष प्रमुख बना?

A. 1950 के दशक में B. 1960 के दशक में

C. 1970 के पूर्वार्ध में D. 1970 के उत्तरार्ध में

16. उपद्रव और प्रदर्शन निम्नलिखित में से किसके उदाहरण हैं?

A. संस्थागत हित समूह B. संघ का हित समूह

C. गैर-संघ का हित समूह D. अप्रतिमानित हित समूह

17. निम्नलिखित में से किसने वैधता को "उस सदस्य के पक्ष में दोष-सिद्ध करना कि सत्ता को स्वीकार करना और उसका पालन करना सही और उचित है।" के रूप में परिभाषित किया है?

A. डेविड ईस्टन B. सिमौर लिप्सेट

C. मार्क सचमैन D. कार्ल फ्रीडरिच

18. निम्नलिखित में से किसने निर्भरता को "उपनिवेशी निर्भरता", "वित्तीय औद्योगिक निर्भरता" और 'प्रौद्योगिक औद्योगिक निर्भरता" में वर्गीकृत किया है?

A. आंद्रे गुंडर फ्रैंक B. डोस सन्टोज

C. मॉरिस बालइस्टाइन D. समीर अमीन

19. निम्नलिखित में से यह किसने कहा था कि "क्रांति उत्पीड़ित और शोषित लोगों का उत्सव है"?

A. कार्ल मार्क्स B. लेनिन

C. माओ D. स्कोकपाल

20. निम्न में से कौन-सी वेबर की नौकरशाही की विशेषताएँ हैं?

1. व्यावसायिक योग्यताओं के आधार पर चयन
2. अनुबन्ध के आधार पर नियुक्ति
3. स्टाफ के सदस्य व्यक्तिगत रूप से स्वतंत्र होते हैं।
4. कार्मिक पद छोड़ने के लिए स्वतंत्र होते हैं।

नीचे दिए गए कूटों से सही उत्तर का चयन कीजिए:

A. 1 और 3 B. 1 और 4

C. 1, 2 और 3 D. 1, 2, 3 और 4

21. भारत में खिलाफत आंदोलन का आरंभ किस सुल्तान के साथ एकजुटता दिखाने के लिए हुआ?

A. सऊदी अरब B. तुर्की

C. ईरान D. इराक

22. निम्नलिखित में से कौन-सी रिट अवर न्यायाधिकरण के लिए जारी की जाती है जिसने अपने अधिकार क्षेत्र का प्रयोग करने से मना किया है?

A. उत्प्रेषण B. निषेध

C. अधिकार-पृच्छा D. परमादेश

23. 16वीं लोकसभा का अल्पकालीन अध्यक्ष कौन था?

A. सुमित्रा महाजन B. मीरा कुमार

C. कमल नाथ D. एल.के. आडवाणी

24. सूची-I को सूची-II से सुमेलित कीजिए और नीचे दिए गए कूटों से सही उत्तर का चयन कीजिएः

सूची-I (लेखक)	**सूची-II (पुस्तक)**
(*a*) एस. खिलनानी	1. इण्डिया आफ्टर गांधी : द हिस्ट्री ऑफ द वर्ल्ड्स लॉरजेस्ट डेमोक्रेसी
(*b*) रजनी कोठारी	2. द आइडिया ऑफ इण्डिया
(*c*) आर. गुहा	3. द स्टेट अगेंस्ट डेमोक्रेसी : इन सर्च ऑफ ह्यूमन गवर्नेंस
(*d*) अतुल कोहली	4. द सक्सेस ऑफ इण्डियाज डेमोक्रेसी

कूटः

	(*a*)	(*b*)	(*c*)	(*d*)
A.	2	3	1	4
B.	1	4	3	2
C.	3	4	2	1
D.	4	2	1	3

25. निम्नलिखित में से कौन ''कांग्रेस प्रणाली'' संकल्पना से संबद्ध है?

A. मोरिस जॉन्स B. पॉल आर. ब्रास

C. रजनी कोठारी D. सुब्रतो के. मित्रा

26. भारत में 'कोलेजियम व्यवस्था' सर्वप्रथम लागू की गई

A. कार्यपालिका में B. विधायिका में

C. न्यायपालिका में D. केन्द्र-राज्य सम्बन्धों में

27. भारत के संविधान के अनुसार निम्नलिखित में से कौन बोलने और अभिव्यक्ति की स्वतंत्रता को कम करने के लिए अर्ह नहीं है?

A. राज्य की सुरक्षा

B. सार्वजनिक आदेश, शिष्टता, नैतिकता

C. स्वायत्तता की माँग

D. न्यायालय की अवमानना

28. नीचे दो कथन दिए गए हैं, एक को अभिकथन (A) और दूसरे को तर्क (R) कहा गया है।

अभिकथन (A) : भारत में दलीय व्यवस्था के रूपांतरण से सरकार के दो स्तरों पर विशेष रूप से राज्य स्तर पर शक्ति का केन्द्रीकरण हुआ है।

तर्क (R) : क्षेत्रीय दल शक्तियों के विकेन्द्रीकरण के प्रति कम इच्छुक हैं।

कूटः

A. (A) और (R) दोनों सत्य हैं और (R), (A) का सही स्पष्टीकरण है।

B. (A) और (R) दोनों सत्य हैं, परन्तु (R), (A) का सही स्पष्टीकरण नहीं है।

C. (A) सत्य है, परन्तु (R) असत्य है।

D. (A) असत्य है, परन्तु (R) सत्य है।

29. निम्नलिखित में से किसमें भारत के मुख्य निर्वाचन आयुक्तों को कालक्रमानुसार व्यवस्थित किया गया है?

A. एस.पी. सेन वर्मा, सुकुमार सेन, जे.एम. लिंगदोह, टी.एन. शेषन

B. सुकुमार सेन, एस.पी. सेन वर्मा, टी.एन. शेषन, जे.एम. लिंगदोह

C. एस.पी. सेन वर्मा, टी.एन. शेषन, सुकुमार सेन, जे.एम. लिंगदोह

D. सुकुमार सेन, टी.एन. शेषन, एस.पी. सेन वर्मा, जे.एम. लिंगदोह

30. भारत में अनुसूचित जनजातियों के लिए निम्न में से कौन-से विशेष प्रावधान किए गए हैं?

1. लोकसभा और राज्य विधान सभाओं में सीटों का आरक्षण
2. केन्द्र सरकार द्वारा कल्याण हेतु विशेष अनुदान देना है।

3. सार्वजनिक सेवाओं और रोजगार में सीटों का आरक्षण
4. शिक्षा संस्थाओं में सीटों का आरक्षण

नीचे दिए गए कूट से सही उत्तर का चयन कीजिए:

कूटः

A. 1, 2 और 3 B. 1, 3 और 4
C. 2, 3 और 4 D. 1, 2, 3 और 4

31. निम्न में से कौन-सा कथन प्रशासकीय संगठन के क्षेत्रीय सिद्धांतों की हानियों के संदर्भ में गलत है?

A. बड़े क्षेत्रों के लिए अनुपयुक्त
B. प्रशासन की एकरूपता कठिन हो जाती है
C. स्थानीयता को बढ़ावा देता है
D. क्षेत्रीय हितों का आधिपत्य

32. निम्नलिखित में से कौन-सा पूर्व प्रचलित योग्यता प्रणाली का विकल्प नहीं है?

A. विनिमय प्रणाली B. लूट प्रणाली
C. कार्यालय विक्रय D. संरक्षण प्रणाली

33. उस विधेयक को क्या कहते हैं जिसमें लोक सभा द्वारा स्वीकृत की जाने वाली सभी माँगें तथा संचित निधि प्रभार शामिल होते हैं?

A. विनियोग विधेयक B. माँग विधेयक
C. मुद्रा नीति विधेयक D. वित्त विधेयक

34. भारत सरकार द्वारा राज्य भविष्य निधि के अधीन प्राप्त धन को कहाँ जमा किया जाता है?

A. समेकित निधि (कन्सोलिडेटेड फंड)
B. कोष (ट्रेजेरी)
C. लोक लेखा (पब्लिक अकाउंट)
D. आकस्मिकता निधि (कंटिंजेंसी फंड)

35. मास्लो द्वारा प्रतिपादित मानवीय आवश्यकताओं के पदक्रम में निम्नलिखित को कालक्रमानुसार व्यवस्थित कीजिए:

A. सुरक्षा – सामाजिक – आत्मसम्मान – जैविक – आत्मप्रत्यक्षीकरण
B. आत्मसम्मान – सामाजिक – जैविक – आत्मप्रत्यक्षीकरण – सुरक्षा
C. आत्मप्रत्यक्षीकरण – आत्मसम्मान – सामाजिक – सुरक्षा – जैविक
D. जैविक – सुरक्षा – सामाजिक – आत्मसम्मान – आत्मप्रत्यक्षीकरण

36. निम्नलिखित में से किस रिपोर्ट की सिफारिश पर ब्रिटेन में योग्यता आधारित भर्ती प्रक्रिया अपनायी गई?

A. फुल्टन कमेटी रिपोर्ट
B. नार्थकोटे ट्रेवेल्यान रिपोर्ट
C. रेडक्लिफ मॉड कमीशन रिपोर्ट
D. टॉमलिन कमीशन रिपोर्ट

37. नायेफ अल-रोधन ने अपनी पुस्तक 'सस्टेनेबल हिस्ट्री एण्ड डिग्निटी ऑफ मैन' में राष्ट्रीय सुशासन सुनिश्चित करने के लिए निम्नलिखित में से कौन-सा न्यूनतम मानदंड सम्मिलित नहीं किया?

A. साम्यता और समावेशन
B. कानून का शासन
C. नियंत्रण और संतुलन की व्यवस्था
D. पारदर्शिता

38. सार्वजनिक पद पर बैठे व्यक्तियों की जिम्मेदारी के संबंध में, जब एक अधिकारी विधिक कर्त्तव्य अनुपालन में असफल हो जाता है, यह क्या कहलाता है?

A. अवैध कर्म B. कृत्याकरण
C. अपकृत्यकरण D. कृत्यापकरण

39. स्वीडन में *ओम्बड्समैन* निम्नलिखित में से कौन-से कार्य कर सकता है?

1. न्यायपालिका के विरुद्ध कार्य कर सकता है।
2. व्यक्तिगत शिकायतों पर कार्रवाई कर सकता है।
3. संसद सदस्यों के विरुद्ध कार्य कर सकता है।
4. स्वतः संज्ञान लेते हुए कार्य कर सकता है।

नीचे दिए गए कूट से सही उत्तर का चयन कीजिए:

कूटः

A. 2, 3, 4 B. 1, 2, 4
C. 1, 2, 3 D. 2, 4

40. सूची-I को सूची-II से सुमेलित कीजिए और नीचे दिए गए कूटों से सही उत्तर का चयन कीजिए:

सूची-I (समितियाँ/कमीशन)	**सूची-II (गठन का वर्ष)**
(*a*) अशोक मेहता समिति	1. 1953-54
(*b*) कराधान जाँच समिति	2. 1949-51
(*c*) स्थानीय वित्त जाँच समिति	3. 1978
(*d*) जी.वी.के. राव समिति	4. 1985

कूटः

	(a)	(b)	(c)	(d)
A.	3	2	4	1
B.	2	1	3	4
C.	3	1	2	4
D.	4	3	1	2

41. खेल सिद्धान्त "द थ्योरी ऑफ गेम्स एण्ड इकोनॉमिक बिहेवियर" शीर्षक की प्रमुख कृति से गहन रूप से ऋणी है। इसके लेखक हैं

A. मॉर्टन केप्लन

B. जॉन वॉन न्यूमन एण्ड ऑस्कर मॉर्गेन्सटेर्न

C. कार्ल डेटूच

D. माइकल हास

42. निम्नलिखित में से किसने कहा है कि राजनीति के संदर्भ में शक्ति का अर्थ है, "एक व्यक्ति का दूसरे व्यक्ति के मस्तिष्क और क्रियाओं पर शक्ति"?

A. जॉर्ज शॉर्जनबर्गर B. हर्मन हेलर

C. हांस मोर्गेंथाउ D. बरट्रेंड रसेल

43. सूची-I को सूची-II से सुमेलित कीजिए और नीचे दिए गए कूटों से सही उत्तर का चयन कीजिए:

सूची-I (सन्धियाँ/प्रस्ताव)	**सूची-II (वर्ष)**
(a) एस.ए.एल.टी.-II (सामरिक शस्त्र परिसीमन वार्ता)	1. 1987
(b) पी.टी.बी.टी. (आंशिक परीक्षण प्रतिबंध संधि)	2. 1979
(c) शांति प्रस्ताव के लिए अणु	3. 1963
(d) आई.एन.एफ.ट्रीटी (मध्यवर्ती परमाणु बल संधि)	4. 1953

कूटः

	(a)	(b)	(c)	(d)
A.	1	2	3	4
B.	2	3	4	1
C.	4	2	1	3
D.	3	2	1	4

44. निम्नलिखित में से किस कारक ने शीत युद्ध के पश्चात् 'नव शिथिलता' के विकास में योगदान दिया?

A. गुट निरपेक्ष आंदोलन द्वारा दबाव।

B. रीगन और गोर्बाच्योव द्वारा आई.एन.एफ.ट्रीटी (मध्यवर्ती परमाणु बल संधि) पर हस्ताक्षर।

C. मुक्त अफ्रीकी राष्ट्र के रूप में नामीबिया का उदय।

D. फारस की खाड़ी में RDF (त्वरित परिनियोजित बल) का परिनियोजन।

45. नीचे दो कथन दिए गए हैं, पहला अभिकथन (A) और दूसरा तर्क (R) है।

अभिकथन (A) : उत्तर स्वतंत्रता काल में भारत ने विदेश नीति के अन्तर्गत गुट निरपेक्षता को चुना।

तर्क (R) : गुट निरपेक्ष आन्दोलन स्वतंत्रता, समानता और संप्रभुता के लिए अभिकथन था।

कूटः

A. (A) और (R) दोनों सत्य हैं और (R), (A) का सही स्पष्टीकरण है।

B. (A) और (R) दोनों सत्य हैं, परन्तु (R), (A) का सही स्पष्टीकरण नहीं है।

C. (A) सत्य है, परन्तु (R) असत्य है।

D. (R) सत्य है, परन्तु (A) असत्य है।

46. नव अन्तर्राष्ट्रीय आर्थिक व्यवस्था के लिए पहली बार माँग कब की गई?

A. तेहरान शिखर सम्मेलन में

B. डरबन शिखर सम्मेलन में

C. कुआलालम्पुर शिखर सम्मेलन में

D. अल्जीअर शिखर सम्मेलन में

47. निम्नलिखित में से कौन-सा कथन दक्षिण पूर्व एशियाई राष्ट्रों के संघ (आसियान) के लिए सही नहीं है?

A. प्रथम आसियान शिखर बैठक नवंबर 2002 में हुई थी।

B. आसियान ने वर्ष 1995 में दक्षिण पूर्व एशियाई परमाणु हथियार मुक्त क्षेत्र घोषित किया।

C. आसियान व्यापार बाधाओं को हटाने तथा चीन, जापान और दक्षिण कोरिया के साथ आर्थिक संबंध विकसित करने के लिए कार्य कर रहा है।

D. भारत वर्ष 1991 में आसियान का पूर्ण वार्ता साझेदार हो गया था।

48. निम्नलिखित में से किसने इसका प्रयोग किया था : संयुक्त राष्ट्र संयुक्त राष्ट्र की आवश्यकता पर बल देने के लिए 'एकजुटता के नाम पर सहभागी का कार्य' कर रहा है?

A. विंस्टन चर्चिल

B. दाग हैमरस्कोल्ड

C. त्रिग्वे ली

D. वूड्रो विल्सन

49. इनमें से कौन 'दुकानदारी कूटनीति' का लक्षण नहीं है?

A. यह शांतिपूर्ण दृष्टिकोण पर आधारित है।

B. यह समझौतों के माध्यम से शांति स्थापित करने हेतु कूटनीति का एक साधन है।

C. यह संतुलन के अच्छे व्यवसाय के सिद्धान्त पर आधारित है।

D. यह केवल युद्ध द्वारा राष्ट्रीय हित की रक्षा का प्रयास करता है।

50. सकारात्मक शांति का अभिप्राय है:

A. युद्ध-विराम

B. आत्मघाती दस्तों के गठन को रोकना

C. संबंधों का अन्तरण

D. युद्ध की सामाजिक संरचना

उत्तरमाला

1	2	3	4	5	6	7	8	9	10
C	D	D	D	A	A	D	C	C	C
11	**12**	**13**	**14**	**15**	**16**	**17**	**18**	**19**	**20**
D	D	B	A	B	D	A	B	B	D
21	**22**	**23**	**24**	**25**	**26**	**27**	**28**	**29**	**30**
B	D	C	A	C	C	C	A	B	D
31	**32**	**33**	**34**	**35**	**36**	**37**	**38**	**39**	**40**
A	A	A	C	D	B	C	B	B	C
41	**42**	**43**	**44**	**45**	**46**	**47**	**48**	**49**	**50**
B	C	B	B	A	D	D	B	D	C

कुछ चुने हुए प्रश्नों के व्याख्यात्मक उत्तर

1. लॉक को उदारवाद का जनक माना जाता है। उदारवाद व्यक्तिवाद से जुड़ा हुआ विचार है। जॉन लॉक के द्वारा ही प्राकृतिक अधिकार के सिद्धांत का प्रतिपादन किया गया है और इसी के संरक्षण के लिए उसने संविधानवाद और सीमित सरकार के विचार को प्रतिपादित किया। लॉक कहता है कि सरकार की शक्तियाँ सीमित और मर्यादित क्योंकि मनुष्यों की सहमति से ही सरकार को शक्तियाँ प्राप्त होती हैं, इस दृष्टि से अंतिम संप्रभुता जनता में निहित है। इसी संदर्भ में लॉक कहता है कि नागरिक शक्ति "दण्ड के साथ कानून बनाने का अधिकार .... संपत्ति का नियमन और संरक्षण और समुदाय की ताकत को ऐसे नियमों के कार्यान्वयन में लगाना......... उपर्युक्त सभी केवल आम जनता के भले के लिए है।"

2. कार्ल मार्क्स ने कहा है कि "कामगारों की मुक्ति का आधार स्वयं उनका कर्ज है।" कार्ल मार्क्स को वैज्ञानिक समाजवाद के जनक के रूप में जाना जाता है। मार्क्स ने अपने वर्ग संघर्ष के सिद्धांत के अंतर्गत कहा है कि वर्ग संघर्ष तब तक जारी रहेगा जब तक स्वयं कामगार वर्ग शासन की बागडोर नहीं संभाल लेता। ऐसा होने पर उत्पादन के प्रमुख साधनों पर सामाजिक स्वामित्व स्थापित हो जाएगा और सब लोग कामगार बन जाएंगे। इस तरह से समाज शोषण, उत्पीड़न, वर्ग-भेद और वर्ग-संघर्ष के अभिशाप से मुक्त हो जाएगा। ऐसे समाज का निर्माण साम्यवादी शासन व्यवस्था में ही संभव होगा।

मार्क्स ने ऐतिहासिक परिवर्तन की प्रक्रिया में वर्ग-संघर्ष की भूमिका पर विशेष बल दिया है। उसका कहना है

कि प्राचीन काल में स्वामी द्वारा दासों का शोषण होता था, सामंती युग में सामंतों द्वारा किसानों का शोषण होता था और आधुनिक युग में पूंजीवादी समाज में पूंजीपतियों द्वारा मजदूरों का शोषण होता है। मार्क्स की गान्यता है कि पूंजीवादी अवस्था में सर्वहारा वर्ग में वर्ग चेतना का आभास होगा और संगठित होकर पूंजीवादी व्यवस्था को स्वयं धराशायी कर देंगे।

3. रूसी क्रांतिकारी वी.आई. लेनिन ने नारा दिया कि "साम्राज्यवादी युद्ध को नागरिक युद्ध में बदलना अपनी समग्रता में सर्वहारा क्रांति है।" एक व्यावहारिक राजनीतिज्ञ होने के नाते लेनिन की यह मान्यता थी कि सर्वहारा वर्ग चूंकि बहुत बड़ा है और उसे सचेत होने में काफी समय लग सकता है व संगठित होने में तो और समय लग सकता है, अतः क्रांतियों की शक्तियों को सक्रिय बनाने के लिए सर्वहारा वर्ग के अधिक सचेत, अधिक समर्थ और अधिक सूझबूझ वाले सदस्यों को आगे आना चाहिए और क्रांति की बागडोर संभाल लेनी चाहिए। लेनिन ने स्वयं रूस में एक ऐसे संगठन की नींव रखी जिसे उसने 'साम्यवादी दल' (Communist party) नाम दिया। लेनिन ने पार्टी को 'क्रांति की अग्रपंक्ति' (Vanguard of Revolution) कहा। साम्यवादी दल का प्रमुख कार्य सर्वहारा वर्ग को नेतृत्व प्रदान करना, क्रांति करना तथा क्रांति के बाद समाजवादी ढंग से शासन चलाना है।

5. ग्रीक राजनीतिक चिंतन के इतिहास में प्लेटो (अफलातून) एक उच्चकोटि का आदर्शवादी विचारक तथा नैतिकता का एक महान पुजारी था। प्लेटो सुकरात का शिष्य और ग्रीक शिरोमणि अरस्तू का गुरु था। प्लेटो के आदर्श राज्य की अवधारणा में तत्कालीन एथेंस की सामाजिक एवं राजनीतिक बुराईयों का समाधान प्रस्तुत किया गया है।
चूँकि सुकरात की मृत्यु से प्लेटो का हृदय लोकतंत्र से भर गया था। अतः वह एक ऐसे शासनतंत्र की कल्पना करने लगा जिसका संचालन श्रेष्ठ व्यक्तियों द्वारा होता हो। प्लेटो नगर-राज्य की समस्याओं को दूर करने का एकमात्र उपाय यह बताता है कि या तो दार्शनिक राजा बन जाए या राजाओं में दार्शनिकता आ जाए। इसीलिए वह संपत्ति एवं पत्नी के साम्यवाद का सिद्धांत प्रस्तुत करता है, लेकिन यह सिद्धांत उसने केवल अभिभावक वर्ग (शासक व सैनिक) के लिए ही प्रस्तुत किया। इसी कारण प्लेटो कहता है कि जहाँ तक सैनिकों और शासक का सम्बन्ध है, स्वयं धन को समाप्त करने की अपेक्षा बुराई को समाप्त करने का और कोई उपाय उसे नहीं दिखा क्योंकि उसका मानना था कि अत्यधिक धन का वैभिन्य अच्छे शासन के लिए असंगत है।

7. सेंट ऑगस्टीन मध्यकाल के प्रतिनिधि राजनीतिक चिन्तक हैं। उनकी पुस्तक 'डी सिविटेट डी' (De Civitate Dei) 22 भागों में विभाजित है। इस पुस्तक को 'द सिटी ऑफ गॉड (The City of God) भी कहा जाता है। यह पुस्तक रोम साम्राज्य के पतन में पैगन पूजा की समाप्ति के योगदान के जवाब में लिखी गई थी। इसने चर्च और राज्य की ऐतिहासिक भूमिका पर महत्वपूर्ण प्रकाश डाला और उनके सम्बन्धों के बारे में दार्शनिक-धार्मिक बहस को जन्म दिया।
ऑगस्टीन ने दो सांकेतिक शहरों का प्रतिपादन किया, जेरूशलम (द सिटी ऑफ गॉड) और बेबीलोन। ये प्राथमिकतः नैतिक और आध्यात्मिक संकेत हैं–पारलौकिक या आध्यात्मिक और इहलौकिक या सांसारिक।

8. अमेरिकी राजनीतिक चिन्तक डेविड ईस्टन व्यवहारवादी क्रांति के जनक हैं। राजनीतिक सिद्धांत के पतन से जुड़े विवाद पर सबसे पहले विचार डेविड ईस्टन ने ही रखा और घोषणा की कि अब राजनीतिक सिद्धांतों का पतन हो चुका है। ईस्टन ने 1951 में Journal of Politics में छपे अपने प्रसिद्ध लेख 'The decline of modern political theory' में यह तर्क दिया कि राजनीतिक सिद्धांत शताब्दियों पुराने विचारों के आधार पर चला आ रहा है और इसमें कोई नया संश्लेषण नहीं हुआ है। ईस्टन का मानना है कि इतिहासवाद, नैतिक सापेक्षवाद और अति तथ्यवाद ने राजनीतिक सिद्धांत के पतन में योगदान दिया है।
ईस्टन का कहना है कि अब वे परिस्थितियाँ भी नहीं हैं जिनमें राजनीतिक सिद्धांत बनता और बिगड़ता था। जब समाजों में उथल-पुथल मची हुई थी और संघर्ष चल रहे थे तब काफी सामग्री मिली जिससे राजनीतिक सिद्धांत का विकास हुआ। लेकिन अब वे सारी परिस्थितियाँ समाप्त हो चुकी हैं।

9. समाजवादी चिन्तक और नेता जयप्रकाश नारायण सम्पूर्ण क्रांति, दलविहीन लोकतंत्र और सच्चे लोकतंत्र के समर्थक थे। जे.पी. युवावस्था में मार्क्सवाद से प्रेरित थे। ये 1934 में गठित कांग्रेस सोशलिस्ट पार्टी और फिर बाद में सोशलिस्ट पार्टी के संस्थापक सचिव थे। 1942 के भारत छोड़ो आंदोलन में ये नायक के रूप में उभरे और स्वतंत्रता के उपरांत देश में इन्हें नेहरू के उत्तराधिकारी के रूप में देखा गया। जे.पी. ने नेहरू मंत्रिमंडल में शामिल होने से इंकार कर दिया और 1955 के बाद सक्रिय राजनीति छोड़कर गाँधीवादी मूल्यों से प्रेरित होकर भूदान आंदोलन से जुड़ गए। 1974 ई. में जे.पी. नारायण ने राष्ट्रीय स्तर पर छात्र आंदोलन का नेतृत्व किया और नारा दिया कि 'सम्पूर्ण क्रांति अब नारा है, भावी इतिहास हमारा है!'

जे.पी. दलविहीन लोकतंत्र के समर्थक थे, जिसका लक्षण था–राजनीतिक शक्ति का वितरण, चयनित निकायों द्वारा प्रतिनिधियों की सतत् निगरानी और सापेक्षिक रूप से कम खर्चीला चुनाव।

11. तुलनात्मक राजनीति का विकास एक स्वतंत्र विषय के रूप में 1930 के दशक में हुआ, हालांकि तुलनात्मक राजनीति का अध्ययन अरस्तू के काल से माना जाता है। सर्वप्रथम अरस्तू ने अपने समय के 158 संविधानों का तुलनात्मक अध्ययन किया और उसके आधार पर कुछ सामान्य सिद्धांतों का प्रतिपादन किया। अरस्तू के बाद के विचारकों में सिसरो, पोलिबियस, मैकियाविली, मांटेस्क्यू, वाल्टर बेज़हॉट, मैकाइवर, लॉर्ड ब्राइस, फाइनर, आल्मंड एवं पावेल, ईस्टन तथा डेविड ऑप्टर, आदि विचारकों का नाम प्रमुख है।

विभिन्न राजनीतिक संस्थाओं, संविधानों व शासनों के तुलनात्मक अध्ययन का लंबा व गौरवपूर्ण अतीत है क्योंकि तुलनात्मक राजनीति के अध्ययन के बिना राजनीति विज्ञान का अध्ययन अधूरा समझा जाता है।

12. राजनीतिक व्यवस्था समाज व्यवस्था की एक उप-व्यवस्था है। समाज व्यवस्था की विभिन्न व्यवस्थाएँ होती हैं, जैसे–आर्थिक, धार्मिक, सांस्कृतिक आदि। राजनीतिक व्यवस्था भी इन्हीं में से एक है, फिर भी अन्य एवं उपव्यवस्थाओं से काफी स्वायतत्ता रखता है। राजनीतिक व्यवस्था ही एक ऐसी व्यवस्था है जिसमें सभी उप-व्यवस्थाओं को आदेश देने तथा उन्हें नियंत्रित कर सकने की क्षमता होती है। आल्मंड के अनुसार इस व्यवस्था की विशेषताएँ निम्न हैं–

(*a*) व्यापकता–इसका तात्पर्य है कि इसमें औपचारिक संस्थाओं के साथ अनौपचारिक संस्थाओं का भी अध्ययन किया जाता है।

(*b*) सीमाएँ–ये सर्वमान्य तथ्य है कि प्रत्येक व्यवस्था की अपनी कुछ सीमाएँ होती हैं। जहाँ से अन्य उप-व्यवस्थाओं की सीमाएँ समाप्त होती हैं वहीं से राजनीतिक व्यवस्था की सीमाएँ प्रारम्भ होती हैं।

(*c*) परस्पर निर्भरता–इसका तात्पर्य है कि एक व्यवस्था को दूसरी व्यवस्था पर किसी न किसी प्रकार से निर्भर रहना होता है क्योंकि समाज की सभी उपव्यवस्थाएं एक-दूसरे को किसी न किसी तरह से प्रभावित अवश्य करती हैं।

16. जब कोई संगठन अपने सदस्यों के हितों की पूर्ति के लिए राजनीतिक सत्ता को प्रभावित करता है और उनकी पूर्ति के लिए दबाव डालता है तो उसे दबाव समूह कहा जाता है। इसे अन्य नामों से भी पुकारा जाता है, जैसे–हित समूह, अनौपचारिक संगठन आदि। हित समूह मनुष्यों के ऐसे संगठित समूह हैं जिनका ध्येय शासन के निर्णयों को प्रभावित करना है, परंतु वे स्वयं अपने सदस्यों को शासन के पदों पर स्थापित करने का प्रयत्न नहीं करते। इनकी गतिविधियां राजनीतिक प्रक्रिया का अंग तो हैं और उनमें शासन की नीतियों और निर्णयों को प्रभावित करने का प्रयत्न भी किया जाता है, परंतु स्वयं ये समूह शासन की बागडोर संभालने को तत्पर नहीं होते।

हित समूहों के कई रूप हैं जिसमें एक अप्रतिमानित हित समूह भी है। अप्रतिमानित हित समूह अचानक विकसित होते हैं और दंगे, प्रदर्शन, उपद्रव के रूप में सरकार की किसी खास नीतियों का विरोध करते हैं। इसमें विद्यार्थियों का प्रदर्शन, राजनीतिक हत्याएं आदि शामिल हैं।

10. अमेरिकी अर्थशास्त्री और राजनीतिक विश्लेषक एंथनी डाउन्स ने 'लोकतंत्र के आर्थिक सिद्धांत' (Economic Theory of Democracy) का प्रतिपादन किया। डाउन्स ने अपनी प्रसिद्ध कृति 'An Economic Theory of Democracy—1957' में चुनाव प्रतियोगिता के समस्तरीय सिद्धांत (Spatial theory) का निरूपण किया

था। इस सिद्धांत के अनुसार, राजनीतिक दल 'अधिकतम वोट बटोरने के साधन' (Vote Maximizers) हैं। मतदाता साधारणतः विचारधारात्मक स्तर पर भिन्न-भिन्न दिशाओं में (जैसे कि वामपंथी और दक्षिणपंथी दिशाओं में) बँटे होते हैं। राजनीतिक दल उन्हें अपनी-अपनी ओर खींचने का प्रयत्न करते हैं। डाउन्स के इस विश्लेषणात्मक ढांचे को 'तर्कसंगत चलन ढांचा' (Rational Choice Framework) कहा जाता है। इतालवी राजनीति-वैज्ञानिक ज्योवानी सार्टोरी ने बहुदलीय राजनीति के संदर्भ में इस ढांचे को संशोधित करते हुए ध्रुवीकृत बहुलवाद के लक्षणों की पहचान की है।

15. तुलनात्मक राजनीति के अध्ययन में संस्कृति जैसे कारक पर बल 1960 के दशक से दिया जाने लगा। तुलनात्मक राजनीति ऐसा विषय है जिसके अन्तर्गत भिन्न-भिन्न प्रकार की राजनीतिक प्रणालियों की संरचनाओं, कार्यविधि, लक्षणों और क्षमताओं, इत्यादि का विश्लेषण किया जाता है ताकि राजनीति के सामान्य नियमों का पता लगाया जा सके। अरस्तू ने अपने शिष्यों को भिन्न-भिन्न नगर-राज्यों में भेजकर 158 शासन-प्रणालियों के बारे में विवरण तैयार कराए थे और उनके आधार पर कुछ सामान्य निष्कर्ष निकाले थे। अतः अरस्तू को तुलनात्मक राजनीति का जनक माना जाता है। परंतु आधुनिक युग में राज्यों का रूप और आकार इतना बदल गया है और राजनीति की प्रक्रिया इतनी जटिल हो गई है कि समकालीन राजनीति-वैज्ञानिकों ने तुलनात्मक राजनीति को नया दृष्टिकोण और नई परिभाषा देने की कोशिश की है। माइकल कर्टिस ने अपनी पुस्तक 'तुलनात्मक शासन और राजनीति : राजनीति विज्ञान का परिचय–1978' के अंतर्गत लिखा है–"तुलनात्मक राजनीति का सरोकार ऐसे व्यवहार, संस्थाओं, प्रक्रियाओं, विचारों और मूल्यों से है जो एक से अधिक देशों में पाए जाते हैं। इसके अंतर्गत एक से अधिक राष्ट्र-राज्यों के बीच उन नियमितताओं और प्रतिमानों, उन समानताओं और भिन्नताओं का पता लगाते हैं जिनसे राज्यों की मूल प्रकृति, कार्यविधि और मान्यताओं को स्पष्ट करने में सहायता मिल सके। इस अध्ययन के अंतर्गत संपूर्ण राष्ट्र-राज्यों या राजनीतिक प्रणालियों की तुलना भी कर सकते हैं या फिर किन्हीं विशेष प्रक्रियाओं या संस्थात्मक गतिविधियों की तुलना कर सकते हैं।"

17. डेविड ईस्टन ने वैधता (Legitimacy) को "उस सदस्य के पक्ष में दोष-सिद्ध करना कि सत्ता को स्वीकार करना और उसका पालन करना सही और उचित है", के रूप में परिभाषित किया है। ईस्टन ने अपनी प्रसिद्ध कृति 'A System's Analysis of Political Life–1965' के अंतर्गत लिखा है कि किसी राजनीतिक प्रणाली को कितना जन-समर्थन प्राप्त है--इस बात का पता लगाने के लिए यह देखना चाहिए कि उसके अंतर्गत कानून के उल्लंघन की कितनी घटनाएं होती हैं; हिंसा कहां तक फैली हुई है; असहमति-आंदोलनों (Dissidence Movements) का आकार कितना बड़ा है और सुरक्षा की व्यवस्था पर कितना धन खर्च किया जाता है? देखा जाए तो किसी प्रणाली की वैधता को मापने के लिए सही-सही सूचकांक तैयार करना मुश्किल है, परंतु प्रस्तुत सूचकांकों के आधार पर भिन्न-भिन्न प्रणालियों की वैधता के स्तरों का तुलनात्मक अध्ययन अवश्य किया जा सकता है।

18. डॉस सान्तोस ने निर्भरता को 'उपनिवेश निर्भरता', 'वित्तीय औद्योगिक निर्भरता' और 'प्रौद्योगिक औद्योगिक निर्भरता' में वर्गीकृत किया है। निर्भरता सिद्धांत या पराश्रितता-सिद्धांत (Dependency Theory) नवमार्क्सवाद का एक सिद्धांत है जो समकालीन विश्व के उन्नत देशों और विकासशील देशों के परस्पर सम्बन्ध का विश्लेषण करता है। इस सिद्धांत के अनुसार, अल्पविकसित देशों का सामाजिक और आर्थिक विकास बाह्य शक्तियों द्वारा नियंत्रित हो रहा है। इस सिद्धांत के मुख्य प्रवर्तक लैटिन अमेरिका और अफ्रीका के बुद्धिजीवी थे। इनमें आंद्रे जी. फ्रैंक और समीर अमीन के नाम विशेष रूप से उल्लेखनीय हैं। इन्होंने संकेत किया कि अंतर्राष्ट्रीय अर्थव्यवस्था तीसरी दुनिया (Third World) के देशों को भारी नुकसान पहुँचा रही है। अंतर्राष्ट्रीय व्यापार में विनिमय के स्तर पर शक्तिशाली राष्ट्रों का प्रभुत्व रहता है और यही तीसरी दुनिया के देशों में अल्पविकास का मूल कारण है।

19. रूसी क्रांतिकारी ब्लादिमीर लेनिन (1870-1924) ने कहा था कि "क्रांति उत्पीड़ित और शोषित लोगों का उत्सव है।" लेनिन के नेतृत्व में ही पहली समाजवादी क्रांति रूस में 1917 में हुई, जहाँ पूँजीवाद की दिशा में विशेष प्रगति नहीं हुई थी। लेनिन ने इस स्थिति की व्याख्या

करते हुए यह तर्क दिया कि साम्राज्यवाद पूंजीवाद की उच्चतम अवस्था है और रूस साम्राज्यवाद की जंजीर की सबसे कमजोड़ कड़ी है, अतः रूस में पूंजीवाद-विरोधी क्रांति का समय आ गया है और उसमें सर्वहारा (Proletariat) की विजय निश्चित है। लेनिन ने यह विचार रखा कि रूस में निरंकुश शासन, जमींदारों और पूंजीपतियों के विरुद्ध सैनिक, मजदूर और किसान मिलकर क्रांतिकारी की भूमिका संभालेंगे। इस तरह वहाँ के संगठित समूह राष्ट्रीय उत्पीड़न के विरुद्ध जो विद्रोह करेंगे वह बुर्जुआ वर्ग के विरुद्ध सर्वहारा के विद्रोह का रूप धारण कर लेगा, और फिर दोनों तरह के विद्रोही मिलकर अंतर्राष्ट्रीय स्तर पर समाजवादी क्रांति का नेतृत्व करेंगे।

20. जर्मन समाजवैज्ञानिक मैक्स वेबर ने पैतृक नौकरशाही और तर्क-सम्मत नौकरशाही में अंतर किया है। वेबर ने तर्क दिया है कि प्राचीन रोम और मिस्र के अधिकारीतंत्र पैतृक अधिकारीतंत्र (Patrimonial Bureaucracy) थे जबकि आधुनिक अधिकारीतंत्र तर्कसम्मत अधिकारीतंत्र (Rational Bureaucracy) की श्रेणी में आते हैं। वेबर ने आधुनिक राज्य के अधिकारीतंत्र को कानूनी-तर्कसंगत सत्ता (Legal-Rational Authority) का सर्वोत्तम उदाहरण माना है। कानूनी-तर्कसंगत सत्ता ऐसी सत्ता होती है जिसमें व्यक्ति को कोई भी पद अपनी योग्यता के आधार पर प्राप्त होता है, परंपरा के आधार पर नहीं; और वह अपने पद से जुड़ी हुई सत्ता का प्रयोग करता है, व्यक्तित्व के गुणों से जुड़ी हुई सत्ता का नहीं। इसमें कानूनी तौर पर यह निर्धारित किया जाता है कि उच्चाधिकारियों और उनके अधीनस्थ कर्मचारियों के बीच क्या सम्बन्ध रहेगा; उनकी नियुक्ति और पदोन्नति अनुबंधमूलक समझौतों (Contractual Agreements) पर आधारित होती है; स्टाफ सदस्य व्यक्तिगत रूप से स्वतंत्र होते हैं और कार्मिक पद छोड़ने के लिए भी स्वतंत्र होते हैं।

21. भारत में खिलाफत आंदोलन का आरंभ तुर्की के सुल्तान के साथ एकजुटता दिखाने के लिए 1919 में हुआ। अली भाईयों (मुहम्मद अली और शौकत अली), मौलाना आजाद, हकीम अजमल खान और हसरत मोहानी के नेतृत्व में एक खिलाफत कमेटी गठित की गई और देशव्यापी आंदोलन छेड़ दिया गया। दिल्ली में नवम्बर, 1919 में आयोजित अखिल-भारतीय खिलाफत सम्मेलन ने फैसला किया कि अगर उनकी माँगें न मानी गईं तो वे सरकार से सहयोग करना बंद कर देंगे। इस समय मुस्लिम लीग पर राष्ट्रवादियों का नेतृत्व था। उसने राजनीतिक प्रश्नों पर राष्ट्रीय कांग्रेस और उसके आंदोलन का पूरा-पूरा समर्थन किया। अपनी तरफ से लोकमान्य तिलक और महात्मा गांधी समेत तमाम कांग्रेसी नेताओं ने भी खिलाफत आंदोलन को हिन्दू-मुसलमान एकता स्थापित करने का, मुसलमान जनता को राष्ट्रीय आंदोलन में लाने का सुनहरा अवसर जाना। गांधीजी ने खिलाफत आंदोलन को 'हिन्दुओं और मुसलमानों में एकता स्थापित करने का ऐसा अवसर जाना जो कि आगे सौ वर्षों तक नहीं मिलेगा।'

ब्रिटेन तथा उसके सहयोगियों ने तुर्की की उस्मानिया सल्तनत के साथ जो व्यवहार किया था और जिस तरह उसके टुकड़े करके थ्रेस को हथिया लिया था, राजनीतिक-चेतना प्राप्त मुसलमान उसके आलोचक थे। यह कार्य भूतपूर्व ब्रिटिश प्रधानमंत्री लॉयड जॉर्ज के वादे के विपरीत था कि 'हम तुर्की को एशिया माइनर और थ्रेस की उस समृद्ध और प्रसिद्ध भूमि से वंचित करने के लिए युद्ध नहीं कर रहे हैं जो नस्ली दृष्टि से मुख्य रूप से तुर्क हैं।' मुसलमानों का यह भी मत था कि तुर्की के सुल्तान को अनेक लोग खलीफा अर्थात् धार्मिक मामलों में मुसलमानों के प्रमुख मानते थे और उनकी स्थिति पर आंच नहीं आनी चाहिए।

22. परमादेश (Mandamus) उन अधिकारियों और अन्य व्यक्तियों के विरुद्ध दिया जा सकता है जो किसी लोक कर्त्तव्य के लिए आबद्धकर हैं और सरकार के विरुद्ध भी, क्योंकि अनुच्छेद 226 और 361 में यह उपबंध है कि संपृक्त सरकार के विरुद्ध समुचित कार्यवाहियां की जा सकती हैं। यह रिट अवर न्यायालयों और अन्य न्यायिक निकायों के विरुद्ध भी प्राप्त की जा सकती है यदि वह अपनी अधिकारिता का प्रयोग करने से इंकार करते हैं और इस प्रकार अपने कर्तव्य का पालन नहीं करते हैं।

25. भारत की राजनीति में राज्यों के स्तर पर 1967 तक और केन्द्र के स्तर पर 1977 तक मुख्यतः एक ही दल 'इंडियन नेशनल कांग्रेस' सत्तारूढ़ रहा। इस काल की भारतीय राजनीति की परिस्थिति को रजनी कोठारी ने

'एकदल प्रधान प्रणाली' (One-Party dominant system) या 'कांग्रेस प्रणाली' की संज्ञा दी है। यह ऐसी राजनीतिक प्रणाली है जिसमें अनेक राजनीतिक दल बनाने की अनुमति तो रहती है, परंतु देश की राजनीतिक स्थिति ऐसी होती है कि उसमें एक ही राजनीतिक दल लगातार सत्तारूढ़ रहता है। यह दल या तो अपने ही बूते पर सरकार बनाता है या जरूरत पड़ने पर छोटे-मोटे दलों के साथ मिली-जुली सरकार बना सकता है। विधानमंडल में दूसरे दल स्वाधीन रूप से या मिल-जुलकर विपक्ष की भूमिका निभाते हैं।

26. उच्चतम न्यायालय और उच्च न्यायालयों के न्यायाधीशों की नियुक्ति और ऐसी नियुक्तियों के किए जाने में वरिष्ठता की सुसंगति से संबंधित बातों में मुख्य न्यायाधीश और उसके भ्राता न्यायाधीशों में परामर्श के सम्बन्ध में अनुच्छेद-143 के अधीन राष्ट्रपति द्वारा किए गए एक निर्देश में, 9 न्यायाधीशों की न्यायपीठ ने राय दी कि भारत के मुख्य न्यायाधीश की राय, जिसे परामर्श की प्रक्रिया में प्रमुखता दी जाती है और जिसमें न्यायपालिका की राय प्रतिबिम्बित होती है, ऐसी मंडली (collegium) से परामर्श के आधार पर बनाई जानी होती है जिसमें भारत का मुख्य न्यायाधीश और उच्चतम न्यायालय के 4 वरिष्ठतम न्यायाधीश शामिल होंगे। मुख्य न्यायाधीश के उत्तराधिकारी न्यायाधीश को भी शामिल किया जाना चाहिए, यदि वह 4 वरिष्ठतम न्यायाधीशों में नहीं हैं। उनके मत लिखित अभिप्राप्त किए जाने चाहिए। परन्तु 2014 से उपरोक्त व्यवस्था के स्थान पर 'न्यायिक नियुक्ति आयोग' की व्यवस्था कर दी गई है।

27. भारतीय संविधान के अनुसार बोलने और अभिव्यक्ति की स्वतंत्रता (Freedom of Speech and Expression) को स्वायत्तता की मांग के आधार पर कम नहीं किया जा सकता। संविधान वाक्-स्वातंत्र्य और अभिव्यक्ति-स्वातंत्र्य की प्रत्याभूति देता है, किंतु इस स्वतंत्रता पर राज्य द्वारा युक्तियुक्त निर्बंधन इन बातों के सम्बन्ध में लगाए जा सकते हैं—मानहानि, न्यायालय-अवमान, शिष्टाचार या सदाचार, राज्य की सुरक्षा, विदेशी राज्यों के साथ मैत्रीपूर्ण सम्बन्ध, अपराध-उद्दीपन, लोक व्यवस्था तथा भारत की संप्रभुता और अखण्डता। संविधान का अनुच्छेद-19(1) उपर्युक्त स्वतंत्रताओं की प्रत्याभूति देता है जबकि 19(2), 19(3), 19(4), 19(5) उस पर युक्तियुक्त निर्बंधन आरोपित करता है।

30. संविधान निर्माताओं द्वारा भारतीय संविधान में अनुसूचित जातियों और अनुसूचित जनजातियों के कल्याणार्थ विशेष प्रावधान किए गए हैं। संविधान के अनुच्छेद-330 & 332 द्वारा लोकसभा और राज्य की विधान सभाओं में अनुसूचित जातियों और जनजातियों के लिए सीटों को आरक्षित किया गया है।

केन्द्र सरकार द्वारा अनुसूचित जनजातियों के कल्याण हेतु विशेष अनुदान दिया जाता है। भारतीय संविधान का अनुच्छेद-16(4-क) अनुसूचित जनजातियों के लिए सार्वजनिक सेवाओं और रोजगार में सीटों के आरक्षण का प्रावधान करता है और अनुच्छेद-15(5) ST के लिए शिक्षण संस्थाओं में सीटों के आरक्षण का प्रावधान करता है।

33. विनियोग विधेयक (Appropriation Bill) में लोकसभा द्वारा स्वीकृत की जाने वाली सभी मांगे तथा संचित निधि प्रभार शामिल होते हैं। संविधान का अनुच्छेद-114 विनियोग विधेयक की व्यवस्था करता है। संविधान के अनुसार, भारत की संचित निधि (Consolidated fund) में से कोई धन, संसद द्वारा विधि के अधिनियम के बिना, नहीं निकाला जा सकता। इस उपबंध के अनुसरण में लोक सभा में एक विधेयक पेश किया जाता है जिसमें लोक सभा द्वारा स्वीकृत अनुदानों की सब माँगों तथा संचित निधि पर भारित व्यय सम्मिलित किया जाता है इस विधेयक को विनियोग विधेयक कहा जाता है। इस विधेयक का आशय, संचित निधि में से व्यय के विनियोग के लिए सरकार को कानूनी अधिकार देना है।

34. भारत सरकार द्वारा राज्य भविष्य निधि के अधीन प्राप्त धन को लोक लेखा (Public Account) में जमा किया जाता है। संविधान के अनुच्छेद-266 के अंतर्गत लोक लेखे और संचित निधियों की व्यवस्था की गई है। कर तथा ऋणों से होने वाली आय संचित निधि में जमा होती है किन्तु भारत सरकार की अन्य विधियों से होने वाली आय भारत के लोक लेखे में जमा होती है। इनमें बचत योजनाओं से प्राप्त होने वाली आय, भविष्य निधि तथा विभागीय निक्षेप और एक खजाने से दूसरे खजाने को

भेजी जाने वाली राशियाँ होती हैं। इन राशियों की प्राप्ति से वास्तविक आय में वृद्धि नहीं होती है क्योंकि इस प्रकार से प्राप्त भविष्य निधि या बचत आदि की राशियाँ ऐसा अमानती धन है जिसे बाद में सरकार को वापस करना पड़ता है। अतः लोक लेखे से अथवा आकस्मिक निधि से भुगतान के लिए संसद या विधान सभाओं से किसी प्रकार की स्वीकृति लेने की आवश्यकता नहीं होती है।

35. मनुष्य अपनी आवश्यकताओं की पूर्ति के लिए कार्य करने की ओर प्रवृत्त होता है तथा संगठनों का सदस्य बनता है। ये आवश्यकताएं अनेक क्षेत्रों में उत्पन्न होती हैं। कई आवश्यकताएं मनुष्य को उत्प्रेरित करने में केन्द्रीय भूमिका निभाती हैं तथा इनकी पूर्ति उन्हें निष्पादन के उच्चतर स्तर की ओर अभिप्रेरित करती हैं। अब्राहम एच. मास्लो ने आवश्यकता की क्रमिकता के सिद्धांत में एक व्यक्ति की अभिप्रेरणात्मक आवश्यकताओं को क्रमिकता से व्यवस्थित किया है। उसके अनुसार व्यक्ति की मुख्य आधारभूत आवश्यकताएं हैं–शारीरिक (जैविक) आवश्यकताएं, सुरक्षा संबंधी आवश्यकताएं, सामाजिक आवश्यकताएं, प्रतिष्ठा या आत्मसम्मान सम्बन्धी आवश्यकताएं तथा आत्मसिद्धि या आत्म प्रत्यक्षीकरण आवश्यकताएं।

39. स्वीडन में लोकपाल (Ombudsman) संस्था का गठन 1809 ई. में किया गया। कोई भी व्यक्ति, जिसके साथ अनुचित या अन्यायपूर्ण व्यवहार, किसी सरकारी अधिकारी या सार्वजनिक प्राधिकरण द्वारा किया गया है, वह व्यक्ति इसकी शिकायत लोकपाल से कर सकता है। लोकपाल न्यायपालिका के विरुद्ध कार्य कर सकता है, व्यक्तिगत शिकायतों पर कार्रवाई कर सकता है तथा स्वतः संज्ञान (Suo Moto) लेते हुए भी कार्य कर सकता है परन्तु संसद सदस्यों के विरुद्ध कार्य नहीं कर सकता है। स्वीडिश ओम्बड्समैन की भाँति ब्रिटेन में संसदीय आयुक्त होता है और अब भारत में भी लोकपाल की नियुक्ति के लिए कानून बन चुका है।

41. खेल सिद्धांत (Game Theory) "The Theory of Games and Economic Behaviour" शीर्षक की प्रमुख कृति से गहन रूप से ऋणी है। इस कृति के लेखक जॉन वॉन न्यूमेन और ऑस्कर मॉर्गेन्सटेर्न हैं। खेल सिद्धांत के अनुसार खेल की ही भाँति संगठन के भी नियम, उपनियम अथवा सिद्धांत होते हैं। वॉन न्यूमेन, मॉर्गेन्सटेर्न तथा अर्नेस्ट जर्मेलो इस सिद्धांत के प्रमुख समर्थक हैं। खेल सिद्धांत ने लोक प्रशासन में निर्णय लेने की प्रक्रिया को बहुत कुछ प्रभावित किया है। खेल सिद्धांत की मान्यता है कि जब व्यक्ति के सामने कुछ विकल्पों में से एक चयन करने का प्रश्न आता है तो वह उसे चुनता है जिससे अधिक-से-अधिक परिणाम प्राप्त हो सकें। इस सिद्धांत ने लोक प्रशासन के अंतर्गत ऐसे नियमों का प्रतिपादन किया है जिन्हें निर्णय लेने की प्रक्रिया पर लागू करके चुनाव से लाभदायक परिणाम प्राप्त किए जा सकते हैं।

42. यथार्थवादी चिंतक हांस मॉर्गेन्थाऊ का कथन है कि राजनीति के संदर्भ में शक्ति का अर्थ है, "एक व्यक्ति का दूसरे व्यक्ति के मस्तिष्क और क्रियाओं पर शक्ति।" अंतर्राष्ट्रीय राजनीति मूल रूप से राज्यों के मध्य शक्ति के लिए संघर्ष है जिसमें प्रत्येक राज्य अपने-अपने राष्ट्र के इच्छित राष्ट्र हित के उद्देश्य को प्राप्त करना चाहता है। प्रत्येक राष्ट्र द्वारा अंतर्राष्ट्रीय क्षेत्र में सम्पन्न किया गया प्रत्येक कार्य प्रत्यक्ष अथवा अप्रत्यक्ष रूप से शक्ति प्राप्त करने, उसका प्रदर्शन करने और शक्ति की अभिवृद्धि करने से सम्बन्धित होता है। शक्ति से हमारा तात्पर्य उस शक्ति से है जिसे मनुष्य अन्य मनुष्यों के मस्तिष्क तथा कार्यों पर प्रयुक्त करते हैं। राष्ट्रीय हितों की प्राप्ति के लिए शक्ति के प्रयोग की योग्यता अंतर्राष्ट्रीय संबंधों में केंद्रीय महत्व रखती है।

43. शीतयुद्ध (Cold war) के दौरान (1947-1991) हथियारों की होड़ को नियंत्रित करने के लिए पश्चिमी और पूर्वी ब्लॉकों के बीच विभिन्न संधियाँ हुईं। पश्चिमी ब्लॉक का नेतृत्व संयुक्त राज्य अमेरिका (USA) कर रहा था जबकि पूर्वी ब्लॉक का नेतृत्व सोवियत रूस (USSR) कर रहा था। शीत युद्ध इन दोनों ब्लॉकों के बीच राजनीतिक और सैनिक तनाव था जो द्वितीय विश्व युद्ध के अंत के बाद आरंभ हुआ। इन दोनों ब्लॉकों के अपने-अपने सैन्य गठबंधन थे। पश्चिमी गुट का सैन्य गठबंधन NATO (1949) था जबकि पूर्वी गुट का वारसा पैक्ट (1955) था।

सामरिक अस्त्र परिसीमन वार्ता-I (SALT-I) 1972 में हस्ताक्षरित हुआ जबकि सामरिक अस्त्र परिसीमन वार्ता-II (SALT-II) अमेरिकी राष्ट्रपति जिमी कार्टर और सोवियत संघ के नेता लियोनेड ब्रेझनेव के मध्य वियना (ऑस्ट्रिया) में 1979 में सम्पन्न हुआ।

आंशिक परीक्षण प्रतिबंध संधि (PTBT) 1963 में स्वीकृत हुई।

मध्यवर्ती परमाणु बल संधि (The Intermediate-Range Nuclear Forces Treaty–INF Treaty) अमेरिका और सोवियत यूनियन के बीच 1987 का एक समझौता है। अमेरिकी राष्ट्रपति जनरल आइजन हावर ने 1953 ई. में 'शांति प्रस्ताव के लिए अणु' प्रस्तुत किया।

44. अमेरिकी राष्ट्रपति रोनाल्ड रीगन और सोवियत जनरल सेक्रेटरी मिखाइल गोर्बाच्योव द्वारा 1987 में वाशिंगटन (USA) में 'मध्यवर्ती परमाणु बल संधि' (INF Treaty) पर हस्ताक्षर किया गया। इस संधि ने शीत युद्ध के पश्चात् 'नव शिथिलता' (New Detente) के विकास में योगदान दिया।

भले ही शीत युद्ध के अंत के लिए गोर्बाच्योव और रीगन को श्रेय दिया जाता है पर वास्तविकता यह है कि इसके लिए वे ऐतिहासिक प्रवृत्तियां जिम्मेदार थीं जिनका विकास लगभग एक दशक से क्रमशः हो रहा था। शीत युद्ध के अंत के लिए किसी एक व्यक्ति से अधिक महत्वपूर्ण अंतर्राष्ट्रीय व्यवस्था में आया बुनियादी परिवर्तन था। पॉल कैनेडी ने अपनी प्रसिद्ध पुस्तक 'Rise and Fall of Great Power' में यह टिप्पणी की है कि रीगन और गोर्बाच्योव के संवाद की प्रगति के लिए यह बात सबसे अधिक जिम्मेदार थी कि दोनों ही महाशक्तियों को इस बात का एहसास था कि अपनी-अपनी शक्ति के अधिकतम विस्तृत सीमांत तक वे पहुँच चुकी हैं। इतने बड़े प्रभाव क्षेत्र पर आधिपत्य बनाए रखने का खर्च बर्दाश्त करना दुखदायक अहंकार की तुष्टि के अलावा कुछ नहीं है।

45. गुट निरपेक्ष आंदोलन (NAM) स्वतंत्रता, समानता और संप्रभुता के लिए अभिकथन (Assertion) था, इसी कारण स्वतंत्रता के उपरांत भारत ने विदेश नीति के अंतर्गत गुटनिरपेक्षता को चुना। शीत युद्ध की वजह से विश्व दो प्रतिद्वंद्वी गुटों में बँट रहा था। इसी संदर्भ में गुटनिरपेक्षता ने एशिया, अफ्रीका और लैटिन अमेरिका के नव-स्वतंत्र देशों को एक तीसरा विकल्प दिया। यह विकल्प था दोनों महाशक्तियों के गुटों से अलग रहने का।

गुटनिरपेक्ष आंदोलन की जड़ में युगोस्लाविया के जोसेफ ब्रॉज टीटो, भारत के जवाहरलाल नेहरू और मिस्र के गमाल अब्दुल नासिर की दोस्ती थी। इन तीनों ने सन् 1956 में एक सफल बैठक की। इंडोनेशिया के सुकर्णो और घाना के वामे एनक्रूमा ने इनका जोरदार समर्थन किया। ये 5 नेता NAM के संस्थापक कहलाए। NAM का पहला सम्मेलन 1961 ई. में बेलग्रेड में हुआ।

46. नव अंतर्राष्ट्रीय आर्थिक व्यवस्था (NIEO) के लिए पहली बार मांग NAM के अल्जीअर शिखर सम्मेलन में 1973 ई. में की गई। 1972 में संयुक्त राष्ट्र संघ के व्यापार और विकास से सम्बन्धित सम्मेलन (UNCTAD) में 'Towards A New Trade Policy For Development' शीर्षक से एक रिपोर्ट प्रस्तुत की गई। इस रिपोर्ट में वैश्विक व्यापार-प्रणाली में सुधार का प्रस्ताव किया गया था। इस रिपोर्ट में कहा गया था कि सुधारों से–

(क) अल्पविकसित देशों को अपने उन प्राकृतिक संसाधनों पर नियंत्रण प्राप्त होगा जिनका दोहन पश्चिम के विकसित देश करते हैं;

(ख) अल्प विकसित देशों की पहुँच विकसित देशों के बाजार तक होंगी; वे अपना सामान बेच सकेंगे और इस तरह गरीब देशों के लिए यह व्यापार फायदेमंद होगा;

(ग) पश्चिमी देशों से मंगायी जा रही प्रौद्योगिकी की लागत कम होगी और

(घ) अल्पविकसित देशों की अंतर्राष्ट्रीय आर्थिक संस्थानों में भूमिका बढ़ेगी।

गुटनिरपेक्षता की प्रकृति धीरे-धीरे बदली और इसमें आर्थिक मुद्दों को अधिक महत्व दिया जाने लगा। इसके परिणामस्वरूप NAM आर्थिक दबाव-समूह बन गया। परन्तु 1980 के दशक के उत्तरार्द्ध तक NIEO को बनाए-चलाए रखने के प्रयास मंद पड़ गए। इसका मुख्य कारण था विकसित देशों द्वारा किया जा रहा तेज विरोध।

47. 8 अगस्त, 1967 को दक्षिण पूर्वी एशिया के 5 देशों इंडोनेशिया, मलेशिया, फिलीपींस, सिंगापुर तथा थाइलैंड ने क्षेत्रीय सहयोग के उद्देश्य से 'आसियान' (ASEAN) नामक असैनिक संगठन का निर्माण किया। वर्तमान समय में इस संगठन के 10 सदस्य राष्ट्र हैं। उपरोक्त देशों के अतिरिक्त ब्रुनेई, वियतनाम, लाओस, म्यांमार और कम्बोडिया हैं। आसियान का मुख्यालय जकार्ता है। आसियान का पहला शिखर बैठक 1976 में बाली में हुआ था। जुलाई 1996 में भारत आसियान का पूर्ण वार्ता साझेदार बनाया गया था। भारत और आसियान के बीच प्रथम शिखर बैठक नवम्बर 2002 में हुई थी। आसियान ने वर्ष 1995 में दक्षिण-पूर्व एशियाई परमाणु हथियार मुक्त क्षेत्र घोषित किया। आसियान व्यापार बाधाओं को हटाने तथा चीन, जापान और दक्षिण कोरिया के साथ आर्थिक सम्बन्ध विकसित करने के लिए कार्य कर रहा है।

48. संयुक्त राष्ट्र संयुक्त राष्ट्र की आवश्यकता पर बल देने के लिए 'एकजुटता के नाम पर सहभागी का कार्य' कर रहा है; यह कथन संयुक्त राष्ट्र महासचिव डैग हैमरशोल्ड का है। डैग हैमरशोल्ड स्वीडन के निवासी थे जो 1953-61 ई. के दौरान UNO के महासचिव थे। इन्होंने स्वेज नहर से जुड़े विवाद को सुलझाने और अफ्रीका के अनौपनिवेशीकरण (Decolonialisation) के लिए काम किए। कांगो-संकट को सुलझाने की दिशा में किए गए प्रयासों के लिए इनको मरणोपरांत नोबेल शांति पुरस्कार मिला। हैमरशोल्ड का ही कथन है कि–"संयुक्त राष्ट्र संघ का गठन मानवता को स्वर्ग पहुँचाने के लिए नहीं बल्कि उसे नरक से बचाने के लिए हुआ है।"

49. किसी राष्ट्र के वैदेशिक मामलों का कूटनीतिज्ञों द्वारा संचालन राष्ट्रीय शक्ति के लिए उतना ही महत्वपूर्ण है जितना कि युद्धों के समय राष्ट्रीय शक्ति के लिए सैनिक नेतृत्व द्वारा चक्रव्यूह तथा दांव-पेंचों का संचालन। कूटनीति विदेश नीति का एक साधन है। कूटनीति कई प्रकार की होती हैं, जिनमें से एक 'दुकानदारी कूटनीति' (Shop-keeper Diplomacy) भी होती है।

दुकानदारी कूटनीति के विभिन्न लक्षण होते हैं, जैसे–यह शांतिपूर्ण दृष्टिकोण पर आधारित होती है; यह समझौतों के माध्यम से शांति स्थापित करने हेतु कूटनीति का एक साधन है तथा यह संतुलन के अच्छे व्यवसाय के सिद्धांत पर आधारित है।

प्रश्न–पत्र-III

नोटः *इस प्रश्नपत्र में* ***पचहत्तर (75)*** *बहु-विकल्पीय प्रश्न हैं। प्रत्येक प्रश्न के* ***दो (2)*** *अंक हैं।* ***सभी*** *प्रश्न अनिवार्य हैं।*

1. निम्नलिखित में से यह किसने कहा कि 'राजनीतिक सिद्धांत सामान्य शब्दों में व्यक्तियों को सजगता के साथ समझने और उनके सामूहिक जीवन और संगठन की समस्याओं को हल करने का प्रयास है'?

A. अर्नेस्ट बारकर

B. जी.एच. सबाइन

C. लियो स्ट्रास

D. डेविड ईस्टन

2. निम्न में से किसने राजनीतिक दर्शन की 'मृत्यु' पर दुःख प्रकट किया?

A. रॉबर्ट डौल   B. पीटर लासलेट

C. पीटर विंच   D. डेविड ईस्टन

3. नव-उदारवाद के सन्दर्भ में निम्नलिखित में से कौन-सा विकल्प सही नहीं है?

A. रोनाल्ड रीगन और मारग्रेट थैचर की सरकारों के दौरान नव-उदार दृष्टि व्यापक रूप में विकसित हुई।

B. यह अन्तर्राष्ट्रीय आर्थिक क्रम की कीन्सीय धारणा पर प्रहार करता है।

C. यह आर्थिक अहस्तक्षेप नीति के पूर्णतः नकार के रूप में उत्पन्न हुआ है।

D. यह मुक्त बाजारों और उदार पुनर्सुधारों पर बल देता है।

4. उत्तर-मार्क्सवाद के सन्दर्भ में निम्नलिखित में से कौन-सा विकल्प सही है?

A. श्रमिक वर्ग क्रांतिकारी आंदोलनों में विकसित नहीं हुआ है।

B. आर्थिक वर्ग हित अपेक्षतया विचारधारा और राजनीति से स्वायत्त होता है।
C. श्रमिक वर्ग समाजवाद में अपनी आधारभूत स्थिति को बनाए नहीं रख पाता।
D. उपर्युक्त सभी।

5. सूची-I को सूची-II के साथ सुमेलित करते हुए नीचे दिए गए कूटों से सही उत्तर चुनिए :

सूची-I (लेखक)	**सूची-II (प्रभावशाली विचार)**
(*a*) थॉमस पॉग	1. वितरण योग्य न्याय
(*b*) माइकल वाल्जर	2. न्याय का समुदायपरक परिप्रेक्ष्य
(*c*) सुजान मोलर ओकिन	3. न्याय की स्त्रीवादी संकल्पना
(*d*) जॉन रॉल्स	4. वैश्विक न्याय

कूट :

	(*a*)	(*b*)	(*c*)	(*d*)
A.	1	2	3	4
B.	4	2	3	1
C.	2	3	1	4
D.	1	2	4	3

6. राजनीतिक विचारधारा के सन्दर्भ में निम्नांकित में से कौन-सा कथन सही नहीं है?
A. यह एक ऐसी धारणा व्यवस्था है जो विश्व की संरचना को जानने और व्याख्यायित करने में सहायता करती है।
B. यह विचारों का एक ऐसा समुच्चय है जो राजनीतिक सक्रियता को बल प्रदान करता है।
C. यह एक सक्रियता-अभिमुख धारणा व्यवस्था है।
D. राजनीतिक विचारधारा और राजनीतिक सिद्धांत एक ही चीज नहीं है।

7. "लेनिन की पार्टी इस रूप में संरचित थी कि कुछ लोग अभिजात्य तथा बौद्धिक और नैतिक रूप से श्रेष्ठ होकर अल्पमत श्रमिक वर्ग का महत्वपूर्ण हिस्सा और कर्णधार बन सकें" निम्नलिखित में से यह किसने कहा?
A. सी.बी. मैकफर्सन
B. डी. मैकलिलन
C. जी.एच. सबाइन
D. आर. मिलिबैण्ड

8. श्रेष्ठ परिषद् (नोक्टुरनल कौंसिल) का उल्लेख प्लेटो ने किसमें किया है?
A. दि रिपब्लिक
B. द स्टेट्समैन
C. द लॉज
D. इनमें से कोई नहीं

9. नीचे दो कथन दिए गए हैं, एक को अभिकथन (A) और दूसरे को कारण (R) का नाम दिया गया है।

अभिकथन (A) : अरस्तू के अनुसार संवैधानिक शासक की अपने प्रजाजनों पर सत्ता दासों के ऊपर स्वामी की सत्ता से नितान्त भिन्न है।

कारण (R) : क्योंकि दास जन्म से ही निम्न एवं स्वयं शासन के लिए अयोग्य होता है।

कूटः
A. (A) और (R) दोनों सत्य हैं तथा (R), (A) की सही व्याख्या है।
B. (A) और (R) दोनों सत्य हैं लेकिन (R), (A) की सही व्याख्या नहीं है।
C. (A) सत्य है, किन्तु (R) असत्य है।
D. (A) असत्य है, किन्तु (R) सत्य है।

10. सूची-I को सूची-II से सुमेलित करते हुए नीचे दिए गए कूटों से सही उत्तर चुनिए :

सूची-I (लेखक)	**सूची-II (पुस्तकें)**
(*a*) विल्मूर केंडल	1. जॉन लॉक, ए बायोग्राफी
(*b*) जे.डब्ल्यू. गॉफ	2. जॉन लॉक एण्ड द डॉक्ट्रिन ऑफ मेजॉरिटी-रूल
(*c*) एम.डब्ल्यू. क्रांस्टन	3. जॉन लॉक्स पोलिटिकल फिलॉस्फी
(*d*) रिचर्ड कॉक्स	4. लॉक ऑन पीस एण्ड वार

कूट :

	(*a*)	(*b*)	(*c*)	(*d*)
A.	2	3	1	4
B.	1	2	4	3
C.	3	4	2	1
D.	4	1	3	2

11. निम्न में से किसके अनुसार 'विज्ञान निष्क्रिय जिज्ञासा का परिणाम है', 'दर्शन केवल बौद्धिक सजावट है', 'शिष्ट जीवन की सुख-सुविधाएँ चमकीले रंगीन फीते हैं'?

A. थामस हॉब्स B. जॉन लॉक
C. जे.जे. रूसो D. कार्ल मार्क्स

12. निम्नलिखित में से कौन-सा तथ्य मार्क्स के अलगाव के सिद्धांत के सन्दर्भ में सत्य नहीं है?

A. उत्पाद से अलगाव
B. श्रम कार्यों से अलगाव
C. प्रजातिमात्र से अन-अलगाव
D. व्यक्ति से व्यक्ति का अलगाव

13. निम्नलिखित में से यह किसका विचार है कि गाँधी ने सत्याग्रह को नहीं बनाया बल्कि सत्याग्रह ने गाँधी को महात्मा बना दिया?

A. आर.आर. दिवाकर B. सी.एफ. एण्ड्रयूज
C. जी.एन. धवन D. लुईस फिशर

14. निम्नलिखित में से किस देश में नरेन्द्रनाथ भट्टाचार्य मानवेन्द्र नाथ रॉय के नाम से बस गए?

A. जावा B. संयुक्त राज्य अमरीका
C. जर्मनी D. मेक्सिको

15. निम्न में से किसने कहा कि "जेल में भगवान उसके सामने प्रकट हुए, उसे गीता दी और उसको सनातन धर्म के सरल सत्यों का बोध कराया"?

A. विवेकानंद B. महात्मा गांधी
C. अरविन्द घोष D. सावरकर

16. तुलनात्मक राजनीति किसका अध्ययन है?

A. संस्थाओं और कार्यों का
B. सब प्रकार की राजनीतिक गतिविधियों का सरकारी व गैर-सरकारी एवं समस्त राजनीतिक संघटनाओं का
C. राजनीतिक प्रक्रियाओं का
D. तुलनात्मक राजनीतिक जाँच की तकनीकों एवं प्रविधियों का

17. 'तुलनात्मक राजनीति' के अध्ययन में निम्नलिखित उपागमों की उत्पत्ति का सही क्रम बताइये :

1. दार्शनिक उपागम
2. व्यवस्था उपागम
3. नव संस्थात्मक उपागम
4. व्यवहारवादी उपागम

नीचे दिए गए कूटों से सही उत्तर का चयन कीजिए:

कूट :

A. 1, 3, 4 और 2 B. 1, 4, 2 और 3
C. 1, 2, 4 और 3 D. 3, 1, 2 और 4

18. निम्नलिखित आगत कार्यों के सही क्रम की पहचान कीजिए तथा नीचे दिए गए कूटों से सही उत्तर का चयन कीजिए :

1. हित सामूहीकरण
2. हित अभिव्यक्तिकरण
3. राजनीतिक संचार
4. राजनीतिक सामाजीकरण तथा भर्ती

कूट :

A. 1, 2, 3 और 4 B. 1, 2, 4 और 3
C. 2, 1, 4 और 3 D. 4, 2, 1 और 3

19. वे समाजशास्त्री जिन्होंने गैबरियल आमण्ड के संरचनात्मक प्रकार्यवाद को प्रभावित किया :

1. मैक्स वैबर 2. टॉलकॉट पारसन्स
3. डेविड ट्रूमैन 4. कार्ल ड्यूश

नीचे दिए गए कूटों से सही उत्तर का चयन कीजिए:

कूट :

A. 1, 2 और 3 B. 1 और 2
C. 1 और 3 D. 2 और 3

20. निम्नलिखित में से कौन-से कथन भारत के उपराष्ट्रपति और अमरीका के उप-राष्ट्रपति के लिए सही हैं?

1. दोनों उप-राष्ट्रपति चुने हुए हैं।
2. दोनों अपने-अपने देशों के उच्च सदनों के अध्यक्ष हैं।
3. दोनों उप-राष्ट्रपति अपने संबंधित देशों के सदनों के सदस्य नहीं हैं।
4. दोनों को मत संतुलन की स्थिति में निर्णायक मत देने का अधिकार नहीं है।

नीचे दिए गए कूटों से सही उत्तर का चयन कीजिए :

कूट :

A. 1, 3 और 4 B. 1, 2 और 3
C. 1, 2 और 4 D. 1, 2, 3 और 4

21. निम्न में से कौन-सी शासन प्रणाली शक्तिपृथक्करण के सिद्धांत की उपज और उत्तराधिकारी समझी जाती है?

A. स्विस B. अमरीकी
C. भारतीय D. फ्रेंच

22. रिग्स के अनुसार, समानता व क्षमता में संतुलन की कमी है

A. विकासात्मक लक्षण B. विकास की फांस
C. राजनीतिक ह्रास D. लक्ष्य परिवर्तन

23. निम्नलिखित पुस्तकों को उनके प्रकाशन के क्रम में व्यवस्थित कीजिए:

1. 'पोलिटिकल ऑर्डर इन चेंजिंग सोसाइटीज'
2. 'द पोलिटिक्स ऑफ माडर्नाइजेशन'
3. 'हाऊ यूरोप अण्डरडवलप्ड अफ्रीका'
4. 'कैपिटलिज्म एण्ड अण्डरडवलपमेंट इन लैटिन अमेरिका'

नीचे दिए गए कूटों से सही उत्तर का चयन कीजिए:

कूट :

A. 2, 1, 4 और 3 B. 1, 2, 3 और 4
C. 2, 1, 3 और 4 D. 1, 2, 4 और 3

24. निम्न में से संयुक्त राज्य संघ के संविधान के किस अनुच्छेद द्वारा राष्ट्रपति को कार्यकारी शक्तियाँ दी गई हैं?

A. अनुच्छेद 1 B. अनुच्छेद 2
C. अनुच्छेद 3 D. अनुच्छेद 4

25. सूची-I को सूची-II से सुमेलित कीजिए और नीचे दिए गए कूटों से सही उत्तर का चयन कीजिए:

सूची-I	**सूची-II**
(*a*) दोनों सदनों की समान शक्तियाँ हैं।	1. अमरीका
(*b*) उच्च सदन निम्न सदन की अपेक्षा अधिक शक्ति संपन्न है।	2. भारत
(*c*) निम्न सदन उच्च सदन की तुलना में अधिक शक्ति सम्पन्न है।	3. फ्रांस
(*d*) नेशनल असेम्बली सरकार गिरा सकती है।	4. स्विट्ज़रलैण्ड

कूट :

	(*a*)	(*b*)	(*c*)	(*d*)
A.	4	1	2	3
B.	3	2	1	4
C.	4	3	2	1
D.	1	2	3	4

26. निम्नलिखित पर विचार कीजिए :

1. पाकेट वीटो
2. संघीय विधायिका को राष्ट्रपति का संदेश
3. गुट प्रणाली
4. कोष्ठ पद्धति (पिजियन-होल)--एक विधेयक

ये निम्नलिखित में से किस संवैधानिक प्रणाली के भाग हैं?

A. भारत की राजनीतिक प्रणाली
B. अमेरिका की राजनीतिक प्रणाली
C. स्विट्ज़रलैंड की राजनीतिक प्रणाली
D. ब्रिटेन की राजनीतिक प्रणाली

27. निम्नलिखित कौन-कौन से पूर्व ब्रितानी प्रधानमंत्री लेबर पार्टी के हैं?

1. हेराल्ड विल्सन 2. एडवर्थ हीथ
3. जॉन मेजर 4. टॉनी ब्लेयर

नीचे दिए गए कूटों से सही उत्तर का चयन कीजिए :

कूट :

A. 1 और 4 B. 1, 3 और 4
C. 1, 2 और 3 D. 1 और 3

28. अमरीका के उच्चतम न्यायालय (सुप्रीम कोर्ट) के न्यायाधीश अपने पद पर कब तक बने रहते हैं?

A. 65 वर्ष की आयु तक
B. 70 वर्ष की आयु तक
C. 75 वर्ष की आयु तक
D. मृत्यु होने अथवा त्यागपत्र दिए जाने अथवा कांग्रेस द्वारा हटाए जाने तक

29. निम्नलिखित में से कौन-से संघीय न्यायालय को राज्य द्वारा अथवा संघ के संघटक एकक द्वारा पारित विधियों को अवैध घोषित करने का तो अधिकार है पर संघीय विधियों को नहीं?

A. अमरीका का उच्चतम न्यायालय
B. भारत का उच्चतम न्यायालय
C. स्विस फेडरल ट्रिब्यूनल
D. फ्रांस के श्रेष्ठ न्यायालय

30. नीचे दो कथन दिए गए हैं, एक को अभिकथन (A) और दूसरे को तर्क (R) का नाम दिया गया है।

अभिकथन (A) : ब्रिटेन की संसद संप्रभु है।

तर्क (R) : इंग्लैंड की महारानी नाममात्र राज्य प्रमुख हैं।

नीचे दिए गए कूट से सही उत्तर का चुनाव कीजिए :

कूट :

A. (A) और (R) दोनों सत्य हैं तथा (R), (A) की सही व्याख्या है।

B. (A) और (R) दोनों सत्य हैं लेकिन (R), (A) की सही व्याख्या नहीं है।

C. (A) सत्य है, किन्तु (R) असत्य है।

D. (A) असत्य है, किन्तु (R) सत्य है।

31. "यदि भारतीय एक होना चाहते हैं और एकसमान संस्कृति विकसित करना चाहते हैं तब यह समस्त भारतीयों का अनिवार्य कर्तव्य है कि हिन्दी को अपनी भाषा के रूप में अपनाएँ...कोई भी भारतीय जो इस प्रस्ताव को नहीं मानता वह भारतीय कहलाने का अधिकारी नहीं है।" निम्नलिखित में से यह किसने कहा है?

A. बी.आर. अम्बेडकर B. बाला साहब देवरस

C. डॉ. के.एम. मुंशी D. सेठ गोविन्द दास

32. निम्नलिखित में से किसने भारतीय समाज को "राजनीतिक दृष्टि से अराजनीतिक समाज" बताया है?

A. रजनी कोठारी B. मोरिस जॉन्स

C. स्टैनले कोचनक D. पॉल आर. ब्रॉस

33. सूची-I को सूची-II से सुमेलित कीजिए और नीचे दिए गए कूटों से सही उत्तर का चयन कीजिए :

सूची-I (राज्य)	**सूची-II (मुख्यमंत्री-2014)**
(*a*) अरुणाचल प्रदेश	1. टी.आर. जेलियांग
(*b*) मिजोरम	2. लालथनहवला
(*c*) नागालैंड	3. माणिक सरकार
(*d*) त्रिपुरा	4. नबाम तुकी

कूट:

	(*a*)	(*b*)	(*c*)	(*d*)
A.	2	1	4	3
B.	4	2	1	3
C.	3	4	2	1
D.	1	3	4	2

34. सूची-I को सूची-II से सुमेलित कीजिए और नीचे दिए गए कूटों से सही उत्तर का चयन कीजिए :

सूची-I (भारत के संविधान की विशेषता)	**सूची-II (स्रोत)**
(*a*) न्यायिक पुनरीक्षण, मूल अधिकार	1. ब्रिटिश
(*b*) एकल नागरिकता	2. आयरिश
(*c*) राज्य सभा के सदस्यों का नामांकन	3. कनाडा
(*d*) अवशिष्ट शक्तियाँ	4. अमरीका

कूट :

	(*a*)	(*b*)	(*c*)	(*d*)
A.	4	1	2	3
B.	3	2	1	4
C.	2	3	4	1
D.	1	4	3	2

35. निम्नलिखित में से किस अधिनियम में प्रांतीय विषयों को हस्तांतरित और आरक्षित विषयों में विभाजित किया गया था?

A. भारतीय परिषद् अधिनियम, 1892

B. भारतीय परिषद् अधिनियम, 1909

C. मोंटेग्यू चेम्सफोर्ड रिफार्म एक्ट, 1919

D. भारत सरकार अधिनियम, 1935

36. निम्नलिखित में से किसने भारतीय राजनीति में "संतपरक मुहावरे" (सेन्टली इडियम) का विचार दिया है?

A. जयप्रकाश नारायण B. रजनी कोठारी

C. मोरिस जॉन्स D. जेम्स मैनोर

37. निम्नलिखित को कालक्रम में लगाइए :

(*i*) गुजरात का नवनिर्माण आंदोलन

(*ii*) राज्य के रूप में महाराष्ट्र की स्थापना

(*iii*) भारत की कम्युनिस्ट पार्टी का विभाजन

(*iv*) जनता पार्टी की स्थापना

कूट :

A. (*i*), (*iii*), (*ii*), (*iv*)

B. (*iii*), (*ii*), (*i*), (*iv*)

C. (*ii*), (*iii*), (*iv*), (*i*)

D. (*ii*), (*iii*), (*i*), (*iv*)

38. निम्नलिखित में से किसने सामाजिक आंदोलन को "गैर-पार्टी राजनीतिक गठन" के रूप में बताया है?

A. रामचंद्र गुहा B. रजनी कोठारी

C. पार्थ चटर्जी D. टी.के. ओमन

39. निम्नलिखित को कालक्रम में लगाइए :

(*i*) नक्सली आंदोलन
(*ii*) सर्वोदय आंदोलन
(*iii*) नर्मदा बचाओ आंदोलन
(*iv*) चिपको आंदोलन

कूट :

A. (*i*), (*iii*), (*ii*), (*iv*)   B. (*ii*), (*i*), (*iv*), (*iii*)
C. (*iv*), (*ii*), (*i*), (*iii*)   D. (*ii*), (*iv*), (*iii*), (*i*)

40. निर्भया मामले के बाद गठित न्यायमूर्ति जे.एस. वर्मा समिति का सदस्य निम्नलिखित में से कौन था?

A. न्यायमूर्ति फातिमा बीवी
B. न्यायमूर्ति लीला सेठ
C. न्यायमूर्ति ज्ञान सुधा मिश्रा
D. न्यायमूर्ति जी. रोहिणी

41. निम्नलिखित में से क्या भारत के निर्वाचन आयोग का कार्य नहीं है?

A. संसद, राज्य विधानमंडल, राष्ट्रपति और उप-राष्ट्रपति का चुनाव करवाना।
B. निर्वाचक नामावली तैयार करना।
C. मतों की गणना और परिणामों की घोषणा
D. किसी चुनाव को रद्द घोषित करना।

42. भारत में राष्ट्रीय अखंडता दिवस निम्नलिखित में से किस तिथि को मनाया जाता है?

A. 14 नवम्बर   B. 19 नवम्बर
C. 10 दिसम्बर   D. 30 अक्टूबर

43. निम्नलिखित में से कौन-से सिद्धांत का अनुच्छेद-356 के संबंध में बोम्मई मुकदमें से आविर्भाव नहीं हुआ?

A. अनुच्छेद 356 के अधीन जारी की गई घोषणा की न्यायिक समीक्षा किया जाना।
B. राज्य विधानसभा को संसद द्वारा घोषणा के अनुमोदन के बाद ही भंग किया जाना चाहिए।
C. यदि कोई नया राजनैतिक दल केंद्र में सत्ता में आता है तो उसका यह प्राधिकार है कि वह राज्य में अन्य दल द्वारा गठित मंत्रालयों को बर्खास्त कर सकता है।
D. न्यायालय संघ सरकार से अपेक्षा करता है कि वह उस सामग्री को प्रकट करे, जिसके आधार पर अनुच्छेद 356 का प्रयोग किया गया है।

44. सूची-I को सूची-II से सुमेलित कीजिए और नीचे दिए गए कूटों से सही उत्तर का चयन कीजिए :

सूची-I (संसदीय समिति)	**सूची-II (सदस्यों की संख्या)**
(*a*) लोक लेखा समिति	1. 45 सदस्य
(*b*) प्राक्कलन समिति	2. 22 सदस्य
(*c*) विभाग से संबंधित स्थायी संसदीय समिति	3. 15 सदस्य
(*d*) लोकसभा की व्यवस्था समिति	4. 30 सदस्य

कूट :

	(*a*)	(*b*)	(*c*)	(*d*)
A.	3	2	4	1
B.	2	4	1	3
C.	1	3	2	4
D.	4	1	3	2

45. नीचे दो कथन दिए गए हैं, जिनमें से एक अभिकथन (A) और दूसरा तर्क (R) है :

अभिकथन (A) : मुकदमें पर निर्णय लेते समय न्यायालय नैसर्गिक न्याय के सिद्धांत का पालन करते हैं।

तर्क (R) : न्याय किया ही नहीं जाना चाहिए अपितु यह प्रतीत भी होना चाहिए कि वह स्पष्ट और असंदिग्ध है।

कूट :

A. (A) और (R) दोनों सही हैं तथा (R), (A) की सही व्याख्या है।
B. (A) और (R) दोनों सही हैं लेकिन (R), (A) की सही व्याख्या नहीं है।
C. (A) सही है, किन्तु (R) गलत है।
D. (A) गलत है, किन्तु (R) सही है।

46. लोक प्रशासन के विकास में उत्तर 1970 का चरण निम्नलिखित में से किससे अभिलक्षित है?

A. यथास्थितिवाद   B. स्थायित्व
C. विकास सिद्धांत   D. मूल्य अभिविन्यास

47. मूने का यह कथन 'उच्च प्राधिकारी द्वारा विशिष्ट प्राधिकार प्रदान करना' किस संदर्भ में था?

A. शक्ति विभाजन   B. उत्तरदायित्व
C. प्रदाता अधिकारी   D. प्रत्यायोजन

48. निम्नलिखित में से कौन-सा फ्रेड डब्ल्यू. रिग्स द्वारा प्रस्तुत किसी समाज की प्रकार्यात्मक आवश्यकताओं की सूची में नहीं था?

A. आर्थिक B. प्रशासनिक
C. राजनीतिक D. संप्रेषणात्मक

49. हर्बर्ट साइमन द्वारा दी गई निर्णय लेने की प्रक्रिया में निम्नलिखित में से कौन-सा चरण नहीं है?

A. बौद्धिक अभिक्रिया B. अनुमान अभिक्रिया
C. चयन अभिक्रिया D. प्रारूप अभिक्रिया

50. लिकर्ट के अनुसार, निम्नलिखित में से कौन-सा नेतृत्व का एक प्रकार नहीं है?

A. शोषणपरक प्राधिकारिक
B. उपकारी प्राधिकारिक
C. सहयोगी प्राधिकारिक
D. सहभागी

51. नीचे दो कथन दिए गए हैं, जिनमें से एक को अभिकथन (A) और दूसरे को तर्क (R) कहा गया है।

अभिकथन (A): वैध होना तथा लोक प्रशासन विज्ञान का भाग होना, अमरीकी सांस्कृतिक संदर्भ में विकसित परिकल्पना को अन्तः सांस्कृतिक संरचना में परखा जाना चाहिए।

तर्क (R) : तुलनात्मक अध्ययन ने राजनीति और लोक प्रशासन को निकट ला दिया है।

कूट :

A. (A) और (R) दोनों सत्य हैं तथा (R), (A) की सही व्याख्या है।
B. (A) और (R) दोनों सत्य हैं लेकिन (R), (A) की सही व्याख्या नहीं है।
C. (A) सत्य है, किन्तु (R) असत्य है।
D. (A) असत्य है, किन्तु (R) सत्य है।

52. ब्रिटेन की समिति का क्या नाम है जो करों (राजस्व भाग) और माँग विधेयक को देखती है?

A. विनियोग समिति
B. साधन एवं उपाय समिति
C. आपूर्ति समिति
D. आकलन समिति

53. सूची-I को सूची-II से सुमेलित कर दिए गए कूटों से सही उत्तर का चयन कीजिए :

सूची-I (पुस्तकें)	**सूची-II (लेखक)**
(a) द एडमिनिस्ट्रेटिव स्टेट	1. आर्डवे टीड
(b) द आर्ट ऑफ एडमिनिस्ट्रेशन	2. पिफनर एंड प्रेस्थस
(c) पब्लिक एडमिनिस्ट्रेशन	3. ड्वाइट वाल्डो
(d) ऑर्गेनाइजेशन एण्ड मैनेजमेंट	4. सेकलर-हडसन

कूटः

	(a)	*(b)*	*(c)*	*(d)*
A.	1	3	4	2
B.	4	2	3	1
C.	3	1	2	4
D.	2	4	1	3

54. किसके प्रभावकारी वित्तीय नियंत्रण के लिए 'रूल ऑफ लेप्स' आवश्यक है?

A. निर्धारण समिति
B. संसद
C. व्यय विभाग
D. सार्वजनिक लेखा समिति

55. भारत के सरकारी मंत्रालयों में 'डेस्क ऑफिसर सिस्टम' के निम्नलिखित लाभ थे :

1. मामलों का त्वरित निपटारा।
2. दोहरे अभिलेख उपलब्ध थे।
3. व्यय की न्यूनता
4. गुणात्मक सुधार

नीचे दिए गए कूटों से सही उत्तर का चयन कीजिए :

कूट :

A. 1, 2, 4 B. 1, 2, 3
C. 1, 3, 4 D. 2, 3, 4

56. पॉल ए. एप्पलबी की संस्तुतियों के आधार पर भारत में निम्नलिखित में से कौन-सा संस्थान स्थापित किया गया?

A. लाल बहादुर शास्त्री प्रशासनिक अकादमी
B. भारतीय लोक प्रशासन संस्थान
C. भारतीय सामाजिक विज्ञान अनुसंधान परिषद्
D. भारतीय पुलिस अकादमी

57. निम्नलिखित को निष्पादन बजट बनाने के चरणों में सही कालक्रमानुसार शृंखला में समायोजित कीजिए :

A. उद्देश्य – वर्गीकरण – विश्लेषण – मूल्यांकन

B. विश्लेषण – उद्देश्य – मूल्यांकन – वर्गीकरण
C. वर्गीकरण – विश्लेषण – उद्देश्य – मूल्यांकन
D. उद्देश्य – विश्लेषण – वर्गीकरण – मूल्यांकन

58. केन्द्र और राज्यों के लिए भारत में लोक सेवा आयोग संविधान के किस अनुच्छेद के अंतर्गत बनाए जाते हैं?

A. 268 B. 315
C. 312 D. 371(A)

59. थुंगन समिति द्वारा पंचायतीराज के लिए निम्नलिखित में से किसकी सिफारिश नहीं की गई थी?

A. संवैधानिक स्थिति
B. जिला परिषद् स्तर पर आयोजना
C. जिलाधिकारी जिला परिषद् का मुख्य कार्यकारी होगा
D. त्रिवर्षीय कार्यकाल

60. सूची-I को सूची-II से सुमेलित करें और नीचे दिए गए कूटों से सही उत्तर का चयन करें :

सूची-I (अधिनियम/एजेन्सियाँ)	**सूची-II (वर्ष)**
(*a*) अखिल भारतीय सेवा (आचरण) नियम	1. 1941
(*b*) केन्द्रीय अन्वेषण ब्यूरो	2. 1860
(*c*) भारतीय दंड संहिता	3. 1963
(*d*) विशेष पुलिस प्रतिष्ठान	4. 1954

कूट :

	(*a*)	(*b*)	(*c*)	(*d*)
A.	1	2	3	4
B.	4	3	2	1
C.	3	1	4	2
D.	1	4	2	3

61. सूची-I को सूची-II से सुमेलित कीजिए और नीचे दिए गए कूटों से सही उत्तर का चयन कीजिए :

सूची-I (कथन)	**सूची-II (विद्वान)**
(*a*) "रहने की इच्छा तथा शक्ति की इच्छा के मध्य गहरी रेखा खींचने की कोई संभावना नहीं है"	1. हाऊशोफर
(*b*) "अपने साररूप में शक्ति एक अविभाज्य समग्र है"	2. हंस मोरगेन्थाऊ
(*c*) "सैन्य कारणों से एक राज्य को आर्थिक रूप से स्व-सक्षम होना चाहिए"	3. रिनोल्ड निबुर
(*d*) "समय एवं प्रदेश में शक्ति के लिए संघर्ष सार्वभौमिक हैं तथा निर्विवाद आनुभविक तथ्य हैं"	4. ई.एच.कार

कूटः

	(*a*)	(*b*)	(*c*)	(*d*)
A.	1	3	4	2
B.	3	4	1	2
C.	2	3	1	4
D.	1	2	4	3

62. निम्नलिखित घटनाओं को उनके सही कालक्रम में व्यवस्थित कीजिए तथा अपना उत्तर नीचे दिए गए कूट से चुनिए :

(*i*) चर्चिल का फुल्टन भाषण
(*ii*) अफ्रीकी संघ का प्रारम्भ
(*iii*) दक्षिण पूर्व एशियाई नाभिकीय अस्त्र मुक्त क्षेत्र सृजन हेतु एक संधि
(*iv*) दक्षिण सूडान को एक सम्प्रभु राज्य तथा संयुक्त राष्ट्र संघ के 193वें सदस्य के रूप में मान्यता।

कूट :

A. (*i*), (*ii*), (*iii*), (*iv*)
B. (*i*), (*iii*), (*ii*), (*iv*)
C. (*i*), (*iv*), (*ii*), (*iii*)
D. (*iv*), (*iii*), (*i*), (*ii*)

63. निम्नलिखित कथनों में से कौन एक यथार्थवाद के बारे में सत्य है?

(*i*) थ्यूसिडाइड्स को प्रथम शास्त्रीय यथार्थवादी कहा जाता है।
(*ii*) शक्ति अन्तर्राष्ट्रीय राजनीति की कुंजी है।
(*iii*) राज्यों का मुख्य लक्ष्य अस्तित्व स्थापन है।
(*iv*) सभी राज्यों के पास पड़ोसी को नुकसान पहुँचाने की शक्ति सामर्थ्य नहीं होती।

अपने उत्तर का चयन नीचे दिए गए कूट से कीजिए :

कूट :

A. (*i*), (*iv*), (*ii*)
B. (*i*), (*iii*), (*iv*)
C. (*ii*), (*iii*), (*iv*)
D. (*i*), (*ii*), (*iii*)

64. किसने गुटनिरपेक्षता को "गठबन्धनों से पृथक रखने की नीति" के रूप में परिभाषित किया?

A. के.एम. पाणिकर

B. जार्ज श्वाजर्नबर्गर

C. मार्शल टीटो

D. जॉन बर्टन

65. उत्तरी अमरीका स्वतंत्र व्यापार संधि, 1994 (नाफ्टा) में सम्मिलित है

A. यू.एस.ए., कनाडा तथा मेक्सिको

B. मेक्सिको, जापान तथा दक्षिण कोरिया

C. ब्राजील, मेक्सिको तथा न्यूजीलैंड

D. कनाडा, न्यूजीलैंड तथा यू.एस.ए.

66. निम्नलिखित में से कौन यथार्थवादी चिन्तक 'राजनीति के तीन चित्रों' की खोज करता है?

A. हंस मारगेन्थाऊ

B. केनेथ वाल्ट्ज

C. थ्यूसिडाइड्स

D. ई.एच. कार

67. दक्षिण-दक्षिण सहयोग के सम्बन्ध में निम्नलिखित कथनों को पढ़िए तथा नीचे दिए गए कूट में से अपना उत्तर चुनिए :

1. दक्षिण-दक्षिण सहयोग उत्तर दक्षिण सहायता का एक विकल्प है।
2. यह व्यापार, सेवा तथा तकनीकी के क्षेत्र में सहकारी परस्पर लाभकारी अभिक्रियाओं को इंगित करता है।
3. संयुक्त राष्ट्र संघ की सामान्य सभा ने 19 दिसम्बर को दक्षिण-दक्षिण सहयोग हेतु वार्षिक संयुक्त राष्ट्र दिवस घोषित किया।
4. डब्ल्यू.टी.ओ. (विश्व व्यापार संगठन) दक्षिण-दक्षिण सहयोग को सुगम बनाने हेतु अस्तित्व में आया।

कूट :

A. 1, 3, 4 B. 2 और 4

C. 1, 2 और 3 D. केवल 4

68. ऑपरेशन एनड्यूरिंग फ्रीडम 2001 सम्बन्धित है

A. इराक से आतंकवादियों को हटाया जाना

B. अफगानिस्तान से तालिबान साम्राज्य को हटाया जाना

C. रूस से क्रीमिया सेना को हटाया जाना

D. गाजा पट्टी से अरब को हटाया जाना

69. निम्नलिखित में से कौन एक देश 'बिम्सटेक' जो 1997 में प्रारम्भ हुआ था, का सदस्य नहीं है?

A. बांग्लादेश

B. भारत

C. थाईलैण्ड

D. चीन

70. आसियान (एसोसियेशन ऑफ साउथ ईस्ट एशियन नेशन्स) के बारे में क्या सत्य नहीं है?

A. इसका घोषित लक्ष्य क्षेत्रीय शान्ति एवं स्थिरता है।

B. इसका ध्येय क्षेत्रीय स्तर पर स्त्रातजिक सहयोग है।

C. इसका उद्देश्य सामाजिक, आर्थिक, सांस्कृतिक, वैज्ञानिक तथा प्रशासनिक क्षेत्रों में सहयोग विकसित करना है।

D. मलेशियाई प्रधानमंत्री अब्दुल रजाक ने उद्घोषित किया कि आसियान किसी राजनीतिक विचारधारा के प्रति प्रतिबद्ध नहीं था।

71. निम्नलिखित में से किस रिपोर्ट ने संयुक्त राष्ट्र संघ में सुधार की प्रक्रिया को उद्वेलित किया?

A. महासचिव कोफी अन्नान के 'इन लार्जर फ्रीडम' शीर्षक से 2005 की रिपोर्ट

B. महासचिव बुतरोस बुतरोस घाली की 'एन एजेण्डा फॉर पीस' शीर्षक से 1992 की रिपोर्ट

C. महासचिव कोफी अन्नान की 'इनवेस्टिंग इन द यू. एन. : फॉर ए स्ट्रांगर ऑर्गेनाइजेशन वर्ल्ड वाइड' शीर्षक से 2005 की रिपोर्ट

D. अमनेस्टी इन्टरनेशनल की 'रिफ्यूजीज : ह्यूमन राइट्स हेव नो बॉरडर्स' शीर्षक से 1997 की रिपोर्ट

72. निम्नलिखित में से किस रिपोर्ट में अन्यायपूर्ण विश्व व्यापार साम्राज्य को वैश्विक असमानता वृद्धि हेतु कारण उद्धृत किया गया है?

A. दोहा राउण्ड (गैट के) प्रस्ताव, 2003

B. विकास सहायता समिति रिपोर्ट, 2003

C. मानव विकास रिपोर्ट, (एच.डी.आर.) 2005

D. विश्व बैंक रिपोर्ट, 1989

73. निम्नलिखित कथनों को पढ़िए तथा अपना उत्तर नीचे दिए गए कूटों से चुनिए:

1. "जबकि सभी राजनीति आवश्यक रूप से शक्ति की खोज है, विचारधाराएँ शक्ति की प्रतिस्पर्धा में

संलिप्त होती हैं जो मनोवैज्ञानिक तथा नैतिक रूप से कर्ताओं तथा उनके अनुगामियों को स्वीकार्य होता है।"

2. "अन्तर्राष्ट्रीय विधि तथा शक्ति के आदर्श मुख्यतया यथास्थितिवाद की नीति हेतु विचारधारा के रूप में प्रयुक्त होने के लिए अर्ह हैं।"
3. संयुक्त राष्ट्र संघ के उद्देश्यों की प्राप्ति में शान्ति की विचारधारा की महती भूमिका है।
4. राष्ट्रीय हित सदा विचारधारा से सर्वोपरि है।

कूट :

A. सभी कथन 1, 2, 3 तथा 4 सही हैं।
B. केवल 1 सही है।
C. 1, 2 तथा 3 सही हैं।
D. केवल 4 सही है।

74. सूची-I को सूची-II से सुमेलित कीजिए तथा अपना उत्तर नीचे दिए गए कूट में से चुनिए :

सूची-I (लेखक)	**सूची-II (पुस्तकें)**
(*a*) वाल्डन बेलो	1. ए ग्लोबलाइजिंग वर्ल्ड कल्चर, इकोनॉमिक्स, पॉलिटिक्स
(*b*) जगदीश भगवती	2. ग्लोबलाइजेशन एण्ड इट्स डिस्कन्टेण्ट्स
(*c*) डी. हेल्ड	3. इन डिफेन्स ऑफ ग्लोबलाइजेशन
(*d*) जोसेफ ई. स्टीग्लीज	4. डीग्लोबलाइजेशन : आइडियास फॉर ए न्यू इकोनॉमी

कूट :

	(*a*)	(*b*)	(*c*)	(*d*)
A.	4	3	1	2
B.	3	1	4	2
C.	2	4	3	1
D.	1	2	3	4

75. निम्नलिखित में से कौन एक अन्तर्सरकारी संगठन नहीं है?

A. संयुक्त राष्ट्र संघ
B. एमनेस्टी इंटरनेशनल
C. अरब लीग
D. अफ्रीकन यूनियन

उत्तरमाला

1	2	3	4	5	6	7	8	9	10
B	B	C	D	B	*	C	C	A	A
11	**12**	**13**	**14**	**15**	**16**	**17**	**18**	**19**	**20**
C	C	A	D	C	B	B	D	B	B
21	**22**	**23**	**24**	**25**	**26**	**27**	**28**	**29**	**30**
B	B	*	B	A	B	A	D	C	B
31	**32**	**33**	**34**	**35**	**36**	**37**	**38**	**39**	**40**
A	A	B	A	C	C	D	B	B	B
41	**42**	**43**	**44**	**45**	**46**	**47**	**48**	**49**	**50**
D	B	C	B	A	D	D	B	B	C
51	**52**	**53**	**54**	**55**	**56**	**57**	**58**	**59**	**60**
B	B	C	B	C	B	D	B	D	B
61	**62**	**63**	**64**	**65**	**66**	**67**	**68**	**69**	**70**
B	B	D	B	A	B	C	B	D	B
71	**72**	**73**	**74**	**75**					
B	C	C	A	B					

कुछ चुने हुए प्रश्नों के व्याख्यात्मक उत्तर

1. जी.एच. सेबाइन (A History of Political Theory) के अनुसार, 'राजनीतिक सिद्धांत सामान्य शब्दों में व्यक्तियों को सजगता के साथ समझने और उनके सामूहिक जीवन और संगठन की समस्याओं को हल करने का प्रयास है।' राजनीतिक सिद्धांत के अंतर्गत राजनीति के भिन्न-भिन्न पक्षों का अध्ययन किया जाता है। राजनीति का संबंध मनुष्यों के सार्वजनिक जीवन से है। समाज की सारी संस्थाओं में केवल राजनीतिक प्रबंध ऐसा विषय है जिसका सरोकार संपूर्ण समुदाय से है, किन्हीं गिने-चुने व्यक्तियों या समूहों से नहीं। मतलब यह कि राजनीतिक प्रबंध के अंतर्गत समाज के सारे सदस्यों के ऊपर सत्ता का प्रयोग किया जाता है, सबके लिए नियम बनाए जाते हैं और निर्णय किए जाते हैं; सबके अधिकार कर्तव्य और दायित्व निर्धारित किए जाते हैं और सार्वजनिक जीवन को उन्नत करने के उपाय किए जाते हैं। ये नियम और निर्णय हम सबके जीवन को दूर-दूर तक प्रभावित करते हैं। ऐसे निर्णय किस प्रक्रिया का परिणाम होते हैं और इस प्रक्रिया में किन तात्विक नियमों का पालन होना चाहिए—यह राजनीतिक सिद्धांत की मुख्य समस्या है।

2. पीटर लासलेट ने राजनीतिक दर्शन की 'मृत्यु' पर दुख प्रकट किया। राजनीतिक सिद्धांत पूरे 20वीं सदी के दौरान दयनीय अवस्था में रहा। लासलेट ने अपनी कृति 'Introduction to Philosophy, Politics and Society—1956' में बताया है कि राजनीतिक दर्शन की मृत्यु का प्रमुख कारण तार्किक प्रत्यक्षवाद (Logical Positivism) का उदय है। तार्किक प्रत्यक्षवाद के उन्नायकों में वियना सर्किल (दार्शनिक का समूह) के सदस्यों का विशेष योगदान रहा है। यह संप्रदाय वियना विश्वविद्यालय के मॉरिट्ज शिलक के नेतृत्व में 1920 के दशक में विकसित हुआ। कैम्ब्रिज विश्वविद्यालय में यह लुड्विख विटगेंस्टाइन के नेतृत्व में और ऑक्सफोर्ड विश्वविद्यालय में ए.जे. एयर के नेतृत्व में आगे बढ़ा। तार्किक प्रत्यक्षवादियों ने यह तर्क दिया कि चिंतनमूलक दर्शन (Speculative Philosophy) केवल ऐसे प्रश्नों से सरोकार रखता है जिन्हें अनुभवमूलक दृष्टि से नहीं परखा जा सकता—जैसे कि सत्य, शिव और [illegible] क्या हैं? उनका कहना था कि जिन प्रश्नों का वैज्ञानिक उत्तर नहीं दिया जा सकता, ऐसे प्रश्न ही निरर्थक हैं; वे केवल छद्म प्रश्न हैं। हमें केवल उसी ज्ञान पर विश्वास करना चाहिए जिसे प्राकृतिक विज्ञान (Natural Science) की कठोर पद्धति के द्वारा प्राप्त किया गया हो। अतः उन्होंने तत्वमीमांसा (Metaphysics) में निहित ज्ञान का विशेष रूप से खंडन किया।

3. नव-उदारवाद (Neo-liberalism) वह सिद्धांत है जो समकालीन विश्व में अहस्तक्षेप की नीति (Laissez Faire) को फिर से लागू करने की वकालत करता है। यह कल्याणकारी राज्य (Welfare state) को आर्थिक विकास में बाधक मानता है क्योंकि उसमें समाज के प्रतिभाशाली और कर्मठ लोगों पर भारी कर लगा कर अयोग्य और अकर्मण्य लोगों का पोषण किया जाता है। यह राज्य के कार्यक्षेत्र को 'फिर से समेटने' ('Rolling Back' the state) का समर्थन करता है।
यह विचारधारा 1980 के दशक से USA (रोनाल्ड रीगन के काल में) और UK (मारग्रेट थैचर के काल में) में विशेष रूप से लोकप्रिय हुई। यह अंतर्राष्ट्रीय आर्थिक क्रम की कीन्सीय धारणा (Keynesian notion of the international economic order) पर प्रहार करता है तथा मुक्त बाजारों और उदार पुनर्सुधारों पर बल देता है। नव-उदारवाद का दार्शनिक आधार एफ.ए. हेयक, आइजिया बर्लिन, मिल्टन फ्रीडमैन और रॉबर्ट नॉजिक के चिंतन में मिलता है। समकालीन विश्व में नव-उदारवाद ने उदारीकरण, निजीकरण और भूमंडलीकरण की प्रवृत्तियों को बढ़ावा दिया है।

4. उत्तर-मार्क्सवाद (Post-Marxism) परंपरागत मार्क्सवाद की मान्यताओं में संशोधन करते हुए मार्क्सवाद की नई व्याख्या प्रस्तुत करता है। उत्तर-मार्क्सवाद की यह मान्यता है कि श्रमिक वर्ग क्रांतिकारी आंदोलनों में विकसित नहीं हुआ है। इसका यह भी मानना है कि आर्थिक वर्ग हित अपेक्षतया विचारधारा और राजनीति से स्वायत्त होता है तथा श्रमिक वर्ग समाजवाद में अपनी आधारभूत स्थिति को बनाए नहीं रख पाता।

5. न्याय की संकल्पना प्राचीनकाल से ही राजनीतिक चिंतन का महत्वपूर्ण विषय रही है। प्राचीन काल में प्लेटो से लेकर आधुनिक काल में जॉन रॉल्स तक ने न्याय के बारे में अपने-अपने विचार व्यक्त किए हैं। न्याय के बारे में विभिन्न अवधारणाएं प्रस्तुत की गई हैं—जॉन रॉल्स वितरण योग्य न्याय (शुद्ध प्रक्रियात्मक न्याय) का प्रवक्ता है। रॉल्स के अनुसार न्याय की समस्या 'प्राथमिक वस्तुओं' के न्यायपूर्ण वितरण की समस्या है। ये प्राथमिक वस्तुए हैं—अधिकार और स्वतंत्रताएं, शक्तियाँ और अवसर, आय और सम्पदा तथा आत्मसम्मान के साधन। रॉल्स ने अपने न्याय-सिद्धांत को 'शुद्ध प्रक्रियात्मक न्याय' की संज्ञा दी है। हालांकि उसने इसके माध्यम से तात्विक न्याय (Substantive Justice) की स्थापना का प्रयत्न किया है। 'प्रक्रियात्मक न्याय' से यह संकेत मिलता है कि न्याय के जो सिद्धांत सर्व-सम्मति से स्वीकार कर लिए जाएंगे, उनके प्रयोग के फलस्वरूप जो भी वितरण-व्यवस्था अस्तित्व में आएगी, वह अनिवार्यतः न्यायपूर्ण होगी।

माइकल वाल्जर को न्याय के समुदायवादी दृष्टिकोण का मुख्य प्रतिनिधि माना जाता है। वाल्जर ने अपनी कृति (Spheres of Justice–1983) में कहा है कि न्याय का कोई सार्वभौम नियम नहीं होता। न्याय के नियम निर्धारित करने के लिए यह देखना चाहिए कि ये नियम किस समुदाय-विशेष के लिए अपेक्षित हैं; उसमें कौन-कौन-से मूल्य और मान्यताएं प्रचलित हैं; उसके सदस्य अपने संगठनों और अपने सहचरों से क्या-क्या आशाएं करते हैं?

इसके बाद सामाजिक जीवन के प्रत्येक क्षेत्र में वस्तुओं के वितरण के लिए भिन्न-भिन्न मानदण्ड निर्धारित करने होंगे। इस दृष्टि से सामाजिक न्याय, आर्थिक न्याय और राजनीतिक न्याय के लिए भिन्न-भिन्न नियम बनाने होंगे। थॉमस पॉग और साइमन केनी का कथन है कि सभी मनुष्य अधिकारयुक्त हैं, जिसकी घोषणा संयुक्त राष्ट्र के चार्टर में की गई है। इसकी रक्षा करना वैश्विक न्याय के अंतर्गत आता है।

सुसान मोलर ओकिन उदारवादी नारीवादी राजनीतिक दार्शनिक और लेखिका हैं जिन्होंने न्याय की स्त्रीवादी संकल्पना प्रस्तुत की हैं। उनकी पुस्तक 'Justice, Gender and the Family–1989' आधुनिक न्यायशास्त्र का मूल्यांकन करता है।

6. राजनीतिक विचारधारा का अर्थ है किसी समाज या समूह में प्रचलित उन विचारों का समुच्चय जिनके आधार पर वह किसी विशेष ढंग के सामाजिक, आर्थिक और राजनीतिक संगठन को उचित या अनुचित ठहराता है। यह एक ऐसी धारणा व्यवस्था है जो विश्व की संरचना को जानने और व्याख्यायित करने में सहायता करती है। विचारधारा विचारों का एक ऐसा समुच्चय है जो राजनीतिक सक्रियता को बल प्रदान करता है। विचारधारा विश्वास का विषय है; इसका कोई वैज्ञानिक आधार नहीं होता। किसी विचारधारा के अनुयायी उसे अपने-आप में सत्य मानकर उसका अनुसरण करते हैं; उसके सत्यापन की जरूरत नहीं समझी जाती।

एंड्रयू हैकर ने अपनी कृति (Political Theory : Philosophy, Ideology, Science–1961) के अंतर्गत राजनीतिक-सिद्धांत और विचारधारा में अंतर करते हुए यह संकेत किया है कि राजनीतिक-सिद्धांत सदैव निर्लिप्त और निष्पक्ष होता है। दूसरे शब्दों में, सिद्धांतकार के मन में किसी विशेष राजनीतिक प्रबंध के प्रति मोह या आकर्षण नहीं होता। इसके विपरीत, विचारधारा का उद्देश्य समाज में शक्ति की किसी व्यवस्था को उचित ठहराना है। यदि सिद्धांत किसी विचारधारा से घिर जाएगा तो वह अवश्य ही विकृत हो जाएगा।

7. जी.एच. सेबाइन ने कहा है कि "लेनिन की पार्टी इस रूप में संरचित थी कि कुछ लोग अभिजात्य तथा बौद्धिक और नैतिक रूप से श्रेष्ठ होकर अल्पमत श्रमिक वर्ग का महत्वपूर्ण हिस्सा और कर्णधार बन सकें।" लेनिन एक व्यवहारिक राजनीतिज्ञ था। क्रांति के सम्बन्ध में उसका विचार मार्क्स से भिन्न था। लेनिन की यह मान्यता थी कि सर्वहारा वर्ग चूँकि बहुत बड़ा है और उसे सचेत होने में काफी समय लग सकता है। अतः क्रांति की शक्तियों को सक्रिय बनाने के लिए सर्वहारा वर्ग के अधिक सचेत, समर्थ और सूझबूझ वाले सदस्यों को आगे आना चाहिए और क्रांति की बागडोर संभाल लेनी चाहिए। लेनिन ने स्वयं रूस में एक ऐसे संगठन की नींव रखी जिसे 'बोल्शेविक पार्टी' के नाम से जाना जाता है। इस पार्टी का प्रमुख कार्य सर्वहारा वर्ग को नेतृत्व प्रदान

करना, क्रांति करना तथा क्रांति के बाद समाजवादी ढंग से शासन चलाना था। लेनिन ने इस पार्टी को 'क्रांति की अग्रपंक्ति' (Vanguard of Revolution) कहा है।

8. श्रेष्ठ परिषद् (Nocturnal Council) का उल्लेख प्लेटो ने अपनी पुस्तक 'द लॉज' में किया है। जहाँ 'रिपब्लिक' में प्लेटो एक आदर्शवादी, स्वप्नद्रष्टा और कल्पनालोकीय था वहीं अपनी परवर्ती पुस्तक 'द लॉज' में वह एक विचारशील और यथार्थवादी के रूप में दिखता है। रिपब्लिक का उद्देश्य दार्शनिक राजा के शासन की स्थापना करना था अर्थात् 'विवेक' को दार्शनिक शासकों के माध्यम से कार्य करना था तथा दार्शनिक शासक पर विधि (law) का कोई नियंत्रण नहीं था पर 'द लॉज' में विवेक अथवा दार्शनिक विवेक को विधि के माध्यम से कार्य करना है। दार्शनिक शासक का स्थान वस्तुतः अब विधि ने ले लिया है क्योंकि प्लेटो को अपने अनुभव से यह महसूस हो चुका है कि दार्शनिक राजा का शासन इस वसुन्धरा पर असम्भव है। यद्यपि दार्शनिक शासक के शासन को प्लेटो अब भी सर्वोत्तम मानता है तथापि विधि के शासन को मजबूरी में स्वीकार करता है। लॉज का उद्देश्य दार्शनिक को राज्य का विधायक बनाकर विधियों में विवेक के तत्व का प्रवेश कराना तथा उसके द्वारा पृथ्वी पर दार्शनिक विवेक के उस शासन को स्थापित करना है जिसे प्लेटो दार्शनिक शासक के माध्यम से स्थापित नहीं कर सका है।

9. अरस्तू के अनुसार संवैधानिक शासक की अपने प्रजाजनों पर सत्ता दासों के ऊपर स्वामी की सत्ता से नितान्त भिन्न है क्योंकि दास जन्म से ही निम्न एवं स्वयं शासन के लिए अयोग्य होता है। स्वामी व दास के सम्बन्ध में अरस्तू कहता है कि दास अपने स्वामी की वस्तु है। वह स्वयं, उसका जीवन और उसकी सम्पत्ति स्वामी के पूर्ण नियंत्रण में होती है। अरस्तू ने दास के अस्तित्व को स्वामी से अलग नहीं माना है तथा उसे उसके अधीन उसके अंग के रूप में माना है। स्वामी दास का केवल स्वामी होता है पर वह उसका नहीं होता जबकि दास अपने स्वामी का दास ही नहीं होता वरन् वह पूर्णतः उसका होता है।

11. जे.जे. रूसो के अनुसार, 'विज्ञान निष्क्रिय जिज्ञासा का परिणाम है', 'दर्शन केवल बौद्धिक सजावट है', 'शिष्ट जीवन की सुख-सुविधाएँ चमकीले रंगीन फीते हैं।' रूसो ने उपरोक्त बातें सभ्यता के विकास के संदर्भ में कही है। रूसो ने अपने पहले निबंध 'Discourse on the origin of Inequality–1755' के अंतर्गत प्राकृतिक दशा का अत्यंत मोहक चित्रण किया है जिसमें मनुष्य प्रकृति के रमणीय आंचल में अठखेलियां करते हुए सर्वथा सरल, समानतापूर्ण और सुखमय जीवन बिताता है। सभ्यता के विकास के साथ-साथ समाज में विषमताएं पैदा हो जाती हैं। राज्य की उत्पत्ति निजी संपत्ति (Private Property) की रक्षा के लिए होती है जो विषमताओं को बढ़ावा देती है। यहाँ रूसो अपनी रूमानी शैली में प्रकृति की ओर लौट चलने (Return to Nature) का आह्वान करता है।

12. कार्ल मार्क्स ने 'अलगाव के सिद्धांत' (Theory of Alienation) का विवेचन अपनी कृति 'Economic and Philosophic Manuscripts of 1844' में की है। यह सिद्धांत तरुण मार्क्स (Young Marx) के मन का विचार था। इस पुस्तक के अंतर्गत मार्क्स ने पूंजीवाद की आलोचना इस आधार पर की थी कि वह मनुष्य को मनुष्य नहीं रहने देता। वह मनुष्य की रचनात्मक शक्तियों और कोमल भावनाओं को नष्ट करके उसे अपनी रचना से, प्रकृति से, समाज से, यहाँ तक कि अपने-आप से बेगाना बना देता है। ऐसी हालत में उसकी स्वतंत्रता की क्षमता ही नष्ट हो जाती है। उसकी स्वतंत्रता को वापस लाने का सही तरीका यह होगा कि उन परिस्थितियों को बदल दिया जाए जिनमें मनुष्य 'अलगाव' या 'परायापन' (Alienation) अनुभव करता है। मार्क्स ने पराएपन के 4 स्तरों की पहचान की है–

(क) पहले-पहल मनुष्य अपने उत्पादन तथा उत्पादन प्रक्रिया से कट जाता है।

(ख) मनुष्य प्रकृति से पराया हो जाता है।

(ग) आर्थिक प्रणाली में प्रतिस्पर्धा इतनी प्रधान होती है कि मनुष्य अपने सहचरों से भी कोई हार्दिक सम्बन्ध नहीं रख पाता, और

(घ) अंततः मनुष्य अपने-आप से भी पराया हो जाता है क्योंकि विवशता का साम्राज्य उसके जीवन को

पाशविक अस्तित्व का विषय बना देता है जिससे साहित्य, कला और संस्कृति के प्रति उसकी कोई अभिरुचि नहीं रह जाती।

13. 'गांधी ने सत्याग्रह को नहीं बनाया बल्कि सत्याग्रह ने गांधी को महात्मा बना दिया', यह विचार कांग्रेसी नेता और लेखक आर.आर. दिवाकर ने व्यक्त किया है। दिवाकर का मानना है कि सत्याग्रह को जीवन-दर्शन के रूप में स्वीकार करने के कारण ही गाँधी महात्मा के रूप में अवतरित हुए। गाँधी ने सत्याग्रह को जीवन का नियम बनाया। उनके अनुसार इसका प्रयोग केवल संघर्षों तक ही सीमित नहीं है वरन् जीवन के प्रत्येक क्षेत्र में इसका प्रयोग किया जा सकता है। इसका प्रयोग लोगों द्वारा व्यक्तिगत रूप से अपने माता-पिता, बच्चों, मित्रों तथा अपराधियों के विरुद्ध किया जा सकता है। इसे राजनैतिक तथा घरेलू दोनों मामलों में प्रयुक्त किया जा सकता है।

14. मानवेन्द्र नाथ रॉय (M.N. Roy) जिनका बचपन का नाम नरेन्द्रनाथ भट्टाचार्य था, मेक्सिको में बस गए थे। भारतीय राजनीतिक चिंतकों में एम.एन. राय एक उच्च कोटि के विद्वान, प्रभावशाली लेखक तथा मौलिक एवं स्वतंत्र विचारक के रूप में थे। एक रूमानी क्रांतिकारी (Romantic Revolutionary) के रूप में प्रारंभ होने वाला उनका राजनीतिक चिंतन अगली अवस्था में मार्क्सवाद और अंत में मार्क्सवाद तथा राष्ट्रवाद का खंडन करते हुए 'नव मानववाद' (New Humanism) की तरफ बढ़ता है। राय ने अपने मानववाद को 'New Humanism or Scientific Humanism' कहा है। राय के अनुसार आधुनिक सभ्यता जिस नैतिक एवं सांस्कृतिक संकट से गुजर रही है उसको देखते हुए मानववादी मूल्यों का पुनः प्रतिपादन आवश्यक है।

15. अरविन्द घोष ने कहा है कि, "जेल में भगवान उसके सामने प्रकट हुए, उसे गीता दी और उसको सनातन धर्म के सरल सत्यों का बोध कराया।" अरविन्द घोष के लिए राजनीति और आध्यात्मिकता घनिष्ठ रूप से सम्बन्धित था। इसी कारण उनकी राजनीति किसी भी अन्य राष्ट्रवादी नेता की राजनीति से भिन्न रही। अरविन्द की राजनीति योगी की राजनीति थी; एक राजनीतिज्ञ की नहीं।

अरविन्द घोष का विश्वास था कि कठिन आध्यात्मिक यात्रा से ही मानव जाति का कल्याण संभव है। पहले अधिक विकसित कुछ आत्माएँ ऊपर उठेंगी और वे ही शेष मानव समाज का मार्गदर्शन करेंगी। उनकी कामना का वास्तविक हेतु तो यह था कि भारत स्वतंत्र होकर ही संसार के आध्यात्मिक पुनरुद्धार में सच्चा योग दे सकता है और मानवता के आध्यात्मिक विकास का पथ प्रशस्त कर सकता है।

16. तुलनात्मक राजनीति सब प्रकार की राजनीतिक गतिविधिये का सरकारी व गैर-सरकारी एवं समस्त राजनीतिक संघटनाओं का अध्ययन है। यह ऐसा विषय है जिसके अंतर्गत भिन्न-भिन्न प्रकार की राजनीतिक प्रणालियों की संरचनाओं, कार्यविधि, लक्षणों और क्षमताओं इत्यादि का विश्लेषण किया जाता है ताकि राजनीति के सामान्य नियमों का पता लगाया जा सके। प्राचीन काल में ग्रीक शिरोमणि अरस्तू ने अपने शिष्यों को भिन्न-भिन्न नगर-राज्यों में भेजकर 158 शासन-प्रणालियों के बारे में विवरण तैयार कराए थे और उनके आधार पर कुछ सामान्य निष्कर्ष निकाले थे। अतः अरस्तू को तुलनात्मक राजनीति का जनक माना जाता है।

17. तुलनात्मक राजनीति के अध्ययन में विभिन्न उपागम (Approaches) का प्रयोग किया जाता है। उपागम के अंतर्गत किसी घटना की विस्तृत जानकारी के लिए केवल उपयुक्त पद्धति का चयन किया जाता है बल्कि अध्ययन की केंद्रीय समस्या का निर्णय भी किया जाता है अर्थात् इसमें केवल यह नहीं देखा जाता कि हमें क्या अन्वेषण करना है बल्कि यह भी सोच लिया जाता है कि किस विषय का अन्वेषण करना है। तुलनात्मक राजनीति के अध्ययन के परंपरागत और आधुनिक दोनों तरह के उपागम हैं। परंपरागत उपागमों के अंतर्गत ऐतिहासिक उपागम, कानूनी-औपचारिक उपागम और संस्थात्मक उपागम विशेष रूप से महत्वपूर्ण हैं जबकि आधुनिक उपागमों में प्रणाली-विश्लेषण, संरचनात्मक-कृत्यात्मक विश्लेषण, व्यवहारवादी उपागम आदि आते हैं।

18. गैब्रियल आल्मंड ने डेविड ईस्टन के आगत-निर्गत विश्लेषण (Input-output Analysis) को अधूरा मानते हुए 1960 में 'The Politics of the Developing Area

के अंतर्गत यह तर्क दिया कि ये आगत और निर्गत तत्व केवल राजनीतिक प्रणाली के कृत्य (Functions) हैं। आल्मंड ने न केवल इन कृत्यों का विस्तृत वर्गीकरण प्रस्तुत किया बल्कि ऐसे प्रत्येक कृत्य के लिए उपयुक्त संरचनाओं की भी पहचान की। इस तरह आल्मंड ने राजनीति-विश्लेषण के क्षेत्र में संरचनात्मक-कृत्यात्मक विश्लेषण की नींव रखी। आल्मंड ने चार प्रकार के आगत कार्यों और तीन प्रकार के निर्गत कार्यों तथा इनके साथ जुड़ी हुई संरचनाओं का पता लगाया। आगत कार्यों का सही क्रम इस प्रकार है—पहला आगत कृत्य राजनीतिक समाजीकरण एवं भर्ती है; दूसरा हित-स्पष्टीकरण; तीसरा हित-समूहन और चौथा आगत कृत्य राजनीतिक संप्रेषण है।

19. प्रसिद्ध समाजशास्त्री टैल्कट पार्सस और मैक्स वेबर ने गैब्रियल आल्मंड के संरचनात्मक प्रकार्यवाद को प्रभावित किया। तुलनात्मक राजनीति में संरचनात्मक कृत्यात्मक उपागम (Structural-functional Approach) के प्रयोग की प्रेरणा रैडक्लिफ-ब्राउन और बी. मैलीनोवस्की सरीखे मानव वैज्ञानिकों की कृतियों से आई है। इन अनुसंधानकर्ताओं ने अनेक जनजातीय समुदायों (Tribal communities) के अध्ययन में प्रकार्यात्मक उपागम का प्रयोग करते हुए यह दिखाया था कि इनके कुछ विशेष कृत्य—जैसे कि विधि-विधान, मंत्र-तंत्र और धर्म-कर्म इनमें एकता कायम रखने में किस तरह सहायक सिद्ध हो सकते हैं? इस तरह मानव वैज्ञानिकों ने आदिम जातियों के अध्ययन के लिए उपयुक्त सैद्धांतिक ढांचा तैयार कर दिया था। परंतु सभ्य समाज के अध्ययन के लिए ऐसा सैद्धांतिक ढांचा तैयार करने का श्रेय टैल्कट पार्सस को है। उसके बाद आल्मंड ने राजनीति-विश्लेषण के लिए इस उपागम का उपयुक्त सैद्धांतिक ढांचा विकसित किया।

20. भारत के उपराष्ट्रपति का पद अमेरिकी संविधान से ग्रहण किया गया है, इसलिए दोनों उपराष्ट्रपतियों के कार्य और अधिकार लगभग समान हैं। दोनों उपराष्ट्रपतियों का चुनाव होता है। भारतीय संविधान के अनुच्छेद-66 के अनुसार संसद के दोनों सदनों के सदस्य मिलकर उपराष्ट्रपति का चुनाव करते हैं जबकि अमेरिकी उपराष्ट्रपति का चुनाव जनसाधारण के द्वारा निर्वाचकगण के माध्यम से 4 वर्ष की नियत अवधि के लिए होता है। दोनों अपने-अपने देशों के उच्च सदनों अर्थात् राज्य सभा और सीनेट के अध्यक्ष होते हैं लेकिन दोनों ही उपराष्ट्रपति अपने सम्बन्धित देशों के सदनों के सदस्य नहीं होते हैं। दोनों उपराष्ट्रपतियों को मत संतुलन की स्थिति में निर्णायक मत (Casting vote) देने का अधिकार है।

21. अमेरिकी शासन प्रणाली शक्ति-पृथक्करण के सिद्धांत (Separation of Powers) की उपज और उत्तराधिकारी समझी जाती है। फ्रेंच राजनीतिक चिंतक बैरोन डी मांटेस्क्यू ने अपनी पुस्तक 'The Spirit of Laws–1748' में इस सिद्धांत को प्रस्तुत किया था। अमेरिकी शासन प्रणाली में राष्ट्रपति को स्वेच्छाचारी होने से रोकने और नागरिकों की स्वतंत्रताओं की रक्षा के लिए 'शक्ति-पार्थक्य' और 'अवरोध एवं संतुलन' (Checks and Balances) की नीति अपनाई गई है। शक्ति-पार्थक्य के सिद्धांत के अनुसार, शासन की शक्तियाँ, दायित्व और नियंत्रण शासन के किसी एक अंग में केंद्रित नहीं रहतीं बल्कि वे शासन की भिन्न-भिन्न शाखाओं में बँटी होती हैं और ये शाखाएं एक-दूसरे से स्वाधीन होती हैं। इनमें से किसी अंग को दूसरे से ऊँचा या नीचा नहीं माना जाता है और न ही कोई अंग अपनी शक्तियों का प्रयोग करते समय किसी अन्य अंग के प्रति उत्तरदायी होता है। अवरोध एवं संतुलन का सिद्धांत इसका पूरक सिद्धांत है।

24. संयुक्त राज्य अमेरिका के संविधान के अनुच्छेद-2 के तहत् राष्ट्रपति को कार्यकारी शक्तियाँ (Executive Powers) दी गई हैं। परंतु कहीं कोई राष्ट्रपति इतना शक्तिशाली न हो जाए कि वह मनमानी पर उतर आए और नागरिकों की स्वतंत्रताओं को कुचल डाले, यह सुनिश्चित करने के लिए अमेरिका में शक्ति-पार्थक्य (Separation of Powers) और अवरोध एवं संतुलन (Checks and Balances) की विस्तृत व्यवस्था की गई है।

अमेरिकी राष्ट्रपति को मुख्य कार्यकारी की संज्ञा दी जाती है। उसका चुनाव 4 वर्ष की नियत अवधि के लिए होता है। इस अवधि से पूर्व केवल महाभियोग (Impeachment) की प्रक्रिया द्वारा ही उसे पद से हटाया जा सकता है

अन्यथा नहीं। कोई व्यक्ति अपने जीवनकाल में दो बार से ज्यादा राष्ट्रपति पद के लिए नहीं चुना जा सकता। राष्ट्रपति का मंत्रिमंडल उसकी पसंद के अधिकारियों का समूह है। ये मंत्री उसके सहायक होते हैं, सहयोगी नहीं। प्रशासन के सम्बन्ध में सारे निर्णय राष्ट्रपति अपने विवेक से करता है, किसी की सलाह से नहीं।

26. पॉकेट वीटो (Pocket Veto), संघीय विधायिका को राष्ट्रपति का संदेश, गुट प्रणाली और कोष्ठ पद्धति (Pigeon hole)—एक विधेयक अमेरिकी संवैधानिक प्रणाली की विशेषता है। कोई भी विधेयक कांग्रेस के दोनों सदनों में पारित होने के बाद राष्ट्रपति के पास सहमति के लिए भेजा जाता है। यदि राष्ट्रपति उस विधेयक पर हस्ताक्षर कर दे तो वह कानून बन जाता है परन्तु यदि राष्ट्रपति ऐसे किसी विधेयक पर हस्ताक्षर करने से इंकार कर दे और 10 कार्य-दिवस पूरे होने से पहले कांग्रेस स्थगित हो जाए तो वह विधेयक अपनी मौत मर जाता है। राष्ट्रपति के इस अधिकार को पॉकेट वीटो कहा जाता है।

राष्ट्रपति प्रति वर्ष कांग्रेस (संघीय विधायिका) को अपना संदेश देता है। इसके अंतर्गत वह व्यवहारतः कांग्रेस के चालू अधिवेशन के लिए पूर्ण कार्यसूची जारी कर देता है। इसमें वह यह व्यक्त कर देता है कि वर्तमान अधिवेशन के दौरान वह विधानमंडल से क्या-क्या करने की आशा और अपेक्षा करता है।

28. अमेरिका के उच्चतम न्यायालय (Supreme Court) के न्यायाधीश मृत्यु होने अथवा त्यागपत्र दिए जाने अथवा कांग्रेस द्वारा हटाए जाने तक अपने पद पर बने रहते हैं। अमेरिकी संविधान के अंतर्गत सर्वोच्च न्यायालय संघ सरकार की न्यायिक शाखा का सर्वोच्च अंग है। इसमें मूलतः 5 न्यायाधीश रखे गए थे परन्तु 1869 ई. के बाद से इनकी संख्या 9 हो गई। इन न्यायाधीशों की नियुक्ति का अधिकार राष्ट्रपति को है परंतु इसके लिए सीनेट का अनुसमर्थन (Ratification) जरूरी है। ये न्यायाधीश सद्व्यवहार के दौरान अपने पद पर बने रहते हैं अर्थात् यदि इन पर देशद्रोह, भारी भ्रष्टाचार, जघन्य अपराध या दुष्कर्म का आरोप हो, तभी इन्हें महाभियोग की प्रक्रिया द्वारा अपने पद से हटाया जा सकता है। अतः सामान्य परिस्थितियों में ये न्यायाधीश आजीवन अपने पद पर बने रहते हैं परंतु यदि कोई न्यायाधीश कम-से-कम 10 वर्ष की सेवा पूरी कर चुका हो तो वह 70 वर्ष की आयु पूरी होने पर स्वेच्छा से सेवानिवृत्त हो सकता है।

30. ब्रिटिश शासन प्रणाली सांविधानिक राजतंत्र (Constitutional Monarchy) या सीमित राजतंत्र (Limited Monarchy) का प्रमुख उदाहरण है। यह ऐसी शासन प्रणाली है जिसमें सम्राट या साम्राज्ञी नाममात्र का राज्य प्रमुख होता है और शासन की वास्तविक शक्तियाँ संसद, मंत्रिमंडल या अन्य ऐसे अंगों में निहित होती हैं जिनकी व्यवस्था संविधान के अंतर्गत की गई हो। ब्रिटिश सरकार की समस्त शक्तियों का प्रयोग 'राजमुकुट' के नाम पर किया जाता है; अतः ब्रिटिश सरकार के सारे कृत्य राजमुकुट (Crown) के कृत्य माने जाते हैं।

ब्रिटिश संसद संप्रभु (Sovereign) है क्योंकि इसकी कानूनी सत्ता सर्वोच्च है। 17वीं सदी के विधिशास्त्रवेत्ता एडवर्ड कोक के अनुसार, ब्रिटिश संसद ऐसा कोई भी कार्य कर सकती है जो प्राकृतिक दृष्टि से असंभव न हो।

31. डॉ. बी. आर. अम्बेडकर ने संविधान निर्मात्री सभा में कहा था कि "यदि भारतीय एक होना चाहते हैं और एक समान संस्कृति विकसित करना चाहते हैं तब यह समस्त भारतीयों का अनिवार्य कर्तव्य है कि हिन्दी को अपनी भाषा के रूप में अपनाएँ....कोई भी भारतीय जो इस प्रस्ताव को नहीं मानता वह भारतीय कहलाने का अधिकारी नहीं है।"

32. भारतीय राजनीतिक-वैज्ञानिक रजनी कोठारी ने अपनी महत्वपूर्ण कृति 'State and Nation Building : A third world Perspective–1976' में भारतीय समाज को "राजनीतिक दृष्टि से अराजनीतिक समाज" बताया है। कोठारी का कहना है कि राज्य-निर्माण और राष्ट्र-निर्माण की संकल्पना किसी देश के विकास का राजनीतिक पक्ष प्रस्तुत करती है जबकि आधुनिकीकरण (Modernization) का सरोकार उसके विकास के आर्थिक, प्रौद्योगिक, प्रशासनिक, इत्यादि पक्षों से है। पश्चिमी राजनीतिक-वैज्ञानिकों ने यह भ्रांति फैला रखी है कि विकासशील देशों को पहले अपने आधुनिकीकरण पर ध्यान देना चाहिए; राजनीतिक विकास अपना ध्यान स्वयं रख लेगा।

कोठारी के अनुसार, यूरोप के इतिहास से इस बात की पुष्टि नहीं होती क्योंकि वहाँ आधुनिकीकरण शुरू करने से पहले राष्ट्रों का सुदृढ़ीकरण किया जा चुका था। अतः विकासशील देशों में भी आधुनिकीकरण के मुकाबले राज्य-निर्माण और राष्ट्र-निर्माण को प्राथमिकता देना ही युक्तिसंगत होगा।

35. मॉंटेग्यू चेम्सफोर्ड रिफॉर्म एक्ट-1919 के द्वारा प्रांतीय विषयों को हस्तांतरित और आरक्षित विषयों में विभाजित किया गया। आरक्षित विषय थे–वित्त, भूमिकर, अकाल सहायता, न्याय, पुलिस, पेंशन, छापाखाना, समाचार पत्र, सिंचाई, जलमार्ग, खान, कारखाना, बिजली, गैस, श्रमिक कल्याण, औद्योगिक विवाद और सार्वजनिक सेवाएँ आदि। जबकि हस्तांतरित विषय थे–शिक्षा, पुस्तकालय, संग्रहालय, स्थानीय स्वायत्त शासन, सार्वजनिक निर्माण विभाग, आबकारी, उद्योग, तौल तथा माप, सार्वजनिक मनोरंजन पर नियंत्रण, धार्मिक तथा अग्रहार दान आदि।

आरक्षित विषय का प्रशासन गवर्नर अपनी कार्यकारी परिषद् के माध्यम से करता था जबकि हस्तांतरित विषय का प्रशासन प्रान्तीय विधानमंडल के प्रति उत्तरदायी भारतीय मंत्रियों के द्वारा किया जाता था। द्वैध शासन प्रणाली को 1935 ई. के एक्ट द्वारा समाप्त कर दिया गया।

37. राज्य के रूप में महाराष्ट्र और गुजरात की स्थापना 1 मई 1960 को हुई। गुजरातियों द्वारा बॉम्बे स्टेट से गुजरात को अलग करने के लिए 'महागुजरात आंदोलन' का आरम्भ 1956 ई. में किया गया। यह आंदोलन गुजराती भाषी लोगों के लिए अलग राज्य की मांग के लिए किया गया था।

कम्युनिस्ट पार्टी की स्थापना 25 दिसम्बर, 1925 को एम.एन. राय द्वारा ताशकंद में की गई थी। 1962 ई. में भारत-चीन युद्ध के फलस्वरूप 1964 ई. में कम्युनिस्ट पार्टी का विभाजन 'Communist Party of India (CPI)' और 'Communist Party of India (Marxist)' के रूप में हुआ।

गुजरात के नवनिर्माण आंदोलन का आरंभ 1974 ई. में हुआ। यह एक सामाजिक-राजनीतिक आंदोलन था जिसमें विद्यार्थियों और मध्य वर्ग ने बढ़-चढ़कर हिस्सा लिया। 1974 के जनवरी माह में गुजरात के छात्रों ने खाद्यान्न, खाद्य तेल तथा अन्य आवश्यक वस्तुओं की बढ़ती हुई कीमत तथा उच्च पदों पर जारी भ्रष्टाचार के खिलाफ आंदोलन छेड़ दिया। इस आंदोलन में बड़ी राजनीतिक पार्टियां भी शामिल हुई थीं।

23 जनवरी 1977 को बहुत सारी पार्टियों ने मिलकर जनता पार्टी की स्थापना की। आपातकाल-विरोधी जयप्रकाश नारायण जनता पार्टी के विचारधारात्मक समर्थक थे। भारतीय लोक दल, स्वतंत्र पार्टी, सोशलिस्ट पार्टी ऑफ इंडिया, भारतीय जन संघ, कांग्रेस फॉर डेमोक्रेसी, भारतीय क्रांति दल, कांग्रेस (ओ), आदि ने मिलकर इस पार्टी का गठन किया था।

38. प्रो. रजनी कोठारी ने सामाजिक आंदोलन को "गैर-पार्टी राजनीतिक गठन" के रूप में बताया है। सामाजिक आंदोलन वह प्रक्रिया है जिसमें बहुत सारे लोग कोई सामाजिक परिवर्तन लाने के लिए या किसी सामाजिक प्रथा या प्रवृत्ति को रोकने के लिए एकजुट और सक्रिय हो जाते हैं या वे किसी सामाजिक लक्ष्य की सिद्धि के लिए एक ही दिशा में चल पड़ते हैं, चाहे वह किसी परंपरा को तोड़ने की दिशा हो, परंपरा में सुधार लाने की दिशा हो या परंपरा को पुनरुज्जीवित करने की दिशा हो।

देखा जाए तो सामाजिक आंदोलन सार्वजनिक नीति और निर्णय की प्रक्रिया में जनसहभागिता का ऐसा उपकरण प्रस्तुत करते हैं जो राजनीतिक दलों और हित समूहों की गतिविधियों से बाहर तो है परंतु फिर भी अत्यंत प्रभावशाली हैं।

39. गाँधीवादी और अहिंसक कार्यकर्ता विनोबा भावे ने 1950 के दशक में 'सर्वोदय' के नाम से सामाजिक आंदोलन प्रारम्भ किया। यह आंदोलन भारतीय समाज के सभी हिस्सों को आत्मनिर्णय के अधिकार को उपलब्ध कराने और समानता स्थापित करने का प्रयास था।

नक्सली आंदोलन की शुरूआत 1967 ई. में पश्चिम बंगाल के नक्सलबाड़ी क्षेत्र से हुआ। इसकी अगुवाई मार्क्सवादी कम्युनिस्ट पार्टी के स्थानीय कॉडर के लोग कर रहे थे। धीरे-धीरे यह आंदोलन पूरे देश में फैल गया। 1969 में नक्सलवादी CPI (M) से अलग हो गए और इन्होंने सीपीआई (मार्क्सवादी-लेनिनवादी) नाम से एक नई पार्टी चारू मजूमदार के नेतृत्व में बनाई। इस पार्टी की दलील थी कि भारत में लोकतंत्र एक छलावा

है। इस पार्टी ने क्रांति करने के लिए गुरिल्ला युद्ध की रणनीति अपनाई।

चिपको आंदोलन की शुरूआत 1973 ई. में उत्तराखंड से हुई। यहाँ के लोगों ने जंगलों की व्यावसायिक कटाई का विरोध किया क्योंकि सरकार ने जंगलों की कटाई के लिए खेल सामग्री विनिर्माता को अनुमति दी थी। यहाँ के लोगों ने अपने विरोध को जताने के लिए पेड़ों को अपनी बाँहों में घेर लिया ताकि उन्हें काटने से बचाया जा सके। यह आंदोलन सुन्दरलाल बहुगुणा के नेतृत्व में भारत के पर्यावरण आंदोलन के रूप में परिणत हुआ। अस्सी के दशक के प्रारंभ में नर्मदा घाटी में विकास परियोजना के तहत मध्य प्रदेश, गुजरात और महाराष्ट्र से गुजरने वाली नर्मदा नदी और उसकी सहायक नदियों पर बाँध बनाने के प्रस्ताव का विरोध हुआ, जो नर्मदा बचाओ आंदोलन के रूप में परिणत हो गया। यह आंदोलन मेधा पाटकर के नेतृत्व में चल रहा है।

41. संविधान के अनुच्छेद-324 में भारत के निर्वाचन आयोग के कार्यों का वर्णन है। चुनाव आयोग संसद और प्रत्येक राज्य के विधान-मंडल के लिए कराए जाने वाले सभी निर्वाचनों के लिए तथा राष्ट्रपति और उपराष्ट्रपति के पदों के लिए निर्वाचनों के लिए निर्वाचक-नामावली तैयार कराने का और उन सभी निर्वाचनों के संचालन का अधीक्षण, निदेशन और नियंत्रण का प्रबंध करता है। निर्वाचनों के पश्चात् मतों की गणना और परिणामों की घोषणा करना भी निर्वाचन आयोग का ही कार्य है परंतु किसी चुनाव को न्यायालय रद्द घोषित करता है।

43. अनुच्छेद-356 के सम्बन्ध में सर्वोच्च न्यायालय ने एस. आर. बोम्मई बनाम भारत संघ-1994 के मुकदमे में कहा कि राष्ट्रपति शासन केवल ऐसी स्थिति में लागू किया जाना चाहिए जब और कोई इलाज न हो, हालात असाध्य हो जाए और राज्य का शासन संविधान के अनुसार चलना असंभव हो जाए। न्यायालय ने स्पष्टतया निर्णय दिया कि राष्ट्रपति शासन लागू करने के राष्ट्रपतीय निर्णय की न्यायिक पुनरीक्षा की जा सकती है और यह देखा जा सकता है कि निर्णय सचमुच किसी सामग्री पर आधारित था और क्या यह सामग्री मामले से संबद्ध थी। एक और महत्वपूर्ण बात यह कही गई कि राज्य की विधानसभा का विघटन तब तक नहीं किया जा सकता जब तक कि राष्ट्रपतीय उद्घोषणा का संसद के दोनों सदनों द्वारा अनुमोदन न कर दिया जाए। न्यायालय के अनुसार, यदि विधानसभा भंग कर दी गई हो और सरकार भी बर्खास्त कर दी गई हो और बाद में राष्ट्रपतीय उद्घोषणा को अवैध घोषित किया जाए तो न्यायालय विधानसभा को पुनर्जीवित कर सकता है तथा बर्खास्त की हुई सरकार को बहाल कर सकता है। ऐसा करते समय न्यायालय कह सकता है कि उद्घोषणा के लागू रहते जो निर्णय लिए जा चुके हैं या जो काम किए जा चुके हैं, वे सब वैध और प्रभावी रहेंगे। निर्णय में आगे कहा गया है कि मंत्रिपरिषद् को सदन के बहुमत का समर्थन प्राप्त है या नहीं, इसका निर्णय सदन में ही किया जा सकता है। यह मामला किसी के भी भले ही वह राज्यपाल हो या राष्ट्रपति--व्यक्तिगत अथवा निजी मत का नहीं है।

44. लोक लेखा समिति के सदस्यों की संख्या 22 होती है, जिसमें से 15 लोकसभा के और 7 राज्य सभा के सदस्य होते हैं। यह सबसे पुरानी वित्तीय समिति है। वर्ष 1967 से चली आ रही प्रथा के अनुसार विपक्ष के किसी सदस्य को इस समिति का सभापति नियुक्त किया जाता है।

प्राक्कलन समिति में केवल लोकसभा के सदस्य होते हैं जिनकी कुल संख्या 30 होती है। यह समिति 'स्थायी मितव्ययंता समिति' के रूप में कार्य करती है और इसकी आलोचना और सुझाव सरकारी फिजूलखर्ची पर रोक लगाने का काम करते हैं। यह समिति वार्षिक अनुमानों की विस्तृत जाँच करती है। लोक लेखा और प्राक्कलन समिति को जुड़वाँ बहनें कहा जाता है क्योंकि इन दोनों समितियों के कार्य एक-दूसरे के पूरक हैं।

विभाग से सम्बन्धित स्थायी समितियों की कुल संख्या 24 है। प्रत्येक समिति में सदस्यों की संख्या 31 होती हैं जिनमें से 21 सदस्य लोकसभा के और 10 सदस्य राज्यसभा के होते हैं। लोकसभा की नियम समिति की सिफारिश पर 1993 में विभाग से सम्बन्धित स्थायी संसदीय समितियों का गठन किया गया।

प्रत्येक सदन की एक व्यवस्था या नियम समिति होती है। लोकसभा में इस समिति के 15 सदस्य होते हैं जिनमें अध्यक्ष भी शामिल होता है, जो समिति का पदेन सभापति (Ex officio Chairman) होता है। राज्यसभा में इस समिति के 16 सदस्य होते हैं।

45. जे.आर. ल्यूकस ने 'The Principles of Politics–1967' के अंतर्गत न्यायिक प्रक्रिया के संदर्भ में प्राकृतिक न्याय को परिभाषित करते हुए कहा है कि "प्राकृतिक न्याय (Natural Justice) के नियम यह मांग करते हैं कि कोई भी व्यक्ति स्वयं अपने मामले का न्यायाधीश नहीं होगा; न्यायाधीश प्रस्तुत मामले पर पूरा-पूरा विचार करेगा; न्यायाधीश किसी निर्णय तक पहुँचते समय सारी अप्रासंगिक बातों को अपने मन से निकाल देगा; एक ही तरह के मामलों का निर्णय एक ही तरह से किया जाएगा; एक बार फैसला हो जाने पर किसी मामले को फिर से नहीं खोला जाएगा, हालांकि कुछ प्रमाण-ग्रंथों के अनुसार पुनरावेदन-अधिकार (Right to Appeal) की कुछ गुंजाइश रखी जाएगी; केवल न्याय नहीं किया जाएगा बल्कि यह दिखाई देना चाहिए कि न्याय हुआ है; न्यायिक निर्णय (Judgement) में निरा फैसला (Bare Decision) ही नहीं दिया जाएगा बल्कि उस निर्णय तक पहुँचने के कारणों का विवरण भी दिया जाएगा।"

47. मूने के अनुसार, "प्रत्यायोजन (Delegation) का अर्थ है कि किसी उच्च सत्ताधारी द्वारा किसी निम्न सत्ताधारी को विशिष्ट सत्ता प्रदान की जाए।" यह सत्ता का हस्तांतरण है लेकिन उसके पर्यवेक्षण तथा नियंत्रण सम्बन्धी अधिकार बने रहते हैं। प्रत्यायोजन उत्तरदायित्व का परित्याग नहीं है और न ही उसका अर्थ अंतिम सत्ता का स्थानांतरण है। जो व्यक्ति सत्ता का प्रत्यायोजन करता है वह अपना संपूर्ण उत्तरदायित्व नहीं सौंपता, बल्कि निरीक्षण, पर्यवेक्षण, नियंत्रण तथा समीक्षा का अधिकार अपने पास रखता है। वह अपने प्रत्यायोजन को समाप्त करके अपनी सारी सत्ता वापस ले सकता है।

49. हर्बर्ट साइमन के अनुसार निर्णय-प्रक्रिया के तीन चरण या अवस्थाएँ होती हैं–बौद्धिक अभिक्रिया (Intelligence Activity), प्रारूप या स्वरूप अभिक्रिया (Design Activity) और चयन अभिक्रिया (Choice Activity)। निर्णय प्रक्रिया का प्रथम चरण बौद्धिक या अन्वेषण अभिक्रिया कहलाता है। इसे आवश्यक मूल्यांकन भी कहा जा सकता है। समस्या को पहचानने तथा समझने के लिए यह आवश्यक है कि जिस समस्या पर निर्णय लेना है उसे अनुसंधानात्मक दृष्टि से देखा जाए। इस स्तर पर आवश्यक है कि भूतकालीन अनुभव के आधार पर समस्या की समग्रता को ध्यान में रखा जाए तथा वर्तमान के संदर्भ में भविष्य की तस्वीर प्रस्तुत की जाए।
निर्णय प्रक्रिया के दूसरे चरण को साइमन अभिकल्पना या स्वरूप निर्धारण कहता है। इसे तथ्यों की खोज एवं खोज की कसौटी कहा जा सकता है।
अंतिम चरण में विभिन्न विकल्पों में से एक विकल्प का चयन किया जाता है। निर्णयकर्ता विकल्पों का इस प्रकार श्रेणीयन करते हैं कि सर्वोत्तम विकल्प उसकी उपयोगिता एवं आवश्यकता के अनुसार चुना जा सके।
अतः निर्णय लेते समय प्रबंधकों या प्रशासकों को अपने अनुभव, परीक्षण, अन्तर्ज्ञान आदि तकनीकों को काम में लेना चाहिए। जब एक संगठन का अध्यक्ष निर्णय की प्रक्रिया के इन सभी सोपानों से परिचित रहता है तो भूल की गुंजाइश कम हो जाती है। उसके द्वारा लिए गए निर्णय बुद्धिमत्तापूर्ण और वैज्ञानिक प्रकृति के होते हैं।

50. रेनसिस लिकर्ट ने नेतृत्व को प्रबंध का केन्द्रीय एवं सर्वाधिक महत्वपूर्ण संघटक बताया है। उनका मत है कि संगठनात्मक प्रभावशीलता इस बात पर काफी हद तक निर्भर करती है कि प्रबंधकों द्वारा अपने अधीनस्थ समूह का नेतृत्व किस प्रकार किया जाता है। उनके विचार में व्यक्तियों का नेतृत्व करने हेतु सर्वाधिक प्रभावी ढंग यह है कि उन्हें निर्णयन में सहभागी बनाया जाए। प्रभावी संचार-प्रणाली की व्यवस्था की जाए तथा समर्थित वातावरण निर्मित किया जाए ताकि कर्मचारियों को अपनी व्यक्तिगत एवं समूहगत आवश्यकताओं की पूर्ति के लिए अवसर मिल सके और वे अपनी गुणवत्ता को महसूस कर सकें। लिकर्ट ने तीन दशकों तक नेताओं और प्रबंधकों की शैलियों एवं प्रतिमानों का गहन अध्ययन किया। इसके आधार पर उसने नेतृत्व शैलियों को 4 वर्गों में रखा जिसे वह 4 प्रणाली कहता है। यह प्रबंध जगत में 'लिकर्ट की 4 प्रबंध-प्रणाली' के नाम से विख्यात है। ये प्रणाली निम्नलिखित हैं–शोषणपरक प्राधिकारिक (Exploitative Authoritative), उपकारी प्राधिकारिक (Benevolent Authoritative), सलाहकारी (Consultative), सहभागी (Participative).

54. संसद के प्रभावकारी वित्तीय नियंत्रण के लिए 'Rule of Lapse' (अवसान का नियम) आवश्यक है। बजट में

वार्षिकता के सिद्धांत और अवसान के नियम का पूरी तरह पालन किया जाता है। वार्षिकता के सिद्धांत के अनुसार बजट केवल एक वित्तीय वर्ष के लिए स्वीकृत किया जाता है। और इसकी समाप्ति पर इस बजट द्वारा स्वीकृत कर प्रस्ताव समाप्त हो जाते हैं तथा अगले वर्ष के लिए नया बजट पास करवाना पड़ता है।

अवसान का नियम वार्षिकता के सिद्धांत का परिणाम है। इसका यह अभिप्राय है कि एक वित्तीय वर्ष के लिए स्वीकृत अनुदान और बजट इसकी समाप्ति पर खत्म हो जाता है। वर्ष के अंत में बची हुई राशि को भविष्य में व्यय करने के लिए बचाकर सुरक्षित नहीं रखा जा सकता है। यह नियम इसलिए बनाया गया है कि बजट की राशि का उपयोग एक वर्ष की नियत अवधि में हो जाना चाहिए।

57. 1930 ई. की वैश्विक आर्थिक मन्दी के पश्चात् कार्यपालिका के प्रभावशाली नेतृत्व में बजट में निरूपित लक्ष्यों को प्राप्त करने के उद्देश्य से निष्पादन बजट (Performance Budgeting) अस्तित्व में आया। निष्पादन बजट की मूल विशेषता कार्यक्रमों के अनुसार बजट प्रस्तुत करना है। निष्पादन बजट में 'लक्ष्यों के आधार' (Object basis) के स्थान पर 'कार्यक्रम आधारित' (Programme basis) को अपना कर कार्यपालिका द्वारा बजट तैयार करवाया जाता है। इस बजट को 'उपलब्धि बजट या कार्यपूर्ति बजट' भी कहा जाता है। निष्पादन बजट की शुरूआत USA में हुई, जहाँ प्रशासनिक सुधारों के लिए बने 'प्रथम हूपर आयोग (1949)' ने सरकार को कार्यों, कार्यक्रमों तथा क्रियाओं पर आधारित बजट बनाने की अनुशंसा की थी। आयोग के अनुसार निष्पादन बजट, सरकार क्या कर रही है, कितना कर रही है तथा कितनी कीमत पर कर रही है, इन सभी को प्रतिबिम्बित करती है। इन अनुशंसाओं के आधार पर अमेरिकी संघीय सरकार ने 1951 ई. में निष्पादन बजट बनाना शुरू किया। 'द्वितीय हूपर आयोग (1956)' ने पुनः इस बजट प्रणाली का समर्थन किया। धीरे-धीरे यह बजट प्रणाली विश्व के अन्य देशों में भी लोकप्रिय हो गयी। इस बजट के निर्माण के विभिन्न चरण हैं–उद्देश्य, विश्लेषण, वर्गीकरण एवं मूल्यांकन।

58. अनुच्छेद-315 का उपबंध है कि संघ के लिए एक लोक सेवा आयोग और प्रत्येक राज्य के लिए एक लोक सेवा आयोग होगा। दो या उससे अधिक राज्य संयुक्त आयोग का वरण कर सकते हैं। अनुरोध किए जाने पर संघ लोक सेवा आयोग किसी राज्य की किन्हीं आवश्यकताओं की पूर्ति के लिए भी सहमत हो सकता है।

लोक सेवा आयोग स्वतंत्र संवैधानिक संस्थान होते हैं। ये सरकारी या राजनीतिक हस्तक्षेप या नियंत्रण के अधीन नहीं होते। आयोग पर लोक सेवाओं की भर्ती एवं प्रबंध का दायित्व होता है। संघ एवं राज्यों के सेवा आयोगों के समूचे व्यय संघ की संचित निधि या सम्बद्ध राज्य की संचित निधि पर भारित होते हैं।

लोक सेवा आयोगों के अध्यक्ष तथा सदस्यों की नियुक्ति, यथास्थिति, राष्ट्रपति या राज्यपाल करता है। यह अनिवार्य है कि यथासंभव उनके कम-से-कम आधे सदस्य संघ या राज्यों की सरकार में 10 वर्षों तक सेवा कर चुके हों। सदस्य 6 वर्ष की नियत अवधि तक या संघ आयोग के मामले में 65 वर्ष की आयु तक और राज्य आयोग के मामले में 62 वर्ष की आयु तक पदधारण करेंगे।

आयोग के किसी सदस्य को उसके पद से तभी हटाया जा सकता है जब वह दिवालिया हो गया हो, तन या मन से शिथिल हो गया हो, किसी अन्य सवेतन रोजगार पर लग गया हो, सिद्ध कदाचार के आधार पर उच्चतम न्यायालय द्वारा दोषी पाया गया हो, सरकारी संविदा से सम्बद्ध हो। लोक सेवा आयोग का कोई सदस्य अपनी पदावधि समाप्त हो जाने पर पुनः उस पद पर नियुक्ति का पात्र नहीं होता।

63. थ्यूसिडाइड्स को प्रथम शास्त्रीय यथार्थवादी कहा जाता है। इन्होंने एथेंस और स्पार्टा के मध्य युद्ध का इतिहास लिखा था। यथार्थवादी शक्ति को अंतर्राष्ट्रीय राजनीति की कुंजी मानते हैं और उनके अनुसार राज्यों का मुख्य लक्ष्य अस्तित्व स्थापन है। यथार्थवादी चिंतकों का विश्वास है कि हर समाज में मनुष्य का आचरण उसके नैसर्गिक संस्कारों से प्रभावित होता है, इसलिए यदि हम सामाजिक यथार्थ को बदलना चाहते हैं तो इन नैसर्गिक नियमों को पहचानना हमारे लिए अनिवार्य है। इन्हें अनदेखा करना या इनके विपरीत किसी आदर्श या सिद्धांत की स्थापना के प्रयत्न निश्चय ही असफल होते रहेंगे। यथार्थवाद की

अवधारणा राष्ट्रहित और शक्ति की अवधारणाओं के साथ अभिन्न रूप से जुड़ी है, पर ऐसा नहीं कि यह हमेशा जड़ और अपरिवर्तनशील रहती है। कालक्रम में बदलते यथार्थ के साथ, अंतर्राष्ट्रीय राजनीति में यथार्थवादी अभिगम भी संशोधित-परिवर्तित होता रहता है। राजनैतिक यथार्थवाद किसी भी राष्ट्र विशेष की महत्वाकांक्षा को सार्वभौम या 'शाश्वत यथार्थ' मानने से इंकार करता है और यथार्थवादी विश्लेषण को देश-काल सापेक्ष ही मानता है।

अंत में, यथार्थवादी राजनीति की स्वाधीनता का दावा करते हैं और हितों को शक्ति की शब्दावली में परिभाषित करते हैं।

64. गुटनिरपेक्षता (Non-Alignment) अंतर्राष्ट्रीय राजनीति के उन महत्वपूर्ण तत्वों में से है जो द्वितीय विश्व युद्ध के बाद अस्तित्व में आए और जिनसे अंतर्राष्ट्रीय सम्बन्धों के स्वरूप में काफी परिवर्तन हुआ। भारतीय प्रधानमंत्री जवाहरलाल नेहरू के पहल पर घाना के एनक्रूमा, मिस्र के नासिर, इंडोनेशिया के सुकर्णो और यूगोस्लाविया के टीटो ने मिलकर गुटनिरपेक्ष आंदोलन की नींव रखी। 1955 में सम्पन्न बांडुंग-सम्मेलन में ही गुटनिरपेक्ष आंदोलन (Non-Alignment Movement) की नींव पड़ी और इसका पहला सम्मेलन 1961 ई. में बेलग्रेड (यूगोस्लाविया) में हुआ।

जॉर्ज श्वार्जनबर्गर उन छह धारणाओं को लेकर चलता है, जिन्हें अक्सर गुटनिरपेक्षता की धारणा के पर्याय के रूप में देखा जाता है। वे छह धारणाएँ हैं–

अलगाववाद (Isolationism);
अप्रतिबद्धता (Non Commitment);
तटस्थता (Neutrality);
तटस्थीयकरण (Neutralisation);
एक-पक्षवाद (Unilateralism) और
असंलग्नता (Non-Involvement)।

श्वार्जनबर्गर का मत है कि गुटनिरपेक्षता उपर्युक्त छहों धारणाओं से भिन्न है। उसके अनुसार गुटनिरपेक्षता मित्र-संधियों अथवा गुटों से बाहर रहने की नीति है। वह यह मानता है कि प्रथम विश्वयुद्ध के पूर्व अमेरिका ने जिस नीति का अनुसरण किया वह गुटनिरपेक्षता की नीति थी।

65. 12 अगस्त, 1992 को संयुक्त राज्य अमेरिका, कनाडा तथा मेक्सिको के मध्य एक त्रिपक्षीय समझौता हुआ, जिसके अंतर्गत उत्तरी अमेरिकी महाद्वीप को एक मुक्त व्यापार क्षेत्र घोषित करने का निर्णय लिया गया। यह समझौता 'उत्तर अमेरिकन मुक्त व्यापार समझौता' (North American Free Trade Agreement--NAFTA) कहलाता है। इस संगठन की स्थापना में अमेरिका की भूमिका उल्लेखनीय है। अमेरिका ने यूरोपीय आर्थिक समुदाय (EEC) तथा जापान की आर्थिक चुनौतियों का सामना करने के लिए ही NAFTA के गठन का निश्चय किया। इसका कारण यह है कि अमेरिका तथा कनाडा के मध्य तो पहले से ही मुक्त व्यापार होता रहा है किन्तु मेक्सिको को इस प्रकार की सुविधा प्राप्त नहीं थी। मेक्सिको को इस सुविधा के लाभ का प्रलोभन दिखाकर अमेरिका ने NAFTA की स्थापना का सुझाव रखा। इसके लिए 'क्षेत्रीय मूल के नियम' (Rule of the Origin) का प्रतिपादन किया गया। इस नियम के अनुसार, किसी क्षेत्र विशेष के आर्थिक संसाधनों का प्रयोग उस क्षेत्र के व्यक्तियों के आर्थिक विकास के लिए ही किया जाना चाहिए। अतः इस नियम के माध्यम से उत्तरी अमेरिका महाद्वीप के आर्थिक संसाधनों का उपयोग साझा रूप से इस क्षेत्र के विकास के लिए बेहतर तरीके से किया जा सकता है। 1 जनवरी, 1994 से यह समझौता लागू है।

68. 11 सितंबर, 2001 के दिन विभिन्न अरब देशों के 19 अपहरणकर्ताओं ने उड़ान भरने के चंद मिनटों बाद 4 अमेरिकी व्यावसायिक विमानों पर कब्जा कर लिया। अपहरणकर्ता ने दो विमानों को न्यूयार्क के वर्ल्ड ट्रेड सेंटर से टकराया, तीसरा विमान पेंटागन (अमेरिकी रक्षा-विभाग का मुख्यालय) से टकराया और चौथे विमान को अमेरिकी कांग्रेस की मुख्य इमारत से टकराना था लेकिन वह पेन्सिलवेनिया के एक खेत में गिर गया। इस हमले को 'नाइन एलेवन' (9/11) कहा जाता है।

इस हमले में लगभग 3 हजार व्यक्ति मारे गए। अमेरिकियों ने इस घटना की तुलना 1814 और 1941 की घटनाओं से की। 1814 में ब्रिटेन ने वाशिंगटन डी.सी. में आगजनी की थी और 1941 में जापानियों ने पर्ल हार्बर पर हमला किया था।

9/11 के जवाब में अमेरिका ने फौरी क़दम उठाये और भयंकर कार्रवाई की। 'आतंकवाद के विरुद्ध विश्वव्यापी युद्ध' के अंग के रूप में अमेरिका ने 'Operation Enduring Freedom–2001' चलाया। यह अभियान उन सभी के खिलाफ चला जिन पर 9/11 का शक था लेकिन मुख्य निशाना अल-कायदा और अफगानिस्तान के तालिबान शासन को बनाया गया।

69. बंगाल की खाड़ी से लगे चार राष्ट्रों बांग्लादेश, भारत, श्रीलंका तथा थाइलैण्ड के व्यापारिक समूह बिस्टेक (BISTEC) में म्यांमार और उसके बाद नेपाल तथा भूटान को भी शामिल कर लिया गया है। इससे पारस्परिक आर्थिक सहयोग के लिए बनाए गए समूह की सदस्य संख्या अब 7 हो गई है। प्रारम्भिक 4 राष्ट्रों के साथ इसे बांग्लादेश-इण्डिया-श्रीलंका-थाइलैण्ड इकोनॉमिक कोऑपरेशन (BISTEC) नाम से जाना जाता था। इसकी स्थापना जून, 1997 में बैंकाक में हुई थी। अब म्यांमार को भी शामिल कर लिए जाने के बाद इसका नाम बांग्लादेश-इण्डिया-म्यांमार-श्रीलंका-थाइलैण्ड इकोनॉमिक कोऑपरेशन (BIMSTEC) हो गया है।

7 देशों के संगठन बिम्सटेक का पहला शिखर सम्मेलन बैंकाक में जुलाई 2004 में हुआ। नेपाल व भूटान के बिम्सटेक में शामिल होने के बाद इस संगठन का यह नाम (BIMSTEC) अब सभी सदस्य राष्ट्रों के नाम के पहले अक्षर का समावेश नहीं कर रहा था, इसलिए बैंकाक शिखर सम्मेलन में इसका नाम बदलने का निर्णय भी लिया गया। BIMSTEC का पूर्ण विस्तार अब Bangladesh, India, Myanmar, Sri Lanka, Thailand Economic Co-operation से बदलकर 'Bay of Bengal Initiative for Multisectoral Technical and Economic Co-operation' किया गया है। चीन इस संगठन का सदस्य नहीं है।

70. आसियान (Association of South East Asian Nations–ASEAN) दक्षिण-पूर्वी एशियाई राष्ट्रों का संघ है। इण्डोनेशिया, फिलीपीन्स, मलेशिया, सिंगापुर तथा थाइलैण्ड ने एक प्रादेशिक संगठन के रूप में 8 अगस्त, 1967 को इसका औपचारिक गठन बैंकाक घोषणा के द्वारा किया। 1984 में ब्रुनेई, 1995 में वियतनाम तथा लाओस, 1997 में म्यांमार एवं 1999 में कम्बोडिया को इसका सदस्य बना लिया गया था। अब इसकी सदस्य संख्या बढ़कर 10 हो गई है। इसका उद्देश्य दक्षिण-पूर्वी एशिया में आर्थिक सहयोग द्वारा प्रगति करना तथा आर्थिक स्थायित्व को बनाए रखना है। इसका घोषित लक्ष्य क्षेत्रीय शान्ति एवं स्थिरता है। यह सामाजिक, आर्थिक, सांस्कृतिक, वैज्ञानिक तथा प्रशासनिक क्षेत्रों में सहयोग विकसित करना चाहता है। मलेशियाई प्रधानमंत्री अब्दुल रजाक ने उद्घोषित किया था कि ASEAN किसी राजनीतिक विचारधारा के प्रति प्रतिबद्ध नहीं है। ASEAN का केंद्रीय सचिवालय जकार्ता (इण्डोनेशिया) में है। इसकी अध्यक्षता सदस्य देशों को बारी-बारी से वर्णमाला के क्रमानुसार सौंपी जाती है।

71. महासचिव बुतरस बुतरस घाली (1992-96) की 'An Agenda for Peace–1992' रिपोर्ट ने संयुक्त राष्ट्र संघ (UNO) में सुधार की प्रक्रिया को उद्वेलित किया। बुतरस बुतरस घाली मिस्र के राजनयिक, विधिवेत्ता और विधिमंत्री थे। इनके काल में बोस्निया, सोमालिया और रवांडा में UNO की असफलताओं के लिए इन पर आरोप लगा। मोजांबिक में इन्होंने UNO का सफल अभियान चलाया। गंभीर असहमतियों के कारण अमेरिका ने दुबारा महासचिव बनने का विरोध किया। सन् 1992 में संयुक्त राष्ट्र संघ की आम सभा में एक प्रस्ताव स्वीकृत हुआ। प्रस्ताव में 3 मुख्य शिकायतों का जिक्र था–
सुरक्षा परिषद् (Security Council) अब राजनीतिक वास्तविकताओं की नुमाइंदगी नहीं करती। इनके फैसलों पर पश्चिमी मूल्यों और हितों की छाप होती है और इन फैसलों पर चंद देशों का दबदबा होता है। सुरक्षा परिषद् में बराबर का प्रतिनिधित्व नहीं है।

संयुक्त राष्ट्र संघ के ढाँचे में बदलाव की इन बढ़ती हुई माँगों के मद्देनजर 1 जनवरी 1997 को UN महासचिव कोफी अन्नान ने जाँच शुरू करवाई कि सुधार कैसे कराए जाएं?

72. संयुक्त राष्ट्र विकास कार्यक्रम (UNDP) की 'मानव विकास रिपोर्ट (HDR)–2005' में अन्यायपूर्ण विश्व व्यापार साम्राज्य को वैश्विक असमानता वृद्धि हेतु कारण उद्धृत किया गया है। UNDP की मानव विकास रिपोर्ट में देशों को मानव विकास सूचकांक (Human Development Index) के तहत क्रम दिया जाता है।

इस रिपोर्ट में प्रत्याशित आयु, शिक्षा और आय के मापदण्डों पर मानव विकास की उपलब्धियों को मापा जाता है। मानव विकास सूचकांक का विकास 1990 के दशक से प्रारम्भ हुआ और मानव विकास रिपोर्ट 1992 से जारी होने लगा।

75. संयुक्त राष्ट्र संघ (UNO), अरब लीग और अफ्रीकन यूनियन अंतर्सरकारी संगठन (Intergovernmental Organization) हैं जबकि एमनेस्टी इंटरनेशनल एक स्वयंसेवी संगठन है। यह पूरे विश्व में मानवाधिकारों की रक्षा के लिए अभियान चलाता है। यह संगठन मानवाधिकारों से जुड़ी रिपोर्ट तैयार और प्रकाशित करता है। सरकारों को ये रिपोर्ट अक्सर नागवार लगती हैं क्योंकि एमनेस्टी का ज्यादा जोर सरकारों द्वारा किए जा रहे दुर्व्यवहार पर होता है। बहरहाल, ये रिपोर्ट मानवाधिकारों से सम्बन्धित अनुसंधान और तरफदारी में बड़ी महत्वपूर्ण भूमिका निभाते हैं।

एमनेस्टी इंटरनेशनल की भाँति ह्यूमन राइट्स वॉच भी मानवाधिकारों की वकालत और उनसे सम्बन्धित अनुसंधान करने वाला एक अंतर्राष्ट्रीय स्वयंसेवी संगठन है। यह अमेरिका का सबसे बड़ा अंतर्राष्ट्रीय मानवाधिकार संगठन है। यह दुनियाभर के मीडिया का ध्यान मानवाधिकारों के उल्लंधन की ओर खींचता है। इसने बारूदी सुरंगों पर रोक लगाने के लिए, बाल सैनिकों का प्रयोग रोकने के लिए और अंतर्राष्ट्रीय दण्ड न्यायालय स्थापित करने के लिए अभियान चलाने में मदद की है।

संयुक्त राष्ट्र संघ एक वैश्विक संगठन है जिसकी स्थापना 24 अक्टूबर, 1945 ई. को हुई थी। अरब लीग की स्थापना 22 मार्च, 1945 को हुई थी। इसके सदस्य देशों की संख्या 22 है और इसका मुख्यालय काहिरा (मिस्र) में है। यूरोपीय संघ की तर्ज पर अफ्रीकी महाद्वीप के राष्ट्रों ने अफ्रीकी संघ का गठन मई 2001 में किया। इसके सदस्य देशों की संख्या 53 है।

पिछले प्रश्न-पत्र
(हल सहित)

UGC-NET परीक्षा, जून-2014
राजनीति शास्त्र

प्रश्न-पत्र-II

नोटः *इस प्रश्नपत्र में* ***पचास (50)*** *बहु-विकल्पीय प्रश्न हैं। प्रत्येक प्रश्न के* ***दो (2)*** *अंक हैं।* ***सभी*** *प्रश्न अनिवार्य हैं।*

1. कौटिल्य के लिए, ''रूपदर्शक'' की अवधारणा का अर्थ है:
A. ब्यूटीशियन (सुन्दर रूप देने वाला)
B. मजिस्ट्रेट
C. सिक्कों का निरीक्षक
D. जमींदार

2. प्लेटो ने इनके विचारों को लिया था
A. हेराक्लीट्स B. पारमेनीडीज
C. सुकरात D. उपर्युक्त सभी

3. किसके लिए ''समस्त अस्तित्व एकदम गतिशील पदार्थ है''?
A. प्लेटो B. हॉब्स
C. टी.एच. ग्रीन D. रूसो

4. रूसो ने अकेडमी ऑफ डिजोन द्वारा वर्ष 1749 में प्रायोजित निबन्ध प्रतियोगिता में इस विषय पर पुरस्कार पाया था
A. क्या विज्ञान और कला में प्रगति ने आचार को भ्रष्ट या शुद्ध करने में योगदान दिया है?
B. क्या विज्ञान की प्रगति ने आचार को भ्रष्ट करने में योगदान दिया है?
C. क्या विज्ञान के विकास ने आचार को भ्रष्ट या शुद्ध करने में योगदान दिया है?
D. उपर्युक्त में से कोई नहीं।

5. नीचे दो कथन दिये गये हैं, एक को अभिकथन (A) और दूसरे को कारण (R) का नाम दिया गया है।
अभिकथन (A) : प्लेटो के लिए, ज्ञान न तो प्रत्यक्ष ज्ञान है न ही राय है।
कारण (R) : सही मत (या राय) ज्ञान है।
कोड :
A (A) और (R) दोनों सत्य हैं और (R), (A) की सही व्याख्या है।
B. (A) और (R) दोनों सत्य हैं, परन्तु (R), (A) की सही व्याख्या नहीं है।
C. (A) सत्य है और (R) असत्य है।
D. (A) असत्य है, और (R) सत्य है।

6. मार्क्स की द्वंद्वात्मक पद्धति के नियम इन्हें समाविष्ट नहीं करते हैं
A. मात्रा का गुणवत्ता में तथा इसके विपरीत रूपान्तरण का नियम
B. विरोधी की एकता का नियम
C. नकारने को नकारने का नियम
D. द्वंद्वात्मक पद्धति अपने प्रचालन को केवल भूतकाल की समझ तक सीमित करती है।

7. यह किसने कहा है, ''लेनिनवाद साम्राज्यवाद के युग का और श्रमजीवी क्रान्ति का मार्क्सवाद है।''?
A. मार्क्स B. लेनिन
C. स्टालिन D. माओ

8. डेविड ईस्टन के द्वारा समर्थित व्यवहारवाद के सिद्धान्तों का सही अनुक्रम बताइए:
(*i*) नियमितताएँ
(*ii*) तकनीकें
(*iii*) मात्रीकरण
(*iv*) सत्यापन
नीचे दिए कोडों से सही उत्तर का चयन करें:
A. (*i*), (*ii*), (*iii*), (*iv*) B. (*i*), (*iv*), (*ii*), (*iii*)
C. (*i*), (*iii*), (*iv*), (*ii*) D. (*i*), (*ii*), (*iv*), (*iii*)

9. दक्षिण अफ्रीका के किस स्थान में गांधीजी ने पहली बार जन विद्रोह को संगठित किया था?

A. केपटाउन B. जोहान्सबर्ग
C. सोवेटो D. प्रिटोरिया

10. सूची-I को सूची-II के साथ सुमेलित करें और नीचे दिए कोडों से सही उत्तर का चयन करें :

सूची-I	सूची-II
(*a*) चार्ल्स ई. मरियम	1. दी गवर्नमेंटल प्रोसेस
(*b*) हैंज यूलां	2. व्हाट इज पोलिटिकल फिलोसोफी? एण्ड अदर स्टडीस
(*c*) लियो स्ट्रॉस	3. न्यू एस्पेक्टस ऑफ पोलिटिक्स
(*d*) डी. ट्रूमैन	4. दी बिहैवियरल परसुऐशन इन पोलिटिक्स

कोड :

	(*a*)	(*b*)	(*c*)	(*d*)
A.	3	4	2	1
B.	2	3	1	4
C.	1	2	3	4
D.	4	1	3	2

11. निम्नलिखित चिंतकों में से किन्हें सामान्यतया दार्शनिक उपागम का संस्थापक समझा जाता है?

A. प्लेटो एवं अरस्तू
B. हॉब्स, लॉक, रूसो
C. जेरमी बेन्थम एंव जे.एस. मिल
D. कांट, हीगल

12. वेबर के आदर्श नौकरशाही की विशेषताएँ निम्नलिखित में से कौन सी हैं?

1. स्टाफ एण्ड लाइन 2. निर्वैयक्तिकता
3. पदानुक्रम 4. अनौपचारिक संगठन

नीचे दिए कोडों से सही उत्तर का चयन करें:

A. 1 और 2 B. 2 और 3
C. 3 और 4 D. 1 और 4

13. राजनीतिक संस्कृतियों के बारे में आलमण्ड तथा वेर्बा के वर्गीकरण में निम्नलिखित में से क्या नहीं आता है?

A. संज्ञानात्मक उन्मुखीकरण
B. भावात्मक उन्मुखीकरण
C. मूल्यांकन सम्बन्धी उन्मुखीकरण
D. आनुभविक उन्मुखीकरण

14. नीचे दो कथन दिए गये हैं, एक को अभिकथन (A) और दूसरे को कारण (R) का नाम दिया गया है :

अभिकथन (A) : पराश्रितता, अर्थव्यवस्थाओं वो जो दूसरों को प्रभावित करती हैं और वो जो दूसरों द्वारा प्रभावित होती हैं, के समूहों के बीच एक प्रकार का सम्बन्ध है।

कारण (R) : पराश्रितता अन्तर्राष्ट्रीय राजनीतिक अर्थव्यवस्था के मूल भाग परिधीय सम्बन्ध पर निर्भर करती है।

कोड :

A. (A) और (R) दोनों सत्य हैं और (R), (A) की सही व्याख्या है।
B. (A) और (R) दोनों सत्य हैं, परन्तु (R), (A) की सही व्याख्या नहीं है।
C. (A) सत्य है, परन्तु (R) असत्य है।
D. (A) असत्य है, परन्तु (R) सत्य है।

15. यह किसने कहा है, "राज्य मानवीय गतिविधि है जो प्रदत्त क्षेत्र के साथ भौतिक बल के वैध उपयोग के एकाधिकार का सफलतापूर्वक दावा करता है।"?

A. डेविड ईस्टन B. जी.ए. आलमण्ड
C. कार्ल मार्क्स D. मैक्स वैबर

16. तुलनात्मक राजनीति के पारम्परिक उपागमों ने इसकी उपेक्षा की है:

A. सरकार का अध्ययन
B. संस्थाओं का अध्ययन
C. संविधान की तुलना
D. आनुभविक जाँच पड़ताल

17. सूची-I को सूची-II के साथ सुमेलित करें और नीचे दिए कोडों से सही उत्तर का चयन करें :

सूची-I (निर्वाचन व्यवस्था)	सूची-II (देश)
(*a*) फर्स्ट पास्ट दी पोस्ट सिस्टम	1. भारत
(*b*) टू राउंड्स ऑफ सिस्टम	2. मिस्र
(*c*) लिस्ट सिस्टम	3. ब्राजील
(*d*) सिंगल ट्रांसफरेबल वोट सिस्टम	4. आयरलैण्ड

कोड :

	(*a*)	(*b*)	(*c*)	(*d*)
A.	1	2	3	4
B.	4	3	2	1
C.	3	4	1	2
D.	2	1	4	3

18. सूची-I को सूची-II के साथ सुमेलित करें और नीचे दिए कोडों से सही उत्तर का चयन करें :

सूची-I (पुस्तक)	**सूची-II (लेखक)**
(*a*) इंट्रेस्ट ग्रुप्स इन अमेरिकन सोसाइटी	1. एच. डब्ल्यू अहरमान
(*b*) इंट्रेस्ट ग्रुप्स ऑफ फोर कॉंटिनेंट्स	2. एच. जिगलर
(*c*) अनोनिमस एम्पायर	3. ग्राहम वालस
(*d*) ह्यूमेन नेचर इन पोलिटिक्स	4. सैम्यूल फाइनर

कोड :

	(*a*)	(*b*)	(*c*)	(*d*)
A.	1	2	3	4
B.	2	3	1	4
C.	3	4	2	1
D.	2	1	4	3

19. निम्नलिखित में से कौन-सा एक उपागम अन्य के साथ-साथ लोकमत और लोगों के राजनीतिक विकल्पों का अध्ययन करता है?

A. राजनीतिक दार्शनिक उपागम

B. सांस्थानिक उपागम

C. व्यवहारपरक उपागम

D. कानूनी उपागम

20. सूची-I को सूची-II के साथ सुमेलित करें और नीचे दिए कोडों से सही उत्तर का चयन करें :

सूची-I (राजनीतिक संस्कृति)	**सूची-II (देश)**
(*a*) समरूप संस्कृतियाँ	1. यूगाण्डा
(*b*) अभिजातवर्ग जन संस्कृति	2. यू.के.
(*c*) सब्जेक्ट राजनीतिक संस्कृति	3. भारत
(*d*) संकीर्ण संस्कृति	4. चीन

कोड :

	(*a*)	(*b*)	(*c*)	(*d*)
A.	1	2	3	4
B.	2	3	4	1
C.	3	4	2	1
D.	4	3	1	2

21. निम्नलिखित में से कौन सा युग्म सही सुमेलित नहीं है?

	सूची-I (राष्ट्रपति)		**सूची-II (उप-राष्ट्रपति)**
A.	डॉ. राजेन्द्र प्रसाद	–	डॉ. एस. राधाकृष्णन
B.	डॉ. जाकिर हुसैन	–	वी.वी. गिरि
C.	संजीव रेड्डी	–	बी.डी. जट्टी
D.	डॉ. एस. राधाकृष्णन	–	डॉ. जाकिर हुसैन

22. राज्य में मुख्यमंत्री समेत मंत्रियों की संख्या के सम्बन्ध में संविधान द्वारा निर्धारित प्रतिशत क्या है?

A. 10% B. 12%

C. 15% D. 16%

23. निम्नलिखित में से कौन एक मुख्यतः जनजातीय क्षेत्रों में पंचायती राज से सम्बन्धित है?

A. पी.के. थुंगन समिति

B. दिलीप सिंह भूरिया समिति

C. सादिक अली समिति

D. डूमरलाल बैथा समिति

24. निम्नलिखित याचिकाओं को भारतीय संविधान में दिए गए क्रम के अनुसार सही क्रम में व्यवस्थित करें:

(*i*) सर्टिऑररी (उत्प्रेषण)

(*ii*) हैबिअस कॉर्पस (बंदी प्रत्यक्षीकरण)

(*iii*) क्वो वारेंटो (किस अधिकार से?)

(*iv*) निषेध

(*v*) मैन्डेमस (परमादेश)

A. (*i*), (*iii*), (*v*), (*ii*), (*iv*)

B. (*ii*), (*iv*), (*iii*), (*i*), (*v*)

C. (*ii*), (*v*), (*iv*), (*i*), (*iii*)

D. (*iii*), (*i*), (*ii*), (*iv*), (*v*)

25. निम्नलिखित को उनके कालानुक्रमिक अनुक्रम में व्यवस्थित करें :

(*i*) क्रिप्स मिशन

(*ii*) मोन्टेग्यू चेम्सफोर्ड रिपोर्ट

(*iii*) साइमन कमिशन

(*iv*) मोरले-मिन्टो सुधार

कोड :

A. (*ii*), (*iii*), (*i*), (*iv*) B. (*iv*), (*ii*), (*iii*), (*i*)

C. (*iii*), (*i*), (*ii*), (*iv*) D. (*i*), (*iv*), (*iii*), (*ii*)

26. सूची-I को सूची-II के साथ सुमेलित करें और नीचे दिए कोडों से सही उत्तर का चयन करें :

सूची-I (पार्टी)	**सूची-II (लक्षण)**
(*a*) इंडियन नेशनल कांग्रेस	1. राष्ट्रीय पार्टी
(*b*) तेलुगु देशम पार्टी	2. राज्य पार्टी
(*c*) केरल कांग्रेस	3. अंब्रेला पार्टी
(*d*) भारतीय साम्यवादी पार्टी (मार्क्सवादी)	4. क्षेत्रीय पार्टी

कोड :

	(*a*)	(*b*)	(*c*)	(*d*)
A.	2	1	4	3
B.	1	3	4	2
C.	3	4	2	1
D.	4	2	1	3

27. कांग्रेस द्वारा किसकी "अपर्याप्त, असंतोषजनक और निराशाजनक" मानकर निन्दा की गई थी?

A. भारतीय परिषद् अधिनियम, 1909
B. मॉन्टेग्यू चेम्सफोर्ड रिपोर्ट, 1918
C. साइमन कमिशन रिपोर्ट, 1930
D. साम्प्रदायिक पंचाट, 1932

28. नीचे दो कथन दिये गये हैं, एक को अभिकथन (A) और दूसरे को कारण (R) का नाम दिया गया है।

अभिकथन (A) : संघात्मक व्यवस्थापन का लक्ष्य एकता और राजनीतिक संस्कृतियों तथा पहचानों की विविधता के साथ स्वतन्त्रता का प्रभावशील सामूहिक कार्रवाई के साथ सामंजस्य करता है।

कारण (R) : भारत ने राष्ट्र निर्माण के बहुलवादी प्रारूप को चुना।

कोड :

A. (A) और (R) दोनों सत्य हैं और (R), (A) की सही व्याख्या है।
B. (A) और (R) दोनों सही हैं, परन्तु (R), (A) की सही व्याख्या नहीं है।
C. (A) सही है, परन्तु (R) सही नहीं है।
D. (R) सही है, परन्तु (A) सही नहीं है।

29. नीचे दो कथन दिये गये हैं, एक को अभिकथन (A) और दूसरे को कारण (R) का नाम दिया गया है :

अभिकथन (A) : भारतीय संविधान के काफी प्रावधान भारत सरकार अधिनियम, 1935 से अपनाए गये थे।

कारण (R) : कांग्रेस पार्टी ने भारत सरकार अधिनियम, 1935 को संविधान के आधार के रूप में अपनाने का प्रस्ताव पारित किया था।

कोड :

A (A) और (R) दोनों सत्य हैं और (R), (A) की सही व्याख्या है।
B. (A) और (R) दोनों सत्य हैं, परन्तु (R), (A) की सही व्याख्या नहीं है।
C. (A) सत्य है, परन्तु (R) असत्य है।
D. (R) सत्य है, परन्तु (A) असत्य है।

30. सूची-I को सूची-II के साथ सुमेलित करें और नीचे दिए कोडों से सही उत्तर का चयन करें :

सूची-I (अनुच्छेद)	**सूची-II (प्रावधान)**
(*a*) 359	1. वित्तीय आपातकालीन स्थिति
(*b*) 312	2. वित्त आयोग
(*c*) 280	3. मौलिक अधिकारों का स्थगन
(*d*) 360	4. अखिल भारतीय सेवाएँ

कोड :

	(*a*)	(*b*)	(*c*)	(*d*)
A.	3	4	2	1
B.	2	3	1	4
C.	1	2	4	3
D.	4	1	3	2

31. निम्नलिखित में से किसने लोक प्रशासन की अठारह परिभाषाएँ प्रतिपादित की और उन्हें राजनीतिक, कानूनी, व्यावसायिक तथा प्रबन्धकीय के चार वर्गों में रखा है?

A. गुलिक एवं उर्विक
B. शैफरिट्ज एवं रसल
C. डेविड एच. रोजेनब्लूम
D. पॉल एच. एप्पलबी

32. सार्वजनिक तथा निजी प्रशासन के बीच अन्तर निम्नलिखित में से किसने नहीं किया है?

A. हेनरी फेयोल　B. हर्बर्ट साइमन
C. पॉल एच. एप्पलबी　D. जॉन गॉस

33. निम्नलिखित रिपोर्टों का सही कालानुक्रमिक अनुक्रम क्या है?

1. ए.डी. गोरवाला रिपोर्ट
2. पॉल एच. एप्पलबी रिपोर्ट
3. संथानम समिति की रिपोर्ट
4. प्रथम प्रशासनिक सुधार आयोग रिपोर्ट

नीचे दिए कोडों से सही उत्तर का चयन करें:

A. 1, 2, 3, 4　B. 2, 1, 4, 3
C. 1, 3, 2, 4　D. 1, 3, 4, 2

34. मैक्स वेबर ने किसका संकेत करने के लिए ग्रीक शब्द 'करिज़्मा' का उपयोग किया है?

1. अनुभव द्वारा अर्जित गुण
2. उत्तराधिकार से प्राप्त गुण
3. आधिदैविक गुण
4. अतिमानवीय गुण

नीचे दिए कोडों से सही उत्तर का चयन करें:

A. 2, 3 और 4
B. 1, 3 और 4
C. 1 और 3
D. 3 और 4

35. निम्नलिखित में से संगठन का आधार कौन सा नहीं है?

A. कार्य　B. बजटन
C. प्रक्रिया　D. सेवार्थी वर्ग

36. भारत के सम्बन्ध में निम्नलिखित में से कौन सा कथन सही नहीं है?

A. कानूनी अनुमति को छोड़कर अन्य के द्वारा कर लगाया जा सकता है।
B. लोक निधियों से कोई व्यय नहीं किया जा सकता है सिवाय संविधान में प्रदान किए गए तरीके से और कानून के अनुरूप।
C. संसद द्वारा स्वीकृत तरीके के अनुसार ही कार्यपालिका धन को व्यय करने के लिए बाध्य है।
D. उपर्युक्त में से कोई नहीं

37. सूची-I को सूची-II के साथ सुमेलित करें और नीचे दिए कोडों से सही उत्तर का चयन करें :

सूची-I	सूची-II
(*a*) सोपानिकी (या पदानुक्रम)	1. डॉ. के.एस. कोठारी
(*b*) लोक प्रशासन पर रिपोर्ट (1951)	2. हाउस कीपिंग
(*c*) भारतीय सिविल सेवा में प्रारम्भिक छंटाई परीक्षा	3. सोपान प्रक्रिया
(*d*) सहायक एजेन्सी	4. ए.डी. गोरवाला

कोड :

	(*a*)	(*b*)	(*c*)	(*d*)
A.	1	3	2	4
B.	4	2	3	1
C.	3	4	1	2
D.	2	1	4	3

38. भारत में लोकायुक्त संस्था स्थापित करने वाला पहला राज्य निम्नलिखित में से कौन सा है?

A. राजस्थान　B. बिहार
C. उत्तर प्रदेश　D. महाराष्ट्र

39. नीचे दो कथन दिये गये हैं, एक को अभिकथन (A) और दूसरे को कारण (R) का नाम दिया गया है।

अभिकथन (A) : स्पॉयल्स सिस्टम के अन्तर्गत, चुनाव में जीती पार्टी के सदस्यों को सार्वजनिक पद वितरित किए जाते हैं।

कारण (R) : सार्वजनिक पदों को विजेताओं द्वारा आनन्द लेने वाले स्पॉयल्स समझा जाता है।

कोड :

A (A) और (R) दोनों सत्य हैं और (R), (A) की सही व्याख्या है।
B. (A) और (R) दोनों सत्य हैं, परन्तु (R), (A) की सही व्याख्या नहीं है।
C. (A) सत्य है, परन्तु (R) असत्य है।
D. (A) असत्य है, परन्तु (R) सत्य है।

40. लोक प्रशासन के अविभाज्य विचार के समर्थक निम्नलिखित में से कौन हैं?

A. हेनरी फेयोल
B. मार्शल डिमॉक
C. साइमन
D. गुलिक

नीचे दिए कोडों से सही उत्तर का चयन करें:

कोड :

A. 1 और 4 B. 1 और 3
C. 1 और 2 D. 2 और 3

41. सूची-I को सूची-II के साथ सुमेलित करें और नीचे दिए कोडों से सही उत्तर का चयन करें :

सूची-I (लेखक)	**सूची-II (पुस्तक)**
(*a*) ई.एच. कार	1. निओरिएलिज्म एण्ड इट्स क्रिटिक्स
(*b*) आर. क्योिहान	2. फ्रोम वैल्थ टू पावर
(*c*) जे. मरशीमियर	3. दी ट्वेंटी इयर क्राइसिस
(*d*) एफ. जकारिया	4. दी ट्रैजेडी ऑफ ग्रेट पावर पोलिटिक्स

कोड :

	(*a*)	(*b*)	(*c*)	(*d*)
A.	1	2	3	4
B.	4	3	1	2
C.	3	1	4	2
D.	2	4	1	3

42. नीचे दो कथन दिये गये हैं, एक को अभिकथन (A) और दूसरे को कारण (R) का नाम दिया गया है :

अभिकथन (A) : वैश्वीकरण बहुआयामी प्रक्रिया है।

कारण (R) : आर्थिक, राजनीतिक, सामाजिक और सांस्कृतिक वैश्वीकरण इसमें समाविष्ट हैं।

कोड :

A (A) और (R) दोनों सत्य हैं और (R), (A) की सही व्याख्या है।

B. (A) और (R) दोनों सत्य हैं, परन्तु (R), (A) की सही व्याख्या नहीं है।

C. (A) सत्य है, परन्तु (R) असत्य है।

D. (R) असत्य है, परन्तु (R) सत्य है।

43. जब दो लड़ाकू (योद्धा) अपने चरित्र में और तुलनात्मक सामरिक लाभ के अपने क्षेत्र में इतने भिन्न हैं कि उनके बीच मुकाबला एक पक्ष की योग्यता को, दूसरे पक्ष को अपनी खुद की शर्तों पर लड़ने के लिए विवश करने लगता है, इस युद्ध के प्रकार का नाम बताइए।

A. असमान युद्ध

B. असममित युद्ध

C. नवीन युद्ध

D. वेस्टफेलियन उत्तरोत्तर युद्ध

44. गाजा संघर्ष 2009 रिपोर्ट पर यू.एन. तथ्य खोजी मिशन का नाम बताइये।

A. गोल्डिंग रिपोर्ट B. गोल्डस्टोन रिपोर्ट
C. गोल्डमैन साश रिपोर्ट D. गाज़ा रिपोर्ट

45. यू.एन. सुरक्षा परिषद् किस अध्याय और अनुच्छेद के अन्तर्गत, अंतर्राष्ट्रीय शांति के लिए खतरा देखने पर, वाद-विवाद का शर्तों के अन्तर्गत शान्तिपूर्वक निबटारा करने के लिए सर्वप्रथम तरीकों की खोज करती है?

A. अध्याय VI, अनुच्छेद 36

B. अध्याय VI, अनुच्छेद 33

C. अध्याय VII, अनुच्छेद 47

D. अध्याय VII, अनुच्छेद 42

46. अंतर्राष्ट्रीय कानून के आधुनिक संस्थान की सही विशेषताएँ निम्नलिखित में से कौन सी हैं?

(*i*) एक पक्षीय कानून

(*ii*) सहमति और कानूनी दायित्व

(*iii*) भाषा और औचित्य का प्रयोग

(*iv*) सांस्थानिक स्वायत्तता की वार्ता

नीचे दिए कोडों से सही उत्तर का चयन कीजिए:

A. (*i*), (*ii*) और (*iii*) सही हैं।

B. (*i*), (*iii*) और (*iv*) सही हैं।

C. (*i*), (*ii*) और (*iv*) सही हैं।

D. (*ii*), (*iii*) और (*iv*) सही हैं।

47. कोपेनहेगन, COP 15 के रूप में सुप्रसिद्ध संयुक्त राष्ट्र सम्मेलन का सम्बन्ध किस मुद्दे से है?

A. वैश्विक ऊष्मीकरण B. जलवायु परिवर्तन
C. वातावरण D. जनसंख्या विस्फोट

48. सूची-I को सूची-II के साथ सुमेलित करें और नीचे दिए कोडों से सही उत्तर का चयन करें :

सूची-I (क्षेत्रीय संगठन)	**सूची-II (स्थापना वर्ष)**
(*a*) ऑर्गेनाइज़ेशन ऑफ अमेरिकन स्टेट्स (ओएएस)	1. 1989

(*b*) नोर्थ अटलांटिक फ्री ट्रेड एग्रीमेंट (नाफ्टा/एन.ए.एफ.टी.ए.) 2. 1948

(*c*) अरब मघरेव यूनियन (ए.एम.यू.) 3. 1954

(*d*) साऊथ ईस्ट एशियन ट्रीटी ऑर्गेनाइजेशन (सीटो/एस.इ.ए.टी.ओ.) 4. 1994

कोड :

	(*a*)	(*b*)	(*c*)	(*d*)
A.	1	3	2	4
B.	2	4	1	3
C.	4	2	3	1
D.	3	1	4	2

49. नीचे दो कथन दिये गये हैं, एक को अभिकथन (A) और दूसरे को कारण (R) का नाम दिया गया है, और नीचे दिए कोडों से अपने उत्तर का चयन करें:

अभिकथन (A) : भारत दक्षिण एशिया में सकारात्मक असमरूपता का अनुसरण कर रहा है।

कारण (R) : भारत को चीन-पाकिस्तान एकजुटता द्वारा सामरिक रूप से निरोधित रखा जा रहा है।

कोड :

A (A) और (R) दोनों सत्य हैं और (R), (A) की सही व्याख्या है।

B. (A) और (R) दोनों सत्य हैं, परन्तु (R), (A) की सही व्याख्या नहीं है।

C. (A) सत्य है, परन्तु (R) असत्य है।

D. (A) असत्य है, परन्तु (R) सत्य है।

50. ''पाकिस्तान'स आर्मृस प्रोक्योरमेंट एण्ड मिलिटरी बिल्डअप 1979-99 : इन सर्च ऑफ पॉलिसी'' नामक पुस्तक के लेखक कौन हैं?

A. अहमद रशीद

B. आऐशा जलाल

C. आऐशा सिद्धीका अदा

D. स्टीफन कोहेन

उत्तरमाला

1	2	3	4	5	6	7	8	9	10
C	D	B	A	C	D	C	B	B	A
11	**12**	**13**	**14**	**15**	**16**	**17**	**18**	**19**	**20**
A	B	D	A	D	D	A	D	C	B
21	**22**	**23**	**24**	**25**	**26**	**27**	**28**	**29**	**30**
C	C	B	C	B	C	B	A	C	A
31	**32**	**33**	**34**	**35**	**36**	**37**	**38**	**39**	**40**
B	A	A	D	B	A	C	D	A	*
41	**42**	**43**	**44**	**45**	**46**	**47**	**48**	**49**	**50**
C	A	B	B	B	D	B	B	B	C

कुछ चुने हुए प्रश्नों के व्याख्यात्मक उत्तर

1. कौटिल्य व्यापार और बाजारों के सख्त नियंत्रण की बात करते हैं। एक अधिकारी जिन्हें **पण्याध्यक्ष** कहा जाता था व्यापार के प्रभारी होते थे जिसमें मूल्य निर्धारण और राज्य द्वारा संचालित विनिर्माण इकाइयों द्वारा उत्पादित वस्तुओं की बिक्री शामिल थे। **संस्थाध्यक्ष** विपणन अध्यक्ष थे, **रुपदर्शक** सिक्कों के निरीक्षक और **पौतवाध्यक्ष** मानकीकृत वजनों और मापों के उपयोग के निरीक्षक थे। शिल्पी संघों पर राज्य का कड़ा नियंत्रण की वकालत अर्थशास्त्र करता है। यह विभिन्न प्रकार के शिल्पकारों की मजदूरी के लिए पैमाना निर्धारित करते थे और उचित माल की आपूर्ति न कर पाने की स्थिति में दंड तय करते थे। कौटिल्यन राज्य भी एक उद्यमी राज्य था। राज्य में **सूत्राध्यक्ष** के अधीन टेक्सटाइल कारखाना चलता था और **रथाध्यक्ष** के अधीन रथ कर्मशाला।

2. हेराक्लीटस के वास्तविक सवाल के संदर्भ में प्लेटो हमें कुछ विचार प्रदान करने में मददगार साबित हो सकते हैं। उनके लिए अचानक परिवर्तन का विरोधाभास प्रश्न है, इसके साथ एक होने की। जीवन क्या है और मृत्यु क्या है; जीवन का आदि और अन्त क्या है? यही पहेली हेराक्लीटस मंथन है। महान पारमेनीडेस का चित्रण प्लेटो ने किया जिन्होंने कुछ सुस्पष्ट तर्कों में युवा सुकरात को आश्चर्यचकित कर प्रतिनिधित्व किया—कि एक में ही सबकुछ है, और यहाँ तक कि उनके विचार विरोधाभास हैं। वे एक-दूसरे से दूर निकल जाते हैं और वे एक हैं। इस तरह प्लेटो हेराक्लीट्स के लिए उपयुक्त हैं।

3. हॉब्स की रणनीति थी कि एक बुनियादी मानसिक क्रियाविधि, धारणा, या जैसा कि उन्होंने कहा 'अनुभूति' जिससे सभी मानसिक घटनाएं ली गई हैं और वह प्रत्यक्ष ज्ञान अपने आप प्रवृत्ति के संदर्भ में कम हो जाती है। प्रत्यक्ष ज्ञान जिसे उन्होंने बरकरार रखा निम्नलिखित रूप में पाया जाता है : बाहरी दुनिया की प्रवृत्ति हमारे अंदर की प्रवृत्ति का कारण बनता है। अंदर की प्रवृत्ति (जिसे हॉब्स ने 'मृगमरीचिका' कहा) हमलोगों के द्वारा एक बाह्य वस्तु (या वस्तुओं के समूह) के रूप में अनुभव किया जाता है जिसमें कुछ निश्चित गुण होते हैं। वास्तव में ये गुण वस्तुओं में निहित नहीं होते हैं। हॉब्स के अनुसार, यह बस तरीका है जैसा कि वस्तु हमें दिखता है।

4. मरक्यूरी डी फ्रांस के 1749 अंक में छपे एक विज्ञापन के उत्तर में रूसो ने Discourse लिखा जिसमें डिजॉन अकादमी ने एक निबंध के जवाब में प्रश्न के लिए एक पुरस्कार तय किया था : "क्या विज्ञान और कला का योगदान आचार के शुद्धिकरण में है?" रूसो के अनुसार, "पढ़ने के साथ ही, मैंने एक अन्य ब्रह्मांड देखा और एक अन्य व्यक्ति बन गया।" रूसो के मन में विचार आया जिसे वह अपने शेष बौद्धिक जीवन को भाव प्रवणता से समर्पित किया : मनुष्य पर सभ्यता का विनाशकारी प्रभाव। जुलाई 1750 में रूसो ने इस प्रतियोगिता में प्रथम पुरस्कार जीता और—अन्यथा रचयिता और नाटककार के मध्यस्तरीय कैरियर अन्य चीजों के मध्य—दार्शनिक के रूप में उनकी नई पहचान बनी।

7. स्टालिन ने बड़ी वाक्पटुता के साथ इसका सार प्रस्तुत किया : "लैनिनवाद के संबंध में पूरी सच्चाई है कि लेनिनवाद न सिर्फ मार्क्सवाद को पुनः प्रचलन में लाया बल्कि एक कदम आगे मार्क्सवाद को विकसित करने के लिए किया। फिलहाल पूंजीवाद की नई शर्तों के अधीन और सर्वहारा वर्ग के वर्ग संघर्ष।" हमलोग साम्राज्यवाद के नए युग में हैं जिसे निरंतर तकनीक द्वारा तेजी से उन्नत किया जा रहा है जो पूंजीवाद को बनाता है। आर्थिक स्तर पर और ज्यादा पराश्रित और साथ ही साथ सैन्यवाद स्तर पर भी।

9. दक्षिण अफ्रीकन युद्ध की शुरूआत में, गाँधी जी का मानना था कि पूर्ण नागरिकता के दावे के पक्ष में भारतीयों को युद्ध के लिए अवश्य समर्थन देना चाहिए। उन्होंने 300 स्वतंत्र भारतीय और 800 अनुबंधित श्रमिकों को मिलाकर स्वयंसेवक एम्बुलेंस वाहिनी के संगठन में मदद की। यद्यपि युद्ध की समाप्ति पर भारतीयों की स्थिति में कोई सुधार नहीं आया। सन् 1906 में, ट्रांसवाल सरकार ने एक नया कानून पारित किया जिसमें उपनिवेशिक भारतीयों की आबादी को पंजीकृत कराना अनिवार्य था। उसी वर्ष गांधी ने जोहान्सबर्ग में विरोध प्रदर्शन का नेतृत्व किया। पहली बार उन्होंने सत्याग्रह या 'सत्य बल' दर्शन को सुस्पष्ट किया। अपने साथी भारतीयों से उन्होंने अहिंसक तरीके से नए कानून का विरोध करने का आह्वान किया। सात वर्षों के कठिन संघर्ष में, गाँधी कई बार जेल गए और अन्य भारतीयों को भी पंजीकरण के विरोध में जेल जाना पड़ा, गोलियां खानी पड़ीं। अंत में, यद्यपि सरकार को गांधी से समझौता करने हेतु बाध्य होना पड़ा। इसका कारण संघर्षकारियों द्वारा नकारात्मक प्रचार बना।

11. **दार्शनिक उपागम :** दार्शनिक उपागम, जैसा कि नाम से ही विदित होता है राजनीतिक मुद्दे को दार्शनिक रूप में लिया जाता है। इसका मुख्य ध्येय है कि क्या होना चाहिए या क्या सिद्धांत, आदर्श और मानव समाज का राजनैतिक मानदंड तय होना चाहिए, का पता लगाना है। ग्रीक चिंतकों ने दार्शनिक मुद्दों की खोज की, ग्रहण किया। प्लेटो और अरस्तू के लेखों में हम लोग दार्शनिक प्रसंग पाते हैं। जैसा कि आदर्श राज्य/समाज, न्याय का सिद्धांत और अन्य का प्रस्ताव। इस आदर्श के ध्येय से, दार्शनिक उद्देश्य निर्देशात्मक और नियामक बन जाते हैं और नीतिपरक ध्येय प्रदर्शित करते हैं।

13. आमंड और वर्बा की राजनैतिक संस्कृति के वर्गीकरण में साम्राज्यवाद का अभिविन्यास अंकित नहीं है।

15. मैक्स वेबर ने अपने प्रसिद्ध तर्क-वितर्क में कहा था, "एक राज्य मानव समुदाय है जो सफलतापूर्वक एकाधिकार का दावा करता है कि दिए गए राज्य क्षेत्र के अधीन शारीरिक बल का न्यायपूर्ण तरीके से उपयोग किया जा सकता है।" यह परिभाषा हॉब्स के Leviathan की ओर इंगित करता है। यह मानव संस्थान की वैधता पर परामर्श देता है जो समाज पर आदेश जारी करता है अन्यथा अराजकता या राज्य की नृशंस प्रकृति की ओर उन्मुख होता है। वेबर का मानना है कि राष्ट्र और जन सेवाओं की भावना राज्य को विशेष बनाता है। उत्तरी यूरोप के नवोदित राज्य प्रभावकारी रूप से मांगों का प्रत्युत्तर देते हैं जिसे कालांतर में फौकॉल्ट ने 'आबादी' की संज्ञा दी। शहरियों की आवश्यकताओं जैसे–स्वच्छ जल और सफाई या फिर राज्य द्वारा प्रदत्त बच्चों को शिक्षण के लिए।

19. राजनीति में व्यवहारपरक अनुसंधान नहीं है, वास्तव में यह निजी कर्ता से संबंधित है। यह एक समूह का राजनीतिक उपागम संगठन, समुदाय, कुलीन, जनसाधारण आंदोलन या एक राष्ट्र का वर्णन एवं व्याख्या करता है। इस तरह का समूह व्यक्तिगत सदस्य के आचरण से दूर अस्तित्व में नहीं रह सकता है।

22. संविधान (91 वां संशोधन) अधिनियम 2003 जो भारत में सभी मंत्रियों के आकार को सीमित करता है, 7 जुलाई को लागू हुआ। यह अधिनियम अनुबंधित करता है कि मंत्रिपरिषद् की क्षमता लोकसभा या संबंधित राज्य विधानसभा में मौजूद कुल संख्याओं के 15 प्रतिशत से ज्यादा नहीं होना चाहिए। इस नियम के अपवाद कुछ छोटे राज्यों जैसे सिक्किम, मिजोरम और गोवा हैं। जहां विधानसभा की क्षमता 40 या उससे कम की है। वहाँ राज्य सरकार के पास अधिकतम 12 मंत्री हो सकते हैं।

23. संविधान के अनुसूचित क्षेत्र के पार्ट IX के विस्तार से संबंधित मुद्दे का परीक्षण करने के लिए भारत सरकार ने जून 1994 में दिलीप सिंह भूरिया की अध्यक्षता में सांसदों और विशेषज्ञों की एक समिति बनाई। समिति की अनुशंसाओं के आधार पर, पंचायत अधिनियम 1996 (अनुसूचित क्षेत्र का विस्तार) PESA को लागू किया गया। PESA का मूलभूत प्रावधान आदिवासी क्षेत्रों में सहभागी प्रजातंत्र को सुगम बनाने के लक्ष्य पर आधारित है। इसके लिए ग्रामसभा को अधिकार प्रदान करना ताकि वह अपने संसाधनों का प्रबंधन और नियंत्रण करे। ग्रामसभा को विशेष क्रियात्मक अधिकार और उत्तरदायित्व सौंपे गए हैं। इसका उद्देश्य आदिवासी समुदायों की सहभागिता को सुनिश्चित करना है ताकि वे अपनी संस्कृति को संरक्षित एवं सुरक्षित रख सकें और प्राकृतिक संसाधनों पर पारंपरिक अधिकार कायम रख सकें। इससे उनकी संस्कृति में समरसता का विकास होगा। यह कानून प्राकृतिक संसाधनों जैसे भूमि, जल, जंगल और खनिज पर प्राथमिक नियंत्रण पुनः स्थापित और स्वामित्व का अधिकार प्रदान करता है।

27. सन् 1917 में मॉन्टेग्यू सुधार की योजना को लेकर भारत आया। उन्होंने भारतीय नेताओं से मुलाकात की उनकी अपेक्षाओं को जानने का प्रयास किया। गवर्नर जनरल चेम्सफोर्ड की सहमति से उन्होंने 'द रिपोर्ट ऑन कंस्टीट्यूशनल रिफॉर्म' तैयार किया जिसे 'मोन्टफोर्ड रिपोर्ट' के नाम से जाना गया।इसका प्रकाशन जुलाई 1918 में हुआ और यह भारत सरकार अधिनियम 1919 का आधार बना। लेकिन गरमपंथी जो उस समय कांग्रेस पर प्रभावी थे मॉन्टेग्यू-चेम्सफोर्ड प्रतिवेदन को स्वीकार नहीं किया। ऐनी बेसेन्ट ने इसका 'इंग्लैंड द्वारा प्रेषित अप्रतिष्ठा या भारत द्वारा स्वीकृति' वर्णन किया। सन् 1918 में एक विशेष सत्र का आयोजन बम्बई में हुआ और मॉन्टेग्यू-चेम्सफोर्ड प्रतिवेदन को अपर्याप्त, असंतुष्ट और निराशावादी प्रतिवेदन के रूप में अस्वीकार कर दिया गया। यह ध्यान देने योग्य दिलचस्प बात है कि महात्मा गाँधी ने 1919 कानून का स्वागत किया। न सिर्फ कांग्रेस के अमृतसर सत्र में 1 जनवरी, 1920 को अपने भाषण में इसे स्वीकार किया बल्कि ब्रिटिश साम्राज्य से हाथ मिलाने तथा इस सुधार का अधिक से अधिक लाभ प्राप्त करने हेतु कांग्रेस से आग्रह किया।

31. चार श्रेणियों में एकत्रित 18 परिभाषाएँ शैफरिट्ज एवं रसल ने दी जिसका राजनीतिक, कानूनी, व्यावसायिक और प्रबंधकीय रूप में नामांकन किया गया।

लोक प्रशासन की परिभाषाओं का विश्लेषण :

राजनीतिक–जो सरकार करती है वही लोक प्रशासन है। यह राजनीतिक वातावरण में रहती है और यह राजनीतिक संदर्भ है जो इसे बनाती है 'लोक'। लोक प्रशासन लोक रुचि को लागू करती है। यह सामूहिक कार्य करने से भी संबंधित है जिसे व्यक्तिगत रूप से नहीं किया जा सकता है।

कानूनी–संयुक्त राज्य में लोक प्रशासन कानूनी मान्यता प्राप्त हैं और कानूनी साधनों से बँधे हैं। लोक प्रशासन अधिनियम, विनियमन, अध्यादेश, संहिता आदि के रूप में कानून का क्रियान्वयन है।

प्रबंधकीय–लोक प्रशासन की कार्यकारी प्रकृति लोक इच्छा को लोगों द्वारा कार्य में गति प्रदान करने के लिए सक्षम बनाती है ताकि लोक नौकरशाही के संचालन के लिए उत्तरदायी हो सके।

व्यावसायिक–लोकप्रशासन में कई व्यावसायिक क्षेत्र शामिल हैं–चिकित्सा, अभियंत्रण, समाज कल्याण, आर्थिक इत्यादि। यह इन क्षेत्रों में प्रत्येक के कार्यक्षेत्र के अधीन है कि लोक प्रशासन के राजनीतिक, विधिक और प्रबंधकीय पहलू लोक प्रशासकों द्वारा सरकारी कार्य में हस्तांतरित किए जाएं।

32. हेनरी फेयोल, मेरी पी. फॉलैट और एल. उरविक सदृश विद्वानों ने लोक और निजी प्रशासन में अंतर नहीं किया। पारंपरिक लेखकों ने यह विचार रखा कि लोक और निजी प्रशासन लोकप्रशासन के अभिन्न सदस्य हैं। उदाहरण के लिए हेनरी फेयोल ने कहा कि सिर्फ एक प्रशासनिक विज्ञान है जो समान रूप से लोक और निजी प्रशासनों पर लागू होता है।

35. किसी भी संगठन का आधार बजट नहीं है जबकि क्रिया, विधि और अनुयायीगण संगठन के आधार हैं।

38. भारतीय राज्यों में लोकायुक्त एक भ्रष्टाचार विरोधी ओम्बुड्समैन संगठन है। लोकायुक्त आयकर विभाग तथा भ्रष्टाचार निरोधक ब्यूरो के साथ मिलकर राजनेताओं और सरकारी अधिकारियों के बीच घोषित भ्रष्टाचार से लोगों की मदद करते हैं। लोकायुक्त के कई कार्यों का परिणाम आपराधिक या अन्य कार्यों पर मामले दर्ज करते हुए पूरे हुए।

लोकायुक्त और उप-लोकायुक्त कानून, 1970 द्वारा महाराष्ट्र ने सबसे पहले लोकायुक्त संस्थान पेश किया। इसका अनुसरण राजस्थान, बिहार, उत्तर प्रदेश, कर्नाटक, मध्य प्रदेश, आंध्र प्रदेश, गुजरात और दिल्ली में इसी कानून को लागू कर किया गया। अधिकार की कमी, पर्याप्त, कर्मचारीगण का अभाव, कोष की कमी और जाँच एजेंसी का न होना–इन कारणों से महाराष्ट्र लोकायुक्त को कमजोर माना जाता है। कर्नाटक लोकायुक्त को देश में सबसे अधिक शक्तिशाली माना जाता है।

43. असममित युद्ध एक युद्ध है जिसमें युद्धकारी जिनकी आपेक्षित सैन्य शक्ति और जिनकी रणनीति या युक्तियां उल्लेखनीय ढंग से अलग हैं, के बीच युद्ध होता है। असममित युद्ध एक संघर्ष का वर्णन कर सकता है जिसमें दो युद्धकारी परिणाम और संघर्ष में अलग हैं और एक-दूसरे के चारित्रिक कमजोरियों का शोषण करने का प्रयास करते हैं। इस तरह के संघर्षों में अक्सर गैर-पारंपरिक युद्ध की योजना एवं युक्तियां शामिल होती हैं। कमजोर लड़ाकू संख्या या गुणवत्ता में समायोजन की कमियों के लिए रणनीति के उपयोग का प्रयास करते हैं। इस तरह की रणनीतियों का सैन्यकरण नहीं हो सकता है। यह युद्ध का विरोधाभास है। जहाँ दो शक्तियों के पास समान शक्ति और संसाधन है और युक्तियों पर विश्वास करते हैं जो कुल मिलाकर समान है, सिर्फ विस्तार और क्रियान्वयन में अलग हैं।

44. गाजा संघर्ष पर युनाइटेड नेशन्स फैक्ट–फाइंडिंग मिशन का प्रतिवेदन 'गोल्डस्टोन प्रतिवेदन' के रूप में भी जाना जाता है जिसका प्रकाशन 15 सितम्बर, 2009 को किया गया, अत्यंत विवादास्पद रहा है। सशस्त्र संघर्ष कानून का अनुमान संभवतः महत्वपूर्ण था खासतौर पर उग्रवादी समूहों से राज्यों के लड़ने की योग्यता के संबंध में।

47. मौसम परिवर्तन के मुद्दे पर एक नया समझौता तैयार करने के लिए कई बार UNFCCC सम्मेलन हेतु विभिन्न समूह एकत्रित हुए। निरंतर प्रयास करते हुए दलों के तेरहवें सम्मेलन में (COP13) में बाली सम्ममेलन आयोजित हुआ। और पंद्रहवें सम्मेलन के रूप में UNFCCC का कोपेनहेगन सम्मेलन (COP15) नया मौसम परिवर्तन कार्यरूप के समाधान के लिए आयोजित हुआ जो सन् 2012 के अलावा था।

प्रश्न-पत्र-III

नोट : *इस प्रश्न-पत्र में* **पचहत्तर (75)** *बहु-विकल्पीय प्रश्न हैं। प्रत्येक प्रश्न के* **दो (2)** *अंक हैं।* **सभी** *प्रश्न अनिवार्य हैं।*

1. राजनीतिक सिद्धान्त को सरकार के उद्देश्य के बारे में व्यवस्थित सोच के रूप में किसने परिभाषित किया है?

A. लीकॉक B. गार्नर
C. प्लामेनाट्ज D. बर्लिन

2. 'दी फिलोसोफी ऑफ जे.एस. मिल.' नामक पुस्तक के लेखक कौन है?

A. एम. काउलिंग B. जे. ग्रे
C. आर.पी. आंसचूज D. जे. डब्ल्यू. मूलर

3. 'सावित्री' के लेखक कौन हैं?

A. एम.एन. रॉय B. महात्मा गाँधी
C. अरबिन्द D. आर. टैगोर

4. "एक बार प्रभु को प्रवेश करने दिया जाता है, तो मानव की संप्रभुता का अन्त हो जाता है।" यह किसने कहा है?

A. बी. आर अम्बेडकर B. विवेकानंद
C. एम.एन. रॉय D. जे. नेहरू

5. किसने कहा है "आदमी वही होता है जो वह खाता है"?

A. मार्क्स B. ऐंजल्स
C. लेनिन D. फ्यूरबाक

6. मूल्य के श्रम सिद्धान्त का प्रतिपादक कौन है?

A. हॉब्स B. लॉक
C. रूसो D. बैन्थम

7. मैक्यावली के लेखों के सम्बन्ध में कौन सा सही है?

A. डिसकोर्सिस B. दी गोल्डन ऐस
C. दी आर्ट ऑफ वार D. उपर्युक्त सभी

8. सूची-I को सूची-II के साथ सुमेलित करें और नीचे दिए कोडों से सही उत्तर का चयन करें :

सूची-I (चिंतक)	**सूची-II (प्रमुख अवधारणा)**
(*a*) बेज	1. पारस्परिक लाभ के रूप में न्याय
(*b*) गॉतियर	2. न्याय का हकदारी सिद्धान्त
(*c*) ड्वोरकिन	3. वैश्विक न्याय पर
(*d*) नॉज़िक	4. इक्वेलिटी पर

कोड :

	(*a*)	(*b*)	(*c*)	(*d*)
A.	1	2	3	4
B.	3	1	4	2
C.	2	3	1	4
D.	4	1	2	3

9. प्लेटो ने अनन्त वास्तविकता की प्रकृति का अपना सिद्धान्त विकसित किया और निम्नलिखित के अन्दर वास्तविक विश्व को स्पष्ट किया:

A. दी रिपब्लिक B. दी पोलिटिक्स
C. दी लॉज़ D. दी टिमाओस

10. नीचे दो कथन दिये गये हैं, एक को अभिकथन (A) और दूसरे को कारण (R) का नाम दिया गया है।

अभिकथन (A) : रॉल्स के लिए अधिकार अच्छे से पूर्व की स्थिति है।

कारण (R) : कुछ के लिए स्वतन्त्रता की हानि को दूसरों के बीच बाँटे वृहद उत्तम द्वारा अधिकार बना लिया जाता है।

कोड :

A (A) और (R) दोनों सत्य हैं और (R), (A) की सही व्याख्या है।

B. (A) और (R) दोनों सत्य हैं, परन्तु (R), (A) की सही व्याख्या नहीं है।

C. (A) सत्य है, परन्तु (R) असत्य है।

D. (A) असत्य है, परन्तु (R) सत्य है।

11. लेनिन के लेखों के आरोही क्रम में सही अनुक्रम बताइये:

(*i*) लेफ्ट विंग कम्यूनिज़्म
(*ii*) दी स्टेट एण्ड रेवोल्यूशन
(*iii*) दी प्रोलिटेरियन रेवोल्यूशन एण्ड रेनेगेड कोटस्की
(*iv*) दी वार एण्ड दी सैकेण्ड इंटरनेशनल

नीचे दिए गए कोडों से सही उत्तर का चयन करें :

A.	(*iv*)	(*ii*)	(*iii*)	(*i*)
B.	(*i*)	(*ii*)	(*iii*)	(*iv*)
C.	(*iii*)	(*iv*)	(*ii*)	(*i*)
D.	(*ii*)	(*iii*)	(*iv*)	(*i*)

12. माओ की सुप्रसिद्ध उक्तियों में निम्नलिखित में से कौन सा समाविष्ट नहीं है?

A. युद्ध में शस्त्र महत्त्वपूर्ण कारक होते हैं परन्तु निर्णायक नहीं।

B. राजनीति खून-खराबे के बगैर युद्ध है।

C. पार्टी गन को नियन्त्रित करती है और गन को पार्टी को नियन्त्रित करने की अनुमति कभी नहीं दी जानी चाहिए।

D. आइये सैंकड़ों फूलों को खिलने दें और सैंकड़ों विचार-धाराओं (सम्प्रदायों) को प्रतिस्पर्धा करने दें।

13. तिलक द्वारा लिखी पुस्तक निम्नलिखित में से कोई एक नहीं है:

A. दी ओरियन

B. आर्कटिक होम इन वेदास

C. गीता रहस्य

D. लाइफ डिवाइन

14. राज्य और क्रान्ति के बारे में मार्क्स का सिद्धान्त किससे लिया गया है?

A. जर्मन क्लासिकीय दर्शन

B. ब्रिटिश राजनीतिक अर्थव्यवस्था

C. फ्रांसिसी क्रान्तिकारी परम्परा

D. स्वतन्त्रता का अमेरिकन युद्ध

15. अरस्तू ने इनके द्वारा प्रदर्शित आदर्श राज्यों के समीक्षात्मक अध्ययन के प्रति अपने को अर्पित किया

A. फैलिस B. हिप्पोडैमस

C. प्लेटो D. उपर्युक्त सभी

16. नीचे दो कथन दिये गये हैं, एक को अभिकथन (A) और दूसरे को कारण (R) का नाम दिया गया है।

अभिकथन (A) : लूसियन डब्ल्यू. पाई के अनुसार, समानता, क्षमता और विभेदीकरण राजनीतिक विकास की विशेषताएँ हैं।

कारण (R) : राज्य को इन पहलुओं को सुदृढ़ करने की चेष्टा करनी चाहिए।

कोड :

A (A) और (R) दोनों सत्य हैं और (R), (A) की सही व्याख्या है।

B. (A) और (R) दोनों सत्य हैं, परन्तु (R), (A) की सही व्याख्या नहीं है।

C. (A) सत्य है, परन्तु (R) असत्य है।

D. (A) असत्य है, परन्तु (R) सत्य है।

17. पारम्परिक समाज में समाजीकरण की प्रक्रिया है:

1. विसरित 2. विशिष्टतावादी

3. आरोपणीय 4. उपकरणीय/सहायक

नीचे दिए कोडों से सही उत्तर का चयर करें:

कोड :

A. 1, 2, 3 B. 2, 3, 4

C. 4, 3, 1 D. 1, 2, 4

18. एलविन टाफलर ने अपनी पुस्तक 'पावरशिफ्ट' में शक्ति के प्रकारों में निम्नलिखित में से एक किसकी चर्चा नहीं की है?

A. हिंसा B. सामाजिक संरचना

C. सम्पत्ति D. ज्ञान

19. सूची-I को सूची-II के साथ सुमेलित करें और नीचे दिए कोडों से सही उत्तर का चयन करें :

सूची-I (आधुनिकीकरण का सम्प्रदाय)	**सूची-II (लेखक)**
(*a*) संरचनात्मक सम्प्रदाय	1. डेनियल लर्नर
(*b*) मानकी सम्प्रदाय	2. जी.ए. आलमण्ड
(*c*) प्रौद्योगिकीय सम्प्रदाय	3. महात्मा गांधी
(*d*) मनोवैज्ञानिक सम्प्रदाय	4. डेविड एप्टर

कोड :

	(*a*)	(*b*)	(*c*)	(*d*)
A.	2	3	4	1
B.	2	1	3	4
C.	3	2	4	1
D.	1	3	2	4

20 निम्नलिखित देशों के राष्ट्रपति और उप-राष्ट्रपति तीसरे सत्र के लिए चुनाव नहीं लड़ सकते हैं?

1. यू.एस. राष्ट्रपति 2. फ्रांसिसी राष्ट्रपति

3. भारतीय राष्ट्रपति 4. भारत के उप-राष्ट्रपति

नीचे दिए कोडों से सही उत्तर का चयन करें:

कोड :

A. 1 B. 1 और 2

C. 1 और 4 D. 1, 2 और 3

21. यू.एस.ए. की राष्ट्रपतीय प्रणाली की सरकार की विशेषता कौन सी नहीं है?

A. राष्ट्रपति का सीधे चुनाव

B. राष्ट्रपति और विधानमंडल के कार्यकाल की निश्चित अवधि

C. विधानमंडल तथा कार्यकारी के बीच शक्तियों का संलयन

D. राष्ट्रपति राज्य के प्रधान के रूप में कार्य करता है।

22. आलमण्ड एवं वर्बा के अनुसार निम्नलिखित में से कौन सा देश, नागरिक संस्कृति के बारे में उनकी अवधारणा के सबसे समीप हैं?

A. यू.एस.ए. B. पश्चिम जर्मनी

C. मैक्सिको D. ग्रेट ब्रिटेन

23. पदोन्नति के लिए योग्यता निर्धारित करने की "दक्षता रिकॉर्ड" पद्धति इसमें प्रयोग में लाई जाती है।

A. यू.एस.ए. B. स्विट्जरलैंड

C. यू.के. D. भारत

24. निम्नलिखित में से किन देशों में जज को लोग निर्वाचित करते हैं। नीचे दिए कोडों से सही उत्तर का चयन करें:

(*i*) यू.एस.ए.

(*ii*) स्विट्जरलैंड

(*iii*) यू.के.

(*iv*) भारत

कोड :

A. (*i*), (*ii*) B. (*i*), (*ii*), (*iii*)

C. (*ii*), (*iii*) D. (*ii*), (*iii*), (*iv*)

25. निम्नलिखित में से किन देशों में न्यायालयों को न्यायिक पुनरावलोकन का अधिकार नहीं है?

(*i*) यू.एस.ए. (*ii*) यू.के.

(*iii*) फ्रांस (*iv*) भारत

कोड :

A. (*iii*) B. (*ii*) और (*iii*)

C. (*i*) और (*iii*) D. (*ii*)

26. निम्नलिखित में से किसने कहा है कि "संघवाद पुराना (या लुप्त प्राय) है; यह अपने प्रभाव में अनिवार्य तौर पर नकारात्मक है। यह सकारात्मक कार्रवाई के लिए उपयुक्त नहीं है, कार्य के प्रतिलिपिकरण के कारण वित्तीय रूप से मंहगा है।"?

A. डेविड ईस्टन B. एस.पी. हंटिंगटन

C. के.सी. वियर D. एच.जे. लास्की

27. निम्नलिखित में से किसने दावे के साथ कहा है कि आधुनिकीकरण को, अत्याधिक विभेदित राजनीतिक संरचना और राजनीतिक शक्ति और सत्ता के समाज के सभी क्षेत्रों में विसरण के साथ सम्बन्धित किया जा सकता है?

A. मैक्स वेबर B. टालकोट पार्सन

C. एस.एन. आइज़नस्टाड D. वाल्ट डब्ल्यू. रोस्टोव

28. संवैधानिक सरकार के बारे में निम्नलिखित कथनों पर ध्यान दें। संवैधानिक सरकार यह है:

1. सीमित सरकार का रूप।
2. वह है जहाँ सत्ता संविधान से ली गई है।
3. वह है जहाँ संविधान और कानून शक्ति के प्रयोग को सीमित करते हैं।
4. जहाँ राज्य के प्रधान को नाममात्र की शक्तियाँ प्राप्त होती हैं।

नीचे दिए कोडों से सही उत्तर का चयन करें:

A. 1, 2 और 3 B. 2, 3 और 4

C. 1, 3 और 4 D. 1, 2 और 4

29. निम्नलिखित में से किस चिंतक ने "शेरों" और "लोमड़ियों" की अवधारणा दी है?

A. रॉबर्ट माइकल्स B. सी. राइट मिल

C. विलफ्रेड पैरेटो D. बर्हम

30. नीचे दो कथन दिये गये हैं, एक को अभिकथन (A) और दूसरे को कारण (R) का नाम दिया गया है:

अभिकथन (A) : आज सरकार का संसदीय रूप विश्व भर में सर्वाधिक स्वीकार्य प्रणाली है।

कारण (R) : संसदीय प्रणाली में मंत्रीगण विधान मंडल से अपनी लोकतान्त्रिक वैधता प्राप्त करते हैं और उसी को जवाबदेय होते हैं।

कोड :

A (A) और (R) दोनों सत्य हैं और (R), (A) की सही व्याख्या है।

B. (A) और (R) दोनों सत्य हैं, परन्तु (R), (A) की सही व्याख्या नहीं है।

C. (A) सत्य है, परन्तु (R) असत्य है।

D. (A) असत्य है, परन्तु (R) सत्य है।

31. भारत में निर्वाचन सम्बन्धी सुधार के साथ निम्नलिखित में से कौन सा सम्बन्धित नहीं है?

A. संथानम समिति B. तारकुंडे समिति

C. इन्द्रजीत गुप्ता समिति D. दिनेश गोस्वामी समिति

32. 'प्रभुत्व जाति' का विचार निम्नलिखित में से किसने दिया है?

A. रजनी कोठारी B. पॉल आर. ब्रास

C. एम.एन. श्रीनिवास D. लॉयड आई. रुडोल्फ

33. भारत में निम्नलिखित राज्य में से 2013 तक किसने स्थानीय सरकारों के लिये ओम्बुड्समैन की संस्थापना की है?

A. बिहार B. केरल

C. कर्नाटक D. उत्तर प्रदेश

34. "फैक्शनल पोलिटिक्स इन एन इंडियन स्टेट" नामक पुस्तक के लेखक कौन हैं?

A. पॉल आर. ब्रास B. माइरोन वीनर

C. जेम्स मैनर D. एस के. मित्रा

35. निम्नलिखित में से कौन सा युग्म सही सुमेलित नहीं है?

सूची-I (राजनीतिक दल)		**सूची-II (नेता)**
A. तेलेंगाना राष्ट्रीय समिति	–	चन्द्रशेखर राव
B. पीपल्स डैमोक्रेटिक पार्टी	–	महबूबा मुफ्ती
C. भारतीय जनता पार्टी	–	कल्याण सिंह
D. शिरोमणी अकाली दल	–	नवजोत सिंह सिद्धू

36. निम्नलिखित में से किस वाद में, भारतीय सर्वोच्च न्यायालय ने कहा कि मौलिक अधिकार और राज्य के नीति निर्देशक सिद्धान्त दोनों समान रूप से महत्त्वपूर्ण हैं और एक को दूसरे के लिए त्याग नहीं किया जा सकता है?

A. एस आर बोम्मई बनाम भारत संघ

B. बालाजी बनाम मैसूर का राज्य

C. मिनर्वा मिल्स बनाम भारत संघ

D. ए.के. गोपालन बनाम मद्रास का राज्य

37. निम्नलिखित में से कौन-सा कालानुक्रमिक क्रम में व्यवस्थित है?

A. आनन्दपुर साहिब प्रस्ताव, राजामन्नार समिति रिपोर्ट, पश्चिम बंगाल सरकार ज्ञापन, सरकारिया आयोग रिपोर्ट

B. राजामन्नार समिति रिपोर्ट, पश्चिम बंगाल सरकार ज्ञापन, आनन्दपुर साहिब प्रस्ताव, सरकारिया आयोग रिपोर्ट

C. सरकारिया आयोग रिपोर्ट, पश्चिम बंगाल सरकार ज्ञापन, आनन्दपुर साहिब प्रस्ताव, राजामन्नार समिति रिपोर्ट

D. राजामन्नार समिति रिपोर्ट, आनन्दपुर साहिब प्रस्ताव, पश्चिम बंगाल सरकार ज्ञापन, सरकारिया आयोग रिपोर्ट

38. सूची-I को सूची-II के साथ सुमेलित करें और नीचे दिए कोडों से सही उत्तर का चयन करें :

सूची-I (उप-प्रधानमंत्री)	**सूची-II (सरकार)**
(*a*) मोरारजी देसाई	1. जनता पार्टी
(*b*) जगजीवन राम	2. काँग्रेस
(*c*) देवीलाल	3. नेशनल डेमोक्रेटिक अलायेंस
(*d*) एल के अडवाणी	4. यूनाइटेड फ्रंट

कोड :

	(*a*)	(*b*)	(*c*)	(*d*)
A.	1	3	2	4
B.	2	4	3	1
C.	2	1	4	3
D.	3	2	1	4

39. राज्य पुनर्गठन आयोग, 1953 का सदस्य निम्नलिखित में से कौन नहीं था?

A. फज़्ल अली B. एच.एन. कुंज़रु

C. वी.पी. मैनन D. के.एन. पाणिकर

40. राज्यपाल को मुख्यमंत्री को निलम्बित करने का अधिकार होता है।

निम्नलिखित में से कौन सा युग्म सही सुमेलित नहीं है?

गवर्नर		**मुख्यमंत्री बर्खास्त**
A. धर्मवीर	–	अजय मुखर्जी
B. गोपाल रेड्डी	–	चरण सिंह
C. कुमुद जोशी	–	एन.टी. रामा रॉव
D. रोमेश भंडारी	–	कल्याण सिंह

41. भारत में दुर्लभता की राजनीति के बारे में निम्नलिखित में से किसने बात की है?

A. पॉल आर. ब्रास B. पॉल वॉलेस

C. माइरोन वीनर D. मॉरिस जॉन्स

42. सर्वोच्च न्यायालय ने किस वाद में यह निर्णय किया कि मंत्रिमंडल में सदन के विश्वास का स्वयं सदन के पटल पर परीक्षण करना चाहिए?

A. बी.आर. कपूर बनाम तमिलनाडु का राज्य

B. एस.आर. बोम्मई बनाम भारत संघ

C. जगदंबिका पाल बनाम भारत संघ

D. शमशेर सिंह बनाम पंजाब राज्य

43. "संविधान के भिन्न भाग एक दूसरे पर क्रिया और प्रतिक्रिया करेंगे और (सर्वोच्च) न्यायालय को ऐसी स्थिति से उत्पन्न होने वाले प्रश्नों का निर्णय करना होगा.... अपने कर्तव्यों को पूरा करते हुए करना होगा जैसा कि शायद किसी अन्य न्यायालय को अभी तक करने के लिए नहीं कहा गया है।"

यह किसका कथन है?

A. न्यायाधीश पातांजली शास्त्री

B. न्यायाधीश हरिलाल कानिया

C. न्यायाधीश पी.बी. गजेन्द्रगडकर

D. डॉ. बी. आर. अम्बेडकर

44. निम्नलिखित प्राधिकारियों में से किसे जाति, प्रजाति या जनजाति अथवा जाति में समूह या जाति के किसी हिस्से को राज्य अथवा संघ राज्य क्षेत्र के सम्बन्ध में अनुसूचित जाति घोषित करने का अधिकार है?

A. प्रधान मंत्री

B. संसद

C. न्यायाधिकरण

D. भारत के राष्ट्रपति

45. अंतः राज्य परिषद् का मुख्य कार्य निम्नलिखित में से कौन सा है?

A. अंतः राज्य नदी जल विवाद का निबटारा।

B. राज्यों के बीच वस्तुओं के ले जाने एवं ले आने से सम्बन्धित विवादों का निबटारा

C. केन्द्र-राज्य सम्बन्धों को सुधारने पर वाद-विवाद करना।

D. अंतः राज्य सीमा विवादों को निबटाने हेतु फोरम के रूप में कार्य करना।

46. संगठन का प्रथम संसक्त या सुसंगत सिद्धान्त निम्नलिखित में से किसे समझा जाता है?

A. मानव सम्बन्ध सिद्धान्त

B. वैज्ञानिक प्रबन्ध सिद्धान्त

C. व्यवस्था सिद्धान्त

D. नौकरशाही सिद्धान्त

47. पंचायतों के लिये संवैधानिक स्वीकृति की माँग करने वाली प्रथम समिति कौन सी थी?

A. बलवंत राय मेहता समिति

B. अशोक मेहता समिति

C. संथानम समिति

D. जी.वी.के. राव समिति

48. नीचे दो कथन दिये गये हैं, एक को अभिकथन (A) और दूसरे को कारण (R) का नाम दिया गया है।

अभिकथन (A) : केन्द्रीय सेवा अधिकारी अखिल भारतीय सेवा अधिकारी नहीं हैं, परन्तु उनके काम की प्रकृति तथा नियुक्तियों की प्रकृति उन्हें सचमुच में अखिल भारतीय विशेषता के अनुरूप बना देती हैं।

कारण (R) : अखिल भारतीय सेवाओं के अधिकारियों के विपरीत, केन्द्रीय सेवा अधिकारी राज्यों में काम करते समय राज्य सरकारों के अन्तर्गत काम नहीं करते हैं।

कोड :

A (A) और (R) दोनों सत्य हैं और (R), (A) की सही व्याख्या है।

B. (A) और (R) दोनों सत्य हैं, परन्तु (R), (A) की सही व्याख्या नहीं है।

C. (A) सत्य है, परन्तु (R) असत्य है।

D. (A) असत्य है, परन्तु (R) सत्य है।

49. यू.पी.एस.सी. का कार्य निम्नलिखित में से कौन सा नहीं है?

A. संघीय सरकार को भर्त्ती पद्धति से सम्बन्धित सभी मामलों पर और सिविल सेवा में नियुक्तियाँ करने में जिन सिद्धान्तों का पालन करना है उन पर परामर्श देना।

B. पदोन्नति के लिए अभ्यर्थियों की उपयुक्तता पर सरकार को परामर्श देना।

C. सिविल सेवकों को प्रभावित करने वाले अनुशासन सम्बन्धी मामलों पर सरकार को परामर्श देना।

D. सिविल सेवकों के तबादले से सम्बन्धित मामलों पर सरकार को परामर्श देना।

50. उस देश का नाम बताइये जिसने दुरुस्त भर्ती व्यवस्था सबसे पहले विकसित की?

A. प्रशिया B. भारत
C. चीन D. यू.एस.ए.

51. निम्नलिखित में से किसका वर्णन सम्पूर्ण लोक कार्मिक संरचना की महत्त्वपूर्ण वस्तु के रूप में किया गया है?

A. पदोन्नति B. भर्ती और चयन
C. अनुशासन D. मनोबल

52. 'स्पॉयल सिस्टम' यह शब्द किस पर प्रयुक्त होता है?

A. अभिरक्षक नौकरशाही
B. जाति नौकरशाही
C. संरक्षक नौकरशाही
D. योग्यता नौकरशाही

53. नव लोक प्रशासन के उद्भव और विकास में निम्नलिखित युगप्रवर्तन घटनाओं को कालानुक्रमिक रूप से व्यवस्थित करें:

1. मिन्नोब्रूक कॉन्फ्रेंस
2. लोक सेवा के लिए उच्च शिक्षा पर हनी रिपोर्ट
3. लोक प्रशासन के सिद्धान्त एवं व्यवहार पर फिलाडेलफिया कान्फ्रेंस
4. "टूवर्डस् ए न्यू पब्लिक एडमिनिस्ट्रेशन: दी मिन्नोब्रूक पर्सपेक्टिव" का प्रकाशन

कोड :

A. 4, 3, 1, 2 B. 2, 3, 1, 4
C. 2, 4, 1, 3 D. 1, 2, 3, 4

54. उपागम के रूप में विकास प्रशासन पर निम्नलिखित में से किसने ज़ोर दिया है?

1. रिग्गूस
2. फेनसॉड
3. हेडी
4. वीडनर

नीचे दिए कोडों से सही उत्तर का चयन करें:

A. 1, 2 और 4 B. 2, 3 और 4
C. 1, 2 और 3 D. 1, 2, 3 और 4

55. निम्नलिखित में से कौन से राजनीतिक अधिकार भारत में सिविल सेवक को उपलब्ध नहीं हैं?

1. राजनीतिक विचार व्यक्त करना।
2. राजनीतिक आन्दोलन को समर्थन देना।
3. राजनीतिक दल को वित्तीय योगदान करना।
4. राजकीय तथा राष्ट्रीय चुनावों में मतदान करना।

नीचे दिए कोडों से सही उत्तर का चयन करें:

A. 1, 3 और 4 B. 2, 3 और 4
C. 1, 2 और 3 D. 2 और 3

56. संगठन का सिद्धान्त निम्नलिखित में से कौन-सा नहीं है?

A. सामूहिक उत्तरदायित्व B. सोपानिकी
C. नियन्त्रण की सीमा D. एकीकरण

57. लोक प्रशासन के सीमाक्षेत्र को प्रशासनिक सिद्धान्त और अनुप्रयुक्त सिद्धान्त में निम्नलिखित में से किसने विभाजित किया है?

A. एच. वॉकर B. फैरल हेड्डी
C. एफ. ए. नीग्रो D. निकोलस हैनरी

58. "अधिकारीगण एक दूसरे के लिए कार्य सृजित करते हैं।" यह किसने कहा है?

A. पीटर ड्रकर B. रैमजे म्यूर
C. पार्किनसन D. एच. फाइनर

59. सूचना के अधिकार को प्रवर्तित करने वाला विश्व का प्रथम देश था

A. नॉर्वे B. यू.एस.ए.
C. स्वीडन D. फिनलैण्ड

60. निम्नलिखित में से कौन-सा कथन असत्य है?

A. प्रत्येक संसद दिवस का पहला घण्टा प्रश्नों के लिए आरक्षित होता है।
B. शून्य काल (ज़ीरो अवर) संसदीय प्रथा के क्षेत्र में प्रारूपिक भारतीय नवप्रवर्तन है।
C. नव लोक प्रशासन अद्वितीय रूप से अमेरिकन परिघटना है।
D. प्रशासनिक क्रियाओं पर न्यायिक नियन्त्रण नैसर्गिक नियम से निकला है।

61. सूची-I को सूची-II के साथ सुमेलित करें और नीचे दिए कोडों से सही उत्तर का चयन करें :

सूची-I (उपागम-नारीवाद)	**सूची-II (नारीवादी चिंतक)**
(*a*) क्रिटीकल सिद्धान्त	1. एलिजाबेथ प्रूग्ल
(*b*) सामाजिक निर्माणवाद	2. चंद्रा महन्ती

(*c*) उत्तर संरचनावाद 3. सांड्रा व्हाइटवर्थ

(*d*) उत्तर उपनिवेशवाद 4. चार्लोट हूपर

कोड :

	(*a*)	(*b*)	(*c*)	(*d*)
A.	4	3	2	1
B.	1	2	3	4
C.	2	4	1	3
D.	3	1	4	2

62. वैश्वीकरण निम्नलिखित से किसे सूचित करता है?

A. समय-स्थान संपीड्य

B. विश्व-अर्थव्यवस्था का एकीकरण

C. लोगों के बीच अधिक्षेत्रीय सम्बन्धों की वृद्धि

D. उपर्युक्त सभी

63. यह किसने कहा है, "....... अहमः स्थितियों में, फिर भी राज्यों का परम सरोकार सत्ता के लिए नहीं परन्तु सुरक्षा के लिए होता है।"?

A. थॉमस शेलिंग B. कैनेथ वाल्टज़

C. बेरी बुज़ान D. जॉन मर्शीमीयर

64. अंतर्राष्ट्रीय राजनीतिक अर्थव्यवस्था का सांस्थानिकवादी उपागम निम्नलिखित में से किससे सिद्धान्तों को लेता है?

A. प्रोत्साहन संरचनाएँ B. प्रत्यायोजन और एजेन्सी

C. ऐतिहासिक कारक D. सामाजिक कारक

65. मोरावसिक के नव-उदारवाद पर आधारित अंतर्राष्ट्रीय कानून की तीन-स्तरीय धारणा का प्रस्ताव किसने दिया है?

A. एम. बायर्स B. ए.एम. स्लॉटर

C. कोस्केन्नीमी D. ए. गुज़मैन

66. सेमीनल रिपोर्ट, एन एजेन्डा फॉर पीस (1992) द्वारा अनुशंसित प्रक्रिया का सही अनुक्रम बताइए

1. पीस कीपिंग
2. निरोधक राजनय/कूटनीति
3. शान्ति निर्माण
4. पीस मेकिंग

कोड :

	(*a*)	(*b*)	(*c*)	(*d*)
A.	2	4	1	3
B.	1	2	3	4
C.	3	1	4	2
D.	4	3	2	1

67. किसने कहा है कि यूनाइटेड स्टेट्स न सिर्फ सुपर पावर (अधि शक्ति) है; वह हाइपर पावर (अतिशय सत्ता) है?

A. हुबार्ट वेदराइन

B. रॉबर्ट गेट्स

C. रिचर्ड हास

D. पॉल केनेडी

68. सूची-I को सूची-II के साथ सुमेलित कीजिए और नीचे दिये कोडों से सही उत्तर का चयन करें:

सूची-I (यू.एन. कान्फ्रेंस स्थल)	**सूची-II (मुद्दे)**
(*a*) रिओ दे जेनेरिओ (1992)	1. जनसंख्या
(*b*) वियेना (1993)	2. महिलाएँ
(*c*) कैरो (1994)	3. मानवाधिकार
(*d*) बीजिंग (1995)	4. पर्यावरण

कोड :

	(*a*)	(*b*)	(*c*)	(*d*)
A.	1	4	2	3
B.	2	1	3	4
C.	3	2	4	1
D.	4	3	1	2

69. 'बे ऑफ पिगुस', शीतयुद्ध के दौरान किस संकट से सम्बन्धित है?

A. क्यूबन मिसाइल B. हंगरी

C. कोरिया D. स्वेज़ नहर

70. काली विधवाएँ (ब्लैक विडोस) महिला आतंकवादी हैं, वे किस देश से हैं?

A. पेलेस्टीन B. चेचन्या

C श्रीलंका D. लेबनान

71. पर्यावरण पर निम्नलिखित संधियों को सही आरोही क्रम में कालानुक्रमिक अनुक्रम में व्यवस्थित करें:

(*i*) यू एन का समुद्री कानून

(*ii*) क्योटो प्रोटोकॉल (उपसंधि)

(*iii*) अंटार्टिक संधि

(*iv*) जैव सुरक्षा पर कार्टोजीना प्रोटोकॉल

कोड :

A. (*iii*), (*i*), (*ii*), (*iv*)

B. (*ii*), (*iv*), (*i*), (*iii*)

C. (*iv*), (*ii*), (*iii*), (*i*)

D. (*i*), (*iii*), (*iv*), (*ii*)

72. सूची-I को सूची-II के साथ सुमेलित करें और नीचे कोडों से सही उत्तर का चयन करें :

सूची-I (लेखक)	सूची-II (पुस्तक)
(*a*) एस.डी. मुनि	1. क्रोसिंग दी रुबिकोन
(*b*) सी. राजामोहन	2. एनाटोमी ऑफ ए फ्लॉड इनहेरिटेंस – इंडो - पाक रिलेशन्स
(*c*) उर्मिला फड़नीस	3. पैंगूस ऑफ प्रोक्सिमिटी
(*d*) जे.एन. दीक्षित	4. एथनिसिटी एण्ड नेशन बिल्डिंग इन साउथ एशिया

कोड :

	(*a*)	(*b*)	(*c*)	(*d*)
A.	3	1	4	2
B.	2	1	3	4
C.	1	2	4	3
D.	4	3	2	1

73. एशिया के साथ भारत का मिलन, वचनबद्धता की कल्पना में स्पष्ट अभिव्यक्त किया गया था, यह किसने स्पष्ट बताया है?

A. इंदिरा गांधी B. सरदार पटेल
C. महात्मा गांधी D. जवाहरलाल नेहरू

74. नीचे दो कथन दिये गय है, एक को अभिकथन (A) और दूसरे को कारण (R) का नाम दिया गया है।

अभिकथन (A) : नेहरू के भारत को एशिया में अपनी वैध भूमिका अदा करने से रोकने वाले कारक और शक्तियाँ या तो एक सीमा तक कम हो गए हैं या पुनः परिभाषित किए गए हैं।

कारण (R) : अपने राष्ट्रीय हितों को पूरा करने की कोशिश करने के लिए शीत युद्ध का अन्त और भारत के लिए सामरिक जगह का विस्तार व्यापक हो गया है।

कोड :

A (A) और (R) दोनों सत्य हैं और (R), (A) की सही व्याख्या है।

B. (A) और (R) दोनों सत्य हैं, परन्तु (R), (A) की सही व्याख्या नहीं है।

C. (A) सत्य है, परन्तु (R) असत्य है।

D. (A) असत्य है, परन्तु (R) सत्य है।

75. शान्ति के क्षेत्र के रूप में भारतीय महासागर पर घोषणा के सम्बन्ध में संयुक्त राष्ट्र जनरल असम्बली प्रस्ताव 2832 कब अंगीकृत किया गया?

A. 1970 B. 1971
C. 1972 D. 1973

उत्तरमाला

1	2	3	4	5	6	7	8	9	10
C	C	C	C	D	B	D	B	D	B
11	**12**	**13**	**14**	**15**	**16**	**17**	**18**	**19**	**20**
A	B	D	C	D	B	A	B	A	A
21	**22**	**23**	**24**	**25**	**26**	**27**	**28**	**29**	**30**
C	D	A	A	B	D	C	A	C	A
31	**32**	**33**	**34**	**35**	**36**	**37**	**38**	**39**	**40**
A	C	B	A	D	C	D	C	C	C
41	**42**	**43**	**44**	**45**	**46**	**47**	**48**	**49**	**50**
C	B	B	D	C	B	B	B	D	C
51	**52**	**53**	**54**	**55**	**56**	**57**	**58**	**59**	**60**
B	C	B	D	C	A	A	C	C	D
61	**62**	**63**	**64**	**65**	**66**	**67**	**68**	**69**	**70**
D	D	B	B	B	A	A	D	A	B
71	**72**	**73**	**74**	**75**					
A	A	D	A	B					

कुछ चुने हुए प्रश्नों के व्याख्यात्मक उत्तर

1. जॉन प्लामेनाट्ज के अनुसार, "राजनीतिक सिद्धांत के द्वारा मुझे नहीं पता है कि सरकारी कार्यों की व्याख्या कैसे की जाए। मेरा मतलब है सरकार के उद्देश्यों के बारे में क्रमिक सोच रखना।" राजनीतिक सिद्धांत एक आदर्श विशेष है जिसकी संरचना व्याख्या करने के बजाय हम लोगों को मूल्यांकन करने का अवसर प्रदान करता है, इसमें यह नैतिक सिद्धांत जैसा दिखता है। आदर्श विशेषों के बीच यह विभेद करता है कि इसकी संरचना सरकार के मूल्यांकन हेतु विशेष को सुविधा प्रदान करना है। सही अर्थों में हमें सरकार के उद्देश्यों—सरकार के खास उद्देश्यों की पहचान करनी होगी ताकि समाज के लिए सर्वोत्तम व्यवस्थाओं के आधार पर हमलोग निर्णय ले सकें।

2. 'द फिलॉसफी ऑफ जे.एस. मिल' पुस्तक के लेखक आर. पी. आंसचूज हैं। वैज्ञानिक ज्ञान के आदर्श पर जोर देते हुए यह पुस्तक मिल के जटिल उलझनों को बेपरत करने का प्रयास करती है जिसे उसने न्यूटन की भौतिकी के अध्ययन से लिया है।

3. सावित्री : श्री अरविन्द द्वारा लिखित महाभारत के धर्मशास्त्र पर आधारित एक पैराणिक कथा और महाकाव्य है। इसका केन्द्रीय विषय मानव की श्रेष्ठता के इर्द-गिर्द घूमता है जो उसके सांसारिक विकास की पूर्णता का परिचायक है और पृथ्वी पर एक अमर परम बौद्धिक गूढ़ज्ञानवादी प्रजाति का उद्भव हैं।

6. जॉन एक अंग्रेज दार्शनिक और चिकित्सक था जो अत्यंत प्रभावशाली प्रबुद्ध विचारकों में से एक था। उन्हें 'शास्त्रीय उदारवाद का जनक' माना जाता है। उन्हें फ्रांसिस बेकन की परंपरा का अनुपालन करने वाला प्रथम ब्रिटिश अनुभववादियों में से एक माना जाता है। उन्हें सामाजिक संविदा सिद्धांत के समतुल्य महत्वपूर्ण माना गया है। जॉन लॉक मूल्य की उत्पत्ति के श्रम सिद्धांत के करीब आए जब उन्होंने व्याख्या की थी कि श्रम के कारण कैसे आज सभी वस्तुओं के मूल्य समीप हैं। उन्होंने सोचा कि वस्तुओं के मूल्य में श्रम शामिल है जोकि इसे उत्पादित करने के लिए नितांत आवश्यक है। साथ ही सभी श्रम जो सामग्री में निहित हैं आपूर्ति, मशीनरी, भवनों और अन्य पूंजीगत माल जिनका उपयोग इनके उत्पादन में किए जाते थे सभी इसी तरह की प्रकृति के हैं विशुद्ध श्रम सिद्धांत के मूल्य की तरह यह मूल्य का एक पूर्वव्यापी विचार है। लॉक ने निष्कर्ष निकाला, हालांकि, वस्तुओं के मूल्य का 99 प्रतिशत से ज्यादा संगठित श्रम नहीं होगा क्योंकि इसमें प्रकृति की देन भी कुछ हद तक रहता है। उसके पास पैटी की तरह भूमि सह श्रम सिद्धांत था जो मूल्य की उत्पत्ति से संबंधित था।

7. मैक्यावली ने अपनी कई साहित्यिक कृतियाँ लिखीं : डिसकोर्सिस, व्यंग्य कविता—दी गोल्डेन ऐस, दी डॉयलाग ऑन आवर लैंग्वेज, लघु कहानी-बलफेगोर, अश्लील नाटक—मंद्रागोला और दी आर्ट ऑफ वार उद्यान में सामूहिक वार्ता पर आधारित था।

14. अपनी सादगी और विश्व व्यापकता के कारण फ्रांस की क्रान्ति ने सबको अपनी ओर आकर्षित किया। 'स्वतन्त्रता, भाईचारा और समानता' ने ब्रूसेल्स से लेकर बीजिंग तक, पौलेंड से पेरू तक लोगों को प्रेरित किया। यह उन्नीसवीं शताब्दी के समाजवादियों का योगदान था और विशेषकर कार्ल मार्क्स के चिन्तन का। मार्क्स के अनुसार फ्रांसीसी क्रान्ति को अभी पूर्ण होना है। इसने पूंजीपतियों, बुर्जुआओं को आजाद कर दिया है, परन्तु कामगार जनता का शोषण करके उसे सम्पत्ति हीन सर्वहारा में परिवर्तित कर दिया है। फ्रांसीसी क्रांति के जनवादी लाभों को (जिनका मार्क्स द्वारा लाभ के रूप में विरोध किया गया) सभी मनुष्यों के उद्धार में परिवर्तित कर दिया गया। इसे किसी समाजवादी अथवा कम्युनिस्ट क्रान्ति द्वारा पूर्ण किया जाएगा, जो निजी सम्पत्ति का उन्मूलन कर देगी और शोषण विहीन समाज की स्थापना करेगी।

17. समाजीकरण की प्रक्रिया अलग-अलग प्रकार की राजनैतिक व्यवस्था में विभिन्न प्रकार के होते हैं। पारम्परिक राजनीतिक व्यवस्था में यह विशिष्ट फैलने वाली तथा आरोपित होती है, जिसे कहा जा सकता है कि जाति और जनजातीय सम्बन्धों और पारिवारिक व अन्य पारम्परिक समूह से

प्रभावित होती है। वर्तमान राजनैतिक व्यवस्था में, समाजीकरण और अधिक व्यापक, स्पष्ट, तार्किक, धर्मनिरपेक्ष और लक्ष्य अभिमुख है।

21. **राष्ट्रपतीय व्यवस्था (यू.एस.ए.) :** संयुक्त राज्य का संविधान उच्च एक्जीक्यूटिव अथॉरिटी तथा विधायिका में अन्तर करता है। विधायिका (कांग्रेस) और मुख्य कार्यपालक (राष्ट्रपति) दोनों अलग-अलग हैं व अधिकांशतः सरकार की स्वतन्त्र शाखाएं अथवा अंग हैं। अमरीकी संविधान के अन्तर्गत प्रत्येक शाखा अथवा अंग की अपनी अन्तर्निहित शक्तियां होती हैं। यद्यपि कार्यपालिका और विधायिका बहुत से अधिकारों को साझा करते हैं।

22. **नागरिक संस्कृति :** आमंड और वर्बा द्वारा प्रयुक्त शब्द विषय और राजनीतिक संस्कृति के प्रतिभागी के बीच संतुलन को इंगित करता है जो प्रजातंत्र का भलीभांति समर्थन करता है। नागरिक संस्कृति में, विषय और प्रतिभागी संस्कृति न ही ज्यादा और न ही थोड़ी सहभागिता उत्पन्न करने के लिए मिश्रित होते हैं। नागरिक सक्रिय हैं और कुलीन वर्ग उनकी अपेक्षाओं का उत्तर देते हैं लेकिन नागरिक अपने राजनेताओं पर भी विश्वास करते हैं और उन्हें एक स्तर तक स्वतंत्रता प्रदान करते हैं। आमंड और वर्बा ने पाया कि ब्रिटेन 1950 के अंतिम दशक में नागरिक संस्कृति के समीप आया।

23. पदोन्नति के लिए 'दक्षता रिकॉर्ड' विधि का प्रयोग अमरीका में वरीयता सूची निर्धारित करने में किया जाता है।

27. आधुनिकीकरण सामान्यत पूँजीवादी विकास से जुड़ा है। आइजनस्टाड आधुनिकीकरण को अत्यधिक विभेदित राजनीतिक संरचना तथा राजनीतिक शक्तियों व प्राधिकारों का समाज के सभी क्षेत्रों में विलय होना मानते हैं। एप्टर ने अपने शुरूआती लेखों में आधुनिकीकरण को विकास का एक विशिष्ट रूप माना है जिसमें स्थायी सामाजिक व्यवस्था, सामाजिक निपुणता और तकनीकी रूप से विकसित दुनिया में ज्ञान का अभिग्रहण शामिल हैं। बाद में उन्होंने आधुनिकीकरण के इस रूप की व्याख्या परम्परागत समाजों के द्वारा विकसित औद्योगिक समाजों के मूल्यों तथा संस्थाओं की नकल के रूप में की। इसी में समान्तर आधुनिकीकरण का दूसरा रूप भी था जो एकीकरण के बजाय गैर-बराबरी तथा विवाद पैदा करता था।

29. अभिजात वर्ग के बारे में पैरेटो का कार्य बेहद रुचिपूर्ण है और यह मार्क्सवाद की अपेक्षा अधिक ठोस उदाहरण प्रस्तुत करता है। क्योंकि यह मानव के प्रति अमूर्त विचारधारा बनाने की अपेक्षा मानव प्रकृति का विश्लेषण करता है। 'अभिजातों का परिचालन' शासकों के धैर्य और तरीके में अन्तर और विश्लेषण करता है। उनका सबसे अधिक गहन अनुभव शेरों और लोमड़ियों की अवधारणा में है जो इस बात की बेहतर व्याख्या करता है कि हम किस प्रकार शासित अथवा कुशासित किए जाते हैं। यह वर्ग व्यवहार के बारे में अस्पष्ट तथा अमूर्त बातें करने की अपेक्षा लोगों के जमीनी स्तर पर व्यवहार की व्याख्या करता है।

31. 1962 में भ्रष्टाचार को रोकने के लिए सुझाव प्रस्तुत करने हेतु संथानम कमेटी बनाई गई। इसकी दी गई सिफारिशों में से प्रमुख सिफारिश यह थी कि कम्पनी द्वारा दी जाने वाली दान राशि पर रोक लगाई जानी चाहिए। इस कमेटी के अनुसार : "...भारतीय परिस्थितियों में कम्पनियों के दान के द्वारा राजनीति में हिस्सेदारी से रोका जाना चाहिए।" अन्य तीन समितियों का संबंध निर्वाचन सम्बन्धी सुधार से है।

32. मैसूर नरसिम्हाचार श्रीनिवास एक भारतीय समाजशास्त्री थे। वह मुख्यतः जाति तथा जाति व्यवस्था, सामाजिक स्तरीकरण, संस्कृतिकरण, दक्षिण भारत में पश्चिमीकरण तथा प्रभुत्व जाति के सिद्धान्त पर किए गए कार्य के लिए जाने जाते हैं।

33. भारतीय राज्य केरल की स्थानीय सरकार के लिए ऑम्बुड्समैन एक स्वतंत्र अर्ध न्यायिक प्राधिकरण है जो केरल में स्थानीय सरकारों अथवा उसके अधीन कार्यरत इकाइयों के विरोध में दी गई शिकायतों की जाँच करता है। ऑम्बुड्समैन राज्य स्तर पर कार्य करता है इसका मुख्यालय राज्य की राजधानी में अवस्थित होता है। सम्भवतः भारत में केरल के अलावा किसी और अन्य राज्य में इस प्रकार का स्थानीय स्वशासन संस्थान पर निगरानी रखने वाला कोई अन्य निकाय नहीं है।

34. 'फैक्शनल पोलिटिक्स इन एन इंडियन स्टेट' के लेखक पॉल आर. ब्रास हैं। प्रोफेसर पॉल ब्रास ने अपने प्रकाशित

श्रेष्ठतम अध्ययन में हमें बताया है कि वास्तव में कांग्रेस पार्टी का गठन किस प्रकार हुआ और आज यह भारत में अधिकतर राज्यों में किस प्रकार कार्य कर रही है? इस विशाल कार्य के लिए उन्होंने उत्तर प्रदेश को चुना, जो कि सर्वाधिक जनसंख्या वाला, सर्वाधिक जटिल और निश्चित रूप से सबसे अधिक निर्णायक राजनीतिक राज्य है।

35. नवजोत सिंह सिद्धू भारतीय जनता पार्टी से जुड़े एक अनुभवी भारतीय नेता हैं। अन्य तीनों सही सुमेलित हैं।

37. राजा मन्नार समिति – 1971
आनंदपुर साहिब प्रस्ताव – 1973
पश्चिम बंगाल सरकार ज्ञापन – 1977
सरकारिया आयोग रिपोर्ट – 1983

39. राज्य पुर्नगठन आयोग–1953
चेयरमैन : श्री एस. फजल अली
सदस्य : श्री एच.एन. कुंजरू, श्री के.एम. पनिक्कर
सचिव : श्री पी.सी. चौधरी
राज्य पुनर्गठन आयोग की स्थापना गृह मंत्रालय के अधीन की गई। यह आयोग समस्या की स्थितियों, ऐतिहासिक पृष्ठभूमि, वर्तमान स्थिति और अन्य दूसरे महत्वपूर्ण तथ्यों की जाँच करने के लिए गठित किया गया।

43. भारतीय संविधान राज्य के अन्दर किसी व्यक्ति के मूलभूत अधिकारों की रक्षा के लिए इसके न्यायालयों को न्यायिक जाँच की शक्ति प्रदान करता है। 28 जनवरी 1950 को सर्वोच्च न्यायालय की विमोचन बैठक के दौरान चीफ जस्टिस हरिलाल कानिया ने कहा, "संविधान के विभिन्न भाग एक-दूसरे पर क्रिया-प्रतिक्रिया करेंगे और इस स्थिति में पैदा हुए समाज का निर्धारण सर्वोच्च न्यायालय द्वारा किया जाएगा....अपने कर्तव्यों से हटने पर इस कार्य के लिए किसी अन्य न्यायालय को अधिकार नहीं होगा।

44. किसी राज्य अथवा केन्द्र शासित प्रदेश में किसी जाति, प्रजाति, जनजाति और किसी समूह के हिस्से अथवा जाति के समूह में अनुसूचित जाति घोषित करने का अधिकार भारत के राष्ट्रपति को है।

46. फ्रेडरिक टेलर (1917) ने इस सदी की शुरूआत में वैज्ञानिक प्रबन्ध सिद्धान्त को विकसित किया। उनके सिद्धान्त के चार मूल नियम हैं :

1. लक्ष्य को पूरा करने के लिए एक सर्वोत्तम तरीका चुनें।
2. प्रत्येक लक्ष्य को सावधानीपूर्वक कामगारों से मिलाएं।
3. कर्मचारियों का नजदीकी से अवलोकन करें तथा प्रोत्साहन के लिए उचित इनाम तथा दण्ड दें और
4. प्रबन्ध का लक्ष्य योजना बनाना तथा नियन्त्रण।

यद्यपि टेलर का वैज्ञानिक प्रबन्ध सिद्धान्त सदी के अन्त की सामान्य कम्पनियों के लिए सफल साबित हुआ परन्तु आधुनिक कम्पनियों में इसको सफलता नहीं मिली। 'प्रोडक्शन फर्स्ट, पीपुल सेकण्ड' का दर्शन ने उत्पादन तथा गुणवत्ता में गिरावट, कार्य के प्रति असंतुष्टि, कारीगरी के अहम और सांगठनिक अहम के लगभग सम्पूर्ण विनाश की परम्परा को पीछे छोड़ दिया।

47. बलवंत राय मेहता समिति (1957) अपने प्रकार की पहली समिति है जो इन स्थानीय संस्थानों के अफसरशाही ढाँचे का निरीक्षण करती है। इसके इस दावे के बावजूद कि समुदाय का विकास उस समय हुआ जब वह विकास की प्रक्रिया में व्यस्त थी। उस समय इसे बहुत अधिक लाभ नहीं हुआ था। इसके बहुत से कारण हैं जैसे–राज्य स्तर पर सत्ता शक्ति के स्थानीय निकायों के साथ बँटवारे और ग्रामीण अभिजातों द्वारा इन निकायों के अधिग्रहण को लेकर राजनैतिक तथा अफसरशाही के स्तर पर विरोध।

50. आधुनिक समय में प्रशिया पहला ऐसा देश है जिसने दुरुस्त भर्ती व्यवस्था विकसित की।

51. भर्ती वह प्रक्रिया है जिसके माध्यम से सार्वजनिक सेवा में नियुक्ति के लिए उम्मीदवार प्रतिस्पर्धा करने के लिए प्रेरित होते हैं। इस प्रकार, यह विस्तृत चयन प्रक्रिया का अनिवार्य अंग है जिसमें परीक्षा और प्रमाणन की प्रक्रिया शामिल है। स्टाल ओ ग्लेन के अनुसार, "भर्ती पूरे सार्वजनिक कर्मियों की संरचना की आधारशिला है।" दूसरी शताब्दी में चीन ने प्रतियोगिता के आधार पर भर्ती की एक निश्चित और वैज्ञानिक विधि की शुरूआत की। आधुनिक युग में प्रशिया पहला देश है जिसने भर्ती की पद्धति की शुरूआत संरक्षण पद्धति को समाप्त करते हुए की। सन् 1853 में ब्रिटिश शासन के दौरान भारतीय सिविल सेवा में योग्यता के सिद्धांत को मान्यता दी गई और उसे अपनाया गया।

52. संयुक्त राज्य अमेरिका की राजनीति में स्पॉयल सिस्टम (संरक्षण पद्धति के रूप में भी जाना जाता है), एक प्रथा है जिसके तहत् राजनीतिक दल चुनाव जीतने के उपरांत अपने मतदाताओं को पुरस्कार के रूप में सरकारी नौकरियां प्रदान करते हैं। ऐसा करने के पीछे पार्टी की मंशा होती है कि उन मतदाताओं के प्रति कृतज्ञता प्रस्तुत करना जिनके कारण जीत का मार्ग प्रशस्त हुआ। नौकरियां पार्टी के लिए कार्य करते रहने हेतु भी प्रोत्साहन के रूप में दी जाती हैं। यह योग्यता प्रणाली का विरोध करती है, जहाँ कार्यालय योग्यता के कुछ मापदंडों के आधार पर राजनीतिक क्रियाकलापों से स्वतंत्र होकर पुरस्कृत होते हैं।

54. एक भारतीय विज्ञान यू.एल. गोस्वामी द्वारा पहली बार 'विकास प्रशासन' शब्द की रचना की गई। सन् 1955 में प्रकाशित अपने आलेख 'भारत में विकास प्रशासन की संरचना' में इस शब्द का प्रयोग किया। यद्यपि जॉर्ज गांट, एक अमेरिकन विद्वान को विकास प्रशासन का जनक माना जाता है। उसने भी उसी काल में इस शब्द का प्रयोग करना आरंभ कर दिया था। उसकी पुस्तक Development Administration : Concepts, Goals and Methods पहली बार सन् 1979 में छपी। एडवर्ड वीडनर विकास प्रशासन के अग्रणी प्रस्तावक हैं। वह पहले व्यक्ति थे जिन्होंने विकास प्रशासन की परिभाषा की अवधारणात्मक व्याख्या की। हालांकि एक उपागम के रूप में रिग्गस फेनसॉड तथा हेडी ने भी विकास प्रशासन पर जोर दिया है।

58. सी.नार्थकोट पार्किंसन ने अपने चर्चित कार्य 'पार्किंसन के नियम' जो सन् 1957 में प्रकाशित हुआ, में कहा कि कार्य समय लेता है जो कि उसके पूरा करने के लिए उपलब्ध हो। पार्किंसन के अनुसार यह घटना दो बलों द्वारा उत्प्रेरित होते हैं :

(*i*) अधिकारी अधीनस्थ कर्मचारियों को बढ़ाना चाहता है, प्रतिद्वंद्वियों को नहीं और

(*ii*) 'अधिकारी एक-दूसरे के लिए कार्य करते हैं' उन्होंने कहा कि नौकरशाही स्वयं में इस अर्थ में स्थिर है कि लोक सेवकों की मंशा दिनोंदिन संख्या में बढ़ोत्तरी करने की है। काम के बोझ के बावजूद अधिकारी एक-दूसरे का काम करते हैं।

59. स्वीडन विश्व का पहला देश है जिसने 'सूचना का अधिकार' लागू किया।

62. साहित्य में वैश्वीकरण विभिन्न रूपों में परिभाषित है :

1. सामाजिक संबंधों की दुनियाभर में गहनता जो दूर के इलाकों को इस रूप में जोड़ती है कि स्थानीय घटनाएं कोसों दूर घटित होती हैं और ये विश्व परिदृश्य में दृष्टिगोचर होने लगती हैं, इसके विपरीत भी होता है।
2. विश्व अर्थव्यवस्था का एकीकरण।
3. अधिक्षेत्रीय या अत्यधिक क्षेत्रीयकरण के बीच लोगों का संबंध
4. समय स्थान संपीड़न

63. "अधिकतम शक्ति प्राप्त करने की इच्छा सार्वभौमिक है" और यह "विषयपरक कानूनों में से एक है जिसकी जड़ें मानव स्वभाव में निहित हैं।" वाल्टज हालांकि तर्क करते हैं कि शक्ति अंत होने का एक साधन है। और जैसा कि वाल्टज टिप्पणी करते हैं, "चूंकि शक्ति एक उपयोगी साधन है, समझदार राजनेता इसकी उचित मात्रा रखने की कोशिश करते हैं। विकट परिस्थितियों में, हालांकि, राज्यों का परम सरोकार सत्ता के लिए नहीं बल्कि सुरक्षा के लिए है।

64. तर्कसंगत विकल्प के लिए एक अलग अनुप्रयोग IPE के सांस्थानात्मक दृष्टिकोण पर आश्रित है। यह दृष्टिकोण तर्कसंगत विकल्प की मान्यताओं पर एक राज्य से दूसरे राज्य की अन्तरवार्ता के संबंध में लागू होता है। प्रतिनिधिमंडल और एजेंसी के सिद्धांत का नियंत्रण करते हुए यह एक व्याख्या प्रस्तुत करता है कि क्यों एक संस्था अस्तित्व में रहे और इसका उद्देश्य क्या है। अवधारणा का सार यह है कि राज्य अंतर्राष्ट्रीय संस्थाएं और प्रदत्त शक्तियां उनके लिए सृजित करती हैं। इसका उद्देश्य विश्व बाजारों के अवरोधों और विश्व राजनीति के अधीन उपयोगिता को बढ़ाना है। अक्सर, सामूहिक क्रिया की समस्याओं को सुलझाने की आवश्यकता के लिए यह नीचे आता है।

67. संयुक्त राष्ट्र के राज्यों की औपचारिक समानता होते हुए भी दुनिया में 193 देशों के बीच आज, एक, सब अपने आप में वर्ग का गठन करता है। मैं विश्व के एकमात्र

अतिशय सत्ता संयुक्त राज्य अमेरिका की बातें कर रहा हूँ। संयुक्त राज्य अमेरिका सभी क्षेत्रों में प्रभावी है : आर्थिक, तकनीकी, सैनिक, मौद्रिक, भाषाई, सांस्कृतिक। उपरोक्त विचार हुबार्ट वेदराइन का है।

69. शीत युद्ध के दौरान क्यूबा मिसाइल संकट से बे ऑफ पिग्स जुड़ा है।

70. मर्फी इशारा करते हैं कि चेचन्या में इस्लामी क्रांति की शुरूआत करने के लिए झुंड में जमा होने का आह्वान अंतर्राष्ट्रीय जिहादियों ने की। यह दिमाग में रखते हुए उनकी रणनीति गुरिल्ला युद्ध से परे चला गया। उन्होंने आतंकवाद और आत्मघाती विस्फोट की रणनीति अपनाई। रूसी प्रवृत्ति के अनुरूप उन क्षेत्रों को ध्वस्त करने के लिए हमला किया गया, जिहादियों ने एक नए हथियार, महिला आत्मघाती हमलावरों, जिसे 'ब्लैक विडोज' कहा गया, की खोज की। ब्लैक विडोज वे औरतें थीं जो रूसियों से त्रस्त थीं और जिन्होंने अपनी प्रभावशीलता के लिए ख्याति प्राप्त की।

75. हिंद महासागर को शांति क्षेत्र बनाने की उद्घोषणा संयुक्त राष्ट्र महासभा के प्रस्ताव संख्या 2832 में की गई जिसे सन् 1971 में अपनाया गया।

पिछले प्रश्न-पत्र (हल सहित)

यू.जी.सी. NET राजनीति शास्त्र, दिसम्बर-2013

प्रश्न-पत्र-II

***नोटः** इस प्रश्नपत्र में **पचास (50)** बहु-विकल्पीय प्रश्न हैं। प्रत्येक प्रश्न के **दो (2)** अंक हैं। **सभी** प्रश्न अनिवार्य हैं।*

1. निम्नलिखित में से कौन-सा प्लेटो की रिपब्लिक का प्रधान पात्र नहीं है?

A. पोलिमार्कस B. एडीमेन्टस

C. प्रोटागोरस D. ग्लोकोंन

2. सूची-I को सूची-II के साथ सुमेलित करें और नीचे दिए कोडों से सही उत्तर का चयन करें :

सूची-I (लेखक)	सूची-II (पुस्तकें)
(*a*) ए.आर. ब्लास्टर	1. पार्टिसिपेशन एण्ड डेमोक्रेटिक थ्योरी
(*b*) सी.बी. मैकफर्सन	2. मॉडलूस ऑफ डेमोक्रेसी
(*c*) सी. पेटमैन	3. दी रियल वर्ल्ड ऑफ डेमोक्रेसी
(*d*) डी. हेल्ड	4. डेमोक्रेसी

कोड :

	(*a*)	(*b*)	(*c*)	(*d*)
A.	1	2	3	4
B.	4	3	1	2
C.	2	1	4	3
D.	3	4	2	1

3. मार्क्स के लेखों का आरोही क्रम में सही अनुक्रम बताइए :

1. काँट्रिब्यूशन टू दी क्रिटीक ऑफ पोलिटिकल इकोनोमी
2. पॉवर्टी ऑफ फिलोसोफी
3. थीसिस ऑन फियोरबाक
4. कम्यूनिस्ट मैनीफेस्टो

नीचे दिए गए कोडों से सही उत्तर चुनिए :

कोड :

A. 1, 2, 3, 4 B. 2, 3, 4, 1

C. 3, 2, 4, 1 D. 4, 1, 2, 3

4. नीचे दो वक्तव्य दिये गये हैं, एक को अभिकथन (A) और दूसरे को कारण (R) का नाम दिया गया है :

अभिकथन (A) : व्यवहारवादियों के लिए, अस्पष्ट होने के बजाय गलत होना बेहतर था।

कारण (R) : बजाय गैर-प्रासंगिक रूप से यथार्थ होने के, अस्पष्ट होना बेहतर था।

कोड :

A (A) और (R) दोनों सत्य हैं और (R), (A) की सही व्याख्या है।

B. (A) और (R) दोनों सत्य हैं, परन्तु (R), (A) की सही व्याख्या नहीं है।

C. (A) असत्य है, परन्तु (R) सत्य है।

D. (A) सत्य है, परन्तु (R) असत्य है।

5. "प्रत्येक व्यक्ति के पास न्याय पर संस्थापित अनुल्लंघनीयता होती है जो सम्पूर्ण समाज का कल्याण भी दबा नहीं सकता है।" यह किसने कहा है?

A. जॉन रॉल्स B. रॉबर्ट नॉज़िक

C. फ्रेडरिक हेयक D. हैबरमास

6. उपयोगितावाद का संस्थापक कौन था?

A. बैन्थम B. जेम्स मिल

C. डेविड ह्यूम D. प्रीस्टले

7. निम्नलिखित में से कौन-सा लेख माओ द्वारा नहीं लिखा गया है?

A. ऑन न्यू डेमोक्रेसी

B. ऑन कोएलिशन गवर्नमेंट

C. पीपल'स वार

D. ऑन पीपल'स डेमोक्रेटिक डिक्टेटरशिप

8. गांधीजी दक्षिण अफ्रीका क्यों गए थे?

A. दक्षिण अफ्रीका में भारतीयों के निमन्त्रण पर

B. बार-ऐट-लॉ में पढ़ने के लिए

C. गुजराती व्यापारी का केस लड़ने के लिए

D. परिवार के साथ दक्षिण अफ्रीका घूमने के लिए

9. 'मैक्सिकन सोशलिस्ट वर्कर्स पार्टी' जिसका बाद में नाम 'मैक्सिकन कम्युनिस्ट पार्टी' किया गया किसने संस्थापित की थी?

A. जय प्रकाश नारायण B. बी.आर. अम्बेडकर
C. एम.एन. रॉय D. लेनिन

10. लॉर्ड मिंटो ने सर्वाधिक 'खतरनाक व्यक्ति' के रूप में वर्णन किसका किया था?

A. बी.जी. तिलक B. अरविंद घोष
C. गांधीजी D. सरदार पटेल

11. ए.एफ.के. ऑर्गेन्स्की द्वारा प्रतिपादित राजनीतिक विकास की निम्नलिखित अवस्थाओं को आरोही क्रम में व्यवस्थित करें। नीचे दिए कोडों से सही उत्तर का चयन करें :

1. आदिम राष्ट्रीय एकीकरण
2. प्रचुरता
3. औद्योगिकीकरण
4. राष्ट्रीय कल्याण

कोड :

A. 1, 2, 3, 4 B. 1, 3, 2, 4
C. 1, 3, 4, 2 D. 4, 2, 3, 1

12. निम्नलिखित में से किसने आभासी या कृत्रिम प्रैशर ग्रुप्स के बारे में बात की है?

A. जॉन ब्लॉन्डल B. अलमाण्ड
C. मॉरिस ड्युवर्जर D. वी.ओ. की

13. सूची-I को सूची-II के साथ सुमेलित करें और नीचे दिए कोडों से सही उत्तर का चयन करें :

सूची-I (चिंतक)	सूची-II (विचार)
(*a*) कार्ल मार्क्स	1. कृषक वर्ग तथा सम्पत्ति स्वामियों के बीच पैतृकवादी सम्बन्ध की स्थिति
(*b*) चाल्मर्स जॉनसन	2. समग्र मनोवैज्ञानिक परिप्रेक्ष्य
(*c*) टेड गर	3. प्रक्रिया के रूप में क्रान्ति जिसके जरिए संरचनात्मक असमानताओं को समाप्त किया जा सकता है।
(*d*) बैरिंगटन मूर	4. मूल्य समन्वित सामाजिक व्यवस्था मॉडल

कोड :

	(*a*)	(*b*)	(*c*)	(*d*)
A.	1	3	2	4
B.	2	1	3	4
C.	3	4	2	1
D.	4	1	3	2

14. सूची-I को सूची-II के साथ सुमेलित करें और नीचे दिए कोडों से सही उत्तर का चयन करें :

सूची-I (सरकार का प्रकार)	सूची-II (मुख्य गुण)
(*a*) सैनिक शासन प्रणाली	1. आदर पर आधारित
(*b*) वंशगत शासन	2. जबरदस्ती पर आधारित
(*c*) नकली लोकतंत्र	3. उदार लोकतंत्र के जैसे सावधिक चुनाव, परन्तु सत्ता अल्पतन्त्र के हाथों में रहती है।
(*d*) उदार लोकतंत्र	4. सरकार की प्रक्रिया में विस्तृत स्वैच्छिक सहभागिता

कोड :

	(*a*)	(*b*)	(*c*)	(*d*)
A.	1	2	3	4
B.	2	1	3	4
C.	4	3	2	1
D.	3	1	4	2

15. आधुनिक समाज में समाजीकरण की प्रक्रिया है :

1. विशिष्ट
2. सार्वभौम
3. यंत्रीय (या सहायक)
4. आरोपणीय

नीचे दिए गए कोडों में से सही उत्तर चयन करें :

कोड :

A. 1, 2, 3 B. 2, 3, 4
C. 3, 4, 1 D. 4, 2, 1

16. निम्नलिखित में से सर्वसत्तात्मक रूप की सरकार कौन-सी नहीं है?

A. सैनिक सरकार
B. फासिस्ट (अधिनायकवादी) सरकार
C. साम्यवादी सरकार
D. संसदीय रूप की सरकार

17. निम्नलिखित लेखकों में से किसने अभिजात वर्ग को दो मोटे प्रकारों में वर्गीकृत किया है?

1. संगठित और निदेशित करने वाले अभिजात वर्ग
2. अनौपचारिक रूप से संगठित तथा विसरित अभिजात वर्ग

A. विलफ्रेडो पैरेटो B. रॉबर्ट मिचेल
C. गायटेनो मोस्का D. कार्ल मानहीम

18. प्रतिस्पर्धात्मक व्यवस्था के अन्तर्गत पार्टियों को दो मुख्य वर्गों (*i*) टर्नओवर एवं हेजिमोनिक (*ii*) वैचारिक तथा व्यावहारिक – में निम्नलिखित में से किसने वर्गीकृत किया है?

A. माइरोन वीनर तथा लापालोम्बारा
B. जी.ए. अलमॉण्ड एवं वर्बा
C. नील ए. मैकडोनाल्ड
D. पीटर एच. मर्कल

19. पराश्रितता की अवधारणा 1960 के दशक में इसमें उद्धविकसित हुई थी

A. यूरोप B. अफ्रीका
C. एशिया D. लेटिन अमेरिका

20. सूची-I को सूची-II के साथ सुमेलित करें और नीचे दिए कोडों से सही उत्तर का चयन करें :

सूची-I (पुस्तकें)	सूची-II (लेखक)
(*a*) एप्रोचिस टू दी स्टडी ऑफ पोलिटिक्स	1. आर. यंग
(*b*) डायनामिक्स ऑफ मॉडर्नाइजेशन	2. सी.ई. ब्लैक
(*c*) इनफलूएंसिंग वोटर्स	3. आर. रोज़
(*d*) स्टडीस इन पोलिटिकल डेवलपमेंट	4. जे.एस. कोलमैन

कोड :

	(*a*)	(*b*)	(*c*)	(*d*)
A.	1	2	3	4
B.	2	3	4	1
C.	4	3	2	1
D.	3	4	2	1

21. नीचे दो कथन दिये गये हैं, एक को अभिकथन (A) और दूसरे को कारण (R) का नाम दिया गया है। नीचे दिए कोडों से सही उत्तर का चयन करें :

अभिकथन (A) : धर्मनिरपेक्षता का अनिवार्यता अर्थ यह नहीं है कि लोग धर्म-विरोधी बन गए हैं, या सार्वजनिक क्षेत्र और वैयक्तिक विश्वास के क्षेत्र दोनों से ही धर्म गायब हो गया है।

कारण (R) : धर्म मात्र एक नहीं है, और अनिवार्य तौर पर सर्वाधिक महत्त्वपूर्ण तरीका नहीं है जिस तरीके में लोग अपने को और अपने सम्बन्धों को समझते हैं।

कोड :

A (A) और (R) दोनों सही हैं और (R), (A) की सही व्याख्या है।
B. (A) और (R) दोनों सही हैं, परन्तु (R), (A) की सही व्याख्या नहीं है।
C. (A) सत्य है, परन्तु (R) असत्य है।
D. (R) सत्य है, परन्तु (A) असत्य है।

22. नीचे दो कथन दिये गये हैं, एक को अभिकथन (A) और दूसरे को कारण (R) का नाम दिया गया है :

अभिकथन (A) : 1980 का दशक, जो भारत की राजनीति में वृहद उथल-पुथल का काल था, में बहुत-सी नव राजनीतिक पार्टियाँ प्रकट हुईं।

कारण (R) : राष्ट्रीय पार्टियाँ उपान्तीकृत हो गईं अथवा बहुत से राज्यों में राजकीय पार्टियों की आश्रित बन गईं।

कोड :

A (A) और (R) सत्य हैं और (R), (A) की सही व्याख्या करता है।
B. (A) और (R) दोनों सत्य हैं, परन्तु (R), (A) की सही व्याख्या नहीं है।
C. (A) सत्य है, परन्तु (R) असत्य है।
D. (R) सत्य है, परन्तु (A) असत्य है।

23. निम्नलिखित को उनके कालानुक्रमिक अनुक्रम में व्यवस्थित करें :

1. नेहरू समिति रिपोर्ट
2. भारत छोड़ो आन्दोलन
3. नागरिक अवज्ञा आन्दोलन
4. पूर्ण स्वतन्त्रता की घोषणा

कोड :

A. 2, 1, 4, 3 B. 3, 2, 4, 1
C. 1, 4, 3, 2 D. 4, 2, 1, 3

24. सर्वोच्च न्यायालय ने निम्नलिखित में से किस वाद में कहा कि संशोधन का अधिकार संसद का है, और यह अधिकार असीमित था?

A. शंकरी प्रसाद **बनाम** भारत संघ

B. बैला बैनर्जी एवं अन्य **बनाम** पश्चिम बंगाल का राज्य

C. केशवानंद भारती **बनाम** केरल राज्य

D. रमेश थापर **बनाम** मद्रास राज्य

25. निम्नलिखित में से किस राज्य में द्विसदनीय विधान मंडल नहीं है?

A. उत्तर प्रदेश B. बिहार

C. महाराष्ट्र D. केरल

26. जम्मू-कश्मीर के निम्नलिखित प्रधानमंत्री/मुख्यमंत्री का सही कालानुक्रमिक क्रम बताइए :

A. शेख अब्दुल्ला, बख्शी गुलाम मोहम्मद, फारुख अब्दुल्ला, उमर अब्दुल्ला

B. शेख अब्दुल्ला, जी.एम. सादिक, मीर कासिम, फारुख अब्दुल्ला

C. शेख अब्दुल्ला, जी.एम. सादिक, शमूशुद्दीन, मुफ्ती मोहम्मद सईद

D. शेख अब्दुल्ला, बख्शी गुलाम मोहम्मद, शमूशुद्दीन, जी.एम. सादिक

27. सूची-I को सूची-II के साथ सुमेलित करें और नीचे दिए कोडों से सही उत्तर का चयन करें :

सूची-I (षड्यंत्र वाद)	**सूची-II (दंडित क्रान्तिकारी)**
(*a*) नासिक वाद (1909-10)	1. सच्चिंद्रानाथ सन्याल
(*b*) बनारस वाद (1916)	2. राम प्रसाद बिस्मिल
(*c*) ककोरी वाद (1924)	3. भगत सिंह
(*d*) लाहौर वाद (1929-30)	4. विनायक सावरकर

कोड :

	(*a*)	(*b*)	(*c*)	(*d*)
A.	1	3	4	2
B.	1	2	3	4
C.	4	1	2	3
D.	3	4	1	2

28. संसद के दोनों सदनों की संयुक्त बैठक बुलाने के लिए पर्याप्त आधार निम्नलिखित में से कौन-सा नहीं है?

A. जब संसद का एक सदन विधेयक पारित कर देता है तो दूसरे सदन द्वारा उसे अस्वीकार करना।

B. विधेयक में किए जाने वाले संशोधनों को लेकर दोनों सदन अंततः असहमत हैं।

C. दूसरे सदन द्वारा बिल प्राप्त करने की तिथि से छः माह से ज्यादा बीत गए हैं और बिल पारित नहीं हुआ।

D. राष्ट्रपति ने बिल पर सहमति देने से इन्कार कर दिया है।

29. फेडरेल इंडिया : ए डिजाइन फॉर चेंज नामक पुस्तक के लेखक कौन हैं?

A. बलवीर अरोड़ा B. के.सी. वीयर

C. रशीदुद्दीन खान D. रोनाल्ड वाट्स

30. सबआल्टर्न (उपाश्रित) अध्ययनों के क्षेत्र में पथ-प्रदर्शक नुमा योगदान निम्नलिखित में से किसका है?

A. रामचन्द्र गुहा B. रंजीत गुहा

C. रजनी कोठारी D. जेम्स मेनर

31. निम्नलिखित में से किसने इस दावे पर प्रश्न उठाया है कि लोक प्रशासन विज्ञान है?

A. रॉबर्ट डाहल B. लूथर गुलिक

C. एल. उर्विक D. फ्रेंक गुडनाउ

32. वैज्ञानिक प्रबन्ध आन्दोलन के संस्थापक जनक, एफ. डब्ल्यू. टेलर ने एक सिद्धान्त का प्रतिपादन किया है जिसे इसकी वैज्ञानिक पद्धति समझा जाता है।

A. सावधानीपूर्ण अवलोकन

B. प्रबन्धकीय तकनीकें

C. सामान्यीकरण

D. उपर्युक्त सभी

33. लोक प्रशासन के प्रबन्धकीय दृष्टिकोण के समर्थक निम्नलिखित में से कौन नहीं है?

A. साइमन B. स्मिथबर्ग

C. गुलिक D. हेनरी फेयोल

34. सूची-I को सूची-II के साथ सुमेलित करें और नीचे दिए कोडों से सही उत्तर का चयन करें :

सूची-I	**सूची-II**
(*a*) लाइन एजेन्सी	1. डेटा संकलन और उसका विश्लेषण

(*b*) जनरल स्टॉफ 2. लाइन अधिकारियों के भिन्न परियुक्तियों की डायरी रखना

(*c*) विशिष्ट स्टॉफ 3. लक्ष्य प्राप्ति में सीधे योगदान देते हुए कार्य करना

(*d*) वैयक्तिक स्टॉफ 4. वैयक्तिक प्रशासन का संचालन करना

कोड :

	(*a*)	(*b*)	(*c*)	(*d*)
A.	3	4	1	2
B.	2	3	4	1
C.	1	2	3	4
D.	4	1	2	3

35. केन्द्र-राज्य राजकोषीय सम्बन्धों में वित्त आयोग की भूमिका को दुर्बल बना दिया गया है

A. राज्य सरकारों द्वारा B. जोनल परिषद् द्वारा

C. योजना आयोग द्वारा D. निर्वाचन आयोग द्वारा

36. भारत में लोक सेवा में जॉब (या नौकरी) के किस वर्ग के लिए, पदोन्नति में योग्यता-सह-प्रवरता के सिद्धान्त को अपनाया जाता है?

A. वर्ग-I B. वर्ग-II

C. वर्ग-III D. वर्ग-I और II

37. कौटिल्य के अनुसार, राजा के लिए उत्तम अभिशासन के सिद्धान्त कौन-से हैं?

1. वैयक्तिकता का कर्त्तव्यों के साथ विलय।
2. आचार संहिता के साथ अनुशासित जीवन व्यतीत करना।
3. कानून एवं व्यवस्था बनाए रखना।
4. बुरे मंत्रियों को लेखकों के साथ प्रतिस्थापित करना।

नीचे दिए गए कोडों से सही उत्तर का चयन करें :

कोड :

A. 1, 2 और 4 B. 1, 2 और 3

C. 2, 3 और 4 D. 1, 2, 3 और 4

38. नीचे दो कथन दिये गये हैं, एक को अभिकथन (A) और दूसरे को कारण (R) का नाम दिया गया है :

अभिकथन (A) : पद स्थिति-वर्गीकरण आधुनिक कार्मिक प्रशासन की नींव है।

कारण (R) : पद स्थिति वर्गीकरण सिविल सेवाओं में औचित्य स्थापन करने देता है।

कोड :

A (A) और (R) दोनों सत्य हैं और (R), (A) की सही व्याख्या है।

B. (A) और (R) दोनों सत्य हैं, परन्तु (R), (A) की सही व्याख्या नहीं है।

C. (A) सत्य है, परन्तु (R) असत्य है।

D. (A) असत्य है, परन्तु (R) सत्य है।

39. नीचे दो कथन दिये गये हैं, एक को अभिकथन (A) और दूसरे को कारण (R) का नाम दिया गया है :

अभिकथन (A) : सामान्यवादी तथा विशिष्ट के बीच सम्बन्ध प्रवर तथा अवर का सम्बन्ध होता है।

कारण (R) : लोक नीति को बनाने और क्रियान्वयन में विशिष्ट को सामान्य की सहायता करनी पड़ती है।

कोड :

A (A) और (R) दोनों सत्य हैं और (R), (A) की सही व्याख्या है।

B. (A) और (R) दोनों सत्य हैं, परन्तु (R), (A) की सही व्याख्या नहीं है।

C. (A) सत्य है, (R) असत्य है।

D. (A) असत्य है, (R) सत्य है।

40. नीचे दो कथन दिये गये हैं, एक को अभिकथन (A) और दूसरे को कारण (R) का नाम दिया गया है :

अभिकथन (A) : लोक प्रशासन में सामान्य तौर पर लाभ का प्रयोजन अनुपस्थित रहता है।

कारण (R) : सरकारी गतिविधियाँ केवल लाभ को अधिकतम करने के लिए नहीं होती हैं, परन्तु समाज के कल्याण को प्रोन्नत करने के लिए होती हैं।

कोड :

A (A) और (R) दोनों सत्य हैं और (R), (A) की सही व्याख्या है।

B. (A) और (R) दोनों सत्य हैं, परन्तु (R), (A) की सही व्याख्या नहीं है।

C. (A) सत्य है, परन्तु (R) असत्य है।

D. (A) असत्य है, परन्तु (R) सत्य है।

41. नीचे दो कथन दिये गये हैं, एक को अभिकथन (A) और दूसरे को कारण (R) का नाम दिया गया है :

अभिकथन (A) : उत्तर-सोवियत काल में, आणविक सशस्त्र राज्यों में संभावित रूप से सैनिकों द्वारा चालित या कमजोर नागरिक सरकारें हो सकती हैं।

कारण (R) : उनके पास नागरिक नियन्त्रण का सकारात्मक निरोधी क्रियाविधियों का अभाव होगा।

कोड :

A (A) और (R) दोनों सत्य हैं और (R), (A) की सही व्याख्या है।

B. (A) और (R) दोनों सत्य हैं, परन्तु (R), (A) की सही व्याख्या नहीं है।

C. (A) सत्य है, (R) असत्य है।

D. (A) असत्य है, (R) सत्य है।

42. भारत का हाई-टैक नेवल बेस ''प्रोजेक्ट वर्शा' कहाँ स्थित है?

A. रामबिल्ली   B. ऐडमलाई
C. अराकु घाटी   D. कोची

43. ''एटमस फॉर पीस'' निशस्त्रीकरण योजना विश्व के किस नेता ने प्रस्तुत की थी?

A. जे. नेहरू   B. ख्रश्चेव
C. आइजनहॉवर   D. कैनेडी

44. सूची-I को सूची-II के साथ सुमेलित करें और नीचे दिए कोडों से सही उत्तर का चयन करें :

सूची-I (चिंतक)	सूची-II (अवधारणा)
(*a*) विलियम कोहेन	1. नवीन युद्ध
(*b*) मार्टिन शॉ	2. सैनिक कार्यकलापों में क्रान्ति
(*c*) रेमॉण्ड आरों	3. युद्धों का अपह्रास
(*d*) मेरी काल्डर	4. अतिशयोक्तिपरक युद्ध

कोड :

	(*a*)	(*b*)	(*c*)	(*d*)
A.	2	3	4	1
B.	1	2	3	4
C.	3	4	1	2
D.	4	1	2	3

45. अंतर्राष्ट्रीय क्रियाविधि के रूप में ग्लोबल एनवायरनमेंटल फैसिलिटी (जीईएफ) किसने सृजित की है, विशेष रूप से, विकासशील देशों में पर्यावरण सम्बन्धी परियोजनाओं का निधियन करने के लिए?

A. आई. एम. एफ.   B. यू. एन. डी. पी.
C. यू. एन. ई. पी.   D. विश्व बैंक

46. निम्नलिखित सन्धियों को सही आरोही क्रम में कालानुक्रमिक रूप से व्यवस्थित करें :

1. यू.एन. का चार्टर   2. वेस्टफेलिया की सन्धि
3. यूट्रैक्ट की सन्धियाँ   4. पेरिस की सन्धि

नीचे दिए कोडों से सही उत्तर का चयन करें :

कोड :

A. 4, 1, 2, 3   B. 3, 4, 1, 2
C. 2, 3, 4, 1   D. 1, 2, 3, 4

47. शासन प्रणाली की व्याख्या करने वाले चार तत्त्व क्या हैं?

A. सिद्धान्त, मानक, नियम, निर्णयन कार्यविधियाँ

B. सिद्धान्त, नियम, विनियमन, कार्यविधियाँ

C. मानक, नियम, विनियमन, पूर्वोदाहरण

D. सिद्धान्त, पूर्वोदाहरण, कार्यविधियाँ, परिपाटियाँ

48. महिलाओं के आन्दोलन में निम्नलिखित महत्त्वपूर्ण घटनाओं को सही आरोही क्रम में कालानुक्रमिक रूप से व्यवस्थित करें :

1. मैक्सिको सिटी — यू.एन. कान्फ्रेंस
2. कोपेनहेगेन — यू.एन. कान्फ्रेंस
3. बीजिंग
4. नेरोबी

नीचे दिए कोडों से सही उत्तर का चयन करें :

कोड :

A. 4, 1, 3, 2   B. 1, 2, 4, 3
C. 2, 3, 1, 4   D. 3, 4, 2, 1

49. भारत और नेपाल ने संशोधित दोहरा करारोपण परिहार समझौता (डबल टैक्सेशन अवायडेंस एग्रीमेंट/डी.टी.ए.ए.) कब हस्ताक्षरित किया था?

A. 2011   B. 2012
C. 2010   D. 2009

50. निम्नलिखित में से कौन-से देश एशियान प्लस थ्री में समाविष्ट किए गए हैं?

A. चीन, भारत, जापान

B. चीन, दक्षिण कोरिया, रशिया

C. चीन, रशिया, जापान

D. चीन, जापान, दक्षिण कोरिया

उत्तरमाला

1	2	3	4	5	6	7	8	9	10
C	B	C	*	A	A	C	C	C	B
11	**12**	**13**	**14**	**15**	**16**	**17**	**18**	**19**	**20**
C	A	C	B	A	D	D	A	D	A
21	**22**	**23**	**24**	**25**	**26**	**27**	**28**	**29**	**30**
A	A	C	A	D	D	C	D	C	B
31	**32**	**33**	**34**	**35**	**36**	**37**	**38**	**39**	**40**
A	D	A	A	C	D	B	A	D	A
41	**42**	**43**	**44**	**45**	**46**	**47**	**48**	**49**	**50**
*	A	C	A	D	C	A	B	A	D

प्रश्न-पत्र-III

नोट : *इस प्रश्न-पत्र में* ***पचहत्तर*** *(75) बहु-विकल्पीय प्रश्न हैं। प्रत्येक प्रश्न के* ***दो*** *(2) अंक हैं।* ***सभी*** *प्रश्न अनिवार्य हैं।*

1. राजनीतिक सिद्धान्त की अवनति के लिए निम्नलिखित में से कौन-सा कारक उत्तरदायी नहीं है?

A. प्रत्यक्षवाद B. इतिहासवाद
C. नैतिक सापेक्षवाद D. वैचारिक बहुवाद

2. नव उदारवाद इनमें विश्वास नहीं करता है :

A. डिरैगुलेशन
B. डिब्यूरोक्रेटाइजेशन
C. विनिवेश (डिसइनवेस्टमेंट)
D. स्टेटीज़ेशन

3. किसने कहा है, 'करारोपण बलात् श्रम के बराबर है'?

A. जॉन राल्स B. हेयक
C. नॉज़िक D. बर्लिन

4. सूची-I को सूची-II के साथ सुमेलित कीजिए और नीचे दिये कोडों से सही उत्तर का चयन कीजिए:

सूची-I (लेखक)	सूची-II (पुस्तकें)
(*a*) रिचर्ड लोवनथल	1. रेड चाइना टूडे
(*b*) बेंजामिन एल.	2. माओ रिवोल्यूशन एण्ड दी चाइनीज़ पोलिटिकल कल्चर
(*c*) एडगर स्नो	3. वर्ल्ड कम्यूनिज़्म
(*d*) रिचर्ड एच. सोलोमोन	4. कम्यूनिज़्म एण्ड चाइनीज आइडॉलोजी इन फ्लक्स

कोड :

	(*a*)	(*b*)	(*c*)	(*d*)
A.	3	4	1	2
B.	4	3	2	1
C.	2	1	3	4
D.	1	2	4	3

5. विचारधारा को किसने इस रूप में परिभाषित किया है, 'विचारों का समूह, जिसके द्वारा व्यक्ति संगठित सामाजिक कार्य के लक्ष्य तथा साधनों को स्थापित करते हैं, स्पष्ट करते हैं और उसे उचित सिद्ध करते हैं, इस पर ध्यान दिए बगैर कि क्या ऐसा कार्य दी गई सामाजिक व्यवस्था को बनाए रखने, संशोधित करने, उखाड़ने या पुनर्निमित करने का लक्ष्य करता है'?

A. डे ट्रेसी B. मार्टिन सेलिगर
C. डी. मैकलेलान D. जे. लारैन

6. नीचे दो कथन दिये गये हैं, एक को अभिकथन (A) और दूसरे को कारण (R) का नाम दिया गया है।

अभिकथन (A) : राजनीतिक दार्शनिक राजनीतिक सिद्धान्तवेता होते हैं।

कारण (R) : समस्त राजनीतिक सिद्धान्तवेता अनिवार्य तौर पर राजनीतिक दार्शनिक नहीं होते हैं।

नीचे दिए गए कोडों से सही उत्तर का चयन करें :

कोड :

A (A) और (R) दोनों सत्य हैं और (R), (A) की सही व्याख्या है।

B. (A) तथा (R) दोनों सत्य हैं, परन्तु (R), (A) की सही व्याख्या नहीं है।

C. (A) सत्य है, परन्तु (R) असत्य है।

D. (A) असत्य है, परन्तु (R) सत्य है।

7. किसने कहा है कि श्रम शक्ति, श्रमिक के मस्तिष्क, मांसपेशी तथा नसों के बराबर होती है?

A. लेनिन B. एम.एन. रॉय

C. मार्क्स D. जय प्रकाश नारायण

8. प्लेटो का पुनः प्रगटन इसमें पाया गया है :

A. सर थॉमस मोर का **यूटोपिया**

B. कैम्पानेला का **सिटी ऑफ दी सन**

C. बेकन का **न्यू अटलांटिस**

D. उपर्युक्त सभी

9. अरस्तू के सम्बन्ध में कौन-सा कथन सही नहीं है?

A. पुरुष स्वभाव से असमान हैं।

B. उच्च के प्रति निम्न की अधीनस्थता

C. स्त्रियाँ स्वभाव से पुरुषों के अधीनस्थ होती हैं।

D. दास प्रथा उचित सिद्ध की गई है क्योंकि यह दास के लिए श्रेष्ठ स्थितियाँ नहीं दिलाती है।

10. उपयोगितावाद के जे.एस. मिल के संशोधित संस्करण का मानवीयकरण करने में किसने सहायता की?

A. जेम्स मिल B. श्रीमती हेरियट टेलर

C. प्रीस्टले D. हचसन

11. हॉब्स के लिए, 'फेलिसिटी' का अर्थ है :

A. आनन्द

B. उन वस्तुओं को, जिनको आदमी पाने की समय-समय पर इच्छा करता है, पाने में निरन्तर सफलता

C. परानुभूति

D. उपर्युक्त में से कोई नहीं

12. 'प्राकृतिक पुरुष वह होगा, जिसमें शक्तिशाली चेतना और वफादार कारण ने सफालता के साथ स्वप्रेम तथा सहानुभूति को सामंजस्यपूर्ण बनाया है।' इस कथन की पैरवी किसने की है?

A. हॉब्स B. रूसो

C. बैन्थम D. लॉक

13. लॉक का निबन्ध 'कॉन्सर्निंग ह्यूमेन अंडरस्टैडिंग' इसका खंडन है

A. हॉब्स का <u>लेवीआथेन</u>

B. प्रीस्टले का <u>एस्से ऑन गवर्नमेंट</u>

C. बैन्थम का <u>फ्रैगमेंट ऑन गवर्नमेंट</u>

D. सर रॉबर्ट फिल्मर का <u>पैट्रिआर्का</u>

14. 'समाज की राजनीति को दो सिद्धान्तों पर आधारित होना चाहिए—(*i*) दूसरों को स्व मानकर उनके साथ व्यवहार करो और (*ii*) अन्य जरूरतमंद व्यक्तियों की सहायता करो।' यह किसका कथन है?

A. राम मोहन राय B. बी.आर. अम्बेडकर

C. अरबिन्द D. सावरकर

15. एम.एन. राय की गतिविधियों/घटनाओं के आरोही क्रम का सही अनुक्रम बताइए :

1. उग्रवादी कांग्रेसियों की लीग गठित की गई।
2. भारतीय पुनर्जागरण आन्दोलन प्रारम्भ किया।
3. कॉमिनटर्न से बाहर निकाला गया।
4. साप्ताहिक पत्रिका 'द इंडिपैंडेंट इंडिया' प्रारम्भ की गई।

नीचे दिए गए कोडों से सही उत्तर का चयन करें :

कोड :

A. 3, 4, 1, 2 B. 4, 3, 2, 1

C. 2, 1, 3, 4 D. 1, 2, 4, 3

16. चौथे सत्र के लिए यू.एस. राष्ट्रपति के रूप में निम्नलिखित में से किसे चुना गया था?

A जॉर्ज वॉशिंगटन B. फ्रैंकलिन डी. रूज़वेल्ट

C. थियोडोर रूज़वेल्ट D. एंड्रयू जैकसन

17. नीचे दो कथन दिये गये हैं, एक को अभिकथन (A) और दूसरे को कारण (R) का नाम दिया गया है। नीचे दिए कोडों से सही उत्तर का चयन करें :

अभिकथन (A) : उदार लोकतंत्रों में लोकतांत्रिक मूल्य आदर्श के रूप में व्यापक स्वीकृति पाते हैं, परन्तु इसके साथ ही, प्रतिनिधि लोकतंत्र की मूल संस्थाओं की कार्यकारिता की नागरिकगण आलोचना करने लगे हैं।

कारण (R) : सरकार में घटता हुआ विश्वास राजनीतिक संस्कृति की अवस्फीति प्रकट करता है, और इस तरह से आपसी लक्ष्य प्राप्त करने में राजनीतिक प्रणाली की क्षमता कम करता है।

कोड :

A (A) और (R) दोनों सत्य हैं और (R), (A) की सही व्याख्या है।

B. (A) और (R) दोनों सत्य हैं, परन्तु (R), (A) की सही व्याख्या नहीं है।

C. (A) असत्य है, परन्तु (R) सत्य है।

D. (A) सत्य है, परन्तु (R) असत्य है।

18. संविधान संशोधन की सरल प्रक्रिया निम्नलिखित में से किस देश में है?

A. यू.एस.ए. B. यू.के.

C. भारत D. फ्रांस

19. राष्ट्रपति प्रणाली के सन्दर्भ में, यू.एस.ए. के किस राष्ट्रपति ने कहा, "केवल एक व्यक्ति की गलती सम्पूर्ण राष्ट्र के लिए विपदा ला सकती है?"

A. जिम्मी कार्टर B. बराक ओबामा

C. जॉर्ज डब्ल्यू. बुश D. वुडरो विलसन

20. यू.एस. राष्ट्रपति के बारे में निम्नलिखित में से कौन-सा कथन सही नहीं है?

A. किसी भी यू.एस. राष्ट्रपति को कभी भी दोषी नहीं ठहराया गया।

B. रिचर्ड निक्सन पर महाभियोग एक वोट से असफल हो गया था।

C. प्रतिनिधियों के सदन को महाभियोग की प्रक्रिया प्रारम्भ करने की शक्ति प्राप्त है।

D. मुख्य न्यायाधीश की अध्यक्षता में सीनेट द्वारा वाद का परीक्षण किया जाता है।

21. सूची-I को सूची-II के साथ सुमेलित करें और नीचे दिए कोडों से सही उत्तर का चयन करें :

सूची-I (विकास का मॉडल)	**सूची-II (विशेषताएँ)**
(*a*) बुअर्जवा मॉडल	1. विधान मंडल एवं निर्वाचन प्रक्रिया का शहरी आर्थिक संवृद्धि विकास
(*b*) निरंकुश मॉडल	2. दमित मध्य वर्ग
(*c*) टैक्नोक्रेटिक (तकनीक तंत्रवादी) मॉडल	3. निम्न राजनीतिक प्रतिभागिता और उच्च विदेशी निवेश
(*d*) पोपुलिस्ट मॉडल	4. उच्च राजनीतिक प्रतिभागिता तथा आर्थिक असमानता पर जोर देता है।

कोड :

	(*a*)	(*b*)	(*c*)	(*d*)
A.	1	2	3	4
B.	4	3	2	1
C.	3	2	1	4
D.	2	3	4	1

22. सूची-I को सूची-II के साथ सुमेलित करें और नीचे दिए कोडों से सही उत्तर का चयन करें :

सूची-I (लेखक)	**सूची-II (पुस्तकें)**
(*a*) रॉबर्ट माइकल	1. डेमोक्रेसी एण्ड इट्स क्रिटिक्स
(*b*) सैम्यूल हंटिंगटन	2. स्टेट बिल्डिंग : गवर्नेन्स एण्ड वर्ल्ड ऑर्डर इन दी ट्वेन्टी फर्स्ट सेंचुरी
(*c*) रॉबर्ट डाह्ल	3. पोलिटिकल पार्टीस
(*d*) फ्रांसिस फुकुयामा	4. दी थर्ड वेव : डेमोक्रेटीजेशन इन दी लेट ट्वेंटीथ सेंचुरी

कोड :

	(*a*)	(*b*)	(*c*)	(*d*)
A.	1	3	4	2
B.	3	4	1	2
C.	4	2	3	1
D.	2	1	3	4

23 क्रान्ति के विश्लेषण में 'राजनीतिक संघर्ष उपागम' निम्नलिखित में से किसने अपनाया था?

A. थेडा सोकपोल B. अलैक्स डे टॉकविले

C. चार्ल्स टिल्ली D. ईमाइल दुर्खीम

24. सूची-I को सूची-II के साथ सुमेलित करें और नीचे दिए कोडों से सही उत्तर का चयन करें :

सूची-I (पुस्तकें)	**सूची-II (लेखक)**
(*a*) दी पोलिटिक्स ऑफ मॉडर्नाइजेशन	1. अमर्त्य सेन
(*b*) डेवलेपमेंट एज फ्रीडम	2. सैम्यूल पी. हंटिंगटन
(*c*) पोलिटिकल ऑर्डर इन चेंजिंग सोसाइटीस	3. सेल्सो फुर्टाडो
(*d*) डेवलेपमेंट एण्ड अंडर डेवलेपमेंट	4. डेविड ई. एप्टर

कोड :

	(*a*)	(*b*)	(*c*)	(*d*)
A.	1	2	3	4
B.	4	1	2	3
C.	2	3	4	1
D.	4	1	3	2

25. निम्नलिखित में से किस चिंतक ने आधुनिकीकरण को तीन स्थितियों के सम्बन्ध में परिभाषित किया है?

1. नवप्रवर्तनीय सामाजिक व्यवस्था
2. विभेदित, नम्य सामाजिक संरचना
3. प्रौद्योगिकीय रूप से उन्नत विश्व में कौशल तथा ज्ञान के लिए सामाजिक आधार

A. सी.ई. ब्लैक

B. डेविड ई. एप्टर

C. सम्यूल पी. हंटिंगटन

D. एस.एन. आइज़नस्टाइट

26. स्विज राजनीतिक प्रणाली के बारे में निम्नलिखित कथनों में से कौन-से सही हैं?

1. यू.एस.ए. की तुलना में स्विट्जरलैंड में केन्द्र ज्यादा शक्तिशाली है।
2. स्विज सरकार को अलगाव की स्थिति में सैनिक हस्तक्षेप का अधिकार है।
3. अवशेषीय शक्तियाँ इकाइयों की होती हैं।
4. स्विज राजनीतिक प्रणाली एकात्मक है।

कोड :

A. 1, 2, 4 B. 2, 3, 4

C. 1, 2, 3 D. 1, 2, 3, 4

27. सूची-I को सूची-II के साथ सुमेलित करें और नीचे दिए कोडों से सही उत्तर का चयन करें :

सूची-I (चिंतक)	**सूची-II (अवधारणा)**
(*a*) एम. फूको	1. विल टू पावर
(*b*) स्टीवन लूकस	2. बायोपावर (जैव शक्ति/सत्ता)
(*c*) स्टीवर्ट क्लेग	3. सत्ता का उग्रवादी दृष्टिकोण
(*d*) एफ. नीत्शे	4. सरकिट्स ऑफ पावर

कोड :

	(*a*)	(*b*)	(*c*)	(*d*)
A.	4	1	2	3
B.	3	2	1	4
C.	1	4	3	2
D.	2	3	4	1

28. एक दल (पार्टी) प्रणाली का गुण कौन-सा नहीं है?

A. साम्प्रदायिक (अनन्य, क्षेत्रीय, वर्ग, वैचारिक) समर्थन

B. बंद, सत्तावादी, प्रत्यक्ष कार्रवाई, दमनकारी संगठन

C. विसरित, राष्ट्रीय एकीकरण, समुदाय निर्माण, लामबंदी (मोबिलाइजेशन)

D. व्यापक, सेवार्थ उन्मुखी, व्यावहारिक समर्थन

29. लुसियन पाई के अनुसार, राजनीतिक विकास के संकट निम्नलिखित में से कौन-से हैं?

1. पहचान का संकट 2. वैधता का संकट

3. नेतृत्व का संकट 4. अखण्डता का संकट

नीचे दिए कोडों से सही उत्तर का चयन करें :

कोड :

A. 1, 2 B. 2, 3

C. 3, 4 D. 1, 4

30. सूची-I को सूची-II के साथ सुमेलित करें और नीचे दिए कोडों से सही उत्तर का चयन करें :

सूची-I (अभिजात वर्ग)	**सूची-II (कार्य)**
(*a*) वर्तमान राजनीतिक अभिजात वर्ग	1. लक्ष्य प्राप्ति

(*b*) आर्थिक, सैनिक, वैज्ञानिक, राजनयिक अभिजात वर्ग — 2. अनुकूलन
(*c*) पुरोहित, दार्शनिक, शिक्षक — 3. एकीकरण
(*d*) कलाकार, लेखक, शिखर के अभिनेता — 4. पैटर्न बनाए रखना

कोड :

	(*a*)	(*b*)	(*c*)	(*d*)
A.	1	2	3	4
B.	4	3	2	1
C.	3	2	1	4
D.	2	1	4	3

31. भारत के संविधान की संशोधन प्रक्रिया के सम्बन्ध में संविधान सभा में किसने यह कथन कहा था?
"कि हम जबकि चाहते हैं यह संविधान ठोस एवं इतना स्थायी जितना हम संरचना के रूप में इसे बना सकते हैं, फिर भी, संविधानों में कोई स्थायित्व नहीं होता है। ...यदि आप किसी को जड़ तथा स्थायी बना देते हैं, आप राष्ट्र की प्रगति, जीवित लोगों के विकास को रोक देते हैं।"
A. डॉ. बी.आर. अम्बेडकर B. जवाहरलाल नेहरू
C. सरदार वल्लभभाई पटेल D. डॉ. राजेन्द्र प्रसाद

32. राष्ट्रीय आपदा के दौरान निम्नलिखित में से किन अनुच्छेदों को निलम्बित नहीं किया जा सकता है?
A. अनुच्छेद 14 एवं 15 B. अनुच्छेद 19 एवं 20
C. अनुच्छेद 21 एवं 22 D. अनुच्छेद 20 एवं 21

33. निम्नलिखित में से किसने जय प्रकाश नारायण, राम मनोहर लोहिया और अन्य समाजवादियों को 1942 के आन्दोलन के दौरान जापानी एजेन्ट कहा?
A. भारत की साम्यवादी पार्टी
B. अकाली दल
C. राष्ट्रीय स्वयं सेवक संघ
D. मुस्लिम लीग

34. नीचे दो कथन दिये गये हैं, एक को अभिकथन (A) और दूसरे को कारण (R) का नाम दिया गया है। नीचे दिए कोडों से सही उत्तर का चयन करें :
अभिकथन (A) : जाति व्यवस्था प्रारम्भिक समाज का सार थी, 'बंद व्यवस्था', जहाँ व्यक्ति पीढ़ी-दर-पीढ़ी एक ही प्रकार का कार्य करते थे और लगभग एक ही प्रकार से जीवन जीते थे।
कारण (R) : जाति प्रणाली अपने में सामाजिक संरचना तथा मानकी धार्मिक व्यवहार की विशेषताएँ समाविष्ट करती हैं और हिन्दू जाति समाज में रह रहे व्यक्तियों के व्यक्तिगत जीवन के बारे में काफी व्यापक विचार प्रदान करती है।
कोड :
A (A) और (R) दोनों सत्य हैं और (R), (A) की सही व्याख्या है।
B. (A) और (R) दोनों सत्य हैं, परन्तु (R), (A) की सही व्याख्या नहीं है।
C. (A) सत्य है, परन्तु (R) असत्य है।
D. (A) असत्य है, परन्तु (R) सत्य है।

35. नीचे दो कथन दिये गये हैं, एक को अभिकथन (A) और दूसरे को कारण (R) का नाम दिया गया है। नीचे दिए कोडों से सही उत्तर का चयन करें :
अभिकथन (A) : भारतीय सर्वोच्च न्यायालय, समयोपरि, सवैधानिक उदारता और मानवाधिकारों को विस्तरित करने और उनकी सुरक्षा करने की प्रतिबद्धता प्रदर्शित करने में विफल हुआ है।
कारण (R) : सर्वोच्च न्यायालय ने भारत के संवैधानिक लोकतंत्र को गढ़ने/आकार देने में अहम भूमिका निभाई है और अभी भी निभा रहा है, और उससे भी परे जो कि संविधान के निर्माताओं ने कल्पना की थी और जो कि न्यायालय अन्य देशों में भूमिका निभाते हैं।
कोड :
A (A) और (R) दोनों सत्य हैं और (R), (A) की सही व्याख्या है।
B. (A) और (R) दोनों सत्य हैं, परन्तु (R), (A) की सही व्याख्या नहीं है।
C. (A) सही है, परन्तु (R) असत्य है।
D. (A) असत्य है, परन्तु (R) सही है।

36. जनहित याचिका को निम्नलिखित में से कौन-सा अनुप्रयोज्य नहीं है?
A. समाज के उपान्तीकृत वर्गों के प्रति न्यायपालिका का सवैधानिक दायित्व।
B. लोकस स्टैंडी
C. जन भावनायुक्त नागरिक निर्धन की ओर से न्यायालय जा सकते हैं।
D. याचिकाओं को निबटाने में न्यायपालिका कार्यविधिक औपचारिकताओं की अनदेखी करती है।

37. इकसठवें संवैधानिक संशोधन से निम्नलिखित में से कौन-सा सम्बन्धित है?

A. नौवीं अनुसूची

B. दलबदल या पक्षत्याग

C. अनुच्छेद 368 का संशोधन

D. मतदान की आयु कम करना

38. निम्नलिखित में से किस अधिनियम में सिक्खों को विशेष निर्वाचन प्राप्त हुआ?

A. भारतीय परिषद् अधिनियम, 1892

B. भारतीय परिषद् अधिनियम, 1909

C. भारत सरकार अधिनियम, 1919

D. भारत सरकार अधिनियम, 1935

39. निम्नलिखित में से किस संविधान सभा की समिति की अध्यक्षता जवाहरलाल नेहरू ने की थी?

A. संचालन समिति

B. संघ शक्तियाँ समिति

C. मौलिक अधिकारों और अल्पसंख्यकों पर समिति

D. प्रान्तीय संविधान समिति

40. 'डेरिवेटिव डिस्कोर्स' (व्युत्पन्न संलाप) की अवधारणा निम्नलिखित में से किसने विकसित की है?

A. आशीष नंदी | B. पार्था चैटर्जी

C. आशुतोष वार्ष्णेय | D. सुदीप्त कविराज

41. मनरेगा निम्नलिखित में से किसके साथ सम्बन्धित नहीं है?

A. रोजगार अवसर प्रदान करना

B. गरीबी को घटाना

C. विपदग्रस्त प्रवसन को रोकना

D. कृषि सम्बन्धी संकट

42. सूची-I को सूची-II के साथ सुमेलित कीजिए और नीचे दिये कोडों में से सही उत्तर का चयन कीजिए:

सूची-I (आयोग/समिति)	सूची-II (मुद्दे)
(*a*) महाजन आयोग	1. महाराष्ट्र-कर्नाटक सीमा विवाद
(*b*) श्रीकृष्णा आयोग	2. मुस्लिम अल्पसंख्यक
(*c*) पुंछी आयोग	3. तेलंगाना/आन्ध्र प्रदेश
(*d*) सच्चर समिति	4. केन्द्र-राज्य सम्बन्ध

कोड :

	(*a*)	(*b*)	(*c*)	(*d*)
A.	2	4	1	3
B.	1	3	4	2
C.	3	2	1	4
D.	4	1	3	2

43. भारत में राज्य राजनीति का अध्ययन निम्नलिखित में से किसने सर्वप्रथम प्रारम्भ किया?

A. इकबाल नारायण | B. पॉल आर. ब्रास

C. स्टेनले कोचनक | D. मायरोन वीनर

44. आठवीं लोक सभा (1984) में सबसे बड़ा विरोधी दल कौन-सा था?

A. भारतीय जनता पार्टी | B. भारतीय कम्यूनिस्ट पार्टी

C तेलुगु देशम पार्टी | D. राष्ट्रीय लोक दल

45. कार्यक्रम जन्मभूमि निम्नलिखित में से किस राज्य से सम्बन्धित है?

A. केरल | B. कर्नाटक

C तमिलनाडु | D. आंध्र प्रदेश

46. सूची-I को सूची-II के साथ सुमेलित करें और नीचे दिए कोडों से सही उत्तर का चयन करें :

सूची-I (उपागम)	सूची-II (विशेषता)
(*a*) व्यवहारपरक	1. कृषिक-पारगमन औद्योगीकरण
(*b*) नौकरशाही	2. समाज की उप प्रणाली के रूप में प्रशासनिक प्रणाली
(*c*) पारिस्थितिकीय	3. प्रशासनिक व्यवस्थाओं में मानव व्यवहार का विश्लेषण
(*d*) सामान्य प्रणालियाँ	4. कानूनी-तर्कयुक्त सत्ता

कोड :

	(*a*)	(*b*)	(*c*)	(*d*)
A.	2	3	4	1
B.	3	4	1	2
C.	1	2	3	4
D.	4	1	2	3

47. सरकार के तात्विक कार्यों के साथ निम्नलिखित में से कौन-सा सरोकार रखता है?

A. स्टॉफ एजेन्सी

B. लाइन एजेन्सी

C. सहायक एजेन्सी

D. स्टाफ तथा सहायक एजेन्सियाँ

48. संगठन के चार भिन्न आधारों को निम्नलिखित में से किसने चार Ps का नाम दिया है?

A. लूथर गुलिक B. एल.डी. व्हाइट

C हेनरी फेयोल D. हर्बर्ट साइमन

49. मुख्य कार्यालय से सत्ता का क्षेत्रीय अधिकारियों को प्रत्यायोजन का मुख्य कारण है

A. स्थानीय स्तर पर निर्णयन प्रक्रिया को सुगम बनाना।

B. क्षेत्रीय अधिकारियों में कौशल उत्पन्न करना।

C. क्षेत्रीय कार्यालय का नियन्त्रण।

D. मुख्य कार्यालय में भीड़ कम करना।

50. विकास प्रशासन की विशेषताएँ निम्नलिखित में से कौन-सी हैं?

1. परिवर्तन-उन्मुखीकरण
2. सेवार्थी-अभिमुखीकरण
3. नागरिक प्रतिभागिता सम्बन्धी अभिमुखीकरण
4. पारिस्थितिकीय परिप्रेक्ष्य

नीचे दिए गए कोडों से सही उत्तर का चयन करें :

कोड :

A. 1 और 2 B. 2 और 3

C. 1, 2 और 4 D. 1, 2, 3 और 4

51. लोक सेवाओं के लिए निवासस्थान योग्यता सर्वप्रथम इसने निधारित की थी :

A. यूनाइटेड स्टेट्स ऑफ अमेरिका

B. यू.के.

C. भारत

D. फ्रांस

52. भारतीय पुलिस सेवा के लिए काडर नियन्त्रण करने वाली सत्ता निम्नलिखित में से कौन-सी है?

A. कार्मिक, लोक शिकायत एवं पेंशन मंत्रालय

B. गृह कार्यकलाप मंत्रालय

C. प्रधानमंत्री का कार्यालय (पी. एम. ओ.)

D. मंत्रिमंडल सचिव

53. बजट के एक शीर्षक से धन को उसी विभाग के दूसरे शीर्षक, 'जहाँ धन व्यय करने की जरूरत है' में हस्तांतरित करने की प्रक्रिया क्या कहलाती है?

A. हस्तांतरण B. पुनः आवंटन

C. पुनः विनियोजन D. क्षेत्रीय आवंटन

54. पदोन्नति का सामान्य तौर पर अर्थ है :

1. पद में बदलाव 2. कर्त्तव्यों में बदलाव

3. पदवी में बदलाव 4. वेतन में बदलाव

नीचे दिए गए कोडों से सही उत्तर का चुनाव करें :

कोड :

A. 1 और 2 B. 1, 2 और 3

C. 1, 3 और 4 D. 1, 2, 3 और 4

55. निम्नलिखित में से कौन-सा कथन सही है?

1. संविधान में निदेशक सिद्धान्त के रूप में पंचायती राज का उल्लेख किया गया है।
2. सादिक अली समिति, भारत में पंचायत प्रणाली की कार्यकारिता पर रिपोर्ट देने के लिए नियुक्त की गई थी।
3. जी.वी.के. राव समिति योजना आयोग द्वारा नियुक्त की गई थी।
4. स्थानीय सरकार का राज्य सूची में उल्लेख है।

नीचे दिए गए कोडों से सही उत्तर चुनिए :

कोड :

A. 1, 3 और 4 B. 2, 3 और 4

C. 1, 2 और 3 D. 1, 2, 3 और 4

56. निम्नलिखित में से किसने नौकरशाही को संगठन का नाम दिया है जो अपनी गलतियों से सीख कर अपने व्यवहार को ठीक नहीं कर सकता है?

A. आर.के. मर्टन B. एम. क्रोजर

C. मैक्स वेबर D. सी.एन. पार्किन्सन

57. राष्ट्रीय संयुक्त परामर्शदात्री तंत्र परिषद् का अध्यक्ष कौन है?

A. मंत्रीमंडल सचिव B. गृह कार्यकलाप सचिव

C. कार्मिक सचिव D. वित्तीय सचिव

58. लोक प्रशासन पर तमाम नियन्त्रणों में से वह जो ज्यादा सतत और स्व-सुधारक है, यह है

A. विधानमंडल द्वारा नियन्त्रण

B. कार्यपालिका द्वारा नियन्त्रण

C. न्यायपालिका द्वारा नियन्त्रण

D. मीडिया द्वारा नियन्त्रण

59. नीचे दो कथन दिये गये हैं, एक को अभिकथन (A) और दूसरे को कारण (R) का नाम दिया गया है।

अभिकथन (A) : कुछ वर्ष पहले, भारत सरकार ने "फाइल-जम्पिंग एक्सपैरिमेंट" प्रारम्भ किया।

कारण (R) : पदानुक्रमिक संरचना कार्य पूरा करने में अनावश्यक विलम्ब उत्पन्न करती है।

कोड :

A (A) और (R) दोनों सत्य हैं और (R), (A) की सही व्याख्या है।

B. (A) और (R) दोनों सत्य हैं, परन्तु (R), (A) की सही व्याख्या नहीं है।

C. (A) सही है, परन्तु (R) असत्य है।

D. (A) असत्य है, परन्तु (R) सत्य है।

60. नीचे दो कथन दिये गये हैं, एक को अभिकथन (A) और दूसरे को कारण (R) का नाम दिया गया है।

अभिकथन (A) : भारत में योजना आयोग न तो संविधिक निकाय है और न ही संवैधानिक निकाय है।

कारण (R) : यह संसद के अधिनियम द्वारा स्थापित किया गया था।

कोड :

A (A) और (R) दोनों सत्य हैं और (R), (A) की सही व्याख्या है।

B. (A) और (R) दोनों सत्य हैं, परन्तु (R), (A) की सही व्याख्या नहीं है।

C. (A) सत्य है, परन्तु (R) असत्य है।

D. (A) असत्य है, परन्तु (R) सत्य है।

61. आप 'लोकतान्त्रिक शान्ति सिद्धान्त' को किस उदार चिंतक से सम्बन्धित करेंगे?

A. माइकल डॉयल B. जेम्स रोज़नाओ

C. रिचर्ड फाक D. माइकल वालज़र

62. नीचे दो कथन दिये गये हैं, एक को अभिकथन (A) और दूसरे को कारण (R) का नाम दिया गया है।

अभिकथन (A) : शासन प्रणाली वैश्वीकरण की महत्त्वपूर्ण विशेषता निरूपित करती है।

कारण (R) : वैमनस्य उपशमन की शुरुआत, यू.एस.ए. के द्वारा हेजिमोनिक प्रस्थिति के क्षय होने तथा पर्यावरणीय समस्याओं के बारे में बढ़ती हुई जागरूकता ने सामाजिक वैज्ञानिकों का संवेदीकरण किया।

कोड :

A (A) और (R) दोनों सत्य हैं और (R), (A) की सही व्याख्या है।

B. (A) और (R) दोनों सत्य हैं, परन्तु (R), (A) की सही व्याख्या नहीं है।

C. (A) सत्य है, परन्तु (R) असत्य है।

D. (A) असत्य है, परन्तु (R) सत्य है।

63. किसने कहा है, "अंतर्राष्ट्रीय राजनीति में सत्ता मौसम के समान है। प्रत्येक व्यक्ति उसके बारे में बात करता है, परन्तु कुछ ही उसे समझते हैं"?

A. हैंस जे. मॉर्गेन्थाऊ

B. हैनरी किस्सिंजर

C. जॉसेफ नाइ

D. सूजेन स्ट्रेंज

64. सूची-I को सूची-II के साथ सुमेलित करें और नीचे दिए कोडों से सही उत्तर का चयन करें :

सूची-I (विफलता के कारण)	**सूची-II (राज्य)**
(*a*) जनजातीय संघर्ष	1. रवांडा
(*b*) गैर-राजनीतिक उद्देश्यों के लिए अंतहीन हिंसा	2. सोमालिया
(*c*) नृजातीय जनसंहार	3. कोंगो
(*d*) पार-राष्ट्रीय युद्ध	4. लाइबेरिया

कोड :

	(*a*)	(*b*)	(*c*)	(*d*)
A.	2	4	1	3
B.	1	3	4	2
C.	4	2	3	1
D.	3	1	2	4

65. शस्त्र नियन्त्रण और निशस्त्रीकरण समझौतों को आरोही क्रम में कालानुक्रमिक रूप से व्यवस्थित करें :

1. स्ट्रेटीजिक ऑफेन्सिव रिडक्शन ट्रीटी (एस.ओ.आर.टी.) – 2002
2. कैमीकल वैपनूस कॉन्वेंशन – 1993
3. ओपन स्काइस ट्रीटी – 1992
4. ओटावा लैण्डमाइन कॉन्वेंशन – 1997

कोड :

A. 4, 1, 3, 2 B. 1, 4, 2, 3
C. 3, 2, 4, 1 D. 2, 3, 1, 4

66. नीचे दो कथन दिये गये हैं, एक को अभिकथन (A) और दूसरे को कारण (R) का नाम दिया गया है।

अभिकथन (A) : शीत युद्ध का उत्तरोत्तर काल एक ध्रुवीय विश्व में बहुध्रुवीय पल है।

कारण (R) : अमेरिका विश्व का उत्कृष्ट अभिनेता बना हुआ है परन्तु वित्तीय रूप से ऋण में है, सैन्यीकरण भी विस्तरित हुआ है, घरेलू रूप से विभाजित और अंतर्राष्ट्रीय रूप से अप्रिय बना हुआ है।

कोड :

A (A) और (R) दोनों सत्य हैं और (R), (A) की सही व्याख्या है।
B. (A) और (R) दोनों सत्य हैं, परन्तु (R), (A) की सही व्याख्या नहीं है।
C. (A) सत्य है, परन्तु (R) असत्य है।
D. (A) असत्य है, परन्तु (R) सत्य है।

67. परिरोधन (कॉन्टेनमेंट) नीति किस मत से सम्बन्धित है?

A. डल्लेस सिद्धान्त
B. ट्रूमैन सिद्धान्त
C. निक्सन सिद्धान्त
D. रूज़वेल्ट सिद्धान्त

68. किस देश में प्राकृतिक गैस का विश्व का सबसे बड़ा रिज़र्व, कोयले का द्वितीय बड़ा रिज़र्व और तेल का आठवाँ सबसे बड़ा रिजर्व है?

A. ईरान B. यू.एस.ए.
C. सऊदी अरब D. रशिया

69. सूची-I को सूची-II के साथ सुमेलित करें और नीचे दिए कोडों से सही उत्तर का चयन करें :

सूची-I (पुस्तकें)	सूची-II (लेखक)
(*a*) ए हंडरेड हॉराइजनूसः दी इंडियन ओशन इन दी एज ऑफ ग्लोबल एंपायर	1. सी. राजा मोहन
(*b*) ग्लोबल स्विंग स्टेट्सः ब्राजील, इंडिया, इंडोनेशिया, टर्की एण्ड दी फ्यूचर ऑफ इंटरनेशनल ऑर्डर	2. सुगातो बोस
(*c*) वार इन दी इंडियन ओशन	3. डेविड क्लीमैन एवं रिचर्ड फॉन्टेन
(*d*) समुंद्र मंथनः सिनो इंडियन राइवलरी इन इंडो-पेसिफिक	4. वाइस एडमिरल मिहिर कुमार रॉय

कोड :

	(*a*)	(*b*)	(*c*)	(*d*)
A.	4	1	2	3
B.	3	4	1	2
C.	2	3	4	1
D.	1	2	3	4

70. राष्ट्रपति बुश द्वारा वर्ष 2002 में अपने स्टेट ऑफ यूनियन भाषण में ''एक्सिस ऑफ इविल'' के रूप में किन देशों की पहचान की गई थी?

A. रशिया, चीन, ईरान
B. ईरान, इराक, सीरिया
C. क्यूबा, वेनेजुएला, रशिया
D. इराक, ईरान, उत्तरी कोरिया

71. संयुक्त राष्ट्र शान्ति निर्माण आयोग कब स्थापित किया गया था?

A. जनवरी 2003 B. दिसम्बर 2004
C. दिसम्बर 2005 D. जनवरी 2006

72. क्षेत्रीय पहल के भाग के रूप में, भारत ने 2004 में टोकियो समझौते की पहल की। इसके फलस्वरूप जिस संगठन का उद्‌भव हुआ उसका नाम बताइए :

A. बी.आर.आई.सी.एस.
B. ए.आर.एफ.
C. आर.ई.सी.ए.ए.पी.
D. आई.ओ.आर.-ए.आर.सी.

73. उस सैनिक कूटनीतिक का नाम बताइए जिसने बताया है कि तमाम युद्ध धोखे पर आधारित हैं और सूक्ष्मता तथा गुप्तता की दिव्य कला के रूप में उसकी प्रशंसा की है

A. क्लाज़विट्स B. कौटिल्य

C. सन ज़ू D. मैक्यावली

74. वर्ष 2002 में इराक को जाने वाले संयुक्त राष्ट्र मोनीटरिंग, सत्यापन और निरीक्षण आयोग (UNMOVIC) की अध्यक्षता करने वाले व्यक्ति का नाम बताइए :

A. कॉफी अन्नान B. हैंस ब्लिक्स

C. डेविड पेट्राअस D. कोलिन पॉवल

75. भारत की विदेश नीति को निम्नलिखित में से कौन-सा राज्य सबसे कम प्रभावित करता है?

A. जम्मू एवं कश्मीर B. पश्चिम बंगाल

C. मध्य प्रदेश D. तमिलनाडु

उत्तरमाला

1	2	3	4	5	6	7	8	9	10
D	D	C	A	B	B	C	D	D	B
11	**12**	**13**	**14**	**15**	**16**	**17**	**18**	**19**	**20**
B	B	*	C	A	B	B	B	A	B
21	**22**	**23**	**24**	**25**	**26**	**27**	**28**	**29**	**30**
A	B	C	B	B	C	D	D	A	A
31	**32**	**33**	**34**	**35**	**36**	**37**	**38**	**39**	**40**
B	D	A	B	D	B	D	C	B	B
41	**42**	**43**	**44**	**45**	**46**	**47**	**48**	**49**	**50**
D	B	D	C	D	B	B	A	A&D	D
51	**52**	**53**	**54**	**55**	**56**	**57**	**58**	**59**	**60**
A	A	C	D	A	B	A	B	A	C
61	**62**	**63**	**64**	**65**	**66**	**67**	**68**	**69**	**70**
A	B	C	A	C	D	B	D	C	D
71	**72**	**73**	**74**	**75**					
C	C	C	B	C					

पिछले प्रश्न-पत्र (हल सहित)

यू.जी.सी. NET राजनीति शास्त्र, जून-2013

प्रश्न-पत्र-II

नोटः *इस प्रश्नपत्र में **पचास (50)** बहु-विकल्पीय प्रश्न हैं। प्रत्येक प्रश्न के **दो (2)** अंक हैं। **सभी** प्रश्नों के उत्तर दीजिए।*

1. अरस्तू द्वारा प्रतिपादित सामाजिक ढाँचे/संरचना में से कौन-सा वर्ग औसत (मीन) निर्मित करता है?

A. धनी वर्ग B. गरीब नागरिक

C. मध्य वर्ग D. कारीगर वर्ग

2. इटली के नैतिक अपकर्ष के लिए मैकियावली ने किसे दोष दिया?

A. राजकुमार B. चर्च

C. अभिजात तंत्र D. भ्रष्ट लोग

3. हीगेल के लिए निम्नलिखित में से कौन-सा सही है?

A. परिवार वाद है, बुर्जुआ समाज प्रतिवाद है और राज्य संवाद है।

B. जो मुक्तिमूलक है वह वास्तविक है तथा जो वास्तविक है वह मुक्तिमूलक है।

C. अंतर्विरोध सत्य की प्राप्ति में बाधा उत्पन्न नहीं करते।

D. उपर्युक्त सभी।

4. निम्नलिखित में से किसने बैंथम के दर्शन की आलोचना "पिग फिलॉसफी" कह कर की है?

A. लेस्ली स्टीफेन B. कार्ल मार्क्स

C. कारलाइल D. जे.एस. मिल

5. जॉन रॉल की कृतियों के संबंध में निम्नलिखित में से कौन-सा सही है?

A. दि थियरी ऑफ जस्टिस

B. पॉलिटिकल लिबरलिज्म

C. दि लॉ ऑफ पीपुल

D. उपर्युक्त सभी

6. निम्नलिखित में से कौन-सा कथन माओ का नहीं है?

A. राजनीतिक शक्ति बंदूक की नली से उपजती है।

B. कठोर परिश्रम के तीन वर्ष : खुशियों के दस हजार वर्ष।

C. अणु बम वास्तविक शेर है।

D. क्रांति एक रात्रिभोज आयोजन नहीं है।

7. निम्नलिखित में से कौन-सा कथन सही है?

A. बिहेवियरलिज्म उद्दीपक-अनुक्रिया रूपावली पर आधारित है।

B. पोस्ट बिहेवियरलिज्म के सात सिद्धांत हैं।

C. पोस्ट बिहेवियरलिज्म, बिहेवियरलिज्म का पूर्णतया खण्डन करता है।

D. बिहेवियरिज्म तथा बिहेवियरलिज्म में कोई अंतर नहीं है।

8. नीचे दो वक्तव्य दिये गये हैं, एक को अभिकथन (A) और दूसरे को कारण (R) कहा गया है :

अभिकथन (A) : कार्ल मार्क्स ने आरंभिक समाजवादियों को कल्पनालोकी समाजवादी कहा है।

कारण (R) : उन्होंने पूँजीवादी व्यवस्था की ही आलोचना की।

कूट :

A (A) और (R) दोनों सत्य हैं तथा (R), (A) का सही स्पष्टीकरण है।

B. (A) और (R) दोनों सत्य हैं, परन्तु (R), (A) का सही स्पष्टीकरण नहीं है।

C. (A) सही है, परन्तु (R) गलत है।

D. (A) गलत है, परन्तु (R) सही है।

9. प्लेटो द्वारा चर्चित सद्गुण के चार संघटकों का सही क्रम बतलाइए :

1. न्याय (जस्टिस)
2. साहस (करेज)
3. संयम (टेंपेरेंस)
4. बुद्धिमानी (विजडम)

नीचे दिए गए कोड से सही उत्तर चुनिए :

A. 1, 2, 3, 4 B. 2, 3, 4, 1

C. 4, 2, 3, 1 D. 3, 2, 1, 4

10. सूची-I को सूची-II के साथ सुमेलित कीजिए तथा नीचे दिये गए कोड से सही उत्तर चुनिए :

सूची-I	सूची-II
(a) सावरकर	1. "लोटस एण्ड डैगर्स" नामक गुप्त संस्था से संबद्ध
(b) एम.एन. राय	2. **ए प्ली फॉर रिकंस्ट्रक्शन ऑफ इंडियन पॉलिटी** शीर्षक पुस्तक का लेखक
(c) अरविंदो घोष	3. कानपुर षड्यंत्र मुकदमे में दण्डित
(d) जयप्रकाश नारायण	4. समस्त राजनीति का हिंदुकरण तथा हिंदू धर्म का सैन्यकरण

कूट :

	(a)	(b)	(c)	(d)
A.	4	3	1	2
B.	3	2	4	1
C.	2	1	3	4
D.	1	2	4	3

11. उन्नीसवीं शताब्दी के निम्नलिखित में से किसके विचारों की प्रतिक्रिया में असम विकास की धारणा का उद्भव हुआ?

A. पूँजीवाद B. क्रमविकास और क्रमवाद
C. प्रत्यक्षवाद D. अराजकतावाद

12. सूची-I को सूची-II के साथ सुमेलित कीजिए तथा नीचे दिये गए कूट से सही उत्तर चुनिए :

सूची-I (निर्भरता सिद्धांतवादी)	सूची-II (पुस्तकें)
(a) समीर अमीन	1. डिपेंडेंसी एण्ड डेवलपमेंट
(b) ए.जी. फ्रैंक	2. एक्युमुलेशन ऑन ए वर्ल्ड स्केल
(c) एफ. हेनरिक कार्डोसो	3. कैपिटलिज्म एंड अंडर-डेवलपमेंट इन लैटिन अमेरिका
(d) पॉल स्वेजी	4. मोनोपोली कैपिटल

कूट :

	(a)	(b)	(c)	(d)
A.	4	1	3	2
B.	3	4	2	1
C.	1	2	4	3
D.	2	3	1	4

13. निम्नलिखित में से कौन संवैधानिक उपागम से संबंधित है?

A. जेम्स ब्राइस B. मेरियम
C. आर्थर बेंटले D. लॉस्वेल

14. एकल रेखीय प्रक्रिया के रूप में राजनीतिक विकास के विचार को चुनौती देने वाला निम्नलिखित में से कौन था?

A. शिल्स B. हंटिंग्टन
C. आल्मंड D. हाल्प्रेन

15. निम्नलिखित में से कौन-सा युग्म सही रूप में सुमेलित नहीं है?

सूची-I (चिंतक)		सूची-II (विचार)
1. ईस्टर्न	—	नियामक क्रियाविधि
2. डायच	—	अल्पतंत्र का आधुनिकीकरण
3. शिल्स	—	संरचनात्मक विभेदीकरण
4. लूसियन पाई	—	नकारात्मक प्रतिपुष्टि

नीचे दिए गए कोड में से सही उत्तर चुनिए :

A. 2 तथा 3 B. 1 तथा 2
C. 1, 3 तथा 4 D. 2, 3 तथा 4

16. 'सांस्कृतिक द्वैतवाद' क्या है?

A. दो धार्मिक संस्कृतियों का अस्तित्व में होना।
B. नव-स्थापित राष्ट्रों की दो भाषाएँ होती हैं।
C. अभिजात लोगों का एक आधुनिकीकृत वर्ग होता है, जबकि अधिकांश लोग कठोर परंपरागत ढाँचे में जकड़े होते हैं।
D. यह धार्मिक तथा धर्म-निरपेक्ष के बीच पार्थक्य है।

17. ऑल्मण्ड द्वारा प्रतिपादित राजनीतिक व्यवस्था के निम्नलिखित आगत कार्यों का सही अनुक्रम पहचानिए :

1. हित समूहीकरण
2. हित सुस्पष्टीकरण
3. राजनीतिक समाजीकरण तथा भर्ती
4. राजनीतिक सम्प्रेषण

नीचे दिए गए कूट में से सही उत्तर चुनिए :

A. 2, 3, 1 तथा 4 B. 3, 2, 1 तथा 4
C. 3, 1, 2 तथा 4 D. 1, 2, 3 तथा 4

18. प्रशासन के शास्त्रीय सिद्धांत को .... भी कहा जाता है।

A. अवस्थिति सिद्धांत B. ऐतिहासिक सिद्धांत
C. यंत्रवादी सिद्धांत D. मानव संबंध सिद्धांत

19. अभिजात वर्ग का 'स्पेकुलेटर्स' और 'रेंटियर्स' के रूप में पैरेटो द्वारा किया गया वर्णन, निम्नलिखित में से किसके द्वारा वर्णित शासनात्मक गुट के अभिलक्षणों से मिलता-जुलता है?

A. प्लेटो B. अरस्तू

C. मैकियावली D. मार्क्स

20. साम्यवाद तथा उदारवादी लोकतंत्र के बीच अंतर की अपेक्षा व्यवस्था और अव्यवस्था के बीच अंतर अधिक महत्वपूर्ण है—इसका पक्षधर कौन था?

A. लिप्सेट B. लाइफार्ट

C. डाहल D. हंटिंग्टन

21. निम्नलिखित में से कौन-से वक्तव्य सही नहीं हैं?

1. संविधान के प्रावधानों के अनुसार, मंत्रिपरिषद् सामूहिक तथा व्यक्तिगत दोनों रूप में लोकसभा के प्रति जवाबदेह है।
2. किसी मंत्री-विशेष के विरुद्ध अविश्वास प्रस्ताव स्वीकार्य नहीं होता।
3. अविश्वास प्रस्ताव में उन कारणों का स्पष्ट उल्लेख होना चाहिए जिन पर अविश्वास प्रस्ताव आधारित है।
4. यदि कोई अविश्वास प्रस्ताव लोकसभा द्वारा पारित कर दिया जाता है तो मंत्रिपरिषद् को त्यागपत्र देना होगा।

नीचे दिए गए कूट से सही उत्तर चुनिए :

A. 1 तथा 2 B. 1 तथा 3

C. 1, 2 तथा 3 D. 2 तथा 3

22. कांग्रेस के आवडी अधिवेशन (1956) में किससे संबंधित नीति को स्वीकार किया गया?

A. सहकारी कृषि

B. आयात विकल्प

C. गरीबी हटाओ

D. समाज का समाजवादी ढाँचा

23. गृह सचिव एन.एन. वोहरा की अध्यक्षता वाली भारत सरकार की प्रशासनिक समिति (1993) ने क्या निष्कर्ष निकाला था?

A. चुनाव सुधार

B. राजनीतिज्ञों के लिए न्यूनतम योग्यता

C. राजनीतिज्ञों, अपराधियों तथा नौकरशाहों के बीच साँठ-गाँठ

D. आंतरिक सुरक्षा संबंधी प्राथमिकताएँ

24. पार्थो चटर्जी के लेखन के अनुसार पूँजी के वैश्वीकरण की नवीनतम अवस्था में किनके बीच विरोध नजर आएगा?

A. आधुनिकता तथा लोकतंत्र

B. सामन्तवाद तथा लोकतंत्र

C. समावेशन तथा लोकतंत्र

D. अभिजनवाद तथा जन-संस्कृतियाँ

25. अनुच्छेद 360 के अंतर्गत राष्ट्रपति वित्तीय आपातकाल उद्घोषित कर सकते हैं

A. सम्पूर्ण भारत या भारत के किसी भाग के लिए।

B. नागालैंड, त्रिपुरा, मणिपुर, मेघालय, मिजोरम तथा अरुणाचल प्रदेश को छोड़कर सम्पूर्ण भारत के लिए।

C. जम्मू और कश्मीर को छोड़कर सम्पूर्ण भारत के लिए।

D. अंडमान निकोबार द्वीप समूह को छोड़कर सम्पूर्ण भारत के लिए।

26. नीचे दो वक्तव्य दिये गये हैं, एक को अभिकथन (A) और दूसरे को कारण (R) कहा गया है।

अभिकथन (A) : भारतीय समाज के तीव्र धार्मिक अभिमुखीकरण के दृष्टिकाण से, भारतीय राज्य की धर्म निरपेक्षता की विचारधारा विरोधाभासी प्रतीत होती है।

कारण (R) : भारतीय समाज के सांस्कृतिक बहुलता एवं वैविध्य को एक सर्वसामान्य राष्ट्र-राज्य में एकीकृत करने तथा भारत में अंगरेजी शासन के दौरान साम्राज्यवादी 'फूट डालो और शासन करो' तथा मुस्लिम लीग की 'द्वि-राष्ट्र' विचारधारा पर अंकुश लगाने के लिए भारतीय धर्म निरपेक्षता को गढ़ा गया।

कूट :

A (A) तथा (R) दोनों सही हैं तथा (R), (A) का सही स्पष्टीकरण है।

B. (A) तथा (R) दोनों सही हैं, परन्तु (R), (A) का सही स्पष्टीकरण नहीं है।

C. (A) सही है, परन्तु (R) गलत है।

D. (R) सही है, परन्तु (A) गलत है।

27. भारतीय पूँजीवाद के धर्मशाला मॉडल का प्रवर्तन किसने किया?

A. दाण्डेकर तथा रथ

B. अर्जुन सेनगुप्ता

C. राज कृष्ण

D. अमर्त्य सेन

28. सन् 1963 में नेहरू ने कामराज योजना को शुरू किया :
A. कांग्रेस पार्टी की प्रतिबद्धताओं को पुनर्जीवन प्रदान करने के लिए
B. पार्टी के युवाओं को आकर्षित करने के लिए
C. पार्टी में उत्तराधिकार की प्रक्रिया की योजना और उसे अमली जामा पहनाने के लिए
D. पार्टी में लिंग-समानता लाने के लिए

29. निम्नलिखित कथनों में से कौन-सा कथन केंद्रीय सतर्कता आयोग के बारे में सही नहीं है?
A. केंद्रीय सतर्कता आयोग के आयुक्त की नियुक्ति भारत के राष्ट्रपति द्वारा की जाती है।
B. केंद्रीय सतर्कता आयोग के आयुक्त का पद सांविधिक पद है।
C. उसके पदासीन होने का कार्यकाल पाँच वर्षों का होता है।
D. उसे सी. बी. आई. की कार्यकारिता का अधीक्षण करने का अधिकार होता है।

30. निम्नलिखित में से कौन-से कथन सही नहीं हैं?
1. भारत के निर्वाचन आयोग ने आयोग के अंतर्गत एक विशेष निर्वाचन व्यय परिवीक्षण प्रभाग का गठन किया है।
2. राजनीतिक दलों के हिसाब/खातों का लेखा-परीक्षण प्रतिवर्ष किया जाता है।
3. निर्वाचन से संबंधित भुगतान करके समाचार देना एक निर्वाचकीय अपराध है।
4. पोलिंग स्टेशन के भीतर चल रही मतदान की कार्रवाही की विडियोग्राफी करने की अनुमति होती है।

नीचे दिए कूट में से सही उत्तर का चयन कीजिए :
कूट :
A. 1, 3 तथा 4 B. 2, 3 तथा 4
C. 1 तथा 3 D. 2 तथा 3

31. **अभिकथन (A) :** शक्ति अभिजन से संबंधित सी. राइट मिल्स के तर्क शास्त्रीय अभिजन सिद्धांत के ढांचे पर आधारित हैं।
कारण (R) : अभिजनपरक निरूपण करना शास्त्रीय अभिजनवाद के बिना सम्भव नहीं।
कूट :
A (A) और (R) दोनों सही हैं तथा (R), (A) का सही स्पष्टीकरण है।
B. (A) और (R) दोनों सही हैं, परन्तु (R), (A) का सही स्पष्टीकरण नहीं है।
C. (A) सही है, परन्तु (R) गलत है।
D. (A) गलत है, परन्तु (A) सही है।

32. "प्रिज्मीय समाज" का सिद्धांत निम्नलिखित में से किस पर आधारित है?
A. विभिन्न समाजों में लोक प्रशासन का ऐतिहासिक अध्ययन
B. विकसित और विकासशील देशों में लोक सेवाओं का अध्ययन
C. विकसित देशों में लोक प्रशासन की सांस्थानिक तुलना
D. विकासशील देशों में लोक प्रशासन का संरचनात्मक-प्रकार्यात्मक विश्लेषण

33. जॉब लोडिंग का अर्थ है
A. उत्तरदायित्व, कार्यक्षेत्र तथा चुनौतियों को जान-बूझकर सोच-समझकर बढ़ाना
B. किसी कर्मचारी का एक कार्य से हटाकर दूसरे कार्य का लगाना
C. कार्य को अधिक रुचिपूर्ण बनाना
D. उपर्युक्त सभी

34. नकारात्मक अभिप्रेरण निम्नलिखित में से किस पर आधारित है?
A. चिंता B. खतरा
C. रुपया-पैसा D. भय

35. निम्नलिखित में से किसके विचारों से सिमोन सकारात्मक रूप से प्रभावित था?
A. एल.डी. व्हाइट B. टेरी
C. बर्नार्ड D. हेनरी फेयोल

36. **अभिकथन (A) :** संगठन का शास्त्रीय सिद्धांत औपचारिक सिद्धांतों पर आधारित है।
कारण (R) : शास्त्रीय सिद्धांतशास्त्र में व्यवहारपरक विश्लेषण का अभाव था।
A (A) तथा (R) दोनों सही हैं और (R), (A) का सही स्पष्टीकरण है।
B. (A) तथा (R) दोनों सही हैं, परन्तु (R), (A) का सही स्पष्टीकरण नहीं है।
C. (A) सही है, परन्तु (R) गलत है।
D. (R) सही है, परन्तु (A) गलत है।

37. हर्बर्ट सिमोन द्वारा प्रस्तावित प्रविधि कौन-सी है?
A. परिसीमित विवेकशीलता B. तार्किक प्रत्यक्षवाद
C. निर्णयन D. संतुष्टिकरण

38. निम्नलिखित में से किस विचारक ने मिथकों और लोकोक्तियों के रूप में प्रशासन के सिद्धांतों को अस्वीकार किया?

A. हर्बर्ट सिमोन B. डब्लू.एफ. विलोबी
C. एल.डी. व्हाइट D. चेस्टर बर्नार्ड

39. "जोन ऑफ इंडिफरेंस" की संकल्पना का संबंध किससे है?

A. शक्ति B. निर्णयन
C. सत्ता D. नेतृत्व

40. निम्नलिखित में से किस विद्वान ने नेतृत्व को "सर्कुलर रिस्पांस" के रूप में विश्लेषित किया?

A. टेलर B. मिलेट
C. एम.पी. फोलेट D. सी.आई. बर्नार्ड

41. युद्ध के गैर-राजकीय आयाम को यह भी कहते हैं

A. वेस्टफेलियन युद्ध B. उत्तर-वेस्टफेलियन युद्ध
C. नव-युद्ध D. पूर्व-वेस्टफेलियन युद्ध

42. 1 दिसंबर 1943 की तेहरान उद्घोषणा में निम्नलिखित में से किसकी योजना बनाई गई थी?

A. ट्रस्टीशिप B. नवीन-सदस्यता
C. शांति कायम करना D. संघर्ष समाधान

43. "फंक्शनल थियरी ऑफ इंटेग्रेशन" पद को गढ़ने वाला कौन है?

A. डेविड मित्रेनी B. अर्नेस्ट हैस
C. जोसेफ नाइ D. ऐन्ड्रू लिंकलेटर

44. सी. ई. पी. ए. (कंप्रिहेंसिव इकोनॉमिक पार्टनरशिप ऐग्रीमेंट) को निम्नलिखित में से किन दो देशों के बीच शासकीय मंजूरी अक्टूबर 2010 में दी गई?

A. भारत तथा जापान B. भारत तथा चीन
C. भारत तथा रूस D. भारत तथा द. कोरिया

45. व्यवस्था विश्लेषण के मार्टन कप्लान के मॉडल्स का सही अनुक्रम क्या है?

1. शक्ति का संतुलन
2. ढीली द्विध्रुवीयता
3. कठोर द्विध्रुवीयता
4. सार्वभौमिक अंतर्राष्ट्रीय व्यवस्था

कूट :

A. 4, 3, 2, 1 B. 3, 4, 2, 1
C. 4, 2, 3, 1 D. 1, 2, 3, 4

46. "स्टेबल पीस" नामक पुस्तक के लेखक का नाम बताइए:

A. जोहान गेल्टुंग B. गुन्नार मिर्डाल
C. केनेथ बाउल्डिंग D. पीटर वालरस्टीन

47. सुरक्षा परिषद् के प्रस्ताव संख्या 1441 (नवम्बर, 2002) का संबंध किससे है?

A. सोमालिया में यू.एन. की संलिप्तता
B. बोस्निया में उड़ान निषिद्ध क्षेत्र लागू करना
C. उत्तरी ईराक के कुर्दों को सुरक्षा प्रदान करने के लिए खाड़ी युद्ध की समाप्ति पर हस्तक्षेप का अनुमोदन
D. ईराक पर प्रस्ताव, जिसमें यह कहा गया था कि यदि सद्दाम हुसैन यू.एन. निरीक्षक दल को अपने जन-संहारक हथियारों का ब्यौरा नहीं देते तो गंभीर परिणाम भुगतने होंगे

48. तीन विचारधाराओं—यथार्थवाद, तर्कबुद्धिवाद तथा क्रांतिवाद—के संयोजन के रूप में अंतर्राष्ट्रीय समाज सिद्धांत का प्रवर्तन किसने किया?

A. मार्टिन वाइट B. केनथ वाल्ट्ज
C. हेडली बुल D. रेमण्ड एरोन

49. **अभिकथन (A) :** सुरक्षा परिषद् के निर्णय बाध्यकारी होते हैं, तथा उन्हें 15 में से नौ सदस्यों के बहुमत और साथ ही पाँच स्थायी सदस्यों में से प्रत्येक के द्वारा पारित करना ही पड़ता है।

कारण (R) : इन पाँच स्थायी सदस्यों को सुरक्षा परिषद् के समस्त निर्णयों के ऊपर वीटो-पावर होता है।

कूट :

A (A) तथा (R) दोनों सही हैं तथा (R), (A) का सही स्पष्टीकरण है।
B. (A) तथा (R) दोनों सही हैं, परन्तु (R), (A) का सही स्पष्टीकरण नहीं है।
C. (A) सही है, परन्तु (R) गलत है।
D. (A) गलत है, परन्तु (R) सही है।

50. निम्नलिखित में से कौन-कौन से सिद्धांत मार्गेन्थू द्वारा प्रतिपादित यथार्थवादी सिद्धांतों के अंतर्गत आते हैं?

1. स्थायी और अपरिवर्तनीय मानव-प्रकृति की मूल में राजनीति स्थित होती है।
2. मानव-अस्तित्व में स्व-हित आधारभूत तत्व है।
3. बल प्रयोग केवल विदेश नीति का अंग है।
4. राष्ट्रीय हित को शक्ति के रूप में परिभाषित किया जाता है।

कूट :

A. सभी सही हैं। B. 1, 2 तथा 4 सही हैं
C. 1, 3 तथा 2 सही हैं D. 1, 3 तथा 4 सही हैं

उत्तरमाला

1	2	3	4	5	6	7	8	9	10
C	B	D	C	D	C	B	C	C	A
11	12	13	14	15	16	17	18	19	20
A	D	A	B	D	C	B	C	D	D
21	22	23	24	25	26	27	28	29	30
B	D	C	A	C	A	C	A	C	D
31	32	33	34	35	36	37	38	39	40
C	D	A	D	C	B	B	A	C	C
41	42	43	44	45	46	47	48	49	50
B	C	A	A	D	C	D	A	A	B

कुछ चुने हुए प्रश्नों के व्याख्यात्मक उत्तर

1. अरस्तू के अनुसार अत्याचारतंत्र और कुलीनतंत्र की तुलना में सरकार के लिए लोकतंत्र 'कम से कम बुरा' है। लोकतंत्र निष्पक्ष मूल्यांकन प्रदान करता है क्योंकि इसमें व्यक्तिगत लोगों की तुलना में सामूहिक राय और निर्णय लिए जाते हैं। हालाँकि, इसका नुकसान यह है कि यह असाधारण व्यवहार करता है। कुलीन तंत्र अल्पसंख्यक द्वारा नियंत्रित होता है जबकि लोकतंत्र एक बहुमत की सरकार है जिसमें अमीर-गरीब, कुलीन आदि सभी सम्मिलित रहते हैं और जिनका अपना संविधान होता है जिसके द्वारा वे नियंत्रित होते हैं।

अरस्तू द्वारा प्रतिपादित सामाजिक संरचना में मध्य वर्ग राजनीतिक स्थिरता का विस्तार है। यह न तो अमीर है और न ही गरीब। यह दोनों के बीच संतुलन का काम करता है। यह अमीर के विशेषाधिकार और गरीब के अनियंत्रित व्यवहार के बीच दिशा को नियंत्रित करने का कार्य करता है। यह राज्य में शांति और स्थिरता के लिए जागरूकता, समानता और आम सहमति के द्वारा अपने आदर्श को पूरा करता है।

4. चूँकि बेन्थम ने अपने आकलन में मानव व्यवहार और जन्तु व्यवहार में एक ही प्रकार के सुख या आनन्द को समझा चाहे वह गुणात्मक रूप में हो या मात्रात्मक। अतएव थॉमस कार्लाइल ने उनके दर्शन को (Pig Philosophy) 'अनर्गल दर्शन' के रूप में उल्लेख किया। बेन्थम के अनुसार अगर सुअर और एक व्यक्ति का स्तर एक ही है तो मूल्य के हिसाब से दोनों में कोई अन्तर नहीं है। बेन्थन की चिन्ता कम या ज्यादा आनन्द से है न कि बेहतर या बदतर से और वह इस तरह से मानव के जीने के तरीके एवं एक खुशी सुअर को एक ही रूप में स्वीकार करते हैं।

5. जॉन रॉल की कृतियों में 'दि थियरी ऑफ जस्टिस' 1959 में प्रकाशित दार्शनिक समीक्षा है। 'पॉलिटिकल लिबरलिज्म' 1993 में प्रकाशित दर्शन है और 'दि लॉ ऑफ पीपुल' 1999 में प्रकाशित ग्रंथ है।

7. उत्तर व्यवहारवाद सिद्धांतों और बौद्धिक दिशाओं का समुच्चय लिए हुए है जिसमें प्रासंगिक उद्देश्यात्मक और मूल्य आधारित अनुसंधान शामिल है और परिवर्तन तथा कार्य आधारित राजनीतिक जिज्ञासा भी है और यह मांग करता है कि राजनीतिक वैज्ञानिक मानव मूल्यों के पैरोकार बनें न कि महज विधिदर्शी। डेविड इस्टन, जिन्होंने व्यवहारवाद का बौद्धिक नींव पत्थर रखा था, ने उत्तर व्यवहारवाद के सात मुख्य तत्वों का उल्लेख किया है जिसे वह 'प्रासंगिकता के मूलमंत्र' कहता है, जो निम्नलिखित हैं–

(*i*) तकनीक के बजाय सारतत्व को वरीयता
(*ii*) परिवर्तन हेतु रुचिकर एवं सुधारोन्मुख
(*iii*) सामाजिक एवं राजनीतिक रूप से प्रासंगिक अनुसंधान
(*iv*) मूल्य आधारित अनुसंधान
(*v*) राजनीतिक वैज्ञानिक बौद्धिक आलोचक के रूप में
(*vi*) कार्यपरक व उद्देश्यपरक अनुसंधान
(*vii*) अवश्यंभावी एवं इच्छापरक पेशे का राजनीतिकरण

9. प्लेटो ने सकारात्मक चरित्र लक्षण के लिए चार मूल सदगुणों का विकास किया। ये हैं—ज्ञान, धैर्य, संयम एवं न्याय। अरस्तु और बाद में थॉमस एक्विनास ने गुण के इसी वर्गीकरण को लिया। धैर्य से साहस बढ़ता है जो एक व्यापक श्रेणी है जिसमें संयम एवं दृढ़ता सम्मिलित है।

13. संस्थात्मक एवं संरचनात्मक उपागम को कतिपय अंग्रेज एवं अमेरिकन लेखकों की कृतियों में देखा जा सकता है। हम इनमें वाल्तर बेगहॉट, एफ.ए. ओग, डब्ल्यू. बी. मुनरो, हर्मन फाइनर, एज. जे. लॉस्की, बर्नर्ड क्रीक, जेम्स ब्रायस, हेराल्ड जिंक आदि का नाम ले सकते हैं। उनकी कृतियों का प्रभावशाली तत्व यह है कि राजनीति का अध्ययन औपचारिक हो गया है। साथ ही, राजनीतिक व्यवस्था को अनौपचारिक संस्थागत ढांचे तक सीमित कर दिया गया है।

14. पिछले कुछ दशकों में राजनीतिक विकास की अवधारणा पर सबसे अधिक उत्पादक काम राजनीतिक विकास की अनिवार्यता को चुनौती देने का हुआ है। वास्तव में लेखकों के एक समूह ने और अधिक सार्थक विश्लेषण को बढ़ावा देकर एक बड़ा कदम उठाया है। सैमुअल पी. हटिंगटन और मेनकर ओल्सन ने इस धारणा को चुनौती दी है कि राजनीतिक परिवर्तन अनिवार्य रूप से राजनीतिक विकास की ओर जाता है। वे समाज में होने वाले तीव्र एवं व्यापक परिवर्तन को राजनीतिक क्षय, अवनति एवं राजनीतिक अस्थिरता के रूप में देखते हैं। राजनीतिक परिवर्तन व्यवस्था एवं स्थायित्व के बजाय अशांति पैदा कर सकता है। हटिंगटन ने राजनीतिक विकास एवं राजनीतिक परिवर्तन की प्रक्रिया को स्पष्ट रूप से अलग किया है। उन्होंने रेखांकित किया कि समाज में किसी व्यक्ति की गतिशीलता एवं राजनीतिकरण में परिवर्तन स्पष्ट होना चाहिए। लेकिन समूह भागीदारी स्वाभाविक रूप से सरकार की प्रक्रिया के विकास में नेतृत्व नहीं कर सकता जो संघर्ष के प्रबंधन में सक्षम हो।

यह तर्क राजनीतिक विकास की प्रक्रिया के विश्लेषण में सीमांकन प्रस्तुत करता है। हटिंगटन एवं अन्य की सलाह है कि राजनीतिक परिवर्तन की प्रक्रिया दृढ़निश्चयी नहीं है—यह एकस्तरीय नहीं है, यह बहुस्तरीय प्रक्रिया है। राजनीतिक परिवर्तन राजनीतिक विकास को बढ़ा सकता है साथ ही, राजनीतिक अवनति भी कर सकता है।

18. प्रशासन के शास्त्रीय सिद्धान्त का विकास बीसवीं शताब्दी के प्रथमार्ध में हुआ। हेनरी फेयोल, लुथर गुलिक, लिंडल उर्विक, जे.डी. मुने, एम.पी. फॉलेट आदि इस सिद्धान्त के मुख्य पैरोकार हैं। यह सिद्धान्त 1937 में अपने चरम पर पहुँचा, जब गुलिक एवं उर्विक का 'पेपर्स ऑन दि साइन्स ऑफ एडमिनिस्ट्रेशन' प्रकाशित हुआ। यह पुस्तक प्रशासन के शास्त्रीय उपागम का समेकित प्रदर्शन है।

शास्त्रीय सिद्धान्त को कई अन्य नामों से भी जाना जाता है, जैसे—पारंपरिक सिद्धान्त, औपचारिक संगठन सिद्धान्त, यंत्रवादी सिद्धान्त, संरचनात्मक सिद्धान्त एवं प्रबंधन प्रक्रिया स्कूल'। इसे मार्क एवं साइमन द्वारा 'प्रशासनिक प्रबंधन सिद्धान्त' भी कहा जाता है।

22. जनवरी 1955 में कांग्रेस का अवादी अधिवेशन दो कारणों से महत्वपूर्ण है। पहला यह कि नेहरू कांग्रेस अध्यक्ष पद से हटा दिए गए। यू.एन. ढेवर इस सत्र के अध्यक्ष चुने गए और वह फरवरी 1959 जब इन्दिरा गांधी नागपुर सत्र में अध्यक्ष चुनीं गई, तक कांग्रेस की अध्यक्षता की। दूसरा महत्वपूर्ण पक्ष यह रहा कि कांग्रेस पार्टी ने समाज का समाजवादी ढांचा के निर्माण के प्रति अपनी प्रतिबद्धता जाहिर की। अवादी में कांग्रेस पार्टी का दृष्टिकोण एक ऐसे समाज की स्थापना था जिसमें उत्पादन के साधनों पर सामाजिक स्वामित्व हो और राष्ट्रीय धन का समान वितरण हो सके।

23. तात्कालीन गृह सचिव एन.एन. वोहरा की अध्यक्षता में 9 जुलाई 1993 को वोहरा समिति का गठन हुआ। इसका उद्देश्य अपराधियों, माफिया गिरोहों पर सरकारी मशीनरी एवं राजनीतिक व्यक्ति द्वारा उनके संरक्षण के संबंध में छानबीन करना था। यह रिपोर्ट 18 महीनों तक यह कहते हुए कि आंतरिक प्रशासनिक प्रतिवेदन है, पड़ा रहा। विपक्षी सदस्यों के दबाव में लोकसभा अध्यक्ष द्वारा यह रिपोर्ट अगस्त 1995 में दोनों सदनों में प्रस्तुत किया गया।

रिपोर्ट कहता है कि राजनीतिज्ञों, अपराधियों और नौकरशाहों के बीच साँठ-गाँठ में तीव्र गति से विकास हो रहा है। इनमें से अनेकों का अन्तर्राष्ट्रीय गठजोड़ है जिसमें विदेशी खुफिया एजेन्सी भी सम्मिलित हैं।

28. कामराज योजना एक राजनीतिक योजना थी, जिसका निर्माण भारतीय राष्ट्रीय कांग्रेस के वरीय नेता के. कामराज द्वारा वर्ष 1963 में किया गया था। उस समय वह तमिलनाडु के तीसरी बार मुख्यमंत्री बने थे। उन्होंने प्रस्ताव किया कि कांग्रेस के सभी वरीय नेताओं को अपने मंत्री पद से

त्याग पत्र दे देना चाहिए और अपनी सारी ऊर्जा कांग्रेस के पुनर्जीवन में लगा देना चाहिए। छह केंद्रीय मंत्रियों एवं छह मुख्यमंत्रियों ने इस पर त्यागपत्र दे दिए थे। यह योजना कांग्रेस पार्टी की प्रतिबद्धताओं को पुनर्जीवन प्रदान करने के लिए बनी थी। 1964 में नेहरू की मृत्यु के बाद कामराज भारतीय राष्ट्रीय कांग्रेस के अध्यक्ष बने और उस त्रासदी जैसी स्थिति से राष्ट्र को उबारने में कामयाब रहे।

32. अपनी पारिस्थितिकी की अवधारणा के विकास के लिए रिग्स ने समाजशास्त्र से संरचनात्मक प्रकार्यात्मक विश्लेषण का उपकरण उधार लिया। तब वह समाज के तीन 'आदर्श प्रारूप' की पहचान की और उसके लिए उसने 'जुड़े हुए समाज' 'पार्श्विक समाज' और 'विवर्तित समाज' के आकर्षक लेबल का उपयोग किया। पार्श्विक समाज या प्रिज्मीय समाज को वह जुड़े हुए समाज एवं विवर्तित समाज के बीच का नाम देता है।

33. जॉब भार एक प्रकार की प्रक्रिया को संदर्भित है जो किसी खास जॉब पर उत्तरदायित्व एवं चुनौतियों को बढ़ाने में कर्मचारी के ज्ञान, कौशल एवं योग्यता को परखता है। जॉब भार दो प्रकार के हो सकते हैं। (अ) क्षैतिज जॉब भार (ब) लंबवत जॉब भार। क्षैतिज जॉब भार में उसी स्तर की जवाबदेही दी जाती है जो पहले से मूल रूप में मिली होती है। कर्मचारी का कार्यक्षेत्र तो बढ़ जाता है लेकिन उच्च स्तरीय जिम्मेदारी इसमें सम्मिलित नहीं होती। यह कर्मचारी को सामान्य काम के अलावा विभिन्न तरह की जिम्मेदारियों का निर्वाह करने में सक्षम बनाता है और यह अच्छा प्रशिक्षण आधार प्रदान करता है जो कर्मचारी के भविष्य के लिए अच्छा हो। जबकि लंबवत जॉब भार में नई जिम्मेदारियों से जवाबदेही बढ़ती है और व्यक्तिगत पहचान महत्त्वपूर्ण हो जाती है। हर्जबर्ग लम्बवत् जॉब भार को जॉब गुणवत्ता के रूप में देखता है।

35. अपने प्रशासन के व्यवहारवादी उपागम के विकास में साइमन एम॰पी॰ फॉलेट के समूह गतिशीलता विचारों से प्रभावित था, एल्टन मेयो के मानव संबंध उपागम से प्रभावित था और खासकर चेस्टर बर्नार्ड के लेखों से प्रभावित था। बर्नार्ड का "कार्यपालक के कार्य" प्रशासन के संबंध में साइमन के विचारों पर सकारात्मक प्रभाव डाला। वस्तुतः बर्नार्ड के विचार साइमन के प्रारम्भिक कार्य "प्रशासनिक व्यवहार" में पाए जाते हैं।

37. तार्किक प्रत्यक्षवाद एक दार्शनिक विचारधारा है जो बुद्धिवाद को अनुभववाद से जोड़ती है। यह हर्बर्ट साइमन द्वारा प्रस्तावित प्रविधि है। यह एक मत या सिद्धान्त है जिसके अनुसार वैज्ञानिक ज्ञान तथ्यात्मक ज्ञान का एक प्रकार है। यह मुख्य दो स्रोतों से आता है। अनुभवजन्य ज्ञान जो विज्ञान से आता है और विश्लेषणात्मक सत्य जो परिभाषा के द्वारा सही या गलत है। 1950 से लोक प्रशासन में एकीकृत परिप्रेक्ष्य तार्किक प्रत्यक्षवाद ही है जो हर्बर्ट साइमन द्वारा परिभाषित किया गया है। साइमन के प्रशासन की अवधारणा के दो मूल तत्व हैं-

(*i*) यह शास्त्रीय विचारकों के प्रधान उपागम के बदले निर्णय लेने की प्रक्रिया पर जोर देता है।

(*ii*) प्रशासन के अध्ययन में सामान्य विचारों के बदले अनुभवजन्य विचारों की वकालत करता है।

हर्बर्ट साइमन प्रशासन की एक नई अवधारणा प्रस्तुत की है जो तार्किक प्रत्यक्षवाद के सिद्धांतों पर आधारित है और जो निर्णय लेने की प्रक्रिया पर रोशनी डालती है।

40. एम॰पी॰ फॉलेट के अनुसार एक नेता किसी विभाग का अध्यक्ष नहीं होता या किसी संगठन का अध्यक्ष नहीं होता, लेकिन अपने इर्दगिर्द की परिस्थितियों को समझ सकता है और इससे निकलने या इसे बदलने में सक्षम हो सकता है। ऐसे लोग संगठन में केवल प्रमुख ही नहीं होते बल्कि पूरे संगठन में विद्यमान रहते हैं। फॉलेट के विचार में नेता पूरे समूह को ही नहीं प्रभावित करता है बल्कि खुद भी इससे प्रभावित रहता है। वह इस पारस्परिक संबंध को 'सर्कुलर रिस्पांस' पुकारता है।

43. अंतर्राष्ट्रीय संघर्ष को बढ़ावा देने के साधन के रूप में डेविड मित्रेनी ने "फंक्शनलथियरी ऑफ इंटेग्रेशन" को आगे रखा। वस्तुतः मित्रेनी क्षेत्रीय सरकारों का बिरोध करता है क्योंकि यह बड़े पैमाने पर राष्ट्रीय प्रतिद्वंदिता को बढ़ावा नहीं देता। इसके बजाय वह इस तरह के अधिकार और क्षेत्र के बीच परंपरागत कड़ी को तोड़ने एवं प्राधिकरण एवं क्षेत्र को विशिष्ट कार्य हेतु जोड़ने की वकालत की है।

48. मार्टिन वाइट ने अंतर्राष्ट्रीय समाज सिद्धान्त के प्रवर्तन के क्रम में तीन ऐतिहासिक उपागमों की पहचान की, जो यथार्थवाद, तर्कबुद्धिवाद और क्रांतिवाद की विचारधारा के संयोजन के रूप में विख्यात हैं।

प्रश्न-पत्र–III

नोट : *इस प्रश्न-पत्र में* **पचहत्तर** *(75) बहु-विकल्पीय प्रश्न हैं। प्रत्येक प्रश्न के* **दो** *(2) अंक हैं।* **सभी** *प्रश्न अनिवार्य हैं।*

1. निम्नलिखित में से किसने यह कहा है कि राजनीतिक सिद्धांत में तीन प्रकार के तत्व होते हैं—तथ्यात्मक, अनियमित तथा मूल्यात्मक?

A. लिओ स्ट्रॉस B. डनिंग
C. डी.एच. सेबाइन D. एबेंस्टीन

2. 1950 के दशक में निम्नलिखित में से यह किसने कहा है कि राजनीतिक सिद्धांत 'डागहाउस' में चला गया है?

A. ईस्टन B. लास्लेट
C. आर.ए. डाहूल D. राइमर

3. निम्नलिखित में से किसने यह कहा है कि "हम अपने मूल्यों को इस तरह नहीं छोड़ सकते जिस तरह हम अपने कोट उतार देते हैं"?

A. पीटर लॉस्लेट B. डेविड ईस्टन
C. इसिया बर्लिन D. रॉबर्ट डाहूल

4. निम्नलिखित में से किसका संबंध राजनीतिक सिद्धांत के पुनरुत्थान से है?

A. डेविड ईस्टन B. अल्फ्रेड कोब्बन
C. वोगेलिन D. लॉस्लेट

5. निम्नलिखित में से कौन-सा वक्तव्य गलत है?

A. 'उदार' पद स्वाधीन व्यक्तियों के उस वर्ग को संदर्भित करता है जो न तो कृषिदास हैं न ही दास हैं।
B. 'उदारवाद' पद का प्रथम प्रयोग स्पेन में 1812 में किया गया।
C. शास्त्रीय उदारवाद तथा आधुनिक उदारवाद में विभिन्नताएँ हैं।
D. बाजार-विरोधियों की नैतिक कमियाँ बाजार-समर्थकों की भी नैतिक कमियाँ हैं।

6. किसके विचारों को कभी-कभी 'मैंचेस्टर उदारवाद' के रूप में संदर्भित किया जाता है?

A. एडम स्मिथ तथा डेविड रिकार्डो
B. रिचर्ड कॉब्डेन तथा जॉन ब्राइट
C. जॉन लॉक तथा जे.एस. मिल
D. बर्लिन तथा मैकफर्सन

7. यह किसने कहा है कि "स्वयं मेरा अस्तित्व एक सामाजिक क्रियाकलाप है तथा क्रियाकलाप और मन अपने संदर्भ में और साथ ही अपने उद्गम में, सामाजिक हैं; वे सामाजिक क्रियाकलाप तथा सामाजिक मन हैं"?

A. रॉबर्ट ओवेन B. कार्ल मार्क्स
C. हेगेल D. जे.एस. मिल

8. हॉब्स ने 'रिजोल्युटिव कंपोजिट' का सिद्धांत किससे गृहीत किया?

A. गैलीलियो B. युक्लिड
C. देकार्त D. अरस्तू

9. यह किसका कथन है कि "जे.जे. रूसो जेकोबियन निरंकुशतंत्र तथा सीजेरियन तानाशाही का जनक है तथा उसने कांट एवं हेगेल के निरपेक्ष सिद्धांतों को अभिप्रेरित किया है"?

A. एच.जे. लास्की B. ड्युगिट
C. बर्लिन D. कार्ल पॉपर

10. निम्नलिखित में से किसने राज्य को, नैतिक लक्ष्य से युक्त एक नैतिक संस्था बनाया?

A. बेंथम B. मैकियावेली
C. जेम्स मिल D. जे.एस. मिल

11. निम्नलिखित में से किसने "दि लीग ऑफ रेडिकल कांग्रेसमैन" का गठन किया?

A. एम.के. गांधी B. एम.एन. राय
C. अरविन्दो D. बी.आर. अंबेडकर

12. निम्नलिखित में से कौन-सी कृति अरविन्दो द्वारा रचित नहीं है?

A. लाइफ डिवाइन
B. एसेज ऑन दि गीता
C. योग : कांसेप्ट एण्ड प्रैक्टिस
D. दि आइडियल्स ऑफ ह्युमैन यूनिटी

13. महात्मा गांधी द्वारा संचालित निम्नलिखित घटनाओं को सही कालानुक्रम में व्यवस्थित कीजिए :

1. अहमदाबाद में औद्योगिक श्रमिकों को उच्च मजदूरी के लिए संगठित किया।
2. चम्पारण में नील फसल की खेती के विरुद्ध विरोध प्रकट किया

3. भू-राजस्व की वसूली के विरुद्ध कैरा में सत्याग्रह आंदोलन।
4. एशियाटिक रजिस्ट्रेशन ऐक्ट के विरुद्ध विरोध प्रकटीकरण।

नीचे दिए गए कूट में से सही उत्तर चुनिए :

कूट :

A. 3, 4, 2, 1 B. 4, 2, 3, 1
C. 2, 3, 4, 1 D. 1, 2, 3, 4

14. सूची-I को सूची-II के साथ सुमेलित कीजिए तथा नीचे दिए गए कूट में से सही उत्तर चुनिए :

सूची-I (लेखक)	**सूची-II (पुस्तक)**
(*a*) आर. जे बर्नस्टीन	(*i*) स्फियर्स ऑफ जस्टिस : ए डिफेंस ऑफ प्लुरलिज्म एण्ड इक्वलिटी
(*b*) एम. सैंडेल	(*ii*) दि रिस्ट्रक्चरिंग ऑफ सोशल एण्ड पॉलिटिकल थियरी
(*c*) एम. वाल्टजर	(*iii*) कंटेम्पोररी पॉलिटिकल फिलोसोफी
(*d*) डब्ल्यू. किमलिका	(*iv*) लिबरलिज्म एण्ड दि लिमिट्स ऑफ जस्टिस

कूट :

	(*a*)	(*b*)	(*c*)	(*d*)
A.	(*i*)	(*ii*)	(*iii*)	(*iv*)
B.	(*iii*)	(*iv*)	(*i*)	(*ii*)
C.	(*ii*)	(*iv*)	(*i*)	(*iii*)
D.	(*iv*)	(*i*)	(*iii*)	(*ii*)

15. नीचे दो वक्तव्य दिये गये हैं, एक को अभिकथन (A) और दूसरे को कारण (R) कहा गया है :

अभिकथन (A) : डेनियल बेल के लिए 'विचारधारा का अंत' हो चुका है।

कारण (R) : यह किसी एक विचारधारा को अधिमान्य करने तथा हर अन्य विचारधारा को बदनाम करने के लिए है।

नीचे दिए गए कूट में से सही उत्तर चुनिए :

कूट :

A (A) तथा (R) दोनों सही हैं तथा (R), (A) का सही स्पष्टीकरण है।
B. (A) तथा (R) दोनों सही हैं, परन्तु (R), (A) का सही स्पष्टीकरण नहीं है।
C. (A) सही है, परन्तु (R) गलत है।
D. (A) गलत है, परन्तु (R) सही है।

16. यह किसका सुझाव है कि एक संकल्पना के रूप में 'स्ट्रक्चरेशन', 'स्ट्रक्चर्स' तथा 'ऐक्टर्स' के बीच संबंध का विश्लेषण करने का एक तरीका है?

A टाल्कॉट पार्सन्स
B. एंथोनी गिडेंस
C. रॉबर्ट निस्बेट
D. मिशेल फोकल्ट

17. सूची-I को सूची-II के साथ सुमेलित कीजिए तथा नीचे दिए गए कूट में से सही उत्तर चुनिए :

सूची-I (राजनीतिक पक्षों के सिद्धांत)	**सूची-II (प्रवर्तक)**
(*a*) विकास सिद्धांत	(*i*) गिवोवोमिन सार्तोरी
(*b*) स्थानिक सिद्धांत	(*ii*) जोसेफ ला पलोम्बरा
(*c*) पुनः संलग्नता सिद्धांत	(*iii*) मोरिस डुवेर्गर
(*d*) परिव्याप्ति सिद्धांत	(*iv*) बुंहम एण्ड सैंडक्विस्ट

कूट :

	(*a*)	(*b*)	(*c*)	(*d*)
A.	(*i*)	(*ii*)	(*iii*)	(*iv*)
B.	(*ii*)	(*i*)	(*iv*)	(*iii*)
C.	(*iii*)	(*iv*)	(*ii*)	(*i*)
D.	(*iv*)	(*ii*)	(*i*)	(*iii*)

18. आल्मोण्ड के अनुसार निम्नलिखित में से कौन राजनीतिक विकास के लिए एक शर्त नहीं है?

A. संसाधनों की उपलब्धता
B. चुनौतियों से पर्याप्त अनुक्रिया
C. विकास की अवस्थाओं का परस्पर व्यापी होना
D. अन्य सामाजिक व्यवस्थाओं का समनुरूप निकास

19. निगमवाद एक उपागम है जो केंद्रीय रूप में .... से संबंधित है।

A. सार्वजनिक क्षेत्र के ढाँचे
B. राजनीतिक प्रणाली के कार्य
C. वर्ग-संघर्ष हित पर आधारित है
D. राज्य तथा समाज के बीच अंतःक्रिया, विशेषतः नीति को प्रभावित करने वाले सामाजिक हितों की भूमिका पर बल देती है

20. सूची-I को सूची-II के साथ सुमेलित कीजिए तथा नीचे दिए गए कूट में से सही उत्तर चुनिए :

सूची-I (चिंतक)	सूची-II (पुस्तक)
(*a*) एंथोनी डाउंस	1. एन इकोनॉमिक थियरी ऑफ डिमॉक्रेसी
(*b*) गेब्रिएल आल्मोण्ड तथा सिडनी वर्बा	2. दि थ्री वर्ड्स ऑफ वेलफेयर कैपिटलिज्म
(*c*) स्टीन रोक्कन	3. दि सिविक कल्चर
(*d*) गोस्टा एस्पिंग एंडर्सन	4. सिटिजेंस, एलेक्शन, पार्टिज

कूट :

	(*a*)	(*b*)	(*c*)	(*d*)
A.	1	3	4	2
B.	2	1	3	4
C.	3	4	2	1
D.	4	2	1	3

21 "सहकारी संघवाद" पद का उदय कब हुआ?

A. प्रथम विश्व युद्ध के बाद

B. यू. एस. ए. में 'न्यू डील लेजिस्लेशंस' के समय

C. सन् 1937 के सोवियत संविधान के एक भाग के रूप में

D. द्वितीय विश्वयुद्ध के बाद

22. निम्नलिखित में से कौन द्विध्रुवीय दल प्रणाली का एक गुण नहीं है?

A. बहु तथा द्वि दल प्रणाली दोनों के तत्व

B. मिली-जुली सरकार

C. बारी-बारी से दलों के बीच सत्ता का परिवर्तन

D. अनेक दलों से निर्मित दो बड़े सहमिलन

23 निम्नलिखित में से किसके द्वारा विकसित विवेकशील वरण प्रतिमान निर्वाचक अध्ययनों में सर्वाधिक लोकप्रिय रहे हैं?

A. एलिनोर ओस्ट्रोम

B. हार्डिन

C. कार्ल डायच

D. एंथोनी डाउंस

24. उन्नत पूँजीवाद और विकसित समाजवाद के बीच कनवीएन्स सिद्धांत का प्रतिपादन निम्नलिखित में से किसने किया था?

A. हन्टिंगटन B. पुटमैन

C. मिलीबैंड D. मार्क्यूजे

25. निम्नलिखित में से किस अभिजात सिद्धांतवादी ने यह कहा है कि, "अपने वैयक्तिक गुणों के कारण कोई व्यक्ति समाज में उतना प्रभावी नहीं होता है जितना वह जनसमूह द्वारा उसमें सामाजिक ऊर्जाएँ भर दिए जाने के कारण होता है"?

A. पैरेटो B. गैसेट

C. मिशेल्स D. मोस्का

26. एडवर्ड शिल्स की राजनीतिक व्यवस्था की कोटियों का सही कालानुक्रम क्या है?

1. राजनीतिक लोकतंत्र
2. संरक्षात्मक लोकतंत्र
3. अल्पतंत्र का आधुनिकीकरण
4. सर्वाधिकारवादी अल्पतंत्र
5. पारम्परिक अल्पतंत्र

नीचे दिए गए कूट से सही उत्तर चुनिए :

A. 1, 2, 3, 4 तथा 5

B. 1, 2, 4, 3 तथा 5

C. 1, 2, 4, 5 तथा 3

D. 2, 1, 3, 5 तथा 4

27. **अभिकथन (A) :** समीर अमीन ने यह तर्क दिया है कि मार्क्स ने पहले ही पूर्वानुमान कर लिया था कि कोई भी औपनिवेशिक शक्ति पूँजीवाद का स्थानीय विकास लंबे समय तक करने में सक्षम नहीं होगी।

कारण (R) : ऐसा, गैर-यूरोपीय समाज के बारे में जानकारी की कमी के कारण था।

नीचे दिए गए कूट में से सही उत्तर चुनिए :

कूट :

A (A) तथा (R) दोनों सही हैं तथा (R), (A) का सही स्पष्टीकरण है।

B. (A) तथा (R) दोनों सही हैं, परन्तु (R), (A) का सही स्पष्टीकरण नहीं है।

C. (A) सही है, परन्तु (R) गलत है।

D. (A) गलत है, परन्तु (R) सही है।

28. अमेरिकी राष्ट्रपति के बारे में निम्नलिखित में से कौन-से कथन सही हैं?

1. अमेरिकी राष्ट्रपति केवल एक बार पुन-निर्वाचित किया जा सकता है।
2. देशद्रोह, घूसखोरी तथा अन्य अपराधों के लिए उस पर महाभियोग लगाया जा सकता है।

3. महाभियोग प्रस्ताव की सुनवाई की अध्यक्षता उच्चतम न्यायालय के मुख्य न्यायाधीश द्वारा की जाती है।
4. राष्ट्रपति तथा उपराष्ट्रपति दोनों एक ही राज्य से हो सकते हैं।

नीचे दिए गए कूट से सही उत्तर चुनिए :

A. 1, 2, तथा 3 B. 1, 3 तथा 4
C. 2, 3, तथा 4 D. 1, 2, तथा 4

29 लिंग की राजनीति अब राजनीति के सीमांत से संलग्न नहीं रह गई है, लेकिन नीति और कानून के निर्माताओं के लिए यह केन्द्रीय सरोकार का विषय है। इस मुद्दे को किस श्रेणी के अंतर्गत रखा जाएगा?

A. राजनीतिक विकास
B. राजनीतिक आधुनिकीकरण
C. राजनीतिक संस्कृति
D. राजनीतिक अभिजातवर्ग

30. यह किसका दृष्टिकोण है कि एक संगठन के रूप में नौकरशाही अपने व्यवहार को अपनी त्रुटियों से सीख लेकर सही नहीं कर सकती?

A. एम. क्रोजियर B. एच. जे. लास्की
C. एफ.एम. मार्क्स D. मैक्स वेबर

31. निम्नलिखित कथन किसका है?

"हमारे जीवन में नई रोशनी आ गई है जो हमें यह सीख देती है कि राजा जनता के लिए हैं, जनता राजा के लिए नहीं।"

A. महात्मा गांधी B. राजा राममोहन राय
C. दादाभाई नौरोजी D. बाल गंगाधर तिलक

32. भारत की संविधान सभा में नीचे दिए गए कथन के द्वारा पंचायती राज प्रणाली का समर्थन निम्नलिखित में से किसने किया था?

"...लोकतंत्र के हित में गाँवों को स्वशासन की कला में प्रशिक्षित किया जा सकता है। ...हमें गाँवों में सुधार लाने की क्षमता विकसित करनी होगी और वहाँ लोगों को शासन के लोकतांत्रिक सिद्धांतों से परिचित करना होगा।"

A. अनंतशयनम् अयंगर
B. डॉ. बी. आर. अंबेडकर
C. बी. एन. राव
D. जवाहरलाल नेहरू

33. निम्नलिखित में से कौन-सा राज्यों में स्थित उच्च न्यायालय के अधिकार क्षेत्र में नहीं आता?

A. यह निचले न्यायालयों से जुड़ी अपीलों की सुनवाई कर सकता है।
B. यह मौलिक अधिकारों के पुनःस्थापन के लिए रिट जारी कर सकता है।
C. यह दो राज्यों के बीच नदी-जल-विवाद के बारे में निर्णय दे सकता है।
D. यह अपने से नीचे स्थित न्यायालयों का अधीक्षण और नियंत्रण करता है।

34. सूची-I को सूची-II के साथ सुमेलित कीजिए और नीचे दिये कूटों में से सही उत्तर का चयन कीजिए:

सूची-I (लोकसभा)	**सूची-II (अध्यक्ष)**
(*a*) तीसरी लोकसभा	1. शिवराज पाटिल
(*b*) पाँचवीं लोकसभा	2. बलराम जाखड़
(*c*) सातवीं लोकसभा	3. जी.एस. ढिल्लों, बलीराम भगत
(*d*) दसवीं लोकसभा	4. हुकम सिंह

कूट :

	(*a*)	(*b*)	(*c*)	(*d*)
A.	4	3	2	1
B.	4	1	2	3
C.	1	2	3	4
D.	3	4	2	1

35. निम्नलिखित में से किसने 1990 में भारत का अभिलक्षण "ए मिलियन म्युटिनिज" के रूप में वर्णित किया है?

A. वी. एस. नायपाल
B. एम.एस.ए. राव
C. घनश्याम शाह
D. टेड गुर

36. "रोज़ेज़ इन दिसंबर" किसकी जीवनी है?

A. मौलाना अबुल कलाम आजाद
B. खान अब्दुल गफ्फार खाँ
C. हकीम अजमल खाँ
D. मुहम्मद करीम छागला

37. सूची-I को सूची-II के साथ सुमेलित कीजिए और नीचे दिये कूटों में से सही उत्तर का चयन कीजिए:

सूची-I (क्षेत्रीय राजनीतिक पार्टी)	सूची-II (उत्पत्ति का राज्य)
(*a*) राष्ट्रीय लोक दल	1. बिहार
(*b*) इंडियन नेशनल लोकदल	2. कर्नाटक
(*c*) जनता दल (सेकुलर)	3. उत्तर प्रदेश
(*d*) राष्ट्रीय जनता दल	4. हरियाणा

कूट :

	(*a*)	(*b*)	(*c*)	(*d*)
A.	3	4	2	1
B.	1	2	3	4
C.	4	3	2	1
D.	4	1	3	2

38. निम्नलिखित में से कौन "द न्यू रीजनल पॉलिटिक्स ऑफ डिवेलपमेंट" पुस्तक का लेखक/संपादक है?

A. रेनार्ड बेन्डिक्स B. एआरी एम.एम. कैकोविज़

C. एन्थनी पेन D. पार्थ चटर्जी

39. निम्नलिखित में से किसने भारत को "निर्बल शक्तिशाली राज्य" कहा है?

A. लॉयड तथा सूसन रुडोल्फ

B. गुन्नार मिर्डल

C. रजनी कोठारी

D. के. सी. हूवेयर

40. निम्नलिखित में से किसने भारत को "लोकतांत्रिक विकासात्मक राज्य" कहा है?

A. पाल ब्रास B. जेम्स मैनर

C. क्रिस्टोफर जेफरलॉट D. अतुल कोहली

41. सूची-I को सूची-II के साथ सुमेलित करें और नीचे दिए गए कूट से सही उत्तर का चयन करें:

सूची-I (राज्य)	सूची-II (अनुसूचित जनजातियों के लिए आरक्षित लोक सभा सीटों की संख्या
(*a*) आंध्र प्रदेश	1. 4
(*b*) छत्तीसगढ़	2. 5
(*c*) झारखंड	3. 6
(*d*) मध्य प्रदेश	4. 3

कूट :

	(*a*)	(*b*)	(*c*)	(*d*)
A.	1	2	3	4
B.	4	1	2	3
C.	4	3	2	1
D.	2	4	1	3

42. सूची-I को सूची-II के साथ सुमेलित कीजिए और नीचे दिये कूटों में से सही उत्तर का चयन कीजिए:

सूची-I (टाइप)	सूची-II (दबाव समूह)
(*a*) संस्थागत दबाव समूह	1. भारतीय विश्वविद्यालय संघ
(*b*) सामुदायिक दबाव समूह	2. अखिल भारतीय अनुसूचित जाति महासंघ
(*c*) गैर-सामुदायिक दबाव समूह	3. विश्वविद्यालय शिक्षक संघ का अखिल भारतीय महासंघ
(*d*) ऐनोमिक दबाव समूह	4. राजस्थान में गोपालगढ़ के सांप्रदायिक दंगे

कूट :

	(*a*)	(*b*)	(*c*)	(*d*)
A.	1	2	3	4
B.	1	3	2	4
C.	3	2	4	1
D.	4	1	2	3

43. निम्नलिखित में से किसने भारत को "बहुकेन्द्रिक राष्ट्रवाद" के उदाहरण के रूप में प्रस्तुत किया है?

A. पार्थ चटर्जी B. एन्थनी डी. स्मिथ

C. विल किमलिका D. बेनेडिक्ट एन्डरसन

44. "इंडिया आफटर गांधी : दि हिस्ट्री ऑफ दि वर्ल्ड्स लार्जेस्ट डिमोक्रेसी" पुस्तक के लेखक कौन हैं?

A. रामचंद्रन गुहा B. अखिल गुप्त

C अचिन वानाइक D. आशुतोष वार्ष्णेय

45. निम्नलिखित में से कौन-सा प्रथम अखिल भारतीय महिला संगठन है जो सन् 1926 में कार्यशील हुआ?

A. अखिल भारतीय महिला सम्मेलन

B. भारतीय राष्ट्रीय महिला परिषद्

C भारतीय राष्ट्रीय महिला महासंघ, भारत में

D. स्व-रोजगारी महिला संघ

46. गुलिक ने निम्नलिखित में से किसे मुख्य कार्यपालक के कार्यों में शामिल नहीं किया है?

A. कर्मचारियों की भरती B. अधिनिर्णय
C. निर्देशन D. समन्वयन

47. निम्नलिखित में से कौन-से सिद्धांत हेनरी फेयोल द्वारा प्रतिपादित चौदह सिद्धांतों की सूची में शामिल हैं?

1. व्यक्ति हित का सामान्य हित के अधीन होना।
2. संविदा के आधार पर नियुक्ति
3. समूह भावना
4. इक्विटी

कूट :

A. 1, 2, और 3 B. 1, 3 और 4
C. 2, 3, और 4 D. 1, 2, और 4

48. वेस्टर्न इलेक्ट्रिक कंपनी में मजदूरों द्वारा विकसित कोड के तहत जो मजदूर अपने वरिष्ठ अधिकारी के पास अपने साथियों के बारे में प्रतिकूल सूचनाएँ पहुँचाता है उसे कहते हैं

A. मुखबिर B. पज़लर
C रेट बस्टर D. चिज़लर

49. हरबर्ट सिमोन के अनुसार कोई निर्णय निम्नलिखित में से किसका मिश्रण होता है?

A. एक तथ्य-कथन और एक मूल्य-कथन
B. एक मूल्य-कथन और अनेक तथ्य-कथन
C. अनेक मूल्य-कथन और एक तथ्य-कथन
D. अनेक मूल्य-कथन और अनेक तथ्य-कथन

50. निम्नलिखित संगठन सिद्धांतों में से किसका निरूपण मूनी और रीले ने नहीं किया है?

A. इक्विटी सिद्धांत
B. सोपान सिद्धांत
C. प्रबंधक/अनुक्रम सिद्धांत
D. प्रकार्यात्मक सिद्धांत

51. निम्नलिखित में से किस पुस्तक में क्लासिकी सिद्धांत का सबसे विस्तृत निरूपण मिलता है?

A. इन्ट्रोडक्शन टु द स्टडी ऑफ पब्लिक ऐडमिनिस्ट्रेशन
B. पब्लिक ऐडमिनिस्ट्रेशन
C. पेपर्स ऑन द साइंस ऑफ ऐडमिनिस्ट्रेशन
D. पॉलिसी एण्ड ऐडमिनिस्ट्रेशन

52. मैक्स वेबर के अनुसार निम्नलिखित में से कौन-सा नौकरशाही का अभिलक्षण नहीं है?

A. पद का उसके पदधारी से अलगाव
B. नियमों का कठोरता से पालन
C. संरक्षक द्वारा चयन
D. अधिकारियों का निश्चित पारिश्रमिक

53. निम्नलिखित में से कौन-सा निर्णय-प्रक्रिया का अंग नहीं है?

A. यह अचेतन कार्रवाई है।
B. यह एक ही बार में की जाने वाली प्रक्रिया नहीं है।
C. यह परिवेशगत कार्रवाई है।
D. इसमें अंतिम निर्णय पर पहुँचने से पहले अध्ययन करने और विकल्पों का पता लगाने की जरूरत होती है।

54. निम्नलिखित में से कौन-से स्टाफ अधिकारी कहलाते हैं?

A. क्षेत्रकर्मी
B. सलाहकार स्टाफ
C. जो कर्मचारी अपने मुख्य कार्यपालक की उसके प्रमुख्य कामों को पूरा करने में मदद करते हैं।
D. जो कर्मचारी अपने मुख्य कार्यपालक की उसके मुख्य कामों के कार्यान्वयन में मदद करते हैं।

55. प्रशासन की निम्नलिखित अवधारणाओं में से कौन-सी अवधारणा संरचना की बजाय कार्यवाही की ओर अभिमुख होती है?

A. लोकतंत्रात्मक प्रशासन
B. एकतंत्रीय प्रशासन
C. विकास प्रशासन
D. उपरोक्त सभी

56. लोक प्रशासन और निजी प्रशासन में निम्नलिखित गें रो कौन-सा तत्व सर्वसामान्य नहीं है?

A. लेखाकरण
B. भराव
C. प्रबंधकीय तकनीक
D. विषय-क्षेत्र और जटिलता

57. स्वतंत्रता के बाद भारत में वित्तीय पंचवर्षीय योजना किस वर्ष के दौरान आरंभ हुई?

A. 1950-1951 B. 1951-1952
C. 1952-1953 D. 1953-1954

58. **अभिकथन (A) :** ज़िला प्रशासन के शीर्ष पर ज़िलाधीश सबसे महत्वपूर्ण अधिकारी है।

कारण (R) : स्वतंत्रता के बाद उसकी भूमिका उत्तरोत्तर बहुआयामी होती गई है।

कूट :

A. (A) और (R) दोनों सही हैं तथा (R), (A) का सही स्पष्टीकरण है।

B. (A) और (R) दोनों सही हैं, परन्तु (R), (A) का सही स्पष्टीकरण नहीं है।

C. (A) सही है, परन्तु (R) गलत है।

D. (R) सही है, परन्तु (A) गलत है।

59. सूची-I को सूची-II के साथ सुमेलित कीजिए और नीचे दिये कूटों में से सही उत्तर का चयन कीजिए:

सूची-I (लेखक)	**सूची-II (पुस्तक)**
(*a*) चेस्टर बरनार्ड	1. फिलॉसफी ऑफ ऐडमिनिस्ट्रेशन
(*b*) हरबर्ट साइमन	2. आइडियाज एण्ड इशूज इन पब्लिक ऐडमिनिस्ट्रेशन
(*c*) ड्वाइट वाल्डो (संपा.)	3. ऐडमिनिस्ट्रेटिव बीहैवियर
(*d*) मार्शल डिमॉक	4. द फंक्शंस ऑफ द एग्जीक्यूटिव

कूट :

	(*a*)	(*b*)	(*c*)	(*d*)
A.	3	4	2	1
B.	4	3	2	1
C.	1	4	2	3
D.	2	1	3	4

60. निष्पादन बजट-निर्माण कब लोकप्रिय हुआ?

A. 1950 के दशक में B. 1960 के दशक में

C. 1970 के दशक में D. 1980 के दशक में

61. बहुध्रुवीय व्यवस्था की तुलना में द्विध्रुवीय व्यवस्था के स्थायित्व से संबंधित केनेथ वाल्ट्ज के तर्क का आधार किसने ग्रहण किया है?

A. स्टैनली हॉफमैन B. चार्ल्स किंडेलबर्गर

C. जॉन मर्शिमायर D. जॉन गैडिस

62. लोकतांत्रिक शांति सिद्धांत को आई. आर. के किस सैद्धांतिक उपागम के अंतर्गत रखा जाता है?

A. संरचनात्मक यथार्थवाद B. गणतंत्रीय यथार्थवाद

C. नव-यथार्थवाद D. सांस्थानिक उदारतावाद

63. निम्नलिखित में से कौन-से वक्तव्य सही **नहीं** हैं?

1. सुरक्षा संबंधी दुविधा राज्य व्यवस्था का महत्त्वपूर्ण विरोधाभास है।
2. हथियारों की होड़ राज्यों की असुरक्षा को बढ़ाती है।
3. अस्त्र-शस्त्र नियंत्रण एक समाधान है।
4. स्थायी सैन्य-बल सबकी सुरक्षा को सुनिश्चित करता है।

कूट :

A. 1, 2, तथा 4 B. 1 तथा 3

C. 3 तथा 4 D. 1 तथा 4

64. ''क्लैश ऑफ सिविलाइजेशंस एण्ड न्यू वर्ल्ड ऑर्डर'' में उत्तर शीत-युद्ध काल में निम्नलिखित में से किससे बदलाव की भविष्यवाणी की गई है?

A. राजनीतिक विचारधारा से आर्थिक उदारतावाद

B. भू-राजनीति से भू-अर्थशास्त्र

C. राष्ट्र-राज्य से सभ्यता-राज्य

D. राजनीतिक विचारधारा से संस्कृति और धर्म

65. **अभिकथन (A) :** आधुनिक प्रौद्योगिकी युद्ध के महत्व और युद्ध के खतरों को बढ़ाती है।

कारण (R) : युद्ध अब ताकत-मात्र की प्रतियोगिता नहीं रह गया है। यह धीरज धारण करने और जोखिम लेने की प्रतियोगिता अधिक बन गया है।

कूट :

A. (A) और (R) दोनों सही हैं तथा (R), (A) का सही स्पष्टीकरण है।

B. (A) और (R) दोनों सही हैं, परन्तु (R), (A) का सही स्पष्टीकरण नहीं है।

C. (A) सही है, परन्तु (R) गलत है।

D. (A) गलत है, परन्तु (R) सही है।

66. ''अर्द्ध-राज्य'' क्या है?

A. ऐसा राज्य जो क्षेत्राधिकार परक राज्यत्व से सम्पन्न हो परन्तु अनुभव-परक राज्यत्व में अत्यधिक विपन्न हो।

B. ऐसा राज्य जो अनुभव-परक राज्यत्व से सम्पन्न हो।

C. ऐसा राज्य जिसमें न तो क्षेत्राधिकार परक राज्यत्व हो न ही अनुभव परक राज्यत्व हो।

D. ऐसा राज्य जिसकी विभक्त राज्यनिष्ठा हो।

67. 'आर्थिक वैश्वीकरण एक असम और पदानुक्रमिक प्रक्रिया है तथा यह केवल अल्पसंख्यक अति छोटे वर्ग को लाभान्वित करता है।' इसका संबंध किस उपागम से है?

A. आर्थिक उदारतावाद B. आर्थिक यथार्थवादी
C. वाणिज्यवाद D. नव-मार्क्सवाद

68. सूची-I को सूची-II के साथ सुमेलित कीजिए और नीचे दिये कूटों से सही उत्तर का चयन कीजिएः

सूची-I (विदेश नीति थिंक टैंक)	**सूची-II (देश)**
(*a*) फॉरेन पॉलिसी इंस्टीट्यूट	1. यू. एस. ए.
(*b*) इंस्टीट्यूट फॉर डिफेंस एण्ड स्ट्रैटेजिक एनालिसिस	2. यू. के.
(*c*) कार्नेगी इंडोमेंट	3. टर्की
(*d*) इंटरनेशनल इंस्टीट्यूट फॉर स्ट्रैटेजिक स्टडीज	4. भारत

कूट :

	(*a*)	(*b*)	(*c*)	(*d*)
A.	1	2	3	4
B.	2	3	4	1
C.	3	4	1	2
D.	4	2	3	1

69. सूची-I को सूची-II के साथ सुमेलित कीजिए और नीचे दिये कूटों में से सही उत्तर का चयन कीजिएः

सूची-I (आतंकवादी संगठन)	**सूची-II (देश)**
(a) एल. टी. टी. ई.	1. पेरु
(b) हिजबुल्लाह	2. नाइजीरिया
(c) बाको हेरम	3. ईरान
(d) शइनिंग पाथ	4. श्रीलंका

कूट :

	(*a*)	(*b*)	(*c*)	(*d*)
A.	1	2	3	4
B.	4	3	2	1
C.	2	1	4	3
D.	3	4	1	2

70. 'पैनल ऑन यूनाइटेड नशंस पीस ऑपरेशन' का गठन तब सेक्रेटरी जनरल कोफी अन्नान द्वारा किया गया था। इसकी रिपोर्ट का नाम बताइए।

A. हैमरशोल्ड रिपोर्ट B. राजेश्वर दयाल रिपोर्ट
C. ब्राहिमी रिपोर्ट D. कोफी अन्नान रिपोर्ट

71. संयुक्त राष्ट्र संगठन की शांति-बहाल कार्रवाई में कहाँ पर भारतीय सैन्य टुकड़ियाँ, सैन्य पर्यवेक्षक तथा सिविलियन पुलिस कर्मी सेवारत थे?

A. पश्चिमी सहारा B. बोस्निया
C. हर्जीगोविना D. उपर्युक्त सभी

72. सूची-I को सूची-II के साथ सुमेलित कीजिए और नीचे दिये कूटों में से सही उत्तर का चयन कीजिएः

सूची-I (देश)	**सूची-II (समस्याएँ)**
(*a*) श्रीलंका	1. कच्छटीवु
(*b*) पाकिस्तान	2. वुलर बैराज
(*c*) नेपाल	3. सुस्ता बोर्डर
(*d*) बांग्लादेश	4. न्यू मूरे आइलैंड

कूट :

	(*a*)	(*b*)	(*c*)	(*d*)
A.	1	2	3	4
B.	4	3	2	1
C.	3	4	1	2
D.	2	3	4	1

73. निम्नलिखित में से कौन-सा एक भारत-पाकिस्तान विवाद नहीं है?

A. सियाचीन विवाद B. सर क्रीक विवाद
C. क्रॉस बोर्डर आतंकवाद D. दाहाग्राम विवाद

74. सूची-I को सूची-II के साथ सुमेलित कीजिए और नीचे दिये कूटों में से सही उत्तर का चयन कीजिएः

सूची-I (राज्य)	**सूची-II (अल्पसंख्यक समुदाय)**
(*a*) म्यांमार	1. हिन्दुज
(*b*) मलेशिया	2. रोहिंगाज
(*c*) इंडोनेशिया	3. तमिल्स
(*d*) लाओस	4. विएतनामीज

कूट :

	(a)	(b)	(c)	(d)
A.	4	3	2	1
B.	3	2	1	4
C.	2	3	1	4
D.	1	2	3	4

75. अभी हाल में कंबोडिया और थाइलैंड के बीच तनाव उत्पन्न हुआ था? विवाद का मुद्दा क्या था?

A. गैरकानूनी प्रव्रजन
B. प्राचविहार
C. एमराल्ड बुद्ध
D. अल्पसंख्यक

उत्तरमाला

1	2	3	4	5	6	7	8	9	10
C	D	B	C	D	B	B	A	B	D
11	**12**	**13**	**14**	**15**	**16**	**17**	**18**	**19**	**20**
B	C	B	C	C	B	B	C	D	A
21	**22**	**23**	**24**	**25**	**26**	**27**	**28**	**29**	**30**
D	*	D	D	B	A	A	A	C	A
31	**32**	**33**	**34**	**35**	**36**	**37**	**38**	**39**	**40**
C	A	C	A	A	D	A	C	A	B
41	**42**	**43**	**44**	**45**	**46**	**47**	**48**	**49**	**50**
B	B	B	A	B	B	B	A	B	A
51	**52**	**53**	**54**	**55**	**56**	**57**	**58**	**59**	**60**
C	C	A	C	C	D	A	A	B	A
61	**62**	**63**	**64**	**65**	**66**	**67**	**68**	**69**	**70**
C	D	C	D	B	A	D	C	B	C
71	**72**	**73**	**74**	**75**					
D	A	D	C	B					

कुछ चुने हुए प्रश्नों के व्याख्यात्मक उत्तर

1. जी॰एच॰ सेबाइन के अनुसार राजनीतिक सिद्धांत में तीन प्रकार के तत्व होते हैं। तथ्यात्मक, अनियमित एवं मूल्यात्मक।

2. बीसवीं शताब्दी के मध्य में कई पर्यवेक्षक राजनीतिक सिद्धान्त पर एक मृत्युलेख लिखने को तैयार थे। कुछ ने इसकी अवनति पर लिखा (कोबन, इस्टन), अन्य ने इसकी मृत्यु की सार्वजनिक घोषणा की (लॉस्लेट, डाहल) एक ने कहा कि राजनीतिक सिद्धान्त 'डॉग हाउस' में चला गया है (राइमर)। ऐसे निराशाजनक विचारों का मुख्य कारण यह था कि राजनीतिक सिद्धांत में शास्त्रीय परम्परा कमोवेश मूल्य न्याय पर आधारित था जो अनुभव जन्य जांच के नियंत्रण से बाहर था। मानक सिद्धान्त की आलोचना 1930 में तार्किक प्रत्यक्षवाद से हुई और बाद में व्यवहारवादियों द्वारा।

3. 'तथ्य' और 'मूल्य' का तार्किक अलगाव चलन पर लागू नहीं होता, वे हमेशा अलग हो सकते हैं। एक राजनीतिक वैज्ञानिक के लिए मूल्य आधारित व्यवस्था से अपने को स्वतंत्र करना असंभव है क्योंकि वह उसी प्रकार से सोचता है। डेविड इस्टन के शब्दों में "हम अपने मूल्यों को इस तरह नहीं छोड़ सकते जिस तरह हम अपने कोट उतार देते हैं।" मूल्य व्यक्तित्व का एकीकृत अंग है और जब तक हम मनुष्य हैं ये मानसिक समुच्चय एवं अधिमान्यताएं हमारे साथ रहेंगे, ऐसा हम मान सकते हैं।

6. रिचर्ड कॉब्डेन एवं जॉन ब्राइट के विचारों को "मैंचेस्टर उदारवाद" के रूप में संदर्भित किया जाता है। यह विचार ब्रिटिश आदर्शवादियों को, जो टी.एच. ग्रीन के लेखों से प्रभावित थे, हस्तक्षेपी उदारवाद के रूप में 1880 एवं 1890 में एक रास्ता सुझाया। इस आन्दोलन ने नव उदारवाद को जन्म दिया जिसके मुख्य सिद्धान्तकार एल.टी. हॉबहाउस और हॉबसन स्वयं थे।

11. एम.एन. राय नवम्बर 1936 में कांग्रेस में शामिल हुए। 1 दिसम्बर, 1936 में उन्होंने फैज़पुर में हुए राष्ट्रीय कांग्रेस के वार्षिक अधिवेशन में भाग लिया। वे अखिल भारतीय कांग्रेस कमिटी के सदस्य बन गए। 1 अप्रैल 1937 में उन्होंने मुम्बई से एक साप्ताहिक पत्र "इंडिपेंडेंट इंडिया" निकाला और 1949 में इसे "रेडिकल ह्यूमेनिस्ट" में बदल दिया। वह कांग्रेस को एक जनसाधारण की राजनीतिक पार्टी के रूप में रूपांतरित करना चाहते थे। वह गांधीवादी नेतृत्वशीलता के कट्टर आलोचक थे। वह गांधीवादी समूह से संतुष्ट नहीं थे और इसीलिए उन्होंने "दि लीग ऑफ रेडिकल कांग्रेसमैन" की स्थापना की।

16. समाजशास्त्र में एंथोनी गिडेन्स ने संरचना एवं अभिनेता के बीच संबंध का विश्लेषण करने के तरीके के रूप में 'स्ट्रकचुरेशन' की अवधारणा का प्रस्ताव रखा। गिडेन्स के अनुसार, संरचना (नियम एवं शर्तें जो सामाजिक क्रियाओं को निर्देशित करता है) इस पर निर्भर नहीं करता है कि अभिनेता किस यंत्रवत तरीके से काम करते हैं। संरचना एवं अभिनेता के बीच संबंध में उनके अंतर्विषयक समझ एवं अर्थ निहित हैं। संरचनाएं अभिनेता की क्रिया को अवरुद्ध कर सकता है, लेकिन अभिनेता उनके बारे में विचार कर एवं नये तरीके अपनाकर संरचना को रूपांतरित कर सकता है। इस तरह "स्ट्रकचुरेशन" की यह धारणा संरचना एवं अभिनेता के बीच के संबंध को कम कठोर एवं अधिक गतिशील बनाने का प्रयास करता है।

18. राजनीतिक विकास जो नये राज्यों द्वारा लागू किए जा रहे हैं, उनका व्यवहार दो रूपों में होता है। सामान्य, जो सभी प्रकार के राजनीतिक आधुनिकीकरण पर लागू है और मूर्त, जो विशेष प्रकार के लिए आवश्यक है। आल्मोण्ड जैसे लेखक ने इसके लिए अपने विचार दिए हैं जो इस प्रक्रिया के लिए मददगार हैं। आल्मोण्ड ने राजनीतिक विकास की पांच शर्तें रखी हैं—(*i*) निवास के स्तर पर आनुक्रमिकता, (*ii*) संसाधनों की उपलब्धता, (*iii*) अन्य सामाजिक व्यवस्थाओं का समनुरूप विकास, (*iv*) राजनीतिक प्रणाली का पर्याप्त आंतरिक क्षमता, (*v*) अभिजन से प्राप्त चुनौतियों से पर्याप्त अनुक्रिया। आल्मोण्ड का विश्वास है कि राजनीतिक विकास एक दूसरे के समनुरूप होने चाहिए न कि एक दूसरे को छोड़ते हुए। आल्मोण्ड के अनुसार समाज के पास विकास के लिए पर्याप्त संसाधन होना चाहिए। आल्मोण्ड का विश्वास है कि राजनीतिक व्यवस्था एक उप-व्यवस्था है जिसमें राजनीतिक विकास के तहत सांस्कृतिक, आर्थिक एवं सहभागिता सब साथ-साथ होना चाहिए। राजनीतिक व्यवस्था को आंतरिक क्षमताओं से परिपूर्ण होना चाहिए जिससे समय-समय पर आने वाली चुनौतियों से पार पाया जा सके।

19. निगमवाद एक उपागम है जो राज्य तथा समाज के बीच अंतःक्रिया विशेषतः नीति को प्रभावित करने वाले सामाजिक हितों की भूमिका पर बल देता है। यह राज्य और समाज के बीच अंतःक्रिया में केन्द्रीय भूमिका निभाता है।

21. यह अभिव्यक्ति "सहकारी संघवाद" 1930 में अमेरिका में पैदा हुई और द्वितीय विश्व युद्ध के समय कनाडा में फैल गई एवं 1960 के दशक में लोकप्रियता के शिखर पर पहुंच गई। सहकारी संघवाद की अवधारणा राज्य के विस्तार की भूमिका और सरकार के दो स्तरों के बीच कठोर सार्थक अंतर एवं अन्तर्राष्ट्रीय संबंधों पर जोर देती है।

23. **तर्कसंगत चुनावः** मतदान के तर्कसंगत चुनाव का सिद्धान्त एंथोनी डाउन्स ने 1957 में दिया। यह कार्य इससे शुरू होता है कि कौन सी पार्टी हमें अधिकतम सूचनाएं प्रदान करती हैं जोकि एक तर्कसंगत मतदाता को आवश्यक है। मतदान का निर्णय इस अर्थ में समान है कि जिस तरह आर्थिक बाज़ार में उपभोक्ता (मतदाता) अपनी कीमत एवं फायदे देखकर वाणिज्यिक उत्पाद (राजनीतिक पार्टी) का चयन करता है, उसी प्रकार पार्टी की नीतियों एवं कार्यक्रमों का समुच्चय देखकर ही मतदाता अपनी वरीयता रखता है। इस तरह संक्षेप में, तर्कसंगत चुनाव मतदाताओं के व्यक्तिगत व्यवहार एवं उपभोक्ता (मतदाताओं) और सार्वजनिक नीतियों (पार्टी) के निर्माताओं में से एक आर्थिक सिद्धान्त के संदर्भ में रणनीति तथा राजनीतिक दलों की नीतियों की व्याख्या करता है।

25. गैसेट आर्टेगा ने अपने अध्ययन "The Revolt of the Masses" में अभिजन के बारे में अध्ययन करने का प्रयास किया। उनका कहना था कि कोई भी व्यक्ति अपने व्यक्तिगत गुणों के कारण समाज में उतना प्रभावी नहीं होता जितना वह जनसमूह द्वारा उसमें सामाजिक ऊर्जाएं भर दिए जाने के कारण होता है और राष्ट्र एक संगठित समूह है, जो कुछ चयनित लोगों की संरचना प्रदान करती है। यह कुछ लोगों की क्षमता एवं बहुत लोगों की क्षमता द्वारा नेतृत्व को दर्शाता है। समूह विद्रोह तब होता है जब अधिनायकवाद भ्रष्ट एवं अक्षम हो जाता है। विद्रोह के प्रति यहां उद्देश्य यह है कि अधिनायकवादी ही शासन व्यवस्था हो लेकिन अधिक सक्षम हो। लेखक के अभिजन सिद्धान्त का मुख्य कथ्य यह है कि जब किसी देश का जनसमूह यह विश्वास करने लगता है कि वे बिना अधिनायक तंत्र के भी कर सकते हैं तो देश का पतन अवश्यंभावी हो जाता है। अपने प्रतिष्ठित विश्वास से वह कहते हैं कि फिर जनसमूह नये नेतृत्व की ओर मुड़ जाते हैं और नये अधिनायकवाद का जन्म होता है।

30. मिशेल क्रोजियर ने अपनी पुस्तक "The Bureaucratic Phenomena" (1964) में नौकरशाही पर विस्तार से वर्णन किया है। क्रोजियर का स्पष्ट दृष्टिकोण है कि एक कठोर संगठन के रूप में नौकरशाही अपने व्यवहार को अपनी त्रुटियों से सीख लेकर सही नहीं कर सकती।

33. अनुच्छेद 231 के अनुसार अगर संसद किसी उच्च न्यायालय की अधिकारिता का किसी संघ राज्य क्षेत्र पर विस्तार करती है, उसे छोड़कर, राज्य के उच्च न्यायालय की अधिकारिता राज्य की राज्यक्षेत्रीय सीमाओं तक होती है। अतएव कोई भी राज्य में स्थित उच्च न्यायालय दो राज्यों के बीच नदी-जल-विवाद या कोई अन्य विवाद के बारे में निर्णय नहीं दे सकता है। क्योंकि यह उसके अधिकार क्षेत्र में नहीं आता।

39. कुछ भारतीय एवं पश्चिमी विद्वान भारतीय राज्य के विषय में उद्देश्य एवं वैचारिक रूप से अलग तरीके से इसकी प्रकृति को समझने का प्रयास किया है। गुन्नार मिर्डल "Asian Drama : An Inquiry into the Poverty of Nations" शीर्षक से अपने विस्तृत अध्ययन में इसे 'नरम राज्य' (Soft state) कहा है। एफ.आर. फ्रैंकेल ने इसकी प्रकृति को "समावेशी राजनीति और तर्कसंगत सामाजिक परिवर्तन का अन्तर्विरोध" के रूप में समझा है। इसी तरह लॉयड तथा सुसेन रुडोल्फ ने भारत की प्रकृति को "निर्बल शक्तिशाली राज्य" के रूप में अध्ययन किया है।

43. भारतीय उपमहाद्वीप में तीन प्रमुख राष्ट्र राज्यों का विकास हुआ। सबसे बड़ा भारत, जिसे एन्थनी डी. स्मिथ ने "बहुकेन्द्रिक राष्ट्रवाद" के उदाहरण के रूप में प्रस्तुत किया है तथा पाकिस्तान और बांग्लादेश "नृजातीय केन्द्रिक" राष्ट्र हैं जो प्राथमिक रूप से धर्म (इस्लाम) और भाषा (बंगाली) के आधार पर बने। हमारे पड़ोस में इन सभी राष्ट्र राज्यों में लोकतंत्र विकास, संस्कृति, सांप्रदायिक एवं राष्ट्रीय तीन आयामों में उनकी अपनी समस्याएं हैं।

46. सरकार के प्रशासनिक पदानुक्रम में मुख्य कार्यपालक सबसे शीर्ष पदाधिकारी होता है जो अलग-अलग देशों में अलग-अलग नामों से जाना जाता है। किसी भी संगठन का मुख्य कार्यपालक योजना, निर्देशन, समन्वयन एवं बजट के लिए जवाबदेह होता है। गुलिक ने मुख्य कार्यपालक के कार्यों को POSDCORB के आधार पर वर्णित किया है। मुख्य कार्यपालक का प्राथमिक कार्य कर्मचारियों की भर्ती का है लेकिन उसने अधिनिर्णय को इसमें शामिल नहीं किया है।

49. हरबर्ट साइमन के अनुसार प्रत्येक निर्णय में एक मूल्य-कथन और अनेक तथ्य-कथन का मिश्रण होता है। निर्णय तथ्य और मूल्य का तर्कसंगत संयोजक होता है। तथ्य यह बताता है कि उत्पाद क्या है, था और होना चाहिए। तथ्य कथन सिद्ध भी हो सकता है और नहीं भी जबकि मूल्य अधिमान्यता की अभिव्यक्ति है।

50. अमेरिका में 1931 में शास्त्रीय सिद्धान्त के निर्माण का विस्तृत प्रयास उस समय शुरू हुआ जब जनरल मोटर्स के दो कार्यपालक मुने एवं रीले ने अपना लेख "Onward Industry" प्रकाशित किया। यह पुस्तक 1939 में "The Principles of Organisation" शीर्षक के तहत पुनर्प्रकाशित हुई। मुने एवं रीले ने एक सार्वभौम सिद्धान्त के रूप में संगठन के चार सिद्धान्तों का प्रतिपादन किया। ये हैं—समन्वयकारी सिद्धान्त, सोपान सिद्धान्त, प्रकार्यात्मक सिद्धान्त एवं प्रबंधक/अनुक्रम सिद्धान्त। दोनों का विश्वास था कि समन्वयन किसी भी संगठन के लिए निर्धारक तत्व है। जबकि संगठन की संरचना में सोपान सिद्धान्त का

अनुकरण करना चाहिए। लेकिन उन्होंने इक्विटी सिद्धान्त का निरूपण नहीं किया।

51. गुलिक एवं उर्विक प्रशासन के क्लासिकी सिद्धान्त के महान व्यवस्था नीतिकार थे। गुलिक अमेरिकी प्रशासन के सुविख्यात विशेषज्ञ एवं सुधारक थे। वह कोलम्बिया विश्वविद्यालय में प्रोफेसर थे जब उन्होंने "Papers on the Science of Administration" का सहलेखन किया। उर्विक प्रबंध सलाहकार एवं इतिहासज्ञ थे। अमेरिकी लोक प्रशासन की समस्याओं में दोनों गम्भीर रूप से शामिल थे। वे प्रेसिडेंट फ्रैंकलिन डी. रुजवेल्ट के काफी विश्वस्त थे। उन्होंने प्रशासनिक सुधार पर कतिपय प्रतिवेदन लिखे। 1937 में उन्होंने "Papers on the Science of Administration" को सम्पादित किया।

55. शब्द "विकास प्रशासन" सर्वप्रथम एक भारतीय विद्वान यू. एल. गोस्वामी द्वारा गढ़ा गया था। उन्होंने इस शब्द का उल्लेख 1955 में प्रकाशित अपने लेख "The structure of Development Administration in India" में किया। फिर भी एक अमेरिकी विद्वान जॉर्ज जेन्ट को विकास प्रशासन का जनक माना जाता है। उन्होंने भी इस शब्द का प्रयोग इसी दौरान शुरू किया था। उनकी पुस्तक "Development Administration: Concepts, Goals and Methods" पहली बार 1979 में प्रकाशित हुई।

विकास प्रशासन आवश्यक रूप से प्रशासन की एक अवधारणा है जो संरचना की बजाय कार्यवाही की ओर अभिमुख होती है। यह न केवल पारंपरिक प्रशासनिक व्यवस्था का अध्ययन करता है बल्कि प्रशासनिक व्यवस्था में गतिशीलता की ओर भी निर्देशित होता है।

61. विभिन्न विद्वानों ने विभिन्न रूपों में अंतर्राष्ट्रीय व्यवस्था के ध्रुवीकरण को परिभाषित किया है। कुछ ने प्रथम विश्वयुद्ध के पहले के यूरोप को द्विध्रुवीय बताया तो अन्य ने बहुध्रुवीय। जॉन मर्शिमायर ने केनेथ वाल्ट्ज का अनुसरण करते हुए बहुध्रुवीय व्यवस्था की तुलना में द्विध्रुवीय व्यवस्था को अधिक स्थायित्व रूप में ग्रहण किया। यह भविष्य के यूरोप के नैराश्यपूर्ण पूर्वानुमान के प्रति नींव प्रदान करता है।

62. लोकतांत्रिक शांति सिद्धान्त कहता है कि उदारवादी लोकतंत्र अलोकतांत्रिक राज्य से युद्ध के लिए जा सकते हैं जबकि प्रतिनिधिक रूप से वे युद्ध नहीं करते। मुख्य मुद्दा यह है कि कौन-सा लोकतंत्र किसी देश में किस हद तक समेकित है। इतिहास बताता है कि नए या संक्रमण कालीन प्रजातंत्र अन्तर्राष्ट्रीय राजनीति में युद्ध आशंका वाले हैं। इसके अलावा लोकतांत्रिक शांति सिद्धान्त आंतरिक संघर्ष पर लोकतंत्रीकरण के प्रभाव की व्याख्या नहीं करता।

66. अर्ध राज्य ऐसे राज्य को कहा जाता है जो क्षेत्राधिकार परक राज्यत्व से सम्पन्न हो परन्तु अनुभव-परक राज्यत्व में अत्यधिक विपन्न हो। तीसरी दुनिया के कई राज्य इस रूप में परिभाषित किए जा सकते हैं। वे राज्य व्यवस्था में भागीदारी करते हैं। उन्हें राज्य के रूप में मान्यता भी मिली हुई है लेकिन उनकी राजनीतिक संस्थाएँ भ्रष्ट हैं, अर्थव्यवस्था अदिकसित है तथा राष्ट्रीय एकता कम या बिल्कुल नहीं है।

पिछले प्रश्न-पत्र (हल सहित)

यू.जी.सी. NET राजनीति शास्त्र, दिसम्बर-2012

प्रश्न-पत्र-II

नोटः *इस प्रश्नपत्र में पचास (50) बहु-विकल्पीय प्रश्न हैं। प्रत्येक प्रश्न के दो (2) अंक हैं। सभी प्रश्नों के उत्तर दीजिए।*

1. हीगल के विचार में मस्तिष्क की सवाधिक संभावित उपलब्धि जैसा कि सामाजिक जीवन में प्रकट होता हे कहाँ थी?

A. समकालिक प्रशियन राष्ट्र
B. रोम
C. एथेन्स
D. समकालिक ग्रेट ब्रिटेन

2. मैकियावेली ने प्रिंस को किसका अनुसरण करने का परामर्श दिया?

A. संयत व्यवहार
B. उत्कट उदारता
C. पूर्ण कड़ाई
D. अत्यधिक दयालु

3. रॉल के सुव्यवस्थित समाज का हिस्सा क्या नहीं है?

A. स्थिर B. कुशल
C. न्यायपूर्ण D. समान

4. निम्नलिखित में से किसने कहा, कानून न्यायोचित और अन्यायोचित के नियम हैं जो कोई विधि से विपरीत नहीं है उसे अन्यायोचित नहीं माना जाता?

A बैन्थम B. हीगल
C. हॉब्स D. रूसो

5. रूसो की निम्नांकित कृतियों को कालानुक्रमिक क्रम में व्यवस्थित कीजिये, नीचे दिये कूटों से सही उत्तर का चयन कीजिए :

1. दी सोशल कॉन्ट्रेक्ट
2. ए डिसकोर्स ऑन दी आर्ट्स एण्ड साइन्स
3. एमिली
4. ए डिसकोर्स ऑन दी ऑरिजीन ऑफ इनइक्वेलिटी

कूट :

A. 4, 3, 2, 1 B. 1, 3, 4, 2
C. 3, 1, 2, 4 D. 2, 4, 3, 1

6. सूची-I को सूची-II के साथ सुमेलित कीजिए और नीचे दिये कूटों से सही उत्तर का चयन कीजिए :

सूची-I	सूची-II
(a) ऑन लिबर्टी	1. अमर्त्य सेन
(b) लेक्चरस् ऑन दी प्रिंसिपलूस ऑफ पोलिटिकल ऑब्लीगेशन	2. टी.एच. ग्रीन
(c) आइडिया ऑफ जस्टिस	3. रॉबर्ट नौजिक
(d) एनार्की, स्टेट एण्ड यूटोपिया	4. जे.एस. मिल

कूट :

	(a)	(b)	(c)	(d)
A.	3	1	2	4
B.	1	3	2	4
C.	2	4	3	1
D.	4	2	1	3

7. सूची-I को सूची-II के साथ सुमेलित कीजिए और नीचे दिये कूटों से सही उत्तर का चयन कीजिए :

सूची-I	सूची-II
(a) एक व्यक्ति, एक कर्तव्य, एक वर्ग, एक कार्य के रूप में न्याय	1. प्लेटो
(b) उचितता के रूप में न्याय	2. अरस्तू
(c) आनुपातिक समानता के रूप में न्याय	3. रॉल्स
(d) शक्तिशाली के हित के रूप में न्याय	4. थ्रेसीमेकस

कूट :

	(a)	(b)	(c)	(d)
A.	1	2	3	4
B.	2	1	3	4
C.	2	1	4	3
D.	1	3	2	4

8. सूची-I को सूची-II के साथ सुमेलित कीजिए और नीचे दिये कूटों से सही उत्तर का चयन कीजिए:

सूची-I	सूची-II
(a) अविच्छिन्न शान्ति	1. प्लेटो
(b) स्वर्णिम संतुलन	2. कांट
(c) गुफा का सादृश्य	3. अरस्तू
(d) स्त्री के रूप में भाग्य	4. मैकियावेली

कूट :

	(a)	(b)	(c)	(d)
A.	1	2	3	4
B.	2	3	1	4
C.	2	1	4	3
D.	4	3	2	1

9. नीचे दो कथन दिये गये हैं, एक को अभिकथन (A) और दूसरे को कारण (R) का नाम दिया गया है। नीचे दिये कूटों से सही उत्तर का चयन करें–

अभिकथन (A) : मार्क्स एक क्रान्तिकारी था।

कारण (R) : मार्क्स का इतिहास की प्रक्रियाओं से कोई सरोकार नहीं था।

कूट :

A (A) और (R) दोनों सत्य हैं और (R), (A) की सही व्याख्या है।

B. (A) और (R) दोनों सत्य हैं, परन्तु (R), (A) की सही व्याख्या नहीं है।

C. (A) सत्य है, परन्तु (R) असत्य है।

D. (A) असत्य है, परन्तु (R) सत्य है।

10. **अभिकथन (A) :** अरस्तू को तर्कसंगत रूप से राजनीतिक विज्ञान का जनक कहा जाता है।

कारण (R) : प्लेटो के आदर्शवाद की उसके द्वारा आलोचना इस दावे को सही प्रमाणित करती है।

कूट :

A (A) और (R) दोनों सत्य हैं और (R), (A) की सही व्याख्या है।

B. (A) और (R) दोनों सत्य हैं, परन्तु (R), (A) की सही व्याख्या नहीं है।

C. (A) सत्य है, परन्तु (R) असत्य है।

D. (A) असत्य है, परन्तु (R) सत्य है।

11. समाजशास्त्रों में सामान्य व्यवस्था सिद्धान्त का परिचालन भाग सर्वप्रथम किसमें विकसित किया गया?

A. मनोविज्ञान B. समाजशास्त्र

C. राजनीति विज्ञान D. मानव विज्ञान

12. ''प्रकार्यवाद का निर्वचन मार्क्सवाद के चेतन विकल्प के रूप में किया जा सकता है।'' यह किसने कहा है?

A. डब्ल्यू.जी. रंसीमैन B. रॉबर्ट के. मर्टन

C. ओरेन यंग D. डेविड ईस्टन

13. यह किसने कहा कि विकास के लक्ष्यों तक पहुँचने के लिए विकासशील समाज को राजनीतिक एकीकरण, औद्योगिकीकरण, राष्ट्रीय कल्याण एवं प्रचुरता की अवस्थाओं से गुजरना पड़ता है।

A. रोस्टो B. आरगैंस्की

C. लूसियन पाई D. डेविड एप्टर

14. निम्नलिखित में से कौन-सा युग्म सही मेलित ***नहीं*** किया गया?

A. लूसियन पाई : आधुनिकीकरण सिद्धांत

B. वेलरस्टाइन : विश्व-व्यवस्था सिद्धांत

C. थेडा स्कोकपोल : नव-संस्थावाद

D. कार्ल डॉयश : संचार सिद्धांत

15. निम्नलिखित में से कौन-सा युग्म सही मेलित नहीं है?

A. पैरेटो : अवशिष्ट की अवधारणा

B. मीचल्स : जनसमूह मानस (मास माइन्ड) अवधारणा

C. मिल्स : राजनीतिक फार्मूला (या रीति) अवधारणा

D. गैसेट : जनसमूह का सिद्धांत

16. किसके सर्वेक्षण से नागरिक संस्कृति की अवधारणा विकसित हुई?

A. मैक्सिको, इंडिया, पाकिस्तान, यू.एस.ए. व यू.के.

B. यू.एस.ए., यू.के., मैक्सिको, जर्मनी व इटली

C. यू.एस.ए., यू.के., ऑस्ट्रेलिया, पाकिस्तान व इंडिया

D. ऑस्ट्रेलिया, कनाडा, यू.एस.ए., यू.के. और फ्रांस

17. असमान विनिमय किसका निरुपण है?

A. समीर अमीन B. अमर्त्य सेन

C. पॉल स्वीजी D. एंद्रे गुंडर फ्रैंक

18. पार्टी व्यवस्था सम्बन्धित डुवेरगर का वर्गीकरण कहाँ की राजनीतिक पार्टियों (दलों) के अनुभव से लिया गया है?

A. पश्चिमी यूरोप

B. विश्व के समस्त प्रजातान्त्रिक देश

C. विकासशील विश्व में पार्टी व्यवस्था

D. साम्यवादी विश्व में राजनीतिक पार्टी व्यवस्था

19. अमेरिका के राष्ट्रपति के बारे में निम्नांकित कथनों में से कौन-सा सही है?

1. वो राष्ट्र का मुखिया है और सरकार का भी मुखिया है।
2. समस्त कार्यकारी शक्तियाँ उसके पास रहती हैं।
3. वह अपने मंत्रिमंडल के परामर्श से बँधा होता है।
4. वह विधानमंडल को विघटित करने की शक्ति रखता है।

कूट :

A. 1 और 3 सही हैं।

B. 2, 3 और 4 सही हैं।

C. 1, 3 और 4 सही हैं।

D. 1 और 2 सही हैं।

20. एफ.एम. मार्क्स की परिपालक (अभिरक्षक) नौकरशाही की विशेषता निम्नांकित में से कौन-सी ***नहीं*** है?

A. जनहित का अभिरक्षक B. क्षमताशाली

C. एकाधीनतावादी D. भ्रष्टाचारी

21. भारत में पिछड़े वर्गों के बीच विशिष्ट समूह की पहचान हेतु भारतीय सरकार द्वारा निम्नलिखित में से कौन-सी समिति नियुक्त की गई थी?

A. न्यायमूर्ति आर.एन. मिश्रा समिति

B. न्यायमूर्ति आर.एन. मधोलकर समिति

C. न्यायमूर्ति रामनन्दन समिति

D. न्यायमूर्ति राजेन्द्र सचर समिति

22. भारतीय राजनीति को ''अभाव की राजनीति'' के रूप में किसने परिभाषित किया?

A. माइरोन वीनर B. पॉल आर. ब्रास

C. अतुल कोहली D. मॉरिस - जॉन्स

23. ब्रिटिशराज के दौरान किस कांग्रेस अध्यक्ष ने योजना आयोग के विचार का सूत्रपात किया?

A. जवाहरलाल नेहरू B. महात्मा गांधी

C. मौलाना आजाद D. सुभाषचन्द्र बोस

24. भारतीय सरकार के बारे में निम्नांकित कथनों में से कौन-सा सही है?

1. राज्य सभा राज्यों के स्थानीय हितों का प्रतिनिधित्व करती है।
2. राज्य सभा का सदस्य उस राज्य का निवासी होना चाहिए जहाँ से वह निर्वाचित हुआ है।
3. राज्य को आवंटित सीटों की संख्या उसकी जनसंख्या के अनुपात में होनी चाहिए।
4. राज्य सभा के सदस्य का कार्यकाल यू.एस. में सीनेट के कार्यकाल के समान ही होता है।

कूट :

A. 2, 3 और 4 B. 1, 2 और 3

C. 1, 3 और 4 D. 1 और 2

25. अक्टूबर 1940 में, गांधीजी द्वारा शुरू किया व्यक्तिगत सिविल अवज्ञा आन्दोलन का प्रथम सत्याग्रही कौन था?

A. डॉ. राजेन्द्र प्रसाद

B. जे.बी. कृपलानी

C. सरदार वल्लभभाई पटेल

D. आचार्य विनोबा भावे

26. भारतीय संघीय व्यवस्था को किसने ''सौदेबाजी की व्यवस्था'' का नाम दिया है?

A. ए.के. चन्दा B. मॉरिस - जॉन्स

C. के.सी. वियर D. डी.डी. बसु

27. मंडल आयोग का अध्यक्ष कौन था?

A. बी.एन. मंडल B. बी.पी. मंडल

C. डी.एल. मंडल D. आर.एन. मंडल

28. भारत में अंतर-राज्य परिषद् (Inter-State Council) कब स्थापित की गई थी?

A. 1987 B. 1989

C. 1990 D. 1992

29. विभाग सम्बन्धित संसदीय स्थायी समितियों की व्यवस्था हेतु लोकसभा नियमों में कब संशोधन किया गया?

A. 1988 B. 1989

C. 1991 D. 1995

30. भारत में संघीय न्यायालय की स्थापना किस अधिनियम/रिपोर्ट द्वारा की गई?

A. भारत सरकार अधिनियम, 1909

B. भारत सरकार अधिनियम, 1919

C. मॉण्टेग्यू चेम्सफोर्ड रिपोर्ट

D. भारत सरकार अधिनियम, 1935

31. 'इंट्रोडक्शन टू पब्लिक एडमिनिस्ट्रेशन' नामक पुस्तक किसने लिखी है?

A. डब्ल्यू.एफ. विलोबी B. वुडरो विलसन

C. एम.पी. फोलेट D. लियोनार्ड डी. व्हाइट

32. 'अनौपचारिक संगठन' की अवधारणा किसने प्रतिपादित की है?

A. एफ.डब्ल्यू. टेलर B. हरबर्ट साइमन

C. एल्टन मेयो D. एफ.एम. मार्क्स

33. 'क्लेक्ट' रिग्गस् प्रिजमैटिक समाज की उप-व्यवस्था है :

A. सामाजिक व्यवस्था B. प्रशासनिक व्यवस्था

C. आर्थिक व्यवस्था D. राजनीतिक व्यवस्था

34. 'जैकसोनियन सिद्धान्त' को निम्नलिखित भी कहा जाता है :

A. योग्यता प्रणाली B. आउटसोर्स थ्योरी

C. इनामी प्रणाली D. संविदा प्रणाली

35. मिन्नोब्रुक सम्मेलन, 1968 में लोक प्रशासन के कौन-से चार मुख्य मुद्दों पर बहस की गई?

A. प्रासंगिकता, मूल्य, समता और परिवर्तन

B. इतिहास, गुण, मूल्य और विकास

C. मूलग्रन्थ, संदर्भ, प्रासंगिकता और दर्जा

D. मानक, मूल्य, संदर्भ और प्रगति

36. किसने कहा कि "सफल प्रबन्ध उद्देश्यों द्वारा प्रबन्ध को अंतर्ग्रस्त करता है"?

A. एफ.डब्ल्यू. टेलर B. पीटर एफ. ड्रक्कर

C. कोठारी समिति D. एडविन बी. फ्लिपो

37. किस पुस्तक में, रॉबर्ट डाहल ने निर्णय लेने के सिद्धान्त की व्याख्या की है?

A. डेमोक्रेसी, लिबर्टी एण्ड इक्वालिटी

B. डेमोक्रेसी एट क्रोस रोडस्

C. हू गवर्नस्?

D. मॉडर्न पोलिटिकल एनालिसिस

38. ब्रिटिश सिविल सर्विस के लिये यूनिफाइड ग्रेडिंग स्ट्रक्चर की अनुशंसा किस समिति ने की?

A. मास्टरमैन B. फल्टन

C. एशटन D. मैक ग्रॉ

39. नीचे दो कथन दिये गए हैं, एक को अभिकथन (A) और दूसरे को कारण (R) का नाम दिया गया है। नीचे दिए कूटों से सही उत्तर का चयन करें–

अभिकथन (A) : भ्रष्टाचार की प्रथा के अंत को सुनिश्चित करने के लिये सरकार द्वारा पर्याप्त उपाय किये जाने चाहिए।

कारण (R) : भ्रष्टाचार प्रजातान्त्रिक प्रक्रिया को अवनति की ओर प्रवृत्त करता है।

कूट :

A (A) और (R) दोनों सत्य हैं, परन्तु (R), (A) की सही व्याख्या नहीं है।

B. (A) सत्य है, परन्तु (R) असत्य है।

C. (A) और (R) दोनों सत्य हैं और (R), (A) की सही व्याख्या है।

D. (A) असत्य है, परन्तु (R) सत्य है।

40. निम्नलिखित का मिलान करें :

ऑम्बुड्समैन का कार्यालय निम्नांकित वर्षों में इन देशों में स्थापित किया गया :

(देश)	**(वर्ष)**
(a) स्वीडन	1. 1967
(b) फिनलैंड	2. 1809
(c) न्यूजीलैंड	3. 1978
(d) यूनाइटेड किंगडम	4. 1919
	5. 1962

सही उत्तर का चयन करें :

कूट :

	(a)	(b)	(c)	(d)
A.	2	4	5	1
B.	1	5	3	4
C.	3	2	1	5
D.	4	3	5	1

41. उत्तर सोवियत काल में, वैश्विक स्तर पर रशिया का दृष्टिकोण निम्नलिखित के द्वारा विशेषित था :

A. कठोर वैचारिक स्थितियाँ

B. सोवियत काल की पैतृक सम्पत्ति (बपौती) के लिए भूमिका में वृद्धि

C. व्यावहारिक अनवैचारकीय वैश्विक दृष्टिकोण

D. शीत युद्ध युग की अनम्यता (जड़ताएँ)

42. निम्नलिखित में से किसने अल्प-विकास के शब्द का प्रतिपादन किया?

A. एनटॉनियो ग्राम्सी B. रोजा लक्समबर्ग

C. इमैन्यूअल वेलरस्टाइन D. कैनेथ वाल्ट्ज

43. यू.एस. द्वारा निर्मित कंटेनमेंट की नीति का लक्ष्य है :

A. सोवियत यूनियन के प्रभाव को वैश्विक रूप से रोकना।

B. ईरान के आणविक प्रचुरोद्भवन को रोकना।

C. अवज्ञाकारी उत्तरी कोरिया को सीमाबद्ध करना।

D. जनवादी गणराज्य चीन की प्रसारवादी नीतियों का विरोध करना।

44. 1997 की क्योटो उपसन्धि ने निम्नलिखित में से किसक लिये कार्यक्रम को अपनाया?

A. वैश्विक निर्धनता को समाप्त करना।

B. यू.एन. व्यवस्था का प्रजातन्त्रीकरण।

C. आई.एम.एफ. तथा विश्व बैंक के अन्दर सहभागिता का विस्तार।

D. ग्रीन हाउस के उत्सर्जन को कम करना।

45. सूची-I को सूची-II के साथ सुमेलित कीजिए और नीचे दिये कूटों से सही उत्तर का चयन कीजिए:

सूची-I	**सूची-II**
(a) मॉर्टन कपलान	1. पेरेस्त्रोइका एण्ड ग्लासनोस्त
(b) ऐन्द्रे गुंडर फ्रैंक	2. यथार्थवाद का सिद्धान्त
(c) हेंस जे. मॉर्गनथो	3. व्यवस्था सिद्धान्त
(d) मिखाइल गॉरबाचोव	4. पराश्रयता सिद्धान्त

कूट :

	(a)	(b)	(c)	(d)
A.	3	4	2	1
B.	4	2	3	1
C.	2	4	1	3
D.	2	1	3	4

46. विश्व व्यापार संगठन (W.T.O.) के अन्दर पारस्परिकता का सिद्धान्त किसका विचार करता है?

A. राष्ट्र द्वारा व्यापार अवरोधों को कम करना और बदले में दूसरे राष्ट्र के द्वारा भी उतने ही कम हो।

B. एक समान आधार पर व्यापार अवरोधों का सृजन।

C. बौद्धिक सम्पत्ति अधिकारों का संरक्षण।

D. व्यापार पर राष्ट्र अवरोधों के लिए भूमिका में वृद्धि।

47. नीचे सूचीगत घटनाओं का सही कालानुक्रमिक क्रम क्या है?

1. सोवियत यूनियन के कॅन्टेनमेंट (सीमित रखने) की यू.एस. नीति
2. पूर्व सोवियत यूनियन का विघटन
3. ईरान-इराक युद्ध
4. अफगानिस्तान में आतंकवाद के विरुद्ध यू.एस. का युद्ध

नीचे दिए गए कूटों में सही उत्तर का चयन कीजिए :

कूट :

A. 4, 2, 3, 1 B. 2, 4, 1, 3

C. 3, 2, 4, 1 D. 1, 3, 2, 4

48. यह उक्ति, 'साम्राज्यवाद पूँजीवाद की सर्वोच्च अवस्था है' किसने प्रतिपादित की?

A. कार्ल मार्क्स B. वी.आई. लेनिन

C. ऐन्द्र गुंडर फ्रैंक D. इमैन्युअल वेलरस्टाइन

49. हांस ब्लिक्स संयुक्त राष्ट्र संस्था का प्रमुख किसके लिए होता है?

A. सोमालिया में शांति बनाये रखने।

B. जनसमूह के विनाश के शस्त्रों के सत्यापन हेतु इराक में स्थानों का निरीक्षण।

C. N.I.E.O. के सृजन के लिए कार्यचालन रूपात्मकताएँ।

D. युद्ध से नष्ट अफगानिस्तान का पुनर्निर्माण।

50. नागॉर्नो काराबाख किसके बीच विवादास्पद प्रदेश है?

A. आर्मेनिया और अजरबेजान

B. जॉर्जिया और उक्रैन

C. उज्बेकिस्तान और तुर्कमेनिस्तान

D. रशियन संघ और चीन

उत्तरमाला

1	2	3	4	5	6	7	8	9	10
A	A	D	C	D	D	D	B	C	A
11	**12**	**13**	**14**	**15**	**16**	**17**	**18**	**19**	**20**
D	A	B	A	C	B	A	A	D	D
21	**22**	**23**	**24**	**25**	**26**	**27**	**28**	**29**	**30**
C	A	D	C	D	B	B	C	B	D
31	**32**	**33**	**34**	**35**	**36**	**37**	**38**	**39**	**40**
D	C	A	C	A	B	C	B	C	A
41	**42**	**43**	**44**	**45**	**46**	**47**	**48**	**49**	**50**
C	C	A	D	A	A	D	B	B	A

कुछ चुने हुए प्रश्नों के व्याख्यात्मक उत्तर

2. 'प्रिंस' में निर्मित मानव स्वभाव पर मैकियावेली की मानव स्वभाव संबंधी धारणाएं निम्नलिखित हैः

(i) मैकियावेली के अनुसार मनुष्य महत्वाकांक्षी होता है। उसकी एक आकांक्षा का प्रभाव उसकी दूसरी आकांक्षा पर भी पड़ता है वह अपने को सुरक्षित करने का प्रयत्न करता है। उसके बाद दूसरो पर आक्रमण करता है यही उसका स्वभाव है।

(ii) मनुष्य में स्वतंत्रता की उत्कृष्ट अभिलाषा होती है वह दूसरों से अपनी मुक्ति चाहता है प्रत्येक व्यक्ति अपने तरीके से रहना चाहता है। अपना जीवन अपने तरीके से बिना दूसरों के हस्तक्षेप गढ़ना चाहता है और अपनी भलाई जिसमें है उसकी खोज स्वयं ही करना चाहता है। परंतु अपनी मुक्ति का उपाय है दूसरों को परतंत्र बनाना इसलिए प्रत्येक व्यक्ति दूसरों पर हावी होना चाहता है। दूसरो पर शासन करना चाहता है।

(iii) मैकियावेली के मतानुसार मनुष्य में आवेग दो प्रकार से होता है। पाने की इच्छा से भी और खोने के डर से भी। व्यक्ति और अधिक पाने की इच्छा ही इसलिए करता है कि उसे इस बात का डर होता है कि कहीं जो कुछ उसके पास है वह खो न जाए। यदि व्यक्ति के लिए इस बात की प्रत्याभूति हो कि उनके पास जो कुछ है वह खोयेगा नहीं या नष्ट नहीं होगा तो शायद वह और पाने की तृष्णा के पीछे इतना अधिक न दौड़े। इस अधिकाधिक संग्रह करने की दौड़ में एक-दूसरे के साथ संघर्ष होता है, व्यक्ति-व्यक्ति के बीच में व्यक्ति और राज्य के बीच में भी।

(iv) मानव पशु से भिन्न इसलिए है कि उसमें विवेक होता है मैकियावेली का मानना है कि सही तो यह है कि वह पशु ही है। उसका उद्देश्य किसी भी पशु की तरह केवल मना करना है। मैकियावेली का विचार है कि मानव स्वभाव से ही झगड़ालु और आक्रामक होता है और जब तक उसे राज्य की निरंकुश शक्ति से नियंत्रित न किया जाए या उसके द्वारा कुचल डालने की व्यवस्था न कर ली जाए तब तक वह अपने इस स्वभाव में सुधार नहीं कर सकता। पाशविक शक्ति का नियंत्रण महान् पाशविकता से ही हो सकता है। जैसा कि आगे चलकर हॉब्स ने इसी बात को अपनी शब्दावली में दोहराया है।

(v) मैकियावेली का विचार था कि अगर व्यक्ति के संघर्षमय स्वभाव को राज्य दण्ड या कानून द्वारा नियंत्रण न करें तो राज्य में अराजकता फैल जाए और उसका मानना है कि मानव स्वभाव में अराजकता शक्ति जितनी ही अधिक हो सरकार की निरंकुशता भी उतनी ही अधिक होनी चाहिए।

(vi) एक प्रशासक के लिए मैकियावेली ने सलाह दी है कि उसे हमेशा यह मानकर राज्य की व्यवस्था करनी चाहिए कि सामान्यता सभी व्यक्ति बुरे होते है और एक दुसरे की सम्पत्ति और जीवन को नुकसान पहुंचाने के अवसर ढूँढ़ते रहते है। सम्पत्ति अर्जन में मानव की प्रकृति सबसे अधिक होती है। मैकियावेली का कहना था कि "व्यक्ति अपने बाप की हत्या के अपराध को भी एक बार क्षमा कर सकता है पर अपनी सम्पत्ति के अपहरणकर्ता को वह कभी भी क्षमा नहीं कर सकता है।" लोग न केवल डरपोक एवं अज्ञानी होते है, बल्कि मनुष्य स्वभाव से ही दुराचारी होते है वे केवल आवश्यकता पड़ने पर ही सन्नहित दिखाई पड़ते है। लोग अपनी वासनाओं के दास एवं अव्वल दर्जे के स्वार्थी होते है।

(vii) मैकियावेली ने मानव स्वभाव से संबंधी अपनी विचारधारा में मानवों को स्वार्थ एवं अहंवाद से भरा पाया हैं उसके अनुसार मनुष्य विभिन्न कमजोरियों से ग्रसित है।

प्रिंस के सत्रहवें अध्याय में मैकियावेली ने लिखा है कि सामान्यता मनुष्य के बारे में यह कहा जा सकता है कि वे अकृतघ्न, चलायमान, मिथ्यावादी, डरपोक और स्वार्थ लिप्त होते है, वे तभी तक आपके बने रहते है जब तक सफलता उसके पास है। वे तभी तक आपके लिए अपना रक्त, सम्पत्ति, जीवन आदि का बलिदान करने के लिए आगे बढ़ेगें जब तक कि वास्तव में ऐसे बलिदानों की आवश्यकता दूर रहती है लेकिन जैसे ही यह

आवश्यकता निकट आती है वे आपके विरुद्ध विद्रोह भी कर देते है। मनुष्य उसी समय तक प्रेम करते है जब तक उनका स्वार्थ सिद्ध होता है लेकिन जब वे अपनी कोई स्वार्थ सिद्धि नहीं देखते है तो वे विद्रोह कर देते है।

(viii) मैकियावेली का विचार था कि जब कभी मनुष्य को स्वविवेक से कार्य करने की स्वतंत्रता दे दी जाती है तभी अव्यवस्था फैल जाती है। आशा लगाए हुए प्रत्येक व्यक्ति उस दिन का इंतजार करता है जब बाप मरता है और बैल बाँटतें है। वह स्वार्थपरता को जन्मजात अवगुण मानता है उसके विचार में मानव का स्वभाव मूर्खता, दुर्बलता एवं दुष्टता का मिश्रण होता है। हॉब्स तथा मैकियावेली दोनों ही मनुष्य को कपटी, सनकी, कृतघ्न, लोभी एवं कायर मानते थे। मानव के अन्दर जो लोभ, धोखा, भय, अभिमान तथा पशुता भरी है उन सबके पीछे एकमात्र स्वार्थ की ही भावना निहित है।

मैकियावेली को मानव में केवल दोष ही दोष दिखता है। उसका कहना था कि मानव अपनी इच्छा से या अपनी खुशी से कोई कार्य नहीं करता है वरन् वह धमकी या शक्ति से वशीभूत होकर ही प्रत्येक कार्य करता है

अतः सुदृढ़ शासन के लिए मैकियावेली राज्य को उपदेश देता है कि मानव की कमजोरी का लाभ उठाए और मानव को आतंकित करके राज्य के प्रति कर्त्तव्य निभाने के लिए उसे विवश कर दे।

इस प्रकार मैकियावेली, प्लेटो व अरस्तू आदि के इस सिद्धांत को कि मानव स्वभावतः सदगुणी है का वह जोरदार ढंग से खण्डन करता है। उसका मानना है कि राज्य या सरकार की उत्पत्ति उसके सामाजिक स्वभाव से न होकर सुरक्षा की आवश्यकता से जुड़ी हुई है।

मैकियावेली के अनुसार एक कुशल शासक को सदैव यह ध्यान में रखना चाहिए कि मनुष्य की प्रेरक शक्तियां स्वार्थपूर्ण है। अतः प्रमुख कर्त्तव्य जनता को सुरक्षा प्रदान करना है।

क्योंकि मनुष्य स्वभावतः स्वार्थी है। अतः राजनीति में नैतिकता की कोई आवश्यकता नहीं है। शासक को चाहिए कि वह प्रजा को शक्ति से नियंत्रित करें।

मनुष्य की ये बुराईयां जन्मजात है। अतः ये सुधारी नहीं जा सकती है।

इस प्रकार हम देखते है कि मैकियावेली ने अपनी विचारधारा में मानव स्वभाव में केवल बुराइयां ही बुराइयां नजर आती हैं। मैकियावेली एक अनुभववादी थे तथा उनकी मान्यताएँ एवं निष्कर्ष मनोविज्ञान के कटु सत्यों पर आधारित थे। उन्होंने अपने समय में इटली में मनुष्यों की दशा उनके कार्यों को देखकर उन्होंने यह हल निकाला कि मनुष्य स्वभावतः नीच और स्वार्थी होता है। मनुष्य में अहंवाद की भावना प्रधान होती है। मनुष्य इतना अधिक स्वार्थी होता है कि आपस में ही संघर्ष करता है जिसके फलस्वरूप अराजकता की स्थिति पैदा हो जाती है।

5. –दी सोशल कॉन्ट्रेक्ट (The Social Contract)–1762

–ए डिसकोर्स ऑन दी आर्टस एण्ड साइंस (A Discourse on the Arts and Science)–1750

–एमिली (Emile)–1762

–ए डिसकोर्स ऑन दी ऑरीजीन ऑफ इनइक्वेलिटी (A Discourse on the Origin of Inequality)–1754

25. 17 अक्टूबर, 1940 में गांधीजी ने पवनार से व्यक्तिगत आंदोलन शुरू किया। इस आंदोलन के प्रथम सत्याग्रही आचार्य विनोबा भावे, दूसरे सत्याग्रही जवाहरलाल नेहरू एवं तीसरे सत्याग्रही ब्रह्मदत्त थे। इस आंदोलन को 'दिल्ली चलो' आंदोलन भी कहा गया।

27. मोरारजी देसाई के प्रधानमंत्रीत्व काल में 1979 में मंडल आयोग का गठन किया गया था। इस आयोग के अध्यक्ष बी.पी. मंडल थे। इस आयोग की सिफारिश के आधार पर ही आगे चलकर पिछड़ा वर्ग आयोग का गठन हुआ। वर्तमान में अन्य पिछड़े वर्गों (OBCs) को सरकारी नौकरियों में जो 27 प्रतिशत आरक्षण मिला हुआ है, इसी आयोग की देन है।

28. संविधान के अनुच्छेद 263 के तहत केन्द्र एवं राज्यों के बीच समन्वय स्थापित करने के लिए राष्ट्रपति एक अंतर्राज्य परिषद् (Inter-State Council) का गठन कर सकता है। पहली बार जून 1990 में अंतर्राज्य परिषद् की स्थापना की गई, जिसकी पहली बैठक 10 अक्टूबर, 1990 को हुई थी। इस परिषद् में निम्न सदस्य होते हैं–

(i) प्रधानमंत्री तथा उनके द्वारा मनोनीत छह कैबिनेट स्तर के मंत्री।

(ii) सभी राज्यों व संघ राज्य क्षेत्रों के मुख्यमंत्री एवं संघ राज्य क्षेत्र के प्रशासक।

बैठक

(i) इस परिषद् की बैठक वर्ष में तीन बार होती है जिसकी अध्यक्षता प्रधानमंत्री या उनकी अनुपस्थिति में प्रधानमंत्री द्वारा नियुक्त कैबिनेट स्तर का मंत्री करता है।

(ii) परिषद् की बैठक के लिए आवश्यक है कि कम-से-कम दस सदस्य अवश्य उपस्थित हों।

30. 1935 के भारत सरकार अधिनियम के तहत् एक अखिल भारतीय न्यायालय, जिसे संघीय न्यायालय कहा गया, स्थापित किया गया। इसमें एक मुख्य न्यायाधीश की व्यवस्था थी। अन्य न्यायाधीशों की संख्या ब्रिटिश सरकार आवश्यकतानुसार निर्धारित करती थी। 1937 से 1950 तक संवैधानिक प्रश्न संघीय न्यायालय के सम्मुख आते रहे, जबकि सामान्य नागरिक और आपराधिक अपीलें प्रिवी काउंसिल के पास जाती रहीं।

स्वतंत्रता के बाद, नए संविधान ने सर्वोच्च न्यायालय को संघीय न्यायालय के स्थान पर स्थापित किया। सर्वोच्च न्यायालय की स्थापना से संबंधित प्रस्तावों को तैयार करने का कार्य पांच सदस्यों की एक अस्थाई समिति ने किया, जिसके सदस्य थे–बी.एन. राव, के.एम. मुंशी, एम. एल. मित्तर, वर्धाचारी तथा अल्लादि कृष्णस्वामी अय्यर।

31. लोक प्रशासन के अध्ययन के विषय में अनेक विचारधाराएं प्रचलित हैं, जिनका वर्णन निम्न पुस्तकों में हैं–

– **लोक प्रशासन के सिद्धांत (Principles of Public Administration):** डब्ल्यू.एफ. विलोबी की इस पुस्तक में लोक-प्रशासन के संवैधानिक-विधि-सम्मत विचारधारा का प्रतिपादन किया गया है।

– **इंट्रोडक्शन टू दी स्टडी ऑफ पब्लिक एडमिनिस्ट्रेशनः (Introduction to the Study of Public Administration):** एल.डी. ह्वाइट की इस पुस्तक में लोक-प्रशासन के सरंचनात्मक-प्रकार्यात्मक विचारधारा का प्रतिपादन किया गया है।

– **इकोलॉजी ऑफ पब्लिक एडमिनिस्ट्रेशन (Ecology of Public Administration):** फ्रेड डब्ल्यू. रिग्ज की इस पुस्तक में लोक-प्रशासन के तुलनात्मक विचारधारा का प्रतिपादन किया गया है।

– **टेक्निकल सिस्टम्स इन पब्लिक एडमिनिस्ट्रेशन (Technical Systems in Public Administration):** वाइडनर की इस पुस्तक में लोक-प्रशासन के विकासात्मक विचारधारा का प्रतिपादन किया गया है।

32. संगठन की अनौपचारिक धारणा (Informal Concept) के प्रमुख प्रवर्तक एल्टन मेयो तथा उनके साथी थे। इन लोगों ने वेस्टर्न इलेक्ट्रिक कंपनी के हार्थोर्न संयंत्र के संबंध में अग्रगामी प्रयोग किए। इन्होंने पाया कि जब कुछ व्यक्ति दीर्घकाल तक मिलकर काम करते हैं तो उनसे भावात्मक तथा वैयक्तिक संबंध विकसित हो जाते हैं, जो औपचारिक संबंधों से भिन्न होते हैं। इन संबंधों को ही अनौपचारिक संगठन कहा जाता है।

44. ग्लोबल् वार्मिंग पर नियंत्रण के उद्देश्य से जापान के क्योटो (Kyoto) में 11 दिसम्बर, 1997 को क्योटो संधि (Kyoto Protocol) पर हस्ताक्षर हुई। यह संधि 16 फरवरी, 2005 से अस्तित्व में आ गई। इसमें वैश्विक तापमान पर नियंत्रण के लिए ऊष्मा उत्पन्न करने वाली गैसों के उत्सर्जन को सीमित रखने का प्रावधान 34 औद्योगिक राष्ट्रों सहित कुल 141 राष्ट्रों द्वारा अपनाया गया। इस संधि की मुख्य बातें निम्न प्रकार से हैं–

(i) इस संधि में प्रावधान किया गया है कि औद्योगिक दृष्टि से विकसित राष्ट्रों को ग्रीन हाउस गैसों, मुख्यतः कार्बन डाइऑक्साइड का उत्सर्जन 1990 के स्तर से 5.2 प्रतिशत कम रखने का लक्ष्य 2008-12 के मध्य प्राप्त करना है।

(ii) स्पेन, पुर्तगाल व आयरलैंड आदि कुछेक राष्ट्रों में यह उत्सर्जन पहले से ही लक्ष्य से कम है जबकि अमेरिका इसे अव्यवहारिक बताते हुए संधि से हटने की घोषणा 2001 में ही कर चुका है।

(iii) ऑस्ट्रेलिया भी इस संधि में शामिल नहीं है।

(iv) विकासशील देशों के लिए संधि में कोई बाध्यता नहीं है।

(v) इस परिप्रेक्ष्य में विश्व की एक-तिहाई से अधिक आबादी वाले भारत, चीन एवं ब्राजील किसी बाध्यता से मुक्त हैं।

(vi) क्योटो संधि में जिन 6 गैसों के उत्सर्जन की बात कही गई है, उनमें कार्बन डाइऑक्साइड के अतिरिक्त मीथेन, नाइट्रस ऑक्साइड, हाइड्रोफ्लूरोकार्बन, पर-फ्लोरो कार्बन एवं सल्फर हेक्साफ्लोराइड शामिल हैं।

46. WTO नियम-आधारित, पारदर्शी एवं प्रत्यक्ष बहुपक्षीय व्यापार व्यवस्था है जो ताकतवर व्यापार भागीदार के दबाव से सदस्य देशों की रक्षा करती है। WTO नियम अन्य WTO सदस्यों के बाजारों को भारत के निर्यात को

राष्ट्रीय व्यवहार और अत्यधिक तरजीह वाले देश (MFN) के रूप में भेदभावरहित व्यवस्था प्रदान करते हैं। राष्ट्रीय व्यवहार सुनिश्चित करता है कि एक बार हमारे उत्पाद अन्य WTO सदस्य के यहाँ आयात हो गए तो उस देश के उत्पादों की तुलना में उनसे भेदभाव नहीं किया जाएगा। MFN व्यवहार सिद्धान्त सुनिश्चित करता है कि सदस्य देश अपनी कर व्यवस्था में ही नहीं, बल्कि अन्य नियमों, विनियमों, प्रोत्साहनों आदि के मामले में भी WTO सदस्यों के बीच भेदभाव नहीं करेंगे। यदि कोई सदस्य देश महसूस करता है कि अन्य व्यापार भागीदार की व्यापारिक नीतियों के कारण उसको निश्चित लाभ नहीं मिल रहा है, तो वहा WTO के विवाद निपटारा तंत्र (DSM) के तहत् मामला दायर कर सकता है।

WTO नियमों में आयात प्रावधान भी हैं जिनसे सदस्य देशों को भुगतान संतुलन समस्या तथा आयात में तेजी से बढ़ोतरी जैसी आयात स्थितियों से निपटने में मदद मिलती है। घरेलू उत्पादकों को नुकसान पहुँचाने वा.. गलत व्यापार आचरण से निपटने के लिए डम्पिंग-विरोधी समझौते और सब्सिडी एवं समतुल्य उपाय समझौते के तहत् डम्पिंग-विरोधी या समतुल्य कर लगाने का प्रावधान है।

47. – सोवियत यूनियन के कॉन्टेनमेंट (सीमित रखने) की यू.एस. नीति–1947
– पूर्व सोवियत यूनियन का विघटन–1991
– ईरान-इराक युद्ध–1980-88
– अफगानिस्तान में आतंकवाद के विरुद्ध यू.एस. का युद्ध–2001

48. लेनिन (Lenin) इतिहास के आर्थिक व्याख्या में विश्वास करते हैं। इनके विचार में पूंजीवाद समाप्त नहीं होता क्योंकि यह अभी भी विकास की सर्वोच्च अवस्था में बनी हुई है। लेनिन ने अपनी कृति 'Imperialism : The Highest Stage of Capitalism' में यह स्पष्ट किया है कि साम्राज्यवाद पूंजीवाद की सर्वोच्च अवस्था है।

प्रश्न-पत्र-III

नोट : *इस प्रश्न-पत्र में* **पचहत्तर (75)** *बहु-विकल्पीय प्रश्न हैं। प्रत्येक प्रश्न के* **दो (2)** *अंक हैं।* **सभी** *प्रश्न अनिवार्य हैं।*

1. थ्योरी शब्द ग्रीक शब्द 'थ्योरिया' से आया है, जिससे अभिप्राय है
A. एक सुगठित राजनीतिक व्यवस्था।
B. सुकेन्द्रित मानसिक दृष्टिकोण।
C. सु प्रत्याशित आर्थिक संरचना।
D. एक वास्तविक व्यवस्था पद्धति।

2. राजनीतिक सिद्धान्त के अस्वीकरण के लिए निम्नलिखित में से कौन संबद्ध नहीं है?
A. पीटर लैसले B. डेविड ईस्टन
C. जीन ब्लॉन्डेल D. अल्फ्रेड कोबन

3. निम्नलिखित में से किसने कहा है कि नकारात्मक स्वतन्त्रता सकारात्मक स्वतन्त्रता से उच्च होती है?
A. जे.एस. मिल B. इसिआह बर्लिन
C. टी.एच. ग्रीन D. अर्नेस्ट बार्कर

4. निम्नलिखित में से कौन-सा कथन सत्य है?
A. सामाजिक न्याय, समता के सिद्धान्तों का उल्लंघन करता है।
B. सामाजिक न्याय, नैतिक तर्क संगतता से प्राप्त होता है।
C. सामाजिक न्याय, न्याय का निषेध है।
D. सामाजिक न्याय, राजनीतिक कार्य साधन है।

5. निम्नलिखित में से कौन-सा माओ के नेतृत्व में सर्वप्रथम जन आंदोलन था?
A. सांस्कृतिक क्रान्ति
B. ग्रेट लीप फॉरवर्ड
C. सैकड़ों फूल खिलने दो और अनेकों विचार संप्रदायों को शामिल होने दो
D. उपर्युक्त सभी

6. 'लेनिनवाद' की खोज किसके द्वारा की गई?
A. ट्रॉटस्की B. स्टेलिन
C. मार्क्स D. माओ

7. 'द गुड बोटमैन' नामक पुस्तक के लेखक कौन हैं?
   A. एरिक्सन B. राजमोहन गांधी
   C. रोमियां रोलां D. नीयमा

8. निम्नलिखित में से कौन-सा कथन सत्य है?
   A. प्लेटो की रिपब्लिक नीतिशास्त्र की पुस्तक है।
   B. यह राजनीति की पुस्तक है।
   C. यह नीति और राजनीति दोनों की पुस्तक है।
   D. यह शिक्षा की पुस्तक है।

9. निम्नलिखित में से कौन-सी पुस्तक श्री एम.एन. रॉय द्वारा नहीं लिखी गई है?
   A. द फ्यूचर ऑफ इंडियन पॉलिटिक्स।
   B. गांधीज्म, नैशनलिज्म एंड सोशलिज्म।
   C. न्यू ह्यूमनिज्म्।
   D. नेशनलिज्म, रैशनेलिटी और रिवोल्यूशन।

10. निम्नलिखित में से किसने धन की तुलना महिला से की है?
   A. एम.एन. रॉय B. रूसो
   C. हॉब्स D. मैक्यावेली

11. निम्नलिखित में से कौन-सा 'एलीनेशन' से संबंधित नहीं है?
   A. पेरिस पांडुलिपियाँ
   B. फ्यूरबख पर शोध प्रबन्ध
   C. पॉवर्टी ऑफ फिलॉसफी
   D. जर्मन विचारधारा (ऑडियोलॉजी)

12. सामान्य इच्छा से अभिप्राय है
   A. यथार्थ इच्छा B. अधिकांश इच्छा
   C. सम्पूर्ण इच्छा D. वास्तविक इच्छा

13. **कथन (A):** सामाजिक संविदा से संप्रभु सरकार स्थापित की थी।
   कारण (R): नागरिकों को सभी कानूनों का पालन करने अथवा किसी भी प्रकार की सरकार को स्वीकार की पूर्ण बाध्यता है।
   दोनों कथनों के सन्दर्भ में निम्नलिखित में से कौन-सा सत्य है?
   A. (A) और (R) दोनों सत्य हैं, किन्तु (R), (A) का सही स्पष्टीकरण है।
   B. (A) और (R) दोनों सत्य हैं, किन्तु (R), (A) का सही स्पष्टीकरण नहीं है।
   C (A) सत्य है, किन्तु (R) असत्य है।
   D. (A) असत्य है, किन्तु (R) सत्य है।

14. सूची-I को सूची-II के साथ सुमेलित कीजिए और अरस्तू और प्लेटो के सन्दर्भ में नीचे दिए गए कूट से सही उत्तर का चयन करें :

सूची-I (शुद्ध रूप)	सूची-II (अपभ्रष्ट रूप)
(*a*) राजतन्त्र	(*i*) लोकतन्त्र
(*b*) कुलीन तन्त्र	(*ii*) टिरनी (अत्याचारी शासन)
(*c*) राज्य व्यवस्था	(*iii*) अल्पतन्त्र
(*d*) आदर्श राज्य	(*iv*) सम्मान तन्त्र (प्रथम अवस्था)

कूट :

	(*a*)	(*b*)	(*c*)	(*d*)
A.	(*iv*)	(*i*)	(*ii*)	(*iii*)
B.	(*ii*)	(*iii*)	(*i*)	(*iv*)
C.	(*iii*)	(*ii*)	(*iv*)	(*i*)
D.	(*i*)	(*iv*)	(*iii*)	(*ii*)

15. निम्नलिखित पुस्तकों का सही कालक्रम अनुक्रम क्या है?

लेखक	पुस्तक
(*i*) रिचर्ड एटनबरो	इन सर्च ऑफ गांधी
(*ii*) लुईस फिशर	द लाइफ ऑफ महात्मा गांधी
(*iii*) ई.एच. इरकसन	गांधीज ट्रुथ
(*d*) जे. ऐटोन	गांधी : फाइटर विदआउट ए सोर्ड

नीचे दिए गए कूट से सही उत्तर का चयन करें :

कूट :

A.	(*iv*)	(*ii*)	(*iii*)	(*i*)
B.	(*iii*)	(*i*)	(*ii*)	(*iv*)
C.	(*ii*)	(*iv*)	(*iii*)	(*ii*)
D.	(*i*)	(*ii*)	(*iv*)	(*iii*)

16. सूची-I को सूची-II के साथ सुमेलित करें और नीचे दिए गए कूट से सही उत्तर का चयन करें :

सूची-I (पद्धति सिद्धान्तवादी)	सूची-II (पद्धति)
(*a*) बर्टालनफाई	(*i*) अन्तःक्रिया में आने वाले तत्वों का समूह
(*b*) हॉल एंड फेजन	(*ii*) एक पूर्ण जो अनेकों के संयोजन से बनता है
(*c*) ईस्टन	(*iii*) वस्तुओं का एक समूह तथा वस्तुओं और उनके गुणों के बीच संबंध
(*d*) कोलन चेरी	(*iv*) अन्तःक्रिया का समूह

कूट :

	(a)	(b)	(c)	(d)
A.	(i)	(iv)	(ii)	(iii)
B.	(ii)	(iii)	(i)	(iv)
C.	(iv)	(i)	(ii)	(iii)
D.	(iii)	(ii)	(iv)	(i)

17. निम्नलिखित में से किसने राजनीतिक व्यवस्था 'फ्लो मॉडल' प्रस्तुत किया है?

A. गेबराइल ऑलमंड B. डेविड ईस्टन
C. मॉर्टन कपलन D. आरन युंग

18 आलमंड ने अपने दृष्टिकोण की अधिकतर शब्दावली किससे ली है?

A. रॉबर्ट के. मर्टन B. टेलकॉट पार्सनूस
C. मेलिनोवस्की D. आर्थर बेंतले

19 निम्नलिखित में से किसने राजनीतिक विकास में समता और क्षमता के सिद्धान्तों के बीच सन्तुलन को अधिक महत्व दिया है?

A. लूसियन पाई B. हंटिंगटन
C. फ्रेड रिग्स D. डेनिल लर्नर

20. निम्नलिखित में से कौन राजनीतिक विकास के अध्ययन के लिए "संकल्प और क्षमता" (विल एंड कैपेसिटी) के सिद्धान्त से संबद्ध है?

A. लुसियन पाई B. ऑरगांस्की
C. हलपर्न D. डेविड एप्टर

21 निम्नलिखित में से किसने संस्कृतियों को सभ्यताओं के साथ जोड़ा है?

A. आलमंड और वर्बा B. हंटिंगटन
C. लुसियन पाई D. एडवर्ड शिल्स

22. "हम संविधान के अधीन हैं पर संविधान वह है जो न्यायाधीशों द्वारा मान्य हो"। यह निम्नलिखित में से किस देश पर लागू हो सकता है?

1. भारत 2. अमरीका
3. स्विट्ज़रलैंड 4. ऑस्ट्रेलिया

नीचे दिए गए कूट से सही उत्तर का चयन करें :

कूट :

A. 1 और 3 B. 1 और 2
C. 2 और 3 D. 3 और 4

23 निम्नलिखित में से किसने राजनीतिक दलों के उद्भव को तीन सिद्धान्तों के साथ जोड़ा है? संस्थागत सिद्धान्त, ऐतिहासिक संकट सिद्धान्त और विकास सिद्धान्त

A. ला पैलोम्बरा और माइरन वीनर
B. पीटर के. मर्कल
C. हैरी एकस्टीन
D. जीन ब्लॉन्डेल

24. निम्नलिखित में से कौन-से अभिकथन सत्य नहीं है?

1. स्विस संघीय अधिकरण को, संघीय विधानमंडल द्वारा पारित किसी कानून को असवैधानिक घोषित करने की शक्ति प्राप्त है।
2. यू.एस.ए. में कम्युनिस्ट पार्टी प्रतिबन्धित है।
3. भारत के संविधान में इसके लागू होने के समय प्रारम्भ में यह प्रावधान था कि मन्त्रि परिषद् की सलाह राष्ट्रपति के लिए बाध्य होगी।
4. इंग्लैंड में टोरीस को रूढ़िवादी (कन्जरवेटिव) माना जाता है।

नीचे दिए गए कूट से सही उत्तर का चयन करें :

कूट :

A. 1 और 2 B. 2 और 3
C. 2 और 4 D. 1 और 3

25. "नम्बर एक और नम्बर दो, तीन या चार की हैसियत की कोई तुलना नहीं की जा सकती है।" ब्रिटिश प्रधानमंत्री के बारे में यह किसका कथन है?

A. हैराल्ड लास्की B. मागरिट थैचर
C. हैराल्ड विल्सन D. विन्सटन चर्चिल

26. नीचे दो अभिकथन दिए गए हैं। एक जो कथन (A) और दूसरे को कारण (R) कहा गया है।

कथन (A): नेता जब एक बार शक्ति की पराकाष्ठा पर पहुँच जाते हैं तो उन्हें कोई चीज नीचे नहीं गिरा सकती है।

कारण (R): माइकेल के अनुसार अधिकतर मनुष्य उदासीन, अकर्मण्य और चापलूस होते हैं।

कूट :

A. (A) और (R) दोनों सत्य हैं और (R), (A) का सही स्पष्टीकरण है।
B. (A) और (R) दोनों सत्य हैं, लेकिन (R), (A) का सही स्पष्टीकरण नहीं है।
C (A) सत्य है, किन्तु (R) गलत है।
D. (A) गलत है, लेकिन (R) सत्य है।

27 निम्नलिखित में से कौन-से युग्म का सही मेल नहीं किया गया है?

1. पैरेटो	अभिजन का संचार
2. मोस्का	जन-सिद्धान्त
3. माइकेल	जन-धारणा
4. गैसेट	राजनीतिक फार्मूला

प्रदत्त कूट से सही उत्तर का चयन कीजिए—

कूट :

A. 2 और 4 B. 1 और 2
C. 3 और 4 D. 2 और 3

28. निम्नलिखित में से किस देश को प्राप्त है : दोहरी नागरिकता, राष्ट्रीय नागरिकता, राज्य नागरिकता?

A. भारत और यू.एस.ए.
B. भारत और स्विट्ज़रलैंड
C. स्विट्ज़रलैंड और यू.एस.ए.
D. यू.एस.ए. और यू.के.

29 निम्नलिखित में से कौन-से अभिकथन असत्य हैं?

1. अमेरिका के राष्ट्रपति, पद के लिए अनेकों बार चुनाव लड़ सकते हैं।
2. भारत के राष्ट्रपति संसद को संदेश भेजते रहते हैं।
3. राज्य सभा के दो-तिहाई सदस्य हर दो वर्ष में सेवा-निवृत्त हो जाते हैं।
4. अमेरिका में अवशिष्ट शक्तियाँ राज्यों को विहित होती हैं।

नीचे दिए गए कूट से सही उत्तर का चयन करें:

कूट :

A. 1, 2 और 4 B. 1, 2 और 3
C. 2, 3 और 4 D. 1, 3 और 4

30. अभिजन सिद्धान्त सर्वप्रथम कहाँ प्रारम्भ हुआ?

A. अमेरिका
B. यूनाइटेड किंगडम
C. सेन्ट्रल और वेस्टर्न यूरोपीय देशों में
D. ऑस्ट्रेलिया

31. भारतीय संविधान की प्रस्तावना में उदारता, समानता तथा भाइचारे के आदर्श प्रतिष्ठापित हैं। इसकी प्रेरणा मुख्यतः किससे मिली है?

A. रशियन क्रान्ति B. आयरिश क्रान्ति
C. फ्रांसिसी क्रान्ति D. सांस्कृतिक क्रान्ति

32. भारत के राष्ट्रपति के पद के लिये प्रत्याशी का नाम कौन प्रस्तावित करता है?

A. भारत के कोई भी पाँच नागरिक
B. संसद के कोई भी पाँच सदस्य
C. निर्वाचक कॉलेज के कोई भी पचास सदस्य
D. निर्वाचक कॉलेज के कोई भी दस सदस्य

33. निम्नलिखित में से कौन-सा अनुच्छेद भारत के मूल संविधान का अंश नहीं है?

(*i*) अनुच्छेद 52ए (*ii*) अनुच्छेद 51ए
(*iii*) अनुच्छेद 14 (*iv*) अनुच्छेद 300ए

नीचे दिये कूटों से सही उत्तर का चयन करें:

A. (*i*) और (*ii*) B. (*i*) और (*iii*)
C. (*ii*) और (*iii*) D. (*ii*) और (*iv*)

34. भारत के निम्नलिखित पूर्व राष्ट्रपति में से किसने ''भारतीय डाकघर संशोधन बिल' को लम्बित रखा?

A. जाकिर हुसैन B. वी.वी. गिरि
C. जैल सिंह D. डॉ. शंकर दयाल शर्मा

35. किसने कहा है कि 'सभी की साम्प्रदायिकता हानिकारक है'? अल्पसंख्यक साम्प्रदायिकता का तर्क पृथकता है, और बहुसंख्यक साम्प्रदायिकता अंततः फासिज्म में फलीभूत होती है।

A. भिखु पारिख B. टी.एन. मदान
C. बिपिन चन्द्र D. आशीष नंदी

36. ''डेमोक्रेसी एण्ड डिस्कंनटेंट' (Democracy and Discontent) पुस्तक का लेखक कौन है?

A. जेम्स मेनर B. अतुल कोहली
C. जोया हसन D. एम.एस.ए. राव

37. भारत में 'विपणन राज्यतन्त्र' (Market Polity) के उभार पर किसने बल दिया था?

A. स्टेनले ए. कोचानेक B. जेम्स मेनर
C. मोरिस-जोनस D. पॉल ब्रास

38. भारतीय राज्य के स्वरूप को ''वृद्धि संबंधी लोकतन्त्रात्मक आधुनिकीकरण'' (Incremental Democratic Modernization) माना है

A. मॉरिस जॉन ने
B. रजनी कोठारी ने
C. फ्रैन्कीन फ्रैन्केल ने
D. सूसन एंड लॉयड रुडॉल्फ ने

39. राष्ट्रीय अभिजन और केन्द्र में विकास के आधारस्वरूप उद्यम वृत्ति वर्ग समझौता पुनः वितरण योग्य छूट का स्वतः निषेध नहीं करता है। यह किसका कथन है?

A. पार्थ चटर्जी
B. अतुल कोहली
C. योगेन्द्र यादव
D. पॉल ब्रास

40. सूची-I को सूची-II के साथ सुमेलित करें और नीचे दिए गए कूट से सही उत्तर का चयन करें:

सूची-I (पुस्तक)	सूची-II (लेखक)
(*a*) लैंग्वेज़, रिलीजन एंड पॉलिटिक्स	(*i*) जगदीश भगवती
(*b*) पार्टी बिल्डिंग इन ए न्यू नेशन	(*ii*) पॉल ब्रास
(*c*) द पेनफुल ट्रांसीशन बॉर्गोइस डेमोक्रेसी इन इंडिया	(*iii*) मायरन वीनर
(*d*) इंडिया इन ट्रांसीशनः फ्रीइंग द इकोनॉमी	(*iv*) अचिन वनाइक

कूट :

	(*a*)	(*b*)	(*c*)	(*d*)
A.	(*ii*)	(*iii*)	(*iv*)	(*i*)
B.	(*iii*)	(*ii*)	(*i*)	(*iv*)
C.	(*i*)	(*iv*)	(*iii*)	(*ii*)
D.	(*iv*)	(*i*)	(*ii*)	(*iii*)

41. निम्नलिखित समितियों के गठन का सही अनुक्रम बताएँ। नीच दिए गए कूट का प्रयोग करें:

(*i*) बलवन्तराय मेहता समिति
(*ii*) एल.एम. सिंघवी समिति
(*iii*) जी.वी.के. राव समिति
(*iv*) अशोक मेहता समिति

कूट :

A.	(*i*)	(*iv*)	(*iii*)	(*ii*)
B.	(*ii*)	(*iii*)	(*i*)	(*iv*)
C.	(*iii*)	(*ii*)	(*iv*)	(*i*)
D.	(*iv*)	(*i*)	(*ii*)	(*iii*)

42. **अभिकथन (A) :** भारत में राजनीतिक दलों ने अपनी पहुँच बढ़ा दी है, परन्तु उनकी वैधता को गहन क्षति पहुँची है।
कारण (R) : राजकीय स्तर पर दल (या पार्टी) व्यवस्था के समेकन को राष्ट्रीय स्तर पर संकलित नहीं किया जा सकता है।

A. (A) और (R) दोनों सत्य हैं, और (R), (A) की सही व्याख्या है।
B. (A) और (R) दोनों सत्य हैं, परन्तु (R), (A) की सही व्याख्या नहीं है।
C (A) सत्य है, परन्तु (R) असत्य है।
D. (A) असत्य है, परन्तु (R) सत्य है।

43. भारत के संविधान का कौन-सा अनुच्छेद प्रबन्धन में विधान के माध्यम से कर्मचारियों की प्रतिभागिता सुनिश्चित करता है?

A. अनुच्छेद 42
B. अनुच्छेद 43
C. अनुच्छेद 43A
D. अनुच्छेद 49A

44. निम्नलिखित में से किसने अनुच्छेद 356 को 'सुरक्षा कपाट' (Safety Valve) कहा है?

A. डॉ. राजेन्द्र प्रसाद
B. डॉ. बी.आर. अम्बेडकर
C जवाहरलाल नेहरू
D. सरदार वल्लभभाई पटेल

45. सूची-I को सूची-II के साथ सुमेलित करें और नीचे दिए कूटों से सही उत्तर का चयन करें:

सूची-I (पुस्तकें)	सूची-II (लेखक)
(*a*) दलित विजिनृस : दी एंटि-कास्ट मूवमेन्ट एण्ड दी कंस्ट्रक्शन ऑफ इंडियन आइडेन्टिटी	(*i*) जोया हसन
(*b*) पैजेन्ट मूवमेंट्स इन इंडिया	(*ii*) वी. वेंकटेसन
(*c*) फॉरेन आइडेन्टिटीस, जेण्डर कम्युनिटीस एण्ड दी स्टेट (एडि.)	(*iii*) गेल ऑम्वेट
(*d*) इंस्टीट्यूशनूलाइजिंग पंचायती राज इन इंडिया	(*iv*) डी.एन. धनाग्रे

कूट :

	(*a*)	(*b*)	(*c*)	(*d*)
A.	(*ii*)	(*iii*)	(*iv*)	(*i*)
B.	(*iii*)	(*iv*)	(*i*)	(*ii*)
C.	(*i*)	(*ii*)	(*iii*)	(*iv*)
D.	(*iv*)	(*i*)	(*ii*)	(*iii*)

46. विकासशील समाज में सिविल सेवा के बारे में निम्नलिखित कथनों पर विचार करें:

1. इसे परिवर्तन के उपकरण के रूप में क्रिया करनी चाहिए।
2. सामाजिक समता के लिए इसका सरोकार होना चाहिए।
3. निहित स्वार्थों के लिए इसका सर्वनिष्ठ सरोकार होना चाहिए।
4. इसे राजनीतिक रूप से तटस्थ होना चाहिए।

नीचे दिये कूटों से सही उत्तर का चयन करें:

A. 1, 2, 3 और 4 B. 1, 3 और 4
C. 1, 2 और 4 D. 2, 3 और 4

47. सूची-I को सूची-II के साथ सुमेलित करें और नीचे दिए कूटों से सही उत्तर का चयन करें:

सूची-I	सूची-II
(*a*) ध्यान देने का विस्तार	(*i*) मूनी तथा रेली
(*b*) श्रेणी प्रक्रिया	(*ii*) एफ.डब्ल्यू. टेलर
(*c*) मानवीय सम्बन्ध सिद्धान्त	(*iii*) वी.ए. ग्रेक्यूनास
(*d*) प्रकार्यात्मक फोरमैनी प्रक्रिया	(*iv*) एल्टन मेयो

कूट :

	(*a*)	(*b*)	(*c*)	(*d*)
A.	(*iii*)	(*iv*)	(*i*)	(*ii*)
B.	(*iii*)	(*i*)	(*iv*)	(*ii*)
C.	(*ii*)	(*i*)	(*iv*)	(*iii*)
D.	(*i*)	(*iii*)	(*ii*)	(*iv*)

48. विलोबी द्वारा अपनी पुस्तक 'प्रिंसिपलुस ऑफ पब्लिक एडमिनिस्ट्रेशन' में प्रशासन के सिद्धान्त के रूप में निम्नलिखित में से कौन-सा सम्मिलित नहीं किया गया है?

A. सामान्य ऊपरला प्रशासन
B. समन्वय
C वित्त
D. वैयक्तिक प्रशासन

49. आदेश का एकता सिद्धान्त मुख्यतः निम्नलिखित को सुनिश्चित करता है?

A. जवाबदेयता B. विशिष्टीकरण
C. स्वीकार्यता D. समन्वय

50. टेलर के वैज्ञानिक प्रबन्ध की मुख्य विशेषताओं में से एक निम्नलिखित में से कौन-सी नहीं है?

A. समय तथा गति अध्ययन
B. निर्णय लेने में भागीदारी
C विभेदक उजरती-दर-व्यवस्था
D. प्रकार्यात्मक फोरमैनी

51. वेबर की आदर्श प्रकार की नौकरशाही को विकासशील समाजों के लिये अनुपयुक्त निम्नलिखित में से किसने बताया है?

A. एच. साइमन B. चेस्टर आई. बरनार्ड
C. फ्रेड डब्ल्यू. रिग्गुस D. ड्वाइट वाल्डो

52. भारतीय संसद की आश्वासन समिति उपकरण है

A. कार्यपालिका का नियन्त्रण
B. न्यायिक नियन्त्रण
C. सिविल समाज नियन्त्रण
D. वैधानिक नियन्त्रण

53 हरबर्ट साइमन के अनुसार 'यदि कोई निर्णय वैयक्तिक उद्देश्य की ओर निर्दिष्ट हो' तो वह होता है

A. संगठनात्मक रूप से संगत
B. व्यक्तिगत रूप से संगत
C. वस्तुगत रूप से संगत
D. आत्मरूप से संगत

54. 'लाइन' और 'स्टाफ' के कार्य में अन्तर करने का सर्वाधिक तार्किक मापदण्ड क्या है?

A. कार्यात्मक सम्बन्ध B. अधिकार सम्बन्ध
C. कार्यों का समूहीकरण D. विभागीकरण

55 केंद्रीय सतर्कता आयोग किसकी सिफारिश पर स्थापित हुआ था?

A. प्रथम प्रशासन सुधार आयोग
B. गोरेवाला कमेटी रिपोर्ट
C. कृपलानी कमेटी रिपोर्ट
D. सन्थानम कमेटी रिपोर्ट

56 लोकपाल और लोकायुक्त बिल 1968 जिसे लोक सभा ने पारित किया, वह निरर्थक हो गया क्योंकि

A. राज्य सभा ने इसे रद्द कर दिया।
B. राष्ट्रपति ने इसे रोक लिया।
C. दोनों सदनों की संयुक्त समिति ने इसे अस्वीकार कर दिया।
D. चतुर्थ लोक सभा की समयावधि से पहले भंग होने के कारण।

57. निम्नलिखित कमेटियों में से किस कमेटी की रिपोर्ट में कहा गया था कि सामूहिक विकास कार्यक्रम और राष्ट्रीय विस्तार सेवा लोक उत्साह को जगाने में असफल रहे हैं?

A. सरकारिया कमेटी रिपोर्ट

B. एल.एम. सिंघवी कमेटी रिपोर्ट

C. जी.वी.के. राव कमेटी रिपोर्ट

D. बलवन्त राय मेहता कमेटी रिपोर्ट

58. सी. राजगोपालाचारी द्वारा एक अच्छे प्रशासक के छः मूलभूत अपेक्षाओं की सूची के अन्तर्गत निम्नलिखित में से किसे सम्मिलित नहीं किया गया?

A. आचार

B. मामलों को आँकने का सामर्थ्य

C. तकनीकी मामलों में विशेषज्ञता

D. निर्णय लेने में स्थिरता

59. रिश्वत निवारण के लिए सन्थानम कमेटी की स्थापना किस वर्ष हुई?

A. 1961 B. 1962

C. 1963 D. 1964

60. अधोलिखित दो कथन हैं जिनमें से पहले को अभिकथन (A) और दूसरे को तर्क (R) कहा गया है:

अभिकथन (A) : आदेश की इकाई का व्यावहारिक प्रयोग सदैव संभव नहीं होता।

कारण (R) : तकनीकी एवं प्रशासनिक कार्य के लिए भिन्न प्रकार का पर्यवेक्षण चाहिए।

प्रदत्त कूट से सही उत्तर का चयन कीजिए:

A. (A) और (R) दोनों सही हैं और (A) का सही (R) सही स्पष्टीकरण है।

B. (A) और (R) दोनों सही हैं, परन्तु (A) का (R) सही स्पष्टीकरण नहीं है।

C (A) सही है, किन्तु (R) गलत है।

D. (A) गलत है, परन्तु (R) सही है।

61. नव-यथार्थवाद क्या है?

A. विश्व की अप्रिय वास्तविकताओं की उपेक्षा करना।

B. यथार्थवाद की मूल विचारधारा का अधिक "वैज्ञानिक" रूप में पुनर्कथन का प्रयास

C. यह दावा कि अन्तर्राष्ट्रीय समाज मूलतः सुव्यवस्थित और शान्तिप्रिय है।

D. यह दावा कि व्यक्तिगत मानव स्वभाव अन्तर्राष्ट्रीय राजनीति को समझने के लिए मुख्य है।

62. सूची-I को सूची-II के साथ सुमेलित करें और नीचे दिए कूटों से सही उत्तर का चयन करें:

सूची-I (लेखक)	**सूची-II (पुस्तक)**
(*a*) हेडले बुल	(*i*) फेल्ड स्टेट्स
(*b*) नोअम चोमस्की	(*ii*) कॉनफ्लिक्ट एंड डिफेन्स
(*c*) रॉबर्ट कपलन	(*iii*) एनार्कियल सोसाइटी
(*d*) केनेथ बॉल्डिंग	(*iv*) मॉनसून

कूट :

	(*a*)	(*b*)	(*c*)	(*d*)
A.	(*iii*)	(*i*)	(*iv*)	(*ii*)
B.	(*ii*)	(*iii*)	(*i*)	(*iv*)
C.	(*i*)	(*iv*)	(*iii*)	(*ii*)
D.	(*iv*)	(*ii*)	(*i*)	(*iii*)

63. निम्नलिखित अन्तर्राष्ट्रीय राजनीतिक सिद्धान्तवादियों को क्रमानुसार व्यवस्थित करें:

(*i*) रिनाल्ड निबूर (*ii*) इमान्यूल कान्ट

(*iii*) एन्टोनियो ग्रामस्की (*iv*) रॉबर्ट डब्ल्यू. कॉक्स

कूट :

A.	(*iii*)	(*iv*)	(*i*)	(*ii*)
B.	(*iv*)	(*i*)	(*ii*)	(*iii*)
C.	(*i*)	(*ii*)	(*iii*)	(*iv*)
D.	(*ii*)	(*iii*)	(*i*)	(*iv*)

64. आर.एम.ए. (RMA) से क्या अभिप्राय है?

A. रिवोल्यूशन इन मार्शल एफेयर्स

B. रिवोल्यूशन इन मिलिटरी अफेयर्स

C. रिफरेन्डम इन मिलिटरी अफेयर्स

D. रेज़न डी' इटेट इन मास एडमिनिस्ट्रेशन

65. रेज़न डी' इटेट (Raison d' etat) से क्या अभिप्राय है?

A. राष्ट्रीय हित

B. राज्य को सदैव औचित्यपूर्ण तरीके से कार्य करना चाहिए।

C. नागरिकों को राज्य आज्ञा पालन करने के लिए उचित कारण बताए जाने चाहिए।

D. नागरिकों को अच्छे और स्वस्थ जीवन के लिए यथासंभव किशमिशों का उपयोग करना चाहिए।

66. सुरक्षा परिषद् में सुधार करना समस्यापूर्ण क्यों है?

A. स्थायी सदस्यता के विस्तारण के कारण निर्णय लेने में कमी होना।

B. कोई भी वर्तमान स्थायी सदस्य अपने पद को छोड़ने के इच्छुक नहीं होते हैं।

C. किसी भी संभाव्य नए स्थायी सदस्यों के लिए अविवादास्पद केस बनाना मुश्किल होता है।

D. उपर्युक्त सभी।

67. संरचनात्मक समायोजन कार्यक्रमों की अपेक्षा होती है कि

A. गरीब देशों की सरकारों को निजीकरण तथा अन्य उदारवादी उपायों को अपनाना चाहिए।

B. कमजोर अर्थव्यवस्थाओं के राज्यों को गरीबों को ज्यादा संसाधन पुनर्वितरित करने चाहिए।

C. गरीब देशों की सरकारों को सभी बदसूरत तथा जीर्ण-शीर्ण इमारतों को तोड़ देना चाहिए।

D. अल्प निष्पत्ति वाले देशों को पथ्य आहार पर रहना और तंदुरुस्त रहना चाहिए।

68. वर्ष 1955 में आयोजित बांडुग (Bandung) परिषद् में निम्नलिखित में से किसके प्रतिनिधियों ने भाग लिया था?

A. बाइस एशियायी देश।

B. अस्सी अफ्रीकी-एशियायी देश।

C. छब्बीस अफ्रीकी देश।

D. उन्तीस अफ्रीकी-एशियायी देश।

69. "अब तक हमारी सैनिक स्थापना का मुख्य उद्देश्य युद्ध जीतना रहा है। अब से इसका मुख्य उद्देश्य इनसे बचना होगा।" यह किसका कथन है?

A. पार्ल नित्ज़े B. जॉर्ज केनन

C. बरनार्ड ब्रोडी D. रॉबर्ट जरविस

70. निम्नलिखित सन्धियों और समझौतों को क्रमानुसार व्यवस्थित करें। नीचे दिए गए कूटों से सही उत्तर का चयन करें।

(*i*) भारत-यू.एस. परमाणु सन्धि

(*ii*) भारत-सोवियत मित्रता सन्धि

(*iii*) ताशकंद समझौता

(*iv*) शिमला समझौता

कूट :

A. (*iii*) (*ii*) (*iv*) (*i*)

B. (*ii*) (*iii*) (*i*) (*iv*)

C. (*i*) (*iv*) (*ii*) (*iii*)

D. (*iv*) (*i*) (*iii*) (*ii*)

71. एस.ओ.आर.टी (SORT) का विस्तृत रूप बताएँ :

A. स्ट्रैटेजिक ऑफेन्सिव रिडक्शन ट्रीटी

B. स्टेट ऑर्गेनाईजेशन रिप्लान ट्रीटी

C स्ट्रैटेजिक ऑर्डर रिऑर्गेनाइजेशन ट्रीटी

D. सिक्योरिटी ऑर्गेनाइजेशन रिप्लान ट्रीटी

72. निम्नलिखित में से कौन-सा अभिकथन सत्य है?

1. भारत ने एन.पी.टी (NPT) पर हस्ताक्षर किए हैं।
2. चीन ने एन.पी.टी (NPT) पर हस्ताक्षर नहीं किए हैं।
3. भारत और पाकिस्तान ने एन.पी.टी. (NPT) पर हस्ताक्षर नहीं किए हैं।
4. एन.पी.टी. (NPT) पर ईरान नार्थ कोरिया ने हस्ताक्षर किए हैं।

A. सभी सही हैं।

B. सभी गलत हैं।

C. 3 और 4 सही हैं।

D. 1 और 2 सही हैं।

73. निम्नलिखित में से कौन-से अभिकथन सही हैं?

(*i*) भारत रीजनल को-ऑपरेशन के लिए इंडियन ओशन रिम एसोसिएशन का सदस्य है (IOR-ARC)।

(*ii*) आई.ओ.आर.-ए.आर.सी. (IOR-ARC) पाकिस्तान के साथ अच्छे सम्बन्ध स्थापित करने में मदद करता है।

(*iii*) यह विशेष आर्थिक क्षेत्रों को परिभाषित करता है।

(*iv*) हिन्द महासागर में जल दस्युता नहीं है।

कूट :

A. (*i*) और (*ii*) सही हैं।

B. (*iii*) और (*iv*) सही हैं।

C. (*i*) और (*iii*) सही हैं।

D. (*ii*) और (*iv*) सही हैं।

74. बुराई की धुरी (The Axis of Evil) एक उक्ति है जिसका प्रयोग जानबूझ कर जॉर्ज डब्ल्यू. बुश ने 2002 में किसका बोध करवाने के लिए किया था?

A. ईरान, उत्तरी कोरिया और इराक

B. तालिबान, अलकायदा और लेट (LeT)

C. क्यूबा, वेनेजुएला, निकारागुआ

D. पाकिस्तान, अफगानिस्तान, श्रीलंका

75. मार्टिन वेट (Martin Wight) ने अन्तर्राष्ट्रीय राजनीति की तीन दार्शनिक परम्पराओं पर बल दिया है। वे हैं।

A. यथार्थवाद, उदारवाद, मार्क्सवाद

B. यथार्थवाद, बुद्धिवाद, क्रान्तिवाद

C. अतिवाद, यथार्थवाद, धर्म

D. नव-यथार्थवाद, नव-उदारवाद, रचनात्मकवाद

उत्तरमाला

1	2	3	4	5	6	7	8	9	10
B	C	B	B	C	B	B	C	D	D
11	**12**	**13**	**14**	**15**	**16**	**17**	**18**	**19**	**20**
C	D	C	B	A	A	B	B	C	C
21	**22**	**23**	**24**	**25**	**26**	**27**	**28**	**29**	**30**
B	B	A	D	D	A	A	C	B	C
31	**32**	**33**	**34**	**35**	**36**	**37**	**38**	**39**	**40**
C	D	D	C	C	B	C	B	B	A
41	**42**	**43**	**44**	**45**	**46**	**47**	**48**	**49**	**50**
A	B	C	B	B	C	B	B	A	B
51	**52**	**53**	**54**	**55**	**56**	**57**	**58**	**59**	**60**
C	D	B	B	D	D	D	C	B	A
61	**62**	**63**	**64**	**65**	**66**	**67**	**68**	**69**	**70**
B	A	D	B	A	D	A	D	C	A
71	**72**	**73**	**74**	**75**					
A	C	C	A	B					

कुछ चुने हुए प्रश्नों के व्याख्यात्मक उत्तर

2. आधुनिक समाज में सबसे अधिक विवाद का विषय है, राजनीति चिंतन का अस्तित्व, वर्तमान स्तर और भविष्य। इस संबंध में राजनीतिक विद्वान दो गुटों में विभाजित हैं। **प्रथम गुट** के अनुसार, राजनीतिक सिद्धांत का ह्रास (Decline) हो चुका है या पतन की ओर उन्मुख हो रहा है या मर चुका है। इस गुट के प्रमुख समर्थकों में डेविड ईस्टन, अल्फ्रेड कोबन, डाल्टन और लासवैल आदि का नाम उल्लेखनीय है।

दूसरे गुट के अनुसार, राजनीतिक सिद्धांत अपने विकास की चरम सीमा पर है। इस गुट के समर्थकों में ईसाह बर्लिन, लियो स्ट्रास, गुल्ड आदि का नाम उल्लेखनीय है।

5. माओ (Mao) के नेतृत्व में किया गया पहला जन आंदोलन था–"सैकड़ो फूल खिलने दो और अनेक विचार संप्रदायों को शामिल होने दो।" यह आंदोलन उन्होंने 1956 में प्रारंभ किया था।

9. एम.एन. राय द्वारा लिखित मुख्य पुस्तकें हैं–

(i) Reason, Romanticism and Revolution
(ii) New Humanism : A manifesto
(iii) Power, Politics and Parties
(iv) New Orientation
(v) Science and Philosophy
(vi) Scientific Politics
(vii) Beyond Communism
(viii) One Year of non co-operation
(ix) The Future of Indian Politics
(x) India in Transition
(xi) Indian Problem
(xii) Independent India
(xiii) Radical Humanist

10. मैकियावेली ने अपनी रचना 'द प्रिंस' (The Prince) में मानव स्वभाव से संबंद्ध अनेक धारणाएं व्यक्त की है। इसी में से एक है कि 'धन एवं महिला की तुलना।'

मैकियावेली ने 'द प्रिंस' के अतिरिक्त 'Discourses on Livy' की भी रचना की।

11. मार्क्स ने Alienation के लिए चार कारण बताए हैं–

(i) Alienation from product

(ii) Alienation from labour

(iii) Alienation from othermen

(iv) Alienation from himself

22. दिया गया कथन संविधान की जिस प्रकृति की ओर इंगित करता है वह भारतीय एवं अमेरिकी संविधान पर पूरी तरह लागू होती है। इन दोनों देशों के संविधान में लोगों की सर्वोच्चता के साथ संविधान के पुनराविलोकन की शक्ति सर्वोच्च न्यायालय में निहित है।

31. फ्रांसीसी राज्य क्रांति 1789 ई. में लूई सोलहवें के शासनकाल में हुई। समानता, स्वतंत्रता और बंधुत्व का नारा इसी क्रांति की देन है। भारत के संविधान के निर्माण के समय इन तीनों शब्दों को संविधान में शामिल किया गया।

32. राष्ट्रपति पद के प्रत्याशी के लिए निर्वाचक मंडल में 50 प्रस्तावक होते हैं। उनमें से कोई भी दस सदस्य राष्ट्रपति के पद के लिए प्रत्याशी का नाम प्रस्तावित करते हैं।

33. भारतीय संविधान में निम्न अनुच्छेद बाद में जोड़े गए–

अनुच्छेद 51एः 42वें संविधान संशोधन (1976) द्वारा इस अनुच्छेद को जोड़कर संविधान में दस मौलिक कर्त्तव्यों की व्यवस्था की गई। ये मौलिक कर्त्तव्य अनुच्छेद 51ए (भाग-iv ए) शीर्षक से जोड़े गए हैं। 86वें संविधान संशोधन (2002) के तहत एक और मौलिक कर्त्तव्य जोड़ने से मौलिक कर्त्तव्यों की संख्या अब ग्यारह हो गई है।

अनुच्छेद 300एः राज्य किसी भी व्यक्ति को उसकी संपत्ति से वंचित नहीं करेगा। पहले यह प्रावधान मूल अधिकारों के अंतर्गत था, पर संविधान के 44वें संविधान संशोधन (1978) द्वारा इसे अनुच्छेद 300ए में एक सामान्य वैधानिक (कानूनी) अधिकार के रूप में अवस्थित किया गया है।

34. राष्ट्रपति को किसी विधेयक पर अनुमति देने या न देने के निर्णय लेने की सीमा का अभाव है। ऐसे में राष्ट्रपति जेबी वीटो (Pocket Veto) का प्रयोग कर सकता है, क्योंकि अनुच्छेद 111 केवल यह कहता है कि यदि राष्ट्रपति विधेयक लौटाना चाहता है, तो विधेयक को उसे प्रस्तुत किए जाने के बाद यथाशीघ्र लौटा देगा। जेबी वीटो शक्ति के प्रयोग का उदाहरण है, 1986 में संसद द्वारा पारित भारतीय डाकघर संशोधन विधेयक जिस पर तत्कालीन राष्ट्रपति ज्ञानी जैल सिंह ने कोई निर्णय नहीं लिया।

41. प्रश्न में दी गयी समितियों का संबंध पंचायती राज संस्था से है। ये समितियां और उनका गठन का काल निम्न प्रकार से है–

– बलवंत राय मेहता समिति–1957

– अशोक मेहता समिति–1977

– जी.वी.के. राव समिति–1985

– एल.एम. सिंधवी समिति–1986

43. राज्य के नीति-निदेशक तत्व (अनुच्छेद 36-51) में सामाजिक सुरक्षा संबंधी तत्त्व का भी उल्लेख है, जिसके तहत उद्योगों के प्रबंध में कर्मकारों के भाग लेने (अनुच्छेद 43ए) का उल्लेख है। अनुच्छेद 43ए राज्य से यह अपेक्षा करता है कि राज्य उपर्युक्त विधान द्वारा या किसी अन्य प्रकार से किसी उद्योग में लगे हुए उपक्रमों (Undertakings) व स्थापनों (Establishments) अथवा अन्य संगठनों के प्रबंध में कर्मकारों का भाग लेना सुनिश्चित करने के लिए कदम उठाएगा।

44. भारतीय संविधान का अनुच्छेद 356, राज्यों में राष्ट्रपति शासन लागू करने से संबंधित है। इस अनुच्छेद के तहत प्रावधान है कि यदि किसी राज्य के राज्यपाल द्वारा राष्ट्रपति को यह रिपोर्ट दी जाए कि उस राज्य में संवैधानिक तंत्र असफल हो गया है तो वहां राष्ट्रपति शासन लागू किया जा सकता है। इस अनुच्छेद की उपयोगिता को देखते हुए ही डॉ. अम्बेडकर ने उसे 'सुरक्षा कपाट' (Safety Valve) की संज्ञा दी है।

52. भारतीय संसद की आश्वासन समिति (Assurance Committee) इस बात की जांच करती है कि शासन और मंत्रिमंडल के सदस्यों द्वारा समय-समय पर जो

आश्वासन दिए जाते हैं उन्हें किस सीमा तक पूरा किया जाता है। इस समिति का कार्य सदन की प्रक्रिया तथा उसके कार्य संचालन के नियमों पर विचार करना तथा आवश्यकतानुसार उनमें संशोधन की सिफारिश करना है।

55. फरवरी 1964 में संथानम समिति के सुझावों पर दोषी अधिकारियों के विरुद्ध लगाए गए आरोपों की जांच करने के लिए तथा सरकार को दोषी अधिकारियों के विरुद्ध मुकदमा चलाने के संबंध में परामर्श देने की दृष्टि से भारत सरकार ने एक 'केंद्रीय सतर्कता आयोग' (CVC) की स्थापना की। इसका क्षेत्राधिकार केन्द्रीय शासन के समस्त कर्मचारियों, सार्वजनिक उद्यमों के कर्मचारियों, सामूहिक निकायों, केन्द्रीय शासन की कार्यपालिका शक्ति संबंधी मामलों एवं संगठनों तक विस्तृत है। दिल्ली महानगर परिषद् तथा नई दिल्ली नगरपालिका समिति भी CVC के क्षेत्रांतर्गत आता है। CVC राजपत्रित अधिकारियों और उसके समान स्तर वाले कार्मिकों के भ्रष्टाचार से संबंधित मामलों की जांच करता है। संसद सदस्य और मंत्री उसके क्षेत्राधिकार से बाहर हैं।

पूर्व में यह (CVC) एक संसदीय आयोग था जिसके अध्यक्ष केन्द्रीय सतर्कता आयुक्त होते थे जिनकी नियुक्ति राष्ट्रपति द्वारा की जाती थी। केन्द्र सरकार ने 25 अगस्त, 1998 को एक अध्यादेश जारी कर CVC को वैधानिक दर्जा प्रदान कर दिया है। केन्द्रीय सतर्कता आयोग अध्यादेश, 1998 में केंद्रीय सतर्कता आयुक्त के नेतृत्व में बहुसदस्यीय सतर्कता आयोग का प्रावधान है। केन्द्रीय सतर्कता आयुक्त के अतिरिक्त इसमें तीन सतर्कता आयुक्तों की नियुक्ति प्रधानमंत्री की अध्यक्षता वाली एक उच्चाधिकार प्राप्त समिति की सिफारिश पर राष्ट्रपति द्वारा की जाती है।

केन्द्रीय सतर्कता आयुक्त का कार्यकाल 4 वर्ष तथा सतर्कता आयुक्तों का कार्यकाल 3 वर्ष का होता है। किंतु इन पदों पर कार्य करने की अधिकतम आयु सीमा 65 वर्ष है।

पिछले प्रश्न-पत्र (हल सहित)

यू.जी.सी. NET राजनीतिशास्त्र, जून-2012

प्रश्न-पत्र-II

निर्देश : *इस प्रश्न-पत्र में* **पचास (50)** *बहु-विकल्पीय प्रश्न हैं। प्रत्येक प्रश्न के* **दो (2)** *अंक हैं।* **सभी** *प्रश्नों के उत्तर दें।*

1. कौन-सी पुस्तक कार्ल मार्क्स ने नहीं लिखी है?
A. जर्मन आइडियोलॉजी
B. क्रिटिक ऑफ दी गोथा प्रोग्राम
C. पेरिस मैन्युस्क्रिप्टस्
D. साइन्स ऑफ लॉजिक

2. 'व्यक्ति अपने ऊपर, अपनी देह और दिमाग पर संप्रभु है।' यह किसने लिखा है?
A. जे.एस. मिल B. एम.के. गांधी
C. जरेमी बैन्थम D. रॉबर्ट नॉज़िक

3. रजनी कोठारी की 'पॉलिटिक्स इन इंडिया' नामक पुस्तक किस पद्धति के आधार पर लिखी गई है?
A. संरचनात्मक प्रकार्यवाद B. मानकीय सिद्धान्त
C. मार्क्सवाद D. उपयोगितावाद

4. अरस्तु की उपेक्षा करने वाला पहला आधुनिक राजनीतिक विचारक कौन है?
A. मैक्यावली B. बोदां
C. हॉब्स D. लॉक

5. सूची-I को सूची-II के साथ सुमेलित कीजिये और नीचे दिये कूटों की सहायता से सही उत्तर का चयन कीजिये :

सूची-I	**सूची-II**
(a) सर्वहारा/श्रमिक वर्ग की तानाशाही	(i) ग्रामस्की
(b) कम्युनिस्ट पार्टी	(ii) मार्क्स
(c) हेजीमनी	(iii) लेनिन
(d) बहुकेन्द्रीयता	(iv) टोगलियाटी

कूट :

	(a)	(b)	(c)	(d)
A.	(ii)	(iii)	(i)	(iv)
B.	(i)	(ii)	(iii)	(iv)
C.	(iii)	(i)	(ii)	(iv)
D.	(ii)	(i)	(iii)	(iv)

6. सूची-I को सूची-II के साथ सुमेलित कीजिये और नीचे दिये कूटों की सहायता से सही उत्तर का चयन कीजिये :

सूची-I	**सूची-II**
(a) बीसवीं शताब्दी ज़ैकोबिनिज़्म	(i) गांधी
(b) स्वैच्छिक निर्धनता	(ii) अरविन्द
(c) मैंने हिन्दू के रूप में जन्म लिया परन्तु उस रूप में मरूंगा नहीं	(iii) अम्बेडकर
(d) विकास का एकीकृत सिद्धान्त	(iv) एम.एन. रॉय

कूट :

	(a)	(b)	(c)	(d)
A.	(i)	(ii)	(iii)	(iv)
B.	(iv)	(i)	(iii)	(ii)
C.	(ii)	(iii)	(i)	(iv)
D.	(iii)	(i)	(ii)	(iv)

7. गांधीजी ने अपनी व्याख्या की है :
A. उदारवादी के रूप में
B. समाजवादी के रूप में
C. सामाजिक लोकतान्त्रिक के रूप में
D. दार्शनिक अराजकतावादी के रूप में

8. परस्परव्यापी मतैक्य के सिद्धान्त की वकालत किसने की?
A. बर्लिन B. बेरी
C. नॉज़िक D. रॉल्स

9. निम्नांकित में से किसने सामान्य व्यवस्था सिद्धान्त की अवधारणा को सर्वप्रथम विकसित किया?
A. लुडविग वॉन बर्टालान्फी B. कॉलिन चैरी
C. रॉबर्ट के. मर्टन D. टलकोट पार्सनूस

10. संरचनात्मक प्रकार्यवाद को, पद्धति के रूप में, किस की राजनीति का अध्ययन करने के लिए विकसित किया गया?

A. उन्नत पूंजीवाद का
B. विकसित समाजवाद का
C. आधुनिक सर्वाधिकारवाद का
D. विकासशील देशों की राजनीति का

11. सी. राईट मिल्स की पुस्तक 'दी पावर एलीट' किसकी समकालीन राजनीति का अध्ययन है?

A. चीन
B. यूनाइटेड स्टेट्स ऑफ अमेरिका
C. सोवियत यूनियन
D. ग्रेट ब्रिटेन

12. निम्नांकित में से किसने इंग्लैंड के अपने अध्ययन के आधार पर राजनीतिक विकास में संकट की पहचान की?

A. ए.एफ.के. ऑरगांस्की B. लूसियन डब्लयू.पाई
C. एडवर्ड शिल्स D. डेविड एप्टर

13. निम्नलिखित में से कौन-सा युग्म सही रूप में सुमेलित नहीं किया गया है?

A. सी. डब्ल्यू. मिल्स — दी पावर एलीट
B. टी.बी. बोटोमोर — एलीट्स एण्ड सोसाइटी
C. पेरेटो — दी रूलिंग क्लास
D. ऑरटेगा वाइ. गसेट — दी रिवॉल्ट ऑफ दी मासिस

14. 'अधिकारीगण एक दूसरे के लिए कार्य का सृजन करते हैं' यह नियम निम्नलिखित में से किसने प्रतिपादित किया?

A. मैक्स वैबर B. एफ.एम. मार्क्स
C. एच. फाइनर D. एन. पार्किन्सन

15. निम्नलिखित में से कौन-सा युग्म सही नहीं है?

A. यू.एस.ए. — दोहरी नागरिकता
B. भारत — विधि द्वारा स्थापित कार्यविधि
C. ऑस्ट्रेलिया — सरकार का एकात्मक रूप
D. स्विट्ज़रलैंड — बहुल कार्यपालिका

16. मिचेल्स का 'अल्पतन्त्र का लौह नियम' किसके अध्ययन के आधार पर सृजित किया गया?

A. जर्मन सोशल डेमोक्रैटिक पार्टी
B. ब्रिटिश लेबर पार्टी
C. डेमोक्रैटिक पार्टी ऑफ दी यू.एस.ए.
D. कम्युनिस्ट पार्टी ऑफ दी सोवियत यूनियन

17. मॉन्टेस्क्यू का 'सत्ता की पृथकता का सिद्धान्त', मुख्य रूप से किस पर बल देता है?

A. जवाबदेयता B. कुशलता
C. पारदर्शिता D. स्वतन्त्रता

नीचे लिखे चार मदों के दो भाग हैं, एक है कथन (A) और दूसरा कारण (R)।

A. (A) तथा (R) दोनों सही हैं तथा (R), (A) की सही व्याख्या है।
B. (A) तथा (R) दोनों सही हैं तथा (R), (A) की सही व्याख्या नहीं हैं।
C. (A) सही है, परन्तु (R) गलत है।
D. (A) गलत है, परन्तु (R) सही है।

18. **कथन (A) :** सूचना प्रौद्योगिकी ने स्टाफ एजेन्सी को अपरिहार्य बना दिया है।

कारण (R) : स्टाफ एजेन्सी लाइन एजेन्सी को निर्णय लेने में सहायता करती है।

19. **कथन (A) :** आतंकवाद पर युद्ध की घोषणा करते हुए अमेरिका ने बलपूर्वक कहा कि जो राज्य अमरीका के साथ नहीं है वे इसके विरोध में हैं।

कारण (R) : आतंकवाद पर युद्ध की स्थिति में अमरीका ने राज्यों को तटस्थ रहने की स्वतंत्रता नहीं दिया।

20. **कथन (A) :** अम्बेडकर दबे वर्ग (डिपरेस्ड क्लासेस) को अलग निर्वाचक वर्ग मानने के पक्षधर थे।

कारण (R) : वे गाँधी से सहमत थे।

21. **कथन (A) :** राष्ट्रपति शासन केवल संयुक्त राज्य अमरीका में सफल है।

कारण (R) : संयुक्त राज्य अमरीका एकमात्र राज्य है जहाँ लघु विरोधाभास राष्ट्रपति व्यवस्था की सफलता को सुनिश्चित करती हैं।

22. हिन्दुस्तान रिपब्लिक एसोसिएशन के साथ निम्नलिखित में से कौन सम्बन्धित नहीं है?

A. चन्द्रशेखर आजाद B. जोगेश चन्द्र चैटर्जी
C. अरबिन्द घोष D. भगतसिंह

23. इंडियन नेशनल कांग्रेस को संविधान किसने दिया और उसे जनसमूह (मास) एवं संवर्ग (काडर) दल बनाया?

A. तिलक B. गोखले
C. मोतीलाल नेहरू D. गांधी

24. अन्तर-राज्य परिषद् की नियुक्ति कौन करता है?
A. भारत का राष्ट्रपति B. संघीय मन्त्रिमण्डल
C. प्रधानमन्त्री D. संघीय गृह मन्त्री

25. वो राज्य बताइए जिनकी राजकीय विधान सभाएँ राज्य की राजधानी को छोड़कर अन्य स्थान पर भी बैठक करती हैं :
A. जम्मू-कश्मीर एवं मध्य प्रदेश
B. मध्य प्रदेश एवं कर्नाटक
C. महाराष्ट्र और आन्ध्र प्रदेश
D. जम्मू-काश्मीर एवं महाराष्ट्र

26. भारतीय संविधान का कौन-सा संशोधन मन्त्रियों की संख्या को सीमित करता है?
A. 73वाँ B. 86वाँ
C. 87वाँ D. 91वें

27. निम्नलिखित में से कौन-सी समिति भारत में पंचायती राज से सम्बन्धित नहीं है?
A. सादिक अली समिति B. दिनेश गोस्वामी समिति
C. एल.एम. सिंघवी समिति D. पी.के. थुंगन समिति

28. भारत में निम्नलिखित उप-प्रधान मन्त्रियों के नियुक्त होने का सही अनुक्रम बताइए :
(i) सरदार वल्लभभाई पटेल
(ii) चौ. देवीलाल
(iii) चौ. चरण सिंह
(iv) मोरारजी देसाई

कूट :
A. (i), (iii), (iv), (ii)
B. (i). (iv), (ii), (iii)
C. (iv), (i), (ii), (iii)
D. (i), (iv), (iii), (ii)

29. भारत की संविधान सभा के अन्दर निम्नांकित में से कौन अल्पतंत्र समूह था?
A. नेहरू, पटेल, प्रसाद, आजाद
B. अम्बेडकर, बी.एन.राव, के.एम. मुंशी, नेहरू
C. पटेल, आजाद, मुंशी, अम्बेडकर
D. कृष्णामाचारी, पाणिकर, नेहरू, पटेल

30. भारतीय अर्थव्यवस्था को 'बैलगाड़ी पूंजीवाद' के रूप में किसने परिभाषित किया?
A. रजनी कोठारी B. अतुल कोहली
C. ग्रानविल ऑस्टिन D. लॉयड एवं सुजेन रूडोल्फ

31. राष्ट्रीय, राज्य एवं स्थानीय सरकार की कार्यकारी शाखाओं की गतिविधियों के रूप में लोक प्रशासन की व्याख्या किसने की?
A. मार्स्टीन मार्क्स B. लूथर गुलिक
C. हर्बर्ट ए. साइमन D. मार्शल इ. डिमॉक

32. लोक लेखा समिति के सदस्य निम्नांकित होते हैं। सही उत्तर पर चिह्न लगाइयेः

	लोकसभा	**राज्यसभा**	**कुल**
A.	10	5	15
B.	15	7	22
C.	11	5	16
D.	17	10	27

33. 'नियन्त्रण के क्षेत्र' को निम्नलिखित नाम से भी जाना जाता है:
A. दी रिपयेर बॉस
B. दी गैंग बॉस
C. मिलिटरी टाइप ऑफ फोरमैन
D. बिजनिस फ्रंटलाइन

34. 'नौकरशाही' शब्द की सर्वप्रथम किसने रचना की?
A. मैक्स वेबर B. अलेक्जेंडर पोप
C. एम. क्रोजियर D. विंसेंट द गूर्ने

35. स्टाफ एजेन्सी का सही कार्य निम्नलिखित में से कौन-सा है?
A. अधीनस्थ या अवर कर्मचारियों को आदेश जारी करना
B. अवर कर्मचारियों की गतिविधियों को नियन्त्रित करना
C. मुख्य कार्यपालक को परामर्श देना
D. सांस्थानिक सेवाएँ प्रदान करना

36. समाजों के बारे में रिग्गस के परिप्रेक्ष्य के सम्बन्ध में निम्नांकित कथनों में से कौन-सा सही नहीं है?
A. एकीकृत (समेकित) समाज पारम्परिक हैं।
B. विकसित समाज विवर्तनीय समाज हैं।
C. विवर्तनीय समाजों में आरोप्य मूल्य पाए जाते हैं।
D. पारम्परिक समाजों के आरोप्य मूल्य होते हैं।

37. संचार के अनौपचारिक चैनल को निम्नलिखित नाम से भी जान। जाता है:
A. फीडबेक B. ग्रेपवाइन
C. लूपलाइन D. नर्वलाइन

.. विचारकों को अवधारणाओं के साथ सुमेलित कीजिए।

विचारक	अवधारणा
(a) एफ. डब्ल्यू. टेलर	(i) श्रेणी (स्कैलर)
(b) चैस्टर बर्नाई	(ii) असन्तोषकारी
(c) हैनरी फेयोल	(iii) स्वीकृति का क्षेत्र
(d) फ्रेडरिक हर्ज़बर्ग	(iv) प्रोत्साहन प्रणाली

सही क्रम चुनिए:

कूट :

	(a)	(b)	(c)	(d)
A.	(ii)	(iii)	(i)	(iv)
B.	(iii)	(ii)	(iv)	(i)
C.	(iv)	(ii)	(iii)	(i)
D.	(iv)	(iii)	(i)	(ii)

39. किसने कहा कि 'बजट कीमत की नेत्थियों के साथ लक्ष्यों का क्रम है'?

A. विल्डाव्स्की B. वालपोल

C. बट्रैम ग्रॉस D. ऐलेन शिक

40. संविधान का कौन-सा अनुच्छेद संसद को अखिल भारतीय सेवाओं की स्थापना की शक्ति प्रदान करता है?

A. अनुच्छेद 300 B. अनुच्छेद 312

C. अनुच्छेद 320 D. अनुच्छेद 410

41. निम्नलिखित में से क्या ब्रेट्टन वुड्स सम्मेलन के परिणामस्वरूप हुआ?

A. संयुक्त राष्ट्र

B. राष्ट्र संघ

C. आणविक प्रसरण रोकने के लिए संस्थान

D. विश्व बैंक और अंतरराष्ट्रीय मुद्रा कोष

42. हंस जे. मॉर्गनथो के यथार्थवाद का मूलभूत सिद्धान्त निम्नलिखित में से कौन-सा नहीं है?

A. राजनीति की जड़ें मानव प्रकृति में जमी हैं।

B. राजनीति स्वचालित होती है।

C. राष्ट्रीय हित की व्याख्या सत्ता के सम्बन्ध में की जाती है।

D. राजनीति सार्वभौमिक नैतिक मूल्यों द्वारा शासित होती है।

43. मार्शल योजना किसके लिए थी?

A. तृतीय विश्व की अर्थव्यवस्थाएं निर्मित करना।

B. पश्चिमी यूरोपियन अर्थव्यवस्थाओं को पुनर्निर्मित करना।

C. उत्तर-अमेरिकन देशों की अर्थव्यवस्थाओं का पुनःनिर्माण करना।

D. अफ्रीकी देशों की अर्थव्यवस्थाओं का निर्माण।

44. संयुक्त राष्ट्र सुरक्षा परिषद् में रूस को स्थायी सदस्यता उसकी किस योग्यता के आधार पर दी गई है?

A. विश्व में द्वितीय सर्वाधिक शक्तिशाली देश

B. पूर्व सोवियत यूनियन का उत्तराधिकारी राज्य

C. क्षेत्र के सम्बन्ध में विश्व में सबसे बड़ा देश

D. विश्व में सबसे प्राचीनतम सभ्यता

45. कैनेथ वाल्ज के नव-यथार्थवाद का मुख्य तर्क यह है कि:

A. संरचनाएं कर्ता की अपेक्षा ज्यादा महत्वपूर्ण है।

B. संरचनाओं की तुलना में कर्ता ज्यादा अहम भूमिका अदा करते हैं।

C. मानवीय प्रकृति राजनीति में महत्वपूर्ण तत्व है।

D. अंतर्राष्ट्रीय संरचनाओं द्वारा आरोपित प्रतिबंधों को राष्ट्र अभिभूत कर लेते हैं।

46. अपने पड़ोसी देशों के प्रति भारत की नीति का अपारस्परिकता सिद्धान्त किस बात का विचार करता है?

A. पड़ोसी देशों के प्रति नायकत्व की योजना

B. पड़ोसी देशों के साथ पारस्परिकता के बिना सम्बन्धों को सुधारने के प्रयत्न

C. दक्षिण-एशियाई संदर्भ में गुट निरपेक्ष नीतिक रूख

D. पड़ोसी देशों को अनुशासित करना

47. नीचे दी गई घटनाओं का सही कालानुक्रमिक क्रम क्या है?

(i) भारत-रूसी मैत्री सन्धि

(ii) पोकरण में भारत का प्रथम आणविक विस्फोट

(iii) क्यूबा सम्बन्धी मिसाइल संकट

(iv) भारत के संरचनात्मक समायोजन कार्यक्रम को अपनाना।

नीचे दिये कूटों से सही उत्तर का चयन करें:

A. (ii), (iv), (iii), (i)

B. (iii). (i), (ii), (iv)

C. (iv), (ii), (i), (iii)

D. (i), (iv), (iii), (ii)

48. अभिकथन (A) : विश्व व्यापार संगठन (WTO) पैरवी करता है कि मुक्त व्यापार सबके लिए समृद्धता लाता इसलिए इसे बढ़ावा दिया जाना चाहिए।

कारण (R) : व्यापार की प्रणाली के जरिये देशों का वैश्विक अर्थव्यवस्था के साथ एकीकरण उन्हें वस्तुओं का बाहर निर्यात करने तथा अपनी जरूरत की वस्तुओं का आयात करने में सहायता करता है।

A. (A) और (R) सत्य हैं और (R), (A) की सही व्याख्या है।

B. (A) और (R) सत्य हैं, परन्तु (R), (A) की सही व्याख्या नहीं है।

C. (A) सत्य है, परन्तु (R) सत्य नहीं है।

D. (A) सत्य नहीं है, परन्तु (R) सत्य है।

49. सन् 2007 में, नई दिल्ली में आयोजित 14वें सार्क शिखर सम्मेलन ने किस पर जोर दिया?

A. अंतः क्षेत्रीय संयोजन सुधारना

B. सार्क के अन्दर द्विपक्षिता के प्रति वचनबद्धता

C. अन्य क्षेत्रीय संगठनों के साथ सार्क को जोड़ना

D. सार्क की सदस्यता को नहीं बढ़ाना।

50. संयुक्त राष्ट्र की सामूहिक सुरक्षा व्यवस्था निम्नलिखित में से किसके सिद्धान्त पर आधारित है?

A. सभी एक के लिए, एक सभी के लिए।

B. युद्धरत राष्ट्रों के विरुद्ध एकतरफा प्रतिबंध लगाना।

C. बड़ी या प्रमुख शक्तियों द्वारा सुरक्षा बनाए रखना।

D. साम्या की स्थिति द्वारा शक्ति का संतुलन बनाए रखना।

उत्तरमाला

1	2	3	4	5	6	7	8	9	10
D	A	A	C	A	B	D	D	A	D
11	**12**	**13**	**14**	**15**	**16**	**17**	**18**	**19**	**20**
B	B	C	D	C	A	D	B	A	C
21	**22**	**23**	**24**	**25**	**26**	**27**	**28**	**29**	**30**
A	C	D	A	D	D	B	D	A	D
31	**32**	**33**	**34**	**35**	**36**	**37**	**38**	**39**	**40**
C	B	C	D	C	C	B	D	A	B
41	**42**	**43**	**44**	**45**	**46**	**47**	**48**	**49**	**50**
D	D	B	B	A	B	B	A	A	A

प्रश्न-पत्र–III

निर्देश : *इस प्रश्न-पत्र में* ***पचहत्तर (75)*** *बहु-विकल्पीय प्रश्न हैं। प्रत्येक प्रश्न के* ***दो (2)*** *अंक हैं।* ***सभी*** *प्रश्न अनिवार्य हैं।*

1. निम्नलिखित में से कौन-सा अभिकथन सत्य नहीं है?

A. उत्तर व्यवहारवादी राजनीतिक सिद्धान्त मूल्य और तथ्य में परस्पर सम्बन्ध स्थापित करता है।

B. उत्तर व्यवहारवादी राजनीतिक सिद्धान्त सजाति केन्द्रित होता है।

C. उत्तर व्यवहारवादी राजनीतिक सिद्धान्त का कार्य और प्रासंगिकता से संबंध होता है।

D. उत्तर व्यवहारवादी राजनीतिक सिद्धान्त परिवर्तनोन्मुखी होता है।

2. सकारात्मक उदारवाद का निम्नलिखित में से किसमें विश्वास नहीं है?

A. कल्याण राज्य

B. नैनी (छोटे राज्य)

C. नैतिक माध्यम के रूप में राज्य

D. लघु (मिनिमल) राज्य

3. मार्क्स निम्नलिखित में से किसको नहीं मानते हैं?

A. मानव चेतना सामाजिक अस्तित्व का निर्धारण करती है।

B. विचार भौतिक शक्तियों की अन्योन्य क्रिया का प्रतिबिम्ब होते हैं।

C. आधार अधिरचना का निर्धारण करता है।

D. वस्तु सक्रिय और गतिशील होती है।

4. रॉल्स की न्याय की संकल्पना किस पर आधारित है?
A. वितरण सिद्धान्त
B. समझौता सिद्धान्त
C. अन्तर सिद्धान्त
D. संप्रक्त पद्धति सिद्धान्त

5. 'विचारधारा' शब्द का प्रयोग सर्वप्रथम किस वर्ष में किया गया था?
A. 1789
B. 1792
C. 1795
D. 1797

6. सत्यवीर की कथा जिसका अनुवाद गांधीजी द्वारा गुजराती में किया गया था वह निम्नलिखित में से किसमें से थी?
A. द प्रिंस
B. डायलॉग्स ऑफ प्लैटो
C. द सोशल कान्ट्रैक्ट
D. वार एंड पीस

7. साम्यवाद को एशियाटिक फार्म में किसने अनुकूलित किया?
A. एम.एन. रॉय
B. माओ त्से तुंग
C. लेनिन
D. ट्रॉटस्की

8. निम्नलिखित में से कौन-सा अभिकथन सत्य है?
A. प्लैटो का न्याय विधिक संकल्पना है।
B. न्याय के लिए ग्रीक शब्द 'डिकायसून' है।
C. प्लैटो के न्याय से तात्पर्य है कथनी और करनी में सत्यता और ईश्वर तथा व्यक्ति का ऋण चुकाना।
D. प्लैटो का न्याय संप्रभु की शक्तियों द्वारा प्रवर्तित और उसके नाम के लिए बनाए गए कानून और संस्थानों के अनुरूप है।

9. 'स्टेट ऑफ नेचर' पर लॉक का विचार है:
A. पूर्व सामाजिक
B. पूर्व राजनैतिक
C. पूर्व सामाजिक तथा पूर्व राजनैतिक
D. सामाजिक तथा राजनैतिक

10. निम्नलिखित में से कौन-सा अभिकथन सत्य है?
A. 'द प्रिन्स' में गणतन्त्र में राजनीतिक अस्थिरता बनाए रखने के लिए मांगें उपलब्ध कराने पर विचार किया गया है।
B. 'द डिस्कोर्सस' में जागीरों में राजनीतिक अस्थिरता बनाए रखने के लिए अपेक्षाएं प्रतिपादित करना है।
C. 'द प्रिन्स' राजाओं की गुणवताओं से सम्बन्धित है। 'द डिस्कोर्सस' में नागरिकों की मांगों पर अपेक्षाकृत अधिक बल दिया गया है।
D. उपर्युक्त में से कोई नहीं।

11. यह किसने कहा है कि 'मानव स्वभाव सामाजिक संबंधों की समष्टि है'?
A. गांधीजी
B. एम.एन. रॉय
C. अरबिन्दो
D. माओ

12. अरबिन्दो मुख्यतः किसके लिए विख्यात हैं?
A. राजनीतिक विचारधारा
B. क्रान्तिकारी कार्यक
C. लाइफ डिवाइन
D. माता के साथ संबंध

13. नीचे दो अभिकथन दिये गये हैं, एक को कथन (A) और दूसरे को कारण (R) कहा गया है :

कथन (A) : प्लेटो का न्याय सही कार्य करने की प्रवृत्ति का प्रतिपादन करता है।

कारण (R) : अन्याय झेलने से अच्छा है अन्याय करना।

A. (A) और (R) दोनों सत्य हैं और (R), (A) का सही स्पष्टीकरण है।
B. (A) और (R) दोनों सत्य हैं, परन्तु (R), (A) का सही स्पष्टीकरण नहीं है।
C. (A) सत्य है, परन्तु (R) असत्य है।
D. (A) असत्य है, परन्तु (R) सत्य है

14. सूची-I का सूची-II के साथ मिलान क
गए कूट से सही उत्तर का चयन क

सूची-I (लेखक)	सूची- (पुस्त
(a) फ्रेडरिक हायक	(i) द पे
(b) जॉन रॉयल्स	(ii) न्याय
(c) अमर्त्य सेन	(iii) द रं
(d) प्लैटो	(iv) ए १

कूट :

	(a)	(b)	(c)	(d)
A.	(iv)	(i)	(iii)	(ii)
B.	(iii)	(iv)	(ii)	(i)
C.	(i)	(ii)	(iv)	(iii)
D.	(ii)	(iii)	(i)	(iv)

15. अरस्तू के कार्योत्पादन सिद्धान्त में निम्ना
अनुक्रम क्या है?
(i) भौतिक कारण
(ii) औपचारिक कारण
(iii) अन्तिम कारण
(iv) निमित्त कारण

नीचे दिए गए कोड से सही उत्तर का चयन करें:

A. (ii) (iv) (iii) (i)
B. (iv) (iii) (i) (ii)
C. (iii) (i) (ii) (iv)
D. (i) (iv) (ii) (iii)

16. यह किसका कथन है कि संरचनात्मक, कार्यात्मक विश्लेषण, परिवर्तन में दुर्बल था, सामाजिक प्रक्रिया विश्लेषण राजनीति में और सिद्धान्त में तुलनात्मक इतिहास दृष्टिकोण दुर्बल था?

A. हंटिंगटन B. पॉल एफ क्रेस
C. जीन ब्लान्डेल D. समीर अमीन

17. निम्नलिखित में से किसने मार्क्सवाद के वैकल्पिक दृष्टिकोण के रूप में कार्यात्मकवाद की व्याख्या की है?

A. पॉल एफ. क्रेस
B. निकोलसन और रेनॉल्ड
C. डब्ल्यू. जी. रूनसीमैन
D. मॉर्टन कपलन

18. निम्नलिखित में से किसने मानवीय व्यवहार को अनिवार्य इंजीनियरी आमुखीकरण देने का प्रयास किया है?

A. इनपुट-आउटपुट-विश्लेषण
B. संरचनात्मक कार्यात्मक दृष्टिकोण
C. संप्रेषण सिद्धान्त
D. व्यवहारात्मक दृष्टिकोण

19. आलमन्ड की राजनैतिक व्यवस्था की विशेषताएँ अधिकतर निम्नलिखित में से किसके राजनीतिक व्यवस्था से मिलती-जुलती हैं?

A. यूनाइटेड स्टेट्स ऑफ अमेरिका
B. स्कैन्डीनेवियन देश
C. विकासशील देश
D. लेटिन अमेरिकन देश

20. निम्नलिखित में से कौन राजनीतिक संगठनों के सांस्थानिकीकरण और प्रक्रियाओं के साथ राजनीतिक विकास का संबंध मानते हैं?

A. हंटिंगटन B. लूसियन पाई
C. ऑरगैनस्की D. ऑलमन्ड

21. निम्नलिखित में से कौन-से दृष्टिकोण/सिद्धान्त से सर्वप्रथम लोकतन्त्र और समाजवाद की समीक्षा आरम्भ की गई?

A. एलाइट का सिद्धान्त
B. संरचनात्मक, कार्यात्मक दृष्टिकोण
C. संप्रेषण सिद्धान्त
D. गेम थ्योरी

22. निम्नलिखित में से किसने गैर-प्रतियोगी पार्टी-प्रणाली को एक दल सत्तावादी, एक दल बहुवादी और एक दल सत्ताधारी में विभाजित किया?

A. एलन बॉल
B. ला पैलोम्बरा और मायरन वीनियर
C. हैरी एकेस्टीन
D. जेम्स जप्प

23. निम्नलिखित में से किस प्रकार की सरकार में, सरकारें विधान मंडल के अनिवार्य भाग के रूप में द्वितीय सदन होती हैं?

A. अध्यक्षात्मक B. संसदीय
C. एकात्मक D. संघीय

24. निम्नलिखित में से किस पुस्तक में 'भारत की राजनीति' पर अध्याय हैं?

A. द सिविक कल्चर रीविज़िटेड
B. पॉलिटिक्स एंड गवर्नमेंट
C. पॉलिटिकल डेवलेपमेन्ट एंड सोशल चेंज
D. कम्पैरेटिव पॉलिटिक्स टुडे

25. सूची-I को सूची-II के साथ मिलान करें और नीचे दिए गए कोड में से सही उत्तर का चयन करें:

सूची-I (सरकार का प्रकार)	**सूची-II (देश का नाम)**
(a) संसदीय, संघीय रिपब्लिकन	(i) यूनाइटेड किंगडम
(b) अध्यक्षात्मक, संघीय रिपब्लिकन	(ii) भारत
(c) संसदीय, एकात्मक राजतन्त्रात्मक	(iii) फ्रांस
(d) संसदीय कम अध्यक्षात्मक एकात्मक रिपब्लिकन	(iv) यूनाइटेड स्टेट्स ऑफ अमेरिका

कूट :

	(a)	(b)	(c)	(d)
A.	(i)	(ii)	(iii)	(iv)
B.	(ii)	(iii)	(iv)	(i)
C.	(iii)	(ii)	(i)	(iv)
D.	(ii)	(iv)	(i)	(iii)

26. निम्नलिखित में से किस देश में राज्य न्यायालयों को सभी स्तर के न्यायालयों को न्यायिक पुनरीक्षण का अधिकार प्राप्त है?

A. भारत B. स्विट्जरलैंड

C. अमरीका D. ऑस्ट्रेलिया

27. भारतीय संघीय पद्धति, अमरीकी संघीय पद्धति से निम्नलिखित में से किसके संबंध में अलग है?

(1) संघीय विधान मंडल के उच्च सदन में राज्यों का प्रतिनिधित्व

(2) लिखित संविधान होना

(3) अवशिष्ट शक्ति प्रदान किया जाना

(4) द्विपक्षी नागरिकता

नीचे दिए गए कोड से सही उत्तर का चयन करें :

कूट :

A. (1) और (2) B. (3) और (4)

C. (1), (2) और (3) D. केवल (4)

28. निम्नलिखित में से कौन संसदीय सरकार की सबसे महत्त्वपूर्ण विशेषता है?

A. बहुमत शासन

B. रूल ऑफ लॉ

C. संसद के सदस्य का प्रत्यक्ष चुनाव

D. कार्यपालिका का विधान मंडल के प्रति सामूहिक उत्तरदायित्व

29. के.सी. व्हीयरे द्वारा निम्नलिखित में से कौन-सी संघीय पद्धतियों को अन्य संघीय पद्धतियों की जाँच के लिए मॉडल पद्धति माना गया है?

A. ऑस्ट्रेलियन संघीय पद्धति

B. अमेरिकन संघीय पद्धति

C. स्विस संघीय पद्धति

D. कैनेडियन संघीय पद्धति

30. नीचे दो अभिकथन दिये गये हैं, एक को कथन (A) और दूसरे को कारण (R) कहा गया है। दिए गए कोड में से सही उत्तर का चयन करें।

कथन (A) : संकट की स्थिति के लिए अध्यक्षात्मक पद्धति उपयुक्त होती है।

कारण (R) : राष्ट्रपति की पदावधि निश्चित होती है।

A. (A) और (R) दोनों सत्य हैं और (R), (A) का सही स्पष्टीकरण है।

B. (A) और (R) दोनों सत्य हैं, परन्तु (R), (A) का सही स्पष्टीकरण नहीं है।

C. (A) सत्य है, परन्तु (R) असत्य है।

D. (A) असत्य है, परन्तु (R) सत्य है।

31. संविधान सभा किसके अन्तर्गत स्थापित की गई थी?

A. क्रिप्स मिशन B. कैबिनेट मिशन प्लान

C. वैवल प्लान D. नेहरू रिपोर्ट

32. यह किसने कहा है कि "भारत का संविधान आशा और प्रेरणा की अपेक्षा भय और संत्रास में बना था?"

A. पॉल ब्रास B. मायरन वीनर

C. के.सी. वीयर D. जेनिंग्स

33. निम्नलिखित में से संविधान का कौन-सा अनुच्छेद विधान मंडल को असंवैधानिक और अमान्य घोषित होने से रोकता है?

A. अनुच्छेद 15 B B. अनुच्छेद 51 A

C. अनुच्छेद 31 B D. अनुच्छेद 29 A

34. भारतीय संविधान में निम्नलिखित में से कौन से संशोधन में शिक्षा के अधिकार को मौलिक अधिकार बनाया गया है?

A. 92 वाँ B. 94 वाँ

C. 93 वाँ D. 91 वाँ

35. निम्नलिखित में से कौन-सा अभिकथन सत्य नहीं है?

A. आपात् स्थिति की प्रथम उद्घोषणा 1962 में की गई थी।

B. आपात् स्थिति की दूसरी उद्घोषणा 1971 में की गई थी।

C. आपात् स्थिति की तृतीय उद्घोषणा 1975 में की गई थी।

D. आपात् स्थिति की दूसरी और तीसरी उद्घोषणाएँ 1978 में निरस्त की गई थीं।

36. केन्द्र और राज्यों के बीच विवाद पर निर्णय के लिए भारत के सर्वोच्च न्यायालय की शक्तियाँ निम्नलिखित में से किसके अन्तर्गत आती हैं?

A. परामर्शकारी क्षेत्राधिकार

B. अपीलीय क्षेत्राधिकार

C. मूल क्षेत्राधिकार

D. परामर्शकारी और अपीलीय क्षेत्राधिकार

37. भारतीय राजनीति को 'माँगजन्य व्यवस्था' और 'आदेशात्मक व्यवस्था' के बीच संघर्ष का काल किसने माना है?

A. रजनी कोठारी

B. पार्थ चेटर्जी

C. लॉयड और सूसेन रूडॉल्फ

D. मायरन वीनर

38. जाति आधारित आरक्षणों को माना जाता है :

A. स्वीकार्य कार्यवाही B. सकारात्मक भेदभाव

C. राज्य हस्तक्षेप D. समाज समकरण

39. राजा धरे और नाम देवधसल किस दलित आंदोलन के नेता हैं?

A. दलित टाइगर B. भीम शक्ति

C. दलित पैन्थर D. दलित एलीफैन्ट

40. लॉयड और सूसेन-रूडोल्फ ने भारत में राज्य को 'पॉलिमॉर्फस' माना। इससे क्या अभिप्राय है?

A. विभिन्न रूपों और अभिविन्यास के व्यक्ति

B. बहुविध परतों के व्यक्ति

C. संकर व्यक्ति

D. लगातार परिवर्तनशील व्यक्ति

41. 'पॉलिटिकल इकोनॉमी ऑफ डेवलपमेन्ट इन इंडिया' पुस्तक के लेखक कौन हैं?

A. अमर्त्य सेन B. सुविप्ता कविराज

C. प्रनब बर्धन D. हन्ज़ा अल्वी

42. स्वतन्त्र और निष्पक्ष चुनाव सुनिश्चित करने के लिए और पंचायतों के निर्वाचन का संचालन करने के लिए निम्नलिखित में से किसमें शक्ति निहित की जानी चाहिए?

A. भारत के मुख्य चुनाव आयुक्त

B. राज्य के मुख्य मन्त्री

C. राज्य निर्वाचन आयोग

D. राज्य के मुख्य सचिव

43. **कथन (A) :** भारत के राष्ट्रपति राज्य के संवैधानिक प्रमुख होते हैं।

कारण (R) : प्रधानमन्त्री की अध्यक्षता में मन्त्री परिषद के पास सभी शक्तियाँ निहित होती हैं।

नीचे दिये कूटों से सही उत्तर का चयन कीजिये :

A. (A) और (R) दोनों सत्य हैं और (R), (A) का सही स्पष्टीकरण है।

B. (A) और (R) दोनों सत्य हैं, परन्तु (R), (A) का सही स्पष्टीकरण नहीं है।

C. (A) सत्य है, परन्तु (R) असत्य है।

D. (A) असत्य है, परन्तु (R) सत्य है।

44. सूची-I को सूची-II के साथ सुमेलित कीजिये और नीचे दिये कूटों की सहायता से सही उत्तर का चयन कीजिये :

सूची-I	सूची-II
(a) मुस्लिम लीग का उद्गमन	(i) 1940
(b) लखनऊ समझौता	(ii) 1906
(c) मोतीलाल नेहरू रिपोर्ट	(iii) 1916
(d) मोहम्मद अली जिन्ना द्वारा प्रवर्तित द्विराष्ट्रीय सिद्धान्त	(iv) 1928

कूट :

	(a)	(b)	(c)	(d)
A.	(iii)	(ii)	(iv)	(i)
B.	(ii)	(iii)	(iv)	(i)
C.	(iv)	(iii)	(i)	(ii)
D.	(i)	(iii)	(iv)	(ii)

45. भारत के निम्नलिखित राष्ट्रपतियों का सही अनुक्रम क्या है? नीचे दिए गए कूट का प्रयोग करें :

(i) डॉ. जाकिर हुसैन

(ii) डॉ. राजेन्द्र प्रसाद

(iii) डॉ. शंकर दयाल शर्मा

(iv) आर. वेंकटरमन

A.	(i)	(ii)	(iv)	(iii)
B.	(ii)	(i)	(iv)	(iii)
C.	(iv)	(iii)	(i)	(ii)
D.	(iii)	(iv)	(ii)	(i)

46. निम्नलिखित कथनों पर ध्यान दीजिए :

संगठनात्मक सिद्धान्तों के क्षेत्र में,

(i) [illegible]ठनात्मक सिद्धान्तों को बनाते हुए, गुलिक फेयोल के चौदह सिद्धान्तों से प्रभावित था।

(2) उर्विक प्रशासन के मन्तव्य से कमेटियों के प्रयोग के सम्बन्ध में चेतावनी देता है।

(3) गुलिक कार्य विभाजन के आधार को कोई महत्व नहीं देता।

(4) फेयोल का 'आदेशों की एकता' के सिद्धान्त में विश्वास है।

उपरोक्त में से कौन-सा/से कथन सही है/हैं?

A. 1, 2, 3 और 4

B. 1, 2 और 3

C. 1 और 4

D. 1, 2 और 4

47. सूची-I को सूची-II के साथ सुमेलित कीजिये और नीचे दिये कूटों की सहायता से सही उत्तर का चयन कीजिये :

सूची-I	सूची-II
(a) फ्रेड्रिक हैज़बर्ग	(i) दि नीड हिरारकी
(b) अब्राहम मास्लो	(ii) दि एग्जिस्टैंस ऑफ कलैक्ट्स
(c) फ्रेड डब्ल्यू. रिग्स	(iii) मोटिवेटर हाइजिन एपरोच
(d) एम.पी. फोलेट्ट	(iv) कांसेप्ट ऑफ पार्टनरशिप

कूट :

	(a)	(b)	(c)	(d)
A.	(iii)	(i)	(ii)	(iv)
B.	(ii)	(iii)	(iv)	(i)
C.	(i)	(iv)	(ii)	(iii)
D.	(iv)	(iii)	(ii)	(i)

48. चैस्टर आई बरनार्ड के अनुसार 'वैध अधिकार का आदेश' के बारे में निम्नलिखित में से कौन-सा सही नहीं है?

A. यह संगठन के मन्तव्य के अनुकूल होना चाहिए।

B. यह बुद्धिगम्य होना चाहिए।

C. यह मौद्रिक दृष्टिकोण से उत्प्रेरक होना चाहिए।

D. इसे व्यवहार्य होना चाहिए।

49. मूने के अनुसार उच्च अधिकारी द्वारा सुनिश्चित अधिकारों का दिया जाना कहलाता है :

A. विकेन्द्रीकरण　　B. प्रत्यायोजन

C. अकेन्द्रीयकरण　　D. वियोजन

50. किसने विकास प्रशासन को ऐसे परिभाषित किया है : "यह क्रियोन्मुखी, उद्देश्योन्मुखी प्रशासनात्मक पद्धति है?"

A. फ्रेड डब्ल्यू. रिग्स　　B. ड्वाइट वाल्डो

C. रोबर्ट डहल　　D. एडवर्ड वीडनर

51. डेविस नकमियास एवं डी.एच. रोजेनब्लूम के अनुसार निम्नलिखित में से 'सहभागिता अधिकारी तन्त्र' का तत्व नहीं है?

A. उन्हें राजनीतिक स्वेच्छाचारिता से बचाने के लिए सिविल सेवा संघ बनाना।

B. राष्ट्रीय अधिकारी तन्त्र में उच्च स्तरीय सामाजिक प्रतिनिधित्व।

C. निर्णयों में अधिकारी-तन्त्र के कर्मचारियों की सहभागिता।

D. अधिकारी-तन्त्र सम्बन्धी नीति-निर्माण में नागरिकों की सहभागिता।

52. निम्नलिखित में से किसने एक संगठन में 'जोन ऑफ इनडिफरैंस' की अवधारणा को प्रारम्भ किया है?

A. हर्बर्ट साइमन　　B. डग्लस मैक्ग्रेगर

C. चेस्टर आई. बरनार्ड　　D. क्रिस अरगाइरस

53. टेलर की मानसिक क्रांति की अवधारणा पक्षधर है :

A. सहकारिता, सामंजस्य एवं सीमित उत्पादन

B. सीमित उत्पादन और सहकारिता

C. सामंजस्य और सहकारिता

D. बचत, सहकारिता और सीमित उत्पादन

54. निम्नलिखित कमेटियों में से किसने पंचायती राज संस्थाओं के लिए द्विस्तरीय प्रणाली की सिफारिश की?

A. अशोक मेहता कमेटी

B. जी.वी.के. राव कमेटी

C. आर.आर. दिवाकर कमेटी

D. एल.एम. सिंघवी कमेटी

55. भारत सरकार द्वारा केन्द्रीय चौकसी आयोग की स्थापना किस वर्ष में की गई?

A. 1961　　B. 1964

C. 1967　　D. 1971

56. निम्नलिखित समितियों को कालानुक्रमिक क्रम में व्यवस्थित करें और नीचे दिए कूटों से सही उत्तर का चयन करें :

(i) कृपलानी समिति

(ii) सांथानम समिति

(iii) टेकचंद समिति

(iv) विवियन बोस समिति

A. (iii) (iv) (i) (ii)
B. (i) (iv) (iii) (ii)
C. (iv) (i) (iii) (ii)
D. (iii) (i) (iv) (ii)

57. निम्नलिखित कमेटियों में से किस कमेटी ने सिफारिश की थी कि ब्लॉक स्तरीय योजना हो?

A. हनुमंत राव कमेटी
B. जी.वी.के. राव कमेटी
C. एल.एम. सिंघवी कमेटी
D. दन्तवाला कमेटी

58. निम्नलिखित में से कौन-सा उदारीकरण का तत्व नहीं है?

A. निविनियमन
B. वि-नौकरशाहीकरण
C. अपनियोजन
D. स्टेटीसेशन

59. 'ओम्बड्समैन' संस्था सर्वप्रथम कहाँ प्रारम्भ हुई?

A. डेनमार्क
B. यूके
C. स्वीडन
D. स्विट्जरलैंड

60. अधोलिखित दो कथन हैं जिनमें से पहले को अभिकथन (A) और दूसरे को तर्क (R) कहा गया है।

अभिकथन (A) : उत्तरदायित्व की चर्चा करते हुए, फोल्लेट कहते हैं कि प्रबन्ध करनेवालों, और जिनका प्रबन्ध किया जाता है, के बीच का अन्तर लुप्त हो रहा है।

तर्क (R) : संगठन में प्रत्येक वैयक्तिक कार्य को अन्य कार्यों के अन्तर आश्रित जानकर देखा जाए।

प्रदत्त कूट से सही उत्तर का चयन कीजिए:

कूट :

A. (A) और (R) दोनों सही हैं और (A) का (R) सही स्पष्टीकरण है।
B. (A) और (R) दोनों सही हैं, परन्तु (A) का (R) सही स्पष्टीकरण नहीं है।
C. (A) सही है, परन्तु (R) गलत है।
D. (A) गलत है, परन्तु (R) सही है।

61. अंतर्राष्ट्रीय राजनीति में उदारवादी परिप्रेक्ष्य के विकास में निम्नलिखित में से कौन महत्वपूर्ण व्यक्ति थे?

A. थॉमस हॉब्स
B. वुडरो विल्सन
C. हैन्स जे मोरगन्थन
D. हेनरी किसिन्गर

62. सूची-I को सूची-II के साथ सुमेलित कीजिये और नीचे दिये कूटों की सहायता से सही उत्तर का चयन कीजिये :

सूची-I	सूची-II
(a) सैम्युअल पी हंटिंग्टन	(i) रिट्रीट ऑफ द स्टेट
(b) जोसफ न्याई	(ii) वर्ल्ड सिस्टम्स
(c) सूसन स्ट्रेन्ज	(iii) क्लैश ऑफ सिविलाइजेशन
(d) इमैनुयल वेलस्ट्रीन	(iv) सॉफ्ट पॉवर

कूट :

	(a)	(b)	(c)	(d)
A.	(iii)	(iv)	(i)	(ii)
B.	(ii)	(iii)	(iv)	(i)
C.	(iv)	(ii)	(iii)	(i)
D.	(iii)	(i)	(ii)	(iv)

63. ब्रेटन वुड्स समझौते के द्वारा :

A. वर्षा प्रचुर वन को बचाने के लिए अभियान चलाने के का नेतृत्व किया गया।
B. यह सिद्ध करता है कि सोवियत यूनियन एक अमिश्रित अर्थव्यवस्था के रूप में सफल था।
C. अन्तर्राष्ट्रीय मुद्रा कोष की स्थापना की गई।
D. विश्व वाइल्ड लाइफ कोष की स्थापना की गई।

64. बहुत से यथार्थवादियों के अनुसार अन्तर्राष्ट्रीय शान्ति किस प्रकार सर्वोत्तम रूप से प्राप्त की जा सकती है?

A. शान्ति प्रिय राज्यों द्वारा शक्तिशाली राज्यों को छूट देकर
B. राज्यों के बीच शक्ति संतुलन बनाकर
C. पूरे विश्व में लोकतान्त्रिक मूल्य स्थापित करके
D. राज्यों का विश्वव्यापी संघ बनाकर

65. नाभिकीय युद्धनीति के क्षेत्र में एम.ए.डी. (MAD) से क्या अभिप्राय है?

A. मिसाइल्स आर डेन्जरस
B. मैमल्स आर डूम्ड
C. मेक अमेरिका डाइ
D. म्यूच्यूअली एश्योर्ड डिस्ट्रक्शन

66. यह किसका कथन है कि "युद्ध एक प्रकार से विदेशी नीति होता है?"

A. कार्ल वॉन क्लोज़ेविट्ज
B. नैपोलियन बोनापार्ट
C. क्युन्सी राइट
D. ह्यूगो क्लोज़ेविट्ज

67. गुट निरपेक्षता जो कि भारत की विदेश नीति है, से अभिप्राय है:

A. तटस्थता

B. शीत युद्ध के दौरान तीन ब्लॉक के बीच समदूरस्थता

C. स्वाधीनता और प्रत्येक मुद्दे को अपने राष्ट्रीय हित में देखना

D. अन्य राज्यों के आन्तरिक मामलों में हस्तक्षेप

68. अधोलिखित दो कथन हैं जिनमें से पहले को अभिकथन (A) और दूसरे को तर्क (R) कहा गया है।

अभिकथन (A) : भारत वैश्विक स्तर पर परमाणु निःशस्त्रीकरण के लिए तथा क्षेत्रीय स्तर पर वास्तविक न्यूनतम हानि के लिए है।

तर्क (R) : भारत की परमाणु नीति द्विलक्षी है।

कूट :

A. (A) और (R) दोनों सही हैं और (R), (A) का सही स्पष्टीकरण है।

B. (A) और (R) दोनों सही हैं, परन्तु (R), (A) का सही स्पष्टीकरण नहीं है।

C. (A) सही है, परन्तु (R) गलत है।

D. (A) गलत है, परन्तु (R) सही है।

69. भारत के विदेश मन्त्रालय के निम्नलिखित मन्त्रियों का सही अनुक्रम बताएँ :

(i) एस.एम. कृष्णा

(ii) अटल बिहारी वाजपेयी

(iii) प्रणव मुखर्जी

(iv) स्वर्ण सिंह

निम्नलिखित को सर्वप्रथम के आधार पर काल क्रमानुसार व्यवस्थित करें :

A.	(iv)	(ii)	(iii)	(i)
B.	(ii)	(iv)	(i)	(iii)
C.	(iv)	(iii)	(ii)	(i)
D.	(i)	(iii)	(iv)	(ii)

70. 'इन्दिरा डॉक्ट्रीन' को भारतीय विदेशी नीति का मुख्य पहलू माना जाता है क्योंकि इसमें परिभाषित किया गया है :

A. भारत की विदेशी नीति के लक्ष्य।

B. यह भारत की सुरक्षा को क्षेत्र और भारत के पूर्व-वर्चस्व से समीकृत करता है।

C. भारत की सुरक्षा क्षेत्र से स्पर्शी हैं और विदेशी शक्तियों के किसी भी प्रकार के हस्तक्षेप को भारत की सुरक्षा के लिए खतरे के रूप में माना जाता है।

D. प्रधानमन्त्री इन्दिरा गाँधी द्वारा अभिव्यक्त मत (डॉक्ट्रीन) पड़ोसी देशों के लिए था।

71. यूनाइटेड नेशन चार्टर मुख्यतः

A. पूर्णतः व्यक्तिगत मानव अधिकारों से संबंधित है।

B. राज्यों के बीच संबंध से संबद्ध है।

C. शान्ति, न्याय, स्वतन्त्रता और आर्थिक तथा सामाजिक अधिकारों जैसे व्यापक विषयों के लिए है।

D. बड़ी, मध्यम और छोटी शक्तियों के अधिकार और कर्त्तव्यों के लिए है।

72. अन्तर्राष्ट्रीय सामाजिक परम्परा को निम्नलिखित के नाम से भी जाना जाता है :

A. अन्तर्राष्ट्रीय संबंधों का एंग्लो-अमेरिकन स्कूल

B. अन्तर्राष्ट्रीय संबंधों का इंगलिश स्कूल

C. अन्तर्राष्ट्रीय संबंधों का यूरोपियन स्कूल

D. अन्तर्राष्ट्रीय संबंधों का वैकल्पिक स्कूल

73. भारत-श्रीलंका समझौते का मुख्य प्रयोजन था :

A. तमिलों के विरुद्ध भारत का युद्ध

B. श्रीलंका का विभाजन करने का भारत का इरादा

C. सिंहाली और तमिलों के बीच सजाति विषयक संघर्ष समाप्त करना

D. तमिल मिलिटेन्ट ग्रुपों को वैधीकरण करना

74. एशिया-पैसिफिक इकोनॉमिक को-ऑपरेशन (APEC) फोरम :

A. क्षेत्रीय समूहों के प्रति अपेक्षाकृत सामान्य प्रवृत्ति का भाग हैं।

B. विश्व के आधे से अधिक GDP (जी.डी.पी.) इनके पास हैं।

C. सदस्य राज्य हैं जिनमें सत्तावादी शासन तथा लोकतन्त्रात्मक शामिल हैं।

D. उपर्युक्त सभी सत्य हैं।

75. शीत युद्ध (कोल्ड वॉर) के प्रति यू.एस. दृष्टिकोण मूल रूप से किसमें स्पष्ट किया गया था?

A. निक्सन डॉक्ट्रीन

B. मार्शल प्लान

C. मूनरो डॉक्ट्रीन

D. ट्रूमन डॉक्ट्रीन

उत्तरमाला

1	2	3	4	5	6	7	8	9	10
B	D	A	C	D	B	B	B	B	C
11	**12**	**13**	**14**	**15**	**16**	**17**	**18**	**19**	**20**
B	C	C	B	D	A	C	C	A	A
21	**22**	**23**	**24**	**25**	**26**	**27**	**28**	**29**	**30**
A	B	D	D	D	C	B	D	B	B
31	**32**	**33**	**34**	**35**	**36**	**37**	**38**	**39**	**40**
B	A	C	C	D	C	C	B	C	A
41	**42**	**43**	**44**	**45**	**46**	**47**	**48**	**49**	**50**
C	C	A	B	B	D	A	C	B	D
51	**52**	**53**	**54**	**55**	**56**	**57**	**58**	**59**	**60**
A	C	C	A	B	D	D	D	C	B
61	**62**	**63**	**64**	**65**	**66**	**67**	**68**	**69**	**70**
B	A	C	B	D	A	C	A	A	C
71	**72**	**73**	**74**	**75**					
C	B	C	D	D					

YOUR SPACE

YOUR SPACE